BOUQUINS

Collection fondée par Guy Schoeller
et dirigée par Jean-Luc Barré

JEAN TULARD
MEMBRE DE L'INSTITUT

DICTIONNAIRE DU CINÉMA

LES ACTEURS

Avec la collaboration de
GRÉGORY ALEXANDRE

Huitième édition revue et augmentée

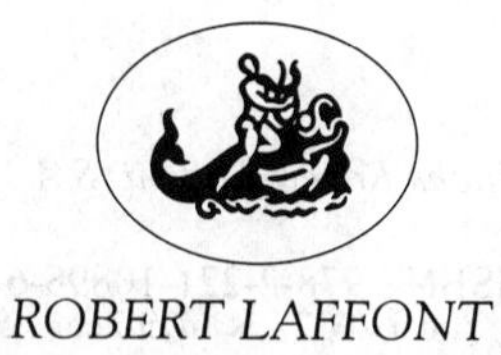

ROBERT LAFFONT

ISBN : 978-2-221-10895-6
Dépôt légal : mai 2007 - N° d'éditeur : 50440/03

AVANT-PROPOS

Dans la mythologie cinématographique, l'acteur occupe la première place. Les stars s'appellent Gary Cooper, Marilyn Monroe, Jean-Paul Belmondo, Isabelle Adjani, Alain Delon... Malgré la « politique des auteurs » donnant, dans les années 60, au réalisateur la véritable responsabilité de l'œuvre, *La comtesse aux pieds nus* reste un film d'Ava Gardner plutôt que de Mankiewicz, et la prestation de Depardieu dans *Cyrano de Bergerac* a fait oublier – injustement – l'excellente mise en scène de Jean-Paul Rappeneau.

Certains acteurs ont – il est vrai – bâti une saga : Laurel et Hardy par exemple dont la filmographie est d'une parfaite homogénéité. Ne parlons pas de Chaplin, Keaton ou Tati, auteurs complets. Un personnage que l'on retrouve de film en film (ces films étant signés par des tâcherons) finit par s'imposer : il y a un cycle Toto comme il y a un cycle des Marx Brothers. Ici l'acteur est roi.

Mais dans l'ensemble, si un film se détermine souvent en fonction de l'accord d'un acteur, l'acteur n'est qu'un élément du film, soumis aux ordres du metteur en scène. Clouzot et Pialat ont eu la réputation de briser, volontairement, moralement et physiquement leurs interprètes.

Pourtant c'est finalement l'image de l'acteur qui apparaît sur l'écran et c'est elle que retient le public.

C'est à la « vedette » que va son intérêt, mais la « vedette » n'occupe pas seule l'écran. Les seconds rôles forcent souvent l'attention : comment ne pas remarquer Saturnin Fabre en oncle excentrique dans *Marie-Martine* ou en vieux « collabo » dans *Les portes de la nuit* ? Impossible de ne pas être fasciné par les mines patibulaires de Lee Van Cleef, Jack Elam ou Lee Marvin dans les séries B américaines de la grande époque. Marcel Herrand n'est pas la tête d'affiche des *Enfants du paradis*, mais son Lacenaire est dans toutes les mémoires. Et les cinéphiles font leurs délices des apparitions d'Alexandre Rignault dans les « nanars » des décennies 30, 40 et 50. Dans ce dictionnaire il est rendu hommage aux « troisièmes couteaux » auxquels le cinéma doit un peu de sa légende.

En revanche le tiers monde est à peu près absent. Non par mépris mais parce que les films égyptiens ou indiens, par exemple, restent mal diffusés. A quoi bon donner des noms d'acteurs ou des listes de films qui ne parlent pas à la mémoire et que l'on risque de ne jamais voir ? N'oublions pas aussi que certains de ces pays refusent le star system.

Pour cette nouvelle édition, la filmographie des acteurs a été largement complétée. La date de chaque film apparaît entre parenthèses et c'est celle du tournage qui a été privilégiée.

Les notices qui suivent doivent beaucoup aux dictionnaires de Bessy et Chardans (1965-1971), Jeanne et Ford (1970), Larousse (1986), Boussinot (1989).

Parmi les études plus détaillées utilisées : Jean-Pierre Coursodon et Bertrand Tavernier, *Trente ans de cinéma américain* (1995) ; Raymond Lefèvre et Roland Lacourbe, *Trente ans de cinéma britannique* (1976) ; Christian Dureau, *Dictionnaire mondial des comédiens* (plusieurs rééditions) ; Raymond Chirat et Olivier Barrot, *Les Excentriques du cinéma français* (1983) ; Jacques Mazeau et Didier Thouart, *Les Grands Seconds Rôles du cinéma français* (1984) ; André Siscot, *Les Gens du cinéma* (essentiel sur l'état civil des acteurs, 1999) ; Yvan Foucart, *Dictionnaire des comédiens français disparus* (2000) ; Olivier Barrot et Raymond Chirat, *Noir et Blanc (1930-1960)* (2000) ; Jean-Jacques Couderc, *Les Petits Maîtres du burlesque américain* (2000) ; Christian Gilles, *Le Cinéma par ceux qui l'ont fait* (5 vol., 2001) et les remarquables ouvrages d'Yves Thoraval sur le cinéma indien et sur le cinéma égyptien publiés à l'Harmattan.

Des fiches détachables avaient été jadis publiées par *Écran* ; depuis ont paru, non moins précieuses, celles de *Monsieur Cinéma* sous la direction de Pierre Tchernia. On n'oubliera pas que *La Saison cinématographique* publie les génériques détaillés des films sortis en France.

Mes remerciements vont à l'équipe du *Guide des films* (paru dans la même collection), notamment à Michel Azzopardi, Éric Le Roy, Henri Guieyesse, Basile Courtel, et tout spécialement à Grégory Alexandre (qui tient de son côté à remercier la Biographie du Spectacle et Christian Le Hémonet) auquel on doit les principaux compléments de l'édition précédente ; M. Castells a ajouté plusieurs notices d'acteurs français oubliés (Davray, Pain...) ; Vincent Bouscarle a été de son côté un lecteur vigilant. Je suis également reconnaissant à Béatrice de La Roncière, Monique Gruaz et Valérie Gautheron d'avoir bien voulu superviser l'ensemble de ce livre.

JEAN TULARD

A

Abbadie, Axelle

Actrice française née en 1951.

1972, Le rempart des béguines (Casaril) ; 1973, OK patron (Vital) ; 1980, Le coup du parapluie (Oury) ; 1982, Jamais avant le mariage (Ceccaldi) ; 1995, Pédale douce (Aghion) ; 1997, Le clone (Conversi) ; 1998, Quasimodo d'El Paris (Timsit) ; 2002, Une femme de ménage (Berri) ; 2003, Les côtelettes (Blier).

Beaucoup de verve et d'ironie chez cette comédienne de théâtre rompue à l'abattage comique. Particulièrement à l'aise dans son personnage de grande bourgeoise pincée, on peut regretter que le cinéma ait si peu fait appel à elle. Elle était formidable de morgue et d'acidité en mère indigne de Quasimodo dans le film de Patrick Timsit.

Abbott et Costello

Acteurs américains, Bud Abbott, 1896-1964, et Lou Costello, 1908-1959.

1940, One Night in the Tropics (Sutherland) ; 1941, Buck Privates (Deux nigauds soldats) (Lubin), In the Navy (Deux nigauds marins) (Lubin), Hold that Ghost (Fantômes en vadrouille) (Lubin) ; Keep' Em Flying (Deux nigauds aviateurs) (Lubin) ; 1942, Ride 'Em Cowboy (Deux nigauds cow-boys) (Lubin), Rio Rita (Simon), Pardon Sarong (Deux nigauds sur une île) (Kenton), Who Done It ? (Deux nigauds détectives) (Kenton) ; 1943, It Ain't Hay (Deux nigauds dans le foin) (Kenton), Hit the Ice (Deux nigauds dans la neige) (Lamont) ; 1944, In Society (Hommes du monde) (Yarbrough), Lost in a Harem (Aventures au harem) (Riesner) ; 1945, The Naughty Nineties (Yarbrough), Abbott and Costello in Hollywood (Simon), Here Come the Co-eds (Deux nigauds au collège) (Yarbrough) ; 1946, Little Giant (Seiter), The Time of Their Lives (Deux nigauds dans le manoir hanté) (Barton) ; 1947, Buck Privates Come Home (Deux nigauds démobilisés) (Barton), The Wistful Widow of Wagon Gap (Deux nigauds et une veuve) (Barton) ; 1948, The Noose Hangs High (36 heures à vivre) (Barton), Abbott and Costello Meet Frankenstein (Deux nigauds contre Frankenstein) (Barton), Mexican Hayride (Deux nigauds toréadors) (Barton) ; 1949, Abbott and Costello Meet the Killer (Deux nigauds chez les tueurs) (Barton), African Screans (Barton) ; 1950, Abbott and Costello in the Foreign Legion (Deux nigauds légionnaires) (Lamont) ; 1951, Abbott and Costello Meet the Invisible Man (Lamont), Comin' Round the Mountain (Deux nigauds chez les barbus) (Lamont) ; 1952, Jack and the Beanstalk (La poule aux œufs d'or) (Yarbrough), Lost in Alaska (Deux nigauds en Alaska) (Yarbrough), Abbott and Costello Meet Captain Kidd (Lamont) ; 1953, Abbott and Costello Go to Mars (Deux nigauds chez Vénus) (Lamont), Abbott and Costello Meet Dr. Jekyll and Mr. Hyde (Deux nigauds contre Dr Jekyll) (Lamont) ; 1954, Hollywood Grows Up (Staub) ; 1955, Abbott and Costello Meet the Keystone Cops (Lamont), Abbott and Costello Meet the Mummy (Deux nigauds et la momie) (Lamont) ; 1956, Dance With Me, Henry (Barton) ; 1959, The 30-Foot Bride of Candy Rock (Costello seul).

Très populaires entre 1940 et 1950, ils supplantèrent Laurel et Hardy en dépit de leur absence de personnalité, de leur incapacité à chanter et à danser, et d'un aspect physique peu sympathique. Ils valurent ce que valaient leurs gags. Pour relancer ceux-ci, l'Universal les opposa à ses monstres, Frankenstein, la Momie, l'Homme invisible. Le premier film en 1948, où ils rencontraient Frankenstein, fut très drôle, notamment la scène finale sur une barque. La suite se traîna lamentablement mais rapporta beaucoup d'argent. Pourtant Abbott et Costello ne s'entendaient pas et leurs disputes marquèrent la fin du couple en 1958. Wally Brown et Alan Carrey (*Zombies on Broadway*) ne purent les remplacer.

Abel, Alfred

Acteur et réalisateur allemand, 1879-1937.

1919, Kameraden ; 1921, Sappho ; 1922, Dr. Mabuse der Spieler (Dr Mabuse) (Lang), Die Flamme (Montmartre) (Lubitsch), Der brennende Acker (La terre qui flambe) (Murnau) ; 1924, Die Finanzen des Grossherzogs (Les finances du grand duc) (Murnau) ; 1926, Metropolis (Lang) ; 1928, L'argent (L'Herbier) ; 1931, Der Kongress tanzt (Le congrès s'amuse) (Charell) ; 1936, Das Hofkonzert (La chanson du souvenir) (Sirk) ; 1937, Sieben Ohrfeigen ; 1938, Frau Sylvelin. *Pour le metteur en scène*, voir aussi le *Dictionnaire du cinéma*, t. I : *Les réalisateurs*.

Acteur important du cinéma allemand muet, il dirigea un curieux *Narkose*. Certaines sources lui attribuent deux autres réalisations : *Glückliche Reise* (1933) et *Alles um eine Frau* (1935).

Abraham, F. Murray

Acteur américain né en 1939.

1971, They Might Be Giant (Le rivage oublié) (Harvey) ; 1973, Serpico (Serpico) (Lumet) ; 1975, The Prisoner of Second Avenue (Frank), The Sunshine Boys (Ennemis comme avant) (Ross) ; 1976, All the President's Men (Les hommes du président) (Pakula), The Ritz (Lester) ; 1978, The Big Fix (The Big Fix) (Kagan), Madman (Cohen) ; 1983, Scarface (Scarface) (De Palma) ; 1984, Amadeus (Amadeus) (Forman) ; 1986, Le nom de la rose (Annaud) ; 1988, The Favorite (La nuit du sérail) (Smight) ; 1989, An Innocent Man (Délit d'innocence) (Yates), I giorni del diavolo (L'affaire Russicum) (Squitieri), Eye of the Widow (SAS, l'œil de la veuve) (McLaglen), Personal Choice (Saperstein), Slipstream (Lisberger) ; 1990, Money (Money) (Stern), Cadence (Sheen), La batalla de los tres reyes (Ben Barka, Nazarov), The Bonfire of the Vanities (Le bûcher des vanités) (De Palma) ; 1991, By the Sword (Par l'épée) (Kagan), Mobsters (Les indomptés) (Karbelnikoff) ; 1992, National Lampoon's Loaded Weapon 1 (Alarme fatale) (Quintano), Sweet Killing (Deux doigts de meurtre) (Matalon), Last Action Hero (Last Action Hero) (McTiernan) ; 1993, L'affaire (Gobbi) ; 1994, Surviving the Game (Que la chasse commence !) (Dickerson), Nostradamus (Christian), Jamila (Teuber), Fresh (Fresh) (Yakin) ; 1995, Dillinger and Capone (Purdy), Mighty Aphrodite (Maudite Aphrodite) (Allen), Children of the Revolution (Children of the Revolution) (Duncan), Looking for Richard (Looking for Richard) (Pacino), Baby Face Nelson (Levy) ; 1996, Mimic (Mimic) (Del Toro) ; 1997, Una vacanza all'inferno (Valerii), Eruption (Gibby) ; 1998, Star Trek Insurrection (Star Trek Insurrection) (Frakes), Cadaveri eccelenti (R. Tognazzi) ; 1999, Muppets from Space (Les Muppets dans l'espace) (Hill) ; 2000, Finding Forrester (A la rencontre de Forrester) (Van Sant), The Quest of the Knights (Avati) ; 2001, 13 Ghosts (Beck) ; 2005, The Bridge of the San Luis Rey (Le pont du roi Saint Louis) (McGuckian).

Il fut l'admirable interprète de Salieri, rival malheureux de Mozart dans *Amadeus*, puis le féroce inquisiteur du *Nom de la rose*. La suite est plus décevante.

Abril, Victoria

Actrice espagnole née en 1959.

1975, Obsession (Polop), Robin and Marian (La rose et la flèche) (Lester), Caperucita roja (Revenga) ; 1976, El hombre que supo amar (Picazo), Cambio de sexo (Aranda), Doña perfecta (Ardavin) ; 1977, Esposa y amante (Fons), El puente (Bardem) ; 1979, La muchacha de las bragas de oro (Aranda), Mater amatisima (Mater amatisima) (Salgot) ; 1980, Mieux vaut être riche et bien portant que fauché et mal foutu (Pécas), La casa del paraiso (San Miguel), Le cœur à l'envers (Appprederis) ; 1981, Le bâtard (Van Effenterre), Asesinato en el comite central (Aranda), Comin' at Ya (Western en relief) (Baldi), Robin Hood, grecce fragidi e karate (Robin, flèche et karaté) (Giano) ; 1982, La colmena (Camus), La batalla del porro (Minguell), J'ai épousé une ombre (Davis), Entre parentesis (Fabregas), La guérillera (Kast), Sem sombra de pecado (Fonseca E. Costa), Rio abajo (Borau) ; 1983, Las bicicletas son para el verano (Les bicyclettes sont pour l'été) (Chavarri), La lune dans le caniveau (Beineix), L'addition (Amar), Le voyage (Andrieu) ; 1984, After Darkness (Othnin-Girard) ; 1985, Rougegorge (Zucca), Padre nuestro (Padre nuestro) (Regueiro), Los pazos de Ulloa (Suarez), La noche mas hermosa (Gutierrez Aragon) ; 1986, La hora bruja (de Arminan), Tiempo de silencio (Aranda), Max mon amour (Oshima),

Vado e torno (Giannini), Barrios altos (Berlanga), El juego mas divertido (Lazaro), Ternosecco (Giannini), La ley del deseo (La loi du désir) (Almodóvar) ; 1987, El lute (Aranda), El placer de matar (Rotaeta), Nuit d'ivresse (Nauer), Sans peur et sans reproche (Jugnot) ; 1988, Ada dans la jungle (Zingg), Baton Rouge (Monleon), Si te dicen que cai (Aranda) ; 1989, Sandino (Littin), Atame ! (Attache-moi !) (Almodóvar) ; 1990, A solas contigo (Campoy), Amantes (Amants) (Aranda) ; 1991, Une époque formidable... (Jugnot), Tacones lejanos (Talons aiguilles) (Almodóvar) ; 1992, Demasiado corazon (Campoy) ; 1993, Intruso (Aranda), Kika (Kika) (Almodóvar), Jimmy Hollywood (Levinson) ; 1994, Casque bleu (Jugnot), Gazon maudit (Balasko) ; 1995, Nadie hablara de nosotras cuando hayamos muerto (Personne ne parlera de nous quand nous serons mortes) (Diaz Yanes) ; 1996, Libertarias (Aranda) ; 1997, La femme du cosmonaute (Monnet) ; 1998, Entre las piernas (Entre les jambes) (Gomez Pereira), Mon père, ma mère, mes frères et mes sœurs (Turckheim) ; 2000, 101 Reykjavik (Kormakur) ; 2001, Et après (Ismael) ; 2002, Sin noticias de Dios (Sans nouvelles de Dieu) (Yanes) ; 2004, Cause toujours ! (Labrune) ; 2005, Les gens honnêtes vivent en France (Decout), El séptimo día (Le septième jour) (Saura) ; 2006, Les aristos (De Turckheim).

D'une troublante sensualité, elle confirma son talent dans *La lune dans le caniveau* où elle cherchait à retenir Depardieu attiré par Nastassja Kinski. On la retrouve, toujours aussi sensuelle, dans des œuvres espagnoles ou françaises. Interprète fétiche d'Almodóvar, c'est *Atame !* qui relance sa carrière. Elle connaît un grand succès avec *Gazon maudit* où elle est Loli dont tombe amoureuse Marijo. Elle ne se prend pas au sérieux : « Le cinéma, ça me fait épargner beaucoup d'argent et beaucoup de temps en psychanalyse. » Elle devient un ange dans *Sans nouvelles de Dieu*. Peu de films importants par la suite.

Ackland, Joss

Acteur anglais, de son vrai prénom Jocelyn, né en 1928.

1950, Seven Days to Noon (Ultimatum) (Boulting) ; 1952, Ghost Ship (Sewell) ; 1966, Rasputin : The Mad Monk (Raspoutine) (Sharp) ; 1970, The House that Dripped Blood (La maison qui tue) (Duffell), Crescendo (Gibson) ; 1971, Mr. Forbush and the Penguins (Viola), Villain (Salaud) (Tuchner) ; 1972, The Happiness Cage (Girard) ; 1973, Penny Gold (Cardiff), England Made Me (Le financier) (Duffell), Hitler : The Last Ten Days (De Concini), The Three Musketeers (Les trois mousquetaires) (Lester) ; 1974, The Little Prince (Le petit prince) (Donen), The Black Windmill (Contre une poignée de diamants) (Siegel), S*P*Y*S* (Les S pions) (Kershner) ; 1975, Royal Flash (Le froussard héroïque) (Lester) ; 1976, One of our Dinosaurs is Missing (Stevenson), Operation Daybreak (Sept hommes à l'aube) (Gilbert) ; 1977, The Strange Case of the End of Civilization as We Know It (McGrath), Silver Bears (Banco à Las Vegas) (Passer) ; 1978, Who is Killing the Great Chefs of Europe ? (La grande cuisine) (Kotcheff) ; 1979, Saint Jack (Jack le magnifique) (Bogdanovich), A Nightingale Sang in Berkeley Square (Thomas) ; 1980, Dangerous Davies — The Last Detective (Guest), The Apple (Golan), Rough Cut (Le lion sort ses griffes) (Siegel) ; 1985, A Zed and Two Noughts (Zoo) (Greenaway) ; 1986, Lady Jane (Nunn) ; 1987, White Mischief (Sur la route de Nairobi) (Radford), It Couldn't Happen Here (Bond), The Sicilian (Le Sicilien) (Cimino) ; 1988, To Kill a Priest (Le complot) (Holland) ; 1989, Lethal Weapon 2 (L'arme fatale 2) (Donner), Dimenticare Palermo (Oublier Palerme) (Rosi) ; 1990, The Hunt for Red October (A la poursuite d'Octobre-Rouge) (McTiernan), Tre colonne in cronaca (Vanzina) ; 1991, Incident at Victoria Falls (Corcoran), Bill and Ted's Bogus Journey (Herek), The Object of Beauty (Les imposteurs) (Lindsay-Hogg) ; 1992, Shadowchaser (Eyres), The Bridge (Macartney), Once Upon a Crime... (Levy), The Mighty Ducks (Les petits champions) (Herek) ; 1993, Mother's Boys (Simoneau), Nowhere to Run (Cavale sans issue) (Harmon) ; 1994, Occhio Pinocchio (Nuti), Giorgino (Boutonnat), Miracle on 34th Street (Miracle sur la 34e rue) (Mayfield) ; 1995, Mad Dogs and Englishmen (Cole), A Kid in King Arthur's Court (Gottlieb) ; 1996, Surviving Picasso (Surviving Picasso) (Ivory), D3 : The Mighty Ducks (Lieberman) ; 1997, Swept from the Sea (Au cœur de la tourmente) (Kidron), Firelight (Firelight) (Nicholson) ; 1998, My Giant (Lehmann), Milk (Brookfield), Passion of Mind (D'un rêve à l'autre) (Berliner) ; 2000, Mumbo Jumbo (Cookson) ; 2002, K 19, The Widow-Maker (K 19, le piège des profondeurs) (Bigelow).

Massif et jovial, cet acteur anglais consacre la première partie de sa carrière à la scène, puis, à l'orée des années 70, campe à l'écran toute une série de personnages perfides, dissimulés derrière un sourire faussement candide. Aujourd'hui patriarche ou homme d'Église dans nombre de films d'époque, il fait beaucoup de doublages et de voix off pour la publicité en Angleterre.

Acosta, Rodolfo

Acteur mexicain, 1920-1974.

1946, Rosenda (Bracho), La Malquerida (Fernandez) ; 1948, The Fugitive (Dieu est mort) (Ford) ; 1949, Salon Mexico (Fernandez) ; 1950, Victimas del pecado (Fernandez), One Way Street (L'impasse maudite) (Fregonese) ; 1951, The Bullfighter and the Lady (La dame et le toréador) (Boetticher) ; 1952, Yankee Buccaneer (De Cordova), Horizons West (Le traître du Texas) (Boetticher) ; 1953, Destination Gobi (Wise), San Antone (Kane), Wings of the Hawk (Révolte au Mexique) (Boetticher), City of Badmen (Jones), Appointment in Honduras (Les révoltés de la Claire-Louise) (Tourneur) ; 1954, Hondo (Farrow), Drum Beat (L'aigle solitaire) (Daves), Night People (Les gens de la nuit) (N. Johnson), Down Three Dark Streets (L'assassin est parmi eux) (Laven), Naked Alibi (Alibi meurtrier) (Hopper) ; 1955, The Littlest Outlaw (Gavaldon) ; 1956, The Proud Ones (Le shérif) (Webb), Bandido (Bandido Caballero) (Fleischer) ; 1957, Trooper Hook (Warren), Apache Warrior (E. Williams), The Tijuana Story (Kardos) ; 1958, From Hell to Texas (La fureur des hommes) (Hathaway) ; 1960, Walk Like a Dragon (Clavell), Let Not Man Write My Epitaph (Leacock), Flaming Star (Les rôdeurs de la plaine) (Siegel) ; 1961, One-Eyed Jacks (La vengeance aux deux visages) (Brando), Posse from Hell (Coleman), The Second Time Around (V. Sherman), How the West Was Won (La conquête de l'Ouest) (Ford, Marshall, Hathaway) ; 1963, Savage Sam (Tokar) ; 1964, Rio Conchos (Rio Conchos) (G. Douglas) ; 1965, The Sons of Katie Elder (Les quatre fils de Katie Elder) (Hathaway), The Reward (La récompense) (Bourguignon) ; 1966, Return of the Seven (Le retour des sept mercenaires) (Kennedy) ; 1968, Dayton's Devils (Shea) ; 1969, Impasse (Benedict) ; 1970, Flap (Reed), The Great White Hope (L'insurgé) (Ritt) ; 1971, The Magnificent Seven Ride (La chevauchée des sept mercenaires) (McCowan).

Troisième couteau mexicain des westerns hollywoodiens. Découvert par Ford et Boetticher lorsqu'ils tournèrent au Mexique où il était une vedette, son physique cruel en faisait un tueur idéal (*How the West Was Won*, etc.), un Indien féroce ou un policier sadique (*La vengeance aux deux visages*). Il ne fut bon (au sens moral) qu'une fois, dans *The Tijuana Story*, un film de série B qui n'eut aucun succès.

Adam, Alfred

Acteur français, 1909-1982.

1935, La kermesse héroïque (Feyder) ; 1936, Au service du tsar (Billon), La glu (Choux) ; 1937, Un carnet de bal (Duvivier) ; 1939, Le plancher des vaches, La famille Duraton (Stengel) ; 1941, Croisières sidérales (Zwoboda), Le briseur de chaînes (Daniel-Norman) ; 1942, Port d'attache (Choux), A vos ordres Madame (Boyer), La femme que j'ai le plus aimée (Vernay), La vie de bohème (L'Herbier) ; 1944, Farandole (Zwoboda) ; 1945, Boule de suif (Christian-Jaque), La ferme du pendu (Dréville) ; 1946, Le fugitif (Bibal), Sylvie et le fantôme (Autant-Lara), Quartier chinois (Sti), Le bateau à soupe (Gleize), Les beaux jours du roi Murat (Pathé) ; 1947, Le village perdu (Stengel) ; 1948, Le sorcier du ciel (Blistène), Jo la romance (Grangier), La femme sans passé (Grangier), La ferme des sept péchés (Devaivre) ; Passeurs d'or (de Meyst) ; 1949, Mon ami Sainfoin (Sauvajon), Le roi (Sauvajon), L'homme aux mains d'argile (Mathot) ; 1950, Caroline chérie (Pottier), L'amant de paille (Grangier), Ma femme est formidable (Hunebelle) ; 1953, La pocharde (Combret), Tambour battant (Combret), L'ennemi public n° 1 (Verneuil), Capitaine Pantoufle (Lefranc) ; 1954, Escalier de service (Rim), Le fils de Caroline chérie (Devaivre), Cadet Rousselle (Hunebelle) ; 1955, La foire aux femmes (Stelli) ; 1956, Les sorcières de Salem (Rouleau) ; 1957, Une manche et la belle (Verneuil), Maigret tend un piège (Delannoy) ; 1959, La main chaude (Oury), 125, rue Montmartre (Grangier), Le fauve est lâché (Labro), Rue des prairies (La Patellière) ; 1960, Comment qu'elle est (Borderie), Le président (Verneuil) ; 1961, La belle américaine (Dhéry), Tout l'or du monde (Clair et Pinoteau) ; 1962, Tartarin de Tarascon (Blanche) ; 1963, Carambolages (Bluwal), Mort, où est ta victoire ? (Bromberger), La vie conjugale (Cayatte) ; 1965, Le caïd de Champignol (Bastia), Les fêtes galantes (Clair) ; 1966, Le jardinier d'Argenteuil (Le Chanois) ; 1967, La petite vertu (Korber) ; 1968, Sous le signe du taureau (Grangier) ; 1969, Mon oncle Benjamin (Molinaro) ; 1973, Juliette et Juliette (Forlani) ; 1974, Que la fête commence (Tavernier) ; 1976, Le chasseur de chez Maxim's (Vital) ; 1979, Nous maigrirons ensemble (Vocoret).

Un air de notable un peu somnolent, ce qu'il fut dans *La kermesse héroïque*, mais son meilleur rôle en fait un peintre non conformiste qui s'oppose aux bons bourgeois condamnant Micheline Presle dans *Boule de suif*. On le retrouve en paysan infirme et bouleversant dans *La ferme du pendu* et *La ferme des sept pêchés*. Il écrivit *Sylvie et le fantôme* et le scénario de *La belle américaine* et fit un tour à la Comédie-Française, mais il sut toujours préserver un aspect bohème de sa personnalité, même lorsqu'il jouait Murat dans le film de Théophile Pathé.

Addams, Dawn

Actrice britannique, 1930-1985.

1950, Night into Morning (Cœurs enchaînés) (Markle) ; 1951, The Unknown Man (Thorpe) ; 1952, Plymouth Adventures (Capitaine sans loi) (Brown), The Hour of Thirteen (La 13e heure) (French) ; 1953, Mizar (Sabotage en mer) (De Robertis), Secrets d'alcôve (Franciolini), The Moon is Blue (La lune était bleue) (Preminger), The Robe (La tunique) (Koster), Young Bess (La reine vierge) (Sidney) ; 1954, Riders to the sky (Carlson), Khyber Patrol (Friedman), Il visconte di Bragelonne (Le vicomte de Bragelonne) (Cerchio) ; 1955, Il tesoro di Rommel (Le trésor de Rommel) (Marcinelli) ; 1957, A King at New York (Un roi à New York) (Chaplin), Londra chiama Polo Nord (Londres appelle pôle Nord) (Coletti), The Silent Enemy (L'ennemi silencieux) (Fairchild) ; 1958, L'île du bout du monde (Greville) ; 1959, Sursis pour un vivant (Miranda), Secret professionnel (André), Voulez-vous danser avec moi ? (Boisrond), I battellieri del Volga (Les bateliers de la Volga) (Tourjanski), Die feverotte Baronesse (L'espionne rousse) (Jugert), The Treasure of San Teresa (Rakoff) ; 1960, Die tausend Augen des Dr. Mabuse (Le diabolique docteur Mabuse) (Lang), Long Distance (Larry, agent secret) (Rakoff), The Two Faces of Dr. Jekyll (Les deux visages du docteur Jekyll) (Fisher) ; 1961, Follow That Man (Epstein), Geheitmaktion schwarze Kapelle (RPZ appelle Berlin) (Habib), Les menteurs (Greville) ; 1962, L'éducation sentimentale (Astruc), Come Fly With Me (Levin) ; 1963, La tulipe noire (Christian-Jaque), The 20 000 Kisses (Moxey) ; 1964, Ballade in Blue (Henreid) ; 1966, When Bullets Fly (Gilling) ; 1970, Zeta One (Cort), Sapho ou la fureur d'aimer (Farrel), The Play Room (Annakin), The Vampire Lovers (R.W. Baker) ; 1973, Vault of Horror (R.W. Baker).

Son principal tire de gloire est d'avoir été remarquée par Chaplin pour *Un roi à New York*. Elle tourna aussi avec Preminger et Lang. Mais cette jolie brune, fille d'un officier de la RAF et qui commença sa carrière cinématographique à Hollywood et non à Londres, s'est trop égarée dans des films de seconde zone.

Adjani, Isabelle

Actrice française née en 1955.

1969, Le petit bougnat (Michel) ; 1971, Faustine ou le bel été (Companeez) ; 1974, La gifle (Pinoteau) ; 1975, Histoire d'Adèle H. (Truffaut), Le locataire (Polanski) ; 1976, Barocco (Téchiné), Violette et François (Rouffio) ; 1977, Driver (W. Hill) ; 1978, Nosferatu (Herzog), Les sœurs Brontë (Téchiné) ; 1980, Possession (Zulawski), Clara et les chics types (Monnet) ; 1981, Quartet (Quartet) (Ivory), L'année prochaine si tout va bien (Hubert) ; 1982, Antonieta (Saura), Tout feu, tout flamme (Rappeneau), Mortelle randonnée (Miller) ; 1983, L'été meurtrier (Becker) ; 1985, Subway (Besson) ; 1987, Ishtar (Ishtar) (May) ; 1988, Camille Claudel (Nuytten) ; 1993, Toxic affair (Esposito) ; 1994, La reine Margot (Chéreau) ; 1995, Diabolique (Diabolique) (Chechik) ; 1997, Paparazzi (Berbérian), 2001, La repentie (Masson) ; 2002, Adolphe (Jacquot) ; 2003, Bon voyage (Rappeneau), M. Ibrahim et les fleurs du Coran (Dupeyron).

Père algérien, mère allemande. Isabelle Adjani débute très jeune au cinéma, mais c'est le théâtre qui va la lancer. Rouleau la remarque pour le rôle d'Agnès de *L'école des femmes* de Molière ; Hossein lui fait jouer *La maison de Bernarda* ; elle sera Ondine à la Comédie-Française. Son regard, sa beauté gracile, le mystère qui l'entoure en feront au cinéma l'interprète rêvée d'Adèle Hugo (le rôle qui l'impose) et la victime idéale de Nosferatu. N'est-elle pas l'héroïne romantique par excellence ? Mais avec l'ambiguïté d'un personnage moderne nous révèle *L'été meurtrier*. Sa carrière semble marquer un temps d'arrêt en 1986. Après avoir joué au théâtre *Mademoiselle Julie*, enregistré un disque ainsi qu'un clip et accepté la présidence de la commission d'avances sur recettes, elle disparaît. La rumeur concernant une maladie et même sa mort s'amplifie. Elle dément publiquement. Mais reste une impression de malaise, que le film sur Camille Claudel vient dissiper. Gros succès pour cette œuvre où elle s'investit totalement. Puis à nouveau le silence. Un silence rompu par *Toxic affair* qui est un échec. Puis c'est la *Reine Margot* où elle donne de son personnage une interprétation froide et distanciée qui ne fait pas oublier Jeanne Moreau dans la version précédente. Que va-t-elle faire dans un remake des *Diaboliques* où elle affronte Sharon Stone ? Rappelons que ses interprétations lui ont déjà valu quatre césars : avec *Possession* en 1982, *L'été meurtrier* en 1984, *Camille Claudel* en 1989 et *La reine Margot* en 1995. Elle est excellente dans *Adolphe* après lequel elle retrouve Rappeneau pour un film sur la débâcle de 1940, *Bon voyage*.

Adler, Luther

Acteur américain, 1903-1984.

1937, Lancer Spy (Ratoff) ; 1945, Cornered (Dmytryk) ; 1948, Wake of the Red Witch (Le réveil de la sorcière rouge) (Ludwig), The Loves of Carmen (Les amours de Carmen) (C. Vidor), Saigon (Trafic à Saigon) (Fenton) ; 1949, House of Strangers (La maison des étrangers) (Mankiewicz), South Sea Sinner (Le bistro du péché) (Humbertsone) ; 1950, Under my Skin (La belle de Paris) (Negulesco), D.O.A. (Mate), Kiss Tomorrow Goodbye (Le fauve en liberté) (Douglas) ; 1951, The Desert Fox (Le renard du désert) (Hathaway) ; The Magic Face (Tuttle), M (M le maudit) (Losey) ; 1952, Hoodlum Empire (Kane) ; 1953, The Tall Texan (E. Williams) ; 1954, The Miami Story (Sears) ; 1955, Crashout (Foster), The Girl in the Red Velvet Swing (La fille sur la balançoire) (Fleischer) ; 1956, Hot Blood (L'ardente gitane) (Ray) ; 1959, The Last Angry Man (La colère du juste) (Mann) ; 1966, Cast a Giant Shadow (L'ombre d'un géant) (Shavelson), The Three Sisters (Bogart) ; 1968, The Brotherhood (Les frères siciliens) (Ritt) ; 1973, Crazy Joe (Lizzani) ; 1974, The Man in the Glass Booth (Hiller), Live a Little, Steal a Lot (Chomsky) ; 1976, Mean Johnny Barrows (Williamson), The Voyage of the Damned (Le voyage des damnés) (Rosenberg) ; 1981, Absence of Malice (Absence de malice) (Newman).

Acteur de théâtre, il fut à plusieurs reprises Hitler au cinéma.

Adorée, Renée

Actrice d'origine française, de son vrai nom Jeanne de La Fonte, 1898-1933.

1918, £ 500 Reward ; 1920, The Strongest ; 1921, Made in Heaven (Schertzinger) ; 1922, Honor First (Storm), Monte-Cristo (Flynn), A Self-Made Man (Lee), West of Chicago (Dunlap), Mixed faces (Lee) ; 1923, The Eternal Struggle (L'éternel combat) (Barker), Six Fifty (Ross) ; 1924, Women Who Give (Barker), Bandolero (Terriss) ; 1925, Exchange of Wives (Henley), The Big Parade (La grande parade) (K. Vidor), Parisian Nights (Santell), Man and Maid (Schertzinger), Excuse Me (Hughes) ; 1926, La bohème (Vidor), Barney (De Sano), The Black Bird (L'oiseau noir) (Browning), Tin Gods (Dwan), The Exquisite Sinner (Sternberg) ; 1927, On ze Boulevard (Millarde), Mr. Wu (M. Wu) (Nigh), The Show (Browning), Back to God's Country (Sur la piste blanche) (Willat), Heaven on Earth (Rosen), Flaming Forest (Barker) ; 1928, A Certain Young Man (Un certain jeune homme) (Henley), Forbidden Hours (Beaumont), The Mating Call (Cruze), The Cossacks (Les Cosaques) (G. Hill), The Michigan Kid (Willat), The Spieler (Tragédie foraine) (Garnett), Show People (K. Vidor) ; 1929, The Pagan (Chanson païenne) (Van Dyke), Hollywood Revue of 1929 (Reisner), Tide of Empire (Dwan) ; 1930, Redemption (Niblo), Call of the Flesh (ou The Singer of Seville) (Le chanteur de Séville) (Brabin).

Ravissante brunette aux grands yeux candides, d'origine lilloise, née, dit-on, sous la tente d'un cirque, elle débuta à cinq ans à Medrano, et devint danseuse aux Folies-Bergère. Passée en Australie où elle tourna un film en 1918, elle alla tenter sa chance à Hollywood. Elle y fut vite remarquée, notamment par King Vidor. Mais elle tourna aussi en vedette avec Browning, Dwan, Garnett et Sternberg. La maladie et le parlant l'éloignèrent des studios. Elle mourut peu après de tuberculose.

Adorf, Mario

Acteur d'origine suisse né en 1930.

1954, 08/15 (May) ; 1955, 08/15 II (May) ; 1956, Kirschen in Nachbars Garten (Engels) ; 1957, La ragazza della salina (Cap), Robinson soll nicht sterben (Un petit coin de paradis) (Von Baky), Nachts, wenn der Teufel kam (Les SS frappent la nuit) (Siodmak), Robinson soll nicht sterben (Baky) ; 1958, Das Mädchen Rose-Marie (La fille Rose-Marie) (Thiele) ; 1959, Bumerang (Weidenmann), Am Tag als der Regen kam (Oswald), Das Totenschiff (Les Mutins du Yorik) (Tressler) ; 1960, Die Schahnovelle (Le fou des échecs) (Oswald), Mein Schulfreund (Siodmak) ; 1961, Qui êtes-vous M. Sorge ? (Ciampi), A cavallo della tigre (A cheval sur le tigre) (Comencini), Le goût de la violence (Hossein) ; 1962, Lulu (Thiele), Strasse der Verheissung (Moskowicz), La leggenda di Fra Diavolo (Savona) ; 1963, Moral 63 (Thiele), Winnetou I (Reinl), Station 6-Sahara (Holt), Le soldatesse (Des filles pour l'armée) (Zurlini) ; 1964, La visita (La visite) (Pietrangeli), Der letzte Ritt nach Santa Cruz (La chevauchée vers Santa Cruz) (Olsen), Vorsicht Mr. Dodd ! (Gräwert), Die Goldsucher von Arkansas (Martin) ; 1965, Major Dundee (Major Dundee) (Peckinpah), Vergeltung in Catana (Stevens), Die Herren (Seit, Thiele, Weidenmann), Guerre secrète (Christian-Jaque), L'homme d'Istanbul (Isasi) ; 1966, Ten Little Indians (Dix petits Indiens) (Pollock), Operazione San Gennaro (Opération San Gennaro) (Risi), Io la conoscevo bene (Pietrangeli), Ganovenehre (Staudte) ; 1967, Una rosa per tutti (Une rose pour tous) (Rossi), Questi fantasmi (Fantômes à l'italienne) (Castellani), Le dolci signore (Zampa) ; 1968, E per tetto un cielo di stelle (Petroni) ; 1969, Cran d'arrêt (Boisset), Gli specialisti (Le spécialiste) (Corbucci), Engelchen macht weiter – Hoppe, hoppe weiter (M. Verhoeven) ; 1970, Passeport pour deux tueurs (Di Leo), Die Herren mit der weissen Weste (Staudte), Deadlock (Klick), Un'anguilla da trecento milioni (Samperi) ; 1971, L'arciere di fuoco (La grande chevauchée de Robin des bois) (Ferroni), L'ucello dalle piume di cristallo (L'oiseau au plumage de cristal) (Argento), Krasnaya palatska (La tente rouge) (Kalatozov), Quando le donne persero la coda (Festa Campanile), Maiastrana (Lado) ; 1972, König, Dame, Bube (Roi, dame, valet) (Skolimovski), Milano calibro nove (Milan calibre neuf) (Di Leo), Le avventure di Pinnochio (Les aventures de Pinnochio) (Comencini), La corta notte delle bambole di vetro nero (Lado), La mala ordina (Di Leo), La violenza : quinot potere (Vancini), La polizia ringrazia (Steno) ; 1973, Sans sommation (Gantillon), Il delitto Matteotti (L'affaire Matteotti) (Vancini), Die Reise nach Wien (E. Reitz) ; 1974, La polizia chiede aiuto (La lame infernale) (Dallamano), Processo per diretissima (De Caro) ; 1975, Der verlorene Ehre der Katharina Blum (L'honneur perdu de Katharina Blum) (Schlöndorff), Der dritte Grad (La faille) (Fleischmann) ; 1976, Cuore di cane (Lattuada), MitGift (M. Verhoeven), Bomber & Paganini (Perakis) ; 1977, Io ho paura (Un juge en danger) (Damiani), Der Hauptdarsteller (La vedette) (Hauff), Gefundenes Fressen (M. Verhoeven), Dificile morire (Silva) ; 1978, Fedora (Fedora) (Wilder), Deutschland im Herbst (L'Allemagne en automne) (collectif) ; 1979, L'empreinte des géants (Enrico), Die Blechtrömmel (Le tambour) (Schlöndorff), Milo-Milo (Perakis) ; 1981, Lola (Lola, une femme allemande) (Fassbinder), La disubbidienza (La désobéissance) (Lado) ; 1982, L'invitation au voyage (Del Monte), La cote d'amour (Dubreuil) ; 1983, State buoni se potete (Magni) ; 1984, Amerika, rapports de classe (Straub et Huillet) ; 1985, The Holcroft Covenant (Frankenheimer), La ragazza dei lilla (Mogherini), Marie Ward – Zwischen Galgen und Glorie (Weber), Coconuts (Novotny) ; 1986, The Second Victory (Thomas), Momo (Schaaf) ; 1987, Vado a riprendermi il gatto (Blagetti), Des Teufels Paradies (Glowna) ; 1988, Notte Italiana (Nuit italienne) (Mazzacurati), I ragazzi di via Panisperna (Amelio) ; 1989, Try This One For Size (Sauf votre respect) (Hamilton), Mat' (Panfilov), Francesco (Cavani) ; 1990, Money (Money) (Stern), Présumé dangereux (Lautner), Jours tranquilles à Clichy (Chabrol), Rosamunde (Günther), Cafe Europa (Bogner) ; 1991, Pizza colonia (Emmerich), La fine della notte (Ferrario), Mio caro dottor Gässler (Faenza) ; 1993, Abyssinia (Martinotti), Amigo mio (Meerapfel et Chiesa), Maus und Katz (Gies) ; 1994, Il piccolo Lord (Albano) ; 1996, Alles nur Tarnung (Zingler), Smilla's Sense of Snow (Smilla) (August) ; 1997, Rossini : oder die möderische Frage, wer mit wem schlief (Dietl).

Né à Zurich, il s'est formé au Kammerspiel de Munich et a joué dans les films de Siodmak et Thiele qui ont marqué le réveil du cinéma allemand avant de tenter sa chance, toujours dans les emplois de « heavy » (poids lourds), en Italie et de s'installer à Rome. Une filmographie un peu décevante par rapport aux ambitions initiales, une carrière trop « internationale » où Adorf a perdu son âme.

Affleck, Ben

Acteur américain né en 1972.

1992, School Ties (La différence) (Mandel), Buffy the Vampire Slayer (Kuzui) ; 1993, Dazed and Confused (Linklater) ; 1995, Mallrats (Smith) ; 1996, Going All the Way (Pellington), Chasing Amy (Méprise multiple) (Smith), Glory Daze (Wilkes), Good Will Hunting (Will Hunting) (Van Sant) ; 1998, Phantoms (Chappelle), Armageddon (Armageddon) (Bay), Shakespeare in Love (Shakespeare in Love) (Madden), Forces of Natures (Un vent de folie) (B. Hughes), 200 Cigarettes (Bramon Garcia), Dogma (Dogma) (Smith) ; 1999, Daddy and Them (Thornton), Boiler Room (Les initiés) (Younger), Reindeer Games (Piège fatal) (Frankenheimer), Bounce (Un amour infini) (Roos) ; 2000, The Third Wheel (Brady), Pearl Harbor (Pearl Harbor) (Bay) ; 2002, The Sun of All Fears (La somme de toutes les peurs) (Robinson), Changing Lanes (Dérapages incontrôlés) (Michell), Gigli-Tough Love (Amours troubles) (Brest) ; 2003, Paycheck (Paycheck) (Woo), Daredevil (Daredevil) (M.S. Johnson) ; 2004, Surviving Christmas (Famille à louer) (Mitchell), Jersey Girl (Père et fille) (K. Smith) ; 2006, Man About Town (Man About Town) (Binder), Clerks II (Clerks II) (Smith) ; 2007, Smoking Aces (Carnahan), Hollywoodland (Holywoodland) (Coulter).

Jeune premier révélé par Gus Van Sant et son *Will Hunting*, dont il avait cosigné le scénario avec le comédien Matt Damon, il acquiert ses galons de star avec son rôle de cosmonaute dans *Armageddon*. Une présence certaine pour un comédien charismatique auquel manque encore un grand rôle sensible.

Afonso, Yves

Acteur français né en 1944.

1966, Masculin/féminin (Godard), Made in USA (Godard) ; 1967, Week-end (Godard) ; 1969, Une veuve en or (Audiard), Cannabis (Koralnik) ; 1970, Valparaiso, Valparaiso (Aubier), Vladimir et Rosa (Godard et Gorin) ; 1972, Les gants blancs du diable (Szabo), L'insolent (Roy) ; 1973, France société anonyme (Corneau) ; 1974, L'horloger de Saint-Paul (Tavernier), Le mâle du siècle (Berri), Zig-Zig (Szabo) ; 1976, L'aile ou la cuisse (Zidi), Le juge Fayard dit « le shérif » (Boisset) ; 1977, Le chien de M. Michel (c.m., Beineix) ; 1978, L'ange gardien (Fournier), Un balcon en forêt (Mitrani) ; 1979, Les Charlots en délire (Basnier), Le rose et le blanc (Pansard-Besson) ; 1983, L'été meurtrier (Becker) ; 1985, Maine-Océan (Rozier), L'île au trésor (Ruiz) ; 1986, O desejado (Les montagnes de la lune) (P. Rocha), Double messieurs (Stévenin) ; 1988, Radio corbeau (Boisset), La travestie (Boisset) ; 1989, Dédé (Benoît) ; 1990, Uranus (Berri), Gawin (Sélignac) ; 1991, A la vitesse d'un cheval au galop (Onteniente), Les arcandiers (Sanchez) ; 1992, L'œil écarlate (Roulet) ; 1995, Excentric paradis (Y. Lester), Le cœur fantôme (Garrel) ; 1997, Tenue correcte exigée (Lioret) ; 1998, Du bleu jusqu'en Amérique (Lévy) ; 2001, On appelle ça... le printemps (Le Roux) ; 2002, Mischka (Stévenin).

Un physique de faux Belmondo pour des seconds rôles mais toujours savoureux. Stévenin en a fait un inoubliable personnage dans *Double messieurs*, teigneux et bourru, et qu'il humanise avec beaucoup d'humour.

Agar, John

Acteur américain, 1921-2002.

Une soixantaine de films dont : 1948, Fort Apache (Le massacre de Fort Apache) (Ford) ; 1949, Sands of Iwo Jima (Iwo-Jima) (Dwan), She Wore a Yellow Ribbon (La charge héroïque) (Ford) ; 1951, Along the Great Divide (Le désert de la peur) (Walsh) ; 1955, The Revenge of the Creature (La revanche de la créature) (Arnold), Tarantula (Tarantula) (Arnold) ; 1956, The Mole People (Le peuple de l'enfer) (Vogel) ; 1957, Daughter of Dr. Jekyll (Ulmer), Joe Butterfly (Hibbs) ; 1966, St. Valentines Day Massacre (L'affaire Al Capone) (Corman) ; 1970, Chisum (Chisum) (McLaglen) ; 1971, Big Jake (Big Jake) (G. Sherman) ; 1976, King Kong (King Kong) (Guillermin) ; 1977, How's your Love Life ? (Vincent) ; 1988, Perfect Victims (Levy), Miracle Mile (Appel d'urgence) (Jarnatt) ; 1990, Nightbreed (Barker).

Ectoplasmique jeune premier qui fit ses débuts avec Ford et Walsh avant de se perdre dans des films d'épouvante ringards. Il fut marié à Shirley Temple de 1945 à 1949.

Agren, Janet

Actrice d'origine suédoise, née en 1950.

1968, Du soleil plein les yeux (Boisrond), Donne, botte e bersaglieri (Deodato), I due crociati (Orlandini) ; 1969, Il giovane normale (Risi) ; 1970, Pussycat, Pussycat I Love You (Amateau) ; 1971, Io non spezzo... rompo (B. Corbucci) ; 1972, Lavita, a volte e molto dura, vero provvidenza ? (On m'appelle Providence) (Petroni), La piu bella serata della mia vita (La plus belle soirée de ma vie) (Scola), Fiorina la vaca (De Sisti), Pulp (Hodges), Avanti ! (Avanti !) (Wilder), Racconti proibiti... di niente vestiti (Rendi) : 1973, Tecnica di un amore (Rondi) ; 1974, Il saprofita (Le profiteur) (Nasca), Il bacio (Lanfranchi), L'assassino ha riservato nove poltrone (Bennati) ; 1975, Paolo Barca, maestro elementare, practicamente nudista (Mogherini), La polizia interviene : ordine di uccidere Rosati) ; 1976, Per amore (Giarda), Chi dice donna dice... donna (Cervi) ; 1978, The Uranium Conspiracy (SOS danger uranium) (Golan), Bermude : la fossa maledetta (Bermuda) (Richmond), Siete chicas peligrosas (Lazaga), Il commisario di ferro (Massi) ; 1979, Indagine su un delitto perfetto (Rosati) ; 1980, Paura nella citta dei morti civenti (Frayeurs) (Fulci), Mangiati vivi ! (Cannibal ferox) (Lenzi), Prestami tua moglie (Ascott, Carmineo) ; 1981, L'onorevole con l'amante sotto il letto (Laurenti), La gatta da pelare (P. Franco) ; 1982, I sogni mostruosamente proibiti (Parenti), Mystere (Mystère) (Vanzina), Aragosta a colazione (Une langouste au petit déjeuner) (Capitani), Bakterion (Panique) (Ricci), Ricchi, ricchissimi paraticamente in mutande (Martino) ; 1983, Questo e quello (S. Corbucci) ; 1984, Occhio, Malocchio, Prezzemolo e Finocchio (Martino), Vediamoci chiaro (Salce) ; 1985, Red Sonja (Kalidor) (Fleischer), Atomic Cyborg (Le Cyborg aux mains de pierre) (Martino) ; 1986, Karate Warrior (Angelis) ; 1987, Aladdin (B. Corbucci), La notte degli squali (Ricci), Ratman (Ratman) (Ascot) ; 1988, Silent Night (Teuber) ; 1992, Per sempre (Khouri).

Merveilleuse blonde qui symbolisait la mort sur une moto dans *La plus belle soirée de ma vie*. A vous donner envie de trépasser ! Mystérieuse comme son personnage, elle n'a tourné ensuite que dans des séries Z.

Aiello, Danny

Acteur américain né en 1933.

1973, Bang the Drum Slowly (Hancock) ; 1974, The Godfather, Part II (Le parrain 2) (Coppola) ; 1976, The Front (Le prête-nom) (Ritt) ; 1977, Hooch (Alcocen), Fingers (Mélodie pour un tueur) (Toback) ; 1978, Bloodbrothers (Les chaînes de sang) (Mulligan) ; 1980, Fort Apache – The Bronx (Le policeman) (Petrie), Hide in Plain Sight (Caan) ; 1981, Defiance (Les massacreurs de Brooklyn) (Flynn), Chu Chu and the Philly Flash (D.L. Rich) ; 1982, Amityville 2 (Amityville 2 – Le possédé) (Damiani) ; 1983, Once Upon a Time in America (Il était une fois en Amérique) (Leone) ; 1984, The Natural (Le meilleur) (Levinson), Old Enough (Silver), The Protector (Le retour du Chinois) (Glickenhaus) ; 1985, The Purple Rose of Cairo (La rose pourpre du Caire) (Allen), Key Exchange (Kellman), The Stuff (Cohen) ; 1986, Deathmask (Friedman) ; 1987, Man on Fire (Chouraqui), Moonstruck (Éclair de lune) (Jewison), The Pick-up Artist (Toback), Radio Days (Radio Days) (Allen), The Squeeze (Manhattan loto) (Young) ; 1988, White Hot (Benson), I giorni del diavolo (L'affaire Russicum) (Squitieri) ; 1989, Do the Right Thing (Do the Right Thing) (Lee), The January Man (Calendrier meurtrier) (O'Connor), Harlem Nights (Les nuits de Harlem) (Murphy) ; 1990, The Closer (Logothetis), Shock Troop (Ingvordsen), Jacob's Ladder (L'échelle de Jacob) (Lyne), 29th Street (Gallo) ; 1991, Hudson Hawk (Hudson Hawk – Gentleman cambrioleur) (Lehmann), Once Around (Ce cher intrus) (Hallström), Mistress (Hollywood Mistress) (Primus) ; 1992, Ruby (Ruby) (McKenzie), The Saint of Fort Washington (Le saint de Manhattan) (Hunter), Me and the Kid (Curtis), The Pickle (Mazursky) ; 1993, The Cemetery Club (Duke), Léon (Besson) ; 1994, Ready to Wear (Prêt-à-porter) (Altman), Power of Attorney (Himelstein) ; 1995, City Hall (City Hall) (H. Becker), He ain't Heavy (Hamilton), Two Much (Two Much) (Trueba), 2 Days in the Valley (2 jours à Los Angeles) (Herzfeld), Liebermann in Love (Lahti) ; 1996, Mojave Moon (Dowling), Bring me the Head of Mavis Davis (Henderson), A Brooklyn State of Mind (Rainone), Wilbur Falls (Glantz) ; 1999, The Prince of Central Park (Leekley), Mambo Café (Gonzalez) ; 2000, Dinner Rush (Giraldi), Desafinado (Gómez Pereira).

Originaire du Bronx, chaud quartier new-yorkais, il en a gardé une rudesse et une bonhomie italo-américaine devenues indispensables à tout réalisateur de la côte Est un tant soit peu « social ». On ne le connaît vraiment que depuis *Do the Right Thing*.

Aimée, Anouk

Actrice française, de son vrai nom Nicole Dreyfus, née en 1932.

1946, La maison sous la mer (Calef) ; 1948, Les amants de Vérone (Cayatte) ; 1950, The Golden Salamander (La salamandre d'or) (Neame) ; 1951, Nuit d'orage (Mayra), Les crimes de l'amour (Le rideau cramoisi) (Astruc) ; 1952, The Man Who Watched the Trains Go By (L'homme qui regardait passer les trains) (French) ; 1953, Ich such dich (L'amour ne meurt jamais) (Fischer) ; 1955, Contraband Spain (Huntington), Les mauvaises rencontres (Astruc), Streseman (Braun) ; 1957, Tous peuvent me tuer (Decoin), Pot-Bouille (Duvivier), Le voyage (Litvak), 1958, Montparnasse 19 (Becker) ; 1959, The Journey (Le voyage) (Litvak), La tête contre les murs (Franju), Les dragueurs (Mocky) ; 1960, La dolce vita (La douceur de vivre) (Fellini), Le farceur (Broca) ; 1961, L'imprevisto (L'imprévu) (Lattuada), Lola (Demy), Quai Notre-Dame (Berthier), Il giudizio universale (Le jugement dernier) (De Sica) ; 1962, Sodom and Gomorrah (Sodome et Gomorrhe) (Aldrich), Les grands chemins (Marquand) ; 1963, 8 1/2 (Huit et demi) (Fellini), Liola (Le coq du village) (Blasetti), Il successo (Morassi), Le voci bianche (Le sexe des anges) (Festa Campanile), le terroriste (De Bosio) ; 1964, La fugue (Spinola) ; 1966, Un homme et une femme (Lelouch), Lo scandalo (A. Gobbi), Il morbidone (Ferrari) ; 1968, Un soir, un train (Delvaux), Model Shop (Demy) ; 1969, Justine (Cukor) ; 1970, The Appointment (Le rendez-vous) (Lumet) ; 1976, Si c'était à refaire (Lelouch) ; 1978, Mon premier amour (Chouraqui) ; 1979, Salto nel vuoto (Le saut dans le vide) (Bellocchio) ; 1981, La tragedia di un uomo ridicolo (La tragédie d'un homme ridicule) (Bertolucci) ; 1982, Qu'est-ce qui fait courir David ? (Chouraqui) ; 1983, Le général de l'armée morte (Tovoli) ; 1984, Viva la vie (Lelouch), Le succès à tout prix (Skolimowski) ; 1986, Un homme et une femme : vingt ans déjà (Lelouch) ; 1988, La table tournante (Grimault et Demy) ; 1990, Des voix dans le jardin (Boutron), Docteur Norman Bethune (Borsos) ;

1992, Rupture (s) (Citti) ; 1993, Les marmottes (Chouraqui) ; 1994, Ready to Wear (Prêt-à-porter) (Altman), Les cent et une nuits (Varda), Dis-moi oui (Arcady) ; 1996, Hommes, femmes, mode d'emploi (Lelouch), Riches, belles, etc. (Schpoliansky) ; 1998, L.A. Without a Map (I Love L.A.) (Kaurismäki) ; 1999, 1999 Madeleine (Bouhnik), Une pour toutes (Lelouch) ; 2003, La petite prairie aux bouleaux (Loridan-Ivens) ; 2004, Ils se marièrent et eurent beaucoup d'enfants (Attal) ; 2006, De particulier à particulier (Cauvin).

Fille de la comédienne Geneviève Sorya, elle fut remarquée par Calef et lancée par *Les amants de Vérone* où sa beauté secrète et troublante, dans un personnage à la Juliette, fit impression. Astruc, dans *Le rideau cramoisi*, puis Demy, dans *Lola* et le méconnu *Model Shop*, surent à leur tour admirablement tirer parti de son mystère. Hélas, elle alla se perdre dans des productions transalpines où seuls les deux films tournés avec Fellini lui font honneur. En 1966, *Un homme et une femme* relance sa carrière. Les États-Unis, où le film a connu un triomphe, l'invitent : elle tourne avec Cukor, le directeur des stars, et avec Lumet. A partir de 1970, on ne la voit plus que par intermittence. Mais Tovoli, Altman, puis Lelouch lui redonnent des rôles à la mesure de son talent. Elle sera même Madame Mère dans un téléfilm consacré à Napoléon.

Aimos, Raymond

Acteur français, de son vrai nom Coudurier, 1881-1944.

1922, Vingt ans après (Diamant-Berger) ; 1931, Les croix de bois (Bernard), Mistigri (Lachman) ; 1932, Le champion du régiment (Wulschleger), Les rivaux de la piste (Poligny), Quatorze juillet (R. Clair), Les as du turf (Poligny), Pas de femmes (Bonnard) ; 1933, Un certain M. Grant (Lamprecht), Au bout du monde (Ucicky) ; 1934, Le paquebot Tenacity (Duvivier), Justin de Marseille (Tourneur), Le dernier milliardaire (R. Clair), La garnison amoureuse (Vaucorbeil), Nuit de mai (Ucicky), Le miroir aux alouettes (Steinhoff), Le secret des Woronzeff (Robison) ; 1935, La Bandera (Duvivier), Les yeux noirs (Tourjansky), Le Golem (Duvivier), Mayerling (Litvak), Soirée de gala (De Fast), Barcarolle (Lamprecht), Amants et voleurs (Bernard), Sous la griffe (Christian-Jaque), L'équipage (Litvak), Taxi de minuit (Valentin) ; 1936, La belle équipe (Duvivier), Courrier Sud (Billon), Sous les yeux d'Occident (M. Allégret), Les amants terribles (M. Allégret), Puits en flammes (Tourjansky), Ménilmontant (Guissart), L'homme à abattre (Mathot), L'homme sans cœur (Joannon), A nous deux Madame la vie (Mirande), Arsène Lupin détective (Diamant-Berger), Le grand refrain (Mirande), L'homme du jour (Duvivier), La brigade en jupons (Limur), Les mutinés de l'Elseneur (Chenal), La reine des resquilleuses (Glass et Gastyne), Les bateliers de la Volga (Strijewski), Les gais lurons (Martin et Natanson) ; 1937, Chéri-Bibi (Mathot), Aloah (Mathot), Titin des Martigues (Pujol), Tempête sur l'Asie (Oswald), Feu ! (Baroncelli), Le mensonge de Nina Petrovna (Tourjansky), Sarati le Terrible (Hugon), La fille de la Madelon (Pallu), L'appel de la vie (Neveux), Les gens du voyage (Feyder) ; 1938, Katia (Tourneur), Raphaël le tatoué (Christian-Jaque), Accord final (Rosenkranz), Mon curé chez les riches (Bouyer), Alerte en Méditerranée (Joannon), Ma tante dictateur (Pujol), Le paradis des voleurs (Marsoudet), Grisou (Canonge), La route enchantée (Caron), La maison du Malais (Chenal), Quai des brumes (Carné), Les rois de la flotte (Pujol), Gosse de riche (Canonge), Un gosse en or (Pallu), Thérèse Martin (Canonge), Capitaine Benoît (Canonge), Ultimatum (Wiene), Ceux de demain (Millar et Pallu), Une java (Orval), Sommes-nous défendus ? (Loubignac) ; 1939, Ils étaient neuf célibataires (Guitry), Dédé de Montmartre (Berthomieu), Feu de paille (Benoit-Lévy), Les gangsters du château d'If (Pujol), Le café du port (Choux), L'émigrante (Joannon), L'embuscade (Rivers), Le monde tremblera (Pottier), De Mayerling à Sarajevo (Ophuls), Les trois tambours (Canonge), Rappel immédiat (Mathot), Le déserteur (Moguy), Le dernier tournant (Chenal), Sidi Brahim (Didier) ; 1940, Ceux du ciel (Noé), Fausse alerte (Baroncelli), Le roi des galéjeurs (Rivers) ; 1941, Pension Jonas (Caron) ; 1942, A la belle frégate (Valentin), Lumière d'été (Grémillon), Monsieur La Souris (Lacombe), L'appel du bled (Gleize), La femme que j'ai le plus aimée (Vernay), Coup de feu dans la nuit (Péguy), Le mort ne reçoit plus (Tarride), Les petites du quai aux fleurs (Allégret) ; 1944, Bifur 3 (Cam).

Le titi issu des classes populaires. Selon Claude Fallek, son vrai nom serait Caudrilliers et il serait né en 1891. « Plus naïf que Carette, moins roublard que Bussières » (Barrot et Chirat, *Les Excentriques du cinéma français*). On se souvient de Quart-Vittel, le paumé de *Quai des brumes*, du légionnaire « à la vie à la mort » de *La bandera*, du mineur de *Grisou*, du bagnard de *Chéri-Bibi*, du poilu du *Déserteur*, de l'ouvrier de *Lumière d'été*... Tous des déshérités, de pauvres types. Et pour finir, une balle perdue, qui vient tuer l'acteur, dans des conditions ambiguës, selon Chirat et Barrot, sur une barricade en 1944.

Akins, Claude

Acteur américain, 1926-1994.

1954, Bitter Creek (Carr), Caine Mutiny (Ouragan sur le Caine) (Dmytryk), The Raid (Fregonese), The Human Jungle (Dans les bas-fonds de Chicago) (Newman), Down Three Dark Streets (L'assassin est parmi eux) (Laven), Shield for Murder (Le bouclier du crime) (Koch avec O'Brien) ; 1955, The Sea Chase (Le renard des océans) (Farrow) ; 1956, Battle Stations (Seiler), Johnny Concho (Johnny Concho) (McGuire), The Sharkfighters (Hopper), The Burning Hills (Collines brûlantes) (Heisler) ; 1957, The Lonely Man (Jicop le proscrit) (Levin), Joe Dakota (Joe Dakota) (Bartlett), The Kettles on Old Mac Donald's Farm (Vogel), Hot Summer Night (Friedkin) ; 1958, The Defiant Ones (La chaîne) (Kramer), Onionhead (Taurog) ; 1959, Rio Bravo (Rio Bravo) (Hawks), Don't Give up the Ship (Tiens bon la barre) (Taurog), Porgy and Bess (Preminger), Yellowstone Kelly (Le géant du Grand Nord) (Douglas), Hount Dog Man (Siegel) ; 1960, Comanche Station (Boetticher), Inherit the Wind (Procès de singe) (Kramer) ; 1961, Claudette Inglish (Douglas) ; 1962, Merrill's Marauders (Les maraudeurs attaquent) (Fuller) ; 1963, Black Gold (Martinson) ; 1964, Distant Trumpet (La charge de la 8e brigade) (Walsh), The Killers (A bout portant) (Siegel) ; 1965, Incident at Phantom Hill (Sans foi ni loi) (Bellamy), Ride beyond Vengeance (McEveety) ; 1966, Return of the Seven (Le retour des sept mercenaires) (Kennedy) ; 1967, Waterhole No. 3 (L'or des pistoleros) (Graham), First to Fight (Vallejo) ; 1968, The Devil's Brigade (La brigade du diable) (McLaglen) ; 1969, The Great Bank Robbery (Le plus grand des hold-up) (Averback) ; 1970, Sledge (Morrow), The Last Warrior (L'Indien) (Reed), 1972, Skyjacked (Alerte à la bombe) (Guillermin) ; 1973, Timber Tramps (Garnett), Battle for the Planet of the Apes (La bataille de la planète des singes) (Lee-Thompson) ; 1975, Eric (Printemps perdu) (Goldstone) ; 1976, Tentacles (Tentacules) (O. Hellman) ; 1983, Monster in the Closet (Dahlin) ; 1987, The Curse (Keith) ; 1991, Incident at Victoria Falls (Corcoran) ; 1992, Falling from Grace (Mellencamp).

Type même du « heavy » (dur) de western. Walsh, Boetticher et Hawks ont fait appel à ce solide second plan qui, sans marquer ses rôles à la façon d'un Borgnine ou d'un Marvin, remplit parfaitement son emploi de brute vouée à une mort violente. Après 1972, il s'est orienté vers la télévision où il joua des personnages plus sympathiques.

Albers, Hans

Acteur allemand, 1892-1960.

1911, Die Jahreszeiten des Lebens, Im grossen Augenblick, Die Sünden der Väter, Zigeunerblut ; 1912, Komödianten (Gad), Die Macht des Goldes (Gad), Der Totentanz (Gad), Wenn die Maske fällt (Gad), Zu Tode gehetzt ; 1917, Rache des Gefallenen, Rauschgold, Baronchen auf Urlaub ; 1918, 1 000 Nacht, Die Prinzessin von Urbino, Der Fürst ; 1920, Berlin W., Die Marquise von O. ; 1921, Der Falschspieler, Madeleine ; 1922, Der böse Geist Lumpazivagabundus, Lydia Sanin, Menschenopfer, Die Geliebte des Königs, Der falsche Dimitri, Söhne der Nacht, Der Tiger des Zirkus Farini, Versunkene Welten ; 1923, Fräulein Raffke, Das Testament des Joe Sievers ; 1924, Auf Befehl der Pompadour, Das schöne Abenteuer, Gehetzte Menschen, Taumel, Guillotine ; 1925, Der Bankraub unter den Linden, Athleten, Der König und das kleine Mädchen, Vorderhaus und Hinterhaus, Der Mann aus dem Jenseits, Deutsche Herzen am deutschen Rhein, Die Gesunkene, Die Venus von Montmartre, Ein Sommernachtstraum, Halbseide (Demi-soie) (Oswald), Luxusweibchen, Mein Freund der Chauffeur (Mon ami le chauffeur) (Waschneck) ; 1926, An der schönen blauen Donau, Nur eine Tänzerin, Husarenliebe, Seeschlacht beim Skagerrak, Der lachende Ehemann, Der Prinz und die Tänzerin (Eichberg), Der Soldat der Marie, Die drei Mannequins, Die Frau, Die nicht « nein » sagen kann, Die versunkene Flotte, Die Villa im Tiergarten, Die Warenhausprinzessin, Eine Dubarry von heute (Korda), Ich hatt einen Kameraden (Conrad Wiene), Jagd auf Menschen, Kussen ist keine Sünde, Nixchen, Schatz, mach kasse, Wir sind vom H.U.H. Infanterie-Regiment, Der goldene Abgrund ; 1927, Die Dollarprinzessin und ihre 6 freier, Eszogen 3 Burschen, Die glühende Gasse, Drei Seelen ein Gedanke, Eine kleine Freundin braucht jeder Mann, En perfekt gentleman, Der grösste Gauner des Jahrhunderts, Primanerliebe, Rinaldo Rinaldini (Albertini) ; 1928, Das Fräulein aus Argentinien, Der Rote Kreis (Albertini), Dornenweg einer Fürstin, Frauenarzt Dr. Schäfer, Herr Meister und Frau Meisterin. Heut war ich bei der Frieda, Prinzessin Olala (Land), Rasputin's Liebesabenteuer, Saxophon-Susi, Weib in Flammen, Wer das Scheiden hat erfunden ; 1929, Asphalt (May), Ja Ja, die Frau sind meine schwache Seite, Mascottchen, Möblierte Zimmer, Die Nacht Gehört Uns (Froelich), Teure

Heimat, Verebte Triebe : Der Kampf ums Neue Geschlecht (Une nouvelle famille) (Ucicky), Der blaue Engel (L'ange bleu) (Sternberg) ; 1930, Der Greifer (Oiseaux de nuit) (Eichberg), Hans in allen Gassen (Froelich) ; 1931, Drei Tage Liebe (Hilpert), Der Sieger (Martin), Bomben auf Monte Carlo (Schwarz), Der Draufgänger (Eichberg) ; 1932, Heut kommt's drauf an, Quick (Siodmak), Der weisse Dämon (Gerron) ; 1933, Ein gewisser Herr gran (Lamprecht), Flüchlinge (Ucicky), F.P.I. antwortet nicht (FPI ne répond pas) (Hartl) ; 1934, Peer Gynt (Wendhausen), Gold (L'or) (Hartl), Henker, Frauen und Soldaten, Variete (Farkas), Savoy-Hotel 217 (Ucicky), Der Mann, der Sherlock Holmes war (On a tué Sherlock Holmes) (Hartl), Unter heissem Himmel (Ucicky) ; 1937, Fahrendes Volk (version allemande des Gens du voyage) (Feyder), Die gelbe Flagge ; 1938, Sergent Berry (Sergent Berry) (Selpin) ; 1939, Wasser für Canitoga (Selpin), Ein Mann auf Abwegen (La fugue de Madame Patterson) (Selpin) ; 1940, Trenck, der Pandur (Selpin) ; 1941, Carl Peters (Selpin) ; 1942, Münchhausen (Les aventures fantastiques du baron de Münchhausen) (Baky) ; 1944, Grosse Freiheit nr 7 (La Paloma) (Kautner) ; 1947, ... Und über uns der Himmel (Baky) ; 1950, Föhn (Hansen), Von Teufel gejagt (Tourjansky) ; 1951, Blaubart (version allemande de Barbe-Bleue) (Christian-Jaque) ; 1952, Nachts auf den Strassen (Les amants tourmentés) (Jugert), Kapt'n Bay'Bay (Kautner) ; 1953, Johnny reitet Nebrador (Jugert) ; 1954, Am jeden Finger Zehn (Ode) ; 1955, Der letzte Mann (Braun) ; 1956, Vor Sonnenuntergang (Reinhardt) ; I fidanzati della morte (Marcellini) ; 1957, Das Herz von St. Pauli (York), Der tolle Bomberg (Thiele), Das gab's nur einmal (Bolvary) ; 1958, Der Greifer (York), Der Mann im Strom (York) ; 1959, Kein Engel ist so rein (W. Baker).

Populaire acteur allemand venu du théâtre et qui fit ses débuts dans des coproductions germano-danoises sous la direction de Gad et tourna dans de nombreux films perdus ou difficiles à identifier avant le parlant. Il reste dans nos mémoires comme l'immortel interprète du baron de Münchhausen dans la plus fastueuse des productions de l'époque hitlérienne, mais on n'oubliera pas non plus les personnages qu'il composa dans *Quick* et dans *L'ange bleu, Sergent Berry et Carl Peters.*

Albert, Eddie

Acteur américain, de son vrai nom Edward Heimberger, 1908-2005.

1938, Brother Rat (Keighley) ; 1939, On Your Toes (Sur les pointes) (Enright), Four Wives (Curtiz) ; 1940, Brother Rat and a Baby (Enright), An Angel from Texas (Enright), My Love Came Back (Bernhardt), A Dispatch from Reuter's (Une dépêche Reuter) (Dieterle) ; 1941, Four Mothers (Keighley), The Wagons Roll at Night (Enright), Thieves Fall Out (Enright), Out of the Fog (Litvak), The Great Mr. Nobody (Stoloff) ; 1942, Treat 'Em Rough (Taylor), Eagle Squadron (Lubin) ; 1943, Lady Bodyguard (Clemens), Bombardier (Wallace) ; 1945, Strange Voyage (I. Allen) ; 1946, Rendez-vous with Annie (Dwan), The Perfect Marriage (L. Allen) ; 1947, Smash up (Heisler), Time Out of Mind (Siodmak), Hit Parade of 1947 (McDonald) ; 1948, The Dude Goes West (Neumann), You Gotta Stay Happy (Potter) ; 1950, The Fuller Brush Girl (En plein cirage) (Bacon), You're in the Navy Now (La marine est dans le lac) (Hathaway) ; 1951, Meet Me after the Show (Sale) ; 1952, Carrie (Un amour désespéré) (Wyler), Actor's and Sin (Hecht) ; 1953, Roman Holiday (Vacances romaines) (Wyler) ; 1955, The Girl Rush (Pirosh), Oklahoma (Zinneman), I'll Cry Tomorrow (D. Mann) ; 1956, Attack ! (Attaque) (Aldrich), The Teahouse of the August Moon (La petite maison de thé) (D. Mann) ; 1957, The Sun Also Rises (Le soleil se lève aussi) (H. King), The Joker is Wild (Le pantin brisé) (C. Vidor) ; 1958, The Gun Runners (Siegel), The Roots of Heaven (Les racines du ciel) (Huston), Order to kill (Ordre de tuer) (Asquith) ; 1959, Beloved Infidel (Un matin comme les autres) (H. King) ; 1961, The Young Doctors (Les blouses blanches) (Karlson), Two Little Bears (Hood) ; 1962, The Longest Day (Le jour le plus long) (Annakin), Madison Avenue (Humberstone), Who's Got the Action ? (D. Mann), The Party's Over (Hamilton) ; 1963, Miracle of the White Stallions (Hiller), Captain Newman M. D. (Le combat du capitaine Newman) (D. Miller), Seven Women (Frontière chinoise) (Ford), The Fool Killer (Gonzalès) ; 1972, The Heartbreak Kid (E. May) ; 1974, The Longest Yard (Plein la gueule) (Aldrich), McQ (Un silencieux au bout du canon) (J. Sturges), Escape to Witch Mountain (La montagne ensorcelée) (Hough), The Take (Hartford-Davies) ; 1975, Birch Interval (Delbert Mann), Hustle (La cité des dangers) (Aldrich), The Devil's Rain (La pluie du diable) (Fuest), Whiffs (Post) ; 1976, Moving Violation (Dubin) ; 1979, Concorde Airport 79 (Airport 80) (D.L. Rich), Foolin' Around (Heffron), Yesterday (Kent) ; 1980, How to Beat the High Cost of Living (Scheerer), Take This Job and Shove It (Trikonis) ; 1982, Yes, Giorgio (Schaffner), The Act (Shore) ;

1984, Dreamscape (Dreamscape) (Ruben) ; 1985, Stitches (Toubib academy) (Smithee) ; 1986, Head Office (Finkleman) ; 1987, Terminal Entry (Kincade) ; 1989, Deadly Illusion (Solum), Brenda Starr (R.E. Miller), The Big Picture (Guest).

Débuts comme chanteur à la radio. Au cinéma il commence avec *Brother Rat* qu'il avait interprété à Broadway. Il jouera par la suite tantôt en vedette (*The Dude Goes West*), tantôt dans des rôles de composition antipathiques (l'officier lâche d'*Attaque* ou le reporter sans scrupules de *Roots of Heaven*) mais le plus souvent sympathiques (*La montagne ensorcelée*).

Albertazzi, Giorgio

Acteur italien né en 1923.

1952, Articolo 519 codice penale (Violence charnelle) (Cortese), Le marchand de Venise (Billon) ; 1953, Delirio (Orage) (Billon, Capitani), I piombi di Venezia (Le bourreau de Venise) (Callegari, Cottafavi), Gioventù alla sbarra (Jeunesse dépravée) (Cerio) ; 1954, Tradita (Haine, amour et trahison) (Bonnard) ; 1960, Labbra rosse (Bennati) ; 1961, L'année dernière à Marienbad (Resnais), Morte di un bandito (Amato) ; 1962, Eva (Eva) (Losey), Die Rote (Kaütner) ; 1963, Violenza segreta (Moser) ; 1967, Ti ho sposato per allegria (Salce) ; 1968, Caroline chérie (La Patellière) ; 1970, Gradiva (Albertazzi) ; 1972, The Assassination of Trotsky (L'assassinat de Trotsky) (Losey) ; 1974, La nottata (Cervi), Cinque donne per l'assassino (Massi) ; 1975, Mark il poliziotto (Massi) ; 1994, Tutti gli anni, una volta l'anno (Même heure l'année prochaine) (Lazotti) ; 1996, Fatal Frames (Festa) ; 1998, Crimine contro crimine (Florio) ; 1999, Briganti (Squitieri).

L'une des figures de proue du théâtre italien. Les plus grands auteurs ont figuré à son répertoire (Shakespeare, Ibsen, D'Annunzio, Faulkner, Sartre, Billetdoux...). Son bilan cinématographique a été plutôt mince en comparaison avec son immense activité théâtrale puis télévisée. En France, il est surtout connu pour avoir été le principal interprète masculin de *L'année dernière à Marienbad* d'Alain Resnais. Il a été également utilisé avec bonheur par Joseph Losey.

Alcover, Pierre

Acteur français, 1893-1957.

1921, Le drame des eaux mortes (Faivre), L'hirondelle et la mésange (Antoine), La maison vide (Bernard) ; 1925, Feu Mathias Pascal (L'Herbier) ; 1927, Champi-Tortu (Baroncelli), La chèvre aux pieds d'or (Robert), L'argent (L'Herbier), En plongée (Robert) ; 1930, La petite Lise (Grémillon) ; 1931, Le criminel (Forrester) ; 1932, Le mariage de Mlle Beulemans (Choux) ; 1933, Théodore et Cie (Colombier), Tout pour rien (Pujol) ; 1934, Le billet de mille (Didier), Liliom (Lang) ; 1935, L'heureuse aventure (Georgesco), Deuxième bureau (Billon), Sous la Terreur (Cohen), Bourrasque (Billon), Coup de vent (Dréville) ; 1936, Au service du tsar (Billon), Donogoo (Chomette) ; 1937, L'affaire du courrier de Lyon (Lehmann), Un carnet de bal (Duvivier), Drôle de drame (Carné), Le messager (Rouleau), Nuit de princes (Strijewski), Ernest le rebelle (Christian-Jaque), La griffe du hasard (Pujol) ; 1939, L'étrange nuit de Noël (Noé), Le château des quatre obèses (Noé), La rue sans joie (Hugon), J'étais une aventurière (Bernard), Saturnin (Noé) ; 1940, Parade en sept nuits (M. Allégret) ; 1943, Le colonel Chabert (Le Hénaff).

Né à Châtellerault, il monte à Paris où il obtient un premier prix au Conservatoire. Il est à la Comédie-Française entre 1916 et 1920 puis amorce une carrière cinématographique. Ses meilleurs rôles sont ceux de *L'argent*, de *Drôle de drame* (l'inspecteur) et de *L'affaire du courrier de Lyon* (l'un des bandits, Durochat).

Alcy, Jehanne d'

Actrice française, de son vrai nom Charlotte Faes, 1865-1956.

1902, Le voyage dans la lune (Méliès) et nombreux films de Méliès.

Première vedette du cinéma français ; elle fut l'interprète puis l'épouse de Méliès.

Alda, Alan

Acteur et réalisateur américain, de son vrai nom Alphonso Joseph d'Abruzzo, né en 1936.

1963, Gone Are the Days ! (Webster) ; 1968, Paper Lion (Le lion de papier) (March) ; 1969, The Extraordinary Seaman (Frankenheimer) ; 1970, Catch 22 (Catch 22) (M. Nichols), Jenny (Bloomfield), The Moonshine War (La guerre des Bootleggers) (Quine) ; 1971, The Mephisto Waltz (Satan mon amour) (Wendkos) ; 1972, To Kill a Clown (Bloomfield) ; 1976, I Will... I Will... For Now (Panama) ; 1978, Same Time, Next Year (Même heure l'année prochaine) (Mulligan) ; 1979, California Hotel (California suite) (Ross) ; 1979, The Seduction of Joe Tynan (La vie privée d'un sénateur) (Schatzberg) ; 1981, The Four Seasons

(Les quatre saisons) (Alda) ; 1985, Sweet Liberty (Alda) ; 1988, A New Life (Alda) ; 1989, Crimes and Misdemeanors (Crimes et délits) (Allen) ; 1990, Betsy's Wedding (Alda) ; 1992, Whispers in the Dark (Intimes confessions) (Crowe) ; 1993, Manhattan Murder Mystery (Meurtre mystérieux à Manhattan) (Allen), And the Band Played On (Les soldats de l'espérance) (Spottiswoode) ; 1994, Canadian Bacon (Canadian Bacon) (Moore) ; 1995, Flirting with Disaster (Flirter avec les embrouilles) (Russell) ; 1996, Everyone Says « I Love You » (Tout le monde dit « I love you ») (Allen) ; 1997, Murder at 1600 (Meurtre à la Maison-Blanche) (Little), Mad City (Mad City) (Costa-Gavras), The Object of My Affection (L'objet de mon affection) (Hytner) ; 1999, Keepers of the Frame (McLaughlin) ; 2000, What Women Want (Ce que veulent les femmes) (Meyers) ; 2004, The Aviator (Aviator) (Scorsese). *Comme réalisateur :* The Four Seasons (Les quatre saisons) (1981) ; Sweet Liberty (1985) ; A New Life (1988) ; Betsy's Wedding (1990).

Fils de Robert Alda (star de la Warner dans les années 40), il suit les traces de son père en se produisant avec lui sur scène, puis en volant de ses propres ailes à Broadway, à la télévision et au cinéma, où il joue les seconds rôles de prestige avant de passer lui-même à la réalisation. Peu vus, ses films sont d'agréables comédies sentimentales où il s'offre généralement le beau rôle.

Alerme, André

Acteur français, 1877-1960.

1931, Le blanc et le noir (Florey), Mam' zelle Nitouche (M. Allégret), Son altesse l'amour (Péguy) ; 1932, Théodore et Cie (Colombier), La fleur d'oranger (Roussell), La merveilleuse journée (Mirande) ; 1933, La dame de chez Maxim's (Korda), Miquette et sa mère (Diamant-Berger) ; 1934, Pension Mimosas (Feyder), Hôtel du libre échange (Allégret), Tout pour rien (Pujol), Une fois dans la vie (Vaucorbeil), Le voyage de M. Perrichon (Tarride) ; 1935, La kermesse héroïque (Feyder), Ferdinand le noceur (Sti), Arènes joyeuses (Anton), Tovarich (Deval) ; 1936, L'assaut (Ducis), Aventure à Paris (Allégret), Le secret de Polichinelle (Berthomieu), Le grand refrain (Mirande), Vous n'avez rien à déclarer (Joannon), L'homme du jour (Duvivier), Un mauvais garçon (Boyer), Prends la route (Boyer) ; 1937, Aloha (Mathot), Mademoiselle ma mère (Decoin), Bataille silencieuse (Billon) ; 1938, Le drame de Shanghai (Pabst), L'ange que j'ai vendu (Berheim), Éducation de prince (Esway), Ma sœur de lait (Boyer), Balthazar (Colombier), Accord final (Rosenkranz-Sierck), L'or dans la montagne (Haufler), Le paradis perdu (Gance), Mon curé chez les riches (Boyer), Visages de femmes (Guissart) ; 1939, Le jour se lève (Carné), Nord-Atlantique (Cloche) ; 1940, La comédie du bonheur (L'Herbier), L'homme qui cherche la vérité (Esway) ; 1941, L'âge d'or (Limur), Dernière aventure (Péguy), Romance de Paris (Boyer) ; 1942, Le baron fantôme (Poligny), La fausse maîtresse (Cayatte), Le voile bleu (Stelli), L'amant de Bornéo (Le Hénaff), L'homme sans nom (Mathot), Lettres d'amour (Autant-Lara), Patricia (Mesnier) ; 1943, Arlette et l'amour (Vernay), La valse blanche (Stelli), Coup de tête (Le Hénaff) ; 1944, Farandole (Zwoboda), Le cavalier noir (Grangier) ; 1945, Leçon de conduite (Grangier), Les gueux au paradis (Le Hénaff), Les malheurs de Sophie (Audry), Pour une nuit d'amour (Greville) ; 1946, L'arche de Noé (H. Jacques), Trente et quarante (Grangier) ; 1947, Bichon (Rivers), Par la fenêtre (Grangier), Le dolmen tragique (Mathot) ; 1948, Le voleur se porte bien (Loubignac), Toute la famille était là (Marguenat) ; 1949, Un trou dans le mur (Couzinet) ; 1950, Banco de prince (Dulud), Cet âge est sans pitié (Blistène).

Originaire de Dieppe, il se spécialisa dans les rôles de « gros monsieur affairé, l'air important, plus ou moins ridicule » (*Les cahiers de la Cinémathèque*, n° 23, p. 94). Il fut un bourgmestre prodigieux dans *La kermesse héroïque*, où, époux de Françoise Rosay, il se révélait poltron et vaniteux à souhait. Il avait déjà été une fois auparavant le mari de Françoise Rosay, dans *Pension Mimosas*, où il était également excellent. On le vit même, en noble décavé, franchement odieux, dans *Vous n'avez rien à déclarer*. Il appartient à la race de ces « excentriques du cinéma français » (Barrot et Chirat) qui ont admirablement servi le septième art.

Alfa, Michèle

Actrice française, de son vrai nom Jacqueline Afréda, 1911-1987.

1935, Barcarolle (Lamprecht) ; 1937, Prince Bouboule (Houssin) ; 1938, Ultimatum (Wiene), Paix sur le Rhin (Choux), Lumières de Paris (Pottier) ; 1941, Le pavillon brûle (Baroncelli), Le dernier des six (Lacombe), La neige sur les pas (Berthomieu) ; 1942, Le lit à colonnes (Tual), Le comte de Monte Cristo (Vernay), L'ange de la nuit (Berthomieu), A la belle frégate (Valentin), La femme que j'ai le plus aimée (Vernay), Port d'attache

(Choux) ; 1943, Le secret de Madame Clapain (Berthomieu), Jeannou (Poirier), L'homme qui vendit son âme (Paulin), L'aventure est au coin de la rue (Daniel-Norman) ; 1946, Quartier chinois (Sti) ; 1947, Erreur judiciaire (Canonge) ; 1948, Sombre dimanche (Audry) ; 1949, Premières armes (Wheeler) ; 1951, Agence matrimoniale (Le Chanois).

Elle fut la jeune première de quelques-unes des réussites du cinéma de l'Occupation. Un peu fade peut-être, très convenable, excellente comédienne, elle est tombée dans un oubli sans doute injuste.

Allégret, Catherine

Actrice française née en 1946.

1965, Lady L (Ustinov), Compartiment tueurs (Costa-Gavras) ; 1967, A tout casser (Berry) ; 1968, Le temps de vivre (Paul) ; 1969, Tout peut arriver (Labro), Le champignon (Simenon), Élise ou la vraie vie (Drach) ; 1971 ; Smic smac smoc (Lelouch), Papa les petits bateaux (Kaplan), Ça n'arrive qu'aux autres (Trintignant) ; 1972, Les volets clos (Brialy), Sex shop (Berri) ; 1973, Les granges brûlées (Chapot), Le dernier tango à Paris (Bertolucci), Le hasard et la violence (Labro), Paul and Michelle (Paul et Michèle) (Gilbert) ; 1974, Vincent, François, Paul et les autres (Sautet) ; 1975, Mords pas, on t'aime (Y. Allégret), La course à l'échalotte (Zidi) ; 1979, Clair de femme (Costa-Gavras) ; 1980, Une robe noire pour un tueur (Giovanni), Coco Chanel (Chanel Solitaire) (Kaczender) ; 1981, Josepha (Frank) ; 1982, Le braconnier de Dieu (Darras) ; 1985, Urgence (Béhat) ; 1989, Mister Frost (Setbon) ; L'orchestre rouge (Rouffio) ; 2004, Mariages ! (Guignabodet) ; 2007, La môme (Dahan).

Fille de Simone Signoret et d'Yves Allégret, elle n'a pas tenu les promesses de ses débuts faute de grands réalisateurs.

Allen, Corey

Acteur et réalisateur américain, de son vrai nom Alan Cohen, né en 1934.

1954, The Bridges at Toko-Ri (Les ponts du Toko-Ri) (Robson) ; 1955, Rebel Without a Cause (La fureur de vivre) (Ray), Night of the Hunter (La nuit du chasseur) (Laughton) ; 1958, Party Girl (Ray) ; 1960, Private Property (Propriété privée) (Stevens) ; 1962, Sweet Bird of Youth (Doux oiseau de jeunesse) (Brooks), The Chapman Report (Les liaisons coupables) (Cukor). *Pour le metteur en scène*, voir le *Dictionnaire du cinéma*, t. I : *Les réalisateurs.*

L'acteur présente un brillant palmarès. Il fut hallucinant dans *Private Property*. Le réalisateur est quelconque et son *Avalanche* ne balaie aucune des idées reçues sur le sujet.

Allen, Joan

Actrice américaine née en 1956.

1985, Compromising Positions (Perry) ; 1986, Zeisters (Golden), Peggy Sue Got Married (Peggy Sue s'est mariée) (Coppola), Manhunter (Le sixième sens) (M. Mann) ; 1988, Tucker : The Man and His Dream (Tucker) (Coppola) ; 1989, In Country (Un héros comme tant d'autres) (Jewison) ; 1993, Searching for Bobby Fischer (Zaillian), Josh and S.A.M. (Weber), Ethan Frome (Madden) ; 1995, Mad Love (Bird), Nixon (Nixon) (Stone) ; 1996, The Crucible (La chasse aux sorcières) (Hytner) ; 1997, The Ice Storm (Ice Storm) (Ang Lee), Face/Off (Volte/face) (Woo) ; 1998, Pleasantville (Pleasantville) (Ross) ; 1999, All the Rage (Stern), The Contender (Manipulations) (Lurie) ; 2002, Party Boys (Party Boys) (Shafer) ; 2004, The Notebook (N'oublie jamais) (N. Cassavetes), The Bourne Supremacy (La mort dans la peau) (Greengrass) ; 2005, The Upside of Anger (Les bienfaits de la colère) (Binder) ; 2007, The Bourne Ultimatum (La vengeance dans la peau) (Greengrass).

Native de l'Illinois, elle fonde, en 1978, aux côtés de John Malkovich, la prestigieuse troupe de théâtre Steppenwolf à Chicago, puis devient une figure importante de la scène new-yorkaise avant de passer au cinéma. Après plusieurs troisièmes et seconds rôles, elle joue Pat Nixon dans la biographie du président filmée par Oliver Stone, puis incarne la femme de John Travolta dans *Volte/face* et enfin la mère courage de *Ice Storm*. Une actrice discrète, mais solide.

Allen, Karen

Actrice américaine née en 1951.

1976, The Whidjitmaker (Kreiger) ; 1978, Animal House (American College) (Landis) ; 1979, A Small Circle of Friends (Un petit cercle d'amis) (Cohen), Manhattan (Manhattan) (Allen), Wanderers (Les seigneurs) (Kaufman), Cruising (La chasse) (Friedkin) ; 1981, Raiders of the Lost Ark (Les aventuriers de l'arche perdue) (Spielberg) ; 1982, Shoot the Moon (L'usure du temps) (Parker) ; 1985, Starman (Starman) (Carpenter), Until September (French Lover) (Marquand), Split Image (L'envoûtement) (Kotcheff) ; 1986, Terminus (Glenn) ; 1987, Backfire (Cates), Glass Menagerie (La ménagerie de verre) (Newman) ;

1988, Scrooged (Fantômes en fête) (Donner) ; 1989, Animal Behavior (Riley) ; 1990, Sweet Talker (Le beau parleur) (Jenkins) ; 1992, Malcolm X (Malcolm X) (S. Lee), The Turning (Puopolo) ; 1993, King of the Hill (King of the Hill) (Soderbergh), Ghost in the Machine (Le tueur du futur) (Talalay), Voyage (Voyage) (MacKenzie), The Sandlot (Evans) ; 1997, 'Til There Was You (Winant) ; 1998, Wind Rivers (Shell), Falling Sky (Brandt), The Basket (Cowan) ; 1999, The Perfect Storm (En pleine tempête) (Petersen) ; 2001, World Traveler (Freundlich), In the Bedroom (In the Bedroom) (Field).

Révélée par *Les aventuriers* de Spielberg, elle a joué dans les films les plus divers sans vraiment imposer une personnalité.

Allen, Nancy

Actrice américaine née en 1950.

1973, The Last Detail (La dernière corvée) (Ashby) ; 1975, Forced Entry (Sotos) ; 1976, Carrie (Carrie au bal du diable) (De Palma) ; 1978, I Wanna Hold Your Hand (Crazy Day) (Zemeckis) ; 1979, Home Movies (De Palma), 1941 (1941) (Spielberg) ; 1980, Dressed to Kill (Pulsions) (De Palma) ; 1981, Blow Out (Blow Out) (De Palma) ; 1983, Strange Invaders (Laughlin) ; 1984, Terror in the Aisles (Kuehn), Not for Publication (Bartel), The Buddy System (G. Jordan), The Philadelphia Experiment (Raffill) ; 1987, Sweet Revenge (Sobel), Robocop (Robocop) (Verhoeven) ; 1988, Poltergeist III (Poltergeist III) (Sherman) ; 1989, Limit Up (Martini) ; 1990, Robocop 2 (Robocop 2) (Kershner) ; 1993, Acting on Impulse (Irvin), Robocop 3 (Robocop 3) (Dekker) ; 1994, Les patriotes (Rochant) ; 1996, Dusting Cliff 7 (Molina) ; 1997, Against the Law (Wynorski) ; 1998, Secret of the Andes (Azzani), The Pass (Voss), Out of Sight (Hors d'atteinte) (Soderbergh), Kiss Toledo Goodbye (Chubbuck) ; 2000, Quality Time (LaMont).

Mariée à De Palma, elle fut la figure emblématique de ses premiers thrillers, de *Blow Out* à *Pulsions*. Le reste de sa carrière se résume à une fougueuse apparition dans *Robocop* et ses suites, et à une kyrielle de séries B sans âme. Ce que coûte un divorce !

Allen, Woody

Acteur et réalisateur américain, de son vrai nom Allen Stewart Konigsberg, né en 1935.

1965, What's New Pussycat ? (Quoi de neuf Pussycat ?) (Donner) ; 1966, What's Up, Tiger Lily (séquences additionnelles) (La première folie de Woody Allen) ; 1967, Casino Royale (Casino Royale) (Huston, Hughes, Guest, Parrish) ; 1969, Take the Money and Run (Prends l'oseille et tire-toi) (Allen) ; 1970, Play It Again, Sam (Tombe les filles et tais-toi) (Ross) ; 1971, Bananas (Bananas) (Allen) ; 1972, Everything You Always Wanted to Know About Sex but Were Afraid to Ask (Tout ce que vous avez toujours voulu savoir sur le sexe sans jamais oser le demander) (Allen) ; 1973, Sleeper (Woody et les robots) (Allen) ; 1975, Love and Death (Guerre et amour) (Allen) ; 1976, The Front (Le prête-nom) (Ritt) ; 1977, Annie Hall (Annie Hall) (Allen) ; 1979, Manhattan (Manhattan) (Allen) ; 1980, Stardust Memories (Stardust Memories) (Allen) ; 1982, Midsummernight's Sex Comedy (Comédie érotique d'une nuit d'été) (Allen) ; 1983, Zelig (Zelig) (Allen) ; 1984, Broadway Danny Rose (Broadway Danny Rose) ; 1986, Hannah and her Sisters (Hannah et ses sœurs) (Allen), King Lear (Godard) ; 1988, New York Stories (New York Stories) (avec Coppola et Scorsese) ; 1989, Crimes and Misdemeanors (Crimes et délits) (Allen) ; 1991, Shadows and Fog (Ombres et brouillard) (Allen), Scenes from a Mall (Scènes de ménage dans un centre commercial) (Mazursky) ; 1992, Husbands and Wives (Maris et femmes) (Allen) ; 1993, Manhattan Murder Mystery (Meurtre mystérieux à Manhattan) (Allen) ; 1995, Mighty Aphrodite (Maudite Aphrodite) (Allen) ; 1996, Everyone Says « I Love You » (Tout le monde dit « I love you ») (Allen), Wild Man Blues (Wild Man Blues) (Kopple) ; 1997, Deconstructing Harry (Harry dans tous ses états) (Allen) ; 1998, The Impostors (Les imposteurs) (Tucci) ; 1999, Sweet and Lowdown (Accords et désaccords) (Allen), Picking Up the Pieces (Morceaux choisis) (Arau), Company Man (Company Man) (McGrath, Askin), Ljuset håller mig sällskap (C.-G. Nykvist) ; 2000, Small Time Crooks (Escrocs mais pas trop) (Allen) ; 2001, The Curse of the Jade Scorpion (Le sortilège du scorpion de jade) (Allen) ; 2002, Hollywood Ending (Hollywood Ending) (Allen) ; 2003, Anything Else (La vie et tout le reste) (Allen) ; 2006, Scoop (Scoop) (Allen). *Pour le metteur en scène*, voir le *Dictionnaire du cinéma.* t. I : *Les réalisateurs*.

Petit, malingre, des lunettes et le cheveu rare, il a créé un personnage comique qui s'impose surtout par la force du raisonnement et son sens de l'humour. Timide, complexé, il surmonte pourtant tous les obstacles. Parler d'acteur serait absurde : le personnage est Woody Allen. Il est si typé qu'il a inspiré une bande dessinée.

Allibert, Louis

Acteur français, 1897-1979.

1924, Paris (Hervil), Le mirage de Paris (Manoussi), Le calvaire de Dona Pia (Krauss) ; 1925, Monte Carlo (Mercanton) ; 1926, Le juif errant (Luitz-Morat) ; 1927, Cousine de France (Roudès) ; 1930, Paris la nuit (Diamant-Berger) ; 1931, Le million (Clair), Les trois mousquetaires (Diamant-Berger), L'affaire Blaireau (Wulschleger), Amour et discipline (Kemm), Baroud (Ingram), Sola (Diamant-Berger) ; 1932, Gamin de Paris (Roudès) ; 1934, Jeunesse (Lacombe) ; 1935, Cavalerie légère (Hochbaum) ; 1936, Les deux favoris (Jacoby) ; 1938, La Marseillaise (Renoir), Remontons les Champs-Élysées (Guitry) ; 1948, L'école buissonnière (Le Chanois) ; 1950, L'étrange Madame X (Grémillon) ; 1951, La nuit est mon royaume (Lacombe) ; 1953, Si Versailles m'était conté (Guitry) ; 1977, Le passé simple (Drach).

Maigre et distinguée, cette vedette du muet des années 20 réussit une honorable reconversion dans le parlant : il fut Aramis pour *Les trois mousquetaires*, puis l'un des principaux héros de *La Marseillaise* et enfin Bonaparte dans *Remontons les Champs-Élysées*.

Allyson, June

Actrice américaine, de son vrai nom Ella Geisman, 1917-2006.

Nombreux courts métrages. Puis : 1943, Best Foot Forward (Buzzell), Girl Crazy (Taurog), Thousands Cheer (Parade aux étoiles) (Sidney) ; 1944, Two Girls and a Sailor (Deux jeunes filles et un marin) (Thorpe), Meet the People (Riesner) ; 1945, Her Highness and the Bellboy (Thorpe), Music for Millions (Koster) ; 1946, The Two Sisters from Boston (Koster) ; Till the Clouds Roll By (La pluie qui chante) (Whorf), The Secret Heart (Leonard) ; 1947, High Barbaree (L'île enchantée) (Conway), Good News (Vive l'amour !) (Walters) ; 1948, The Bride Goes Wild (Taurog), The Three Musketeers (Les trois mousquetaires) (Sidney), Words and Music (Ma vie est une chanson) (Taurog) ; 1949, The Little Women (Les quatre filles du docteur March) (LeRoy), The Stratton Story (Un homme change son destin) (Wood), The Reformer and the Redhead (Panama et Frank) ; 1950, Right Cross (Sturges) ; 1951, Too Young to Kiss (Leonard) ; 1952, The Girl in White (Sturges) ; 1953, Battle Circus (Le cirque infernal) (R. Brooks), Remains to Be Seen (Drôle de meurtre) (Weis), The Glenn Miller Story (Romance inachevée) (Mann) ; 1954, Executive Suite (La tour des ambitieux) (Wise), Woman's World (Les femmes mènent le monde) (Negulesco) ; 1955, Strategic Air Command (A. Mann), The McConnell Story (Le tigre du ciel) (Douglas), The Shrike (Ferrer) ; 1956, The Opposite Sex (D. Miller), You Can't Run Away from It (L'extravagante héritière) (D. Powell) ; 1957, Interlude (Les amants de Salzbourg) (Sirk), My Man Godfrey (Mon homme Godfrey) (Koster) ; 1959, Stranger in my Arms (Kautner) ; 1972, They Only Kill their Masters (Goldstone) ; 1978, Et la terreur commence (Matalon) ; 1994, That's Entertainment III (That's Entertainment III) (Friedgen et Knievel).

Danseuse, chanteuse et actrice au physique insipide, elle débute dans les comédies musicales de la MGM où elle fera une partie de sa carrière. De la banale jeune fille elle passe dans les années 50 à la femme de devoir pour une série de films sans grand relief où se détache toutefois *Battle Circus*, principal titre de gloire d'Allyson puisqu'elle eut Bogart pour partenaire. Comédies et mélodrames se succèdent : aucun rôle déshonorant, rien de très exaltant. Elle fut mariée pendant dix-huit ans à Dick Powell, seule la mort les sépara : un fait exceptionnel à Hollywood.

Almeida, Joaquim de

Acteur portugais né en 1957.

1982, The Soldier (Glickenhaus) ; 1983, The Honorary Consul (Le quatrième protocole) (Mackenzie) ; 1987, Good Morning Babilonia (Good Morning Babylonia) (P. & V. Taviani), Reporter X (Nascimento), Milan noir (Chammah) ; 1988, Terre sacrée (Pacull) ; 1989, Les deux Fragonard (Le Guay), Priceless Beauty (Love Dream) (Fincher), Disamistade (Cabiddu) ; 1990, Sandino (Littin), A ilha (Leitão) ; 1991, A idade maior (Villaverde), El rey pasmado (Le roi ébahi) (Uribe), Retrato de familia (Galvão Teles), El día que nací yo (Olea), Aqui d'El Rei ! (Vasconcelos), Amor et dedinhos de pé (Macao, mépris et passion) (L.F. Rocha) ; 1992, Terra fria (Campos), El maestro de esgrima (Le maître d'escrime) (Olea), Una estación de paso (Querejeta) ; 1993, Sombras en un batalla (Sombras en una batalla) (Camus), Amok (Farges), El baile de las ánimas (Carvajal) ; 1994, Uma vida normal (Leitão), Clear and Present Danger (Danger immédiat) (Noyce), Only You (Only You) (Jewison) ; 1995, Desperado (Desperado) (Rodriguez), Adão e Eva (Leitão) ; 1996, Afirma Pereira (Pereira prétend) (Faenza) ; 1997, Elles (Galvão Teles), Tentação (Leitão), Corazón loco (Del Real), One Man's Hero (Hool) ; 1998, La Cucaracha (Perez), On the Run (On the Run) (B. de Almeida), Vendetta (Meyer) ; 1999, No Vacancy (Balchunas), Inferno (Leitão), Capitaes de Abril (Capitaines d'avril) (De Medeiros), O xango de Baker Street (Faria, Jr.) ; 2000, La voz de su amo (Martínez Lázaro), Eau et sel (Villaverde).

Après une jeunesse passée à voyager (il est successivement jardinier à l'ambassade du Zaïre en Autriche, puis serveur à New York) tout en étudiant le théâtre, il entame une carrière sur scène à la fin des années 80. Il apparaît sur la scène internationale dès 1982 avec *Le consul honoraire*. Un physique solide, une personnalité au diapason, et le voilà promu dangereux terroriste dans *Danger immédiat*, avec Harrison Ford. Parlant couramment sept langues, il est le comédien portugais le plus connu dans le monde. Il est le frère des comédiennes Maria et Ines de Medeiros.

Alonso, Chelo

Actrice italienne d'origine cubaine née en 1933.

1958, Sotto il segno di Roma (Sous le signe de Rome) (Brignone) ; 1959, Tunisie top secret (Paolinelli), La samitarra del Saraceno (La vengeance du Sarrazin) (Pierotti), Il terrore dei barbari (La terreur des barbares) (Campogalliani), I reali di Francia (Costa), Guardatele ma non toccatele (Mattoli), Terrore della maschera rossa (Capuano) ; 1960, La regina dei Tartari (La reine des Barbares) (Grieco), Morgan il pirata (Capitaine Morgan) (Zeglio), Gastone (Bonnard), La strada dei giganti (Malatesta), Le signore (Vasile), Maciste nella valle dei re (Maciste dans la vallée des rois) (Campogalliani) ; 1961, Maciste nella terra dei ciclopi (Leonviola) ; 1964, La ragazza sotto il lenzuolo (Girolami) ; 1966, Il buono, il brutto, il cattivo (Le bon, la brute et le truand) (Leone) ; 1968, Corri, uomo, corri (Sollima).

Un bref passage dans le péplum qu'elle incendia de sa sombre beauté et d'une sensualité qui laisse pantois.

Alric, Catherine

Actrice française née en 1954.

1975, L'incorrigible (Broca) ; 1977, Tendre poulet (Broca) ; 1978, Le cavaleur (Broca), One Two Two (Gion) ; 1979, L'associé (Gainville), Nous maigrirons ensemble (Vocoret), On a volé la cuisse de Jupiter (Broca) ; 1980, La puce et le privé (Kay) ; 1981, Pétrole ! Pétrole ! (Gion), La revanche (Lary) ; 1982, T'empêches tout le monde de dormir (Lauzier) ; 1983, Drôle de samedi (Okan), Clash (Delpard), Der Schnüffler (Runze) ; 1984, Tranches de vie (Leterrier) ; 1985, Liberté, égalité, choucroute (Yanne) ; 1988, Les cigognes n'en font qu'à leur tête (Kaminka), Papa et moi (Capitani) ; 1990, Promotion canapé (Kaminka).

Blonde acidulée qui connut son heure de gloire dans les années 80 avec une série de comédies charmantes et populaires. De vrais talents d'actrice, mais une ressemblance trop frappante avec Catherine Deneuve qui lui ferma sans doute certaines portes.

Alvaro, Anne

Actrice française née en 1951.

1982, Danton (Wajda) ; 1983, La java des ombres (Goupil), La ville des pirates (Ruiz) ; 1984, Régime sans pain (Ruiz), Point de fuite (Ruiz) ; 1985, Visage de chien (Gasiorowski) ; 1986, Nouvelle suite vénitienne (Kané) ; 1987, La lumière du lac (C. Comencini) ; 1990, Les chevaliers de la Table Ronde (Llorca) ; 1992, Rupture(s) (Citti), Leben oder Theater (Dindo) ; 1995, Le cri de la soie (Marciano) ; 1997, Le serpent a mangé la grenouille (Guesnier) ; 1998, À mort la mort ! (Goupil) ; 1999, Le goût des autres (Jaoui) ; 2003, La chose publique (Amalric).

Avant tout comédienne de théâtre (elle joue sous la direction de Françon, Lavelli, Vincent), intègre, passionnée et souvent cantonnée dans un registre austère, elle tourne peu pour le cinéma (en dehors de nombreux courts métrages) et trouve, sur le tard, son meilleur rôle en prof d'anglais courtisée par un chef d'entreprise dans *Le goût des autres*.

Alvina, Anicée

Actrice française, de son vrai nom Schahmaneche, 1953-2006.

1969, Elle boit pas, elle fume pas, elle drague pas mais elle cause (Audiard) ; 1971, Friends (Deux enfants qui s'aiment) (L. Gilbert) ; 1972, Le rempart des béguines (Casaril) ; 1973, Les grands sentiments font les bons gueuletons (Berny), Paul et Michèle (L. Gilbert) ; 1974, Glissements progressifs du plaisir (Robbe-Grillet), Une femme fatale (Doniol-Valcroze) ; 1975, Le jeu avec le feu (Robbe-Grillet), Isabelle devant le désir (Berckmans) ; 1976, Le trouble-fesses (Foulon), L'arriviste (Pavel), L'affiche rouge (Cassenti), Anima persa (Ames perdues) (Risi) ; 1977, La barricade du point du jour (Richon), L'honorable société (Weinberger), One Two Two (Gion) ; 1978, Un second souffle (Blain) ; 1981, Rêve après rêve (Kenzo) ; 1995, Jusqu'au bout de la nuit (Blain) ; 1999, Ainsi soit-il (Blain).

Elle interrompt ses études pour tourner avec Audiard mais c'est Robbe-Grillet qui, en nous dévoilant avec un savant érotisme l'anatomie de la charmante Anicée, en fait une vedette. Malgré Risi et une sympathique tendance à travailler avec des débutants, elle n'a pas tenu, par la suite, ses promesses de comédienne.

Amalric, Mathieu

Acteur et réalisateur français né en 1965.

1984, Les favoris de la lune (Iosseliani) ; 1991, La sentinelle (Desplechin) ; 1993, Lettre pour L... (Goupil) ; 1995, Le journal du séducteur (Dubroux) ; 1996, Comment je me suis disputé... (ma vie sexuelle) (Desplechin), Généalogie d'un crime (Ruiz) ; 1997, Alice et Martin (Téchiné), On a très peu d'amis (Monod) ; 1998, Fin août, début septembre (Assayas), Trois ponts sur la rivière (Biette), Adieu, plancher des vaches ! (Iosseliani) ; 1999, La fausse suivante (Jacquot), L'affaire Marcorelle (Le Péron) ; 2000, La brèche de Roland (Larrieu) ; 2001, Amour d'enfance (Caumon) ; 2002, Lundi matin (Iosseliani), Les naufragés de la D17 (Moullet) ; 2003, C'est le bouquet (Labrune), Mes enfants ne sont pas comme les autres (Dercourt), Un homme, un vrai (Larrieu) ; 2004, Rois et reines (Desplechin), Le pont des Arts (Green), Inquiétudes (Bourdos) ; 2005, J'ai vu tuer Ben Barka (Le Péron), La moustache (Carrère) ; 2006, Le grand appartement (Thomas), Munich (Munich) (Spielberg), Quand j'étais chanteur (Giannoli), Fragments sur la grâce (Dieutre), Marie-Antoinette (Marie-Antoinette) (S. Coppola) ; 2007, Un secret (Miller), Michou d'Auber (Gilou). *Pour le metteur en scène*, voir le *Dictionnaire du cinéma*; t. I : *Les réalisateurs*.

Fils d'un grand journaliste, il baigne dans une atmosphère familiale très littéraire avant de suivre les cours de la Fémis. Comédien cérébral, raffiné, très intériorisé, il se montre particulièrement à l'aise chez Desplechin. Il fut marié à la comédienne Jeanne Balibar.

Ameche, Don

Acteur américain, de son vrai nom Dominic Amici, 1908-1993.

1936, Sins of a Man (Ratoff), Ramona (H. King), Ladies in Love (E. Griffith), One in a Million (Lanfield) ; 1937, Love Is News (L'amour en première page) (Garnett), Fifty Roads to Town (Taurog), You Can't Have Everything (Brelan d'as) (Taurog), Love under Fire (Marshall) ; 1938, In Old Chicago (L'incendie de Chicago) (H. King), Josette (Dawn), Happy Landing (Del Ruth), Alexander's Ragtime Band (La folle parade) (H. King), Gateway (Werker) ; 1939, The Three Musketeers (Les trois louf'quetaires) (Dwan), Midnight (La baronne de minuit) (Leisen), The Story of Alexander Graham Bell (Cummings), Hollywood Cavalcade (Cummings), Swanee River (Lanfield) ; 1940, Lillian Russel (Cummings), Four Sons (Mayo), Down Argentine Way (Sous le soleil d'Argentine) (Cummings) ; 1941, That Night in Rio (Une nuit à Rio) (Cummings), Moon over Miami (Lang), Kiss the Boys Goodbye (Schertzinger), The Feminine Touch (Van Dyke) ; 1942, Confirm or Deny (Mayo), The Magnificent Dope (Lang), Girl Trouble (Schuster) ; 1943, Heaven Can Wait (Le ciel peut attendre) (Lubitsch), Happy Land (Pichel), Something to Shout About (Ratoff) ; 1944, Wing and a Prayer (Hathaway), Greenwich Village (W. Lang) ; 1945, It's in the Bag (Wallace), Guest Wife (Wood) ; 1946, So Goes My Love (Ryan) ; 1947, That's My Man (Borzage) ; 1948, Sleep My Love (L'homme aux lunettes d'écaille) (Sirk) ; 1949, Slighty French (Sirk) ; 1961, A Fever in the Blood (V. Sherman) ; 1966, Rings Around the World (Cates), Picture Mommy Dead (B.I. Gordon) ; 1970, Suppose They Gave a War and Nobody Came ? (Averback), The Boatniks (Tokar) ; 1975, Won Ton Ton, The Dog Who Saved Hollywood (Winner) ; 1983, Trading Places (Un fauteuil pour deux) (Landis) ; 1985, Cocoon (Cocoon) (Howard) ; 1987, Harry and the Hendersons (Bigfoot et les Hendersons) (Dear) ; 1988, Things Change (Parrain d'un jour) (Mamet), Cocoon 2 (Cocoon : le retour) (Petrie) ; 1988, Coming to America (Un prince à New York) (Landis) ; 1991, Oscar (L'embrouille est dans le sac) (Landis), Oddball Hall (Hunsicker) ; 1992, Folks ! (Kotcheff) ; 1994, Corrina Corrina (Corrina Corrina) (Nelson).

Le charme méditerranéen, le cheveu noir et la fine moustache, Don Ameche fut le parfait « latin lover made in Hollywood ». On le vit dans les comédies musicales de la Fox, passant de Sonja Henie à Carmen Miranda avec la même élégance. L'âge venant, sa carrière connut un coup d'arrêt en 1949 ; il ne fit plus dès lors que des apparitions avant de renouer avec le succès *Trading Places* où il fut l'un des deux financiers qui imaginent une cruelle substitution de situation sociale qui se retourne contre eux, et avec *Cocoon* où il fut définitivement voué aux rôles du troisième âge.

Amidou

Acteur d'origine marocaine né en 1942.

1960, Le propre de l'homme (Lelouch) ; 1964, Une fille et des fusils (Lelouch) ; 1965,

Les grands moments (Lelouch) ; 1966, Un homme et une femme (Lelouch), Brigade antigangs (Borderie) ; 1967, Vivre pour vivre (Lelouch), Fleur d'oseille (Lelouch), La fille d'en face (J. Simon) ; 1968, La vie, l'amour, la mort (Lelouch), La chamade (Cavalier) ; 1970, Compte à rebours (Pigaut), Le voyou (Lelouch), La promesse de l'aube (Dassin) ; 1971, La poudre d'escampette (Broca), Smic, smac, smoc (Lelouch) ; 1972, Trois milliards sans ascenseur (Pigaut) ; 1973, La punition (Jolivet) ; 1974, La valise (Lautner) ; 1975, Rosebud (Rosebud) (Preminger) ; 1977, Wages of fear (Le convoi de la peur) (Friedkin) ; 1980, Escape to victoire (A nous la victoire) (Huston), Occhio alla penna (On m'appelle Malabar) (Lupo) ; 1982, Les p'tites têtes (Menez) ; 1985, Adieu blaireau (Decout) ; 1986, Les liens du sang/Champagne amer (Behi) ; 1988, L'union sacrée (Arcady) ; 1989, Il y a des jours... et des lunes (Lelouch) ; 1991, La belle histoire (Lelouch) ; 1992, Le grand pardon II (Arcady), Hot Chocolate (Dayan) ; 1996, Soleil (Hanin) ; 1998, Hideous Kinky (Marrakech Express) (MacKinnon) ; 2000, Rules of Engagement (L'enfer du devoir) (Friedkin) ; 2002, And Now... Ladies and Gentlemen (Lelouch), Spy Games (Spy Games, jeu d'espions) (Scott).

Beaucoup de théâtre avec Madeleine Renaud et Jean-Louis Barrault (dont la création des *Paravents*). A l'écran, il joue les marginaux, les victimes, les paumés. Acteur fétiche de Lelouch.

Amstutz, Roland

Acteur suisse, 1942-1997.

1970, Le fou (Goretta) ; 1974, 1789 (Mnouchkine), Le milieu du monde (Tanner), Pas si méchant que ça (Goretta), Voyage en Grande Tartarie (Tacchella), Que la fête commence (Tavernier) ; 1975, Histoire de Paul (Medveczky) ; 1976, La question (Heynemann), La communion solennelle (Féret) ; 1977, Le gang (Deray), Repérages (Soutter) ; 1978, A vendre (Drillaud), Mémoire commune (Poidevin), Molière (Mnouchkine) ; 1979, Fernand (Féret), Félicité (Pascal), Il y a longtemps que je t'aime (Tacchella), I comme Icare... (Verneuil) ; 1980, La femme flic (Boisset), Sauve qui peut (la vie) (Godard), Les petites fugues (Yersin), Un si joli village (Périer), Un étrange voyage (Cavalier) ; 1981, Plein sud (Béraud) ; 1982, Parti sans laisser d'adresse (Veuve), Tir groupé (Messiaen), La petite bande (Deville) ; 1983, Gwendoline (Jaeckin), Ronde de nuit (Messiaen) ; 1984, Le monde désert (Beuchot) ; 1985, Elsa, Elsa (Haudepin), Le thé à la menthe (Bahloul) ; 1986, Hôtel de France (Chéreau) ; 1987, L'ogre (Edelstein), La 7e dimension (Bourbeillon, Dussault, Ferreux) ; 1989, Bille en tête (Cotti), Les deux Fragonard (Le Guay) ; 1990, Alberto express (Joffé), Nouvelle vague (Godard) ; 1991, Sale comme un ange (Breillat), Un cœur qui bat (Dupeyron) ; 1994, Joe et Marie (Stocklin), Faut pas rire du bonheur (Nicloux), Les braqueuses (Salomé) ; 1995, Les derniers jours d'Emmanuel Kant (Collin), Une femme dans l'ennui (moyen-métrage, Couvelard) ; 1996, Le silence de Rak (Loizillon), Jeunesse sans Dieu (Corsini), Lucie Aubrac (Berri), Comment je me suis disputé... (ma vie sexuelle) (Desplechin) ; 1997, Dobermann (Kounen), Alors voilà (Piccoli).

Jovial et sympathique comédien qui fut hélas un peu trop souvent relégué au second plan.

Anconina, Richard

Acteur français né en 1953.

1977, Comment se faire réformer ? (Clair) ; 1978, Démons de midi (Paureilhe) ; 1979, Les réformés se portent bien (Clair) ; 1980, La provinciale (Goretta), Inspecteur la bavure (Zidi), Une robe noire pour un tueur (Giovanni), Le bar du téléphone (Barrois) ; 1981, Le choix des armes (Corneau) ; 1982, Cap Canaille (Berto), Une pierre dans la bouche (Leconte), Le jeune marié (Stora) ; 1983, Le battant (Delon), Tchao Pantin (Berri) ; 1984, L'intrus (Jouannet), Paroles et musique (Chouraqui) ; 1985, Partir, revenir (Lelouch), Police (Pialat), Zone rouge (Enrico) ; 1986, Le môme (Corneau), Levy et Goliath (Oury) ; 1987, Se lo scopre Gargiulo (Corta) ; 1988, Envoyez les violons (Andrieux), Itinéraire d'un enfant gâté (Lelouch) ; 1990, Miss Missouri (Chouraqui), Le petit criminel (Doillon) ; 1991, A quoi tu penses-tu ? (Kaminka) ; 1992, Coma (D. Granier-Deferre) ; 1995, Hercule et Sherlock (Szwarc) ; 1996, La vérité si je mens ! (Gilou) ; 1999, Six-Pack (Berbérian) ; 2000, La vérité si je mens ! 2 (Gilou) ; 2001, Gangsters (Marchal) ; 2004, Alive (Berthe) ; 2007, Dans les cordes (Richard-Serrano).

Une dizaine de petits rôles (n'ont été recensés ici que les plus importants) jusqu'au césar de *Tchao Pantin*. Très brun, un profil tourmenté qui le voue aux rôles de marginaux, d'immigrés. Il apparaît un peu comme le successeur de Mouloudji. Le relatif échec de *Levy et Goliath* ne semble pas avoir compromis sa carrière que relance *La vérité si je mens !*

Anderson, Gilbert M., dit Broncho Billy

Acteur et réalisateur américain, de son vrai nom Max Aaronson, 1883-1971.

1903, The Great Train Robbery (Le vol du rapide) (Porter) ; 1908, Broncho Billy and the Baby (R. Baker) ; 1909, Broncho Billy's Redemption (Baker) ; 1910, Under Western Skies (Baker), Girl on Triple X ; 1911, Broncho Billy's Adventure (Baker), The Count and the Cow-Boy, The Outlaw and the Child ; 1912, Broncho Billy and the Bandits (Anderson), Smuggler's Daughter (Anderson), Broncho Billy's Love Affair (Anderson), Broncho Billy's Mexican Wife (Anderson) ; 1913, Bronco Billy's Oath (Anderson), Why Bronco Billy Left Bear Country (Anderson) ; 1914, Bronco Billy and the Sisters (Anderson) ; 1915, The Indian's Narrow Escape (Anderson), The Champion (Charlot boxeur) (Chaplin) ; 1965, The Bounty Killers (Chasseur de primes) (Bennett). *Comme réalisateur seul :* série des Alkali Ike (1912-1913).

Premier cow-boy de l'écran, il fut rendu célèbre par *Le vol du rapide*. Il exploita alors le personnage de Broncho Billy, « mauvais garçon au grand cœur », héros d'une centaine de films (dont on n'a indiqué que les principaux) souvent mis en scène par lui-même et produits par Essanay. En 1915, l'avènement de William Hart, plus authentique, le contraignit à la retraite. On le revit en 1965, dans une série Z.

Andersson, Bibi

Actrice suédoise, de son vrai prénom Birgitta, née en 1935.

1953, Dum-Bom (Poppe) ; 1954, Herr Arnes Penningar (Le trésor d'Arnes) (Molander), En Natt Pa Glimmingehus (Une nuit au château de Glimminge) (Wickman) ; 1955, Flickan I Regnet (Kjellin), Sommarnattens Leende (Sourires d'une nuit d'été) (Bergman) ; 1956, Sista Paret Ut (Le dernier couple qui court) (Sjoberg), Egen Ingang (Ekman) ; 1957, Det Sjunde Inseglet (Le septième sceau) (Bergman), Sommarnoje Sokes (Ekman), Smulstronstallet (Les fraises sauvages) (Bergman) ; 1958, Du Ar Mitt Aventyr (Olin), Narat Livet (Au seuil de la vie) (Bergman), Ansiktet (Le visage) (Bergman) ; 1959, Den Kara Leken (Le jeu de l'amour) (Fant) ; 1960, Brollopsdagen (Jour de noces) (Fant), Djavulens Oga (L'œil du diable) (Bergman), Pan (Jensen) ; 1961, Karneval (Carnaval) (Olsson), Nasilje Na Trgu (La nuit des otages) (Bercovici), Lustgarden (Le jardin des plaisirs) (Kjellin) ; 1962, Alskarinnan (La maîtresse) (Sjoman), Kort Ar Sommaren (Le garçon entre deux mondes) (Jensen) ; 1964, For Att Inte Tala Om Alla Dessa Kvinnor (A propos de toutes ces femmes) (Bergman) ; 1965, Juniratt (Nuit de juin) (Liedholm) ; 1966, Syskonbadd (Ma sœur, mon amour) (Sjoman), On (L'île) (Sjoberg), Duel at Diablo (La bataille de la vallée du diable) (Nelson), Scusi, lei e favorevole o contrario (Sordi), Persona (Bergman) ; 1967, Le viol (Doniol-Valcroze) ; 1968, Flickorna (Les filles) (Zetterling), Svarta Palmkronor (Les palmiers noirs) (Magnus Lindgren) ; 1969, Storia di una donna (Histoire d'une femme) (Bercovici), Violenza al sol — una estate in quattro (La partenaire) (Vancini), Taenk Pa Et Tal (Schmidt), En Passion (Une passion) (Bergman) ; 1970, The Kremlin Letter (La lettre du Kremlin) (Huston) ; 1971, The Touch (Le lien) (Bergman) ; 1972, Tjelovek S Drugo Storoni (Jegorov) ; 1973, Afskedens Time (Holst), Scener Ur Ett Aktenskap (Scènes de la vie conjugale) (Bergman) ; 1974, La rivale (Gobbi), After the Fall (B. Cates) ; 1975, Il pleut sur Santiago (Soto), Blondy (Gobbi) ; 1977, An Enemy of the People (Schaefer), I Never Promised You a Rose Garden (Jamais je ne t'ai promis un lit de roses) (Page) ; 1978, L'amour en question (Cayatte) ; 1979, Barnfoerbjudet (M.L. Ekman), Twee Vrouwen (Sluizer), Airport 79 — the Concorde (Airport 80, Concorde) (D.L. Rich), Quintet (Quintet) (Altman), Marmeladupproret (La révolution de la confiture) (Josephson) ; 1981, Jag rodnar (Ekman) ; 1983, Svarte fugler (Glomm), Berget pa manens baksida (Hjulstrom et Pleijel), Exposed (Surexposé) (Toback) ; 1984, Sista Leken (Lindstrom) ; 1985, La noche mas hermosa (Gutierrez Aragon) ; 1986, Pobre mariposa (de la Torre), Huomenna (Rosma) ; 1987, Babettes gaestebud (Le festin de Babette) (Axel), Los dueños del silencio (Lemos) ; 1988, Fordringsägare (Les créanciers) (Böhm, Hjelm, Olsson) ; 1992, Una estacion de paso (Querejeta) ; 1994, Dromspel (Straume), Il sogno della farfalla (Bellochio) ; 1996, I rollerna tre (Olofson) ; 1999, Ljuset håller mig sällskap (C.-G. Nykvist) ; 2000, Det blir aldrig som man tänkt sig (Herngren, Holm).

Formée à l'Académie d'art dramatique de Stockholm d'où sortirent Garbo et Ingrid Bergman, elle est engagée dans la troupe théâtrale de Ingmar Bergman et fera par la suite de nombreux films avec lui. Vedette internationale, celle qui incarnait la douceur de la vie face au masque blafard de la mort dans *Le septième sceau* s'est fourvoyée dans des films comme *Le viol* ou *Duel at Diablo*, bien loin de *Sourires d'une nuit d'été*, l'œuvre qui la rendit célèbre. Elle a été couronnée à Cannes en 1958, à Berlin en 1963 et à l'Académie du cinéma en 1967.

Andersson, Harriet

Actrice suédoise née en 1932.

1950, Motorkvaljerer (Ahrle), Medan Staden Sover (Pendant que la ville sommeille) (Kjellgren), Tva Trappor Over Garden (Werner), Anderssonskans Kalle (Husberg) ; 1951, Biffen och Bananen (Husberg), Puck Heter Jag (Bauman), Darskapens Hus (Ekman), Franskild (Molander) ; 1952, Ubat 39 (Le sous-marin 39) (Faustman), Sabotage (Jonsson), Trots (L'esprit de contradiction) (Molander) ; 1953, Sommaren Med Monika (Un été avec Monika) (Bergman), Glycklarnas Afton (La nuit des forains) (Bergman) ; 1954, En Lektion I Karlek (Une leçon d'amour) (Bergman) ; 1955, Kvinnodrom (Rêves de femmes) (Bergman), Hoppsan ! (Olin), Sommarnattens Leende (Sourires d'une nuit d'été) (Bergman) ; 1956, Nattbarn (Les enfants de la nuit) (Hellstrom), Sista Paret Ut (Le dernier couple qui court) (Sjoberg) ; 1957, Synnove Solbakken (La petite fée de Solbakken) (Hellstrom) ; 1958, Flottans Overman (Olin), Kvinna I Leopard (Molander) ; 1959, Noc Poslubna-Haayo-en Brollopsnatt (Blomberg), Brott I Paradiset (Crime au paradis) (Kjellgren) ; 1961, Barbara (Barbara et les hommes) (Wisbar), Sasom I en Spegel (A travers le miroir) (Bergman) ; 1962, Syska (Kjellin) ; 1963, Lyckodrommen (Rêve de chance) (Abramson), En Sondag I September (Un dimanche de septembre) (Donner) ; 1964, For Att Inte Tala Om Alla Dessa Kvinnor (Toutes ces femmes) (Bergman), Att Alska (Aimer) (Donner), Alskande Par (Les amoureux) (Zetterling) ; 1965, For Vanskaps Skull (Que ne ferait-on pas pour ses amis ?) (Abramson), Lianbron (Le pont de lianes) (Nykvist), Har Borjar Aventyret-Taalla Alkan Seikkailu (Ici commence l'aventure) (Donner) ; 1966, Ormen (Le serpent) (Abramson) ; 1967, The Deadly Affair (M. 15 demande protection) (Lumet), Stimulantia (Donner), Tvarbalk (Chassé- croisé) (Donner), Mennesker Modes Og Sod Musik Opstar I Hjertet-Manniskor Mots Och Ljuv Musik Uppstar I Hjartat (Sophie de 6 à 9) (Carlsen) ; 1968, Jag Alskar, Du Alskar (Bjorkman), Flickorna (Les filles) (Zetterling), Oberman (L'amour sans uniforme) (Embach) ; 1969, Bataglia Pentru Roma (La bataille pour Rome) (Siodmak), Anna (Donner) ; 1971, I Havsbandet (Lagerkvist) ; 1972, Viskningar Och Rop (Cris et chuchotements) (Bergman) ; 1973, Bebek (Le nouveau-né) (Karabuda) ; 1975, Monnismanien 1995 (Fant), Tvaa Kvinnor-Den Vita Vagen (Deux femmes) (Björkman) ; 1977, Hempas Bar (Thelesman), Snorvalpen (Sjöman) ; 1979, Linus (Linus) (Sjöman), La Sabina (Borau) ; 1983, Fanny och Alexander (Fanny et Alexandre) (Bergman), Raskenstam (Hellström) ; 1987, Sommarkvallar pa jorden (Lindblom) ; 1988, Himmel og Helvede (Arnfred) ; 1990, Blankt vapen (Nykvist) ; 1993, Hoyere enn Himmelen (Nesheim) ; 1996, I rollerna tre (Olofson) ; 1998, Det sjunde skottet (Adelvinge) ; 1999, Happy End (Olofson), Ljuset håller mig sällskap (Nykvist) ; 2003, Dogville (Dogville) (Trier).

Sortie d'un cours d'art dramatique, elle se révéla tout en révélant Bergman et un nouveau cinéma suédois, avec *Monika*. Sa sensualité fit sensation. On la retrouva dans plusieurs films de Bergman. De *La nuit des forains* à *Sourires d'une nuit d'été*, sa beauté brune, son érotisme, sa pétulance en font un « sex-symbol » sur lequel Ado Kyrou délire. Mais elle joua aussi dans de nombreuses bandes en Suède et au Danemark, bandes qui demeurent inédites ailleurs. On a pu la revoir, en 1983, dans un autre film de Bergman, *Fanny et Alexandre*, vieille et bouffie. Maquillage ou réalité ? En tout cas comment ne pas éprouver un petit pincement au cœur pour cette beauté envolée ?

André, Marcel

Acteur français, 1885-1974.

1927, L'argent (L'Herbier) ; 1929, Le procès de Mary Dugan (Sano), Si l'empereur savait ça (Feyder) ; 1931, L'amoureuse aventure (Thiele) ; 1932, Quick (Siodmak), Tumultes (Siodmak), La chance (Guissart), Coup de feu à l'aube (Poligny) ; 1933, L'agonie des aigles (Richebé), La Margoton du bataillon (Darmont) ; 1934, Les filles de la concierge (J. Tourneur), Le voyage de M. Perrichon (Tarride), Cessez le feu (Baroncelli), La chanson de l'adieu (Bolvary) ; 1935, Baccara (Mirande), Retour au Paradis (Poligny) ; 1936, Le coupable (Bernard), Au service du tsar (Billon) ; 1937, Marthe Richard (Bernard), Gribouille (M. Allégret), Les pirates du rail (Christian-Jaque) ; 1938, Le joueur (Lamprecht), Hôtel du Nord (Carné), Adrienne Lecouvreur (L'Herbier), Ultimatum (Wiene) ; 1939, De Mayerling à Sarajevo (Ophuls), Nuit de décembre (Bernhardt) ; 1942, Ne le criez pas sur les toits (Daniel-Norman) ; 1943, Vautrin (Billon), Cécile est morte (M. Tourneur), Coup de tête (Le Hénaff) ; 1945, Un ami viendra ce soir (Bernard), Seul dans la nuit (Stengel), La belle et la bête (André) ;

1946, L'idiot (Lampin), Martin Roumagnac (Lacombe), Contre-enquête (Faurez) ; 1948, Les parents terribles (Cocteau) ; 1949, Tête blonde (Cam) ; 1951, La vérité sur Bébé Donge (Decoin), Nez de cuir (Y. Allégret), Les mains sales (Rivers), Un grand patron (Ciampi), Ils étaient cinq (Pinoteau) ; 1952, Horizons sans fin (Dréville), Mon curé chez les riches (Diamant-Berger) ; 1953, Thérèse Raquin (Carné) ; 1954, Les intrigantes (Decoin) ; 1956, L'homme aux clés d'or (Joannon) ; 1959, Le huitième jour (Hanoun).

Débute au théâtre avec Gémier et joue à Saint-Pétersbourg avant 1914. Le cinéma va lui donner quelques beaux rôles grâce à Cocteau qui en fait le père dans *La belle et la bête* et encore un père dans *Les parents terribles*. Chaque fois, André est l'homme de la démission, de la nonchalance, de l'usure prématurée. En juge d'instruction, il conduit une enquête languissante dans *La vérité sur Bébé Donge*. Un physique neutre qui ne peut s'épanouir que dans des atmosphères feutrées.

Andresen, Bjørn

Acteur suédois né en 1955.

1970, En Kärlekshistoria (Andersson) ; 1971, Morte a Venezia (Mort à Venise) (Visconti) ; 1977, Bluff Stop (Carnell) ; 1982, Den Enfäldige Mördaren (Alfredson), Gräsänklingar (Iveberg) ; 1985, Smugglarkungen (Lund-Sørensen) ; 1986, Morrhar och Artor (Ekman).

Tadzio fit sans doute rêver des milliers d'hommes mûrs outre le personnage joué par Dirk Bogarde dans *Mort à Venise*, mais le comédien, lui, n'a pas laissé de traces.

Andress, Ursula

Actrice d'origine suisse née en 1936.

1954, Le avventure di Giacomo Casanova (Les aventures de Casanova) (Steno), Un Americano a Roma (Steno) ; 1955, La catena dell'oddio (La chaîne de la haine) (Costa) ; 1962, Docteur No (James Bond contre Docteur No) (T. Young) ; 1963, Four for Texas (Quatre du Texas) (Aldrich), Fun in Acapulco (L'idole d'Acapulco) (Thorpe) ; 1964, Nightmare in the Sun (Tendre garce) (Lawrence), She (La déesse du feu) (Day), Once Before I Die (Une fois avant de mourir) (Derek) ; 1965, La decima vittima (La dixième victime) (Petri), Les tribulations d'un Chinois en Chine (Broca), What's New Pussycat ? (Quoi de neuf Pussycat ?) (Donner) ; 1966, The Blue Max (Le crépuscule des aigles) (Guillermin) ; 1967, Casino Royale (Casino Royale) (Huston, Hughes, Guest, Parrish), Le dolci signore (Pas folles les mignonnes) (Zampa) ; 1968, Southern Star (L'étoile du Sud) (Hayers) ; 1969, Perfect Friday (L'arnaqueuse) (P. Hall) ; 1970, Soleil rouge (T. Young) ; 1973, L'ultima chance (La dernière chance) (Lucidi) ; 1974, Colpo di canna (Ursula l'antigang) (Di Leo) ; 1975, Africa Express (Lupo), L'infermiera (Défense de toucher) (Rossati) ; 1976, Le avventure e gli amori di Scaramouche (Opération Scaramouche) (Castellari), Due cuori, una cappella (Lucidi), Spogliami cosi senza pudor (Martino) ; 1977, La montagna del dio cannibale (La montagne du dieu cannibale) (Martino), Safari Express (Les sorciers de l'île aux singes) (Tessari), Behind the Iron Mask (Annakin), Spogliamoci cosi, senza pudor (Martino) ; 1978, Doppio delitto (Enquête à l'italienne) (Steno), Facciamo fintache (Mogherini), Scusi ma lei chi lo conosce (Capitani), Letti selvaggi (Les monstresses) (Zampa) ; 1979, Un rêve américain (Leroy) ; 1980, The Clash of the Titans (Le choc des titans) (Davis) ; 1985, Liberté, égalité, choucroute (Yanne) ; 1989, Klassezamekunft (Deuber, Stierlin) ; 1997, Cremaster 5 (Barney).

Lorsqu'elle apparut, sortant de l'eau dans *James Bond contre Docteur No*, on crut à une seconde naissance de Vénus. Cette splendide beauté blonde (de partout) venait de Berne et avait tourné trois films insignifiants en Italie. Du jour au lendemain, elle fut célèbre. Les journalistes s'emparèrent de sa vie amoureuse (John Derek, Gélin, Belmondo, Ryan O'Neal, Harry Hamlin...) et oublièrent ses films ; certains étaient fort bons dans un genre mineur : ainsi *Africa Express* où elle était une religieuse (fausse) à damner un saint, ou encore *La montagne du dieu cannibale*. On la vit nue dans toutes les postures et dans tous les magazines, et on négligea la comédienne. Films et actrice valent mieux que la réputation qu'on leur prête. Mais elle reste le symbole, selon l'heureuse formule de l'un de ses biographes, de l'« érotisme mouillé ». Pourquoi pas ?

Andrews, Dana

Acteur américain, 1912-1992.

1940, The Lucky Cisco Kid (Humberstone), Sailor Lady (Dwan), Kit Carson (Seitz), The Westerner (Le cavalier du désert) (Wyler) ; 1941, Tobacco Road (La route au tabac) (Ford), Belle Star (La reine des rebelles) (Cummings), Ball of Fire (Boule de feu) (Hawks), Swamp Water (L'étang tragique) (Renoir) ; 1943, Crash Dive (Mayo), The Ox-Bow Incident (L'étrange incident) (Wellman), The North Star (L'étoile du Nord) (Milestone) ; 1944, Up in Arms (Nugent), The Purple Heart (Prisonniers de Satan) (Milestone), A Wing and a Prayer (Porte-avions X) (Hathaway), Laura (Preminger) ; 1945, Fallen Angel (Crime passionnel) (Preminger), State Fair (Lang), A Walk in the Sun (Le commando de la mort) (Milestone) ; 1946, Canyon Passage (Le passage du canyon) (Tourneur), The Best Years of Our Lives (Les plus belles années de notre vie) (Wyler) ; 1947, Night Song (Cromwell), Daisy Kenyon (Femme ou maîtresse) (Preminger), Boomerang (Boomerang) (Kazan) ; 1948, The Iron Curtain (Wellman), Deep Waters (H. King), No Minor Voices (Milestone) ; 1949, Forbidden Street (Negulesco), Sword in the Desert (La bataille des sables) (G. Sherman), My Foolish Heart (Tête folle) (Robson) ; 1950, Where the Sidewalk Ends (Mark Dixon détective) (Preminger), Edge of Doom (La marche à l'enfer) (Robson) ; 1951, I Want You (Face à l'orage) (Robson), Sealed Cargo (L'équipage fantôme) (Werker), The Frogmen (Les hommes-grenouilles) (Bacon) ; 1952, Assignment (Paris) (Parrish) ; 1954, Three Hours to Kill (Trois heures pour tuer) (Werker), Elephant Walk (La piste des éléphants) (Dieterle), Duel in the Jungle (Duel dans la jungle) (Marshall) ; 1955, Smoke Signal (Le fleuve de la dernière chance) (Hopper), Strange Lady in the Town (L'étrangère dans la ville) (LeRoy) ; 1956, While the City Sleeps (La cinquième victime) (Lang), Beyond a Reasonable Doubt (L'invraisemblable vérité) (Lang), Spring Reunion (Pirosh) ; 1957, Zero Hour (H. Bartlett), Curse of the Demon (La nuit du démon) (J. Tourneur) ; 1958, The Crowded Sky (Pevney), The Fearmakers (J. Tourneur), Enchanted Islands (Dwan) ; 1962, Madison Avenue (Humberstone) ; 1965, The Satan Bug (Station 3 ; ultra secret) (J. Sturges), In Harm's Way (Première victoire) (Preminger), Brain Storm (Conrad), The Loved One (Ce cher disparu) (Richardson), Crack in the World (Quand la terre s'entrouvrira) (Marton), Town Tamer (Selander), The Battle of the Bulge (La bataille des Ardennes) (Annakin) ; 1966, Johnny Reno (Springsteen) ; Spy in your Eye (Sala) ; 1967, The Frozen Dead (Leder), Hot Rods to Hell (Brahm) ; 1968, The Devil's Brigade (La brigade du diable) (McLaglen), I diamenti che nessuno voleva rubare (Mangini) ; 1972, Innocent Bystanders (Nid d'espions à Istanbul) (Collinson) ; 1974, Airport 1975 (747 en péril) (Smight) ; 1975, Take a Hard Ride (Dawson) ; 1976, The Last Tycoon (Le dernier nabab) (Kazan) ; 1977, Good Guys Wear Black (Post) ; 1978, Born Again (Rapper) ; 1979, The Pilot (Robertson) ; 1984, Prince Jack (Lovitt).

Comptable, chanteur, acteur de la troupe du Pasadena Playhouse en 1936. Débuts au cinéma en 1940 dans des westerns. Une filmographie éblouissante jusqu'en 1972 : Wellman, Preminger, Lang, Tourneur, Renoir, Hawks, King... Des films qui constituent quelques-uns des grands moments de la Fox. Comment ne pas souscrire au jugement de Tavernier et Coursodon : « L'un de ces acteurs qui ont fait la grandeur du cinéma américain. Un visage qui paraît impassible, voire inexpressif et qui n'est qu'un bouclier permettant de se protéger contre les revers de la fortune. En fait, le visage de Dana Andrews exprime un sentiment mais ne lui fait pas un sort. Au contraire, il le dissimule de la même manière que les réalisateurs qui l'ont le mieux utilisé (Preminger, Lang, Milestone) passaient sur les détails pour ne s'attacher qu'à l'ensemble. » En chute libre après 1976 : on n'a cité ses derniers films que par acquit de conscience.

Andrews, Harry
Acteur anglais, 1911-1989.

1953, The Red Berets (Les bérets rouges) (T. Young) ; 1954, The Black Night (Le serment du chevalier noir) (Garnett), The Man Who Loved Red Heads (French) ; 1955, Helen of Troy (Hélène de Troie) (Wise), Alexander the Great (Alexandre le Grand) (Rossen) ; 1956, A Hill in Korea (Commando en Corée) (Amyes), Moby Dick (Huston) ; 1957, Saint Joan (Sainte Jeanne) (Preminger), I Accuse (L'affaire Dreyfus) (Ferrer) ; 1958, Ice Cold in Alex (Le désert de la peur) (Lee Thompson) ; 1959, The Devil's Disciple (Au fil de l'épée) (Hamilton), Solomon and Sheba (Salomon et la reine de Saba) (K. Vidor), A Touch of Larceny (Un brin d'escroquerie) (Hamilton) ; 1960, In the Nick (Hughes), Circle of Deception (Interrogatoire secret) (J. Lee) ; 1961, Reach for Glory (Leacock), The Best of Enemies (Le meilleur ennemi) (Hamilton), Barabbas (Fleisher), The Inspector (L'inspecteur) (Dunne) ; 1962, Nine Hours to Rama (A neuf heures de Rama) (Robson) ; 1963, Cleopatra (Cléopâtre) (Mankiewicz), 55 Days at Peking (Les 55 jours de Pékin) (N. Ray), Nothing but the Best (Tout ou rien) (Donner), The Informers (L'indic) (Annakin) ; 1964, 633 Squadron (Mission 633) (Grauman), The System (Winner) ; 1965, The Hill (La colline des hommes perdus) (Lumet), The Agony and the Ectasy (L'extase et l'agonie) (Reed), Sands of the Kalahari (Les sables du Kalahari) (Endfield),

The Jokers (Scotland Yard au parfum) (Winner) ; 1966, Modesty Blaise (Losey), The Truth about Spring (Thorpe), The Night of the Generals (La nuit des généraux) (Litvak) ; 1967, A Dandy in Aspic (Maldonne pour un espion) (A. Mann), The Deadly Affair (M. 15 demande protection) (Lumet), The Long Duel (Les turbans rouges) (Annakin), I'll Never Forget What's His Name (Qu'arrivera-t-il après ?) (Winner) ; 1968, Danger Route (Le coup du lapin) (Holth), Play Dirty (Enfants de salauds) (De Toth), The Charge of the Light Brigade (La charge de la brigade légère) (Richardson), Southern Star (L'étoile du Sud) (Hayers), The Night They Raided Minsky's (Friedkin) ; 1969, The Battle of Britain (La bataille d'Angleterre) (Hamilton), The Seagull (La mouette) (Lumet), A Nice Girl Like Me (Davis) ; 1970, Too Late the Hero (Trop tard pour les héros) (Aldrich), Country Dance (Lee Thompson), Entertaining Mr. Sloane (Le frère, la sœur... et l'autre) (Hickox), Wuthering Heights (Fuest) ; 1971, I Want What I Want (Dexter), Nicholas and Alexandra (Nicolas et Alexandra) (Shaffner), Burke and Hare (Sewell), Night Hair Child (Kelly), The Night-comers (Le corrupteur) (Winner), The Ruling Class (Dieu et mon droit) (Medak) ; 1973, Theatre of Blood (Théâtre de sang) (Hickox), Man of la Mancha (L'homme de la Manche) (Hiller), Man at the Top (Vardy), The Final Programme (Les décimales du futur) (Fuest), The Mackintosh Man (Le piège) (Huston) ; 1974, The Internecine Project (Hughes) ; 1976, The Passover Plot (Campus), The Blue Bird (L'oiseau bleu) (Cukor), Sky Riders (Opération Delta) (Hickox) ; 1977, The Prince and the Pauper (R. Fleischer), Equus (Equus) (Lumet) ; 1978, Watership Down (Rosen), The Big Sleep (Le grand sommeil) (Winner), Death on the Nile (Mort sur le Nil) (Guillermin), The Medusa Touch (La grande menace) (Gold), Superman, the Movie (Superman) (Donner) ; 1980, Hawk the Slayer (Marcel) ; 1986, Mesmerized (Laughlin).

Plus britannique que nature, le menton volontaire et le crâne souvent ras, il a été l'un des meilleurs acteurs de composition du cinéma anglais ou américain. Au théâtre, il a joué à l'Old Vic et au Stratford Memorial Theatre.

Andrews, Julie

Actrice anglaise, de son vrai nom Julia Wells, née en 1935.

1964, Mary Poppins (Mary Poppins) (Stevenson), The Americanization of Emily (Les jeux de l'amour et de la guerre) (Hiller) ; 1965, The Sound of Music (La mélodie du bonheur) (Wise) ; 1966, Hawaii (G.R. Hill), Torn Curtain (Le rideau déchiré) (Hitchcock) ; 1967, Thoroughly Modern Millie (Millie) (G.R. Hill) ; 1968, Star (Wise) ; 1970, Darling Lili (Darling Lili) (Edwards) ; 1973, Tamarind Seed (Top secret) (Edwards) ; 1979, Ten (Elle) (Edwards), Little Miss Marker (Bernstein) ; 1981, S.O.B. (Edwards) ; 1982, Victor-Victoria (Victor-Victoria) (Edwards) ; 1983, The Man Who Loved Women (L'homme à femmes) (Edwards) ; 1986, That's Life (That's Life) (Edwards), Duet for one (Duo pour une soliste) (Konchalovsky) ; 1990, A Fine Romance (Tchin-Tchin) (Saks) ; 1999, Relative Values (Styles) ; 2001, The Princess Diaries (G. Marshall) ; 2004, The Princess Diaries 2 : Royal Engagement (Un mariage de princesse) (Marshall).

Une Anglaise bon ton qui devient une star américaine, une rousse peu sexy qui s'impose à Hollywood, une actrice de films à l'eau de rose (*The Sound of Music, Mary Poppins*) qui devient l'épouse en 1969 du plus corrosif des réalisateurs américains, Blake Edwards, qui ne connaîtra avec elle que des demi-succès (la vedette de *Ten* est en fait Bo Derek), tel est le curieux destin de Julie Andrews qui reçut l'oscar de 1964 pour *Mary Poppins* et écrit aujourd'hui des contes pour enfants. Elle effectue pourtant en 1986 un superbe retour dans des rôles émouvants où elle joue juste. Comment oublier l'héroïne de *That's Life* qui prend sur elle pour continuer à assumer ses responsabilités de mère, d'épouse et de maîtresse de maison, alors qu'elle attend le résultat d'analyses touchant un éventuel cancer de la gorge ? Mary Poppins est loin.

Andrex

Acteur français, de son vrai nom André Jaubert, 1907-1989.

1932, Toine (Gaveau) ; 1933, Le coq du régiment (Cammage) ; 1934, Angèle (Pagnol), Les bleus de la marine (Cammage) ; 1935, Toni (Renoir) ; 1936, Brigade en jupons (Limur), Josette (Christian-Jaque) ; 1937, Gribouille (M. Allégret), L'étrange M. Victor (Grémillon), Les dégourdis de la IIe (Christian-Jaque), Ignace (Colombier), Un carnet de bal (Duvivier), La Marseillaise (Renoir), L'affaire du courrier de Lyon (Lehmann) ; 1938, Le dompteur (Colombier), Vacances payées (Cammage), L'entraîneuse (Valentin), Barnabé (Esway), Hôtel du Nord (Carné) ; 1939, Fric Frac (Lehmann), Derrière la façade (Lacombe), Les gangsters du château d'If (Pujol), Les cinq sous de Lavarède (Cammage), Circonstances atténuantes (Boyer) ;

1940, Un chapeau de paille d'Italie (Cammage), Parade en sept nuits (M. Allégret) ; 1941, Une femme dans la nuit (Greville), Les petits riens (Leboursier), Le club des soupirants (Gleize) ; 1942, Simplet (Fernandel), Fou d'amour (Mesnier), Le Mistral (Houssin), La bonne étoile (Boyer) ; 1945, Madame et son flirt (Marguenat) ; 1946, La femme en rouge (Cuny), Les trois cousines (Daniel-Norman) ; 1948, Manon (Clouzot) ; 1949, L'héroïque M. Boniface (Labro), Uniformes et grandes manœuvres (Le Hénaff) ; 1950, Boniface somnambule (Labro) ; 1951, Adhémar ou le jouet de la fatalité (Fernandel), La table aux crevés (Verneuil) ; 1954, Le mouton à cinq pattes (Verneuil) ; 1955, Si tous les gars du monde (Christian-Jaque), Quatre jours à Paris (Berthomieu), Le printemps, l'automne et l'amour (Grangier), Si Paris nous était conté (Guitry) ; 1956, Les promesses dangereuses (Gourguet), Vacances explosives (Stengel), Honoré de Marseille (Regamey), Era di venerdi 17 (Sous le ciel de Provence) (Soldati) ; 1957, Paris clandestin (Kapps), C'est arrivé à 36 chandelles (Diamant-Berger) ; 1958, La putain sentimentale (Gourguet) ; 1960, Interpol contre X (Boutel), Cocagne (Cloche) ; 1962, L'aîné des Ferchaux (Melville) ; 1963, La cuisine au beurre (Grangier) ; 1964, Monsieur (Le Chanois), L'âge ingrat (Grangier) ; 1969, La honte de la famille (Balducci) ; 1979, Charles et Lucie (Kaplan) ; 1982, Cap Canaille (Berto et Roger).

Ce Marseillais fut l'ami de Raimu et de Fernandel. Chanteur à l'Alcazar de Marseille puis au Concert Mayol et à l'Européen à Paris. Lancé par ses chansons, il est engagé dans *Angèle* de Pagnol, sur la recommandation de Fernandel. Il jouera dans de nombreux films de ce dernier. On le trouvera souvent en mauvais garçon (*Fric frac, Circonstances atténuantes* — où il chantait « Comme de bien entendu »...). Mais il ne négligera pas les rôles dramatiques (*Hôtel du Nord, Manon*). Parallèlement à une populaire carrière de chanteur, il poursuivit après la guerre ses compositions méridionales (*Honoré de Marseille, Sous le ciel de Provence*...).

Andreyor, Yvette

Actrice française, de son vrai nom Roye, 1891-1962.

Principaux films : 1913, Juve contre Fantômas (Feuillade) ; 1917, Judex (Feuillade) ; 1918, La nouvelle mission de Judex (Feuillade) ; 1920, Mathias Sandorf (Fescourt) ; 1921, La nuit du 13 (Fescourt) ; 1925, Ame d'artiste (Dulac) ; 1929, Les deux timides (Clair) ; 1930, Dans une île perdue (Cavalcanti) ; 1937, Ma petite marquise (Péguy) ; 1945, Un ami viendra ce soir (Bernard) ; 1946, Torrents (de Poligny), Pas si bête (Berthomieu) ; 1947, Par la fenêtre (Grangier) ; 1948, La veuve et l'innocent (Cerf) ; 1961, La planque (André).

Charmante ingénue du muet, elle sortait du Conservatoire et fit surtout du théâtre. C'est Feuillade qui l'imposa au cinéma. Le parlant interrompit sa carrière, la condamnant à des rôles de second plan. Elle avait épousé l'acteur Jean Toulout.

Andriot, Camille-Josette

Actrice française, 1886-1942.

1908, Nick Carter (Jasset) ; 1911, Zigomar (Jasset) ; 1913, Protea (Jasset).

Sportive et bien faite, elle fut la vedette des films à épisode — hélas perdus — de la firme Éclair. Elle créa le personnage de Protea lancée dans *La course à la mort* ou confrontée aux *Mystères du château de Malmort*.

Anémone

Actrice française, de son vrai nom Anne Bourguignon, née en 1950.

1966, Anémone (Garrel) ; 1968, Herlock Sholmes (Chamberlain), Ultra-violet *(film underground)* ; 1969, La maison (Brach) ; 1972, Je, tu, elles (Foldes) ; 1975, L'incorrigible (Broca), Attention les yeux (Pirès), Le couple témoin (Klein) ; 1976, L'ordinateur des pompes funèbres (Pirès), Un éléphant ça trompe énormément (Robert), Cours après moi que je t'attrape (Pouret), Certaines nouvelles (Davila) ; 1977, Vous n'aurez pas l'Alsace et la Lorraine (Coluche), Sale rêveur (J.-M. Périer) ; 1978, Vas-y maman (Buron), French Postcards (French Postcards) (Huyck) ; 1979, Rien ne va plus (Ribes), O Madiana (Gros-Dubois) ; 1980, Je vais craquer (Leterrier), Une merveilleuse journée (Vital) ; 1981, Viens chez moi, j'habite chez une copine (Leconte), La gueule du loup (Leviant), Quand tu seras débloqué, fais-moi signe (Leterrier), Ma femme s'appelle reviens (Leconte) ; 1982, Le père Noël est une ordure (Poiré), Pour cent briques, t'as plus rien (Molinaro), Le quart d'heure américain (Galland) ; 1983, Un homme à ma taille (Carducci) ; 1985, Tranches de vie (Leterrier), Péril en la demeure (Deville), Les nanas (Lanoë), Le mariage du siècle (Galland) ; 1986, I love you (Ferreri) ; 1987, Le grand chemin (Hubert), Poule et frites (Rego) ; 1988, Envoyez les violons (Andrieux), Sans peur et sans reproche (Jugnot), Zanzibar (Pascal) ; 1989, Les baisers de secours (Garrel) ; 1990, The Mad Monkey

(Trueba), Après après demain (Frot-Coutaz), Maman (Goupil) ; 1991, Le petit prince a dit (Pascal), Les enfants volants (Nicloux), Loulou Graffiti (Lejalé), La belle histoire (Lelouch) ; 1992, Ma sœur mon amour (Cohen), Poisson-lune (Van Effenterre) ; 1993, Coup de jeune ! (Gélin), Aux petits bonheurs (Deville), Pas très catholique (Marshall) ; 1994, Le fils de Gascogne (Aubier) ; 1995, L'échappée belle (Dhaène), Les Bidochon (Korber), Le cri de la soie (Marciano), Enfants de salaud (Marshall) ; 1996, La cible (Courrège) ; 1997, Marquise (Belmont) ; 1998, Lautrec (Planchon), L'homme de ma vie (Kurc) ; 1999, Passeurs de rêves (Saleem) ; 2000, Voyance et manigance (Fourniols) ; 2002, Ma femme s'appelle Maurice (Poiré) ; 2005, La ravisseuse (Santana), Voisins voisines (Chibane) ; 2006, C'est pas moi !... (Zaloum), La jungle (Delaporte).

Elle vient du café-théâtre mais a beaucoup tourné dans les années 70 sans être toujours créditée. Avec Leconte et Poiré, elle gagne ses galons de vedette populaire. Si elle est encore irrésistible dans *Le mariage du siècle* (il faut la voir, princesse égarée dans une cuisine, s'efforçant de laver la vaisselle comme elle l'a vu faire à la télévision), Deville révèle un autre aspect de sa personnalité dans *Péril en la demeure. Le grand chemin* consacre une admirable comédienne et lui vaut un césar en 1988. Elle restera pour son hilarante composition dans *Le père Noël est une ordure.* Elle fut une étonnante La Voisin dans *Marquise.*

Angeli, Pier : cf. Pierangeli.

Angelo, Jean

Acteur français, de son vrai nom Barthélemy, 1875-1933.

Principaux films : 1908, L'assassinat du duc de Guise (Calmettes) ; 1921, L'Atlantide (Feyder), Fromont jeune et Risler aîné (Krauss) ; 1925, Surcouf (Luitz-Morat), Le double amour (Epstein) ; 1926, Robert Macaire (Epstein), Nana (Renoir) ; 1928, Marquitta (Renoir) ; 1929, Monte-Cristo (Fescourt) ; 1932, L'Atlantide (Pabst) ; 1933, Colomba (Séverac).

Grande star du muet, servi par un physique viril et une sobriété de jeu, il fut Mohrange de *L'Atlantide*, Robert Macaire et Monte-Cristo. Il ne survécut pas au parlant et mourut prématurément.

Anglade, France

Actrice française née en 1942.

1961, Comme un poisson dans l'eau (Michel), La dénonciation (Doniol-Valcroze), Les amours célèbres (Boisrond), Le rendez-vous de minuit (Leenhardt), Douce violence (Pécas), Les Parisiennes (sketch M. Allégret), Les sept péchés capitaux (sketch Molinaro) ; 1962, Les bricoleurs (Girault), Les dimanches de Ville-d'Avray (Bourguignon) ; 1963, Les veinards (Girault), Comment trouvez-vous ma sœur ? (Boisrond), Du mouron pour les petits oiseaux (Carné), Clémentine chérie (Chevallier), Le repas des fauves (Christian-Jaque) ; 1965, Le lit à deux places (Delannoy) ; 1967, Le plus vieux métier du monde (sketch Autant-Lara), Caroline chérie (La Patellière) ; 1970, La servante (Bertrand) ; 1981, Madame Claude 2 (Mimet) ; 1984, Aldo et Junior (Schulmann) ; 1989, Sortis de route (Roussel) ; 1990, Faux et usage de faux (Heynemann).

Charmante ingénue des années 60 : elle fut Clémentine chérie et Caroline chérie.

Anglade, Jean-Hugues

Acteur français né en 1956.

1982, L'indiscrétion (Lary), L'homme blessé (Chéreau) ; 1983, La diagonale du fou (Dembo) ; 1985, Subway (Besson), Les loups entre eux (Giovanni) ; 1986, 37° 2 le matin (Beineix) ; 1987, Maladie d'amour (Deray) ; 1989, Nocturne indien (Corneau), Nikita (Besson) ; 1990, Nuit d'été en ville (Deville) ; 1990, Gawin (Sélignac), La domenica specialmente (Le dimanche de préférence) (G. Bertolucci) ; 1992, Uovo di Garofano (Années d'enfance) (Faenza) ; 1993, Les marmottes (Chouraqui), La reine Margot (Chéreau) ; 1994, Killing Zoe (Killing Zoe) (Avery), Dis-moi oui (Arcady) ; 1995, Nelly et monsieur Arnaud (Sautet), Les menteurs (Chouraqui) ; 1996, Les affinités électives (P. et V. Taviani), Maximum Risk (Risque maximum) (Lam), Tonka (Anglade) ; 1998, Dark Summer (Marquette) ; 1999, Princesses (Verheyde), En face (Ledoux) ; 2000, Le prof (Jardin), Mortel transfert (Beineix) ; 2002, Sueurs (Couvelaire) ; 2003, Il est plus facile pour un chameau... (Bruni-Tedeschi) ; 2004 Taking Lives, (Taking Lives, destins violés) (Caruso), L'anniversaire (Kurys) ; 2007, Pur week-end (Doran). *Comme réalisateur* : 1996, Tonka.

Révélé par Chéreau, il s'impose dans *37°2 le matin* en écrivain incompris auquel Béatrice Dalle cherche un éditeur. Héros romantique moderne, tout à la fois vulnérable et égoïste, déboussolé et entreprenant, Anglade impose son personnage dans de nouveaux films, notamment dans *Nocturne indien* où il est à la recherche de son double. Il est un bouleversant Charles IX dans *La reine Margot*. Après s'être égaré dans un thriller aux confins de la parodie (*Killing Zoe*), il découvre l'univers de Sautet avec *Nelly et monsieur Arnaud*. Un parcours réussi à travers quelques maîtres du cinéma français.

Annabella

Actrice française, de son vrai nom Suzanne Charpentier, 1907-1996.

1926, Napoléon (Gance) ; 1927, Maldone (Grémillon) ; 1929, Romance à l'inconnue (Barberis), Trois jeunes filles nues (Boudrioz) ; 1930, La maison de la flèche (Fescourt) ; 1931, Le million (Clair), Soir de rafle (Gallone), Gardez le sourire (Fejos), Autour d'une enquête (Siodmak), Son Altesse l'amour (Péguy) ; 1932, Un fils d'Amérique (Gallone), Paris Méditerranée (May), Marie, légende hongroise (Fejos) ; 1933, Mademoiselle Josette ma femme (Berthomieu), Quatorze juillet (Clair), La bataille (Farkas) ; 1934, Caravan (Charell), Variétés (Farkas), Les nuits moscovites (Granowsky) ; 1935, La Bandera (Duvivier), L'équipage (Litvak), Veille d'armes (L'Herbier) ; 1936, Anne-Marie (R. Bernard) ; 1937, Wings of the Morning (La baie du destin) (Schuster), Under the Red Robe (Sjoström), La citadelle du silence (L'Herbier) ; 1938, Hôtel du Nord (Carné), Dinner at the Ritz (Schuster), The Baroness and the Butler (La baronne et son valet) (W. Lang), Suez (Suez) (Dwan) ; 1939, Bridal Suite (Thiele) ; 1943, Tonight We Raid Calais (Brahm), Bombers' Moon (Fuhr) ; 1946, 13, rue Madeleine (Hathaway) ; 1947, Éternel conflit (Lampin) ; 1948, Dernier amour (Stelli) ; 1949, L'homme qui revient de loin (Castanier), Désordre (Baratier) ; 1952, Le plus bel amour de Don Juan (Hérédia).

Elle fait ses débuts au temps du muet avec d'excellents metteurs en scène (elle est Violine Fleuri dans le *Napoléon* d'Abel Gance), mais c'est René Clair qui la lance au début du parlant. Hollywood l'appelle : elle y épousera Tyrone Power mais ne tournera aucune œuvre importante à l'exception de *Suez*. Après son divorce en 1948, elle rentre en France mais sa carrière s'interrompt rapidement.

Ann-Margret

Actrice suédoise, de son vrai nom Ann Margaret Olsson, née en 1941.

1961, Pocketful of Miracles (Milliardaire pour un jour) (Capra) ; 1962, State Fair (La foire aux illusions) (Ferrer) ; 1963, Bye Bye Birdie (Sidney) ; 1964, Viva Las Vegas (L'amour en quatrième vitesse) (Sidney), Kitten with a Whip (La chatte au fouet) (D. Heyes) ; 1965, Once a Thief (Les tueurs de San Francisco) (R. Nelson), The Pleasure Seekers (Negulesco), Bus Riley's Back in Town (Hart) ; 1966, The Cincinnati Kid (Le kid de Cincinnati) (Jewison) ; 1966, Made in Paris (Sagal), The Swinger (Sidney), Stagecoach (La diligence vers l'Ouest) (G. Douglas), Murderer's Row (Bien joué Matt Helm) (Levin) ; 1967, Il tigre (Risi) ; 1968, Sette uomini e un cervello (E. Ross), Il profeta (Risi) ; 1969, El crimen tambien juega (Zanchin) ; 1970, C.C. and Company (S. Robbie), R.P.M. (Kramer) ; 1971, Carnal Knowledge (Ce plaisir qu'on dit charnel) (M. Nichols) ; 1972, Un homme est mort (Deray) ; 1973, The Train Robbers (Les voleurs de trains) (Kennedy) ; 1975, Tommy (Tommy) (Russell) ; 1976, Folies bourgeoises (Chabrol) ; 1977, Joseph Andrews (Richardson), The Last Remake of Beau Geste (Mon beau légionnaire) (Feldman) ; 1978, Magic (Magic) (Attenborough) ; The Cheap Detective (Le privé de ses dames) (Moore) ; 1979, The Vilain (Cactus Jack) (Needham), Middle Age Crazy (Trent) ; 1980, Lookin' to Get Out (Ashby) ; 1982, Return of the Soldier (Le retour du soldat) (Bridges), I Ought to Be in Pictures (Ross) ; 1985, Twice in a Lifetime (Soleil d'automne) (Yorkin) ; 1986, 52 Pickup (Paiement cash) (Frankenheimer) ; 1987, A Tiger's Tale (Douglas) ; 1988, A New Life (Alda) ; 1992, Newsies (Ortega) ; 1993, Grumpy Old Men (Les grincheux) (Petrie), Nobody's Children (Les enfants de la honte) (Wheatley) ; 1996, Grumpier Old Men (Deutch) ; 1999, Any Given Sunday (L'enfer du dimanche) (Stone) ; 2000, The Last Producer (Reynolds) ; 2001, Interstate 60 (Gale) ; 2005, Taxi (New York Taxis) (Story) ; 2006, The Break Up (La rupture) (Reed).

A l'âge de cinq ans, elle se rend aux États-Unis avec sa famille d'origine suédoise. Elle va montrer très vite de réels talents de chanteuse et de danseuse. Mais la comédie musicale est en train d'expirer. Elle n'en connaîtra que les derniers feux avec Sidney. Elle développera une filmographie en zigzag : États-Unis et Europe (elle tourne en France avec Deray et Chabrol, puis à nouveau aux États-Unis, pour des thrillers, des westerns ou des mélodrames). Sa grâce féline n'a pas été abîmée par l'accident qui faillit mettre fin à sa carrière.

Antonelli, Laura

Actrice italienne née en 1941.

1966, Le sedicenni (Petrini) ; 1968, La rivoluzione sessuale (Ghione), Macchie di belleto (Un détective) (Guerrieri), Satyricon (Polidoro), Incontro d'amore a Bali (Liberatore), Venere in pelliccia (La Vénus en fourrure) (Dallamano) ; 1969, Gradiva (Albertazzi), Sledge (Morrow) ; 1971, Il merlo maschio (Ma femme est un violon) (Festa Campanile), Les mariés de l'an II (Rappeneau) ; 1972, All'onorevole piacciono le donne (Fulci), Sans mobile apparent (Labro), Le malizie di Venere (Dallamano), Docteur Popaul (Chabrol) Simona (Histoire de l'œil) (Longchamps) ; 1973, Peccato veniale (Péché véniel) (Samperi), Sessomatto (Sexe fou) (Risi) ; 1974, Malizia (Malicia) (Samperi), Mio Dio, como sono caduta in basso (Mon Dieu, comment suis-je tombé si bas) (Comencini) ; 1975, La divina creature (Patroni Griffi) ; 1976, L'innocente (L'innocent) (Visconti) ; 1977, Gran bollito (Bolognini), Mogliamente (Vicario) ; 1978, Letti selvaggi (Zampa) ; 1979, Il malato immaginario (Le malade imaginaire) (T. Cervi) ; 1980, Mi faccio la barca (B. Corbucci), Passione d'amore (Passion d'amour) (Scola) ; 1981, Il turno (T. Cervi), Casta e pura (Samperi), Porca vacca (Festa Campanile), Guardia e ladra (Vanzina) ; 1982, Il matrimonio di Caterina (Le mariage de Catherine) (Comencini) ; 1983, Sesso e Volentieri (Les derniers monstres) (Risi) ; 1984, Rosa (Sampieri) ; 1985, Grandi magazzini (Castellano), Tranches de vie (Leterrier), La gabbia (L'enchaînée) (Patroni Griffi) ; 1987, La Venexiana (La Vénitienne) (Bolognoni), Rimini Rimini (S. Corbucci), Roba da Ricchi (S. Corbucci) ; 1989, Gli indifferenti (Bolognini) ; 1990, L'avaro (L'avare) (Cervi) ; 1992, Malizia 2000 (Samperi).

Elle aurait été professeur de gymnastique avant de songer à enseigner les mathématiques, cette Italienne née à Pola en Yougoslavie. On imagine les ravages dans les lycées ! Révélée par une émission de télévision, « *Carosello* », elle se tourne plus naturellement vers le cinéma. C'est *Il merlo maschio* qui en fait une star. Lando Buzzanca (Niccolo Vivaldi – *sic* – dans le film) est un musicien qui passerait inaperçu s'il n'avait une jolie femme qui retient, elle, l'attention quand elle est nue (ce qui n'est pas pour surprendre !). L'infortuné mari contraindra la belle Antonelli à s'exhiber sans vêtements lors d'une représentation d'*Aïda* ! Avec son visage d'ange et des rondeurs divines, Antonelli fit merveille. On la retrouva dans une autre comédie coquine, *Malicia*, qui battit des records de recette. Mais son meilleur rôle lui fut donné par Comencini dans *Mon Dieu, comment suis-je tombé si bas*. De Visconti à Scola, aucun grand ne l'a négligée et elle supportait à elle seule tout le poids des *Derniers monstres*.

Antonutti, Omero

Acteur italien né en 1935.

1966, Schwarzer Markt der Liebe (Hofbauer), Le piacevoli notti (Crispino, Lucignani) ; 1974, Anno uno (Anno uno) (Rossellini), Processo per direttissima (DeCaro) ; 1976, La donna della domenica (La femme du dimanche) (Comencini) ; 1977, Padre padrone (Padre padrone) (Taviani) ; 1980, O Megaleksandros (Alexandre le Grand) (Angelopoulos) ; 1981, Matlosa (Hermann) ; 1982, La verdad sobre el caso Savolta (L'affaire Savolta) (Drove), El Sur (Le Sud) (Erice), Il quartetto Basileus (Quartetto Basileus) (Carpi), La notte di San Lorenzo (La nuit de San Lorenzo) (Taviani), Grog (Laudadio) ; 1983, Notturno (Bontempi), Il disertore (Berlinguer) ; 1984, Kaos (Kaos, contes siciliens) (Taviani) ; 1985, Golfo de Viskaya (Rebollo) ; 1987, Rumbo norte (Ganga), Good Morning Babilonia (Good Morning Babilonia) (Taviani) ; 1988, El Dorado (Saura), La visione del Sabba (La sorcière) (Bellocchio) ; 1989, Bankomatt (Hermann) ; 1990, Sandino (Littin), Doblones de a ocho (Linares) ; 1991, Una storia semplice (Greco), El laberinto griego (Alcazar), Amor et dedinhos de pé (Macao, mépris et passion) (Rocha) ; 1992, Dancing for Gott (Tolle), El maestro de esgrima (Le maître d'escrime) (Olea), Una estación de paso (Querejeta) ; 1994, Genesi : La creazione e il diluvio (Olmi), Farinelli (Corbiau) ; 1995, Un eroe borghese (Placido) ; 1996, La frontiera (Giraldi) ; 1997, La terza luna (Bellinelli), Bajo Bandera (Jusid) ; 1999, Sulla spaggia di là dal molo (Fago), Tierra del fuego (Littin) ; 2006, N - Napoléon (Napoléon [et moi]) (Virzi).

Après une première carrière dans les chantiers navals, il devient comédien au Stabile de Trieste. Beaucoup de théâtre avant d'obtenir une certaine renommée grâce au personnage du père Ledda dans *Padre padrone* des frères Taviani, dont il devient l'acteur fétiche.

Anys, Georgette

Actrice française, 1909-1993.

1930, Le roi des resquilleurs (Colombier) ; 1950, La vie chantée (Noël-Noël), Quai de Grenelle (Reinert), La rue sans loi (Gibaud), Mystère à Shanghai (Blanc), Sans laisser d'adresse (Le Chanois), Sous le ciel de Paris (Duvivier), Les anciens de Saint-Loup (Lampin), Les deux gamines (Canonge), Méfiez-vous des blondes (Hunebelle), Le passe-muraille (Boyer) ; 1951, Moumou (Jayet), Pas de vacances pour M. le maire (Labro), Seuls au monde (Chanas), Sérénade au bourreau (Stelli), Ils étaient cinq (Pinoteau), Fanfan la Tulipe (Christian-Jaque), Un grand patron (Ciampi) ; 1952, Quitte ou double (Vernay), Minuit, quai de Bercy (Stengel), La danseuse nue (Louis), L'appel du destin (Lacombe), La fugue de M. Perle (Richebé), Monsieur taxi (Hunebelle), Mon mari est merveilleux (Hunebelle), La fête à Henriette (Duvivier) ; 1953, Little Boy Lost (Le petit garçon perdu) (Seaton), Scampolo '53 (Les femmes mènent le jeu) (Bianchi), A Day to Remember (Thomas), L'étrange désir de M. Bard (Radvanyi), La chair et le diable (Josipovici), Les femmes s'en balancent (Borderie) ; 1954, Pas de coup dur pour Johnny (Roussel), Le feu dans la peau (Blistène), Madame Du Barry (Christian-Jaque) ; 1955, Les mains liées (Quignon), Milord l'arsouille (Haguet), Paris canaille (Gaspard-Huit), Les aventures de Gil Blas de Santillane (Jolivet), A la manière de Sherlock Holmes (Lepage), Treize à table (Hunebelle), To Catch a Thief (La main au collet) (Hitchcock), Frou-frou (Genina), Marie-Antoinette (Delannoy), L'impossible M. Pipelet (Hunebelle), Quai des illusions (Couzinet) ; 1956, Mannequins de Paris (Hunebelle), L'homme et l'enfant (André), Adorables démons (Cloche), The Vintage (Les vendanges) (Hayden), Le sang à la tête (Grangier), Ah ! Quelle équipe ! (Quignon), L'homme aux clés d'or (Joannon), La traversée de Paris (Autant-Lara) ; 1957, Paris music-hall (Cordier), Le désir mène les hommes (Roussel), Les espions (Clouzot) ; 1958, Prisons de femmes (Richebé), Nuits de Pigalle (Jaffe), Jeux dangereux (Chenal), Drôles de phénomènes (Vernay), Le père et l'enfant (Saslavsky), Le miroir à deux faces (Cayatte) ; 1959, La nuit des traquées (Bernard-Roland) ; 1960, Le pain des Jules (Séverac) ; 1961, Jessica (La sage-femme, le curé et le bon Dieu) (Negulesco), Fanny (Fanny) (Logan) ; 1962, Bon voyage ! (Bon voyage !) (Nielsen), Love Is a Ball (Le grand-duc et l'héritière) (Swift) ; 1970, Jupiter (Prévost) ; 1971, Le seuil du vide (Davy) ; 1972, Les gants blancs du diable (Szabo) ; 1975, Zig-Zig (Szabo) ; 1983, Cheech and Chong's the Corsican Brothers (Chong).

Pléthore de rôles pour cette petite dame rondouillarde et gouailleuse, très active dans les rôles de femmes du peuple.

Ardant, Fanny

Actrice française née en 1949.

1976, Marie-Poupée (Séria) ; 1979, Les chiens (Jessua) ; 1980, Les uns et les autres (Lelouch) ; 1981, La femme d'à côté (Truffaut) ; 1983, La vie est un roman (Resnais), Vivement dimanche ! (Truffaut), Benvenuta (Delvaux) ; 1984, Un amour de Swann (Schlöndorff), Desiderio (Tato), L'amour à mort (Resnais) ; 1985, L'altra enigma (Gassman/Tuzil), Les enragés (Glenn), L'été prochain (Trintignant) ; 1986, Le paltoquet (Deville), Conseil de famille (Costa-Gavras), Mélo (Resnais) ; 1987, La famiglia (La famille) (Scola) ; 1988, Les trois sœurs (Von Trotta) ; 1989, Pleure pas, my love (Gatlif), Australia (Andrien) ; 1990, Aventure de Catherine C. (Beuchot) ; 1991, Rien que des mensonges (Muret), Afraid of the Dark (Double vue) (Peploe), La femme du déserteur (Bat-Adam) ; 1992, Amok (Farges) ; 1993, Le colonel Chabert (Angelo) ; 1994, Siodmy pokoj (Mészàros), Les cent et une nuits (Varda) ; 1995, Par-delà les nuages (Antonioni et Wenders), Crepacuore (Farina), Sabrina (Sabrina) (Pollack), Pédale douce (Aghion), Ridicule (Leconte), Désiré (Murat) ; 1997, Elizabeth (Elizabeth) (Kapur) ; 1998, Le dîner (Scola), Augustin, roi du kung-fu (Fontaine) ; 1999, La débandade (Berri), Le fils du Français (Lauzier), Le libertin (Aghion) ; 2000, Au jour le jour (Béguja) ; 2001, Huit femmes (Ozon) ; 2002, Callas Forever (Zeffirelli) ; 2003, Nathalie (Fontaine) ; 2006, Paris je t'aime (collectif).

Révélée par le feuilleton télévisé des *Dames de la côte* et par François Truffaut, cette grande femme brune, diplômée de Sciences politiques, un peu froide, n'était peut-être pas au départ une grande actrice mais elle révéla son talent dans un rôle de secrétaire (*Vivement dimanche !*) transformée en détective pour sauver son patron Trintignant. Et Truffaut la filma avec tant d'amour ! Sortie de l'univers de Truffaut, elle témoigne d'un tempérament nouveau. « J'avais envie de m'avancer masquée », confiait-elle à *Cinéma 83*. Le masque tombé, elle montre dans *Benvenuta* son goût pour les héroïnes passionnées et poursuit avec Deville, Resnais et Scola une brillante carrière. Ces derniers choix ont porté sur des œuvres difficiles qui ont contribué à la marginaliser, provisoirement du moins. Suivent de belles adaptations littéraires : *Amok* d'après Zweig et surtout *Le colonel Chabert* où elle donne de l'épouse du soldat de la Grande Armée une image très nuancée qui enrichit le personnage de Balzac. Le film historique lui réussit : *Ridicule* et *Eli-*

zabeth lui ont fourni des rôles brillants. Elle fut aussi une Callas convaincante au théâtre.

Arditi, Pierre

Acteur français né en 1944.

1978, L'amour violé (Bellon) ; 1980, Pile ou face (Enrico), Mon oncle d'Amérique (Resnais) ; 1982, Nestor Burma, détective de choc (Miesch) ; 1983, La vie est un roman (Resnais), Le marginal (Deray) ; 1984, Femme de personne (Frank), Jusqu'à la nuit (Martiny), L'amour à mort (Resnais) ; 1985, Strictement personnel (Jolivet), Les enfants (Duras), Adieu blaireau (Decout), Suivez mon regard (Curtelin) ; 1986, Mélo (Resnais), L'état de grâce (Rouffio) ; 1987, De guerre lasse (Enrico), Natalia (Cohn), Poker (Corsini), Agent trouble (Mocky), La petite allumeuse (Dubroux), Flag (Santi), La passerelle (Sussfeld) ; 1988, Bonjour l'angoisse (Tchernia), Radio-Corbeau (Boisset) ; 1989, Vanille fraise (Oury), Condorcet A, B, C (Soutter) ; 1990, Die Schatten (Goretta) ; 1991, Plaisir d'amour (Kaplan), Les clés du paradis (Broca) ; 1992, La petite apocalypse (Costa-Gavras) ; 1993, Smoking/No smoking (Resnais) ; 1995, Le hussard sur le toit (Rappeneau), Les caprices d'un fleuve (Giraudeau) ; 1996, Hommes, femmes, mode d'emploi (Lelouch), Messieurs les enfants (Boutron) ; 1997, On connaît la chanson (Resnais) ; 1998, Hasards ou coïncidences (Lelouch), Le dernier plan : Sur les pas de Constantin Dolinescu (Peeters) ; 1999, La fausse suivante (Jacquot), Les acteurs (Blier) ; 2000, Un chat dans la gorge (Otmezguine), Le dernier plan (Peeters) ; 2003, Le mystère de la chambre jaune (Podalydès), Pas sur la bouche (Resnais) ; 2004, La première fois que j'ai eu 20 ans (L. Levy), Pourquoi (pas) le Brésil (Masson), Victoire (Murat) ; 2006, Le grand appartement (Thomas) ; Coup de sang (Marboeuf) ; 2005, Le courage d'aimer (Lelouch), le parfum de la dame en noir (Podalydès), L'un reste, l'autre part (Berri) ; 2006, Cœurs (Resnais), 2007, Nos amis les Terriens (Werber).

Excellent acteur de théâtre, il s'est parfaitement intégré à l'univers de Resnais dont il est devenu un interprète fétiche. Il a trouvé avec *Smoking/No smoking* son meilleur rôle, qui lui a d'ailleurs valu un césar en 1994. Il retrouve Resnais dans *Cœurs* mais se perd un peu chez Berri et Lelouch.

Arestrup, Niels

Acteur et réalisateur français né en 1949.

1973, Miss Oginie et les hommes fleurs (Pavel) ; 1974, Stavisky... (Resnais), Je, tu, il, elle (Akerman) ; 1975, Lumière (Moreau), Demain les mômes (Pourtalé) ; 1976, Si c'était à refaire (Lelouch), Les apprentis sorciers (Cozarinsky) ; 1977, Plus ça va, moins ça va (Vianey) ; 1979, La chanson de Roland (Cassenti) ; 1980, La dérobade (Duval), La femme flic (Boisset), Le grand soir (Reusser) ; 1981, Du blues dans la tête (Palud), Seuls (Reusser), Tauwetter (Le dégel) (Imhoof) ; 1984, Il futuro è donna (Le futur est femme) (Ferreri) ; 1985, Diesel (Kramer), Signé Charlotte (Huppert), Les loups entre eux (Giovanni) ; 1986, La rumba (Hanin) ; 1987, Charlie Dingo (Behat), Ville étrangère (Goldschmidt), Doux amer (Apprederis), Barbablu' Barbablu' (Carpi) ; 1991, Meeting Venus (La tentation de Vénus) (Szabo) ; 1993, Délit mineur (Girod) ; 1997, Rewind (Gobbi) ; 1998, Le pique-nique de Lulu Kreuz (Martiny) ; 2002, Parlez-moi d'amour (Marceau) ; 2005, De battre, mon cœur s'est arrêté (J. Audiard) ; 2006, La part animale (Jaudeau), Les fragments d'Antonin (Le Bomin) ; 2007, Le candidat (Arestrup). *Comme réalisateur :* 2007, Le candidat.

Passé de films confidentiels à quelques œuvres plus commerciales.

Argento, Asia

Actrice et réalisatrice italienne née en 1975.

1985, Sogni e bisogni (S. Citti) ; 1986, Demoni 2 (L. Bava) ; 1988, La chiesa (Sanctuaire) (Soavi) ; 1989, Zoo (C. Comencini), Palombella rossa (Palombella rossa) (Moretti) ; 1992, Le amiche del cuore (Les amies de cœur) (Placido) ; 1993, Trauma (Trauma) (D. Argento), Condannato a nozze (Piccioni) ; 1994, Perdiamoci di vista (Verdone), De Generazione (11 réalisateurs, dont A. Argento), La reine Margot (Chéreau) ; 1995, Il cielo è siempre più blu (Grimaldi) ; 1996, Compagna di viaggio (Compagne de voyage) (Del Monte), La sindrome di Stendhal (D. Argento), B. Monkey (Radford) ; 1997, Viola bacia tutti (Veronesi) ; 1998, Il fantasma dell'opera (Le fantôme de l'Opéra) (D. Argento), New Rose Hotel (New Rose Hotel) (Ferrara) ; 2000, Scarlet Diva (Scarlet Diva) (A. Argento), Les morsures de l'aube (De Caunes) ; 2001, Ginostra (Pradal) ; 2002, La sirène rouge (Megaton), XXX (XXX) (Cohen) ; 2005, Cindy, the doll is mine (Bonello), Land of the Dead (Le territoire des morts) (Romero), Last Days (Van Sant), The Heart is Deceitful above All Things (Le livre de Jérémie) (Argento) ; 2006, Marie-Antoinette (Marie-Antoinette) (S. Coppola), Transylvania (Gatlif) ; 2007, Une vieille maîtresse (Breillat). *Comme réalisatrice :* 2000, Scarlet Diva (Scarlet Diva) ; 2005, The Heart is Deceitful above All Things (Le livre de Jérémie).

Fille de Dario Argento et de la comédienne Daria Nicolodi, elle débute enfant dans des films d'horreur, puis étend son registre avec Nanni Moretti et Michele Placido avant de tenir les rôles principaux des films de son père, dont on retiendra surtout le très intense *Sindrome di Stendhal* (uniquement sorti en vidéo). Révélant un intrigant tatouage intime dans le *New Rose Hotel* d'Abel Ferrara, elle réalise par ailleurs un documentaire sur ce cinéaste, ainsi que *Scarlet Diva*, un autoportrait sans complaisance.

Argo, Victor

Acteur américain, 1934-2004.

1972, Unholy Rollers (Zimmerman), Dealing (Williams), Boxcar Bertha (Bertha Boxcar) (Scorsese) ; 1973, Mean Streets (Mean Streets) (Scorsese), The Don Is Dead (Don Angelo est mort) (R. Fleischer) ; 1974, The Terminal Man (Hodges) ; 1976, Taxi Driver (Taxi Driver) (Scorsese) ; 1977, Which Way Is Up ? (Schultz) ; 1979, The Rose (The Rose) (Rydell) ; 1982, Hanky Panky (La folie aux trousses) (Poitier), Falling in Love (Falling in Love) (Grosbard) ; 1985, After Hours (After Hours) (Scorsese), Desperately Seeking Susan (Recherche Susan désespérément) (Seidelman) ; 1986, Off Beat (Le flic était presque parfait) (Dinner), Raw Deal (Le contrat) (Irvin) ; 1987, The Pick-Up Artist (Toback) ; 1988, The Last Temptation of Christ (La dernière tentation du Christ) (Scorsese) ; 1989, New York Stories (New York Stories) (sketch Scorsese), Her Alibi (Son alibi) (Beresford), Crimes and Misdemeanors (Crimes et délits) (Allen) ; 1990, Quick Change (Franklin, Murray), King of New York (The King of New York) (Ferrara) ; 1991, McBain (Glickenhaus) ; 1992, Bad Lieutenant (Bad Lieutenant) (Ferrara), Shadows and Fog (Ombres et brouillard) (Allen) ; 1993, True Romance (True Romance) (T. Scott), Household Saints (Savoca), Snake Eyes (Snake Eyes) (Ferrara) ; 1994, Somebody to Love (Somebody to Love) (Rockwell), Monkey Trouble (Mon ami Dodger) (Amurri), Men Lie (Gallagher) ; 1995, Condition Red (M. Kaurismäki), Blue in the Face (Brooklyn Boogie) (Wang, Auster) ; 1996, The Funeral (The Funeral) (Ferrara) ; 1997, Side Streets (Gerber), Lulu on the Bridge (Lulu on the Bridge) (Auster) ; 1998, On the Run (On the Run) (De Almeida), Next Stop Wonderland (Et plus si affinités...) (Anderson), Going Nomad (Jones), Fast Horses (Engel) ; 1999, Ghost Dog : The Way of the Samurai (Ghost Dog – La voie du samouraï) (Jarmusch), The Yards (The Yards) (Gray), Coming Soon (Burson) ; 2000, Coyote Ugly (Coyote Girls) (MacNally), Fast Food Fast Women (Fast Food Fast Women) (Kollek), Blue Moon (Gallagher), Erotic Tales IV (sketch Kollek), Double Whammy (DiCillo) ; 2001, Snipes (Murray).

Révélé par Scorsese, il est le parrain mafieux idéal, visage grêlé et accent italo-américain de circonstance. Beaucoup de petits rôles de brutes, de gardes du corps, notamment chez Ferrara.

Arlen, Richard

Acteur américain, 1899-1976.

Principaux films : 1925, In the Name of Love (Higgin) ; 1926, Behind the Front (Sutherland), The Enchanted Hill (Willat), Padlocked (Dwan) ; 1928, Feel my Pulse (La Cava), Under the Tonto Rim (Raymaker), Ladies of the Mob (Wellman), Beggars of Life (Les mendiants de la vie) (Wellman), Manhattan Cocktail (Arzner) ; 1929, The Four Feathers (Les quatre plumes blanches) (Schoedsack, Cooper), The Virginian (Fleming), The Man I Love (Wellman), Dangerous Curves (Mendes), Thunderbolt (Sternberg) ; 1930, The Border Legion (Brower), Burning Up (Sutherland), Dangerous Paradise (Wellman), The Santa Fe Trail (Brower, Knopf), Wings (Les ailes) (Wellman) ; 1931, The Lawyer's Secret (Gasnier), The Secret Call (Walker), Sky Bride (Roberts), Conquering Horde (Sloman), Gun Smoke (Sloman) ; 1932, Tiger Shark (Le harpon rouge) (Hawks), All American (Mack) ; 1937, Artists and Models (Artistes et modèles) (Walsh) ; 1933, Alice in Wonderland (Alice au pays des merveilles) (McLeod) ; 1948, Return of Wildfire (Taylor) ; 1949, Grand Canyon (Landres) ; 1950, Kansas Raiders (Kansas en feu) (Enright) ; 1953, Devil's Canyon (Nuit sauvage) (Werker) ; 1951, Flaming Feathers (Flèches brûlées) (Enright), Silver City (Ville d'argent) (Haskin) ; 1952, Hurricane Smith (Maître après le Diable) (Hopper), The Blazing Forest (La forêt en feu) (Ludwig) ; 1959, Warlock (L'homme aux colts d'or) (Dmytryck) ; 1961, The Last Time I Saw Archie (Webb).

Études à l'université de Pennsylvanie puis journaliste sportif. Arlen débute dans de petits rôles à Hollywood en 1920. Il s'impose en vedette grâce aux *Mendiants de la vie* où il a pour partenaire Louise Brooks, et à *The Virginian* où il s'oppose à Gary Cooper. Il fut l'un des interprètes favoris de Wellman et servit pendant la guerre dans l'aviation. On le retrouva en fin de carrière dans de petits westerns de Ray Enright.

Arletty

Actrice française, de son vrai nom Léonie Bathiat, 1898-1992.

1930, Un chien qui rapporte (Choux), La douceur d'aimer (Hervil) ; 1932, La belle aventure (Schünzel-Lebon), Une idée folle (Vaucorbeil), Enlevez-moi (Perret) ; 1933, La guerre des valses (Berger), Un soir de réveillon (Anton), Mlle Josette ma femme (Berthomieu), Je te confie ma femme (Guissart) ; 1934, Le voyage de M. Perrichon (Tarride) ; 1935, Le vertige (Guissart), Pension Mimosas (Feyder) ; 1936, La garçonne (Limur), Faisons un rêve (Guitry), Aventure à Paris (M. Allégret), Le mari rêvé (Capellani), Amants et voleurs (Bernard), La fille de Mme Angot (Bernard-Derosne), Feu la mère de Madame (Fried) ; 1937, Aloha (Mathot), Les perles de la couronne (Guitry), Messieurs les ronds de cuir (Mirande), Mirages (Ryder), Désiré (Guitry) ; 1938, Hôtel du Nord (Carné), La chaleur du sein (Boyer) ; 1939, Le jour se lève (Carné), Le petit chose (Cloche), Circonstances atténuantes (Boyer), Tempête (Bernard-Deschamps), Fric-Frac (Lehman) ; 1941, Boléro (Boyer), Madame Sans-Gêne (Richebé) ; 1942, Les visiteurs du soir (Carné), L'amant de Bornéo (Le Hénaff), La femme que j'ai le plus aimée (Vernay) ; 1945, Les enfants du paradis (Carné) ; 1949, Portrait d'un assassin (Bernard-Roland) ; 1951, L'amour madame (Grangier), Gibier de potence (Richebé) ; 1953, Le père de mademoiselle (L'Herbier) ; 1954, Le grand jeu (Siodmak), Huis clos (Audry) ; 1955, L'air de Paris (Carné) ; 1956, Mon curé chez les pauvres (Diamant-Berger), Vacances explosives (Stengel) ; 1957, Le passager clandestin (Habib) ; 1958, Et ta sœur (Delbez), Maxime (Verneuil), Un drôle de dimanche (M. Allégret) ; 1961, Les petits matins (Audry), La gamberge (Carbonneaux) ; 1962, La loi des hommes (Gérard), The Longest Day (Le jour le plus long) (Annakin), Tempo di Roma (La Patellière), Le voyage à Biarritz (Grangier).

L'une des plus fortes personnalités du cinéma français. Née à Courbevoie d'une mère lingère et d'un père conducteur de tramways, elle est dactylo en 1917, mannequin en 1918 et débute au théâtre en 1920 dans des revues comiques. Mais c'est au cinéma qu'elle va s'imposer grâce à Marcel Carné : *Hôtel du Nord* (« atmosphère »), *Le jour se lève*, la mystérieuse Dominique des *Visiteurs du soir* et l'inoubliable Garance des *Enfants du paradis*. Ne négligeons pourtant pas ces petites comédies où elle fait merveille : *Fric-Frac, Circonstances atténuantes*... Sa gouaille, son humour et sa sensualité s'y donnent libre cours. Sa carrière sera en partie brisée à la Libération où elle est accusée de rapports avec un Allemand (elle aurait répondu : « Mon cœur est français mais mon c... est international »). Elle devra se contenter de petits rôles. Le théâtre lui est plus favorable (*Un tramway nommé désir* de T. Williams, *Les compagnons de la Marjolaine* d'Achard, *L'étouffe-chrétien* de Marceau, *Les monstres sacrés* de Cocteau). Menacée de cécité, elle cesse toute activité vers 1963. Elle a laissé de fort intéressants souvenirs sous le titre de *La défense*. Quelques bons mots la résument : « Le théâtre a été mon luxe, le cinéma mon argent de poche », et, sur 1944, « Gaulliste ? Non, gauloise. » Elle aurait dû être notre Garbo ou notre Marlene Dietrich ; une épuration imbécile la condamna. Mais elle demeure notre plus grande actrice parce que, dit Jeanson : « Comme Colette, elle a inventé son style et qu'elle s'est trouvée sans se chercher. » Et d'ajouter que l'on dira encore longtemps : « Tiens ! Arletty ! »

Arliss, George

Acteur anglais, de son vrai nom Andrews, 1868-1946.

1921, The Devil (J. Young), Disraeli (Kolker) ; 1923, The Green Goddess (Green), The Ruling Passion ; 1929, Disraeli (Green) ; 1930, Old English (Green) ; 1931, Millionnaire (Adolfi), Alexander Hamilton (Adolfi) ; 1932, The Man Who Played God (Adolfi), Successfull Calamity (Adolfi) ; 1933, The King's Vacation (Adolfi), The Working Man (Adolfi), Voltaire (Voltaire) (Adolfi) ; 1934, The House of Rothschild (Les Rothschild) (Werker) ; 1935, Cardinal Richelieu (R.W. Lee), The Iron Duke (Saville), The Tunnel (Elvey) ; 1936, Mr. Hubo, East Meets West (Mason) ; 1937, His Lordship (Mason), Dr. Syn (Neill).

Grand, distingué, d'une diction parfaite, il gagna l'oscar de 1929-1930 avec sa composition de *Disraeli* et ne cessa de jouer les personnages historiques : Voltaire, Richelieu... Père du réalisateur Leslie Arliss.

Armendariz, Pedro

Acteur mexicain, 1912-1963.

1939, Con los dorados de Pancho Villa, Los olvidados de Dios ; 1940, Mala herba, El jefe máximo (F. de Fuentes), El zooro de jalisco ; 1941, El secreto del sacerdote (Fernández), La epopeya del camino (Fernández), Del pancho a la capital (Fernández), La isla de la pasión (Fernández) ; 1942, Soy puro, Mexicano (Fernández) ; 1943, Las calaveras del terror (Fernández), Flor Silvestre (Fernández), Konga roja, Distinto amanacer (Bracho), María Candelaria (María Candelaria) (Fernández) ; 1944, El carsaro negro (Urueta), La campaña de mi pueblo, Alma de pronche, Las abandonadas (Fernández), El capitán Malacara, Entre Hermanos, Bugambila (Fernández) ; 1945, Rayando el sol (Fernández), La perla (La perle) (Fernández) ; 1946, Enamorada (Fernández) ; 1947, A casa colorada (Morayta), Juan Charrasquedo (Cortazar), The Fugitive (Dieu est mort) (Ford) ; 1948, Maclovia (Fernández), Three Godfathers (Le fils du désert) (Ford), Fort Apache (Le massacre de Fort Apache) (Ford), En la hacienda de la flor (Cortazar), Al caer la tarde (Portas) ; 1949, La Malquerida (Fernández), Villa Vuelve (Contreras Torres), El abandonado (Urueta), Tulsa (Heisler), We Were Strangers (Les insurgés) (Huston), El Chano y la dama ; 1950, Rosauro Castro (Gavaldón), Tierra baja (Zacarias), La loca de la casa (Oro), The Torch (Fernández) ; 1951, La puerta falsa (Fuentes), Nos veremos en el cielo, La noche avanza (Gavaldon), Ella y yo (Delgado) ; 1952, Los tres alegres compadres (Soler), El rebozo de soledad (Galvadon), La rebelión de los colgados (Crevenna), El Bruto (L'enjôleuse) (Buñuel) ; 1953, Les amants de Tolède (Decoin), Lucrèce Borgia (Christian-Jaque) ; 1954, La mulata (Solares), Reto a la vida (Bracho) ; Border River (Les rebelles) (Sherman), Fortune carrée (Borderie) ; 1955, The Littlest Outlaw (Gavaldon), Diane (Diane de Poitiers) (D. Miller), Tam Tam Mayumbe (Napolitane) ; 1956, The Conqueror (Le conquérant) (D. Powell) ; 1957, The Big Boodle (Trafic à La Havane) (Wilson), Manuela (Hamilton), La Cucaracha (I. Rodríguez), Uomini e lupi (Hommes et loups) (De Santis), La escondida (Galvadón), Los salvajes (Badelon) ; 1959, The Little Savage (Haskin), The Wonderful Country (L'aventurier du Rio Grande) (Parrish) ; 1961, Francis of Assisi (François d'Assise) (Curtiz), I titani (Les titans) (Tessari) ; 1963, Captain Sinbad (Capitaine Sinbad) (Haskin), From Russia With Love (Bons baisers de Russie) (Young).

Père mexicain et mère américaine. Études aux États-Unis. Il se destine au journalisme, mais jugé particulièrement photogénique, il se voit offrir une carrière cinématographique et devient l'une des grandes vedettes du cinéma mexicain. Fernández l'utilise intelligemment dans une suite de bons films, bien photographiés par Figueroa. Ford en fait une vedette internationale. Il tourne en France (il sera César Borgia dans un film de Christian-Jaque) et en Italie. Ce bel homme moustachu, atteint d'un cancer, préféra la mort à la déchéance. Son fils, Pedro Armendariz junior, a continué la tradition.

Armontel, Roland

Acteur français, 1901-1980.

Courts métrages de Linder. 1932, Les gaietés de l'escadron (M. Tourneur) ; 1933, Les misérables (Bernard), Touchons du bois (Champreux) ; 1934, Dédé (Guissart), La dame aux camélias (Rivers) ; 1938, Prison de femmes (Richebé) ; 1939, Le déserteur (Moguy), Battements de cœur (Decoin) ; 1941, Mam'zelle Bonaparte (M. Tourneur), Premier rendez-vous (Decoin) ; 1942, Félicie Nanteuil (M. Allégret), La symphonie fantastique (Christian-Jaque) ; 1943, Les petites du quai aux fleurs (M. Allégret), La boîte aux rêves (Y. Allégret) ; 1944, Florence est folle (Lacombe) ; 1945, Jéricho (Calef) ; 1946, L'idiot (Lampin), Les Chouans (Calef), L'arche de Noé (Jacques), La maison sous la mer (Calef), Les trois cousines (Daniel-Norman) ; 1947, Rocambole (Baroncelli), Clochemerle (Chenal), Le dolmen tragique (Mathot), Éternel conflit (Lampin), Le silence est d'or (Clair), Émile l'Africain (Vernay), Par la fenêtre (Grangier), Route sans issue (Stelli) ; 1948, La bataille du feu (Canonge), Le sorcier du ciel (Blistène), L'ange rouge (Daniel-Norman), Fantômas contre Fantômas (Vernay), Les amants de Vérone (Cayatte), La vie est un rêve (Séverac) ; 1949, Occupe-toi d'Amélie (Autant-Lara), Plus de vacances pour le bon Dieu (Vernay), Véronique (Vernay), Le martyr de Bougival (Loubignac), La danseuse de Marrakech (Mathot), Sans tambour ni trompette (Blanc) ; 1950, Clara de Montargis (Decoin), Le gang des tractions arrière (Loubignac), L'ingénue libertine (Audry), La belle image (Heymann) ; 1951, Bouquet de joie (Cam), Monsieur Leguignon lampiste (Labro), La demoiselle et son revenant (M. Allégret) ; 1952, Tambour battant (Combret), Deux de l'escadrille (Labro), La caraque blonde (Audry), Quitte ou double (Vernay) ; 1953, Mourez, nous ferons le reste (Stengel) ; 1954, Razzia sur la schnouff (Decoin) ; 1955, Ces sacrées vacances (Vernay), Don Juan (Berry) ; 1957, Ni vu ni connu (Robert), Sénéchal le Magnifique (Boyer) ; 1958, Les tricheurs (Carné) ; 1959, Tête folle (Vernay) ; 1962, Le diable et les dix commandements (Duvivier), Un chien dans un jeu de quilles (Collin) ; 1963, La foire aux cancres (Daquin), Maigret voit rouge (Grangier) ; 1965, Paris brûle-t-il ? (Clément) ; 1968, Béru et ces dames (Lefranc) ; 1969, Et qu'ça saute ! (Lefranc) ; 1970, Sur un arbre perché (Korber) ; 1976, Un mari c'est un mari (Friedman) ; 1979, Le temps des vacances (Vital).

Né à Vimoutiers, dans l'Orne, il débute très jeune au cinéma, comme enfant, dans les films de Max Linder. Des petits rôles dans *Les gaietés de l'escadron* puis dans *Les misérables* (où il est Félix). Par la suite, uniquement des rôles de composition : on pense surtout au cabot qui chante « Le petit bout de la lorgnette » dans *Le silence est d'or*. Mais Armontel fut aussi curé (*Sur un arbre perché*), général (*Occupe-toi d'Amélie*), instituteur (*Clochemerle*), jamais toutefois en vedette. On le vit aussi dans des personnages tragiques comme l'otage de *Jéricho*. Là aussi il fut toujours cantonné au second plan ; jamais son talent ne fut vraiment reconnu.

Arno, Alice

Actrice française, de son vrai nom Marie-France Broquet, née en 1946.

1968, Nathalie, l'amour s'éveille (Chevalier) ; 1970, La débauche ou les amours buissonnières (Davy), Eugénie (Eugénie de Sade) (Franco), Justine de Sade (Pierson) ; 1971, Señora casada necesita joven bien dotado (Xiol), Pigalle, carrefour des illusions (Chevalier), Una vergine tra i morti viventi (Christina, princesse de l'érotisme) (Franco) ; 1972, Les aventures galantes de Zorro (Saint-Sébastien), Les joyeux compères (Pierson), Lâchez les chiennes (Launois) ; 1973, Tendre et perverse Emmanuelle (Franco), Plaisir à trois (Franco), Avortement clandestin (Chevalier), Al otro lado del espejo (Le miroir obscène) (Franco), Les gloutonnes (Franco), Embrasse-moi/Sexy blues (Franco, sous le pseudonyme de Marceignac), Les avaleuses/La comtesse perverse (Franco), Lustful Amazons (Les Amazones de la luxure) (Franco), Les filles du Golden Saloon (Taylou), Les croqueuses (Franco) ; 1974, Kiss Me Killer (Franco), Et si tu n'en veux pas (Treyens), Convoi de femmes (Chevalier), Chicas de alquiler (Iquino) ; 1975, Règlement de femmes à O.Q. Corral (Pallardy), L'arrière-train sifflera trois fois (Pallardy).

Adepte du naturisme, elle pose pour des revues polissonnes puis se fait connaître au cinéma avec *Justine de Sade*. Blonde, jolie, elle sera la terrible *Comtesse perverse* de Jess Franco. Vedette d'un grand nombre de séries Z érotiques, elle quitte le cinéma quand le cinéma purement pornographique l'emporte.

Arnold, Edward

Acteur américain, de son vrai nom Gunther Schneider, 1890-1956.

1916, When the Man Speaks, The Primitive Strain ; 1917, The Slacker, The Wrong Way ; 1919, Phil for Short, A Broadway Saint ; 1920, The Cost ; 1927, Sunrise (L'aurore) (Murnau) ; 1932, Rasputin and the Empress (Barrymore), Okay America (Garnett), Three on a Match (LeRoy) ; 1933, Whistling in the Dark (Nugent), The White Sister (Fleming), The Barbarian (Wood), Her Bodyguard (Beaudine), Jennie Gerhardt (M. Gering), I'm No Angel (Je ne suis pas un ange) (Ruggles), Roman Scandals (Tuttle), The Secret of the Blue Room (Neumann) ; 1934, Sadie McKee (Brown), Madame Spy (Freund), Thirty Day Princess (Gering), Unknown Blonde (Henley), Million Dollar Ransom (Roth), Hide Out (Barker), Wednesday's Child (Robertson), President Vanishes (Le président fantôme) (Wellman) ; 1935, Cardinal Richelieu (Lee), The Glass Key (La clef de verre) (Tuttle), Diamond Jim (Sutherland), Remember Last Night ? (Whale), Biography of a Bachelor Girl (Griffith), Crime and Punishment (Remords) (Sternberg) ; 1936, Sutter's Gold (L'or maudit) (Cruze), Meet Nero Wolf (Biberman), Come and Get It (Le vandale) (Wyler et Hawks) ; 1937, Easy Living (La vie facile) (Leisen), John Meade's Woman (Wallace), The Toast of New York (Lee), Blossoms on Broadway (Wallace) ; 1938, The Crowd Roars (Thorpe), You Can't Take It With You (Vous ne l'emporterez pas avec vous) (Capra), Let Freedom Ring (Le flambeau de la liberté) (Conway) ; 1938, Mr. Smith Goes to Washington (Monsieur Smith au Sénat) (Capra), Idiot's Delight (Brown), Man about Town (Sandrich) ; 1940, The Earl of Chicago (Thorpe), Slighty Honorable (Garnett), Johnny Apollo (Hathaway), Lillian Russell (Cummings) ; 1941, The Penalty (Bucquet), The Lady from Cheyenne (La danseuse de Burma) (Lloyd), Meet John Doe (L'homme de la rue) (Capra), Nothing But the Truth (Nugent), Unholy Partners (LeRoy), Design for Scandal (Taurog), Johnny Eager (Johnny roi des gangsters) (LeRoy), All That Money Can Buy (Tous les biens de la terre) (Dieterle) ; 1942, Eyes in the Night (Les yeux dans les ténèbres) (Zinnemann), The War against Mrs. Hadley (Bucquet) ; 1943, The Youngest Profession (Buzzell) ; 1944, Janie (Curtiz), Kismet (Dieterle), Mrs. Parkington (Madame Parkington) (Garnett), Main Street After Dark (Cahn), Standing Room Only (Lanfield) ; 1945, The Hidden Eye (Whorf), Week-end at the Waldorf (Leonard) ; 1946, Janie Gets Married

(Sherman), Three Wise Fools (Buzzell), No Leave No Love (Ch. Martin), The Mighty McGurk (Waters), My Brother Talks to Horses (Zinnemann), Ziegfeld Follies (Minnelli) ; 1947, Dear Ruth (W. Russell), The Hucksters (Marchands d'illusions) (Conway) ; 1948, Three Daring Daughters (Wilcox), Big City (Tuarog), Wallflower (De Cordova), Command Decision (Wood) ; 1949, John Loves Mary (Butler), Take Me Out to the Ball Game (Berkeley), Dear Wife (Haydn), Big Jack (Thorpe) ; 1950, The Yellow Cab Man (Donahue), Annie Get Your Gun (Annie la reine du cirque) (Sidney), The Skipper Surprised His Wife (Nugent) ; 1951, Dear Brat (Seiter) ; 1952, Belles on their Toes (Levin) ; 1953, City That Never Sleeps (Traqué dans Chicago) (Auer), Man of Conflict (Makelim) ; 1954, Living It Up (Taurog) ; 1956, The Houston Story (Castle), The Ambassador's Daughter (Krasna), Miami Expose (Sears).

Gros, imposant, il fut tout à la fois Nero Wolf, le détective à l'orchidée de Rex Stout, et *Diamond Jim*, avant de devenir le méchant des comédies de Capra : dans *Meet John Doe*, il incarne le péril fasciste. Traître ou politicien corrompu, il tire le plus souvent son épingle du jeu. Arnold mourut d'une hémorragie cérébrale.

Arnoul, Françoise

Actrice française, de son vrai nom Gautsch, née en 1931.

1949, Rendez-vous de juillet (Becker), L'épave (Rozier), Nous irons à Paris (Boyer) ; 1950, La rose rouge (Pagliero), Quai de Grenelle (Reinert), Mon ami le cambrioleur (Lepage), Mammy (Stelli) ; 1951, Le désir et l'amour (Decoin), La maison Bonnadieu (Rim), La plus belle fille du monde (Stengel) ; 1952, La forêt de l'adieu (Habib), Le fruit défendu (Verneuil), Les amants de Tolède (Decoin), Adieu Paris (Heymann) ; 1953, Dortoir des grandes (Decoin), Les compagnes de la nuit (Habib), La rage au corps (Habib), Secrets d'alcôve (Delannoy, Habib, Decoin...) ; 1954, Orage (Billon), Le mouton à cinq pattes (Verneuil), Napoléon (Guitry), Les amants du Tage (Verneuil), French-Cancan (Renoir) ; 1955, Si Paris nous était conté (Guitry), Des gens sans importance (Verneuil) ; 1956, Le pays d'où je viens (Carné), Paris Palace-Hôtel (Verneuil), Sait-on jamais ? (Vadim) ; 1957, Thérèse Étienne (La Patellière), Cargaison blanche (Lacombe) ; 1958, La chatte (Decoin), Asphalte (Bromberger) ; 1959, La bête à l'affût (Chenal), Le chemin des écoliers (Boisrond), La chatte sort ses griffes (Decoin) ; 1960, La morte saison des amours (Kast), Le bal des espions (M. Clément) ; 1961, Le diable et les dix commandements (Duvivier), Les Parisiennes (Barma, Boisrond, Poitrenaud, Bluwal) ; 1962, Vacances portugaises (Kast) ; 1963, A couteaux tirés (Gérard) ; 1964, Lucky Joe (Deville), Compartiment tueurs (Costa-Gavras) ; 1965, Le dimanche de la vie (Herman) ; 1966, Wiener Kongress (Le congrès s'amuse) (Radvanyi) ; 1971, Le petit théâtre de Jean Renoir (Renoir), Españolas en Paris (Bodegas) ; 1974, Diálogo de exilados (Ruiz) ; 1976, Dernière sortie avant Roissy (Paul), Violette et François (Rouffio) ; 1979, Bobo Jacco (Bal) ; 1983, Ronde de nuit (Missiaen) ; 1987, Nuit docile (Gilles) ; 1990, Voir l'éléphant... (Marbœuf) ; 1991, Les années campagne (Leriche) ; 1996, Temps de chien (Marbœuf) ; 1997, Post coïtum, animal triste (Roüan) ; 1998, Merci pour le geste (Faraldo).

Belle et sensuelle, elle fit rêver toute une génération. Intelligente, elle comprit que les producteurs l'engageaient dans une impasse. Il lui manquait un grand metteur en scène. Habib n'était pas Sternberg et Renoir amorçait son déclin. Le moins mauvais fut Verneuil. La Nouvelle Vague fit appel à elle, mais ce n'était que Vadim ou Deville, à la rigueur Kast. Le résultat : une filmographie trop souvent sans rapport avec le talent de l'actrice. En 1983, retour à l'écran abandonné pour la télévision (Leterrier, Staudte, J.-L. Buñuel) et nouveau départ avec *Ronde de nuit* où elle est une journaliste lucide et désabusée d'une radio périphérique. Peu de films marquants ensuite, mais elle reste le symbole d'une époque.

Arnoux, Robert

Acteur français, 1899-1964.

Plus de cent films dont : 1931, Tumultes (Siodmak), Le Congrès s'amuse (Charell) ; 1932, Madame ne veut pas d'enfants (Steinhoff), Ma femme homme d'affaires (Vaucorbeil) ; 1934, Liliom (Lang), Remous (Greville) ; 1935, Bourrachon (Guissart), Le contrôleur des wagons-lits (Eichberg), Princesse Tam-tam (Greville) ; 1936, La terre qui meurt (Vallée), Josette (Christian-Jaque) ; 1939, Circonstances atténuantes (Boyer), Pour le maillot jaune (Stelli) ; 1941, Chèque au porteur (Boyer), Croisières sidérales (Zwoboda) ; 1942, Lettres d'amour (Autant-Lara), Frédérica (Boyer) ; 1945, Dorothée cherche l'amour (Greville) ; 1946, Histoire de chanter (Grangier), Miroir (Lamy) ; 1947, Rocambole (Baroncelli) ; 1948, Fantômas contre Fantômas (Vernay), Le bal des pompiers

(Berthomieu), Entre onze heures et minuit (Decoin) ; 1949, Au grand balcon (Decoin), Amédé (Grangier) ; 1950, Andalousie (Vernay), Méfiez-vous des blondes (Hunebelle), Les femmes sont folles (Grangier) ; 1951, Barbe-bleue (Christian-Jaque), La nuit est mon royaume (Lacombe) ; 1952, Mon curé chez les riches (Diamant-Berger), Manina la fille sans voiles (Rozier) ; 1953, Trois jours de bringue à Paris (Couzinet) ; 1954, La dame sans camélia (Antonioni) ; 1956, Voici le temps des assassins (Duvivier), La traversée de Paris (Autant-Lara) ; 1957, Le triporteur (Pinoteau), La garçonne (Audry) ; 1960, Le caïd (Borderie), Il suffit d'aimer (Darène) ; 1962, Arsène Lupin contre Arsène Lupin (Molinaro).

Son talent s'est affirmé à mesure qu'il s'arrondissait. De petits rôles mais que l'on remarquait : le préfet de *Lettres d'amour*, le trafiquant du marché noir dans *La traversée de Paris*... Il a aussi beaucoup joué au théâtre.

Arquette, David

Acteur et réalisateur américain né en 1971.

1992, Where the Day Takes You (Rocco), Halfway House (Robinson), Buffy the Vampire Slayer (Kuzui) ; 1993, The Webbers (Marlowe), The Killing Box (Hickenlooper) ; 1994, Frank and Jesse (Boris), The Road Killers (Sarafian), Airheads (Radio Rebels) (Lehmann) ; 1995, Fall Time (Warner), Wild Bill (Hill) ; 1996, Skin and Bone (Lewis), Beautiful Girls (T. Demme), Scream (Scream) (Craven), Johns (Johns) (Silver) ; 1997, Life During Wartime (Dunsky), Dream with the Fishes (Taylor), Scream 2 (Scream 2) (Craven), R.P.M. (Sharp) ; 1998, Ravenous (Vorace) (Bird), Never Been Kissed (Collège attitude) (Gosnell), Kiss & Tell (Alan) ; 1999, The Shrink Is In (Benjamin), Scream 3 (Scream 3) (Craven), Muppets from Space (Les Muppets dans l'espace) (Hill), Ready to Rumble (B. Robbins) ; 2000, 3,000 Miles to Graceland (Lichtenstein) ; 2001, Arac Attack (Arac Attack) (Elkayem) ; 2005, The Adventures of Shark Boy and Lavagirl in 3-D (Les aventures de Shark Boy et Lavagirl) (Robert Rodriguez) ; 2007, The Tripper (The Tripper) (D. Arquette). *Comme réalisateur :* 2007, The Tripper (The Tripper).

Troisième rejeton de la famille Arquette (restent encore Alexis et Richmond, également acteurs), surtout connu pour son rôle de flic benêt et empâté de la série des *Scream* et son mariage avec Courteney Cox.

Arquette, Patricia

Actrice américaine née en 1968.

1987, Pretty Smart (Logothetis), Time Out (Carlsen), Nightmare on Elm Street III (Freddy 3) (Russell) ; 1988, Far North (Shepard), Time Out (Carlsen) ; 1991, Indian Runner (The Indian Runner) (Penn), Prayer of the Rollerboys (King), La domenica specialmente (Le dimanche de préférence) (Barilli, G. Bertolucci, Giordana, Tornatore) ; 1992, Inside Monkey Zetterland (Levy) ; 1993, Ethan Frome (Madden), Trouble Bound (J. Reiner), True Romance (True Romance) (Scott) ; 1994, Ed Wood (Ed Wood) (Burton), Holy Matrimony (Nimoy), Beyond Rangoon (Rangoon) (Boorman) ; 1995, Flirting With Disaster (Flirter avec les embrouilles) (Russell), The Secret Agent (L'agent secret) (Hampton) ; 1996, Lost Highway (Lost Highway) (Lynch), Nightwatch (Le veilleur de nuit) (Bornedal), Infinity (Broderick) ; 1997, Goodbye Lover (Goodbye Lover) (Joffé), No Vacancy (Gordon), The Hi-Lo Country (The Hi-Lo Country) (Frears) ; 1998, Stigmata (Stigmata) (Wainwright), Bringing Out the Dead (A tombeau ouvert) (Scorsese) ; 2000, Little Nicky (Little Nicky) (Brill), Human Nature (Gondry), See Spot Run (Whitesell) ; 2003, Holes (La morsure du lézard) (Davis) ; 2005, Searching for Debra Winger (R. Arquette) ; 2006, Fast Food Nation (Fast Food Nation) (Linklater).

Moins fofolle et évaporée que sa sœur Rosanna, cette comédienne à l'étrange regard, clair et sombre à la fois, est de tous les genres : violence (*The Indian Runner, True Romance*), parodies (*Ed Wood*), aventures (*Rangoon*).

Arquette, Rosanna

Actrice et réalisatrice américaine née en 1959.

1979, More American Graffiti (American graffiti, la suite) (Norton) ; 1980, Garp (Ruben) ; 1981, S.O.B. (S.O.B.) (Edwards), Baby It's You (Sayles) ; 1983, Off the Wall (Friedberg) ; 1985, The Aviator (Miller), Silverado (Silverado) (Kasdan), Desperately Seeking Susan (Recherche Susan désespérément) (Seidelman) ; 1986, Eight Million Ways to Die (Huit millions de façons de mourir) (Ashby), After Hours (After Hours) (Scorsese), Nobody's Fool (Purcell) ; 1987, Amazon Women on the Moon (Cheeseburger Film Sandwich) (Dante) ; 1988, Le grand bleu (Besson) ; 1989, New York Stories (New York Stories) (sketch Scorsese) ; 1990, Black Rainbow (Hodges), The Linguini Incident (Linguini incident)

(Shepard) ; 1991, Flight of the Intruder (Milius) ; 1992, The Wrong Man (McBride), Fathers and Sons (Mones), Nowhere to Run (Cavale sans issue) (Harmon) ; 1993, La cité de la peur (Berberian) ; 1994, Pulp Fiction (Pulp Fiction) (Tarantino), Search and Destroy (Search and Destroy) (Salle) ; 1995, Crash (Crash) (Cronenberg) ; 1996, Gone Fishin' (Cain), Do Me a Favor (Locke), Liar (Le suspect idéal) (Pate), Hell's Kitchen (Cinciripini) ; 1997, Buffalo '66 (Buffaalo '66) (Gallo), Hope Floats (Ainsi va la vie) (Whitaker), Fait accompli (Sekula), Palmer's Pick Up (Ch. Coppola) ; 1998, I Woke Up Early the Day I Died (Iliopoulos), I'm Losing You (Wagner), Sugar Town (Sugar Town) (Anders, Voss), Floating Away (Badham) ; 1999, Pigeonholed (Swanhaus), The Whole Nine Yards (Mon voisin le tueur) (Lynn) ; 2000, Too Much Flesh (Too Much Flesh) (Barr, Arnold), Things Behind the Sun (Anders) ; 2001, Big Bad Love (Howard) *Comme réalisatrice :* 2005, Searching for Debra Winger.

Elle volait la vedette à Madonna dans *Recherche Susan* avant de s'imposer chez Scorsese. Brillante actrice qui ne cesse de surprendre. Star depuis *Le grand bleu*, son parcours cahotique dans les années 90 l'amène néanmoins à s'autoparodier en actrice ratée dans *Sugar Town*. Elle reste heureusement attachante.

Arquillière, Alexandre

Acteur français, 1870-1953.

Principaux films : 1911, Zigomar roi des voleurs (Jasset) ; 1912, Zigomar contre Nick Carter (Jasset) ; 1923, La souriante Madame Beudet (Dulac) ; 1939, La fin du jour (Duvivier).

C'est dans le rôle de Zigomar, sorte de rival de Fantômas, qu'il se fit connaître. Il travailla beaucoup pour Éclair. Le parlant réduisit son activité.

Artaud, Antonin

Poète et acteur français, 1896-1948.

1923, Faits divers (Autant-Lara) ; 1925, Surcouf (Luitz-Morat), Graziella (Vandal) ; 1926, Le juif errant (Luitz-Morat), La coquille et le clergyman (Dulac) ; 1927, Napoléon (Gance) ; 1928, La passion de Jeanne d'Arc (Dreyer), L'argent (L'Herbier), Verdun (Poirier) ; 1930, L'opéra de quat'sous (Pabst), Tarakanova (Bernard) ; 1931, Faubourg-Montmartre (Bernard), La femme d'une nuit (L'Herbier) ; 1932, Coup de feu à l'aube (Poligny), L'enfant de ma sœur (Wulschleger), Les croix de bois (Bernard) ; 1933, Mater Dolorosa (Gance) ; 1934, Liliom (Lang), Sidonie Panache (Wulschleger) ; 1935, Koenigsmark (Tourneur) ; 1936, Lucrèce Borgia (Gance).

Ce grand poète fut aussi un grand acteur. L'extraordinaire Marat du *Napoléon* de Gance, frère Mathieu dans *La passion de Jeanne d'Arc*, le mendiant de la version française de *L'opéra de quat'sous* et Savonarole dans *Lucrèce Borgia*, c'était lui.

Arthur, Jean

Actrice américaine, de son vrai nom Gladys Greene, 1905-1991.

1923, Cameo Kirby (Ford) ; 1924, The Temple of Venus (Otto), Fast and Fearless (Thorpe), Biff Bang Buddy (Inghram), Bringin' Home the Bacon (Thorpe), Travelin' Fast, Thundering Romance (Thorpe) ; 1925, The Fighting Smile (Marchant), Seven Chances (Fiancées en folie) (Keaton), The Drug Store Cowboy (Frame), A Man of Nerve (Chaudet), Tearin'Loose (Thorpe) ; 1926, Born to Battle (De Lacey), Thundering Through (Bain), The Hurricane Horseman (Eddy), The Cowboy Cop (De Lacey), The College Boob (Garson), Twisted Triggers (Thorpe), Under Fire (Elfelt), Double Daring (Thorpe), Lightning Bill (Chaudet) ; 1927, The Block Signal (O'Connor), Husband Hunters (Adolfi), The Broken Gate (McKay), Horseshoes (Bruckman), Winner of the Wilderness (Van Dyke), The Poor Nut (Wallace), The Masked Menace (Heath) ; 1928, Wallflowers (Hughes), Easy Come, Easy Go (Tuttle), Sins of the Father (Les fautes d'un père) (Berger), Brotherly Love (Reisner), Warming Up (Newmeyer) ; 1929, The Canary Murder Case (St. Clair), The Mysterious Dr. Fu Manchu (Lee), The Saturday Night Kid (Sutherland), The Greene Murder Case (Tuttle), Halfway to Heaven (Abbott) ; 1930, Street of Chance (Cromwell), The Return of Dr. Fu Manchu (Lee), Paramount on Parade (Lubitsch, Arzner...), Young Eagles (Wellman), The Silver Horde (Archainbaud), Danger Lights (Seitz) ; 1931, The Gang Buster (Sutherland), The Lawyer's Secret (Le secret de l'avocat) (Gasnier), Virtuous Husband (Moore), Ex-Bad Boy (Moore) ; 1933, The Past of Mary Holmes (Thompson) ; 1934, Whirlpool (Neill), The Defense Rests (Hillyer), The Most Precious Thing in Life (Hillyer), The Whole Town's Talking (Toute la ville en parle) (Ford) ; 1935, Public Hero Number One (Ruben), Diamond Jim (Sutherland), The Public Menace (Kenton), If You Could Only Cook (Seiter), Party Wire (Kenton) ; 1936, The Ex-Mrs. Bradford (Roberts), Mr. Deeds Goes to Town (L'extravagant

Mr. Deeds) (Capra), Adventure in Manhattan (Ludwig), The Plainsman (Une aventure de Buffalo Bill) (DeMille), More Than a Secretary (Green) ; 1937, History Is Made at Midnight (Borzage), Easy Living (La vie facile) (Leisen) ; 1938, You Can't Take It with You (Vous ne l'emporterez pas avec vous) (Capra) ; 1939, Only Angels Have Wings (Seuls les anges ont des ailes) (Hawks), Mr. Smith Goes to Washington (Mr. Smith au Sénat) (Capra) ; 1940, Too Many Husbands (Trop de maris) (Ruggles), Arizona (Ruggles) ; 1941, The Devil and Miss Jones (Le diable s'en mêle) (Wood) ; 1942, The Talk of Town (La justice des hommes) (Stevens) ; 1943, The More the Merrier (Plus on est de fous) (Stevens), A Lady Takes a Chance (Seite) ; 1944, The Impatient Years (Cummings) ; 1948, A Foreign Affair (La scandaleuse de Berlin) (Wilder) ; 1953, Shane (L'homme des vallées perdues) (Stevens).

D'abord modèle, puis des petits rôles au théâtre et débuts à l'écran sous le patronage de Ford. Le parlant permet à cette charmante blonde de confirmer sa place de star. Elle est Calamity Jane dans *The Plainsman* où elle rencontre Buffalo Bill et Bill Hickock ; Hawks lui donne le rôle féminin de *Only Angels...* ; Capra la prend pour partenaire de Cooper et de Stewart dans *Mr. Deeds* et dans *Mr. Smith* ; Stevens la fera tourner à plusieurs reprises et lui confiera son dernier rôle, le plus émouvant, dans *Shane*.

Ascaride, Ariane

Actrice française née en 1954.

1977, La communion solennelle (Féret) ; 1978, A vendre (Drillaud) ; 1980, Retour à Marseille (Allio), Dernier été (Guédiguian) ; 1983, Vive la sociale ! (Mordillat), Rouge midi (Guédiguian) ; 1985, Ki lo sa (Guédiguian) ; 1989, Dieu vomit les tièdes (Guédiguian) ; 1994, A la vie, à la mort (Guédiguian) ; 1995, Calino Maneige (Lebel) ; 1996, Marius et Jeannette (Guédiguian), L'autre côté de la mer (Cabrera) ; 1997, Laisse un peu d'amour (Ghorab-Volta), A la place du cœur (Guédiguian), Le serpent a mangé la grenouille (Guesnier) ; 1998, Paddy (Mordillat), Mauvaises fréquentations (Améris) ; 1999, Drôle de Félix (Ducastel, Martineau), Nag la bombe (Milési), Nadia et les hippopotames (Cabrera), A l'attaque ! (Guédiguian) ; 2000, La ville est tranquille (Guédiguian) ; 2002, Marie-Jo et ses deux amours (Guédiguian), Lulu (Roger) ; 2003, Le ventre de Juliette (Provost), Ma vraie vie à Rouen (Ducastel et Martineau) ; 2004, Mon père est ingénieur (Guédiguian), Brodeuses (Faucher) ; 2005, Code 68 (Roger), Imposture (Bouchitey), Le thé d'Ania (Khelifa) ; 2006, Le voyage en Arménie (Guédiguian), Changement d'adresse (Mouret) ; 2007, L'année suivante (Czajka).

Formée par Vitez et Marcel Bluwal au Conservatoire, elle distille un très subtil charme méditerranéen, récompensé par un césar de la meilleure actrice pour *Marius et Jeannette* de Robert Guédiguian, dont elle est l'épouse et la muse. De l'ombre elle passe à la lumière, et ce n'est que justice. Elle n'en reste pas moins fidèle à Guédiguian.

Aslan, Grégoire, dit Coco

Acteur français d'origine arménienne, de son vrai nom Krikor Aslanian, 1908-1982.

1938, Feux de joie (Houssin) ; 1939, Tourbillon de Paris (Diamant-Berger) ; 1940, Les surprises de la radio (Paul) ; 1946, En êtes-vous bien sûr ? (Houssin) ; 1948, Hans le marin (Villiers) ; 1949, Occupe-toi d'Amélie (Autant-Lara), Un homme marche dans la ville (Pagliero) ; 1950, Les joyeux pèlerins (Pasquali), Last Holiday (Cass), Cairo Road (La route du Caire) (Mac Donald) ; 1951, L'auberge rouge (Autant-Lara) ; 1953, Le bon Dieu sans confession (Autant-Lara) ; 1954, Oasis (Allégret) ; 1955, Confidential Report (M. Arkadin) (Welles), Joe Macbeth (K. Hughes) ; 1957, Celui qui doit mourir (Dassin) ; 1958, The Roots of Heaven (Les racines du ciel) (Huston), Windom's Way (Alerte en Extrême-Orient) (Neame) ; 1959, Killers of Kilimandjaro (Les aventuriers du Kilimandjaro) (Thorpe), Our Man in Havana (Notre agent à La Havane) (Reed) ; 1960, The Criminal (Les criminels) (Losey) ; 1962, Cleopatra (Mankiewicz) ; 1964, Marco Polo (La Patellière), Paris When It Sizzles (Deux têtes folles) (Quine), The Yellow Rolls Royce (Asquith) ; 1965, Une ravissante idiote (Molinaro), Moment to Moment (LeRoy) ; 1966, A Man Could Get Killed (Neame), La vingt-cinquième heure (Verneuil) ; 1968, Mazel Tov (Berri), La puce à l'oreille (Charon) ; 1969, Douze plus un (Gassner) ; 1972, Sex Shop (Berri) ; 1973, The Golden Voyage of Sinbad (Le voyage fantastique de Sinbad) (Hessler) ; 1974, The Girl from Petrovka (Miller), The Return of the Pink Panther (Le retour de la panthère rose) (Edwards), Bons baisers de Hong Kong (Chiffre) ; 1977, Bloedverwanten (Lindner) ; 1978, Meetings with Remarkable Men (Rencontres avec des hommes remarquables) (Brook).

Welles, qui l'embaucha pour son *Mr. Arkadin* en compagnie d'autres trognes apatrides comme Auer ou Tamiroff, ne s'y était pas trompé : Grégoire Aslan a du talent. Venu de l'orchestre Ray Ventura, cet Arménien, né à Constantinople et réfugié en France, n'avait fait que des débuts timides au cinéma avant la guerre. Passé en Amérique du Sud avec l'orchestre de Ventura lors de l'Occupation, il ne reprendra ses activités cinématographiques qu'en 1946. Welles et Losey mis à part, c'est Autant-Lara qui lui offre ses meilleurs rôles. On n'oubliera pas le prince de Palestrie d'*Occupe-toi d'Amélie*. Il apparut la dernière fois dans une adaptation télévisée de l'*Histoire contemporaine* d'Anatole France.

Assante, Armand

Acteur américain, de son vrai nom Assanti, né en 1949.

1974, The Lords of Flatbush (Les mains dans les poches) (Verona, Davidson) ; 1978, Paradise Alley (La taverne de l'enfer) (Stallone) ; 1979, Prophecy (Prophecy – Le monstre) (Frankenheimer) ; 1980, Private Benjamin (La bidasse) (Zieff), Little Darlings (Les petites chéries) (Maxwell) ; 1982, Love and Money (Toback), I, the Jury (J'aurai ta peau) (Heffron) ; 1984, Unfaithfully Yours (Faut pas en faire un drame) (Zieff) ; 1986, Belizaire the Cajun (Pitre) ; 1988, The Penitent (Osmond) ; 1989, Eternity (Paul), Animal Behavior (Rasmussen, Riley) ; 1990, Q & A (Contre-enquête) (Lumet) ; 1991, The Marrying Man (La chanteuse et le milliardaire) (Rees) ; 1992, The Mambo Kings (Les Mambo kings) (Glimcher), 1492 – Conquest of Paradise (1492 – Christophe Colomb) (Scott), Hoffa (Hoffa) (DeVito) ; 1993, Fatal Instinct (C. Reiner) ; 1994, Blind Justice (Justice aveugle) (Spence), Trial by Jury (Gould) ; 1995, Judge Dredd (Judge Dredd) (Cannon) ; 1996, Striptease (Striptease) (Bergman) ; 1999, Looking for an Echo (Davidson), Hunt for the Devil (Davis) ; 2001, One Eyed King (Moresco) ; 2006, Two for the Money (Two for the Money) (Caruso).

Second rôle doté d'une importante formation théâtrale dans un registre généralement d'avant-garde, il se spécialise au cinéma dans les rôles de parrains italo-américains sans relief particulier.

Asso, Pierre

Acteur français, 1904-1974.

Principaux films : 1936, Le roman d'un tricheur (Guitry), Topaze (Pagnol) ; 1941, Les petits riens (Leboursier), La neige sur les pas (Berthomieu) ; 1943, La boîte aux rêves (Y. Allégret) ; 1945, Patrie (Daquin) ; 1949, Le grand rendez-vous (Dreville) ; 1950, Quai de Grenelle (Reinert) ; 1953, L'affaire Maurizier (Duvivier).

Voué aux rôles distingués, il s'est surtout fait connaître à la télévision.

Astaire, Fred

Acteur et danseur américain, de son vrai nom Frederick Austerlitz, 1899-1987.

1933, Dancing Lady (Le tourbillon de la danse) (Leonard), Flying Down to Rio (La carioca) (Freeland) ; 1934, The Gay Divorcee (La gaie divorcée) (Sandrich) ; 1935, Roberta (Roberta) (Seiter), Top Hat (Le danseur du dessus) (Sandrich) ; 1936, Follow the Fleet (En suivant la flotte) (Sandrich), Swing Time (Sur les ailes de la danse) (Stevens) ; 1937, Shall We Danse (L'entreprenant M. Petrov) (Sandrich), A Damsel in Distress (Une demoiselle en détresse) (Stevens) ; 1938, Carefree (Amanda) (Sandrich) ; 1939, The Story of Vernon and Irene Castle (La grande farandole) (Potter) ; 1940, Broadway Melody of 1940 (Broadway qui danse) (Taurog), Second Chorus (Swing Romance) (Potter) ; 1941, You'll Never Get Rich (L'amour vient en dansant) (Lanfield) ; 1942, Holiday Inn (L'amour chante et danse) (Sandrich), You Were Never Lovelier (O toi ma charmante) (Seiter) ; 1943, The Sky's the Limit (L'aventure inoubliable) (E.H. Griffith) ; 1945, Yolanda and the Thief (Yolanda et le voleur) (Minnelli) ; 1946, Ziegfeld Follies (Minnelli), Blue Skies (La mélodie du bonheur) (Heisler) ; 1948, Easter Parade (Parade de printemps) (Walters) ; 1949, The Barkleys of Broadway (Entrons dans la danse) (Walters) ; 1950, Three Little Words (Trois petits mots) (Thorpe), Let's Dance (Maman est à la page) (McLeod) ; 1951, Royal Wedding (Mariage royal) (Donen) ; 1952, The Belle of New York (La belle de New York) (Walters) ; 1953, The Band Wagon (Tous en scène) (Minnelli) ; 1955, Daddy Long Legs (Papa longues jambes) (Negulesco) ; 1957, Funny Face (Drôle de frimousse) (Donen), Silk Stockings (La belle de Moscou) (Mamoulian) ; 1959, On the Beach (Le dernier rivage) (Kramer) ; 1961, The Pleasure of His Company (Mon séducteur de père) (Seaton) ; 1962, The Notorious Landlady (L'inquiétante dame en noir) (Quine) ; 1968, Finian's Rainbow (La vallée du bonheur) (Coppola) ; 1969, Midas Run (Kjellin) ; 1974, That's Entertainment (Il était une fois Hollywood) (Haley Jr.), The Towering Inferno (La tour infernale) (Guillermin) ; 1976, That's Entertainment 2 (Hollywood... Hollywood !) (Kelly), The Amazing Dobermans (Les dobermans reviennent) (Chud-now) ; 1977, Un taxi mauve (Boisset) ; 1981, Ghost Story (Le fantôme de Milburn) (John Irvin).

Fabuleux danseur, roi de la comédie musicale. Son père, un immigré autrichien, habitait Omaha. C'est sa sœur qui, la première, va révéler des talents de danseuse. Mais Fred imitera bientôt Adèle. C'est avec elle qu'il fait ses débuts dans la comédie musicale vers 1915. Peu à peu le succès se dessine. En 1923, ils sont à Londres. Puis Broadway les accueille. Nouveaux voyages en Europe et en 1933 première apparition à l'écran de Fred dans son propre rôle. Pourtant il reviendra à la RKO de constituer au cinéma le couple Rogers-Astaire dont les ébats chorégraphiques seront réglés par Hermes Pan. Une suite de succès impose le couple entre 1933 et 1939. Puis Ginger Rogers, qui veut prouver ses talents de comédienne, prend ses distances avec la comédie musicale. On les retrouvera une dernière fois dans *The Barkleys of Broadway*, en 1949. Astaire reste fidèle au genre. A juste titre. A la MGM il porte la comédie musicale à son apogée avec Donen et Minnelli ; il y a pour partenaires Gene Kelly (*Ziegfeld Follies*) et Cyd Charisse (l'admirable *Band Wagon*). S'il songe à la retraite en 1946, le succès des films qui suivent l'en dissuade. Mais après 1968, il renonce à la danse (qu'il se contentera d'évoquer dans deux films de montage) pour interpréter des rôles dramatiques et même, en fin de carrière, un film d'épouvante.

Astor, Junie

Actrice française, de son vrai nom Rolande Risterucci, 1911-1967.

1933, D'amour et d'eau fraîche (Gandera) ; 1934, Ademaï aviateur (Tarride) ; 1935, Joli monde (Le Hénaff), Étienne (Tarride), Stradivarius (Steinhoff), Tovarich (Deval) ; 1936, Au service du tsar (Billon), La bête aux sept manteaux (Limur), La garçonne (Limur) ; 1937, Les bas-fonds (Renoir), Club de femmes (Deval), Monsieur Breloque a disparu (Péguy), Passeurs d'hommes (Jayet), Police mondaine (Bernheim) ; 1938, Adrienne Lecouvreur (L'Herbier), Noix de coco (Boyer), Petite peste (Limur) ; 1939, Battement de cœur (Decoin), Deuxième bureau contre Kommandantur (Jayet), Entente cordiale (L'Herbier), Quartier latin (Colombier), Una mare di guai (Bragaglia) ; 1940, Tutto per la donna (Soldati), Il carnevale di Venezia (Gentilomo) ; 1941, Fromont jeune et Risler aîné (Mathot), Patrouille blanche (Chamborant) ; 1943, L'éternel retour (Delannoy) ; 1946, Coupable ? (Noé), Les beaux jours du roi Murat (Pathé), Triple enquête (Orval) ; 1947, La dame d'onze heures (Devaivre), Cargaison clandestine (Rode) ; 1948, Duguesclin (Latour), L'échafaud peut attendre (Valentin) ; 1949, La souricière (Calef), Un certain monsieur (Ciampi) ; 1950, La belle image (Heyman) ; 1957, Les violents (Calef), Mademoiselle Strip-Tease (Foucaud) ; 1960, Interpol contre X (Boutel) ; 1961, Cadavres en vacances (Audry) ; 1966, Joe Caligula (Benazeraf).

Spécialisée dans les personnages troubles ou les espionnes au grand cœur avant la guerre, elle acquiert ensuite une respectabilité en devenant l'épouse de Duguesclin dans le film méconnu de Latour. Première lauréate du prix Suzanne Bianchetti en 1936. Robert Sabatier l'évoque dans *Les fillettes chantantes*.

Astor, Mary

Actrice américaine, de son vrai nom Lucile Langhanje, 1906-1987.

1921, The Sentimental Journey ; courts métrages ; 1922, The Man Who Played God (Weight), John Smith (Heerman) ; 1923, Second Fiddle (Tuttle), The Scarecrow (Schertzinger), Puritan Passions (Tuttle), The Bright Shawl (Robertson), The Marriage Maker (W. De Mille), Hollywood (Cruze) ; 1924, The Beau Brummel (Beaumont), The Fighting Coward (Cruze), The Fighting American (Forman), Inez from Hollywood (Green), The Price of a Party (Gyblin), Unguarded Women (Crosland) ; 1925, Don Q. Son of Zorro (Crisp), Oh ! Doctor ! (Pollard), Playing With Souls (R. Ince), The Pace That Thrills (Campbell), Enticement (Archainbaud), The Scarlet Saint (Archainbaud) ; 1926, Don Juan (Crosland), The Wise Guy (Lloyd), Forever After (Weight), High Steppers (Carewe) ; 1927, The Rough Riders (Fleming), The Sea Tiger (Dillon), The Sunset Derby (Rogell), Rose of the Golden West (Fitzmaurice), Two Arabian Nights (Milestone), No Place to Go (LeRoy) ; 1928, Heart to Heart (Beaudine), Sailors' Wives (Henabery), Dressed to Kill (Cummings), Dry Martini (d'Arrast), Three-Ring Marriage (Neilan) ; 1929, Romance of the Underworld (Cummings), New Year's Eve (Lehrman), Woman from Hell (Erickson), Ladies Love Brutes (Lee) ; 1930, The Runaway Bride (Crisp), Holiday (E. Griffith), The Lash (Lloyd), The Royal Bed (Sherman) ; 1931, Behind Office Doors (Brown), Sin Ship (Wolheim), Other Men's Women (Wellman), White Shoulders (Brown), Smart Woman (La

Cava) ; 1932, Men of Chance (Archainbaud), The Lost Squadron (Quatre de l'aviation) (Archainbaud), A Successful Calamity (Adolfi), Those We Love (Florey), Red Dust (La belle de Saigon) (Fleming) ; 1933, The Little Giant (Del Ruth), The World Changes (Le monde change) (LeRoy), Jennie Gerhardt (Gering), Convention City (Mayo), The Kennel Murder Case (Meurtre au chenil) (Curtiz) ; 1934, Easy to Love (Keighly), Upperworld (Del Ruth), The Man with Two Faces (Mayo), Return of the Terror (Bretherton), The Case of the Howling Dog (Crosland) ; 1935, I Am a Thief (Florey), Straight from the Heart (Beal), Page Miss Glory (LeRoy), Man of Iron (McGann) ; 1936, The Murder of Dr. Harrigan (McDonald), And So They Were Married (Nugent), Dodsworth (Wyler) ; 1937, The Prisoner of Zenda (Le prisonnier de Zanda) (Cromwell), The Hurricane (Hurricane) (Ford), The Lady from Nowhere (Wiles) ; 1938, Paradise for Three (Buzzell), There's Always a Woman (Hall), Woman Against Woman (Sinclair) ; 1939, Midnight (La baronne de minuit) (Leisen), Turnabout (Roach), Brigham Young Frontiersman (Hathaway) ; 1941, The Maltese Falcon (Le faucon maltais) (Huston), The Great Lie (Goulding) ; 1942, In This Our Life (Huston), Across the Pacific (Griffes jaunes) (Huston), The Palm Beach Story (Madame et ses flirts) (P. Sturges) ; 1943, Young Ideas (Dassin), Thousands Cheer (Parade aux étoiles) (Sidney) ; 1944, Meet Me in Saint Louis (Le chant du Missouri) (Minnelli), Blonde Fever (Whorf) ; 1946, Claudia and David (W. Lang), Cynthia (Leonard) ; 1947, Fiesta (Thorpe), Desert Fury (La furie du désert) (Allen), Cass Timberlane (Éternel tourment) (Sidney) ; 1948, Act of Violence (Acte de violence) (Zinneman) ; 1949, Little Women (Les quatre filles du docteur March) (LeRoy), Any Number Can Play (Faites vos jeux) (LeRoy) ; 1956, A Kiss Before Dying (Oswald), The Power and the Prize (Koster) ; 1957, The Devil's Hairpin (Wilde) ; 1958, This Happy Feeling (Le démon de midi) (Edwards) ; 1959, Stranger in My Arms (Kautner) ; 1961, Return to Peyton Place (Les lauriers sont coupés) (J. Ferrer) ; 1964, Youngblood Hawke (Daves), Hush... Hush, Sweet Charlotte (Chut, Chut, Chère Charlotte) (Aldrich).

Entrée très jeune, à la suite d'un concours de beauté, dans le monde hollywoodien, elle va connaître, à travers son destin de star, un véritable enfer. Amoureuse de John Barrymore, son partenaire du *Beau Brummel*, elle va souffrir de l'infidélité du grand acteur. Son mariage avec Kenneth Hawk reste blanc. Il meurt dans un accident d'avion. Elle épouse son médecin traitant, Franklin Thorpe, mais celui-ci divorce et obtient la garde de leur fille. Une troisième expérience avec Manuel del Campa et une quatrième avec Thomas Wheeleck tournent également court. Malgré les attaques de la presse qui dénoncent une vie privée plutôt agitée, elle demeurera une star pendant vingt ans au moins. Difficile de juger l'actrice du muet, trop de films ont disparu. C'est en 1941 qu'elle est à son zénith avec *The Maltese Falcon* où Bogart, découvrant la vérité, l'abandonne à la police, malgré la séduction qu'elle déploie. Curieusement, c'est pourtant avec *The Great Lie* qu'elle gagne un oscar cette année-là. Retirée à partir de 1965.

Atika, Aure

Actrice française née en 1970.

1978, L'adolescente (Moreau) ; 1991, Sam Suffit (Thévenet) ; 1996, Le secret de Polichinelle (Landron) ; 1997, Grève party (Onteniente), Vive la République ! (Rochant), La vérité si je mens ! (Gilou) ; 1998, Une vie de prince (Cohen), Bimboland (Zeitoun) ; 1999, Trafic d'influence (Farrugia), Sur un air d'autoroute... (Boscheron) ; 2000, La vérité si je mens ! 2 (Gilou), La faute à Voltaire (Kechiche) ; 2003, Mister V. (Deleuze) ; 2004, Au bout du monde, à gauche (Nesher), Le clan (Morel), Le convoyeur (Boukhrief) ; 2005, De battre, mon cœur s'est arrêté (J. Audiard), Tenja (Legzouli) ; 2006, Comme t'y es belle ! (Azuelos), OSS 117, Le Caire nid d'espions (Hazanavicius) ; 2007, La vie d'artiste (Fitoussi), Vent mauvais (Allagnon).

D'abord incontournable des nuits blanches parisiennes au début des années 90, elle tient le premier rôle du très branché *Sam Suffit* mais, trop proche du registre et du physique de Béatrice Dalle, elle ne convainc pas. Il faudra plusieurs années pour que son personnage s'affine, et elle peut dès lors faire jouer sa plastique de belle plante dans la comédie, qui reste son terrain de prédilection. Sa très émouvante composition d'une mère seule dans *La faute à Voltaire* montre une nouvelle facette de son talent.

Atkine, Feodor

Acteur d'origine espagnole né en 1942.

1972, La route (Bizot), Day of the Jackal (Chacal) (Zinnemann) ; 1973, Le monde était plein de couleurs (Périsson), Comment réussir quand on est con et pleurnichard (Audiard), La bonzesse (Jouffa) ; 1974, Love and Death (Guerre et amour) (Allen), Trompe-l'œil (D'Anna) ; 1975, Les conquistadores (Pauly) ;

1977, Bobby Deerfield (Bobby Deerfield) (Pollack) ; 1979, La guerre des polices (Davis), Charles et Lucie (Kaplan), Ogro (Ogro) (Pontecorvo), La bande du Rex (Meunier) ; 1980, Bête mais discipliné (Zidi), Un assassin qui passe (Vianey), Trois hommes à abattre (Deray), La vraie histoire de Gérard Lechômeur (Lledo), Les sous-doués (Zidi), Inspecteur la Bavure (Zidi) ; 1981, Le beau mariage (Rohmer) ; 1982, Cinq et la peau (Rissient), Le choc (Davis), Enigma (Szwarc), Pauline à la plage (Rohmer) ; 1984, Leave All Fair (Souvenirs secrets) (Keid), Ave Maria (Richard) ; 1985, Suivez mon regard (Curtelin), Mix up ou Méli-mélo (Romand), Lola (Lola) (Bigas Luna) ; 1986, Beate Klarsfeld (Lindsay-Hogg), Le moine et la sorcière (Schiffman), Les oreilles entre les dents (Schulmann), Sarraounia (Hondo), Werther (Miro) ; 1987, El Dorado (Saura) ; 1988, Jour après jour (Attal), Ne réveillez pas un flic qui dort (Pinheiro) ; 1989, Vincent et Théo (Altman), Henry & June (Henry et June) (Kaufman), Estación central (Salgot), El hombre de neón (Abril), El mar es azul (Ortuoste), Continental (X. Villaverde) ; 1990, Angels (Angels) (Berger), La note bleue (Zulawski) ; 1991, Tacones lejanos (Talons aiguilles) (Almodóvar), Ville à vendre (Mocky), The Party : nature morte (Beatt) ; 1992, L'ombre du doute (Issermann), Punto di fuga (Del Punta), Luz negar (Bermudez) ; 1993, Accion mutante (Action mutante) (La Iglesia), La vida lactea (Esterlich), Jardines colgantes (Llorca) ; 1995, Au petit Marguery (Bénégui), Alfred (Sjöman), Habiba m'sika (Baccar), Trois vies et une seule mort (Ruiz), Une histoire d'amour à la con (Korchia) ; 1996, Les mille merveilles de l'univers (Roux), Best-seller : el premio (Perez Ferre) ; 1997, Michael Kael contre la World News Company (Smith), Dormez, je le veux... (Jouannet), Docteur Chance (Ossang) ; 1998, Ronin (Ronin) (Frankenheimer), Du bleu jusqu'en Amérique (Lévy), Un pur moment de rock'n roll (Boursinhac) ; 1999, History Is Made at Night (Jarvilaturi), Exit (Mégaton), Vatel (Vatel) (Joffé) ; 2000, Le sens des affaires (Bertin), The Dancer (The Dancer) (Garson) ; 2001, Semana santa (Danquart) ; 2002, Affaires à suivre (Boespflug), Carnages (Gleize) ; 2003, Ce jour-là (Ruiz), Dans le rouge du couchant (Cozarinsky) ; 2004, Alexander (Alexandre) (Stone), L'incruste, fallait pas le laisser entrer ! Julius et Castagnetti) ; 2005, L'envoûtement de Shangai (Trueba), Le fil de la vie (Ronnow-Klarlund).

Le regard noir perçant, la voix très grave et pénétrante, cet acteur aux multiples racines mène depuis toujours une carrière très internationale. S'il tourne avec des pointures, Woody Allen, Pollack, Altman et même Rohmer, on le voit également dans des premiers films, et de plus en plus sur le petit écran. Sa composition de banquier devenu producteur de films dans *Le sens des affaires* est extraordinaire.

Atkinson, Rowan

Acteur anglais né en 1955.

1977, Monty Python Meets Beyond the Fringe (J. Miller) ; 1981, The Secret Policeman's Ball (Graef) ; 1982, The Secret Policeman's Other Ball (Temple, Graef) ; 1983, Never Say Never Again (Jamais plus jamais) (Kershner) ; 1989, The Tall Guy (Smith) ; 1990, The Witches (Roeg) ; 1993, The Driven Man (Chapman), Hot Shots ! Part Two (Hot Shots II) (Abrahams) ; 1994, Four Weddings and a Funeral (4 mariages et 1 enterrement) (Newell) ; 1997, Bean (Bean) (Smith) ; 1999, Blackadder Back and Forth (Weiland), Maybe Baby (Maybe Baby) (Elton) ; 2000, Rat Race (Zucker) ; 2002, Scooby-Doo (Scoubidou) (Gosnell), Johnny English (Johnny English) (Howitt) ; 2003, Love Actually (Love Actually) (R. Curtis) ; 2006, Keeping Mum (Secrets de famille) (Johnson) ; 2007, Mr Bean's Holiday (Les vacances de Mr. Bean) (Bendelack).

Découvert en prêtre dans *4 mariages et 1 enterrement*, il est avant tout Mr. Bean, gaffeur idiot qui triomphe aussi bien sur scène, à la télévision qu'au cinéma. Un personnage grimaçant, aux confins de l'absurde, que l'on adore ou que l'on rejette en bloc, héros de *Bean*, film inepte mais qui triompha au box-office en 1997. Il est meilleur en espion gaffeur dans *Johnny English*.

Attal, Yvan

Acteur et réalisateur français né en 1965.

1989, Mauvaise fille (Franc) ; 1990, Un monde sans pitié (Rochant) ; 1991, Aux yeux du monde (Rochant) ; 1992, Amoureuse (Doillon), Après l'amour (Kurys) ; 1993, Les patriotes (Rochant) ; 1995, Portraits chinois (Martine Dugowson) ; 1996, Delphine : 1, Yvan : 0 (Farrugia), Love, etc. (Vernoux), Saraka Bo (Amar) ; 1997, Alissa (Goldschmidt), Cantique de la racaille (Ravalec) ; 1998, With or Without You (With or Without You) (Winterbottom), Mes amis (Hazanavicius) ; 1999, The Criminal (Simpson) ; 2000, Le prof (Jardin) ; 2001, Ma femme est une actrice (Attal) ; 2002, And Now... Ladies and Gentlemen (Lelouch), La merveilleuse odyssée de l'idiot Toboggan (Ravalec) ; 2003, Bon voyage (Rappeneau), Il est plus facile pour un chameau... (Bruni-Tedeschi), Les clefs de la bagnole (Baffie) ; 2004, Ils se marièrent et eurent beaucoup d'enfants (Attal), Un petit jeu sans conséquences (Rapp) ; 2005, Anthony Zimmer (Salle), The Interpreter (L'interprète) (Pollack) ; 2006, Munich (Munich) (Spielberg) ; 2007, Le serpent (Barbier), Le candidat (Arestrup). *Pour le metteur en scène,* voir le *Dictionnaire du cinéma*, t. I : *les réalisateurs.*

Interprète fétiche de Rochant chez qui il a souvent tenu le rôle principal, on le voit relativement peu ailleurs pendant longtemps. Il est particulièrement troublant en espion au service du Mossad dans *Les patriotes*. On le retrouve dans *Munich* et il est éblouissant dans le rôle à surprises d'*Anthony Zimmer*.

Attenborough, Richard

Acteur et réalisateur britannique né en 1923.

1942, In Which We Serve (Ceux qui servent en mer) (Lean et Coward) ; 1943, Schweik's New Adventures (Lamac), The Hundred Pound Window (Hurst) ; 1945, Journey Together (La grande aventure) (Boulting) ; 1946, A Matter of Life and Death (Une question de vie ou de mort) (Powell et Pressburger), School for secrets (Ustinov) ; 1947, The Man Within (Les pirates de la Manche) (Knowles), Dancing with crime (Carstairs), Brighton Rock (Le gang des tueurs) (Boulting) ; 1948, London Belongs to Me (Gilliat) ; 1949, The Guinea Pig (Boulting), The Lost People (Knowles) ; 1950, Boys in Brown (Tully), Morning Departure (La nuit commence à l'aube) (Baker) ; 1951, The Magic Box (La boîte magique) (Boulting), Hell is Sold Out (M. Anderson) ; 1952, Gift-Horse (Commando sur Saint-Nazaire) (Bennett), Father's Doing Fine (Ding, dong, dingue...) (Cass) ; 1954, Eight O' Clock Walk (Comfort) ; 1955, The Ship That Died of Shame (Dearden), Private's Progress (Ce sacré z'héros) (Boulting) ; 1957, The Baby and the Battleship (Le bébé et le cuirassé) (Jay Lewis), Brother in Law (Ce sacré confrère) (Boulting), The Scamp (Rilla) ; 1958, Dunkirk (Dunkerque) (Norman), The Man Upstairs (Chaffey) ; 1959, Sea of Sands (Les diables du désert) (Green), Danger Withim (Chaffey), Jet Storm (Endfield), I'm All Right Jack (Après moi le déluge) (Boulting), SOS Pacific (Green) ; 1960, The Angry Silence (Le silence de la colère) (Green), The League of Gentlemen (Hold-up à Londres) (Dearden) ; 1962, Only Two Can Play (On n'y joue qu'à deux) (Gilliat), All Night Long (Tout au long de la nuit) (Dearden), The Dock Brief (Hill), The Great Escape (La grande évasion) (Sturges) ; 1964, Seance on a Wet Afternoon (Le rideau de brume) (Forbes), The Third Secret (Crichton), Guns at Batasi (Les canons de Batasi) (Guillermin) ; 1965, The Flight of the Phœnix (Le vol du phénix) (Aldrich) ; 1966, The Sand Pebbles (La canonnière du Yang-Tsé) (Wise) ; 1967, Doctor Dolittle (L'extravagant docteur Dolittle) (Fleischer), Only When I larf (Dearden) ; 1968, The Bliss of Mrs. Blossom (Un amant dans le grenier) (McGrath) ; 1969, David Copperfield (D. Mann) ; 1970, A Severed Head (R. « Dick » Clement), The Last Grenade (La dernière grenade) (Flemyng), The Magic Christian (McGrath) ; 1971, Loot (Le magot) (Narizzano), 10 Rillington Place (L'étrangleur de la place Rillington) (Fleischer) ; 1974, And Then There Were None (Dix petits nègres) (Collinson), Rosebud (Rosebud) (Preminger), Brannigan (Brannigan) (Hickox) ; 1976, Conduct Unbecoming (Anderson) ; 1977, The Chess Players (Les joueurs d'échecs) (Ray) ; 1979, The Human Factor (The Human Factor) (Preminger) ; 1993, Jurassic Park (Jurassic Park) (Spielberg) ; 1994, Miracle on the 34th Street (Miracle sur la 34e rue) (Mayfield) ; 1996, Hamlet (Hamlet) (Branagh), E = MC 2 (Fry) ; 1997, Elizabeth (Elizabeth) (Kapur), The Lost World : Jurassic Park (Le monde perdu : Jurassic Park) (Spielberg) ; 1999, Ljuset håller mig sällskap (C.-G. Nykvist) ; 2001, Puckoon (Ryan). *Pour le metteur en scène,* voir le *Dictionnaire du cinéma*, t. I : *Les réalisateurs*.

Fils d'un grand universitaire, il entre à l'Académie royale d'art dramatique de Londres. Coward l'oriente vers le cinéma. Mais il doit servir dans la RAF. Il travaille ensuite pour les frères Boulting (il sera remarquable dans *Le rocher de Brighton*) puis fonde avec Forbes sa propre compagnie. Les réalisateurs américains le sollicitent : il est l'un des prisonniers de *Great Escape* de Sturges, un marin hésitant entre le service et l'amour dans *The Sand Pebbles* de Wise et surtout le sadique du *10 Rillington Place* vu par Fleischer. Peu à peu pourtant, il va se détacher du métier d'acteur pour se tourner vers la réalisation ; il connaît un triomphe mondial avec *Gandhi*.

Atwill, Lionel

Acteur américain, 1885-1946.

1918, Eve's Daughter (Kirkwood), For Sale (Wright) ; 1919, The Marriage Price (Chautard) ; 1921, Indiscretion (W. Davis), The Highest Bidder (Worsley) ; 1932, The Silent Witness (Varnel) ; Doctor X (Docteur X) (Curtiz) ; 1933, The Secret of Madame Blanche (Brabin), The Mystery of the Wax Museum (Masques de cire) (Curtiz), Murders in the Zoo (Sutherland), Song of Songs (Mamoulian), The Solitaire Man (Conway), The Secret of the Blue Room (Neumann), The Vampire Bat (Strayer), The Sphinx (Rosen) ; 1934, The Firebird (Dieterle), The Man Who Reclaimed His Head (Ludwig), One More River (Whale), The Age of Innocence (Moeller), Beggars in Ermine (Rosen), Nana (Arzner), Stamboul Quest (Wood) ; 1935, Rendez-vous (Howard), The Murder Man (Wheelan), Captain Blood (Curtiz), The Devil is a Woman (La femme et le pantin) (Sternberg), Mark of the Vampire (La marque du vampire) (Browning) ; 1936, Lady of Secrets (Gering), Absolute Quiet (Clark), Till We Meet Again (Florey) ; 1937, The Last Train from Madrid (Hogan), Lancer Spy (Ratoff), The Great Garrick (Whale), The Road Back (Whale), Wrong Road (Cruze), High Command (Dickinson) ; 1938, The Great Waltz (Toute la ville danse) (Duvivier) ; Three Comrades (Trois camarades) (Borzage) ; 1939, Balalaïka (Schunzel), The Three Musketeers (Les trois louf'quetaires) (Dwan), Son of Frankenstein (Lee), The Hound of Baskerville (Le chien des Baskerville) (Lanfield), The Sun Never Sets (Lee), Mr. Moto Takes a Vacation (Foster), The Mad Empress (Torres), The Gorilla (Le gorille) (Dwan) ; The Secret of Dr. Kildare (Bucquet) ; 1940, Charlie Chan in Panama (Charlie Chan à Panama) (Foster), Charlie Chan's Murder Cruise (Forde), Johnny Apollo (Hathaway), The Girl (R. Cortez), The Great Profile (Lang), Boom Town (La fièvre du pétrole) (Conway) ; 1941, Man Made Monster (L'échappé de la chaise électrique) (Waggner) ; 1942, Cairo (Van Dyke), To Be or Not to Be (Jeux dangereux) (Lubitsch), The Ghost of Frankenstein (Le spectre de Frankenstein) (Kenton), Sherlock Holmes and the Secret Weapon (Neill), The Mad Doctor of Marked Street (Lewis), The Strange Case of Dr. Rx (Nigh), Junior G-Men of the Air (Taylor et Collins), Night Monster (Beebe) ; 1943, Frankenstein Meets the Wolf Man (Frankenstein rencontre le loup-garou) (Neill) ; 1944, Secrets of Scotland Yard (D. Clift), Captain America (Clifton et English), Lady in the Death House (Sekely), House of Frankenstein (La maison de Frankenstein) (Kenton), Raiders of Ghost City (Taylor) ; 1945, Fog Island (Terry Morse), Crime Incorporated (Landers), House of Dracula (La maison de Dracula) (Kenton) ; 1946, Genius at Work (Goodwins), Lost City of the Jungle (Taylor et Collins).

D'origine anglaise, excellent acteur dramatique, Atwill ne s'est fixé aux États-Unis qu'en 1915. Très vite attiré par le cinéma, il va se voir enfermer dans des rôles d'épouvante (sculpteur fou de *Wax Museum*, docteur inquiétant du méconnu *Vampire Bat*, sans oublier l'inspecteur au bras artificiel de *Son of Frankenstein*) à la Warner puis à l'Universal où il sombra dans des productions de série B. Mais comment ne pas rappeler qu'il fut aussi le partenaire de Marlène Dietrich dans *Song of Songs* et *The Devil is a Woman*, et qu'il composait un gouverneur dépassé par les événements dans *Captain Blood* ?

Auber, Brigitte

Actrice française, de son vrai nom Marie-Claire Cahen de Labzac, née en 1928.

1946, Antoine et Antoinette (Becker), Les portes de la nuit (Carné), Adieu chérie (Bernard) ; 1947, Les amoureux sont seuls au monde (Decoin), L'éventail (Reinert) ; 1949, Vendetta en Camargue (Devaivre), Rendez-vous de juillet (Becker) ; 1950, Sous le ciel de Paris (Duvivier) ; 1951, Victor (Heymann) ; 1952, L'amour est toujours l'amour (Canonge), Femmes de Paris (Boyer) ; 1955, Les aristocrates (La Patellière), To Catch a Thief (La main au collet) (Hitchcock) ; 1956, Lorsque l'enfant paraît (Boisrond), Ce soir les jupons volent (Kirsanoff) ; 1959, Mon pote le gitan (Gir) ; 1969, Le cœur fou (Albicocco) ; 1983, Mon curé chez les nudistes (Thomas) ; 1997, Le déménagement (Doran), The Man in the Iron Mask (L'homme au masque de fer) (Wallace).

Un bain de fraîcheur dans le cinéma français, mais peu de bons metteurs en scène, à l'exception de Becker et d'Hitchcock. Elle fut sous la direction de ce dernier un acrobatique rat d'hôtel, se souvenant de ses dons incontestables pour le cirque.

Auberjonois, René

Acteur américain né en 1940.

1964, Lilith (Lilith) (Rossen) ; 1968, Petulia (Petulia) (Lester) ; 1970, Brewster MacCloud (Brewster MacCloud) (Altman), M*A*S*H (M*A*S*H) (Altman) ; 1971, McCabe & Mrs. Miller (John McCabe) (Altman) ; 1972, Pete 'n' Tillie (Pete & Tillie) (Ritt), Images (Images) (Altman) ; 1975, The Hindenburg (L'odyssée du Hindenburg) (Wise) ; 1976, The Big Bus (Le bus en folie) (Frawley), King Kong (King Kong) (Guillermin) ; 1978, The Eyes of Laura Mars (Les yeux de Laura Mars) (Kershner) ; 1979, Once Upon a Midnight Scary (N. Cox) ; 1980, Where the Buffalo Roam (Linson) ; 1986, 3 :15 (Gross) ; 1988, Walker (Walker) (A. Cox), My Best Friend Is a Vampire (Huston), Police Academy 5 : Assignment

Miami Beach (Police Academy V : Débarquement à Miami Beach) (Myerson) ; 1989, The Feud (D'Elia) ; 1992, The Player (The Player) (Altman) ; 1993, The Ballad of Little Jo (Greenwald) ; 1995, Batman Forever (Batman Forever) (Burton) ; 1997, Los Locos (Vallée) ; 1998, Snide and Prejudice (Mora), Inspector Gadget (Inspecteur Gadget) (Kellogg) ; 1999, We All Fall Down (Cummins) ; 2000, The Patriot (The Patriot — Le chemin de la liberté) (Emmerich).

Issu d'une famille d'artistes (son père est le peintre suisse homonyme René Auberjonois), il vit à Paris durant son enfance puis suit sa famille à New York où il étudie l'art dramatique avant de démarrer dans la comédie musicale *Coco*, à Broadway. Années 70 fastes lorsqu'il devient l'acteur fétiche de Robert Altman pour une série de personnages intériorisés. Il donne ensuite de façon intensive dans le doublage de dessins animés et les voix off de documentaires, avant de se refaire une jeunesse à la télévision dans la série « Star Trek : Deep Space Nine ».

Aubry, Cécile

Actrice française, de son vrai nom Anne-José Bénard, née en 1929.

1947, Une nuit à Tabarin (Lamac) ; 1949, Manon (Clouzot) ; 1950, The Black Rose (La rose noire) (Hathaway) ; 1952, Barbe-Bleue (Christian-Jaque) ; 1953, Piovuto dal cielo (Voleur malgré lui) (Mitri) ; 1955, Bonjour la chance (Lefranc) ; 1957, C'est arrivé à 36 chandelles (Diamant-Berger).

Venue de la danse et du cours Simon, elle reste pour tout cinéphile Manon, une Manon à fossettes et au sourire faussement candide. Elle fut couronnée pour ce rôle à Venise. A partir des années 60, elle a délaissé le cinéma pour écrire des contes à l'intention des enfants et des émissions de télévision.

Auclair, Michel

Acteur français, de son vrai nom Wladimir Vujovic, 1922-1988.

1945, Les malheurs de Sophie (Audry), La belle et la bête (Cocteau) ; 1946, Les maudits (Clément) ; 1947, Éternel conflit (Lampin) ; 1948, Manon (Clouzot), Le paradis des pilotes perdus (Lampin) ; 1949, Singoalla (Christian-Jaque), L'invité du mardi (Deval) ; 1950, Justice est faite (Cayatte), Pas de pitié pour les femmes (Stengel), L'aiguille rouge (Reinert) ; 1951, Camicie rosse (Les chemises rouges) (Allessandrini), Le due verita (Les deux vérités) (Leonviola) ; 1952, Die Stimme des Anderen (Valse dans la nuit) (Engel), La fête à Henriette (Duvivier) ; 1953, La figlia del regimento (La fille du régiment) (Covaz et Bolvary), Si Versailles m'était conté (Guitry), Zoe (Lagneau) ; 1954, Quai des blondes (Cadeac), La patrouille des sables (Chanas), Double destin (Vicas), Bonnes à tuer (Decoin) ; 1955, Andrea Chenier (Le souffle de la liberté) (Fracassi) ; 1956, La risaia (La fille de la rizière) (Matarazzo), L'irrésistible Catherine (Pergament), Funny Face (Drôle de frimousse) (Donen), Reproduction interdite (Grangier) ; 1957, Les fanatiques (Joffé), Die Fuchs von Paris (Mission diabolique) (May) ; 1958, Les amants de demain (Blistène) ; 1959, Maigret et l'affaire Saint-Fiacre (Delannoy), Une fille pour l'été (Molinaro) ; 1960, Meurtre en 45 tours (Périer) ; 1961, L'éducation sentimentale (Astruc), Le rendez-vous de minuit (Leenhardt) ; 1963, Vacances portugaises (Kast), Paris When it Sizzles (Deux têtes folles) (Quine), Mort, où est ta victoire ? (Bromberger), Symphonie pour un massacre (Deray) ; 1964, Trafic dans l'ombre (d'Ormesson), La chance et l'amour (sketch : Une chance explosive) (Tavernier) ; Le voyage du père (La Patellière) ; 1968, Sous le signe de Monte Cristo (Hunebelle), Sous le signe du taureau (Grangier) ; 1970, Le cœur fou (Albicocco), Les mariés de l'an II (Rappeneau) ; 1972, Décembre (Lakhdar Hamina), The Impossible Object (L'impossible objet) (Frankenheimer), The Day of the Jackal (Chacal) (Zinneman), Paulina 1880 (Bertucelli) ; 1973, Les guichets du Louvre (Mitrani) ; 1975, Souvenir d'en France (Téchiné), Sept morts sur ordonnance (Rouffio) ; 1976, Le juge Fayard, dit le shérif (Boisset) ; 1980, Trois hommes à abattre (Deray) ; 1981, La peau d'un flic (Delon) ; 1984, Rue Barbare (Behat), Le bon plaisir (Girod) ; 1987, Preuve d'amour (Courtois).

Jeunes premiers souvent veules puis personnages sympathiques mais parfois aussi un peu troubles : tels sont les emplois habituels de cet excellent et solide acteur, qui a fait beaucoup de théâtre. Son meilleur rôle : Des Grieux dans la version de *Manon* tournée par Clouzot. Mais il fait un retour fulgurant en père déchu dans *Rue Barbare*. Le jeune premier brillant et élégant cède la place à un remarquable acteur de composition.

Audran, Stéphane

Actrice française, de son vrai nom Colette Dacheville, née en 1932.

1957, La bonne tisane (Bromberger) ; 1959, Les cousins (Chabrol), Le signe du lion (Rohmer), Les bonnes femmes (Chabrol) ; 1960, Les godelureaux (Chabrol), Saint-Tropez Blues (Moussy) ; 1961, L'œil du malin (Chabrol) ; 1962, Landru (Chabrol) ; 1964, Les durs à cuire (Pinoteau), Le tigre aime la chair fraîche (Chabrol), Paris vu par... (Chabrol) ; 1965, Marie-Chantal contre Dr Kha (Chabrol) ; 1966, La ligne de démarcation (Chabrol), Le scandale (Chabrol) ; 1968, Les biches (Chabrol), La femme infidèle (Chabrol) ; 1969, La peau de torpédo (Delannoy), Le boucher (Chabrol) ; 1970, La dame dans l'auto avec des lunettes et un fusil (Litvak), La rupture (Chabrol) ; 1971, Sans mobile apparent (Labro), Juste avant la nuit (Chabrol), Aussi loin que l'amour (Rossif) ; 1972, Un meurtre est un meurtre (Périer), Dead Pigeon on Beethovenstrasse (Un pigeon mort dans Beethovenstrasse) (Fuller), Le charme discret de la bourgeoisie (Buñuel) ; 1973, Les noces rouges (Chabrol), Comment réussir dans la vie quand on est con et pleurnichard ? (Audiard) ; 1974, Le fantôme de la liberté (Buñuel), Le cri du cœur (Lallemand), Vincent, François, Paul et les autres (Sautet), And then There Were None (Dix petits nègres) (Collinson) ; 1975, Chi dice donna dice... donna (Cervi), Folies bourgeoises (Chabrol), The Black Bird (Giler), Hay que matar a B. (Borau) ; 1976, The Silver Bears (Banco à Las Vegas) (Passer) ; 1977, Mort d'un pourri (Lautner), Les liens du sang (Chabrol) ; 1978, Violette Nozière (Chabrol), Eagle's Wing (Harvey) ; 1979, Le gagnant (Gion) ; 1980, The Big Red One (Au-delà de la gloire) (Fuller), Le cœur à l'envers (Apprederis), Coup de torchon (Tavernier) ; 1979, Le soleil en face (Kast) ; 1980, Il était une fois des gens heureux... les Plouffe (Carle) ; 1982, Mortelle randonnée (Miller), Le choc (Davis), Boulevard des assassins (Tioulong), Paradis pour tous (Jessua) ; 1983, La scarlatine (Aghion) ; 1984, Les voleurs de la nuit (Fuller), Le sang des autres (Chabrol) ; 1985, The Bad Boy (Un printemps sous la neige) (Petrie), Poulet au vinaigre (Chabrol), La cage aux folles 3 (Lautner), Night magic (Furey) ; 1986, La gitane (Broca), Suivez mon regard (Curtelin) ; 1987, Les saisons du plaisir (Mocky), Babettes Gaestebud (Le festin de Babette) (Axel) ; 1988, Manika, une vie plus tard (Villiers), Les prédateurs de la nuit (Franco), Corps z'à corps (Halimi) ; 1989, Sons (Rockwell), La messe en *si* mineur (Guillermon) ; 1990, Jours tranquilles à Clichy (Chabrol) ; 1991, Betty (Chabrol) ; 1992, Turn of the Screw (Tour d'écrou) (Lemorande) ; 1994, Life is Beautiful (Sturridge), Le fils de Gascogne (Aubier) ; 1995, Au petit Marguery (Bénégui) ; 1996, Maximum Risk (Risque maximum) (Lam), Arlette (Zidi) ; 1997, Madeline (Madeline) (von Sherler Mayer) ; 1998, Le pique-nique de Lulu Kreuz (Martiny), Belle-maman (Aghion) ; 2001, J'ai faim ! (Quentin) ; 2002, Ma femme s'appelle Maurice (Poiré).

Son charme acidulé convenait merveilleusement à l'univers de Chabrol dont elle tourna presque tous les films et qu'elle épousa en 1964, après s'être séparée de Trintignant. Chabrol et rien que Chabrol. Sèche et sensuelle, dure et vulnérable, elle est remarquable. Ailleurs elle passe inaperçue, chez Sautet comme chez Fuller. Puis c'est la rupture avec Chabrol en 1980. Désormais, Stéphane Audran joue les personnages déplaisants et vulgaires (*Coup de torchon, Mortelle randonnée*), excellente dans l'odieux après l'avoir été dans la méchanceté. Sa carrière est relancée par son émouvante composition du *Festin de Babette*. Mais elle se contente trop souvent de rôles secondaires indignes de son talent.

Audret, Pascale

Actrice française, de son vrai nom Auffray, 1936-2000.

1954, Les deux font la paire (Berthomieu) ; 1955, Futures vedettes (M. Allégret) ; 1956, L'eau vive (Villiers), Mannequins de Paris (Hunebelle), La polka des menottes (André), Œil pour œil (Cayatte) ; 1957, L'ami de la famille (Pinoteau) ; 1958, Jeux dangereux (Chenal) ; 1959, Bal de nuit (Cloche), Le dialogue des carmélites (Agostini) ; 1960, Pleins feux sur l'assassin (Franju) ; 1961, La Fayette (Dréville), Les ennemis (Molinaro), Donnez-moi dix hommes désespérés (Zimmer) ; 1962, Le glaive et la balance (Cayatte) ; 1963, Le glaive et la balance (Cayatte), Ein Mann im schönsten Alter (Wirth) ; 1964, Chi lavora è perduto (Brass) ; 1965, La sentinelle endormie (Dréville) ; 1966, Fünf for zwölf in Caracas (Baldi) ; 1969, Les chemins de Katmandou (Cayatte) ; 1973, Le fantôme de la liberté (Buñuel) ; 1979, Rue du pied-de-grue (Grand-Jouan) ; 1988, La maison de Jeanne (Clément) ; 1994, Dieu que les femmes sont amoureuses (Clément).

Venue du théâtre et du cabaret, elle est une grande vedette des années 50 avec *L'eau vive* qui la rend célèbre. Après 1962, sa filmographie est moins importante.

Auer, Mischa

Acteur américain d'origine russe, de son vrai nom Ounskowsky, 1905-1967.

1928, Something Always Happens (Tuttle), The Mighty (Cromwell), Marquis Preferred (Tuttle) ; 1929, The Studio Murder Mystery (Tuttle) ; 1930, The Benson Murder Case (Tuttle), Inside the Line (Pomeroy), The Lady from Nowhere (Thorpe), Paramount on

Parade (Lubitsch, Arzner...), Just Imagine (Butler), Women Love Once (Goodman), The Unholy Garden (Fitzmaurice) ; 1931, Drums of Jeopardy (Seitz), The Yellow Ticket (Le passeport jaune) (Walsh), The Midnight Patrol (Cabanne), Command Performance (W. Lang) ; 1932, Murder at Dawn (L. King), No Greater Love (Seiler), Rasputin and the Empress (Barrymore), Mata Hari (Fitzmaurice), The Intruder (Albert Ray), Drifting Souls (L. King), Scarlet Dawn (Dieterle), Arsène Lupin (Conway), Beauty Parlor (Thorpe), Western Code (McCarthy), Call Her Savage (Dillon), The Monster Walks (Strayer) ; 1933, Dangerously Yours (Tuttle), Tarzan the Fearless (Hill), The Flaming Signal, After to Night (Archainbaud), Cradle Song (Leisen), Girl Without a Room (Murphy), Infernal Machine (Varnel), Corruption (Roberts) ; 1934, Bulldog Drummond Strikes Back (Le retour de Bulldog Drummond) (Del Ruth), Viva Villa (Conway), Stamboul Quest (Wood) ; 1935, Lives of a Bengal Lancer (Les trois lanciers du Bengale) (Hathaway), Clive of India (Boleslavsky), Biography of a Bachelor Girl (Griffith), The Crusades (Les croisades) (DeMille), I Dream Too Much (Cromwell) ; 1936, One Rainy Afternoon (R. Lee), Winterset (Sous les ponts de New York) (Santell), The Gay Desperado (Le joyeux bandit) (Mamoulian), Murder in the Fleet (Sedgwick), My Man Godfrey (La Cava) ; 1937, Three Smart Girls (Trois jeunes filles à la page) (Koster), We have Our Moments (Werker), Pick a Star (Sedgwick), Marry the Girl (McGann), Prescription for Romance (Simon), Vogues of 1938 (Cummings), Merry Go-Round (Cummings), 100 Men and a Girl (Deanna et ses boys) (Koster) ; 1938, Service De Luxe Sweethearts (Van Dyke), Rage of Paris (La coqueluche de Paris) (Koster), You Can't Take It With You (Vous ne l'emporterez pas avec vous) (Capra), Little Tough Guys in Society (Kenton) ; 1939, Destry Rides Again (Femme ou démon) (Marshall), East Side of Heaven (Butler), Unexpected Father (Lamont) ; 1940, Sandy Is a Lady (Lamont), Spring Parade (Chanson d'avril) (Koster), Public Deb number One (Ratoff), Trail of the Vigilantes (Sur la piste des vigilants) (Dwan), Seven Sinners (La maison des sept péchés) (Garnett) ; 1941, The Flame of New Orleans (La belle ensorceleuse) (Clair), Cracked Nuts (Cline), Hold that Ghost (Lubin), Moonlight in Hawaii (Lamont), Hellzapoppin (Potter), Sing Another Chorus (Lamont) ; 1942, Don't Get Personal (Nigh), Twin Beds (Whelan) ; 1943, Around the World (Dwan) ; 1944, Lady in the Dark (Les nuits ensorcelées) (Leisen), Up in Mabel's Room (Dwan) ; 1945, A Royal Scandal (Preminger), Brewster Millions (Dwan), And Then There Were None (Dix petits Indiens) (Clair), Sentimental Journey (W. Lang), She Wrote the Book (Lamont) ; 1947, For You I Die (Reinhardt) ; 1948, Sofia (Reinhardt) ; 1949, Al diavolo la celebrita (Steno et Monicelli) ; 1954, Mr. Arkadin (Welles) ; 1955, Escalier de service (Rim), Frou-frou (Genina), Treize à table (Hunebelle), L'impossible M. Pipelet (Hunebelle), Futures vedettes (Allégret), Cette sacrée gamine (Boisrond) ; 1956, En effeuillant la marguerite (Allégret), Mannequins de Paris (Hunebelle), La polka des menottes (André) ; 1957, Le tombeur (Delacroix), The Monte Carlo Story (S. Taylor) ; 1958, Tabarin (Pottier), A pied, à cheval et en spoutnik (Dréville), Sacrée jeunesse (Berthomieu) ; 1964, Queste pazze, pazze donna (Girolami) ; 1966, Per amore... per magia (Tessari).

Russe réfugié aux États-Unis, après avoir été acteur à Saint-Pétersbourg, il se fit embaucher à Broadway puis à Hollywood où il joua les excentriques slaves. Trop de roulements d'yeux, trop de gestes stéréotypés : rarement acteur fut aussi mauvais que lui. Rarement acteur fut par ailleurs aussi populaire. C'est La Cava qui le sauva en lui donnant un personnage de marginal dans *My Man Godfrey* et Capra qui le confirma avec le professeur de danse de *Vous ne l'emporterez pas avec vous.* Dans *Hellzapoppin* il était un vrai prince russe qui se faisait passer pour faux par souci d'authenticité. Mais ce fut ensuite la dégringolade. Auer vint alors chercher du travail en France et en Italie et fut la vedette de comédies pitoyables où il sombra complètement. Il mourut d'une crise cardiaque en Italie.

Auger, Claudine

Actrice française, de son vrai nom Oger, née en 1942.

1959, Le testament d'Orphée (Cocteau) ; 1960, Les moutons de Panurge (Girault), Terrain vague (Carné) ; 1962, Le masque de fer (Decoin) ; 1964, Yoyo (Étaix) ; 1965, Thunderball (Opération Tonnerre) (T. Young) ; 1966, L'homme de Marrakech (Deray), Jeu de massacre (Jessua), L'arcidiavolo (Belfagor le magnifique) (Scola), Triple Cross (Young) ; 1967, Operazione San Gennaro (Opération San Gennaro) (Risi), Flammes sur l'Adriatique (Astruc), Dolci signore (Pas folles les mignonnes) (Zamba) ; 1968, Scusi, Facciamo l'amore (Et si on faisait l'amour) (Caprioli) ; 1969, I bastardi (Le bâtard) (Tessari) ; 1970, Come ti chiami, amore mio (Quel est ton nom, mon amour ?) (Silva) ; 1971, Equinozzio (Équinoxe) (Ponzi), La Tarentola dal ventre nero (Cavara), Un peu de soleil dans l'eau froide (Deray), Reazione a catena (La baie sanglante) (Bava) ; 1972, Gli ordini sono ordini (Les ordres sont les ordres) (Grimaldi) ; 1973, The Summertime Killer (Meurtres au soleil) (Isasi-Isasmendi) ; 1975, Flic Story (Deray) ; 1977, Un papillon sur l'épaule (Deray), Le mystère du triangle des Bermudes (Cardona Jr.) ; 1979, Viaggio con Anita (Voyage avec Anita) (Monicelli), Aragoste o colazione (Une langouste au petit déjeuner) (Capitani), L'associé (Gainville) ; 1980, Fantastica (Carle), Black Jack (Boulois) ; 1985, Il pentito (Squitieri), Secret Places (L'étrangère) (Barron) ; 1987, Les exploits d'un jeune don Juan (Mingozzi) ; 1989, La femme de mes amours (Mingozzi) ; 1991, La bocca (Verdone) ; 1992, Salt on our Skin (Les vaisseaux du cœur) (Birkin) ; 1995, Los hombres siempre mienten (Del Real).

Danseuse à ses débuts, elle apparaît pour la première fois sur les écrans en Minerve dans *Le testament d'Orphée*. Elle s'oriente plutôt vers le théâtre : Palais-Royal avec Jean Meyer, TNP avec Vilar. Elle ne revient au cinéma qu'avec *Thunderball* où elle a James Bond-Sean Connery comme partenaire, ce qui lui vaut une célébrité mondiale. Par la suite, elle tourne en France ou en Italie indistinctement, mais ne se retrouve au générique d'aucune œuvre majeure.

August, Pernilla

Actrice suédoise, de son vrai nom Wallgren, née en 1958.

1975, Giliap (Andersson) ; 1979, Linus (Linus) (Sjöman) ; 1981, Tuppen (Hallström) ; 1982, Fanny och Alexander (Fanny et Alexandre) (Bergman) ; 1986, Ormens väg på hälleberget (Le chemin du serpent) (Widerberg) ; 1987, Ägget (D. Bergman) ; 1992, Den Goda Viljan (Les meilleures intentions) (August) ; 1995, Lumière et compagnie (Moon) ; 1996, Jerusalem (August), Enskilda Samtal (Ullman) ; 1997, Larmar och gör sig till (Bergman, film réalisé pour la télévision) ; 1998, Glasblåsarns barn (Grönros), Star Wars Episode 1 — The Phantom Menace (Star Wars Episode 1 — La Menace fantôme) (Lucas), Sista Kontraktet (Sundvall) ; 1999, Födelsedagen (Hobert), Där regnbågen slutar (Hobert), Ljuset haller mig sallskap (C.-G. Nykvist) ; 2000, Anna (Wedersøe) ; 2001, Star Wars Episode II (Lucas) ; 2006, Manslaughter (Manslaughter) (Fly).

Beaucoup de théâtre sous la direction d'Ingmar Bergman, et le rôle de Maj dans *Fanny et Alexandre* (sous son nom de jeune fille, Pernilla Wallgren), avant de retrouver un second souffle au cinéma sous la direction de son mari — jusqu'en 1997 — Bille August. Celui-ci en fait une héroïne romantique dans *Les meilleures intentions*, pour lequel elle remporte le prix d'interprétation féminine à Cannes, en 1992. Son plus récent titre de gloire : elle était la mère de Luke Skywalker dans *Star Wars Episode 1*.

Aumont, Jean-Pierre

Acteur français, de son vrai nom Salomons, 1909-2001.

1931, Échec et mat (Goupillières) ; 1932, Faut-il les marier ? (Lamac), Jean de la lune (Choux) ; 1933, Ève cherche un père (Bonnard), Dans les rues (Trivas), La merveilleuse tragédie de Lourdes (Fabert), Le voleur (Tourneur), Un jour viendra (Lamprecht), Lac aux dames (M. Allégret) ; 1934, Maria Chapdeleine (Duvivier) ; 1935, Les yeux noirs (Tourjansky), Les beaux jours (M. Allégret) ; 1936, L'équipage (Litvak), Tarass Bulba (Granowsky), La porte du large (L'Herbier) ; 1937, Drôle de drame (Carné), Maman Colibri (Dréville), Le messager (Rouleau), Chéri-Bibi (Mathot), Cargaison blanche (Siodmak) ; 1938, Hôtel du Nord (Carné), Le paradis de Satan (Gandera), La belle étoile (Baroncelli), La femme du bout du monde (Epstein) ; 1939, S.O.S. Sahara (Baroncelli), Le déserteur (Moguy) ; 1943, Assignment in Brittany (Conway) ; 1944, The Cross of Lorraine (Garnett) ; 1946, Heartbeat (S. Wood) ; 1947, Song of Scheherazade (Reisch) ; 1948, Siren of Atlantis (L'Atlantide) (Tallas), The First Gentleman (Cavalcanti), Hans le marin (Villiers) ; 1949, Affairs of a Rogue (Cavalcanti), Three Men and a Girl/Golden Arrow (Parry) ; 1950, L'homme de joie (Grangier), L'amant de paille (Grangier) ; 1951, Les loups chassent la nuit (Borderie), La vendetta del corsaro (Zeglio), Ultimo incontro (Franciolini) ; 1953, Lili (Walters), Moineaux de Paris (Cloche), Kœnigsmark (S. Térac) ; 1954, Si Versailles m'était conté (Guitry), Dix-huit heures d'escale (The Charge of the Lancers) (Castle) ; 1955, Mademoiselle de Paris (Kapps) ; 1956, Hilda Crane (Dunne) ; 1957, The Seventh Sin (Neame) ; 1959, John Paul Jones (Farrow) ; 1960, The Enemy General (G. Sherman), Una domenica d'estate (Petroni) ; 1961, The Devil at Four O'Clock (Le diable à quatre heures) (LeRoy) ; 1963, The Horse without a Head (Chaffey), Five Miles to Midnight (Litvak) ; 1964, Vacances portugaises (Kast) ; 1969, Castle Keep (Un château en enfer) (Pollack) ; 1972, L'homme au cerveau greffé (Doniol-Valcroze) ; 1973, La nuit américaine (Truffaut) ; 1974, F for Fake (Vérités et mensonges) (Welles), Porgi l'altra guancia (Les deux missionnaires) (F. Rossi) ; 1975, Mahogany (Mahogany) (Gordy), The Happy Hooker (Sgarro), Catherine et Cie (Boisrond), Le chat et la souris (Lelouch) ; 1976, The Man in the Iron Mask (Newell) ; 1977, Des journées entières dans les arbres (Duras) ; 1978, New York Blackout (New York ne répond plus) (Matalon) ; 1979, Allons z'enfants (Boisset) ; 1982, La villa delle anime maledette (Ausino) ; 1983, La java des ombres (Goupil), Nana (Wolman) ; 1984, Le sang des autres (Chabrol) ; 1986, On a volé Charlie Spencer (Huster) ; 1987, Sweet Country (Cacoyannis) ; 1988, Les années sandwiches (Boutron), A notre regrettable époux (Korber) ; 1989, A Star for Two (Kaufman) ; 1990, Les mers du Sud (Marquilles) ; 1991, Becoming Colette (Devenir Colette) (D. Huston) ; 1993, Les braqueuses (Salomé), Giorgino (Boutonnat) ; 1994, Jefferson in Paris (Jefferson à Paris) (Ivory) ; 1995, The Proprietor (La propriétaire) (Merchant).

Jeune premier un peu pâle (il fut imposé par *Lac aux dames*), souvent mauvais (*Drôle de drame*), il n'en fut pas moins apprécié du public et tourna dans des œuvres importantes. Contraint de passer aux États-Unis pendant la guerre, il épousa à Hollywood Maria Montez. Sa carrière américaine se limita à quelques « orientaleries » et à des films sur la Résistance. Après 1950, il poursuivit, remarié à Marisa Pavan, une carrière féconde mais sans grand relief.

Aumont, Michel

Acteur français né en 1936.

1972, La femme en bleu (Deville) ; 1973, Un ange au paradis (Blanc), Nada (Chabrol), Grandeur nature (Berlanga) ; 1974, Monsieur Balboss (Marbœuf), La gifle (Pinoteau), Le futur aux trousses (Grassian), Le petit Marcel (Fansten) ; 1975, Parlez-moi d'amour (Drach), La course à l'échalotte (Zidi), Monsieur Klein (Losey) ; 1976, L'exercice du pouvoir (Galland), Le jouet (Veber), Mado (Sautet) ; 1977, Des enfants gâtés (Tavernier), Mort d'un pourri (Lautner), Les œufs brouillés (Santoni), Pourquoi pas ! (Serreau) ; 1978, La frisée aux lardons (Jaspard), Coup de tête (Annaud) ; 1979, Bête mais discipliné (Zidi), Courage, fuyons (Robert), L'œil du maître (Kurc) ; 1980, Allons z'enfants (Boisset) ; 1981, Le roi des cons (Confortès), La revanche (Lary), Celles qu'on n'a pas eues (Thomas), La vie continue (Mizrahi) ; 1982, Légitime violence (Leroy), Le grain de sable (Meffre) ; 1983, Les compères (Veber), Un dimanche à la campagne (Tavernier) ; 1984, La diagonale du fou (Dembo), Ballade sanglante (Madigan), Monsieur de Pourceaugnac (Mitrani), Escalier C (Tacchella), Liste noire (Bonnot) ; 1985, Le mariage du siècle (Galland), Une femme ou deux (Vigne) ; 1986, Prunelle blues (Otmezguine), Cours privé (Granier-Deferre) ; 1987, Sale destin (Madigan), Poussière d'ange (Niermans), Les années sandwiches (Boutron) ; 1988, La septième dimension (Dussaux, Holmes...) ; 1989, Ripoux contre ripoux (Zidi) ; 1990, Alberto Express (Joffé), La révolte des enfants (Poitou-Weber) ; 1991, Sushi sushi (Perrin), Archipel (Granier-Deferre) ; 1992, Sexes faibles ! (Meynard) ; 1993, L'ombre du doute (Isserman), Le roi de Paris (Maillet) ; 1995, Au petit Marguery (Bénégui), Beaumarchais l'insolent (Molinaro) ; 1996, Tortilla y cinéma (Provost), Messieurs les enfants (Boutron), Mauvais genre (Bénégui) ; 1997, L'homme est une femme comme les autres (Zilbermann), 1 chance sur 2 (Leconte) ; 1998, Le pique-nique de Lulu Kreuz (Martiny), Les migrations de Vladimir (Assaf) ; 1999, Salsa (J. Buñuel) ; 2000, Le placard (Veber) ; 2003, Tais-toi ! (Veber) ; 2003, I am Dina (Dina) (Bornedal) ; 2004, Clara et moi (Viard), Qui perd gagne ! (Bénégui) ; 2005 Palais royal ! (Lemercier) ; 2006, La doublure (Veber), Le grand rôle (Suissa).

Comédie-Française puis cinéma. Des silhouettes mais qui ne laissent pas indifférent (le fonctionnaire de *Monsieur Klein*) ou des rôles en vedette (*Un ange au paradis*). Enfin reconnu comme un très grand acteur.

Aumont, Tina

Actrice américaine, de son vrai prénom Christina, 1946-2006.

1965, Modesty Blaise (Modesty Blaise) (Losey) ; 1966, Texas Across the River (Texas nous voilà) (Gordon), La curée (Vadim) ; 1967, L'uomo, l'orgoglio, la vendetta (L'homme, l'orgueil et la vengeance) (Bazzoni), Troppo per vivere... poco per morire (Qui êtes-vous inspecteur Chandler ?) (Lupo), Scuci, lei e favorevole o contrario ? (Sordi) ; 1968, L'urlo (Brass), Partner (Partner) (Bertolucci), L'alibi (Gassman), Satyricon (Le Satyricon de Fellini) (Fellini) ; 1969, Le lit de la vierge (Garrel), Infanzia, vocazione e prime experienze di Giacomo Casanova (Casanova, un adolescent à Venise) (Comencini) ; 1970, Corbari (Le dernier guet-apens) (Orsini), Metello (Metello) (Bolognini), Necropolis (Brocani) ; 1971, Bianco, rosso e... (Une bonne planque) (Lattuada), Il sergente Klems (Sergent Klems) (Grieco) ; 1972, Racconti proibiti di niente vestiti

(Rondi), Arcana (Questi), Malizia (Malicia) (Samperi) ; 1973, Storia de fratelli e de cortelli (Amendola), I corpi presentano tracce di violenza carnale (Martino), Blu gang vissero per sempre felici e ammanzati (Bazzoni) ; 1974, Les hautes solitudes (Garrel), Fatti di gente per bene (La grande bourgeoise) (Bolognini) ; 1975, La principessa nuda (Parties déchaînées) (Canevari), Divina creatura (Divine créature) (Patroni-Griffi), Lifespan (Le secret de la vie) (Whitelaw), Il messiah (Le messie) (Rossellini) ; 1976, Salon Kitty (Salon Kitty) (Brass), Giovannino (Nuzzi), Il Casanova di Fellini (Casanova) (Fellini), A Matter of Time (Nina) (Minnelli), Cadaveri eccelenti (Cadavres exquis) (Rosi) ; 1977, Un cuore semplice (G. Ferrara) ; 1978, Fratello crudele (De Rosa) ; 1979, La bande du Rex (Meunier) ; 1980, Holocaust — I ricordi, i deliri, la vendetta (Pannacciò) ; 1982, Rebelote (Richard) ; 1986, Les frères Pétard (Palud) ; 1995, Les deux orphelines vampires (Rollin), Nico Icon (Nico Icon) (Ofteringer) ; 1997, Cantique de la racaille (Ravalec) ; 2000, La mécanique des femmes (De Missolz).

Fille de Maria Montez et de Jean-Pierre Aumont, son enfance hollywoodienne est marquée par le décès de sa mère quand elle n'a que cinq ans. Elle épouse Christian Marquand en 1963 et entame une carrière italienne sous de bons auspices, avant de se perdre dans des films de seconde zone, principalement dénudés. Avec les années et l'aide d'une vie chaotique, la superbe brune aux immenses yeux s'est fanée, hélas, trop rapidement.

Auteuil, Daniel

Acteur français né en 1950.

1974, L'agression (Pirès) ; 1975, Attention les yeux (Pirès) ; 1976, L'amour violé (Bellon), La nuit de Saint-Germain-des-Prés (Swaim) ; 1977, Monsieur Papa (Monnier) ; 1978, Les héros n'ont pas froid aux oreilles (Nemès) ; 1979, A nous deux (Lelouch), Bête mais discipliné (Zidi) ; 1980, Les sous-doués (Zidi), La banquière (Girod), Clara et les chics types (Monnet) ; 1981, Les hommes préfèrent les grosses (Poiré), Les sous-doués en vacances (Zidi), T'empêches tout le monde de dormir (Lauzier), Pour cent briques t'as plus rien (Molinaro) ; 1982, Que les gros salaires lèvent le doigt (Granier-Deferre), L'indic (Leroy) ; 1983, P'tit con (Lauzier), Les fauves (Daniel) ; 1984, L'arbalète (Gobbi), Palace (Molinaro) ; 1985, L'amour en douce (Molinaro) ; 1986, Le paltoquet (Deville), Jean de Florette (Berri), Manon des sources (Berri) ; 1988, Quelques jours avec moi (Sautet) ; 1989, Romuald et Juliette (Serreau) ; 1990, Lacenaire (Girod) ; 1991, Ma vie est un enfer (Balasko) ; 1992, Un cœur en hiver (Sautet) ; 1993, Ma saison préférée (Téchiné), La reine Margot (Chéreau) ; 1994, La séparation (Vincent), Une femme française (Wargnier) ; 1995, Sostiene Pereira (Pereira prétend) (Faenza), Les voleurs (Téchiné), Le huitième jour (Van Dormael) ; 1996, Passage à l'acte (Girod), Lucie Aubrac (Berri) ; 1997, Le Bossu (Broca) ; 1998, The Lost Son (The Lost Son) (Menges), La fille sur le pont (Leconte) ; 1999, Mauvaise passe (Blanc), La veuve de Saint-Pierre (Leconte) ; 2000, Sade (Jacquot), Le placard (Veber) ; 2001, La folie des hommes (Martinelli) ; 2002, L'adversaire (Garcia) ; 2003, Petites coupures (Bonitzer), Rencontre avec le dragon (Angel), Uno strano crimine (Andò), Après vous (Salvadori), Les clefs de la bagnole (Baffie) ; 2004, Nos amis les flics (Swaim), Pourquoi (pas) le Brésil (Masson), Sotto falso nome (Le prix du désir) (Andò), 36 Quai des Orfèvres (Marchal) ; 2005, Caché (Haneke), Peindre ou faire l'amour (Larrieu), L'un reste, l'autre part (Berri) ; 2006, La doublure (Veber), Mon meilleur ami (Leconte), L'entente cordiale (De Brus) ; 2007, Dialogue avec mon jardinier (Becker), L'invité (Bouhnik), N - Napoléon (Napoléon [et moi]) (Virzi).

Né à Alger, fils d'un chanteur d'opéra, il s'oriente d'abord vers l'opérette et le théâtre. Ses débuts cinématographiques sont modestes (l'un des agresseurs de *L'amour violé*). Il devient une vedette avec *L'arbalète* mais c'est *Jean de Florette*, où il compose un personnage émouvant, qui l'impose définitivement et lui apporte un césar en 1987. On le retrouve en Lacenaire, l'assassin dandy de la monarchie de Juillet. Il n'a pas l'envergure de Marcel Herrand qui interpréta le personnage dans *Les enfants du paradis*, mais il donne à Lacenaire un grain de folie plus authentique. Il forme avec Emmanuelle Béart un couple admirable dans *Un cœur en hiver* ou dans l'œuvre de Wargnier *Une femme française*. Moins convaincant en Henri IV dans *La reine Margot* de Chéreau ou en Lagardère, il reste toutefois l'un des meilleurs acteurs des décennies 80-2000. Le personnage mythomane de *L'adversaire* lui donne son meilleur rôle avec celui de Napoléon !

Autry, Gene

Acteur américain, 1907-1998.

1934, In Old Santa Fe (D. Howard), Mystery Mountain (Eason et Brower) ; 1935, The Phantom Empire (Eason et Brower), Tumbling Tumbleweeds (Kane), The Singing Vagabond (Pierson), Melody Trail (Kane), Sagebrush Troubadour (Kane) ; 1936, Red River Valley (Eason), The Big Show (Wright), The Singing Cow-Boy (Wright), Guns and Guitars (Kane), Ride, Ranger, Ride (Kane), The Old Corral (Kane) ; 1937, Round Up Time in Texas (Kane), Git Along Little Doogies (Kane), Rootin' Tootin' Rhythm (Wright), Oh, Susannah ! (Kane), Public Cow-Boy n° 1 (Kane), Boots and Saddle (Kane), Springtime in the Rockies (Kane) ; 1938, The Old Barn Dance (Kane), Gold Mine in the Sky (Kane), Prairie Moon (Staub), Western Jamborees (Staub), Man from Music Mountain (Kane), Rhythm of the Saddle (G. Sherman) ; 1939, Mexicali Roses (Sherman), Blue Montana Skies (Eason), Colorado Sunset (Sherman), South of the Border (Sherman), In Old Monterey (Kane) ; 1940, Rancho Grande (McDonald), Gaucho Serenade (McDonald), Carolina Moon (McDonald), Shooting High (Green), Melody Ranch (Santley), Ride, Tenderfoot, Ride (McDonald) ; 1941, Back in the Saddle (Landers), The Singing Hill (Landers), Sunset in Wyoming (W. Morgan), Sierra Sue (Morgan), Under Fiesta Stars (McDonald) ; 1942, Call of the Canyon (Santley), Cow-Boy Serenade (W. Morgan), Bells of Capistrano (W. Morgan) ; 1946, Sioux City Sue (McDonald) ; 1947, Trail to San Antone (English), The Last Round-Up (English), Robin Hood of Texas (Selander) ; 1948, The Strawberry Road (English) ; 1949, The Big Sombrero (McDonald), Riders of the Whistling Pines (English), Loaded Pistols (English), Riders in the Sky (English), Rim of the Canyon (English), The Cow-Boy and the Indians (English) ; 1950, Mule Train (English), Cow Town (English), The Blazing Sun (English) ; 1951, Gene Autry and the Mounties (English), Valley of Fire (English), Silver Canyon (English), Hills of Utah (English) ; 1952, The Old West (Archainbaud), Night Stage to Galveston (Archainbaud), Apache Country (Archainbaud), Blue Canadian Rockies (Archainbaud) ; 1953, Winning of the West (Archainbaud), On Top of Old Smoky (Archainbaud), Goldtown Ghost Riders (Archainbaud), Pack Train (Archainbaud), Saginaw Trail (Archainbaud), Last of the Poney Riders (Archainbaud).

Le plus populaire des cow-boys chantants. Ses westerns sont à fuir. Il l'avoue lui-même : « Je ne sais pas jouer ; je ne sais pas monter à cheval et je ne sais pas chanter. Mais quoi que je fasse, ils trouvent ça bien ! » Rassurons-le : en France, non, on ne le trouve pas bon.

Aykroyd, Dan

Acteur canadien né en 1952.

1976, Love at First Sight (Bromfield) ; 1979, 1941 (1941) (Spielberg), Mr. Mike's Mondo Video (O'Donoghue) ; 1980, The Blues Brothers (Blues Brothers) (Landis), Neighbours (Les voisins) (Avildsen) ; 1982, It Came from Hollywood (Leo et Solt), Twilight Zone (La quatrième dimension) (prologue de Landis) ; 1983, Trading Places (Un fauteuil pour deux) (Landis), Doctor Detroit (Pressman) ; 1984, Indiana Jones and the Temple of Doom (Indiana Jones et le temple maudit) (Spielberg), Ghostbusters (SOS Fantômes) (Reitman), Nothing Last Forever (Schiller) ; 1985, Into the Night (Série noire pour une nuit blanche) (Landis), Spies Like Us (Drôles d'espions) (Landis) ; 1987, Dragnet (Mankiewicz) ; 1988, The Couch Trip (Parle à mon psy, ma tête est malade) (Ritchie), The Great Outdoors (Deutch), She's Having a Baby (La vie en plus) (Hughes), My Stepmother Is an Alien (Ma belle-mère est une extraterrestre) (Benjamin) ; 1989, Ghostbusters II (SOS Fantômes 2) (Reitman), Driving Miss Daisy (Miss Daisy et son chauffeur) (Beresford) ; 1990, Loose Cannons (Clark) ; 1991, Nothing But Trouble (Aykroyd) ; 1992, My Girl (My Girl) (Zieff), This Is My Life (Aykroyd), Chaplin (Chaplin) (Attenborough), Sneakers (Les experts) (Robinson) ; 1993, Coneheads (Coneheads) (Barron), My Girl II (Copain, copine) (Zieff), Exit to Eden (Marshall) ; 1994, North (L'irrésistible North) (R. Reiner), Getting Away With Murder (Miller), Rainbow (Hoskins) ; 1995, Casper (Casper) (Silberling), Tommy Boy (Segal), Sgt. Bilko (Sergent Bilko) (Lynn), Canadian Bacon (Canadian Bacon) (Moore), Celtic Pride (DeCerchio), Feeling Minnesota (Feeling Minnesota) (Baigelman) ; 1996, Grosse Pointe Blank (Armitage), Rainbow (Hoskins), My Fellow Americans (Segal) ; 1997, Blues Brothers 2000 (Blues Brothers 2000) (Landis) ; 1998, Susan's Plan (Susan a un plan...) (Landis) ; 1999, Diamonds (Asher), Stardom (Stardom) (Arcand), Home Brew (Flaherty), The House of Mirth (Chez les heureux du monde) (Davies) ; 2000, Loser (Heckerling), Unconditional Love (Hogan), On the Nose (Caffrey), Pearl Harbor (Pearl Harbor) (Bay), Hitting the Wall (Davis) ; 2001, The Curse of the Jade Scorpion (Le sortilège du scorpion de jade) (Allen), Evolution (Évolution) (Reitman) ; 2002 Crossroads (Crossroads) (T. Davis) ; 2003, Unconditional Love (Amours suspectes) (Hogan) ; 2004; 50 First Dates (Amours et amnésie) (Segal), Christmas with Kranks (Un Nöel de folie) (Roth) ; 2007, I Now Pronounce You Chuck and Larry (Dugan).

Né à Ottawa, il débute au théâtre et dans les night-clubs puis se fait remarquer à la télévision. Il fonde avec John Belushi le duo des Blues Brothers qui le lance à l'écran. Son nom est désormais associé aux grandes comédies américaines : *Un fauteuil pour deux, SOS Fantômes...* aux scénarios desquelles il collabore. L'acteur est remarquable, qui crée des personnages satisfaits d'eux-mêmes et sentencieux, comme le financier d'*Un fauteuil pour deux*.

Azaïs, Paul

Acteur français, 1902-1974.

1930, Paris la nuit (Diamant-Berger) ; 1931, Fantômas (Fejos) ; 1932, L'enfant du miracle (Diamant-Berger), Le chien jaune (Tarride), Les croix de bois (Bernard), Faubourg Montmartre (Bernard), Les gaietés de l'escadron (Tourneur), La poule (Guissart), Maquillage (Anton) ; 1933, Les misérables (Bernard), L'agonie des aigles (Richebé), La rue sans nom (Chenal), Les filles de la concierge (Tourneur), L'étoile de Valencia (Poligny) ; 1934, Pension Mimosas (Feyder), Le roi de Camargue (Baroncelli), Adémaï aviateur (Tarride), Le diable en bouteille (Hilpert) ; 1935, Divine (Ophuls), Amants et voleurs (Bernard), Le bébé de l'escadron (Sti), Haut comme trois pommes (Vajda), Un coup de vent (Dréville), Sidonie Panache (Wulschleger) ; 1936, Un de la Légion (Christian-Jaque), Au son des guitares (Ducis), Anne-Marie (Bernard), La marmaille (Bernard-Deschamps), Jeunes filles de Paris (Vermorel) ; 1937, La femme du bout du monde (Epstein), Trois artilleurs en vadrouille (Pujol) ; 1938, Trois artilleurs à l'Opéra (Chotin), Franco de port (Kirsanoff), Frères corses (Kelber), Tempête sur l'Asie (Oswald), S.O.S. Sahara (Baroncelli), Passeurs d'hommes (Jayet) ; 1939, Narcisse (d'Aguiar), Deuxième Bureau contre Kommandantur (Jayet), Sans lendemain (Ophuls) ; 1942, Forte tête (Mathot), L'ange gardien (Casembroot), Ne le criez pas sur les toits (Daniel-Norman), A la belle frégate (Valentin), Patrouille blanche (Chamborant) ; 1943, Adrien (Fernandel), Mon amour est près de toi (Pottier) ; 1946, Quartier chinois (Sti), Cœur de coq (Cloche), Destins (Pottier) ; 1947, Si jeunesse savait (Cerf), Mandrin (Jayet) ; 1948, Fantômas contre Fantômas (Vernay), Marlène (P. de Herain), Rapide de nuit (Blistène), Retour à la vie (sketch de Dréville) ; 1949, Au grand balcon (Decoin), Drame au Vel' d'Hiv (Cam), Je n'aime que toi (Montazel), Au petit zouave (Grangier), L'atomique Monsieur Placido (Henion) ; 1950, Les aventuriers de l'air (Jayet), Maria du bout du monde (Stelli), Le roi du bla-bla-bla (Labro) ; 1951, Ce coquin d'Anatole (Couzinet), La nuit est mon royaume (Lacombe), Casque d'or (Becker), Le costaud des Batignolles (Lacourt), Le plaisir (Ophuls) ; 1952, Monsieur Taxi (Hunebelle), Quitte ou double (Vernay), Les amours finissent à l'aube (Calef), La môme Vert-de-Gris (Borderie) ; 1953, Si Versailles m'était conté (Guitry), Madame de... (Ophuls), Minuit Champs-Élysées (Blanc) ; 1954, Série noire (Foucaud), Sur le banc (Vernay), Les intrigantes (Decoin) ; 1955, Alerte aux Canaries (Roy) ; 1956, Le sang à la tête (Grangier), La loi des rues (Habib), Les carottes sont cuites (Vernay) ; 1957, Sénéchal le Magnifique (Boyer).

Une « rondeur » venue de l'opérette et qui fit rire, avant-guerre, dans de nombreux films comiques de bonne facture : *Adémaï aviateur, Narcisse...* Un accident en 1943, qui le laissa dans le coma pendant vingt et un jours, brisa sa carrière. La mémoire atteinte, il ne tint plus que de petits rôles. Il créa pour les comédiens sans emploi « La roue tourne », qui vient en aide à ceux que le succès a abandonnés pour raison de mode, de maladie ou de vieillesse. C'est à ce titre qu'il retrouva une certaine popularité. Il fut une illustration parfaite de ces acteurs de second plan qui ont toujours eu le respect du public.

Azéma, Sabine

Actrice et réalisatrice française née en 1952.

1976, On aura tout vu (Lautner), Le chasseur de chez Maxim's (Vital) ; 1977, La dentellière (Goretta) ; 1981, On n'est pas des anges, elles non plus (Lang) ; 1983, La vie est un roman (Resnais) ; 1984, Un dimanche à la campagne (Tavernier), L'amour à mort (Resnais) ; 1986, Zone rouge (Enrico), La puritaine (Doillon), Mélo (Resnais) ; 1989, Cinq jours en juin (Legrand), La vie et rien d'autre (Tavernier), Vanille fraise (Oury) ; 1990, Trois années (Cazeneuve) ; 1991, Rossini, Rossini (Monicelli) ; 1993, Smoking/No smoking (Resnais) ; 1994, Les cent et une nuits (Varda), Noir comme le souvenir (Mocky) ; 1995, Le bonheur est dans le pré (Chatiliez), Mon homme (Blier) ; 1997, On connaît la chanson (Resnais) ; 1998, Le Schpountz (Oury) ; 1999, La bûche (Thompson) ; 2000, La chambre des officiers (Dupeyron) ; 2003, Pas sur la bouche (Resnais) ; 2005, Olé ! (Quentin), Le parfum de la dame en noir (Podalydès), Peindre ou faire l'amour (Larrieu) ; 2006, Cœurs (Resnais), L'ami de Fred Astaire (Lvovsky). *Comme réalisatrice :* 1992, Bonjour, monsieur Doisneau ou le photographe arrosé.

Révélation de *La vie est un roman* où elle vole la vedette à une pléiade de stars. Tavernier confirme ce que Resnais avait pressenti et elle remporte un césar en 1985 pour *Un dimanche à la campagne*. Elle devient une star grâce à *Mélo* qui lui vaut un deuxième césar en 1987. Deux films l'imposent : *Smoking/No Smoking*, où elle tient plusieurs rôles, et *Le bonheur est dans le pré* où elle est l'épouse insupportable de Serrault. Émouvante infirmière de *La chambre des officiers*, elle est aussi à l'aise dans le drame que dans la comédie. Elle reste fidèle à Resnais, de *Pas sur la bouche* à *Cœurs*.

Azmi, Shabana

Actrice indienne née en 1952.

1974, Ankur (Benegal) ; 1975, Nisant (L'aube) (Benegal) ; 1977, Shatranj ke Kilhari (Les joueurs d'échecs) (Ray), Swami (Chatterjee), Parvarish (Desai) ; 1978, Amar Akbar Anthony (Desai), Junoon (Benegal) ; 1979, Sparsh (Paranjape) ; 1980, Albert Pinto Kogussa Kyon aata nai (Mirza), Hum Paanch (Bapu) ; 1981, Arth (Bhatt) ; 1982, Sameera (Shukla), Masoom (Kapur) ; 1983, Mandi (Benegal), Avtar (Kumar) ; 1984, Khandar (Les ruines) (Sen), Paar (Ghose) ; 1985, Khamosh (Chopra) ; 1986, Genesis (Genesis) (Sen) ; 1987, Susman (Benegal), Anjuman (Ali) ; 1988, Madam Sousatzka (Madame Sousatzka) (Schlesinger), Ek din Achanak (Sen), Pestonjee (Mehta), La nuit bengali (Klotz) ; 1989, Sati (A. Sen), Main Azaad Hoon (Anand) ; 1990, Disha (Paranjpye) ; 1992, Immaculate Conception (Dehlavi), Dharavi (Mishra), City of Joy (La cité de la joie) (Joffé) ; 1993, The Son of the Pink Panther (Edwards) ; 1994, Patang (Ghose), In Custody (In Custody) (Merchant) ; 1995, Fire (Fire) (Mehta) ; 1997, Mrityudand (Jha) ; 1998, Side Streets (Gerber) ; 1999, Godmother (Shukla).

Fille d'un grand poète urdu et d'une comédienne célèbre, elle est l'actrice indienne la plus connue en Occident grâce à Benegal, Ray et Sen. Elle a tourné aussi, semble-t-il, dans de nombreux films populaires inconnus en Europe.

Aznavour, Charles

Chanteur et acteur français, de son vrai nom Aznavourian, né en 1924.

1938, Les disparus de Saint-Agil (Christian-Jaque) ; 1945, Adieu chérie (Bernard) ; 1949, Dans la vie tout s'arrange (Cravenne) ; 1956, Une gosse sensas (Bibal) ; 1957, Paris Music-Hall (S. Cordier), C'est arrivé à 36 chandelles (Diamant-Berger) ; 1958, Oh ! Que mambo (Berry), Pourquoi viens-tu si tard ? (Decoin), Les dragueurs (Mocky), La tête contre les murs (Franju) ; 1959, Le testament d'Orphée (Cocteau) ; 1960, Tirez sur le pianiste (Truffaut), Le passage du Rhin (Cayatte), Un taxi pour Tobrouk (La Patellière) ; 1961, Horace 62 (Versini), Les petits matins (Audry), Les lions sont lâchés (Verneuil) ; 1962, Le rat d'Amérique (Albicocco), Les vierges (Mocky), Tempo di Roma (La Patellière), Les quatre vérités (sketch de R. Clair), Pourquoi Paris ? (La Patellière), Le diable et les dix commandements (Duvivier) ; 1964, Cherchez l'idole (Boisrond), Alta Infidelta (sketch de Petri) ; 1965, La métamorphose des cloportes (Granier-Deferre), Paris au mois d'août (Granier-Deferre), Thomas l'imposteur (Franju) ; 1966, Le facteur s'en va-t'en guerre (Bernard-Aubert) ; 1967, Caroline chérie (La Patellière) ; 1968, L'amour (Balducci), Candy (Ch. Marquand) ; 1969, Le temps des loups (Gobbi), The Adventurers (Les derniers aventuriers) (Gilbert), The Games (Winner) ; 1970, Un beau monstre (Gobbi) ; 1971, Les intrus (Gobbi), La part des lions (Larriaga) ; 1972, The Blockhaus (Rees) ; 1974, Ten Little Indians (Dix petits nègres) (Collinson) ; 1975, Folies bourgeoises (Chabrol), Sky Riders (Intervention Delta) (Kickox) ; 1979, Die Blechtrommel (Le tambour) (Schlöndorff), Ciao les mecs ! (Gobbi), Claude François, le film de sa vie (Pavel) ; 1982, Der Zauberberg (La montagne magique) (Geissendorfer), Qu'est-ce qui fait courir David ? (Chouraqui), Les fantômes du chapelier (Chabrol), Édith et Marcel (Lelouch) ; 1983, Une jeunesse (Mizrahi) ; 1984, Viva la vie (Lelouch), Yiddish Connection (Boujenah) ; 1985, Paolino, la juste cause et une bonne raison (Reichenbach) ; 1988, Mangeclous (Mizrahi) ; 1989, Il maestro (Hänsel) ; 1991, Les années campagne (Leriche) ; 1996, Pondichéry, dernier comptoir des Indes (Fabre), Le comédien (Chalonge) ; 1999, Le messie (Klein) ; 2002, Ararat (Ararat) (Egoyan) ; 2003, The Truth About Charlie (La vérité sur Charlie) (Demme) ; 2005, Emmenez-moi (Bensimon) ; 2006, Mon colonel (Herbiet).

Lorsqu'il apparaît à l'écran, c'est déjà une vedette du music-hall, qui doit beaucoup à Édith Piaf. Son premier grand rôle est celui du fou dans *La tête contre les murs*. Il lui donne une dimension tragique qui ne passe pas inaperçue. Truffaut lui permet de confirmer ses talents de comédien avec *Tirez sur le pianiste*, et Cayatte le propulse au firmament des stars dans *Le passage du Rhin*. Force est de reconnaître qu'il ne sera pas toujours très exigeant par la suite quant au choix des sujets et des réalisateurs, mais ce petit Arménien malingre sait s'imposer même dans un mauvais film.

B

Babe, Fabienne

Actrice française née en 1962.

1984, Souvenirs, souvenirs (Zeitoun) ; 1985, Hurlevent (Rivette), L'unique (Diamant-Berger) ; 1986, Fatherland (Fatherland) (Loach), Dolce assenza (Sestieri) ; 1987, De bruit et de fureur (Brisseau), Richard und Cosima (Richard et Cosima) (Patzak) ; 1988, Zanzibar (Pascal) ; 1990, Ferdydurke (Ferdydurke) (Skolimovski) ; 1991, Bar des rails (Kahn), Golem, l'esprit de l'exil (Gitaï), Le mirage (Guiguet), Je pense à vous (Dardenne) ; 1992, Le dernier plongeon (Monteiro), All Out (All Out) (Koerffer) ; 1994, Wonder Boy (Vecchiali) ; 1995, Le garçu (Pialat), Les voleurs (Téchiné) ; 1996, Les démons de Jésus (Bonvoisin) ; 1997, La vie est dure, nous aussi (Castella) ; 1998, Les passagers (Guiguet), Zonzon (Bouhnik), Alger-Beyrouth : pour mémoire (Allouache) ; 1999, Inséparables (Couvelard) ; 2000, La mécanique des femmes (De Missolz), Old school (Ayd et Abbou), La mécanique des femmes (Missolz) ; 2002, La vie promise (Dahan) ; 2003, Le cœur des hommes (Esposito) ; 2004, Je suis votre homme (Dubroux), Faismoi rêver (Katu) ; 2005, A vot' bon cœur (Vecchiali), J'ai vu tuer Ben Barka (Le Péron), Aux abois (Collin) ; 2007, Jean de La Fontaine (Vigne), Le cœur des hommes 2 (Esposito).

Beaucoup de films d'auteur n'ont pas fait d'elle une actrice vraiment populaire, mais Pialat et Téchiné lui redonnent une chance alors que sa carrière semblait s'essouffler.

Bacall, Lauren

Actrice américaine, de son vrai nom Betty Joane Perske, née en 1924.

1945, To Have and Have Not (Le port de l'angoisse) (Hawks), Confidential Agent (Agent secret) (Shumlin) ; 1946, The Big Sleep (Le grand sommeil) (Hawks) ; 1947, Dark Passage (Les passagers de la nuit) (Daves) ; 1948, Key Largo (Huston) ; 1950, Young Man With a Horn (La femme aux chimères) (Curtiz), Bright Leaf (Le roi du tabac) (Curtiz) ; 1953, How to Marry a Millionnaire (Comment épouser un millionnaire) (Negulesco) ; 1954, Woman's World (Les femmes mènent le monde) (Negulesco) ; 1955, The Cobwed (La toile d'araignée) (Minnelli), Blood Alley (L'allée sanglante) (Wellman) ; 1956, Written on the Wind (Écrit sur du vent) (Sirk) ; 1957, Designing Woman (La femme modèle) (Minnelli) ; 1958, The Gift of Love (La femme que j'aimais) (Negulesco) ; 1960, Flame Over India (Aux frontières de l'Inde) (Lee-Thompson) ; 1964, Shock Treatment (D. Sanders), Sex and the Single Girl (Une vierge sur canapé) (Quine) ; 1966, Harper (Détective privé) (Smight) ; 1974, Murder on the Orient Express (Le crime de l'Orient Express) (Lumet) ; 1975, The Shootist (Le dernier des géants) (Siegel) ; 1980, Health (Altman) ; 1981, The Fan (The Fan) (Bianchi) ; 1988, Appointment With Death (Rendez-vous avec la mort) (Winner) ; 1989, Tree of Hands (Foster) ; Mr. North (Mr. North) (D. Hudson) ; 1990, A Star for Two (Kaufman), Misery (Misery) (R. Reiner) ; 1991, All I Want for Christmas (Liebermann) ; 1992, A Foreign Field (Sturridge) ; 1994, Ready to Wear (Prêt-à-porter) (Altman) ; 1996, The Mirror Has Two Faces (Leçons de séduction) (Streisand), Le jour et la nuit (B.-H. Lévy), My Fellow Americans (Segal) ; 1999, Diamonds (Asher), Presence of Mind (Alloy), The Venice Project (Dornhelm) ; 2003, Dogville (Dogville) (Trier) ; 2003, Dogville (Dogville) (Trier) ; 2004, Birth (Birth) (Glazer) ; 2005, Manderlay (Manderlay) (Trier).

Elle fut la compagne de Bogart et ils formèrent à la ville comme à l'écran un couple idéal. Après la mort de Bogart, Lauren Bacall lui survit et se survit « mais elle ne fut plus rien cinématographiquement », écrivent Coursodon et Tavernier. Jugement sévère peut-être, mais qui n'est pas entièrement faux. Bacall avait été remarquée par Hawks sur la couverture de *Harper's Bazaar*. Elle incarna à l'écran un type de femme indépendante, libre et sûre d'elle-même, servie par un physique anguleux et une voix inoubliable. *Maintenant*, publié en 1995, constitue ses Mémoires.

Bach, Barbara

Actrice américaine, de son vrai nom Goldbach, née en 1947.

1970, Io padre monsignore (Racioppi) ; 1971, Paolo il caldo (Ce cochon de Paolo) (Vicario), La tarantola dal ventro nero (La tarentule au ventre noir) (Cavara), La corta notte delle bambole di vetro (Lado), Un peu de soleil dans l'eau froide (Deray) ; 1972, Il maschio ruspante (Racioppi) ; L'ultima fortuna (L'ultime chance) (Lucidi) ; 1974, Il cittadino si ribella (Castellari), Il lupo dei mari (Vari) ; 1976, The Spy Who Loved Me (L'espion qui m'aimait) (Gilbert) ; 1977, Ecco noi per esempio (S. Corbucci), Force Ten from Navarrone (L'ouragan vient de Navarrone) (Hamilton) ; 1978, Jaguar Lives (Nom de code : Jaguar) (Pintoff), L'umanoide (L'humanoïde) (Lado), L'isola degli uomini pesce (Le continent des hommes poissons) (S. Martino), The Legend of the Sea Wolf (J. Green) ; 1979, Il fiume del grande caimano (Alligator) (S. Martino), The Unseen (Steinmann) ; 1980, Up the Academy (Downey) ; 1981, Caveman (L'homme des cavernes) (Gottlieb) ; 1983, Give my Regards to Broad Street (Rendez-vous à Broad Street) (Webb) ; 1986, To the Road of Kathmandu (Ryan).

Cette brune New-Yorkaise, au charme fort sensuel, a fait curieusement sa carrière en Italie dans la série B de la péninsule. Elle mérite d'avoir sa chapelle de fidèles au même titre que Chelo Alonso jadis. Sa filmographie très particulière est établie d'après la *Revue du Cinéma*, n° 379.

Bach

Acteur français, de son vrai nom Charles-Joseph Pasquier, 1882-1953.

1930, Le tampon du capiston (Toulout) ; 1931, En bordée (Wulschleger), Affaire Blaireau (Wulschleger) ; 1932, L'enfant de ma sœur (Wulschleger), Le champion du régiment (Wulschleger) ; 1933, Bach millionnaire (Wulschleger), Tire au flanc (Wulschleger) ; 1934, Sidonie Panache (Wulschleger), Le train de huit heures quarante-sept (Wulschleger), Bout de chou (Wulschleger) ; 1937, La cantinière de la coloniale (Wulschleger) ; 1938, Mon curé chez les riches (Boyer), Gargousse (Wulschleger) ; 1939, Le chasseur de chez Maxim's (Cammage), Bach en correctionnelle (Wulschleger) ; 1946, Le charcutier de Machonville (F. Ivernel) ; 1949, Le martyr de Bougival (Louvignac).

Roi du comique troupier : il faut l'avoir vu en abbé Sourire (*sic*) dans *Le champion du régiment*, remplaçant un châtelain à la caserne et, soldat malgré lui, accumulant les catastrophes avant de gagner un match de boxe. Et que dire aussi de *L'enfant de ma sœur*, où il s'appelle Napoléon Premié, et du *Train de huit heures quarante-sept* où il est La Guillaumette tandis que Fernandel joue Croquebol ?

Backus, Jim

Acteur américain, 1913-1989.

1942, The Pied Piper (Pichel) ; 1949, One Last Fling (Godfrey), Father Was a Fullback (Stahl), Easy Living (Tourneur), The Great Lover (Hall), A Dangerous Profession (Tetzlaff), Ma and Pa Kettle Go to Town (Lamont) ; 1950, Customs Agent, The Hollywood Story (Castle), Emergency Wedding (Buzzell), Bright Victory (Robson), The Killer That Stalked New York (McEvory), Emergency Wedding (Buzzell) ; 1951, Half Angel (Sale), His Kind of Woman (Fini de rire) (Farrow), The Man With a Cloak (Markle), I'll See You in My Dreams (La femme de mes rêves) (Curtiz), Iron Man (Pevney), I Want You (Robson) ; 1952, Deadline USA (Bas les masques) (Brooks), Pat and Mike (Cukor), Here Come the Nelsons (Cordova), The Rose Bowl Story (Beaudine), Don't Bother the Knock (Troublez-moi ce soir) (Baker), Androcles and the Lion (Erskine), Above and Beyond (Frank, Panama) ; 1953, I Love Melvin (Don Weis), Angel Face (Un si doux visage) (Preminger), Geraldine (Springsteen) ; 1954, Deep in My Heart (Au fond de mon cœur) (Donen) ; 1955, Francis in the Navy (Lubin), Rebel Without a Cause (La fureur de vivre) (Ray), The Square Jungle (Hopper), Francis in the Navy (Lubin) ; 1956, Meet Me in Las Vegas (Viva Las Vegas) (Rowland), The Naked Hills (Schaftel), You Can't Run Away From It (L'extravagante héritière) (Powell), The Opposite Sex (Miller), The Great Man (Ferrer), The Girl He Left Behind (Butler) ; 1957, Top Secret Affair (Potter), Man of a Thousand Faces (L'homme aux mille visages) (Perney), Eighteen and Anxious (Parker) ; 1958, The High Cost of Loving (J. Ferrer), Macabre (Castle) ; 1959, Ask Any Girl (Une fille très avertie) (Walters), The Wild and the Innocent (Sher), A Private's Affair (Les déchaînés) (Walsh), The Big Operator (Haas) ; 1960, Ice Palace (V. Sherman) ; 1962, The Horizontal Lieutenant (Thorpe), Boys' Night Out (Anthony), The Wonderful World of the Brothers Grimm (Les amours enchantées) (Pal), Zotz ! (Castle) ; 1963, Johnny Cool (La revanche du Silicien) (Asher), My Six Loves (G. Champion), Critic's Choice (Weis), The Wheeler Dealers (A. Hiller), It's a Mad, Mad, Mad World (Un monde fou, fou, fou) (Kramer), Sunday in New York (Tewkesbury), Johnny Cool (Asher) ; 1964, John Goldfarb Please Come Home (Lee-Thompson), Advance to the Rear (Le bataillon des lâches) (G. Marshall) ; 1965, Fluffy (Bellamy), Billie (Weis) ; 1966, Hurry Sundown (Que vienne la nuit) (Preminger) ; 1967, Don't Make Waves (Mackendrick) ; 1968, Hello Down There (Arnold), Where Were You When the Lights Went Out ? (Où étiez-vous quand les lumières se sont éteintes ?) (Averback) ; 1969, The Cockeyed Cow-Boys of Calico Country (MacDougall) ; 1970, Myra Breckinridge (Hermaphrodite) (Sarne) ; 1972, Now You See Him, Now You Don't (Butler) ; 1975, Friday Foster (Marks), Crazy Mama (Demme) ; 1977, Pete's Dragon (Peter et Elliott le dragon) (Chaffey) ; 1979, Good Guys Wear Black (Post), Angels' Brigade (Clark) ; 1984, Slapstick (of Another Kind) (Paul), Prince Jack (Lovitt).

Cet ancien acteur radiophonique joue à l'écran les rôles d'Américain moyen. Il doit sa célébrité au fait qu'il prêta sa voix au *M. Magoo* des dessins animés et qu'il fut le père, effacé et veule, de James Dean dans *Rebel Without a Cause*.

Baclanova, Olga

Actrice américaine d'origine russe, 1899-1974.

1914-1917, plusieurs films en Russie ; 1928, The Dove (West), The Street of Sin (Stiller), Forgotten Faces (Schertzinger), The Docks of New York (Les damnés de l'océan) (Sternberg), Three Sinners (Lee), The Man who Laughs (L'homme qui rit) (Leni), Avalanche (Brower) ; 1929, A Dangerous Woman (Lee), The Wolf of Wall Street (Lee), The man I Love (Wellman) ; 1930, Cheer up and Smile (Lanfield), Are You There ? (Mad Fadden) ; 1931, The Great Lover (Beaumont) ; 1932, Freaks (La monstrueuse parade) (Browning) ; 1933, Billion Dollar Scandal (Brown) ; 1943, Claudie (Goulding).

Grande actrice de théâtre née à Moscou et qui, fuyant la révolution, vint à Hollywood. Elle joua dans quelques grands films de Sternberg et de Leni, mais c'est dans *Freaks*, où elle était défigurée par les monstres, qu'elle atteignit son sommet.

Bacon, Kevin

Acteur et réalisateur américain né en 1958.

1978, National Lampoon's Animal House (American college) (Landis) ; 1979, Starting Over (Merci d'avoir été ma femme) (Pakula) ; 1980, Forty Deuce (New York, 42e rue) (Morrissey), Hero at Large (Davidson) ; 1981, Friday the 13th (Vendredi 13) (Cunningham), Only When I Laugh (G. Jordan) ; 1982, Diner (Dîner) (Levinson) ; 1983, Enormous Changes at the Last Minute (Bank et Hovde) ; 1984, Footloose (Footloose) (Ross) ; 1986, Quicksilver (Donnelly) ; 1987, White Water Summer (Bleckner), Planes, Trains and Automobiles (Un ticket pour deux) (Hughes), End of the Line (Russell) ; 1988, Criminal Law (La loi criminelle) (Campbell), She's Having a Baby (La vie en plus) (Hughes) ; 1989, The Big Picture (Guest) ; 1990, Tremors (Tremors) (Underwood), Flatliners (L'expérience interdite) (Schumacher) ; 1991, Pyrates (Stern), JFK (JFK) (Stone), Queens Logic (Rash), He Said, She Said (Silver et Kwapis) ; 1992, A Few Good Men (Des hommes d'honneur) (R. Reiner) ; 1994, The River Wild (La rivière sauvage) (Hanson), The Air Up There (Glaser) ; 1995, Murder in the First (Meurtre à Alcatraz) (Rocco), Apollo 13 (Apollo 13) (Howard) ; 1996, Sleepers (Sleepers) (Levinson), Picture Perfect (Gordon Caron), Telling Lies in America (Ferland) ; 1997, Digging to China (Hutton), Wild Things (Sexcrimes) (McNaughton) ; 1998, My Dog Skip (Russell), Elizabeth Jane (Ward) ; 1999, Stir of Echoes (Hypnose) (Koepp), Hollow Man (Hollow Man — L'homme sans ombre) (Verhoeven), We Married Margo (Shapiro) ; 2000, Novocaine (Atkins) ; 2003, Mystic River (Mystic River) (Eastwood). *Comme réalisateur :* 1995, Losing Chase ; 2005, Beauty Shop (Beauty Shop) (Whoodruff), Where the Truth Lies (La Vérité nue) (Egoyan) ; 2006, The Woodsman (The Woodsman) (Kassell) ; 2007, The Golden Compass (À la croisée des mondes, les royaumes du Nord) (Weitz).

Popularisé par le film musical *Footloose*, il est relégué par la suite dans d'ineptes comédies pour adolescents. Avec *Des hommes d'honneur* et *La rivière sauvage*, il montre qu'il peut également être crédible dans des rôles dramatiques, acquérant ainsi une nouvelle maturité.

Baconnet, Georges
Acteur français, 1892-1961.

1945, Le jugement dernier (Chanas) ; 1947, La carcasse et le tord-cou (Chanas) ; 1949, Nous irons à Paris (Boyer) ; 1950, Le rosier de Mme Husson (Boyer) ; 1951, Jamais deux sans trois (Berthomieu), Seul dans Paris (Bromberger), Le plaisir (Ophuls), Deux sous de violettes (Anouilh) ; 1952, Je suis un mouchard (Chanas), Le trou normand (Boyer) ; 1955, La Madelon (Boyer), Futures vedettes (Allégret) ; 1956, La fille Élisa (Richebé), La joyeuse prison (Berthomieu), Les copains du dimanche (Aisner) ; 1957, Sénéchal le magnifique (Boyer) ; 1958, Péché de jeunesse (Thévenet) ; 1959, Le mariage de Figaro (Meyer).

Cet illustre pensionnaire de la Comédie-Française s'est commis parfois au cinéma où sa rondeur fit merveille dans des rôles de maire ou de notable.

Bacri, Jean-Pierre
Acteur français né en 1951.

1979, La femme intégrale (Guilmain), Le toubib (Granier-Deferre) ; 1981, Le grand pardon (Arcady) ; 1983, Tango (Kurc), Coup de foudre (Kurys), Le grand carnaval (Arcady), Édith et Marcel (Lelouch) ; 1984, La 7e cible (Pinoteau) ; 1985, La galette du roi (Ribes), Subway (Besson), Escalier C (Tacchella), Suivez mon regard (Curtelin) ; 1986, On ne meurt que deux fois (Deray), Rue du départ (Gatlif), Un homme amoureux (Kurys), États d'âme (Fansten), L'été en pente douce (Krawczyk) ; 1987, Les saisons du plaisir (Mocky), Mort un dimanche de pluie (Santoni) ; 1988, Mes meilleurs copains (Poiré), Bonjour l'angoisse (Tchernia) ; 1990, La Baule-les-Pins (Kurys), La tribu (Boisset) ; 1991, L'homme de ma vie (Tacchella), Le bal des casse-pieds (Robert) ; 1992, Cuisine et dépendances (Muyl) ; 1993, La cité de la peur (Berberian) ; 1995, Un air de famille (Klapisch) ; 1996, Didier (Chabat) ; 1997, On connaît la chanson (Resnais), Place Vendôme (Garcia) ; 1999, Peut-être (Klapisch), Kennedy et moi (Karmann), Le goût des autres (Jaoui) ; 2002, Une femme de ménage (Berri) ; 2003, Les sentiments (Lvovsky), Comme une image (Jaoui) ; 2006, Selon Charlie (Garcia).

Né à Casablanca, il grandit à Marseille avant de monter à Paris. Beaucoup de petits rôles de pieds-noirs avant d'imposer un personnage de râleur grande gueule. Associé à Agnès Jaoui, il coécrit plusieurs pièces de théâtre à succès (toutes portées à l'écran) et devient une immense vedette populaire grâce à *Un air de famille* et surtout *Le goût des autres*, où il est un beauf inculte qui essaie d'intégrer le milieu des artistes. Désormais, tout ce qu'il touche se transforme en or.

Badie, Laurence
Actrice française née en 1934.

1951, Jeux interdits (Clément) ; 1952, Suivez cet homme (Lampin), La vie d'un honnête homme (Guitry) ; 1953, L'amour d'une femme (Grémillon) ; 1954, Les impures (Chevalier) ; 1955, Razzia sur la schnouf (Decoin) ; 1956, La traversée de Paris (Autant-Lara), Lust for Life (la vie passionnée de Vincent Van Gogh) (Minnelli) ; 1962, Le meurtrier (Autant-Lara), Muriel (Resnais) ; 1963, Maigret voit rouge (Grangier), La peau douce (Truffaut) ; 1964, La bonne occase (Drach), Patate (Thomas) ; 1965, La guerre est finie (Resnais) ; 1967, L'homme à la Buick (Grangier) ; 1969, La maison de campagne (Girault) ; 1972, Les volets clots (Brialy) ; 1977, Va voir maman... papa travaille (Leterrier) ; 1978, Vas-y maman ! (de Buron) ; 1980, Les malheurs d'Octavie (Urban) ; 1981, Le cadeau (Lang) ; 1982, Prends ton passe-montagne, on va à la plage (Matalon) ; 1984, Tranches de vie (Leterrier) ; 1997, Les visiteurs 2 : Les couloirs du temps (Poiré).

Elle débute dans les années 50 sous l'égide de Jean Vilar, au TNP, qu'elle quitte bientôt pour la comédie. Beaucoup de théâtre et de télévision pour cette blonde à la gouaille communicative, dont la voix de souris se prête formidablement au doublage de dessins animés...

Baer, Édouard
Acteur et réalisateur français né en 1966.

1994, La folie douce (Jardin), Parlez après le signal sonore (Jahan) ; 1995, First (Desarthe) ; 1996, L'appartement (Mimouni), Velvet (Deygas) ; 1997, Héroïnes (Krawczyk), Rien sur Robert (Bonitzer) ; 1999, La Bostella (Baer) ; 2000, La chambre des magiciennes (Miller) ; 2001, Betty Fisher et autres histoires (Miller), Dieu est grand et je suis toute petite (Bailly), Cravate club (Jardin) ; Astérix et Obélix : mission Cléopâtre (Chabat) ; 2002, Le bison (et sa voisine Dorine) (Nanty) ; 2003, Les clefs de la bagnole (Baffie), Double zéro (Pirès), Le rôle de sa vie (Favrat), Mensonges et trahisons et plus si affinités... (Tirard), A boire (Vernoux) ; 2004, Akoibon (Baer) ; 2005, Combien tu m'aimes ? (Blier) ; 2006, Les brigades du Tigre (Cornuau) ; 2007, Molière (Tirard). *Comme réalisateur :* 1999, La Bostella ; 2004, Akoibon.

Fils d'un compositeur, il fait ses débuts à la télévision dans *Nulle part ailleurs* sur Canal Plus. C'est cette expérience qu'il transpose dans son film *La Bostella*. Sa filmographie comme acteur est riche en œuvres qui ne connurent qu'une diffusion très restreinte.

Bai Ling

Actrice chinoise née en 1970.

Principaux films : 1994, The Crow (The Crow) (Proyas) ; 1995, Nixon (Nixon) (Stone) ; 2004, She Hate Me (She Hate Me) (Spike Lee) ; 2006, Nouvelle cuisine (Chan).

Fille d'un compositeur victime de la révolution culturelle, elle a autant tourné avec des réalisateurs américains que chinois. C'est à Fruit Chan qu'elle doit son meilleur rôle, celui d'une star de la télé qui se nourrit de beignets de fœtus pour reconquérir son mari infidèle.

Bain, Barbara

Actrice américaine née en 1931.

1968, Impossible Mission (Mission impossible) (Stanley) ; 1988, Skinheads (Clark) ; 1989, Trust Me (Houston) ; 1990, The Spirit of '76 (L. Reiner) ; 1997, Animals (Animals) (Di Jiacomo) ; 1998, Gideon (Hoover) ; 2000, Panic (Bromell), Bel Air (Ch. Coppola), American Gun (Jacobs).

De la danse avec Martha Graham, de l'art dramatique avec Lee Strasberg, et la belle Barbara Bain gagne la notoriété grâce à son rôle de Cinnamon Carter dans la série « Mission impossible ». Elle y rencontre Martin Landau, dont elle sera l'épouse pendant près de trente ans et avec lequel elle tiendra la vedette de la kitschissime série « Cosmos 1999 » vers 1975. Dévolue quasi entièrement à la télévision, elle tourne un peu au cinéma à partir de 1990 dans des œuvres restées pour la plupart confidentielles.

Bai Yang

Actrice chinoise, de son vrai nom Yang Chengfang, 1920-1996.

Principaux films : 1932, Gugong xinyuan (Nouveaux chagrins dans le palais) (Hou Yao) ; 1937, Shizi jietou (Carrefour) (Shen Xiling) ; 1939, Zhonghua ernu (Fils et filles de Chine) (Shen Xiling) ; 1940, Qingnian Zhongguo (Jeune Chine) (Su Yi) ; 1947, Yijang chunshui xiang dong Liu (Larmes du Yang Tsé) (Zheng Junli) ; 1959, Chun man renjian (Le printemps règne partout) (Sanh Hu).

Inconnue en France, comme ses films d'ailleurs, Bai Yang, à travers une trentaine de bandes, résume, selon son spécialiste Régis Bergeron, toute l'histoire du cinéma chinois. A partir de 1960, elle a exercé d'importantes fonctions politiques.

Baker, Carroll

Actrice américaine née en 1931.

1953, Easy to Love (Désir d'amour) (Walters) ; 1956, Giant (Géant) (Stevens), Baby Doll (Poupée de chair) (Kazan) ; 1958, The Big Country (Les grands espaces) (Wyler) ; 1959, The Miracle (Rapper), But Not for Me (W. Lang) ; 1960, Le pont vers le soleil (Périer), Something Wild (Au bout de la nuit) (Garfein) ; 1962, How the West Was Won (La conquête de l'Ouest) (Hathaway, Ford, Marshall) ; 1963, Station Six Sahara (Holt), Flight From Ashiya (Les trois soldats de l'aventure) (Anderson), The Carpetbaggers (Les ambitieux) (Dmytryk), Cheyenne Autumn (Les Cheyennes) (Ford) ; 1965, Sylvia (Douglas), The Greatest Story Ever Told (La plus grande histoire jamais contée) (Stevens), Mister Moses (Neame), Harlow (Douglas) ; 1967, L'harem (Le harem) (Ferreri), Jack of Diamonds (Taylor) ; 1968, Orgasmo (Une folle envie d'aimer) (Lenzi), Paranoïa (Lenzi), The Sweet Body of Deborah (Guerrieri) ; 1969, Cosi dolce... cosi perversa (Si douces, si perverses) (Lenzi), La ultima señora Anderson (Martin) ; 1971, Captain Apache (Capitaine Apache) (Singer) ; 1973, Baba Yaga (Farina), Il coltello di ghiaccio (Lenzi) ; 1974, The Devil Has Seven Faces (Cavoricini), Il corpo (Scattini) ; 1975, James Dean (Connolly), Lezione privati (Sisti) ; 1976, Andy Warhol's Bad (Johnson), Ciclon (Cyclone) (Cardona Jr), La moglie vergine (Bianchi), Il corpo (Scatini), La moglie di mio padre (Bianchi), Il fiore dai petali d'acciaio (Piccioli), Ab morgen sind wir reich und ehrlich (Antel), Zerschossene Träume (L'appât) (Patzak) ; 1978, Ab Morgen sind wir reich und ehrlich (Antel) ; 1979, The World Is Full of Married Men (Le monde est plein d'hommes mariés) (Young) ; 1980, The Watcher in the Woods (Les yeux de la forêt) (Hough) ; 1983, Red Monarch (Gold) ; 1984, Star 80 (Star 80) (Fosse), The Secret Diary of Sigmund Freud (Greene) ; 1985, Hitler's SS (Goddard) ; 1986, Native Son (Freedman) ; 1988, Ironweed (Ironweed, la force du destin) (Babenco) ; 1990, Kindergarten Cop (Un flic à la maternelle) (Reitman) ; 1991, Blonde Fist (Clarke) ; 1993, Jackpot (Orfini) ; 1995, Im Sog des Bösen (Müllerschön) ; 1996, Skeletons (DeCoteau) ; 1997, The Game (The Game) (Fincher), Nowhere to Go (Caire), Rag & Bone (Lieberman).

Danseuse de night-club, elle se vit proposer un petit rôle dans *Easy to Love*. Sa blonde ingénuité pimentée d'un côté pervers la fit engager pour *Baby Doll*. Elle resta à jamais l'héroïne de ce film dont elle ne cessa de tourner de médiocres remakes : *The Sweet Body of Deborah, So Sweet... So Perverse*, etc. Elle ne fut guère convaincante en Jean Harlow ni dans un honnête mélo comme *Sylvia* qui lui auraient permis d'éviter d'être l'actrice d'un seul rôle. On la retrouve, vieillie, dans le rôle de la mère de *Star 80*. Mais quelle actrice !

Baker, Joséphine

Actrice française d'origine américaine, 1906-1975.

1934, Zouzou (Allégret) ; 1935, Princesse Tam-Tam (Greville) ; 1940, Fausse alerte (Baroncelli).

Révélée par la *Revue nègre* de 1925, cette pittoresque chanteuse et danseuse noire, vite devenue la coqueluche du Tout-Paris, n'a guère été utilisée par le cinéma. On peut le déplorer.

Baker, Stanley

Acteur britannique, 1927-1976.

1943, Undercover (Nolbandov) ; 1949, Your Witness (Montgomery), The Hidden Room (Obsession) (Dmytryk), All Over the Time (Twist) ; 1950, Home to Danger (Fisher), The Rossiter Case (Searle), Captain Horacio Hornblower (Capitaine sans peur) (Walsh), Lili Marlene (Crabtree) ; 1951, Cloudburst (Searle) ; 1952, The Cruel Sea (La mer cruelle) (Frend), Whispering Smith Hits London (Searle) ; 1953, The Red Berets (Les bérets rouges) (T. Young), The Tell-Tale Heart (court métrage, Williams) ; 1954, Hell Below Zero (L'enfer en dessous de zéro) (Robson), Knights of The Round Table (Les chevaliers de la table ronde) (Thorpe), The Good Die Young (Les bons meurent jeunes) (Gilbert), Alexander the Great (Alexandre le Grand) (Rossen) ; 1955, Helen of Troy (Hélène de Troie) (Wise), Beautiful Stranger ou Twist of Fate (Meurtre sur la Riviera) (D. Miller), Richard III (Olivier) ; 1956, Back from Korea (Les échappés de l'enfer) (Amyes), Child in the House (Endfield), Checkpoint (A tombeau ouvert) (R. Thomas) ; 1957, Campbell's Kingdom (La vallée de l'or noir) (Thomas), Hell Drivers (Train d'enfer) (Endfield), Violent Playground (Jeunesse délinquante) (Deraden) ; 1958, Blind Date (L'enquête de l'inspecteur Morgan) (Losey), Sea Fury (Les requins de haute mer) (Endfield) ; 1959, The Angry Hills (Trahison à Athènes) (Aldrich), Jet Storm (Endfield), Yesterday's Enemy (Section d'assaut sur le Sittang) (Guest), Hell is a City (Un homme pour le bagne) (Guest) ; 1960, Guns of Navarone (Les canons de Navarone) (Lee-Thompson), The Concrete Jungle ou The Criminal (Les criminels) (Losey) ; 1962, Sodome and Gomorrah (Sodome et Gomorrhe) (Aldrich), A Prize of Arms (Les clés de la citadelle) (Owen) ; 1963, In the French Style (A la française) (Parrish), The Man who Finally Died (Lawrence), Zoulou (Endfield), Eva (Losey), Dingaka (Dingaka le sorcier) (Uys) ; 1965, The Sands of Kalahari (Les sables de Kalahari) (Endfield) ; 1967, Accident (L'accident) (Losey), Robbery (Trois milliards d'un coup) (Yates), Where's Jack ? (Les bas-fonds de Londres) (Clavel) ; 1968, La ragazza con la pistola (La fille au pistolet) (Monicelli) ; 1969, The Last Grenade (La dernière grenade) (Fleming), The Games (Winner), Perfect Friday (L'arnaqueuse) (Hall) ; 1970, Popsy Pop (Herman) ; 1971, Una lucertola con la pelle di donna (Fulci) ; 1972, Innocent Bystanders (Nid d'espions à Istanboul) (Collinson) ; 1974, Zorro (Zorro) (Tessari).

Ce solide Gallois, fils de mineur, a beaucoup joué au théâtre avec notamment le Birmingham Repertory, avant d'aborder en 1943 le cinéma. Voué par sa large stature aux films d'action de seconde catégorie, il rencontre Losey qui va lui offrir l'occasion de déployer ses talents de comédien : l'inspecteur de police de *Blind Date*, le chef de gang des *Criminels*, le jouet de Jeanne Moreau dans *Eva* et le professeur désabusé d'*Accident*, autant de créations qui attirent l'attention sur Baker. Il se révèle non moins excellent chez Endfield (*Zoulou, Les sables de Kalahari*). Mais la mort vint interrompre une carrière riche encore en promesses.

Balasko, Josiane

Actrice et réalisatrice française, de son vrai nom Balaskovic, née en 1950.

1973, Si vous n'aimez pas ça, n'en dégoûtez pas les autres (Lewin), L'an 01 (Doillon, Resnais, Gébé) ; 1974, Les valseuses (Blier) ; 1976, Le locataire (Polanski) ; 1977, L'animal (Zidi), Une fille unique (Nahoum), Dites-lui que je l'aime (Miller), Monsieur Papa (Monnier), Les petits câlins (Poiré), Nous irons tous au Paradis (Robert), Herbie Goes to Monte-Carlo (La Coccinelle à Monte-Carlo) (McEveety) ; 1978, La tortue sur le dos (Béraud), Les héros n'ont pas froid aux oreilles (Nemès), Pauline et l'ordinateur (Fehr), Les bronzés (Leconte) ; 1979, Les bronzés font du ski (Leconte) ; 1980, Clara et les chics types

(Monnet) ; 1981, Les hommes préfèrent les grosses (Poiré), Le maître d'école (Berri), Hôtel des Amériques (Téchiné) ; 1982, Papy fait de la résistance (Poiré), Le père Noël est une ordure (Poiré) ; 1983, P'tit con (Lauzier), Signes extérieurs de richesse (Monnet) ; 1984, La vengeance du serpent à plumes (Oury), La smala (Hubert) ; 1985, Tranches de vie (Leterrier), Sac de nœuds (Balasko) ; 1986, Nuit d'ivresse (Nauer), Les frères Pétard (Palud) ; 1987, Les keufs (Balasko), Sans peur et sans reproche (Jugnot) ; 1988, Une nuit à l'assemblée nationale (Mocky) ; 1989, Trop belle pour toi (Blier) ; 1990, Les secrets professionnels du docteur Apfelglück (Lhermitte, Clavier, Palud, Capone, Ledoux) ; 1991, Ma vie est un enfer (Balasko) ; 1993, L'ombre du doute (Isserman), Tout le monde n'a pas eu la chance d'avoir des parents communistes (Zilbermann) ; 1994, Grosse fatigue (Blanc), Gazon maudit (Balasko) ; 1996, Arlette (Zidi), Didier (Chabat) ; 1997, Un grand cri d'amour (Balasko) ; 1999, Le fils du Français (Lauzier), Les acteurs (Blier), Le libertin (Aghion) ; 2000, Un crime au paradis (Becker) ; 2001, Absolument fabuleux (Aghion) ; 2002, Le raid (Bensalah) ; 2003, Cette femme-là (Nicloux) ; 2004, Madame Édouard (Monfils) ; 2005, L'ex-femme de ma vie (Balasko), J'ai vu tuer Ben Barka (Le Péron), La vie est à nous ! (Krawczyk) ; 2006, Les bronzés 3, Amis pour la vie (Leconte). *Pour la réalisatrice*, voir le *Dictionnaire du cinéma*, t. I : *Les réalisateurs*.

Venue du café-théâtre et de la troupe du Splendid, elle joue les « boudins », les « bonnes femmes », les Françaises moyennes avec un énorme talent. Sa composition en rivale heureuse de Carole Bouquet est fabuleuse dans *Trop belle pour toi*. Elle est aussi scénariste (*Retour en force* de Poiré en 1979, *L'année prochaine, si tout va bien* de Jean-Loup Hubert en 1981), et joue dans ses propres films. Sa composition de lesbienne de choc venant troubler le ménage Chabat-Abril dans *Gazon maudit* est irrésistible, mais elle finit par se prendre au sérieux et joue le rôle de... Marguerite Duras dans *J'ai vu tuer Ben Barka*.

Baldwin, Alec

Acteur et réalisateur américain né en 1958.

1986, Forever Lulu (Kollek) ; 1988, Married to the Mob (Veuve mais pas trop) (Demme), Working Girl (Working Girl) (Nichols), Beetlejuice (Beetlejuice) (Burton), She's Having a Baby (La vie en plus) (Hughes) ; 1989, Great Balls of Fire ! (Great Balls of Fire) (McBride) ; 1990, The Hunt for Red October (A la poursuite d'Octobre-Rouge) (McTiernan), Miami Blues (Miami Blues) (Armitage), Alice (Alice) (Allen), Talk Radio (Talk Radio) (Stone) ; 1991, The Marrying Man (La chanteuse et le milliardaire) (Rees), Prelude to a Kiss (Rene) ; 1992, Glengarry Glen Ross (Glengarry) (Foley) ; 1993, Malice (Malice) (Becker) ; 1994, The Getaway (Guet-apens) (Donalson), The Shadow (The Shadow) (Mulcahy), Heaven's Prisoners (Vengeance froide) (Joanou) ; 1995, The Juror (La jurée) (Gibson), Looking for Richard (Looking for Richard) (Pacino) ; 1996, Ghosts of Mississippi (Reiner) ; 1997, The Edge (A couteaux tirés) (Tamahori), Mercury Rising (Code Mercury) (Becker) ; 1998, The Confession (Jones), Outside Providence (Corrente), Thick as Thieves (Comme un voleur) (Sanders) ; 1999, Notting Hill (Coup de foudre à Notting Hill) (Michell), Thomas and the Magic Railroad (Allcroft) ; 2000, State and Maine (State and Main) (Mamet), Like Cats and Dogs (Guterman), Pearl Harbor (Pearl Harbor) (Bay) ; 2001, The Devil and Daniel Webster (Baldwin), The Royal Tenenbaums (La famille Tenenbaum) (Anderson) 2002, The Adventure of Pluto Nash (Pluto Nash) (Underwood) ; 2003, The Cat in the Hat (Le chat chapeauté) (Welch) ; 2004, The Cooler (Lady Chance) (Kramer) ; The Aviator (Aviator) (Scorsese), Along Came Polly (Polly et moi) (Hamburg), Elizabethtown (Rencontres à Elizabethtown (Crowe) ; 2006, Fun with Dick and Jane (Braqueurs amateurs) (Parisot), The Departed (Les infiltrés) (Scorsese) ; 2007, Runing with Scissors (Courir avec des ciseaux) (R. Murphy), The Good Shepherd (The Good Shepherd) (De Niro). *Comme réalisateur :* 2001, The Devil and Daniel Webster.

Une carrière en dents de scie pour cet acteur aux performances généralement très physiques. Il lui manque encore le grand rôle qui révélera toute l'étendue de son talent.

Baldwin, William

Acteur américain né en 1963.

1970, Brewster McCloud (Brewster McCloud) (Altman) ; 1989, Born on the Fourth of July (Né un 4 juillet) (Stone) ; 1990, Internal Affairs (Affaires privées) (Figgis), Flatliners (L'expérience interdite) (Schumacher) ; 1991, Backdraft (Backdraft) (Howard) ; 1993, Three of Hearts (Bogayevicz), The Last Party (Benjamin et Levin), Sliver (Sliver) (Noyce) ; 1994, A Pyromaniac's Love Story (Brand) ; 1995, Fair Game (Fair Game) (Sipes), Curdled (Sang-froid) (Braddock) ; 1997, Shattered Image (Ruiz), Virus (Virus)

(Bruno) ; 1998, Bulworth (Bulworth) (Beatty) ; 1999, Primary Suspect (Celentano) ; 2001, One Eyed King (Moresco).

Frère du précédent (il y en a encore deux autres, également acteurs, Stephen et Daniel). Moins charismatique, mais peut-être plus sensuel.

Bale, Christian

Acteur anglais né en 1974.

1987, Empire of the Sun (Empire du soleil) (Spielberg), Mio min Mio (Grammatikov) ; 1989, Henry V (Henry V) (Branagh) ; 1992, Newsies (Ortega) ; 1993, Swing Kids (Swing Kids) (Carter) ; 1994, Little Women (Les quatre filles du docteur March) (Armstrong), Amled, Prinsen af Jylland (Le prince de Jutland) (Axel) ; 1996, The Secret Agent (L'agent secret) (Hampton), The Portrait of a Lady (Portrait de femme) (Campion) ; 1997, Metroland (Metroland) (Saville), Velvet Goldmine (Velvet Goldmine) (Haynes), All the Little Animals (All the Little Animals) (Thomas) ; 1998, A Midsummer's Night Dream (Le songe d'une nuit d'été) (Hoffman) ; 1999, American Psycho (American Psycho) (Harron) ; 2000, Shaft (Shaft) (Singleton), Captain Corelli's Mandolin (Madden) ; 2001, Equilibrium (Wimmer), Reign of Fire (Le règne du feu) (Bowman) ; 2005, Batman Begins (Batman Begins) (Nolan), The Machinist (The Machinist) (Anderson) ; 2005, The New World (Le Nouveau Monde) (Malick) ; 2006, The Prestige (Le prestige) (Nolan) ; 2007, Harsh Times (Bad Times) (Ayer).

Sélectionné par Spielberg parmi quatre mille postulants pour le rôle principal d'*Empire du soleil*, on ne le voit par la suite que dans des emplois plus secondaires jusqu'en 1995, où il tient le rôle-titre du *Prince de Jutland*, situé au Moyen Age. Très doué mais manquant sans doute du magnétisme qui en ferait une star, il est néanmoins très touchant, face à John Hurt, en simplet amoureux des animaux dans *All the Little Animals*. En 2005, il reprend le rôle de Batman.

Balibar, Jeanne

Actrice française née en 1968.

1991, La sentinelle (Desplechin) ; 1993, La folie douce (Jardin) ; 1994, Un dimanche à Paris (Duhamel), Le beau Pavel (Genet) ; 1995, La croisade d'Anne Buridan (Cahen) ; 1996, Comment je me suis disputé... (ma vie sexuelle) (Desplechin) ; 1997, J'ai horreur de l'amour (Ferreira Barbosa), Dieu seul me voit (Podalydès), Mange ta soupe (Amalric) ; 1998, Fin août, début septembre (Assayas), Trois ponts sur la rivière (Biette) ; 1999, Ça ira mieux demain (Labrune) ; 2000, Sade (Jacquot), La comédie de l'innocence (Ruiz), Le stade de Wimbledon (Amalric) ; 2001, Va savoir ! (Rivette), Avec tout mon amour (Escriva), Intimisto (Eminenti) ; 2002, Une affaire privée (Nicloux), 17 fois Cécile Cassard (Honoré) ; 2003, Saltimbank (Biette) ; 2004, Clean (Assayas) ; 2006, Calle me Agostino (Laurent) ; 2007, J'aurais voulu être un danseur (Berliner), Ne touchez pas la hache (Rivette).

Normale Sup puis le cours Florent, le Conservatoire, et enfin la Comédie-Française : un parcours rectiligne sans fausse note. Cérébrale mais décalée, on la remarque chez Desplechin et elle tient le rôle principal du surprenant *J'ai horreur de l'amour*, dans lequel elle joue un médecin en proie aux doutes existentiels, avant de camper une cinéaste intello dans l'iconoclaste *Dieu seul me voit*. En 2003, elle joue *Le soulier de satin* au théâtre.

Balin, Mireille

Actrice française, 1909-1968.

1933, Vive la compagnie (Moulins), Don Quichotte (Pabst), Le sexe faible (Siodmak) ; 1934, Si j'étais le patron (Pottier), On a trouvé une femme nue (Joannon) ; 1935, Marie des Angoisses (Bernheim) ; 1936, Le roman d'un spahi (Bernheim), Jeunes filles de Paris (Vermorel) ; 1937, Pépé le Moko (Duvivier), Gueule d'amour (Grémillon), Naples au baiser de feu (Genina) ; 1938, Terre de feu (L'Herbier), La Vénus de l'or (Delannoy) ; 1939, Coups de feu (Barbéris), L'assedio dell'Alcazar (Le siège de l'Alcazar) (Genina), Le capitaine Benoît (Canonge), Menaces (Greville) ; 1940, Macao (Delannoy), Rappel immédiat (Mathot) ; 1941, Fromont jeune et Risler aîné (Mathot) ; 1942, L'assassin a peur la nuit (Delannoy), Dernier atout (Becker), La femme que j'ai le plus aimée (Vernay), Haut le vent (Baroncelli), Malaria (Gourguet) ; 1946, La dernière chevauchée (Mathot).

Femme fatale des années 30, elle fut la partenaire de Gabin dans *Pépé le Moko* et *Gueule d'amour*. Ce couple prestigieux donnait aux deux films une autre dimension que celle prévue par le scénariste. Après 1945, la carrière de Mireille Balin s'interrompt brusquement.

Ball, Lucille

Actrice américaine, 1911-1989.

1933, Roman Scandals (Tuttle), Broadway through a Keyhole (L. Sherman) ; 1934, Hold

That Girl (McFadden), Bottoms Up (Butler), Moulin-Rouge (Lanfield), Kid Millions (Del Ruth), Murder at the Vanities (Leisen), Nana (Arzner), Broadway Bill (Capra), Top Hat (Le danseur du dessus) (Sandrich) ; 1935, Carnival (Wilcox), Roberta (Seiter), Old Man Rhythm (Ludwig), I Dream too Much (Griseries) (Cromwell) ; 1936, Chatterbox (Santley), Follow the Fleet (Suivez la flotte) (Sandrich) ; 1937, That Girl from Paris (Jason), Stage Door (La Cava) ; 1938, The Joy of Living (Quelle joie de vivre) (Garnett) ; Having Wonderful Time (Santel), The Affairs of Annabel (Landers), Room Service (Seiter), Next Time I Marry (Kanin) ; 1939, Five Came Back (Farrow) ; That's Right You're Wrong (Butler) ; 1940, Dance Girl Dance (Arzner) ; 1941, Too Many Girls (Abbott), Look Who's Laughing (Dwan) ; 1942, Valley of the Sun (Marshall), Seven Day's Leave (Whelan), The Big Street (Reis) ; 1943, Du Barry Was a Lady (La Du Barry était une dame) (Del Ruth), Best Foot Forward (Buzzell) ; 1944, Thousands Cheer (Parade aux étoiles) (Sidney), Meet the People (Reisner) ; 1945, Without Love (S. Bucquet) ; 1946, Ziegfeld Follies of 1946 (Minnelli), Easy to Wed (Ève éternelle) (Buzzell), Libeled Lady (Conway), The Dark Corner (L'impasse tragique) (Hathaway), Two Smart People (Dassin), Lover Come Back (Seiter), Lured (Des filles disparaissent) (Sirk), Her Husband's Affairs (Simon) ; 1949, Easy Living (Tourneur), Miss Grant Takes Richmond (Bacon), The Fuller Brush Girl (Bacon), Sarrowful Jones (Lanfield) ; 1950, Fancy Pants (Propre à rien) (Marshall) ; 1951, The Magic Carpet (L'aigle rouge de Bagdad) (Landers) ; 1954, The Long Long Trailer (La roulotte du plaisir) (Minnelli) ; 1956, Forever Darling (Hall) ; 1960, The Facts of Life (Voulez-vous pécher avec moi ?) (Frank et Panama) ; 1963, Critic's Choice (Weis) ; 1968, Yours Mine and Ours (Shavelson) ; 1974, Mame (Mame) (Saks).

Ancienne « Goldwyn Girl », elle s'imposa comme chanteuse à partir de 1942, mais ne fut jamais, malgré de nombreuses prestations, une star à part entière de la comédie musicale.

Balmer, Jean-François
Acteur suisse né en 1946.

1972, R.A.S. (Boisset) ; 1973, La gueule ouverte (Pialat), Le mouton enragé (Deville) ; 1974, Les naufragés de l'île de la Tortue (Rozier), Peur sur la ville (Verneuil) ; 1975, Le petit Marcel (Fansten) ; 1977, La menace (Corneau) ; 1978, L'adolescente (Moreau), Les égouts du paradis (Giovanni), Flic ou voyou (Lautner), Le passe-montagne (Stevenin) ; 1979, Ils sont grands ces petits (Santoni) ; 1981, La derelitta (Igoux), Neige (Berto et Roger), Une étrange affaire (Granier-Deferre) ; 1982, L'Africain (Broca), Il buon soldato (Brusati), Le quart d'heure américain (Galland) ; 1984, Polar (Bral), Un amour de Swann (Schlöndorff), Les fauves (Daniel), Le sang des autres (Chabrol) ; 1985, Urgence (Béhat), L'amour ou presque (Gautier), Le transfuge (Lefebvre), La dernière image (Lakhdar-Hamina), Folie suisse (Lipinska) ; 1986, Golden eighties (Akerman) ; 1988, Le radeau de la méduse (Azimi) ; 1989, La Révolution française (Enrico et Heffron), Bal perdu (Benoin) ; 1990, Madame Bovary (Chabrol) ; 1991, Dien Bien Phu (Schoendoerffer), Sam Suffit (Thévenet), Mauvais garçon (Bral), Vent d'est (Enrico) ; 1992, Desencuentros (Manfrini), La fenêtre (Champagne) ; 1993, La lumière des étoiles mortes (Matton), Ma sœur chinoise (Mazars) ; 1994, Le livre de cristal (Plattner), Ça twiste à Popenguine (Sene Absa) ; 1995, XY (Lilienfeld), Beaumarchais l'insolent (Molinaro) ; 1997, Rien ne va plus (Chabrol) ; 1998, La dilettante (Thomas) ; 1999, Le temps retrouvé (Ruiz), T'aime (Sébastien), Saint-Cyr (Mazuy) ; 2000, Charmant garçon (Chesnais), Belphégor, le fantôme du Louvre (Salomé) ; 2003, Ce jour-là (Ruiz), Ripoux 3 (Zidi) ; 2004, Les naufragés de l'île de la Tortue (Rozier) ; 2005, Un printemps à Paris (Bral) ; 2006, L'ivresse du pouvoir (Chabrol), Le grand appartement (Thomas), La balade des éléphants (Andreacchio).

De petits rôles puis un personnage à la Bogart dans *Polar* qui le fait connaître. Mais cet excellent acteur s'est ensuite perdu dans des rôles marginaux, au point que son admirable composition en Louis XVI dans *La Révolution française* en fait « la révélation du film ». Chabrol sait bien l'utiliser.

Balpétré, Antoine
Acteur français, 1898-1963.

1933, L'agonie des aigles (Richebé), La maison du mystère (Roudès) ; 1935, Gaspard de Besse (Hugon) ; 1939, Le duel (Fresnay), Le monde tremblera (Pottier) ; 1942, Picpus (Pottier), L'assassin habite au 21 (Clouzot), La main du diable (Tourneur) ; 1943, Le corbeau (Clouzot) ; 1946, Le visiteur (Dréville) ; 1947, La figure de proue (Stengel), Fort de la solitude (Vernay), Paysans noirs (Régnier) ; 1948 ; Fantômas contre Fantômas (Vernay), Suzanne et ses brigands (Ciampi), Le paradis des pilotes perdus (Lampin) ; 1949, Orage d'été (Gehret), Millionnaires d'un jour (Hunebelle), Plus de vacances pour le bon Dieu

(Vernay) ; 1950, Justice est faite (Cayatte), Dieu a besoin des hommes (Delannoy), Bel amour (Campaux) ; 1951, Le journal d'un curé de campagne (Bresson), Le plaisir (Ophuls) ; 1952, Nous sommes tous des assassins (Cayatte), Le chemin de Damas (Glass) ; 1954, Avant le déluge (Cayatte), La neige était sale (Saslavsky), La rage au corps (Habib), Le rouge et le noir (Autant-Lara) ; 1955, Le dossier noir (Cayatte), Si Paris nous était conté (Guitry) ; 1956, Till l'Espiègle (Ivens) ; 1957, I vampiri (Freda), Arènes joyeuses (Canonge) ; 1959, Katia (Siodmak) ; 1960, Les mains d'Orlac (Greville), L'espionne sera à Nouméa (Peclet), Le président (Verneuil) ; 1961, Le cave se rebiffe (Grangier), La chambre ardente (Duvivier) ; 1962, La salamandre d'or (Régamey), Mathias Sandorf (Lampin), L'odyssée du Dr. Munthe (Capitani et Jugert).

Ce Lyonnais obtient un prix au Conservatoire qui lui permit de faire une brillante carrière théâtrale à l'Odéon puis à la Comédie-Française. Au cinéma, sa belle tête encadrée par une barbe fournie lui valut des rôles de magistrat (*Justice est faite*), de prêtre ou de docteur (*Le journal d'un curé de campagne*) : il y fit toujours merveille.

Balsam, Martin

Acteur américain, 1919-1996.

1954, On the Waterfront (Sur les quais) (Kazan) ; 1957, Twelve Angry Men (Douze hommes en colère) (Lumet), Time Limit (La chute des héros) (Malden) ; 1958, Marjorie Morningstar (La fureur d'aimer) (Rapper) ; 1959, Al Capone (Wilson), Middle of the Night (Au milieu de la nuit) (Mann) ; 1960, Psycho (Psychose) (Hitchcock), Tutti a casa (La grande pagaille) (Comencini) ; 1961, Ada (Le troisième homme était une femme) (Mann), Breakfast at Tiffany's (Diamants sur canapé) (Edwards) ; 1962, Cap Fear (Les nerfs à vif) (Lee Thompson), La citta prigionera (L'arsenal de la peur) (Anthony) ; 1964, Who's Been Sleeping in my Bed (Mercredi soir huit heures) (Mann), The Carpet Baggers (Les ambitieux) (Dmytryk), Seven Days in May (Sept jours en mai) (Frankenheimer) ; 1965, Harlow (Douglas), A Thousand Clowns (Des clowns par milliers) (Coe) ; 1966, Conquered City (Anthony) ; 1967, After the Fox (Le renard s'évade à trois heures) (De Sica), Trilogy (Perry) ; 1968, Hombre (Ritt) ; 1969, The Good Guys and the Bad Guys (Un homme fait la loi) (Kennedy) ; 1970, The Anderson Tapes (Le gang Anderson) (Lumet), Catch 22 (Nichols), Little Big Man (Penn), Tora ! Tora ! Tora ! (Fleischer) ; 1971, Confessione d'un commissario di polizia all procuratore della repubblica (Confession d'un commissaire de police au procureur de la république) (Damiani), Il vero e il faso (E. Visconti) ; 1972, The Stone Killer (Le cercle noir) (Winner), The Man (Rich) ; 1973, Il consignori (Le conseiller) (De Martino), Processo per infamia (Rial), Summer Wishes, Winter Dreams (Désirs d'été, rêves d'hiver) (Cates) ; 1974, Corruzione al palazzo di giustizzia (Aliprandi), The Taking of Pelham : One, Two, Three (Les pirates du métro) (Sargent), Murder on the Orient-Express (Le crime de l'Orient-Express) (Lumet) ; 1975, Cipolla colt (Castellari), Mitchell (Liquidez l'inspecteur Mitchell) (McLaglen), Con la rabbia agli occhi (L'ombre d'un tueur) (Dawson), All the President's Men (Les hommes du président) (Pakula) ; 1976, Ultimatum alla citta (Lassi), Pronto ad uccidere (Prosperi), Raid on Entebbe (Raid sur Entebbe) (Kershner), Two Minutes Warning (Un tueur dans la foule) (Peerce), The Sentinel (La sentinelle des maudits) (Winner), The Silver Bears (Banco à Las Vegas) (Passer) ; 1978, Occhi dalle stelle (L'ultime rencontre) (Garrett) ; 1979, Gardenia (Le justicier au gardénia) (Paolella), The House on Garibaldi Street (Collinson), Cuba (R. Lester), There Goes the Bride (Marcel) ; 1981, The Salamander (Zinner) ; 1983, Innocent Prey (Eggleston) ; 1985, St. Elmo's Fire (Schumacher), Death Wish III (Le justicier de New York) (Winner) ; 1986, Whatever it Takes (Demchuk), The Delta Force (Delta force) (Golan), The Goodbye People (Gardner) ; 1987, Private Investigations (Dick) ; 1990, Two Evil Eyes (Deux yeux maléfiques) (Romero et Argento), L'ultima partita (De Angelis) ; 1991, Cape Fear (Les nerfs à vif) (Scorsese) ; 1992, Two For the Job (Arvanitis) ; 1994, The Silence of the Hams (Le silence des jambons) (Greggio) ; 1995, Soldato ignoto (Aliprandi) ; 1997, Legend of the Spirit Dog (Goldman, Spence).

Formé à l'Actors' Studio, il en a conservé l'empreinte dans son jeu souvent excessif. Broadway, la télévision et Kazan ont marqué une carrière dont le sommet se situe avec son interprétation du président du jury dans *Twelve Angry Men*. Il reçut un oscar pour *A Thousand Clowns*.

Balutin, Jacques

Acteur français né en 1936.

1960, Le farceur (Broca), Candide ou l'optimisme au xxe siècle (Carbonnaux) ; 1961, Tire au flanc (Givray), La belle Américaine (Dhéry), Cartouche (Broca) ; 1962, Le voyage à Biarritz (Grangier), Les culottes rouges (Joffé) ; 1963, Coplan prend des risques (Labro), Les barbouzes (Lautner) ; 1964, Les copains (Robert), What's New, Pussycat ? (Quoi de neuf, Pussycat ?) (Donner), La bonne occase (Drach) ; 1965, Un milliard dans un billard (Gessner) ; 1966, Johnny Banco (Y. Allégret), Le roi de cœur (Broca) ; 1968, Le diable par la queue (Broca), Le cerveau (Oury), Erotissimo (Pirès) ; 1969, Appelez-moi Mathilde (Mondy), Les patates (Autant-Lara) ; 1970, Le mur de l'Atlantique (Camus), Un cave (Grangier) ; 1971, Les portes de feu (Bernard-Aubert) ; 1972, Les joyeux lurons (Gérard) ; 1973, Le concierge (Girault) ; 1974, Opération Lady Marlène (Lamoureux) ; 1975, L'intrépide (Girault) ; 1977, La vie parisienne (Christian-Jaque), Le mille-pattes fait des claquettes (Girault) ; 1978, Who Killed all the Great Chefs of Europe ? (La grande cuisine) (Kotcheff) ; 1980, Sacrés gendarmes (Launois), Une merveilleuse journée (Coggio) ; 1982, Ça va pas être triste (Sisser) ; 1983, C'est facile et ça peut rapporter vingt ans (Luret), Mon curé chez les Thaïlandaises (Thomas), Flics de choc (Desagnat).

Issu d'une famille de commerçants, il suit le cours Simon et fait ses débuts au théâtre dans *Champignol malgré lui*, une comédie, genre qui lui collera à la peau toute sa vie. Doubleur attitré de Paul Michael Glaser dans « Starsky et Hutch », il a prêté sa voix à une multitude de films et reste un pilier du théâtre de boulevard. Sa carrière cinématographique se cantonne à un registre similaire, soit, hélas, fort peu inoubliable. Dommage pour ce comédien sympathique, au visage éternellement flanqué d'imposantes rouflaquettes.

Bana, Eric

Acteur australien, de son vrai nom Banadinovich, né en 1968.

1997, The Castle (Sitch) ; 2000, Chopper (Dominik) ; 2001, Black Hawk Down (La chute du faucon noir) (Scott) ; 2002, The Nugget (Bennett) ; 2003, Hulk (Hulk) (Ang Lee) ; 2004, Troy (Troie) (Petersen) ; 2006, Munich (Munich) (Spielberg) ; 2007, Lucky You (Lucky you) (Hanson)

Remarqué chez Ridley Scott, il devient célèbre pour son interprétation du monstre vert, Hulk.

Bancroft, Anne

Actrice américaine, de son vrai nom Anna Maria Italiano, 1931-2005.

1951, Don't Bother to Knock (Troublez-moi ce soir) (Baker), The Treasure of the Golden Condor (Le trésor du Guatemala) (Daves) ; 1952, To Night we Sing (Lelsen) ; 1953, The Kid from Left Field (Jones), Demetrius and the Gladiators (Les gladiateurs) (Daves) ; 1954, The Raid (Fregonese), Gorilla at Large (Jones) ; 1955, The Last Frontier (La charge des tuniques bleues) (Mann), New York Confidential (New York confidentiel) (Rouse), The Naked Street (Le roi du racket) (Shane), A Life in the Balance (Horner) ; 1956, Walk the Proud Land (L'homme de San Carlos) (Hibbs), Nightfall (Tourneur), The Girl in Black Stockings (Koch) ; 1957, The Restless Breed (Dwan) ; 1962, The Miracle Worker (Miracle en Alabama) (Penn) ; 1963, The Pumpkin Eater (Le mangeur de citrouille) (Clayton) ; 1965, The Slender Thread (30 minutes de sursis) (Pollack) ; 1966, Seven Women (Frontière chinoise) (Ford) ; 1967, The Graduate (Le lauréat) (Nichols) ; 1972, Young Winston (Les griffes du lion) (Attenborough) ; 1974, The Prisoner of the Second Avenue (Le prisonnier de la deuxième avenue) (M. Frank) ; 1975, The Hindenburg (L'odyssée du Hindenburg) (Wise) ; 1976, Silent Movie (La dernière folie de Mel Brooks) (M. Brooks), Lipstick (Viol et châtiment) (Johnson) ; 1977, The Turning Point (Le tournant de la vie) (Ross), Jesus of Nazareth (Jésus de Nazareth) (Zeffirelli) ; 1979, Fatso (Fatso) (Bancroft) ; 1980 : The Elephant Man (Elephant man) (Lynch) ; 1984, To Be or Not to Be (To Be or Not to Be) (Johnson) ; 1985, Garbo Talks (A la recherche de Garbo) (Lumet) ; 1986, Agnes of God (Agnès de Dieu) (Jewison), Night Mother (Goodnight Mother) (Moore) ; 1987, 84 Charing Cross Road (Jones) ; 1989, Bert Rigby, You're a Fool (C. Reiner) ; 1990, Torch Song Trilogy (Torch Song Trilogy) (Bogart) ; 1991, Broadway Bound (En route pour Manhattan) (Bogart) ; 1992, Love Potion n° 9 (Launer), Honeymoon in Vegas (Lune de miel à Las Vegas) (Bergman) ; 1993, The Assassin/ Point of No Return (Nom de code : Nina) (Badham), Malice (Malice) (Becker), Mr. Jones (Mr. Jones) (Figgis) ; 1995, How to Make an American Quilt (Le patchwork de la vie) (Moorhouse), Home For the Holidays (Week-end en famille) (Foster), Dracula, Dead and Loving it (Dracula, mort et heureux de l'être) (M. Brooks) ; 1996, The Sunchaser (Sunchaser) (Cimino), Homecoming (Jean) ; 1997, G.I. Jane (A armes égales) (Scott), Great Expectations (De grandes espérances) (Cuaron) ; 1997, Critical Care (Lumet) ; 1998, Up at the Villa (Il suffit d'une nuit) (Haas) ; 1999, Keeping the Faith (Au nom d'Anna) (Norton).

Issue du Bronx à New York, elle fait de solides études scientifiques puis entre à l'Academy of Dramatic Arts. Elle débute à la télévision en 1950 sous le nom d'Anne Marno. Au cinéma, elle est d'abord sous contrat avec la Fox et se limite à des rôles de second plan. Remarquée dans *Miracle en Alabama* qui lui vaut un oscar en 1962, elle épouse en 1964 le comique Mel Brooks et devient plus ambitieuse. Elle entame une nouvelle carrière qui la conduit à la mise en scène avec *Fatso* et au personnage de la mère Miriam Ruth dans *Agnes of God*.

Bancroft, George

Acteur américain, 1882-1956.

1921, The Journey's End (Ballin) ; 1922, Driven (Brabin), The Prodigal Judge (José) ; 1924, The Deadwood Coach (L. Reynolds), Teeth (Blystone) ; 1925, Pony Express (Cruze), Code of the West (Howard), The Rainbow Trail (Reynolds), The Splendid Road (Lloyd) ; 1926, Old Ironsides (Cruze), The Enchanted Hill (Willat), The Runaway (W. De Mille), Sea Horses (Dwan) ; 1927, Underworld (Les nuits de Chicago) (Sternberg), White Gold (La toison d'or) (Howard), The Rough Riders (Fleming), Too Many Crooks (Newmeyer), Tell It to Sweeny (La Cava) ; 1928, The Docks of New York (Les damnés de l'océan) (Sternberg), The Dragnet (La rafle) (Sternberg), The Showdown (Schertzinger), The Mighty (Cromwell) ; 1929, Thunderbolt (L'assommeur) (Sternberg), The Wolf of Wall Street (Lee) ; 1930, Paramount on Parade (Lubitsch, Lee, Arzner...), Ladies Love Brutes (Lee), Derelict (Lee) ; 1931, The World and the Flesh (Cromwell), Scandal Sheet (Cromwell) ; 1932, Lady and Gent (Roberts) ; 1933, Blood Money (R. Brown) ; 1934, Elmer and Elsie (Pratt) ; 1936, Mr. Deeds Goes to Town (l'extravagant M. Deeds) (Capra), Wedding Present (Wallace), Hell Ship Morgan ; 1937, A Doctor's Diary (Vidor), John Meade's Woman (Wallace), Racketeers in Exile (Kenton), Angels With Dirty Faces (Les anges aux figures sales) (Curtiz), Submarine Patrol (Patrouille en mer) (Ford) ; 1939, Stagecoach (La chevauchée fantastique) (Ford), Each Dawn I Die (A chaque aube je meurs) (Keighley), Rulers of the Sea (Les maîtres de la mer) (Lloyd), Espionage Agent (Agent double) (Bacon) ; 1940, When the Dalton Rode (Marshall), Northwest Mounted Police (Les tuniques écarlates) (De Mille), Little Men (McLeod), Green Hell (L'enfer vert) (Whale) ; 1941, Texas (Texas) (Marshall), Young Tom Edison (Le jeune Edison) (Taurog), The Bugle Sounds (Simon) ; 1942, Syncopation (Dieterle), Whistling in Dixie (Simon).

Il fut le *heavy* (le dur) des films américains des années 20, et comment oublier le gangster de *Underworld* ou le héros de *The Docks of New York* ? Sa carrure de géant et sa trogne sans pareille en faisaient un personnage hors du commun. L'avènement du parlant le relégua au second plan, mais on le retrouvait avec plaisir parmi les voyageurs de *Stagecoach*.

Banderas, Antonio

Acteur et réalisateur espagnol né en 1960.

1981, Pestanas postizas (Belloch), Laberinto de pasiones (Labyrinthe des passions) (Almodóvar) ; 1982, Y del seguro... libranos señor ! (Del Real) ; 1983, El señor Galindez (Kuhn) ; 1984, El caso Almeria (Costa Muste), Los Zancos (Saura) ; 1985, Requiem por un campesino español (Betriu), La corte del faraón (García Sañchez), Caso cerrado (Cano Arecha) ; 1986, Puzzle (Comeron), 27 horas (27 heures) (M. Armendariz), Matador (Matador) (Almodóvar) ; 1987, El placer de matar (Rotaeta), La ley del deseo (La loi du désir) (Almodóvar), Asi como habían sido (Linares) ; 1988, Mujeres al borde de un ataque de nervios (Femmes au bord de la crise de nerfs) (Almodóvar), Baton Rouge (Monleón), Bajarse al moro (Colomo) ; 1989, Si te dicen que caí (Aranda) ; 1990, ¡Atame ! (Attache-moi !) (Almodóvar), Contra el viento (Perinan) ; 1991, Terranova (Salvo), La blanca paloma (Minon), Cuentos de Borges I (Vera et Olivera), Truth or Dare (In bed with Madonna) (Keshishian) ; 1992, The Mambo Kings (Les Mambo Kings) (Glimcher), Una mujer bajo la lluvia (Vera) ; 1993, The House of Spirits (La maison aux esprits) (August), Philadelphia (Philadelphia) (Demme), Dispara (Saura) ; 1994, Of Love and Shadows (B. Kaplan), Interview With the Vampire (Entretien avec un vampire) (Jordan), Miami Rhapsody (Miami Rhapsodie) (Frankel), The Return of the Mariachi (Desperado) (Rodriguez) ; 1995, Four Rooms (Rodriguez, Tarantino, Anders, Rockwell), Never Talk to Strangers (Hall), Two Much (Two Much) (Trueba), Assassins (Assassins) (Donner) ; 1996, Evita (Evita) (Parker) ; 1997, The Mask of Zorro (Le masque de Zorro) (Campbell), The 13th Warrior (Le treizième guerrier) (McTiernan) ; 1998, The White River Kid (Glimcher) ; 1999, Play It to the Bone (Les adversaires) (Shelton) ; 2000, Spy Kids (Spy Kids) (Rodriguez), Original Sin (Péché originel) (Cristofer) ; 2001, Femme Fatale (Femme fatale) (De Palma), Frida (Frida) (Taymor) ; 2002, Spy Kids 2 (Spy Kids 2) (Rodriguez) ; 2003, Once Upon a Time in Mexico (Desperado II) (Rodriguez), Spy Kids 3D : Game Over (Mission 3D Spy Kids 3) (Rodriguez) ; 2004, Imagining Argentina (Disparitions) (Hampton) ; 2005, The Legend of Zorro (La légende de Zorro) (Campbell) ; 2006, Take the Lead (Dance with me) (Friedlandr) ;

2007, Brodetown (Les oubliées) (Nava). *Pour le metteur en scène*, voir le *Dictionnaire du cinéma*, t. I : *Les réalisateurs.*

Ténébreux et racé, il reste pendant de longues années l'acteur fétiche d'Almodóvar, pour lequel il incarne tueurs ou homosexuels de toutes sortes. Puis il oriente sa carrière vers les États-Unis où il devient le Latin Lover type des années 90 et une superstar qui triomphe dans *Le masque de Zorro*. Excellent dans *Femme fatale* et dans *Frida*, il s'égare malheureusement dans la série *Spy Kids*, mais retrouve humour et dynamisme dans *La légende de Zorro*.

Bankolé, Isaach de

Acteur français d'origine ivoirienne, de son vrai nom Isaach Zachary Bankolé, né en 1958.

1984, L'arbalète (Leroy), Viva la vie (Lelouch), L'addition (Amar) ; 1985, Le bruit des mots (Teulade) ; 1986, Noir et blanc (Devers), Taxi Boy (Page), Black micmac (Gilou) ; 1987, Les keufs (Balasko) ; 1988, Chocolat (Denis), Ada dans la jungle (Zingg) ; 1989, Comment faire l'amour avec un nègre sans se fatiguer (Benoît), Vanille-fraise (Oury) ; 1990, S'en fout la mort (Denis) ; 1991, Night on Earth (Night on Earth) (Jarmusch) ; 1993, Casa de lava (Casa de lava) (Costa) ; 1994, Heart of Darkness (Roeg) ; 1995, The Keeper (Brewster) ; 1997, La parole (Boccarossa) ; 1998, A Soldier's Daughter Never Cries (La fille d'un soldat ne pleure jamais) (Ivory), Cassandra Wilson's Traveling Miles (Bankolé, Amalbert), Cherry (Glascoe, Pierson) ; 1999, Ghost Dog – The Way of the Samurai (Ghost Dog – La Voie du Samouraï) (Jarmusch), Otomo (Schlaich) ; 2000, Battù (Sissoko), 3 a.m. (Davis) ; 2004, Coffee and Cigarettes (Coffe and Cigarettes) (Jarmusch) ; 2005, Manderlay (Trier) ; 2006, Miami Vice (Miami Vice - Deux flics à Miami) (Mann), Casino Royale (Casino Royale) (Campbell), Stay (Stay) (Forster).

Sa carrière est lancée grâce à un succès critique (*Noir et blanc*) et à une réussite commerciale (*Black micmac*), mais rapidement, hormis chez Claire Denis, on le cantonne aux rôles de Noir de service. Il mène heureusement une brillante carrière théâtrale.

Banks, Leslie

Acteur anglais, 1890-1952.

1932, The Most Dangerous Game (Les chasses du comte Zaroff) (Schoedsack et Pichel) ; 1933, Strange Evidence (Milton), The Fire Raisers (Powell) ; 1934, I Am Suzanne (Desfontaines), The Night of the Party (Powell), Red Ensign (Powell), The Man Who Knew Too Much (L'homme qui en savait trop) (Hitchcock) ; 1935, Sanders of the River (Korda), The Tunnel (Elvey) ; 1936, Debt of Honour (Walker), The Three Maxims (Wilcox) ; 1937, Fire over England (L'invincible Armada) (Howard), Wings of the Morning (Schuster), Farewell Again (Whelan), 21 Days (Dean) ; 1939, Jamaica Inn (L'auberge de la Jamaïque) (Hitchcock), Dead Man's Shoes (T. Bentley), The Arsenal Stadium Mystery (Dickinson), Sons of the Sea (Elvey) ; 1940, The Door with Seven Locks (Lee), Busman's Honeymoon (Woods), Neutral Port (Varnel) ; 1941, Cottage to Let (Asquith), Ships with Wings (Nolbandov) ; 1942, The Big Blockade (Frend), Went the Day Well ? (Cavalcanti) ; 1945, Henry V (Henry V) (L. Olivier) ; 1947, Mrs. Fitzherbert (Tully) ; 1949, The Small Back Room (Powell et Pressburger) ; 1950, Your Witness (R. Montgomery), Madeleine (Lean).

L'immortel comte Zaroff, chasseur de gibier humain. Il fut aussi le chœur dans *Henry V* ou Leicester dans *L'invincible armada*.

Banks, Monty

Acteur et réalisateur d'origine italienne, de son vrai nom Mario Bianchi, 1897-1950.

Courts métrages (Sennett). *Pour le metteur en scène*, voir le *Dictionnaire du cinéma*, t. I : *Les réalisateurs.*

L'âge d'or du burlesque.

Baquet, Maurice

Acteur et musicien français, 1916-2005.

1935, Veille d'armes (L'Herbier), Les beaux jours (Allégret), Le crime de M. Lange (Renoir) ; 1936, Hélène (Benoit-Lévy), Les bas-fonds (Renoir), Jeunes filles de Paris (Vermorel) ; 1937, La mort du cygne (Benoit-Lévy), Alibi (Chenal) ; 1938, Le grand élan (Christian-Jaque), Mollenard (Siodmak), Accord final (Sierck), Altitude 3 200 (Benoit-Lévy), Place de la Concorde (Lamac) ; 1941, Départ à zéro (Cloche) ; 1942, Fréderica (Boyer) La fausse maîtresse (Cayatte), Dernier atout (Becker), Opéra-musette (Lefèvre), Le chant de l'exilé (Hugon) ; 1943, Adieu Léonard (Prévert), Coup de tête (Le Hénaff), Premier de cordée (Daquin) ; 1945, Dernier métro (Canonge), Voyage surprise (Prévert), Leçon de conduite (Grangier) ; 1946, Pas un mot à la reine mère (Cloche) ; 1947, Les aventures des Pieds nickelés (Aboulker) ; 1948, Les souvenirs ne sont pas à vendre (Hennion) ; 1949, Tire au flanc (Rivers), Le trésor des Pieds nickelés (Aboulker) ; 1950, Andalousie (Vernay), Bibi Fricotin (Blistène) ; 1953, M. Pipelet (Hunebelle) ; 1955, Étoiles et tempêtes (Baquet) ; 1957, Une nuit au Moulin-Rouge (Roy), Le voyage en ballon (Lamorisse) ; 1963, Mandrin (Le Chanois) ; 1969, Z (Costa-Gavras) ; 1974, Section spéciale (Costa-Gavras) ; 1975, Attention les yeux ! (Pirès) ; 1978, L'adolescente (Moreau), M. Klein (Losey) ; 1979, Le divorcement (Barouh) ; 1980, Le roi des cons (Confortès) ; 1981, Tête à claques (Perrin) ; 1982, L'ange (Bokanowski), Salut j'arrive (Poteau), Madame Claude 2 (Mimet) ; 1983, Vive la sociale (Mordillat) ; 1984, Vive les femmes ! (Confortès) ; 1985, Les rois du gag (Zidi), Paulette, la pauvre petite milliardaire (Confortès), Strictement personnel (Jolivet) ; 1986, Le débutant (Janneau) ; 1992, Roulez jeunesse (Fansten) ; 1993, Délit mineur (Girod), La braconne (Pénard) ; 1994, Oui (Pérennès) ; 1997, Dieu seul me voit (Podalydès).

Né à Villefranche-sur-Saône, premier prix de violoncelle au Conservatoire, professeur de ski, jouant dans les cirques, les cabarets et à la radio, il ne pouvait ignorer le cinéma. Son visage de joyeux potache, sa gentillesse, son humour en faisaient un personnage rêvé de l'univers de bandes dessinées de Louis Forton : il fut Ribouldingue, l'un des trois Pieds nickelés, et surtout Bibi Fricotin, dans plusieurs films qui gardent encore toute leur fraîcheur. Il a participé à de nombreux films consacrés à l'alpinisme et fut un brillant spécialiste du violoncelle auquel Losey rend hommage dans *M. Klein.*

Bara, Theda

Actrice américaine, de son vrai nom Theodosia Goodman, 1890-1955.

1915, A Fool There Was (F. Powell), Kreutzer Sonata (Brenon), The Clemenceau Case (Brenon), The Devil's Daughter (F. Powell), The Two Orphans (Brenon), Lady Audley's Secret (M. Farnum), Sin (Brenon), Carmen (Walsh), The Galley Slave (Gordon Edwards) ; 1916, Destruction (Will Davis), The Serpent (Walsh), Gold and the Woman (J. Vincent), The Eternal Sapho (Bracken), East Lynne (Bracken), Under Two Flags (G. Edwards), Her Double Life (G. Edwards), Romeo and Juliet (G. Edwards), The Vixen (Edwards) ; 1917, The Darling of Paris (G. Edwards), The Tiger Woman (Edwards), Her Greatest Love (G. Edwards), Heart and Soul (Edwards), Camille (Edwards), Cleopatra (Edwards), The Rose of Blood (Edwards) ; 1918, The Forbidden Path (Edwards), Madame Du Barry (Edwards), The Soul of Buddha (Edwards), Under the Yoke (Edwards), When a Woman Sins (Edwards), Salome (Edwards) ; 1919, The She-Devil (Edwards), The Light (Edwards), When Men Desire (Edwards), The Siren's Song (Edwards), A Woman There Was (Edwards), Kathleen Mavourneen (Brabin), La Belle Russe (Brabin), The Lure of Ambition (E. Lawrence) ; 1925, The Unchastened Woman (J. Young) ; 1926, Madame Mystery (R. Wallace).

La première « vamp » de l'écran. La Fox la lança avec ce slogan : « Le plus célèbre des vampires, dans son rôle le plus osé, apportant ruines et désastres à des milliers d'hommes. » Elle gagna une fortune dans des films audacieux (pour l'époque) : elle fut Carmen, Salomé (son plus gros scandale), la Du Barry et Juliette !

Baranovskaya, Vera

Actrice russe, 1885-1935.

1926, Mat (La mère) (Poudovkine) ; 1927, Konets Sankt-Peterburga (La fin de Saint-Pétersbourg) (Poudovkine) ; 1929, So ist das Leben (Telle est la vie) (Junghans) ; 1931, Une nuit à l'hôtel (Mittler) ; 1932, Monsieur Albert (Anton) ; 1933, Les aventures du roi Pausole (Granovsky), Flüchtlinge (Au bout du monde) (Ucicky) ; 1936, Valse éternelle (Neufeld).

Son visage symbolise celui de la femme du peuple, de la mère, de la révolutionnaire dans les grands films muets de Poudovkine. Cette ancienne élève de Stanislavsky, vedette de théâtre d'art de Moscou, comprit, avec l'avènement du parlant, que sa carrière, malgré quelques apparitions en France, était terminée. Elle se retira en 1933.

Barbeau, Adrienne

Actrice américaine née en 1945.

1980, The Fog (Fog) (Carpenter) ; 1981, The Cannonball Run (L'équipée du Cannonball) (Needham), Escape from New York (New York 1997) (Carpenter) ; 1982, Creepshow (Creepshow) (Romero), Swamp Thing (La créature du marais) (Craven) ; 1984, The Next One (Mastorakis) ; 1986, Back to School (A fond la fac) (Metter) ; 1987, Open House (Mundhra) ; 1988, Cannibal Women in the Avocado Jungle of Death (J.F. Lawton) ; 1990, Two Evil Eyes (Deux yeux maléfiques) (sketch Romero) ; 1993, Father Hood (Roodt) ; 1994, Silk Degrees (Garabidian) ; 1997, Bimbo Movie Bash ; 1998, A Wake in Providence (Roveto, Jr.) ; 1999, Across the Line (Spottl), The Convent (Le couvent) (Mendez).

Révélée par John Carpenter (alors son époux) en animatrice de radio dans *Fog*, cette brune frisottée sur le retour ne s'est illustrée par la suite que dans quelques nanars d'épouvante et trois comédies adolescentes poussives. Un parcours franchement pas glorieux.

Barbulée, Madeleine

Actrice française, 1910-2001.

1948, Métier de fous (Hunebelle), Retour à la vie (Cayatte, Lampin, Clouzot, Dréville), Le mystère de la chambre jaune (Aisner), Les casse-pieds (Dréville) ; 1949, La cage aux filles (Cloche), Mission à Tanger (Hunebelle), Millionnaires d'un jour (Hunebelle), Prélude à la gloire (Lacombe), Rome-Express (Stengel), Pattes blanches (Grémillon) ; 1950, La vie chantée (Noël-Noël), Le tampon du capiston (Labro), Bel amour (Campaux), Sans laisser d'adresse (Le Chanois), Le gang des tractions arrière (Loubignac), Méfiez-vous des blondes (Hunebelle), Knock (Lefranc), Caroline chérie (Pottier) ; 1951, Les sept péchés capitaux (Dréville, Rossellini, Y. Allégret, Rim, De Filippo, Autant-Lara, Lacombe), La plus belle fille du monde (Stengel), Trois femmes (Michel), Deux sous de violettes (Anouilh), L'étrange madame X (Grémillon), Le voyage en Amérique (Lavorel), Agence matrimoniale (Le Chanois), Jeux interdits (Clément), Un grand patron (Ciampi) ; 1952, Ouvert contre X... (Pottier), Suivez cet homme ! (Lampin), La jeune folle (Y. Allégret), Deux de l'escadrille (Labro), Monsieur taxi (Hunebelle), Les belles-de-nuit (Clair) ; 1953, Mandat d'amener (Louis), Zoé (Brabant), Thérèse Raquin (Carné) ; 1954, Papa, maman, la bonne et moi (Le Chanois), Casse-cou Mademoiselle (Stengel), Après vous duchesse (De Nesle) ; 1955, Papa, maman, ma femme et moi (Le Chanois), Chantage (Lefranc), Les carnets du Major Thompson (Sturges), Les aristocrates (La Patellière), Treize à table (Hunebelle), Frou-frou (Genina), Le dossier noir (Cayatte), Marie-Antoinette (Delannoy), La bande à papa (Lefranc), Les grandes manœuvres (Clair) ; 1956, Les lumières du soir (Vernay), Mannequins de Paris (Hunebelle), Les collégiennes (Hunebelle), C'est une fille de Paname (Lepage), En effeuillant la marguerite (M. Allégret), Je reviendrai à Kandara (Vicas), Notre-Dame de Paris (Delannoy) ; 1957, Ni vu ni connu (Robert), Les misérables (Le Chanois), Quand la femme s'en mêle (Y. Allégret), Sénéchal le magnifique (Boyer), Maigret tend un piège (Delannoy) ; 1958, Prisons de femmes (Cloche), Guinguette (Delannoy), Soupe au lait (Chevalier), Le petit prof (Rim), Le grand chef (Verneuil), En cas de malheur (Autant-Lara) ; 1959, Meurtre en 45 tours (Périer), Les affreux (M. Allégret), Détournement de mineures (Kapps), La bête à l'affût (Chenal) ; 1960, Les tortillards (Bastia), La brune que voilà (Lamoureux) ; 1962, Un chien dans un jeu de quilles (Collin), Les mystères de Paris (Hunebelle) ; 1963, La foire aux cancres (Daquin) ; 1964, Cent briques et des tuiles (Grimblat) ; 1965, Le dimanche de la vie (Herman) ; 1969, Pierre et Paul (Allio), La maison des bories (Doniol-Valcroze) ; 1973, L'événement le plus important depuis que l'homme a marché sur la Lune (Demy) ; 1974, Le cri du cœur (Lallemand) ; 1975, L'incorrigible (Broca) ; 1979, L'avare (Girault) ; 1980, Les séducteurs (sketch Molinaro) ; 1982, Banzaï (Zidi) ; 1983, Vous habitez chez vos parents ? (Fermaud) ; 1984, La septième cible (Pinoteau) ; 1989, La messe en si mineur (Guillermou) ; 1992, Roulez jeunesse (Fansten).

Près de cent cinquante rôles au théâtre et le double au cinéma pour cette pétillante comédienne qui a su se cantonner aux rôles secondaires avec une belle humilité.

Bardem, Javier

Acteur espagnol né en 1969.

1990, Las edades de Lulu (Les vies de Loulou) (Bigas Luna) ; 1991, Amo tu cama rica (Martínez Lazaro), Tacones lejanos (Talons aiguilles) (Almodóvar) ; 1992, Jamón, Jamón (Jambon, jambon) (Bigas Luna), Huidos (Gracia) ; 1993, Huevos de oro (Macho) (Bigas Luna), El amante bilingüe (Aranda) ; 1994, Dias contados (Dias contados) (Uribe), El detective y la muerte (Suarez), La teta y la luna (La lune et le téton) (Bigas Luna) ; 1995, Boca a boca (Boca a boca) (Gómez Pereira), Torrente, el brazo tonto de la ley (Torrente) (Segura) ; 1996, Airbag (Bajo Ulloa), Extasis (Extasis) (Barroso), Mas que amor, frenesí (Albacete, Menkes) ; 1997, Perdita Durango (De La Iglesia), Carne tremula (En chair et en os) (Almodóvar) ; 1998, Entre las piernas (Entre les jambes) (Gómez Pereira), Torrente, el brazo tonto de la ley (Torrente) (Segura) ; 1999, Segunda Piel (Vera), Los lobos de Washington (Barroso) ; 2000, The Dancer Upstairs (Malkovich), Before Night Falls (Avant la nuit) (Schnabel) ; 2002, Los lunes al sol (Les lundis au soleil) (Aranoa) ; 2003, Sin noticias de Dios (Sans nouvelles de Dieu) (Yanes) ; 2004, Collateral (Collateral) (Mann), Los abajo firmantes (Manifesto) (Oristrell) ; 2005, Mar adentro (Amenábar) ; 2007, Goya's Ghosts (Forman), No Country for Old Men (J. E. Coen).

Fils de la comédienne Pilar Bardem et du réalisateur Juan Antonio Bardem, c'est l'Espagnol viril par excellence. Bigas Luna ne s'y est pas trompé, qui lui a confié successivement les rôles vedettes du toréador de *Jambon, jambon* et du play-boy homme d'affaires de *Macho*. Deux rôles qui feront du comédien une figure incontournable du cinéma espagnol. Almodóvar lui offre la consécration à sa manière en lui donnant un rôle de flic paraplégique dans *En chair et en os* !

Bardot, Brigitte

Actrice française née en 1934.

1952, Le trou normand (Boyer), Manina, la fille sans voiles (Rozier) ; 1953, Les dents longues (D. Gélin), Le portrait de son père (Berthomieu), Un acte d'amour (Litvak) ; 1955, Tradita (Haine, amour et trahison) (Bonnard), Si Versailles m'était conté (Guitry), Les grandes manœuvres (Clair), Doctor at Sea (Toubib en mer) (Thomas), Froufrou (Genina), Cette sacrée gamine (Boisrond), La fille de Caroline chérie (Devaivre), Futures vedettes (Allégret), La lumière d'en face (Lacombe) ; 1956, Mio figlio Nerone (Les week-ends de Néron) (Steno), En effeuillant la marguerite (Allégret), Helen of Troy (Hélène de Troie) (Wise), La mariée était trop belle (Gaspard-Huit), Et Dieu créa la femme (Vadim) ; 1957, Une Parisienne (Boisrond) ; 1958, Les bijoutiers du clair de lune (Vadim), En cas de malheur (Autant-Lara) ; 1959, La femme et le pantin (Duvivier), Babette s'en va-t'en guerre (Christian-Jaque), Voulez-vous danser avec moi ? (Boisrond) ; 1960, La vérité (Clouzot), L'affaire d'une nuit (Verneuil) ; 1961, La bride sur le cou (Aurel puis Vadim), Les amours célèbres (Boisrond) ; 1962, Vie privée (Malle), Le repos du guerrier (Vadim) ; 1963, Le mépris (Godard) ; 1964, Une ravissante idiote (Molinaro) ; 1965, Viva Maria (Malle), Dear Brigitte (Chère Brigitte) (Koster) ; 1966, Marie-Soleil (Bourseiller) ; 1967, A cœur joie (Bourguignon) ; 1968, Histoires extraordinaires (sketch de L. Malle), Shalako (Dmytryk) ; 1969, Les femmes (Aurel) ; 1970, L'ours et la poupée (Deville), Les novices (Casaril) ; 1971, Boulevard du Rhum (Enrico), Les pétroleuses (Christian-Jaque) ; 1973, Don Juan 73 (Vadim), L'histoire très bonne et très joyeuse de Colinot Trousse Chemise (Companeez).

Sex-symbol de l'après-guerre, surnommée BB, elle fut lancée par Roger Vadim avec *Et Dieu créa la femme.* Auparavant cette jeune fille de bonne famille, issue de Passy, avait d'abord rêvé de danse classique, puis posé pour des couvertures de mode avant de tenir quelques petits emplois à l'écran. A partir de 1956, elle ne va plus cesser de défrayer la chronique : mariages avec Vadim, Jacques Charrier puis Gunther Sachs, folles nuits à Saint-Tropez et, bien sûr, des films, le plus souvent sans grand intérêt (sauf celui avec... Godard !) mais qui auraient assuré l'équilibre de notre balance commerciale. Le général de Gaulle lui-même la sacre superstar. Mais en 1973, après l'échec de *Colinot*, elle choisit de se retirer et se consacre désormais à la défense des animaux et notamment des bébés phoques. Elle publie aussi des livres où elle s'en prend au « politiquement correct ».

Barker, Lex

Acteur américain, 1919-1973.

1946, Doll Face (Seiller), Do You Love Me (Ratoff), Two Guys from Milwaukee (Butler) ; 1947, The Farmer's Daughter (Hogan), Dick Tracy Meets Gruesome (Rawlins), Grossfire (Feux croisés) (Dmytryk), Under the Tonto Rim (Landers), Unconquered (Les conquérants d'un nouveau monde) (DeMille) ; 1948, Mr. Blandings Builds, His Dream House (Potter), Return of the Bad Men (Far West 89) (Enright), The Velvet Touch (Gage) ; 1949, Tarzan's Magic Fountain (Tarzan et la fontaine magique) (Sholem) ; 1950, Tarzan and the Slave Girl (Tarzan et la belle esclave) (Sholem) ; 1951, Tarzan's Peril (Tarzan et la reine de la jungle) (Haskin) ; 1952, Tarzan's Savage Fury (Endfield) ; 1953, Tarzan and the She-Devil (Tarzan et la diablesse) (Neumann) ; 1954, Thunder over the Plains (La trahison du capitaine Porter (De Toth), The Yellow Mountain (Hibbs) ; 1955, The Man from Bitter Ridge (Arnold), Duel on the Mississippi (Castle), The Mystery of the Black Jungle (R. Murphy) ; 1956, The Price of Fear (A. Biberman), Away All Boats (Brisants humains) (Pevney) ; 1957, The Girl in the Kremlin (Birdwell), The Girl in Black Stockings (Koch), War Drums (Tambours de guerre) (Le Borg), Jungle Heat (Koch), The Deerslayer (Neumann) ; 1958, Strange Awakening (Tully) ; 1959, La dolce vita (La douceur de vivre) (Fellini), La scimitarra del Saraceno (Pierotti), Capitan fuoco (Campogalliani) ; 1960, I pirati della costa (Les pirates de la côte) (Paolella), Robin Hood e i pirati (Simonelli) ; 1962, Marco Polo (Fregonese), Im Stahlnettz des Dr. Mabuse (Le retour du Dr. Mabuse) (Reinl), Der Schatz im Silbersee (Le trésor du lac d'argent) (Reinl), Die unsichtbaren Krallen des Dr. Mabuse (L'invisible Dr. Mabuse) (Reinl) ; 1963, Il mistero del tempio indiano (Le mystère du temple hindou) (Camerini), Winnetou I (Winnetou) (Reinl) ; 1964, Kali Jug la dea della vendetta (Kali Yug déesse de la vengeance) (Camerini), Old Shatterhand (Les cavaliers rouges)

(Fregonese), 5 000 $ fur den Kopf von Jonny R. (Madrid), Winnetou II (Reinl), 24 Hours to Kill (Bezencenet) ; 1965, Die Pyramid des Sonnengottes (Siodmak), Der Schatz der Azteken (Siodmak), Die Hölle von Manitoba (L'enfer du Manitoba) (Reynolds), Winnetou III (Reinl) ; 1967, Winnetou und das Halbblut Apanatschi (L'appât de l'or noir) (Philipp), Die Schlangengrube und das Pendel (Le sang des vierges) (Reinl), Woman Times Seven (Sept fois femme) (De Sica) ; 1968, Winnetou und Shatterhand im Tal der Toten (Reinl) ; 1970, Wenn du bei mir bist (Gottlieb), Aoom (Suarez).

Ce grand blond au torse d'athlète fut le successeur de Weissmuller dans le rôle de Tarzan. Après quelques emplois divers, il se reconvertit dans le western allemand inspiré de Karl May. Il y réussit fort bien au point de devenir une vedette en terre germanique. Marié cinq fois, il eut pour épouses Arlène Dahl (1951-1952) puis Lana Turner (1953-1957). On comprend qu'il ait succombé à une crise cardiaque !

Barkin, Ellen

Actrice américaine née en 1954.

1982, Diner (Diner) (Levinson) ; 1983, Tender Mercies (Tendre bonheur) (Beresford), Enormous Changes at the Last Minute (Bank et Hovde), Daniel (Daniel) (Lumet), Eddie and the Cruisers (Davidson) ; 1984, The Adventures of Buckarroo Banzaï across the 8th Dimension (Les aventures de Buckaroo Banzaï dans la 8e dimension) (Richter), Harry and Son (L'affrontement) (Newman) ; 1985, Terminal Choice (Larry) ; 1986, Desert Bloom (Corr), Act of Vengence (McKenzie), Down by Law (Down by Law) (Jarmusch), The Big Easy (The Big Easy) (McBride) ; 1987, Made in Heaven (Bienvenue au paradis) (Rudolph), Siesta (Lambert) ; 1988, Blood Money (Schatzberg), Johnny Handsome (Johnny belle gueule) (Hill) ; 1989, Sea of Love (Mélodie pour un meurtre) (Becker) ; 1991, Switch (Dans la peau d'une blonde) (Edwards) ; 1992, Into the West (Le cheval venu de la mer) (Newell), Mac (Mac) (Turturro), Man Trouble (Rafelson) ; 1993, This Boy's Life (Blessures secrètes) (Caton-Jones) ; 1994, Wild Bill (Hill), Bad Company (D. Harris) ; 1996, The Fan (Le fan) (T. Scott), Mad Dog Time (Mad Dogs) (Bishop), Unzipped (Unzipped) (Keeve) ; 1998, Fear and Loathing in Las Vegas (Las Vegas parano) (Gilliam), The White River Kid (Glimcher), Drop Dead Gorgeous (Belles à mourir) (Jann) ; 1999, Mercy (Harris) ; 2000, Crime + Punishment in Suburbia (Crime + Punishment) (Schmidt), Animal Husbandry (Attraction animale) (Goldwyn) ; 2004, She Hate Me (She Hate Me) (Lee) ; 2005, Palindromes (Palindromes) (Solondz) ; 2006, Trust the Man (Trust the Man) (Freudlich) ; 2007, Ocean's Thirteen (Ocean's Thirteen) (Soderbergh).

D'une troublante sensualité dans *Sea of Love*, cette superbe créature sortie du Bronx peine à transformer l'essai.

Baroux, Lucien

Acteur français, 1888-1968.

1912, Britannicus (Morlhon) ; 1924, Monsieur le directeur (Saindreau) ; 1926, Son premier film (Kemm) ; 1930, La femme et le rossignol (Hugon), Lévy et compagnie (Hugon), La tendresse (Hugon) ; 1931, Un soir de rafle (Gallone), La fille et le garçon (Thiele) ; 1932, Faut-il les marier ? (Lamac), Ronny (Schünzel), Le petit écart (Schünzel), Le cordon bleu (Anton), La belle aventure (Schünzel), Vous serez ma femme (Poligny) ; 1933, Une idée folle (Vaucorbeil), Ces messieurs de la Santé (Colombier), La jeune fille d'une nuit (Schünzel), La chanson d'une nuit (Litvak), Château de rêve (Bolvary) ; 1934, Le billet de mille (Didier), C'était un musicien (Gleize), Mon cœur t'appelle (Gallone), Charlemagne (Colombier), La garnison amoureuse (Vaucorbeil), Nuit de mai (Chomette), La jeune fille d'une nuit (Le Bon-Schünzel), Maître Bolbec et son mari (Natanson) ; 1935, Le contrôleur des wagons-lits (Eichberg), La mascotte (Mathot), Arènes joyeuses (Anton), Baccara (Mirande/Moguy), Quelle drôle de gosse (Joannon), Les sœurs Hortensia (Guissart), Les mystères de Paris (Gandera), La marraine de Charley (Colombier) ; 1936, Une gueule en or (Colombier), Une fille à papa (Guissart), L'ange du foyer (Mathot), Le mioche (Moguy), Aventure à Paris (Allégret), Messieurs les ronds-de-cuir (Mirande) ; 1937, Monsieur Breloque a disparu (Péguy) ; 1938, Remontons les Champs-Élysées (Guitry), Quatre heures du matin (Rivers), Un fichu métier (Ducis), Ma sœur de lait (Boyer), Le porte-veine (Berthomieu) ; 1939, Café de Paris (Mirande), Moulin Rouge (Hugon), Paris-New York (Mirande), Feu de paille (Benoit-Lévy), Derrière la façade (Lacombe-Mirande), Miquette et sa mère (Boyer), Soyez les bienvenus (Baroncelli) ; 1941, Chèque au porteur (Boyer), Le prince charmant (Boyer) ; 1942, L'ange gardien (Casembroot), La femme que j'ai le plus aimée (Vernay), Le grand combat (Bernard-Roland) ; 1943, Échec au roi (Paulin), La collection Ménard (Bernard-Roland) ; 1946, La nuit de Sybille (Paulin) ; 1947, L'éventail (Reinert) ; Neuf garçons, un cœur (Freedland) ; 1949 ; La ronde des heures (Ryder), Valse brillante (Boyer) ; 1950, Banco de prince (Dulud), Prima comunione (Blasetti) ; 1951, Paris chante toujours (Montazel) ; 1952, Tapage nocturne (Sauvajon), Ils sont dans les vignes (Vernay) ; 1954, Trois jours de bringue à Paris (Couzinet), Napoléon (Guitry) ; 1955, Ces sacrées vacances (Vernay) ; 1956, Assassins et voleurs (Guitry) ; Les truands (Rim) ; 1958, Les misérables (Le Chanois) ; 1959, Messieurs les ronds-de-cuir (Diamant-Berger) ; 1962, Le diable et les 10 commandements (Duvivier).

Ce Toulousain débuta comme régisseur de théâtre et comme figurant. Remarqué par Tristan Bernard, il entame une carrière d'acteur comique (le notable saisi par la débauche) qui lui vaudra une grande popularité malgré la médiocrité de sa filmographie. A sauver toutefois l'homme laid qui veut se faire aimer pour lui-même dans *Une gueule en or* ; Chauvelin qui doit mourir, selon une prédiction, six mois avant Louis XV et que le roi empêche, pour le conserver, de se livrer aux plaisirs de la vie dans *Remontons les Champs-Élysées* ; Lahrier dans *Messieurs les ronds-de-cuir* et le conservateur de musée de *La collection Ménard*.

Barr, Jean-Marc

Acteur et réalisateur franco-américain né en 1960.

1985, The Frog Prince (Gilbert), King David (Le roi David) (Beresford) ; 1986, Hope and Glory (Hope and Glory – La guerre à sept ans) (Boorman) ; 1987, Le grand bleu (Besson) ; 1990, Le brasier (Barbier) ; 1991, Europa (Europa) (Von Trier), The Plague (La peste) (Puenzo) ; 1993, Iron Horsemen (Charmant), Le fils préféré (Garcia) ; 1994, Mo' (François), Les faussaires (Blum) ; 1995, L'échappée belle (Dhaène), Breaking the Waves (Breaking the Waves) (Von Trier), Marciando nel buio (Mon capitaine !) (Spano) ; 1997, Ça ne se refuse pas (Woreth), Préférence (Delacourt), The Scarlet Tunic (St. Paul) ; 1998, Folle d'elle (Cornuau), J'aimerais pas crever un dimanche (Le Pêcheur), St. Ives (Hook) ; 1999, Dancer in the Dark (Dancer in the Dark) (Von Trier) ; 2000, Too Much Flesh (Too Much Flesh) (Barr, Arnold) ; 2001, Being Light (Barr, Arnold) ; 2002, La sirène rouge (Megaton) ; 2003, Dogville (Dogville) (Trier), Les fils de Marie (Laure), Le divorce (Ivory), Tout près du sol (Laure) ; 2005, Manderlay (Trier), Crustacés et coquillages (Ducastel) ; 2007, Directøren for det Hele (Le direktør) (Trier). *Pour le metteur en scène*, voir le *Dictionnaire du cinéma*, t. I : *Les réalisateurs*.

Élevé à mi-chemin entre la France et les États-Unis où sa carrière démarre mollement grâce à quelques films et téléfilms, c'est avec Besson et son *Grand bleu* qu'il obtient une reconnaissance internationale, et est immédiatement adulé par une génération entière d'adolescents. Mais par la suite, malgré un joli rôle chez Nicole Garcia, le reste de sa carrière n'est guère à la hauteur des espoirs qu'on avait pu mettre en lui. Du coup, il passe à la mise en scène pour une trilogie sur la liberté qui témoigne d'une réelle sensibilité.

Barrault, Jean-Louis

Acteur français, 1910-1994.

1935, Les beaux jours (M. Allégret) ; 1936, Sous les yeux d'Occident (M. Allégret), Hélène (Benoit-Lévy), Mademoiselle Docteur (Pabst), Un grand amour de Beethoven (Gance) ; 1937, Police mondaine (Chamborant), Mirage (Ryder), Les perles de la couronne (Guitry), Le puritain (Musso), A nous deux, madame la vie (Mirande), Drôle de drame (Carné) ; 1938, Orage (M. Allégret), La piste du Sud (Billon), Altitude 3200 (Benoit-Lévy), L'or dans la montagne (Haufler) ; 1941, Montmartre sur scène (Lacombe), Parade en sept nuits (M. Allégret) ; 1942, La symphonie fantastique (Christian-Jaque), Le destin fabuleux de Désirée Clary (Guitry), L'ange de la nuit (Berthomieu) ; 1944, Les enfants du Paradis (Carné) ; 1945, La part de l'ombre (Delannoy) ; 1946, Le cocu magnifique (Meyst) ; 1948, D'homme à hommes (Christian-Jaque) ; 1950, La ronde (Ophuls) ; 1959, Le testament du docteur Cordelier (Renoir) ; 1960, Le dialogue des carmélites (Agostini) ; 1961, Le miracle des loups (Hunebelle) ; 1962, The Longest Day (Le jour le plus long) (Annakin) ; 1964, La grande frousse (Mocky) ; 1966, Chappaqua (Rooks) ; 1982, La nuit de Varennes (Scola) ; 1988, La lumière du lac (Comencini).

Avant tout un homme de théâtre. Ce fils de pharmacien exerce plusieurs petits métiers avant de devenir l'élève de Charles Dullin. Il découvre le cinéma en 1935 mais demeurera toujours plus passionné par le théâtre : il n'a mis en scène aucun film. A l'écran, il a laissé pourtant quelques personnages inoubliables : le tueur de bouchers de *Drôle de drame*, Bonaparte dans *Désirée Clary*, le prodigieux Debureau des *Enfants du Paradis* et Henri Dunant dans *D'homme à hommes* sans oublier le Louis XI du *Miracle des loups*. C'est en jouant dans *Hélène* qu'il connut Madeleine Renaud.

Ils ne devaient plus se quitter. Peu de bons films après 1960, sauf *La nuit de Varennes* où il est un pittoresque Restif de La Bretonne.

Barrault, Marie-Christine

Actrice française née en 1944.

1968, Ma nuit chez Maud (Rohmer) ; 1970, Le distrait (Richard) ; 1971, Les intrus (Gobbi) ; 1972, L'amour l'après-midi (Rohmer) ; 1974, John Gluckstadt (Miehre) ; 1975, Cousin, cousine (Tacchella) ; 1976, Du côté des tennis (Hartmann) ; 1977, The Medusa Touch (La grande menace) (Gold) ; 1978, L'état sauvage (Girod), Perceval le Gallois (Rohmer), Femme entre chien et loup (Delvaux), Tout est à nous (Daniel) ; 1979, Ma chérie (Dubreuil) ; 1980, Même les mômes ont du vague à l'âme (Daniel) ; Stardust Memories (Allen) ; 1981, L'amour trop fort (Duval), From Woody Allen to Europe With Love (Delvaux) ; 1982, Josephs Tochter (Emck), Table for Five (Liberman) ; 1983, Les mots pour le dire (Pinheiro), Un amour en Allemagne (Wajda) ; 1984, Un amour de Swann (Schlöndorff) ; 1985, Louise l'insoumise (Silvera), Le meilleur de la vie (Victor), Le soulier de satin (Oliveira), Pianoforte (F. Comencini), Paradigme (Le pouvoir du mal) (Zanussi) ; 1986, Vaudeville (Marbeuf) ; 1987, Le jupon rouge (G. Lefebvre). Adieu je t'aime (Bernard-Aubert), L'œuvre au noir (Delvaux), Sanguines (François) ; 1988, Prisonnières (Silvera), Jésus de Montréal (Arcand) ; 1989, Un été d'orages (Brandström) ; 1990, Dames galantes (Tacchella) ; 1991, L'amore necessario (L'amour nécessaire) (Carpi) ; 1992, Bonsoir (Mocky) ; 1993, La prossima volta il fuoco (Et ensuite le feu) (Carpi) ; 1996, Berlin-Niagara (Berlin-Niagara) (Sehr) ; 1997, C'est la tangente que je préfère (Silvera) ; 1998, La dilettante (Thomas) ; 2000, Azzuro (Rabaglia) ; 2006, Coup de sang (Marbœuf)..

Nièce de Jean-Louis Barrault et ayant épousé le producteur Toscan du Plantier, comment, parallèlement au théâtre, n'aurait-elle pas fait une carrière cinématographique ? Devenue animatrice d'une série à la télévision où elle proposait les films qu'elle aimait, elle paraît mieux choisir ses metteurs en scène qu'au cours d'une carrière où, à l'exception de Tacchella (*Cousin, cousine* la lança) et d'Allen, elle n'a pas toujours été bien servie. *Un amour en Allemagne* semble pourtant amorcer un virage dans l'évolution du personnage cinématographique et sa composition de Mme Verdurin dans *Un amour de Swann* est l'un des meilleurs moments de ce film si discuté. Trop de films « confidentiels » ensuite. Mariée en 1990 à Roger Vadim. Elle est surtout une grande actrice de théâtre.

Barray, Gérard

Acteur français, de son vrai nom Baraillé, né en 1931.

1954, Série noire (Foucaud) ; 1957, Les collégiennes (Hunebelle) ; 1959, L'eau à la bouche (Doniol-Valcroze) ; 1960, I Fratelli corsi (Majano), Le capitaine Fracasse (Gaspard-Huit) ; 1961, Les trois mousquetaires (Borderie), Le chevalier de Pardaillan (Borderie) ; 1962, Schéhérazade (Gaspard-Huit) ; 1963, Gibraltar (Gaspard-Huit), Hardi Pardaillan (Borderie), Scaramouche (Isasi-Isasmendi) ; 1965, Baraka sur X 13 (Cloche), Les mercenaires du rio Grande (Siodmak) ; 1966, Commissaire San Antonio — Sale temps pour les mouches (Lefranc), Béru et ses dames (Lefranc) ; 1967, Surcouf, l'eroe dei sette mari (Surcouf le tigre des sept mers) (Bergonzelli), Il grande colpo di Surcouf (Tonnerre sur l'océan Indien) (Bergonzelli), Flammes sur l'Adriatique (Astruc) ; 1969, Le témoin (Walter), Helena y Fernanda (Diamante) ; 1970, Le cinéma de papa (Berri), Week-end pour Elena (Diamante), El triangulito (Forqué) ; 1973, The Summertime Killers (Meurtres au soleil) (Isasi-Isasmendi) ; 1976, Pourquoi ? (Bernard) ; 1982, Othello, el comando negro (Boulois) ; 1997, Abre los ojos (Ouvre les yeux) (Amenábar) ; 2001, Sexy Beast (Glazer).

Il prit la relève dans les films de cape et d'épée (tirés de Dumas, Zevaco ou Gautier) de Jean Marais. L'âge venant, il se transforma en commissaire San Antonio, le policier de Frédéric Dard. Puis il se limita à des activités théâtrales.

Barrier, Maurice,

Acteur fançais né en 1934.

1964, La presa del potere di Luigi XIV (La prise de pouvoir de Louis XIV)(Rosselini) ; 1970, Raphaël ou le débauché (Deville) ; 1970, Les mariés de l'an II (Rappeneau) ; 1972, Le grand blond avec une chaussure noire (Robert) ; 1973, Deux hommes dans la ville (Giovanni), Le gang des otages (Molinaro), Salut l'artiste (Robert), L'histoire très bonne et très joyeuse de Colinot trousse-chemise (Companeez) ; 1975, Le gitan (Giovanni), Flic Story (Deray) ; 1976, Le gang (Deray), La victoire en chantant (Annaud) ; 1978, Coup de tête (Annaud) ; 1982, Le retour de Martin Guerre (Vigne), E la nave va (Et vogue le navire) (Fellini) ; 1983, Les compères (Veber), Le marginal (Deray) ; 1984,

Les spécialistes (Leconte) ; 1985, Une femme ou deux (Vigne), Scout toujours ! (Jugnot), On ne meurt que deux fois (Deray), Rue du départ (Gatlif) ; 1986, Les fugitifs (Veber) ; 1987, Charlie Dingo (Béhat) ; 1988, Rouget le braconnier (Cousin), La vie et rien d'autre (Tavernier) ; 1990, Le pénitent (Bastid) ; 1991, Louis enfant-roi (Planchon) ; 1992, Le bâtard de Dieu (Fechner) ; 1998, Le plus beau métier du monde (Bluwal) ; 2004, Marié(s) ou presque (Llopis).

Second rôle bourru, à la moustache reconnaissable, il est connu des amateurs de polar grâce à ses solides rôles dans plusieurs films avec Delon au milieu des annés 70. Il a aussi œuvré dans une succession de films à succès, polars comme comédies, Les *Mariés de l'an II* aux *Fugitifs* Mais après 86, hormis un bon Tavernier, les rôles se sont vite réduits et espacés. A repris en vedette à la télévision le rôle de Goupi Mains Rouges.

Barrymore, Drew

Actrice américaine née en 1975.

1980, Altered States (Au-delà du réel) (Russell) ; 1982, E.T. the Extra-Terrestrial (E.T. l'extra-terrestre) (Spielberg) ; 1984, Firestarter (Charlie) (Lester), Irreconciliable Differences (Divorce à Hollywood) (Shyer) ; 1985, Cat's Eye (Teague) ; 1989, Far From Home (Avis), See You in the Morning (Pakula) ; 1991, Motorama (Shils) ; 1992, Guncrazy (Tamra Davis), Poison Ivy (Shea Ruben), Sketch Artist (Papamichael), Waxwork II, Lost in Time (Hickox) ; 1993, Wayne's World 2 (Wayne's World 2) (Surjik), No Place to Hide (Danus), Inside the Goldmine (Evans) ; 1994, Doppelganger (Le double maléfique) (Nesher), Bad Girls (Belles de l'Ouest) (Kaplan), Boys on the Side (Avec ou sans hommes) (Ross) ; 1995, Mad Love (Bird), Batman Forever (Batman Forever) (Schumacher) ; 1996, Wishful Thinking (Park), Every One Says « I Love You » (Tout le monde dit « I love you ») (Allen), Scream (Scream) (Craven), Best Men (Best Men) (Davis) ; 1997, The Wedding Singer (Wedding Singer) (Coraci), Home Fries (Parisot), Ever After (A tout jamais) (Tennant) ; 1998, Never Been Kissed (College attitude) (Gosnell) ; 1999, Skipped Parts (Davis) ; 2000, Charlie's Angels (Charlie et ses drôles de dames) (McG), Donnie Darko (Kelly) ; 2001, Riding in Cars With Boys (Écarts de conduite) (Marshall) ; 2002, Confessions of a Dangerous Mind (Confessions d'un homme dangereux) (Clooney), Charlie's Angels : Full Throttle (Les anges se déchaînent) (McG) ; 2003, Duplex (1 duplex pour 3) (DeVito) ; 2004, 50 First Dates (Amour et amnésie) (Segal) ; 2005, Fever Pitch (Terrain d'entente) (Farrelly) ; 2007, Music and Lyrics (Le come-back) (Lawrence), Lucky you (Lucky you) (Hanson).

La petite fille blonde d'*E.T.* a bien grandi, mais drogue et alcool risquaient de mettre un terme prématuré à sa carrière. Elle revient sur les écrans dans un western au féminin, *Belles de l'Ouest*, toujours très blonde, et beaucoup plus pulpeuse. Elle fait partie du clan Barrymore, véritable dynastie de comédiens.

Barrymore, Ethel

Actrice américaine, de son vrai nom Blythe, 1879-1959.

1915, The Nightingale, The Final Judgement ; 1916, The Kiss of Hate, The Awakening of Helen Richie ; 1917, The White Raven, The Call of Her People, The Eternel Mother (Reicher), Life's Whirlpool (Barrymore), The Lifted Veil (Reicher), An American Widow (Reicher) ; 1918, Our Mrs. McChesney (Ince) ; 1919, Test of Honor ; The Divorcee (Blache) ; 1933, Rasputin and the Empress (Raspoutine et sa cour) (Boleslavsky) ; 1944, None But the Lonely Heart (Rien qu'un pauvre cœur solitaire) (Odets) ; 1946, The Spiral Staircase (Deux mains la nuit) (Siodmak) ; 1947, The Farmer's Daughter (Potter), Moss Rose (Ratoff), Night Song (Cromwell) ; 1948, The Paradine Case (Le procès Paradine) (Hitchcock), Moonrise (Le fils du pendu) (Borzage) ; 1949, Portrait of Jennie (Le portrait de Jennie) (Dieterle), The Great Sinner (Passion fatale) (Siodmak), That Midnight Kiss (Taurog), The Red Danube (Le Danube rouge) (Sidney), Pinky (L'héritage de la chair) (Kazan) ; 1951, King Lady (Sturges), The Secret of Convict Lake (Gordon), It's a Big Country (Sturges, Ch. Vidor, Wellman...) ; 1952, Deadline USA. (Bas les masques) (Brooks), Just For You (Nugent) ; 1953, The Story of Three Loves (sketch de Minnelli), Main Street to Broadway (Garnett) ; 1954, Young at Heart (Douglas) ; 1957, Johnny Trouble (Auer).

La fille du clan des Barrymore, redoutable famille où l'on était comédien de père en fils. Toutefois Ethel fut moins attirée que ses frères Lionel et John par le cinéma. Après quelques films sans intérêt au temps du muet, elle interrompit ses relations avec Hollywood pour se consacrer au théâtre. Elle apparut simplement en tsarine dans *Raspoutine*, véritable entreprise de famille où Lionel était Raspoutine et John le prince. Elle refit surface en 1944 et tourna alors plusieurs films : excentrique dans *The Great Sinner*, veuve défendant le journal de son mari dans *Deadline USA*. ou infirme dans *The Spiral Staircase*.

Barrymore, John

Acteur américain, de son vrai nom Blythe, 1882-1942.

1914, An American Citizen, The Man from Mexico ; 1915, The Dictator, Are You a Mason ?, The Incorrigible Dukane ; 1916, Nearly a King, The Red Widow, The Lost Bridegroom ; 1917, Raffles ; 1918, On the Quiet, Here Comes the Bride ; 1919, Test of Honour ; 1920, Dr. Jekyll and Mr. Hyde (Robertson) ; 1921, The Lotus Eater (Neilan), Sherlock Holmes (Parker) ; 1924, Beau Brummel (Beaumont), The Sea Beast (Moby Dick) (Webb), Don Juan (Crosland), When a Man Loves (Crosland), The Beloved Rogue (Crosland) ; 1928, Tempest (S. Taylor) ; 1929, Show of Shows (Adolfi), Eternal Love (Lubitsch), General Crack (Crosland) ; 1930, Moby Dick (Bacon), The Man from Blankley's (Green) ; 1931, Svengali (Mayo), The Mad Genius (Curtiz) ; 1932, Arsène Lupin (Arsène Lupin) (Conway), Grand Hotel (Grand hôtel) (Goulding), A Bill of Divorcement (Héritage) (Cukor), State's Attorney (Archainbaud), Rasputin and the Empress (Raspoutine et sa cour) (Boleslavsky) ; 1933, Topaze (D'Arrast), Reunion in Vienna (Franklin), Dinner at Eight (Les invités de huit heures) (Cukor), Night Flight (Vol de nuit) (Brown) ; 1934, Counsellor at Law (Le grand avocat) (Wyler), Long Lost Father (Schoedsack), Twentieth Century (Train de luxe) (Hawks) ; 1936, Romeo and Juliet (Roméo et Juliette) (Cukor), Bulldog Drummond Comes Back (Le retour de Bulldog Drummond) (L. King), Maytime (Leonard), Night Club Scandale (Murphy), Bulldog Drummond's Revenge (La revanche de Bulldog Drummond) (L. King), True Confession (Ruggles) ; 1938, Bulldog Drummond's Peril (Hogan), Spawn of the North (Hathaway), Marie-Antoinette (Marie-Antoinette) (Van Dyke), Romance in the Dark (Potter), Hold That Co-Ed (Marshall), The Great Man Votes (Kanin) ; 1939, Midnight (La baronne de Minuit) (Leisen) ; 1940, The Great Profile (W. Lang) ; 1941, The Invisible Woman (La femme invisible) (Sutherland), World Premiere (Tetzlaff).

Le cadet de la famille Barrymore, le séducteur, le débauché, celui par qui le péché arrive. Il fit l'objet de superlatifs : « Le plus grand acteur du monde », « Le plus grand amoureux de l'écran... » Sa vie privée a fini par faire oublier qu'il fut un prodigieux acteur, capable de jouer Raffles, Sherlock Holmes, Arsène Lupin et l'inspecteur Neilson dans le cycle inspiré de *Bulldog Drummond* de Sapper. Au demeurant, sa filmographie n'est pas sans charme même si son jeu nous paraît aujourd'hui quelque peu outré. Il mourut d'une pneumonie.

Barrymore, Lionel

Acteur et réalisateur américain, de son vrai nom Blythe, 1878-1954.

1911-1914, nombreux courts métrages dont Fighting Blood (Griffith, 1911), The Massacre (Griffith, 1912), The Musketeers of Pig Alley (Griffith, 1912), The New York Hat (Griffith, 1912). The Battle of Elderbush Gulch (Griffith, 1913) ; 1914, Men and Women, The Span of Life, Judith of Bethulia (Griffith), Strongheart, The Woman in Black, The Seats of the Mighty, Under the Gaslight ; 1915, Wildfire, The Exploits of Elaine (Mackenzie), The Romance of Elaine (Mackenzie-Gasnier), A modern Magdalen, The Curious Life of Judge Legarde, The Flaming Sword, Dora Thorne, A Yellow Streak ; 1916, Dorian's Divorce, The Quitter, The Upheaval, The Brand of Cowardise ; 1917, The End of the Tour, His Father's Son, The Millionaire's Double, Life's Whirlpool ; 1919, The Valley of Night ; 1920, The Copperhead, The Master Mind ; The Devil's Garden ; 1921, The Great Adventure (Webb), Jion the Penman (Webb) ; 1922, Boomerang Bill (Teriss), The Face in the Fog (Crosland) ; 1923, The Enemies of Women (Crosland), Unseeing Eyes (E. Griffith) ; 1924, The Eternal City (Fitzmaurice), Decameron Nights (Wilcox), America (Griffith), Meddling Women (Abramson) ; 1925, I Am the Man (Abramson), The Iron Man (Bennett), Children of the Whirlwind (Bennett), The Wrongdoers (Dierker), The Girl Who Wouln't Work (De Sano), Fifty-Fifty (Diamant-Berger), The Splendid Road (Lloyd) ; 1926, The Barrier (Hill), Brooding Eyes (Le Saint), The Kucky Lady (Walsh), Paris at Midnight (Hopper), The Bells (Young), The Temptress (Niblo) ; 1927, The Show (Browning), Body and Soul (Barker), The Thirteenth Hour (Ch. Franklin), Women Love Diamonds (Goulding) ; 1928, Love (Anna Karenina) (Goulding), Sadie Thompson (Walsh), West of Zanzibar (Browning), Drums of Love (Griffith), The Lion and the Mouse (Bacon), Road House (Rosson), The River Woman (Henabery) ; 1929, Hollywood Revue (Reisner), Alias Jimmy Valentine (Conway), Mysterious Island (Hubbard) ; 1930, Free and Easy (Sedgwick) ; 1931, A Free Soul (Ames libres) (Brown), The Yellow Ticket (Le passeport jaune) (Walsh), Mata-Hari (Fitzmaurice), Guilty Hands (Van Dyke) ; 1932, Broken Lullaby (L'homme que j'ai tué) (Lubitsch), Arsène Lupin (Arsène Lupin) (Conway), Washington Masquerade (Brabin), Grand Hotel (Grand hôtel) (Goulding), Rasputin and the Empress (Raspoutine et sa cour) (Boleslavsky) ; 1933, Night Flight (Vol de nuit) (Brown), Dinner at Eight (Les invités de huit heures) (Cukor), The Stranger's Return (Vidor), Looking Forward (Brown), The Late Christopher Bean (Wood), Should Ladies Behave ? (Trois jeunes filles à la page) (Beaumont), Sweepings (Cromwell), One Man's Journey (Robertson) ; 1934, This Side of Heaven (Howard), Carolina (King), Treasure Island (L'île au trésor) (Fleming), The Girl from Missouri (La belle du Missouri) (Conway) ; 1935, Mark of the Vampire (Browning), The Little Colonel (Butler), Public Hero Number One (Ruben), The Return of Peter Grimm (Nichols Jr.) ; 1936, Ah Wilderness (Impétueuse jeunesse) (Brown), The Devil Doll (Les poupées du diable) (Browning), The Road to Glory (Le chemin de la gloire) (Hawks), The Voice of Bugle Ann (Thorpe), The Gorgeous Hussy (Brown), David Copperfield (Cukor), Camille (Le roman de Marguerite Gautier) (Cukor) ; 1937, A Family Affair (Seitz), Captains Courageous (Capitaines courageux) (Fleming), Navy Blue and Gold (Wood), Saratoga (Conway) ; 1938, Test Pilot (Pilote d'essai) (Fleming), A Yank at Oxford (Vive les étudiants) (Conway), You Can't Take It With You (Vous ne l'emporterez pas avec vous) (Capra), Young Dr. Kildare (Bucquet) ; 1939, Let Freedom Ring (Le flambeau de la liberté) (Conway), On Borrowed Time (L'étrange sursis) (Bucquet), Calling Dr. Kildare (Bucquet), Secret of Dr. Kildare (Bucquet) ; 1940, Dr. Kildare's Strange Case (Bucquet), Dr. Kildare Goes Home (Bucquet), Dr. Kildare's Crisis (Bucquet) ; 1941, The Bad Man of Brimstone (Arizona Bill) (Ruben), The Penalty (Bucquet), The People Versus Dr. Kildare (Bucquet), Lady Be Good (McLeod), Dr. Kildare's Wedding Day (Bucquet) ; 1942, Dr. Kildare's Victory (Van Dyke), Calling Dr. Gillepsie (Bucquet), Dr. Gillepsie's New Assistant (Goldbeck) ; 1943, Tennessee Johnson (Dieterle), Thousand Cheer (La parade aux étoiles) (Sidney), A Guy Named Joe (Un nommé Joe) (Fleming), Dr. Gillepsie's Criminal Case (Goldbeck) ; 1944, DragonSeed (Les fils du dragon) (Bucquet), Since You Went Away (Depuis ton départ) (Cromwell), Three Men in White (Goldbeck) ; 1945, The Valley of Decision (La vallée du jugement) (Garnett), Between Two Women (Goldbeck), The Secret Heart (Cœur secret) (Leonard), It's a Wonderful Life (La vie est belle) (Capra), Duel in the Sun (Duel au soleil) (Vidor) ; 1947, Dark Delusion (Goldbeck) ; 1948, Key Largo (Huston) ; 1949, Down to the Sea in Ships (Les marins de l'Orgueilleux) (Hathaway), Malaya (Malaya) (Thorpe) ; 1950, Right Cross (Sturges) ; 1951, Bannerline (Weis) ; 1952, Lone Star (L'étoile du destin) (Scherman) ; 1953, Main Street to Broadway (Garnett). *Pour le metteur en scène*, voir le *Dictionnaire du cinéma*. t. I : *les réalisateurs*.

Frère aîné de John Barrymore et d'Ethel, petit-fils de la grande comédienne Luisa Lane, elle-même fille d'un comédien réputé, il a débuté très jeune à Broadway. Au cinéma il fut l'interprète des premiers courts métrages de Griffith et obtint un oscar en 1930-1931 pour *Ames libres*. Il sut imposer une silhouette massive souvent menaçante (*Devil Doll*) et généralement méchante (M. Potter qui veut ruiner la banque de James Stewart dans *La vie est belle*, ou encore Raspoutine). Il apparut également avec grand succès dans l'inépuisable série des *Dr. Kildare* et *Dr. Gillepsie*. Il mit lui-même en scène plusieurs films et composa *In memorian John Barrymore* en 1942 et *Partita* en 1944.

Barthelmess, Richard

Acteur américain, 1895-1963.

1916, War Brides, Snow White, Gloria's Romance, Just a Song a Twilight ; 1917, The Seven Swans, The Valentine's Girl, Bab's Diary, Camille, The Soul of Magdalen, The Street of Illusions, Bab's Burglar, Nearly Married, The Moral Code, For Valor, The Eternal Sin, Sunshine Man ; 1918, Hit the Trail Holiday, Rich Man, Poor Man, The Hope Chest, Boots, A Wild Primerose ; 1919, The Girl Who Stayed Home (Griffith), Three Men and a Girl, Peppy Polly, Broken Blossoms (Le lys brisé) (Griffith), I'll Get Him Yet, Scarlet Days (Griffith) ; 1920, The Idol Dancer (Griffith), The Love Flower (Griffith), Way Down East (A travers l'orage) (Griffith) ; 1921, Experience (Fitz Maurice), Tol'able David (King) ; 1922, The Seventh Day (King), Sonny (King), Fury (King), The Bond Boy (King) ; 1923, The Bright Shawl (Le châle aux fleurs de sang) (Robertson) ; The Fighting Blade (Robertson) ; 1924, Twenty One (Robertson) ; The Enchanted Cottage (Robertson), Classmates (Robertson) ; 1925, New Toys (Robertson) ; Soul Fire (Robertson) ; Shore Leave (Robertson), The Beautiful City (Webb) ; 1926, Just Suppose (Webb), Ransom's Folly (Olcott), The Amateur Gentleman (Olcott), The White Black Sheep (Olcott) ; 1927, The Patent Leather Kid (Santell), The Drop Kick (Webb) ; 1928, The Little She-

1993, What's Love Got to Do With It (Tina) (B. Gibson) ; 1995, Waiting to Exhale (Où sont les hommes ?) (Whitaker), Vampire in Brooklyn (Un vampire à Brooklyn) (Craven), Panther (Van Peebles), Strange Days (Strange Days) (Bigelow) ; 1997, Contact (Contact) (Zemeckis) ; 1998, How Stella Got Her Groove Back (Sullivan), Supernova (Supernova) (Hill) ; 1999, Music of the Heart (La musique de mon cœur) (Craven) ; 2001, The Score (The Score) (Oz) ; 2003, Mr 3000 (Mr 3000) (C. Stone III).

Une jeunesse passée en Floride et la vocation en voyant James Earl Jones dans *Une souris et des hommes*... Licenciée de Yale, elle se fait connaître dans le biopic de Spike Lee consacré à Malcolm X, mais c'est grâce à son interprétation de Tina Turner dans la biographie filmée par Brian Gibson qu'elle acquiert la célébrité. Flic de choc dans le futuriste *Strange Days*, elle est sans doute, avec Halle Berry, une des plus belles actrices noires des années 90.

Bataille, Sylvia
Actrice française, de son vrai nom Makles, 1908-1993.

1934, La voix sans visage (Mittker), Adémaï aviateur (Tarride) ; 1935, Le crime de M. Lange (Renoir), Son excellence Antonin (Tavano) ; 1936, Une partie de campagne (Renoir), Rose (Rouleau), Jenny (Carné), Le chemin de Rio (Siodmak), Vous n'avez rien à déclarer ? (Joannon), L'affaire du courrier de Lyon (Lehmann) ; 1937, Forfaiture (L'Herbier) ; 1938, Les gens du voyage (Feyder), L'étrange nuit de Noël (Noé), Le château des quatre obèses (Noé), Campement 13 (Constant), Serge Panine (Méré) ; 1939, Quartier latin (Colombier), L'enfer des anges (Christian-Jaque) ; 1940, Ils étaient cinq permissionnaires (Caron) ; 1946, Les portes de la nuit (Carné) ; 1949, Julie de Carneilhan (Manuel).

Ravissante ingénue, particulièrement émouvante dans *Une partie de campagne*. Épouse du docteur Lacan, elle avait quitté le cinéma.

Batalov, Nikolaï
Acteur soviétique, 1899-1937.

Principaux films : 1924, Aelita (Aelita) (Protozanov) ; 1926, Mat (La mère) (Poudovkine), Tretya Mechtchanskaya (Trois dans un sous-sol) (Room) ; 1931, Poutievkav Gizn (Le chemin de la vie) (Ekk) ; 1935, Tri tovarisca (Timochenko).

Ce Moscovite venu du théâtre a associé son nom à quelques œuvres marquantes du cinéma soviétique. Il y joue avec conscience des héros « positifs ».

Batcheff, Pierre
Acteur français d'origine russe, 1901-1932.

1924, Claudine et le poussin (Manchez) ; 1925, Autour d'un berceau (Monca), Le double amour (Epstein), Feu Mathias Pascal (L'Herbier), La princesse Lulu (Donatien), Destinée (H. Roussell) ; 1927, Le joueur d'échecs (Bernard), Éducation de prince (Diamant-Berger), Le bonheur du jour (Ravel), La sirène des tropiques (Etiévant), En rade (Cavalcanti), Napoléon (Gance) ; 1928, L'île d'amour (Durand), Vivre (Boudrioz) ; Le perroquet vert (Milva), Les deux timides (Clair) ; 1929, Un chien andalou (Buñuel), Monte-Cristo (Fescout), Illusions (Mayrargue) ; 1930, Les amours de minuit (Genina), Le rebelle (Millar) ; 1931, Baroud (Ingram).

Forte personnalité du cinéma muet. On se souvient de son Hoche dans le *Napoléon* de Gance et de son personnage du *Chien andalou*. Au théâtre, il joua avec les Pitoëff. Il devait se donner la mort.

Bates, Alan
Acteur anglais, 1934-2003.

1960, The Entertainer (Le cabotin) (Richardson) ; 1961, Whistle Down the Wind (Le vent garde son secret) (Forbes) ; 1962, A Kind of Loving (Un amour pas comme les autres) (Schlesinger) ; 1963, The Running Man (Le deuxième homme) (Reed), The Caretaker (The Caretaker) (Donner), Nothing but the Best (Tout ou rien) (Donner) ; 1964, Zorba the Greek (Zorba le Grec) (Cacoyannis) ; 1965, Georgy Girl (Georgy Girl) (Narizzano) ; 1966, Le roi de cœur (Broca) ; 1967, Far from the Madding Crowd (Loin de la foule déchaînée) (Schlesinger), Rece do gory (Haut les mains !) (Skolimovski) ; 1968, The Fixer (L'homme de Kiev) (Frankenheimer), Women in Love (Love) (Russell) ; 1970, The Three Sisters (Les trois sœurs) (Olivier) ; 1971, A Day in the Life of Joe Egg (Medak), The Go-Between (Le messager) (Losey) ; 1972, The Impossible Object (L'impossible objet) (Frankenheimer) ; 1973, Butley (Pinter) ; 1975, Royal Flash (Lester) ; 1976, In Celebration (Anderson) ; 1977, An Unmarried Woman (La femme libre) (P. Mazursky) ; 1978, The Shout (Le cri du sorcier) (Skolimowski) ; 1979, The Rose (The Rose) (Rydell), Nijinsky (Nijinsky) (H. Ross), Very Like a Whale (Bridges) ; 1981, Quartet (Quartet) (Ivory) ; 1982, Come Back to the Five-and-Dime, Jimmy Dean, Jimmy Dean (Reviens Jimmy Dean, reviens) (Altman), The

Return of the Soldier (Le retour du soldat) (Bridges), Britannia Hospital (Britannia Hospital) (Anderson) ; 1983, An Englishman Abroad (Schlesinger), The Wicked Lady (Winner) ; 1984, Dr. Fischer of Geneva (Lindsay-Hogg) ; 1986, Duet for One (Duo pour un soliste) (Konchalovsky) ; 1987, A Prayer for the Dying (L'Irlandais) (Hodges) ; 1988, We Think the World for You (Gregg) ; 1989, Force majeure (Jolivet) ; 1990, Mister Frost (Setbon), Docteur M (Chabrol), Hamlet (Hamlet) (Zeffirelli) ; 1991, Secret Friends (D. Potter), Shuttlecock (Piddington), Unnatural Pursuit (Morahan) ; 1993, Silent Tongue (Shepard) ; 1996, Gentlemen Don't Eat Poets/The Grotesque (Davidson) ; 1998, Varya (La cerisaie) (Cacoyannis) ; 2001, Gosford Park (Gosford Park) (Altman), The Mothman Prophecies (La prophétie des ombres) (Pellington) ; 2003, Hollywood North (O'Brian), Evelyn (Evelyn) (Beresford), The Statement (Jewison).

Études à la Royal Academy of Dramatic Art où il se lia à Albert Finney et Tom Courtenay. Il participa ensuite aux recherches des « Angry Young Men » (Pinter, Osborne...) sans négliger les auteurs classiques. Au cinéma, il a été l'un des acteurs favoris de Frankenheimer, Losey, Donner, Russell... et a participé au renouveau du cinéma anglais. Sa carrure athlétique le voua aux rôles de fermier (*The Go-Between*) ou de garde-chasse. Sa lutte avec Olivier Reed dans *Love* restera un moment d'anthologie.

Bates, Kathy

Actrice américaine née en 1948.

1971, Taking Off (Taking Off) (Forman) ; 1977, Straight Times (Le récidiviste) (Grosbard) ; 1982, Come Back to the Five-and-Dime, Jimmy Dean, Jimmy Dean (Reviens Jimmy Dean, reviens) (Altman), Two of a Kind (Seconde chance) (Herzfeld) ; 1986, The Morning After (Le lendemain du crime) (Lumet) ; 1987, Summer Heat (Gleason) ; 1988, Arthur II : On the Rocks (Yorkin) ; 1989, Men Don't Leave (Brickman), High Stakes (Kollek), Signs of Life (Coles) ; 1990, Misery (Misery) (Reiner), Dick Tracy (Dick Tracy) (Beatty) ; 1991, White Palace (La fièvre d'aimer) (Mendoki), The Road to Mecca (Fugard et Goldsmid), At Play in the Fields of the Lord (En liberté dans les champs du seigneur) (Babenco) ; 1992, Fried Green Tomatoes at the Whistle Stop Café (Beignets de tomates vertes) (Avnet), Shadows and Fog (Ombres et brouillard) (Allen), Used People (Quatre New-Yorkaises) (Kidron), Prelude to a Kiss (Rene) ; 1993, Curse of the Starving Class (McClary), A Home of Our Own (Bill) ; 1994, North (L'irrésistible North) (R. Reiner), Dolores Claiborne (Dolores Claiborne) (Hackford) ; 1995, Angus (Angus) (Read Johnson), Diabolique (Diabolique) (Chechik) ; 1996, The War at Home (Estevez), Swept From the Sea (Au cœur de la tourmente) (Kidron) ; 1997, Titanic (Titanic) (Cameron), Primary Colors (Primary Colors) (Nichols) ; 1998, The Waterboy (Waterboy) (Coraci), Bruno (MacLaine), A Civil Action (Préjudice) (Zaillian) ; 1999, Il potere della speranza (Manera) ; 2000, Unconditional Love (Hogan), Jesse James (Mayfield) ; 2001, Dragonfly (Apparitions) (Shadyac) ; 2002, About Schmidt (M. Schmidt) (Payne), Around the World in 80 Days (Le tour du monde en 80 jours) (Coraci) ; 2005, The Bridge of the San Luis Rey (Le pont du roi Saint Louis) (McGuckian) ; 2006 Failure to Launch (Playboy à saisir) (Dey), Rumor Has It (La rumeur court...) (Reiner).

Est-ce grâce à son physique ingrat qu'elle est vraiment terrifiante dans *Misery*, une adaptation du roman de Stephen King, où elle rendait la vie dure au personnage incarné par James Caan ? Elle y gagna en tout cas un Golden Globe, un oscar et une reconnaissance mondiale, que Woody Allen et Beeban Kidron surent utiliser à bon escient.

Bates, Ralph

Acteur anglais, 1940-1991.

1970, Taste the Blood of Dracula (Une messe pour Dracula) (Sasdy), The horror of Frankenstein (Les horreurs de Frankenstein) (Sangster) ; 1971, Lust for a Vampire (Sangster), Dr. Jeckyll and Sister Hyde (Dr Jeckyll et sister Hyde) (Baker) ; 1972, Fear in the Night (Sueur froide dans la nuit) (Sangster) ; 1974, The Terror of Sheba (Chaffey) ; 1976, The Devil within Her (Sasdy) ; 1985, Letter to an Unknown Lover (Duffell) ; 1990, King of the Wind (Duffell).

Beau et inquiétant, il joua les pervers et les décadents (il fut notamment un baron de Frankenstein à contre-courant de la légende) dans les films d'horreur.

Bauchau, Patrick

Acteur français né en 1938.

1967, La collectionneuse (Rohmer) ; 1968, Tuset Street (Grau) ; 1980, Guns (Guns) (Kramer), Le petit pommier (Kermadec) ; 1981, Cristal Gazing (Wollen) ; 1982, Les îles (Azimi), Der Stand der Dinge (L'état des choses) (Wenders), Coup de foudre (Kurys) ; 1983, Moitié de l'amour (Gimenez), Voyage en hiver (Handwerker), Emmanuelle 4 (Leroi), Premiers désirs (Hamilton) ; 1984, Phenomena (Phenomena) (Argento), Choose Me (Choose Me) (Rudolph), La femme publique (Zulawski), Nucleo zero (Lizzani), La nuit porte-jarretelles (Thévenet), To Hell and Back in Time for Breakfast (Templeman) ; 1985, A View to a Kill (Dangereusement vôtre) (Glen), Lola (Bigas Luna), Motten im Licht (Egger), Conseil de famille (Costa-Gavras), Dario Argento's World of Horror (Soavi) ; 1986, La balada de la playa de los perros (Fonseca a Costa), L'archange de la passion (Vergitsis), Love Among Thieves (R. Young), Cross (Setbon), Paysage d'un cerveau (Pacull), Accroche-cœur (Picault) ; 1987, Le maître de musique (Corbiau) ; 1988, Erreur de jeunesse (Tadic), Australia (Andrien) ; 1989, La madonne et le dragon (Fuller), Comédie d'amour (Rawson) ; 1990, Lo mas natural (Molina) ; 1991, Robert's Movie (Robert's Movie) (Gerede) ; 1992, The Rapture (Une femme envoûtée) (Tolkin) ; 1993, And the Band Played On (Les soldats de l'espérance) (Spottiswoode), The Beatniks (Williams) ; 1994, Clear and Present Danger (Danger immédiat) (Noyce), The New Age (Tolkin), Jenipapo (Goldenberg) ; 1995, Lisbon Story (Lisbonne Story) (Wenders), Docteur Chance (Ossang), Enfants de salaud (Marshall), Serpent's Lair (J. Reiner) ; 1996, I magi randagi (Citti) ; 1998, Twin Falls Idaho (Les frères Falls) ; 1999, The Cell (The Cell) (Tarsem) ; 2001, Panic Room (Fincher) ; 2003, Secretary (Le secrétaire) (Shainberg) ; 2004, Five Obstruction (Trier) ; 2007, Boy Culture (Brocka), Suzanne (Candas).

Il promène son énigmatique silhouette dans le monde entier, privilégiant un cinéma d'auteur difficilement accessible (voire carrément non distribué en France !). Après quelques films plus grand public aux États-Unis, où son hiératisme semble fasciner, Wenders le met en haut de l'affiche avec *Lisbonne Story*.

Baumer, Jacques
Acteur français, 1885-1951.

1932, Ce cochon de Morin (Lacombe) ; 1933, Étienne (Tarride) ; 1936, La belle équipe (Duvivier) ; 1937, La porte du large (L'Herbier), Gribouille (Allégret), Mollenard (Siodmak) ; 1938, Feu ! (Baroncelli), Légions d'honneur (Gleize), Désiré (Guitry), La tragédie impériale (L'Herbier), La glu (Choux), Durand bijoutier (Stelli), Café de Paris (Mirande) ; 1939, Entente cordiale (L'Herbier), Le jour se lève (Carné), Derrière la façade (Mirande) ; 1940, Paris-New York (Mirande) ; 1942, Les inconnus dans la maison (Decoin), Le comte de Monte-Cristo (Vernay), Les ailes blanches (Peguy), Les affaires sont les affaires (Dreville), Le bienfaiteur (Decoin), Mademoiselle Beatrix (Vaucorbeil), Mahlia la métisse (Kapps) ; 1943, L'éternel retour (Delannoy) ; Le colonel Chabert (Le Hénaff) ; 1944, Les caves du Majestic (Pottier) ; 1947, Le comédien (Guitry) ; 1948, Impasse des Deux Anges (Tourneur) ; 1949, Manèges (Y. Allégret), Le furet (Leboursier) ; 1950, Caroline chérie (Pottier).

Il a joué pendant vingt ans les personnages timides, effacés, dépassés, au point qu'on a fini par l'oublier. A tort, le commissaire du *Jour se lève*, Delebeque dans *Le colonel Chabert* ou le Noirtier du *Comte de Monte-Cristo*, c'était lui, toujours naturel, excellent.

Baur, Harry
Acteur français, 1880-1943.

1912, Shylock ; 1916, Stass et compagnie (Gance) ; 1917, L'âme du bonze (Roussel) ; 1923, La voyante (Abrams) ; 1930, Le juif polonais (Kemm) ; 1931, David Golder (Duvivier) ; Cape Forlorn (Le cap perdu) (Dupont) ; 1932, Les cinq gentlemen maudits (Duvivier), Criminel (Forrester), Poil de carotte (Duvivier) ; 1933, La tête d'un homme (Duvivier), Les trois mousquetaires (Diamant-Berger), Cette vieille canaille (Litvak), Les misérables (Bernard) ; 1934, Rothschild (Gastyne), Les nuits moscovites (Granowsky), Le greluchon délicat (Choux), Un homme en or (Dréville) ; 1935, Golgotha (Duvivier), Crime et châtiment (Chenal), Nitchevo (Baroncelli), Tarass-Boulba (Granowsky), Les hommes nouveaux (L'Herbier) ; 1936, Samson (Tourneur), Les yeux noirs (Tourjansky), Le Golem (Duvivier), Un grand amour de Beethoven (Gance), Paris (Choux) ; 1937, Un carnet de bal (Duvivier), Nostalgie (Tourjansky), Les secrets de la mer Rouge (Pottier), Sarati le Terrible (Hugon), Mollenard (Siodmak), Le patriote (Tourneur), La tragédie impériale (L'Herbier) ; 1939, Le président Haudecœur (Dréville), L'homme du Niger (Baroncelli) ; 1940, Volpone (Tourneur) ; 1941, Péchés de jeunesse (Tourneur), L'assassinat du père Noël (Christian-Jaque) ; 1942, Symphonie eines Lebens (Symphonie d'une vie) (Hans Bertram).

L'un des plus grands acteurs du cinéma français d'avant 40. Premier prix de comédie et premier prix de tragédie au Conservatoire, preuve qu'il pouvait passer d'un registre à l'autre sans difficultés ; servi par un physique puissant, il fut à l'écran Jean Valjean et Maigret, un riche égoïste (*Péchés de jeunesse*) et un capitaine du service de santé plein d'abnégation (*L'homme du Niger*), Beethoven ou le juge Porphyre de *Crime et châtiment.* Mais ses meilleures compositions furent celles de Levantins (*Volpone* où il est éblouissant) et de Juifs, ce qui lui valut d'être dénoncé comme tel aux Allemands en 1942, au retour d'un film qu'il avait tourné à Berlin. Sa mort reste entourée de mystère.

Baxter, Anne

Actrice américaine, 1923-1985.

1940, Twenty Mule Team (Thorpe), The Great Profile (W. Lang) ; 1941 Charley's Aunt (Mayo), Swamp Water (L'étang tragique) (Renoir) ; 1942, The Magnificent Ambersons (La splendeur des Ambersons) (Welles), The Pied Piper (Pichel) ; 1943, Crash Dive (Mayo), The Five Graves to Cairo (Les cinq secrets du désert) (Wilder), The North Star (L'étoile du Nord) (Milestone) ; 1944, The Sullivans (Bacon), The Eve of St. Mark (Stahl), Guest in the House (Brahm), Sunday Dinner for a Soldier (Bacon) ; 1945, A Royal Scandal (Preminger) ; 1946, Smoky (L. King), Angel on my Shoulder (Mayo), The Razor's Edge (Le fil du rasoir) (Goulding) ; 1947, Mother Wore Tights (W. Lang), Blaze of Moon (Farrow) ; 1948, Homecoming (LeRoy), The Luck of the Irish (Koster), The Walls of Jericho (Stahl), Yellow Sky (La ville abandonnée/Nevada) (Wellman) ; 1949, You're My Everything (W. Lang) ; 1950, A Ticket to Tomahawk (Sale), All About Eve (Ève) (Mankiewicz) ; 1951, Follow the Sun (Lanfield) ; 1952, The Outcasts of Poker Flat (Les bannis de la Sierra) (Newman), My Wife's Best Friend (Sale), O'Henry's Full House (La sarabande des pantins) (Hathaway, Koster, King, Negulesco, Hawks) ; 1953, I Confess (La loi du silence) (Hitchcock), The Blue Gardenia (La femme au gardénia) (Lang) ; 1954, Carnival Story (Ceux du voyage) (Neumann) ; 1955, Bedevilled (Leisen) ; One Desire (Hopper) ; The Spoilers (Hibbs) ; 1956, The Come-On (Birdwell), The Ten Commandments (Les dix commandements) (DeMille) ; 1957, Three Violent People (Terre sans pardon) (Maté) ; 1958, Chase a Crooked Shadow (Anderson) ; 1961, Cimarron (La ruée vers l'Ouest) (Mann), Mix Me a Person (L. Norman), Season of Passion (Norman) ; 1962, A Walk on the Wild Side (La rue chaude) (Dmytryk) ; 1965, The Family Jewels (Les tontons farceurs) (Lewis) ; 1967, Tall Woman (Pink), The Busy Body (Castle) ; 1971, Fool's Parade (McLaglen), The Late Liz (D. Ross) ; 1980, Jane Austen in Manhattan (Ivory).

On oublierait vite son gentil visage au nez un peu fort et son jeu limité si l'on ne découvrait qu'elle a été dirigée par les plus grands. Sa filmographie est riche en chefs-d'œuvre, de Wilder à Wellman, de Hitchcock à DeMille.

Baxter, Warner

Acteur américain, 1889-1951.

1914, Her Own Money ; 1918, All Woman ; 1919, Lombardi Ltd ; 1921, Cheated Hearts (Henley), First Love (Campbell) ; 1922, Her Own Money (Henabery), The Love Charm (Heffron), Sheltered Daughters (Dillon), If I Were Queen (Ruggles), The Girl in His Room (José), A Girl's Desire (Divad) ; 1923, Blow Your Own Horn (Horne), The Ninety and Nine (Smith), St Elmo (Storm) ; 1924, Alimony (Horne), In Search of a Thrill (Apfel), Christine of the Hungry Heart (Archainbaud), The Female (Wood), His Forgotten Wife (Seiter), Those Who Dance (Hillyer), The Garden of Weeds (Cruze) ; 1925, The Golden Bed (DeMille), The Awful Truth (Powell), Welcome Home (Cruze), Air Mail (Les pirates de l'air) (Willat), Rugged Water (Willat), A Son of His Father (Fleming), The Best People (Olcott), Mannequin (Cruze) ; 1926, Miss Brewste's Millions (Badger), The Great Gatsby (Brenon), Aloma of the South Seas (Tourneur), Mismates (Brabin), The Runaway (W. DeMille) ; 1927, The Coward (Raboch), Drums of the Desert (Waters), Telephon Girl (Brenon), Singed (Légitime défense) (J. Wray) ; 1928, Ramona (Carewe), Three Sinners (Lee), Tragedy of Youth (Archainbaud), Danger Street (R. Ince), A Woman's Way (Mortimer), Craig's Wife (DeMille) ; 1929, West of Zanzibar (Browning), Linda (Reid), Far Call (Dwan), In Old Arizona (Walsh et Cummings), Behind that Curtain (Cummings), Romance of the Rio Grande (Santell), Thru Different Eyes (Blystone) ; 1930, Arizona Kid (Santell), Happy Days (Stoloff), Renegades (Fleming), Such Men Are Dangerous (Kenneth Hawks), Doctors'Wives (Borzage) ; 1931, The Squaw Man (DeMille), Daddy Long Legs (Santell), The Cisco Kid (Cummings), Surrender (Howard), Their Mad Moment (MacFadden) ; 1932, Amateur Daddy (Blystone), Man About Town (Dillon), Six Hours To Live (Six heures à vivre) (Dieterle), Dangerously Yours (Tuttle) ; 1933, Forty Second Street (42e Rue) (Bacon), Penthouse (Pent-house) (Van Dyke), Paddy the Next Best Thing (Lachman) ; 1934, As Husbands Go (MacFadden), Stand up and Cheer (MacFadden), Such Women Are Dangerous (Flood), Broadway Bill (La course de Broadway Bill) (Capra), Hell in the Heavens (Blystone), Grand Canary (Cummings) ; 1935, One More Spring (King), Under the Pampas Moon (Tinling), King of Burlesque (Le roi du music-hall) (Lanfield) ; 1936, Robin Hood of Eldorado (Robin des bois d'Eldorado) (Wellman), The Prisoner of Shark Island (Je n'ai pas tué Lincoln) (Ford), The Road to Glory (Le chemin de la gloire) (Hawks), White Hunter (Cummings) ; 1937, Slave Ship (Le dernier négrier) (Garnett), Vogues of 1938 (Cummings), Wife, Doctor and Nurse (Jeux de dames) (W. Lang), Kidnapped (Le proscrit) (Werker), I'll Give a Million (W. Lang) ; 1939, The Return of Cisco Kid (Leeds), Barricade (Ratoff), Wife, Husband and Friend (Ratoff) ; 1940, Earthbound (Pichel) ; 1941, Adam had Four Sons (La famille Stoddard) (Ratoff) ; 1943, The Crime Doctor (Gordon), The Crime Doctor's Strangest Case (Forde) ; 1944, Lady in the Dark (Les nuits ensorcelées) (Leisen), Shadows in the Night (Forde) ; 1945, The Crime Doctor's Courage (G. Sherman), The Crime Doctor's Warning (Castle), Just Before Dawn (Castle) ; 1946, The Crime Doctor's Man Hunt (Castle) ; 1947, Crime Doctor's Gamble (Castle), The Millerson Case (Archainbaud) ; 1948, A Gentleman from Nowhere (Castle), Prison Warden (Friedman) ; 1949, The Crime Doctor's Diary (S. Friedman) ; 1950, State Penitentiary (Landers).

Ce beau moustachu fut un inoubliable Murieta, métis révolté, dans *Robin Hood of Eldorado* et un Cisco Kid gai et entraînant dans *In Old Arizona* (qui lui permet d'obtenir un oscar en 1928-1929), *The Cisco Kid* et *The Return of Cisco Kid*. Mais son grand rôle demeure celui de *The Prisoner of Shark Island*, l'histoire du docteur Samuel Mudd qui fut condamné à la prison à vie pour avoir soigné la jambe de Booth, l'assassin de Lincoln. Sur la fin de sa carrière, Baxter fut le héros d'une inépuisable série, *Crime Doctor*, inspirée d'une émission de radio de Max Marcin.

Baye, Nathalie

Actrice française née en 1948.

1973, Two People (Brève rencontre à Paris) (Wise), La nuit américaine (Truffaut) ; 1974, La gueule ouverte (Pialat), 1974, Un jour, la fête (Sisser) ; 1975, Le voyage de noces (N. Trintignant) ; 1976, La ultima donna (La dernière femme) (Ferreri), Le plein de super (Cavalier), Mado (Sautet), La communion solennelle (Feret), L'homme qui aimait les femmes (Truffaut) ; 1977, Monsieur papa (Monnier), Mon premier amour (Chouraqui), La mémoire courte (De Gregorio) ; 1978, La chambre verte (Truffaut) ; 1979, Sauve qui peut (la vie) (Godard), Je vais craquer (Leterrier) ; 1980, Une semaine de vacances (Tavernier), La provinciale (Goretta) ; 1981, Une étrange affaire (Granier-Deferre), Beau-père (Blier), L'ombre rouge (Comolli) ; 1982, Le retour de Martin Guerre (Vigne), La balance (Swaim) ; 1983, J'ai épousé une ombre (R. Davis) ; 1984, Notre histoire (Blier), Rive droite, rive gauche (Labro) ; 1985, Détective (Godard), Beethoven's Nephew (Le neveu de Beethoven) (Morrissey), Lune de miel (Jamain) ; 1987, De guerre lasse (Enrico), En toute innocence (Jessua) ; 1990, La Baule-les-Pins (Kurys), Un week-end sur deux (Garcia), The Man Inside (L'affaire Wallraff) (Roth) ; 1991, La voix (Granier-Deferre) ; 1992, François Truffaut, portraits volés (Toubiana et Pascal) ; 1993, Mensonge (Margolin), And the Band Played On (Les soldats de l'espérance) (Spottiswoode) ; 1994, La machine (Dupeyron) ; 1995, Enfants de salaud (Marshall) ; 1996, Food of Love (Food of Love) (Poliakoff) ; 1997, Paparazzi (Berberian), Si je t'aime... prends garde à toi (Labrune) ; 1998, Vénus Beauté (Institut) (Marshall) ; 1999, Une liaison pornographique (Fonteyne) ; 2000, Ça ira mieux demain (Labrune), Selon Matthieu (Beauvois), Barnie et ses petites contrariétés (Chiche) ; 2001, Absolument fabuleux (Aghion) ; 2002, Catch Me If You Can (Arrête-moi si tu peux) (Spielberg) ; 2003, La fleur du mal (Chabrol), Les sentiments (Lvovsky), France Boutique (Marshall) ; 2004, Une vie à t'attendre (Klifa) ; 2005, Le petit lieutenant (Beauvois), L'un reste, l'autre part (Berri) ; 2006, Ne le dis à personne (Canet), La Californie (Fieschi), Acteur (c.m., Quivrin) ; 2007, Le prix à payer (Leclère), Mon fils à moi (Fougeron), Michou d'Auber (Gilou).

Parents peintres ; une vocation de danseuse. Puis elle se sent attirée par le théâtre. Elle passe par le Conservatoire mais c'est Truffaut qui la lance en lui demandant de jouer dans *La nuit américaine*. Personne ne croit en elle. Mais sa volonté est la plus forte. Après Truffaut, Godard et Tavernier l'imposent. Plusieurs films ambitieux, un césar en 1983 pour *La balance* et un retour au théâtre. A l'écran restent *Martin Guerre* et *La balance* comme ses meilleures compositions. Ambiguë dans *En toute innocence*, elle est émouvante dans le premier film de Nicole Garcia, *Un week-end sur deux*, fort drôle en femme politique dans *La fleur du mal*, étonnante en mère excessive dans *La Californie*.

Beals, Jennifer

Actrice américaine née en 1963.

1983, Flashdance (Flashdance) (Lyne) ; 1985, The Bride (La promise) (Roddam) ; 1988, Split Decisions (Drury), La partita (Vanzina) ; 1989, Sons (Rockwell) ; 1990,

Vampire's Kiss (Embrasse-moi vampire) (Bierman) ; 1991, Blood and Concrete, a Love Story (Jeffrey Reiner), Dr. M (Chabrol) ; 1992, In the Soup (In the Soup) (Rockwell), Le grand pardon II (Arcady) ; 1993, Dead on Sight (Preuss) ; 1994, Caro diario (Journal intime) (Moretti), The Search for One-Eye-Jimmy (A la recherche de Jimmy-le-Borgne) (Kass), Mrs. Parker and the Vicious Circle (Mrs. Parker et le cercle vicieux) (Rudolph), Devil in a Blue Dress (Le diable en robe bleue) (Franklin) ; 1995, Let it Be Me (Bergstein), Four Rooms (Rockwell, Tarantino, Rodriguez, Anders) ; 1996, Wishful Thinking (Park), Prophecy II : Ashtown (Spence), The Twilight of the Golds (Marks) ; 1997, The Last Days of Disco (Les derniers jours du disco) (Stillman) ; 1998, Body and Soul ; 1999, A House Divided (Kent Harrison), Fear of Flying (Mackay) ; 2000, Militia (Wynorski), The Anniversary Party (Jason Leigh), Swimming Upstream (Emery) ; 2004, Shade (Les maîtres du jeu) (Nieman) ; 2006, The Grudge 2 (The Grudge 2) (Shimizu).

Choisie parmi quatre mille postulantes pour le rôle principal de *Flashdance*, elle a longtemps été prisonnière du triomphe de ce film, ne se voyant plus proposer que des rôles de danseuses glamour. Sa carrière prend un autre tournant en 1990 et elle se tourne dès lors vers un cinéma plus intimiste.

Bean, Sean

Acteur anglais né en 1959.

1984, Winter Flight (Battersby) ; 1986, Caravaggio (Caravaggio) (Jarman) ; 1988, War Requiem (Jarman), Stormy Monday (Stormy Monday) (Figgis) ; 1990, Windprints (Wicht), The Field (The Field) (Sheridan) ; 1991, Prince (Whitley), In the Border Country (O'Sullivan), Ao fim da noite (L'amour extrême) (Leitao) ; 1992, Patriot Games (Jeux de guerre) (Noyce) ; 1994, Shopping (Anderson), Black Beauty (Thompson) ; 1995, When Saturday Comes (Giese), GoldenEye (GoldenEye) (Campbell) ; 1997, Anna Karenina (Anna Karénine) (Rose) ; 1998, Ronin (Ronin) (Frankenheimer), Airborne (Grant) ; 1999, Essex Boys (Winsor), Bravo Two Zero (Clegg) ; 2001, Don't Say a Word (Pas un mot) (Fleder), The Lord of Rings : The Fellowship of the Ring (Le seigneur des anneaux : La communauté de l'anneau) ; 2002, The Lord of Rings : The Two Towers (Le seigneur des anneaux : Les deux tours) (Jackson) ; 2003, Equilibrium (Equilibrium) (Wimmer), The Lord of Rings : The Return of the King (Le Seigneur des anneaux, le retour du roi) (Jackson) ; 2004, National Treasure (Benjamin Gates et le trésor des Templiers) (Turteltaub), Troy (Troie) (Petersen) ; 2005, Flight Plan (Flight Plan) (Schwentke), The Dark (Fawcett), The Island (The Island) (Bay) ; 2006, Silent Hill (Gans), North Country (L'affaire Josey Aimes) (Caro) ; 2007, The Hitcher (D. Meyers).

Du théâtre, puis beaucoup de télévision. Il tient le rôle du méchant dans *GoldenEye*, puis celui de Vronsky dans le *Anna Karénine* dont Sophie Marceau tenait la vedette. Cela dit, un acteur anonyme qui ne soulève pas vraiment l'enthousiasme.

Béart, Emmanuelle

Actrice française née en 1965.

1975, Demain les mômes (Pourtalé) ; 1983, Un amour interdit (Dougnac), Premiers désirs (Hamilton) ; 1984, L'amour en douce (Molinaro) ; 1986, Manon des sources (Berri) ; 1987, Date with an Angel (McLaughlin) ; 1988, A gauche en sortant de l'ascenseur (Molinaro) ; 1989, Les enfants du désordre (Bellon) ; 1990, Il viaggio di Capitan Fracassa (Le voyage du capitaine Fracasse) (Scola) ; 1991, La belle noiseuse (Rivette), Contre l'oubli (collectif), J'embrasse pas (Téchiné) ; 1992, Rupture(s) (Citti), Un cœur en hiver (Sautet) ; 1993, L'enfer (Chabrol) ; 1994, Une femme française (Wargnier) ; 1995, Nelly et M. Arnaud (Sautet), Mission : Impossible (Mission impossible) (De Palma) ; 1997, Don Juan (Weber), Voleur de vie (Angelo) ; 1999, Elephant Juice (Miller), Le temps retrouvé (Ruiz), La bûche (Thompson) ; 2000, Les destinées sentimentales (Assayas), Voyance et manigance (Fourniols) ; 2001, La répétition (Corsini), Huit femmes (Ozon) ; 2003, Histoire de Marie et Julien (Rivette), Les égarés (Techiné), Nathalie (Fontaine) ; 2004, A boire (Vernoux) ; 2005, L'enfer (Tanovic), Un fil à la patte (Deville), Searching for Debra Winger (R. Arquette) ; 2006, A crime (Un crime) (Pradal), Le héros de la famille (Klifa) ; 2007, Les témoins (Téchiné).

Fille de Guy Béart, révélée par *Manon des sources*, elle doit ensuite échapper à ce personnage. Bellon lui en offre l'occasion mais le film est un échec. *La belle noiseuse* de Rivette la confirme. *L'enfer* la consacre comme une grande comédienne très émouvante dans un drame de la jalousie. Mais c'est le couple qu'elle forme avec Daniel Auteuil dans *Un cœur en hiver* et que reprend *Une femme française* qui l'impose. L'univers de Sautet lui convient à merveille : face à Serrault, elle est remarquable en secrétaire un peu paumée dans *Nelly et M. Arnaud*. Elle confirme une sensualité épanouie chez Rivette aussi bien que chez

Fontaine. Elle mène aussi hors des écrans un engagement en faveur des sans-papiers.

Beatles

John Lennon, 1940-1980 ; Ringo Starr, né en 1940 ; George Harrison, 1943-2001 ; Paul McCartney, né en 1942.

1964, A Hard Day's Night (Quatre garçons dans le vent) (Lester) ; 1965, Help (Au secours) (Lester) ; 1967, Magical Mystery Tour (Beatles) ; 1968, Yellow Submarine (Le sous-marin jaune) (Dunning) ; 1970, Let It Be (Lindsay-Hogg) ; 1976, All This and World War Two (S. Winslow) ; 1978, I Wanna Hold Your Hand (Crazy Day) (Zemeckis).

Issu de Liverpool, ce groupe musical allait devenir mondialement célèbre. Les films valent surtout par la musique, mais Lester sut inventer quelques bons gags et Dunning révolutionna le dessin animé avec *Yellow Submarine*. Chacun tourna ensuite de son côté : Starr dans *Candy* (Marquand) et *200 Motels* (Zappa) ; Lennon dans *How I Won the War* (Lester) puis dans des films expérimentaux avec Yoko Ono.

Beatty, Ned

Acteur américain né en 1937.

1972, Deliverance (Délivrance) (Boorman), The Life and Times of Judge Roy Bean (Juge et hors-la-loi) (Huston), The Toy (Donner) ; 1973, White Lightning (Les bootleggers) (Sargent), The Last American Hero (The Last American Hero) (Lamont Johnson), The Thief Who Came to Dinner (Le voleur qui vient dîner) (Yorkin) ; 1974, W.W. and the Dixie Dancekings (W.W. Dixie) (Avildsen) ; 1975, Nashville (Nashville) (Altman) ; 1976, Silver Streak (Transamerica Express) (Hiller), The Big Bus (Le bus en folie) (Frawley), Mikey and Nicky (Mikey et Nicky) (May), All the President's Men (Les hommes du président) (Pakula), Network (Network) (Lumet) ; 1977, Gray Lady Down (Sauvez le Neptune) (Greene), The Great Bank Hoax (Jacoby), The Exorcist II : the Heretique (L'exorciste II : l'hérétique) (Boorman) ; 1978, Alambrista ! (Alambrista !) (R. Young), Superman, the Movie (Superman) (Donner) ; 1979, 1941 (1941) (Spielberg), American Success Company (Richert), Wise Blood (Le malin) (Huston), Promises in the Dark (J. Hellman) ; 1980, Superman II (Superman 2, l'aventure continue) (Lester), Hopscotch (Jeux d'espions) (Neame) ; 1981, The Incredible Shrinking Woman (Schumacher) ; 1983, The Ballad of Gregorio Cortez (R. Young), Touched (Flynn), Stroker Ace (L'as de cœur) (Needham) ; 1985, Restless Natives (Hoffman) ; 1986, The Big Easy (The Big Easy) (McBride), Back to School (A fond la fac) (Metter) ; 1987, Rolling Vengeance (Stern), The Trouble With Spies (Kennedy), The Fourth Protocol (Le quatrième protocole) (Mackenzie) ; 1988, Shadows in the Storm (Tannen), Switching Channels (Scoop) (Kotcheff), After the Rain (Thompson), The Unholy (Vila), Physical Evidence (Crichton), Purple People Eaters (Shayne), Midnight Crossing (Halzberg) ; 1989, Ministry of Vengeance (Maris), Time Trackers (Cohen), Black Water (Gessner) ; 1990, Big Bad John (Kennedy), Blind Vision (Levy), Captain America (Pyun), A Cry in the Wild (Griffiths), Repossessed (L'exorciste en folie) (Logan), Chattahoochee (Jackson) ; 1991, Angel Square (Wheeler), Hear My Song (Chelsom), Going Under (Travis) ; 1992, Illusions (Kulle), Prelude to a Kiss (Rene) ; 1993, Ed and his Dead Mother (Wacks), Rudy (Anspaugh) ; 1994, Radioland Murders (Smith) ; 1995, Just Cause (Juste cause) (Glimcher) ; 1997, He Got Game (He Got Game) (Lee), The Curse of Inferno (Warren) ; 1998, Life (T. Demme), Cookie's Fortune (Cookie's Fortune) (Altman), Spring Forward (Gilroy) ; 2000, Where the Red Fern Grows (Dayton).

Remarqué au théâtre par Boorman, celui-ci lui offre son premier et son plus célèbre rôle : celui de l'homme violé dans la boue de *Délivrance*. Père de famille patriote dans *1941*, télévangéliste dans *Network*, il offre généralement l'image type du bon Américain moyen : plutôt gras, et une bonne tête un peu ahurie.

Beatty, Warren

Acteur et réalisateur américain né en 1937.

1961, Splendor in the Grass (La fièvre dans le sang) (Kazan), The Roman Spring of Mrs. Stone (Le visage du plaisir) (Quintero) ; 1962, All Fall Down (L'ange de la violence) (Frankenheimer) ; 1964, Lilith (Lilith) (Rossen) ; 1965, Mickey One (Penn) ; 1966, Kaleidoscope (Le gentleman de Londres) (Smight), Promise Her Anything (Hiller) ; 1967, Bonnie and Clyde (Bonnie & Clyde) (Penn) ; 1970, The Only Game in Town (Las Vegas... Un couple) (Stevens) ; 1971, John MacCabe and Mrs. Miller (John MacCabe) (Altman), Dollars (Brooks) ; 1974, The Parallax View (A cause d'un assassinat) (Pakula) ; 1975, Shampoo (Shampoo) (Ashby), The Fortune (La bonne fortune) (Nichols) ; 1976, Heaven Can Wait (Le ciel peut attendre) (Beatty) ; 1981, Reds (Reds) (Beatty) ; 1987, Ishtar (Ishtar) (May) ; 1990, Dick Tracy (Dick Tracy) (Beatty) ; 1991, Truth or Dare (In Bed with Madonna) (Keshishian), Bugsy (Bugsy) (Levinson) ; 1994, Love Affair (Gordon Caron) ; 1997, Bulworth (Bulworth) (Beatty) ; 1998, Town and Country (Chelsom). *Pour le metteur en scène*, voir le *Dictionnaire du cinéma*, t. I : *Les réalisateurs*.

Frère de Shirley McLaine, il est d'abord un sportif recherché par les universités américaines avant de devenir pianiste de boîte de nuit, puis acteur, grâce à Kazan qui le remarque et le fait débuter dans *Splendor in the Grass*. Il devient vite le « play-boy » à la mode, fiancé à Julie Christie, puis le « wonder-boy » se transforme en réalisateur : *Reds* remporte un immense succès. Échec relatif en revanche pour l'original *Dick Tracy*. Madonna puis Annette Bening l'ont largement consolé.

Beaune, Michel
Acteur français, 1933-1990.

1960, Les godelureaux (Chabrol) ; 1964, Échappement libre (Becker) ; 1969, L'aveu (Costa-Gravas) ; 1970, Sortie de secours (Kahane) ; 1972, L'attentat (Costa-Gravas) ; L'héritier (Labro), Paulina 1880 (Bertucelli) ; 1973, Stavisky (Resnais) ; 1974, Un jour la fête (Sisser), Que la fête commence (Tavernier) ; 1975, L'incorrigible (Broca), Le faux-cul (Hanin), Adieu poulet (Granier-Deferre) ; 1976, Le corps de mon ennemi (Verneuil) ; 1977, Préparez vos mouchoirs (Blier) ; 1978, Flic ou voyou (Lautner) ; 1979, Le mors aux dents (Heynemann), Le guignolo (Lautner), Courage fuyons (Robert) ; 1980, Coup de torchon (Tavernier), Le professionnel (Lautner), Il faut tuer Birgit Haas (Heynemann) ; 1982, Tout le monde peut se tromper (Couturier), Le battant (Delon), L'indic (Leroy) ; 1983, Mesrine (Génovès), Les morfalous (Verneuil) ; 1984, L'arbalète (Gobbi), Joyeuses Pâques (Lautner), Le cowboy (Lautner) ; 1985, Lune de miel (Jamain) ; 1986, Le solitaire (Deray) ; 1988, Itinéraire d'un enfant gâté (Lelouch), Une affaire de femmes (Chabrol) ; 1989, Feu sur le candidat (Delarive).

Conservatoire avec Belmondo, Marielle et Rochefort. Apprécié de Belmondo qui l'a imposé une douzaine de fois à ses côtés. Une « gueule » de polar et une valeur sûre parmi les grands seconds rôles français de l'époque.

Beauvois, Xavier
Acteur et réalisateur français né en 1967.

1991, Le ciel de Paris (Béna), Nord (Beauvois) ; 1993, Aux petits bonheurs (Deville) ; 1994, N'oublie pas que tu vas mourir (Beauvois), Les amoureux (Corsini) ; 1995, Ponette (Doillon) ; 1996, Le jour et la nuit (Lévy) ; 1997, Disparus (Bourdos) ; 1998, Le vent de la nuit (Garrel) ; 1999, Les infortunes de la beauté ; 2004, Arsène Lupin (Salomé) ; 2005, Le petit lieutenant (Beauvois) ; 2006, Mauvaise foi (Zem). *Pour le metteur en scène*, voir le *Dictionnaire du cinéma,* t. I : *Les réalisateurs.*

Originaire du nord de la France, sans formation spécifique, il réalise un premier film très remarqué, très dur et largement autobiographique, puis un second, sur fond de sida, aux envolées néoromantiques contestables. Acteur sans doute trop tourmenté, il manque paradoxalement de relief à l'écran et reste avant tout un cinéaste très intéressant.

Beccarie, Claudine
Actrice française née en 1946.

1972, Certaines chattes n'aiment pas le mou (Logan) ; 1973, France société anonyme (Corneau) ; 1974, La bête à plaisir (Angel), Lèvres de sang/Suce moi-vampire (Rollin), Les jouisseuses (Hustaix), L'important c'est d'aimer (Zulawski), Baby love (Treyens), Femmes impudiques (Marchand), Hard love (Thomas), Les pétroleuses du sexe (Messica et Van Houtten) ; 1975, Les chevaliers de la croupe (Naka), Change pas de main (Vecchiali), Dragus ou le manoir infernal (Rhomm), La petite Caroline aime les grandes sucettes (Baudricourt), Les deux gouines (Bénazéraf), Hippopotamours (Fuin), Exhibition (Davy), Calmos (Blier), Prostitution clandestine (Payet), Les théâtres érotiques de Paris (Hugue), Soupirs profonds (Baudricourt), Les pornocrates (Davy) ; 1976, Calde labbra (Maîtresse à tout faire) (Fidani), La grande culbute/Le feu au cul (Prigent), Train spécial pour SS (Gartner) ; 1977, Carine (Price), Elsa Fraulein SS (Stern), Nathalie rescapée de l'enfer (Gartner), Les joyeuses (Frédéric) ; 1979, Les amoureuses volcaniques (Pallardy), Exhibition 2 (Davy), Melissa (Luret) ; 1981, Les jeunes Q (Luret).

Surtout connue, après de nombreux films « hard » de Lansac, Pecas et Hustaix, pour *Exhibition*, où, après avoir révélé les parties les plus intimes de sa personne, c'est son âme qu'elle mettait à nu. Le procédé fut repris dans *Exhibition 2* (avec Sylvia Bourdon) auquel une scène de masturbation valut quelques difficultés avec la censure. On ne peut ignorer le cinéma pornographique, distribué dans près de 10 % des salles de la région parisienne vers 1980, date d'*Exhibition 2.* Dans le film de Davy, Claudine Beccarie joue le rôle de porte-parole de ce type d'actrices. C'est à ce titre qu'elle figure dans ce dictionnaire où ne sont mentionnés que ses films les plus « importants ».

Bechini, Davide

Acteur italien né en 1962.

1989, Storia di ragazzi e di ragazze (Histoire de garçons et de filles) (Avati) ; 1990, I divertimenti della vita privata (Les amusements de la vie privée) (C. Comencini) ; 1991, Barocco (Sestieri) ; 1992, Nessuno (Calogero) ; 1994, Il mostro (Le monstre) (Benigni) ; 1995, Ivo il tardivo (Benvenuti), Albergo Roma (Chiti) ; 1996, Il cielo è sempre più blu (Antonello Grimaldi) ; 1997, In barca a vela contromano (Reali) ; 1998, Donne in bianco (Pulci).

Révélé par Pupi Avati, ses films, réputés en Italie, sont restés inédits en France.

Beery, Noah

Acteur américain, 1883-1946.

1917, The Hostage, The Mormon Maid ; 1918, Believe Me Xanthippe, Less than Kin, The Whispering Chorus, The Squaw Man (DeMille), The Source ; 1919, In Mizzoura, The Woman Next Door, The Red Lantern (La Lanterne rouge) (Cappellani), Louisiana ; 1920, The Fighting Shepherdess, Go Get It, The Mark of Zorro (Le signe de Zorro) (Niblo), The Sea Wolf ; 1921, Bob Hampton of Placer (Neilan), Beach of Dreams, Bits of Life (Neilan), Call of the North (Henabery), Lotus Blossom (Grandon) ; 1922, Tillie (Urson), Belle of Alaska (Bennett), Wild Honey (Ruggles), Good Men and True (Paul), I am the Law (Carewe), The Lying Truth (Fairfax), The Heart Specialist (Urson), Crossroads of New York (Jones), Flesh and Blood (Cummings), The Power of Love (Deverich), Youth to Youth (Chautard), Omar the Tentmaker (Young), Ebb Tide (Melford) ; 1923, Stormswept (Thornby), The Spider and the Rose (McDermott), Dangerous Trails (Neitz), Soul of the Beast (Wray), Quicksands (Conway), Main Street (La rue des vipères) (Beaumont), Wandering Daughters (Young), The Spoilers (Hillyer), Forbidden Lover (Deverich), Tipped Off (Finis Fox), Hollywood (Cruze), When Law Comes to Hade, To The Last Man (Fleming), The Destroying Angel (Van Dyke), His Last Race (Eason), Stephen Steps Out (Henabery), The Call of the Canyon (L'appel de la vallée) (Fleming) ; 1924, The Heritage of the Desert (L'héritage du désert) (Willat), The Fighting Coward (Cruze), Wanderer of the Wasteland (Le vagabond du désert) (Willat), Lily of the Dust (Buchowetski), Female (Wood), Welcome Stranger (J. Young), North of 36 (Willat) ; 1925, East of Suez (Walsh), The Thundering Herd (Howard), The Light of the Western Stars (Howard), The Spaniard (Walsh), Contraband (Crosland), Old Shoes (Stowers), Wild Horse Mesa (Seitz), Lord Jim (Fleming), The Coming of Amos (Sloane), The Vanishing American (La race qui meurt) (Seitz) ; 1926, The Enchanted Hill (Willat), The Crown of Lies (Buchowetski), Padlocked (Dwan), Beau Geste (Brenon), Paradise (Willat) ; 1927, The Rough Riders (Fleming), The Love Mart (Fitzmaurice), Evening Clothes (Un homme en habit) (L. Reed), The Dove (West) ; 1928, Noah's Ark (L'arche de Noé) (Curtiz), Beau Sabreur (Waters), Two Lovers (Niblo), Hell Ship Bronson (Henabery) ; 1929, Passion Song (Hoyt), Linda (Mrs. Reid), Careers (Dillon), Isle of Lost Ships (L'île des navires perdus) (Willat), The Four Feathers (Les quatre plumes blanches) (Cooper et Schoedsack), Love in the Desert (Melford), The Godless Girl (Les damnés du cœur) (DeMille), The Show of Shows (Adolfi), Glorifying the American Girl (Webb), Two O'Clock in the Morning (Marton), False Feathers (Carpenters) ; 1930, Son of the Flame (Crosland), The Way of All Men (Lloyd), Big Boy (Crosland), Murder Will Out (Badger), Golden Dawn (Enright), Under a Texas Moon (Curtiz), Isle of Escape (Bretherton), Mammy (Curtiz), Tol'able David (Blystone), Renegades (Fleming), Oh ! Sailor ! Behave (Mayo), Bright Lights (Curtiz) ; 1931, Honeymoon Lane (Craft), The Millionnaire (Adolfi), In Line of Duty (Glennon), A Soldier's Plaything (Curtiz), Homicide Squad (Cahn), Shanghaied Love (Seitz), Riders of the Purple Sage (MacFadden) ; 1932, The Drifter (O'Connor), The Kid from Spain (Le roi de l'arène) (McCarey), Out of Singapore (Hutchinson), Stranger in Town (Kenton), The Stoker (Franklin), No Living Witness (Hopper), The Big Stampede (Wright), Cornered (Eason), The Devil Horse (Brower) ; 1933, Fighting With Kit Carson (Schaefer), The Flaming Signal (Roberts), Sunset Pass (Hathaway), To the Last Man (Hathaway), She Done Him Wrong (Sherman), Laughing at Life (Beebe), The Woman I Stole (Cummings), Man of the Forest (Hathaway), Easy Millions (Newmeyer), The Thundering Herd (Hathaway) ; 1934, David Harum (Cruze), Kentucky Kernels (Stevens), Madame Spy (Freund), Mystery Liner (Nigh), Cockeyed Cavaliers (Sandrich), Happy Landing (Bradbury) ; 1935, Sweet Adeline (LeRoy) ; 1937, Zorro Rides Again (Le retour de Zorro) (Witney et English) ; 1938, Bad Man of Brimstone (Arizona Bill)

(Ruben), The Girl of the Golden West (Leonard), Panamint's Bad Man (Taylor) ; 1939, Mexicali Rose (Kenton), Mutiny on the Blackhawk (Cabanne) ; 1940, Pioneers of the West (Orlebeck), Grandpapa Goes to Town (Meins), Adventures of Red Ryder (Witney et English), A Little Bit of Heaven (Marton), The Tulsa Kid (G. Sherman) ; 1941, A Missouri Outlaw (G. Sherman) ; 1942, Overland Mail (Beebe), The Devil's Trail (Hillyer), Outlaws of Pine Ridge (Witney), The Isle of Missing Men (Oswald), Tennessee Johnson (Dieterle) ; 1943, Mr. Mugg Steps Out (Beaudine), The Clancy Street Boys (Beaudine), Carson City Cyclone (Bretherton), Salute to the Marines (Simon) ; 1944, Block Busters (Fox), The Million Dollar Kid (Fox), Gentle Annie (Marton), Barbary Coast Gent (Del Ruth) ; 1945, This Man's Navy (Wellman), Sing Me a Song of Texas (Keays).

Venu du music-hall comme son frère Wallace, il se reconvertit dans le cinéma. Il sera l'un des plus célèbres méchants des années 20. Solide, massif, noir de poil, la moustache fine, il ferraille avec Fairbanks dans *Le signe de Zorro*, chevauche dans d'innombrables westerns de série B et finira dans les serials de Witney, toujours en *heavy*. De sa filmographie abondante, seuls quelques titres sont restés célèbres. Il mourut d'une crise cardiaque.

Beery, Wallace
Acteur américain, 1886-1949.

1914-1917, *une trentaine de courts métrages de la série Sweedie* ; 1917, Patria (serial), The Little American (DeMille) ; 1918, Johanna Enlists ; 1919, The Love Burglar, The Unpardonable Sin, Life Line, Soldier of Fortune, Behind the Door, Victory, The Virgin of Stamboul (Browning), The Mollycoddle (Une poule mouillée) (Fleming), The Last of the Mohicans (Le dernier des Mohicans) (Tourneur), the Round-up, The Rookies Return ; 1921, The Four Men of the Apocalypse (Les quatre cavaliers de l'Apocalypse) (Ingram), The Last Train (Flynn), A Tale of Two Worlds (Lloyd), Patsy (McDermott), The Golden Snare (Hartford) ; 1922, Wild Honey (Ruggles), The Man from Hell's River (Cummings), The Rosary (Storm), The Sagebrush Trail (Thornby), Robin Hood (Robin des Bois) (Dwan), I Am the Law (Carewe), Only a Shop Girl (Le Saint), Hurricane's Girl (La fille du pirate) (Hollubar) ; 1923, The Flame of Life (Henley), Bavu (Stuart Paton), Ashes of Vengeance (Lloyd), Drifting (Browning), Stormswept (Thornby), The Spanish Dancer (Brenon), The Three Ages (Les trois âges) (Keaton et Cline), White Tiger (Browning), Richard, The Lion-Hearted (Withey), Drums of Jeopardy (Dillon) ; 1924, The Sea Hawk (Lloyd), Unseen Hands (Jaccard), Madonna of the Streets (Carewe), Dynamite Smith (Ince), Another Man's Wife (Mitchell), So Big (Brabin) The Red Lily (Niblo), The Signal Tower (Brown) ; 1925, The Poney Express (Cruze), Let Women Alone (P. Powell), The Great Divide (Barker), Coming Through (Sutherland), Adventure (Fleming), The Devil's Cargo (Fleming), The Night Club (Urson), Rugged Water (Willat), In the Name of Love (Higgin), The Lost World (Le monde perdu) (Hoyt) ; 1926, Behing the Front (Sutherland), Volcano (Howard), The Wanderer (Walsh), Old Ironsides (Cruze), We're in the Navy Now (Sutherland) ; 1927, Now We're in the Air (Strayer), Fireman, Save My Child (Sutherland), Caset at the Bat (Monte Brice) ; 1928, Partners in Crime (Strayer), The Big Killing (Jones), Beggars of Life (Les mendiants de la vie) (Wellman), Wife Savers (R. Cedar) ; 1929, Chinatown Nights (Wellman), Stairs of Sand (Brower), River of Romance (Wallace) ; 1930, Way for a Sailor (Wood), A Lady's Morals (Franklin), Billy The Kid (Vidor), The Big House (Hill), Min and Bill (Hill) ; 1931, The Secret Six (Hill), The Champ (Le champion) (Vidor), Hell Drivers (Les plongeurs de l'enfer) (Hill) ; 1932, Grand Hôtel (Goulding), Flesh (Une femme survint) (Ford) ; 1933, Dinner at Eight (Les invités de huit heures) (Cukor), The Bowery (Walsh), Tugboat Annie (LeRoy) ; 1934, The Mighty Barnum (Lang), Viva Villa (Conway et Hawks), Treasure Island (L'île au trésor) (Fleming) ; 1935, China Seas (La malle de Singapour) (Garnett), Ah ! Wilderness ! (Brown), West Point of the Air (Rosson), O'Shaughnessy's Boy (Boleslavsky) ; 1936, A message to Garcia (Marshall), Old Hutch (Ruben) ; 1937, Slave Ship (Le dernier négrier) (Garnett), The Good Old Soak (Ruben) ; 1938, Stablemates (Barreaux blancs) (Wood), Port of Seven Seas (Fanny) (Whale), Bad Man of Brimstone (Arizona Bill) (Ruben) ; 1939, Stand Up and Fight (Trafic d'hommes) (Van Dyke), Sergeant Madden (Sternberg), Thunder Afloat (Seitz) ; 1940, The Man from Dakota (Fenton), Twenty Mule Team (Thorpe), Wyoming (Thorpe) ; 1941, The Bad Man (Thorpe), Barnacle Bill (Thorpe), The Bugle Sounds (Simon) ; 1942, Jackass Mail (McLeod) ; 1943, Rationing (Goldbeck) ; 1944, Barbary Coast Gent (Del Ruth) ; 1945, This Man's Navy (Wellman) ; 1946, Bad Bascom (L'ange et le bandit) (Simon), The Mighty McGurk (L'invincible McGurk) (Waters), A Date With Judy (Ainsi sont les femmes) (Thorpe) ; 1946, Big Jack (Thorpe).

Frère de l'acteur Noah Berry, il fait du cirque et du music-hall avant de signer un contrat à Hollywood et d'interpréter une série de courts métrages burlesques où il est Sweedie... une jeune fille suédoise ! Il tente de créer sa propre compagnie en produisant des films au Japon. C'est un échec. Il revient à Hollywood. En 1916, il épouse Gloria Swanson dont il divorcera peu après. Énorme, truculent, la voix caverneuse et le visage rubicond, il s'impose bien vite dans des personnages de gangsters ou de bandits. Parmi ses meilleurs rôles : le capitaine de *L'île au trésor*, Pancho Villa dans *Viva Villa*, le boxeur du *Champion*, le film de Vidor qui lui valut un oscar en 1931-1932... L'essentiel de sa carrière parlante s'est déroulé à la MGM.

Begley, Ed

Acteur américain, 1901-1970.

1947, Boomerang (Kazan), Big Town (W. Thomas), The Web (Gordon) ; 1948, Sitting Pretty (W. Lang), Deep Waters (King), The Street with No Name (La dernière rafale) (Keighley), Sorry, Wrong Number (Raccrochez, c'est une erreur) (Litvak) ; 1949, Tulsa (Heisler), It Happens Every Spring (Bacon), The Great Gatsby (Nugent) ; 1950, Backfire (V. Sherman), Stars in My Crown (Tourneur), Convicted (La loi des bagnards) (Levin), Dark City (La main qui venge) (Dieterle), Saddle Tramp (Fregonese), Wyoming Trail (Le Borg) ; 1951, You're in the Navy Now (La marine est dans le lac) (Hathaway), The Lady from Texas (Pevney), On Dangerous Ground (La maison dans l'ombre) (Ray), Lone Star (L'étoile du destin) (V. Sherman) ; 1952, Deadline USA (Bas les masques) (Brooks), Boots Malone (Vocation secrète) (Dieterle), The Turning Point (Cran d'arrêt) (Dieterle), What Price Glory ? (Ford) ; 1956, Patterns (F. Cook) ; 1957, Twelve Angry Men (Douze hommes en colère) (Lumet) ; 1959, Odds Against Tomorrow (Le coup de l'escalier) (Wise) ; 1961, The Green Helmet (Furlong) ; 1962, Sweet Bird of Youth (Doux oiseau de jeunesse) (Brooks) ; 1964, The Unsinkable Molly Brown (Walters) ; 1965, The Oscar (La statue en or massif) (Rouse) ; 1966, Warning Shot (L'assassin est-il coupable ?) (Kulik), Billion Dollar Brain (Un cerveau d'un milliard de dollars) (Russell), Firecreek (Les cinq hors-la-loi) (McEveety) ; 1968, A Time to Sing (Dreifuss), Hang'Em High (Pendez-les haut et court) (Post) ; 1969, The Monitors (Shea), Wild in the Streets (Les troupes de la colère) (Shear), The Violent Enemy (Sharp), The Dunwich Horror (Haller) ; 1971, La route de Salinas (Lautner).

Sec, autoritaire, le poil blanc, il fit d'abord carrière au music-hall et au théâtre entre 1925 et 1930, puis à la radio dans la décennie suivante et ne se lança au cinéma qu'en 1947. En 1962, il obtint l'oscar du second rôle avec *Doux oiseau de jeunesse*. Tantôt chef de la police (*The Street With No Name*), tantôt chef de gangsters (*The Turning Point*), il fait la synthèse dans *Odds Against Tomorrow* où il est un ex-flic qui organise un gang. Il mourut d'une crise cardiaque.

Beigel, Alain

Acteur et réalisateur français né en 1964.

1980, La boum (Pinoteau), Allons z'enfants (Boisset) ; 1982, La boum 2 (Pinoteau), On s'en fout, nous on s'aime (Gérard) ; 1983, Contes clandestins (Crèvecœur) ; 1990, Un type bien (Bénégui) ; 1991, A la vitesse d'un cheval au galop (Onteniente) ; 1992, Ce que femme veut (Jumel) ; 1993, Du fond du cœur (Doillon), 75 cl de prière (moyen métrage) (Maillot) ; 1994, Corps inflammables (moyen métrage) (Maillot) ; 1995, Au petit Marguery (Bénégui) ; 1996, Romaine (Obadia), Liberté chérie (sketch Gaget) ; 1997, Mauvais genre (Bénégui), Bouge ! (Cornuau) ; 1998, Mille bornes (Beigel), Nos vies heureuses (Maillot) ; 2001, Ceux d'en face (Pollet) ; 2004, Qui perd gagne ! (Bénégui). *Comme réalisateur :* 1998, Mille bornes.

Adolescent lambda dans les films de Pinoteau, il s'oriente vers le théâtre avant de revenir, mûri et affirmé, au cinéma. Premier rôle d'*Un type bien*, il végète un peu dans le cinéma d'auteur avant de passer à la réalisation avec un très joli film sur le deuil, *Mille bornes*.

Belafonte, Harry

Chanteur et acteur américain, de son vrai nom Harold Belafonte, Jr., né en 1927.

1983, Bright Road (Mayer) ; 1954, Carmen Jones (Carmen Jones) (Preminger) ; 1957, Island in the Sun (Une île au soleil) (Rossen) ; 1959, The World, the Flesh and the Devil (Le monde, la chair et le diable) (MacDougall), Odds Against Tomorrow (Le coup de l'escalier) (Wise) ; 1970, The Angel Levine (Kadár) ; 1972, Buck and the Preacher (Buck et son complice) (Poitier) ; 1974, Free to Be... You & Me (Davis, Steckier, Wolf), Uptown Saturday Night (Poitier) ; 1982, A veces miro mi vida (Rojas) ; 1992, The Player (The Player) (Altman) ; 1994, Ready to Wear (Prêt-à-porter) (Altman) ; 1995, White Man's Burden (White Man) (Nakano) ; 1996, Kansas City (Kansas City) (Altman) ; 2006, Bobby (Bobby) (Estevez).

Chanteur de charme, très actif durant les années 60 dans la lutte pour les droits des

Noirs aux États-Unis. Il a peu tourné pour le cinéma, et c'est Altman qui le redécouvre au début des années 90 et lui confie le rôle (son plus important à ce jour) d'un chef de gang dans le relativement méconnu *Kansas City*.

Bélières, Léon

Acteur français, 1880-1952.

1929, Figaro (Ravel), La dame de bronze (Manchez), Le monsieur de cristal (Manchez) ; 1930, La ronde des heures (Ryder), Atlantis (Dupont), La route est belle (Florey), Le mystère de la chambre jaune (L'Herbier) ; 1931, Un soir au front (Ryder), Lévy et Cie (Hugon), Les galeries Lévy et Cie (Hugon), Le parfum de la dame en noir (L'Herbier) ; 1932, Topaze (Gasnier) ; 1933, Le maître de forges (Rivers), L'abbé Constantin (Paulin) ; 1934, Le père Lampion (Christian-Jaque) ; 1935, Moïse et Salomon parfumeurs (Hugon) ; 1936, Les mariages de Mlle Lévy (Hugon) ; 1937, Le schpountz (Pagnol) ; 1938, Le porte-veine (Berthomieu), Raphaël le tatoué (Christian-Jaque), Trois de Saint-Cyr (Paulin), Conflit (Moguy), L'amour veille (Roussel), Vacances payées (Cammage) ; 1939, Monsieur Brotonneau (Esway) ; 1940, Miquette (Boyer) ; 1941, Ce n'est pas moi (Baroncelli), Dernière aventure (Péguy) ; 1942, L'assassin habite au 21 (Clouzot), Ne le criez pas sur les toits (Daniel-Norman) ; 1943, Le bal des passants (Radot), Le soleil de minuit (Bernard-Roland) ; 1945, Master love (Péguy), L'affaire du Grand Hôtel (Hugon) ; 1946, La dame de Haut-le-Bois (Daroy) ; 1947, Le comédien (Guitry) ; 1948, Le sorcier du ciel (Blistène) ; 1949, Millionnaire d'un jour (Hunebelle) ; 1951, Paris chante toujours (Montazel).

Acteur de composition resté célèbre pour avoir été tout à la fois le bon abbé Constantin et le financier juif Meyerboom du *Schpountz*, aboutissement de plusieurs films mettant en scène le boutiquier Lévy que Bélières interprétait avec la même conviction. Prêtre dans *Dernière aventure* de Péguy et dans *L'amour veille* d'Henry Roussel, il est patriote à tout crin dans *Trois de Saint-Cyr*. Mais il est aussi un conseiller municipal douteux dans *Topaze* et un organisateur de courses truquées dans *Raphaël le tatoué*. L'acteur s'y reconnaissait-il ? Il fut, en tout cas, toujours excellent.

Bell, Marie

Actrice française, de son vrai nom Bellon, 1900-1985.

1924, Paris (Hervil) ; 1926, La valse de l'adieu (Henry Roussel) ; 1928, Madame Récamier (Ravel) ; 1930, L'homme qui assassina (Tarride) ; 1931, La chance (Guissart) ; 1932, La nuit est à nous (Henry Roussel), La folle aventure (Antoine), L'homme à l'Hispano (Epstein) ; 1933, Caprices de princesse (Hartl) ; 1934, Le grand jeu (Feyder) ; 1935, Fedora (Gasnier), Poliche (Gance), Le roman d'un jeune homme pauvre (Gance) ; 1936, Sous la terreur (Forzano), Les demi-vierges (Caron), La tentation (Caron), Quand minuit sonnera (Joannon), Blanchette (Caron), La garçonne (Limur) ; 1937, Pantins d'amour (Kapps), La glu (Choux), Un carnet de bal (Duvivier) ; 1938, Légions d'honneur (Gleize) ; 1939, La charrette fantôme (Duvivier), Noix de coco (Boyer) ; 1940, Ceux du ciel (Noé) ; 1942, Vie privée (Kapps) ; 1943, Le colonel Chabert (Le Hénaff) ; 1963, La bonne soupe (Thomas) ; 1965, Vaghe, stelle dell'orsa (Sandra) (Visconti) ; 1966, Hotel Paradiso (Paradiso, hôtel du libre échange) (Glenville) ; 1968, Phèdre (Jourdan) ; 1973, Les volets clos (Brialy).

Avant tout une actrice de théâtre (*Phèdre* et le répertoire de la Comédie-Française) mais qui incarna également au cinéma les femmes du monde dans les années 30. Elle est l'héroïne de *Carnet de bal*, y retrouvant ses anciens cavaliers (Jouvet, Blanchar, Raimu, Baur, Fernandel...), et du *Grand jeu*. Mais elle eut aussi un rôle odieux dans *Le colonel Chabert*, d'après Balzac. Par la suite elle s'est désintéressée du septième art, avant de faire sa rentrée dans des rôles différents (*Les volets clos*).

Bellamy, Ralph

Acteur américain, 1904-1990.

1931, The Secret Six (Hill), The Magnificent Lie (Viertel), Surrender (Howard), West of Broadway (Beaumont), Disorderly Conduct (Considine) ; 1932, Young America (Borzage), Forbidden, (Capra), Rebecca of Sunnybrook Farm (Santell), The Woman in Room 13 (King), Wild Girl (Walsh), Air Mail (Tête brûlée) (Ford), Almost Married (Menzies) ; 1933, Destination Unknown (Garnett), Picture Snatcher (Bacon), The Narrow Corner (Green), Below the Sea (Rogell), Blind Adventure (Schoedsack), Ace of Aces (Ruben) ; 1934, Flying Devils (Birdwell), Spitfire (Cromwell), This Man Is Mine (Cromwell), The Crime of Helen Stanley (Lederman), Girl in Danger (Lederman) ; 1935, Woman in the Dark (Rosen), Helldorado (Witney), The Wedding Night (Vidor), Air Hawks (Rogell), Rendez-vous at Midnight (Cabanne), Eight Bells (Neill), The Healer (Barker), Gigolette (Lamont), Navy Wife (Dwan) ; 1936, Hands Across the Table (Leisen), Dangerous Intrigue (Selman), The Final Hour (Lederman), Roaming Lady (Rogell), Straight from the Shoulder (Heisler), Wild Brian Kent (Bretherton) ; 1937, Counterfeit Lady (Lederman), The Man Who Lived Twice (Lachman), The Awful Truth (Cette sacrée vérité) (McCarey), Let's Get Married (Green) ; 1938, The Crime of Dr. Hallet (Simon), Fools for Scandal (LeRoy), Boy Meets Girl (Bacon), Carefree (Amanda) (Sandrich), Girls School (Brahm), Trade Winds (La femme aux cigarettes blondes) (Garnett) ; 1939, Let Us Live (Brahm) ; Blind Alley (Vidor), Smashing the Spy Ring (Cabanne), Flight Angels (Seiler), Coast Guard (Garde-côte) (Ludwig) ; 1940, Brother Orchid (Bacon), His Girl Friday (La dame du vendredi) (Hawks), Queen of the Mob (Hogan), Dance Girl Dance (Arzner) ; Public Deb N° 1 (Ratoff), Ellery Queen Master Detective (Neumann), Meet the Wild Cat (Lubin) ; 1941, Ellery Queen's Penthouse Mystery (Hogan), Foot-Steps in the Dark (Bacon), Affectionately Yours (Bacon), Ellery Queen and the Perfect Crime (Hogan), Dive Bombers (Curtiz), Ellery Queen and the Murder Ring (Hogan), The Wolf Man (Le loup-garou) (Waggner), The Ghost of Frankenstein (Le spectre de Frankenstein) (Kenton) ; 1942, Lady in Jam (La Cava) ; Men of Texas (Enright), The Great Impersonation (Rawlins) ; 1943, Stage Door Canteen (Le cabaret des étoiles) (Borzage) ; 1944, Guest in the House (Brahm) ; 1945, Delightfully Dangerous (Lubin), Lady on a Train (David) ; 1955, The Court Martial of Billy Mitchell (Condamné au silence) (Preminger) ; 1960, Sunrise at Campobello (Donehue) ; 1966, The Professionals (Les professionnels) (Brooks) ; 1968, Rosemary's Baby (Rosemary's Baby) (Polanski) ; 1971, Doctor's Wives (Schaefer) ; 1972, Cancel My Reservation (Bogart) ; 1975, Murder on Flight (McCowan) ; 1977, Oh God ! (Reiner) ; 1979, Billion Dollar Threat (La planète contre un milliard) (Sears) ; 1983, Trading Places (Un fauteuil pour deux) (Landis) ; 1987, Disorderlies (Schultz), Amazon Women on the Moon (Cheeseburger Film Sandwich) (Landis, Dante...) ; 1988, Coming to America (Un prince à New York) (Landis), The Good Mother (Le prix de la passion) (Nimoy) ; 1990, Pretty Woman (Pretty Woman) (Marshall).

Grand, fort, il pouvait jouer aussi bien les héros que les méchants (il payait Robert Ryan, Burt Lancaster et Lee Marvin pour retrouver sa femme faussement enlevée dans *Les professionnels*). Beaucoup de télévision. Après sa brillante prestation dans *Un fauteuil pour deux*, il retrouva des rôles au cinéma.

Beller, Georges

Acteur français né en 1946.

1968, Nous n'irons plus au bois (Dumoulin) ; 1969, Hallucinations sadiques (Kormon), Poussez pas grand-père dans les cactus (Dague) ; 1970, Fantasia chez les ploucs (Pirès), Les mariés de l'an II (Rappeneau) ; 1971, Les pétroleuses (Christian-Jaque), Les malheurs d'Alfred (P. Richard) ; 1973, Le désir et la volupté (Saint-Clair), Je sais rien mais je dirai tout (P. Richard), Le mouton enragé (Deville), Paul & Michelle (Gilbert) ; 1974, Marseille contrat (Parrish), Rosebud (Preminger), Trop c'est trop (Kaminka) ; 1975, Chobiznesse (Yanne), La grande Paulette (Calderon) ; 1977, Le dernier amant romantique (Jaeckin) ; 1978, Je te tiens, tu me tiens par la barbichette (Yanne), Moonraker (Gilbert) ; 1979, I comme Icare (Verneuil), Le pull-over rouge (Drach) ; 1980, On n'est pas des anges... elles non plus (Lang) ; 1982, On n'est pas sorti de l'auberge (Pécas) ; 1983, Vive les femmes ! (Confortès) ; 1984, Liberté, égalité, choucroute (Yanne), Les rois du gag (Zidi) ; 1985, Le testament d'un poète juif assassiné (Cassenti), Paulette la pauvre petite milliardaire (Confortès) ; 1990, Promotion canapé (Kaminka) ; 2000, La boîte (Zidi).

Une carrière tout juste honorable pour ce sympathique second rôle plutôt tourné vers la comédie, mais qui quitta les écrans dans le milieu des années 80 pour se reconvertir (avec succès) dans l'animation de jeux télévisés.

Belli, Agostina

Actrice italienne, de son vrai nom Magnoni, née en 1947.

1969, Banditi a Milano (Bandits à Milan) (Lizzani), Cran d'arrêt (Boisset), Il terribile ispettore (Amendola) ; 1970, Angeli senza paridiso (Vizzarotti), Mimi metallurgico (Mimi métallo) (Wertmuller), Blue Beard (Barbe-Bleue) (Dmytryk) ; 1971, Ma che musica, maestro ! (Laurenti), Gironata nera par l'Ariete (Bazzoni), La calendria (Festa Campanile), Virilita (Cavara), Ivanna (Merino) ; 1972, Bluebeard (Barbe-Bleue) (Dmytryk), All'onorevole piaccino le donne (Fulci), Revolver (Solima), La sepolta viva (Lado), La notte dei diavoli (Ferroni) ; 1973, Baciamo le mani (Chiraldi), Quando l'amore e sensualita (De Sisti), L'ultima neve di primavera (Del Balzo), La governante (Grimaldi) ; 1974, Il piatto piange (Nuzzi), Il lumacone (Cavara), Milano odia : la polizia non pio sparare (Lanzi), Le jeu avec le feu (Robbe-Grillet), Profumo di donna (Parfum de femme) (Risi), Conviene far bene l'amore (En 2000, il conviendra de bien faire l'amour) (Festa Campanile) ; 1975, Due cuori e una cappella (Lucidi), Telephoni bianchi (La carrière d'une femme de chambre) (Risi), Le grand escogriffe (Pinoteau) ; 1976, Un taxi mauve (Boisset) ; 1977, San Babila ore venti, un delitto inutile (Lizzani), Carasposa (Festa Campanile), Holocaust 2000 (Holocauste 2000) (de Martino), Doppio delitto (Enquête à l'italienne) (Steno) ; 1978, L'enfant de nuit (Gobbi) ; 1980, Manaos (Vasquez Figueroa) ; 1982, La guerillera (Kast) ; 1983, Vai avanti tu che mi vien da ridere (Capitani) ; 1984, Un amour interdit (Dougnac) ; 1985, Tranches de vie (Leterrier) ; 1987, Una donna da scoprire (Sesani), Soldati — 365 all'alba (M. Risi).

Révélée par Lizzani, elle joue souvent des rôles de jeunes femmes faussement endormies et en réalité très sensuelles. Elle se glisse parfaitement dans l'univers de Dino Risi.

Bello, Maria

Actrice américaine née en 1967.

2000, Duets (Duos d'un jour) (Paltrow) ; 2002, Auto Focus (Auto Focus) (Schrader) : 2005, A History of Violence (A History of Violence) (Cronenberg), Assault on Precinct I3 (Assaut sur le central I3 (Richet), The Dark (The Dark) (Fawcett) ; 2006, Think You for Smoking (Reitman) World Trade Center (Stone), Flicka (Mayer).

Remarquée dans *Auto Focus*, elle s'impose en épouse d'un ancien tueur dans *A History of Violence*.

Bellon, Loleh

Actrice française, 1925-1999.

1945, Le Gardian (Marguenat) ; 1948, Le mystère Barton (Spaak) ; 1949, Le point du jour (Daquin), Le parfum de la dame en noir (Daquin) ; 1950, Maître après Dieu (Daquin) ; 1952, Casque d'or (Becker) ; 1960, Le bel âge (Kast) ; 1961, La morte-saison des amours (Kast) ; 1972, Quelque part, quelqu'un (Bellon), 1975, Jamais plus toujours (Bellon) ; 1980, Les ailes de la colombe (Jacquot).

Sœur de la cinéaste Yannick Bellon, elle a été révélée par Daquin mais, en dehors d'un rôle intéressant dans *Casque d'or*, elle a surtout concentré son activité sur les scènes.

Bellucci, Monica

Actrice italienne née en 1964.

1992, Bram Stoker's Dracula (Dracula) (Coppola) ; 1994, I Mitici (Vanzina) ; 1995, Palla di neve (Nichetti), Il cielo è sempre più blu (Grimaldi) ; 1996, Come mi vuoi (Embrasse-moi Pasqualino) (Amoroso), L'appartement (Mimouni), Méditerranées (Béranger) ; 1997, Dobermann (Kounen), Mauvais genre (Bénégui) ; 1998, A los que aman (Coixet), Comme un poisson hors de l'eau (Hadmar), Kaputt Mundi (M. Risi) ; 1999, Franck Spadone (Bean), Femmes enragées (Darsac), Under Suspicion (Suspicion) (Sommers) ; 2000, Le pacte des loups (Gans), Malèna (Malèna) (Tornatore) ; 2001, Astérix et Obélix : Mission Cléopâtre (Chabat), Irréversible (Noé) ; 2003, Tears of Sun (Les larmes du soleil) (Fuqua), The Matrix Reloaded (Matrix Reloaded) (Wachowski), The Matrix Revolutions (Matrix Revolutions) (Wachowski), Ricordati di me (Souviens-toi de moi) (Muccino) ; 2004, Agents secrets (F. Schoendoerffer), The Passion of the Christ (La passion du Christ) (Gibson), She Hate Me (She Hate Me) (Lee) ; 2005, Combien tu m'aimes ? (Blier), Brothers Grimm (Les frères Grimm) (Gilliam) ; 2006, Le concile de pierre (Nicloux), N - Napoléon (Napoléon [et moi]) (Virzi), Sheitan (Chapiron).

Cover-girl, elle est remarquée par Coppola qui lui confie un rôle de soubrette dans *Dracula*. Sa carrière se déroule désormais aussi bien en France (où elle tourne avec son fiancé Vincent Cassel) qu'en Italie et aux États-Unis. Très belle, elle ne semble pas prête à camper une femme ordinaire. Son viol (en temps réel) dans *Irréversible* accrut encore les fantasmes qui l'entourent – ne fut-elle pas Cléopâtre séduisant Astérix et Marie-Madeleine dans *La passion du Christ* ? Mais audelà de sa beauté, elle est l'une des plus grandes actrices de sa génération, comme le confirment *Agents secrets* et surtout *Le concile de pierre*. Et comment ne serait-elle pas enlevée par l'Empereur dans *Napoléon (et moi)* ?

Belmondo, Jean-Paul

Acteur français né en 1933.

1957, Sois belle et tais-toi (M. Allégret), Un drôle de dimanche (M. Allégret), A pied, à cheval et en voiture (Delbez), Les copains du dimanche (Aisner) ; 1958, Les tricheurs (Carné), Ein Engel auf Erden (Mademoiselle Ange) (Radvanyi), Charlotte et son jules (Godard), A double tour (Chabrol) ; 1959, Classe tous risques (Sautet), Les distractions (Dupont), La Française et l'amour (Verneuil) ; 1960, A bout de souffle (Godard), Lettere di una novizia (La novice) (Lattuada), Moderato cantabile (Brook), La viaccia (La viaccia) (Bolognini), La ciocciara (La ciocciara) (De Sica) ; 1961, Un cœur gros comme ça (Reichenbach), Léon Morin, prêtre (Melville), Une femme est une femme (Godard), Les amours célèbres (Boisrond), Un nommé La Rocca (Becker), Cartouche (Broca) ; 1962, Un singe en hiver (Verneuil) ; 1963, Le doulos (Melville), Mare matto (La mer à boire) (Castellani), Peau de banane (Ophuls), Dragées au poivre (Baratier), L'aîné des Ferchaux (Melville), Il giorno piu corto (Le jour le plus court) (Corbucci) ; 1964, L'homme de Rio (Broca), Échappement libre (Becker), La chasse à l'homme (Molinaro), 100 000 dollars au soleil (Verneuil) ; 1965, Week-end à Zuydcoote (Verneuil), Par un beau matin d'été (Deray), Pierrot le fou (Godard), Les tribulations d'un Chinois en Chine (Broca) ; 1966, Tendre voyou (Becker), Paris brûle-t-il ? (Clément) ; 1967, Casino Royale (Casino Royale) (Huston), Le voleur (Malle) ; 1968, Ho ! (Enrico) ; 1969, Dieu a choisi Paris (Prouteau et Artuys), Le cerveau (Oury), La sirène du Mississippi (Truffaut), Un homme qui me plaît (Lelouch) ; 1970, Borsalino (Deray) ; 1971, Les mariés de l'an II (Rappeneau), Le casse (Verneuil) ; 1972, Docteur Popaul (Chabrol), La scoumoune (Giovanni) ; 1973, L'héritier (Labro), Le magnifique (Broca) ; 1974, Stavisky... (Resnais) ; 1975, Peur sur la ville (Verneuil), L'incorrigible (Broca) ; 1976, L'alpagueur (Labro), Le corps de mon ennemi (Verneuil) ; 1977, L'animal (Zidi) ; 1979, Flic ou voyou (Lautner) ; 1980, Le guignolo (Lautner) ; 1981, Le professionnel (Lautner) ; 1982, L'as des as (Oury) ; 1983, Le marginal (Deray) ; 1984, Les morfalous (Verneuil), Joyeuses Pâques (Lautner) ; 1985, Hold-up (Arcady) ; 1986, Le solitaire (Deray) ; 1988, Itinéraire d'un enfant gâté (Lelouch) ; 1992, L'inconnu dans la maison (Lautner) ; 1994, Les misérables (Lelouch), Les cent et une nuits (Varda) ; 1995, Désiré (Murat) ; 1997, 1 chance sur 2 (Leconte) ; 1999, Peut-être (Klapisch), Les acteurs (Blier) ; 2000, Amazone (Broca).

Fils d'un sculpteur réputé, Paul Belmondo, membre de l'Institut, il se passionne surtout pour le sport : le football, la boxe... puis bifurque vers le Conservatoire où il entrera après un premier échec. On le verra dans des spectacles classiques (La Flèche dans *L'avare*) mais il n'obtient qu'un rappel de premier accessit et quitte le Conservatoire en faisant un bras d'honneur au jury. Il joue sur plusieurs scènes : *La mégère apprivoisée, Oscar*... Il fait ses débuts au cinéma en 1957, mais c'est Godard qui l'impose avec le personnage d'*A bout de souffle*, compromis entre Bogart et Brando. Il sera ensuite Pierrot le fou, sous le signe des Pieds nickelés. Godard, Chabrol, Truffaut, Resnais (en un inattendu Stavisky) l'utilisent avec plus ou moins de bonheur, mais Philippe de Broca lui ouvre une autre voie, celle d'un prodigieux cascadeur dans *Cartouche* ; il faut avoir vu ses acrobaties dans *Les mariés de l'an II*. Du coup, d'idole de quelques cénacles intellectuels, Belmondo devient, dépassant Delon et de Funès, le plus populaire des acteurs français. Ni Zidi ni Oury ne sont – loin de là – de grands metteurs en scène et un scénario comme celui de *L'as des as* soulève le cœur à force de démagogie, mais Belmondo est présent de bout en bout avec sa bonne tête de boxeur, sa gouaille et ses exploits physiques. On en oublie la vulgarité et le côté racoleur de l'histoire. Son erreur a été de ne pas renouveler ce personnage. De là l'échec commercial (et artistique) des films qui suivent. Il obtient cependant un césar en 1989 pour *Itinéraire d'un enfant gâté*. L'acteur s'est consolé en revenant au théâtre avec *Kean* puis *Cyrano*. A l'occasion d'un retour à l'écran, il prend le risque de succéder à Raimu dans le rôle de l'avocat alcoolique des *Inconnus dans la maison* puis à Harry Baur et Jean Gabin notamment dans le personnage de Jean Valjean des *Misérables*. Mal servi par ses metteurs en scène, il est écrasé par la comparaison. Ses derniers films sont des échecs. Delon connaît un destin parallèle. Ils se retrouvent dans *1 chance sur 2*.

Belushi, James ou Jim

Acteur américain né en 1954.

1978, The Fury (Furie) (De Palma) ; 1981, Thief (Le solitaire) (Mann) ; 1983, Trading Places (Un fauteuil pour deux) (Landis) ; 1985, The Man with One Red Shoe (Dragoti) ; 1986, Little Shop of Horrors (La petite boutique des horreurs) (Oz), Salvador (Salvador) (Stone), About Last Night... (Zwick), Jumpin' Jack Flash (Jumpin' Jack Flash) (Marshall) ; 1987, Real Men (Feldman), The Principal (Cain) ; 1988, Red Heat (Double détente) (Hill) ; 1989, K-9 (Chien de flic) (Daniel), Who's Harry Crumb ? (Flaherty), Homer & Eddie (Voyageurs sans permis) (Konchalovsky) ; 1990, Mr. Destiny (Orr), Masters of Menace (Raskov), Dimenticare Palermo (Oublier Palerme) (Rosi), Wedding Band (Raskov) ; 1991, Abraxas, Guardian of the Universe (Lee), Taking Care of Business (Hiller), Only the Lonely (Ta mère ou moi !) (Columbus), Diary of a Hit Man (Hitman) (London), Curly Sue (La p'tite arnaqueuse) (Hughes) ; 1992, Traces of Red (Traces de sang) (Wolk), Once Upon a Crime... (Levy) ; 1993, Last Action Hero (Last Action Hero) (McTiernan) ; 1995, Destiny Turns on the Radio (Baran), Canadian Bacon (Canadian Bacon) (Moore), Separate Lives (D. Madden) ; 1996, Jingle all the Way (La course au jouet) (Levant), Gold in the Streets (Gill), Race the

Sun (Kanganis) ; 1997, Retroactive (Morneau), Living in Peril (Ersgard), Gang Related (Kouf), Wag the Dog (Des hommes d'influence) (Levinson) ; 1998, The Florentine (Stagliano) ; 1999, Angel's Dance (Corley), Made Men (Fausse donne) (Morneau), Return to Me (Droit au cœur) (B. Hunt) ; 2003, Joe Somebody (Super papa) (Pasquin).

Frère de John, nanti du même embonpoint, il s'illustre au théâtre avant d'intégrer la fameuse troupe du « Saturday Night Live ». Sa carrière cinématographique trouve son apex dans la comédie policière *Chien de flic*, soit un registre populaire pas franchement exaltant. Entre comédies poussives et polars au rabais, il est aujourd'hui relégué au troisième plan des comédiens hollywoodiens.

Belushi, John

Acteur américain, 1949-1982.

1978, Goin' South (En route vers le sud) (Nicholson), National Lampoon's Animal House (American College) (Landis) ; 1979, Old Boyfriends (Old Boyfriends) (Tewkesbury), 1941 (1941) (Spielberg) ; 1980, The Blues Brothers (Blues Brothers) (Landis) ; 1981, Neighbours (Voisins) (Avildsen), Continental Divide (Apted).

Massif, il est le personnage qui attire les catastrophes : pilote fou de *1941* ou voisin malchanceux de *Neighbours*.

Belvaux, Lucas

Acteur et réalisateur belge né en 1961.

1981, Allons z'enfants (Boisset) ; 1982, La mort de Mario Ricci (Goretta), La truite (Losey) ; 1983, Ronde de nuit (Messiaen), American Dreamer (Rosenthal) ; 1984, La femme ivoire (Cheminal), La femme publique (Zulawski) ; 1985, Poulet au vinaigre (Chabrol), La loi sauvage (Reusser), La baston (Missiaen), Hurlevent (Rivette) ; 1986, Désordre (Assayas) ; 1989, L'air de rien (Gimenez) ; 1990, Trois années (Cazeneuve), Madame Bovary (Chabrol) ; 1993, Grand bonheur (Le Roux) ; 2000, On appelle ça... le printemps (Le Roux) ; 2003, Un couple épatant, Cavale, Après la vie (Belvaux) ; 2004, Demain on déménage (Akerman) ; Joyeux Noël (Carion) ; 2006, La raison du plus faible (Belvaux) ; 2007, Pars vite et reviens tard (Wargnier). *Pour le metteur en scène*, voir le *Dictionnaire du cinéma*, t. I : *Les réalisateurs*.

Jeune second rôle beaucoup vu dans les années 80, il se tourne vers la réalisation en 1991, ralentissant fortement sa carrière d'acteur. Un rôle fort lui a sans doute manqué.

Benchley, Robert

Acteur américain, 1889-1943.

Nombreux courts métrages. 1935, China Seas (La malle de Singapour) (Garnett) ; 1936, Piccadilly Jim (Leonard) ; 1937, Live, Love and Learn (Fitzmaurice), Broadway Melody of 1938 (Del Ruth) ; 1940, Foreign Correspondant (Correspondant 17) (Hitchcock), Hired Wife (Seiter) ; 1941, The Reluctant Dragon (Disney), Bedtime Story (Hall), Nice Girl ? (Seiter), Three Girls About Town (Jason), You'll Never Get Rich (Lanfield) ; 1942, I Married a Witch (J'ai épousé une sorcière) (Clair), The Major and the Minor (Uniformes et jupons courts) (Wilder), Take a Letter, Darling (Leisen) ; 1943, Flesh and Fantasy (Obsessions) (Duvivier), The Sky's the Limit (L'aventure inoubliable) (Griffith), Song of Russia (Ratoff), Young and Willing (E. Griffith) ; 1944, Her Primitive Man (Lamont), Janie (Curtiz), Practically Yours (Leisen), See Her Private Hargrove (Ruggles) ; 1945, Duffy's Tavern (H. Walker), Week-end at the Waldorf (Leonard), It's in the Bag (Wallace) ; 1946, Janie Gets Married (V. Sherman), The Bride Wore Boots (Pichel).

Acteur comique, il a excellé dans les courts métrages dont beaucoup commençaient par *How to..., How to Sleep* obtint même un oscar. Distingué et désabusé, sa fine moustache masquant l'ironie de son sourire, il a promené sa nonchalance dans de nombreuses et charmantes comédies.

Bendix, William

Acteur américain, 1906-1964.

1942, Woman of the Year (La femme de l'année) (Stevens), Brooklyn Orchid (Neumann), Wake Island (Farrow), The Glass Key (La clé de verre) (Heisler), Who Done It (Kenton), Star Spangled Rhythm (Au pays du rythme) (Marshall) ; 1943, The Crystal Ball (Nugent), Taxi, Mister (Neumann), China Hostages (Tuttle), Guadalcanal Diary (Guadalcanal) (Seiler) ; 1944, Lifeboat (Hitchcock), The Hairy Ape (La belle et la brute) (Santell), Abroad with Two Yanks (Dwan), Greenwich Village (Lang) ; 1945, It's in the Bag (Wallace), Don Juan Quilligan (Tuttle), A Bell for Adano (King) ; 1946, Sentimental Journey (Voyage sentimental) (W. Lang), The Blue Dahlia (Le dahlia bleu) (Marshall), The Dark Corner (L'impasse tragique) (Hathaway), White Tie and Tails (Barton), Two Years Before the Mast (Révolte à bord) (Farrow), I'll Be Yours (Seiter) ; 1947, Blaze of Noon (Farrow), Calcutta (Meurtre à Calcutta) (Farrow), The Web (Gordon), Where

There's Life (Lanfield) ; 1948, The Time of Your Life (Le bar des illusions) (Potter), Race Street (Marin), The Babe Ruth Story (Del Ruth) ; 1949, The Connecticut Yankee in King Arthur's Court (Un Yankee à la cour du roi Arthur) (Garnett), The Life of Riley (Brecher), Streets of Laredo (La chevauchée de l'honneur) (Fenton), Cover Up (Green), The Big Steal (Ça commence à Vera Cruz) (Siegel), Johnny Holiday (Goldbeck) ; 1950, Kill the Umpire (Bacon), Gambling House (Tetzlaff) ; 1951, Submarine Command (Duel sous la mer) (Farrow), Detective Story (Wyler) ; 1952, Macao (Le paradis des mauvais garçons) (Sternberg), A Girl in Every Port (Erskine), Black beard the Pirate (Barbe-Noire le pirate) (Walsh) ; 1954, Dangerous Mission (Mission périlleuse) (L. King) ; 1955, Crashout (Foster) ; 1956, Battle Stations (L'enfer du Pacifique) (Seiler) ; 1958, The Deep Six (En patrouille) (Maté) ; 1959, The Rough and the Smooth (Siodmak) ; 1962, Boy's Night Out (Garçonnière pour quatre) (Gordon) ; 1963, For Love and Money (Trois filles à marier) (Gordon) ; The Young and the Brave (Lyon), Law of the Lawless (Condamné à être pendu) (Claxton) ; 1964, Young Fury (Nyby).

Fils du chef d'orchestre du Metropolitan Opera, il fit une courte apparition en 1911 sur les écrans, si l'on en croit certaines sources, avant d'exercer différents métiers et de jouer sur scène. Retour au cinéma (ou débuts) en 1942. Grand, fort, l'air stupide, il fut barman, tueur ou policier. Il est associé dans la mémoire des cinéphiles à deux grands films noirs : *The Blue Dahlia* et surtout *The Dark Corner* où il était défenestré par Clifton Webb.

Beneyton, Yves

Acteur français né en 1946.

1966, Deux ou trois choses que je sais d'elle (Godard) ; 1967, L'amour fou (Rivette), A tout casser (Berry), Les idoles (Marc'O), Les jeunes loups (Carné), Week-end (Godard), Visa de censure (Clémenti) ; 1969, Mio Mao (Ferrari), Paulina s'en va (Téchiné) ; 1972, Guardami nuda (Alfaro), Nel nome del padre (Au nom du père) (Bellocchio) ; 1973, Io e lui (Salce), Par le sang des autres (Simenon), Le mariage à la mode (Mardore) ; 1974, Le grand délire (Berry) ; 1975, Verbrande Brug (Pont brûlé) (Henderickx) ; 1976, L'ombre des châteaux (Duval) ; 1977, Il mostro (Qui sera tué demain ?) (Zampa), Zerschossene Traüme (L'appât) (Patzak), La dentellière (Goretta) ; 1978, On efface tout (Vidal) ; 1980, La fuite en avant (Zerbib), Chariots of Fire (Les chariots de feu) (Hudson) ; 1981, La caduta degli angeli ribelli (Tullio Giordana), Enigma (Szwarc) ; 1982, Amok (Amok) (Ben Barka) ; 1983, La crime (Labro) ; 1985, L'amour propre (Veyron), Letter to an Unknown Lover (Duffell) ; 1987, Der Kuss des Tigers (Voulez-vous mourir avec moi ?) (Haffter) ; 1988, Sanguines (François) ; 1989, La Révolution française (Enrico, Heffron) ; 1993, Dieu que les femmes sont amoureuses ! (Clément) ; 1998, Déjà mort (Dahan) ; 1998, Rogue Trader (Trader) (Dearden).

Une carrière trop éclatée, trop internationale, a privé ce comédien élégant d'une véritable reconnaissance.

Benguigui, Jean

Acteur français, de son vrai prénom Serge, né en 1943.

1972, Les camisards (Allio) ; 1974, Histoire de Paul (Féret) ; 1976, L'amour en herbe (Andrieux), La question (Heynemann) ; 1979, La dérobade (Duval), Buffet froid (Blier), Le mors aux dents (Heynemann), Le pull-over rouge (Drach) ; 1981, Le grand pardon (Arcady) ; 1982, Le jeune marié (Stora), L'Africain (Broca) ; 1983, Le grand carnaval (Arcady), La garce (Pascal), Le juge (P. Lefebvre) ; 1984, Le vol du sphinx (Ferrier), Souvenirs, souvenirs (Zeitoun) ; 1986, Les fugitifs (Veber) ; 1987, Control (Contrôle) (Montaldo) ; 1988, Une nuit à l'Assemblée nationale (Mocky), Milan noir (Chammah) ; 1989, Ripoux contre ripoux (Zidi) ; 1990, Dr. M (Chabrol), Aujourd'hui peut-être (Bertucelli) ; 1991, Le cri des hommes (Touita), Loulou graffiti (Lejalé), Ma vie est un enfer (Balasko), La belle histoire (Lelouch), La totale (Zidi) ; 1992, Le grand pardon 2 (Arcady), Tango (Leconte) ; 1995, Salut cousin ! (Allouache), Le fils de Gascogne (Aubier), Méfie-toi de l'eau qui dort (Deschamps) ; 1997, Rien ne va plus (Chabrol), Bingo ! (Illouz) ; 1998, Merci mon chien (Galland) ; 1999, En face (Ledoux) ; 2001, La question (Heynemann), Un aller simple (Heynemann) ; 2002, Astérix et Obélix : mission Cléopâtre (Chabat), Le Boulet (Berbérian) ; 2003, Moi César, 10 ans 1/2, 1,39 m (Berry) ; 2004, Au bout du monde, à gauche (Nesher), Mariage mixte (Arcady) ; 2005, La vie de Michel Muller est plus belle que la vôtre (Muller) ; 2006, Nos jours heureux (Toledano et Nakache).

Un physique de petit teigneux aidé par un accent pied-noir subtilement suggéré, un regard perçant et un art consommé de faire vivre ses personnages en quelques minutes de présence à l'écran : loubard dans *La dérobade*, « vieux beau » gay dans *Ma vie est un enfer*, parrain maffieux pathétique dans *Bingo !...* Un second rôle, certes, mais avec panache et une bonne dose de second degré.

Benigni, Roberto

Acteur et réalisateur italien né en 1952.

1976, Berlinger, ti voglio bene (G. Bertolucci) ; 1979, Letti selvaggi (Les monstresses) (Zampa), Clair de femme (Costa-Gavras), La luna (La luna) (Bertolucci), Chiedo asilo (Pipicacadodo) (Ferreri), I giorni cantati (Pietrangeli) ; 1980, Il pap'occhio (Arbore) ; 1981, Il minestrone (Citti) ; 1982, Tu me turbi (Tu me troubles) (Benigni) ; 1983, F.F.S.S. cioè che mi hai portato fare sopra Posillipo se non mi vuoi più bene (Arbore) ; 1984, Non ce resta che piangere (Benigni) ; 1985, Down by Law (Down by Law) (Jarmusch) ; 1988, Il piccolo diavolo (Le petit diable) (Benigni) ; 1990, La voce della luna (La voce della luna) (Fellini), Night on Earth (Night on Earth) (Jarmusch) ; 1992, Johnny Stecchino (Johnny Stecchino) (Benigni) ; 1993, The Son of the Pink Panther (Edwards) ; 1994, Il mostro (Le monstre) (Benigni) ; 1997, La vita è bella (La vie est belle) (Benigni) ; 1998, Astérix et Obélix contre César (Zidi) ; 2002, Pinocchio (Pinocchio) (Benigni) ; 2003, Federico Fellini, sono un gran bugiardo (Fellini – Je suis un grand menteur) (Pettigrew) ; 2004, Coffee and Cigarettes (Coffee and Cigarettes) (Jarmush) ; Les Dalton (Haim) ; 2005, La Tigre e la neve (Le tigre et la neige) (Benigni). *Pour le metteur en scène*, voir le *Dictionnaire du cinéma*, t. I : *Les réalisateurs*.

Auteur complet de ses films, il a été aussi un admirable interprète de Fellini mais déçoit quand il reprend le rôle de Sellers (dont il est supposé être le fils) dans *The Son of the Pink Panther*. Même dans *La vie est belle* il en fait peut-être trop. *Le tigre et la neige* est un échec pour l'acteur et le réalisateur.

Bening, Annette

Actrice américaine née en 1958.

1988, The Great Outdoors (Deutch) ; 1989, Valmont (Valmont) (Forman) ; 1990, The Grifters (Les arnaqueurs) (Frears), Postcards from the Edge (Bons baisers d'Hollywood) (Nichols) ; 1991, Guilty by Suspicion (La liste noire) (Winkler), Regarding Henry (A propos d'Henry) (Nichols), Bugsy (Bugsy) (Levinson) ; 1994, Love Affair (Gordon Caron) ; 1995, The American President (Le Président et miss Wade) (Reiner) ; 1996, Richard III (Richard III) (Loncraine), Mars Attacks ! (Mars Attacks !) (Burton) ; 1997, In Dreams (Prémonitions) (Jordan) ; 1998, The Siege (Couvre-feu) (Zwick) ; 1999, American Beauty (American Beauty) (Mendes), What Planet Are You From ? (De quelle planète viens-tu ?) (Nichols), ; 2003, Open Range (Open Range) (Costner) ; 2005, Being Julia (Adorable Julia) (Szabo) ; 2007, Running with Scissors (Courir avec des ciseaux) (R. Murphy).

On la découvre dans *Valmont* où elle tient le rôle de la charmante marquise de Merteuil avec une toute subtile cruauté. Sa carrière plutôt calme prend un nouveau départ avec *Le Président et miss Wade* où, en devenant la petite amie du président des États-Unis, elle forme avec Michael Douglas un bon duo. Elle est mariée à Warren Beatty.

Benjamin, Richard

Acteur et réalisateur américain né en 1938.

1969, Goodbye Colombus (Peerce) ; 1970, Catch 22 (Catch 22) (Nichols), Diary of a Mad Housewife (Journal intime d'une femme mariée) (Perry) ; 1971, The Marriage of a Young Stockbrocker (L. Turman), The Steagle (Sylbert) ; 1972, Portnoy's Complaint (Portnoy et son complexe) (Lehman) ; 1973, Westworld (Mondwest) (Crichton), The Last of Sheila (Les invitations dangereuses) (Ross) ; 1975, The Sunshine Boys (Ennemis comme avant) (Ross) ; 1978, House Calls (Zieff) ; 1979, Love at First Bite (Le vampire de ces dames) (Dragoti), How To Beat the High Cost of Living (Scheerer), Scavenger Hunt (Schultz) ; 1980, The Last Married Couple in America (Cates), Witches' Brew (Shorr), First Family (Henry) ; 1981, Saturday the 14th (Cohen) ; 1992, Lift (Breziner) ; 1997, Deconstructing Harry (Harry dans tous ses états) (Allen). *Pour le metteur en scène*, voir le *Dictionnaire du cinéma*, t. I : *Les réalisateurs*.

Beau brun totalement inexpressif. Marié à Paula Prentiss, ce qui est son principal titre de gloire. Conscient de ses insuffisances d'acteur, il s'est reconverti en metteur en scène. De Charybde en Scylla pour le spectateur qui se perd un peu dans le film qu'il a consacré à la gloire passée de Flynn que parodie O'Toole !

Bennent, David

Acteur allemand né en 1966.

1979, Die Blechtrommel (Le tambour) (Schlöndorff) ; 1984, Canicule (Boisset) ; 1985, Legend (Legend) (Scott).

Fils de l'acteur Heinz Bennent, il connut son heure de gloire avec le rôle-titre du *Tambour*, où son interprétation d'un enfant qui refusait de grandir – ironie du sort : il est lui-même resté d'une taille très modeste — a marqué les mémoires. Beaucoup de théâtre par la suite, notamment avec Peter Brook.

Bennent, Heinz

Acteur allemand né en 1921.

1970, Das Netz (Curzer) ; 1971, Rendez-vous en forêt (Fleischer) ; 1975, Die Wildente (Le canard sauvage) (Geissendorfer), Die verlorene Ehre der Katharina Blum (L'honneur perdu de Katharina Blum) (Schlöndorff), Section spéciale (Costa-Gavras) ; 1976, Néa (Kaplan), The Serpent's Egg (L'œuf du serpent) (Bergman) ; 1977, Une femme fatale (Doniol-Valcroze), Ich will leben (Eggers) ; 1978, Deutschland im Herbst (L'Allemagne en automne) (collectif), Brass Target (La cible étoilée) (Gough) ; 1979, Die Blechtrommel (Le tambour) (Schlöndorff), Clair de femme (Costa-Gavras), Schwestern, oder die Balance des Glücks (Von Trotta) ; 1980, Aus dem Leben der Marionetten (De la vie des marionnettes) (Bergman), Le dernier métro (Truffaut), Lulu (Borowczyk), Possession (Zulawski) ; 1981, Espion lève-toi (Boisset) ; 1982, Krieg und Frieden (Boll, Schlöndorff, Kluge, Aust, Engstfeld), Le lit (Hänsel) ; 1983, Sarah (Dugowson), La via degli specchi (Gagliardo), La mort de Mario Ricci (Goretta) ; 1984, Le rapt (Koralnik) ; 1985, Le transfuge (P. Lefebvre) ; 1988, Im Jahr der Schildkröte (Wieland) ; 1991, Plaisir d'amour (Kaplan) ; 1993, Elles ne pensent qu'à ça (Dubreuil) ; 1994, Une femme française (Wargnier), Tears of Stone (Oddsson) ; 1999, Jonas et Lila à demain (Tanner) ; 2000, Kalt ist der Abendhauch (Kaufmann).

La guerre l'absorbe pendant quatre ans. Après l'enfer, le théâtre. Il débute à Gottingen. Le cinéma le découvre et lui assure une carrière internationale. Il est notamment Lucas Steiner, le grand metteur en scène de théâtre juif dans *Le dernier métro*, qui le fait connaître.

Bennett, Bruce : cf. Brix, Herman.

Bennett, Constance

Actrice américaine, 1904-1965.

1915, The Valley of Decision ; 1921, Reckless Youth (Ince) ; 1922, Evidence (Adolfi), What's Wrong With the Women ? (Neill) ; 1924, Cytherea (Fitz-maurice), Into the Night (Worne) ; 1925, The Goose Hangs High (Cruze), Married ? (Terwilliger), Code of the West (Howard), Wandering Fires (Campbell), My Son (Carewe), The Goose Woman (Brown), Sally, Irene and Mary (Goulding), The Pinch Hitter ; 1929, This Thing Called Love (Stein), Rich People (Griffith) ; 1930, Son of the Gods (Lloyd), Common Clay (Fleming), Three Faces East (Del Ruth), Sin Takes a Holiday (Stein) ; 1931, Born to Love (Née pour aimer) (Stein), The Easiest Way (Conway), The Common Law (Stein), Bought (Mayo) ; 1932, Lady With a Past (Griffith), What Price Hollywood ? (Cukor), Two Against the World (Mayo), Rockabye (Cukor) ; 1933, Our Betters (Cukor), Bed of Roses (La Cava), After Tonight (Archainbaud) ; 1934, Moulin Rouge (Laufield), The Affairs of Cellini (Benvenuto Cellini) (La Cava) ; 1935, After Office Hours (Chroniques mondaines) (Leonard) ; 1936, Ladies in Love (Griffith) ; 1937, Topper (Le couple invisible) (McLeod) ; 1938, Merrily We Live (Madame et son clochard) (McLeod), Service de luxe (Lee) ; 1939, Topper Takes a Trip (Fantômes en croisière) (McLeod), Tail Spin (Del Ruth) ; 1941, Law of the Tropics (Enright), Two-Faced Woman (La femme aux deux visages) (Cukor), Wild Bill Hickok Rides (Enright) ; 1942, Sin Town (Enright), Madame Spy (Freund) ; 1945, Paris Underground (Ratoff) ; 1946, Centennial Summer (Preminger) ; 1947, The Unsuspected (Le crime était presque parfait) (Curtiz) ; 1948, Smart Woman (Blatt), Angel on the Amazon (Tam-tam sur l'Amazone) (Auer) ; 1951, As Young as you Feel (Jones) ; 1953, It Should Happen to You (Une femme qui s'affiche) (Cukor) ; 1966, Madame X (Madame X) (Lowell Rich).

Fille de l'acteur Richard Bennett, elle fit de bonnes études avant d'être remarquée par le producteur Samuel Goldwyn. L'avènement du parlant n'eut pas de conséquences pour cette agréable blonde qui atteint l'apogée de sa carrière dans les années 30, où elle fut, selon certaines informations, la star la plus chère d'Hollywood. Net déclin à partir de 1942. Elle mourut prématurément d'une hémorragie cérébrale.

Bennett, Joan

Actrice américaine, 1910-1990.

1928, Power (Higgin) ; 1929, Bulldog Drummond (Jones), Three Live Ghosts (Humberstone), Disraeli (Green), Mississippi Gambler (Barker) ; 1930, Puttin' on the Ritz (Sloman), Crazy That Way (MacFadden), Moby Dick (Bacon), Maybe It's Love (Wellman), Scotland Yard (Howard) ; 1931, Many a Slip (Moore), Doctor's Wives (Borzage),

Hush Money (Lanfield), She Wanted a Millionaire (Blystone) ; 1932, Careless Lady (MacKenna), The Trial of Vivienne Ware (Howard), Weekends Only (Crosland), Me and My Gal (Walsh), Wild Girl (Walsh), Arizona to Broadway (Tinling) ; 1933, Little Women (Les quatre filles du docteur March) (Cukor) ; 1934, The Pursuit of Happiness (Hall) ; 1935, The Man Who Reclaimed His Head (Ludwig), Mississippi (Sutherland), Private Worlds (La Cava), Two for Tonight (Tuttle), The Man Who Broke the Bank at Monte Carlo (Roberts), She Couldn't Take It (Garnett) ; 1936, Thirteen Hours by Air (Leisen), Big Brown Eyes (Empreintes digitales) (Walsh), Two in a Crowd (Green), Wedding Present (Wallace) ; 1937, Vogues of 1938 (Cummings) ; 1938, I Met My Love Again (Ripley), Artists and Models Abroad (Leisen), The Texans (Hogan) ; 1939, Trade Winds (La femme aux cigarettes blondes) (Garnett), The Man in the Iron Mask (L'homme au masque de fer) (Whale), The Housekeeper's Daughter (Roach), Green Hell (L'enfer vert) (Whale) ; 1940, The House across the By (Mayo), The Man I Married (Pichel), Son of Monte Cristo (Le fils de Monte-Cristo) (Lee) ; 1941, Manhunt (Chasse à l'homme) (Lang), Wild Geese Calling (Brahm), She Knew All the Answers (Wallace), Confirm or Deny (Mayo), Twin Beds (Whelan), The Wife Takes a Flyer (Wallace), Girl Trouble (Schuster) ; 1943, Margin for Error (Preminger) ; 1944, The Woman in the Window (La femme au portrait) (Lang) ; 1945, Nob Hill (La grande dame et le mauvais garçon) (Hathaway), Scarlet Street (La rue rouge) (Lang) ; 1946, Colonel Effingham's Raid (Pichel) ; 1947, The Macomber Affair (L'affaire Macomber) (Z. Korda) ; 1948, The Secret Beyond the Door (Le secret derrière la porte) (Lang), The Woman in the Beach (La femme sur la plage) (Renoir), Hollow Triumph (Sekely) ; 1949, The Reckless Moment (Les désemparés) (Ophuls) ; 1950, Father of the Bride (Le père de la mariée) (Minnelli), For Heaven's Sake (On va se faire sonner les cloches) (Seaton) ; 1951, Father's Little Dividend (Allons donc papa) (Minnelli), The Guy Who Came Back (Newman) ; 1954, Highway Dragnet (Juran) ; 1955, We're No Angels (La cuisine des anges) (Curtiz) ; 1956, There's Always Tomorrow (Sirk), Navy Wife (Bernds) ; 1960, Desire in the Dust (Claxton) ; 1970, House of Dark Shadows (D. Curtis) ; 1976, Suspiria (Argento).

Sœur cadette de Constance Bennett, elle fut surtout la femme de Walter Wanger et l'interprète préférée de Fritz Lang qui la dirigea plusieurs fois notamment dans son rôle le plus célèbre, *La femme au portrait*. A partir de 1956, elle a pratiquement cessé de tourner, effectuant un curieux retour dans le film fantastique *Suspiria*.

Bentivoglio, Fabrizio

Acteur italien né en 1957.

1980, Masoch (Masoch) (F.B. Taviani) ; 1981, La dame aux camélias (Bolognini) ; 1982, Morte in Vaticano (Aliprandi), Il bandito degli occhi azzuri (Giannetti) ; 1985, La donna delle meraviglie (Bevilacqua) ; 1986, Salomé (D'Anna), Monte Napoleone (Vanzina) ; 1988, Apartment Zero (Donovan) ; 1989, Rebus (Rebus) (Guglielmi), Marrakech Express (Salvatores) ; 1990, Turnè (Strada blues) (Salvatores), Italia-Germania 4-3 (Barzini), L'aria serena dell'ovest (Soldini) ; 1991, Americano rosso (D'Alatri) ; 1993, La fine è nota (C. Comencini), Un'anima divisa in due (Soldini) ; 1994, Come due coccodrille (Comme deux crocodiles) (Campiotti) ; 1995, La scuola (Luchetti), Un eroe borghese (Placido) ; 1996, Testimone a rischio (Pozzessere), I sfagi tou kokora (Pantzis), La vie silencieuse de Marianna Ucria (Faenza), Pianese Nunzio, 14 anni a maggio (Capuano), Les affinités électives (Taviani) ; 1997, Livers Ain't Cheap (Merendino), Le acrobate (Soldini) ; 1998, Mia eoniotita kia mia mera (L'éternité et un jour) (Angelopoulos), Del perduto amore (Placido), La parola amore esiste (Mots d'amour) (Calopresti) ; 1999, La balia (La nourrice) (Bellocchio), Magicians (Merendino), The Missing (Alberti) ; 2000, La lingua del santo (Mazzacurati), Denti (Salvatores), Il partigiano Johnny (Chiesa) ; 2001, Hotel (Figgis) ; 2002, A cavallo della tigre (Mazzacurati) ; 2003, Ricordati di me (Souviens-toi de moi) (Muccino) ; 2007, L'Amico di famiglia (L'ami de la famille) (Sorrentino).

Un physique de romantique échevelé, qui s'assagit avec l'âge, mais un comédien dont on peine encore à retenir le visage.

Berenger, Tom

Acteur américain, de son vrai nom Thomas Michael Moore, né en 1949.

1976, The Sentinel (La sentinelle des maudits) (Winner), Rush It (Youngman) ; 1977, Looking for Mr. Goodbar (A la recherche de Mister Goodbar) (Brooks) ; 1978, In Praise of Older Women (Les femmes de trente ans) (Kaczender), Butch and Sundance : the Early Days (Les joyeux débuts de Butch Cassidy et le Kid) (Lester) ; 1980,

The Dogs of War (Les chiens de guerre) (Irvin) ; 1982, Oltre la porta (Derrière la porte) (Cavani) ; 1983, The Big Chill (Les copains d'abord) (Kasdan), Eddie and the Cruisers (Davidson) ; 1984, Fear City (New York 2 h du matin) (Ferrara) ; 1985, Rustler's Rhapsody (Wilson) ; 1986, Platoon (Platoon) (Stone) ; 1987, Someone to Watch Over Me (Traquée) (Scott), Deadly Pursuit (Randonnée pour un tueur) (Spottiswood) ; 1988, Betrayed (La main droite du diable) (Costa Gavras), Last Rites (Bellisario) ; 1989, Born on the 4th of July (Né un 4 juillet) (Stone), Major League (Les Indiens) (Ward) ; 1990, Love at Large (L'amour poursuite) (Rudolph), The Field (The Field) (Sheridan), Shattered (Troubles) (Petersen) ; 1991, At Play in the Fields of the Lord (En liberté dans les champs du seigneur) (Babenco) ; 1992, Sniper (Sniper – Tireur d'élite) (Llosa) ; 1993, Sliver (Sliver) (Noyce), Gettysburg (Gettysburg, la dernière bataille) (Maxwell) ; 1994, Major League II (Ward), Last of the Dogmen (T. Murphy), Chasers (Hopper) ; 1995, Avenging Angel (Baxley) ; 1996, The Substitute (Mandel), An Occasionnal Hell (Breziner) ; 1997, Shadow of Doubt (La dernière preuve) (Kleiser), One Man's Hero (Hool), The Gingerbread Man (The Gingerbread Man) (Altman) ; 1998, A Murder of Crows (Murder of Crows) (Herrington), Takedown (Cybertraque) (Chappelle) ; 1999, Enemy of my Enemy (Graef-Martino), Eye See You (Gillespie), Fear of Flying (Mackay) ; 2000, Cutaway (Manos), The Hollywood Sign (Wortmann) ; 2001, Training Day (Training Day) (Fuqua), D-Tox (Compte à rebours mortel) (Gillespie).

Bel homme viril, en dépit d'un visage assez doux, excellent dans les thrillers, notamment *Traquée* où il était fasciné par la beauté et le mode de vie luxueux de Mimi Rogers et *Sliver* où il affronte Sharon Stone.

Berenson, Marisa

Actrice américaine née en 1947.

1971, Morte a Venezia (Mort à Venise) (Visconti) ; 1972, Cabaret (Fosse) ; 1973, Un modo di essere donna (Pavoni) ; 1975, Barry Lindon (Kubrick) ; 1976, Casanova and Company (13 femmes pour Casanova) (Legrand) ; 1978, Killer fish agguato sul fondo (L'invasion des piranhas) (Margheriti) ; 1980, SOB (SOB) (Edwards) ; 1983, The Secret Diary of Sigmund Freud (Greene) ; 1984, Desir (Scarpita), La tête dans le sac (Lauzier), L'arbalète (Gobbi) ; 1985, Flagrant désir (Faraldo) ; 1987, Monte Napoleone (Vanzina) ; 1990, White Hunter, Black Heart (Chasseur blanc, cœur noir) (Eastwood), Perfume of the Cyclone (D. Irving) ; 1992, Il giardino dei ciliegi (Aglioti) ; 1993, Het Verdriet van België (Goretta) ; 1994, Jefferson in Paris (Jefferson à Paris) (Ivory), Le grand Blanc de Lambaréné (Ba Kobhio) ; 1996, Tonka (Anglade), Elles (Galvão Teles), Riches, belles etc... (Schpoliansky) ; 1999, Retour à la vie (Baeumler), Lisa (Grimblat) ; 2004, People, Jet Set 2 (Onteniente) ; 2005, Le plus beau jour de ma vie (Lipinski), Colour Me Kubrick (Appelez-moi Kubrick) (Cook).

Petite-fille d'Elsa Schiaparelli, petite-nièce de l'historien d'art Bernard Berenson, sa beauté fragile l'impose dans *Barry Lindon*. Mais la suite est décevante.

Bergen, Candice

Actrice américaine née en 1946.

1966, The Group (Le groupe) (Lumet), The Sand Peebles (La canonnière du Yang Tsé) (Wise), The Day the Fish Came Out (Le jour où les poissons) (Cacoyannis) ; 1967, Vivre pour vivre (Lelouch) ; 1968, The Magus (Jeux pervers) (G. Green) ; 1970, The Adventurers (Les derniers aventuriers) (L. Gilbert), Getting Straight (Campus) (Rush), Soldier Blue (Soldat bleu) (Nelson) ; 1971, The Hunting Party (Les charognards) (Medford), Carnal Knowledge (Ce plaisir qu'on dit charnel) (Nichols), T.R. Baskin (Ross) ; 1974, Eleven Harrowhouse (Fric-frac rue des diams) (Avakian) ; 1975, The Wind and the Lion (Le lion et le vent) (Milius), Bite the Bullets (La chevauchée sauvage) (Brooks) ; 1977, The Domino Principale (La théorie des dominos) (Kramer) ; 1978, The End of the World in Our Usual Bed... (Wertmuller), Oliver's Story (Korty) ; 1979, Starting Over (Merci d'avoir été ma femme) (Pakula) ; 1981, Rich and Famous (Riches et célèbres) (Cukor) ; 1982, Gandhi (Gandhi) (Attenborough) ; 1983, Merlin and the Sword (C. Donner) ; 1984, Stick (Le justicier de Miami) (Reynolds) ; 2000, Miss Congeniality (Miss détective) (Petrie) ; 2001, View from the Top (Barretto) ; 2002, Sweet Home Alabama (Fashion victime) (Tennant) ; 2003, View from the Top (Hôtesse à tout prix) (Barreto) ; 2004, The In-Laws (Espion mais pas trop !) (Fleming).

Forte, froide, élégante, sûre d'elle-même : c'est une certaine image de la femme américaine qu'impose Candice Bergen. Fille d'un ventriloque, longtemps mannequin puis photographe-reporter et l'une des plus originales personnalités du monde cinématographique d'outre-Atlantique. De Lumet à Cukor, son itinéraire reflète celui du nouveau cinéma américain. Elle avait épousé le réalisateur français Louis Malle.

Berger, Helmut

Acteur autrichien, de son vrai nom Steinberger, né en 1944.

1964, La ronde (Vadim) ; 1966, Le streghe (Les sorcières) (Visconti) ; 1968, I giovanni tigri (Leonviola) ; 1969, Sai cosa faceva Stalin alle donne ? (Liverani), Il dio chiamato Dorian Gray (Le portrait de Dorian Gray) (Dallamanno), La caduta degli dei (Les damnés) (Visconti) ; 1970, La colonna infame (Nelo Risi), Un beau monstre (Gobbi), Il giardino dei Finzi-Contini (Le jardin des Finzi-Contini) (De Sica) ; 1971, Una farfalla con le ali insanguinate (Tessari) ; 1972, Les voraces (Gobbi), Ludwig (Visconti) ; 1973, Reigen (Le baiser) (Schenk), Ash Wednesday (Les noces de cendres) (Peerce), Il delitto Matteotti (Giacomo Matteotti) (Vancini), El clan de los inmorales (Maesso) ; 1974, La testa del serpente (Ordre de tuer) (Maesso), Gruppo di famiglia in un interno (Violence et passion) (Visconti) ; 1975, The Romantic English Woman (Une Anglaise romantique) (Losey), Salon Kitty (Brass), Victory at Entebbe (Victoire à Entebbé) (Chomsky) ; 1977, Paper Back (Beiley), La belva col mitra (Grieco) ; 1978, Il grande attaco (U. Lenzi), Il terzo commendato (Tessari) ; 1979, Le rose di Danzica (Bevilacqua), Die Jaeger (Makk) ; 1980, Eroina (Pirri) ; 1983, Femmes (Tana Kaleya), Requiem pour un enfant (Villemer) ; 1984, Victoria (Ribas) ; 1985, Code Name : Esmerald (Sanger) ; 1987, Die Verlockung (Berner), Der Glaserne Himmel (Grosse) ; 1988, Les prédateurs de la nuit (Franco) ; 1989, Er-Sie-Es (Severin) ; 1990, The Godfather, part III (Le parrain III) (Coppola), Docteur M (Chabrol), Nie im Leben (Berger), The Betrothed (Nocita) ; 1991, Einmal Arizona (Bucking), Das Lachen der Maca Daracs (Berner) ; 1992, Ludwig 1881 (Dubini) ; 1996, Stille Wasser (Linder) ; 1997, 120 Tage von Bottrop (Schliengensief) ; 1999, Die Häupter meiner Lieben (Bücking), Unter den Palmen (Kruishoop).

Remarqué par Visconti pour sa beauté alors qu'il semblait se vouer à des activités hôtelières, il entame une belle carrière internationale : De Sica, Losey et surtout Visconti qui en fait notamment un fascinant Louis II de Bavière. Sa carrière a marqué le pas depuis 1975 et ce n'est pas le semi-pornographique *Femmes* qui a pu redorer son blason.

Berger, Nicole

Actrice française, 1937-1967.

1953, Juliette (M. Allégret) ; 1954, Le blé en herbe (Autant-Lara), Le printemps, l'automne et l'amour (Grangier) ; 1955, Les indiscrètes (André) ; 1956, Till l'Espiègle (Ivens), Celui qui doit mourir (Dassin) ; 1957, Filles de nuit (Cloche) ; 1958, En cas de malheur (Autant-Lara), Premier mai (Saslavsky), L'ambitieuse (Y. Allégret), Tous les garçons s'appellent Patrick (Godard), Les dragueurs (Mocky) ; 1960, Tirez sur le pianiste (Truffaut) ; 1961, La dénonciation (Doniol-Valcroze) ; 1963, Chair de poule (Duvivier) ; 1967, La permission (Van Peebles).

Fille de Roger Faral, elle connut la célébrité grâce au *Blé en herbe* et fut récupérée par la Nouvelle Vague. Elle mourut accidentellement en 1967.

Berger, Senta

Actrice autrichienne née en 1941.

1957, Die unentschuldige Stunde (Forst) ; 1958, Der veruntreute Himmel (Le ciel n'est pas à vendre) (Marischka), The Journey (Le voyage) (Litvak) ; 1959, Katia (Siodmak) ; 1960, Schweik (Ambesser) ; 1961, The Secret Ways (Le dernier passage) (Karlson), Das Wunder des Malachias (Wicki), Immer Arger mit dem Bett (Ma femme est une call-girl) (Schundler), Ramona (Martin), Es muss nicht immer Kaviar Sein (Radvanyi) ; 1962, Das Geheimnis derschwartzen Koffer (Le secret des valises noires) (Klinger), Sherlock Holmes and the Deadly Necklace (Sherlock Holmes et le collier de la mort) (Fisher), Frauenartz Dr. Sibelius (Médecin pour femmes) (Jugert), Das Testament des Dr. Mabuse (Échec à la brigade criminelle) (Klinger) ; 1963, The Victors (Les vainqueurs) (Foreman), The Waltz King, Il mistero del tempio indiano (Le mystère du temple hindou) (Camerini) ; 1964, Kali Jug, la dea della vendetta (Kali Yug, déesse de la vengeance) (Camerini) ; 1965, Major Dundee (Peckinpah), The Glory Guys (Les compagnons de la gloire) (Laven) ; 1966, The Spy with My Face (Newland), Cast a Giant Shadow (L'ombre d'un géant) (Shavelson), Our Man in Marrakesh (Sharp), The Poppy Is also a Flower (Opération opium) (Young), The Quiller Memorandum (Le secret du rapport Quiller) (Anderson), Schüsse im Dreivierteltakt (Un « pater » au Prater pour notre agent de Vienne) (Weidenmann) ; 1967, Peau d'espion (Molinaro), Operazione San Gennaro (Opération San Gennaro) (Risi), The Ambushers (Matt Helm traqué) (Levin), Diaboliquement vôtre (Duvivier) ; 1968, Les étrangers (Desagnat), If It's

Tuesday, Then It Must Be Belgium (Mardi, c'est donc la Belgique) (Stuart) ; 1969, Cuore solitari (Giraldi), De Sade (Endfield) ; 1970, Quando le donne avevano la coda (Quand les femmes avaient une queue) (Festa Campanile), Casanova (Casanova, un adolescent à Venise) (Comencini), Percy (Mon petit oiseau s'appelle Percy, il va beaucoup mieux merci) (R. Thomas) ; 1971, Le saut de l'ange (Boisset), Die Moral der Ruth Halbfass (Schlöndorff), L'amante dell'orsa maggiore (Orsini), Quando le donne persero la coda (Festa Campanile), Wer im Glashaus liebt (M. Verhoeven), Roma bene (Lizzani), Un'anguilla da trecento milioni (Samperi) ; 1972, Causa di divorzio (Fondato), Der Scharlachrote Buchstabe (La lettre écarlate) (Wenders), Amore e gimnastica (d'Amico) ; 1973, Reigen (Le baiser) (Schenk), Bisturi, la mafia bianca (Bistouri, la mafia blanche) (Zampa), Di mamma non ce n'e una sola (Gianetti) ; 1974, L'uomo senza memoria (La trancheuse infernale) (Tessari), La bellissima estate (Martino) ; 1975, The Swiss Conspiracy (Arnold) ; 1976, Signori e signore, buonanotte (Mesdames messieurs, bonsoir) (Age, Loy...), Mitgift (M. Verhoeven), La padrona e la serita (Raufranchi) ; 1977, Cross of Iron (Croix de fer) (Peckinpah), Ritratto di borghesia in nero (Mœurs cachées de la bourgeoisie) (Cervi) ; 1978, La giacca verde (Giraldi) ; 1980, Vertigo en la pista (Speed driver) (Massi) ; 1985, De flygende Djavlarna (Refn), Killing Cars (M. Verhoeven), Le due vite di Mattia Pascal (La double vie de Mathias Pascal) (Monicelli) ; 1986, L'ultima mazurka (Bettetini) ; 1990, Tre colonne in cronaca (Vanzina) ; 1998, Bin ich schön ? (Dörrie).

Une carrière très internationale pour cette Autrichienne dont la beauté ne laisse pas indifférent. Débuts en Allemagne, superproductions germano-italiennes, le western à la Peckinpah (*Major Dundee*), l'Angleterre (Endfield, Thomas), la France de Duvivier (*Diaboliquement vôtre*), le cinéma allemand de Wenders (*La lettre écarlate*) et le cinéma commercial italien (Giraldi, Cervi). Elle a fondé en 1965 une maison de production.

Bergerac, Jacques

Acteur français né en 1927.

1954, Beautiful Stranger (Meurtre sur la Riviera) (Miller) ; 1955, Marie-Antoinette (Delannoy) ; 1956, Strange Intruder (Rapper) ; 1957, Un homme se penche sur son passé (Rozier), Les Girls (Cukor) ; 1958, Gigi (Gigi) (Minnelli) ; 1959, Thunder in the Sun (Caravane vers le soleil) (Rouse) ; 1960, The Hypnotic Eye (Blair), Fear No More (Wiesen) ; 1961, Una domenica d'estate (Un dimanche d'été) (Petroni) ; 1962, L'ira d'Achille (La colère d'Achille) (Girolami) ; 1964, La congiuntura (Cent millions ont disparu) (Scola), A Global Affair (Papa play-boy) (Arnold) ; 1965, Taffy and the Jungle Hunter (Morse) ; 1966, Missione speciale Lady Chaplin (Mission spéciale... Lady Chaplin...) (De Martino).

Fils d'ingénieur, il suit des études de droit à Paris mais est remarqué par un chasseur de talents américain qui le persuade de tenter sa chance à Hollywood. Il y épousera Ginger Rogers puis Dorothy Malone, tout en apparaissant dans quelques films de second plan. Sa carrière ne décollant pas, il rentre en France où il prend la direction d'une société de cosmétiques.

Bergeron, René

Acteur français, 1890-1971.

1927, Le capitaine Fracasse (Cavalcanti) ; 1932, Les croix de bois (Bernard) ; 1933, La rue sans nom (Chenal) ; 1934, Dédé (Guissart), Au bout du monde (Chomette) ; 1935, Les deux gamines (Hervil et Champreux), Et moi j'te dis qu'elle t'a fait de l'œil (Forrester), Lucrèce Borgia (Gance) ; 1936, Pépé le Moko (Duvivier), Les nouveaux riches (Berthomieu), Courrier Sud (Billon), Le mioche (Moguy), Mayerling (Litvak), L'appel du silence (Poirier), Les mutinés de l'Elseneur (Chenal) ; 1937, Gribouille (Allégret), Feu (Baroncelli), Marthe Richard (Bernard), Abus de confiance (Decoin), La dame de Malacca (Allégret) ; 1938, Prisons de femmes (Richebé), L'entraîneuse (Valentin), Hôtel du Nord (Carné), L'affaire Lafarge (Chenal), Tarakanowa (Ozep), Alerte en Méditerranée (Joannon), M. Coccinelle (Bernard-Deschamps) ; 1939, La fin du jour (Duvivier), Le jour se lève (Carné), Le récif de corail (Gleize), Le café du port (Choux), Remorques (Grémillon), L'enfer des anges (Christian-Jaque), Le dernier tournant (Chenal) ; 1940, Untel père et fils (Duvivier) ; 1941, Montmartre-sur-Seine (Lacombe) ; 1942, Le comte de Monte-Cristo (Vernay), La maison des sept jeunes filles (Valentin), Monsieur La Souris (Lacombe), Le bienfaiteur (Decoin) ; 1943, L'homme de Londres (Decoin) ; 1954, Les deux font la paire (Berthomieu), Série noire (Foucaud), Le crâneur (Kirsanoff), M. Pipelet (Hunebelle), Les aristocrates (La Patelière) ; 1956, Mémoires d'un flic (Foucaud), Les lumières du soir (Vernay), Mannequins de Paris (Hunebelle), Le secret de sœur Angèle (Joannon), La joyeuse prison (Berthomieu), Miss Catastrophe (Kirsanoff), Les collégiennes (Hunebelle) ; 1957, Les espions (Clouzot) ; 1958, Le gorille vous salue bien (Borderie), Le désert de Pigalle (Joannon) ; 1959, Tant d'amour perdu (Dallier), Drôles de phénomènes (Vernay), Madame et son auto (Vernay).

Admirable acteur de composition, reconnaissable à son long nez busqué. Il était prodigieux en inspecteur Barnave dans *L'entraîneuse* et plus encore en inspecteur Lognon (moustache, œil torve et gabardine) dans *Monsieur La Souris*. On l'avait déjà vu en policier dans *Pépé le Moko, Le dernier tournant* et dans *Hôtel du Nord*. Mais il peut se trouver de l'autre côté de la loi (*Les mutinés de l'Elseneur* ou *L'enfer des anges*) avec le même talent. Entraîné dans la voie de la collaboration par Le Vigan, il eut sa carrière brisée en 1944. On le revit dans de médiocres productions à partir de 1954. Mais sans beaucoup de conviction. Quel acteur il fut pourtant jadis !

Bergin, Patrick

Acteur d'origine irlandaise né en 1954.

1988, Taffin (Megahy), The Courier (Deasy, Lee) ; 1990, Mountains of the Moon (Aux sources du Nil) (Rafelson) ; 1991, Love Crimes (Borden), Sleeping with the Enemy (Les nuits avec mon ennemi) (Ruben), Robin Hood (Robin des bois) (Irvin) ; 1992, Map of the Human Heart (Cœur de métisse) (Ward), The Hummingbird Tree (Smith), Highway to Hell (De Jong), Patriot Games (Jeux de guerre) (Noyce) ; 1994, Soft Deceit (Mortesi), Double Cross (Keusch), Lawnmower Man 2 : Beyond Cyberspace (Le cobaye 2) (F. Mann) ; 1996, Angela Mooney (McArdle) ; 1997, Suspicious Minds (Zaloum), The Proposition (La proposition) (Linka Glatter), The Island on Bird Street (L'étoile de Robinson) (Kragh-Jacobsen) ; 1998, The Lost World (Keen), Escape Velocity (Simandl), Eye of the Beholder (Voyeur) (Elliott), Taxman (Zaloum) ; 1999, One Man's Hero (Hool), Treasure Island (Rowe), Merlin : The Return (Matthews) ; 2000, When the Sky Falls (Mackenzie), High Explosive (Bond), Cause of Death (Grenier), The Loch (Comisky) ; 2005, Bloom (Bloom) (S. Walsh).

Il fut le mari violent de Julia Roberts dans *Les nuits avec mon ennemi* et un Robin des bois qui peina à concurrencer la version, sortie au même moment, avec Kevin Costner. Peu de rôles marquants par la suite.

Bergman, Ingrid

Actrice d'origine suédoise, 1917-1982.

1934, Munkbrogeven (Adolfson), Bränningar (Johansson) ; 1935, Swedenhielms (Molander) ; 1936, Pa solsidan (Molander), Intermezzo (Molander) ; 1937, Dollar (Molander) ; 1938, Die vier Gesellen (Froelich), En kvinnas ansikte (Molander), En enda natt (Molander) ; 1939, Intermezzo (La rançon du bonheur) (Ratoff) ; 1941, Adam Had Four Sons (La famille Stoddard) (Ratoff), Dr. Jekyll and Mr. Hyde (Fleming), Rage in Heaven (La proie du mort) (Van Dyke) ; 1943, Casablanca (Casablanca) (Curtiz), Swedes in America (Lerner), For Whom the Bell Tolls (Pour qui sonne le glas) (Wood) ; 1944, Gaslight (Hantise) (Cukor) ; 1945, Saratoga Trunk (L'intrigante de Saratoga) (Wood), Spellbound (La maison du Dr. Edwards) (Hitchcock), The Bells of St. Mary's (Les cloches de Sainte-Marie) (McCarey) ; 1946, Notorious (Les enchaînés) (Hitchcock) ; 1947, Arch of Triumph (L'arc de triomphe) (Milestone) ; 1948, Joan of Arc (Jeanne d'Arc) (Fleming) ; 1949, Under Capricorn (Les amants du Capricorne) (Hitchcock), Stromboli (Rossellini) ; 1952, Europa 51 (Rossellini) ; 1953, Siamo donne (Nous les femmes) (Rossellini) ; 1954, Viaggio in Italia (Voyage en Italie) (Rossellini), Giovanna d'Arco al rogo (Jeanne au bûcher) (Rossellini), Angst (La peur) (Rossellini) ; 1956, Elena et les hommes (Renoir), Anastasia (Litvak) ; 1958, Indiscreet (Indiscret) (Donen), The Inn of the Sixth Happiness (L'auberge du sixième jour) (Robson) ; 1961, Good Bye Again (Aimez-vous Brahms ?) (Litvak) ; 1963, Der Besuch (La rancune) (Wicki) ; 1964, The Yellow Rolls-Royce (La Rolls-Royce jaune) (Asquith) ; 1967, Stimulantia (Molander) ; 1969, Cactus Flower (Fleur de cactus) (Sacks), A Walk in the Spring Rain (Pluie de printemps) (G. Green) ; 1972, From the Mixed-up of Mrs. Basil E. Frankweiler (F. Cook) ; 1974, Murder on the Orient Express (Le crime de l'Orient-Express) (Lumet) ; 1976, A Matter of Time (Nina) (Minnelli) ; 1978, Höstsonaten (Sonate d'automne) (Bergman).

Orpheline, elle fut élevée par des proches. Très jeune elle s'oriente vers le théâtre et fait partie de la principale troupe de Stockholm. Le cinéma en fait rapidement une vedette. Le producteur américain Selznick la remarque dans *Intermezzo* de Molander et l'attire à Hollywood. *Casablanca* puis *Jeanne d'Arc* en font l'une des plus grandes stars du monde. Elle gagne un oscar en 1944 pour *Gaslight*. Hitchcock, qui aime ce type de beauté blonde, l'utilise dans deux de ses meilleurs films. Rossellini la dirige dans *Stromboli* et c'est le coup de foudre qui va briser la carrière américaine d'Ingrid Bergman. Celle-ci divorce du Dr Peter Lindstrom pour vivre avec Rossellini qu'elle épouse en 1950. Énorme scandale. Cette liaison n'est pas conforme à l'image de la star, un peu trop vite identifiée à Jeanne d'Arc. De surcroît, les films où Rossellini la met en scène sont des catastrophes financières et elle est peu convaincante dans *Elena* de Renoir. Mais elle gagne un nouvel oscar en 1956 avec *Anastasia* (Hollywood a pardonné) et paraît alors entamer une nouvelle carrière. D'autant qu'elle quitte Rossellini pour le producteur Lars Schmidt. Elle gagne l'oscar de la meilleure actrice de second rôle en 1974 pour *Murder on the Orient Express* et tourne avec Ingmar Bergman une œuvre d'une grande rigueur. Elle mourra d'un cancer peu après avoir tenu le rôle de Golda Meir pour la télévision.

Bergner, Elisabeth

Actrice allemande, de son vrai nom Ettel, 1897-1986.

1923, Der Evangelimann ; 1924, Nju (A qui la faute ?) (Czinner) ; 1926, Der Geiger von Florenz (Czinner), Liebe (Czinner) ; 1927, Dona Juana (Czinner) ; 1928, Fräulein Else (Czinner) ; 1931, Ariane (Czinner) ; 1932, Der träumende Mund (Czinner) ; 1934, Catherine the Great (Catherine la Grande) (Czinner) ; 1935, Escape Me Never (Czinner) ; 1936, As you Like It (Comme il vous plaira) (Czinner) ; 1937, Dreaming Lips (Czinner), A Stolen Life (La vie d'un autre) (Czinner) ; 1941, Paris Calling (Marin) ; 1962, Die glücklichen Jahre der Thorwalds (Staudte) ; 1970, Cry of the Banshee (Hessler), Michel Strogoff (E. Visconti) ; 1973, Der Fussgänger (Le piéton) (Schell) ; 1978, Der Pfingstausflug (Günther) ; 1981, Feine Gesellschaft – beschränkte Haftung (Runze).

C'est *Nju* de Czinner, un drame de l'adultère, qui la fit connaître. Elle tourna par la suite uniquement avec Czinner qu'elle épousa. Elle a tenté après 1970 un impossible « come-back ».

Berkley, Elizabeth

Actrice américaine, de son vrai nom Nehama Pnina, née en 1972.

1991, Point Break (Point Break – Extrême limite) (Bigelow) ; 1993, Molly & Gina (Leder) ; 1994, Round-Up (Stevens) ; 1995, White Wolves II : Legend of the Wild (Winkless), Showgirls (Showgirls) (Verhoeven), The First Wives Club (Le club des ex) (Wilson) ; 1997, The Real Blonde (Une vraie blonde) (DiCillo) ; 1998, The Tax Man (Nesher), Random Encounter (D. Jackson) ; 1999, Last Call (C. Lucas), Any Given Sunday (L'enfer du dimanche) (Stone), Tail Lights Fade (Ingram) ; 2001, The Curse of the Jade Scorpion (Le sortilège du scorpion de jade) (Allen).

Elle est révélée pour son rôle de danseuse délicieusement vulgaire dans *Showgirls*, œuvre de Paul Verhoeven passée à la postérité pour être l'un des plus mauvais films du monde. L'histoire jugera, mais Elizabeth Berkley, qui comptait sans doute sur un destin à la Sharon Stone, a dû depuis revoir ses ambitions à la baisse.

Berléand, François

Acteur français né en 1952.

1978, Martin et Léa (Cavalier) ; 1980, Un étrange voyage (Cavalier), On n'est pas des anges, elles non plus (Lang) ; 1981, Les hommes préfèrent les grosses (Poiré) ; 1982, La balance (Swaim), Ôte-toi de mon soleil (M. Jolivet) ; 1984, Signé Charlotte (C. Huppert), Marche à l'ombre (Blanc), Strictement personnel (Jolivet) ; 1985, La galette du roi (Ribes), Stella (Heynemann) ; 1986, La femme secrète (Grall), Le complexe du kangourou (Jolivet), On a volé Charlie Spencer ! (Huster) ; 1987, Poker (Corsini), Au revoir les enfants (Malle), Les mois d'avril sont meurtriers (Heynemann) ; 1988, L'otage de l'Europe (Kawalerowicz), Suivez cet avion (Amblard), Un père et passe (Grall), Camille Claudel (Nuytten) ; 1989, Romuald et Juliette (Serreau), Milou en mai (Malle), L'orchestre rouge (Rouffio), Strictement personnel (Jolivet) ; 1991, Tableau d'honneur (Némès) ; 1992, A l'heure où les grands fauves vont boire (Jolivet), Le bateau de mariage (Améris) ; 1993, Le joueur de violon (Van Damme) ; 1994, Fugueuses (N. Trintignant) ; 1995, L'appât (Tavernier), Les Milles (Grall), Un héros très discret (Audiard) ; 1996, Capitaine Conan (Tavernier), L'homme idéal (Gélin) ; 1997, Le pari (Bourdon, Campan), Fred (Jolivet), Le septième ciel (Jacquot), La mort du Chinois (Benoît), Place Vendôme (Garcia), Dormez, je le veux... (Jouannet) ; 1998, L'école de la chair (Jacquot), Le sourire du clown (Besnard), En plein cœur (Jolivet), Le plus beau pays du monde (Bluwal), L'homme de ma vie (Kurc), Romance (Breillat), Mauvaises fréquentations (Améris), Innocent (Natsis) ; 1999, Ma petite entreprise (Jolivet), La débandade (Berri), Six-Pack (Berbérian), Une pour toutes (Lelouch), Stardom (Stardom) (Arcand), Promenons-nous dans les bois (Delplanque), Les acteurs (Blier) ; 2000, Féroce (Maistre), Le prince du Pacifique (Corneau), HS (Lilienfeld), La fille de son père (Deschamps), Pas d'histoires (sketch Lindon) ; 2001, Vivante (Ray), Le fossé des générations est un lit douillet (Bardinet) ; 2002, L'adversaire (Garcia), Le transporteur (Leterrier) ; 2003, Le frère du guerrier (Jolivet), Mon idole (Canet), Filles uniques (Jolivet), Les amateurs (Valente) ; 2004, Une vie à t'attendre (Klifa). Les choristes (Barratier) ; 2004, Le convoyeur (Boukhrief), Double zéro (Pirès), Éros thérapie (Dubroux), Narco (Aurouet et Lellouche), Pour le plaisir (Deruddere), Les sœurs fâchées (Leclère) ; 2005, Quartier VIP (Firode), Edy (Guérin-Tillié), Le plus beau jour de ma vie (Lipinski) ; Le transporteur 2 (Leterrier) ; 2006, Aurore (N. Tavernier), L'ivresse du pouvoir (Chabrol), Le passager de l'été (Moncorgé-Gabin), Ne le dis à personne (Canet) ; 2007, Fragile(s) (Valente), Pur weekend (Doran), Je crois que je l'aime (Jolivet).

Beaucoup de théâtre et de seconds rôles au cinéma en font un visage connu mais un nom qu'on ne retient pas. Heureusement, Benoît Jacquot lui confie le personnage de l'hypnotiseur qui décoince Sandrine Kiberlain dans *Le septième ciel*. D'un coup, le troisième couteau confiné aux rôles de médecin, de psychiatre ou de notaire devient alors une gueule que l'on s'arrache. Éblouissant dans *Mon idole*, en directeur des *Choristes* et en P-DG accusé d'abus de biens sociaux dans *L'ivresse du pouvoir*. Il a écrit ses souvenirs : *Le fils de l'homme invisible* (2006).

Berley, André

Acteur français, 1880-1936.

1930, Si l'Empereur savait ça (Feyder), Le spectre vert (Feyder), Big House (Fejos), Le petit café (Berger), Le père célibataire (Robison) ; 1931, Buster se marie (Autant-Lara), Jenny Lind (Robison), Prisonnier de mon cœur (Tarride), Tu seras duchesse (Guissart), Quand on est belle (Robison) ; 1933, Le martyre de l'obèse (Chenal), Avec l'assurance (Capellani), Un billet de logement (Tavano), Les aventures du roi Pausole (Granowsky) ; 1934, L'amour en cage (Limur), Caravane (Charell), Dactylo se marie (Pujol), La veuve joyeuse (Lubitsch), Turandot (Lamprecht) ; 1935, Bout de chou (Wulschleger), Le couturier de mon cœur (Jayet), Folies-Bergère (Achard), Juanita (Caron), Son excellence Antonin (Tavano) ; 1936, Les mutinés de l'Elseneur (Chenal), A minuit le 7 (Canonge), La course à la vertu (Gleize), L'empreinte rouge (Canonge), Monsieur Personne (Christian-Jaque), La maison d'en face (Christian-Jaque), Trois jours de perm' (Monca), Toi c'est moi (Guissart), Rigolboche (Christian-Jaque).

Acteur de second plan que la rondeur de sa taille voue aux personnages caricaturaux. A cet égard il est un remarquable commandant en second de l'Elseneur. Il devient un jovial roi Pausole et un pathétique obèse qui découvre que son tour de ventre le rend incapable de séduire celle qu'il aime. Sauf dans *Les Cahiers de la Cinémathèque*, en 1977, on ne lui a pas encore accordé la place qu'il mérite dans l'histoire du cinéma.

Berling, Charles

Acteur français né en 1958.

1982, Meurtres à domicile (Lobet) ; 1991, Salt on Our Skin (Les vaisseaux du cœur) (A. Birkin) ; 1992, Just friends (Wajnberg) ; 1993, Couples et amants (Lvoff), Petits arrangements avec les morts (Ferran), Dernier stade (Zerbib) ; 1994, Consentement mutuel (Stora), Un dimanche à Paris (Duhamel), Pullman paradis (Rosier), Nelly et M. Arnaud (Sautet) ; 1995, L'âge des possibles (Ferran), Ridicule (Leconte) ; 1996, Love etc. (Vernoux), Berlin-Niagara (Berlin-Niagara) (Sehr), Les palmes de M. Schutz (Pinoteau) ; 1997, L'inconnu de Strasbourg (Sarmiento), Nettoyage à sec (Fontaine), Ceux qui m'aiment prendront le train (Chéreau) ; 1998, Fait d'hiver (Enrico), L'ennui (Kahn), Un pont entre deux rives (Depardieu, Auburtin) ; 1999, Scènes de crimes (L. Schoendoerffer), Stardom (Stardom) (Arcand), Une affaire de goût (Rapp) ; 2000, Les destinées sentimentales (Assayas), La comédie de l'innocence (Ruiz), Tout le monde y pense (Fontaine), Un jeu d'enfants (Tuel), 15 août (Alessandrin) ; 2001, Les âmes fortes (Ruiz) ; 2002, Cravate Club (Jardin), Demon Lover (Assayas), Filles perdues, cheveux gras (Duty) ; 2003, Je reste (Kurys), Père et fils (M. Boujenah), Agents secrets (F. Schoendoerffer), Le soleil assassiné (Bahloul) ; 2005, Grabuge ! (Mocky), J'ai vu tuer Ben Barka (Le Péron), La maison de Nina (Dembo), Un fil à la patte (Deville) ; 2006, L'homme de sa vie (Breitman), Je pense à vous (Bonitzer).

Formé à l'INSAS de Bruxelles, il enchaîne les pièces de théâtre, à l'Athénée, à Chaillot, à la Colline puis au TNS, où il devient résident permanent. Très demandé au cinéma depuis le début des années 90, il incarne souvent des personnages frustrés (*Nettoyage à sec*), désaxés (*L'inconnu de Strasbourg*) ou humiliés (*Ridicule*, film qui le révèle), mais sans pathos. Un acteur solide.

Berlioz, Jacques

Acteur français, 1889-1969.

1934, Le petit Jacques (Roudès), Volga en flammes (Tourjansky) ; 1935, Les yeux noirs (Tourjansky), Sous la terreur (Forzano), Les beaux jours (Allégret), Aux portes de Paris (Barrois), La maison du mystère (Roudès) ;

1936, Les mutinés de l'Elseneur (Chenal), Mayerling (Litvak), La porte du large (L'Herbier), La joueuse d'orgue (Roudès) ; 1937, La tour de Nesle (Roudès), Les perles de la couronne (Guitry), La danseuse rouge (Paulin), 27, rue de la Paix (Pottier), Tamara (Gandéra), Gigolette (Noé) ; 1938, Alerte en Méditerranée (Joannon), Remontons les Champs-Élysées (Guitry), Double crime sur la ligne Maginot (Gandéra), Le patriote (Tourneur), La bête humaine (Renoir), Tarakanowa (Ozep) ; 1939, Ils étaient neuf célibataires (Guitry), Le café du port (Choux), Le chemin de l'honneur (Paulin), Le monde tremblera (Pottier) ; 1943, Le carrefour des enfants perdus (Joannon), Échec au roy (Paulin) ; 1944, Le dernier sou (Cayatte) ; 1945, Le capitan (Vernay) ; 1946, Rendez-vous à Paris (Grangier) ; 1947, L'aventure commence demain (Pottier), Ruy Blas (Billon) ; 1949, Le martyr de Bougival (Loubignac) ; 1950, Meurtres (Pottier), La valse de Paris (Achard) ; 1952, Piédalu fait des miracles (Loubignac).

Solide acteur de second plan du cinéma français d'avant-guerre. Guitry l'utilisa beaucoup : il fut le duc de Bouillon dans *Remontons les Champs-Élysées* et le domestique de Mme Picaillon dans *Ils étaient neuf célibataires*. De petits rôles mais toujours bien tenus. La conscience professionnelle d'une génération.

Berman, Marc

Acteur français.

1978, Molière (Mnouchkine) ; 1983, Édith et Marcel (Lelouch), Ballando, ballando (Le bal) (Scola) ; 1984, La femme publique (Zulawski), Elsa, Elsa (Haudepin) ; 1985, Le mariage du siècle (Galland) ; 1986, L'état de grâce (Rouffio), Noir et blanc (Devers), I love you (Ferreri) ; 1989, Tom et Lola (Arthuys) ; 1990, Aux yeux du monde (Rochant) ; 1991, The Last Island (Gorris) ; 1992, El viaje (Le voyage) (Solanas), Sexes faibles ! (Meynard) ; 1992, Riens du tout (Klapisch) ; 1993, Métisse (Kassovitz), Le fils préféré (Garcia) ; 1995, Fast (Desarthe) ; 1996, Nitrato d'argento (Nitrate d'argent) (Ferreri), Passage à l'acte (Girod), Ridicule (Leconte) ; 1998, Sombre (Grandrieux) ; 1999, Elle et lui au 14e étage (Blondy), Peut-être (Klapisch) ; 2000, Une hirondelle a fait le printemps (Carion) ; 2006, Le pressentiment (Darroussin).

Issu du Théâtre de l'Aquarium, fondé par Didier Bezace, Berman apparaît régulièrement au cinéma, même s'il est encore relégué aux rôles d'amants pathétiques ou de voisins râleurs. Omniprésent au théâtre (mais aussi à la télévision), il y est reconnu à sa juste valeur.

Bernard, Armand

Acteur français, 1894-1968.

1918, Un client sérieux ; 1919, Le petit café ; 1921, Les trois mousquetaires (Diamant-Berger) ; 1922, Le diamant noir (Hugon), Les deux pigeons (Hugon), Vingt ans après (Diamant-Berger) ; 1923, Ma tante d'Honfleur (Saidreau), Décadence et grandeur (Bernard), L'homme inusable (Saidreau), Mimi Pinson (Bergerat) ; 1924, Le miracle des loups (Bernard) ; 1925, A la gare (Saidreau) ; 1926, Napoléon (Gance), Le joueur d'échecs (Bernard) ; 1927, Éducation de prince (Diamant-Berger), Rue de la paix (Diamant-Berger), Les deux poulains de Lucette (Champetier) ; 1931, Tumultes (Siodmak), Paris la nuit (Diamant-Berger), Dactylo (Thiele), Fra Diavolo (Bonnard), Tout s'arrange (Diamant-Berger), La femme en homme (Genina), Calais-Douvres (Boyer), Le Congrès s'amuse (Charell-Boyer) ; 1932, Quick (Siodmak), L'enfant du miracle (Diamant-Berger), Tu m'oublieras (Diamant-Berger), Monsieur de Pourceaugnac (Ravel) ; 1933, Knock (Jouvet). Les aventures du roi Pausole (Granowsky), Si tu veux (Hugon) ; Vingt-huit jours de Clairette (Hugon), Caprice de princesse (Hartl), Conduisez-moi, Madame (Selpin), Paris-Deauville (Delannoy) ; 1934, L'école des contribuables (Guissart), Le fakir du Grand Hôtel (Billon), Le secret d'une nuit (Gandéra), L'oncle de Pékin (Darmont), La margoton du bataillon (Darmont), Chansons de Paris (Baroncelli), La dactylo se marie (Pujol) ; 1935, Compartiment de dames seules (Christian-Jaque), Aux portes de Paris (Barrois), Michel Strogoff (Baroncelli), La famille Pont-Biquet (Christian-Jaque), La dernière valse (Mittler), Une nuit de noces (Monca-Kéroul), Les dieux s'amusent (Schünzel-Valentin), Sacré Léonce (Christian-Jaque), Trois de la marine (Barrois) ; 1936, On ne roule pas Antoinette (Madeux), L'école des journalistes (Christian-Jaque), Œil de Lynx détective (Ducis), Les loups entre eux (Mathot), La peau d'un autre (Pujol), Les gaietés du palace (Kapps) ; 1937, La fessée (Caron), Le club des aristocrates (Colombier) ; 1938, Les disparus de Saint-Agil (Christian-Jaque), Les femmes collantes (Caron), Le monsieur de cinq heures (Caron), Conflit (Moguy), Les monts en flammes (Hamman), Raphaël le tatoué (Christian-Jaque), Place de la Concorde (Lamac) ; 1939, Ma tante dictateur (Pujol), Le veau gras (Poligny), Le monde tremblera (Pottier), Le bois sacré (Mathot) ; 1940, Le diamant noir (Delannoy), Ils étaient cinq permissionnaires (Caron) ; 1945, Le père Serge (Gasnier-Raymond), Les gueux au Paradis (Le Hénaff) ; 1946, Destins (Pottier), L'arche de Noé (Jacques) ; 1947, Bichon (Rivers), Mandrin (Jayet) ; 1948, L'impeccable Henri (Tavano) ; 1949, On demande un assassin (Neubach) ; 1950, Coq en pâte (Tavano), Cœur sur mer (Daniel-Norman), Souvenirs perdus (Christian-Jaque), Les maîtres nageurs (Lepage), Les mémoires de la vache Yolande (Neubach), Demain nous divorçons (Cuny) ; 1951, Piédalu à Paris (Loubignac), Les deux « monsieur » de Madame (Bibal), Les surprises d'une nuit de noces (Vallée), Ce coquin d'Anatole (Couzinet), Trois vieilles filles en folie (Couzinet), Le costaud des Batignolles (Lacourt) ; 1952, Mon gosse de père (Mathot), L'île aux femmes nues (Lepage), Quand te tues-tu ? (Couzinet) ; 1953, Trois jours de bringue à Paris (Couzinet) ; 1955, On déménage le colonel (Labro) ; 1956, Miss Catastrophe (Kirsanoff) ; 1958, La môme aux boutons (Lautner) ; 1963 : La bande à Bobo (Saytor).

Parisien. Premier prix du Conservatoire. Une longue silhouette anguleuse de sacristain. Un air égaré. Une diction très particulière. Tout cela au service du pire cinéma de boulevard. Dommage. Mais il faut reconnaître que les films qu'il a tournés ont un délicieux air « rétro » et qu'il fait encore beaucoup rire en interviewé bafouilleur dans *Raphaël le tatoué*, ou en convive gaffeur dans le court métrage de Lion, *Une bonne place*.

Bernard, Paul

Acteur français, 1898-1958.

1922, Ziska (Andreani) ; 1923, Les mystères de Paris (Burguet) ; 1933, La belle de nuit (Valray) ; 1934, Pension Mimosas (Feyder), Le greluchon délicat (Natanson), On a trouvé une femme nue (Joannon), La jeune fille d'une nuit (Schünzel) ; 1936, Enfants de Paris (Roudès), Bach détective (Pujol), La gondole aux chimères (Genina), Marie de la nuit (Rozier), A minuit le 7 (Canonge), Mon père avait raison (Guitry) ; 1937, Les anges noirs (Rozier) ; 1942, Lumière d'été (Grémillon) ; 1943, Voyage sans espoir (Christian-Jaque) ; 1944, Le bossu (Delannoy) ; 1945, Les dames du bois de Boulogne (Bresson), La fille aux yeux gris (Faurez) ; 1946, Un ami viendra ce soir (Bernard), Roger la Honte (Cayatte), La revanche de Roger la Honte (Cayatte), Panique (Duvivier) ; 1947, Les maudits (Clément), Le fort de la solitude (Vernay) ; 1948, Pattes blanches (Grémillon), Sombre dimanche (Audry), L'échafaud peut attendre (Valentin), Le paradis des pilotes perdus (Lampin) ; 1949, Prélude à la gloire (Lacombe), L'homme qui revient de loin (Castanier) ; 1950, Caroline chérie (Pottier) ; 1951, Fanfan la Tulipe (Christian-Jaque), La rue des Bouches peintes (Vernay).

Grand, distingué, il fut voué, après le Conservatoire, aux rôles de gigolo, de séducteur (*Les dames du bois de Boulogne* où il fut remarquable), de débauché (*Pattes blanches*), de grand bourgeois (*Lumière d'été*), de proxénète. Il assuma ces personnages antipathiques avec beaucoup d'élégance.

Bernhard, Sandra

Actrice américaine née en 1955.

1981, Cheech and Chong's Nice Dreams (Chong) ; 1983, The King of Comedy (La valse des pantins) (Scorsese) ; 1986, The Whoopee Boys (Byrum) ; 1987, Track 29 (Roeg) ; 1988, Heavy Petting (Benz) ; 1990, Without You I'm Nothing (Boskovich) ; 1991, Hudson Hawk (Hudson Hawk, gentleman cambrioleur) (Lehmann) ; 1992, Inside Monkey Zetterland (Levy) ; 1993, Confessions of a Pretty Lady (Clarke) ; 1994, Dallas Doll (Turner) ; 1995, Catwalk (Leacock), Unzipped (Déboutonnées, dégrafées, dézipées) (Keeve) ; 1996, Somewhere in the City (Niami), Lover Girl (Syracuse, Addario), The Reggae Movie (Rovins) ; 1997, An Alan Smithee Film/Burn, Hollywood, Burn (An Alan Smithee Film) (Hiller, sous le pseudonyme de Smithee), The Apocalypse (De La Bouillerie), Plump Fiction (Koherr) ; 1998, I Woke Up Early the Day I Died (Iliopoulos), Exposé (D. Edwards), Wrongfully Accused (Le détonateur) (Proft) ; 2000, Dinner Rush (Giraldi).

Figure très populaire du show-biz américain, encore mal connue en France, elle est l'égérie de la scène homosexuelle new-yorkaise, et a fait de la provocation verbale et physique sa signature et son fonds de commerce, sans jamais toutefois se départir d'un fort sens de l'humour et de l'autodérision. Par ailleurs écrivain et femme de scène, sa carrière cinématographique est certes succincte, mais elle donnait une touche de réelle folie en kidnappeuse de Jerry Lewis dans *La valse des pantins*, ou encore dans *Hudson Hawk*, où elle incarnait la méchante et hystérique Minerva Mayflower.

Bernhardt, Sarah

Actrice française, de son vrai nom Rosalie Bernard, 1844-1923.

1900, Hamlet (Maurice) ; 1908, La Tosca (Calmettes) ; 1910, La dame aux camélias (Calmettes) ; 1912, Élizabeth reine d'Angleterre (Mercanton) ; 1913, Adrienne Lecouvreur (Mercanton) ; 1915, Jeanne Doré (Mercanton) ; 1916, Mères françaises (Mercanton) ; 1923, La voyante (Abrams).

La pellicule nous a conservé le souvenir de la grande tragédienne. Hélas ! son jeu outré, accentué par le rythme de l'image, provoque généralement l'hilarité de la salle.

Berriau, Simone

Actrice française, de son vrai nom Bossis, 1896-1984.

1933, Ciboulette (Autant-Lara) ; 1935, Itto (Benoit-Lévy), Divine (Ophuls) ; 1936, La tendre ennemie (Ophuls) ; 1937, A nous deux Madame la vie (Mirande) ; 1938, Café de Paris (Mirande) ; 1939, Derrière la façade (Lacombe), Moulin rouge (Hugon) ; 1940, Paris-New York (Mirande), Elles étaient douze femmes (Lacombe), Soyez les bienvenus (Baroncelli) ; 1941, Les petits riens (Leboursier) ; 1942, La femme que j'ai le plus aimée (Vernay).

L'une des grandes figures du théâtre parisien, elle a survécu pour ses interprétations chez Ophuls et Mirande dont elle fut la compagne.

Berroyer, Jackie

Acteur, scénariste, journaliste et écrivain français né en 1946.

1980, Deux rock-frites saignants (Delamarre) ; 1989, Mona et moi (Grandperret) ; 1990, Lune froide (Bouchitey) ; 1993, Les gens normaux n'ont rien d'exceptionnel (Ferreira-Barbosa), Le péril jeune (Klapisch) ; 1994, Un Indien dans la ville (Palud), L'eau froide (Assayas) ; 1995, Des lendemains qui chantent (Chomienne), Encore (Bonitzer) ; 1996, Cameleone (Cohen), Le silence de Rak (Loizillon), Tempête dans un verre d'eau (Barkus), Une femme très très très amoureuse (Zeitoun) ; 1997, Rien ne va plus (Chabrol), Je ne vois pas ce qu'on me trouve (Vincent), L'annonce faite à Marius (Sbraire), Ça n'empêche pas les sentiments (Jackson) ; 1998, Les frères Sœur (Jardin) ; 1999, Un dérangement considérable (Stora), La chambre obscure (Questerbert) ; 2000, HS (Lilienfeld) ; 2003, Albert est méchant (Palud) ; 2003, Comme une image (Jaoui) ; 2004, A boire (Vernoux), Brodeuses (Faucher), Le clan (G. Morel), Quand la mer monte (Moreau), Les textiles (Landron) ; 2005, Calvaire (Du Welz), Voisins voisines (Chibane) ; 2006, Enfermés dehors (Dupontel), Jean-Philippe (Tuel), L'éclaireur (Glissant), Président (Delplanque).

Connu d'abord comme scénariste, romancier acide et chroniqueur dans la presse, il devient célèbre pour ses participations décalées de standardiste de l'émission de Canal+ *Nulle part ailleurs*. Il passe à la comédie avec aisance, campant un personnage lunaire et balbutiant, lâche et touchant, qui trouve sa pleine expression avec *Encore* et *Je ne vois pas ce qu'on me trouve*. Les rôles de composition ne semblent pas l'intéresser.

Berry, Halle

Actrice américaine née en 1966.

Principaux films : 1991, Jungle Fever (Jungle Fever) (S. Lee), The Last Boy Scout (Le dernier samaritain) (T. Scott) ; 1994, The Flinstones (La famille Pierrafeu) (Levant) ; 1996, Critical Decision (Ultime décision) (Baird) ; 1998, Bulworth (Bulworth) (Beatty) ; 2000, X-Men I (X-Men) (Singer) ; 2001, Monster's Ball (A l'ombre de la haine) (Forster) ; 2002, Die Another Day (Meurs un autre jour) (Tamahori) ; 2003, Gothika (Gothika) (Kassovitz) ; 2004, Catwoman (Catwoman) (Pitof) ; 2006 X-Men : The Last Stand (X-Men, l'affrontement final) (Ratner) ; 2007, Perfect Stranger (Foley).

X-Men, James Bond et la psychologue Miranda Grey, accusée d'avoir tué son mari dans *Gothika* en ont fait une star.

Berry, Jules

Acteur français, de son vrai nom Paufichet, 1883-1951.

1911, Cromwell (Desfontaines) ; 1928, L'argent (L'Herbier) ; 1931, Mon cœur et ses millions (Arveyres) ; 1932, Quick (Siodmak), Le roi des palaces (Gallone) ; 1933, Arlette et ses papas (Roussell) ; 1934, Une femme chipée (Colombier), Un petit trou pas cher (Ducis) ; 1935, Baccara (Mirande), Et moi j't dis qu'elle t'a fait de l'œil (Forrester), Jeunes filles à marier (Vallée), Le crime de M. Pegotte (Ducis), Touche à tout (Dréville), Le crime de M. Lange (Renoir), Monsieur Personne (Christian-Jaque) ; 1936, Le disque 413 (Pottier), Les loups entre eux (Mathot), Cargaison blanche (Siodmak), La bête aux sept manteaux (Limur), Un colpo di vento (Tavano), Le mort en fuite (Berthomieu), Aventure à Paris (Allégret), Rigolboche (Christian-Jaque), Une poule sur un mur (Gleize), 27, rue de la Paix (Pottier), Le voleur de femmes (Gance) ; 1937, Rendez-vous aux Champs-Élysées (Houssin), Le club des aristocrates (Colombier), Les rois du sport (Colombier), L'habit vert (Richebé), Les deux combinards (Houssin), Balthazar (Colombier), Hercule (Esway), L'Occident (Fescourt), Arsène Lupin détective (Diamant-Berger), L'homme à abattre (Mathot), Un déjeuner de soleil (Cravenne) ; 1938, L'inconnue de Monte-Carlo (Berthomieu), Café de Paris (Mirande), Eusèbe député (Berthomieu), Son oncle de Normandie (Dréville), Clodoche (Lamy), Carrefour (Bernhardt), Accord final (Sierck), Cas de conscience (Kapps) ; 1939, Derrière la façade (Mirande), Le jour se lève (Carné), Retour au bonheur (Jayet), La famille Duraton (Stengel), Paris-New York (Mirande), L'héritier des Mondésir (Valentin), L'embuscade (Rivers), Face au destin (Fescourt) ; 1940, Chambre 13 (Hugon), L'an quarante (Mirande), Soyez les bienvenus (Baroncelli), Parade en sept nuits (Allégret) ; 1941, Les petits riens (Mirande), Après l'orage (Ducis), La symphonie fantastique (Christian-Jaque) ; 1942, La troisième dalle (Dulud), L'assassin a peur la nuit (Delannoy), Les visiteurs du soir (Carné), Le grand combat (Bernard-Roland), Des jeunes filles dans la nuit (Le Hénaff), Le camion blanc (Joannon), Le voyageur de la Toussaint (Daquin), Marie-Martine (Valentin) ; 1943, Le soleil de minuit (Bernard-Roland), L'homme de Londres (Decoin), Le mort ne reçoit plus (Tarride), Béatrice devant le désir (Marguenat), Tristi amore (Gallone), T'amero sempre (Camerini) ; 1945, Dorothée cherche l'amour (Greville), Monsieur Grégoire s'évade (Daniel-Norman), Messieurs Ludovic (Le Chanois), Étoiles sans lumière (Blistène) ; 1946, La taverne du poisson couronné (Chanas), Rêves d'amour (Stengel), Désarroi (Dagan), L'assassin n'est pas coupable (Delacroix) ; 1947, Si jeunesse savait (Cerf) ; 1949, Portrait d'un assassin (Bernard-Roland), Histoires extraordinaires (Faurez), Pas de week-end pour notre amour (Montazel), Tête blonde (Cam), Sans tambour ni trompette (Roger Blanc) ; 1950, Le gang des tractions arrière (Loubignac), Les maîtres nageurs (Lepage).

Né à Poitiers dans une famille de commerçants, il fait de solides études aux Beaux-Arts à Paris, mais le théâtre le fascine. Il débute sous l'égide d'Antoine, joue à l'Ambigu, à Bruxelles (douze ans ! selon Olivier Barrot dans la biographie qu'il lui a consacrée), revient à Paris en 1910, y connaît de véritables triomphes en interprétant Savoir, Achard, Mirande. Ses besoins d'argent grandissant, il va délibérément sacrifier le théâtre au cinéma, acceptant de jouer n'importe quoi. On retient toujours ses rôles de Batala dans *Le crime de M. Lange*, du montreur de chiens savants dans *Le jour se lève* et du Diable dans *Les visiteurs du soir*, mais c'est oublier qu'il a tourné une impressionnante série de navets qu'il sauve tous – ou presque tous – par sa seule présence, son bagout, son aisance, une gestuelle théâtrale qui contraste par ses excès avec le jeu des autres acteurs. Qu'il paraisse dans une scène et la caméra semble ne plus pouvoir se détacher de lui. Il fut un extraordinaire Arsène Lupin dans un film méconnu de Diamant-Berger. En dehors du plateau, il passait sa vie dans les maisons de jeu et sur les hippodromes, refusant par ailleurs de payer ses impôts, conforme en cela aux personnages qu'il incarnait à l'écran. Un éblouissant acteur dont la race s'est perdue pour le plus grand dommage du cinéma français.

Berry, Richard

Acteur et réalisateur français né en 1950.

1974, La gifle (Pinoteau) ; 1977, Vive la mariée (Nia) ; 1978, L'amour en fuite (Truffaut), Mon premier amour (Chouraqui) ; 1979, Premier voyage (Trintignant) ; 1980, L'homme fragile (Claire Clouzot), Un assassin qui passe (Vianey), Putain d'histoire d'amour (Behat) ; 1981, Crime d'amour (Gilles), Le grand pardon (Arcady) ; 1982, Une chambre en ville (Demy) ; 1983, La balance (Swain), Le jeune marié (Stora), Le grand carnaval (Arcady) ; 1984, La trace (Favre), La garce (Pascal), L'addition (Amar) ; 1985, Urgence (Behat), Spécial police (Vianey), Lune de miel (Jamain) ; 1986, Suivez mon regard (Curtelin), Taxi Boy (Page), Un homme, une femme : vingt ans déjà (Lelouch) ; 1987, Spirale (Frank), Cayenne palace (Maline) ; 1989, L'union sacrée (Arcady), Comprasi la vita (Le prix d'une vie) (Campana) ; 1990, La Baule-les-Pins (Kurys), Modigliani (Taviani) ; 1991, L'entraînement du champion avant la course (Favre), Ma vie est un enfer (Balasko), Pour Sacha (Arcady), Mayrig (narrateur) (Verneuil) ; 588, rue Paradis (Verneuil) ; 1992, Le grand pardon II (Arcady), Le petit prince a dit (Chr. Pascal) ; 1993, Le joueur de violon (Ch. Van Damme) ; 1994, L'appât (Tavernier), Consentement mutuel (Stora), Adultère (mode d'emploi) (Chr. Pascal) ; 1995, Pédale douce (Aghion) ; 1996, Les agneaux (Schupbach) ; 1997, Un grand cri d'amour (Balasko) ; 1998, Une journée de merde (Courtois), Quasimodo d'El Paris (Timsit), Les gens qui s'aiment (Tacchella) ; 1999, Un ange (Courtois) ; 2000, 15 août (Alessandrin), L'art (délicat) de la séduction (Berry) ; 2001, Le nouveau Jean-Claude (Tronchet) ; 2002, Ah ! si j'étais riche (Munz et Bitton), Entre chiens et loups (Arcady) ; 2003, Mes enfants ne sont pas comme les autres (Dercourt), Tais-toi ! (Veber), Les clefs de la bagnole (Baffie) ; 2004, l'Américain (Timsit) ; 2006 : La doublure (Veber), Les aiguilles rouges (Davy), Terminus (Veber) ; 2007, J'veux pas que tu t'en ailles (Jeanjean).

Pour le metteur en scène : voir le *Dictionnaire du cinéma*, t. I : *Les réalisateurs*.

Il a, au sortir de films difficiles, conquis ses galons de vedette avec le policier de *La balance* et le colporteur savoyard de *La trace*. Ancien élève du Conservatoire, où il eut pour professeurs Vitez et Cochet, ex-pensionnaire de la Comédie-Française, ce beau brun au physique tourmenté a un temps quelque peu délaissé le théâtre pour le cinéma. Il excelle notamment dans l'univers de Veber.

Berryman, Michael

Acteur américain né en 1948.

1975, Doc Savage, the Man of Bronze (Doc Savage arrive) (Anderson), One Flew over the Cuckoo's Nest (Vol au-dessus d'un nid de coucou) (Forman) ; 1977, Hills Have Eyes (La colline a des yeux) (Craven), Un autre homme, une autre chance (Lelouch) ; 1980, The Fifth Floor (Avedis) ; 1981, Deadly Blessing (La ferme de la terreur) (Craven) ; 1985, Hills Have Eyes II (La colline a des yeux, 2) (Craven), Weird Science (Une créature de rêve) (Hughes), Voyage of the Rock Aliens (Rock aliens) (Fargo), My Science Project (Les aventuriers de la 4e dimension) (Betuel) ; 1986, Star Trek 4 : the Voyage Home (Star Trek 4, retour sur terre) (Nimoy), Inferno in diretto (Deodato), Armed Response (Armé pour répondre) (Olen-Ray) ; 1987, I barbari (Les Barbarians) (Deodato) ; 1988, Saturday the 14th Strikes Back (Cohen), Voyage of the Rock Aliens (Fargo) ; 1990, Teenage Exorcist (Waldman), Aftershock (Harris), Solar Crisis (Sarafian, sous le pseudonyme de Smithee) ; 1991, Haunting Fear (Olen-Ray), Evil Spirits (Graver), Beastmasters II, Through the Portal of Time (Dar l'invincible II, la porte du temps) (Tabet), Auntie Lee's Meatpies (Robertson), Wizards of the Demon Sword (Olen-Ray) ; 1992, Little Sister (Zellinger), The Guyver (Mutronics) (Screaming Mad George et Wang) ; 1993, Double Dragon (Yukich) ; 1995, Necrodemon (Cerchi) ; 1996, Spy Hard (Agent zéro zéro) (Friedberg), Mojave Moon (Dowling) ; 1999, Slice (Pavia) ; 2000, The Independent (Kessler) ; 2006, The Devil Rejects (The Devil Rejects) (Zombie).

Un des faciès les plus incroyables de toute l'histoire du cinéma. Chauve, le crâne pointu, d'étranges yeux perçants surmontant un nez et une bouche tordus. Michael Berryman commence dans l'asile de *Vol au-dessus d'un nid de coucou* avant de trouver le rôle de sa vie dans *La colline a des yeux*, où il est Pluto, l'un des membres de la famille cannibale qui aime beaucoup les petits campeurs perdus dans le désert californien.

Bertheau, Julien

Acteur français, 1910-1995.

1929, Le crime de Sylvestre Bonnard (Berthomieu) ; 1931, La petite Lise (Grémillon) ; 1932, Barranco (Berthomieu) ; 1942, La symphonie fantastique (Christian-Jaque) ; 1943, Un seul amour (Blanchar), La valse blanche (Stelli) ; 1945, Patrie (Daquin), Raboliot (Daroy) ; 1951, Sérénade au bourreau (Stelli) ; 1955, Milord l'Arsouille (Haguet), Cela s'appelle l'aurore (Buñuel) ; 1956, La roue (Haguet) ; 1957, En cas de malheur (Autant-Lara) ; 1958, Les grandes familles (La Patellière) ; 1960, Le gigolo (Deray) ; 1961, Madame Sans Gêne (Christian-Jaque) ; 1962, Un chien dans un jeu de quilles (Collin) ; 1963, Le chevalier de Maison Rouge (Barma) ; 1969, La voie lactée (Buñuel) ; 1972, Le charme discret de la bourgeoisie (Buñuel) ; 1974, Verdict (Cayatte), Le fantôme de la liberté (Buñuel), L'horloger de Saint-Paul (Tavernier) ; 1975, Section spéciale (Costa-Gavras) ; 1977, Cet obscur objet du désir (Buñuel), Julie était belle (Saurel) ; 1978, L'amour en fuite (Truffaut) ; 1985, Conseil de famille (Costa-Gavras).

Avant tout un acteur de théâtre qui, sorti du Conservatoire, fit carrière à la Comédie-Française (il fut un admirable Narcisse dans *Britannicus*). Plus tard, il donna la réplique à Fresnay dans *Le neveu de Rameau*. Il n'a porté qu'un intérêt modéré au cinéma. C'est à Buñuel qu'il doit ses meilleurs rôles : le maître d'hôtel dissertant sur la grâce dans *La voie lactée* ou l'évêque jardinier du *Charme discret de la bourgeoisie*. Il fut Napoléon dans une médiocre version de *Madame Sans Gêne*.

Berthier, Jacques

Acteur et réalisateur français né en 1916.

1939, La fin du jour (Duvivier) ; 1942, Le fabuleux destin de Désirée Clary (Guitry) ; 1943, Béatrice devant le désir (Marguenat) ; 1945, Adieu chérie (Bernard), Tant que je vivrai (Baroncelli) ; 1946, Le bateau à soupe (Gleize) ; 1947, La révoltée (L'Herbier), Requins de Gibraltar (Reinert) ; 1949, On n'aime qu'une fois (Stelli) ; 1950, Ombre et lumière (Calef), Maria du bout du monde (Stelli) ; 1951, Si Versailles m'était conté (Guitry), Raspoutine (Combret), The Master of Ballantrae (Le vagabond des mers) (Keighley) ; 1954, La belle Otero (Pottier) ; 1955, Un missionnaire (Cloche), Les insoumises (Gaveau), Tam-Tam (Napolitano) ; 1957, Charmants garçons (Decoin) ; 1959, Nathalie agent secret (Decoin), Un témoin dans la ville (Molinaro), Costa azzura (Le miroir aux alouettes) (Sala) ; 1960, Qui êtes-vous Monsieur Sorge ? (Ciampi) ; 1961, Les trois mousquetaires (Borderie) ; Lemmy pour les dames (Borderie) ; 1962, Le vieux testament (Parolini) ; Les derniers jours d'Herculanum (Parolini) ; 1966, Colorado Charlie (Mauri) ; Uno sheriffo tutto d'oro (Civirani) ; 1967, Tiffany Memorandum (Grieco) ; 1969, Mayerling (Mayerling) (Young), La battaglia d'Inghilterra (Castellari) ; 1975, Froufrou del Torbarin (Grimaldi), Il bianco, il giallo, il nero (Le blanc, le jaune et le noir) (Corbucci) ; 1976, Une femme fidèle (Vadim) ; 1978, Brigade mondaine (Scandelari). *Comme réalisateur :* 1960, Quai Notre-Dame.

Solide et sympathique acteur à la belle prestance qui réussit une incursion dans la réalisation avec quelques courts métrages ambitieux sur Péguy et les *Filles du feu* ainsi qu'un attachant *Quai Notre-Dame.*

Bertin, Pierre

Acteur français, de son vrai nom Dupont, 1891-1984.

1930, L'amour chante (Florey), Je serai seule après minuit (Baroncelli), Faubourg Montmartre (Bernard) ; 1931, Le cordon bleu (Anton), La petite chocolatière (Allégret) ; 1932, Le roi-bis (Beaudoin) ; 1933, Coralie et Cie (Cavalcanti), Professeur Cupidon (Beaudoin) ; 1934, Une nuit de folies (Cammage) ; 1936, Faisons un rêve (Guitry) ; 1939, Jeunes filles en détresse (Pabst) ; 1941, Péchés de jeunesse (Tourneur) ; 1942, Mademoiselle Béatrice (Vaucorbeil), Au bonheur des dames (Cayatte), Le corbeau (Clouzot) ; 1945, L'insaisissable Frédéric (Pottier), Le beau voyage (Cuny), Pas un mot à la reine mère (Cloche), L'affaire du collier de la reine (L'Herbier) ; 1948, Cartouche (Radot), Hans le marin (Villiers), Le diable boiteux (Guitry) ; 1949, Tire au flanc (Rivers), Orphée (Cocteau), Véronique (Vernay) ; 1950, Knock (Lefranc), Mon phoque et elles (Billon) ; 1951, Monsieur Fabre (Diamant-Berger) ; 1952, La forêt de l'adieu (Habib) ; 1957, Elena et les hommes (Renoir) ; 1959, Les bonnes femmes (Chabrol), Le dialogue des carmélites (Agostini), La marraine de Charley (Chevalier), Babette s'en va-t'en guerre (Christian-Jaque) ; 1963, Les tontons flingueurs (Lautner) ; 1964, Comment épouser un premier ministre (Boisrond) ; 1965, La nuit des adieux (Dréville), Pas de caviar pour tante Olga (Becker) ; 1966, La grande vadrouille (Oury) ; Les bons vivants (Grangier et Lautner) ; 1967, L'étranger (Visconti) ; 1971, Absences répétées (Gilles) ; 1973, Un oiseau rare (Brialy) ; 1975, Calmos (Blier) ; 1978, Le beaujolais nouveau est arrivé (Voulfow) ; 1984, Détective (Godard).

Ce docteur en médecine n'a jamais exercé et s'est tourné vers le théâtre dès 1912. Il fut pensionnaire puis sociétaire de la Comédie-Française entre 1923 et 1945, puis il fit partie de la compagnie Renaud-Barrault. Auteur de pièces et d'un essai sur le théâtre (*Le théâtre et ma vie*), il n'est apparu que par intermittences à l'écran, mais comment oublier l'humble musicien de *Péchés de jeunesse*, le sous-préfet du *Corbeau* ou le Nesselrode du *Diable boiteux* ?

Bertin, Roland

Acteur français né en 1930.

1975, Section spéciale (Costa-Gavras) ; 1976, Le gang (Deray), Violette et François (Rouffio) ; 1977, La part du feu (Périer) ; 1978, Les sœurs Brontë (Téchiné), Un papillon sur l'épaule (Deray) ; 1979, Les nègres marrons de la liberté (Hondo), La femme flic (Boisset), Le pull-over rouge (Drach) ; 1980, Anthracite (Niermans), Diva (Beineix), La puce et le privé (Kay), Un assassin qui passe (Vianey), Le cœur à l'envers (Apprederis), Rends-moi la clé (Pirès) ; 1981, L'indiscrétion (Lary) ; 1982, Ballade à blanc (Gauthier), La truite (Losey), L'homme blessé (Chéreau) ; 1983, La scarlatine (Aghion) ; 1984, Louise l'insoumise (Silveira) ; 1986, Corps et biens (Jacquot), Charlotte for ever (Gainsbourg) ; 1987, Ville étrangère (Goldschmidt), Jenatsch (Schmid) ; 1988, La salle de bains (Lvoff) ; 1990, Le mari de la coiffeuse (Leconte) ; 1992, L'ombre du doute (Issermann), La fille de l'air (Bagdadi) ; 1993, Pas très catholique (Marshall) ; 1996, Bernie (Dupontel), Sous les pieds des femmes (Krim) ; 2002, Les filles, personne s'en méfie (Silvera) ; 2005, Gloria Mundi (Papatakisà), Olé ! (Quentin) ; 2006, Enfermés dehors (Dupontel).

Du théâtre, du théâtre, encore du théâtre : Théâtre de Bourgogne, Comédie Saint-Étienne sous la direction de Jean Dasté, Comédie de l'Est sous celle de Gignoux, Atelier de Genève puis le TNP. Il débute au cinéma peu après, apparaissant également régulièrement à la télévision, souvent dans des rôles secondaires. Il devient sociétaire de la Comédie-Française en 1982.

Bertini, Francesca

Actrice italienne, de son vrai nom Elena Seracini Vitiello, 1892-1985.

1910, Il mercante di Venezia (Novelli) ; 1912, Gioconda e la nave, La rosa di Tebe, Idillio tragico (Negroni) ; 1913, Salome, In faccia al destino, La gloria, Histoire d'un Pierrot ; 1914, Principessa straniera, Sangue bleu, Eroismo d'amore, Terra promessa, Onesta che uccide ; 1915, Assunta spina (Serena), Yvonne, Il sopravvissuto ; 1916, La signora dalle camelie (De Liguoro), Odette (De Liguoro), Fedora (De Liguoro), La perla del cinema, Diana l'affascinatrice ; 1917, Caruso, L'ingénue, l'amazone masquée, Tosca (De Liguoro), Le sphinx, Au-dessus des lois ; 1918, I sette peccati capitali (D'Aubra) ; 1919, L'affaire Clemenceau, Anima allegra ; 1920, Le trouvère, Roméo et Juliette, Tristan et Yseult, Résurrection, Hernani, Bianca Capello, Spiritismo, Maddalena Ferat (Mari), Contessa Sara, L'ombra ; 1921, Marion ; 1922, La donna nuda (Roberti), Conchita, Le pacte, La vipère ; 1928, Odette (Luitz-Morat), Monte-Carlo (Nalpas) ; 1929, Possession (Perret), Tu m'appartiens (Gleize) ; 1930, La femme d'une nuit (L'Herbier) ; 1934, Odette (Houssin) ; 1943, Dora la Espia (Matarazzo) ; 1957, A sud nieute di nuovo (Simonelli) ; 1976, Novecento (1900) (Bertolucci).

L'une des premières stars du cinéma italien, véritable diva des années 1912-1920. Ses caprices étaient alors célèbres. Difficile en revanche de juger de son talent faute de voir ses films, dont les noms des metteurs en scène ont été souvent perdus ou confondus. On n'a d'ailleurs indiqué ici que les titres les plus connus, Mingozzi lui a consacré pour la RAI, en 1983, un hommage : *L'ultima diva.*

Berto, Juliet

Actrice et réalisatrice française, de son vrai nom Marie-Louise Jamet, 1947-1990.

1966, Deux ou trois choses que je sais d'elle (Godard) ; 1967, La Chinoise (Godard), Week-end (Godard) ; 1968, Le gai savoir (Godard) ; 1969, Un été sauvage (Camus), Slogan (Grimblat), Ciné Girl (Leroi) ; 1970, Camarades (Karmitz), Vladimir et Rosa (Godard, Gorin), L'escadron Volapük (Gilson) ; 1971, La cavale (Mitrani), Out 1 : spectre/Out 1 : noli me tangere (Rivette) ; 1972, Sex-shop (Berri) ; 1973, Les caïds (Enrico), Bel ordure (Marbœuf), Retour d'Afrique (Tanner) ; 1974, Le mâle du siècle (Berri), Le protecteur (Hanin), Défense de savoir (N. Trintignant), Erica Minor (Van Effenterre), Céline et Julie vont en bateau (Rivette), Le milieu du monde (Tanner) ; 1975, Monsieur Klein (Losey) ; 1976, Duelle (Rivette) ; 1977, Sois belle et tais-toi (Seyrig) ; 1978, L'argent des autres (Chalonge), Roberte (Zucca) ; 1979, Bastien, Bastienne (Andrieux) ; 1980, Guns (Kramer), Mur, Murs (Varda), Conversa acabada (Conversa acabada/Moi l'autre) (Botelho) ; 1981, Neige (J. Berto, Roger) ; 1982, Cap Canaille (J. Berto, Roger) ; 1983, Le cimetière des voitures (Arrabal) ; 1984, Une vie suspendue (Saab), La vie de famille (Doillon) ; 1986, Un amour à Paris (Allouache). *Pour la réalisatrice,* voir le *Dictionnaire du cinéma.* t. I : *Les réalisateurs.*

Très représentative d'une génération : films de Godard puis mise en scène d'œuvres attachantes (*Neige* sur les petits trafics de drogue à Pigalle).

Berto, Michel

Acteur français, 1940-1995.

1971, Out 1 : spectre/Out 1 : Noli me tangere (Rivette) ; 1974, Erica Minor (Van Effenterre), Que la fête commence (Tavernier) ; 1977, La septième compagnie au clair de lune (Lamoureux), Des enfants gâtés (Tavernier) ; 1978, Ils sont grands ces petits (Santoni), L'argent des autres (Chalonge), Mais où est donc Ornicar ? (Van Effenterre), Merry-go-round (Rivette) ; 1979, Le mors aux dents (Heynemann), La guerre des polices (Davis). C'est encore loin l'Amérique ? (Coggio), Bobo Jacco (Bal) ; 1980, Malevil (Chalonge), Neige (Roger, J. Berto), Beau-père (Blier) ; 1982, Qu'est-ce qu'on attend pour être heureux ? (Serreau) ; 1985, Blessure (Gérard) ; 1986, Les fugitifs (Veber), La femme secrète (Grall), États d'âme (Fansten) ; 1987, L'œil au beur(re) noir (Meynard) ; 1989, Dédé (Benoît) ; 1990, Merci la vie (Blier), Aujourd'hui peut-être (Bertucelli) ; 1991, Les enfants du naufrageur (Foulon) ; 1992, A demain (Martiny) ; 1993, Jeanne la pucelle — Les prisons (Rivette) ; 1994, Les trois frères (Bourdon, Campan).

Natif de Grenoble, il démarre au théâtre aux côtés de Jean-Michel Ribes. Metteur en scène et comédien éclectique, il passe de Pierre Dac à Goldoni avec panache et humour. Petit, trapu, il affiche de temps en temps sa trogne sur les écrans de cinéma, démarrant avec un rôle d'homosexuel attendrissant dans le film fleuve de Jacques Rivette *Out 1.* Un vrai régal de cinéma. Il décédera malheureusement dans l'indifférence générale. C'était le frère de Juliet Berto.

Besnehard, Dominique

Agent artistique, producteur et acteur français né en 1954.

1975, Un sac de billes (Doillon) ; 1978, La drôlesse (Doillon) ; 1980, Je vous aime (Berri), Un étrange voyage (Cavalier), Psy (Broca) ; 1981, Légitime violence (Leroy) ; 1983, A nos amours (Pialat), Les cavaliers de l'orage (Vergez), L'addition (Amar) ; 1984, La nuit porte-jarretelles (Thévenet), Ave Maria (Richard), Marche à l'ombre (Blanc) ;

1985, Cent francs l'amour (Richard), 37°2 le matin (Beineix) ; 1986, La vie dissolue de Gérard Floque (Lautner), L'été en pente douce (Krawczyk) ; 1988, L'enfance de l'art (Girod), Les cigognes n'en font qu'à leur tête (Kaminka), La petite voleuse (Miller) ; 1990, Nord (Beauvois) ; 1991, Mensonge (Margolin), Rien que des mensonges (Muret) ; 1993, Grosse fatigue (Blanc), La cité de la peur (Berbérian) ; 1994, Un Indien dans la ville (Palud) ; 1995, Pédale douce (Aghion), Les grands ducs (Leconte), Beaumarchais l'insolent (Molinaro) ; 1996, Didier (Chabat), Héroïnes (Krawczyk) ; 1997, Que la lumière soit ! (A. Joffé), Paparazzi (Berbérian) ; 1998, Mookie (Palud), Le bleu des villes (Brizé) ; 1999, Franck Spadone (Bean) ; 2000, Le prof (Jardin), Ça ira mieux demain (Labrune) ; 2002, Astérix et Obélix : mission Cléopâtre (Chabat), C'est le bouquet (Labrune) ; 2003, Les filles, personne s'en méfie (Silvera) ; 2004, Cause toujours ! (Labrune), Pédale dure (Aghion), Podium (Moix) ; 2005, Le courage d'aimer (Lelouch) ; 2006, Le lièvre de Vatanen (Rivière), Nouvelle chance (Fontaine).

Agent artistique très renommé (il a découvert, entre autres, Béatrice Dalle et Sandrine Bonnaire), son physique original pour une star de la jet-set (plutôt rond, la lippe zozotante et affectée, le regard bleu torve) lui a valu quelques rôles brefs mais marquants, ainsi qu'un vrai second rôle dans l'impressionnant *A nos amours*, de Pialat, où il incarne plus ou moins Maurice Pialat lui-même.

Beswick, Martine

Actrice anglaise née en 1941.

1957, John il bastardo (Johnny le bâtard) (Crispino) ; 1962, Saturday Night Out (Hartford-Davis) ; 1963, From Russia with Love (Bons baisers de Russie) (Young) ; 1965, Thunderball (Opération tonnerre) (Young), The Sandpiper (Le chevalier des sables) (Minnelli) ; 1966, Prehistoric Girls (Carreras), ¿Quien sabe? (El chuncho) (Damiani), One Million Years B.C. (Un million d'années avant Jésus-Christ) (Chaffey) ; 1967, The Penthouse (La nuit des alligators) (Collinson) , Prehistoric Women (Carreras) ; 1970, Hollywood Blue (Osco) ; 1971, Dr. Jekyll and Sister Hyde (Docteur Jekyll et Sister Hyde) (Baker) ; 1973, Ultimo tango a Zagarolo (Cicero) ; 1974, The Hand (Stone), Il bacio (Lanfranci) ; 1979, Melvin and Howard (Demme) ; 1980, The Happy Hooker Goes Hollywood (Roberts) ; 1986, From a Whisper to a Scream (Brem) ; 1987, Cyclon (Garson), The Offspring (Burr) ; 1990, Miami Blues (Miami Blues) (Armitage) ; 1991, Evil Spirits (Graver), Trancers II (Band) ; 1992, Life on the Edge (A. Yates) ; 1993, Wide Sargasso Sea (Duigan) ; 1995, Night of the Scarecrow (Burr).

Star du cinéma fantastique, éblouissante en Sister Hyde mais dont la carrière a décliné depuis.

Bettany, Paul

Acteur anglais né en 1971.

1997, Bent (Mathias) ; 1998, The Land Girls (Trois Anglaises en campagne) (Leland) ; 1999, After the Rain (Kettle), The Suicide Club (Samuels) ; 2000, Dead Babies (Marsh) ; 2001, Gangster No. 1 (Gangster numéro I) (McGuigan), A Knight's Tale (Chevalier) (Helgeland), Kiss Kiss (Bang Bang) (Kiss Kiss [Bang Bang]) (Sugg) ; 2002, A Beautiful Mind (Un homme d'exception) (Howard), The Heart of Me (O'Sullivan) ; 2003, Dogville (Dogville) (Trier), Master and Commander (Master and Commander) (Weir) ; 2004, La plus belle victoire (Loncraine) ; 2006, Da Vinci Code (Da Vinci Code) (Howard), Firewall (Firewall) (Loncraine).

Né à Londres dans une famille d'acteurs, il fut un jeune gangster dans *Gangster numéro I* puis un écrivain errant dans *Chevalier* avant de devenir la vedette de Lars von Trier pour *Dogville*.

Betti, Laura

Actrice italienne, de son vrai nom Trombetti, née en 1934.

1960, La dolce vita (La douceur de vivre) (Fellini), Era notte a Roma (Les évadés de la nuit) (Rossellini) ; 1962, Rogopag (Rossellini, Pasolini) ; 1967, Edipio Re (Œdipe roi) (Pasolini) ; 1969, Paulina s'en va (Téchiné) ; 1970, Sledge (Morrow), Teorema (Théorème) (Pasolini) ; 1971, Reazione a catena/Ecologia del delitto (La baie sanglante) (Bava) ; 1972, Sbatti il mostro in prima pagina (Viol en première page) (Bellochio), I raconti di Canterbury (Les contes de Canterbury) (Pasolini), La banda J & S (Far West Story) (S. Corbucci), Nel nome del padre (Au nom du père) (Bellochio), L'ultimo tango a Parigi (Le dernier tango à Paris) (Bertolucci), Ritorto (Amico) ; 1973, Allonsanfan (Allonsanfan) (P. et V. Taviani), La femme aux bottes rouges (J. Buñuel), La sepolta viva (Lado) ; 1974, La cugina (Lado), Fatto di gente per bene (La grande bourgeoise) (Bolognini) ; 1975, Salo' o le 120 giornati di Sodoma (Salo ou les 120 journées de Sodome) (Pasolini) ; 1976, Vize private, pubbliche virtu (Vices privés, vertus publiques) (Jancso), Novecento (1900) (Bertolucci), Le gang (Deray), Il gabbiano (La mouette) (Bellocchio) ; 1977, La nuit tous les chats sont gris (Zingg), Un papillon sur l'épaule (Deray) ; 1978, Il piccolo Archimede (Amelio) ; 1979, La luna (La luna) (Bertolucci), Viaggio con Anita (Voyage avec Anita) (Monicelli) ; 1980, La fuite en avant (Zerbib) ; 1981, Loin de Manhattan (Biette), La nuit de Varennes (Scola) ; 1983, L'art d'aimer (Borowczyk) ; 1984, Retenez-moi ou je fais un malheur (Gérard), Klassenverhältniss (Amerika/Rapports de classe) (Straub et Huillet) ; 1985, Corps et biens (Jacquot), Tutta colpa del paradiso (Nuti), Mamma Ebe (Lizzani) ; 1987, Caramelle da un sconosciuto (Ferrini), Jenatsch (Schmid), Noyade interdite (Granier-Deferre), Jane B. par Agnès V. (Varda) ; 1988, I camelli (G. Bertolucci) ; 1989, Le champignon des Carpathes (Biette) ; 1990, Dames galantes (Tacchella), Segno di fuoco (Signe de feu) (Bizzari), Le rose blue (Piovano et Gasco) ; 1991, Caldo suffocante (Gagliardo), Courage Mountain (Leich) ; 1993, Il grande cocomero (Il grande cocomero) (Archibugi), Mario, Maria e Mario (Scola) ; 1994, La ribelle (Grimaldi), Con gli occhi chiusi (Les yeux fermés) (Archibugi), Un eroe borghese (Placido) ; 1996, La vie silencieuse de Marianna Ucria (Faenza), I magi randagi (Citti), Un air si pur... (Angelo) ; 1998, The Protagonists (Guadagnino), La vie ne me fait pas peur (Lvovsky) ; 2000, A ma sœur ! (Breillat) ; 2003, La felecità non costa niente (La felicità, le bonheur ne coûte rien) (Calopresti).

C'est au cabaret et au théâtre qu'elle fait ses débuts en 1955. Longtemps cantonnée dans de petits rôles, elle va se faire connaître grâce à Pasolini, gagnant même la coupe Volpi pour *Théorème*. Bolognini, Bellocchio, Bertolucci font appel à elle. Elle tourne en France pour Deray, mais elle retombe peu à peu dans les seconds rôles de ses débuts. On la retrouve, obèse, dans *A ma sœur !* de Breillat.

Bevan, Billy

Acteur américain, de son vrai nom William B. Harris, 1887-1957.

1921, A Small Town Idol (L'idole du village) (Wenton) ; 1922-1926, *près de cent courts métrages avec Sennett. Par la suite* : 1928, Riley the Cop (Ford) ; 1933, Alice in Wonderland (Alice au pays des merveilles) (McLeod) ; 1936, M. Deeds Goes to Town (L'extravagant M. Deeds) (Capra) ; 1940, Earl of Chicago (Thorpe) ; 1946, Cluny Brown (La folle ingénue) (Lubitsch), Devotion (La vie passionnée des sœurs Brontë) (Bernhardt).

Comique moustachu, acteur fétiche des comédies de Sennett ou Del Lord : inventeur ingénieux, mari jaloux ou honnête homme pris pour un voleur, il se sort toujours des situations les plus périlleuses après l'inévitable poursuite. Il eut souvent pour partenaire Andy Clyde à partir de 1926.

Bezace, Didier

Metteur en scène et acteur français né en 1946.

1978, Guerres civiles en France (Farges, Nordon) ; 1986, La petite voleuse (Miller) ; 1990, Dédé (Benoit) ; 1991, L 627 (Tavernier), Taxi de nuit (Leroy) ; 1993, Profil bas (Zidi), Petits arrangements avec les morts (Ferran) ; 1995, Les voleurs (Téchiné) ; 1997, La femme de chambre du Titanic (Bigas Luna) ; 1998, Le plus beau pays du monde (Bluwal), La dilettante (Thomas), Ça commence aujourd'hui (Tavernier) ; 1999, Voyous voyelles (Meynard) ; 2000, Ça ira mieux demain (Labrune) ; 2001, Ceci est mon corps (Marconi) ; 2002, C'est le bouquet ! (Labrune) ; 2004, Ce qu'ils imaginent (Théron), Cause toujours ! (Labrune), Mariages ! (Guignabodet) ; 2005, Ma vie en l'air (Bezançon) ; 2006, Le pressentiment (Darroussin).

Homme de scène avant tout (il est co-directeur du théâtre de l'Aquarium), il a deux rôles de cinéma important à son actif : l'amant de Charlotte Gainsbourg dans *La petite voleuse*, et un des incorruptibles de *L 627*.

Bianchetti, Suzanne

Actrice française, 1889-1936.

1917, La femme française pendant la guerre (Devarennes) ; 1918, Riquette se marie (Devarennes) ; 1920, Agénor chevalier sans peur (Callamand), La Marseillaise (Desfontaines), Une brute (Bompard), Flipote (Baroncelli) ; Soirée de réveillon (Colombier) ; 1921, Le père Goriot (Baroncelli), Jocelyn (Poirier) ; 1923, Le rêve (Baroncelli), La légende de sœur Béatrix (Baroncelli) ; 1924, Violettes impériales (Henry Roussel), L'enfant des Halles (Leprince), L'heureuse mort (Nadejdine), Le nègre blanc (Wulschleger) ; 1925, Madame Sans-Gêne (Perret) ; 1926, La ronde de nuit (Silver), Les aventures de Robert Macaire (Epstein), Casanova (Volkoff) ; 1927, Napoléon (Gance) ; Amours exotiques (Poirier) ; 1928, Verdun, visions d'histoire (Poirier), Les mufles (Péguy), Embrassez-moi (Péguy) ; 1929, Cagliostro (Oswald) ; 1930, L'éternelle idole (Brignone), Le roi de Paris (Mittler) ; 1931, Verdun (version sonorisée) (Poirier) ; 1932, La folle nuit (Poirier) ; 1933, Violettes impériales (Henry Roussel) ; 1934, Aux portes de Paris (Barrois) ; 1935, L'appel du silence (Poirier).

Actrice célèbre du muet : on se souvient surtout de sa Marie-Antoinette, hautaine et méprisante, dans le *Napoléon* de Gance. Mais elle a joué dans d'autres grands succès, de *Violettes impériales* à *Verdun*. Un prix décerné à une jeune actrice conserve son souvenir.

Bickford, Charles

Acteur américain, 1891-1967.

1929, Dynamite (DeMille), South Sea Rose (Dwan) ; 1930, Anna Christie (Brown), Hell's Heroes (Wyler), The Sea Boat (Ruggles) ; 1931, River's End (Curtiz), The Squaw Man (DeMille), East of Borneo (Milford), Pagan Lady (Dillon) ; 1932, Panama Flo (Murphy), The Men in Her Life (Ratoff), Scandal for Sale (Mack), Vanity Street (Grinde), The Last Man (Higgin) ; 1933, This Day and Age (DeMille), No Other Woman (Ruben), Song of the Eagle (Murphy) ; 1934, Little Miss Marker (A. Hall), A Wicked Woman (Brabin) ; 1935, Under Pressure (Walsh), East of Java (Milford), The Farmer Takes a Wife (Fleming), Notorious Gentleman (Laemmle) ; 1936, Pride of the Marines (Lederman), Rose of the Rancho (Gering), The Plainsman (Une aventure de Buffalo Bill) (DeMille) ; 1937, Night Club Scandal (Murphy), Daughter of Shanghai (Florey), Thunder Trail (Barton) ; 1938, Gangs of New York (Cruze), Valley of the Giants (Keighley), High, Wide and Handsome (La furie de l'or noir) (Mamoulian), The Storm ; 1939, Stand up and Fight (Trafic d'hommes) (Van Dyke), One Hour to Live (Schuster), Mutiny in the Big House (Nigh) ; 1940, Thou Shalt Not Kill (Auer), Of Mice and Men (Des souris et des hommes) (Milestone), Girl from God's Country (Salkow), Queen of the Yukon (Rosen), Our Leading Citizen (Santell), Romance of the Redwoods (Vidor), South of Katanga (Schuster) ; 1941, Burma Convoy (N. Smith), Riders of Death Valley (Taylor et Beebe) ; 1942, Tarzan's New York's Adventure (Tarzan à New York) (Thorpe), Reap the Wild Wind (Les naufrageurs des mers du Sud) (DeMille) ; 1943, Mr. Lucky (Mr. Lucky) (Potter), The Song of Bernadette (Le chant de Bernadette) (King) ; 1944, A Wing and a Prayer (Porte-avions X) (Hathaway) ; 1945, Captain Eddie (Bacon), Fallen Angel (Crime passionnel) (Preminger) ; 1947, Duel in the Sun (Duel au soleil) (Vidor), The Woman on the Beach (La femme sur la plage) (Renoir), Brute Force (Les démons de la liberté) (Dassin), The Farmer's Daughter (Hogan) ; 1948, Four Faces West (Green), The Babe Ruth Story (Del Ruth), Johnny Belinda (Johnny Belinda) (Negulesco) ; 1949, Command Decision (Wood), Roseanna McCoy (Reis), Whirlpool (Le mystérieux docteur Corvo) (Preminger) ; 1950, Guilty of Treason (Feist), Riding High (Jour de chance) (Capra), Branded (Marqué au fer) (Maté) ; 1951, Jim Thorpe All American (Curtiz), The Raging Tide (G. Sherman), Elopment (Enlevez-moi, monsieur) (Koster) ; 1953, The Last Posse (Werker) ; 1954, A Star is Born (Une étoile est née) (Wellman) ; 1955, Prince of Players (Dunne), Nota as a Stranger (Pour que vivent les hommes) (Kramer), The Court Martial of Billy Mitchell (Condamné au silence) (Preminger) ; 1956, You Can't Run Away From It (L'extravagante héritière) (Powell) ; 1957, Mister Cory (L'extravagant M. Cory) (Edwards) ; 1958, The Big Country (Les grands espaces) (Wyler) ; 1960, The Unforgiven (Le vent de la plaine) (Huston) ; 1963, Days of Wine and Roses (Edwards) ; 1966, Big Deal at Dodge City (Gros coup à Dodge City) (F. Cook).

Vedette des films de DeMille au temps du muet, il fut éliminé des premiers rôles avec le parlant, bien que DeMille lui ait conservé sa confiance. Il affirme dans son autobiographie, *Bulls, Balls, Bicycles and Actors*, qu'il fut écarté du vedettariat par des cabales inspirées par son franc-parler. Acteur de composition, on se souvient du trafiquant d'armes de *The Plainsman*, du curé de *Song of Bernadette*, du mari aveugle de *Woman on the Beach*, ou du rancher qui soupire après Jennifer Jones dans *Duel in the Sun*.

Bideau, Jean-Luc

Acteur suisse né en 1943.

1965, Les bons vivants (sketch Grangier) ; 1966, Le voleur (Malle) ; 1968, Charles mort ou vif (Tanner) ; 1970, James ou pas (Soutter), La salamandre (Tanner) ; 1971, Les arpenteurs (Soutter) ; 1972, Le Petit Poucet (Boisrond), L'invitation (Goretta), État de siège (Costa-Gavras), La fille au violoncelle (Butler), Salut voleurs (Cassenti), L'ultimo tango a Parigi (Le dernier tango à Paris) (Bertolucci) ; 1973, Belle (Delvaux), Projection privée (Leterrier), Les vilaines manières (Edelstein), L'homme du fleuve (Prévost) ; 1974, La traque (Leroy), Voyage en grande Tartarie (Tacchella), Une femme, un jour (Keigel) ; 1975, Sérieux comme le plaisir (Benayoun) ; 1976, Nuit d'or (Moati), Dieric Bouts (Avec Bouts) (moyen métrage, Delvaux), Jonas qui aura 25 ans en l'an 2000 (Tanner) ; 1977, La brigade du point du jour (Richon), Wages of Fear (Le convoi de la peur) (Friedkin) ; 1978, Et la tendresse ?... bordel !... (Schulmann), Odo-Toum, d'autres rythmes (Haralambis), Le point douloureux

(Bourgeois) ; 1979, Melancoly Baby (Gabus), Tout dépend des filles (P. Fabre), Ashanti (Fleischer) ; 1980, Rendez-moi ma peau (Schulmann) ; 1981, Tout feu tout flamme (Rappeneau) ; 1982, Y a-t-il un Français dans la salle ? (Mocky), Le préféré/Rock'n Torah (Grynbaum) ; 1983, Drôle de samedi (Okan) ; 1984, Le chien (Gallotte) ; 1985, L'amour propre ne le reste jamais très longtemps (Veyron), Inspecteur Lavardin (Chabrol), Le bonheur a encore frappé (Trottignon) ; 1986, Les roses de Matmata (Pinheiro) ; 1987, Les oreilles entre les dents (Schulmann), Les saisons du plaisir (Mocky) ; 1988, Corps z'à corps (Halimi), Mangeclous (Mizrahi) ; 1991, Un cœur en hiver (Sautet) ; 1992, Pas d'amour sans amour (Dress) ; 1994, La fille de d'Artagnan (Tavernier), Fado majeur et mineur (Ruiz) ; 1995, Fantôme avec chauffeur (Oury), Les Bidochon (Korber) ; 1996, Fourbi (Tanner), Marion (Poirier) ; 1997, The Red Violin (Le violon rouge) (Girard) ; 1998, La vie ne me fait pas peur (Lvovsky) ; 1999, Stand-by (Stéphanik) ; 2000, Azzuro (Rabaglia), Les portes de la gloire (Merret-Palmair) ; 2002, Je t'aime, je t'adore (Bontzolakis) ; 2003, Ripoux 3 (Zidi) ; 2007, Mon frère se marie (Bron), Pur week-end (Doran).

Ce Genevois a fait le Conservatoire de Paris et joué chez Vilar et dans les principaux théâtres parisiens avant de devenir l'acteur fétiche du nouveau cinéma suisse. Tanner, Goretta et Soutter, les trois mousquetaires du pays de Guillaume Tell, font en effet appel à lui, faute d'autres possibilités. Leurs films ont du succès et du coup leur interprète devient une vedette internationale.

Biehn, Michael

Acteur américain né en 1956.

1978, Coach (Townsend), Grease (Grease) (Kleiser) ; 1980, Hog Wild (Les motos sauvages) (Rose) ; 1981, The Fan (Fanatique) (Bianchi) ; 1983, The Lords of Discipline (La loi des seigneurs) (Roddam) ; 1984, The Terminator (Terminator) (Cameron) ; 1986, Aliens (Aliens) (Cameron) ; 1988, Rampage (Le sang du châtiment) (Friedkin), In a Shallow Grave (Bowser), The Seventh Sign (La septième prophétie) (Schultz) ; 1989, The Abyss (Abyss) (Cameron) ; 1990, Navy S.E.A.L.S. (Navy Seals — Les meilleurs) (Teague) ; 1991, K2 (Roddam) ; 1992, Timebomb (Timebomb) (Nesher) ; 1993, Deadfall (C. Coppola), Tombstone (Tombstone) (Cosmatos) ; 1994, Deep End (Baxley) ; 1995, In the Kingdom of the Blind, the Man With One Eye Is King (Vallelonga), Crash (Wilkinson), Blood of the Hunter (Carle), Jade (Jade) (Friedkin) ; 1996, The Rock (Rock) (Bay), Mojave Moon (Dowling) ; 1997, The Ride (Sajbel), American Dragons (Hemecker), Dead Men Can't Dance (Anderson) ; 1998, Susan's Plan (Susan a un plan...) (Landis), Silver Wolf (Svatek) ; 1999, Cherry Falls (Wright), The Art of War (Art of War) (Duguay) ; 2000, Chain of Command (Terlesky), Megiddo : Omega Code 2 (B.T. Smith) ; 2002, Clockstoppers (Top chronos) (Frakes).

Originaire du Nebraska, on le découvre dans la série *L'âge de cristal* puis dans *Police Story*. Passé au cinéma, il devient un second couteau honorable qui ne doit sa présence dans ces pages que pour avoir été l'interprète fétiche de James Cameron.

Biggs, Jason

Acteur américain né en 1978.

1991, The Boy who Cried Bitch (Campanella) ; 1997, Camp Stories (Beigel) ; 1998, American Pie (American Pie) (Weitz) ; 2000, Boys and Girls (Iscove), Loser (Heckerling), Prozac Natíon (Skjoldbjaerg) ; 2001, American Pie 2 (American Pie 2) (Rogers), Saving Silverman (Diablesse) (Dugan) ; 2003, American Wedding (American Pie : marions-les !) (Dylan), Anything Else (La vie et tout le reste) (Allen) ; 2004, Jersey Girl (Père et fille) (K. Smith) ; 2006, Eight Below (Antarctica, prisonniers du froid) (Marshall).

Vedette de l'insipide série des *American Pie*, il s'égare chez Woody Allen en jeune écrivain comique dont le psy n'est pas à la hauteur. Une carrière qui démarre bien mal.

Biliotti, Enzo

Acteur italien, 1887-1976.

1934, Campo di maggio (Les Cent-Jours) (Forzano) ; 1939, Un aventura di Salvator Rosa (Une aventure de Salvator Rosa) (Blasetti).

Il fut un étonnant Fouché.

Bilis, Teddy

Acteur français, de son vrai prénom Théodore, 1913-1998.

1949, Maya (Bernard) ; 1950, Le Traqué (Tuttle) ; Pas de pitié pour les femmes (Stengel) ; 1953, La chair et le diable (Josipovici), Le guérisseur (Ciampi) ; 1954, Du rififi chez les hommes (Dassin), Les impures (Chevalier) ; 1957, Celui qui doit mourir (Dassin), Porte des Lilas (Clair) ; 1958, La loi (Dassin) ; 1959, Le testament du Dr Cordelier (Renoir), Fortunat (A. Joffé) ; 1961, Le tracassin ou les plaisirs de la ville (A. Joffé) ; 1962, Les culottes rouges (A. Joffé), Le glaive et la balance (Cayatte) ; 1964, Pas question le samedi (A. Joffé) ; 1967, Les cracks (A. Joffé) ; 1968, L'Auvergnat et l'autobus (Lefranc) ; 1970, Le cinéma de papa (Berri) ; 1973, Na ! (Martin) ; 1977, Le point de mire (Tramont), On peut le dire sans se fâcher (Coggio) ; 1979, Tout dépend des filles (Fabre) ; 1982, Le préféré/ Rock'n Torah (Grynbaum) ; 1983, Fort Saganne (Corneau), Le voleur de feuilles (Tramont).

Conservatoire et Comédie-Française (où il était extraordinaire dans *Le Malade imaginaire* en Thomas Diafoirus), de petits rôles au cinéma. Il semble s'être par la suite consacré à la télévision.

Billerey, Raoul

Maître d'armes et acteur français né en 1920.

1953, Les trois mousquetaires (Hunebelle) ; 1954, Cadet-Rousselle (Hunebelle) ; 1955, La fierecilla domada (La mégère apprivoisée) (Roman), Le dos au mur (Molinaro), L'impossible Monsieur Pipelet (Hunebelle) ; 1956, Ce soir les jupons volent (Kirsanoff), Action immédiate (Labro), Fernand cow-boy (Lefranc) ; 1959, Austerlitz (Gance), Le bossu (Hunebelle) ; 1960, Le capitaine Fracasse (Gaspard-Huit) ; 1961, Le miracle des loups (Hunebelle), Cartouche (Broca) ; 1962, Le chevalier de Pardaillan (Borderie), Les mystères de Paris (Hunebelle), Le masque de fer (Decoin) ; 1963, A toi de faire mignonne (Borderie), L'honorable Stanislas agent secret (Dudrumet) ; 1964, Banco à Bangkok pour OSS 117 (Hunebelle), Merveilleuse Angélique (Borderie) ; 1968, Mister Freedom (Klein), L'enfance nue (Pialat) ; 1971, Les yeux fermés (Santoni), Les camisards (Allio) ; 1976, Les loulous (Cabouat) ; 1978, Perceval le Gallois (Rohmer) ; 1982, Family rock (Pinheiro) ; 1984, Hors-la-loi (Davis) ; 1985, L'effrontée (Miller) ; 1986, Le moine et la sorcière (Schiffman), Mon beau-frère a tué ma sœur (Rouffio), Le grand chemin (Hubert), Attention bandits ! (Lelouch), 37,2° le matin (Beineix) ; 1987, Noyade interdite (Granier-Deferre), Si le soleil ne revenait pas (Goretta), Chouans ! (Broca) ; 1988, La petite voleuse (Miller) ; 1989, Après la guerre (Hubert) ; 1990, Un type bien (Bénégui) ; 1991, Dien Bien Phu (Schoendoerffer) ; 1993, Grosse fatigue (Blanc) ; 1994, La fille de d'Artagnan (Tavernier) ; 1995, Les caprices d'un fleuve (Giraudeau) ; 1996, Oranges amères (Such).

Maître d'armes très réputé pendant les années 50, il passe à la comédie avec aisance et trouve, à la soixantaine, un second souffle sous l'égide de Claude Miller, qui lui confie des rôles de grand-père bougon dans *L'effrontée* et *La petite voleuse*.

Binoche, Juliette

Actrice française née en 1964.

1983, Liberty Belle (Kané) ; 1984, Je vous salue Marie (Godard), La vie de famille (Doillon) ; 1985, Le meilleur de la vie (Victor), Les nanas (Lanoë), Adieu blaireau (Decout), Rendez-vous (Téchiné) ; 1986, Mon beau-frère a tué ma sœur (Rouffio), Mauvais sang (Carax) ; 1987, The Unbearable Lightness of Being (L'insoutenable légèreté de l'être) (Kaufman) ; 1988, Un tour de manège (Pradinas) ; 1991, Les amants du Pont-Neuf (Carax), Wuthering Heights (Kominsky) ; 1992, Fatale (Malle), Bleu (Kieslowski), Blanc (Kieslowski) ; 1993, Rouge (Kieslowski) ; 1994, Le hussard sur le toit (Rappeneau) ; 1995, Un divan à New York (Akerman) ; 1996, The English Patient (Le patient anglais) (Minghella) ; 1997, Alice et Martin (Téchiné) ; 1999, La veuve de Saint-Pierre (Leconte), Code inconnu (Haneke) ; 2000, Chocolat (Le chocolat) (Hallström) ; 2002, Décalage horaire (Thompson) ; 2005, Bee Season (Les mots retrouvés) (McGee), Mary (Ferrara), Caché (Haneke) ; 2006, Paris je t'aime (collectif), Quelques jours en septembre (Amigorena) ; 2007, Breaking and Entering (Par effraction) (Minghella).

Venue du Conservatoire, elle est révélée moins par Godard que par Téchiné dans *Rendez-vous* où sa beauté fait sensation. Interprète de films difficiles, elle révéla une étonnante sensualité dans *L'insoutenable légèreté de l'être* qui relança sa carrière. Kieslowski puis Rappeneau lui donnent des rôles à la mesure de son talent. Elle a reçu un césar en 1994 pour *Trois couleurs : Bleu* et un oscar du meilleur second rôle féminin en 1997 pour *Le patient anglais*.

Biraud, Maurice

Acteur français, 1922-1982.

1950, Brune ou blonde (court métrage, Garcia), Le roi des camelots (Berthomieu) ; 1951, Le passe-muraille (Jean Boyer), La marche (court métrage, Audiard), Poil de Carotte (Mesnier), Jamais deux sans trois (Berthomieu), Une fille à croquer (André) ; 1952, La cheminée (court métrage), Le plus heureux des hommes (Ciampi), Jeunes filles (court métrage, Chartier), Belle mentalité (Berthomieu), Le secret d'Hélène Marrimon (Calef), Quai des blondes (Cadéac), Mam'zelle Nitouche (Y. Allégret) ; 1953, L'esclave

(Ciampi), Le portrait de son père (Berthomieu) ; 1954, Poisson d'avril (Grangier), Les deux font la paire (Berthomieu), Pas de coup dur pour Johnny (Émile Roussel) ; 1956, Au creux des sillons (court métrage, Leduc) ; 1957, Donnez-moi ma chance (Moguy), C'est la faute d'Adam (Audry), L'homme et l'enfant (André), Premier mai (Saslavski) ; 1958, Trois jours à vivre (Grangier) ; 1960, Pierrot la tendresse (Villiers) ; 1961, Un taxi pour Tobrouk (La Patellière), Le cave se rebiffe (Grangier) ; 1962, Le septième juré (Lautner), Le monte-charge (Bluwal), Le petit garçon de l'ascenseur (Granier-Deferre), Le diable et les dix commandements (Duvivier), Le gentleman d'Epsom (Grangier), Pourquoi Paris ? (La Patellière), Mélodie en sous-sol (Verneuil) ; 1963, La soupe aux poulets (Agostini), La confession de minuit (Granier-Deferre), Des pissenlits par la racine (Lautner) ; 1964, Une souris chez les hommes (Poitrenaud) ; 1965, La métamorphose des cloportes (Granier-Deferre) ; 1966, La grande sauterelle (Lautner) ; 1967, Fleur d'oseille (Lautner) ; 1969, Pays de cocagne (Étaix) ; 1970, Le cri du cormoran le soir au-dessus des jonques (Audiard) ; 1972, Le trèfle à cinq feuilles (Freess), Elle cause plus... elle flingue (Audiard) ; 1973, Le permis de - conduire (Girault), OK patron (Vital), L'événement le plus important depuis que l'homme a marché sur la lune (Demy), Le complot (Gainville), Le concierge (Girault), Le train (Granier-Deferre), La rivale (Gobbi) ; 1974, Salut les frangines (M. Gérard) ; 1975, Flic story (Deray), Le gitan (Giovanni), Deux imbéciles heureux (Freess) ; 1977, Gloria (Autant-Lara), Bartleby (Ronet) ; 1978, C'est dingue mais on y va (Gérard) ; 1980, La bande du Rex (Jean Meunier) ; 1981, Pourquoi pas nous ? (Berny), Beau-père (Blier) ; 1982, Un dimanche de flics (Vianey).

Bon second rôle après avoir été animateur de radio. Il tenait avec un parfait naturel les emplois de médiocre ou de salaud. C'est Ronet qui, dans *Bartleby*, sut tirer de son physique et de l'originalité de son talent le meilleur parti.

Birkin, Jane

Actrice et chanteuse anglaise née en 1946.

1965, The Knack (Le knack... et comment l'avoir) (Lester) ; 1966, Blow-up (Blow-up) (Antonioni), Kaleidoscope (Le gentleman de Londres) (Smight) ; 1967, Wonderwall (Massot) ; 1968, Slogan (Grimblat), La piscine (Deray) ; 1969, Les chemins de Katmandou (Cayatte), Cannabis (Koralnik) ; 1970, Sexpower (Chapier), Trop petit mon ami (Matalon) ; 1971, Romance of a Horse Thief (Le voleur de chevaux) (Polonsky), Dix-neuf jeunes filles et un matelot (Kosavac) ; 1972, Trop jolies pour être honnêtes (Balducci), Les diablesses (Margheriti), Dark Places (Le manoir des fantasmes) (Sharp) ; 1973, Don Juan 73 (Vadim), Projection privée (Leterrier), Le mouton enragé (Deville) ; 1974, Comment réussir quand on est con et pleurnichard (Audiard), La moutarde me monte au nez (Zidi), Sérieux comme le plaisir (Benayoun) ; 1975, La course à l'échalote (Zidi), Le diable au cœur (Queysanne), Catherine et Cie (Boisrond), Sept morts sur ordonnance (Rouffio), Je t'aime moi non plus (Gainsbourg) ; 1976, Bruciati da cocente passione (L'amour, c'est quoi au juste ?) (Capitani) ; 1977, Death on the Nile (Mort sur le Nil) (Guillermin) ; 1978, Au bout du bout du banc (Kassovitz) ; 1979, Melancoly Baby (Gabus) ; 1980, La fille prodigue (Doillon), Rends-moi la clé (Pirès) ; 1981, Nestor Burma détective de choc (Miesch) ; 1982, Evil under the Sun (Meurtre au soleil) (Hamilton) ; 1983, Circulez, y'a rien à voir (Leconte), Egon Schiele (Enfer et passion) (Vesely), L'ami de Vincent (Granier-Deferre) ; 1984, Le garde du corps (Leterrier), L'amour par terre (Rivette), La pirate (Doillon), Dust (Hänsel) ; 1985, Beethoven's Nephew (Le neveu de Beethoven) (Morrissey) ; 1986, Leave all Fair (Souvenirs secrets) (Reid), La femme de ma vie (Wargnier) ; 1987, Comédie (Doillon), Soigne ta droite (Godard) ; 1988, Jane B. par Agnès V. (Varda) ; 1990, Daddy Nostalgie (Tavernier) ; 1991, La belle noiseuse (Rivette), Contre l'oubli (collectif) ; 1994, Les cent et une nuits (Varda), Noir comme le souvenir (Mocky) ; 1995, Between the Devil and the Deep Blue Sea (Li) (voix seulement) (Hänsel) ; 1997, On connaît la chanson (Resnais) ; 1998, A Soldier's Daughter Never Cries (La fille d'un soldat ne pleure jamais) (Ivory) ; 1999, The Last September (The Last September) (Warner) ; 2001, Reines d'un jour (Vernoux), Ceci est mon corps (Marconi) ; 2002, Merci... Dr Rey ! (Litvack) ; 2003, Mariées mais pas trop (Corsini) ; 2007, La tête de maman (Tardieu).

Bien qu'anglaise, elle a fait l'essentiel de sa carrière en France où son charme plaît beaucoup. Lancée par Serge Gainsbourg dans une atmosphère de scandale, l'actrice n'est pas sans talent, comme on peut le constater dans *La piscine*. Elle montra même qu'elle avait tort de s'égarer dans de médiocres comédies et qu'elle pouvait tenir des rôles tragiques : elle fut bouleversante en modèle du peintre Schiele dans *Enfer et passion*. Elle ne retrouve un rôle digne de sa réputation que dans *Daddy Nostalgie* de Tavernier et paraît s'orienter vers une carrière théâtrale prometteuse.

Biscot, Georges

Acteur français, 1889-1944.

1916, Le pied qui étreint (Feyder) ; 1918, Tih-Minh (Feuillade) ; 1919, Barrabbas (Feuillade) ; 1921, L'orpheline (Feuillade), Parisette (Feuillade), série des Séraphin et des Biscotin ; 1922, Le fils du flibustier (Feuillade) ; 1923, Vindicta (Feuillade) ; 1925, Le roi de la pédale (Champreux), Bibi la purée (Champreux) ; 1927, Les cinq sous de Lavarède (Champreux), Le p'tit Parigot (Le Somptier). *Quelques films parlants* : 1931, Hardi les gars ! (Champreux) ; 1932, Clochard (Péguy) ; 1933, Six cent mille francs par mois (Joannon) ; 1934, Bibi la purée (Joannon) ; 1937, Le plus beau gosse de France (Pujol) ; 1940, Untel père et fils (Duvivier) ; 1944, La cage aux rossignols (Dréville) ; 1945, La route du bagne (Matho).

Populaire comique qui eut son heure de gloire au temps du muet.

Bisset, Jacqueline

Actrice anglaise née en 1944.

1965, The Knack (Le knack... et comment l'avoir) (Lester), Drop Dead Darling ou Arrivederci Baby (Hugues) ; 1966, Cul-de-sac (Polanski) ; 1967, Two for the Road (Voyage à deux) (Donen), Casino Royale (Casino Royale) (Huston, Guest, Parrish), The Capetown Affair (Webb), The Sweet Ride (Fureur sur la plage) (Hart) ; 1968, The Detective (Le détective) (Douglas), Bullitt (Bullitt) (Yates), L'échelle blanche (Freeman) ; 1969, La promesse (Feyder), The First Time (Neilson), Airport (Seaton), The Grasshopper (J. Parris), The Mephisto Waltz (Satan mon amour) (Wendkos) ; 1971, Speed Is the Essence (Hagman), Stand up and Be Counted (Cooper), Secrets (Jeux intimes) (Saville) ; 1972, The Life and Times of Judge Roy Bean (Juge et hors-la-loi) (Huston) ; 1973, The Thief Who Came to Dinner (Le voleur qui vient dîner) (Yorkin), La nuit américaine (Truffaut), Le magnifique (Broca) ; 1974, Murder on the Orient Express (Le crime de l'Orient Express) (Lumet) ; 1975, The Spiral Staircase (La nuit de la peur) (Collinson), Murder on the Bridge (M. Schell), La donna della domenica (La femme du dimanche) (Comencini) ; 1976, St. Yves (Monsieur Saint-Yves) (Lee-Thompson), Deep (Les grands fonds) (Yates) ; 1978, The Greek Tycoon (L'empire du Grec) (Lee-Thompson), Who Is Killing the Great Chefs of Europe ? (La grande cuisine) (Kotcheff) ; 1979, I Love You, I Love You not (B. Hopkins) ; 1980, Inchon (T. Young), When Time Ran Out (Le jour de la fin du monde) (Goldstone) ; 1981, Rich and Famous (Riches et célèbres) (Cukor) ; 1983, Class (Class) (Carlino), Under the Volcano (Au-dessous du volcan) (Huston) ; 1986, Forbidden (Page) ; 1987, High Season (Soleil grec) (Peploe) ; 1988, La maison de jade (Trintignant) ; 1989, Wild Orchid (L'orchidée sauvage) (King), Scenes From the Class Struggle in Beverly Hills (Bartel) ; 1990, The Maid (Toynton) ; 1991, Les paradis perdus (Rival) ; 1993, Crimebroker (Barry), Les marmottes (Chouraqui) ; 1994, Hoffman's Hunger (De Winter) ; 1995, La cérémonie (Chabrol) ; 1997, Dangerous Beauty (La courtisane) (Herskowitz) ; 1998, Les gens qui s'aiment (Tacchella), Let the Devil Wear Black (Title) ; 1999, New Year's Day (Krishnamma) ; 2000, The Sleepy Time Gal (Munch) ; 2005, Domino (Domino) (Scott), Fascination (Fascination) (Menzel), Mr. et Mrs. Smith (Mr. et Mrs. Smith) (Liman).

Origines écossaises par son père et françaises par sa mère (elle parle les deux langues). Elle débute à l'écran, après avoir été mannequin, dans *The Knack*. Polanski remarque cette délicieuse brunette aux yeux gris-vert et l'embauche pour *Cul-de-sac*. En 1968, c'est Hollywood avec Steve McQueen dans *Bullitt* et Sinatra dans *The Detective*. Elle devient une vedette internationale, tournant avec des réalisateurs français (Ph. de Broca, Truffaut) ou italiens (Comencini). Depuis 1980, sa carrière semble marquer un peu le pas, malgré le nouveau souffle que lui donna Cukor avec *Rich and Famous* où Jacqueline Bisset confirmait, sous la houlette du « directeur des stars », ses talents de comédienne.

Bisson, Jean-Pierre

Acteur et réalisateur français, 1944-1995.

1970, Elise ou la vraie vie (Brach) ; 1982, Le quart d'heure américain (Galland) ; 1985, Suivez mon regard (Curtelin), Mon beau-frère a tué ma sœur (Rouffio), Une femme ou deux (Vigne), Zone rouge (Enrico) ; 1986, Les mois d'avril sont meurtriers (Heynemann), Association de malfaiteurs (Zidi), Mort un dimanche de pluie (Santoni) ; 1987, La nuit de l'océan (Perset), La maison de Jeanne (Clément) ; 1988, Moitié-moitié (Boujenah), Radio corbeau (Boisset), La couleur du vent (Granier-Deferre) ; 1990, Jean Galmot, aventurier (Maline), Plein fer (Dayan), Lune froide (Bouchitey), La tribu (Boisset) ;

1992, Bonsoir (Mocky), Germinal (Berri) ; 1994, Montana Blues (Bisson) ; 1995, Pourvu que ça dure (Thibaud). *Comme réalisateur :* 1994, Montana Blues.

Une carrière mouvementée au théâtre le mène finalement vers le cinéma au milieu des années 80, où sa forte personnalité l'aide à trouver aisément sa place dans le polar, genre alors très en vogue. Sanguin, passionné, il n'a pas eu la reconnaissance populaire qu'il aurait méritée et son film, *Montana Blues*, qui raconte la fuite en avant d'un poète alcoolique, était sorti dans l'indifférence générale. Jean-Pierre Bisson, qui semblait y avoir mis toute son énergie, en avait été très affecté. Nous lui rendons ici un sincère hommage.

Björk, Anita

Actrice suédoise née en 1923.

1942, Himlaspelet (Le chemin du ciel) (Sjöberg) ; 1944, Räkna de lyckliga stunderna blott (Carlsten) ; 1946, 100 dragspel och en flicka (Frisk) ; 1947, Kvinna utan ansikte (Molander), Det kom en gäst (Mattsson), Ingen väg tillbaka (Adolphson) ; 1949, Människors rike (Folke) ; 1950, Fröken Julie (Mademoiselle Julie) (Sjöberg), Kvartetten som Sprängdes (Molander) ; 1952, Kvinnors väntan (L'attente des femmes) (Bergman), Han glömde henne aldrig (Lindberg, Spafford) ; 1954, Night People (Les gens de la nuit) (Johnson) ; 1955, Die Hexe (La possédée) (Ucicky), Giftas (Henrikson), Die Weise von Liebe und Tod des Cornets Christoph Rilke (Reisch), Cornet (Reisch) ; 1956, Sangen om den Eldröda Blomman (Le chant de la fleur écarlate) (Molander), Moln över Hellesta (Husberg) ; 1957, Gäst i eget hus (Olin) ; 1958, Körkarlen (La charrette fantôme) (Mattson), Körkalen (Mattsson), Damen i svart (Mattson) ; 1960, Tärningen är kastad (Husberg), Goda vänner trogna grannar (Anderberg) ; 1962, Vita frun (Mattsson) ; 1964, Alskande par (Les amoureux) (Zetterling) ; 1967, Tofflan — en lyckig komedi (Anderberg) ; 1968, Komedi i Hägerskog (Anderberg) ; 1969, Adalen 31 (Widerberg) ; 1979, Arven (L'héritage) (Breien) ; 1981, Forfoljelsen (Breien) ; 1986, Amarosa (Zetterling) ; 1992, Den goda viljan (Les meilleures intentions) (August) ; 1996, Sanna Ogonblick (Wahlgren), Enskilda Samtal (Ullman) ; 1997, Larmar och gör sig till (téléfilm, Bergman) ; 1998, Sanna ögonblick (Koppel).

Venue du Théâtre royal de Stockholm elle est surtout célèbre pour son interprétation de *Mademoiselle Julie*.

Björnstrand, Gunnar

Acteur suédois, 1909-1986.

Principaux films : 1953, Gycklarnas afton (La nuit des forains) (Bergman) ; 1954, En lektion i Karllek (Une leçon d'amour) (Bergman) ; 1955, Kvinnodrom (Rêves de femmes) (Bergman), Sommarnattens Leende (Sourires d'une nuit d'été) (Bergman) ; 1956, Det sjunde inseglet (Le septième sceau) (Bergman) ; 1957, Smuktronsstället (Les fraises sauvages) (Bergman) ; 1958, Ansiktet (Le visage) (Bergman) ; 1962, Nattvardsgästerna (Les communiants) (Bergman) ; 1966, Persona (Bergman) ; 1968, L'isola (La partenaire) (Vancini), Riten (Le Rite) (Bergman) ; 1976, Ansikte mot ansikte (Face à face) (Bergman) ; 1978, Höstsonate (Sonate d'automne) (Bergman) ; 1982, Fanny och Alexander (Fanny et Alexandre) (Bergman).

Acteur du Théâtre royal de Stockholm, il a figuré dans de très nombreux films de Bergman.

Black, Karen

Actrice américaine, de son vrai nom Ziegler, née en 1939.

1960, Prime Time (Weisenborn) ; 1966, You're a Big Boy Now (Big boy) (Coppola) ; 1969, Easy Rider (Hopper), Hard Contract (Pogostin) ; 1970, Five Easy Pieces (Rafelson) ; 1971, A Gunfight (Dialogue de feu) (L. Johnson), Drive, He Said (Vas-y, fonce) (Nicholson), Born to Win (Né pour vaincre) (Passer) ; 1972, Cisco Pike (Norton), Portnoy's Complaint (Portnoy et son complexe) (Lehamn) ; 1973, The Pyx (Hart), The Outfit (Échec à l'organisation) (Flynn), Little Laura and Big John (Moberly et Woodburn) ; 1974, Rhinoceros (O'Horgan), The Great Gatsby (Gatsby le magnifique) (Clayton), Airport 1975 (747 en péril) (Smight), Law and Disorder (La loi et la pagaille) (Passer) ; 1975, Day of the Locust (Le jour du fléau) (Schlesinger), Nashville (Altman), Ace Up my Sleeve (Le désir et la corruption) (Passer) ; 1976, Family Plot (Complot de famille) (Hitchcock), Burnt Offerings (Curtis) ; 1977, In Praise of Older Women (Les femmes de trente ans) (Kaczender) ; 1978, Capricorn One (Capricorn One) (Hyams), The Rip-off (Le renard de Brooklyn) (Margheriti) ; 1979, Separate Ways (Avedis), Fort Davis (Post), The Last Word/Danny Travis (Boulting), Killer Fish (L'invasion des piranhas) (Margheriti), Because He's My Friend (R. Nelson) ; 1980, The Squeeze (Dawson) ; 1981, The Grass is Singing (Railburn), Chanel Solitaire (Kaczender), Miss Right (Williams) ; 1982, Come Back to the Five-and-Dime, Jimmy

Dean, Jimmy Dean (Reviens Jimmy Dean, reviens) (Altman) ; 1983, Can She Bake a Cherry Pie ? (Jaglom), Martin's Day (Gibson), Breathless (A bout de souffle made in USA) (McBride) ; 1984, Cut and Run (Deodato), Growing Pain (Houston) ; 1985, Savage Dawn (Nuchtern), The Blue Man (Mihalka) ; 1986, Invaders from Mars (Les envahisseurs de Mars) (Hooper), The Flight of the Spruce Goose (Majewsky) ; 1987, Hostage (Mohr), It's Alive III : Island of the Alive (Cohen) ; 1988, The Invisible Kid (Crounse), Dixie Land (Cato) ; 1989, Out of the Dark (Schroeder), Homer and Eddie (Voyageurs sans permis) (Konchalovsky) ; 1990, Zapped Again (Campbell), The Children (Palmer), Night Angel (Othenin-Girard), Overexposed (Brand), Twisted Justice (Heavener), Mirror Mirror (Sargenti) ; 1991, Haunting Fear (Olen-Ray), Evil Spirits (Graver), Club Fed (Christian), Roots of Evil (Charr), The Covenant (Peschkel), Quiet Fire (Jacobs), The Killer's Edge (Merhi), Auntie Lee's Meatpies (Robertson) ; 1992, Hitz (Sachs), Rubin and Ed (Harris), Children of the Night (Randel), The Player (The Player) (Altman), Caged Fear (Houston) ; 1993, Final Judgement (Morneau), Double O Kid (McLachlan), The Roller Blade Seven (Jackson), Bound and Gagged : a Love Story (Appleby) ; 1994, Cries of Silence (Crounse) ; 1995, The Wacky Adventures of Dr. Boris and Nurse Shirley (Leder), Plan 10 from Outer Space (Harris) ; 1996, Crimetime (Sluizer), The Underground Comedy Movie (Offer), Dogtown (Hickenlooper), Men (Clarke-Williams) ; 1997, Dinosaur Valley Girls (Glut), Death Before Sunrise (Lommel), Lightspeed (Mende), Malaika (Martins), Stir (Nakhapetov), Invisible Dad (Olen Ray), Conceiving Ada (Herschmann-Leeson) ; 1998, Red Dirt (Purvis), I Woke Up Early the Day I Died (Iliopoulos), Waiting for Dr. MacGuffin (Ondaatje), Fallen Arches (Cosentino), Bury the Evidence (De Felice), Charades (Eckelberry) ; 1999, The Underground Comedy Movie (Offer), Sugar : The Fall of the West (Frey), Red Dirt (Purvis), Mascara (Kandel), Hard Luck (Rubio) ; 2000, The Independent (Kessler), Oliver Twisted (Gates), Our Souls to Keep (Ferriola), House of 1 000 Corpses (Zombie), Gypsy 83 (Stephens) ; 2001, Firecracker (Balderson).

Venue de la comédie musicale (elle fut compositeur et interprète), elle donne l'image dans ses premiers films (*Easy Rider*) d'une « sensualité un peu débraillée » (Olivier Eyquem). Mais cette disponibilité débouche souvent sur des personnages en plein désarroi (*Drive, He Said, Born to Win*). C'est chez Passer, et surtout dans *Le désir et la corruption*, qu'elle révèle le mieux sa vraie nature d'actrice et de femme : la perversion se plaque sur un fond d'innocence, expliquant la fascination du mâle. On est tout près du mythe.

Blain, Estella

Actrice française, de son vrai nom Micheline Estellat, 1930-1981.

1953, Les fruits sauvages (Bromberger) ; 1954, Escalier de service (Rim) ; 1955, Tant qu'il y aura des femmes ; 1956, Les collégiennes (Hunebelle) ; 1957, La bonne tisane (Bromberger) ; 1958, Des femmes disparaissent (Molinaro), Le fauve est lâché (Labro) ; 1959, Les dragueurs (Mocky) ; 1960, Colère froide (Haguet), L'ennemi dans l'ombre (Gérard), I pirati della Costa (Paolella) ; 1961, Totó Truffa (Mastrocinque) ; 1965, Angélique et le roy (Borderie), La corde au cou (Lisbonna) ; 1966, Dans les griffes du maniaque (Franco) ; 1967, Vivre la nuit (Camus), Les têtes brûlées (Rozier) ; 1968, La puce à l'oreille (Charon) ; 1973, Le mouton enragé (Deville).

Épouse de l'acteur Gérard Blain dont elle devait divorcer par la suite, elle promena un minois un peu chiffonné dans des films d'importance modeste. Restée sans travail, elle avait retrouvé une petite activité lorsqu'elle choisit la voie du suicide. Cette notice ne se veut qu'un discret hommage à une artiste qui n'eut pas de chance.

Blain, Gérard

Acteur et réalisateur français, 1930-2000.

1943, Les enfants du paradis (Carné), Le carrefour des enfants perdus (Joannon), Le bal des passants (Radot) ; 1953, Avant le déluge (Cayatte), Les fruits sauvages (Bromberger) ; 1954, Escalier de service (Rim) ; 1956, Le temps des assassins (Duvivier), Crime et châtiment (Lampin), Le désir mène les hommes ; 1957, I giovani mariti (Les jeunes maris) (Bolognini), Les mistons (Truffaut) ; 1958, Le beau Serge (Chabrol), Les cousins (Chabrol) ; 1959, Match contre la mort (Bernard-Aubert) ; 1960, Via Margutta (Camerini), Il gobbo (Le bossu de Rome) (Lizzani), I delfini (Les dauphins) (Maselli), La peau et les os (Sassy) ; 1961, L'oro di Roma (Lizzani) ; 1962, Hatari (Hatari) (Hawks) ; 1963, La smania addosso (Andrei) ; 1964, La bonne soupe (Thomas) ; 1966, Un homme de trop (Costa-Gavras), Un amore, via Veneto (Lipartiti), Du suif chez les dabes, Missione mortale molo 83 ; 1968, Joe Caligula (Bénazéraf) ; 1970, Caïn de nulle part (Daert), Elle aime ça (Vernucchio) ; 1973, Le pélican (Blain) ; 1976, Un enfant dans la foule (Blain) ; 1977, Der Amerikanische Freund (L'ami américain) (Wenders), La machine (Vecchiali), Un second souffle (Blain) ; 1978, Utopia (Azimi) ; 1981, La flambeuse (Weinberg) ; 1982, Un dimanche de flics (Vianey) ; 1985, La presqu'île (Luneau) ; 1987, Poussière d'ange (Niermans) ; 1988, Natalia (Cohn) ; 1989, Chasse gardée (Biette), L'enfant de l'hiver (Assayas) ; 1995, Jusqu'au bout de la nuit (Blain) ; 2000, Ainsi soit-il (Blain). *Pour le metteur en scène*, voir le *Dictionnaire du cinéma*, t. I : *Les réalisateurs*.

Révélé par Chabrol et lancé comme le James Dean français, il ne parvint jamais au mythe, pas même à une grande popularité, allant se perdre en Italie dans des œuvres peu exaltantes de Lizzani. Son passage chez Hawks fut catastrophique. Il tenta sa chance dans la mise en scène. Ses films étaient intéressants, mais n'eurent pas la faveur du public. On peut le déplorer. Il a essayé de relancer sa carrière par la polémique grâce à des articles dans *Le Monde*, dénonçant le cinéma américain ou « le complot » de la bourgeoisie destiné à étouffer *L'argent* de Bresson. Sans davantage de succès. Une malédiction a semblé peser sur lui.

Blair, Betsy

Actrice américaine, de son vrai nom Elizabeth Rober, née en 1923.

1947, The Guilt of Janet Ames (Peter Ibbetson a raison) (Levin), A Double Life (Othello) (Cukor) ; 1948, The Snake Pit (La fosse aux serpents) (Litvak), Another Part of the Forest (Gordon) ; 1950, Mystery Street (Le mystère de la plage perdue) (Sturges) ; 1951, Kind Lady (Sturges) ; 1955, Marty (D. Mann) ; 1956, Calle Mayor (Bardem), Rencontre à Paris (Lampin) ; 1957, Il grido (Le cri) (Antonioni), The Halliday Brand (J. Lewis) ; 1960, I delfini (Les dauphins) (Maselli), Lies my Father Told Me (Chaffey) ; 1961, Senilita (Bolognini), All Night Long (Dearden) ; 1968, Mazel Tov (Berri) ; 1973, A Delicate Balance (Richardson) ; 1978, Gejaagd door de winst (De Hert, Henderickx) ; 1986, Descente aux enfers (Girod), Flight of the Spruce Goose (Majewski) ; 1988, Betrayed (La main droite du diable) (Costa Gavras).

Révélée par *La fosse aux serpents*, elle fut remarquable dans des rôles de vieilles filles pas très jolies et délaissées par les hommes (*Senilita*) mais qui pouvaient parfois trouver l'amour d'un homme laid (*Marty*). Elle fut par ailleurs mariée à Gene Kelly puis au réalisateur Karel Reisz.

Blair, Linda

Actrice américaine née en 1959.

1971, The Sporting Club (Peerce) ; 1973, The Exorcist (L'exorciste) (Friedkin) ; 1974, Airport 75 (747 en péril) (Smight) ; 1975, Sweet Hostage (Douce captive) (Philips) ; 1976, Victory at Entebbé (Victoire à Entebbé) (Chomsky) ; 1977, The Exorcist II : the Heretic (L'exorciste II : L'hérétique) (Boorman) ; 1978, Stranger in our House (L'été de la peur) (Craven) ; 1979, Wild Horse Hank (Till), Roller Boogie (Lester) ; 1981, Hell Night (DeSimone) ; 1982, Ruckus (Destructor) (Kleven) ; 1983, Chained Heat (Les anges du mal) (Nicholas) ; 1984, Savage Streets (Les rues de l'enfer) (Steinmann), Night Patrol (Patrouille de nuit) (Kong) ; 1985, Savage Island (Beardsly), Red Heat (Chaleur rouge) (Collector) ; 1987, SFX Retaliator (Gale), Nightforce (Foldes) ; 1988, Up Your Alley (Logan), Silent Assassins (Doo Yong), Grotesque (J. Tornatore) ; 1989, Witchery (Démoniaque présence) (Laurenti), W.B. Blue and the Bean (Kleven), The Chilling (Nuse, Sunseri), Bad Blood (Vincent) ; 1990, Repossessed (L'exorciste en folie) (Logan), Dead Sleep (Mills), Bedroom Eyes II (Vincent) ; 1991, Moving Target (Mattei) ; 1992, Fatal Bond (Monton) ; 1993, Double Blast (Spring) ; 1994, Sorceress (Wynorski), Skins (Hauser) ; 1996, Scream (Scream) (Craven), Prey of the Jaguar (DeCoteau) ; 2000, Famous (Dunne).

Poussée par sa mère, elle commence sa carrière dans la publicité alors qu'elle n'a que quatre ans. A l'âge de treize ans, William Friedkin la choisit pour incarner Regan McNeil, le personnage central de *L'exorciste*. Possédée par le diable, elle donne de sa personne (hurlements, transformations peu ragoûtantes en tout genre, vocabulaire immonde) et marquera toute une génération de fans du film fantastique. La suite n'est guère brillante. Beaucoup de séries B, voire Z. Serait-elle possédée par le diable du navet ?

Blanc, Dominique

Actrice française née en 1959.

1986, La femme de ma vie (Wargnier), Terre étrangère (Bondy) ; 1987, Natalia (Cohn), Quelques jours avec moi (Sautet), Savannah (Pico) ; 1988, Une affaire de femmes (Chabrol), Je suis le seigneur du château (Wargnier) ; 1989, Milou en mai (Malle) ; 1990, Plaisir d'amour (Kaplan) ; 1991, Indochine (Wargnier), L'affût (Bellon) ; 1992, Faut-il aimer Mathilde ? (Baily) ; 1993, Loin des barbares (Begeja), La reine Margot (Chéreau) ; 1995, Total Eclipse (Rimbaud/Verlaine) (Holland) ; 1996, C'est pour la bonne cause ! (Fansten) ; 1997, Alors voilà, (Piccoli), Ceux qui m'aiment prendront le train (Chéreau) ; 1999, Stand-by (Stéphanik), La voleuse de Saint-Lubin (Devers), Les acteurs (Blier) ; 2000, Le pornographe (Bonello) ; 2001, Avec tout mon amour (Escriva) ; 2003, C'est le bouquet (Labrune), Un couple épatant, Cavale, Après la vie (Belvaux) ; 2005, Un fil à la patte (Deville) ; 2006, Les amitiés maléfiques (Bourdieu), Sauf le respect que je vous dois (Godet) ; 2007, Dans les cordes (Ric Serrano).

Très émouvante en alcoolique dans *La femme de ma vie*, elle a par la suite endossé une série de rôles très divers, de la lesbienne de *Milou en mai* à la chanteuse de bastringue d'*Indochine*. Ses grands yeux tristes et son physique un peu démodé rappellent les tragédiennes des années 30 et elle oriente d'ailleurs de plus en plus sa carrière vers le théâtre.

Blanc, Manuel

Acteur français né en 1968.

1991, J'embrasse pas (Téchiné) ; 1992, Un crime (Deray) ; 1993, Des feux mal éteints (Moati), Le roi de Paris (Maillet) ; 1994, Lou n'a pas dit non (Miéville) ; 1996, Beaumarchais l'insolent (Molinaro) ; 1999, 1999 Madeleine (Bouhnik), Exit (Megaton) ; 2002, Je t'aime, je t'adore (Bontzolakis) ; 2005, Avant qu'il ne soit trop tard (Dussaux) ; 2006, Exes (Cognito).

Découvert par Téchiné alors qu'il venait à peine de débuter au théâtre, il accumule les rôles de premier plan, mais son jeu légèrement figé contraste un peu avec celui de ses partenaires qui sont, il faut le dire, des pointures : Noiret, Delon, Luchini...

Blanc, Michel

Acteur et réalisateur français né en 1953.

1974, Que la fête commence (Tavernier) ; 1975, La meilleure façon de marcher (Miller), Je t'aime moi non plus (Gainsbourg) ; 1976, Le locataire (Polanski), Attention les yeux (Pirès) ; 1977, L'ordinateur des pompes funèbres (Pirès), On aura tout vu (Lautner), Le diable dans la boîte (Lary), Des enfants gâtés (Tavernier), Vous n'aurez pas l'Alsace et la Lorraine (Coluche) ; 1978, Le point de mire (Tramont), Les héros n'ont pas froid aux oreilles (Némès), Le beaujolais nouveau est arrivé (Voulfow), Les bronzés (Leconte), Cause toujours, tu m'intéresses (Molinaro), L'adolescente (J. Moreau), Chaussette-surprise (Davy), Les bronzés font du ski (Leconte), La tortue sur le dos (Béraud) ; 1980, La gueule de l'autre (Tchernia), Rien ne va plus (Ribes), Le cheval d'orgueil (Chabrol) ; 1981, Ma femme s'appelle reviens (Leconte), Viens chez moi, j'habite chez une copine (Leconte) ; 1983, Circulez, y'a rien à voir (Leconte) ; 1984, Retenez-moi ou je fais un malheur (Gérard), Némo (Selignac), Drôle de samedi (Okan), Marche à l'ombre (Blanc) ; 1986, Tenue de soirée (Blier), Je hais les acteurs (Krawczyk), Les fugitifs (Veber) ; 1987, Sans peur et sans reproche (Jugnot) ; 1988, Une nuit à l'Assemblée nationale (Mocky), Monsieur Hire (Leconte), Chambre à part (Cukier) ; 1990, Uranus (Berri), Les secrets professionnels du docteur Apfelglück (collectif), Strike it Rich (J. Scott) ; 1991, Merci la vie (Blier), Prospero's Books (Prospero's Books) (Greenaway), The Favour, the Watch and the Very Big Fish (La montre, la croix et la manière) (Lewin) ; 1993, Toxic affair (Esposito), Grosse fatigue (Blanc) ; 1994, Ready to Wear (Prêt-à-porter) (Altman), Il mostro (Le monstre) (Benigni) ; 1995, Les grands ducs (Leconte) ; 1999, Mauvaise passe (Blanc) ; 2002, Embrassez qui vous voudrez (Blanc) ; 2004, Madame Édouard (Monfils) ; 2006, Je vous trouve très beau (Mergault), Les bronzés 3, Amis pour la vie (Leconte) ; 2007, Les témoins (Téchiné). *Pour le metteur en scène*, voir le *Dictionnaire du cinéma*, t. I : *Les réalisateurs*.

Il vient de la troupe du Splendid, l'un des fleurons du café-théâtre. C'est Tavernier qui le fit débuter à l'écran, mais il doit tout aux *Bronzés* qui rendirent célèbres sa calvitie et son sourire. Suprême consécration, il est devenu le partenaire de Jerry Lewis dans *Retenez-moi ou je fais un malheur* mais c'est avec *Tenue de soirée* où il a pour partenaire Depardieu qu'il montre, dans un rôle délicat, toute l'étendue de son talent. Un talent que confirme *Monsieur Hire* où il reprend magistralement un rôle tenu par Michel Simon dans *Panique*. Il s'égare, le temps d'un film, dans l'univers de Greenaway puis dans celui de Benigni (où il est un psychiatre impassible), mais il n'est jamais aussi à l'aise que dans ses propres films : *Marche à l'ombre* ou *Grosse fatigue*.

Blancard, René

Acteur fraçais, 1897-1965.

Principaux films : 1941, Le briseur de chaînes (Daniel-Norman) ; 1942, L'assassin habite au 21 (Clouzot), La main du diable (Tourneur), Le voyageur de la Toussaint (Daquin) ; 1943, Le dernier sou (Cayatte), Les Roquevillard (Dréville), Tornavara (Dréville) ; 1944, La cage aux rossignols (Dréville) ; 1945, Mensonges (Stelli), Raboliot (Daroy) ; 1946, Les gosses mènent l'enquête (Labro), Inspecteur Sergil (Daroy), Les portes de la nuit (Carné) ; 1947, Danger de mort (Grangier), Quai des Orfèvres (Clouzot) ; 1948, Bal cupidon (Sauvajon), Les casse-pieds (Dréville) ; 1949, L'épave (Rozier), Le grand rendez-vous (Dréville), La Marie du port (Carné), Un certain monsieur (Ciampi) ; 1950, Rue des Saussaies (Habib), Sous le ciel de Paris (Duvivier) ; 1951, Le plaisir (Ophuls) ; 1952, Les amours finissent à l'aube (Calef), Horizons sans fin (Dréville), Suivez cet homme (Lampin); 1953, Le défroqué (Joannon) ; 1954, Escale à Orly (Dréville), Marchandes d'illusions (André) ; 1955, Mademoiselle de Paris (Kapps), Si Paris nous était conté (Guitry) ; 1956, Les suspects (Dréville) ; 1958, Le petit prof (Rim) ; 1960, La vérité (Clouzot) ; 1961, Jusqu'à plus soif (Labro) ; 1964, Passeport diplomatique, agent K8 (Vernay).

Beaucoup de personnages austères dans la filmographie de René Blancard. Acteur consciencieux, éternel inquiet, c'est sa composition du directeur autoritaire de *La cage aux rossignols* qui lui permit de se faire mieux connaître du public. Remarquable dans *Sous le ciel de Paris* de Duvivier, il trouve ses plus beaux rôles dans les films de Jean Dréville qui l'emploie souvent.

Blanchar, Pierre

Acteur et réalisateur français, 1892-1963.

1920, Papa bon cœur (Grétillon), 1922, Jocelyn (Poirier), Aux jardins de Murcie (Hervil-Mercanton) ; 1923, Geneviève (Poirier), Le juge d'instruction (Dumont) ; 1924, L'arriviste (Hugon) ; 1926, Le joueur d'échecs (Bernard) ; 1927, La valse de l'adieu (Roussel) ; 1928, La marche nuptiale (Hugon), Le capitaine Fracasse (Cavalcanti), 1812 (Wascheneck) ; 1931, Les croix de bois (Bernard), La couturière de Lunéville (Lachmann) ; 1932, L'Atlantide (Pabst), La belle marinière (Lachmann) ; 1933, Cette vieille canaille (Litvak), Iris perdue et retrouvée (Gasnier), Mélo (Czinner), Au bout du monde (Ucicky) ; 1935, Turandot (Lamprecht), Amants et voleurs (Bernard), Crime et châtiment (Chenal), Le Diable en bouteille (Hilpert) ; 1936, Les bateliers de la Volga (Strijewski), Le coupable (Bernard) ; 1937, L'affaire du courrier de Lyon (Lehmann), L'homme de nulle part (Chenal), Mademoiselle Docteur (Pabst), Une femme sans importance (Choux), Carnet de bal (Duvivier), La dame de pique (Ozep) ; 1938, Le joueur (Lamprecht-Daquin), L'étrange M. Victor (Grémillon), A Royal Divorce (Raymond) ; 1939, La nuit de décembre (Bernhardt) ; 1940, L'empreinte du Dieu (Moguy) ; 1941, La neige sur les pas (Berthomieu), Secrets (Blanchar) ; 1942, Pontcarral (Delannoy) ; 1943, Un seul amour (Blanchar) ; 1944, Le bossu (Delannoy) ; 1945, Patrie (Daquin), Les bataillons du ciel (Esway) ; 1946, La symphonie pastorale (Delannoy) ; 1947, Après l'amour (M. Tourneur) ; 1948, Docteur Laennec (Cloche) ; 1949, Bal Cupidon (Sauvajon), Mon ami Sainfoin (Sauvajon) ; 1958, Du Rififi chez les femmes (Joffé) ; 1959, Katia (Siodmak) ; 1961, Le monocle noir (Lautner). *Pour le metteur en scène*, voir le *Dictionnaire du cinéma*, t. I : *Les réalisateurs*.

Débuts au théâtre en 1920. La même année, il tourne son premier film. C'est avec Raymond Bernard qu'il trouve, à l'époque du muet, ses meilleurs rôles. Avec le parlant, il compose quelques personnages extraordinaires dont le médecin marron d'*Un carnet de bal* ou le Raskolnikov de *Crime et châtiment*. Il fera aussi un Lesurque convaincant et qu'il présente comme innocent dans *L'affaire du courrier de Lyon*. Pendant la guerre, il tourne plusieurs films dont deux qu'il met en scène. Mais à la Libération, invoquant son interprétation de *Pontcarral* comme un acte de résistance, il jouera, semble-t-il, les épurateurs à l'égard de ses confrères. Il connaît alors quelques réussites : *Docteur Laennec* et *La symphonie pastorale*. Puis il paraît se désintéresser de sa carrière.

Blanche, Francis

Acteur et réalisateur français, 1921-1974.

1942, Fréderica (Boyer) ; 1948, L'assassin est à l'écoute (André) ; 1949, Tire au flanc (Rivers), Ils ont vingt ans (Delacroix) ; 1951, Une fille à croquer (André) ; 1952, Minuit quai de Bercy (Stengel) ; 1953, Faites-moi confiance (Grangier) ; 1954, Ah ! les belles bacchantes (Loubignac) ; 1956, Honoré de Marseille (Régamey), La vie est belle (Pierre et Thibault), La polka des menottes (André) ; 1957, A pied, en cheval et en voiture (Dréville), Le petit Prof' (Rim), Tous peuvent me tuer (Decoin) ; 1958, A pied, à cheval et en spoutnik (Dréville), Les motards (Laviron), Pourquoi viens-tu si tard ? (Decoin), L'increvable (Boyer) ; 1959, Match contre la mort (Bernard-Aubert), Babette s'en va-t-en guerre (Christian-Jaque), La jument verte (Autant-Lara), Certains l'aiment froide (Bastia) ; 1960, Les pique-assiette (Girault), L'ours (Séchan), La Française et l'amour (Clair, Decoin, Le Chanois...), Vive Henri IV, vive l'amour (Autant-Lara), Un couple (Mocky), Le pillole di Ercole (Les pilules d'Hercule), A noi piacce freddo (Le chat miaulera trois fois) (Steno) ; 1961, L'enlèvement des Sabines (Pottier), Les menteurs (Greville, sous le pseudonyme de Max Montagut), Les livreurs (Girault), Les petits matins (Audry), En plein cirage (Lautner), Le septième juré (Lautner), La planque (André), Snobs (Mocky), La ragazza de mille mesi (Défense d'y toucher) (Steno) ; 1962, L'abominable homme des douanes (M. Allégret), Tartarin de Tarascon (Blanche), Les veinards (Pinoteau), La tulipe noire (Christian-Jaque), Les bricoleurs (Girault), Clémentine chérie (Chevalier), Un drôle de paroissien (Mocky), Les tontons flingueurs (Lautner) ; La vendetta (Chérasse) ; 1963, Des pissenlits par la racine (Lautner), Dragées au poivre (Baratier), Les plus belles escroqueries du monde (sketch Chabrol) ; 1964, La bonne occase (Drach), La chance et l'amour (sketch Berri), La chasse à l'homme (Molinaro), Le repas des fauves (Christian-Jaque), Les gorilles (Girault), La grande frousse/La cité de l'indicible peur (Mocky), Les gros bras (Rigaud), Les barbouzes (Lautner), Jaloux comme un tigre (Cowl), Les Pieds nickelés (Chambon), Requiem pour un Caïd (Cloche) ; 1965, Les baratineurs (Rigaud), La sentinelle endormie (Dréville), Bon week-end (Quignon), Galia (Lautner), Les malabras sont au parfum (Lefanc), Pas de caviar pour tante Olga (Jean Becker) ; La tête du client (Poitrenaud) ; 1966, Le canard en fer-blanc (Poitrenaud), Les compagnons de la marguerite (Mocky), Du mou dans la gâchette (Grospierre), Le plus vieux métier du monde (sketch Autant-Lara), La grande sauterelle (Lautner) ; 1967, Ces messieurs de la famille (André), Le grand bidule (André), Belle de jour (Buñuel) ; 1968, Erotissimo (Pirès), Faites donc plaisir aux amis (Rigaud), Les gros malins (Leboursier), Salut Berthe (Lefranc), La grande lessive (!) (Mocky) ; 1969, Aux frais de la princesse (Quignon), La feldmarescialla (La grosse pagaille) (Steno), Le bourgeois gentil mec (André), Qu'est-ce qui fait courir les crocodiles ? (Poitrenaud), L'étalon (Mocky), Un merveilleux parfum d'oseille (Bassi), Poussez-pas grand-père dans les cactus (Dague), Ces messieurs de la gâchette (André) ; 1970, La grande java (Clair), Êtes-vous fiancée à un marin grec ou à un pilote de ligne ? (Aurel), César Grandblaise (Dewever) ; 1971, La grande mafia (P. Clair), Il furto e l'anima del commercio (La grosse combine) (B. Corbucci) ; 1972, Quand c'est parti, c'est parti (Heroux), Le solitaire (Brunet), All'onorevole piacciono le donne (Obsédé malgré lui) (Fulci) ; 1973, France, société anonyme (Corneau), L'histoire très bonne et très joyeuse de Colinot Trousse-Chemise (Companeez), La dernière bourrée à Paris (André) ; 1974, Dites-le avec des fleurs (Grimblat), Par le sang des autres (Simenon), Ok patron (Vital), Une baleine qui avait mal aux dents (Bral), Un linceul n'a pas de poches (Mocky). *Pour le metteur en scène*, voir le *Dictionnaire du cinéma*, t. I : *Les réalisateurs*.

Extraordinaire humoriste à la radio avec Pierre Cour (« Sans rime ni raison ») et sur scène avec Pierre Dac, il fut aussi un acteur follement drôle qui connut un triomphe avec sa composition de Papa Shultz, chef de la gestapo dans *Babette s'en va-t-en guerre*. Mais c'est dans l'univers bouffon et insolite de Mocky qu'il s'intégrait le mieux. Petit, rondouillard, un brin équivoque, il excelle en Français moyen et donne une éclatante démonstration de son talent dans *Belle de jour* en client de call-girls. Il a succombé à une crise cardiaque.

Blanche, Roland

Acteur français, 1943-1999.

1976, Lâche-moi les valseuses (Nauroy), La première fois (Berri), Le juge Fayard dit « le shérif » (Boisset) ; 1977, Aurais dû faire gaffe, le choc est terrible (Meunier), Le dernier amant romantique (Jaeckin), Le passé simple (Drach) ; 1978, Collections privées (sketch Jaeckin) ; Ils sont grands ces petits (Santoni) ; 1979, La femme flic (Boisset), Mais où est donc Ornicar ? (Van Effenterre), I... comme Icare (Verneuil), Le mors aux dents (Heynemann), Rien ne va plus (Ribes), Le pull-over rouge (Drach) ; 1980, La bande du Rex (Jean-Meunier) ; 1981, Il faut tuer Birgit Haas (Heynemann), Le choix des armes (Corneau) ; 1982, La femme ivoire (Cheminal), Tir groupé (Missiaen), Danton (Wajda) ; 1983, Équateur (Gainsbourg), Les compères (Veber) ; 1984, La triche (Bellon), Ça n'arrive qu'à moi (Perrin), Signé Charlotte (Huppert), Diesel (Kramer), Visage de chien (Gasiorowski) ; 1985, Le quatrième pouvoir (Leroy), La galette du roi (Ribes), Paulette, la pauvre petite milliardaire (Confortès), Le pactole (Mocky), Yiddish connection (Boujenah) ; 1986, Twist again à Moscou (Poiré), Les fugitifs (Veber), Le miraculé (Mocky) ; 1987, La comédie du travail (Moullet), Saxo (Zeitoun), Les saisons du plaisir (Mocky), Une nuit à l'Assemblée nationale (Mocky) ; 1988, L'otage de l'Europe (Kawalerowicz) ; 1989, Nikita (Besson), La soule (Sibra), Trop belle pour toi (Blier) ; 1990, Cherokee (Ortega) ; 1991, Une époque formidable... (Jugnot), Loulou Graffiti (Lejalé), Lune froide (Bouchitey) ; 1992, Hélas pour moi (Godard),

Le bâtard de Dieu (Fechner), Bonsoir (Mocky) ; 1993, Chacun pour toi (Ribes), Elles ne pensent qu'à ça (Dubreuil) ; 1995, Les caprices d'un fleuve (Giraudeau), Beaumarchais l'insolent (Molinaro), Le jaguar (Veber) ; 1996, Bernie (Dupontel), Hercule et Sherlock (Szwarc) ; 1997, Robin des mers (Mocky) ; 1999, Salsa (J. Buñuel).

Il incarnait toujours des personnages mal rasés et équivoques avec un grand talent qui lui permit de ne pas passer inaperçu.

Blanchett, Cate

Actrice australienne née en 1969.

1994, Police Rescue (Carson) ; 1996, Parklands (Millard) ; 1997, Paradise Road (Beresford), Oscar & Lucinda (Fiennes), Thank God He Met Lizzie (Nowlan) ; 1998, Pushing Tin (Newell), Elizabeth (Elizabeth) (Kapur), The Talented Mr. Ripley (Le talentueux M. Ripley) (Minghella), An Ideal Husband (Un mari idéal) (O. Parker) ; 2000, The Gift (Intuitions) (Raimi), The Man Who Cried (The Man Who Cried) (Potter), Hannibal (Hannibal) (R. Scott), The Lord of The Rings : The Fellowship of the Ring (Le seigneur des anneaux : La communauté des anneaux) (Jackson), Heaven (Tykwer) ; 2001, Bandits (Bandits) (Levinson), The Shipping News (Terre-Neuve) (Hallström) ; 2002, The Lord of the Rings : The Two Towers (Le seigneur des anneaux : Les deux tours) (Jackson) ; 2003, Veronica Guerin (Veronica Guerin) (Schumacher), The Lord of the Rings : The Return of the King (Le seigneur des anneaux : Le retour du roi) (Jackson) ; 2004, The Missing (Les disparues) (Howard) ; 2004, The Aviator (Aviator) (Scorsese), Coffee and Cigarettes (Coffee and Cigarettes) (Jarmusch), The Life Aquatic with Steve Zissou (La vie Aquatique) (Wes Anderson) ; 2006, Babel (Babel) (Iñárritu) ; 2007, Notes on a Scandal (Chronique d'un scandale) (Eyre), The Good German (The Good German) (Soderbergh).

Blonde et diaphane, elle fut une idéale reine Elizabeth Ire dans la fresque de Shekhar Kapur, jouant très finement de l'ambiguïté et du modernisme sous-jacent d'un personnage quasi mythique. La suite ne s'est pas fait attendre.

Blavette, Charles

Acteur français, 1902-1967.

1933, Jofroi (Pagnol) ; 1934, Angèle (Pagnol) ; 1935, Cigalon (Pagnol), Toni (Renoir) ; 1936, La vie est à nous (collectif) ; 1937, Les filles du Rhône (Paulin), Regain (Pagnol), L'étrange Monsieur Victor (Grémillon), Le Schpountz (Pagnol) ; 1938, La femme du boulanger (Pagnol) ; 1939, Le dernier tournant (Chenal), Remorques (Grémillon) ; 1940, La fille du puisatier (Pagnol), Parade en sept nuits (M. Allégret) ; 1941, Après l'orage (Ducis), Le soleil a toujours raison (Billon) ; 1942, Simplet (Fernandel), La bonne étoile (Boyer), Lumière d'été (Grémillon), La fausse maîtresse (Cayatte) ; 1943, Le val d'enfer (Tourneur), L'île d'amour (Cam), Cécile est morte (Tourneur) ; 1945, Naïs (Leboursier, Pagnol) ; 1946, Le charcutier de Machonville (Ivernel) ; 1947, Quai des orfèvres (Clouzot), Colomba (Couzinet) ; 1948, Les amants de Vérone (Cayatte) ; 1949, L'épave (Rozier), Prélude à la gloire (Lacombe) ; 1952, Manon des sources (Pagnol) ; 1953, Carnaval (Verneuil) ; 1958, Archimède le clochard (Grangier) ; 1959, Classe tous risques (Sautet), Le déjeuner sur l'herbe (Renoir) ; 1961, Le soleil dans l'œil (Bourdon), Une aussi longue absence (Colpi) ; 1962, Le roi du village (Gruel), Le glaive et la balance (Cayatte), Mon oncle du Texas (Guez), La vendetta (Cherasse) ; 1966, Le jardinier d'Argenteuil (Le Chanois).

Parfait Marseillais, il a su sortir de l'univers de Pagnol pour être Toni. Mais par la suite il fut confiné dans les seconds rôles.

Blethyn, Brenda

Actrice anglaise née en 1946.

1990, The Witches (Les sorcières) (Roeg) ; 1992, A River Runs Through It (Et au milieu coule une rivière) (Redford) ; 1996, Secrets and Lies (Secrets et mensonges) (Leigh) ; 1997, Remember Me ? (Hurran), Night Train (J. Lynch), Music from Another Room (Le « cygne » du destin) (Peters) ; 1998, Girls' Night (Hurran), Little Voice (Little Voice) (Herman), In the Winter Dark (Bogle), Daddy and Them (Thornton) ; 1999, Chicanery Moon (Gibbons), Saving Grace (Saving Grace) (Cole), RKO 281 (Citizen Welles) (B. Ross) ; 2000, On the Nose (Caffrey), Delaney's Flutter (Caffrey) ; 2004, Plots with a View (L'amour, six pieds sous terre) (Hurran) ; 2005, On a Clear Day (Une belle journée) (Dellal), Pride and Prejudice (Orgueil et préjugés) (Wright) ; 2007, Atonement (J. Wright).

Elle est révélée sur le tard avec le personnage d'une femme qui retrouve son enfant abandonnée vingt ans plus tôt dans *Secrets et mensonges*. Beaucoup de théâtre, et une carrière cinématographique désormais partagée entre Angleterre et États-Unis, où elle incarne régulièrement des femmes d'un certain âge un peu gâteuses.

Blier, Bernard

Acteur français, 1916-1989.

1937, Gribouille (M. Allégret), Accord final (Sirk), Trois, six, neuf (Rouleau), L'habit vert (Richebé), Le messager (Rouleau), La dame de Malacca (Allégret) ; 1938, Entrée des artistes (Allégret), Hôtel du Nord (Carné), Altitude 3 200 (Benoit-Lévy), Grisou (Canonge), Place de la Concorde (Lamac), Double crime sur la ligne Maginot (Gandera), Le jour se lève (Carné), L'enfer des anges (Christian-Jaque), Nuit de décembre (Bernhardt) ; 1941, L'assassinat du Père Noël (Christian-Jaque), Caprices (Joannon), Premier bal (Christian-Jaque), Le pavillon brûle (Baroncelli) ; 1942, Le journal tombe à cinq heures (Lacombe), Marie-Martine (Valentin), La nuit fantastique (L'Herbier), Carmen (Christian-Jaque), Romance à trois (Richebé), La femme que j'ai le plus aimée (Vernay), La symphonie fantastique (Christian-Jaque) ; 1943, Les petites du quai aux fleurs (Allégret), Domino (Richebé), Je suis avec toi (Decoin) ; 1944, Farandole (Zwoboda) ; 1945, Seul dans la nuit (Stengel), Monsieur Grégoire s'évade (Daniel-Norman), Messieurs Ludovic (Le Chanois) ; 1946, Le café du cadran (Gehret) ; 1947, Dédée d'Anvers (Y. Allégret), Quai des orfèvres (Clouzot) ; 1948, D'homme à hommes (Christian-Jaque), Les casse-pieds (Dréville), L'école buissonnière (Le Chanois) ; 1949, Retour à la vie (épisode, Cayatte), L'invité du mardi (Deval), Manèges (Y. Allégret), Monseigneur (Richebé), La souricière (Calef) ; 1950, Les anciens de Saint-Loup (Lampin), Sans laisser d'adresse (Le Chanois), Souvenirs perdus (Christian-jaque) ; 1951, La maison Bonnadieu (Rim), Agence matrimoniale (Le Chanois) ; 1952, Je l'ai été trois fois (Guitry), Suivez cet homme (Lampin) ; 1953, Secrets d'alcôve (épisode : Le lit de la Pompadour, Delannoy), Avant le Déluge (Cayatte) ; 1954, Scènes de ménage (Berthomieu) ; 1955, Les hussards (Joffé), Le dossier noir (Cayatte) ; 1956, Prigioneri del Male (Costa), L'homme à l'imperméable (Duvivier), Crime et châtiment (Lampin), La belle époque (court métrage) ; 1957, Quand la femme s'en mêle (Y. Allégret), Retour de manivelle (La Patellière), La bonne tisane (Bromberger), Les misérables (Le Chanois), Sans famille (Michel), L'école des cocottes (Audry) ; 1958, La chatte (Decoin), En légitime défense (Berthomieu), Archimède le clochard (Grangier), Les grandes familles (La Patellière), Le joueur (Autant-Lara), Marie-Octobre (Duvivier) ; 1959, Marche ou crève (Lautner), Les yeux de l'amour (La Patellière), Le secret du chevalier d'Éon (Audry), La grande guerra (La grande guerre) (Monicelli) ; 1960, Le président (Verneuil), Vive Henri IV, vive l'amour (Autant-Lara), Arrêtez les tambours (Lautner), Crimen (Chacun son alibi) (Camerini), Il Gobbo (Le bossu de Rome) (Lizzani), L'ennemi dans l'ombre (Gérard) ; 1961, Le cave se rebiffe (Grangier), Le monocle noir (Lautner), I briganti italiani (Les guerilleros) (Camerini), Les petits matins (Audry), Le septième juré (Lautner) ; 1962, Mathias Sandorf (Lampin), Pourquoi Paris ? (La Patellière), Les saintes nitouches (Montazel), Germinal (Y. Allégret) ; 1963, I compagni (Les camarades) (Monicelli), Il magnifico avventuriero (L'aigle de Florence) (Freda), Alta infedelta (Haute infidélité) (épisode : Gens modernes, Monicelli), La bonne soupe (Thomas), 100 000 dollars au soleil (Verneuil), Les tontons flingueurs (Lautner) ; 1964, La chance et l'amour (épisode : Une chance explosive, Tavernier), Il magnifico cornuto (Le cocu magnifique) (Pietrangeli), La chasse à l'homme (Molinaro), Les barbouzes (Lautner) ; 1965, Les bons vivants (épisode ; La fermeture, Grangier), Una questione d'onore (Question d'honneur) (Zampa), Quand passent les faisans (Molinaro) ; 1966, Peau d'espion (Molinaro), Du mou dans la gâchette (Grospierre), Si j'étais un espion (Blier), Lo straniero (L'étranger) (Visconti), Duello nel mundo (Duel dans le monde) (Scott), Delitto quasi perfetto (Camerini), Le grand restaurant (Besnard), Un idiot à Paris (Korber) ; 1967, Le fou du labo 4 (Besnard), Caroline chérie (La Patellière), Coplan sauve sa peau (Boisset) ; 1968, Faut pas prendre les enfants du bon Dieu pour des canards sauvages (Audiard), Riusciranno i nostri eroi a trovare l'amico misteriosamente scomparso in Africa ? (Nos héros réussiront-ils à retrouver leur ami mystérieusement disparu en Afrique ?) (Scola), Elle boit pas, elle fume pas, elle drague pas... mais elle cause (Audiard), Appelez-moi Mathilde (Mondy), Mon oncle Benjamin (Molinaro) ; 1970, Le cri du cormoran le soir au-dessus des jonques (Audiard), Le distrait (Richard), Laisse aller, c'est une valse (Lautner) ; 1971, Il furto e l'anima del commercio (La grosse combine) (Corbucci), Quarta parete (La limite du péché) (Bolzoni), Catch me a Spy (Les doigts croisés) (Clément), Le tueur (La Patellière), Jo (Girault) ; 1972, Tout le monde il est beau, tout le monde il est gentil (Yanne), Elle cause plus, elle flingue (Audiard), Le grand blond avec une chaussure noire (Robert), Homo eroticus (Vicario), Boccacio (Corbucci) ; 1973, Moi y'en a vouloir des sous (Yanne), Je sais rien mais je dirai tout (Richard), La main à couper (Périer), Par le sang des autres (Simenon) ; 1974, Ce cher Victor (Davis), Les Chinois à Paris

(Yanne), Bons baisers à lundi (Audiard), Il piatto piange (Muzzo), Processo per direttissima (Procès express) (De Garo), C'est pas parce qu'on a rien à dire qu'il faut fermer sa gueule (Audiard), 1975, C'est dur pour tout le monde (Gion), Le faux-cul (Hanin), Calmos (Bertrand Blier), Amici miei (Mes chers amis) (Monicelli) ; 1976, Le corps de mon ennemi (Verneuil), Nuit d'or (Moati) ; 1977, Le compromis (Zerbib), Le témoin (Mocky) ; 1979, Buffet froid (Blier) ; 1980, Il malato imaginario (Le malade imaginaire) (Cervi), Eugenio (Comencini), La fuite en avant (Zerbib), Passione d'amore (Passion d'amour) (Scola) ; 1981, Pétrole pétrole (Gion), Il turno (Cervi) ; 1983, Amici miei II (Mes chers amis II) (Monicelli) ; 1985, Ça n'arrive qu'à moi (Perrin), Le due vite di Mattia Pascal (La double vie de Mathias Pascal) (Monicelli), Le fou de guerre (Risi), Cuore (Cuore) (Comencini), Amici miei atto tre (Loy) ; 1986, Twist again à Moscou (Poiré), Pourvu que ce soit une fille (Monicelli), Je hais les acteurs (Krawczyk) ; 1987, I picari (I picari) (Monicelli) ; 1988, Les possédés (Wajda), Ada dans la jungle (Zingg), Paganini (Kinski), Mangeclous (Mizrahi), Una botta di vita (Oldoini).

Fils d'un éminent biologiste, il décide pourtant de devenir comédien. Non sans mal, puisqu'il sera collé trois fois au Conservatoire avant d'y devenir l'élève de Jouvet. Remarqué dans *Entrée des artistes*, il entame une carrière de cocu, de victime, de petit-bourgeois étriqué, où il fait merveille, servi par sa grosse bouille et sa calvitie précoce. On peut regretter que peu de metteurs en scène (Clouzot et son fils Bertrand Blier mis à part) lui aient proposé des rôles à la mesure de son talent et qu'il se soit égaré trop souvent chez Le Chanois. Reste un grand acteur, contraint parfois de tourner en Italie, faute de travail en France. Mais on ne s'en plaindra pas car il est prodigieux en souffre-douleur de Sordi dans *Nos héros réussiront-ils ?...* ou dans *Le fou de guerre*. Il reste dans notre mémoire comme le patron de bastringue amoureux silencieux et dévoué de Simone Signoret dans *Dédée d'Anvers*.

Blin, Roger

Acteur français, 1907-1984.

1936, La vie est à nous (Renoir), Sous les yeux d'Occident (M. Allégret), Jenny (Carné), Un grand amour de Beethoven (Gance) ; 1937, Le temps des cerises (Dreyfus et Le Chanois), La dame de pique (Ozep), La citadelle du silence (L'Herbier), L'affaire Lafarge (Chenal), L'alibi (Chenal) ; 1938, La révolte des vivants (Pottier), Adrienne Lecouvreur (L'Herbier), Louise (Gance), L'esclave blanche (Sorkin), Entrée des artistes (M. Allégret), Battement de cœur (Decoin) ; 1940, Volpone (Tourneur) ; 1941, La symphonie fantastique (Christian-Jaque), L'âge d'or (de Limur) ; 1942, Le capitaine Fracasse (Gance), La vie de bohème (L'Herbier), Dernier atout (Becker), Les visiteurs du soir (Carné) ; 1943, Douce (Autant-Lara), Adieu Léonard (Prévert), Le corbeau (Clouzot), Le colonel Chabert (Le Hénaff), Premier de cordée (Daquin) ; 1945, Le jugement dernier (Chanas), Le couple idéal (Bernard-Roland) ; 1946, Pour une nuit d'amour (Greville) ; 1948, Hans le marin (Villiers) ; 1949, Histoires extraordinaires (Faurez), Rendez-vous de juillet (Becker), Orphée (Cocteau) ; 1950, Le bagnard (Rozier) ; 1951, La taverne de La Nouvelle-Orléans (Marshall) ; 1955, A toi de jouer Callaghan (Rozier) ; 1956, Notre-Dame de Paris (Delannoy) ; 1959, Les étoiles de midi (Ichac) ; 1964, Aimez-vous les femmes ? (Léon), Marie-Soleil (Bourseiller) ; 1965, Le dimanche de la vie (Herman), Les ruses du diable (Vecchiali) ; 1966, La loi du survivant (Giovanni) ; 1969, Trop petit mon ami (Matalon) ; 1974, Lily aime-moi (Dugowson), L'important c'est d'aimer (Zulawski) ; 1975, Il faut vivre dangereusement (Makovski), Aloïse (Kermadec), Jamais plus toujours (Bellon) ; 1977, Le vieux pays où Rimbaud est mort (Lefèbvre) ; 1978, L'adolescente (Moreau) ; 1982, Cinq et la peau (Rissient).

Il fut surtout un homme de théâtre (*En attendant Godot* de Beckett). Au cinéma il fut voué aux seconds rôles : le mal aimé ou le personnage inquiétant. On n'oubliera pas le pitoyable cancéreux du *Corbeau* qui se donnait la mort avec son rasoir.

Blondell, Joan

Actrice américaine, 1909-1979.

1930, Sinners'Holiday (Adolfi) ; 1931, Illicit (Mayo), Millie, My Past (Del Ruth), Public Enemy (L'ennemi public) (Wellman), God's Gift to Women (Curtiz), Big Business Girl (Seiter), Night Nurse (Wellman), The Reckless Hour (Dillon) ; 1932, Blonde Crazy (Del Ruth), Big City Blues (LeRoy), Union Depot (Green), The Greeks Had a Word for Them (L. Sherman), The Crowd Roars (La foule hurle) (Hawks), The Famous Ferguson Case (Bacon), Make Me a Star (Beaudine), Miss Pinkerton (Bacon), Three on a Match (LeRoy), Central Park (Adolfi), Lawyer Man (Dieterle) ; 1933, Broadway Bad (Lanfield), Blondie Johnson (Enright), Gold Diggers of 1933 (Chercheuses d'or) (LeRoy), Footlight Parade (Prologues) (Bacon), Goodbye Again

(Curtiz), Havana Widows (Enright), Convention City (Mayo) ; 1934, I've Got Your Number (Enright), Smarty (Florey), He Was Her Man (Bacon), Dames (Enright), Kansas City Princess (Keighley) ; 1935, Broadway Gondolier (Le gondolier de Broadway) (Bacon), We're in the Money (Enright), Miss Pacific Fleet (Enright), Traveling Saleslady (Enright) ; 1936, Colleen (Green), Sons O'Guns (Bacon), Bullets or Ballots (Guerre ou crime) (Keighley), Stage Struck (Berkeley), Three Men on a Horse (LeRoy), Gold Diggers of 1937 (Bacon) ; 1937, Talent Scout (Clemens), The King and the Chorus Girl (LeRoy), Back in Circulation (Enright), The Perfect Specimen (Curtiz) ; 1938, Stand-In (Garnett) ; 1939, Off the Record (Flood), East Side of Heaven (Butler), The Kid from Kokomo (Seiler), Good Girls Go to Paris (Hall), The Amazing Mr. Williams (Hall) ; 1940, Two Girls on Broadway (Simon), I Want a Divorce (Murphy) ; 1941, Topper Returns (Le retour de Topper) (Del Ruth), Model Wife (Jason), Lady for a Night (Jason), Three Girls About Town (Jason) ; 1943, Cry Havoc (Thorpe) ; 1944, A Tree Grows in Brooklyn (Le lys de Brooklyn) (Kazan) ; 1945, Adventure (Fleming), Don Juan Quilligan (Tuttle) ; 1946, Christmas Eve (Marin) ; 1947, Nightmare Alley (Le charlatan) (Goulding), The Corpse Came C.O.D. (L'assassin ne pardonne pas) (Levin) ; 1950, For Heaven Sake (Seaton) ; 1951, The Blue Veil (La femme au voile bleu) (Bernhardt) ; 1956, The Opposite Sex (Miller) ; 1957, Lizzie (Haas), This Could Be the Night (Cette nuit ou jamais) (Wise), The Desk Set (W. Lang), Will Success Spoil Rock Hunter (La blonde explosive) (Tashlin) ; 1960, Angel Baby (Wendkos) ; 1964, Advance to the Rear (Le bataillon des lâches) (Marshall) ; 1966, Cincinnati Kid (Le Kid de Cincinnati) (Jewison), Ride Beyond Vengeance (McEveety) ; 1967, Waterhole Number 3 (L'or des pistoleros) (W. Graham) ; 1969, The Delta Factor (Opération Traquenard) (Garnett), The Phynx (Katzin) ; 1971, Support Your Local Gunfighter (Kennedy) ; 1975, Won Ton Ton The Dog Who Saved Hollywood (Winner) ; 1976, The Glove (Hagen) ; 1977, Opening Night (Opening Night) (Cassavetes) ; 1978, Grease (Grease) (Kleiser) ; 1979, The Champ (Le champion) (Zeffirelli) ; 1981, The Woman Inside (Van Winkle).

Reine des comédies musicales de la Warner, elle y faisait preuve d'une sympathique vitalité, donnant une plaisante réplique à Cagney. Fille de comédienne, elle avait escaladé très tôt les planches et rodé son talent dans de nombreuses revues. L'âge venant, elle joua dans des films dramatiques, montrant la variété de ses dons. Elle mourut de leucémie.

Bloom, Claire

Actrice anglaise, de son vrai nom Patricia Blume, née en 1931.

1948, The Blind Goddess (French) ; 1952, Limelight (Les feux de la rampe) (Chaplin) ; 1953, Innocents in Paris (Parry), The Man Between (L'homme de Berlin) (Reed) ; 1955, Richard III (Olivier) ; 1956, Alexander the Great (Rossen) ; 1958, The Brothers Karamazov (Les frères Karamazov) (Brooks), The Buccaneer (Les boucaniers) (Quinn) ; 1959, Look Back in Anger (Richardson) ; 1960, Die Schachnovelle (Oswald) ; 1961, The Chapman Report (Les liaisons coupables) (Cukor) ; 1962, The Wonderful World of the Brothers Grimm (Les amours enchantées) (Levin) ; 1963, The Haunting (La maison du diable) (Wise), Eighty Thousands Suspects (Guest), Il maestro di vigevano (Petri) ; 1964, The Outrage (L'outrage) (Ritt), Alta infidelta (Haute infidélité) (Petri) ; 1965, The Spy Who Came in from the Cold (L'espion qui venait du froid) (Ritt) ; 1968, Charly (Nelson), The Illustrated Man (L'homme tatoué) (Smight) ; 1969, Three Into Two Won't Go (P. Hall) ; 1970, A Severed Head (D. Clement) ; 1971, Red Sky at Morning (Goldstone) ; 1973, A Doll's House (Garland) ; 1976, Island in the Stream (L'île des adieux) (Schaffner) ; 1979, Clash of the Titans (Le choc des titans) (Davis) ; 1984, Déjà vu (Ricci) ; 1987, Sammy and Rosie Get Laid (Sammy et Rosie s'envoient en l'air) (Frears) ; 1989, Crimes and Misdemeanors (Crimes et délits) (Allen) ; 1993, The Age of Innocence (Le temps de l'innocence) (Scorsese) ; 1994, Mad Dogs and Englishmen (Cole), A Village Affair (Armstrong) ; 1995, Mighty Aphrodite (Maudite Aphrodite) (Allen) ; 1996, Daylight (Daylight) (Cohen) ; 1997, Wrestling with Alligators (Weltz) ; 2004, Imagining Argentina (Disparitions) (Hampton).

A l'origine, une carrière théâtrale brillante ; elle est la partenaire de Burton à l'Old Vic. Chaplin la lance dans le cinéma avec *Limelight*. Olivier, Brooks, Cukor font appel à cette brune fragile et émouvante. Elle règne sur le monde du drame. Mariée à Rod Steiger de 1959 à 1971, elle a ensuite ralenti son activité après un deuxième mariage avec le producteur d'*O'Calcutta*, la pièce inspirée d'un tableau de Clovis Trouille.

Bloom, Orlando

Acteur américain né en 1977.

2001, The Lord of the Rings : The Fellowship of the Ring (La communauté de l'anneau)

(Jackson) ; 2002, The Lord of the Rings : The Two Towers (Le seigneur des anneaux : Les deux tours) (Jackson) ; 2003, The Lord of the Rings : The Return of the King (Le seigneur des anneaux : Le retour du roi) (Jackson), Pirates of the Caribbean : The Curse of the Black Pearl (Pirates des Caraïbes : La malédiction du Black Pearl) (Verbinski) ; 2004, Kingdom of Heaven (Kingdom of Heaven) (Scott) ; 2005, Elizabethtown (Rencontres à Elizabethtown) (Crowe) ; 2006, Pirates of the Caribbean : Dead Man's Chest (Pirates des Caraïbes : Le secret du coffre maudit) (Verbinski) ; 2007, Pirates of the Caribbean : At Worlds End (Pirates des Caraïbes, jusqu'au bout du monde) (Verbinski).

Lancé par le rôle de Legolas dans *Le seigneur des anneaux* et celui de Turner dans *Pirates des Caraïbes*, il gagne ses galons de vedette avec *Kingdom of Heaven* où il incarne Balian, humble forgeron et fils de père noble, qui part, en 1186, pour la croisade.

Blore, Eric

Acteur américain, 1887-1959.

1926, The Great Gatsby (Brenon) ; 1930, Laughter (D'Abbadie d'Arrast) ; My Sin (Abbott) ; 1931, Tarnished Lady (Cukor) ; 1933, Flying Down to Rio (Freeland) ; 1934, The Gay Divorcee (La joyeuse divorcée) (Sandrich), Limehouse Blues (Hall) ; 1935, Folies-Bergère (Del Ruth), Behold My Wife (Leisen), The Casino Murder Case (Marin), Top Hat (Le danseur du dessus) (Sandrich), Diamond Jim (Sutherland), Old Man Rhythm (Ludwig), I Live My Wife (Van Dyke), I Dream Too Much (Cromwell), To Beat The Bend (Stoloff), Seven Keys to Baldpate (Landers), The Good Fairy (Wyler) ; 1936, Two in the Dark (Stoloff) ; The Ex-Mrs. Bradford (Roberts) ; Sons o'Guns (Bacon), Piccadilly Jim (Leonard), Swing Time (Sur les ailes de la danse) (Stevens), Quality Street (Stevens), The Smartest Girl in Town (Santley) ; 1937, Shall We Dance (L'entreprenant M. Petrov) (Sandrich), Hitting a New High (Walsh), The Soldier and the Lady (Nicholls), It's Love I'm After (Mayo), Breakfast for Two (Santell) ; 1938, The Joy of Living (Quelle joie de vivre) (Garnett), Swiss Miss (Les montagnards sont là) (Blystone), A Desperate Adventure (Auer) ; 1939, 1 000 a Touchdown (Hogan) ; Island of the Lost Men (Neumann) ; 1940, The Man Who Wouldn't Talk (Burton), South of Suez, The Lone Wolf Strikes (Salkow), Music in My Heart (Stanley), Till We Meet Again (Borzage), The Boys from Syracuse (Sutherland), The Lone Wolf Meets a Lady (Salkow), Earl of Puddlestone (Meins) ; 1941, The Lone Wolf Keeps a Date (Salkow), Lady Scarface (Woodruff), Road to Zanzibar (Schertzinger), The Lady Eve (Un cœur pris au piège) (Sturges), Red Head (Cahn), New York Town (Ch. Vidor), Shangai Gesture (Sternberg), Three Girls About Town (L. Jason), Confirm or Deny (Mayo) ; 1942, Sullivan's Travels (Les voyages de Sullivan) (Sturges), The Moon and Sixpence (Lewin), Secrets of the Lone Wolf (Dmytryk) ; 1943, Forever and a Day (Llyod, Clair...), The Sky's the Limit (L'aventure inoubliable) (E. Griffith), Submarine Base (Kelley), Holy Matrimony (Stahl), One Dangerous Night (Gordon), Passeport to Suez (De Toth) ; 1944, San Diego I love You (Le Borg) ; 1945, Penthouse Rhythm (Cline), Easy to Look at, Kitty (La duchesse des Bas-Fonds) (Leisen) ; 1946, The Notorious Wolf Man (Lederman), Two Sisters from Boston (Koster), Men in Her Diary (Barton), Abie's Irish Rose (Sutherland) ; 1947, The Lone Wolf in Mexico (Lederman), Winter Wonderland (Vorhaus), The Lone Wolf in London (Goodwins) ; 1948, Romance on the High Seas (Curtiz) ; 1949, Love Happy (La pêche au trésor) (Miller) ; 1950, Fancy Pants (Marshall) ; 1952, Babes in Baghdad (Ulmer) ; 1955, Bowery to Baghdad (Bernds).

Il fut maître d'hôtel ou valet de chambre pendant près de cent films : de Maurice Chevalier (baron Cassini dans *Folies-Bergère*) au Loup solitaire (*The Lone Wolf*) en passant par Astaire et Rogers, il en a tellement servi qu'on ne pouvait que lui donner dans ce dictionnaire un certificat de bonne conduite.

Blue, Monte

Acteur américain, 1890-1963.

1916, Intolerance (Griffith) ; 1920, Something to Think About (DeMille) ; 1921, The Affairs of Anatole (DeMille), Moonlight and Honeysuckle (Henaberry), Orphans of the Storm (Griffith), A Perfect Crime (Dwan), The Kentuckians (Charles Maigne), The Broken Doll (Dwan) ; 1922, Peacock Alley (Le paon) (Leonard), My Old Kentucky Home (Smallwood), Broadway Rose (Leonard) ; 1923, Brass (Franklin), Defying Destiny (Chaudet), Lucretia Lombard (Conway), Main Street (Beaumont), The Purple Highwav (Kolker), The Tents of Allah (Logue) ; 1924, Daddies (Seiter), The Dark Swan (M. Webb), Her Marriage Vow (M. Webb), Being Respectable (Rosen), How to Educate a Wife (Monta Bell), The Lover of Camille (Beaumont), Mademoiselle Midnight (Mademoiselle Minuit) (Leonard), The Marriage Circle (Lubitsch), Revelation (Baker) ; 1925,

Kiss Me Again (Lubitsch), Recompense (Beaumont), Red Hot Tires (Kenton), The Limited Mail (G. Hill), Hogan's Alley (Del Ruth) ; 1926, Across the Pacific (Del Ruth), So This Is Paris (Lubitsch), Other Women's Husbands (Kenton), The Man Upstairs (Del Ruth) ; 1927, Wolf's Clothing (Del Ruth), The Bush Leaguer (Bretherton), The Brute (Cummings), The Black Diamond Express (Bretherton), Brass Knuckles (Bacon), Bitter Apples (Hoyt) ; 1928, Conquest (Del Ruth), Across the Atlantic (Bretherton), White Shadows in the South Seas (Ombres blanches) (Van Dyke) ; 1929, The Show of the Shows (Adolfi), Skin Deep (Enright), Tiger Rose (Fitzmaurice), From Headquarters (Bretherton), The Greyhound Limited (Bretherton) ; 1930, Isle of Escape (Bretherton) ; Those Who Dance (Beaudine) ; *par la suite nombreux films en second rôle dont* : 1935, The Lives of a Bengal Lancer (Les trois lanciers du Bengale) (Hathaway) ; 1937, The Outcasts of Poker Flats (Cabanne) ; 1938, Hawk of the Wilderness (Les vautours de la jungle) (Witney et English), The Great Adventures of Wild Bill Hickock (Wright) ; 1939, Juarez (Dieterle) ; 1942, North to Klondike (La fièvre de l'or) (Kenton) ; 1945, San Antonio (San Antonio) (Butler) ; 1950, Dallas (Dallas ville frontière) (Heisler) ; 1953, The Last Posse (Werker) ; 1954, Apache (Bronco Apache) (Aldrich).

On pourrait intituler sa carrière : ascension et chute d'une star. Il débute comme garçon de plateau chez Griffith qui lui confiera le rôle d'un meneur de grève dans *Intolerance*. Il est jeune, beau, on le remarque. DeMille, Dwan, Lubitsch en font une vedette. Il tourne beaucoup et plutôt bien. Survient le parlant qui le relègue dans les troisièmes couteaux. Sa filmographie devient alors plus difficile à établir, d'autant qu'il tient souvent des rôles très secondaires. On le trouve fréquemment en Indien, sans qu'on sache pourquoi, et sa dernière apparition est précisément en Geronimo dans *Apache*, d'Aldrich.

Bluteau, Lothaire

Acteur canadien né en 1957.

1982, Rien qu'un jeu (Sauriol) ; 1983, Les années de rêve (Labrècque) ; 1986, Sonia (Baillargeon), Les fous de Bassan (Simoneau) ; 1988, La nuit avec Hortense (Chabot), Bonjour monsieur Gauguin (Labrecque) ; 1989, Jésus de Montréal (Arcand) ; 1991, Black Robe (Black Robe) (Beresford) ; 1992, Orlando (Orlando) (Potter), The Silent Touch (Zanussi) ; 1994, Other Voices, Other Rooms (Rocksavage) ; 1995, Le confessionnal (Lepage) ; 1996, I Shot Andy Warhol (Harron), Bent (Mathias) ; 1997, Animals (Animals) (Di Jiacomo) ; 1998, Conquest (Haggard), Dead Aviators (Wellington), Senso unico (Bhattacharya) ; 1999, Urbania (Shear).

Une exceptionnelle prestation dans *Jésus de Montréal*, où il tient le rôle du Christ dans la transposition moderne de la Passion, par Denys Arcand. Il est également très convaincant en prêtre missionnaire passionné dans le peu vu *Black Robe*. Puis un rôle dans *Le confessionnal*. Serait-il donc vraiment la réincarnation du Messie ?

Blyth, Ann

Actrice américaine née en 1928.

1944, Babes on Swing Street (Lilley), The Merry Monahans (Lamont), Chip Off the Old Block (Lamont) ; 1945, Mildred Pierce (Le roman de Mildred Pierce) (Curtiz), Bowery to Broadway (Lamont) ; 1947, Killer McCoy (McCoy aux poings d'or) (Rowland), Swell Guy (Tuttle), Brute Force (Les démons de la liberté) (Dassin) ; 1948, Mr. Peabody and the Mermaid (Pichel), Another Part of the Forest (Gordon), A Woman's Vengence (Vengeance de femme) (Korda) ; 1949, Red Canyon (Sherman), Once More My Darling (Montgomery), Free for All (Barton), Top o' the Morning (Miller) ; 1950, Our Very Own (Miller) ; 1951, The Great Caruso (Thorpe), The House in the Square (I'll Never Forget You) (Ward Baker), The Golden Horde (La princesse de Samarkande) (Sherman), Katie Did It (De Cordova), Thunder on the Hill (Tempête sur la colline) (Sirk) ; 1952, The World in His Arms (Le monde lui appartient) (Walsh), One Minute to Zero (Une minute avant l'heure H) (Garnett), Sally and Saint Anne (Maté) ; 1953, All the Brothers Were Valiant (La perle noire) (Thorpe) ; 1954, Rose-Marie (LeRoy), The Student Prince (Le prince étudiant) (Thorpe) ; 1955, Kismet (Minnelli), The King's Thief (Le voleur du roi) (Leonard) ; 1956, Slander (Rowland) ; 1957, The Buster Keaton Story (Sheldon), The Helen Morgan Story (Pour elle un seul homme) (Curtiz).

Chanteuse, elle fut lancée par le rôle de la fille de Crawford dans *Mildred Pierce*. Passée sous contrat à la MGM, elle ne parvint jamais à s'imposer en star.

Boehm ou Böhm, Karl-Heinz

Acteur autrichien né en 1928.

1952, Alraune (Mandragore) (Rabenalt), Der Tag vor der Hochzeit (Thiele), Der Weibertausch (Anton) ; 1953, Salto mortale (Tourjansky), Arlette erobert Paris (Tourjansky), Hochzeit auf Reisen ; 1954, Die Sonne von St. Moritz (Rabenalt) ; Sissi (Marischka), Die Hexe (Ucicky) ; 1955, Dunja (Baky), Sissi die junge Kaiserin (Sissi impératrice) (Marischka) ; 1956, Nina, und die grosse Welt (Kitty) (Weidenmann) ; 1957, Blaue Jungs (Schleif), Sissi, Schicksalsjahre einer Kaiserin (Sissi face à son destin) (Marischka) ; 1958, Das Schloss in Tirol (Vacances au Tyrol) (Radvanyi), Le passager clandestin (Habib), Das Dreimäderlhaus (Sérénade pour trois amours) (Marischka) ; 1959, La Paloma (Martin), Der Gauner und der Liebe Gott (Ambesser), Kriegsgericht (Meisel), Peeping Tom (Le voyeur) (Powell), Too Hot to Handle (La blonde et les nus de Soho) (T. Young) ; 1960, Magnificent Rebel (Tressler) ; 1961, La croix des vivants (Govar) ; 1962, Four Horsemen of the Apocalypse (Les quatre cavaliers de l'Apocalypse) (Minnelli), Du rififi à Tokyo (Deray), The Wonderful World of the Brothers Grimm (Les amours enchantées) (Levin et Pal) ; 1963, Come Fly With Me (Levin) ; 1967, The Venitian Affair (Minuit sur le Grand Canal) (J. Thope) ; 1970, Der amerikanische Soldat (Fassbinder) ; 1973, Martha (Martha) (Fassbinder) ; 1974, Effi Briest Fontane (Effi Briest) (Fassbinder), Faustrecht der Freiheit (Le droit du plus fort) (Fassbinder) ; 1975, Mutter Küsters fahrt zum Himmel (Maman Küsters s'en va au ciel) (Fassbinder) ; 1976, Die Tannerhuette (Leudcke/Kratisch).

Fils du grand chef d'orchestre Karl Boehm, il a débuté au Burgtheater de Vienne avant d'entamer une carrière de jeune premier au cinéma. Pour le cinéphile, il est tout à la fois le fiancé, bien net, de Sissi, dans un cycle d'œuvres à l'eau de rose, et l'inquiétant voyeur qui filme la peur et l'agonie de ses victimes à la caméra-épée dans *Peeping Tom.* Il a été aussi l'un des interprètes préférés de Fassbinder et joua dans plusieurs superproductions américaines. Autant de facettes d'un talent fort divers.

Bogaert, Lucienne

Actrice française, 1893-1983.

1943, Le corbeau (Clouzot), Vautrin (Billon) ; 1944, Les dames du bois de Boulogne (Bresson) ; 1947, Une grande fille toute simple (Manuel) ; 1950, Dieu a besoin des hommes (Delannoy) ; 1953, Les enfants de l'amour (Moguy) ; 1955, Le temps des assassins (Duvivier) ; 1957, Maigret tend un piège (Delannoy) ; 1959, Le huitième jour (Hanoun) ; 1961, Le couteau dans la plaie (Litvak) ; 1963, Un gosse de la butte (Delbez) ; 1967, Le soleil des voyous (Delannoy) ; 1972, Les volets clos (Brialy).

Elle reste dans notre mémoire comme l'une des dames du bois de Boulogne, la mère qui prostitue sa fille par veulerie pour pouvoir maintenir un certain train de vie. Elle finira, prostituée elle-même, dans *Les volets clos.* Peu de films car en définitive Lucienne Bogaert fut avant tout une actrice de théâtre qui appartint aux troupes de Copeau et de Jouvet, qui demeure l'admirable interprète de *Siegfried* ou *d'Amphitryon 38.*

Bogarde, Dirk

Acteur anglais, de son vrai nom Derek van Den Bogaerde, 1921-1999.

1939, Come on George (Formby) ; 1947, Esther Waters (Dalrymple), Dancing With Crimes (Carstairs) ; 1948, Quartet (French) ; 1949, Once a Jolly Swagman (Lee) ; Dear Mr. Prohack (Freeland) ; 1950, The Blue Lamp (Police sans armes) (Dearden), Boys in Brown (Tully), The Woman in Question (La femme en question) (Asquith) ; 1951, So Long at the Fair (Si Paris l'avait su) (Fisher et Darnborough), Blackmailed (Allégret) ; 1952, Hunted (Rapt) (Crichton), The Gentle Gunman (Un si noble tueur) (Dearden et Ralph), Penny Princess (Fromage à gogo) (Guest) ; 1953, Appointment in London (Philip Lecok), Desperate Moment (Aventure à Berlin) (Bennett) ; 1954, They Who Dare (Commando à Rhodes) (Milestone), The Sleeping Tiger (La bête s'éveille) (Losey), For Better or Worse (Lee-Thompson), Doctor in the House (Toubib or not Toubib) (Thomas), The Sea Shall not Have Them (Gilbert), Simba (Desmond Hurst) ; 1955, Doctor at Sea (Rendez-vous à Rio) (Thomas) ; 1956, Cast a Dark Shadow (L'assassin s'était trompé) (Gilbert), The Spanish Gardener (Le jardinier espagnol) (Leacock), Ill Met by Moonlight (Intelligence Service) (Powell et Pressburger) ; 1957, Doctor at Large (Toubib en liberté) (Thomas), Campbell's Kingdom (La vallée de l'or noir) (Thomas) ; 1958, A Tale of Two Cities (Thomas), The Wind Cannot Read (Le vent ne sait pas lire) (R. Thomas) ; 1959, The Doctor's Dilemma (Asquith) ; Libel (La nuit est mon ennemie) (Asquith) ; 1960, Song Without End (Le bal des adieux) (Vidor et Cukor), The Singer, not the Song (Le cavalier noir) (Baker) ; 1961, The victim (La victime) (Dearden), The Angel Wore Red (L'ange pourpre) (Johnson) ; 1962, HMS Defiant (Les mutinés du « Téméraire ») (Gilbert), The Password is Courage (Mot de passe : courage)

(L. Stone), We Joined the Navy (Toye), The Lonely Stage (L'ombre du passé) (Neame) ; 1963, The Mind Benders (Dearden et Ralph), Doctor in Distress (Thomas), The Servant (The Servant) (Losey), Hot Enough for June (X 3 agent spécial) (Thomas) ; 1964, The High Bright Sun (Dernière mission à Nicosie) (Thomas), King and Country (Pour l'exemple) (Losey) ; 1965, Darling (Darling) (Schlesinger) ; 1966, Modesty Blaise (Modesty Blaise) (Losey) ; 1967, Accident (Accident) (Losey), Our Mother's House (Chaque soir à neuf heures) (Clayton) ; 1968, Sebastian (Les filles du code secret) (Greene), The Fixer (L'homme de Kiev) (Frankenheimer) ; 1969, Oh ! What a Lovely War (Dieu que la guerre est jolie) (Attenborough), The Damned (Les damnés) (Visconti), Justine (Justine) (Cukor) ; 1970, Death in Venice (Mort à Venise) (Visconti) ; 1973, Le serpent (Verneuil), Portiere di notte (Portier de nuit) (Cavani) ; 1975, Permission to Kill (La trahison) (Frankel) ; 1977, Providence (Resnais), A Bridge Too Far (Un pont trop loin) (Attenborough) ; 1978, Despair (Fassbinder) ; 1987, The Vision (N. Stone) ; 1990, Daddy Nostalgie (Tavernier).

Un prodigieux acteur. Dans *Trente Ans de cinéma britannique*, Lefèvre et Lacourbe parlent de sa « distinction souveraine », de sa « présence fascinante » et de son « jeu raffiné ». Nulle exagération.

Fils du directeur du service photo du *London Times* et d'une comédienne écossaise, il a suivi le débarquement allié en France avec Montgomery, photographiant et dessinant les batailles. Après la guerre, il s'oriente vers le théâtre avant de signer un contrat cinématographique avec la Rank, en 1947. A ses débuts, il reste encore un peu mièvre, même s'il déploie une louable énergie dans un film d'action comme *Simba*. C'est avec *The Servant* de Losey, où il incarne un valet de chambre pervers et machiavélique, qui précipite la déchéance de son maître, que l'on découvre l'immensité de son talent. Regard ambigu, sourire qui en dit long, geste esquissé puis contenu : Bogarde est proprement génial. De corrupteur, il peut devenir victime : sa fin bouleversante dans *Mort à Venise*, d'après Mann, souligne la diversité de sa palette. Le scandale qui entoure *Portier de nuit* achève d'en faire le prototype des héros troubles. A la fin de sa vie, un peu en retrait des milieux cinématographiques, il écrivait des romans.

Bogart, Humphrey
Acteur américain, 1899-1957.

1930, Broadway's Like That (Murray Roth), A Devil with Women (Cummings), Up the River (Ford) ; 1931, Body and Soul (Santell), Bad Sister (Henley), Women of All Nations (Walsh), A Holy Terror (Cummings) ; 1932, Love Affair (Freeland), Big City Blues (LeRoy), Three on a Match (Une allumette à trois) (LeRoy) ; 1934, Midnight (Erskine) ; 1936, The Petrified Forest (La forêt pétrifiée) (Mayo), Bullets or Ballots (Guerre ou crime) (Keighley), Two Against the World (McGann), China Clipper (Courrier de Chine) (Enright), Isle of Fury (L'île de la furie) (McDonald) ; 1937, Black Legion (La légion noire) (Mayo), The Great O'Malley (Septième district) (Dieterle), Marked Woman (Femmes marquées) (Bacon), Kid Galahad (Le dernier combat ou Le dernier round) (Curtiz), San Quentin (Le révolté) (Bacon), Dead End (Rue sans issue) (Wyler), Stand-In (Garnett), Swing Your Lady (Enright) ; 1938, Crime School (L'école du crime) (Seiler), Men Are Such Fools (Les hommes sont si bêtes) (Berkeley), The Amazing Dr. Clitterhouse (Le mystérieux docteur Clitterhouse) (Litvak), Racket Busters (Menaces sur la ville) (Bacon), Angels with Dirty Faces (Les anges aux figures sales) (Curtiz) ; 1939, King of the Underworld (Hommes sans loi) (Seiler), The Oklahoma Kid (Terreur à l'Ouest) (Bacon), Dark Victory (Victoire sur la nuit) (Goulding), You Can't Get Away With Murder (Le châtiment) (Seiler), The Roaring Twenties (Les fantastiques années 20) (Walsh), The Return of Doctor X (Le retour du docteur X) (V. Sherman), Invisible Strips (Bacon) ; 1940, Virginia City (La caravane héroïque) (Curtiz), It All Came True (Rendez-vous à minuit) (Seiler), Brother Orchid (Bacon), They Drive by Night (Une femme dangereuse) (Walsh) ; 1941, High Sierra (La grande évasion) (Walsh), The Wagons Roll at Night (Enright), The Maltese Falcon (Le faucon maltais) (Huston) ; 1942, All Through the Night (Échec à la Gestapo) (V. Sherman), The Big Shot (Le caïd) (Seiler), Across the Pacific (Griffes jaunes) (Huston) ; 1943, Casablanca (Curtiz), Action in the North Atlantic (Convoi vers la Russie) (Bacon), Thank Your Lucky Stars (Remerciez votre bonne étoile) (Butler), Sahara (Z. Korda) ; 1944, Passage to Marseille (Curtiz) ; 1945, To Have and Have Not (Le port de l'angoisse) (Hawks), Conflict (La mort n'était pas au rendez-vous) (Bernhardt), Hollywood Victory Caravan (Russell) ; 1946, Two Guys from Milwaukee (Butler), The Big Sleep (Le grand sommeil) (Hawks) ; 1947, Dead Reckoning (En marge de l'enquête) (Cromwell), The Two Mrs. Carrolls (La seconde Madame Carroll) (Godfrey), Dark Passage (Les passagers de la nuit) (Daves) ; 1948, Always Together

(F. de Cordova), The Treasure of the Sierra Madre (Le trésor de la Sierra Madre) (Huston), Key Largo (Huston) ; 1949, Knock on Any Door (Les ruelles du malheur) (Ray), Tokyo Joe (Heisler) ; 1950, Chain Lightning (Pilote du diable) (Heisler) ; In a Lonely Place (Le violent) (Ray), The Enforcer (La femme à abattre) (Windust) ; 1951, Sirocco (Bernhardt), The African Queen (La reine africaine) (Huston) ; 1952, Deadline USA (Bas les masques) (Brooks), Battle Circus (Le cirque infernal) (Brooks) ; 1954, Beat the Devil (Plus fort que le diable) (Huston), The Caine Mutiny (Ouragan sur le Caine) (Dmytryk), Sabrina (Wilder), The Barefoot Contessa (La comtesse aux pieds nus) (Mankiewicz) ; 1955, We're No Angels (La cuisine des anges) (Curtiz), The Left Hand of God (La main gauche du Seigneur) (Dmytryk), The Desperate Hours (La maison des otages) (Wyler) ; 1956, The Harder They Fall (Plus dure sera la chute) (Robson).

L'un des mythes du septième art. Son image se confond avec celle du gangster ou du privé de la « série noire ». Chapeau mou, gabardine serrée à la taille, mégot au coin de la lèvre, tel nous apparaît Bogart figé pour l'éternité. Fils d'un chirurgien, il entame des études médicales qu'il abandonne rapidement. Pendant la Première Guerre mondiale, il s'engage dans la marine. Il en ramènera sa curieuse blessure à la lèvre. Démobilisé, il découvre le théâtre : de petits rôles sans importance. Puis c'est le cinéma. Il ne s'impose qu'en 1936, en gangster dans *La forêt pétrifiée* qu'il avait jouée au théâtre avec Leslie Howard. Embauché par la Warner, il tient des rôles de gangsters ou de traîtres de westerns, voués chaque fois à une mort brutale. Puis c'est *High Sierra*, un rôle refusé par Raft, qui en fait un personnage sympathique. Du coup, il se transforme en détective privé, il est le Sam Spade de Hammett, dans *Le faucon maltais*. Il y est extraordinaire et cette fois devient vraiment une vedette. Il sera ensuite le Marlowe de Chandler dans *Le grand sommeil*. Il y a pour partenaire Lauren Bacall qu'il épouse. Déjà *Casablanca* l'a placé en tête au box-office et, jusqu'à *Key Largo*, il va composer un personnage d'aventurier cynique et désabusé mais qui se laisse prendre au piège de l'amour. En 1951, il obtient un oscar avec *African Queen*. Après 1952, c'est un héros plus mûri, plus conscient de ses responsabilités (*Deadline USA*), plus généreux, mais aussi plus vulnérable (*Le violent*), plus sentimental (*La comtesse aux pieds nus*), qui nous permet de découvrir d'autres facettes de son talent. L'homme s'engage dans le camp libéral soutenant Stevenson aux élections présidentielles. Quand Bogart meurt d'un cancer, Hollywood prend le deuil ; c'est l'un de ses rois qui disparaît. « Il n'a qu'à paraître pour dominer une scène », disait de lui Chandler, résumant ainsi « l'aura » qui ne cessa d'entourer celui que ses admirateurs avaient surnommé « Bogey ».

Bohringer, Richard

Acteur et réalisateur français né en 1941.

1970, La maison (Brach) ; 1972, L'Italien des roses (Matton) ; 1974, L'Amour est un fleuve en Russie/Spermula (Matton) ; 1975, Les conquistadores (Pauly) ; 1978, Martin et Léa (Cavalier) ; 1979, Alors heureux ? (Barrois) ; 1980, Les sous-doués (Zidi), Le dernier métro (Truffaut), Diva (Beineix), Les uns et les autres (Lelouch), La Boum (Pinoteau), Inspecteur la bavure (Zidi), Un mauvais fils (Sauter) ; 1981, Ballade à blanc (B. Gauthier), Le grand pardon (Arcady), Quand tu seras débloqué, fais-moi signe (Leterrier) ; 1982, Transit (Candilis) ; 1983, J'ai épousé une ombre (Davis), Debout les crabes, la mer monte (Grandjouan), Cap Canaille (Berto), Le destin de Juliette (Issermann), La bête noire (Chaput), L'or des fous (Grasset), La dame blanche et le diable (Zunica), A mort l'arbitre (Mocky) ; 1984, Le juge (Ph. Lefebvre), L'addition (Amar) ; 1985, Péril en la demeure (Deville), Subway (Besson), Le pactole (Mocky), Diesel (Kramer), Folie suisse (Lipinska) ; 1986, Les années folles du twist (Zemmouri), Ubac (Grasset), L'inconnu de Vienne (Stora), L'intruse (Gentillon), Le paltoquet (Deville), Cent francs l'amour (Richard), Kamikaze (Grousset) ; 1987, Le grand chemin (Hubert), Agent trouble (Mocky), Flag (Santi), Les saisons du plaisir (Mocky) ; 1988, A gauche en sortant de l'ascenseur (Molinaro), Ada dans la jungle (Zingg), La soule (Sibra) ; 1989, The Cook, the Thief, His Wife and her Lover (Le cuisinier, le voleur, sa femme et son amant) (Greenaway), Après la guerre (Hubert), Stan the Flasher (Gainsbourg) ; 1990, Dames galantes (Tacchella), Une époque formidable... (Jugnot), La reine blanche (Hubert), Veraz (Castano) ; 1991, Ragazzi (Keita), Ville à vendre (Mocky) ; 1992, L'accompagnatrice (Miller), Confessions d'un barjo (Boivin), Tango (Leconte) ; 1993, La lumière des étoiles mortes (Matton), Le parfum d'Yvonne (Leconte), Le sourire (Miller) ; 1994, Le cri du cœur (Ouedraogo), Les justiciers (Marx), Dieu, l'amant de ma mère et le fils du charcutier (Issermann) ; 1995, Le montreur de boxe (Ladoge), Les caprices d'un fleuve (Giraudeau), Tykho

Moon (Bilal), Les 2 papas et la maman (Longval, Smaïn) ; 1996, Pondichéry, dernier comptoir des Indes (Favre), Méditerranées (Bérenger), La vérité si je mens ! (Gilou) ; 1997, Combat de fauves (Lamy), La parole (Boccarossa) ; 1998, Yasaeng Dongmool Pohokuyeok (Ki-Duk), Cinq minutes de détente (T. Romero), Comme une bête (Schulmann), L'ami du jardin (Bouchaud) ; 1999, Rembrandt (Matton) ; 2001, Mauvais genre (Girod) ; 2002, Total Kheops (Beverini) ; 2003, L'outremangeur (Binisti), Wanted (Mirman) ; 2004, Les gaous (Sekulic) ; 2005, Cavalcade (Suissa) ; 2006, C'est beau une ville la nuit (Bohringer) ; 2007, Pom le poulain (Ringer). *Pour le metteur en scène*, voir le *Dictionnaire du cinéma*, t. I : *Les réalisateurs*.

Passé de petits rôles à quasi-vedette (*Cap Canaille*). Son meilleur rôle est celui du cynique compagnon de Nathalie Baye qui s'efforce de la faire chanter dans *J'ai épousé une ombre*. On le retrouve aussi bien en garde-chiourme (*L'addition*) qu'en policier désabusé (*Le juge*), toujours ambigu et plutôt antipathique. Grâce à Deville et Mocky, puis à Jugnot et Leconte, il devient vite l'un de nos meilleurs acteurs, même s'il ne tourne pas que des chefs-d'œuvre. En 1988, il remporte un césar pour *Le grand chemin* et s'affirme même excellent écrivain avec *C'est beau une ville la nuit*. Il est Fabio Montale dans *Total Kheops*, plus crédible que Delon à la télé, mais sans le succès.

Bohringer, Romane

Actrice française née en 1974.

1986, Kamikaze (Grousset) ; 1990, Ragazzi (Keita) ; 1992, Les nuits fauves (Collard), L'accompagnatrice (Miller), A cause d'elle (Hubert) ; 1993, Mina Tannenbaum (Martine Dugowson), Le colonel Chabert (Angelo) ; 1994, Les cent et une nuits (Varda) ; 1995, Total Eclipse (Rimbaud/Verlaine) (Holland), L'appartement (Mimouni), Portraits chinois (Martine Dugowson), Lumière et compagnie (Moon) ; 1996, Le ciel est à nous (Guit) ; 1997, Vigo (Vigo, histoire d'une passion) (Temple), La femme de chambre du Titanic (Bigas Luna) ; 1998, Quelque chose d'organique (Bonello) ; 1999, Rembrandt (Matton) ; 2000, The King Is Alive (Levring), Le petit poucet (Dahan), He Died with a Felafel in His Hand (Lowenstein) ; 2002, Nos enfants chéris (Cohen) ; 2005, Qui m'aime me suive (Cohen) ; 2006, C'est beau une ville la nuit (Bohringer), L'éclaireur (Glissant), Lili et le baobab (Richard).

Fille de Richard Bohringer, popularisée par *Les nuits fauves*, pour lequel elle a reçu le césar du meilleur espoir féminin, elle a semblé prendre un temps la relève de Charlotte Gainsbourg. Elle se partage aujourd'hui entre théâtre – elle a commencé chez Peter Brook – et cinéma.

Boisson, Christine

Actrice française née en 1956.

1973, Emmanuelle (Jaeckin) ; 1974, Thomas (Dion), Le jeu avec le feu (Robbe-Grillet) ; 1975, Flic story (Deray), Divine (Delouche) ; 1977, Adom ou le sang d'Abel (Benhamou) ; 1979, Extérieur nuit (Bral) ; 1980, Seuls (Reusser) ; 1981, La chanson du mal aimé (Weisz), Identificazione di una donna (Identification d'une femme) (Antonioni) ; 1982, Les ailes de la nuit (Noever) ; 1983, Rue Barbare (Béhat) ; 1984, Liberté, la nuit (Garrel), Paris vu par... 20 ans après (sketch Garrel) ; 1985, L'aube (Jancso) ; 1986, Rue du départ (Gatlif), Le passage (Manzor), Le moine et la sorcière (Schiffmann), Jenatsch (Schmid) ; 1987, Once We Were Dreamers (Dreamers) (Barbash), La maison de Jeanne (Clément) ; 1988, Radio Corbeau (Boisset) ; 1989, Un amour de trop (Landron) ; 1990, Il y a des jours... et des lunes (Lelouch) ; 1991, Caldo suffocante (Gagliardo) ; 1992, Les amies de ma femme (Van Cauwelaert) ; 1993, Une nouvelle vie (Assayas), Les marmottes (Chouraqui), Pas très catholique (Marshall) ; 1997, L'homme idéal (X. Gélin) ; 1998, In extremis (Faure) ; 1999, En face (Ledoux), Love me (Masson) ; 2000, La mécanique des femmes (Missolz) ; 2003, The Truth about Charlie (La vérité sur Charlie) (Demme).

Spécialiste des films difficiles, elle fut révélée par une œuvre plus commerciale, *Rue Barbare*. De *Emmanuelle* à *La mécanique des femmes*, elle reste une actrice du corps, de la chair. Ce qui n'empêche pas un réel talent de composition.

Boitel, Jeanne

Actrice française, 1904-1987.

Principaux films : 1931, L'Aiglon (Tourjanski) ; 1933, Chotard et Cie (Renoir) ; 1935, Remous (Greville) ; 1938, Remontons les Champs-Élysées (Guitry) ; 1953, Si Versailles m'était conté (Guitry) ; 1954, Napoléon (Guitry) ; 1955, Si Paris nous était conté (Guitry) ; 1958, Maigret tend un piège (Delannoy).

Sociétaire de la Comédie-Française, elle prêta surtout son talent à Guitry et fut notamment Mme de Pompadour dans *Remontons les Champs-Élysées*.

Bolkan, Florinda

Actrice brésilienne née en 1942.

1967, Candy (Marquand), Una ragazza piuttosto complicata (Damiani), Gli intoccabili (Les intouchables) (Montaldo) ; 1968, Le voleur de crimes (N. Trintignant), Metti, una sera a cena (Disons... un soir à dîner) (Patroni Griffi) ; 1969, La caduta degli dei (Les damnés) (Visconti), Indagine su un cittadino al di sopra di ogni sospetto (Enquête sur un citoyen au-dessus de tout soupçon (Petri), Macchie di belleto (Guerrieri), Anonimo veneziano (Salerno), Un détective (Guerrieri) ; 1971, Una stagione all' inferno (Une station en enfer) (N. Risi), The Last Valley (La vallée perdue) (Clavell), E venne il giorno dei limoni neri (Bazzoni), Un uomo da rispettare (Lupo), Non si sevizia un paperino (Fulci), Una lucertola con la pelle di donna (Carole) (Fulci) ; 1972, Incentro (Schivazappa) ; 1973, Una breve vacanza (De Sica), Cari genitori (Salerno), Le droit d'aimer (Le Hung) ; 1974, Flavia la monaca musulmana (Flavia la défroquée (Mingozzi), Le mouton enragé (Deville) ; 1975, Le orme (Bazzoni), Royal Flash (Le froussard héroïque) (Lester) ; 1976, Atentat u Sarajevo (Attentat à Sarajevo) (Bulajic), Il comune senso del pudore (Sordi) ; 1978, La settima donna (Prosperi) ; 1979, Manaos (Vasquez Figueroa) ; 1983, Acqua e sapone (Verdone), Legati da tenera amicizia (Giannetti) ; 1985, La gabbia (L'enchaîné) (Patroni Griffi) ; 1988, Prisoner of Rio (Majewski), Some Girls (Hoffman) ; 1989, The Snare (Lizzani) ; 1991, Miliardi (Vanzina) ; 1994, Delitto passionale (Mogherini) ; 1995, La strana storia di Olga O. (Bonifacio) ; 1998, Bela Donna (Barreto).

« Exotique et sauvage, elle excelle à l'écran dans les rôles de femmes brûlantes d'amour et de désir. Chez elle, rien de la petite fille perverse ni de la beauté à la mode. Sa beauté vient d'ailleurs ; elle a le goût du soleil et de la mort » (*Stars System*, n° 4).

Bonanova, Fortunio

Chanteur et acteur d'origine espagnole, 1893-1969.

1924, Don Juan (Bonanova) ; 1932, Careless Lady (MacKenna) ; 1938, Tropic Holiday (Reed) ; 1941, Citizen Kane (Welles), That Night in Rio (Cummings), Blood and Sand (Arènes sanglantes) (Mamoulian) ; 1942, Larceny Inc. (Bacon), The Black Swan (Le cygne noir) (King) ; 1943, Five Graves to Cairo (Les cinq secrets du désert) (Wilder), For Whom the Bell Tolls (Pour qui sonne le glas) (Wood) ; 1944, Ali Baba and the Forty Thieves (Ali Baba et les quarante voleurs) (Lubin), Mrs. Parkington (Garnett), Double Indemnity (Assurance sur la mort) (Wilder), Going My Way (La route semée d'étoiles) (McCarey) ; 1945, A Bell for Adano (King) ; 1946, Monsieur Beaucaire (Marshall) ; 1947, Fiesta (Thorpe), The Fugitive (Dieu est mort) (Ford) ; 1948, The Adventures of Don Juan (V. Sherman) ; 1949, Whirlpool (Le mystérieux docteur Korvo) (Preminger) ; 1950, Nancy Goes to Rio (Leonard) ; 1951, September Affair (Les amants de Capri) (Dieterle) ; 1953, The Moon Is Blue (La lune est bleue) (Preminger) ; 1955, Kiss Me Deadly (En quatrième vitesse) (Aldrich) ; 1956, Jaguar (Blair) ; 1957, An Affair to Remember (Elle et lui) (McCarey) ; 1959, Thunder in the Sun (La caravane vers le soleil) (Rouse) ; 1963, The Running Man (Reed).

Élève du Conservatoire de Madrid, il sera un baryton réputé, chantant notamment à l'Opéra de Paris et sur d'autres scènes européennes. En 1924, il produit et dirige un film, *Don Juan* qu'il interprète également. A l'heure de la reconversion, Hollywood l'accueille. Il y jouera les rondeurs méridionales. Son rôle le plus connu est celui du professeur de chant dans *Citizen Kane* : il faut le voir s'agiter, comme un diable, dans le trou du souffleur, pendant que chante sur la scène, de façon catastrophique, l'épouse de Kane.

Bond, Ward

Acteur américain, 1905-1960.

1929, Salute (Ford) ; 1930, The Big Trail (La piste des géants) (Walsh), Born Reckless (Ford) ; 1932, Virtue (Buzzell), Hello Trouble (Hillyer), White Eagle (L'aigle blanc) (Hillyer), High Speed (Lederman), Rackety Rax (Werker) ; 1933, Heroes for Sale (Héros à vendre) (Wellmann), The Wrecker (Rogell), Wild Boys of the Road (Wellmann), The Sundown Rider (Hillyer), When Strangers Marry (Badger), Police Car n° 17 (Hillyer), Whirlpool (Neill), Obey the Law (Stoloff) ; 1934, Straightaway (Brower), Most Precious Thing in Life (Hillyer), The Poor Rich (Sedgwick), It Happened One Night (New York-Miami) (Capra), The Defence Rests (Hillyer), Frontier Marshal (Seiler), A Voice in the Night (Coleman), Broadway Bill (Capra), The Fighting Ranger (Seitz), Here Comes the Groom (Sedgwick), The Fighting Code (Hillyer), A Man's Game (Lederman), The Crime of Helen Stanley (Lederman), Kid Millions (Del Ruth), Girl in Danger (Lederman), Against the Law (Hillyer), The Human Side (Buzzell), The Crimson Trail (Raboch) ; 1935, Frontier Rangers (Seitz), Justice of the Range

(Selman), Western Courage (Bennet), Devil Dogs of the Air (Bacon), Too Tough to Kill (Lederman), She Gets Her Man (Nigh), His Night Out (Nigh), Black Fury (Furie noire) (Curtiz), Fighting Shadows (Selman), Little Big Shot (Curtiz), Murder in the Fleet (Sedgwick), Guard that Girl (Hillyer), The Informer (Le mouchard) (Ford), The Headline Woman (Nigh), Waterfront Lady (Stantley), Men of the Night (Hillyer) ; 1936, Pride of the Marines (Lederman), Crash Donovan (Neigh), Legion of Terror (Coleman), Cattle Thief (Bennet), The Bride Walks Out (Jason), Second Wife (Killy), Without Orders (Landers), They Met in a Taxi (Green), Fury (Furie) (Lang), Conflict (Howard), The Man Who Lived Twice (Lachman), The Keathernecks Have Lended (Bretherton), Avenging Waters (Bennet) ; 1937, Dead End (Rue sans issue) (Wyler), You Only Live Once (J'ai le droit de vivre) (Lang), Escape by Night (MacFadden), 23 1/2 Hours' Leave (Blystone), The Devil's Playground (Kenton), A Fight to the Finish (Coleman), The Wildcatter (Collins), Night Key (Corrigan), Park Avenue Logger (Howard) ; 1938, Born to Be Wild (Kane), Submarine Patrol (Patrouille en mer) (Ford), Gun Law (David Howard), The Law West of Tombstone (Tryon), Professor Beware (Professeur Schnock) (Nugent), Hawaii Calls (Cline), Flight into Nowhere (Collins), Mr. Moto's Gamble (Tinling), The Amazing Dr. Clitterhouse (Le mystérieux Dr. Clitterhouse) (Litvak), Bringing Up Baby (L'impossible Monsieur Bébé) (Hawks), Over the Wall (McDonald), Numbered Woman (Brown), Prison Break (Lubin) ; 1939, Dodge City (Les conquérants) (Curtiz), Made for Each Other (Cromwell), They Made Me a Criminal (Je suis un criminel) (Berkeley), Waterfront (Morse), Trouble in Sundown (Howard), The Return of the Cisco Kid (Leeds), Frontier Marshal (Dwan), Drums Along the Mohawk (Sur la piste des Mohawks) (Ford), Young Mr. Lincoln (Vers sa destinée) (Ford), Gone with the Wind (Autant en emporte le vent) (Fleming), The Kid from Kokomo (Seiler), The Oklahoma Kid (Terreur à l'Ouest) (Bacon), Dust Be My Destiny (Jeunesse triomphante) (Seiler) ; 1940, Heaven With a Barbed Wire Fence (Cortez), The Girl from Mexico (Goodwins), Mr. Moto in Danger Island (Leeds), Santa Fe Trail (La piste de Santa Fe) (Curtiz), The Grapes of Wrath (Les raisins de la colère) (Ford), Little Old New York (King), Buck Benny Rides Again (Sandrich), Virginia City (La caravane héroïque) (Curtiz), The Cisco Kid and the Lady (Leeds), The Long Voyage Home (Les hommes de la mer) (Ford), The Mortal Storm (Borzage), Kit Carson (Seitz), Swamp Water (L'étang tragique) (Renoir) ; 1941, The Shepherd of the Hills (Hathaway), A Man Betrayed (Auer), Tobacco Road (La route au tabac) (Ford), Sergent York (Hawks), The Maltese Falcon (Le faucon maltais) (Huston), Doctors Don't Tell (J. Tourneur), Wild Bill Hickok Rides (Enright), Manpower (L'entraîneuse fatale) (Walsh) ; 1942, In This Our Life (Huston), Gentleman Jim (Walsh), Ten Gentlemen from West Point (Hathaway), The Falcon Takes Over (Reis), Sin Town (Enright) ; 1943, A Guy Named Joe (Un nommé Joe) (Fleming), Hitler Dead or Alive (Grinde), They Came to Blow Up America (Ludwig), Slighty Dangerous (Ruggles), Cow-boys Commandos (Luby), Hello ! Frisco, Hello ! (Humberstone) ; 1944, Home in Indiana (Hathaway), The Sullivans (Bacon), Tall in the Saddle (Marin) ; 1945, Dakota (Kane), They Were Expendable (Les sacrifiés) (Ford) ; 1946, My Darling Clementine (La poursuite infernale) (Ford), Canyon Passage (Le passage du canyon) (Tourneur), It's a Wonderful Life (La vie est belle) (Capra), Unconquered (Les conquérants d'un nouveau monde) (DeMille) ; 1947, The Fugitive (Dieu est mort) (Ford) ; 1948, Fort Apache (Le massacre de Fort Apache) (Ford), Joan of Arc (Jeanne d'Arc) (Fleming), Three Godfathers (Le fils du désert) (Ford), The Time of Your Life (Potter), Tap Roots (Le sang de la terre) (Marshall) ; 1950, Riding High (Capra), Singing Guns (Springsteen), Wagonmaster (Le convoi des braves) (Ford), Kiss Tomorrow Goodbye (Le fauve en liberté) (Douglas) ; 1951, Only the Valiant (Fort Invincible) (Douglas), The Great Missouri Raid (Les rebelles du Missouri) (Douglas), On Dangerous Ground (La maison dans l'ombre) (Ray), Operation Pacific (Opération dans le Pacifique) (Waggner) ; 1952, The Quiet Man (L'homme tranquille) (Ford), Hellgate, Thunderbirds (Auer) ; 1953, Blowing Wild (Le souffle sauvage) (Fregonese), The Moonlighter (Rowland), Hondo (Farrow) ; 1954, Gypsy Colt (Marton), The Bob Mathias Story (Lyon), Johnny Guitar (Ray) ; 1955, The Long Gray Line (Ce n'est qu'un au revoir) (Ford), Mister Roberts (Permission jusqu'à l'aube) (Ford et LeRoy), A Man Alone (L'homme traqué) (Milland) ; 1956, The Searchers (La prisonnière du désert) (Ford), Dakota Incident (Guet-apens chez les Sioux) (L. Foster), Pillars of the Sky (Les piliers du ciel) (Marshall) ; 1957, The Wings of Eagles (L'aigle vole au soleil) (Ford), The Halliday Brand (Lewis) ; 1958, China Doll (Borzage) ; 1959, Rio Bravo (Hawks), Alias

Jesse James (Ne tirez pas sur le bandit) (McLeod).

Acteur de western par excellence, il interrompit ses études d'ingénieur pour venir tourner un film à la demande de John Ford et ne quitta plus Hollywood. Il a joué, dans la plupart des œuvres de Ford, des personnages simples et au grand cœur, mais il fut aussi apprécié par Walsh, Hathaway et Hawks qui l'embaucha pour *Rio Bravo*, chant du cygne du western hollywoodien. Bond est mort avec le genre. A la télévision, il fut la principale vedette de *Wagon Trail*, série pionnière du western télévisé.

Bonham Carter, Helena

Actrice anglaise née en 1966.

1983, A Pattern of Roses (Gordon Clark) ; 1985, Lady Jane (Nunn) ; 1986, A Room With a View (Chambre avec vue) (Ivory) ; 1987, The Vision (N. Stone), Maurice (Maurice) (Ivory) ; 1988, A Hazard of Hearts (Hough) ; 1989, La Maschera (La Maschera) (Infascelli), Francesco (Cavani), Getting It Right (Kleiser) ; 1990, Where Angels Fear to Tread (Sturridge) ; 1991, Hamlet (Hamlet) (Zeffirelli), Howards End (Retour à Howards End) (Ivory) ; 1992, The Princess and the Pea — Marina's story (Dornhelm) ; 1993, Mary Shelley's Frankenstein (Frankenstein) (Branagh) ; 1994, Margaret's Museum (Margaret's Museum) (Ransen) ; 1995, Mighty Aphrodite (Maudite Aphrodite) (Allen), Portraits chinois (Martine Dugowson) ; 1996, Twelfth Night (La nuit des rois) (Nunn), The Wings of the Dove (Les ailes de la colombe) (Softley), The Revenger's Comedies (Amour, vengeance et trahison) (Mowbray) ; 1997, Keep the Aspidistra Flying (Bierman), The Theory of Flight (Envole-moi) (Greengrass) ; 1998, Fight Club (Fight Club) (Fincher) ; 1999, Women Talking Dirty (Giedroyc) ; 2000, Novocaine (Atkins) ; 2001, Planet of the Apes (Burton) ; 2002, The Heart of Me (O'Sullivan) ; 2003, Big Fish (Big Fish) (Burton) ; 2005, Charlie and the Chocolate Factory (Charlie et la chocolaterie) (Burton) ; 2006, Conversations with Other Women (Conversation[s] avec une femme) (Canosa) ; 2007, Harry Potter and the Order of the Phoenix (Harry Potter et l'ordre du Phénix) (Yates), Sixty Six (Weiland).

L'Anglaise romantique par excellence, très touchante dans les films d'Ivory où elle passe beaucoup de temps à protéger ses longs cheveux bouclés sous de fragiles ombrelles frangées de dentelle. Peu d'apparitions dans des films à l'esthétique contemporaine.

Bonnaffé, Jacques

Acteur français né en 1958.

1980, Anthracite (Niermans) ; 1983, Prénom : Carmen (Godard), Paris vu par... 20 ans après (sketch Venault) ; 1984, Le meilleur de la vie (Victor), Blanche et Marie (Renard), Escalier C (Tacchella), Elle a passé tant d'heures sous les sunlights (Garrel) ; 1985, La tentation d'Isabelle (Doillon) ; 1986, La femme secrète (Grall), O desejado (Les montagnes de la lune) (P. Rocha), Résidence surveillée (Compain) ; 1988, La campagne de Cicéron (Davila) ; 1989, Baptême (Féret), Blancs cassés (Venault) ; 1990, La fracture du myocarde (Fansten), Les enfants du vent (Rogulski) ; 1991, Arthur Rimbaud, une biographie (narrateur) (Dindo) ; 1992, Identikit (Van Ieperen), Faut-il aimer Mathilde ? (Baily), Roulez jeunesse (Fansten), La place d'un autre (Féret) ; 1993, Couples et amants (Lvoff) ; 1994, Les frères Gravet (Féret) ; 1996, Arthur Rimbaud (Rivière), Capitaine au long cours (Conti-Rossini), C'est pour la bonne cause ! (Fansten), Lucie Aubrac (Berri), Tortilla y cinéma (Provost), Liberté chérie (« Rien que des grandes personnes », Brondolo) ; 1997, Michael Kael contre la World News Company (Smith), Jeanne et le garçon formidable (Ducastel, Martineau) ; 1998, Le sourire du clown (Besnard), Le plus beau pays du monde (Bluwal), Vénus Beauté (Institut) (Marshall), Innocent (Natsis) ; 2001, Va savoir ! (Rivette).

Acteur spécialisé dans le cinéma d'auteur et le théâtre subventionné, il est émouvant et grave dans des rôles difficiles. Accessoirement célèbre pour une scène de masturbation sous la douche dans *Prénom : Carmen*...

Bonnaire, Jean-Paul

Acteur français né en 1943.

1975, Vous ne l'emporterez pas au paradis (Dupont-Midy) ; 1976, Le plein de super (Cavalier) ; 1978, Robert et Robert (Lelouch) ; 1981, L'année prochaine si tout va bien (Hubert) ; 1983, Des terroristes à la retraite (Mosco) ; 1984, Polar (Bral), Le joli cœur (Perrin), A mort l'arbitre (Mocky) ; 1985, Le pactole (Mocky) ; 1986, Les frères Pétard (Palud), Gardien de la nuit (Limosin), Double messieurs (Stévenin), Maine-Océan (Rozier) ; 1987, Duo/solo (Delattre), Irena et les ombres (Robak) ; 1988, La Révolution française (Enrico et Heffron) ; 1989, Divine enfant (Mocky), Joséphine en tournée (Rozier) ; 1991, La pagaille (Thomas) ; 1992, Le coup suprême (Sentier) ; 1993, J'ai pas sommeil (Denis) ; 1994, Le sourire (Miller) ; 1996, Nénette et Boni (Denis) ; 1997, Le cousin (Corneau) ; 1998, Le voyage à Paris (Dufresne), La tentation de l'innocence (Godet), Nos vies heureuses (Maillot) ; 1999, Le monde de Marty (Bardiau), Sur un air d'autoroute... (Boscheron).

Hommage aux « gueules » du cinéma français. Souvent drôle parce que décalé, il a beaucoup joué les curés, les commerçants ou les flics bonasses, rôles dont il transcende le côté terre à terre d'une touche un peu hébétée unique en son genre. Ahurissant dans le rôle du simplet de *Double messieurs.* Aucun lien de parenté avec la comédienne qui suit.

Bonnaire, Sandrine

Actrice française née en 1967.

1981, La boum (Pinoteau) (figuration) ; 1982, Les sous-doués en vacances (Zidi) (figuration) ; 1983, A nos amours (Pialat) ; 1984, Tir à vue (Angelo) ; 1985, Blanche et Marie (Renard), Le meilleur de la vie (Victor), Police (Pialat), Sans toit ni loi (Varda) ; 1986, La puritaine (Doillon) ; 1987, Sous le soleil de Satan (Pialat), Jaune revolver (Langlois), Les innocents (Téchiné) ; 1988, Quelques jours avec moi (Sautet), Monsieur Hire (Leconte), Peaux de vaches (Mazuy) ; 1990, La captive du désert (Depardon), Dans la soirée (Archibugi) ; 1991, Le ciel de Paris (Bena), The Plague (La peste) (Puenzo) ; 1992, Prague (Prague) (Sellar) ; 1994, Jeanne la pucelle – Les batailles/Les prisons (Rivette), Les cent et une nuits (Varda), Confidences à un inconnu (Bardawil) ; 1995, La cérémonie (Chabrol) ; 1996, Never Ever (Finch), Die Schuld der Liebe (Gruber) ; 1997, Secret défense (Rivette), Voleur de vie (Angelo) ; 1998, Au cœur du mensonge (Chabrol) ; 1999, Est-Ouest (Wargnier) ; 2000, Mademoiselle (Lioret) ; 2001, C'est la vie (Améris) ; 2004, Confidences trop intimes (Leconte), Le cou de la girafe (Nebbou), L'équipier (Lioret) ; 2007, Demandez la permission aux enfants ! (Civanyan), Je crois que je l'aime (Jolivet).

A peine dix-neuf ans et déjà un césar en 1986 pour *Sans toit ni loi.* Pureté, innocence, mais un goût prometteur pour les films violents. Une invention de Pialat que vient confirmer *Sans toit ni loi*, de Varda, hallucinante peinture d'un naufrage physique et moral. Elle s'impose face à Depardieu en héroïne de Bernanos dans *Sous le soleil de Satan.* Elle est excellente dans *Monsieur Hire* où elle fascine l'infortuné Michel Blanc. La voici transformée par Rivette en pucelle d'Orléans : elle n'est pas plus ridicule que les interprètes qui l'avaient précédée, mais on la préfère dans *La cérémonie*, en instrument de la lutte des classes. Qu'elle soit l'épouse d'Oleg Menshikov, prisonnière de l'URSS des années 50 dans *Est-Ouest*, ou jeune femme contemporaine amoureuse de Jacques Gamblin dans *Mademoiselle* et de Torreton dans *L'équipier*, ses compositions sont toujours remarquées.

Boon, Dany

Acteur et réalisateur français né en 1966.

2004, Pédale dure (Aghion) ; 2006, La maison du bonheur (Boon), Mon meilleur ami (Leconte). *Pour le metteur en scène*, voir le *Dictionnaire du cinéma*, t. I : *Les réalisateurs.*

Joyeux fantaisiste, il a adapté et joué à l'écran sa pièce *La vie de chantier.*

Boone, Richard

Acteur américain, 1917-1981.

1950, Halls of Montezuma (Okinawa) (Milestone) ; 1951, Call Me Mister (Bacon), Desert Fox (Le renard du désert) (Hathaway) ; 1952, Red Skies of Montana (J. Newman), Return of the Texan (Daves), Way of a Gaucho (Le gaucho) (Tourneur), Kangaroo (La loi du fouet) (Milestone), Man on a Tight Rope (Kazan), City of Badmen (Jones), Vicki (Horner), The Robe (La tunique) (Koster), Beneath the Twelve Mile Reef (Tempête sous la mer) (Webb) ; 1954, The Raid (Fregonese), Siege at Red River (Maté), Dragnet (La police est sur les dents) (Webb) ; 1955, Man without a Star (L'homme qui n'a pas d'étoile) (Vidor), Ten Wanted Men (Dix hommes à abattre) (Humberstone), Robbers' Roost (Salkow) ; 1956, Away All Boats (Brisants humains) (Pevney), Star in the Dust (La corde est prête) (Haas), Battle Stations (L'enfer du Pacifique) (Seiler) ; 1957, Lizzie (Haas), The Tall T (L'homme de l'Arizona) (Boetticher), The Garment Jungle (Rackett dans la couture) (Aldrich-Sherman) ; 1958, I Bury the Living (Albert Band) ; 1960, The Alamo (Alamo) (Wayne) ; 1961, A Thunder of Drums (Tonnerre Apache) (Newman) ; 1964, Rio Conchos (Rio Conchos) (Douglas) ; 1965, The Warlord (Le seigneur de la guerre) (Schaffner) ; 1966, Hombre (Ritt) ; 1968, The Night of the Following Day (La nuit du lendemain) (Cornfield), The Arrangement (L'arrangement) (Kazan), The Kremlin Letter (La lettre du Kremlin) (Huston) ; 1970, Madron (Hopper) ; 1971, Big Jake (Big Jake) (Sherman) ; 1976, The Shootist (Le dernier des géants) (Siegel), Against a Crooked Sky (Bellamy) ; 1978, The Big Sleep (Le grand sommeil) (Winner), The Last Dinosaure (Grasshof), The Bushido Blade (Kotani) ; 1979, Winter Kills (Richert).

Il se prétendait le descendant du trappeur Daniel Boone. Ce qui est sûr, c'est qu'il avait fait tous les métiers (prospecteur, pêcheur, aviateur, boxeur, barman...) avant de devenir acteur. Il fut le méchant ou le dur d'une série de bons westerns, du *Gaucho* au sublime *Rio Conchos* en passant par *L'homme de l'Arizona*, pour terminer avec *Le dernier des géants*. Des films qu'on ne se lasse pas de revoir. Sa composition la plus hallucinante demeure pourtant celle du tueur sadique de *La nuit du lendemain*. Il mourut d'un cancer de la gorge.

Boothe, Powers

Acteur américain né en 1949.

1977, The Goodbye Girl (Adieu, je reste) (Ross) ; 1980, Cruising (Cruising – La chasse) (Friedkin) ; 1981, Southern Comfort (Sans retour) (Hill) ; 1983, A Breed Apart (Une race à part) (Mora) ; 1984, Red Dawn (L'aube rouge) (Milius) ; 1985, The Emerald Forest (La forêt d'émeraude) (Boorman) ; 1987, Extreme Prejudice (Extrême préjudice) (Hill) ; 1992, Rapid Fire (Rapid Fire) (Little) ; 1993, Web of Deception (Colla), Tombstone (Tombstone) (Cosmatos) ; 1994, Blue Sky (Blue Sky) (Richardson) ; 1995, Sudden Death (Mort subite) (Hyams), Mutant Species (Prior), Nixon (Nixon) (Stone) ; 1997, U-Turn (U-Turn) (Stone) ; 1999, Men of Honor (Tillman Jr.) ; 2001, Frailty (Paxton).

Natif du Texas, ce solide gaillard mène une carrière théâtrale très active à partir de 1972 au sein de l'Oregon Shakespeare Company. Au cinéma, il se spécialise dans les rôles virils, mais sans en rajouter dans l'archétype « gros bras mou du bulbe ». Voué aux seconds rôles, il acquiert une certaine reconnaissance avec son rôle d'aventurier dans *La forêt d'émeraude*, mais doit surtout ses succès à la télévision.

Boratto, Caterina

Actrice italienne née en 1915.

1937, Vivere (Brignone), Marcella (Brignone) ; 1938, Chi é più felice di me (Brignone), Hanno rapito un uomo (Righelli) ; 1938, I figli del marchese Lucera (Palermi) ; 1942, Il romanzo di un giovane povero (Le roman d'un jeune homme pauvre) (Brignone) ; 1943, Campo di fiori (Bonnard), Dente per dente (Elter) ; 1951, Il tradimento (Freda) ; 1963, Otto e mezzo (Huit et demi) (Fellini) ; 1965, Io, io, io... e gli altri (Blasetti), Giulietta degli spiriti (Juliette des esprits) (Fellini) ; 1966, Scusi, lei é favorevole o contrario ? (Sordi) ; 1967, Il tigre (L'homme à la Ferrari) (D. Risi), Pronto... c'é una certa Giuliana per te (Franciosa), Stasera mi butto (Fizarotti), Non stuzzicate la zanzera (Wertmüller) ; 1968, Diabolik (Danger... Diabolik !) (Bava), La monaca di Monza (La religieuse de Monza) (E. Visconti) ; 1969, Castle Keep (Un château en enfer) (Pollack), Fellini Satyricon (Fellini-Satyricon) (Fellini), Una storia d'amore (Lupo) ; 1970, Angeli senza paradiso (Fizzarotti) ; 1971, Ettore lo fusto (Girolami) ; 1972, Lady Caroline Lamb (Bolt), Un solo grande amore (Guerin Hill) ; 1973, La ragazza fuori storada (Scattini), Storia di una monaca di clausura (Paolella) ; 1974, La bellissima estate (Martino) ; 1975, Le orme (Bazzoni), Salo o le centoventi giornate di Sodoma (Salo ou Les 120 journées de Sodome) (Pasolini) ; 1977, Per questa notte (Di Carlo) ; 1978, Primo amore (Dernier amour) (D. Risi), Uno contro l'altro... praticamente amici (Corbucci) ; 1979, Sensitività (Castellari) ; 1982, La nuit de Varennes (Scola), Ehrengard (Greco) ; 1984, Claretta (Squitieri) ; 1985, Amici miei, atto III (Loy) ; 1987, 32 dicembre (De Crescenzo), Un delitto poco comune (Deodato) ; 1989, Lo zio indegno (Brusati) ; 1992, Once Upon a Crime... (Levy).

Jeune première remarquée surtout pour sa beauté à l'époque du fascisme, Caterina Boratto abandonne le cinéma en 1944 pour faire un très beau mariage. Devenue veuve au début des années 60, elle réapparaît grâce à Fellini. Restée encore très belle au fil des années, elle est sollicitée par des réalisateurs de renom tels que Bava, Pasolini, Risi et Scola. Elle marque de son talent des rôles de moyenne importance et sa prestation est toujours saluée. Dans *Dernier amour*, de Dino Risi, elle vole plus d'une fois la vedette à Ornella Muti, de quarante ans sa cadette, ce qui peut paraître incroyable. Ces dernières années, elle s'est consacrée au théâtre et à la télévision.

Borelli, Lyda

Actrice italienne, 1886-1959.

1913, Ma l'amor mio non muore (Caserini) ; 1914, La donna nuda (Gallone), La memoria dell'altro ; 1915, Rapsodia satanica (Oxilia), La marcia nuziale (Gallone) ; 1916, Malombra (Gallone), Madame Tallien (Guazzoni), La falena (Gallone) ; 1917, La storia dei tredici (Gallone), Carnevalesca (Palermi), Il dramma di una notte (Caserini).

L'une des premières femmes fatales de l'écran. Décors étranges et intrigues malsaines. Beaucoup de ses films n'ont pas été identifiés à ce jour. En 1918, elle épouse le comte Cini et abandonne l'écran.

Borg, Ariane

Actrice française, de son vrai nom Derveaux, née en 1915.

1933, Du haut en bas (Pabst), Le centenaire (Noël-Noël) ; 1934, Le monde où l'on s'ennuie (Marguenat), Dédé (Guissart), Jeanne (Maret), L'hôtel du libre échange (M. Allégret) ; 1935, Tovaritch (Deval) ; 1939, La charrette fantôme (Duvivier) ; 1942, La valse blanche (Stelli) ; 1943, Bifur 3 (Cam) ; 1945, Le père Serge (Gasnier-Raymond) ; 1946, La cabane aux souvenirs (Stelli).

Remarquée en 1935 par Deval puis par United Artist, c'est finalement Thalberg qui l'engage pour la MGM. Mais la guerre éclate et, craignant pour ses parents, Ariane Borg rentre en France. Sa carrière américaine est brisée. Elle tourne en France plusieurs films dont *Le père Serge* où elle est une éblouissante Maria Korotkava. Mariée à Michel Bouquet en 1945, elle se retire des studios.

Borgeaud, Nelly

Actrice suisse, 1931-2004.

1955, Cela s'appelle l'aurore (Buñuel), Le dossier noir (Cayatte) ; 1959, Vers l'extase (Wheeler) ; 1962, Muriel ou le temps d'un retour (Resnais) ; 1963, Codine (Colpi) ; 1969, La sirène du Mississippi (Truffaut) ; 1975, Parlez-moi d'amour (Drach) ; 1977, L'homme qui aimait les femmes (Truffaut) ; 1978, Le sucre (Rouffio) ; 1980, Mon oncle d'Amérique (Resnais) ; 1987, Dandin (Planchon) ; 1988, Comédie d'été (Vigne) ; 1990, Tumultes (Van Effenterre) ; 1991, L'accompagnatrice (Miller) ; 1992, Une nouvelle vie (Assayas) ; 1997, On connaît la chanson (Resnais), Jeanne et le garçon formidable (Ducastel, Martineau) ; 1998, La vie ne me fait pas peur (Lvovsky) ; 2000, La confusion des genres (Duran Cohen).

Comédienne à Radio Lausanne puis à la RTF, elle se fait connaître au théâtre mais se fait rare au cinéma. Appréciée par Truffaut, elle incarnait une volcanique conquête de Charles Denner dans *L'homme qui aimait les femmes*. Elle a aussi joué la mère de Virginie Ledoyen dans *Jeanne et le garçon formidable*.

Borgnine, Ernest

Acteur américain, de son vrai nom Ermes Borgnino, né en 1917.

1951, China Corsair (Nazarro), The Whistle at Eaton Falls (Siodmak), The Mob (Dans la gueule du loup) (Parrish) ; 1953, From Here to Eternity (Tant qu'il y aura des hommes) (Zinneman), The Stranger Wore a Gun (Les massacreurs du Kansas) (Toth), Demetrius and the Gladiators (Les gladiateurs) (Daves) ; 1954, The Bounty Hunter (Terreur à l'Ouest) (Toth), Johnny Guitar (Ray), Vera Cruz (Aldrich), Run for Cover (A l'ombre des potences) (Ray), Violent Saturday (Les inconnus dans la ville) (Fleischer) ; 1955, Bad Day at Black Rock (Un homme est passé) (Sturges), Marty (Mann), The Last Command (Quand le clairon sonnera) (Lloyd) ; 1956, The Square Jungle (Hopper), Jubal (L'homme de nulle part) (Daves), The Catered Affair (Le repas de noces) (Brooks), The Best Things in Life Are Free (Les rois du jazz) (Curtiz) ; 1957, Three Brave Men (Dunne) ; 1958, The Vickings (Les Vickings) (Fleischer), The Badlanders (L'or du Hollandais) (Daves), Torpedo Run (La dernière torpille) (Pevney) ; 1959, The Rabbit Trap (Leacock) ; 1960, Man on a String (Contre-espionnage) (Toth), Pay or Die (La Maffia) (Wilson), Go Naked in the World (Volupté) (McDougall) ; 1961, Season of Passion (Norman), I briganti italiani (Les guérilleros) (Camerini), Il re di Poggioreale (Coletti), Il iudizio universale (Le jugement dernier) (Sica) ; 1962, Barabbas (Fleischer) ; 1963, Mac Hale's Navy (La flotte se mouille) (Montagne) ; 1965, Flight of the Phoenix (Le vol du Phénix) (Aldrich), The Oscar (La statue en or massif) (Rouse) ; 1966, Chuka (Chuka, le redoutable) (Douglas) ; 1967, The Dirty Dozen (Les douze salopards) (Aldrich) ; 1968, The Legend of Lilah Clare (Le démon des femmes) (Aldrich), The Split (Fleming), Ice Station Zebra (Destination Zebra station polaire) (Sturges) ; 1969, The Adventurers (Les derniers aventuriers) (Gilbert), The Wild Bunch (La horde sauvage) (Peckinpah), Quei disperati che puzzano di sudore e di morte (Les quatre desperados) (Buchs), Suppose They Gave a War and Nobody Came (Trois réservistes à Java) (Averback) ; 1970, Willard (Mann) ; 1971, Hannie Gaulder (Un colt pour trois salopards) (Kennedy), Bunny O'Hare (Oswald), Rain for a Dusty Summer (Lubin) ; 1972, Poseidon Adventure (L'aventure du Poséidon) (Neame), The Revengers (La poursuite sauvage) (D. Mann) ; 1973, The Emperor of the North (L'empereur du Nord) (Aldrich), The Neptune Factor : An Undersea Odyssey (L'odyssée sous la mer) (Petrie) ; 1974, Law and Desorder (La loi et la pagaille) (Passer), L'uomo dalla pelle dura (Prosperi), Sunday in the Country (Trent), The Devil's Rain (La pluie du diable) (Fuest) ; 1975, Hustle (La cité des dangers) (Aldrich) ; 1976, The Greatest (Le plus grand) (Gries), Shoot (Hart) ; 1977, Jesus of Nazareth (Jésus de Nazareth) (Zeffirelli), The Prince and the Pauper (Le prince et le pauvre) (Fleischer), Fire

(Bellamy) ; 1978, Convoy (Peckinpah), Allô madame (Nazzuni), The Double McGuffin (Camp), Ravagers (Compton) ; 1979, When Time Ran Out... (Le jour de la fin du monde) (Goldstone) ; 1980, Escape from New York (New York 1997) (Carpenter), The Black Hole (Le trou noir) (Nelson), Big Bucks (Raffill), Supersnooper (Une drôle de flic) (Corbucci) ; 1981, Deadly Blessing (La ferme de la terreur) (Craven) ; 1983, Young Warriors (Foldes), High Risk (Les risques de l'aventure) (Raffill) ; 1984, The Manhunt (de Angelis) ; 1985, Kommand Leopard (Nom de code : oies sauvages) (Margheriti) ; 1987, Uppercut Man (Martino) ; 1988, Spike of Bensonhurst (Morrissey), Skeleton Coast (Cardos) ; 1989, Turnaround (Cranston), Qualcuno paghera (Martino), Laser Mission (Davis), Gummibären küsst man nicht (Bannert) ; 1990, Any Man's Death (Clegg), Moving Target (Mattei), L'ultima partita (De Angelis) ; 1991, Mistress (Hollywood mistress) (Primus) ; 1993, Der blaue Diamant (Retzer), Tierärztin Christin (Retzer) ; 1994, The Legend of O.B. Taggart (Hitzig), Tides of War (Rossati), Tierärztin Christin II (Retzer) ; 1996, McHale's Navy (Spicer), Merlin's Shop of Mystical Wonders (Berton) ; 1997, Gattaca (Bienvenue à Gattaca) (Niccol) ; 1998, BASEketball (Zucker), Abilene (Camp III), 12 Bucks (Isham) ; 1999, Mel (Joey Travolta), The Last Great Ride (Portillo) ; 2002, 11'09'01 : September 11 (11'09'01 : September 11) (Collectif) ; 2004, Blueberry (Kounen).

Rondouillard, les yeux globuleux mais cruels, il fut l'un des plus remarqués parmi les troisièmes couteaux du cinéma américain. Il est le méchant par excellence, de *Bad Day at Black Rock* à *Deadly Blessing*, parfois en vedette comme dans ce dernier film, souvent en tueur de second plan (*Vera Cruz*). *Marty*, qui lui valut un oscar en 1955, montra que cet ancien marin (dix ans de service), qui fut aussi peintre et décorateur, pouvait interpréter des rôles plus sensibles et plus humains que ceux où il est habituellement promis à une mort violente.

Bosé, Lucia

Actrice italienne née en 1931.

1950, Non c'è pace tra gli ulvi (Pas de paix sous les oliviers) (De Santis), Cronaca di un amore (Chronique d'un amour) (Antonioni) ; 1951, E l'amor che mi rovina (Soldati), Parigi è sempre Parigi (Paris est toujours Paris) (Emmer) ; 1952, Le due verità (Les deux vérités) (Leonviola), Le ragazze di piazza di Spagna (Les fiancés de Rome) (Emmer), Roma, ore 11 (Onze heures sonnaient) (De Santis) ; 1953, Era lei che lo voleva (Girolami) ; 1954, Accade al commissariato (Simonelli), Questa è la vita (Soldati, Zampa, Fabrizi), La signora senza camelie (La dame sans camélias) (Antonioni), Tradita (Bonnard), Le village magique (Le Chanois) ; 1955, Muerta de un ciclista (Mort d'un cycliste) (Bardem), Sinfonia d'amore (Pellegrini) ; 1956, Gli sbandati (Maselli) ; 1957, Cela s'appelle l'aurore (Buñuel) ; 1959, Le testament d'Orphée (Cocteau) ; 1968, No somos de piedra, Nocturno 29, Del amor y otras soledades, Sotto il segno dello scorpione (Sous le signe du Scorpion) (P. et V. Taviani), Fellini Satyricon (Fellini) ; 1969, Del amor y otras soledates (De l'amour et d'autres sentiments) (Patino), Un invierno en Mallorca (Camino) ; 1970, Ciao Gulliver (Tuzii), Metello (Metello) (Bolognini), Qualcosa stricia nel buio (Colucci) ; 1971, La casa de las palomas (Guerin-Hill), L'ospite (Cavani), Arcana (Questi) ; 1972, Ceremonia sangrienta (Grau), Nathalie Granger (Duras), La contofigura (Guerrieri) ; 1973, Vera (Reig), La colona infame (N. Risi) ; 1974, Manchas de sangre en un coche nuevo (Mercero) ; 1975, La messe dorée (Montrésor), Per le antiche scale (Vertiges) (Bolognini), Lumière (Moreau) ; 1977, Violanta (Schmid) ; 1986, Cronaca di una morte annonciata (Chronique d'une mort annoncée) (Rosi) ; 1988, Brumal (Andreu) ; 1989, El niño de la luna (Villaronga) ; 1990, L'avaro (Cervi), Volemos i pantaloni (Ponzi) ; 1994, Succede in quarantotto (Caracciolo et Marino) ; 1999, Harem Suare' (Le dernier harem) (Ozpetek).

Miss Italie 1947 : une bonne année. Belle, fine, distinguée et de surcroît remarquable comédienne, Lucia Bosé s'impose dès *Chronique d'un amour* et se confirme dans *Mort d'un cycliste*. Hélas, elle épouse le torero Dominguin et abandonne le cinéma pendant près de dix ans. On la retrouve, un peu vieillie, dans *Fellini Satyricon*. Elle se disperse entre 1968 et 1977 dans d'obscurs films espagnols ou italiens. Un dernier éclat pourtant dans *Violanta*.

Bosé, Miguel

Chanteur et acteur espagnol né en 1956.

1972, Gli eroi (Les enfants de chœur) (Tessari) ; 1973, Veran uncuento cruel (J. Molina), Il garofano rosso (Faccini) ; 1974, Giovannino (Nuzzi) ; 1975, Retrato de familia (Gimenez Rico), Edipus orca (E. Visconti) ; 1976, Suspiria (Suspiria) (Argento), La gabbia (Tuzzi) ; 1977, Il Californiano (Adios California) (Lupo) ; 1978, Sentado al borde de la mañana con los pies colgando (Berancourt) ; 1985, En penunbra (Lozano) ; 1987, El caballero del dragon (Colomo), Sahara secret (Negrin) ; 1989, Shanghai Lilly (Moléon), L'avaro (Cervi) ; 1990, Lo más natural (J. Molina) ; 1991, Tacones lejanos (Talons aiguilles) (Almodóvar) ; 1992, La nuit sacrée (Klotz), Mazeppa (Bartabas) ; 1993, La reine Margot (Chéreau) ; 1994, Enciende mi pasión (Ganga), Gazon maudit (Balasko) ; 1996, Libertarias (Aranda), Oui (Jardin) ; 1997, La mirada del otro (Aranda).

Chanteur autant que comédien, fils de l'actrice Lucia Bosé, on l'a très peu vu en France jusqu'à *Talons aiguilles* où il jouait un travesti très convaincant.

Bottoms, Timothy

Acteur américain né en 1951.

1971, The Last Picture Show (La dernière séance) (Bogdanovich), Johnny Got His Gun (Johnny s'en va-t-en guerre) (Trumbo) ; 1972, Love and Pain and the Whole Damn Thing (Pakula) ; 1973, The Paper Chase (La chasse aux diplômes) (J. Bridges) ; 1974, The White Dawn (Kaufman), The Crazy World of Julius Vrooder (Hiller) ; 1976, Operation Daybreak (Sept hommes à l'aube) (Gilbert), A Small Town in Texas (Starrett) ; 1977, Rollercoaster (Le toboggan de la mort) (Goldstone) ; 1978, The Other Side of the Mountain Part II (Peerce) ; 1979, Hurricane (L'ouragan) (Troell) ; 1981, The High Country (Hart) ; 1983, Tin Man (Thomas) ; 1984, What Waits Below (Sharp), Serpiente de mar (De Ossorio), Hambone and Hillie (Watts), The Census Taker (Cook) ; 1986, The Fantasist (Hardy), Invaders from Mars (L'invasion vient de Mars) (Hooper), In the Shadow of Kilimanjaro (Bartel) ; 1987, Mio min mio (Grammatikov) ; 1988, Return from River Kwai (Le retour de la rivière Kwai) (McLaglen), The Drifter (Brand), A Case of Honor (E. Romero) ; 1989, Istanbul (Aréhn) ; 1990, Texasville (Texasville) (Bogdanovich) ; 1993, Digger (Turner) ; 1994, Ill Met by Moonlight (Somlow), Horses and Champions (Tydor), Blue Sky (Blue Sky) (Richardson), Ava's Magical Adventure (Dempsey, Parker) ; 1995, Hourglass (Howell), Top Dog (Top Dog) (A. Norris) ; 1996, Uncle Sam (Lustig), Ripper Man (Sears), Ringer (Gustaff) ; 1997, Mr. Atlas (Arbeeny), American Hero (Burr), Absolute Force (Kaman) ; 1998, Mixed Blessings (N. Bass), Illusion Infinity (Smithee), Black Sea 213 (King) ; 1999, The Waterfront (Dell, Sjogrent), The Prince and the Surfer (Gieras, Gross), The Boy with the X-Ray Eyes (Burr) ; 2000, The Entrepreneurs (Gautesen), A Smaller Place (Green), Held for Ransom (Stanley), Murder Seen (Webber) ; 2003, Elephant (Elephant) (Van Sant).

Il est révélé par son incroyable performance de soldat mutilé dans *Johnny s'en va-t-en guerre* et, dans une moindre mesure, par son personnage d'adolescent frustré dans l'Amérique profonde de *La dernière séance*. On peut jeter un voile pudique sur la quasi-totalité du reste de sa carrière.

Bouajila, Sami

Acteur français né en 1966.

1991, La thune (Galland) ; 1992, Les histoires d'amour finissent mal... en général (Fontaine) ; 1994, The Hour of the Pig (Hour of the Pig) (Megahey), Saimt el Qusur (Les silences du palais) (Tlatli) ; 1995, Bye-Bye (Dridi) ; 1996, Anna Oz (Rochant) ; 1997, Artemisia (Merlet), Le déménagement (Doran) ; 1998, The Siege (Couvre-feu) (Zwick), Nos vies heureuses (Maillot) ; 1999, Inséparables (Couvelard), Drôle de Félix (Ducastel, Martineau) ; 2000, La faute à Voltaire (Kechiche), Faites comme si je n'étais pas là (Jahan), Au jour le jour (Begeja) ; 2001, Change-moi ma vie (Begeja), La répétition (Corsini) ; 2002, Embrassez qui vous voudrez (Blanc), Nid de guêpes (Siri) ; 2003, Vivre me tue (Sinapi), Pas si grave (Rapp) ; 2004, Léo en jouant « Dans la compagnie des hommes » (Desplechin) ; 2005, Avant l'oubli (Burger), Zaïna, cavalière de l'Atlas (Guerdjou) ; 2006, Indigènes (Bouchareb),Le concile de pierre (Nicloux) ; 2007, 24 mesures (Lespert), Les témoins (Téchiné).

Originaire de Grenoble, il voit sa carrière décoller avec le rôle principal de *Bye-Bye*, l'impossible retour au pays d'un jeune Algérien. Après un rôle de terroriste palestinien dans une superproduction américaine avec Bruce Willis (*Couvre-feu*), il trouve avec *Drôle de Félix* son meilleur rôle, imprimant un charisme remarquable à ce personnage de jeune sidéen en phase avec la vie. Il est excellent à nouveau en jeune immigré tunisien qui fait tout pour s'intégrer, personnage principal de *La faute à Voltaire*.

Boucher, Stéphane

Acteur français né en 1958.

1984, Notre histoire (Blier) ; 1988, Les fugitifs (Veber) ; 1989, Tolérance (Salfati) ; 1990, Pentimento (Marshall), Sushi, sushi (Perrin), Merci la vie (Blier), L'opération Corned-Beef (Poiré) ; 1991, Boulevard des hirondelles (Dayan), Un cœur qui bat (Dupeyron), Night on Earth (Night on Earth) (Jarmusch), Les clés du paradis (Broca) ; 1992, Zadoc et le bonheur (Salfati) ; 1993, Le hussard sur le toit

(Rappeneau), Les ténors (De Gueitzi), Ainsi soient-elles (Alessandrin) ; 1994, Pullman paradis (Rosier), Jeanne la pucelle – Les batailles/Les prisons (Rivette) ; 1995, Sortez des rangs ! (Robert) ; 1997, Marquise (Belmont) ; 1998, Le Poulpe (Nicloux), Trafic d'influence (Farrugia) ; 2002, C'est le bouquet ! (Labrune) ; 2003, Chouchou (Allouache) ; 2005, Brice de Nice (Huth), Voici venu le temps (Guiraudie) ; 2007, Après lui (G. Morel), Je déteste les enfants des autres ! (Fassio), Ma place au soleil (de Montalier), Tel père, telle fille (Plas).

Très à l'aise dans les téléfilms et sur grand écran, cet acteur troyen semble très apprécié des réalisateurs.

Boucher, Victor

Acteur français, 1877-1942.

1914, La petite chocolatière (Chautard) ; 1930, La douceur d'aimer (Hervil) ; 1931, Gagne ta vie (Berthomieu) ; 1932, Les vignes du seigneur (Hervil) ; 1933, Le sexe faible (Siodmak) ; 1934, Votre sourire (Caron), La banque Nemo (Viel) ; 1935, Bichon (Rivers) ; 1936, Faisons un rêve (Guitry) ; 1937, L'amant de Madame Vidal (Berthomieu), L'habit vert (Richebé) ; 1938, Chipée (Goupillères), Le train pour Venise (Berthomieu) ; 1939, Le bois sacré (Mathot), Ils étaient neuf célibataires (Guitry) ; 1940, Parade en sept nuits (Allégret) ; 1941, Ce n'est pas moi (Baroncelli).

Acteur de théâtre, il a joué dans les adaptations cinématographiques de ses succès au boulevard. Il est irrésistible dans *L'habit vert*.

Bouchet, Barbara

Actrice allemande, de son vrai nom Gutscher, née en 1943.

1964, What a Way to Go ! (Madame croque-maris) (Lee Thompson), A Global Affair (Papa play-boy) (Arnold), Good Neighbor Sam (Prête-moi ton mari) (Swift), Sex and the Single Girl (Une vierge sur canapé) (Quine), Bedtime Story (Les séducteurs) (Levy) ; 1965, John Goldfarb, Please Come Home (L'encombrant monsieur John) (Lee Thompson), In Harm's Way (Première victoire) (Preminger) ; 1966, Agent for H.A.R.M. (Le mur des espions) (Oswald) ; 1967, Casino Royale (Casino Royale) (Huston, Hughes, Parrish, McGrath, Guest) ; 1968, Danger Route (Le coup du lapin) (Holt) ; 1969, Colpo rovente (Pupillo), Sweet Charity (Sweet Charity) (Fosse) ; 1970, Il debito coniugale (Prosperi), Cerca di capirmi (Laurenti), L'asino d'oro : processo per fatti strani contro Lucius Apuleius cittadino romano (Spina), Il prete sposato (Un prêtre à marier) (Vicario) ; 1971, Nokaut (Draskovic), L'uomo dagli occhi di ghiaccio (Martino), Non commettere atti impuri (Petroni), Milano calibro 9 (Milan calibre 9) (Di Leo), Forza 'G' (Tessari), Le calde notti di Don Giovanni (La vie sexuelle de Don Juan) (Brescia, sous le pseudonyme de Bradley) ; 1972, Valeria dentro e fuori (Rondi), Ragazza tutta nuda assassinata nel parco (Brescia), Racconti proibiti... di niente vestiti (Rondi), Non si sevizia un paperino (La longue nuit de l'exorcisme) (Fulci), Finalmente... le mille e una notte (Les 1001 nuits érotiques) (Margheriti, sous le pseudonyme de Dawson), La dama rossa uccide sette volte (La dame en rouge tua sept fois) (Miraglia), Una cavalla tutta nuda (Rossetti, sous le pseudonyme de Backy), La calandria (Festa Campanile), Anche se volessi lavorare, che faccio ? (Mogherini), Amuck (Amadio), La tarantola dal ventre nero (La tarentule au ventre noir) (Cavara) ; 1973, Un tipo con una faccia strana ti cerca per ucciderti (Demicheli), Schegge di vetro su una lastra di ghiaccio (Scavolini), Casa d'appuntamento (Mattei), Ancora una volta prima di lasciarti (Biagetti), Il tuo piacere è il mio (Racca) ; 1974, Quelli che contano (Bianchi), La svergognata (Biagetti), La badessa di Castro (Crispino), L'amica di mia madre (Ivaldi) ; 1975, Amor vuol dir gelosia (Severino), Per le antiche scale (Vertiges) (Bolognini), L'anatra all'arancia (Le canard à l'orange) (Salce) ; 1976, Spogliamoci così senza pudor (Martino), Con la rabbia agli occhi (L'ombre d'un tueur) (Margheriti), 40 gradi all'ombra del lenzuolo (Sexe à gogo) (Martino), Brogliaccio d'amore (Silla) ; 1977, Diamanti sporchi di sangue (Di Leo), L'appuntamento (Biagetti) ; 1978, Come perdere una moglie e trovare un'amante (Festa Campanile), Travolto dagli affetti familiari (Severino) ; 1979, Sabato, domenica e venerdì (sketch Festa Campanile), Liquirizia (Samperi) ; 1980, Sono fotogenico (Je suis photogénique) (Risi), La moglie in vacanza... l'amante in città (Les zizis baladeurs) (Martino), Spaghetti a mezzanotte (Martino), Crema cioccolato e pa...prika (Tarantini) ; 1981, Per favore, occupati di Amelia (Mogherini) ; 1982, Perchè non facciamo l'amore ? (Lucidi) ; 2001, Gangs of New York (Gangs of New York) (Scorsese).

Née en Allemagne mais élevée partiellement aux États-Unis, elle débute dans des productions anglo-saxonnes, puis est remarquée par des producteurs pour sa participation à la série « Agents très spéciaux ». Elle incarne une Miss Moneypenny très vamp dans le James Bond *Casino Royale*, avant de s'installer en Italie en 1970, où elle n'hésitera pas à montrer son corps sous toutes ses coutures dans de nombreuses séries B. Elle mettra fin à sa prolifique carrière à l'avènement du cinéma porno de basse extraction.

Bouchez, Élodie

Actrice française née en 1973.

1991, Stan the flasher (Gainsbourg), Le cahier volé (Lipinska) ; 1992, Tango (Leconte) ; 1993, Le péril jeune (Klapisch), Les roseaux sauvages (Téchiné), Mademoiselle Personne — Jean-Louis Murat a-live (Bailly) ; 1994, Le plus bel âge... (Haudepin) ; 1995, La propriétaire (Merchant), A toute vitesse (Morel), Clubbed to Death (Lola) (Zauberman) ; 1996, Flammen in Paradies (Les raisons du cœur) (Imhoof), La divine poursuite (Deville), Le ciel est à nous (Guit) ; 1997, La vie rêvée des anges (Zonca), Zonzon (Bouhnik) ; 1998, Louise (Take 2) (Siegfried), J'aimerais pas crever un dimanche (Le Pêcheur), Les kidnappeurs (Guit) ; 1999, Lovers (Barr), Shooting Vegetarians (Jackson) ; 2000, Too Much Flesh (Too Much Flesh) (Barr, Arnold), La faute à Voltaire (Kechiche), Le petit poucet (Dahan) ; 2001, Being Light (Barr, Arnold), CQ (R. Coppola), La merveilleuse odyssée de l'idiot Toboggan (Ravalec), La guerre à Paris (Zauberman) ; 2003, Le pacte du silence (Guit), Stormy Weather (Anspach) ; 2005, Brice de Nice (Huth) ; 2007, Ma place au soleil (Montalier).

César du jeune espoir féminin pour *Les roseaux sauvages* ; prix d'interprétation féminine ex aequo avec Natacha Régnier à Cannes en 1998 pour *La vie rêvée des anges*. On attend beaucoup de cette jeune actrice au physique encore adolescent.

Bouchitey, Patrick

Acteur et réalisateur français né en 1946.

1972, Il n'y a pas de fumée sans feu (Cayatte), Les caïds (Enrico) ; 1975, La meilleure façon de marcher (Miller) ; 1976, Le plein de super (Cavalier) ; 1980, Une sale affaire (Bonnot) ; 1982, Que les gros salaires lèvent le doigt (D. Granier-Deferre), Mora (Desclozeaux), Mortelle randonnée (Miller) ; 1983, Coup fourré (Tedoldi) ; 1985, Douce France (Chardeaux) ; 1987, La vie est un long fleuve tranquille (Chatiliez) ; 1990, Le vent de la Toussaint (Béhat), Génial mes parents divorcent (Braoudé), Tatie Danielle (Chatiliez), Mima (Esposito) ; 1991, L'affût (Bellon), Méchant garçon (Gassot) ; 1992, Lune froide (Bouchitey), Un, deux, trois, soleil (Blier) ; 1993, Neuf mois (Braoudé), Parano (Piquer, Robak...), Quand j'avais cinq ans, je m'ai tué (Sussfeld) ; 1995, Le bonheur est dans le pré (Chatiliez), Beaumarchais l'insolent (Molinaro) ; 1996, Les démons de Jésus (Bonvoisin) ; 1997, Vent de colère (Raeburn), Que la lumière soit ! (A. Joffé) ; 1998, Les grandes bouches (Bonvoisin), Doggy bag (Comtet) ; 1999, Le monde de Marty (Bardiau), Passeurs de rêves (Saleem) ; 2000, Le roman de Lulu (Scotto) ; 2002, Les naufragés de la D17 (Moullet) ; 2005, Imposture (Bouchitey) ; 2006, Les aiguilles rouges (Davy). *Pour le metteur en scène*, voir le *Dictionnaire du cinéma*, t. I : *Les réalisateurs*.

Harcelé par un Patrick Dewaere ambigu dans *La meilleure façon de marcher* où il annonçait déjà une grande sensibilité, il connaît le succès populaire grâce à *La vie est un long fleuve tranquille*. Il y était l'inoubliable curé bon chic bon genre, chanteur-compositeur de « Jésus reviens », l'anthologique chanson de messe. Il a par ailleurs réalisé un film qui a frappé par sa crudité : l'histoire d'un loser qui tombe amoureux d'une morte dérobée à la morgue.

Bouillaud, Charles

Acteur français, 1904-1965.

Principaux films : 1946, Pas si bête (Berthomieu) ; 1947, Blanc comme neige (Berthomieu) ; 1948, Le bal des pompiers (Berthomieu) ; Le cœur sur la main (Berthomieu), La veuve et l'innocent (Cerf) ; 1949, Nous irons à Paris (Boyer), Le roi Pandore (Berthomieu) ; 1950, Le roi des camelots (Berthomieu), Dieu a besoin des hommes (Delannoy) ; 1951, Ma femme est formidable (Hunebelle), Coiffeur pour dames (Boyer), Les détectives du dimanche (Orval) ; 1952, Monsieur taxi (Hunebelle), Tambour battant (Combret) ; 1953, Crainquebille (Habib), Les trois mousquetaires (Hunebelle), Virgile (Rim) ; 1954, Cadet-Rousselle (Hunebelle), Les deux font la paire (Berthomieu) ; 1955, La bande à papa (Lefranc), Chiens perdus sans collier (Delannoy), Gas-Oil (Grangier), Toute la ville accuse (Boissol) ; 1956, Les aventures d'Arsène Lupin (Becker), La joyeuse prison (Berthomieu), Porte des Lilas (Clair), Le sang à la tête (Grangier) ; 1957, Les espions (Clouzot), Maigret tend un piège (Delannoy), Police judiciaire (Canonge), Le rouge est mis (Grangier) ; 1958, Asphalte (Bromberger), Bobosse (Perier), Les vignes du Seigneur (Boyer) ; 1959, Babette s'en vat-en guerre (Christian-Jaque), Le baron de l'écluse (Delannoy), Maigret et l'affaire Saint-Fiacre (Delannoy), Rue des Prairies (La Patellière) ; 1960, Crésus (Giono), La Française et l'amour (Boisrond), Une aussi longue absence (Colpi), La vérité (Clouzot), Les vieux de la vieille (Grangier) ; 1961, Le cave se rebiffe (Grangier), C'est pas moi, c'est l'autre (Boyer) ; 1962, Le doulos (Melville), Le glaive et la balance (Cayatte), Les mystères de Paris (Hunebelle), Un singe en hiver (Verneuil) ; 1963, Des pissenlits par la racine (Lautner), Maigret voit rouge (Grangier) ; 1964, Les gros bras (Rigaud), Week-end à Zuydcoote (Verneuil).

Pour avoir si souvent joué au gendarme, la maréchaussée n'avait plus de secret pour l'ami Bouillaud. Cet acteur lunaire, en quête du moindre rôle, se glisse dans une centaine de films. André Berhomieu fit souvent appel à lui, et dans un autre registre, Clouzot, Delannoy, Grangier, Hunebelle ou Verneuil lui firent confiance. Sans prétention, et probablement sans illusion, Charles Bouillaud s'en alla discrètement en 1965, en ignorant que les cinéphiles garderaient longtemps l'image souriante de ce troisième couteau...

Bouillon, Jean-Claude

Acteur français né en 1941.

1966, Made in USA (Godard) ; 1967, Le dernier homme (Bitsch) ; 1968, Emmanuelle et ses sœurs (sketch Albicocco) ; 1969, Le champignon (Simenon), Desirella (Dague), Tout peut arriver (Labro) ; 1970, Léa, l'hiver (Monnet), Un aller simple (Giovanni) ; 1971, La cavale (Mitrani) ; 1972, Helle (Vadim) ; 1974, Es war nicht die Nachtigall (Julia et les hommes) (Rothemund) ; 1977, Haro (Béhat) ; 1978, L'enfant de la nuit (Gobbi), La raison d'État (Cayatte) ; 1979, Le divorcement (Barouh), La Légion saute sur Kolwezi (Coutard) ; 1980, Un escargot dans la tête (Siry), Signé Furax (Simenon) ; 1981, Scopitone (moyen métrage, Perrin) ; 1987, The Unbearable Lightness of Being (L'insoutenable légèreté de l'être) (Kaufman) ; 1991, Les enfants du vent (Rogulski) ; 1992, Pas d'amour sans amour (Dress) ; 1994, Faut pas rire du bonheur (Nicloux), Consentement mutuel (Stora) ; 1997, Un grand cri d'amour (Balasko) ; 2005, Cavalcade (Suissa) ; 2007, Le serpent (Barbier).

Il débute au TNP et c'est Godard qui le lance au cinéma. Bel homme au regard de braise, c'est la série « Les brigades du Tigre » qui le fera connaître. Il tourne surtout dans les années 70, mais délaisse le grand écran au tournant des années 80.

Bouise, Jean

Acteur français, 1929-1989.

1963, La foire aux cancres (Daquin), El otro Cristobal (Gatti) ; 1964, La vieille dame indigne (Allio), Tintin et les oranges bleues (Condroyer) ; 1965, La guerre est finie (Resnais) ; 1966, Avec la peau des autres (Deray) ; 1967, Le mois le plus beau (Blanc) ; 1968, Z (Costa-Gavras) ; 1969, Les hors-la-loi (Fares), Les choses de la vie (Sautet), L'Américain (Bozzuffi) ; 1970, L'aveu (Costa-Gavras), Mourir d'aimer (Cayatte) ; 1971, Out one : spectre/Out one : noli me tangere (Rivette), Les camisards (Allio), Rendez-vous à Bray (Delvaux), La poudre d'escampette (Broca) ; 1972, Les feux de la Chandeleur (Korber), L'attentat (Boisset), Les caïds (Enrico), Les granges brûlées (Chapot) ; 1974, Dupont-Lajoie (Boisset), La brigade (Gilson), Le retour du grand blond (Robert) ; 1975, Folle à tuer (Boisset), Le vieux fusil (Enrico), Section spéciale (Costa-Gavras) ; 1976, M. Klein (Losey), Le juge Fayard dit « le shérif » (Boisset), Mado (Sautet) ; 1977, Les petits câlins (Poiré), Le point de mire (Tramont), Mort d'un pourri (Lautner) ; 1978, Les routes du sud (Losey), Sale rêveur (Perier), Un papillon sur l'épaule (Deray) ; 1979, Coup de tête (Annaud), Un neveu silencieux (Enrico) ; 1980, Anthracite (Niermans), Paco l'infaillible (Haudepin) ; 1982, Hécate (Schmid), Édith et Marcel (Lelouch) ; 1983, La bête noire (Chaput), Équateur (Gainsbourg), Si j'avais mille ans (Enckell), Au nom de tous les miens (Enrico), Le dernier combat (Besson) ; 1984, L'air du crime (Klarer) ; 1985, Partir, revenir (Lelouch), Subway (Besson), Strictement personnel (Jolivet) ; 1986, Zone rouge (Enrico), La dernière image (Lakhdar-Hamina) ; 1987, Le dernier été à Tanger (Arcady), L'été en pente douce (Krawczyk), Le grand bleu (Besson), Châteauroux district (Charigot), Spirale (Frank), Jenatsch (Schmid) ; 1988, De guerre lasse (Enrico), L'œuvre au noir (Delvaux) ; 1989, La Révolution française (Enrico), Un été d'orages (Brandström), Nikita (Besson).

Excellent spécialiste des seconds rôles, cet originaire du Havre, grand, moustachu, au regard myope, fut surtout voué aux personnages de hauts fonctionnaires, du juge s'opposant à Piéplu à l'intérieur de la *Section spéciale*, au diplomate désabusé dans *Hécate*.

Bouix, Évelyne

Actrice française née en 1954.

1979, Bobo Jacco (Bal), Rien ne va plus (Ribes), Alors heureux ? (Barrois), Haine (Goult) ; 1981, Les uns et les autres (Lelouch) ; 1982, Les misérables (Hossein) ; 1983, Édith et Marcel (Lelouch) ; 1984, Viva la vie (Lelouch) ; 1985, Ni avec toi ni avec moi (Maline), Partir revenir (Lelouch) ; 1986, Un homme et une femme : vingt ans déjà (Lelouch) ; 1988, Radio corbeau (Boisset) ; 1990, Bienvenue à bord (Leconte) ; 1991, Ben Rock

(Raynal), Le ciel de Paris (Bena) ; 1993, Tout ça... pour ça ! (Lelouch) ; 1995, Beaumarchais l'insolent (Molinaro) ; 1996, Temps de chien (Marbœuf).

Actrice fétiche de Lelouch, belle et émouvante, elle fut Piaf dans *Édith et Marcel.*

Boujenah, Michel

Acteur et réalisateur français né en 1952.

1980, Mais qu'est-ce que j'ai fait au bon Dieu pour avoir une femme qui boit dans les cafés avec les hommes ? (Saint-Hamont) ; 1983, Rock'n Torah/Le préféré (Grynbaum) ; 1984, Tranches de vie (Leterrier) ; 1985, Trois hommes et un couffin (Serreau), Le voyage à Paimpol (Berry), La dernière image (Lakhdar-Hamina) ; 1986, Prunelle blues (Otmezguine), Levy et Goliath (Oury) ; 1988, Moitié-moitié (P. Boujenah), Les surprises de l'amour (Chomienne) ; 1991, La totale (Zidi) ; 1992, Le nombril du monde (Zeitoun) ; 1994, Les misérables (Lelouch) ; 1995, Un été à la Goulette (Boughedir), Ma femme me quitte (Kaminka) ; 1996, Une femme très très très amoureuse (Zeitoun) ; 1997, XXL (Zeitoun), Don Juan (Weber) ; 2003, Dix-huit ans après (Serreau). *Comme réalisateur :* 2003, Père et fils ; 2007, Amis.

Il excelle sur les planches dans le « one man show ». Au cinéma il a été révélé par *Trois hommes et un couffin*, mais a subi un cuisant échec avec *Levy et Goliath.* Débuts au théâtre dans le Sganarelle de *Don Juan*.

Bouquet, Carole

Actrice française née en 1957.

1977, Cet obscur objet du désir (Buñuel) ; 1978, Blank Generation (Lommel) ; 1979, Buffet froid (Blier), Il cappoto di astrakan (Le manteau d'astrakan) (Vicario) ; 1981, For Your Eyes Only (Rien que pour vos yeux) (Glen) ; 1982, Tag der Idioten (Le jour des idiots) (Schroeter) ; 1983, Mystère (Vanzina), Bingo Bongo (Festa Campanile) ; 1984, Dagobert (Risi), Rive droite, rive gauche (Labro), Nemo (Sélignac) ; 1985, Spécial Police (Vianney), Double messieurs (Stévenin), Le mal d'aimer (Treves) ; 1987, Jenatsch (Schmid) ; 1989, Trop belle pour toi (Blier), Bunker Palace Hôtel (Bilal), New York Stories (New York Stories) (sketch Coppola) ; 1991, Donne con le gonne (Piccioli), Contre l'oubli (collectif) ; 1992, Tango (Leconte) ; 1993, A Business Affair (D'une femme à l'autre) (Brandström) ; 1994, Grosse fatigue (Blanc) ; 1996, Lucie Aubrac (Berri), Abfallprodukte der Liebe (Poussières d'amour) (Schroeter) ; 1998, En plein cœur (Jolivet), Le pique-nique de Lulu Kreuz (Martiny), Un pont entre deux rives (Depardieu, Auburtin) ; 2002, Blanche (Bonvoisin), Embrassez qui vous voudrez (Blanc) ; 2003, Bienvenue chez les Rozes (Palluau) ; 2004, Feux rouges (Kahn), Les fautes d'orthographe (Zilbermann) ; 2005, L'enfer (Tanovic), Nordeste (Solanas), Travaux (Roüan) ; 2006, Un ami parfait (Girod), Aurore (N. Tavernier).

Elle fut extraordinaire en Conchita, rôle qu'elle partagea avec Angela Molina dans le film qu'elle tourna pour Buñuel, *Cet obscur objet du désir* où deux actrices interprétaient le même rôle. D'une exceptionnelle beauté, elle est capable de renoncer à cet atout pour apparaître rongée par la syphilis dans *Le mal d'aimer.* Elle passe de James Bond à une œuvre difficile de Schmid sans le moindre problème. Peut-être, parmi les actrices françaises de 1980, celle qui se rapproche le plus de la « Star ». En 1990, elle obtient un césar pour *Trop belle pour toi.*

Bouquet, Michel

Acteur français né en 1925.

1947, Monsieur Vincent (Cloche), Brigade criminelle (Gil) ; 1948, Manon (Clouzot), Pattes blanches (Grémillon) ; 1951, Deux sous de violettes (Anouilh), Trois femmes (Michel) ; 1955, La tour de Nesle (Gance) ; 1958, Le piège (Brabant) ; 1960, Katia (Siodmak) ; 1963, Le Tigre se parfume à la dynamite (Chabrol) ; 1964, Les amitiés particulières (Delannoy) ; 1967, Lamiel (Aurel), La route de Corinthe (Chabrol), La mariée était en noir (Truffaut) ; 1968, La femme infidèle (Chabrol), La sirène du Mississippi (Truffaut) ; 1969, Le dernier saut (Luntz), Borsalino (Deray) ; 1970, Un condé (Boisset), La rupture (Chabrol), Comptes à rebours (Pigaut) ; 1971, Juste avant la nuit (Chabrol), L'humeur vagabonde (Luntz), Papa, les petits bateaux (Kaplan), Paulina 1880 (Bertucelli), Malpertuis (Kummel) ; 1972, L'attentat (Boisset), Trois milliards sans ascenseur (Pigaut), La sainte famille (Koralnik), Le serpent (Verneuil), Les anges (Desvilles), Il n'y a pas de fumée sans feu (Cayatte), Le complot (Gainville) ; 1973, Défense de savoir (N. Trintignant), Les grands sentiments font les bons gueuletons (Berny), Deux hommes dans la ville (Giovanni), France société anonyme (Corneau), La main à couper (E. Perier), Les suspects (Wyn) ; 1974, Thomas (Dion), Bons baisers à lundi (Audiard), La dynamite est bonne à boire (Trembasiewicz), Vincent mit l'âne dans le pré (Zucca), Au-delà de la peur (Andréi) ; 1976, Métamorphoses (Paul de Roubaix), Le jouet (Veber) ; 1977, Le compromis (Zerbib), L'ordre et la sécurité du monde (d'Anna) ; 1978, La raison d'État (Cayatte) ; 1982, Les misérables (Hossein) ; 1983, La fuite en avant (Zerbib) ; 1985, Poulet au vinaigre (Chabrol) ; 1990, Toto le héros (Van Dormael) ; 1991, Tous les matins du monde (Corneau) ; 1992, La joie de vivre (Guillot) ; 1994, Élisa (J. Becker) ; 1999, Il manoscritto del principe (Ando) ; 2000, Comment j'ai tué mon père (Fontaine) ; 2003, Les côtelettes (Blier) ; 2004, L'après-midi de M. Andesmas (Porte) ; 2005, Le promeneur du Champ-de-Mars (Guédiguian).

S'il peut être considéré comme l'un des meilleurs comédiens français des années 70, n'est-ce pas parce que, comme les merveilleux acteurs d'avant-guerre, il a fait beaucoup de théâtre depuis le Conservatoire (où il fut élève d'Escande, avant de débuter dans *Caligula* aux côtés de Gérard Philipe et de devenir l'interprète préféré d'Anouilh) ? Chabrol en fit à l'écran le type même du bourgeois, du notable, secret et dévoyé, allant jusqu'au crime. Bouquet est, dans la vie, à l'opposé de ce type de personnage si l'on en croit du moins le livre qui lui a été consacré par André Coutin : *L'homme en jeu*. Le dépouillement et la concentration. En fait, animé par la passion du théâtre, Bouquet est un vrai professionnel, capable de tenir les rôles les plus divers. Il en fit la démonstration dans *L'humeur vagabonde*, où il couvrait à lui tout seul presque toute la distribution du film. Il prête sa voix au commentateur dans la version française du *Festin de Babette*. Il est un étonnant François Mitterrand dans *Le promeneur du Champ-de-Mars*.

Bourdelle, Thomy

Acteur français, 1891-1972.

1922, Jocelyn (Poirier), Geneviève (Poirier) ; 1923, L'auberge rouge (Epstein) ; 1924, L'affaire du courrier de Lyon (Poirier), La Brière (Poirier), L'Aiglonne (Keppens), Pêcheurs d'Islande (Baroncelli), L'enfant des Halles (Leprince) ; 1925, Taxi 313 X 7 (Colombier), Les dévoyés (Vorins), Jean Chouan (Luitz-Morat), Surcouf (Luitz-Morat) ; 1926, Les fiançailles rouges (Lion), La maison de Saint-Cloud (Manoussi) ; 1927, Le martyre de saint Maxence (Donatien) ; 1928, Verdun vision d'histoire (Poirier), En rade (Cavalcanti) ; 1929, La divine croisière (Duvivier) ; 1930, Cain (Poirier) ; 1931, Fantômas (Fejos), A mi-chemin du ciel (Cavalcanti), Danton (Roubaud), Camp volant (Reichmann), Le rebelle (Millar) ; 1932, Tumultes (Siodmak), Mon ami Tim (Forrester), Les trois mousquetaires (Diamant-Berger) ; 1933, La maison dans la dune (Billon), Quatorze juillet (Clair), Le testament du docteur Mabuse (Lang) ; 1934, Maria Chapdelaine (Duvivier), Pêcheurs d'Islande (Guerlais), Le diable en bouteille (Hilpert) ; 1935, L'homme à l'oreille cassée (Boudrioz) ; 1936, L'argent (Billon), L'appel du silence (Poirier), Quand minuit sonnera (Joannon), Un homme de trop à bord (Lamprecht) ; 1937, Arsène Lupin détective (Diamant-Berger), Sœurs d'armes (Poirier) ; 1938, Chéri-Bibi (Mathot), Adrienne Lecouvreur (L'Herbier) ; 1939, Brazza (Poirier), La belle revanche (Mesnier) ; 1940, Le collier de chanvre (Mathot) ; 1942, Les cadets de l'Océan (Dréville), Jeannou (Poirier) ; 1944, Le cavalier noir (Grangier) ; 1945, Le Capitan (Vernay) ; 1946, Cœur de coq (Cloche) ; 1947, La route inconnue (Poirier), Un flic (Canonge) ; 1948, La bataille du feu (Canonge) ; 1949, Vendetta en Camargue (Devaivre) ; 1950, Bille de clown (Wall) ; 1951, Capitaine Ardant (Zwoboda) ; 1952, Le retour de Don Camillo (Duvivier), Quitte ou double (Vernay) ; 1953, Tabor (Péclet) ; 1959, La tête contre les murs (Franju).

Neveu du sculpteur Bourdelle, son impressionnante carrure en fit un Porthos idéal pour *Les trois mousquetaires*. Vedette des années 20, il poursuivit, grâce à son metteur en scène favori, Léon Poirier, une carrière honorable au parlant : films historiques (il est - Stanley dans le *Brazza* de Poirier, le général Westermann guillotiné avec Danton dans un film de Roubaud) ou comédies (il incarne un mauvais garçon qui roule des épaules dans *Quatorze juillet*). Depuis *Verdun* de Poirier, la guerre l'inspire particulièrement et il revêt une stupéfiante garde-robe d'uniformes : sa plus belle tenue demeurant celle d'un officier russe dans *Le rebelle*. Il a fini comme directeur de cinéma à Dijon.

Bourdon, Didier : cf. Inconnus (Les).

Bourgine, Élisabeth

Actrice française née en 1957.

1981, Nestor Burma, détective privé (Miesch), Vive la sociale (Mordillat), Grenouilles (Arieta) ; 1984, La septième cible (Pinoteau) ; 1986, Cours privé (Granier-Deferre) ; 1987, Noyade interdite (Granier-Deferre) ; 1988, La couleur du vent (Granier-Deferre) ; 1991, Un cœur en hiver (Sautet), Boulevard des hirondelles (Yanne) ; 1994, Le grand Blanc de Lambaréné (Ba Kobhio) ; 2006, Mon meilleur ami (Leconte).

Elle vaut mieux que la partie de son anatomie (charmante au demeurant) révélée par les affiches de *Cours privé*. Bonne comédienne, elle peut jouer sur plusieurs registres.

Bourvil

Acteur français, de son vrai nom André Raimbourg, 1917-1970.

1945, La ferme du pendu (Dréville) ; 1946, Pas si bête (Berthomieu) ; 1947, Blanc comme neige (Berthomieu), Par la fenêtre (Grangier), Le studio en folie (Kaps) ; 1948, Le cœur sur la main (Berthomieu) ; 1949, Miquette et sa mère (Clouzot), Le roi Pandore (Berthomieu) ; 1950, Le rosier de Madame Husson (Boyer), Le passe-muraille (Boyer) ; 1951, Seul dans Paris (Bromberger), Le trou normand (Boyer) ; 1952, Cent francs par seconde (Boyer) ; 1953, Les trois mousquetaires (Hunebelle), Si Versailles m'était conté (Guitry) ; 1954, Poisson d'avril (Grangier), Le fil à la patte (Lefranc), Cadet Rousselle (Hunebelle) ; 1955, Les hussards (Joffé) ; 1956, La traversée de Paris (Autant-Lara), Le chanteur de Mexico (Pottier) ; 1957, Les misérables (Le Chanois) ; 1958, Sérénade au Texas (Pottier), Le miroir à deux faces (Cayatte), Un drôle de dimanche (Allégret) ; 1959, La jument verte (Autant-Lara), Le chemin des écoliers (Boisrond), Le bossu (Hunebelle) ; 1960, Le Capitan (Hunebelle), Fortunat (Joffé) ; 1961, Tout l'or du monde (Clair), Dans la gueule du loup (Dudrumet), Le Tracassin (Joffé) ; 1962, Tartarin de Tarascon (Blanche), The Longest Day (Le jour le plus long) (Annakin), Les culottes rouges (Joffé), Un clair de lune à Maubeuge (Chérasse), Les bonnes causes (Christian-Jaque) ; 1963, Le magot de Joséfa (Autant-Lara), La cuisine au beurre (Grangier), Un drôle de paroissien (Mocky) ; 1964, La grande frousse (Mocky), Le corniaud (Oury) ; 1965, Le majordome (Delannoy), Guerre secrète (Christian-Jaque), La grosse caisse (Joffé), Les grandes gueules (Enrico) ; 1966, Trois enfants dans le désordre (Joannon), La grande vadrouille (Oury) ; 1967, Les Arnaud (Joannon), Les craks (Joffé) ; 1968, La grande lessive (Mocky), Le cerveau (Oury) ; 1969, Monte Carlo or Bust (Gonflé à bloc) (Annakin), The Christmas Tree (L'arbre de Noël) (Young), L'étalon (Mocky), Le cercle rouge (Melville), Le mur de l'Atlantique (Camus) ; 1970, Clodo (G. Clair).

Son pseudonyme vient de Bourville, un village de la Seine-Maritime où il passa son enfance. Il débute au music-hall en 1938, mais ne conquiert la célébrité qu'après la guerre avec des émissions de radio de Francis Blanche et Pierre Cour où il vient chanter des chansons volontairement ineptes comme « Elle vendait des crayons », chanson reprise dans *La ferme du pendu* de Dréville, où Bourvil la fredonne lors d'une noce. Sa frange, sa longue tête et son air ahuri le font ranger dans les personnages d'abrutis qui ne comprennent rien aux événements (« il a bien vu que j'étais chargé car il a dit "qu'est-ce qu'il traîne ! " », raconte-t-il dans l'un de ses meilleurs monologues). Mais il joue aussi les paysans pleins de finesse, passant de Berthomieu à Autant-Lara. Parallèlement, il interprète à la scène de nombreuses opérettes de Francis Lopez. Il devient très vite l'un des acteurs les plus populaires, surtout lorsque, grâce à Cayatte et Melville, il ajoute une autre facette à son talent, se révélant un excellent acteur non plus comique mais dramatique. Il obtint un prix d'interprétation à la biennale de Venise pour *La traversée de Paris*.

Bouvet, Jean-Christophe

Acteur français né en 1947.

1970, La philosophie dans le boudoir (Scandelari) ; 1975, Change pas de main (Vecchiali) ; 1977, Le théâtre des matières (Biette), La machine (Vecchiali) ; 1980, Le borgne (Ruiz), C'est la vie (Vecchiali) ; 1981, Loin de Manhattan (Biette) ; 1982, Archipel des amours (sketch Vecchiali) ; 1987, Sous le soleil de Satan (Pialat), Côté nuit (Huber) ; 1991, J'embrasse pas (Téchiné) ; 1992, Les nuits fauves (Collard) ; 1993, La cité de la peur (Berbérian) ; 1994, L'eau froide (Assayas) ; 1995, Le rocher d'Acapulco (Tuel), Le complexe de Toulon (Biette), Rita, Rocco et Cléopâtre (Forgeay, Ferraud) ; 1996, L'amour est à réinventer (sketch « Dans la décapotable », Allouache), Vicious Circles (Whitelaw) ; 1997, Le plaisir (et ses petits tracas) (Boukhrief) ; 1998, L'examen de minuit (Dubroux), Glòria (Glòria) (Viegas), Les passagers (Guiguet), Recto/verso (Longval) ; 1999, Lovers (Barr), Le domaine (Heristchi), Taxi 2 (Krawczyk), La chambre obscure (Questerbert) ; 2000, Lise et André (Dercourt), Jojo la frite (Cuche) ; 2001, Being Light (Barr, Arnold), La boîte (Zidi) ; 2002, La sirène rouge (Megaton), Les naufragés de la D17 (Luc Moullet), Jojo la frite (Cuche) ; 2004, Mensonges et trahisons et plus si affinités... (Tirard), Notre musique (Godard) ; 2005, A vot' bon cœur (Vecchiali) ; 2006, Chacun sa nuit (Arnold), Les brigades du Tigre (Cornuau), L'ivresse du pouvoir (Chabrol), Marie-Antoinette (S. Coppola) ; 2007, Il sera une fois (Veysset), Taxi 4 (Krawczyk).

Peu connu hors des cercles cinéphiles, il est l'acteur fétiche de Paul Vecchiali, et on l'a aussi vu dans les films des réalisateurs du « pool » de ce dernier : Guiguet, Biette... Raffiné, cérébral, précieux, à la limite du maniéré mais toujours avec beaucoup de subtilité, son rôle le plus marquant est celui du condamné à mort de *La machine*, pertinente réflexion de Vecchiali sur l'implacabilité du système judiciaire.

Bovy, Berthe

Actrice française d'origine belge, 1887-1977.

1908, L'assassinat du duc de Guise (Calmettes), Œdipe roi (Calmettes) ; 1909, Tarakanova (Capellani) ; 1910, Athalie (Calmettes), Catherine II (Capellani), L'affaire du collier de la reine (Morlhon) ; 1911, Madame Tallien (Morlhon), Le roman d'une pauvre fille (Bourgeois) ; 1913, Cœur de femme (Leprince) ; 1917, La brute humaine, La conquête du bonheur, Le secret d'une orpheline ; 1920, La terre (Antoine) ; 1938, Le joueur (Lamprecht) ; 1939, Le déserteur (Moguy) ; 1942, La belle aventure (M. Allégret) ; 1945, Boule de suif (Christian-Jaque) ; 1947, Les dernières vacances (Leenhardt) ; 1948, Fantômas contre Fantômas (Vernay), L'armoire volante (Rim), D'homme à homme (Christian-Jaque), L'ombre (Berthomieu) ; 1949, La souricière (Calef) ; 1951, La maison Bonnadieu (Rim) ; 1953, L'affaire Maurizius (Duvivier) ; 1955, Le secret de sœur Angèle (Joannon), Bonjour toubib (Cuny) ; 1962, Mon oncle du Texas (Guez) ; 1965, Les dimanches de la vie (Herman).

Curieuse trajectoire : sociétaire de la Comédie-Française, elle joue dans les films d'art des premiers temps du cinéma. La tragédie est son domaine. Elle épouse Charles Granval puis Pierre Fresnay. Elle délaisse le cinéma, est délaissée par Pierre Fresnay qui lui préfère Yvonne Printemps. Puis, après quelques nouvelles apparitions (de petits rôles) à l'écran, la voici qui « fait un malheur » en Mme Lobligeois, tante de Fernandel. Celui-ci dépose Mme Lobligeois qui vient de décéder subitement, dans une armoire qu'on lui vole, de là, une folle poursuite. Insupportable, sèche et pincée, Berthe Bovy tint là son meilleur rôle.

Bow, Clara

Actrice américaine, 1905-1965.

1922, Beyond the Rainbow (Cabanne), Down to the Sea in Ships (Clifton) ; 1923, Maytime (Gasnier), The Daring Years (K. Webb), Enemies of Women (Crosland) ; 1924, Black Oxen (Lloyd), Poisoned Paradise (Gasnier), Daughters of Pleasure (Beaudine), Wine (Gasnier), Empty Hearts (Santell), Grit (Tuttle), This Woman (Rosen), Black Lightning (Hogan) ; 1925, Helen's Babies (Seiter), My Lady's Lips (Hogan), Capital Punishment (Hogan), The Adventurous Sex (Giblyn), Eve's Lover (Del Ruth), Kiss Me Again (Lubitsch), Parisian Love (Gasnier), The Scarlet West (Adolfi), The Primrose Path (Hoyt), The Plastic Age (Ruggles), The Keeper of the Bees (Meehan), Lawful Cheaters (O'Connor), Free to Love (O'Connor), The Best Bad Man (Blystone) ; 1926, Two Can Play (Ross), The Runaway (W. DeMille), Kid Boots (Tuttle), Mantrap (Fleming), My Lady of Whims (Fitzgerald), The Ancient Mariner (Otto), Dancing Mothers (Brenon), The Shadow of the Law (Worsley) ; 1927, It (Badger), Rough House Rosie (Strayer), Wings (Wellman), Children of Divorce (Lloyd), Hula (Fleming), Get Your Man (Arzner) ; 1928, Red Hair (Badger), Three Week-Ends (Badger), Ladies of the Mob (Wellman), The Fleet's In (St. Clair) ; 1929, The Saturday Night Kid (Sutherland), The Wild Party (H. Blache), Dangerous Curves (Mendes) ; 1930, Paramount on Parade (Arzner, Brower, Goulding...), True to the Navy (Tuttle), Love Among the Millionaires (Tuttle), Her Wedding Night (Tuttle) ; 1931, Kick In (Wallace), No Limit (Tuttle) ; 1932, Call Her Savage (Dillon) ; 1933, Hoopla (Lloyd).

La bombe sexuelle des années 20. Cette petite rouquine, que copie Betty Boop, fut d'une telle sensualité (il suffisait d'un simple mouvement d'une épaule dénudée) qu'elle s'attira l'hostilité de toutes les ligues de vertu d'Amérique. Avec le cinéma sonore et un léger embonpoint, elle prit sa retraite et mourut d'une crise cardiaque. Grâce à Kyrou, son souvenir s'est perpétué même si, à l'exception d'*It* et de *Wings*, ses films ont été oubliés.

Bowie, David

Chanteur et acteur anglais, de son vrai nom Jones, né en 1947.

1976, The Man Who Fell to Earth (L'homme qui venait d'ailleurs) (Roeg) ; 1980, Just a Gigolo (Gigolo) (Hemmings) ; 1981, Christiane F., Wir Kinder vom Bahnhof Zoo (Moi, Christiane F., droguée, prostituée) (Edel) ; 1983, Merry Christmas, Mr. Lawrence (Furyo) (Oshima), Hunger (Les prédateurs) (T. Scott), Yellowbeard (Barbe d'or et les pirates) (Damski) ; 1985, Into the Night (Série noire pour nuit blanche) (Landis) ; 1986, Labyrinth (Henson), Absolute Beginners (Absolute Beginners) (Temple) ; 1988, The Last Temptation of Christ (La dernière tentation du Christ) (Scorsese) ; 1990, The Linguini Incident (Linguini Incident) (Shepard) ; 1992, Twin Peaks : Fire Walk With Me (Twin Peaks) (Lynch) ; 1995, Basquiat

(Basquiat) (Schnabel) ; 1997, Inspirations (Apted) ; 1998, Everybody Loves Sunshine (Goth), My West (Veronesi) ; 1999, Everybody Loves Sunshine (Goth) ; 2000, Mr. Rice's Secret (Kendall), Mayor of Sunset Strip (Hickenlooper) ; 2002, Zoolander (Zoolander) (Stiller) ; 2003, Ziggy Stardust & The Spiders from Mars (Pennebaker) ; 2006, The Prestige (Le prestige) (Nolan).

Son étrange physique lui permet de jouer aussi bien les extraterrestres chez Roeg que les vampires chez Scott. Mais il reste avant tout un fabuleux chanteur.

Boyd, Stephen

Acteur irlandais, 1928-1977.

1955, An Alligator Named Daisy (Un alligator appelé Daisy) (L. Thompson), The Man who Never Was (L'homme qui n'a jamais existé) (Neame) ; 1956, Seven Waves Away Abandon Ship (Pour que les autres vivent) (Sale), A Hill in Korea (Commando en Corée) (Amyes), An Island in the Sun (Une île au soleil) (Rossen) ; 1957, Seven Thunders (Les sept tonnerres) (Fregonese) ; 1958, Les bijoutiers du clair de lune (Vadim), The Bravados (Bravados) (King) ; 1959, Ben Hur (Ben Hur) (Wyler), Woman Obsessed (La ferme des hommes brûlés) (Hathaway), The Best of Everything (Rien n'est trop beau) (Negulesco) ; 1960, The Big Gamble (Le grand risque) (Fleischer) ; 1961, The Inspector Lisa (L'inspecteur) (Dunne) ; 1962, Billy Rose's Jumbo (La plus belle fille du monde) (Walters), Venere imperiale (Vénus impériale) (Delannoy) ; 1963, The Fall of the Roman Empire (La chute de l'empire romain) (Mann) ; 1964, The Third Secret (Le secret du docteur Whits) (Crichton), Gengis Khan (Levin), The Bible (La Bible) (Huston) ; 1965, The Fantastic Voyage (Le voyage fantastique) (Fleischer), The Oscar (La statue en or massif) (Rouse), The Poppy Is Also a Flower (Opération opium) (T. Young) ; 1966, Les corrompus (Winterstein) ; 1967, The Caper of the Golden Bulls (Gros coup à Pampelune) (Rouse), Assignment K (Services spéciaux division K) (Guest) ; 1968, Shalako (Shalako) (Dmytryk), Slaves (Esclaves) (Biberman) ; 1971, Kill (Gary), Il diavolo a sette facce (Le diable à sept faces) (Civirani), Dopo di che uccide il maschio e lo divora (Nieves Conda), Historia de una traicion (Nieves Conda) ; 1973, The Man Called Noon (Les colts au soleil) (Collinson), I quattro di Fort Apache (Les quatre de Fort Apache) (Rosati), Mil miliones por una rubia (Lagaza), Campa carogna... La taglia cresce (La charge des diables) (Rosati) ; 1975, La polizia interviene / Ordine di uccidere (Rosati), Una muerte Ilamada destino (Nieves Conda), L'uomo che sfido l'organizzazione (Grieco), Freuenstation (Thiele), Potato Fritz (Schamoni) ; 1976, Lady Dracula (Gottlieb), Evil in the Deep (Stone), The Squeeze (Le piège infernal) (Apted).

Enfance pauvre à Belfast. Débuts au théâtre à dix-huit ans. Remarqué par Michael Redgrave qui lui fait donner sa chance. Très vite appelé à Hollywood. Beau (il fut apprécié par Brigitte Bardot), il tint des emplois de jeune premier sans laisser un souvenir impérissable. Il mourut d'une crise cardiaque au cours d'une partie de golf.

Boyd, William

Acteur américain, 1895-1972.

1918, Old Wives for Nex (DeMille) ; 1919, Why Change Your Wife (L'échange) (DeMille) ; 1921, Brewster's Millions (Henabery), Moonlight and Honeysuckle (Henabery), Exit the Vamp (Urson), A Wise Fool (Melford) ; 1922, Bobbed Hair (Heffron), Manslaughter (Le réquisitoire) (DeMille), The Young Rajah (Rosen), Nice People (W. DeMille), On the High Seas (Willat) ; 1923, Hollywood (Cruze), The temple of Venus (Otto), Enemies of Children (Ducey), Michael O'Halloran (Meehan) ; 1924, Tarnish (Fitzmaurice), Changing Husbands (Urson), Triumph (DeMille) ; 1925, The Road to Yesterday (L'empreinte du passé) (DeMille), The Golden Bed (DeMille), Forty Winks (Urson), The Midshipman (Cabanne) ; 1926, The Volga Boatman (Les bateliers de la Volga) (DeMille) Steel Prefered (Hogan), Eve's Leaves (Sloane), The Last Frontier (Seitz) ; 1927, Two Arabian Nights (Milestone), King of Kings (Le roi des rois) (DeMille), Dress Parade (Crisp), Jim the Conqueror (Seitz), Wolves of the Air (F. Ford), Yankee Clipper (Julian) ; 1928, The Night Flyer (W. Lang), Power (Higgin), Skyscraper (Higgin), The Cop (Crisp) ; 1929, Lady of the Pavements (Griffith), High Voltage (Higgin), The Wolf Song (Fleming), The Locked Door (Fitzmaurice), The Flying Fool (Garnett), The Leatherneck (Higgin) ; 1930, Officer O'Brien (Garnett), His First Command (La Cava) ; 1931, Beyond Victory (Robertson), The Painted Desert (Higgin), The Big Gamble (Niblo), Suicide Fleet (Rogell) ; 1932, Carnival Boat (Rogell), Men of America (Ince), Lucky Devils (Ince), Emergency Call (Cahn) ; 1934, Port of Lost Dreams (Strayer), Cheaters (Rosen), Flaming Gold (Ince) ; 1935, Racing Luck (Newfield), Hopalong Cassidy (Bretherton), Bar 20 Rides Again (Bretherton), Call of the Prairie (Bretherton), Eagle's Brood (Bretherton),

ton), Go Get 'Em Haines (Newfield) ; 1936, Three on the Trail (Bretherton), Federal Agent (Newfield), Heart of the West (Bretherton) ; 1937, Hopalong Cassidy Rides Again (Selander), Trail Dust (Watt), Cassidy of Bar 20 (Selander), Partners of the Plains (Selander), North of the Rio Grande (Watt), Hills of Wyoming (Watt), Bustler's Valley (Watt) ; 1938, Bar Z Justice (Selander), Heart of Arizona (Sherman), In Old Mexico (Venturini), Sunset Trail (Selander), The Frontiersman (Selander) ; 1939, Silver on the Sage (Selander), Law of the Pampas (Watt), Range War (Selander), Renagade Trail (Selander) ; 1940, Santa Fe Marshall (Selander), Showdown (Bretherton), Hidden Gold (Selander), Three Men from Texas (Trois hommes du Texas) (Selander), Stagecoach War (Selander) ; 1941, In Old Colorado (Bretherton), Doomed Caravan (Selander), Pirates on Horseback (Selander), Border Vigilantes (Abrahams), Outlaws of the Desert (Bretherton), Twilight on the Trail (Bretherton), Wide Open Town (Selander), Riders of Timberline (Selander) ; 1942, Undercover Man (Selander), Lost Canyon (Selander) ; 1943, Hoppy Serves a Writ (Archainbaud), Bar 20 (Selander), Leather Burns (Henabery), Border Patrol (Selander), False Colors (Archainbaud), Riders of the Deadline (Selander), Colt Comrades (Selander) ; 1944, Texas Masquerade (Archainbaud), Limberjack (Les maîtres de la forêt) (Selander), Forty Thieves (Selander), Mystery Man (Archainbaud) ; 1946, The Devil's Playground (Archainbaud), Fool's Gold (Archainbaud), Dangerous Ventures (Archainbaud) ; Unexpected Guest (Archainbaud) ; 1947, Hoppy's Holiday (Archainbaud) ; The Marauders (Archainbaud) ; 1948, Silent Conflict (Archainbaud), The Dead Don't Dream (Archainbaud), Strange Gamble (Archainbaud), Sinister Journey (Archainbaud), False Paradise (Archainbaud) ; 1952, The Greatest Show on Earth (Sous le plus grand chapiteau du monde (DeMille).

Grand acteur du muet, il est au générique de nombreux films de DeMille. L'avènement du parlant parut lui être fatal. Ses films des années 30 ont sombré dans l'oubli. En 1935, flanqué de Gabby Hayes, il devient Hopalong Cassidy, le cow-boy aux cheveux blancs dans une série de westerns signés Selander, Bretherton ou Archainbaud qui retrouvèrent grâce à la télévision une nouvelle jeunesse dans les années 50-60 et lui valurent une grande popularité auprès des enfants. DeMille lui rendit hommage dans *Sous le plus grand chapiteau du monde*.

Boyer, Charles

Acteur français, 1899-1978.

1920, L'homme du large (L'Herbier) ; 1922, Chantelouve (Monca et Panzini) ; 1924, L'esclave (Monca) ; 1925, Le grillon du foyer (Boudrioz) ; 1927, Le capitaine Fracasse (Cavalcanti) ; 1928, La ronde infernale (Luitz-Morat) ; 1929, Barcarolle d'amour (Froelich-Roussel) ; 1930, Le procès de Mary Dugan (Sano), Big House (Fejos), The Magnificient Lie (Viertel) ; 1931, Tumultes (Siodmak) ; 1932, The Man from Yesterday (Le revenant) (Viertel), Red-Headed Woman (La belle aux cheveux roux) (Conway), FP1 ne répond plus (Hartl) ; 1933, Moi et l'impératrice (Hollander/P. Martin), L'épervier (L'Herbier) ; 1934, Le bonheur (L'Herbier), La bataille (Farkas), Caravane (Charell), Liliom (Lang) ; 1935, Break of Hearts (Cœurs brisés) (Moeller), Mayerling (Litvak) ; 1936, The Garden of Allah (Le jardin d'Allah) (Boleslavsky) ; 1937, History Is Made at Midnight (Le destin se joue la nuit) (Borzage), Tovarich (Litvak), Conquest (Marie Walewska) (Brown), Orage (Allégret) ; 1938, Algiers (Cromwell) ; 1939, Love Affair (Elle et lui) (McCarey) ; 1940, All This and Heaven Too (L'étrangère) (Litvak) ; 1941, Appointment For Live (Rendez-vous d'amour) (Seiter), Hold Back the Dawn (Par la porte d'or) (Leisen) ; 1942, Tales of Manhattan (Six destins) (Duvivier), Back Street (Stevenson) ; 1943, The Constant Nymph (Tessa la nymphe au cœur fidèle) (Goulding), Flesh and Fantasy (Obsession) (Duvivier) ; 1944, Together Again (Coup de foudre) (Ch. Vidor), Gaslight (Hantise) (Cukor) ; 1945, Confidential Agent (Agent secret) (Shumlin) ; 1946, Cluny Brown (La folle ingénue) (Lubitsch) ; 1947, Arch of Triumph (Arc de triomphe) (Milestone), A Woman's Vengeance (Vengeance de femme) (Korda) ; 1951, The First Legion (La première légion) (Sirk), The Thirteenth Letter (Preminger), Thunder in the East (Tonnerre sur le temple) (Ch. Vidor) ; 1952, Happy Time (Sacré printemps) (Fleischer) ; 1953, Madame de (Ophuls) ; 1954, Nana (Christian-Jaque) ; 1955, La fortuna di essere donna (La chance d'être femme) (Blasetti), The Cobwebb (La toile d'araignée) (Minnelli) ; 1956, Paris Palace Hôtel (Verneuil), Around the World in 80 Days (Le tour du monde en quatre-vingts jours) (Anderson) ; 1957, Une Parisienne (Boisrond) ; 1958, Maxime (Verneuil), The Buccaneer (Les boucaniers) (A. Quinn) ; 1961, Fanny (Logan), The Four Horsemen of the Apocalypse (Les quatre cavaliers de l'Apocalypse) (Minnelli), Du bist Zauberhaft (Adorable Julia) (Weidenmann), Les démons de minuit (M. Allégret) ; 1962, Love Is a Ball

(Le grand-duc et l'héritière) (Swift) ; 1965, A Very Special Favor (Le coup de l'oreiller) (Gordon), Paris brûle-t-il ? (Clément) ; 1966, How to Steal a Million ? (Comment voler un million de dollars ?) (Wyler), Casino Royal (Huston, Hughes, Guest...) ; 1967, Barefoot in the Park (Pieds nus dans le parc) (Saks), Rublo de las dos caras (Le rouble à deux faces) (L. et E. Perier) ; 1969, The Madwoman of Chaillot (La folle de Chaillot) (Forbes), The April Fools (Folies d'avril) (S. Rosengerg) ; 1973, The Lost Horizons (Les horizons perdus) (Jarrott) ; 1974, Stavisky (Resnais) ; 1976, A Matter of Time (Nina) (Minnelli).

Le séducteur français par excellence aux yeux des Américains, ce qui lui valut de faire l'essentiel de sa carrière aux États-Unis où il fut Napoléon (*Marie Walewska*) et le corsaire Jean Laffitte (*Les boucaniers*). Au départ une licence de philosophie puis le Conservatoire. Mais c'est le cinéma qui assurera sa gloire. Il y eut pour partenaires Greta Garbo (*Marie Walewska*), Marlène Dietrich (*Le jardin d'Allah*), Danielle Darrieux (*Mayerling*)... L'âge venant, il se transforma en vieux monsieur distingué qui ne reste pas insensible au beau sexe. Ce séducteur n'eut pourtant qu'une épouse, Pat Patterson. Il ne put supporter sa disparition (son fils s'était déjà donné la mort en 1965) et choisit le suicide.

Boyer, Myriam

Actrice française née en 1948.

1969, Nausicaa (inédit, Varda) ; 1970, Peau d'âne (Demy) ; 1973, L'événement le plus important depuis que l'homme a marché sur la lune (Demy), L'ombre d'une chance (Mocky) ; 1974, Le triangle écorché (P. Kalfon), Il pleut toujours où c'est mouillé (Simon), Le voyage d'Amélie (Duval), Les bidasses s'en vont en guerre (Zidi), Vincent, François, Paul et les autres (Sautet) ; 1975, Né pour l'enfer (Héroux), Jonas qui aura vingt-cinq ans en l'an 2000 (Tanner) ; 1976, La communion solennelle (Féret) ; 1977, Le vieux pays où Rimbaud est mort (Lefèbvre) ; 1978, L'hôtel de la plage (Lang), Vas-y maman ! (de Buron) ; 1979, Série noire (Corneau), Drôles de diams / Laisse-moi rêver (Menegoz) ; 1984, Viva la vie (Lelouch) ; 1985, Le voyage à Paimpol (Berry) ; 1986, Golden eighties (Akerman) ; 1987, Il y a maldonne (Berry) ; 1990, Uranus (Berri) ; 1991, Tous les matins du monde (Corneau), Un cœur en hiver (Sautet) ; 1993, Un, deux, trois, soleil (Blier) ; 1994, La poudre aux yeux (Dugowson) ; 1995, Le plus bel âge... (Haudepin) ; 1997, La mère Christain (Boyer) ; 1999, T'aime (Sébastien) ; 2003, Laisse tes mains sur mes hanches (Lauby) ; 2006, Itinéraire (Otzenberger). *Comme réalisatrice :* 1997, La mère Christain.

Mariée un temps à John Berry, elle a joué les rôles les plus divers dont celui d'une ouvrière dans *Le voyage à Paimpol*. Son film *La mère Christain*, ancré dans une France populaire stylisée, n'a eu aucun écho. Dommage.

Boyle, Peter

Acteur américain né en 1935.

1968, The Virgin President (Graeme Ferguson) ; 1969, Medium Cool (Objectif vérité) (Wexler), The Monitors (Shea) ; 1970, Diary of a Mad Housewife (Journal intime d'une femme mariée) (F. Perry), Joe (Joe, c'est aussi l'Amérique) (Avildsen) ; 1971, T.R. Baskin (Rendez-vous avec une jeune fille seule) (H. Ross) ; 1972, The Candidate (Votez McKay) (Ritchie) ; 1973, Slither (Zieff), Ghost in the Noonday Sun (Medak), Kid Blue (Frawley), The Friends of Eddie Coyle (Yates), Steelyard Blues (Myerson) ; 1974, Young Frankenstein (Frankenstein Junior) (Brooks), Crazy Joe (Jo le fou) (Lizzani) ; 1975, Taxi Driver (Taxi Driver) (Scorsese) ; 1976, Scarlet Buccaneer (Le pirate des Caraïbes) (Goldstone) ; 1978, F.I.S.T. (F.I.S.T.) (Jewison), The Brink's Job (Friedkin) ; 1979, Beyond the Poseidon Adventure (Allen), Hardcore (Hardcore) (Schrader) ; 1980, Where the Buffalo Roam (Linson), In God We Tru$t (Feldman) ; 1981, Outland (Outland) (Hyams) ; 1982, Hammett (Hammett) (Wenders) ; 1983, Yellow Beard (Barbe d'or et les pirates) (Damski) ; 1984, Johnny Dangerously (Heckerling) ; 1985, Turk 182 (B. Clark) ; 1987, In Crowd (Rosenthal), Surrender (Cordes et discordes) (Belson) ; 1988, Walker (Walker) (Cox), Red Heat (Double détente) (W. Hill), Funny (Ferren) ; 1989, Speed Zone (Drake), The Dream Team (Une journée de fous) (Zieff) ; 1990, Solar Crisis (Sarafian, sous le pseudonyme de Smithee) ; 1991, Kickboxer 2 (Pyun), Men of Respect (Reilly) ; 1992, Nervous Ticks (R. Lang), Malcolm X (Malcolm X) (Lee), Honeymoon in Vegas (Lune de miel à Las Vegas) (Bergman) ; 1994, The Santa Clause (Super Noël) (Pasquin), The Shadow (The Shadow) (Mulcahy), Royce (Holcomb), Killer (Malone), Exquisite Tenderness (Schenkel) ; 1995, While You Were Sleeping (L'amour à tout prix) (Turteltaub), Katie (Gray), Surrogate Mother/Vendetta (Les griffes de la cigogne) (Eram) ; 1996, That Darn Cat ! (Spiers), Death and the Compass (A. Cox) ; 1997, Milk and Money (Bergmann), Dr. Dolittle (Dr. Dolittle) (Thomas) ; 1998, Species II (La mutante II) (Medak) ; 2001, Monster's Ball (A l'ombre de la haine) (Forster).

Excellent acteur de composition, il peut être un Américain moyen (*Joe*), un monstre (*Young Frankenstein*), un pirate (*Scarlet Buccaneer*), un syndicaliste douteux (*F.I.S.T.*) ou un joyeux chauffeur de taxi (*Taxi Driver*). Il vient de la télévision après avoir mêlé études théologiques et cours d'art dramatique, ce qui explique peut-être la diversité de ses personnages.

Bozzuffi, Marcel

Acteur et réalisateur français, 1929-1988.

1955, La bande à papa (Lefranc) ; 1956, Le pays d'où je viens (Carné), Reproduction interdite (Grangier) ; 1957, Le rouge est mis (Grangier), Gas-oil (Grangier) ; 1960, Le caïd (Borderie) ; 1962, Le jour et l'heure (Clément) ; 1963, Maigret voit rouge (Grangier) ; 1965, Compartiment tueurs (Costa-Gavras) ; 1966, Le deuxième souffle (Melville) ; 1969, Z (Costa-Gavras), Le temps des loups (Gobbi), Un homme qui me plaît (Lelouch) ; 1970, La dame dans l'auto avec des lunettes et un fusil (Litvak), Vertige pour un tueur (Desagnat), Le voyou (Lelouch), Comptes à rebours (Pigaut), Hold up, istantane di una rapina (Hold-up) (Lorente) ; 1971, Images (Images) (Altman), French Connection (French Connection) (Friedkin) ; 1972, Waldez horses (Chino) (Sturges), Le fils (Granier-Deferre), Les hommes (Vigne), Trois milliards sans ascenseur (Pigaut), Tonino nera (La vengeance du Sicilien) (Lizzani) ; 1973, Caravan to Vaccarès (Le passager) (Reeve) ; 1974, Fatti di gente per bene (La grande bourgeoise) (Bolognini), Marseille contrat (Parrish) ; 1975, Le gitan (Giovanni), Cadaveri eccelenti (Cadavres exquis) (Rosi) ; 1976, Roma, l'altra faccia della violenza (L'autre côté de la violence) (Martinelli), Quelli dello calibro 38 (Section de chocs) (Dallamano), Le juge Fayard dit « le shérif » (Boisset), March or Die (Il était une fois la légion) (Richards) ; 1978, The passage (Passeur d'hommes) (Lee-Thompson) ; 1979, Bloodline (Liés par le sang) (Young) ; 1980, La cage aux folles 2 (Molinaro), Luca il contabbandiere (Fulci) ; 1982, Identificazione di una donna (Identification d'une femme) (Antonioni), Le cercle des passions (d'Anna) ; 1983, L'amour fugitif (Ortega) ; 1984, L'arbalète (Gobbi) ; 1986, L'ogre (Edelstein) ; 1987, Savannah (Pico). *Pour le metteur en scène*, voir le *Dictionnaire du cinéma*, t. I : *Les réalisateurs*.

Équivalent en France des « heavies » américains. On l'a vu en gangster dans de nombreux polars (qui ne sont pas tous recensés ici) et certains réalisateurs américains, le confondant peut-être avec Jack Lambert ou quelque autre second plan d'Hollywood, ont parfois fait appel à lui. Il a toujours été excellent en vrai professionnel, et s'est même amusé à se mettre en scène, en 1969, dans *L'Américain*.

Bracco, Lorraine

Actrice américaine née en 1955.

1979, Duos sur canapé (Camoletti), Mais qu'est-ce que j'ai fait au Bon Dieu pour avoir une femme qui boit dans les cafés avec les hommes ? (Saint-Hamon) ; 1980, Fais gaffe à Lagaffe (Boujenah) ; 1987, Someone to Watch Over Me (Traquée) (Scott), The Pick-Up Artist (Toback) ; 1989, Sing (Baskin), Sea of Love (Mélodie pour un meurtre) (Becker), In una notte di chiaro di luna (Wertmüller), The Dream Team (Une journée de fous) (Zieff) ; 1990, Goodfellas (Les affranchis) (Scorsese) ; 1991, Talent for the Game (Young), Switch (Dans la peau d'une blonde) (Edwards) ; 1992, Radio Flyer (Donner), Medicine Man (Medicine Man) (McTiernan) ; 1993, Traces of Red (Traces de sang) (Wolk), Even Cowgirls Get the Blues (Even Cowgirls Get the Blues) (Van Sant), Being Human (Forsythe) ; 1995, Hackers (Softley), The Basketball Diaries (Basketball Diaries) (Kalvert) ; 1996, Les menteurs (Chouraqui) ; 1998, Ladies Room (Cristiani) ; 2001, Riding in Cars with Boys (Écarts de conduite) (Marshall) ; 2002, Tangled (Sex Trouble) (Lowi).

Mannequin, elle rencontre un Français qu'elle épouse, et débute au cinéma comme potiche dans trois comédies franchouillardes oubliables. Divorce. De retour aux États-Unis, elle épouse Harvey Keitel et tourne dans de gros produits hollywoodiens, y compris *Les affranchis* de Scorsese. Divorce. Elle épouse alors Edward James Olmos et sa carrière se ralentit.

Brady, Scott

Acteur américain, de son vrai nom Gerald Tierney, 1924-1985.

1947, Born to Kill (Né pour tuer) (Wise) ; 1948, In this Corner (Riesner), Canon City (Wilbur), He Walked by Night (Il marchait la nuit) (Werker) ; 1949, The Gal Who Took the West (La belle aventurière) (De Cordova), Port of New York (Benedek), Undertow (Castle), I Was a Shoplifter (Lamont) ; 1950, Kansas Raiders (Kansas en feu) (Enright), Undercover Girl (Pevney) ; 1951, The Model and the Marriage Broker (Cukor) ; 1952, Yankee Buccaneer (De Cordova), Bronco Buster (Boetticher), Montana Belle (Dwan), Bloodhounds of Broadway (Jones) ; 1953, El Alamein (Sears), A Perilous Journey (Springsteen) ; 1954, The Law Versus Billy the Kid (Castle), Johnny Guitar (Ray) ; 1955, They Were So Young (Neumann), Gentlemen Marry Brunettes (Sale), The Vanishing American (Kane) ; 1956, Terror at Midnight (Adreon), Mohawk (L'attaque du fort Douglas) (Neumann), The Maverick Queen (La horde sauvage) (Kane) ; 1957, The Storm Riders (Bernds), The Restless Breed (Dwan) ; 1958, Ambush at Cimarron Pass (Copelan), Blood Arrow (Warren) ; 1959, Battle Flame (Springsteen) ; 1963, Operation Bikini (Carras) ; 1964, Stage to Thunder Rock (Claxton), John Goldfarb, Please Come Home (L'encombrant Mr. John) (Lee-Thompson) ; 1965, Black Spurs (Les éperons noirs) (Springsteen) ; 1966, Destination Inner Space (Lyon), Castle of Evil (Lyon) ; 1967, Red Tomahawk (Springsteen), Fort Utah (Selander), Journey to the Center of Time (Hewitt) ; 1968, Arizona Bushwhackers (Selander) ; 1969, Nightmare in Wax (Townsend), Cain's Way (Osborne), Marooned (Les naufragés de l'espace) (J. Sturges) ; 1970, They Ran for Their Lives (J. Payne), Five Bloody Graves (Adamson), Satan's Sadists (Adamson) ; 1971, Doctor's Wives (Schaefer), The Mighty Gorga (Adamson), Hell's Bloody Devils (Adamson) ; 1972, The Loners (Roley), The Night Strangler (Curtis), Bonnie's Kids (Marks) ; 1975, Wicked, Wicked (Bare) ; 1979, The China Syndrome (Le syndrome chinois) (Bridges) ; 1984, Gremlins (Gremlins) (Dante).

Frère de Lawrence Tierney, il a joué les durs, les tueurs dans des westerns de série B (Selander, Claxton, Springsteen, Castle chez qui il fut Billy the Kid) et dans un chef-d'œuvre, *Johnny Guitar*. Sa filmographie est placée sous le signe de la petite production, de là le manque de notoriété de cet acteur, costaud, à mine patibulaire, le genre de type que l'on n'aime pas rencontrer la nuit au coin d'un bois. De la série B, il semble avoir sombré dans la série Z (certains de ses films sont difficiles à identifier) et dans les productions télévisées.

Branagh, Kenneth
Acteur et réalisateur anglais né en 1960.

1985, Coming Through (Barber Flemyng) ; 1987, A Month in the Country (Un mois à la campagne) (O' Connor), High Season (Soleil grec) (Peploe) ; 1989, Henry V (Henry V) (Branagh) ; 1991, Dead Again (Dead Again) (Branagh) ; 1992, Peter's Friends (Peter's Friends) (Branagh), Swing Kids (Swing Kids) (Carter) ; 1993, Much Ado About Nothing (Beaucoup de bruit pour rien) (Branagh) ; 1994, Mary Shelley's Frankenstein (Frankenstein) (Branagh) ; 1995, Othello (Othello) (O. Parker), Looking for Richard (Looking for Richard) (Pacino) ; 1996, Hamlet (Hamlet) (Branagh) ; 1997, The Proposition (La proposition) (Glatter), The Gingerbread Man (The Gingerbread Man) (Altman), The Theory of Flight (Greengrass) ; 1998, Celebrity (Celebrity) (Allen), Wild Wild West (Wild Wild West) (Sonnenfeld), Alien Love Triangle (Boyle) ; 1999, Love's Labour's Lost (Peines d'amour perdues) (Branagh) ; 2000, How to Kill Your Neighbor's Dog (Kalesniko) ; 2002, Harry Potter and the Chamber of Secrets (Harry Potter et la chambre des secrets) (Colombus), Rabbit-Proof Fence (Le chemin de la liberté) (Noyce) ; 2005, Five Children and It (Cinq enfants et moi) (Stephenson). *Pour le metteur en scène*, voir le *Dictionnaire du cinéma*, t. I : *Les réalisateurs*.

Considéré comme un acteur prodige et le nouveau Laurence Olivier, on lui doit un *Henry V* où il est doublé dans la version française par Depardieu. Il fut admirable en Hamlet. Surtout un metteur en scène.

Brand, Neville
Acteur américain, 1921-1992.

1949, D.O.A. (Maté) ; 1950, Where the Sidewalk Ends (Mark Dixon détective) (Preminger), Halls of Montezuma (Okinawa) (Milestone) ; 1951, Only the Valiant (Fort invincible) (Douglas), The Mob (Dans la gueule du loup) (Parrish) ; 1952, Red Mountain (La montagne rouge) (Dieterle), Flame of Araby (Lamont), Kansas City Confidential (Le quatrième homme) (Karlson), The Turning Point (Cran d'arrêt) (Dieterle), The Man from Alamo (Le déserteur du Fort Alamo) (Boetticher) ; 1953, Stalag 17 (Wilder), The Charge at the Feather River (Douglas), Gun Fury (Bataille sans merci) (Walsh) ; 1954, Riot in Cell Block II (Les révoltés de la cellule II) (Siegel), Man Crazy (Lerner), Return from the Sea (Selander), Prince Valiant (Prince Vaillant) (Hathaway), The Lone Gun (Nazarro) ; 1955, The Prodigal (Le fils prodigue) (Thorpe), Bobby Ware is Missing (Carr), Raw Edge (La proie des hommes) (J. Sherwood), The Return of Jack Slade (Schuster) ; 1956, Fury at Gunsight Pass (Sears), Mohawk (L'attaque du fort Douglas) (Neumann), Gun Brothers (Salkow), Love Me Tender (Le cavalier du crépuscule) (Webb) ; 1957, The Tin Star (Du sang dans le désert) (A. Mann), The Lonely Man (Jicop le proscrit) (Levin), The Way to the Gold (Webb) ; 1958, Cry Terror (Stone), Badman's Country (Sears) ; 1959,

Five Gates to Hell (Clavell), The Scarface Mob (Le tueur de Chicago) (Karlson) ; 1960, Adventures of Huckleberry Finn (Curtiz) ; 1961, The Last Sunset (El Perdido) (Aldrich), The Goerge Raft Story (Dompteur de femmes) (Newman) ; 1962, Hero's Island (L. Stevens), Birdman of Alcatraz (Le prisonnier d'Alcatraz) (Frankenheimer) ; 1965, That Darn Cat (L'espion aux pattes de velours) (Stevenson) ; 1969, The Desperadoes (La haine des desperados) (Levin) ; 1970, Tora ! Tora ! Tora ! (Fleischer) ; 1973, Cahill, United States Marshall (McLaglen), The Deadly Trackers (Shear), This Is a Hi-Jack (Pollack) ; 1974, Scalawag (K. Douglas), The Police Connection (Gordon) ; 1975, Psychic Killer (R. Danton), The Mad Bomber (Le détraqué) (B. Gordon) ; 1976, Death Trap (Le crocodile de la mort) (Hooper) ; 1977, Hi-Riders (Clark) ; 1978, Fives Days From Home (Peppard) ; 1979, The Ninth Configuration (Blatty) ; 1980, Alligator (Teague), Without Warning (Terreur extra-terrestre) (G. Clark) ; 1985, Evils of the Night (Rustam).

L'un des princes de la « série noire », ce dur, qui fut le quatrième soldat le plus décoré de la Seconde Guerre mondiale, a été rendu célèbre par son interprétation d'Al Capone dans la série télévisée des « Incorruptibles » dont *Scarface Mob* est la synthèse. Il y fut éblouissant avec sa sale gueule, sa balafre et son cigare, surclassant Rod Steiger et Jason Robards qui tinrent également le rôle par la suite. Il fut à nouveau un savoureux Capone dans *The George Raft Story*. Depuis quelques années, il semble plutôt voué aux films d'épouvante et joue des rôles de détraqué, ainsi dans *Death Trap* où il massacre d'innocents touristes.

Brandauer, Klaus Maria

Acteur autrichien né en 1944.

1972, The Salzburg Connection (Notre agent à Salzbourg) (Katzin) ; 1976, Die Babenberger in Osterreich (Umgelter) ; 1979, Oktoberi vasarnap (Un dimanche d'octobre) (Kovacs) ; 1981, Mephisto (Mephisto) (Szabo) ; 1982, Der Weg ins Freie (Karin Brandauer) ; 1983, Never Say Never Again (Jamais plus jamais) (Kershner), Dietskiy sad (Le jardin d'enfants) (Evtouchenko) ; 1985, Redl ezredes (Colonel Redl) (Szabo), Out of Africa (Out of Africa) (Pollack), The Lightship (Le bateau-phare) (Skolimovski) ; 1986, Streets of Gold (Roth) ; 1988, Hanussen (Szabo), Burning Secret (Secret brûlant) (Birkin), Quo vadis ? (Rossi) ; 1989, La Révolution française (Enrico et Heffron), Das Spinnennetz (Wicki), Seven Minutes (Brandauer) ; 1990, The Russia House (La maison Russie) (Schepisi) ; 1991, White Fang (Croc-blanc) (Kleiser), Becoming Colette (Devenir Colette) (Huston) ; 1994, Mario und der Zauberer (Mario et le magicien) (Brandauer) ; 1997, La fête de Jedermann (Lehner) ; 1999, Rembrandt (Matton), Vercingétorix (Dorfmann), Dykaren (Gustavson) ; 2000, Vera, nadezhda, krov' (Dubrovina). *Comme réalisateur* : Georg Elser (1989), Mario und der Zauberer (Mario et le magicien) (1994) ; 2002, Between Strangers (Ponti).

Brillant interprète du Burgtheater de Vienne, il s'était fait remarquer dans *Mephisto*, histoire du ralliement d'un acteur célèbre au régime nazi. Il fut un méchant diabolique opposé à James Bond dans *Never Say Never Again* où il livrait à Sean Connery un étrange duel électronique dans le cadre du casino de Monte-Carlo. Mais c'est *Colonel Redl*, où sa composition d'officier parvenu est éblouissante, qui l'impose comme une star. Il n'est pas moins remarquable en mari désabusé et syphilitique de Meryl Streep dans *Out of Africa* et en Danton dans *La Révolution française*.

Brando, Marlon

Acteur et réalisateur américain, 1924-2004.

1950, The Men (C'étaient des hommes) (Zinneman) ; 1951, A Streetcar Named Desire (Un tramway nommé désir) (Kazan), Viva Zapata (Kazan) ; 1952, The Wild One (L'équipée sauvage) (Benedek) ; 1953, Julius Caesar (Jules César) (Mankiewicz) ; 1954, On the Waterfront (Sur les quais) (Kazan), Désirée (Koster) ; 1955, Guys and Dolls (Blanches colombes et vilains messieurs) (Mankiewicz) ; 1956, The Teahouse of the August Moon (La petite maison de thé) (D. Mann) ; 1957, Sayonara (Sayonara) (Logan), The Young Lions (Le bal des maudits) (Dmytryk) ; 1959, The Fugitive Kind (L'homme à la peau de serpent) (Lumet) ; 1960, One-Eyed Jacks (La vengeance aux deux visages) (Brando) ; 1961, Mutiny on the Bounty (Les révoltés du Bounty) (Milestone) ; 1962, The Ugly American (Le vilain Américain) (Englund) ; 1963, Bedtime Story (Les séducteurs) (Lévy) ; 1964, Tiger by the Tail (documentaire produit par les Nations unies) ; 1965, The Saboteur – Code Named Morituri (Morituri) (Wicki), The Chase (La poursuite impitoyable) (Penn), A Countess from Hong Kong (La comtesse de Hong Kong) (Chaplin) ; 1966, The Appaloosa (L'homme de la Sierra) (Furie) ; 1967, Reflections in a Golden Eye (Reflet dans un œil d'or) (Huston) ; 1968, Candy (Marquand), The Night of the Following Day (La nuit du lendemain) (Cornfield) ; 1970,

Queimada (Queimada) (Pontecorvo) ; 1971, The Nightcomers (Le corrupteur) (Winner) ; 1972, The Godfather (Le Parrain) (Coppola), Le dernier tango à Paris (Bertolucci) ; 1975, The Missouri Breaks (Missouri Breaks) (Penn) ; 1977, Superman (Superman) (Donner) ; 1979, Apocalypse Now (Apocalypse Now) (Coppola) ; 1981, The Formula (La formule) (Avildsen) ; 1988, A Dry White Season (Une saison blanche et sèche) (Palcy) ; 1989, The Freshman (Premiers pas dans la Maffia) (Bergman) ; 1992, Christopher Columbus : The Discovery (Christophe Colomb) (Glen) ; 1994, Don Juan DeMarco (Don Juan DeMarco) (Leven) ; 1995, Divine Rapture (inachevé, Eberhardt) ; 1996, The Island of Dr. Moreau (L'île du docteur Moreau) (Frankenheimer) ; 1997, The Brave (The Brave) (Depp), Free Money (Simoneau) ; 2000, The Score (The Score) (Oz) ; 2005, Superman Returns (Superman Returns) (Singer). *Pour le metteur en scène*, voir le *Dictionnaire du cinéma*, t. I : *Les réalisateurs*.

Monstre sacré, lié à l'histoire du cinéma américain de l'après-guerre. Fils de l'actrice Dorothy Pennebaker, il étudie (façon de parler) à l'Académie militaire de Shattuck dans le Minnesota. Il en est exclu, suit des cours de théâtre donnés par Piscator puis entre à l'Actor's Studio où il se lie à Elia Kazan qui le lancera. Le jeu outré de Brando fait sensation, sa beauté aussi. Il gagne un oscar en 1954 avec *On the Waterfront*. Mais peu à peu, après avoir tout joué, la tragédie shakespearienne (*Julius Caesar*), la comédie musicale (*Guys and Dolls*), le western (*One-Eyed Jack* qu'il met en scène), le film de guerre (*The Young Lions*) et l'aventure maritime (*Mutiny of the Bounty*), il prend ses distances avec Hollywood. Il joue moins, choisit les grosses machines (*Le Parrain* – qui lui vaut un oscar en 1972 –, *Apocalypse Now*) et exige des cachets énormes pour quelques minutes de cabotinage (*La formule*), cachets qu'il investit dans la défense des Indiens, puis de son fils, après un meurtre qui défraie la chronique. Toujours la démesure. Le désastre de sa vie privée s'amplifiant, il reprend le chemin des studios. Le temps des chefs-d'œuvre est révolu. Dans *Don Juan DeMarco* il est un psychiatre blasé qui redécouvre sa femme, Faye Dunaway. Prêtre dans *Divine Rapture* qui tourne court, il accepte d'être le docteur Moreau dans une nouvelle version des exploits du héros de Wells. Mais ce sont les photos d'*Un tramway nommé désir*, de *L'équipée sauvage* et de *Sur les quais* qui, après sa mort, perpétuent le mythe.

Brandon, Henry

Acteur américain, de son vrai nom Kleinbach, 1912-1990.

1934, Babes in Toyland (Un jour une bergère) (Rogers) ; 1936, Garden of Allah (Boleslavsky) ; 1938, Spawn of North (Hathaway). *Nombreux serials dont :* 1937, Secret Agent X9 (Beebe et Smith), Jungle Jim (Beebe et Smith) ; 1939, Buck Rogers (Beebe et Goodkind) ; 1940, Drums of Fu-Manchu (Witney et English) ; 1948, Joan of Arc (Jeanne d'Arc) (Fleming), The Pale Face (Visage pâle) (McLeod) ; 1949, The Fighting O'Flynn (Pierson) ; 1952, Scarlet Angel (Salkow), Hurricane Smith (Hopper) ; 1953, The War of the Worlds (La guerre des mondes) (Haskin), Pony Express (Le triomphe de Buffalo Bill) (Hopper), Scared Stiff (Fais-moi peur) (Marshall) ; 1954, Vera Cruz (Vera Cruz) (Aldrich) ; 1956, The Searchers (La prisonnière du désert) (Ford) ; 1957, Omar Khayyam (Les amours d'Omar Khayyam) (Dieterle) ; 1958, The Buccaneer (Les boucaniers) (Quinn) ; 1959, The Big Fisherman (Borzage) ; 1961, Two Rode Together (Ford) ; 1973, So Long, Blue Boy (Gordon) ; 1975, The Manhandlers (Madden) ; 1976, Assault on Precinct 13 (Carpenter) ; 1977, Kino, the Padre on Horseback (Kennedy) ; 1983, To Be or Not to Be (La folle histoire du monde) (A. Johnson) ; 1989, Wizards of the Lost Kingdom II (Griffith).

Méchant attitré des serials de l'Universal, il fut un extraordinaire docteur Fu-Manchu, le héros de Rohmer, terrifiant à souhait. On le retrouve même en Gilles de Rais dans la *Jeanne d'Arc* hollywoodienne de Victor Fleming.

Braschi, Nicoletta

Actrice italienne née en 1960.

1983, Tu mi turbi (Tu me troubles) (Benigni) ; 1985, Segreti segreti (G. Bertolucci) ; 1986, Down By Law (Down By Law) (Jarmusch) ; 1987, Come sono buoni i bianchi (Y a bon les Blancs) (Ferreri) ; 1988, Il piccolo diavolo (Le petit diable) (Benigni) ; 1989, Mystery Train (Mystery Train) (Jarmusch) ; 1990, La domenica specialmente (Le dimanche de préférence) (sketch G. Bertolucci) ; 1991, Johnny Stecchino (Johnny Stecchino) (Benigni) ; 1994, Il mostro (Le monstre) (Benigni) ; 1995, Sostiene Pereira (Pereira prétend) (Faenza), Pasolini, un delitto italiano (Pasolini, mort d'un poète) (Tullio Giordana) ; 1997, Ovosodo (Virzi) ; 1998, La vita è bella (La vie est belle) (Benigni) ; 2002, Pinocchio (Pinocchio) (Benigni) ; 2005,

La tigre e la neve (Le tigre et la neige) ; 2006, Mi piace lavorare (J'aime travailler) (F. Comencini).

Épouse de Roberto Benigni, elle s'est assez peu fait remarquer ailleurs que dans les films de ce dernier. Elle campait une touchante mère de famille dans *La vie est belle*.

Brasseur, Claude

Acteur français, de son vrai nom Espinasse, né en 1936.

1956, Le pays d'où je viens (Carné), L'eau vive (Villiers) ; 1957, L'amour descend du ciel (Cam) ; 1959, Les yeux sans visage (Franju), Rue des prairies (La Patellière), La verte moisson (Villiers) ; 1960, Pierrot la tendresse (Villiers), Les distractions (Dupont) ; 1961, La bride sur le cou (Aurel), Les menteurs (Greville), Le caporal épinglé (Renoir), Les ennemis (Molinaro) ; 1962, Germinal (Allégret), Les sept péchés capitaux [épisode : L'envie (Molinaro)], Nous irons à Deauville (Rigaud), Un clair de lune à Maubeuge (Chérasse) ; 1963, Dragées au poivre (Baratier), Peau de banane (Marcel Ophuls), La soupe aux poulets (Agostini) ; 1964, La bonne occase (Drach), Lucky Jo (Deville), Bande à part (Godard) ; 1965, Du rififi à Paname (La Patellière) ; 1966, Le chien fou (Matalon), Un homme de trop (Costa-Gavras) ; 1968, La chasse royale (Leterrier), Il suffit d'un amour (Borderie) ; 1969, Le portrait de Marianne (Goldenberg), Trop petit mon ami (Matalon) ; 1971, Un cave (Grangier) ; 1972, Une belle fille comme moi (Truffaut), Le viager (Tchernia) ; 1973, Bel ordure (Marbœuf), Gli Eroi (Les enfants de chœur) (Tessari) ; 1974, Les seins de glace (Lautner), L'agression (Pirès) ; 1975, Il faut vivre dangereusement (Makovski), Attention les yeux (Pirès), Le guêpier (Pigaut) ; 1976, Barocco (Téchiné), Un éléphant, ça trompe énormément (Robert), Le grand escogriffe (Pinoteau) ; 1977, Monsieur papa (Monnier), Nous irons tous au paradis (Robert), L'état sauvage (Girod) ; 1978, L'argent des autres (Chalonge), Une histoire simple (Sautet), Ils sont grands ces petits (Santoni) ; 1979, La guerre des polices (Davis), Au revoir à lundi (Dugowson), Aragosta a collazione (Capitani) ; 1980, La banquière (Girod), La boum (Pinoteau), Une robe noire pour un tueur (Giovani), Josepha (Franck) ; 1981, L'ombre rouge (Comolli), Une affaire d'hommes (Ribowski) ; 1982, La boum 2 (Pinoteau), Légitime violence (Leroy), Maupassant (Drach) ; 1983, La crime (Labro), Signes extérieurs de richesse (Monnet), T'es heureuse ? Moi toujours (Marbœuf) ; 1984, Le léopard (Sussfeld), Souvenirs souvenirs (Zeitoun) ; 1985, Palace (Molinaro), Les loups entre eux (Giovanni), Détective (Godard), Les rois du gag (Zidi) ; 1986, La gitane (Broca), Taxi Boy (Page), Descente aux enfers (Girod) ; 1988, Dandin (Planchon), Radio Corbeau (Boisset) ; 1989, L'orchestre rouge (Rouffio), L'union sacrée (Arcady) ; 1990, Dancing Machine (Behat), Sale comme un ange (Breillat) ; 1991, Le bal des casse-pieds (Robert) ; 1992, Le souper (Molinaro), A linha do horizonte (Le fil de l'horizon) (Lopes) ; 1993, Un, deux, trois, soleil (Blier), Les ténors (Gueltlz), Délit mineur (Girod) ; 1996, L'autre côté de la mer (Cabrera) ; 1997, Matrimoni (Matrimoni) (C. Comencini) ; 1998, Toreros (Barbier), Fait d'hiver (Enrico), Le plus beau pays du monde (Bluwal), La taule (Robak) ; 1999, La débandade (Berri), Les acteurs (Blier) ; 2003, Chouchou (Allouache) ; 2004, Malabar Princess (Legrand) ; 2005, L'amour aux trousses (Chauveron), Fauteuils d'orchestre (D. Thompson), J'invente rien (Leclerc), Le héros de la famille (Klifa) ; 2006, Camping (Onteniente) ; 2007, Les petites vacances (Peyon).

Fils de Pierre Brasseur et d'Odette Joyeux, ancien élève du Conservatoire, créateur du *Judas* de Pagnol au théâtre, il a su s'affranchir de tous ces illustres patronages pour être lui-même. En réaction contre le style très théâtral des acteurs d'avant-guerre, il est plus proche des Américains : simple, naturel, se coulant dans ses personnages en faisant abstraction de sa propre personnalité, à l'inverse de son père qui adorait « cabotiner ». En 1980, il obtient un césar pour *La guerre des polices*. Il s'oriente vers les personnages historiques : Fouché, opposé à Talleyrand-Claude Rich, dans *Le souper*, la pièce de Brisville filmée par Molinaro, puis il devient Napoléon dans *La dernière salve*, une pièce également de Brisville, qui ne tardera pas à être portée à l'écran. Pas de grands rôles par la suite, mais il affirme sa présence dans des films mineurs.

Brasseur, Pierre

Acteur français, de son vrai nom Espinasse, 1905-1972.

1925, La fille de l'eau (Renoir), Madame Sans-Gêne (Perret) ; 1928, Feu (Baroncelli) ; 1930, Un trou dans le mur (Barbéris), Mon ami Victor (Berthomieu) ; 1931, Circulez (Limur), FP1 ne répond plus (Hartl) ; 1932, Quick (Siodmak), Le vainqueur (P. Martin), Un rêve blond (P. Martin), Chanson d'une nuit (Litvak), Papa sans le savoir (Robert Wyler), Voyage de noces (E. Schmidt), Moi et l'impératrice (P. Martin) ; 1933, Le sexe faible (Siodmak), Incognito (K. Gerron) ; 1934,

L'oncle de Pékin (Darmont), Caravane (Charell), Le miroir aux alouettes (Steinhoff), La garnison amoureuse (Vaucorbeil) ; 1935, Un oiseau rare (Pottier), Valse éternelle (Neufeld), Quadrille d'amour (Eichberg), Le bébé de l'escadron (Sti), Bout de chou (Wulschleger) ; 1936, Pattes de mouche (Grémillon), Prête-moi ta femme (Cammage), Le mari rêvé (Capellani), Passé à vendre (Pujol), Jeunesse d'abord (Stelli) ; 1937, Vous n'avez rien à déclarer (Joannon), Café de Paris (Mirande), Une femme qui se partage (Cammage), Grisou (Canonge), Hercule (Esway), Claudine à l'école (Poligny), Gosse de riche (Cannonge), Mademoiselle ma mère (Decoin) ; 1938, Quai des brumes (Carné), Le schpountz (Pagnol), Visages de femmes (Guissart), Frères corses (Keiber), Giuseppe Verdi (Le roman d'un génie) (Gallone) ; 1939, Sixième étage (Cloche), Dernière jeunesse (Musso), Le père Lebonnard (Limur), Le chemin de l'honneur (Paulin) ; 1941, Le soleil a toujours raison (Billon), Les deux timides (Allégret) ; 1942, Lumière d'été (Grémillon), La croisée des chemins (Berthomieu), Promesse à l'inconnue (Berthomieu) ; 1943, Adieu Léonard (Prévert) ; 1944, Les enfants du paradis (Carné) ; 1945, La femme fatale (Boyer), Jéricho (Calef), Le pays sans étoiles (Lacombe) ; 1946, L'amour autour de la maison (Hérain), L'arche de Noé (Jacques), Petrus (Allégret), Rocambole (Baroncelli), Les portes de la nuit (Carné) ; 1947, Croisière pour l'inconnu (Montazel) ; 1948, Les amants de Vérone (Cayatte), La nuit blanche (Pottier), Le secret de Monte-Cristo (Valentin) ; 1949, Julie de Carneilhan (Manuel), Millionnaires d'un jour (Hunebelle), Portrait d'un assassin (Bernard-Roland) ; 1950, L'homme de la Jamaïque (Canonge), Maître après Dieu (Daquin), Souvenirs perdus (Christian-Jaque) ; 1951, Barbe-Bleue (Christian-Jaque), Les mains sales (Rivers), Le plaisir (Ophuls) ; 1952, La pocharde (Combret), Le rideau rouge (Barsacq), Saint-Tropez (court métrage de Paviot), Torticola contre Frankensberg (court métrage de Paviot) ; 1953, La bergère et le ramoneur [voix de l'oiseau, dessin animé (Grimault)], Raspoutine (Combret), Vestire gli ignudi (Vêtir ceux qui sont nus) (Pagliero) ; 1954, Napoléon (Guitry) ; 1955, Oasis (Allégret), La tour de Nesle (Gance) ; 1957, Porte des Lilas (Clair), Sans famille (Michel) ; 1958, Les grandes familles (La Patellière), La loi (Dassin), Messieurs les ronds-de-cuir (Diamant-Berger), La tête contre les murs (Franju), La vie à deux (Duhour) ; 1959, Les yeux sans visage (Franju) ; 1960, Cartagine in fiamme (Carthage en flammes) (Gallone), Il bell' Antonio (Le bel Antonio) (Bolognini), Candide (Carbonneaux), Le dialogue des carmélites (Agostini), Pleins feux sur l'assassin (Franju), Vive Henri IV, vive l'amour (Autant-Lara) ; 1961, L'affaire Nina B (Siodmak), Les amours célèbres (Boisrond), Le bateau d'Émile (La Patellière), Le crime ne paie pas (Oury), Les petits matins (Audry), Rencontres (Agostini) ; 1962, L'abominable homme des douanes (Allégret), Les bonnes causes (Christian-Jaque) ; 1963, Liola (Le coq du village) (Blasetti), Le magot de Josefa (Autant-Lara), Un soir par hasard (Govar) ; 1964, Humour noir (épisode : La bestiole) (Autant-Lara), Le grain de sable (Kast), Lucky Joe (Deville) ; 1965, Deux heures à tuer (Govar), La métamorphose des cloportes (Granier-Deferre), Un mondo nuevo (Un monde nouveau) (De Sica), L'or du duc (Baratier), Pas de caviar pour tante Olga (Becker), Pas de panique (Gobbi), La vie de château (Rappeneau) ; 1966, Le roi de cœur (Broca) ; 1967, Le fou du labo 4 (Besnard), Les oiseaux vont mourir au Pérou (Gary), La petite vertu (Korber), Fortuna (Golan) ; 1968, Goto, l'île d'amour (Borowczyk), Sous le signe de Monte-Cristo (Hunebelle) ; 1970, Macedoine (La femme sandwich) (Scandelari), Les mariés de l'an II (Rappeneau) ; 1972, La piu bella serata della mia vita (La panne) (Scola).

Il restera dans notre mémoire comme l'éblouissant Frédérick Lemaître des *Enfants du paradis*. C'est que le théâtre, il l'avait dans le sang. Son père, Georges Espinasse, faisait partie de la troupe de Sarah Bernhardt et sa mère était la comédienne Germaine Brasseur. Ses débuts seront difficiles. Il hésite : écrire (il est l'auteur de plusieurs pièces dont *Grisou*), ou jouer ? Pourquoi pas les deux ? En 1929, un triomphe à la scène : *Le sexe faible* de Bourdet. En 1935, il épouse Odette Joyeux. Le cinéma ne l'intéresse alors que médiocrement. Il joue dans d'insipides comédies, d'insipides rôles de jeune premier. Puis c'est *Quai des brumes*. Il y est éblouissant. Désormais il choisit mieux ses films : *Lumière d'été, Adieu Léonard* et le chef-d'œuvre, *Les enfants du paradis*. Après la guerre, Brasseur se disperse à nouveau. Trop de *Carthage en flammes* ou d'*Amours célèbres*. Mais parfois des personnages qui lui vont bien (*Le rideau rouge*) et des films où il peut donner libre cours à son tempérament d'acteur de mélodrames (*La tour de Nesle* ; *Le secret de Monte-Cristo* ; *Les yeux sans visage...*). Il meurt, prématurément usé par une folle vie.

Bray, Yvonne de

Actrice française, 1889-1954.

1943, L'éternel retour (Delannoy) ; 1947, L'aigle à deux têtes (Cocteau) ; 1948, Les parents terribles (Cocteau), Gigi (Audry) ; 1949, Agnès de rien (Billon) ; 1950, Chéri (Billon), Olivia (Audry), Caroline chérie (Pottier) ; 1951, Nez de cuir (Y. Allégret) ; 1952, Nous sommes tous des assassins (Cayatte) ; 1953, Quand tu liras cette lettre (Melville).

Le nom de cette grande dame du théâtre est lié à celui de Cocteau et aux adaptations de Colette. Admirable dans *Les parents terribles* : la manière dont elle s'oppose, avec son pauvre visage à Gabriel Dorziat, sèche et lucide, est le temps fort du film.

Brazzi, Rossano

Acteur et réalisateur italien, 1917-1994.

1939, Processo e morte di Socrate (d'Errico) ; 1940, Il ponte di vero (Alessandrini), Kean (Brignone), La forza bruta (Bragaglia), Tosca (Koch) ; 1941, E caduta una donna (Guarini), Il re se diverte (Le roi s'amuse) (Bonnard), Un bravo di Venezia ; 1942, Noi vivi et Addio Kira (Alessandrini), Una signora dell'ovest (La dame de l'ouest) (Koch), I due Foscari, La Gorgona (Brignone), Piazza San Sepolcro (Forzano) ; 1943, Silenzio, si gira, Maria Malibran (Brignone), Il treno crociato ; 1945, Malia (Amato) ; 1946, Furia (Alessandrini), La resa di Titi (Bianchi), Aquila nera (L'aigle noir) (Freda) ; 1947, Il passatore (Coletti) ; 1948, Il corriere del re (Righelli), Il diavolo bianco (Le diable blanc) (Malasomma), La grande aurora (Scotese) ; 1949, I contrabbandieri del mare (Montero), Eleonora Duse (Ratti), Little Women (Les quatre filles du docteur March) (LeRoy) ; 1950, Vulcano (Dieterle), Romanzo d'amore (Coletti) ; 1951, Incantesimo tragica (Olivia) (Sequi), Gli inesorabili (Mastrocinque) ; 1952, La leggenda di Genoveffa (Rabenalt), La donna che invento l'amore (Cerio), La vendetta di Aquila nera (La vengeance de l'Aigle noir) (Freda), La corona negra (Salslavsky) ; 1953, Il boia di Lilla (Milady et les mousquetaires) (Cottafavi), I figlio di Lagardère (Le fils de Lagardère) (Cerchio), C'era una volta Angelo Musco (Chili), La prigioniera della torre di fuoco (Chili) ; 1954, Three Coins in the Fountain (La fontaine des amours) (Negulesco), The Barefoot Contessa (La comtesse aux pieds nus) (Mankiewicz) ; 1955, La Castiglione (Combret), Angela (Anton), La chair et le diable (Josipovici), Gli ultimo cinque minuti, Summertime (Lean) ; 1956, Loser Takes All (Qui perd gagne) (Annakin), Il conte Aquila (Salvini) ; 1957, The Story of Esther Costello (Miller), Interlude (Les amants de Salzbourg) (Sirk), The Legend of the Lost (La cité disparue) (Hathaway) ; 1958, South Pacific (South Pacific) (Logan), A Certain Smile (Un certain sourire) (Negulesco) ; 1959, Count Your Blessings (Negulesco) ; 1960, Austerlitz (Gance), L'assedio di Siracusa (La charge de Syracuse) (Francisci) ; 1962, La monaca di Monza (Gallone), La rossa (Kautner), Rome Adventure (Daves), Light in the Piazza (G. Green) ; Les quatre vérités (sketch de Blasetti) ; 1965, The Battle of the Villa Fiorita (Daves) ; 1967, La ragazza del bersagliere (Blasetti), Per amore... per magia (Tessari), The Bobo (Parrish), Krakatoa (Kowalski), Diario segreto di una minorenne (O. Brazzi) ; 1969, Salvare la faccia (E. Ross), Sette uomini e un cervello (E. Ross), The Italian Job (Collins) ; 1970, The Adventurers (Les derniers aventuriers) (L. Gilbert) ; 1971, Il giorno del giudizio (Gariazzo), Il sesso del diavolo (O. Brazzi) ; 1972, The Great Waltz (Stone), Racconti proibiti (Rondi), Detras de esa puerta (Dieguez) ; 1973, Il castello della paura (Oliver) ; 1975, Il cavaliere costante nicosia demoniaco ovvero Dracula in Brianza (Fulci), Giro giro tondo... con il sesso e bello il mondo (O. Brazzi) ; 1976, Il tempo degli assassini, I telefoni bianchi (La carrière d'une femme de chambre) (Risi) ; 1977, Maestro d'amore (Rondi) ; 1980, Io e Caterina (Sordi) ; 1981, The Final Conflict (La malédiction finale) (Graham Baker) ; 1982, La voce (Rondi) ; 1984, Far Pavilions (Pavillons lointains) (Duffell) ; 1985, Final Justice (Clark), Fear City (New York, deux heures du matin) (Ferrara) ; 1986, Formula for Murder (de Martino) ; 1987, Russicum (L'affaire Russicum) (Squitieri) ; 1995, Fatal Frames (Festa). *Comme réalisateur* (sous le pseudonyme d'Edward Ross) : 1969, Salvare la faccia ; 1970, Sette uomini e un cervello.

Prototype du « latin lover », révélé à l'époque fasciste, sa carrière se partage entre la Péninsule et le continent américain. Beaucoup de mauvais films mais une prestation qui l'a rendu immortel dans *La comtesse aux pieds nus* où il doit avouer à Ava Gardner l'atteinte portée à sa virilité. Il épousa Lydia Bertolini en 1940. On aimerait voir les films qu'il a mis en scène.

Breitman, Zabou : cf. Zabou.

Brejchova, Jana

Actrice tchèque née en 1940.

Principaux films : 1954, Oloveny chleb (Sequens) ; 1957, Vlci jama (Weiss) ; 1961, Baron Prasil (Le baron de Munchhausen) (Zeman) ; 1964, Kazdy den odvahu (Du courage pour chaque jour) (Schorm) ; 1965, Dymky (Jasny) ; 1966, Navrat ztraceneho sna (Schorm) ; 1967, Noc nevesty (Kachyna) ; 1968, Faratuy Konec (La fin du bedeau) (Schorm).

Débuts à treize ans. Une carrière bien remplie depuis ; environ trente films en Tchécoslovaquie et trois en Allemagne de l'Est.

Brel, Jacques

Chanteur, acteur et réalisateur d'origine belge, 1929-1978.

1967, Les risques du métier (Cayatte) ; 1968, La bande à Bonnot (Ph. Fourastié) ; 1969, Mon oncle Benjamin (Molinaro) ; 1970, Les assassins de l'ordre (Carné), Mont-Dragon (Valère) ; 1971, Frantz (Brel) ; 1972, L'aventure c'est l'aventure (Lelouch), Le bar de la Fourche (A. Levant) ; 1973, Far West (Brel), L'emmerdeur (Molinaro) ; 1974, Jacques Brel Is Alive and Well Living in Paris (Jacques Brel est vivant et vit à Paris) (D. Heroux). *Pour le metteur en scène*, voir aussi le *Dictionnaire du cinéma*, t. I : *Les réalisateurs*.

On ne dira rien ici du chanteur ni même du réalisateur. L'acteur fut excellent. Il pouvait tout aussi bien jouer les anarchistes (*La bande à Bonnot*) que les écuyers (*Mont-Dragon* où l'on croirait qu'il a passé sa vie à cheval). Dommage que le cinéma ne l'ait pas davantage utilisé.

Brennan, Walter

Acteur américain, 1894-1974.

1927, The Ridin' Rowdy (Thorpe), Tearin' Into Trouble (Thorpe) ; 1928, The Ballyhoo Buster (Thorpe), The Lariat Kid (Eason), Silks and Saddles (Hill), One Hysterical Night (Craft) ; 1929, The Long Long Trail (A. Robson), Smiling Guns (McRae), The Shannons of Broadway (Flynn) ; 1930, King of Jazz (Anderson) ; 1931, Neck and Neck (Thorpe), Dancing Dynamite (Smith) ; 1932, Law and Order (Cahn), Texas Cyclone (Lederman), Two-Fisted Law (Lederman), Parachute Jumper (Green), The All-American (Mack) ; 1933, One Year Later (Hopper), Man of Action (Melford), Fighting for Justice (Brower), The Keyhole (Le trou de la serrure) (Curtiz), Baby Face Harrington (Walsh), Lilly Turner (Wellman), Female (Curtiz), Sing Sinner Sing (Christy), From Headquarters (Dieterle), Strange People (Thorpe) ; 1934, Good Dame (Gering), Half a Sinner (Neumann), Desirable (Mayo), Stamboul Quest (Wood), Riptide (Goulding), The Wedding Night (Soir de noces) (Vidor), The Painted Veil (Le voile des illusions) (Boleslavski) ; 1935, Man on the Flying Trapeze (Les joies de la famille) (Bruckman), Lady Tubbs (Crosland), Northern Frontier (Newfield), Law Beyond the Range (Beebe), Barbary Coast (Ville sans loi) (Hawks), Seven Keys to Baldpate (Hamilton et Killy), Metropolitan (Boleslavsky) ; 1936, Three Godfathers (Boleslavsky), Fury (Furie) (Lang), These Three (Ils étaient trois) (Wyler), Come and Get It (Le vandale) (Hawks et Wyler), Banjo on My Knee (Saint-Louis Blues) (Cromwell), The Moon's Our Home (Seiter), The Prescott Kid (Selman) ; 1937, She's Dangerous (Carruth et Foster), When Love is Young (Mohr), Wild and Woolly (Werker), The Affairs of Cappy Ricks (Staub) ; 1938, The Adventures of Tom Sawyer (Taurog), The Buccaneer (Les flibustiers) (DeMille), Kentucky (Butler), The Texans (Hogan), Mother Carey's Chickens (Lee), The Cow-Boy and the Lady (Madame et son cow-boy) (Potter) ; 1939, Stanley and Livingstone (King), The Story of Vernon and Irene Castle (La grande farandole) (Potter), They Shall Have Music (Mayo), Joe and Ethel Turp Call on the President (Sinclair) ; 1940, The Westerner (Le cavalier du désert) (Wyler), Northwest Passage (Le grand passage) (Vidor), Maryland (King) ; 1941, Meet John Doe (L'homme de la rue) (Capra), Sergeant York (Sergent York) (Hawks), Swamp Water (L'étang tragique) (Renoir), Rise and Shine (Dwan), Nice Girl (Seiter), This Woman Is Mine (Lloyd) ; 1942, Pride of the Yankees (Vainqueur du destin) (Wood), Stand by for Action (Leonard) ; 1943, Hangmen Also Die (Les bourreaux meurent aussi) (Lang), North Star (L'étoile du Nord) (Milestone), Slightly Dangerous (L'amour travesti) (Ruggles) ; 1944, Home in Indiana (Hathaway), The Princess and the Pirate (La princesse et le pirate) (Butler) ; 1945, To Have and Have Not (Le port de l'angoisse) (Hawks), Dakota (Kane) ; 1946, Centennial Summer (Preminger), My Darling Clementine (La poursuite infernale) (Ford) ; Nobody Lives Forever (Negulesco), A Stolen Life (La voleuse) (Bernhardt) ; 1947, Driftwood (Dwan) ; 1948, Red River (La rivière rouge) (Hawks), Scudda Hoo ! Scudda Hay (Herbert), Blood on the Moon (Ciel rouge) (Wise) ; 1949, Brimstone (Kane), The Green Promise (W. Russell), Task Force (Horizons en flammes) (Daves), The Great Dan Patch (Newman) ; 1950, A Ticket to Tomahawk (Sale), Surrender (Dwan), Singing Guns (Springsteen), Curtain Call at Cactus Creek (Lamont), The Showdown McGowan ; 1951 The Wild Blue Yonder (Dwan), Along the Great Divide (Le désert de la peur) (Walsh), Best of the Bad Men (Plus fort que la loi) (Russell) ; 1952, Lure of the Wilderness (Prisonniers du marais) (Negulesco), Return of the Texas (Daves) ; 1953, Sea of the Lost Ships (La mer des bateaux perdus) (Kane) ; 1954, Drums Across the River (La rivière sanglante) (Juran), Four Guns to the Border (Quatre tueurs et une fille) (Carlson), Bad Day at Black Rock (Un homme est passé) (Sturges), The Far Country (Je suis un aventurier) (Mann) ; 1955, At Gunpoint (Le doigt sur la gâchette) (Werker) ; 1956, Glory (Butler), Come Next Spring (Springsteen), The Proud Ones (Le shérif) (Webb) ; 1957, Tammy and the Bachelor (Pevney), God Is My Partner (Claxton), The Way to the Gold (Webb) ; 1959, Rio Bravo (Rio Bravo) (Hawks) ; 1960, Where the Boys Are (Levin) ; 1962, How the West Was Won (La conquête de l'Ouest) (Marshall, Hathaway, Ford) ; 1965, Those Calloways (Tokar) ; 1966, The Oscar (La statue en or massif) (Rouse), Who's Minding the Mint (Morris) ; 1967, The Gnome Mobile (Stevenson) ; 1968, The One and Only Genuine Original Family Band (O'Herlihy) ; 1969, Support Your Local Gunfighter (Ne tirez pas sur le shérif) (Kennedy) ; 1971, Smoke in the Wind (Kane).

Il gagna trois fois l'oscar du second rôle (*Come and Get It ; Kentucky ; The Westerner*) en créant « le type du vieux cow-boy hirsute et édenté, chiqueur, buveur, blagueur, fertile en évocations nostalgiques, en plaisanteries misogynes et en commentaires choriques » (Tavernier). Parmi ses compositions les plus mémorables, celle du juge Roy Bean (au tic caractéristique quand il ordonne une pendaison) dans *The Westerner*, du clochard à la Socrate dans *Meet John Doe* et surtout de l'adjoint de John Wayne, gloussant et crachant, dans *Rio Bravo*. L'homme ne différait guère du personnage : vieillard excentrique et vivant en misanthrope.

Brent, Evelyn

Actrice américaine, de son vrai nom Mary Riggs, 1899-1975.

1914, A Gentleman from Mississippi, The Heart of a Painted Woman, The Pit ; 1915, The Shooting of Dan McGrew ; 1916, The Soul Market, The Spell of Yukon, The Lure of Heart's Desire, The Iron Woman, Playing with Fire, The Weakness of Strength ; 1917, Raffles, To the Death, Who's Your Neighbor ?, The Millionaire's Double ; 1918, Daybreak ; 1919, The Other Man's Wife, Fool's Gold, Help, Help, Police, The Glorious Lady, Border River, Into the River ; 1920, The Shuttle of Life (Williams) ; 1921, Sybil (Denton), Demos (Clift), Laughter and Tears (Doxat-Pratt), Sonia (Clift), The Door That Has No Key (Knoles), Circus Jim (Doxat-Pratt) ; 1922, Married to a Mormon (Parkinson), The Experiment (Sinclair Hill), Spanish Jade (Robertson), Pages of Life (Migliar), Trapped by the Mormons (Parkinson) ; 1923, Held to Answer (Shaw), Loving Lies (Van Dyke) ; 1924, Arizona Express (Buckingham), The Cyclone Rider (Buckingham), The Desert Outlaw (Mortimer), The Lone Chance (Mitchell), My Husband's Wives (Elvey), Silk Stocking Sal (Browning), The Plunderer (Archainbaud), Shadow of the East (Archainbaud) ; 1925, Smooth as Satin (R. Ince), Alias Mary Flynn (R. Ince), The Dangerous Flirt (Browning), Broadway Lady (Ruggles), Forbidden Cargo (Buckingham), Lady Robin Hood (R. Ince), Midnight Molly (Ingraham), Three Wise Crooks (Weight) ; 1926, The Flame of the Argentine (Dillon), The Imposter (Withey), Love'em and Leave'em (Tuttle), Queen of Diamonds (Withey), The Jade Cup (Crane), Secret Orders (Withey) ; 1927, Blind Alley (Tuttle), Love's Greatest Mistake (Sutherland), Woman's Ware, Underworld (Les nuits de Chicago) (Sternberg) ; 1928, Beau Sabreur (Waters), A Night of Mystery (Mendes), The Dragnet (La rafle) (Sternberg), The Last Command (Crépuscule de gloire) (Sternberg), The Mating Call (Cruze), The Showdown (Schertzinger), Interference (Mendes), His Tiger Lady (Henley) ; 1929, Broadway (Fejos), Darkened Rooms (Gasnier), Fast Company (Sutherland), Woman Trap (Wellman), Why Bring That Up (Abbott) ; 1930, Framed (Archainbaud), Madonna of the Streets (Robertson), Paramount on Parade (Lubitsch, Goulding, Mendes...), Slighty Scarlet (Gasnier) ; 1931, The Mad Parade (Beaudine), The Pagan Lady (Dillon), Travelling Husbands (Sloane) ; 1932, High Pressure (LeRoy), Attorney for the Defense (Cummings), The Crusader (Strayer) ; 1933, The World Gone Mad (Cabanne) ; 1935, Home on the Range (Jacobson), Symphony of Living (Strayer) ; 1936, It Couldn't Have Happened (Rosen), The President's Mystery (Rosen), Hopalong Cassidy Returns (Watt), Jungle Jim (Beebe et Smith), Penthouse Party (Nigh), Song of the Trail (Hopton) ; 1937, Night Club Scandal (Murphy), Daughter of Shanghai (Florey), The Last Train from Madrid (Hogan) ; 1938, Mr. Wong Detective (Nigh), The Law West of Tombstone (Tryon), Sudden Bill Dorn (Taylor) ; 1939, Daughter of the Tong (Johnson), Panama Lady (Hively) ; 1940, The Fighting 69th (Le régiment des bagarreurs) (Keighly), 'Till We Meet Again (Goulding) ; 1941, Forced Landing (Wiles), Wide Open Town (Selander), Dangerous Lady (B. Ray), Emergency Landing (Beaudine), Holt of the Secret Service

(Horne), Ellery Queen and the Murder Ring (Hogan) ; 1942, The Wrecking Crew (McDonald), Westwar Ho ! (English), The Pay-Off (Dreifuss) ; 1943, The Seventh Victim (La septième victime) (Robson), Spy Train (Young), Bowery Champs (Beaudine) ; 1946, Raiders of the South (Les vengeurs du Sud) (Hillyer) ; 1947, Robin Hood of Monterey (Cabanne) ; 1948, The Mystery of the Golden Eye (Beaudine), Stage Struck (Nigh) ; 1950, Again Pioneers (Beaudine).

Cette brune au visage fin et à l'allure distinguée commença très jeune dans la carrière cinématographique. Sa célébrité était telle dans les années 20 qu'elle tourna plusieurs films en Angleterre entre 1920 et 1922 avant de revenir à Hollywood. Sternberg en fit une star avec *Underworld* où elle avait pour partenaire George Bancroft. On la revit dans *The Last Command* avec Jannings puis elle retrouva Bancroft dans *The Dragnet*. L'avènement du parlant lui fut fatal. Vouée aux serials et aux westerns de série B, elle fut peu à peu oubliée.

Brent, George

Acteur américain, de son vrai nom Nolan, 1904-1979.

1930, Those We Love (Florey), Under Suspicion (Erickson) ; 1931, Once a Sinner (McClintic), Fair Warning (N. Foster), Homicide Squad (Cahn et Melford), Ex-bad Boy (Moore), Charlie Chan Carries on (MacFadden) ; 1932, So Big (Mon grand) (Wellman), Life Begins (Flood), Miss Pinkerton (Bacon), Weekend Marriage, The Rich Are Always With You (Green), Purchase Price (Wellman), The Crash (Dieterle), They Call It Sin (Freeland) ; 1933, 42nd Street (42e rue) (Bacon), The Keyhole (Curtiz), Luxury Liner (Whorf), Lily Turner (Wellman) ; 1934, Baby Face Harrington (Walsh), Housewife (Green), Stamboul Quest (Wood), Desirable (Mayo), The Painted Veil (Le voile des illusions) (Boleslavsky) ; 1935, Front Page Woman (Sixième édition) (Curtiz), Stranded (Borzage), The Goose and the Gander (Green), Special Agent (Keighley), In Person (Seiter) ; 1936, The Right to Live (Keighley), The Golden Arrow (Green), The Case Against Mrs. Ames (Seiter), Give Me Your Heart (Mayo), More than a Secretary (Green), God's Country and the Woman (Keighly) ; 1937, The Go-Getter (Berkeley), Mountain Justice (Curtiz) ; 1938, Jezebel (L'insoumise) (Wyler), Racket Busters (Menaces sur la ville) (Bacon), Gold Is Where You Find It (La bataille de l'or) (Curtiz) ; 1939, Secrets of An Actress (Keighley), Dark Victory (Victoire sur la nuit) (Goulding), The Old Maid (La vieille fille) (Goulding), The Rains Came (La mousson) (Brown), Wings of the Navy (Les ailes de la flotte), 'Till We Meet Again (Borzage), The Man Who Talked Too Much (V. Sherman), The Fighting 69th (Le régiment des bagarreurs) (Keighley), South of Suez (Seiler) ; 1941, Honeymoon for Three (Bacon), International Lady (Whelan), They Dare Not Love (Whale), The Great Lie (Goulding) ; 1942, The Gay Sister (Rapper), In This Our Life (Huston), Twin Beds (Whelan), You Can't Escape for Ever (Graham), Silver Queen (Bacon) ; 1945, The Affairs of Susan (Seiter), Experiment Perilous (Angoisse) (J. Tourneur), The Spiral Staircasse (Deux mains la nuit) (Siodmak) ; 1946, My Reputation (Le droit d'aimer) (Bernhardt), Tomorrow Is Forever (Pichel), Lover Come Back (D. Mann), Temptation (Pichel) ; 1947, Slave Girl (Lamont), Out of the Blue (Jason), Christmas Eve (Marin), The Corpse Came C.O.D. (Levin) ; 1948, Luxury Liner (Whorf), Angel on the Amazon (Tam-tam sur l'Amazone) (Auer) ; 1949, Red Canyon (G. Sherman), Illegal Entry (De Cordova), The Kid from Cleveland (Kline), Bride for Sale (William Russell) ; 1951, FBI Girl (Berke) ; 1952, Montana Belle (Dwan) ; 1953, Tangier Incident (Landers) ; 1978, Born Again (Rapper).

Épaules carrées, fine moustache et visage inexpressif : il joua les jeunes premiers avec un manque de conviction évident mais sans jamais décourager les producteurs. Quelques bons films de Curtiz, Goulding et Huston. Il fut le partenaire de Bette Davis à laquelle il ne faisait guère d'ombre. Remplacé par Rock Hudson, il mourut d'un emphysème.

Bressart, Felix

Acteur allemand, 1892-1949.

Plusieurs films en Allemagne, puis : 1939, Ninotchka (Ninotchka) (Lubitsch) ; 1940, The Shop around the Corner (Rendez-vous) (Lubitsch), Comrade X (Camarade X) (Vidor) ; 1942, To Be or Not to Be (Jeux dangereux) (Lubitsch) ; 1943, Above Suspicion (Thorpe) ; 1944, The Seventh Cross (La septième croix) (Zinneman) ; 1948, A Song is Born (Si bémol et fa dièse) (Hawks) ; 1949, Portrait of Jennie (Le portrait de Jennie) (Dieterle).

Acteur de théâtre allemand chassé par le nazisme, il se réfugia en Amérique où il devint un acteur fétiche de Lubitsch.

Brialy, Jean-Claude

Acteur et réalisateur français né en 1933.

1956, Sonate à Kreutzer (court métrage, Rohmer), Le coup du berger (court métrage,

Rivette), L'ami de la famille (Pinoteau) ; 1957, Tous les garçons s'appellent Patrick (court métrage, Godard), Tous peuvent me tuer (Decoin), Le triporteur (Pinoteau), Un amour de poche (Kast), Cargaison blanche (Lacombe), L'école des cocottes (Audry), Le beau Serge (Chabrol), Ascenseur pour l'échafaud (Malle) ; 1958, Une histoire d'eau (court métrage, Godard-Truffaut), Paris nous appartient (Rivette), Les cousins (Chabrol), Et ta sœur (Delbez), Christine (Gaspard-Huit), Les amants (Malle) ; 1959, Le bel âge (Kast), Le chemin des écoliers (Boisrond), Les yeux de l'amour (La Patellière), La notte brava (Les garçons) (Bolognini), Les quatre cents coups (Truffaut) ; 1960, Les godelureaux (Chabrol), Le gigolo (Deray) ; 1961, Une femme est une femme (Godard), Le puits aux trois vérités (Villiers), Adieu Philippine (Rozier), Les petits matins (Audry), Tire au flanc (Givray), L'éducation sentimentale (Astruc), Les lions sont lâchés (Verneuil), Les amours célèbres (Boisrond), La chambre ardente (Duvivier), Les sept péchés capitaux (sketch de Chabrol) ; 1962, Cléo de 5 à 7 (Varda), Arsène Lupin contre Arsène Lupin (Molinaro), Le diable et les dix commandements (Duvivier), Le glaive et la balance (Cayatte), La banda casaroli (Vancini), Les veinards (Pinoteau) ; 1963, Carambolages (Bluwal), La bonne soupe (R. Thomas), Un château en Suède (Vadim) ; 1964, La chasse à l'homme (Molinaro), La ronde (Vadim), Tonio Kroeger (Thiele), Un monsieur de compagnie (Broca), Comment épouser un Premier ministre (Boisrond), Cent briques et des tuiles (Grimblat), Viheltajat (Routsalo), La bonne occase (Drach), Io la conoscevo bene (Pietrangeli), La mandragola (La mandragore) (Lattuada), Il morbidone (Franciosa) ; 1966, I nostri mariti (Zampa), Le roi de cœur (Broca), Un homme de trop (Costa-Gavras), Le plus vieux métier du monde (sketch de Broca) ; 1967, Lamiel (Aurel), La mariée était en noir (Truffaut), Operazione San Pietro (Au diable les anges) (Fulci), Manon 70 (Aurel), Caroline chérie (La Patellière) ; 1969, Le bal du comte d'Orgel (Allégret) ; 1970, Le genou de Claire (Rohmer), Cose di cosa nostra (Steno) ; 1971, Stagione all'inferno (Une saison en enfer) (N. Risi) ; 1972, Un meurtre est un meurtre (Périer) ; 1973, L'oiseau rare (Brialy), Dreyfus (commentaire, Chérasse), Un amour de pluie (Brialy) ; 1974, Comme un pot de fraises (Aurel), Le fantôme de la liberté (Buñuel) ; 1975, Un animal doué de déraison (Kast), Catherine et compagnie (Boisrond), Les œufs brouillés (Santoni), Le juge et l'assassin (Tavernier), L'année sainte (Girault), Barocco (Téchiné) ; 1976, Julie pot de colle (Broca), L'imprécateur (Bertucelli) ; 1977, Le point de mire (Tramont), Doppio delitto (Steno) ; 1978, Robert et Robert (Lelouch), La chanson de Roland (Cassenti), On efface tout (Vidal) ; 1979, Le maître nageur (Trintignant) ; 1980, L'œil du maître (Kurc), La banquière (Girod), Pinot simple flic (Jugnot) ; 1982, La nuit de Varennes (Scola), Mortelle randonnée (Miller) ; 1983, Cap Canaille (Berto), Le démon dans l'île (Leroi), Édith et Marcel (Lelouch), Sarah (Dugowson), La ragazza di Trieste (La fille de Trieste) (Festa Campanile), Stella (Heynemann), La crime (Labro), Papy fait de la résistance (Poiré), Les uns et les autres (Lelouch) ; 1985, Le téléphone sonne toujours deux fois (Vergne), Le quatrième pouvoir (Leroy), Suivez mon regard (Curtelin), Le mariage du siècle (Galland), L'effrontée (Miller) ; 1986, Inspecteur Lavardin (Chabrol), Le débutant (Janneau), Levy et Goliath (Oury), Le moustachu (Chaussois) ; 1987, Grand-Guignol (Marbœuf), Maladie d'amour (Deray), Les innocents (Téchiné) ; 1989, Comédie d'été (Vigne), Ripoux contre ripoux (Zidi), Un castello con quaranti cani (Au bonheur des chiens) (Tessari) ; 1990, S'en fout la mort (Denis), Faux et usage de faux (Heynemann) ; 1991, Août (Herré) ; 1993, Colpo di coda (Sanchez) ; 1994, La reine Margot (Chéreau), Il mostro (Le monstre) (Benigni), Le fils de Gascogne (Aubier), Les cent et une nuits (Varda), Une femme française (Wargnier) ; 1995, Les caprices d'un fleuve (Giraudeau), Beaumarchais l'insolent (Molinaro), Portraits chinois (Dugowson) ; 1998, L'homme de ma vie (Kurc), In extremis (Faure) ; 1999, Kennedy & moi (Karmann), Les acteurs (Blier) ; 2000, Cocorrenza sleale (Concurrence déloyale) (Scola) ; 2003, C'est le bouquet (Labrune), Les filles, personne s'en méfie (Silvera) ; 2004, People Jet set 2 (Onteniente) ; 2005, Quartier VIP (Firode). *Pour le metteur en scène*, voir le *Dictionnaire du cinéma*, t. I : *Les réalisateurs*.

Fils d'officier supérieur, il fait de solides études, obtient un prix de comédie au conservatoire de Strasbourg et débute sur scène dans *Les mains sales, Jean de la lune*, etc. Ses débuts cinématographiques sont modestes, mais deux films de Chabrol, *Le beau Serge* et surtout *Les cousins* en font une vedette. Brialy ne va plus cesser de tourner. Trop peut-être. Son personnage de jeune premier séduisant et bavard, toujours agité, élégant et cynique, va finir par se diluer dans des productions médiocres. Intelligent, Brialy comprend le danger et devient réalisateur, sans négliger cependant sa carrière de comédien. Excellent en médecin fou dans *Le démon dans l'île*, il n'est qu'un troisième couteau dans le ridicule *Édith et Marcel* de Lelouch. Il se tourne aussi vers la télévision où il anime une émission, après avoir dirigé sans succès une amusante adaptation d'*Un bon petit diable.* Il revient à des personnages plus élaborés dans *L'effrontée* et *Inspecteur Lavardin* pour finir par se moquer de lui-même en cabot pittoresque du *Débutant* et de *Grand-Guignol* et par rendre hommage à son passé en officier vieillissant du film méconnu de Daniel Vigne : *Comédie d'été.* Il fut un inattendu Coligny dans *La reine Margot* avant de retrouver ses personnages habituels dans *People Jet set 2.* Son livre de souvenirs *Le ruisseau des singes* révèle les excellents rapports que le comédien a toujours entretenus avec ses collègues, pour lesquels il est un « vrai gentil ».

Brice, Pierre

Acteur français, de son vrai nom Pierre Louis de Bris, né en 1929.

1954, Ça va barder (Berry) ; 1957, Le septième ciel (Bernard) ; 1958, Le miroir à deux faces (Cayatte), Les tricheurs (Carné) ; 1959, Monsieur Suzuki (Vernay), I Cosacchi (Les Cosaques) (Rivalta), Il rossetto (Jeux précoces) (Damiani), L'ambitieuse (Y. Allégret) ; 1960, Il sepolcro dei re (La vallée des rois) (Cerchio), L'homme à femmes (Cornu), Il mulino delle donne di pietra (Le moulin des supplices) (Ferroni), I piaceri del sabato sera (D'Anza), Le baccanti (Ferroni), La donna dei faraoni (La princesse du Nil) (Rivalta) ; 1961, Akiko (D'Amico), Douce violence (Pecas), Los atracadores (Rovira-Beleta), Col ferro e col fuoco (Par le fer et par le feu) (Cerchio) ; 1962, Il giorno più corto (Le jour le plus court) (Corbucci), Un alibi per morire (Montero), Der Schatz im Silbersee (Le trésor du lac d'argent) (Reinl) ; 1963, L'invincibile cavaliere mascherato (L'invincible cavalier masqué) (Lenzi), Pacto de silencio (Romàn), Zorro contro Maciste (Maciste contre Zorro) (Lenzi), Winnetou (La révolte des Indiens apaches) (Reinl), Old Shatterhand (Les cavaliers rouges) (Fregonese) ; 1964, Die Goldene Göttin vom Rio Beni (Les aventuriers de la jungle) (E. Martin), Unter Geiern (Parmi les vautours) (Vohrer), Winnetou II (Le trésor des montagnes bleues) (Reinl) ; 1965, Schüsse im Dreiviertelakt (Un pater au « Prater » pour notre agent de Vienne/Du suif dans l'Orient-Express) (Weidenmann), Der Ölprinz (L'appât de l'or noir) (Philipp), Di Hölle von Manitoba (L'enfer du Manitoba) (Reynolds), Old Surehand (Vohrer), Winnetou III (Reinl) ; 1966, Le carnaval des barbouzes (Cardone, Soulanes), Winnetou und sein Freund Old Firehand (Tonnerre sur la frontière) (Vohrer), Winnetou und das Halbblut Apanatschi (Philipp), Les guerriers (Nicolaescu) ; 1967, Le treizième caprice (Boussinot) ; 1968, Winnetou und Shatterhand im Tal der Toten (Winnetou et Shatterhand dans la vallée des morts) (Reinl) ; 1970, Les coups pour rien (Lambert), La notte dei dannati (Ratti) ; 1971, Erika (Rush), Bella di giorno, moglie di notte (Prostituée le jour, épouse la nuit) (Rossatti) ; 1972, Féminin-féminin (Calef), Una cuerda al amanecer (Esteba) ; 1974, La pupa del gangster (La poupée du gangster) (Capitani) ; 1987, Zärtliche Chaoten (Gottlieb).

Ce Breton de Brest qui débute en France par la petite porte ne se doute pas qu'il deviendra au début des années 60 l'un des acteurs les plus populaires d'Allemagne grâce au personnage de l'Indien Winnetou, né sous la plume du romancier Karl May. Il apparaîtra à onze reprises sous les traits de l'Apache, et recevra trois fois le Bambi, prix décerné outre-Rhin au comédien le plus aimé du public. Il se fixe en Allemagne, s'y marie et exerce une importante activité au théâtre et à la télévision, où il reprend l'identité de son personnage fétiche à l'occasion d'un téléfilm tourné en 1997, sur des textes dont il est l'auteur.

Bridges, Jeff

Acteur américain né en 1949.

1950, The Company she Keeps (Cromwell) ; 1970, Halls of Anger (Colère noire) (Bogart), The Yin and the Yang of Mr. Go (Meredith) ; 1971, The Last Picture Show (La dernière séance) (Bogdanovich) ; 1972, Bad Company (Bad Company) (Benton), Fat City (La dernière chance) (Huston) ; 1973, The Last American Hero (The Last American Hero) (L. Johnson), The Iceman Cometh (Frankenheimer), Lolly Madonna XXX (Une fille nommée Lolly Madonna) (Sarafian), Thunderbolt & Lightfoot (Le canardeur) (Cimino) ; 1975, Rancho Deluxe (Perry), Hearts of the West (Hollywood cow-boy) (Zieff) ; 1976, Stay Hungry (Stay Hungry) (Rafelson), King Kong (King Kong) (Guillermin), Somebody Killed her Husband (Lamont Johnson) ; 1979, Winter Kills (Richert), Success (Richert) ; 1980, Heaven's Gate (La porte du paradis) (Cimino) ; 1981, Cutter's Way (La Blessure) (Passer) ; 1982, Tron (Tron) (Lisberger), Kiss me Goodbye (Mulligan) ; 1983, Against All Odds (Contre toute attente) (Hackford), Starman (Starman) (Carpenter) ; 1985, Jagged Edge (A double tranchant) (Marquand) ; 1986, 8 Million Ways to Die (Huit millions de façons de mourir) (Ashby), The Morning After (Le lendemain du crime) (Lumet) ; 1987, Nadine (Nadine) (Benton) ;

1988, Tucker, the Man and his Dream (Tucker) (Coppola) ; 1989, Cold Feet (Dornhelm), The Fabulous Baker Boys (Susie et les Baker Boys) (Kloves), See You in the Morning (Pakula) ; 1990, Texasville (Texasville) (Bogdanovich) ; 1991, The Fisher King (Fisher king) (Gilliam) ; 1992, The Vanishing (La disparue) (Sluizer), American Heart (Bell) ; 1993, Fearless (État second) (Weir) ; 1994, Blown Away (Blown Away) (S. Hopkins), Wild Bill (Hill) ; 1995, White Squall (Lame de fond) (R. Scott) ; 1996, The Mirror Has Two Faces (Leçons de séduction) (Streisand) ; 1997, The Big Lebowski (The Big Lebowski) (Coen) ; 1998, Arlington Road (Arlington Road) (Pellington), The Muse (La muse) (A. Brooks), A Soldier's Daughter Never Cries (La fille d'un soldat ne pleure jamais) (Ivory) ; 1999, Forever Hollywood (Glassman), Simpatico (Simpatico) (Warchus), The Contender (Manipulations) (Lurie) ; 2001, Scenes of the Crime (Forma), K-PAX (L'homme qui venait de loin) (Softley) ; 2003, Seabiscuit (Pur-sang) (Ross) ; 2004, The Door in the Floor (Lignes de vie) (Williams) ; 2005, The Moguls (Les amateurs) (Traeger), Tideland (Tideland) (Gilliam) ; 2007, Stick It (Stick It) (Bendinger).

Fils de Lloyd Bridges, il a débuté très jeune à la télévision à côté de son père. Il est excellent en détective improvisé, jouet d'une habile intrigue, dans *Against all Odds*, ou en criminel sadique d'*A double tranchant*. Il compose un Tucker vraisemblable. Son frère Beau est son partenaire dans *Susie* ; né en 1941, il a tourné dans *L'incident* et *Norma Rae*.

Bridges, Lloyd
Acteur américain, 1913-1998.

1941, Honolulu lu (Barton), The Lone Wolf Takes a Chance (Salkow), Son of Davy Crockett (Hillyer), Cadets on Parade (Landers), I Was a Prisoner on Devil's Island (Landers), Here Comes Mr. Jordan (Le défunt récalcitrant) (Hall), Two Latins from Manhattan, Harmon of Michigan, The Medico of Painted Springs, Harvard, You Belong to Me (Ruggles), The Royal Mounted Patrol (Lewis) ; 1942, Alias Boston Blackie (Landers), Shut My Big Mouth (Barton), Canal Zone (Landers), The Talk of the Town (La justice des hommes) (Stevens), Tramp, Tramp, Tramp (Barton), Pardon My Gun (Berke), A Man's World (Barton), Meet the Stewarts (Green), Flight Lieutenant (Salkow), Riders of Northland (Berke), Atlantic Convoy (Landers), Spirit of Stanford (Barton) ; 1943, Commandos Strike at Dawn (Farrow), The Crime Doctor's Strangest Case (Forde), Hail to the Rangers (Berke), Destroyer (Seiter), Passport to Suez (De Toth) ; 1944, Louisiana Hayride (Barton), She's a Soldier Too (Castle), The Master Race (Biberman), Saddle Leather Law (Kline) ; 1945, A Walk in the Sun (Le commando de la mort) (Milestone), The Imposter (L'imposteur) (Duvivier), Secret Agent X-9 (Taylor et Collins) ; 1946, Abilene Town (Marin), Canyon Passage (Le passage du canyon) (Tourneur) ; 1947, Ramrod (Femme de feu) (De Toth), Unconquered (Les conquérants d'un nouveau monde) (DeMille), The Trouble with Women (Lanfield) ; 1948, Secret Service Investigator (Springsteen), Sixteen Fathoms Deep (Schaefer), Moonrise (Le fils du pendu) (Borzage) ; 1949, Home of the Brave (Je suis un nègre) (Robson), Red Canyon (G. Sherman), Calamity Jane and Sam Bass (Sherman), Trapped (Fleischer), Hide-Out (P. Ford) ; 1950, Colt 45 (Marin), The White Tower (Tetzlaff), Rocketship XM (Neuman), The Sound of Fury (Fureur sur la ville) (Endfield) ; 1951, Little Big Horn (Warren), The Whistle at Eaton Falls (Siodmak), Three Steps North (W. Wilder) ; 1952, High Noon (Le train sifflera trois fois) (Zinneman), Plymouth Adventure (Capitaine sans loi) (Brown), Last of the Comanches (Le sabre et la flèche) (De Toth), The Tall Texan (E. Wiliams) ; 1953, City of the Bad Men (Jones), The Kid from Left Field (Jones), The Limping Man (De Latour) ; 1954, Pride of the Blue Grass (Beaudine) ; 1955, Wichita (Un jeu risqué) (Tourneur), Apache Woman (Corman) ; 1956, Wetbacks (McCune), The Rainmaker (Le faiseur de pluie) (Anthony) ; 1957, Ride Out for Revenge (Girard) ; 1958, The Goddess (La déesse) (Cromwell) ; 1967, The Daring Game (Benedek), Attack on the Iron Coast (Wendkos) ; 1969, The Happy Ending (Brooks) ; 1972, To Find a Man (Kulik) ; 1975, Deliver Us from Evil (McCahon) ; 1978, The Bear Island (Le secret de la banquise) (Sharp) ; 1979, Mission Galactica (Galactica) (V. Edwards), The 5th Musketeer (Annakin) ; 1980, Airplane (Y a-t-il un pilote dans l'avion ?) (Abraham, D. & J. Zucker) ; 1982, Airplane 2 (Y a-t-il enfin un pilote dans l'avion ?) (Finkleman) ; 1986, Weekend Warriors (Convy) ; 1988, Tucker, a Man and His Dream (Tucker) (Coppola) ; 1989, Cousins (Cousins) (Schumacher), Winter People (Kotcheff) ; 1990, Joe Versus the Volcano (Joe contre le volcan) (Shanley) ; 1991, Hot Shots ! (Hot Shots !) (Abrahams) ; 1992, Honey I Blew Up the Baby (Chérie j'ai agrandi le bébé) (Kleiser) ; 1993, Hot Shots Part Two (Hot shots 2) (Abrahams), Run of Hearts (Wortmann) ; 1994, Blown Away

(Blown Away) (Hopkins) ; 1997, Jane Austen's Mafia ! (Le prince de Sicile) (Abrahams) ; 1998, Meeting Daddy (Gould).

Grand, fort, il est pourtant rarement le héros et ses personnages sont généralement ambigus. Étudiant à Los Angeles, pris sous contrat par la Columbia, il a fait une longue carrière. Beaucoup de télévision (dont *Sea Hunt*) à partir de 1960.

Brion, Françoise

Actrice française, de son vrai nom German de Ribon, née en 1934.

1957, Nathalie (Christian-Jaque), Donnez-moi ma chance (Moguy) ; 1958, Cette nuit-là (Cazeneuve), Le petit prof (Rim) ; 1959, Le bel âge (Kast), Katia (Siodmak), L'eau à la bouche (Doniol-Valcroze), Le Saint mène la danse (Nahum), Un témoin dans la ville (Molinaro) ; 1960, Cœur battant (Doniol-Valcroze), Comment qu'elle est ? (Borderie) ; 1961, Les Parisiennes (épisode : Françoise) (Barma), La dénonciation (Doniol-Valcroze), Lemmy pour les dames (Borderie), Le jeu de la vérité (Hossein) ; 1962, Et Satan conduit le bal (Dabat), L'immortelle (Robbe-Grillet), (Codine) (Colpi) ; 1963, Dragées au poivre (Baratier), Vacances portugaises (Kast) ; 1965, Cartes sur table (Franco), Un mundo nuovo (Un monde nouveau) (De Sica) ; 1967, La blonde de Pékin (Gessner), Alexandre le bienheureux (Robert), Les gommes (Deroisy) ; 1970, Un beau monstre (Gobbi) ; 1971, Les soleils de l'île de Pâques (Kast), Le traître du rossignol (Flechet) ; 1972, La chambre rouge (Berckmans) ; 1973, Caravan to Vaccarès (Le passager) (Reeve), Le sourire vertical (Lapoujade), L'inceste (Franco) ; 1974, Les bijoux de famille (Laureux), Rosebud (Rosebud) (Preminger), Vanda Teres (Vincent) ; 1975, Adieu poulet (Granier-Deferre), La traque (Leroy) ; 1976, Néa (Kaplan) ; 1977, Le point de mire (Tramont), Attention, les enfants regardent (Leroy) ; 1983, The Mysterious Death of Nina Chereau (D. Berry) ; 1985, La tentation d'Isabelle (Doillon) ; 1990, Isabelle Eberhardt (Isabelle Eberhardt) (Pringle), Vincennes Neuilly (Dupouey) ; 1991, Rue du Bac (Aghion) ; 1995, Nelly et M. Arnaud (Sautet) ; 1999, La bûche (Thompson) ; 2005, Travaux (Roüan).

Issue d'une bonne famille, elle fait ses débuts au théâtre qu'elle n'abandonnera jamais tout à fait. Au cinéma, elle est lancée par la Nouvelle Vague, à savoir son mari, Doniol-Valcroze et Pierre Kast. Elle sera aussi « l'immortelle » de Robbe-Grillet. Sa carrière a oscillé entre des rôles assez déshabillés et des films ambitieux pour initiés.

Briquet, Sacha

Acteur français né en 1931.

1955, La tour de Nesle (Gance), Marie-Antoinette (Delannoy) ; 1956, Printemps à Paris (J.-C. Roy), Pas de pitié pour les caves (Le Page) ; 1957, Miss Pigalle (Cam), Mademoiselle et son gang (Boyer), Sénéchal le Magnifique (Boyer) ; 1958, Énigme aux Folies-Bergère (Roy), L'increvable (Boyer), Premier Mai (Saslavsky), La marraine de Charley (Chevalier), Un témoin dans la ville (Molinaro), Arrêtez le massacre (Hunebelle) ; 1959, Archimède le clochard (Grangier), La fleur au fusil (Kautner) ; 1960, Les bonnes femmes (Chabrol), Merci Natersia (Kast) ; 1961, Amélie ou le temps d'aimer (Drach), Le gigolo (Deray), Les godelureaux (Chabrol) ; 1962, Le caporal épinglé (Renoir), Les livreurs (Girault), Match contre la mort (Bernard-Aubert) ; 1963, Ophélia (Chabrol), Les sept péchés capitaux (sketch de Chabrol), Landru (Chabrol) ; 1964, Clémentine chérie (Chevalier), Les plus belles escroqueries (sketch de Chabrol), Les Pieds nickelés (Chambon), Le monsieur de compagnie (Broca) ; 1967, Raspoutine (Hossein) ; 1968, L'écume des jours (Belmont), Ne jouez pas avec les Martiens (Delanoé), Benjamin (Deville) ; 1973, Le concierge (Girault), La gueule de l'emploi (Rouland) ; 1974, Gross Paris (Grangier) ; 1977, Le portrait de Dorian Gray (Boutron), Le paradis des riches (Barge), Les surdoués de la Première Compagnie (Gérard) ; 1983, Prénom Carmen (Godard) ; 1984, Ave Maria (Richard), La vengeance du serpent à plumes (Oury) ; 1987, Funny Boy (Le Hémonet) ; 1989, Eye of the Widow (L'œil de la veuve) (McLaglen), Un week-end sur deux (Garcia) ; 1992, L'accompagnatrice (Miller) ; 1993, Le roi de Paris (Maillet) ; 1995, Pédale douce (Aghion) ; 1998, Belle maman (Aghion), Monsieur Naphtali (Schatzky) ; 2006, Les irréductibles (Bertrand).

Les années 30 eurent leurs acteurs de composition comme la Nouvelle Vague eut les siens, dont Sacha Briquet. Il excelle dans les rôles d'ahuris, polytechniciens de préférence, encombrés par leur haute taille et leurs lunettes. Interprète fétiche de Chabrol, il a joué dans de nombreux films où vous n'avez pas pu ne pas le remarquer. Il est présent dans ce dictionnaire pour que vous vous rappeliez désormais son nom. On lui doit d'amusants souvenirs sur sa carrière d'acteur : *Comédien, pourquoi pas ?* (1994), une réussite dans le genre difficile des Mémoires.

Britt, May

Actrice suédoise, de son vrai nom Maybritt Wilkens, née en 1936.

1952, Le infedeli (Steno et Monicelli) ; 1953, La lupa (La louve) (Lattuada), La nave delle donne maledette (Matarazzo) ; 1954, Vergine moderna (Pagliero), Ça va barder (Berry) ; 1956, War and Peace (Guerre et paix) (Vidor) ; 1958, The Young Lions (Le bal des maudits) (Dmytryk), La tempesta (La tempête) (Lattuada), The Hunters (Flammes sur l'Asie) (Powell) ; 1959, The Blue Angel (L'ange bleu) (Dmytryk) ; 1960, Murder Inc. (Crime, société anonyme) (Rosenberg et Balaban) ; 1977, Haunts (Freeds).

Ravissante Suédoise, blonde comme il se doit, découverte par Ponti qui la fit débuter en Italie. Elle tourna ensuite aux États-Unis, n'hésitant pas à reprendre le rôle de Marlène Dietrich dans le remake de *L'ange bleu*, ce qui fit moins scandale que son mariage avec un chanteur noir dont elle devait rapidement se séparer. Trop tard, sa carrière était brisée. Elle tenta de revenir en 1977, sans succès.

Brix, Herman puis Bennett, Bruce

Acteur américain, 1906-2007.

Plus de cent films sous son nom de Brix, parmi lesquels : 1935, The New Adventures of Tarzan (Kull) ; 1938, Hawk of the Wilderness (Les vautours de la jungle) (Witney), Daredevils of the Red Circle (Witney et English). *Sous le nom de Bennett :* 1945, Sahara (Korda), Mildred Pierce (Curtiz) ; 1947, Dark Passage (Les passagers de la nuit) (Daves), Cheyenne (Walsh) ; 1948, Silver River (La rivière d'argent) (Walsh), The Treasure of Sierra Madre (Le trésor de la Sierra Madre) (Huston) ; 1949, Task Force (Horizons en flammes) (Daves) ; 1950, Mystery Street (Le mystère de la plage perdue) (Sturges) ; 1951, The Great Missouri Raid (Douglas), The Last Outpost (Le dernier bastion) (Foster) ; 1952, Sudden Fear (Le masque arraché) (Miller) ; 1955, Strategic Air Command (Strategic Air Command) (Mann) ; 1956, The Bottom of the Bottle (Le fond de la bouteille) (Hathaway), Three Violent People (Terre sans pardon) (Maté), Love Me Tender (Le cavalier du crépuscule) (Webb).

Ce champion sportif fut un fort bon Tarzan et le héros d'excellents serials du « maître » Witney. Puis il poursuivit une carrière de troisième couteau dans toute une suite de films d'action, signés des spécialistes du genre. Voilà qui mérite sympathie.

Broadbent, Jim

Acteur anglais né en 1949.

1978, The Shout (Le cri du sorcier) (Skolimovski) ; 1979, The Passage (Passeurs d'hommes) (Lee-Thompson) ; 1980, The Dogs of War (Les chiens de guerre) (Irvin), Breaking Glass (Breaking Glass) (Gibson) ; 1981, Time Bandits (Bandits, bandits) (Gilliam) ; 1982, Ulisses (Nekes) ; 1984, The Hit (Le crime était presque parfait) (Frears) ; 1985, The Insurance Man (Eyre), Brazil (Brazil) (Gilliam) ; 1987, The Good Father (Newell), Superman IV : The Quest for Peace (Superman IV) (Furie) ; 1988, Vroom (Kidron) ; 1989, Erik the Viking (Erik le Viking) (Gilliam) ; 1990, Life Is Sweet (Life Is Sweet) (Leigh) ; 1991, Enchanted April (Avril enchanté) (Newell) ; 1992, The Crying Game (The Crying Game) (Jordan) ; 1994, Bullets Over Broadway (Coups de feu sur Broadway) (Allen), Widow's Peak (Parfum de scandale) (Irvin), Princess Caraboo (Princesse Caraboo) (Austin) ; 1995, Richard III (Richard III) (Loncraine), Rough Magic (Miss Shumway jette un sort) (Peploe) ; 1996, The Secret Agent (L'agent secret) (Hampton) ; 1997, Smilla's Sense of Snow (Smilla) (August), The Borrowers (Le petit monde des Borrowers) (Hewitt) ; 1998, Little Voice (Little Voice) (Herman), The Avengers (Chapeau melon et bottes de cuir) (Chechik) ; 1999, Topsy-Turvy (Topsy-Turvy) (Leigh) ; 2000, Moulin Rouge (Moulin Rouge) (Luhrmann), Bridget Jones's Diary (Le journal de Bridget Jones) (Maguire) ; 2001, Gangs of New York (Gangs of New York) (Scorsese) ; 2007, Hot Fuzz (Wright).

Vétéran des planches, cofondateur du National Theater of Brent, il impose une truculence qui fait merveille dans les compositions de personnages tourmentés, névrosés, alternant les rôles de bourgeois décadents et de pauvres diables à la langue rustique. Un second rôle anglais fort apprécié outre-Manche.

Brochard, Jean

Acteur français, 1893-1972.

1932, Il a été perdu une mariée (Joannon) ; 1933, La femme invisible (Lacombe), La tête d'un homme (Duvivier), Son autre amour (Remy) ; 1934, Minuit place Pigalle (Richebé) ; 1935, Le diable en bouteille (Hilpert), Un soir de bombe (Cammage) ; 1936, Le secret de l'émeraude (Canonge), Inspecteur Grey (Canonge), A minuit, le 7 (Canonge), Bach détective (Pujol), Tout va très bien madame la marquise (Wulschleger) ; 1937, Vous n'avez rien à déclarer ? (Joannon), Treizième enquête de Grey (Maudru), Forfaiture (L'Herbier), Monsieur Broloque a disparu

(Péguy), Ramuntcho (Barbéris) ; 1938, Vidocq (Daroy), Entente cordiale (L'Herbier), Les frères corses (Kelber), La piste du sud (Billon), Capitaine Benoît (Canonge), Pièges (Siodmak), L'esclave blanche (Sorkin), Paradis perdu (Gance), Raphaël le Tatoué (Christian-Jaque), A nous deux madame la vie (Mirande) ; 1939, L'enfer des anges (Christian-Jaque), La tradition de minuit (Richebé), Quartier sans soleil (Kirsanoff), Berlingot et Cie (Rivers), La loi du Nord (Feyder) ; 1940, L'acrobate (Boyer), Miquette (Boyer) ; 1941, L'assassinat du père Noël (Christian-Jaque), Caprices (Joannon), Premier bal (Christian-Jaque) ; 1942, Le journal tombe à cinq heures (Lacombe) ; 1943, Carmen (Christian-Jaque), L'homme de Londres (Decoin), Les Roquevillard (Dréville), Le corbeau (Clouzot), Voyage sans espoir (Christian-Jaque), Le voyageur sans bagage (Anouilh) ; 1944, Cécile est morte (Tourneur), La grande meute (Limur) ; 1945, Boule de suif (Christian-Jaque), Jéricho (Calef), Le jugement dernier (Chanas) ; 1946, Un revenant (Christian-Jaque), Les chouans (Calef), Le bateau à soupe (Gleize) ; 1947, Clochemerle (Chevalier), La carcasse et le tord-cou (Chanas), La dame de onze heures (Devaivre) ; 1948, Le retour à la vie (Clouzot), Bagarres (Calef), Barry (Pottier), Cinq tulipes rouges (Stelli) ; 1949, Millionnaires d'un jour (Hunebelle), Mademoiselle de La Ferté (Dallier), Vient de paraître (Houssin) ; 1950, Dieu a besoin des hommes (Delannoy), Sous le ciel de Paris (Duvivier), Knock (Lefranc) ; 1952, La forêt de l'adieu (Habib), Le rideau rouge (Barsacq), Monsieur Taxi (Hunebelle) ; 1953, La dame aux camélias (Bernard), Piédalu député (Loubignac), Capitaine Pantoufle (Lefranc), Les amoureux de Marianne (Stelli), I Vitelloni (Fellini) ; 1954, Les diaboliques (Clouzot) ; 1955, Treize à table (Hunebelle), L'impossible M. Pipelet (Hunebelle) ; 1957, Les espions (Clouzot), Les violents (Calef) ; 1958, Pot-Bouille (Duvivier), Rafles sur la ville (Chenal), Énigme aux Folies-Bergère (Mitry) ; 1959, Le chemin des écoliers (Boisrond), A pleines mains (Regamey).

Venu du conservatoire de Nantes, poète et comédien, il a tenu surtout des emplois de Français moyen, au mieux de bons bourgeois recuits dans leur notabilité. Il doit ses meilleurs rôles à Clouzot.

Brochet, Anne

Actrice française née en 1966.

1986, Buisson ardent (Perrin) ; 1987, Masques (Chabrol) ; 1988, La maison assassinée (Lautner), La nuit bengali (Klotz) ; 1989, Tolérance (Salfati), Cyrano de Bergerac (Rappeneau) ; 1991, Tous les matins du monde (Corneau), Confessions d'un barjo (Boivin) ; 1993, Du fond du cœur (Doillon) ; 1994, Consentement mutuel (Stora) ; 1995, Driftwood (La geôlière) (O'Leary) ; 1998, Une journée de merde (Courtois) ; 1999, La chambre des magiciennes (Miller) ; 2000, 30 ans (Perrin), Dust (Manchevski) ; 2003, Histoire de Marie et Julien (Rivette) ; 2004, Confidences trop intimes (Leconte), La confiance règne (Chatiliez), Je suis un assassin (Vincent) ; 2006, Le temps des porte-plumes (Duval), Les irréductibles (Bertrand) ; 2007, Poison d'avril (Karel).

Tolérance est un échec mais *Cyrano* — où elle est Roxane — est un triomphe et la consacre vedette à part entière. Nouveau succès avec *Tous les matins du monde*. Mais les œuvres tournées ensuite restent souvent confidentielles, des *Confessions d'un barjo* à *Consentement mutuel*. Avec Leconte et Chatiliez, elle retrouve le grand public.

Broderick, Matthew

Acteur et réalisateur américain né en 1962.

1983, Max Dugan Returns (Ross), Wargames (Wargames) (Badham) ; 1984, Ladyhawke (Ladyhawke, la femme de la nuit) (Donner) ; 1985, On Valentine's Day (Harrison) ; 1986, Ferris Bueller's Day Off (La folle journée de Ferris Bueller) (Hughes) ; 1987, Project X (Kaplan) ; 1988, Biloxi Blues (Biloxi Blues) (Nichols), She's Having a Baby (La vie en plus) (Hughes) ; 1989, Family Business (Family Business) (Lumet), The Freshman (Premiers pas dans la Maffia) (Bergman) ; 1990, Torch Song Trilogy (Torch Song Trilogy) (Bogart), Glory (Glory) (Zwick) ; 1992, Out on a Limb (Veber) ; 1993, The Night We Never Met (Chassé-croisé) (Leight), Mrs. Parker and the Vicious Circle (Mrs. Parker et le cercle vicieux) (Rudolph), A Life in the Theatre (Mosher) ; 1994, The Road to Wellville (Aux bons soins du Dr. Kellogg) (Parker), Infinity (Broderick) ; 1996, Cable Guy (Disjoncté) (Stiller), Addicted to Love (Addicted to Love) (Dunne) ; 1997, Godzilla (Godzilla) (Emmerich) ; 1998, Election (L'arriviste) (Payne), Inspector Gadget (Inspecteur Gadget) (Kellog) ; 1999, You Can Count on Me (Lonergan) ; 2004, The Stepford Wives (Et l'homme créa la femme) (Oz) ; 2006, The producers (Les producteurs) (Stroman) ; 2007, Bee Movie (Smith et Hickner). *Comme réalisateur :* 1994, Infinity.

Remarqué dans *Ladyhawke*, il poursuit une carrière où manquent toutefois de grands titres. Il n'est sans doute pas aidé par un physique d'éternel adolescent étonné.

Brody, Adrien

Acteur américain né en 1973.

Principaux films : 1989, New York Stories (New York Stories) (Allen, Coppola, Scorsese) ; 1993, King of the Hill (King of the Hill) (Soderbergh) ; 1998, The Thin Red Line (La ligne rouge) (Malick), Summer of Sam (Summer of Sam) (S. Lee) ; 1999, Liberty Heights (Liberty Heights) (Levinson) ; 2000, Bread and Roses (Bread and Roses) (Loach) ; 2002, Harrison's Flowers (Harrison's Flowers) (Chouraqui), The Pianist (Le pianiste) (Polanski), Dummy (Dummy) (Pritikin) ; 2003, The Singing Detective (The Singing Detective) (Gordon) ; 2004, The Jacket (Maybury), The Village (Le village) (Shyamalan) ; 2005, King Kong (King Kong) (Jackson) ; 2007, Hollywoodland (Hollywoodland) (Coulter).

Remarqué en caporal dans *La ligne rouge*, il se perd dans des films comme *Summer of Sam* ou *Dummy*, mal distribués. C'est *Le pianiste* et le rôle de Szpilman, jeune virtuose juif que son talent sauve de l'extermination, qui lui valent un césar et la consécration. Il s'égare ensuite dans *King Kong*.

Brogi, Giulio

Acteur italien né en 1935.

1967, I sovversivi (Les subversifs) (Taviani) ; 1968, Galileo (Cavani), Gangster 70 (Guerrini) ; 1969, Sotto il segno del scorpione (Sous le signe du scorpion) (Taviani) ; 1970, Der leone have sept cabeças (Le lion à sept têtes) (G. Rocha), La strategia del ragno (La stratégie de l'araignée) (Bertolucci) ; 1971, San Michele aveva un gallo (Saint Michel avait un coq) (Taviani) ; 1972, La città del sole (Amelio) ; 1973, Morire a Roma (Mingozzi), Stregone in città (Bettetini) ; 1974, L'invenzione di Morel (Greco) ; 1975, Quanto è bello lei morire ucciso (Lorenzini) ; 1979, Il prato (Le pré) (Taviani) ; 1984, Taxidi sta Kithira (Le voyage à Cythère) (Angelopoulos) ; 1991, Il portaborse (Le porteur de serviette) (Luchetti) ; 1992, La cattedra (Sordillo) ; 1993, Il segreto del bosco vecchio (Olmi) ; 1994, Sarahsara (Martinelli).

Lorsqu'il débute au cinéma en 1967, cet acteur a déjà une solide formation théâtrale acquise grâce à Giorgio Strehler, Franco Zeffirelli et Annibale Ninchi, le mémorable titulaire du rôle de Scipion l'Africain de Carmine Gallone. Il tourne le dos au cinéma commercial pour ne donner que dans des films difficiles, souvent très engagés et diversement appréciés. Il doit ses meilleurs rôles à Bertolucci (*La stratégie de l'araignée*) et surtout aux frères Taviani, qui l'ont utilisé dans quatre de leurs films.

Broncho Billy : cf. Anderson, Gilbert M.

Bronson, Charles

Acteur américain, de son vrai nom Buchinski, 1920-2003.

Sous le nom de Charles Buchinski : 1951, You're in the Navy Now (La marine est dans le lac) (Hathaway), The People Against O'Hara (Le peuple accuse O'Hara) (J. Sturges), The Mob (Dans la gueule du loup) (Parrish) ; 1952, The Marrying Kind (Je retourne chez maman) (Cukor), Red Skies of Montana (Duel dans la forêt) (Newman), My Six Convicts (Mes six forçats) (Fregonese), Diplomatic Courrier (Courrier diplomatique) (Hathaway), Pat and Mike (Mademoiselle Gagne-tout) (Cukor), Bloodhounds of Broadway (Gosses des bas-fonds) (Jones) ; 1953, The Clown (Leonard), House of Wax (L'homme au masque de cire) (De Toth), Miss Sadie Thompson (La belle du Pacifique) (Bernhardt), Crimewave/The City is Dark (Chasse au gang) (De Toth), Tennessee Champ (Wilow) ; 1954, Riding Shotgun (Le cavalier traqué) (De Toth), Apache (Bronco Apache) (Aldrich), Vera Cruz (Vera Cruz) (Aldrich). *Puis sous le nom de Charles Bronson* : Drum Beat (L'aigle solitaire) (Daves) ; 1955, Big House U.S.A. (Le pacte des tueurs) (Koch), Target Zero (Dix hommes pour l'enfer) (Jones) ; 1956, Jubal (L'homme de nulle part) (Daves), Explosion (Weis) ; 1957, Run of the Arrow (Le jugement des flèches) (Fuller) ; 1958, Gang War (Syndicat du crime) (Fowler Jr.), Showdown at Boothill (Confessions d'un tueur) (Fowler Jr.), Machine Gun Kelly (Mitraillette Kelly) (Corman), Ten North Frederick (10, rue Frederick) (Dunne), When Hell Broke Loose (L'enfer des humains) (Crane) ; 1959, Never so Few (La proie des vautours) (J. Sturges) ; 1960, The Magnificent Seven (Les sept mercenaires) (J. Sturges) ; 1961, Master of the World (Le maître du monde) (Witney), A Thunder of Drums (Tonnerre Apache) (Newman), X-15 (X-15) (R. Donner) ; 1962, Kid Galahad (Un direct au cœur) (Karlson), This Rugged Land (Hiller) ; 1963, The Great Escape (La grande évasion) (J. Sturges), Four of Texas (Quatre du Texas) (Aldrich) ; 1964, Guns of Diablo (Le californien) (B. Segal) ; 1965, The Sandpiper (Le chevalier des sables) (Minnelli), Battle of the Bulge (La bataille des Ardennes) (Annakin) ; 1966, This Property is Condemned (Propriété interdite) (Pollack) ; 1967, The Dirty Dozen (Les douze salopards) (Aldrich),

La bataille de San Sebastian (Verneuil) ; 1968, Villa Rides (Pancho Villa) (Kulik), Adieu l'ami (Herman) ; 1969, C'era una volta il West (Il était une fois dans l'ouest) (Leone), Twinky (L'ange et le démon) (R. Donner), Le passager de la pluie (Clément) ; 1970, You Can't Win'Em All (Les baroudeurs) (Collinson), Citta violenza (La cité de la violence) (Sollima), Cold Sweat (De la part des copains) (T. Young) ; 1971, Quelqu'un derrière la porte (Gessner), Red Sun (Soleil rouge) (T. Young) ; 1972, Chato's Land (Les collines de la terreur) (Winner) ; Bull of the West (Le solitaire de l'ouest) (Stanley et J. Hooper), The Mechanic (Le flingueur) (Winner) ; 1973, The Valachi Papers (Cosa Nostra) (T. Young), The Stone Killer (Le cercle noir) (Winner) ; 1974, Valdez Horses (Chino) (Sturges), Mister Majestik (Mister Majestik) (Fleischer), Death Wish (Un justicier dans la ville) (Winner) ; 1975, Breakout (L'évadé) (Gries), The Street Fighter/Hard Times (Le bagarreur) (Hill), Breakheart Pass (Le solitaire de Fort Humbolt) (Gries) ; 1976, St. Ives (Monsieur St. Ives) (Lee-Thompson), From Noon Till Three (C'est arrivé entre midi et trois heures) (Gilroy) ; 1977, Raid on Entebbe (Raid sur Entebbe) (Kershner), The White Buffalo (Le bison blanc) (Lee-Thompson) ; 1978, Telefon (Un espion de trop) (Siegel) ; 1979, The Meanest Men in the West (Il était une fois deux salopards) (Fuller et Dubin), Love the Bullets (Avec les compliments de Charlie) (Rosenberg) ; 1980, Cabo Blanco, Where Legends Are Born (Cabo Blanco) (Lee-Thompson) ; 1981, Borderline (Chicanos, chasseur de têtes) (Freedman), Death Hunt (Chasse à mort) (Hunt) ; 1982, Death Wish 2 (Un justicier dans la ville n° 2) (Winner) ; 1983, Ten to Midnight (Le justicier de minuit) (Lee-Thompson) ; 1984, The Evil That Men Do (L'enfer de la violence) (Lee-Thompson) ; 1985, Death Wish 3 (Le justicier de New York) (Winner) ; 1986, Assassination (Protection rapprochée) (Hunt), Murphy's Law (La loi de Murphy) (Lee-Thompson), Act of Vengeance (Act of Vengeance) (Mackenzie) ; 1987, Death Wish 4 — The Crackdown (Le justicier braque les dealers) (Lee-Thompson) ; 1988, Kinjite, Forbidden Subjects (Kinjite, sujet tabou) (Lee-Thompson), Messenger of Death (Le messager de la mort) (Lee-Thompson) ; 1991, Indian Runner (The Indian Runner) (Penn) ; 1993, Death Wish 5 : the Face of Death (Goldstein), The Sea Wolf (Anderson) ; 1995, Yes Virginia, There Is a Santa Claus (Jarrot).

D'origine lituanienne, il doit descendre très jeune à la mine, puis participe en 1943 à la guerre du Pacifique. Chaisier à Atlantic City après sa démobilisation, il rencontre quelques comédiens qui l'incitent à venir tenter sa chance à Hollywood. Sa carrure et son visage rugueux, comme taillé à coups de serpe, lui valent des rôles de brutes, d'Indiens ou de tueurs sous son vrai nom de Buchinski. Comme McQueen ou Coburn, il est lancé par *Les sept mercenaires*. Alors qu'il jouait précédemment sous son vrai nom, il a pris à partir de 1954 le pseudonyme de Bronson. Devenu vedette, il interprète, avec souvent pour partenaire son épouse Jill Ireland, des films d'action (westerns ou thrillers) qui connaissent un énorme succès, sauf *From Noon Till Three*, démolition des mythes du Far West, où il tient un rôle à l'opposé de ceux qui lui sont habituellement confiés, ce qui dérouta son public. Il retrouve ce public en jouant les justiciers solitaires, en marge de la police officielle. Le succès de *Death Wish* et de ses succédanés est prodigieux. Bronson devient le symbole de l'autodéfense face au laxisme de la justice mais il exploite un peu trop ce filon. Une exception et un nouvel accroc au mythe : *Act of Vengeance* où il est tué à la fin du film. Celui-ci fut d'ailleurs un échec.

Brook, Clive

Acteur et réalisateur d'origine anglaise, 1887-1974.

1920, Trent's Last Case (Garrick), Kissing Cup's Race (West) ; 1921, Her Penalty (West), The Loudwater Mystery (McDonald), Daniel Deronda (Bowden), A Sportsman's Wife (West), Sonia (Clift), Christie Johnstone (West) ; 1922, Shirley (Bramble), Married to a Mormon (Parkinson), Stable Companions (Ward), The Experiment (Hill), A Debt of Honour (Elvey), Love and a Whirlwind (McRae) ; 1923, Through Fire and Water (Bentley), This Freedom (Clift), Out to Win (Clift), The Royal Oak (Elvey), Woman to Woman (Cutts) ; 1924, The Money Habit (Niebuhr), The White Shadows (Cutts), The Wine of Life (Rooke), The Passionate Adventure (Cutts), Love's Bargain, Christine of the Hungry Heart (Archainbaud), The Recoil (Hunter), The Mirage (Archainbaud) ; 1925, Enticement (Archainbaud), When Love Grows Cold (Hoydt), Playing With Souls (Ince), Déclassée (Vignola), The Woman Hater (Flood), The Home Maker (Baggot), If Marriage Fails (Ince), The Pleasure Buyers (Withey), Seven Sinners (Milestone), Compromise (Crosland), Three Faces East (Julian) ; 1926, Why Girls Go Back Home (Flood), For Alimony Only (DeMille), You Never Know Women (Wellman), The Popular Sin (St. Clair) ; 1927, Afraid to Love (Griffith), Barbed Wire (Lee), Hula (Fleming), The Devil Dancer (Niblo), French Dressing (Dwan) ; 1928, Midnight Madness (Weight), The Yellow Lily (Korda), The Perfect Crime (Glennon), Forgotten Faces (Schertzinger) ; 1929, Interference (Mendes), A Dangerous Woman (Lee), The Four Feathers (Schoedsack et Cooper), Charming Sinners (Milton), The Laughing Lady (Schertzinger), The Return of Sherlock Holmes (Dean) ; 1930, Slightly Scarlet (Gasnier), Paramount on Parade (ép. Murder Will Out) (Lubitsch), Sweethearts and Wives (Badger), Anybody's Woman (Arzner), East Lynne (Lloyd), Scandal Sheet (Cromwell), Tarnished Lady (Cukor), The Lawyer's Secret (Gasnier), Silence (Gasnier), 24 Hours (Gering) ; 1932, Husband's Holiday (Milton), Shanghai Express (Shanghai Express) (Sternberg), The Man from Yesterday (Viertel), The Night of June 13 (Roberts), Sherlock Holmes (Howard), Make Me a Star (Beaudine), Cavalcade (Lloyd), Midnight Club (Hall), If I Were Free (Nugent), Gallant Lady (La Cava) ; 1934, Where Sinners Meet (Ruben), Let's Try Again (Miner) ; 1935, Dressed to Thrill (Lachman) ; 1936, The Dictator (The Love Affair of a Dictator/For the Love of a Queen/The Loves of a Dictator) (Saville), Love in Exile (Werker) ; 1937, Action for Slander (Whelan) ; 1938, The Ware Case (Stevenson) ; 1940, Return to Yesterday, Convoy (Tennyson) ; 1941, Freedom Radio (Asquith), Breach of Promise (Stein) ; 1943, The Flemish Farm (Dell) ; 1944, On Approval (Clive Brook) ; 1963, The List of Adrian Messenger (Huston). *Comme réalisateur :* 1944, On Approval.

Ce séduisant Britannique fit ses débuts dans les studios anglais avant d'aller tenter sa chance à Hollywood. Il y fut un Sherlock Holmes un peu trop éloigné par son élégance du personnage de Conan Doyle et un parfait partenaire de Marlene Dietrich dans *Shanghai Express*. Il a mis en scène sans grand succès un film : *On Approval*.

Brooks, Louise

Actrice américaine, 1906-1985.

1925, The Street of Forgotten Men (Brenon) ; 1926, American Venus (Tuttle), A Social Celebrity (St. Clair), It's the Old Army Game (Sutherland), The Show Off (St. Clair), Love Em and Leave Em (Tuttle), Just Another Blonde (Santell) ; 1927, Evening Clothes (Reed), Rolled Stockings (Rosson), The City Gone Wild (Cruze), Now We're in the Air (Strayer) ; 1928, A Girl in Every Port (Poings de fer, cœur d'or) (Hawks), Beggars of Life (Les mendiants de la vie) (Wellman) ; 1929, The Canary Murder Case (St. Clair), Die Büchse der Pandora (Loulou) (Pabst), Das Tagebuch einer Verlorenen (Journal d'une fille perdue) (Pabst) ; 1930, Prix de beauté (Genina), Windy Riley Goes to Hollywood (Goorich, alias Fatty) ; 1931, It Pays to Advertise (Tuttle), God's Gift to Women (Curtiz), The Public Enemy (L'ennemi public) (Wellman), The Steel Highway (Wellman) ; 1936, Empty Saddles (Selander) ; 1937, When You're in Love (Le cœur en fête) (Riskin), King of Gamblers (Florey) ; 1939, Overland Stage Raiders (G. Sherman).

Rarement vit-on beauté aussi photogénique que celle de Louise Brooks. Fille d'un homme de loi, elle débute à quinze ans comme danseuse sur diverses scènes. Hollywood la remarque et lui confie de petits rôles. Sa célèbre frange et son air faussement garçonnier la font remarquer dans le très beau *Beggars of Life*. Mais c'est Pabst qui la révèle, en Allemagne, dans deux films où sa beauté aujourd'hui encore conserve un pouvoir magnétique, une aura extraordinaire : *Loulou* et *Journal d'une fille perdue*. Elle tourne en France *Prix de beauté* et revient à Hollywood. Elle y est boudée. Ne trouvant que de petits rôles, elle se retire en 1931. En 1936, elle essaie un « come-back » dans les studios mais n'a droit qu'à de brèves apparitions dans des westerns de série Z. Son indépendance déplaît. Elle se retire définitivement en 1938 pour vivre en recluse. On reste confondu devant une carrière pareillement gâchée. Du moins les images de *Loulou* ne cesseront-elles de hanter la mémoire des cinéphiles qui ne manqueront pas de lire son livre de souvenirs et de réflexions, *Louise Brooks par Louise Brooks*.

Brooks, Mel

Acteur et réalisateur américain, de son vrai nom Melvin Kaminsky, né en 1926.

1976, Silent Movie (La dernière folie de Mel Brooks) (Brooks) ; 1977, High Anxiety (Le grand frisson de Mel Brooks) (Brooks) ; 1981, History of the World, Part I (La folle histoire du monde) ; 1983, To Be or Not to Be (To Be or Not to Be) (Johnson) ; 1987, Spaceballs (La folle histoire de l'espace) (Brooks) ; 1994, The Silence of the Hams (Le silence des jambons) (Greggio), The Little Rascals (Les chenapans) (Spheeris) ; 1995, Dracula, Dead and Loving It (Dracula, mort et heureux de l'être) (Brooks). Pour le metteur en scène, voir le *Dictionnaire du cinéma*, t. I : *Les réalisateurs*.

Auteur-interprète de ses films, il est inférieur à Woody Allen dans tous les domaines bien que représentant la même école juive new-yorkaise. Il n'excelle que dans la parodie et n'a pas été capable de créer un personnage à la manière de Woody Allen. L'acteur grimace beaucoup mais n'emporte que rarement l'adhésion. Il n'interprète pas d'ailleurs ses premiers films. Le metteur en scène, lui, dispose parfois de gros moyens.

Brosnan, Pierce

Acteur d'origine irlandaise né en 1952.

1980, The Long Good Friday (Racket) (Mackenzie), The Mirror Crack'd (Le miroir se brisa) (Hamilton) ; 1985, Nomads (McTiernan) ; 1987, The Fourth Protocol (Le quatrième protocole) (Mackenzie) ; 1988, The Deceivers (Meyer), Taffin (Megahy) ; 1990, Mister Johnson (Mister Johnson) (Beresford) ; 1992, The Lawnmower Man (Le cobaye) (Brett), Les veufs (Fischer), Live Wire (Explosion immédiate) (Duguay) ; 1993, Mrs. Doubtfire (Mrs. Doubtfire) (Columbus) ; 1994, Love Affair (Love Affair) (Gordon Caron), Robinson Crusoe (Hardy) ; 1995, GoldenEye (GoldenEye) (Campbell) ; 1996, Mars Attacks ! (Mars Attacks !) (Burton), Dante's Peak (Le pic de Dante) (Donaldson), The Disappearance of Kevin Johnson (Megahy) ; 1997, The Nephew (Le neveu) (Brady), Tomorrow Never Dies (Demain ne meurt jamais) (Spottiswoode) ; 1998, Grey Owl (Attenborough) ; 1999, The Thomas Crown Affair (L'affaire Thomas Crown) (McTiernan), The World Is Not Enough (Le monde ne suffit pas) (Apted), The Match (Davis) ; 2001, The Tailor of Panama (The Tailor of Panama) (Boorman) ; 2002, Die Another Day (Meurs un autre jour) (Tamahori) ; 2003, Evelyn (Evelyn) (Beresford) ; 2004, Laws of Attraction (Une affaire de cœur) (Howitt), After the Sunset (Coup d'éclat) (Ratner) ; 2005, The Matador (The Matador) (R. Shepard).

C'est à Tennessee Williams en personne que ce solide acteur irlandais doit une fulgurante carrière théâtrale au sein du Drama Center de Londres. Il tourne ensuite plusieurs séries et téléfilms en Angleterre, puis décide de s'exiler aux États-Unis. En 1995, il incarne James Bond 007 avec succès, prenant ainsi la relève de Timothy Dalton dans *Golden Eye*. Contraint de renoncer au rôle, il voit sa carrière stagner, à la recherche d'un nouveau personnage.

Brosset, Claude

Acteur français né en 1943.

1966, Un homme de trop (Costa-Gravas) ; 1968, La désirade (Cuniot), La coqueluche (Arrighi) ; 1969, Trois hommes sur un cheval (Moussy) ; 1970, On est toujours trop bon avec les femmes (Boisrond) ; 1972, R.A.S. (Boisset) ; 1973, L'histoire très bonne et très joyeuse de Colinot trousse-chemise (Companeer) ; 1975, L'Alpagueur (Labro), Adieu poulet (Granier-Deferre) ; 1976, Le corps de mon ennemi (Verneuil) ; 1977, La barricade du point du jour (Richon), I love you, je t'aime (Roy Hill) ; 1978, La carapate (Oury), Je te tiens, tu me tiens par la barbichette (Yanne), Flic ou voyou (Lautner) ; 1981, La Flambeuse (Weinberg), Le crime d'amour (Gilles), Putain d'histoire d'amour (Béhat) ; 1982, Scratch (Patin) ; 1983, Le marginal (Deray), American dreamer (Rosenthal) ; A mort l'arbitre (Mocky) ; 1984, Les ripoux (Zidi) ; 1987, Cayenne Palace (Maline), Il y a maldonne (Berry) ; 1988, Le dénommé (Dague), Le radeau de la méduse (Azimi) ; 1991, L 627 (Tavernier) ; 1994, La braconne (Pénard), La passion turca (Aranda) ; 1995, Capitaine Conan (Tavernier) ; 2001, Les rois mages (Bourdon, Campan) ; 2005, OSS 117 : Le Caire, nid d'espions (Hazanavicius).

A l'image d'un Jean-Pierre Castaldi, son physique de colosse lui permet de multiplier les rôles de gros bras dans les polars aussi bien que dans les comédies.

Brown, Clancy

Acteur américain né en 1959.

1982, Bad Boys (Rosenthal) ; 1984, The Adventures of Buckaroo Banzaï across the Eighth Dimension (Les aventures de Buckaroo Banzaï dans la 8e dimension) (Richter), The Bride (La promise) (Roddam), Thunder Alley (Cardone) ; 1985, Highlander (Highlander) (Mulcahy) ; 1987, Shoot to Kill (Randonnée pour un tueur) (Spottiswoode), Extreme Prejudice (Extrême préjudice) (Hill) ; 1988, Past Midnight (Eliasberg) ; 1989, Season of Fear (Campbell), Blue Steel (Blue Steel) (Bigelow) ; 1990, Waiting for the Light (Monger) ; 1991, Ambition (Goldstein) ; 1992, Pet Sematary 2 (Simetierre 2) (Lambert) ; 1994, The Shawshank Redemption (Les évadés) (Darabont) ; 1995, Female Perversions (Streitfeld), Dead Man Walking (La dernière marche) (Robbins) ; 1996, Starship Troopers (Starship Troopers) (Verhoeven), Flubber (Flubber) (Mayfield) ; 1997, Dead Wood (Mileham), He Got Game (He Got Game) (Lee) ; 1999, The Hurricane (Hurricane Carter) (Jewison) ; 2007, Pathfinder (Pathfinder, le sang du guerrier) (Nispel) ; 2006, The Guardian (Coast Guards) (Davis).

Spécialisé dans les rôles de brute (le monstre dans *The Bride*), il était particulièrement terrifiant dans *Highlander*.

Brown, Jim

Acteur américain né en 1935.

1964, Rio Conchos (Rio Conchos) (Douglas) ; 1967, Dirty Dozen (Les douze salopards) (Aldrich) ; 1968, Dark of the Sun (Cardiff), Ice Station Zebra (Destination Zebra) (Sturges), The Riot (La mutinerie) (Kulik), The Split (Flemyng) ; 1969, 100 Rifles (Les cent fusils) (Gries) ; 1970, Tick... Tick... Tick (Et la violence explosa) (Nelson), The Grasshopper (Paris), El Condor (El Condor) (Guillermin) ; 1972, Black Gunn (Hartford-Davis), Slaughter (Massacre) (Starrett) ; 1973, I Escaped from Devil's Island (L'évadé de l'île du Diable) (Witney), Slaughter's Big Rip Off (L'exécuteur noir) (Douglas) ; 1974, The Slams (Le pénitencier) (Kaplan), Three the Hard Way (Parks) ; 1975, Take a Hard Ride (La chevauchée terrible) (Margheriti) ; 1977, Kid Vengeance (Les cavaliers du diable) (Manduke), Fingers (Mélodie pour un tueur) (Toback) ; 1982, One Down, Two to Go (Les quatre justiciers) (Williamson), Pacific Inferno (Bayer) ; 1986, Abducted (Collins) ; 1987, The Running Man (Running Man) (Glaser) ; 1988, I'm Gonna Git You Sucka (Wayans) ; 1989, Crack House (Fisha), L.A. Heat (Merhi) ; 1990, Twisted Justice (Heavener) ; 1992, The Divine Enforcer (Rundle) ; 1995, Original Gangstas (Cohen) ; 1996, Mars Attacks ! (Mars Attacks !) (Burton) ; 1998, He Got Game (He Got Game) (Lee), New Jersey Turnpikes (Buckley) ; 1999, Any Given Sunday (L'enfer du dimanche) (Stone) ; 2004, She Hate Me (She Hate Me) (Lee).

Ancien joueur de football, ce superbe athlète noir a promené sa silhouette imposante dans de nombreux westerns et « thrillers » signés Gordon Douglas ou Tom Gries. Il se trouve fréquemment opposé à Lee Van Cleef (*El Condor, Take a Hard Ride...*). Sa devise : de l'action, encore de l'action, toujours de l'action.

Brown, Joe

Acteur américain, 1892-1973.

1928, Crooks Can't Wait (Arthur), Me, Gangster (Walsh), Road House (Rosson), Dressed to Kill (Cummings), The Circus Kid (Seitz), Burlesque, Hit of the Show (Ince), Take Me Home (Neilan) ; 1929, Painted Faces (Rogell), In Old Arizona (Walsh), Sally (Dillon), On With the Show (Crosland), Sunny Side Up (Butler), Molly and Me (Ray), The Cock-Eyed World (Têtes brûlées) (Walsh), Protection (Stoloff), The Ghost Talks (Seiler) ; 1930, Song of the West (Enright), Top Speed (LeRoy), Hold Everything (Del Ruth), Up the River (Ford), Born Reckless (Ford), Lottery Bride (Stein), Maybe It's Love (Wellman), City Girl (L'intruse) (Murnau) ; 1931, Going Wild (Seiter), Sit Tight (Bacon), Broad Minded (LeRoy), Local Boy Makes Good (LeRoy) ; 1932, Fireman Save My Child (Goodwins), You Said a Mouthful (Bacon), The Tenderfoot (Enright) ; 1933, Elmer the Great (LeRoy), Son of a Sailor (Bacon) ; 1934, The Circus Clown (Le cirque en folie) (Enright), Six Days Bike Rider (La fine équipe) (Bacon) ; 1935, A Midsummer Night's Dream (Songe d'une nuit d'été) (Reinhardt et Dieterle), Bright Lights (Dans le décor) (Berkeley), Alibi Ike (Enright) ; 1936, Polo Joe (Fièvre de cheval) (McGann), Earthworm Tractors (Passe-partout) (Enright), Sons o'Guns (Bacon) ; 1937, When's Your Birthday ? (Match aux étoiles) (Beaumont), Riding on Air (Sedgwick), Fit for a King (Sedgwick) ; 1938, The Gladiator (Le gladiateur) (Sedgwick), Wide Open Faces (Neumann), Flirting With Fate (Trompe-la-mort) (McDonald) ; 1940, Beware Spooks (Sedgwick), So You Won't Talk (Sedgwick) ; 1942, Shut My Big Mouth (Barton), Joan of Ozark (Santley), The Daring Young Man (Strayer) ; 1943, Chatterbox (Santley) ; 1944, Pin Up Girl (Humberstone), Hollywood Canteen (Daves), Casanova in Burlesque (Goodwins) ; 1947, The Tender Years (Schuster) ; 1951, Show Boat (Sidney) ; 1956, Around the World in 80 Days (Le tour du monde en 80 jours) (Anderson) ; 1959, Some Like It Hot (Certains l'aiment chaud) (Wilder) ; 1963, It's a Mad, Mad, Mad World (Un monde fou, fou, fou) (Kramer), Comedy of Terrors (Tourneur).

Avec un physique chevalin comme le sien, il devient rapidement l'un des comiques les plus populaires des États-Unis (*The Gladiator* où il est doté pour quelques heures d'une force extraordinaire grâce à un nouveau sérum...). Fort drôle, il serait néanmoins un peu oublié s'il ne restait dans notre mémoire pour la phrase fameuse qu'il prononce chez Wilder, dans *Certains l'aiment chaud*, en milliardaire tombé amoureux d'un homme travesti en femme : « Nul n'est parfait. »

Brown, Johnny Mack

Acteur américain, 1904-1975.

1927, The Bugle Call (Sedgwick), Fair Co-Ed (Wood) ; 1928, Our Dancing Daughters (Beaumont), Soft Living (Tinling), Square Crooks (Seiler), Play Girl (Rosson), Annapolis (Cabanne), Lady of a Chance (Leonard), The Divine Woman (Sjostrom) ; 1929, A Woman of Affairs (Cl. Brown), Coquette (S. Taylor), Single Standard (Robertson), The Valiant (Howard), Hurricane (Ince), Jazz Heaven (M. Brown) ; 1930, Montana Moon (St. Clair), Undertow (H. Pollard), Billy the Kid (K. Vidor) : 1931, The Secret Six (Hill), The Great Meadow (Brabin), Lasca of the Rio Grande (Laemmle), Last Flight (Dieterle), Laughing Sinners (Beaumont) ; 1932, Flames (Brown) ; Vanishing Frontier (Rosen), Malay Nights (Hopper) ; 1933, Fighting with Kit Carson (Schaefer), Female (Curtiz), Son of a Sailor (Bacon) ; 1934, Belle of the Nineties (McCarey), Cross Streets (Strayer), Marrying Widows (Newfield), Three on a Honeymoon (Tinling), Against the Law (Hillyer) ; 1935, Saint-Louis Woman (A. Ray), Between Men (Bradbury), The Courageous Avenger (Bradbury), The Rustlers of Red Dog (Friedlander), The Right To Live (Keighley) ; 1936, The Desert Phantom (Luby) ; 1937, Lawless Land, Bar Z Bad Men (Newfield), Guns in the Dark (Newfield), Boothill Brigade (Newfield), A Lawman Is Born (Newfield), Wells Fargo (Une nation en marche) (Lloyd) ; 1938, Flaming Frontier (Taylor), Born to the West (Barton) ; 1939, The Oregon Trail (Beebe), Oklahoma Frontier (Beebe) ; 1940, Chip of the Flying U (Staub), West of Carson City (Taylor), Riders of Pasco Bazin (Taylor), Bad Man from Red Butte (Taylor), Son of Roaring Dan (Beebe), Ragtime Cow-boy Joe (Taylor), Law and Order (Taylor), Pony Post (Taylor) ; 1941, Arizona Cyclone (Lewis), The Masked Rider (Beebe), The Man from Montana (Taylor), Law of the Rang (Taylor) ; 1942, Ride'Em Cowboy (Selander), Stage-coach Buckaroo (Taylor), The Boss of Hangtown, Little Joe the Wrangler, The Siver Bullet (Lewis), Deep in the Heart of Texas (Clifton) ; 1943, The Old Chisholm Trail (Clifton), The Ghost Rider (Fox), Tenting to Night on the Old Camp Ground (Collins), Cheyenne Round-Up (Taylor), The Stranger from Pecos (Hillyer), Lone Star Trail (Taylor) ; 1944, Land of the Outlaws (Hillyer), West of Rio Grande (Hillyer), Partners of the Trail (Hillyer) ; 1945, Law of the Valley (Bretherton), Raiders of the Border (Mac Carthy), Flame of the West (Hillyer), They Shall Have Faith (Nigh) ; 1946, Drifting Along (Abrahams), Under Arizona Skies (Hillyer), The Haunted Mine (Abrahams), Shadow on the Range (Hillyer), Raiders of the South (Hillyer), Gentleman from Texas (Hillyer), Silver Range (Hillyer) ; 1947, Code of the Saddle (Carr), Flashing Guns (Hillyer), Prairie Express (Hillyer), Gun Talk (Hillyer) ; 1948, Triggerman (Bretherton), Frontier Agent (Hillyer), Overland Trail (Hillyer), The Fighting Ranger (Hillyer), The Sheriff of Medecine Bow (Hillyer), Hidden Danger (Taylor), Gunning for Justice (Taylor) ; 1949, Stampede (Panique sauvage au Far-West) (Selander), Law of the West (Taylor), West of Eldorado (Taylor), Western Reneggades (Fox), Range Justice (Taylor) ; 1950, Short Grass (Selander), Six Gun Mesa (Fox), Law of the Panhandle (Collins), Outlaw Gold (Fox), West of Wyoming (Fox) ; 1951, Man from Sonora (Collins), Colorado Ambush (Collins), Montana Desperado (Fox), Blazing Bullets (Fox) ; 1952, Whistling Hills (Abrahams), Dead Man's Trail (Collins), Texas City (Collins), Canyon Ambush (Collins), Man from the Black Hills (Carr) ; 1965, Requiem for a Gunfighter (Le glas du hors-la-loi) (Bennet), The Bounty Killer (Chasseur de primes) (Bennet) ; 1966, Apache Unrising (Sur la piste des Apaches) (Springsteen).

Ancien joueur de football, ce beau garçon fut un charmant jeune premier, servant de faire-valoir à Garbo dans *Woman of Affairs* et *Single Standard*. Engagé par King Vidor pour tenir le rôle de Billy the Kid, rôle repris ensuite par R. Taylor, P. Newman et A. Murphy, il ne s'en remet pas et tourne, entre 1936 et 1952, une centaine de westerns de série Z, toujours en vedette. Il mourut d'une crise cardiaque après tant de chevauchées et de bagarres.

Bruce, Nigel

Acteur d'origine anglaise, 1895-1953.

1929, Red Aces (Wallace) ; 1930, The Squeaker (Wallace), Escape (Dean), Birds of Prey (Dean) ; 1931, The Calendar (Hayes Hunter), The Midshipmaid (Courville), Lord Camber's Ladies (Ben Levy) ; 1933, I Was a Spy (Saville), Channel Crossing (Rosmer) ; 1934, The Lady Is Willing (Miller) ; 1935, The Scarlet Pimpernel (Young), Springtime for Henry (Tuttle), Stand Up and Cheer (McFadden), Coming Out Party (Blystone), Murder in Trinidad (L. King), Treasure Island (L'île au trésor) (Fleming), Becky Sharp (Mamoulian), She (Pichel), Jalna (Cromwell), The Man Who Broke the Bank at Monte-Carlo (Roberts) ; 1936, Thunder in the City (Gering), The Trail of the Lonesome Pine

(La fille du bois maudit) (Hathaway), The Charge of the Light Brigade (La charge de la brigade légère) (Curtiz), Under Two Flags (Sous deux drapeaux) (Lloyd), The White Angel (Dieterle), Make Way for a Lady (Burton), Follow Your Heart (Scotto), The Man I Marry (Murphy) ; 1937, The Last of Mrs. Cheyney (Boleslavsky) ; 1938, The Baroness and the Butler (W. Lang), Suez (Dwan), Kidnapped (Werker), The Hound of the Baskervilles (Le chien des Baskerville) (Lanfield), The Adventures of Sherlock Holmes (Les aventures de Sherlock Holmes) (Werker), The Rains Came (La mousson) (Brown) ; 1940, Adventure in Diamonds (Fitzmaurice), Rebecca (Hitchcock), The Blue Bird (W. Lang), Lillian Russell (Cummings), Hudson's Bay (Pichel), Susan and God (Suzanne et ses idées) (Cukor), A Dispatch from Reuter's (Une dépêche Reuter) (Dieterle) ; 1941, Play Girl (Woodruff), Chocolate Soldier (Del Ruth), This Woman Is Mine (Lloyd), Suspicion (Soupçons) (Hitchcock) ; 1942, Roxie Hart (Wellman), Eagle Squadron (Lubin), Sherlock Holmes and the Voice of Terror (Rawlins), Sherlock Holmes and the Secret Weapon (Sherlock Holmes et l'arme secrète) (Neill), Sherlock Holmes Fights Back (Neill), This Above All (Ames rebelles) (Litvak), Journey for Margaret (Van Dyke) ; 1943, Forever and a Day (Lloyd, Clair...), Crazy House (Cline), Sherlock Holmes in Washington (Sherlock Holmes à Washington) (Neill), Lassie Come on (Wilcox) ; 1944, Sherlock Holmes Faces Death (Échec à la mort), The Scarlet Claw (La griffe sanglante) (Neill), Sherlock Holmes and the Spider Woman (La femme aux araignées) (Neill), The Pearl of Death (La perle des Borgia) (Neill), Follow the Boys (Hollywood Parade) (Sutherland), Gypsy Wildcat (La fière Tzigane) (Neill), Frenchman's Creek (L'aventure vient de la mer) (Leisen) ; 1945, The Corn Is Green (Rapper), Son of Lassie (Le fils de Lassie) S. Simon), The Woman in Green (La femme en vert) (Neill), Pursuit to Algiers (Mission au soleil) (Neill), The House of Fear (La maison de la peur) (Neill) ; 1946, Terror by Night (Le train de la mort) (Neill), Dressed to Kill (La clef) (Neill), Dragonwyck (Le château du dragon) (Mankiewicz) ; 1947, The Two Mrs. Carrolls (La deuxième Madame Carroll) (Godfrey), The Exile (L'exilé) (Ophuls) ; 1948, Julia Misbehaves (Conway) ; 1950, Vendetta (Ophuls) ; 1951, Hong Kong (Lewis Foster) ; 1952, Limelight (Les feux de la rampe) (Chaplin), Othello (Welles) ; 1953, Bwana Devil (Bwana le diable) (Oboler) ; 1954, World for Ransom (Alerte à Singapour) (Aldrich).

Comédien anglais, il fit ses débuts dans de petits rôles en Grande-Bretagne avant d'aller tenter sa chance en 1935 à Hollywood. Petit, rond, moustachu, une diction étudiée, plus britannique que nature, il joua les Anglais dans de nombreux films avant de trouver un personnage qui allait lui valoir une grande popularité, celui du docteur Watson, fidèle compagnon de Sherlock Holmes. Aux côtés de Basil Rathbone-Holmes, il fut Watson dans une quinzaine de films, tirant peu à peu le célèbre docteur vers la caricature.

Bruel, Patrick

Acteur et chanteur français, de son vrai nom Benguigui, né en 1959.

1978, Le coup de sirocco (Arcady) ; 1981, Ma femme s'appelle reviens (Leconte) ; 1982, Le bâtard (Van Effenterre), Les diplômés du dernier rang (Gion) ; 1983, Le grand carnaval (Arcady) ; 1984, La tête dans le sac (Lauzier), Marche à l'ombre (Blanc) ; 1985, P.R.O.F.S. (Schulmann) ; 1986, Suivez mon regard (Curtelin), Attention, bandits (Lelouch), Les liens du sang / Champagne amer (Behi) ; 1988, La maison assassinée (Lautner) ; 1989, Force majeure (Jolivet) ; 1990, Il y a des jours... et des lunes (Lelouch), L'union sacrée (Arcady) ; 1992, Toutes peines confondues (Deville) ; 1993, Profil bas (Zidi) ; 1994, Les cent et une nuits (Varda) ; 1995, Sabrina (Sabrina) (Pollack) ; 1996, Le jaguar (Veber), Hommes femmes mode d'emploi (Lelouch), K (Arcady) ; 1997, The Misadventures of Margaret (Les folies de Margaret) (Skeet), Hors jeu (Dridi), Paparazzi (Berbérian) ; 1998, Lost & Found (J. Pollack) ; 2001, Le lait de la tendresse humaine (Cabrera), Les jolies choses (Paquet-Brenner) ; 2004, Une vie à t'attendre (Klifa) ; 2006, El Lobo (Courtois), L'ivresse du pouvoir (Chabrol), Ô Jérusalem (Chouraqui) ; 2007, Un secret (Miller).

Chanteur et acteur devenu vedette à l'écran grâce à Schulmann et à Lelouch, « coqueluche des demoiselles », dit-on, il vaut mieux que cette réputation — au cinéma du moins. Il est excellent par exemple dans *La maison assassinée*. Mais il ne confirme pas par la suite : il est franchement médiocre dans *Profil bas*, qui fut un gros échec commercial, et peu crédible dans *L'ivresse du pouvoir*.

Brulé, André

Acteur français, 1879-1953.

1938, Les gens du voyage (Feyder), Métropolitain (Cam), Vidocq (Daroy) ; 1939, Le château des quatre obèses (Noé), L'étrange nuit de Noël (Noé) ; 1942, Retour de flamme (Fescourt) ; 1945, La part de l'ombre (Delannoy).

Brillant acteur de théâtre qui fut Arsène Lupin à la scène et Vidocq à l'écran. Type même du séducteur des années 30.

Bruneau, Philippe

Acteur français.

1966, Le roi de cœur (Broca) ; 1967, Les idoles (Marc'O) ; 1973, Salut l'artiste (Robert) ; 1976, L'exercice du pouvoir (Galland) ; 1977, Vous n'aurez pas l'Alsace et la Lorraine (Coluche) ; 1980, Le coup du parapluie (Oury) ; 1981, Elle voit des nains partout (Süssfeld), Quand tu seras débloqué, fais-moi signe (Leterrier) ; 1985, Le mariage du siècle (Galland) ; 1988, La travestie (Boisset) ; 1990, Les secrets professionnels du docteur Apfelglück (Lhermitte, Ledoux...) ; 1994, Un Indien dans la ville (Palud) ; 1997, Un grand cri d'amour (Balasko), Ça reste entre nous (Lamotte) ; 1998, C'est pas ma faute ! (Monnet).

Comique moustachu issu du café-théâtre (il est l'auteur de la pièce devenue film *Elle voit des nains partout*), accessoirement célèbre pour ses duos télévisés avec Claire Nadeau. Au cinéma, beaucoup de petits rôles de simplets, de grands naïfs, interprétés avec talent et modestie.

Bruni-Tedeschi, Valeria

Actrice et réalisatrice franco-italienne née en 1964.

1986, Paulette la pauvre petite milliardaire (Confortès) ; 1987, Hôtel de France (Chéreau), L'amoureuse (Doillon) ; 1988, Storia di ragazzi e di ragazze (Histoire de garçons et de filles) (Avati) ; 1990, La Baule-les-Pins (Kurys), Fortune express (Schatzky) ; 1991, L'homme qui a perdu son ombre (Tanner), Agnes (Milanetti) ; 1993, Les gens normaux n'ont rien d'exceptionnel (Ferreira-Barbosa), La reine Margot (Chéreau), Oublie-moi (Lvovsky) ; 1994, Le livre de cristal (Plattner), Montana blues (Bisson), Condannato a nozze (Piccioni), La seconda volta (La seconda volta) (Calopresti) ; 1995, Les menteurs (Chouraqui), Mon homme (Blier), Le cœur fantôme (Garel), Encore (Bonitzer) ; 1996, Nénette et Boni (Denis), Amour et confusions (Braoudé), J'ai horreur de l'amour (Ferreira Barbosa) ; 1997, The House (The House) (Bartas), On a très peu d'amis (Monod), Ceux qui m'aiment prendront le train (Chéreau), La parola amore esiste (Mots d'amour) (Calopresti) ; 1998, Au cœur du mensonge (Chabrol), La vie ne me fait pas peur (Lvovsky), Les cendres du paradis (Crèvecœur) ; 1999, La balia (La nourrice) (Bellocchio), Rien à faire (Vernoux) ; 2001, Le lait de la tendresse humaine (Cabrera) ; 2002, Ah ! si j'étais riche (Munz et Bitton) ; 2003, Il est plus facile pour un chameau... (Bruni-Tedeschi), La felicita non cesta niente (La felicita, le bonheur ne coûte rien) (Calopresti) ; 2004, 5 × 2 (Ozon) ; 2005, Le temps qui reste (Ozon), Quartier VIP (Firode), Crustacés et coquillages (Ducastel), Un couple parfait (Suwa), Bee Season (Les mots retrouvés) (McGee) ; 2006, Munich (Munich) (Spielberg), Paris je t'aime (collectif) ; 2007, L'ami de Fred Astaire (Lvovsky), A Good Year (Une grande année) (Scott). *Pour la réalisatrice*, voir le *Dictionnaire du cinéma*, t. I : *Les réalisateurs*.

Issue d'une grande famille franco-italienne, sœur de Carla Bruni, elle fait ses premières armes au théâtre avec Chéreau avant de gagner la célébrité dans *Les gens normaux...* où elle interprétait avec grande conviction une jeune femme au bord de la folie. Elle reste dans le registre *borderline* avec *Oublie-moi* où elle se consume d'amour pour un homme qui ne l'aime pas. Elle mène par ailleurs une carrière non négligeable en Italie.

Brunot, André

Acteur français, 1879-1973.

1921, L'affaire Blaireau (Osmont), L'étrange aventure du docteur Works (Saidreau) ; 1934, Les précieuses ridicules (Perret) ; 1938, Hôtel du Nord (Carné), Entrée des artistes (Allégret) ; 1939, Pièges (Siodmak) ; 1941, Nous les gosses (Daquin), Le briseur de chaînes (Daniel-Norman) ; 1942, La belle aventure (Allégret), La maison des sept jeunes filles (Valentin) ; 1943, La rabouilleuse (Rivers) ; 1946, Vertiges (Pottier), Pas un mot à la reine mère (Cloche) ; 1947, Le comédien (Guitry), Les requins de Gibraltar (Reinert) ; 1948, Deux amours (Pottier), La nuit blanche (Pottier) ; 1952, La vie d'un honnête homme (Guitry) ; 1953, Le comte de Monte-Cristo (Vernay) ; 1954, Le rouge et le noir (Autant-Lara), Leguignon guérisseur (Labro) ; 1958, Maxime (Verneuil) ; 1959, Les affreux (M. Allégret) ; Le déjeuner sur l'herbe (Renoir).

Petit, rondouillard, il fut un acteur de théâtre réputé (Comédie-Française, troupe Renaud-Barrault...) mais se cantonna au cinéma dans des rôles très secondaires : le blanchisseur d'*Entrée des artistes*, le commissaire de *Pièges*, le général gâteux de *Maxime*.

Brunoy, Blanchette

Actrice française, 1918-2005.

1936, La peau d'un autre (Pujol), Voleur de femmes (Gance), Un mauvais garçon (Boyer) ; 1937, La chaste Suzanne (Berthomieu), Claudine à l'école (Poligny), Vous n'avez rien à déclarer ? (Joannon) ; 1938, La bête humaine (Renoir), Altitude 3200 (Benoit-Lévy) ; 1939, La famille Duraton (Stengel), Quartier latin (Berthomieu), Elles étaient douze femmes (Lacombe), Cavalcade d'amour (Bernard) ; 1940, L'empreinte du Dieu (Moguy) ; 1941, Le briseur de chaînes (Daniel-Norman) ; 1942, Goupi Mains rouges (Becker), Les cadets de l'océan (Dréville), Vie privée (Kapps) ; 1943, Le voyageur sans bagages (Anouilh), Au bonheur des dames (Cayatte) ; 1945, L'invité de la onzième heure (Cloche), Raboliot (Daroy), Solita de Cordoue (Rozier) ; 1946, La taverne du poisson couronné (Chanas), Le café du Cadran (Gehret) ; 1948, La maternelle (Diamant-Berger), Les souvenirs ne sont plus à vendre (Hennion) ; 1949, La Marie du port (Carné), Vient de paraître (Houssin), L'homme aux mains d'argile (Mathot) ; 1951, Un enfant dans la tourmente (Gourguet), Si ça vous chante (Lœw), Le passage de Vénus (Gleize), Traité de bave et d'éternité (Isou) ; 1952, Coiffeur pour dames (Boyer), Le secret d'une mère (Gourguet) ; 1953, Le petit Jacques (Bibal), La rafle est pour ce soir (Dekobra), Tourments (Daniel-Norman) ; 1954, Opération Tonnerre (Sandoz) ; 1959, Le baron de l'Écluse (Delannoy) ; 1960, Il suffit d'aimer (Darène) ; 1962, Les veinards (J. Pinoteau) ; 1963, Bébert et l'omnibus (Y. Robert), La vie conjugale (Cayatte), La bonne soupe (Thomas) ; 1985, L'amour en douce (Molinaro) ; 1992, Roulez jeunesse (Fansten) ; 1997, ... Comme elle respire (Salvadori).

Un père médecin, Georges Duhamel pour parrain, le Conservatoire dans la classe d'André Brunot, le cinéma avec Renoir et Becker... Un très bon départ dans les rôles d'ingénues. La fin avec Gourguet et Pinoteau n'a pas tenu les promesses du début.

Brynner, Yul

Acteur américain d'origine russe, 1915-1985.

1949, Port of New York (La brigade des stupéfiants) (Benedek) ; 1956, The King and I (Le roi et moi) (W. Lang), The Ten Commandments (Les dix commandements) (DeMille), Anastasia (Litvak) ; 1957, The Brothers Karamazov (Les frères Karamazov) (Brooks) ; 1958, The Buccaneer (Les boucaniers) (A. Quinn), The Journey (Le voyage) (Litvak) ; 1959, Once More With Feeling (Chérie recommençons) (Donen), The Sound and the Fury (Le bruit et la fureur) (Ritt), Salomon and Sheba (Salomon et la reine de Saba) (K. Vidor), Le testament d'Orphée (Cocteau), Surprise Package (Un cadeau pour le patron) (Donen) ; 1960, The Magnificent Seven (Les sept mercenaires) (Sturges) ; 1961, Good Bye again (Aimez-vous Brahms ?) (Litvak) ; 1962, Escape from Zahrain (Les fuyards de Zahrain) (Neame), Taras Bulba (Tarass Boulba) (Lee-Thompson) ; 1963, Flight from Ashiya (Les trois soldats de l'aventure) (Anderson), The Kings of the Sun (Les rois du soleil) (Lee-Thompson) ; 1964, Invitation to a Gunfighter (Le mercenaire de minuit) (Wilson) ; 1965, The Poppy is also a Flower (Opération opium) (Young), The Saboteur-Code Named Morituri (Morituri) (Wick), Cast a Giant Shadow (L'ombre d'un géant) (Shavelson) ; 1966, Return of the Seven (Le retour des sept) (Kennedy), The Eddie Chapman Story/Triple Cross (La fantastique histoire vraie d'Eddie Chapman) (T. Young), The Long Duel (Les turbans rouges) (Annakin) ; 1967, The Double Man (La griffe) (Schaffner), Villa Rides (Pancho Villa) (Kulik) ; 1968, The Picasso Summer (Bourguignon-Sallin), The Madwoman of Chaillot (La folle de Chaillot) (Forbes) ; 1969, Bitka na Neretvi (La bataille de la Neretva) (Bulajic), The File of the Golden Goose (Le gang de l'oiseau d'or) (Wanamaker) ; 1970, The Magic Christian (McGrath), Romance of a Horse Thief (Le roman d'un voleur de chevaux) (Polonsky), Indio Black, Sai che ti dico : sei un gran figlio di... (Adios Sabata) (Kramer) ; 1971, Catlow (Wanamaker), The Light at the Edge of the World (Le phare du bout du monde) (Billington) ; 1972, Fuzz (Les poulets) (Colla), Le serpent (Verneuil) ; 1973, Westworld (Mondwest) (Crichton) ; 1974, The Ultimate Warrior (New York ne répond plus) (Clouse) ; 1975, Con la rabbia agli occhi (L'ombre d'un tueur) (Dawson) ; 1977, Futureworld (Les rescapés du futur) (Heffron).

Les origines de cet acteur demeurent encore mystérieuses et il a volontairement entretenu le mystère autour d'elles. Il serait né dans l'île de Sakhaline ou à Vladivostok et aurait été élevé par des tziganes. Chanteur de cabaret, trapéziste au cirque d'Hiver, puis, à la suite d'un accident, machiniste chez Pitoeff, il parvient à passer aux États-Unis en 1941. Il travaille comme commentateur au US-Office of War Information en 1942. Mais il ne devient célèbre qu'en 1951, avec son interprétation à Broadway de l'opérette *The King and I*, qu'il part jouer à Hollywood dans une transposition cinématographique. Son crâne rasé et son visage aux contours asiatiques y font sensation à tel point qu'il obtient un oscar en 1956. Avec *The Magnificent Seven*, il devient mondialement célèbre. Mais il est trop typé pour pouvoir passer d'un film à l'autre et il finit par se parodier dans *Mondwest*.

Buchanan, Edgar

Acteur américain, 1903-1979.

1939, My Son is Guilty (Barton) ; 1940, When the Dalton Rode (Marshall), Three Cheers for the Irish (Bacon), The Doctor Takes a Wife (Le docteur se marie) (Hall), The Sea Hawk (L'aigle des mers) (Curtiz), Escape to Glory (Brahm), Too Many Husbands (Trop de maris) (Wesley Ruggles), Tear Gas Squad (Morse), Arizona (Arizona) (Ruggles) ; 1941, The Richest Man in Town (Barton), Penny Serenade (La chanson du passé) (Stevens), Texas (Texas) (Marshall), You Belong to Me (Tu m'appartiens) (Wesley Ruggles), Her First Beau (Reed) ; 1942, The Talk of the Town (La justice des hommes) (Stevens), Tombstone, The Town Too Tough To Die (McGann) ; 1943, City Without Men (Cité sans hommes) (Salkow), The Desperadoes (Les despérados) (Vidor), Destroyer (Seiter), Good Luck, Mr. Yates (Enright) ; 1944, The Impatient Years (Cummings), Buffalo Bill (Buffalo Bill) (Wellman), Bride by Mistake (Wallace), The Strange Affair (Green) ; 1945, The Fighting Guardsman (Levin) ; 1946, The Bandit of Sherwood Forest (Le fils de Robin des bois) (Sherman), If I'm Lucky (Seiler) Renegades (Sherman), Perilous Holiday (Griffith), The Wall's Came Tumbling Down (Mendes), Abilence Town (Martin) ; 1947, Framed (Traquée) (Wallace), The Sea of Grass (Le maître de la prairie) (Kazan), The Swordsman (Le manoir de la haine) (H. Lewis) ; 1948, Adventures in Silverado (Karlson), The Best Man Wins (Sturges), The Black Arrow (La flèche noire) (Douglas), The Wreck of the Hesperus (Hoffman), Coroner Creek (Ton heure a sonné) (Enright), The Untamed Breed (Brahma, taureau sauvage) (Lamont), The Man from Colorado (La peine du talion) (Levin) ; 1949, Red Canyon (Le mustang noir) (Sherman), Any Number Can Play (Faites vos jeux) (LeRoy), Lust for Gold (Le démon de l'or) (Simon), The Walking Hills (Les aventuriers du désert) (Sturges), The Devil's Doorway (La porte du diable) (Mann) ; 1950, Cheaper by the Dozen (Treize à la douzaine) (Lang), The Big Hangover (Krasna), Cargo to Capetown (Cargo en flammes) (Moevoy), The Great Missouri Raid (Les rebelles du Missouri) (Douglas) ; 1951, Flaming Feather (Les flèches brûlées) (Enright), Silver City (La ville d'argent) (Byron Haskins), Rawhide (L'attaque de la malle-poste) (Hathaway), Cave of Outlaws (La caverne des hors-la-loi) (Castle) ; 1952, Wild Station (Collins), The Big Trees (La vallée des géants) (Feist), Toughest Man in Arizona (Springsteen) ; 1953, It Happens Every Thursday (Pevney), Shane (L'homme des vallées perdues) (Stevens) ; 1954, She Couldn't Say No (Bacon), Make Haste to Live (Ultime sursis) (Seiter), Human Desire (Désirs humains) (Lang), Dawn at Socorro (Vengeance à l'aube) (Sherman), Destry (Le nettoyeur) (Marshall) ; 1955, Rage at Dawn (Les rôdeurs de l'aube) (Wheelan), Wichita (Un jeu risqué) (Tourneur), The Silver Star (Bartlett), The Lonesome Trail (Bartlett) ; 1956, Come Next Spring (Celui qu'on n'attendait plus) (Springsteen) ; 1957, Spoilers of the Forest (Kane) ; 1958, The Sheepman (La vallée de la poudre) (Marshall), The Devil's Partner (Rondeau), Day of the Bad Man (La journée des violents) (Keller) ; 1959, King of the Wild Stallions (Le roi des chevaux sauvages) (Springsteen), It Started With a Kiss (Tout commence par un baiser) (Marshall), Hound Dog Man (Don Siegel), Edge of Eternity (Don Siegel), Four Fast Gun (Hole) ; 1960, Cimarron (La ruée vers l'ouest) (Mann), Stump Run (Ashcroft), The Chartroose Caboose (Reynolds) ; 1961, The Commancheros (Les Comancheros) (Curtiz), Tommy Tell Me True (Keller) ; 1962, Ride the High Country/-Guns in the Afternoon (Coups de feu dans la Sierra) (Peckinpah) ; 1963, A Ticklish Affair (Les astuces de la veuve) (Sidney), Move Over, Darling (Pousse-toi, chéri) (Gordon), McLintok (Le grand McLintok !) (McLaglen) ; 1965, The Rounders (Le mors aux dents) (Kennedy), The Man from Button Willow (Voix seule) (Detiege) ; 1966, Gunpoint (La parole est aux colts) (Bellamy) ; 1967, Welcome to Hard Times (Kennedy) ; 1969, Angel in My Pocket (Rafkin) ; 1975, Benji/ Benji (Camp).

Acteur de second plan mais de ceux qui ont fait la grandeur du cinéma américain. Vieux shérif ou médecin ivrogne, il donne un piment supplémentaire, par sa seule présence, à de nombreux westerns comme *Texas, The Desperadoes* ou *Ride the High Country*.

Buchanan, Jack

Acteur et réalisateur anglais, 1891-1957.

1917, Auld Lang Syne (Morgan) ; 1919, Her Heritage (Merwin) ; 1923, The Audacious Mr. Squire (Greenwood) ; 1924, The Happy Ending (Millard Webb) ; 1925, Settled Out of Court (G. Cooper), Bulldog Drummond's Third Round (S. Morgan) ; 1927, Confetti (Cutts) ; 1928, Toni (Maude) ; 1929, Show of the Shows (Adolfi) ; 1930, Monte-Carlo (Lubitsch) ; 1931, Man of Mayfair (Mercanton) ; 1932, Goodnight Vienna (Wilcox), Yes, Mr. Brown (Buchanan), That's a Good Girl (Buchanan) ; 1934, Brewster's Millions (Freeland), Come Out of the Pantry (Raymond) ; 1936, When Knights Were Bold (Raymond), This'll Make the Whistle (Wilcox) ; 1937, Smash and Grab (Whelan), The Sky's the Limit (Garmes et Buchanan) ; 1938, Break the News (Fausses nouvelles) (Clair) ; 1939, The Gang's All Here (Freeland), The Middle Watch (Bentley) ; 1940, Bulldog Sees It Through (Huth) ; 1953, The Band Wagon (Tous en scène) (Minnelli) : 1955, As Long As They're Happy (Lee-Thompson), Josephine and Men (Roy Boulting) ; 1957, Les carnets du major Thompson (P. Sturges).

Surnommé le « Fred Astaire anglais », il en avait l'élégance et la désinvolture. Il joua d'ailleurs avec lui dans *The Band Wagon*. Cet Écossais, grand et distingué, avait fait ses débuts au théâtre, ne l'avait plus quitté et il en conservait tous les tics à l'écran. Il fut très populaire en Angleterre, malheureusement la maladie l'obligea à ralentir ses apparitions dans les années 50.

Buchholz, Horst

Acteur allemand, 1932-2003.

1954, Marianne de ma jeunesse (Duvivier) ; 1955, Himmel ohne Sterne (Ciel sans étoiles) (Kautner) ; 1956, Die Halbstarken (Les demi-sel) (Tressler), Robinson soll nicht sterben (Un petit coin de paradis) (Baky) ; 1957, Herrscher ohne Krone (Pour l'amour d'une reine) (Braun), Robinson soll nicht sterben (Un petit coin de paradis) (Baky), Die Bekenntnisse des Hochstaplers Felix Krull (Hoffmann), Monpti (Kautner), Endstation Liebe (Tressler) ; 1958, Nasser Asphalt (Wisbar), Auferstehung (Résurrection) (Hansen) ; 1959, Tiger Bay (Les yeux du témoin) (Lee-Thompson), Das Totenschiff (Les mutins du York) (Tressler) ; 1960, The Magnificent Seven (Les sept mercenaires) (Sturges) ; 1961, Fanny (Logan), One, Two, Three (Un, deux, trois) (Wilder), Nine Hours to Rama (Robson) ; 1964, La noia (L'ennui) (Damiani) ; 1966, La fabuleuse aventure de Marco Polo (La Patellière), Cervantes (V. Sherman) ; 1967, Johnny Banco ; 1968 ; Come, quando, perche (Pietrangeli), L'astragale (Caseril) ; 1969, La colomba non debe volare (Garrone) ; 1970, Le sauveur (Mardore) ; 1972, The Great Waltz (Stone) ; 1974, The Catamount Killing (Zanussi) ; 1976, Raid on Entebbe (Kershner) ; 1977, The Savage Bees (Quand les abeilles attaqueront) (Geller) ; 1978, The Amazing Captain Nemo (Le retour du capitaine Nemo) (March) ; 1979, Da Dunkerque alla vittoria (De l'enfer à la victoire) (Hank Milestone), Avalanche Express (Avalanche Express) (Robson) ; 1982, Aphrodite (Fuest) ; 1983, Sahara (McLaglen) ; 1984, Wenn ich mich fürchte (Rischert) ; 1985, Code Name : Esmerald (Sanger) ; 1989, And the Violins Stopped Playing (Ramati) ; 1990, Fuga dal paradiso (La fuite au paradis) (Pasculli) ; 1991, Aces : Iron Eagle III (Aigle de fer III) (Glen) ; 1992, Touch and Die (Solinas) ; 1993, In weiter Ferne, so nah ! (Si loin, si proche !) (Wenders) ; 1996, The Forebird (Vorlicek) ; 1997, La vita è bella (La vie est belle) (Benigni).

Ce bel acteur allemand reste dans la mémoire de tout cinéphile comme le benjamin des sept mercenaires, celui qui abandonnera le métier de tueur pour fonder une famille et cultiver la terre. Le reste de sa carrière, de films allemands en coproductions européennes, n'est guère exaltant.

Bujold, Geneviève

Actrice canadienne née en 1942.

1964, Amanita pestilens (Bonnière), La terre à boire (Bernier), La fleur de l'âge (Brault) ; 1965, La guerre est finie (Resnais) ; 1967, Le roi de cœur (Broca), Le voleur (Malle), Entre la mer et l'eau douce (Brault) ; 1968, Isabel (Almond) ; 1969, Ann of the Thousand Days (Anne de mille jours) (Jarrott) ; 1970, Act of the Heart (Almond) ; 1971, Les Troyennes (Cacoyannis) ; 1972, Journey (Almond), Kamouraska (Jutra) ; 1974, Earth Cracking (Tremblement de terre) (Robson) ; 1976, L'incorrigible (Broca), Obsession (De Palma), Scarlet Buccaneer (Le pirate des Caraïbes) (Goldstone), Alex (Korty) ; 1977, Un autre homme, une autre chance (Lelouch), Coma (Morts suspectes) (Crichton) ; 1978, Murder by Decree (Meurtre par décret) (Clark) ; 1979, Final Assignment (Almond) ; 1980, Love and Other Crimes (Korty) ; 1981, The Last Flight of Noah's Ark (Le dernier vol de l'arche de Noé) (Jarrott) ; 1983, Monsignore (F. Perry) ; 1984, Choose Me (Rudolph) ; 1985, Tightrope (La corde raide) (Tuggle) ; 1986, Trouble in Mind (Wanda's Café) (Rudolph) ; 1988, The Moderns (Les modernes) (Rudolph), Dead Ringers (Faux semblants) (Cronenberg) ; 1989, Les noces de papier (Brault) ; 1991, Rue du Bac (Aghion) ; 1991, The Dance Goes on (Almond), Oh What a Night ! (Till), False Identity (J. Keach) ; 1992, An Ambush of Ghosts (Lewis) ; 1993, Mon amie Max (Brault) ; 1995, Pinocchio (Pinocchio) (Barron), Dead Innocent (Botsford), The

House of Yes (The House of Yes) (Waters) ; 1997, False Identity (J. Keach) ; 1998, Last Night (Last Night) (McKellar), Hyper-Allergenic (Dotan), Eye of the Beholder (Voyeur) (Elliott), You Can Thank Me Later (Dotan) ; 2002, La turbulence des fluides (Briand) ; 2005, Mon petit doigt m'a dit (Thomas).

Vedette du cinéma québécois, elle fut remarquée par Resnais lors d'une tournée théâtrale en France et engagée pour *La guerre est finie*. Dès lors elle devint une star internationale se partageant entre le Québec, Hollywood, Londres et Paris. Après une éclipse au début des années 80, on a eu la surprise de la retrouver en nonne (bien vieillie) dans l'ahurissant *Monsignore* où elle couchait, après un savant strip-tease où elle enlevait ses vêtements de religieuse, avec Reeves-Superman ! Elle est excellente dans *Faux semblants*.

Bullock, Sandra

Actrice américaine née en 1964.

1987, Hangmen (Ingvordsen) ; 1989, Religion, Inc. (Adams) ; 1990, Me and the Mob (Rainone) ; 1991, Who Shot Patakango ? (R. Brooks) ; 1992, When the Party's Over (Irmas), Love Potion # 9 (Launer) ; 1993, The Vanishing (La disparue) (Sluizer), The Thing Called Love (Bogdanovich), Demolition Man (Demolition Man) (Brambilla), Wrestling Ernest Hemingway (Haines) ; 1994, Speed (Speed) (De Bont) ; 1995, While You Were Sleeping (L'amour à tout prix) (Turteltaub), The Net (Traque sur Internet) (Winkler), Two if by the Sea (Bennett) ; 1996, A Time to Kill (Le droit de tuer ?) (Schumacher), In Love and War (Le temps d'aimer) (Attenborough) ; 1997, Speed 2 : Cruise Control (Speed 2 : Cap sur le danger) (De Bont), Hope Floats (Ainsi va la vie) (Whitaker) ; 1998, Practical Magic (Les ensorceleuses) (Dunne), Forces of Nature (Un vent de folie) (Hughes) ; 1999, 28 Days (28 jours, en sursis) (Thomas), Gun Shy (La peur au ventre) (Blakeney) ; 2000, Miss Congeniality (Miss détective) (Petrie), Famous (Dunne) ; 2002, Divine Secrets of the Ya-Ya Sisterhood (Les divins secrets) (Khouri), Murder by Numbers (Calculs meurtriers) (Schroeder) ; 2003, Two Weeks Notice (L'amour sans préavis) (Lawrence) ; 2005, Crash (Collision) (Haggis), Miss Congeniality 2 : Armed and Fabulous (Miss FBI : divinement armée) (Pasquin) ; 2006, The Lake House (Entre deux rives) (Agresti) ; 2007, Mr Bean's Holiday (Les vacances de Mr. Bean) (Bendelack).

Fille d'une cantatrice allemande et d'un professeur de chant américain, elle débute comme choriste, puis s'oriente vers la comédie et gagne ses galons de star dans *Speed*, avec un rôle de passagère de bus anonyme qui en devient, par force, la conductrice. Son physique plutôt ordinaire mais non dénué de charme en a fait l'Américaine moyenne type avec laquelle toute identification est immédiate. D'où son succès. Les rôles de femme policier lui vont comme un gant (*Calculs meurtriers*).

Buono, Victor

Acteur américain, 1938-1982.

1962, What Ever Happened to Baby Jane ? (Qu'est-il arrivé à Baby Jane ?) (Aldrich) ; 1963, Four for Texas (Quatre du Texas) (Aldrich) ; 1964, The Strangler (L'étrangleur/Le tueur de Boston) (Topper), Robin and the Seven Hoods (Les sept voleurs de Chicago) (Douglas) ; 1965, Hush, Hush, Sweet Charlotte (Chut, chut, chère Charlotte) (Aldrich), The Greatest Story Ever Told (La plus grande histoire jamais contée) (Stevens), Young Dillinger (Terry Morse) ; 1966, The Silencers (Matt Helm agent très spécial) (Karlson), Who's Minding the Mint ? (H. Morris) ; 1970, Beneath the Planet of the Apes (Le secret de la planète des singes) (Post) ; 1972, The Wrath of God (La colère de Dieu) (Nelson), Lo strangolatore di Vienna (Zurli) ; 1975, Big Daddy ; 1978, The Evil (Trikonis) ; 1979, The Man with Bogart's Face (Détective comme Bogart) (Day).

Il est gros, cet ancien du théâtre du Old Globe à San Diego, d'une grosseur menaçante, inquiétante, qui crée le malaise. Aldrich ne s'y est pas trompé, qui l'utilisa dans deux films particulièrement malsains : *Baby Jane* et *Sweet Charlotte*. Qu'il soit étrangleur (chez Topper) ou chef de la police (chez Gordon Douglas), il suscite toujours, sous une apparence débonnaire, un sentiment d'inquiétude. Sentiment que Karlson sut fort bien exploiter dans *The Silencers*. Après 1972, Buono s'est surtout tourné vers la télévision.

Burke, Kathy

Actrice anglaise née en 1964.

1983, Scrubbers (Zetterling) ; 1986, Sid & Nancy (Sid & Nancy) (A. Cox) ; 1987, Walker (A. Cox), Straight to Hell (A. Cox), Eat the Rich (Richardson) ; 1997, Nil By Mouth (Ne pas avaler) (Oldman) ; 1998, Elizabeth (Elizabeth) (Kapur), Dancing at Lughnasa (O'Connor) ; 1999, This Year's Love (Mariage à l'anglaise) (Kane), Kevin & Perry Go Large (Bye), Love, Honour & Obey (Gangsters, sex et karaoké) (Burdis, Anciano) ; 2000, Tosspot

(Grounds) ; 2006, Flushed Away (Souris City) (Bowers et Fell).

Elle impressionna le jury cannois, qui lui décerna le prix d'interprétation pour son rôle de femme battue et défigurée dans *Ne pas avaler*, réalisé par l'acteur Gary Oldman. Comique de formation, elle a aussi beaucoup œuvré à la télévision (la rédactrice en chef allumée d'*Absolutely Fabulous*) et a campé la terrible reine Mary, mère d'Elizabeth (dans le film homonyme), au prix d'une très impressionnante transformation physique.

Burns, Edward

Acteur et réalisateur américain né en 1968.

1995, The Brothers McMullen (Les frères McMullen) (Burns) ; 1996, She's the One (She's the One/Petits mensonges entre frères) (Burns) ; 1998, Saving Private Ryan (Il faut sauver le soldat Ryan) (Spielberg), No Looking Back (Quitte ou double) (Burns) ; 1999, 15 Minutes (15 minutes) (Herzfeld) ; 2000, Sidewalks of New York (Burns) ; 2001, Life or Something Like It (Sept jours et une vie) (Herek) ; 2003, Confidence (Confidence) (Foley). *Pour le metteur en scène*, voir le *Dictionnaire du cinéma*, t. I : *Les réalisateurs*.

Avant tout comédien de ses propres films, radiographies sentimentales légères et superficielles de la communauté irlandaise de la côte est des États-Unis, Burns a aussi été un valeureux soldat dans la fresque épique de Spielberg, et sa belle gueule lui promet une carrière d'acteur honorable.

Burns, Marilyn

Actrice américaine, née en 1956.

1974, The Texas Chainsaw Massacre (Massacre à la tronçonneuse) (Hooper) ; 1977, Death Trap (Le crocodile de la mort) (Hooper) ; 1981, Kiss Daddy Goodnight (Regan) ; 1985, Future Kill (Moore) ; 1994, The Return of the Texas Chainsaw Massacre (Henkel).

Elle reste la sirène hurlante la plus efficace de l'histoire du cinéma, particulièrement à l'œuvre dans le terrible *Massacre à la tronçonneuse*. Mais courte carrière que la sienne !

Burr, Raymond

Acteur américain, 1917-1993.

1946, San Quentin (Douglas), Without Reservations ; 1947, Code of the West (Berke), Desperate (Mann) ; 1948, Ruthless (L'impitoyable) (Ulmer), Sleep My Love (L'homme aux lunettes d'écaille) (Sirk), The Pitfall (De Toth), Raw Deal (Marché de brutes) (Mann), Station West (La cité de la peur) (Lanfield), Walk a Crooked Mile (La grande menace) (Douglas), Adventures of Don Juan (Les aventures de don Juan) (V. Sherman) ; 1949, Bride of Vengeance (La vengeance des Borgia) (Leisen), Red Light (Feu rouge) (Del Ruth), Black Magic (Cagliostro) (Ratoff), Love Happy (La pêche au trésor) (Miller), Abandoned (Newman) ; 1950, Borderline (Seiter), Key to the City (Sidney), Unmasked (Blair) ; 1951, M (Losey), His Kind of Woman (Fini de rire) (Farrow), New Mexico (Reis), A Place in the Sun (Une place au soleil) (Stevens), The Magic Carpet (Landers), FBI Girl (Berke), The Whip Hand (Cameron Menzies) ; 1952, Meet Danny Wilson (Pevney), Mara Maru (Douglas), Horizon West (Le traître du Texas) (Boetticher) ; 1953, The Blue Gardenia (La femme au gardénia) (Lang), The Bandits of Corsica (Nazarro), Tarzan and the She-Devil (Tarzan et la diablesse) (Neuman), Fort Algiers (Selander), Serpent of the Nile (Castle) ; 1954, Casanova's Big Night (La grande nuit de Casanova) (McLeod), Gorilla at Large (Panique sur la ville) (Jones), Rear Window (Fenêtre sur cour) (Hitchcock), Khyber Patrol (Friedman), Passion (Tornade) (Dwan), Thunder Pass (McDonald) ; 1955, They Were So Young (Neuman), A Man Alone (L'homme traqué) (Milland), Count Three and Pray (G. Sherman), You're Never Too Young (Taurog), Godzilla (Honda) ; 1956, Great Day of the Morning (L'or et l'amour) (Tourneur), A Cry in the Night (Tuttle), The Brass Legend (Oswald), Secret of Treasure Mountain (Friedman), Ride the High Iron (Weis), Please Murder Me (Godfrey) ; 1957, Crime of Passion (Oswald), Affair in Havana (Benedek) ; 1960, Desire in the Dust (Claxton) ; 1967, P.J. (Syndicat du crime) (Guillermin) ; 1977, Tomorrow Never Comes (Collinson) ; 1980, Out of the Blue (La garçonne) (Hopper) ; 1982, Airplane II (Finkleman) ; 1985, Godzilla 85 (Hashimoto/Kizar) ; 1991, Delirious (T. Mankiewicz), The Legend of Kootenai Brown (Kroeker).

C'est la télévision (« L'homme de fer ») qui a fait de ce solide second plan du cinéma américain, ancien élève de la Stanford University, une vedette à partir de 1957. Mais les cinéphiles gardent le souvenir de sa présence massive et inquiétante dans plusieurs « thrillers » de Gordon Douglas et Anthony Mann, de son rôle de propriétaire de saloon (avec Ruth Roman comme employée !) de *Great Day in the Morning*, et surtout de sa composition du pitoyable assassin de *Fenêtre sur cour* d'Hitchcock.

Burstyn, Ellen

Actrice américaine, de son vrai nom Edna Rae Gillooly, née en 1932.

1964, Goodbye Charlie (Au revoir Charlie) (Minnelli), For Those Who Think Young (Martinson) ; 1969, Pit Stop (Hill) ; 1970, Tropic of Cancer (Strick), Alex in Wonderland (Alex au pays des merveilles) (Mazursky) ; 1971, The Last Picture Show (La dernière séance) (Bogdanovich) ; 1972, The King of Marvin Gardens (The King of Marvin Gardens) (Rafelson) ; 1973, The Exorcist (L'exorciste) (Friedkin) ; 1974, Harry and Tonto (Harry et Tonto) (Mazursky), Alice Doesn't Live Here Anymore (Alice n'est plus ici) (Scorsese) ; 1976, Providence (Resnais) ; 1977, Sois belle et tais-toi (Seyrig) ; 1978, Same Time Next Year (Même heure l'année prochaine) (Mulligan), A Dream of Passion (Cri de femmes) (Dassin) ; 1980, Resurrection (Résurrection) (Petrie) ; 1981, Silence of the North (King) ; 1984, The Ambassador (Lee-Thompson), In Our Hands (Richer, Warnow) ; 1985, Twice in a Lifetime (Soleil d'automne) (Yorkin) ; 1986, Act of Vengeance (Act of Vengeance) (McKenzie) ; 1988, Hanna's War (La guerre d'Hanna) (Golan) ; 1990, The Color of Evening (Stafford) ; 1991, Dying Young (Le choix d'aimer) (Schumacher), Grand Isle (Lambert) ; 1993, The Cemetery Club (Duke) ; 1994, When a Man Loves a Woman (Pour l'amour d'une femme) (Mandoki), Roommates (Yates), The Color of Evening (Stafford) ; 1995, The Baby-Sitters Club (Mayron), How to Make an American Quilt (Le patchwork de la vie) (Moorhouse), Care of the Spitfire Grill (Zlotoff) ; 1996, Liar (Le suspect idéal) (Pate) ; 1998, Hyper-Allergenic (Dotan), Playing by Heart (La carte du cœur) (Carroll), The Yards (The Yards) (Gray), You Can Thank Me Later (Dotan) ; 2000, Requiem for a Dream (Requiem for a Dream) (Aronofsky) ; 2002, Divine Secrets of the Ya-Ya Sisterhood (Divins secrets) (Khouri) ; 2006, The Fountain (The Fountain) (Aronofsky) ; 2007, The Wicker Man (LaBute).

Oscar en 1974 pour *Alice* de Scorsese. Quelques rôles originaux comme dans *Providence* mais un jeu marqué par l'influence désastreuse de Strasberg.

Burton, Richard

Acteur et réalisateur britannique, de son vrai nom Jenkins, 1925-1984.

1948, The Last Days of Dolwyn (Williams) ; 1949, Now Barabbas Was a Robber (Parry) ; 1950, Waterfront (Anderson), The Woman With No Name (Vajda) ; 1951, Green Grow the Rushes (Twist), My Cousin Rachel (Ma cousine Rachel) (Koster) ; 1953, The Desert Rats (Les rats du désert) (Wise), The Robe (La tunique) (Koster), The Girl Who Had Everything (La fille qui avait tout) (Thorpe) ; 1955, Alexander the Great (Alexandre le Grand) (Rossen), Prince of Players (Dunne) ; 1956, The Rains of Ranchipur (La mousson) (Negulesco) ; 1957, Bitter Victory (Amère victoire) (Ray), Sea Wife (L'épouse de la mer) (Macnaught) ; 1959, Look Back in Anger (Les corps sauvages) (Richardson), The Bramble Bush (Le buisson ardent) (Petrie) ; 1960, Ice Palace (Les aventuriers) (Sherman) ; 1962, The Longest Day (Le jour le plus long) (Annakin, Marton, Gerd, Oswald et Williams) ; 1963, The VIPS (Hôtel international) (Asquith), Cleopatra (Cléopâtre) (Mankiewicz), Night of the Iguana (La nuit de l'Iguane) (Huston) ; 1964, Becket (Glenville) ; 1965, The Sandpiper (Le chevalier des sables) (Minnelli), The Spy Who Came in From the Cold (L'espion qui venait du froid) (Ritt) ; 1966, Who's Afraid of Virginia Woolf ? (Qui a peur de Virginia Woolf ?) (Nichols) ; 1967, The Taming of the Shrew (La mégère apprivoisée) (Zeffirelli), The Comedians (Les comédiens) (Glenville), Doctor Faustus (Burton) ; 1968, Boom (Boom) (Losey), Where Eagles Dare (Quand les aigles attaquent) (Hutton), Candy (Marquand) ; 1969, The Staircase (L'escalier) (Donen) ; 1970, Ann of the Thousand Days (Anne des mille jours) (Jarrott) ; 1971, Raid on Rommel (Le 5e commando) (Hathaway), Under Milk Wood (Sinclair), Villain (Salaud) (Tuchner) ; 1972, Hammersmith Is Out (Ustinov), The Assassination of Trotsky (L'assassinat de Trotsky) (Losey), Bluebeard (Barbe-Bleue) (Dmytryk), Divorce (Hussein) ; 1973, Il viaggio (Le voyage) (De Sica) ; 1974, The Klansman (L'homme du clan) (Young), Massacre in Rome (Cosmatos) ; 1977, Exorcist II (L'hérétique) (Boorman), Equus (Lumet), The Medusa Touch (La grande menace) (Gold) ; 1978, The Wild Geese (Les oies sauvages) (McLaglen) ; 1979, Breakthrough (La percée d'Avranches) (McLaglen) ; 1981, Absolution (Page) ; 1984, Wagner (Palmer), 1984 (1984) (Radford). *Pour le metteur en scène*, voir le *Dictionnaire du cinéma*, t. I : *Les réalisateurs*.

Issu d'une modeste famille du pays de Galles, il croit en sa vocation théâtrale et monte sur les planches à douze ans. Il prend le nom de Burton en hommage à son tuteur et professeur. La guerre interrompt ses débuts. Il combat dans la RAF. En 1950, il est à Broadway où il fait un malheur, après avoir été encouragé en Angleterre par Emlyn Williams. Le cinéma l'appelle. Apparemment il lui préfère le théâtre.

Il n'en est pas moins excellent dans *Bitter Victory* et même dans *Alexandre le Grand*. En 1963, il est Marc Antoine dans la *Cléopâtre* de la Fox qui défraye la chronique. Il épouse Cléopâtre-Elizabeth Taylor. Le couple va alimenter la chronique des journaux pendant de nombreuses années, divorçant en 1974 après avoir plusieurs fois joué ensemble (*Virginia Woolf, The Taming of the Shrew, The Comedians*) puis se remariant pour se séparer à nouveau en 1975 ; Burton épouse alors Susan Hunt. Sa carrière ne souffre pas de cette vie privée agitée. Il est éblouissant en homosexuel vieillissant dans *The Staircase* et emporte l'adhésion dans *L'assassinat de Trotsky* ou dans *L'hérétique*. On le retrouve aussi en Wagner dans un film-fleuve de télévision, ramené à une version commerciale de cinq heures. Rappelons qu'il n'a jamais délaissé le théâtre et qu'il mit en scène au cinéma Elizabeth Taylor dans *Doctor Faustus*.

Buscemi, Steve

Acteur et réalisateur américain né en 1958.

1984, The Way It Is or Euridyce in the Avenues (The Way It Is) (Mitchell) ; 1986, Sleepwalk (Driver), Parting Glances (Un clin d'œil pour un adieu) (Sherwood), No Picnic (Hartman) ; 1987, Force of Circumstance (Bear), Heart (Lemmo), Kiss Daddy Good Night (Huemer) ; 1988, Call Me (Mitchell), Vibes (Kwapis), Heart of Midnight (Chapman), Arena Brains (Longo) ; 1989, Borders (Aldighieri), Slaves of New York (Esclaves de New York) (Ivory), Bloodhounds of Broadway (Brookner), New York Stories (New York Stories) (sketch Scorsese), Mystery Train (Mystery Train) (Jarmusch) ; 1990, King of New York (The King of New York) (Ferrara), Miller's Crossing (Miller's Crossing) (Coen), The Grifters (Les arnaqueurs) (Frears), Tales From the Darkside (Darkside) (Harrison) ; 1991, Zandalee (Love Affair) (Pillsbury), Billy Bathgate (Billy Bathgate) (Benton), Claude/Trusting Beatrice (Cindy Lou Johnson), Barton Fink (Barton Fink) (Coen) ; 1992, Painted Heart (Taav), Reservoir Dogs (Reservoir Dogs) (Tarantino), Crisscross (Menges), In the Soup (In the Soup) (Rockwell), Me & the Mob (Rainone) ; 1993, Even Cowgirls Get the Blues (Even Cowgirls Get the Blues) (Van Sant), Rising Sun (Soleil levant) (Kaufman), Floundering (McCarthy), Twenty Bucks (Rosenfeld), Ed and His Dead Mother (Wacks) ; 1994, The Hudsucker Proxy (Le grand saut) (Coen), Pulp Fiction (Pulp Fiction) (Tarantino), Airheads (Radio Rebels) (Lehmann), Living in Oblivion (Ça tourne à Manhattan) (DiCillo), The Return of the Mariachi (Desperado) (Rodriguez) ; 1995, Things To Do in Denver When You're Dead (Dernières heures à Denver) (Fleder), Fargo (Fargo) (Coen), Kansas City (Kansas City) (Altman), Dead Man (Dead Man) (Jarmusch) ; 1996, Trees Lounge (Happy Hour) (Buscemi), John Carpenter's Escape to LA (Los Angeles 2013) (Carpenter), Con Air (Les ailes de l'enfer) (West) ; 1997, Divine Trash (Yeager), The Real Blonde (Une vraie blonde) (DiCillo), Louis and Frank (Louis & Frank) (Rockwell), The Wedding Singer (Wedding Singer) (Coraci), The Big Lebowski (The Big Lebowski) (Coen), Armageddon (Armageddon) (Bay) ; 1998, The Impostors (Les imposteurs) (Tucci) ; 1999, Big Daddy (Big Daddy) (Dugan), Animal Factory (Animal Factory) (Buscemi), 28 Days (28 jours, en sursis) (Thomas) ; 2000, Ghost World (Zwigoff), The Grey Zone (Blake Nelson) ; 2001, Domestic Disturbance (L'intrus) (Becker) ; 2002, Spy Kids 2 (Spy Kids 2) (Rodriguez) ; 2003, Big Fish (Big Fish) (Burton) ; 2005, The Island (The Island) (Bay) ; 2006, Paris je t'aime (collectif) ; 2007, Delirious (DiCillo), I Now Pronounce You Chuck and Larry (Dugan). *Pour le metteur en scène*, voir le *Dictionnaire du cinéma*, t. I : *Les réalisateurs*.

On a dit de lui qu'il est le Peter Lorre des années 90, version maigre et pâlotte. Et c'est vrai que l'on retrouve ce même regard trouble et globuleux, et cette ambivalence qui le voit victime ou bourreau sans jamais être à contre-emploi. Souvent confiné aux petits rôles, ce New-Yorkais qui démarra dans le théâtre d'avant-garde a tout de même tenu plusieurs fois le haut de l'affiche : le paumé de *In the Soup*, le hard-rocker raté de *Radio Rebels*... Il fut surtout un extraordinaire Mister Pink pour Quentin Tarantino et son *Reservoir Dogs*.

Busselier, Tania

Actrice française, de son vrai prénom Andrée, née en 1946.

Principaux films : 1970, Douces pénétrations (Gentil) ; 1971, Les assassins de l'ordre (Carné) ; 1972, La pension du libre amour (Matalon) ; 1973, La comtesse perverse (Franco), Certaines chattes n'aiment pas le mou (Logan), Plaisir à trois (Brown) ; 1974, Sexuellement vôtre (Pecas), La merveilleuse visite (Carné), Le corps a ses raisons (Naka) ; 1975, Dora (Rozier), Polissonnes en vadrouille (Ferro), Prostitution clandestine (Payet), Dora, la frénésie du plaisir (W. Rozier) ; 1977, La maison sans homme (Franco) ; 1989, Bernadette (Delannoy).

Cousine de Pierre Étaix, elle débute jeune au cinéma. Louis Chauvet, dans *Le Figaro,* dit d'elle qu'elle est « littéralement subjuguante ». Henri Rode ajoute qu'elle aurait dû prendre la relève de Viviane Romance et de Ginette Leclerc. Outre le cinéma, on l'a également beaucoup vue à la télévision.

Bussières, Pascale

Actrice canadienne née en 1968.

1984, Sonatine (Lanctôt) ; 1988, Le chemin de Damas (Mihalka) ; 1992, La vie fantôme (Leduc) ; 1993, Deux actrices (Lanctôt) ; 1995, Eldorado (Binamé), When Night Is Falling (When Night Is Falling) (Rozéma) ; 1996, The Whole of the Moon (Mune) ; 1997, L'âge de braise (Leduc), Le cœur au poing (Binamé), Twilight of the Ice Nymphs (Maddin), Honeymoon (Carr-Wiggin), Les mille merveilles de l'univers (Roux) ; 1998, Un 32 août sur Terre (Villeneuve), Emporte-moi (Pool) ; 1999, Souvenirs intimes (Beaudin), The Five Senses (Les cinq sens) (Podeswa), La beauté de Pandore (Binamé), Between the Moon and Montevideo (Bertalan), Les filles ne savent pas nager (Birot) ; 2000, X Change (Moyle) ; 2001, La répétition (Corsini) ; 2002, La turbulence des fluides (Briand) ; 2003, Petites coupures (Bonitzer) ; 2004, The Blue Butterfly (Pool).

Un nouveau et ravissant visage pour le cinéma canadien, qui s'illustre d'abord à la télévision grâce à la série à succès « Blanche ». Une douceur qui trouve sa pleine mesure dans le rôle d'une jeune femme timide, retranchée dans ses préjugés religieux, et qui tombe amoureuse d'une artiste de cirque dans le très sensible *When Night Is Falling*.

Bussières, Raymond

Acteur français, 1907-1982.

1933, Ciboulette (Autant-Lara) ; 1934, L'hôtel du libre-échange (M. Allégret) ; 1938, Le récif de corail (Gleize), Lumières de Paris (Pottier) ; 1941, Nous les gosses (Daquin), La romance de Paris (Boyer), Mamouret ou le briseur de chaînes (Daniel-Norman) ; 1942, Opéra-musette (Lefèvre, Renoir), Madame et le mort (Daquin), L'assassin habite au 21 (Clouzot), Port d'attache (Choux), Le mariage de Chiffon (Autant-Lara) ; 1943, L'escalier sans fin (Lacombe), Ceux du rivage (Séverac), Le carrefour des enfants perdus (Joannon), Adieu Léonard (Prévert) ; 1944, Paméla (de Hérain), Vive la liberté (Musso) ; 1945, Le jugement dernier (Chanas) ; 1946, La taverne du poisson couronné (Chanas), Les portes de la nuit (Carné), Le bataillon du ciel (Esway), Le chanteur inconnu (Cayatte), Fausse identité (Chotin) ; 1947, Quai des orfèvres (Clouzot), Le fiacre 13 (André), I due orfanelli, (Les deux orphelins) (Mattioli) ; 1948, Fandango (Edwin Reinert), La veuve et l'innocent (Cerf), Marlène (Hérain), Cinq tulipes rouges (Stelli) ; 1949, Drame au Vel' d'Hiv' (Cam), Je n'aime que toi (Montazel), Branquignol (Dhéry), Les nouveaux maîtres (Nivoix) ; 1950, Justice est faite (Cayatte), Ma pomme (Sauvajon), Un sourire dans la tempête (Chanas), Odette, agent S23 (Wilcox) ; 1951, Moumou (Jayet), Le costaud des Batignolles (Lacourt), Nuits de Paris (Baum), Le passage de Vénus (Gleize et Sassy) ; 1952, Casque d'or (Becker), La danseuse nue (Louis), Mon curé chez les riches (Diamant-Berger), Les belles de nuit (Clair), La loterie du bonheur (Chéret), Soyez les bienvenus (Louis) ; 1953, La tournée des grands-ducs (Pellenc), Mon frangin du Sénégal (Lacourt et Carbonnaux), Une nuit à Megève (André), Le chasseur de chez Maxim's (Diamant-Berger), C'est la vie parisienne (Rode), Les corsaires du bois de Boulogne (Carbonnaux) ; 1954, Ah ! les belles bacchantes (Loubignac), La cage aux souris (Gourguet), Chéri Bibi (Pagliero), Napoléon (Guitry) ; 1955, Casse-cou, mademoiselle (Stengel), Bedevilled (Boulevards de Paris) (Leisen, USA), Impasse des vertus (Méré), Cette sacrée gamine (Boisrond), Tant qu'il y aura des femmes (Greville), Rencontre à Paris (Lampin) ; 1956, Les carottes sont cuites (Vernay), Mon curé chez les pauvres (Diamant-Berger), Paris-Palace-Hôtel (Verneuil), Le grand-père automobile (Radok), Les délinquants (Méranda, Fortuny), Une gosse sensass (Bibal), Les copains du dimanche (Aisner), Porte des Lilas (Clair), Vacances explosives (Stengel) ; 1957, L'ami de la famille (Pinoteau), Le désir mène les hommes (Roussel), Un certain Monsieur Jo (Jolivet), Le tombeur (Delacroix), Les gaietés de l'escadrille (Péclet), Sans famille (Michel) ; 1958, Taxi, roulotte et corrida (Hunebelle), Guinguette (Delannoy) ; 1959, Quai du point du jour (Faurez) ; 1960, Fanny (Logan), Che femmina e que dollari (Simonelli) ; 1961, Les filles de La Rochelle (Deflandre), Le meraviglie di Aladino (Les mille et une nuits) (Bava), A cavallo della tigre (A cheval sur le tigre) (Comencini), I moschettieri del mare (Steno), Copacabana Palace (Steno) ; 1962, Les quatre vérités (Clair), Paris When It Sizzles (Deux têtes folles) (Quine) ; 1963, La bonne soupe (R. Thomas) ; 1964, Allez France (Dhéry), Up from the Beach (Le jour d'après) (Parrish) ; 1966, La malédiction de Belphégor (Combret) ; 1968, Ho ! (Enrico) ; 1969, Isabella duchessa dei diavoli (Corbucci) ; 1970, Stenza (Lupo), Il quattro pistoleros di Santa Trinita (Cristallini), Il furto e l'anima del commercio (Corbucci) ; 1972, L'homme qui renonça au tabac (Danielson) ; 1973, Dio, sei proprio un padreterno (Lupo), L'altra facia del padrino (Prosperi), Nuits rouges (Franju), Gross Paris (Grangier) ; 1974, La soupe froide (Pouret), Trop, c'est trop (Kaminka), Sérieux comme le plaisir (Benayoun), Qui êtes-vous inspecteur Chandler ? (Lupo) ; 1975, Il west ti va stetto, amigo, e arrivato Alleluja (A. Ascot) ; 1976, Nuit d'or (Moati), L'aile ou la cuisse (Zidi), Dracula père et fils (Molinaro), Jonas qui aura vingt-cinq ans en l'an 2000 (Tanner), Le gang (Deray), Drôles de zèbres (Lux) ; 1977, Le paradis des riches (Barge), La barricade du point du jour (Richon), Autopsie d'un complot (Riad) ; 1978, L'argent des autres (Chalonge), La carapate (Oury), Le dernier mélodrame (Franju), En l'autre bord (Kanapa) ; 1979, Le mouton noir (Moscardo) ; 1980, Les sous-doués (Zidi) ; 1981, Neige (Berto/Roger) ; 1982, Invitation au voyage (Del Monte).

Né à Ivry-la-Bataille dans l'Eure, il monte à Paris où il devient dessinateur à la préfecture de la Seine puis bifurque vers le théâtre (le groupe Octobre) et le cinéma. A l'exception de la période de l'Occupation (des petits rôles chez Clouzot) et de quelques films dirigés par Dhéry, peu d'œuvres marquantes. Est-ce la faute du personnage d'ouvrier gouailleur et râleur qu'il impose, mais sa filmographie contient un nombre imposant d'œuvres d'une totale vulgarité. Plusieurs tentatives pour tourner en Italie n'aboutirent qu'à des résultats bien médiocres. Circonstance aggravante, Bussières a parfois collaboré aux scénarios des films qu'il jouait. Il eut pour partenaire Annette Poivre à l'écran comme dans la vie. Ils formèrent un couple uni dans lequel le public du samedi soir se reconnaissait aisément.

Buyle, Évelyne

Actrice française née en 1951.

1972, Les malheurs d'Alfred (Richard) ; 1973, L'histoire très bonne et très joyeuse de Colinot Trousse-Chemise (Companeez), Salut l'artiste ! (Robert), La gueule de l'emploi (Rouland) ; 1974, Bons baisers... à lundi (Audiard), Comment réussir quand on est con et pleurnichard (Audiard) ; 1975, L'ibis rouge (Mocky) ; 1976, Comme sur des roulettes (Companeez) ; 1977, Servante et maîtresse (Gantillon), La vie parisienne (Christian-Jaque) ; 1978, Les réformés se portent bien (Clair), L'horoscope (Girault), La muse et la madone (Companeez) ; 1979, La ville des silences (Marbœuf) ; 1980, Le roi des cons (Confortès), Qu'est-ce qu'on attend pour être heureux ? (Serreau) ; 1985, Rosa la rose, fille publique (Vecchiali) ; 1987, Dandin (Planchon) ; 1988, Bonjour l'angoisse (Tchernia) ; 1991, L'affût (Bellon) ; 1992, Tableau d'honneur (Némès) ; 1998, Bimboland (Zeitoun) ; 2001, Reines d'un jour (Vernoux) ; 2002, Filles perdues, cheveux gras (Duty) ; 2003, 18 ans après (Serreau) ; 2004, Les Parisiens (Lelouch) ; 2006, Le héros de la famille (Klifa), Une vie à t'attendre (Klifa).

Elle étudie rue Blanche avant de débuter au café-théâtre, puis au cinéma un an plus tard. Elle est cantonnée à la comédie pas toujours légère, mais la télévision (« Les dames de la côte ») et surtout le théâtre lui donneront ses plus beaux rôles.

Byrne, Gabriel

Acteur irlandais né en 1950.

1978, On a Paving Stone Mounted (O'Sullivan) ; 1979, The Outsider (Mourir à Belfast) (Luraschi) ; 1981, Excalibur (Excalibur) (Boorman) ; 1983, The Keep (La forteresse noire) (Mann), Hanna K. (Costa-Gavras), Reflections (Billington), The Rocking Horse Winner (Bierman) ; 1985, Defence of the Realm (Drury) ; 1987, Gothic (Gothic) (Russell), Hello Again (La joyeuse revenante) (Perry), Siesta (Lambert), Julia and Julia (Julia et Julia) (del Monte), Lionheart (Schaffner), The Courier (Lee et Deasy) ; 1988, A Soldier's Tale (Parr) ; 1989, Diamond Skulls (Broomfield) ; 1990, Miller's Crossing (Miller's Crossing) (Coen) ; 1991, Haakon Haakonsen (Gaup) ; 1992, Cool World (Cool World) (Bakshi), Into the West (Le cheval venu de la mer) (Newell) ; 1993, Point of No Return (Nom de code : Nina) (Badham), Le prince de Jutland (Axel), A Dangerous Woman (Gyllenhaal), Trial by Jury (Gould) ; 1994, Out of Ireland (Wagner), A Simple Twist of Fate (McKinnon), Little Women (Les quatre filles du docteur March) (Armstrong), The Usual Suspects (Usual Suspects) (Singer) ; 1995, Dead Man (Dead Man) (Jarmusch), Frankie Starlight (Frankie Starlight) (Lindsay-Hogg), Last of the High Kings (Keating) ; 1996, This Is the Sea (McGuckian), Somebody's Waiting (Donavon), Mad Dog Time (Mad Dogs) (Bishop), Smilla's Sense of Snow (Smilla) (August), The Brylcreem Boys (Ryan), Polish Wedding (Connelly) ; 1997, The End of Violence (The End of Violence) (Wenders), The Man in the Iron Mask (L'homme au masque de fer) (Wallace) ; 1998,

Stigmata (Stigmata) (Wainwright), Enemy of the State (Ennemi d'État) (T. Scott) ; 1999, End of Days (La fin des temps) (Hyams), Canone inverso – Making Love (Tognazzi) ; 2002, Ghost Ship (Le vaisseau de l'angoisse) (Beck), Spider (Spider) (Cronenberg) ; 2004, Shade (Les maîtres du jeu) (Nieman) ; 2005, Assault on Precinct 13 (Assaut sur le central 13) (Richet), The Bridge of the San Luis Rey (Le pont du roi Saint Louis) (McGuckian), Vanity Fair (Vanity Fair, la foire aux vanités) (Nair) ; 2007, The Namesake (Un nom pour un autre) (Nair).

De multiples métiers (archéologue, professeur d'espagnol et de gaélique) avant de découvrir le théâtre avec Jim Sheridan, futur réalisateur de *My Left Foot*. De nombreux rôles au sein du National Theater, mais c'est avec le *Miller's Crossing* des frères Coen que le grand public découvre pour de bon cet acteur de composition au physique et au jeu carrés, que l'on retrouve aussi dans *The Usual Suspects*. Il est d'Artagnan dans *L'homme au masque de fer* et Satan dans *La fin des temps*. Pourrait-on rêver mieux ? Il a publié – déjà – une autobiographie en 1995, *Pictures in My Head*.

C

Caan, James

Acteur et réalisateur américain né en 1939.

1963, Irma la Douce (Wilder) ; 1964, Lady in a Cage (Une femme dans une cage) (Grauman) ; 1965, The Glory Guys (Les compagnons de la gloire) (Laven), Red Line 7000 (Ligne rouge 7000) (Hawks) ; 1967, El Dorado (El Dorado) (Hawks), Games (Le diable à trois) (Harrington) ; 1968, Countdown (Altman), Journey to Shiloh (La brigade des cow-boys) (W. Hale) ; 1969, Submarine XI (Sous-marin XI) (W. Graham), The Rain People (Les gens de la pluie) (Coppola) ; 1970, Rabbit Run (Smight) ; 1971, T.R. Baskin (Rendez-vous avec une jeune fille seule) (H. Ross) ; 1972, The Godfather (Le parrain) (Coppola) ; 1973, Slither (Zieff), Cinderella Liberty (Permission d'aimer) (Rydell) ; 1974, Freebie and the Bean (Les anges gardiens) (Rush), The Gambler (Le flambeur) (Reisz), The Conversation (Conversation secrète) (Coppola), The Godfather II (Le parrain II) (Coppola) ; 1975, Funny Lady (H. Ross), Rollerball (Rollerball) (Jewison), The Killer Elite (Tueur d'élite) (Peckinpah), Gone With the West (Girard), Harry and Walter Go to New York (Deux farfelus à New York) (Rydell) ; 1976, Silent Movie (La dernière folie de Mel Brooks) (Brooks) ; 1977, A Bridge Too Far (Un pont trop loin) (Attenborough), Un autre homme, une autre chance (Lelouch) ; 1978, Comes a Horseman (Le souffle de la tempête) (Pakula), Little Moon and Jud McGraw (Girard) ; 1979, Hide in Plan Sight (Caan), Chapter Two (Chapitre II) (R. Moore) ; 1941 (1941) (Spielberg) ; 1981, Violent Streets (Le solitaire) (M. Mann), Les uns et les autres (Lelouch) ; 1982, Kiss Me Goodbye (Mulligan) ; 1987, Gardens of Stone (Jardins de pierre) (Coppola) ; 1988, Alien Nation (Los Angeles 1991, Futur immédiat) (Baker) ; 1990, Misery (Misery) (Reiner), The Dark Backward (Rifkin), Dick Tracy (Dick Tracy) (Beatty) ; 1991, For the Boys (For the Boys) (Rydell) ; 1992, Honeymoon in Vegas (Lune de miel à Las Vegas) (Bergman) ; 1993, The Program (Ward), Flesh and Bone (Flesh and Bone) (Kloves) ; 1994, A Boy Called Hate (Marcus), Things to Do in Denver When You're Dead (Dernières heures à Denver) (Fleder) ; 1995, Grand nord (Gaup), Bottle Rocket (Anderson) ; 1996, Eraser (L'effaceur) (Russell), Bulletproof (Dickerson) ; 1997, This Is My Father (P. Quinn) ; 1998, Mickey Blue-Eyes (Mickey les yeux bleus) (Makin), The Yards (The Yards) (Gray) ; 1999, The Way of the Gun (Way of the Gun) (McQuarrie) ; 2000, Luckytown (Nicholas) ; 2003, Elf (Elfe) (Favreau), Dogville (Dogville) (Trier). *Comme réalisateur :* 1980, Hide in Plavi Sight.

Solides études de droit et d'histoire, puis du théâtre. Au cinéma, il s'impose dans trois films : le footballeur trépané de *The Rain People*, le fils aîné du *Parrain* (où il forme un étonnant contraste avec l'autre fils, l'intellectuel Pacino) et le champion individualiste de *Rollerball.* Il emporte moins l'adhésion chez Lelouch, donnant trop une image de brutalité qu'il a dû parodier dans *Silent Movie.* On le retrouve, vieilli, écrivain prisonnier d'une admiratrice abusive, dans *Misery*, ou en parrain, dans *The Yards* et *The Way of the Gun.*

Cabot, Bruce

Acteur américain d'origine française, de son vrai nom Étienne de Bujac, 1904-1972.

1931, Confessions of a Co-ed (Burton et Murphy) ; 1932, What Price Hollywood ? (Cukor), Lady With a Past (E. Griffith), Roadhouse Murder (Ruben), 1933, Lucky Devils

(Le club des casse-cou) (R. Ince), Midshipman Jack (W. Cabanne), The Great Jasper (Ruben), Ann Vickers (Cromwell), King-Kong (King Kong) (Shoedsack et Cooper), Disgraced ! (Kenton), Flying Devils (Birdwell) ; 1934, Shadow of Sing-Sing (Rosen), Finishing School (Nicholls), Murder on the Blackboard (Archainbaud), Their Big Moment (Cruze), His Greatest Gamble (Robertson), Redhead (Brown), Night Alarm (Bennett) ; 1935, Show Them No Mercy (Marshall), Without Children (Nigh) ; 1936, Legion of Terror (Coleman), Three Wise Guys (Seitz), The Last of the Mohicans (Fox), Don't Turn'Em Loose (Stoloff), Robin Hood of Eldorado (Robin des Bois d'Eldorado) (Wellman), Penthouse Party (Nigh), Fury (Lang) ; 1937, Bad Guy (Cahn), Love Takes Fligh (Nagel) ; 1938, Sinners in Paradise (Whale), The Bad Man of Brimstone (Ruben), Tenth Avenue Kid (Vorhaus), Smashing the Rackets (Landers) ; 1939, Homicidal Bureau (Coleman), Dodge City (Les conquérants) (Curtiz), Mickey the Kid (Lubin), You and Me (Casier judiciaire) (Lang), My Son Is Guilty (Barton), The Mystery of the White Room (Garrett), Susan and God (Suzanne et ses idées) (Cukor) ; 1940, Girls Under 21 (Nosseck), Captain Caution (Wallace) ; 1941, The Flame of New Orleans (La belle ensorceleuse) (Clair), Sundown (Hathaway), Wild Bill Hickok Rides (Enright) ; 1942, Silver Queen (Bacon), Pierre of the Plains (Seitz), The Desert Song (Florey) ; 1945, Divorce (Nigh), Fallen Angel (Crime passionnel) (Preminger), Salty O'Rourke (Sa dernière course) (Walsh) ; 1946, Smoky (L. King), Avalanche (I. Allen) ; 1947, The Angel and the Bad Man (L'ange et le mauvais garçon) (Grant), Gunfighters (Waggner) ; 1948, The Gallant Legion (Kane) ; 1949, Sorrowful Jones (Lanfield) ; 1950, Francy Pants (Marshall), Rock Island Trail (Kane) ; 1951, The Best of the Badmen (Plus fort que la loi) (Russell) ; 1952, Lost in Alaska (Deux nigauds en Alaska) (Yarbrough), Kid Monk Baroni (Schuster) ; 1956, Toto lascia a raddoppia ? (Mastrocinque) ; 1957, La ragazza del Palio (Zampa) ; 1958, The Sheriff of Fractured Jaw (La blonde et le shérif) (Walsh), The Quiet American (Un Américain bien tranquille (Mankiewicz) ; 1959, Il terrore dei barbari (La terreur des Barbares) (Campogalliani), John Paul Jones (Farrow), The Comancheros (Les Comancheros) (Curtiz) ; 1962, Hatari ! (Hatari !) (Hawks) ; 1963, McLintock (Le grand McLintock) (McLaglen), Law of the Lawless (Condamné à être pendu) (Claxton) ; 1965, Black Spurs (Les éperons noirs) (Springsteen), In Harm's Way (Première victoire) (Preminger), Town Tamer (Selander), Cat Ballou (Silverstein), The Chase (La poursuite impitoyable) (Penn) ; 1967, The War Wagon (La caravane de feu) (Kennedy) ; 1968, Hellfighters (Les feux de l'enfer) (McLaglen), The Green Berets (Les bérets verts) (Wayne) ; 1969, The Undefeated (Les géants de l'Ouest) (McLaglen) ; 1970, Wusa (Rosenberg), Chisum (Chisum) (McLaglen) ; 1971, Big Jake (Big Jake) (Sherman), Diamonds Are Forever (Les diamants sont éternels) (Hamilton).

Sa longue carrière (avec une interruption pendant la guerre) se résume en une suite de films d'action signés Wellman, Hawks, Curtiz, Walsh... où il fut tantôt le héros, tantôt le méchant. Il est surtout connu pour sa participation au premier *King-Kong*. Il mourut d'un cancer.

Cage, Nicolas

Acteur et réalisateur américain, de son vrai nom Nicholas Coppola, né en 1964.

1982, Fast Times at Ridgemont High (Heckerling) ; 1983, Rumble Fish (Rusty James) (Coppola), Valley Girl (Coolidge) ; 1984, Racing With the Moon (Les moissons du printemps) (Benjamin), Birdy (Birdy) (Parker), The Cotton Club (Cotton club) (Coppola) ; 1986, The Boy in Blue (Jarrott), Peggy Sue Got Married (Peggy Sue s'est mariée) (Coppola) ; 1987, Raising Arizona (Arizona Junior) (Coen) ; 1988, Moonstruck (Éclair de lune) (Jewison) ; 1989, Vampire's Kiss (Embrasse-moi vampire) (Bierman), Tempo di uccidere (Le raccourci) (Montaldo), Never on Tuesday (Rifkin) ; 1990, Firebirds (Green), Wild at Heart (Sailor et Lula) (Lynch) ; 1991, Zandalee (Love affair) (Pillsbury) ; 1992, Honeymoon in Vegas (Lune de miel à Las Vegas) (Bergman), Red Rock West (Red Rock West) (Dahl) ; 1993, Amos and Andrew (Frye), Deadfall (Ch. Coppola) ; 1994, Guarding Tess (Un ange gardien pour Tess), (Wilson), It Could Happen to You (Millionaire malgré lui) (A. Bergman), Trapped in Paradise (Descente à Paradise) (Gallo) ; 1995, Kiss of Death (Kiss of Death) (Schroeder), Leaving Las Vegas (Leaving Las Vegas) (Figgis) ; 1996, The Rock (Rock) (Bay), Con Air (Les ailes de l'enfer) (West) ; 1997, Face/Off (Volte/face) (Woo), City of Angels (La cité des anges) (Silberling), Snake Eyes (Snake Eyes) (De Palma) ; 1998, 8 MM (8 mm) (Schumacher), Bringing Out the Dead (A tombeau ouvert) (Scorsese), Welcome to Hollywood (Markes) ; 1999, Gone in Sixty Seconds (60 secondes chrono) (Sena), The Family Man (Family Man) (Ratner) ; 2000, Captain Corelli's Mandolin (Capitaine Corelli) (Madden) ; 2001, Windtalkers (Les messagers du vent) (Woo) ; 2003, Adaptation (Adaptation) (Jonze), Matchstick Men (Les associés) (Scott) ; 2004, National Treasure (Benjamin Gates et le trésor des Templiers) (Turteltaub) ; 2005, The Weather Man (The Weather Man) (Verbinski), Lord of War (Lord of War) (Niccol) ; 2006, World Trade Center (World Trade Center) (Stone) ; 2007, Ghost Rider (Ghost Rider) (Johnson), National Treasure 2 : the Book of Secrets (Benjamin Gates et le livre des secrets) (Turtelbaub), The Wicker Man (LaBute). *Comme réalisateur :* 2002, Sonny.

Neveu de Coppola, il a été l'interprète de certains de ses films, mais s'est imposé à travers deux œuvres opposées, *Birdy* (où il est fascinant) et *Sailor et Lula* où il a pour partenaire Laura Dern. Un oscar le confirme en 1996 pour son interprétation dans *Leaving Las Vegas*. En privé chez Schumacher ou en ambulancier chez Scorsese, il est toujours à la fois fort et vulnérable.

Cagney, James

Acteur et réalisateur américain, 1899-1986.

1930, Sinner's Holiday (Adolfi), Doorway to Hell (Au seuil de l'enfer) (Mayo) ; 1931, Other Men's Women (Wellman), The Millionaire (Adolfi), The Public Enemy (L'ennemi public) (Wellman), Smart Money (Green), Blonde Crazy (Del Ruth) ; 1932, Taxi ! (Taxi) (Del Ruth), The Crowd Roars (La foule hurle) (Hawks), Winner Take All (Del Ruth) ; 1933, Hard To Handle (LeRoy), Picture Snatcher (Bacon), The Mayor of Hell (Mayo), Footlight Parade (Prologues) (Bacon), Lady Killer (Le tombeur) (Del Ruth) ; 1934, Jimmy the Gent (Curtiz), He Was Her Man (Bacon), Here Comes the Navy (Bacon), The St. Louis Kid (Enright) ; 1935, Devil Dogs of the Air (Le bousilleur) (Bacon), G. Men (Hors la loi) (Keighley), The Irish in Us (Bacon), A Midsummer Night's Dream (Songe d'une nuit d'été) (Reinhardt/Dieterle), Frisco Kid (Émeutes) (Bacon), Ceiling Zero (Brumes) (Hawks) ; 1936, Great Guy (Blystone) ; 1937, Something to Sing About (Schertzinger) ; 1938, Boy Meets Girl (Bacon), Angels With Dirty Faces (Les anges aux figures sales) (Curtiz) ; 1939, The Oklahoma Kid (Terreur à l'Ouest) (Bacon), Each Dawn I Die (A chaque aube je meurs) (Keighley), The Roaring Twenties (Les fantastiques années 20) (Walsh) ; 1940, The Fighting 69th (Le régiment des bagarreurs) (Keighley), Torrid Zone (Keighley) ; 1941, City for Conquest (La ville conquise) (Litvak), The Strawberry Blonde (Walsh), The Bride Came C.O.D. (Keighley) ; 1942, Captains of the Clouds (Curtiz), Yankee Doodle Dandy (Curtiz) ; 1943, Johnny Come Lately (Johnny le vagabond) (Howard) ; 1945, Blood on the Sun (Du sang dans le soleil) (Llyod) ; 1946, 13, rue Madeleine (13, rue Madeleine) (Hathaway) ; 1948, The Time of Your Life (Potter) ; 1949, White Heat (L'enfer est à lui) (Walsh) ; 1950, The West Point Story (Del Ruth), Kiss Tomorrow Goodbye (Le fauve en liberté) (Douglas) ; 1951, Come Fill the Cup (Douglas), Starlift (Del Ruth) ; 1952, What Price Glory ? (Ford) ; 1953, A Lion in the Streets (Walsh) ; 1955, Run for Cover (A l'ombre des potences) (Ray), Love Me or Leave Me (Les pièges de la passion) (Ch. Vidor), Mister Roberts (Permission jusqu'à l'aube) (Ford et LeRoy), The Seven Little Foys (Mes sept petits chenapans) (Shavelson) ; 1956, Tribute to a Bad Man (La loi de la prairie) (Wise), These Wilder Years (Rowland) ; 1957, Man of a Thousand Faces (L'homme aux mille visages) (Pevney) ; 1958, Never Steal Anything Small (Lederer) ; 1959, Shake Hands With the Devil (L'épopée dans l'ombre) (Anderson) ; 1960, The Gallant Hours (Montgomery) ; 1961, One, Two, Three (Un, deux, trois) (Wilder) ; 1981, Ragtime (Ragtime) (Forman). *Pour le metteur en scène*, voir le *Dictionnaire du cinéma*, t. I : *Les réalisateurs*.

En dépit de sa petite taille, ce fils d'Irlandais, élevé dans le « Lower East Side » de New York où il fit un peu tous les métiers, symbolise le bagarreur. Au temps de la Warner et de l'apogée du film policier à implications sociales, il joua un nombre considérable de rôles de gangster. Il avait été lancé par *The Public Enemy* où il martyrisait sa maîtresse. Bacon et Del Ruth furent ses metteurs en scène favoris. Mais on oublie parfois qu'il s'était formé dans les revues de Broadway et qu'il dansait fort bien. De là la présence dans sa filmographie de comédies musicales dont *Yankee Doodle Dandy* qui lui valut un oscar en 1942. Il fut aussi un inoubliable Lon Chaney dans *Man of a Thousand Faces*. Il parut se retirer en 1961, mais revint à l'écran (après avoir assuré le commentaire de deux films) pour *Ragtime* où il était un sensationnel chef de la police, lui, le fabuleux gangster de *White Heat* et de *Kiss Tomorrow Goodbye* !

Caine, Michael

Acteur anglais, de son vrai nom Maurice Micklewhite, né en 1933.

1956, A Hill in Korea (Commando en Corée) (Aymes) ; 1957, How to Murder a Rich Uncle (Comment tuer un oncle à héritage) (Patrick) ; 1958, The Two-Headed Spy (Chef de réseau) (Toth), Carve Her Name With Pride (Agent secret S.Z.) (Gilbert), The Key (La clef) (Reed), Blinds Pot (Maxwell) ; 1959, Danger Within (le mouchard) (Chaffey), Passport to Shame (Passeport pour la honte) (Rakoff) ; 1960, Foxhole in Cairo (Moxey), Bulldog Breed (Asher), The Day the Earth Caught Fire (Le jour où la terre prit feu) (Guest) ; 1962, Number 6 (Flemyng), The Wrong Arm of the Law (Owen) ; 1963, Zulu (Zoulou) (Endfield) ; 1965, The Ipcress File (Ipcress danger immédiat) (Furie) ; 1966, Alfie (Alfie le dragueur) (Gilbert), The Wrong Box (Un mort en pleine forme) (Forbes), Gambit (Un hold-up extraordinaire) (Neame), Funeral in Berlin (Mes funérailles à Berlin) (Hamilton) ; 1967, Woman Times Seven (Sept fois femme) (De Sica), Hurry Sundown (Que vienne la nuit) (Preminger), Billion Dollar Brain (Un cerveau d'un milliard de dollars) (Russell) ; 1968, Deadfall (Le chat croque les diamants) (Forbes), The Magus (Jeux pervers) (Green), Play Dirty (Enfants de salauds) (Toth), The London Scene (Whitehead) ; 1969, The Italian Job (L'or se barre) (Collinson), The Battle of Britain (La bataille d'Angleterre) (Hamilton) ; 1970, Too Late the Hero (Trop tard pour les héros) (Aldrich), Get Carter (La loi du milieu) (Hodges), The Last Valley (La vallée perdue) (Clavell) ; 1971, Kidnapped (Mann), Zee and Co (Une belle tigresse) (Hutton) ; 1972, Sleuth (Le limier) (Mankiewicz), Pulp (Hodges) ; 1974, The Black Windmill (Contre une poignée de diamants) (Siegel), Marseille Contract (Marseille Contrat) (Parrish), The Wilby Conspiracy (Le vent de la violence) (Nelson) ; 1975, Peeper (Hyams), The Romantic Englishwoman (Une Anglaise romantique) (Losey), The Man Who Would Be King (L'homme qui voulut être roi) (Huston), Harry And Walter Go to New York (Deux farfelus à New York) (Rydell) ; 1976, The Eagle Has Landed (L'aigle s'est envolé) (Sturges), A Bridge Too Far (Un pont trop loin) (Attenborough) ; 1977, The Silver Bears (Banco à Las Vegas) (Passer), The Swarm (L'inévitable catastrophe) (Allen) ; 1978, California Suite (Rosse), Ashanti (Ashanti) (Fleischer) ; 1979, Beyond the Poseidon Adventure (Le dernier secret du Poséidon) (Allen) ; 1980, The Island (L'île sanglante) (Ritchie), The Hand (Stone) ; 1981, Dressed to Kill (Pulsions) (De Palma), Escape to Victory (A nous la victoire) (Huston) ; 1983, Deathtrap (Piège mortel) (Lumet), Educating Rita (L'éducation de Rita) (Gilbert), The Honorary Consul (Le consul honoraire) (MacKenzie) ; 1984, Blame it on Rio (C'est la faute à Rio) (Donen) ; 1985, Water (Ouragan sur l'eau plate) (D. Clement), Holcroft Covenant (Frankenheimer) ; 1986, Hannah and Her Sisters (Hannah et ses sœurs) (W. Allen), Mona Lisa (Mona Lisa) (Jordan), Sweet Liberty (Alda), Half Moon Street (Escort girl) (Swaim) ; 1987, The Fourth Protocol (Le quatrième protocole) (MacKenzie), Surrender (Belson), Whistle Blower (Langton), Jaws 4 (Les dents de la mer IV) (Sargent) ; 1988, Without a Clue (Élémentaire mon cher... Lock Holmes) (Eberhardt) ; 1989, Dirty Rotten Scoundrels (Le plus escroc des deux) (Oz) ; 1990, Mr. Destiny (Orr), Bullseye ! (Winner) ; 1991, A Shock to the System (Business oblige) (Egleson) ; 1992, Noises Off... (Bogdanovich), Death Becomes Her (La mort vous va si bien) (Zemeckis) ; 1993, Blue Ice (Mulcahy), On Deadly Ground (Terrain miné) (Segal), The Muppet Chrismas Carol (Noël chez les Muppets) (Henson) ; 1994, Len Deighton's Bullet to Beijing (Mihalka) ; 1996, Blood and Wine (Blood & Wine) (Rafelson) ; 1997, Curtain Call (Yates) ; 1998, Little Voice (Little Voice) (Herman), The Debtors (Quaid), The Cider House Rules (L'œuvre de Dieu, la part du diable) (Hallström), Shadow Run (Reeve) ; 2000, Quills (Quills, la plume et le sang) (Kaufman), Miss Congeniality (Miss détective) (Petrie), Get Carter (Get Carter) (Kay), Shiner (Irvin) ; 2001, Quicksand (Mackenzie) ; 2002, Austin Powers in Goldmember (Austin Powers dans Goldmember) (Roach), The Quiet American (Un Américain bien tranquille) (Noyce) ; 2003, The Statement (Crime contre l'humanité) (Jewison), Secondhands Lions (Le secret des frères MacCann) (MacCanlies) ; 2004, Around the Bend (De pères en fils) (Roberts) ; 2005, Batman Begins (Batman Begins) (Nolan), Bewitched (Ma sorcière bien-aimée) (Ephron), The Weather Man (The Weather Man (Verbinski) ; 2006, The Prestige (Le prestige) (Nolan), Children of Men (Les fils de l'homme) (Cuaron).

Avec son rôle de l'agent Harry Palmer il a fait entrer les lunettes dans les grands mythes cinémathographiques. Longtemps garçon de courses, accessoiriste, aide-décorateur dans une maison de production, il fait ses débuts en 1956, mais c'est dix ans plus tard qu'il devient célèbre avec *Funeral in Berlin*, où sa silhouette imposante et son flegme tout britannique font merveille dans ce très bon film d'espionnage. Il est encore plus éblouissant dans le rôle qui l'oppose à Laurence Olivier dans l'excellent *Sleuth*, puis dans *L'homme qui voulut être roi*, où il a cette fois pour partenaire Sean Connery. Cynique (*Mona Lisa*) ou vulnérable (*Hannah et ses sœurs*), il poursuit une éblouissante carrière, hors des atteintes de l'âge.

Calamai, Clara
Actrice italienne, 1915-1998.

1938, Pietro Micca (Vergano) ; lo su padre (Bonnard) ; 1939, Il socio invisibile (Roberti), L'eredita in corsa (Biancoli), Le sorprese del vagone letto (Les surprises du wagon lit) (Rosmino) ; 1940, Boccaccio (Albani), Capitan Fracassa (Coletti), Manovre d'amore (Righelli), Addio Giovinezza (Adieu jeunesse) (Poggioli), Il re del circo (Hinrich), Caravaggio (Le peintre maudit) (Alessandrini) ; 1941, I mariti (Mastrocinque), L'avventuriera del piano di sopra (Matarazzo), I Pirati della Malesia (Les pirates de Malaisie) (Guazzoni), La cena delle beffe (La farce tragique) (Blasetti), Luce nelle tenebre (Lumière dans les ténèbres) (Mattoli), La regina di Navarra (Gallone) ; 1942, La guardia del corpo (Ma femme et son détective) (Bragaglia), Le vie del cuore (Mastrocinque), Ossessione (Les amants diaboliques) (Visconti), Addio amore (Dernier amour) (Franciolini) ; 1943, Le sorelle Materassi (L'homme à femmes) (Poggioli), Enrico IV (Pastina), Una piccola moglie (Bianchi), Due lettere anonime (Deux lettres anonymes) (Camerini) ; 1945, Il mondo vuole così (Le monde est comme ça) (Bianchi) ; 1946, Il tiranno di Padova (Angelo tyran de Padoue) (Neufeld) ; 1947, L'ultimo amore (Chiarini), Amanti senza amore (Franciolini) ; 1949, Vespero siciliano (Le chevalier de la révolte) (Pastina) ; 1957, Notti bianche (Nuits blanches) (Visconti) ; 1958, Afrodite dea dell'amore (Aphrodite, l'esclave de l'Orient) (Bonnard) ; 1967, Le streghe (Les sorcières) (Visconti) ; 1975, Profondo rosso (Les frissons de l'angoisse) (Argento) ; 1985, Dario Argento's World of Horror (Soavi).

La plus populaire des actrices italiennes, à l'époque du fascisme. Visconti l'utilisa à contre-emploi dans *Ossessione* mais lui permit de devenir immortelle pour les cinéphiles. Sa popularité décroît après 1950, mais elle est une émouvante prostituée dans *Nuits blanches* et une tueuse psychopathe dans *Les frissons de l'angoisse*.

Calhern, Louis
Acteur américain, 1895-1956.

1921, The Blot (Weber) ; 1923, The Last Moment (Read) ; 1931, Stolen Heaven (Abbott), Road to Singapore (La route de Singapour) (Green), Larceny Lane (Del Ruth), Blonde Crazy (Del Ruth) ; 1932, They Call It Sin (Friedland), Night After Night (La nuit suivante) (Mayo), OK America (Garnett), Afraid to Talk (E. Cahn) ; 1933, Frisco Jenny (Wellman), Duck Soup (Soupe au canard) (McCarey), Diplomaniacs (Seiter), 20 000 Years in Sing-Sing (Vingt mille ans sous les verrous) (Curtiz), The Woman Accused (Sloane), The World Gone Mad (W. Cabanne), Strictly Personal (Murphy) ; 1934, The Man With Two Faces (Mayo), The Count of Monte-Cristo (Lee), The Affairs of Cellini (Les amours de Cellini) (La Cava) ; 1935, The Last Days of Pompéi (Les derniers jours de Pompei) (Shoedsack), The Arizonian (Vidor), Sweet Adeline (LeRoy) ; 1936, The Gorgeous Hussy (Brown) ; 1937, The Life of Émile Zola (Dieterle), Her Husband Lies (Ludwig) ; 1938, Fast Company (Buzzell) ; 1939, Juarez (Juarez) (Dieterle), Charlie McCarthy Detective (Tuttle), Fifth Avenue Girl (La fille de la cinquième avenue) (La Cava) ; 1940, Dr. Ehrlich's Magic Bullet (Dieterle), I Take This Woman (Van Dyke) ; 1943, Nobody's Darling (Mann), Heaven Can Wait (Le ciel peut attendre) (Lubitsch) ; 1944, Up in Arms (Nugent), The Bridge of San Luis Rey (Lee) ; 1946, Notorious (Les enchaînés) (Hitchcock) ; 1948, Arch of Triumph (Arc de triomphe) (Milestone) ; 1949, The Red Danube (Le Danube rouge) (Sidney), The Red Pony (Le poney rouge) (Milestone) ; 1950, Nancy Goes to Rio (Leonard), Devil's Doorway (La porte du diable) (Mann), A Life of her Own (Cukor), The Asphalt Jungle (Quand la ville dort) (Huston), Annie Get your Gun (Annie la reine du cirque) (Sidney) ; 1951, The Man With a Cloak (F. Markle), The Magnificent Yankee (Sturges) ; 1952, Invitation (Reinhardt), We're Not Married (Cinq mariages à l'essai) (Goulding), Washington Story (Pirosh), The Prisoner of Zenda (Le prisonnier de Zenda) (Thorpe) ; 1953, Remains to Be Seen (Drôle de meurtre) (Weis), Julius Caesar (Mankiewicz), Latin Lovers (LeRoy), Main Street to Broadway (Garnett) ; 1954, The Student Prince (Thorpe), Executive Suite (La tour des ambitieux) (Wise), Men of the Fighting Lady (Marton), Rhapsody (Vidor), Betrayed (Voyage au-delà des vivants) (Reinhardt) ; Athena (Athéna) (Thorpe) ; 1955, The Blackboard Jungle (Graine de violence) (Brooks), The Prodigal (Le fils prodigue) (Thorpe) ; 1956, Forever Darling (Hall), High Society (Haute société) (Walters).

Sa distinction lui valut de jouer les méchants élégants (l'« oncle » véreux de Marilyn Monroe dans *Asphalt Jungle*), les hommes d'affaires douteux (*Executive Suite*), les ambassadeurs de pays ennemis (*Duck Soup*). Il fut même Jules César dans la pièce de Shakespeare filmée par Mankiewicz. Mort à Tokyo pendant le tournage de *Sayonara.*

Calhoun, Rory

Acteur américain, de son vrai nom Francis Durgin, 1923-1999.

1944, Something for the Boys (Seiler), Sunday Dinner for a Soldier (Bacon) ; 1945, The Bullfighters (Les toréadors) (St. Clair), Nob Hill (Hathaway), The Great John L. (Tuttle) ; 1947, The Red House (Daves), Adventure Island (Stewart), That Hagen Girl (Godfrey) ; 1948, Miraculous Journey (P. Stewart) ; 1949, Sand (L. King), Massacre River (Rawlins) ; 1950, A Ticket for Tomahawk (Sale), I'd Climb the Highest Mountain (King), Rogue River (Rawlins), Return of the Frontiersman (Bare), County Fair (Beaudine) ; 1951, Meet Me After the Show (Sale) ; 1952, With a Song in My Heart (W. Lang), Way of a Gaucho (Le gaucho) (Tourneur) ; 1953, Silver Whip (Le fouet d'argent) (Jones), Powder River (L. King), How to Marry a Millionaire (Comment épouser un millionnaire) (Negulesco) ; 1954, River of No Return (Rivière sans retour) (Preminger), The Yellow Tomahawk (Selander), Four Guns to Border (Quatre tueurs et une fille) (Carlson), Dawn at Socorro (G. Sherman), A Bullet is Waiting (Une balle vous attend) (Farrow) ; 1955, The Treasure of Pancho Villa (Le trésor de Pancho Villa) (G. Sherman), The Looters (A. Biberman), Ain't Misbehavin (Buzzell), The Spoilers (Hibbs) ; 1956, Red Sundown (Arnold), Raw Edge (La proie des hommes) (Sherwood), Flight to Hong Kong (Newman) ; 1957, The Hired Gun (Nazarro), The Domino Kid (Nazzaro), Utah Blaine (Sears), Ride Out for Revenge (B. Girard), The Big Caper (R. Stevens) ; 1958, Apache Territory (Nazzaro), The Saga of Hemp Brown (L'implacable poursuite) (Carlson) ; 1961, Il colosso di Rodi (Le colosse de Rhodes) (Leone), Thunder in Carolina (Helmick) ; 1962, Marco Polo (Fregonese), The Treasure of Monte Cristo (Baker) ; 1963, A Face in the Rain (Kershner), The Gun Hawk (Le justicier de l'Ouest) (Ludwig), The Young and the Brave (Lyon) ; 1964, Young Fury (Nyby) ; 1965, Apache Uprising (Les derniers jours de la nation apache) (Nazzaro), Black Spurs (Les éperons noirs) (Springsteen), Finger on the Trigger (S. Pink) ; 1966, Il giocco delle spie (Bianchini) ; 1968, Dayton's Devils (Shea) ; 1969, Operation Cross Eagles (Conte) ; 1972, Night of the Lepus (Claxton) ; 1975, Won Ton Ton, The Dog Who Saved Hollywood (Winner), The West is Still Wild (von Mizener) ; 1977, Kino, the Padre on Horseback (Kennedy), Love and the Midnight Auto Supply (Polakoff) ; 1978, Flatbed Annie and Sweetiepie (Greenwald) ; 1979, The Main Event (Tendre combat) (Zieff) ; 1980, Motel Hell (Nuits de cauchemar) (Connor) ; 1982, Circle of Crime (Troy) ; 1984, Angel (O'Neill) ; 1985, Avenging Angel (Angel II – La vengeance) (Vincent, O'Neil) ; 1988, Hell Comes to Frogtown (Kizer et Jackson) ; 1989, Bad Jim (Ware) ; 1992, Pure Country (Cain).

Vedette de westerns de la série B (Nazzaro et autres), il ne faut pourtant pas le négliger. Il fut parfois admirable, notamment dans le méconnu *Justicier de l'Ouest* de Ludwig. C'est Alan Ladd qui le découvrit mais s'il ne fut jamais une vedette à part entière à Hollywood, ses westerns ne sont pas sans charme.

Callamand, Lucien

Acteur français, 1888-1968.

1918-1922, *Série des Agénor* ; 1926, Son premier film (Kemm) ; 1931, Méphisto (Debain), Ronny (Schünzel), Tumultes (Siodmak), Un soir au front (Ryder), Nuits de Venise (Billon), Cœurs joyeux (Vaucorbeil), Le capitaine Craddock (Vaucorbeil), Marius (Korda) ; 1932, Vous serez ma femme (de Poligny), Madame ne veut pas d'enfant (Landau), Une faible femme (de Vaucorbeil), La belle aventure (Lebon) ; 1933, Une fois dans la vie (Vaucorbeil), Nu comme un ver (Mathot), Une femme au volant (Billon) ; 1934, Le roi des Champs-Élysées (Nosseck) ; 1935, Quel drôle de gosse (Joannon), Le comte Obligado (Mathot), Vogue mon cœur (Daroy) ; 1936, Un mauvais garçon (Boyer), Quand minuit sonnera (Joannon), La guerre des gosses (Daroy), Avec le sourire (Tourneur) ; 1937, Prends la route (Boyer), Abus de confiance (Decoin), A Venise, une nuit (Christian-Jaque) ; 1938, Barnabé (Esway) ; 1940, La fille du puisatier (Pagnol), L'acrobate (Boyer), Chambre 13 (Hugon), Un chapeau de paille d'Italie (Cammage) ; 1941, Mélodie pour toi (Rozier), Les deux timides (Y. Allégret), Feu sacré (Cloche) ; 1942, Promesse à l'inconnue (Berthomieu), L'assassin a peur la nuit (Delannoy), La vie de bohème (L'Herbier) ; 1943, Les mystères de Paris (Baroncelli) ; 1946, La cabane aux souvenirs (Stelli), Le mariage de Ramuntcho (Vaucorbeil), Le chanteur inconnu (Cayatte), Rumeurs (Daroy) ; 1947, Le dolmen tragique (Mathot), Les trafiquants de la mer (Rozier), Les requins de Gibraltar (Reinert) ; 1948, 58, rue Pigalle (Rozier), L'école buissonnière (Le Chanois), Fandango (Reinert) ; 1949, Dans la vie tout s'arrange (Cravenne), La patronne (Dhéry), Amour et

Cie (Grangier), L'épave (Rozier), Millionnaires d'un jour (Hunebelle), Nous avons tous fait la même chose (Sti), La maison du printemps (Daroy), La danseuse de Marrakech (Mathot), On demande un assassin (Neubach), Le roi (Sauvajon) ; 1950, Le bagnard (Rozier), Atoll K (Rozier), Dominique (Noé), Les aventuriers de l'air (Jayet), Banco de prince (Dulud) ; 1951, Bouquet de joie (Cam), Adhémar (Fernandel), La femme à l'orchidée (Leboursier), Fanfan la Tulipe (Christian-Jaque) ; 1952, Mon mari est merveilleux (Hunebelle) ; 1954, J'avais sept filles (Boyer) ; 1956, Les aventures de Till l'espiègle (Philipe) ; 1958, Douze heures d'horloge (Radvanyi) ; 1963, Chair de poule (Duvivier), La Tulipe noire (Christian-Jaque) ; 1964, Dernier tiercé (Pottier) ; 1965, Piège pour Cendrillon (Cayatte).

Il fut l'interprète et souvent le réalisateur de la série comique des Agénor. Il devint avec l'avènement du parlant un honnête acteur de composition qui, vivant à Marseille, acceptait surtout de tourner dans les studios de Nice.

Callas, Maria

Cantatrice d'origine grecque, de son vrai nom Kalogeropoulos, 1923-1977.

1970, Medea (Médée) (Pasolini).

Tragédienne autant que cantatrice, on s'étonne que le cinéma n'ait utilisé qu'une fois ce monstre sacré. On lui proposa, il est vrai, le rôle féminin des *Canons de Navarrone*, celui que tint Liz Taylor dans *Boom* de Losey, une Tosca de Zeffirelli sous la direction musicale de Karajan... Elle fut seulement connue à la scène et ne fit au cinéma que *Médée*, pour Pasolini, et exigea d'être surtout filmée en prises éloignées.

Calleia, Joseph

Acteur maltais, de son vrai nom Calleja, 1897-1975.

1931, His Woman (Sloman) ; 1935, Public Hero N° 1 (Ruben) ; 1936, Exclusive Story (Seitz), Sworn Enemy (Marin), Riffraff (Ruben), His Brother's Wife (Van Dyke), Sinner Take All (Taggart), After the Thin Man (Van Dyke) ; 1937, Man of the People (Marin) ; 1938, Algiers (Cromwell), Marie-Antoinette (Marie-Antoinette) (Van Dyke), Four's a Crowd (Quatre au paradis) (Curtiz), Bad Man of Brimstone (Ruben) ; 1939, Juarez (Dieterle), Golden Boy (L'esclave aux mains d'or) (Mamoulian), The Gorilla (Le Gorille) (Dwan), Full Confession (Farrow), Five Came Back (Farrow) ; 1940, My Little Chickadee (Mon petit poussin chéri) (Cline), Wyoming (Thorpe) ; 1941, The Monster and the Girl (Heisler), Sundown (Crépuscule) (Hathaway) ; 1942, The Glass Key (La clef de verre) (Heisler), Jungle Book (Le livre de la Jungle) (Korda) ; 1943, The Cross of Lorraine (Garnett), For Whom the Bell Tolls (Pour qui sonne le glas) (Wood) ; 1944, The Conspirators (Les conspirateurs) (Negulesco) ; 1946, Gilda (Ch. Vidor), Deadline at Dawn (Clurman) ; 1947, The Beginning of the End (Taurog), Lured (Des filles disparaissent) (Sirk) ; 1948, The Noose Hangs High (Barton), Four Faces West (Green) ; 1949, Captain Carey USA (Le dénonciateur) (Leisen) ; 1950, Branded (Marqué au fer) (Maté), The Palomino (Nazzaro), Vendetta (M. Ferrer) ; 1951, Valentino (Allen), The Light Touch (Brooks) ; 1952, Yankee Bucaneer (De Cordova), The Iron Mistress (La maîtresse de fer) (Douglas) ; 1953, The Caddy (Amour, délices et golf) (Taurog) ; 1955, Underwater (La Vénus des mers chaudes) (Sturges), The Treasure of Pancho Villa (Le trésor de Pancho Villa) (Sherman) ; 1956, Hot Blood (L'ardente gitane) (N. Ray), Serenade (Mann), The Littlest Outlaw (Gavaldon) ; 1958, Touch of Evil (La soif du mal) (Welles), The Light in the Forest (Daugherty), Wild Is the Wind (Car sauvage est le vent) (Cukor) ; 1959, Cry Tough (Stanley) ; 1960, The Alamo (Alamo) (Wayne) ; 1963, Johnny Cool (La revanche du Sicilien) (Asher).

Né à Malte, ce chanteur d'opéra s'est reconverti dans le cinéma en 1935. Troisième couteau, il est presque devenu une vedette avec des rôles comme celui du chef des gitans dans *Hot Blood* ou du vieil immigré, père d'Anna Magnani dans *Wild Is the Wind*. Welles sut également tirer parti de son visage ridé et tourmenté dans *Touch of Evil*.

Callow, Simon

Acteur et réalisateur anglais né en 1949.

1984, Amadeus (Amadeus) (Forman) ; 1986, A Room with a View (Chambre avec vue) (Ivory) ; 1987, The Good Father (Newell), Maurice (Maurice) (Ivory) ; 1989, Manifesto (Pour une nuit d'amour) (Makavejev) ; 1990, Postcards from the Edge (Bons baisers d'Hollywood) (Nichols), Mr. & Mrs. Bridges (Mr. & Mrs. Bridges) (Ivory) ; 1992, Soft Top Hard Shoulder (Schwartz), Howards End (Retour à Howards End) (Ivory) ; 1994, Street Fighter (Street Fighter) (DeSouza), Four Weddings and a Funeral (4 mariages et 1 enterrement) (Newell) ; 1995, Victory (Victory) (Peploe), England My England (Palmer), Jefferson in Paris (Jefferson in Paris) (Ivory), Ace Ventura : When Nature Calls (Ace Ventura en Afrique) (Oedekerk) ; 1998, Bedrooms & Hallways (Des chambres et des couloirs) (Troche), Shakespeare in Love (Shakespeare in Love) (Madden), The Scarlet Tunic (St. Paul) ; 1999, Junk (Schillinger), Notting Hill (Coup de foudre à Notting Hill) (Michell), Shakespeare in Love (Shakespeare in Love) (Madden) ; 2001, No man's land (Tanbovic) ; 2003, Merci... Dr Rey ! (Litvack) ; 2005, The Phantom of the Opera (Le fantôme de l'Opéra) (Schumacher). *Comme réalisateur :* 1991, The Ballad of the Sad Café.

Acteur accompli au théâtre bien avant sa performance dans *4 mariages et 1 enterrement* – l'enterrement en question, c'est précisément le sien – qui le révèle au niveau international, il est par ailleurs un écrivain respecté, avec à son actif des biographies de Orson Welles et de Charles Laughton. Racé, fin, figure éminente de la « upper class » des comédiens anglais, il est par ailleurs un militant ouvertement actif de la cause homosexuelle. Il a réalisé un film d'après une pièce d'Edward Albee, mais qui n'a pas été distribué en France.

Calvé, Jean-François

Acteur français né en 1925.

1946, Les chouans (Calef) ; 1950, Identité judiciaire (Bromberger) ; 1952, Manina la fille sans voiles (Rozier), C'est arrivé à Paris (Lavorel) ; 1954, Le pain vivant (Mousselle) ; 1955, Marguerite de la nuit (Autant-Lara) ; 1956, La mariée est trop belle (Gaspard-Huit) ; 1961, Adorable menteuse (Deville) ; 1962, La dérive (Delsol) ; 1963, L'appartement des filles (Deville) ; 1969, Un jeune couple (Gainville) ; 1972, Traitement de choc (Jessua) ; 1979, Le guignolo (Lautner).

Venu du Conservatoire, il imposa un type de jeune premier terriblement fade, notamment dans *Marguerite de la nuit* qui reste son meilleur film.

Calvet, Corinne

Actrice française, de son vrai nom Dibos, 1925-2001.

1946, La part de l'ombre (Delannoy), Nous ne sommes pas mariés (Bernard-Roland) ; 1947, Petrus (Allégret), Le château de la dernière chance (Paulin) ; 1949, Rope of Sand (La corde de sable) (Dieterle), When Willie Comes Marching Home (Planqué malgré lui) (Ford) ; 1950, My Friend Irma Goes West (Irma à Hollywood) (Hal Walker) ; 1951, On the Riviera (Lang), Peking Express (Dieterle), Sailor Beware (La polka des marins) (Walker) ; 1952, What Price Glory ? (Ford), Thunder in the East (Tonnerre sur le temple) (Ch. Vidor) ; 1953, Powder River (L. King), Flight to Tangier (Vol sur Tanger) (Warren) ; 1954, The Far Country (Je suis un aventurier) (Mann), So This Is Paris (Quine), Casanova (Steno), Bonnes à tuer (Decoin) ; 1955, Napoléon (Guitry) ; 1958, The Plunderers of Painted Flats (Les pillards de la prairie) (Gannaway) ; 1960, Bluebeard's Ten Honeymoons (Lee Wilder) ; 1962, Hemingway's Adventures of a Young Man (Aventures de jeunesse) (Ritt) ; 1965, Apache Uprising (Springsteen) ; 1970, Pound (Downey) ; 1980, Dr. Heckyll and Mr. Hype (Ch. Griffith), She's Too Hot to Handle (Schain) ; 1982, Amours d'adolescentes pubères (Bénazéraf), The Sword and the Sorcerer (L'épée sauvage) (Pyun).

Remarquée, après quatre films en France, par le producteur américain Hal Wallis qui essaya de l'imposer à Hollywood comme une sorte de compromis entre Rita Hayworth et Laureen Bacall. De Dieterle à Mann, l'essai ne fut pas déshonorant, sans pourtant que Corinne Calvet ait atteint au statut de véritable star. De retour en France, elle aurait joué dans le *Napoléon* de Guitry, mais on ne trouve pas son nom au générique. Elle alla ensuite se perdre dans les sables des westerns de série B. Elle semble y avoir été engloutie.

Cámara, Javier

Acteur espagnol né en 1967.

1994, Alegre ma non troppo (Mi-fugue, mi-raisin) (Colomo) ; 1995, Eso (Colomo) ; 1996, Por un hombre en tu vida (Lesmes) ; 1997, ¿ Las casas son como son... o como deberían ser ? (Pastor), Corazón loco (Real) ; 1998, Torrente, el brazo tonto de la ley (Torrente) (Segura) ; 1999, Cuarteto de la Habana (Colomo) ; 2001, Hable con ella (Parle avec elle) (Almodóvar), Torrente 2 : Misión en Marbella (Segura), Lucía y el sexo (Lucía y el sexo) (Medem) ; 2002, Looking for Chenckho (Sojo) ; 2003, Torremolinos 73 (Berger), Los abajo firmantes (Oristrell) ; 2004, La mala educación (La mauvaise éducation) (Almodóvar) ; 2006, Paris je t'aime (collectif), La vida secreta de las palabras (The Secret Life of Words) (Coixet).

Révélé par Almodóvar dans *Parle avec elle* en infirmier qui s'occupe (un peu trop) d'une jeune femme plongée dans le coma que son accouchement (après un viol) rend à la vie. Cámara est bouleversant dans ce rôle. On connaît peu ses autres films.

Cameron, Rod

Acteur canadien, de son vrai nom Nathan Cox, 1910-1983.

1939, Heritage of the Desert (Selander) ; 1940, Rangers of Fortune (Wood), Northwest Mounted Police (Les tuniques écarlates) (DeMille), Stagecoach War (Selander), Christmas in July (P. Sturges), Those Were the Days (Reed) ; 1941, The Monster and the Girl (Heisler), Pacific Blackout (Murphy), Among the Living (Heisler), The Parson of Panamint (McGann), The Night of January 16th (Clemens) ; 1942, The Fleet's In (Schertzinger), The Remarkable Andrew (Heisler), Star Spangled Rhythm (Marshall), Wake Island (Farrow), The Forest Rangers (Marshall) ; 1943, Gung Ho ! (Enright), The Commando Strike at Dawn (Farrow), G-Man versus the Black Dragon (Witney et English), The Kansan (Archainbaud), Secret Service in Darkest Africa (Bennet), Riding High (Marshall) ; 1944, Beyond the Pecos (Hyllier), Trigger Trail (Collins), Boss of Boomtown (Taylor), Mrs. Parkington (Garnett), The Old Texas Trail (Collins), Renegades of the Rio Grande (Bretherton), Riders of Santa Fe (Fox) ; 1945, Salome Where She Danced (Salomé) (Lamont), Frontier Gal (La taverne du cheval rouge) (Lamont), Swing Out, Sister (Lilley) ; 1946, The Runaround (Lamont) ; 1947, Pirates of Monterey (Werker) ; 1948, Belle Starr's Daughter (Selander), The Plunderers (Kane) ; 1949, Brimstone (Kane), Stampede (Panique sauvage au Far West) (Selander) ; 1950, Stage to Tucson (Murphy), Dakota Lil (Selander), Short Grass (Selander) ; 1951, Oh Susana (Kane), Cavalry Scout (Selander), The Sea Hornet (Kane) ; 1952, Ride the Man Down (Kane), Woman of the North Country (Kane), Wagons West (Beebe), Fort Osage (Selander) ; 1953, The Jungle (Berke), The Steel Lady (Dupont), San Antone (Les rebelles de San Antone) (Kane) ; 1954, Southwest Passage (Nazzaro), Hell's Outpost (Kane) ; 1955, Santa Fé Passage (Witney), The Fighting Chance (Witney), Double Jeopardy (Springsteen) ; 1956, Passport to Treason (Baker), Yaqui Drums (Yarbrough) ; 1957, Spoilers of the Forest (Kane) ; 1958, The Man Who Died Twice (Kane) ; 1963, The Gun Hawk (Le justicier de l'Ouest) (Ludwig) ; 1965, Bounty Killer (Chasseur de primes) (Bennet), Requiem for a Gunfighter (Le glas du hors-la-loi) (Bennet) ; 1966, Winnetou (Reinl) ; 1967, Die letzten zwei von Rio Bravo (Rieger) ; 1971, The Last Movie (Hopper), Evel Knievel (Chomsky) ; 1972, Redneck (Robinson) ; 1975, Psychic Killer (R. Danton) ; 1976, Jessie's Girl (Adamson) ; 1977, Love and the Midnight Auto Supply (Polakoff).

Ce grand et fort bûcheron canadien vint s'établir aux États-Unis et y travailler dans le bâtiment. Remarqué pour sa stature, il fut engagé par l'Universal puis par la Republic comme héros de western de la série Z. Il y fit preuve de bonne humeur et d'énergie. Deux films à sauver parmi les innombrables westerns qu'il a interprétés : *Salome Where She Danced* et *The Gun Hawk* où il livrait un étrange et crépusculaire *gunfight*.

Campan, Bernard : cf. Inconnus (Les).

Campbell, Eric

Acteur américain d'origine écossaise, 1879-1917.

1916, The Vagabond, The Fireman (Charlot pompier), The Floorwalker (Charlot chef de rayon), The Pawnshop (L'usurier), The Rink (Charlot patine) ; 1917, Easy Street (Charlot policeman), The Cure (Charlot fait une cure), The Immigrant (L'émigrant), The Adventurer (Charlot s'évade) (tous de Chaplin).

Énorme, menaçant, d'une force herculéenne, il était le caïd d'*Easy Street*, le goutteux de *The Cure*, le garçon de restaurant dans *The Immigrant.* Il faisait partie de la troupe de Chaplin comme ces autres merveilleux acteurs que furent Henry Bergman, Albert Austin et surtout Leo White voué aux rôles de comte et de prétendant éconduit. Il mourut dans un accident d'automobile.

Canale, Gianna Maria

Actrice italienne née en 1927.

1948, Il cavaliere misterioso (Le cavalier mystérieux) (Freda), Guarany (Freda) ; 1949, Il conte Ugolino (Freda), Il figlio di d'Artagnan (Le fils de d'Artagnan) (Freda), Il bacio di una morta (Brignone), Toto le Moko (Bragaglia) ; 1950, La vendetta di aquila nera (La vengeance de l'aigle noir) (Freda) ; 1951, Tradimento (Trahison) (Freda), Vedi Napoli e poi muori (Le passé d'une mère) (Freda) ; 1952, Spartaco (Spartacus) (Freda), La leggenda del Piave (Freda) ; 1953, Teodora imperatrice di Bisanzio (Théodora) (Freda), Dramma nella Kasbah (Anton), Alerte au Sud (Devaivre) ; 1954, Napoléon (Guitry), Madame Du Barry (Christian-Jaque), L'ombra (Bianchi) ; 1955, Il coragio (Paolella) ; 1956, Donne sole (Sala), La châtelaine du Liban (Pottier), Le schiave di Cartagine (Sous le signe de la Croix) (Brignone), I vampiri (Les vampires) (Freda) ; 1957, Il corsaro della mezzaluna (Scotese), Le fatiche di Ercole (Les travaux d'Hercule) (Francisci), La Gerusalemma liberata (Bragaglia) ; 1958, The Silent Enemy (Fairchild), The Whole Truth (Guillermin), La rivolta dei gladiatori (La révolte des gladiateurs) (Cottafavi) ; 1959, I cavalieri del Diavolo (Marcellini) ; 1960, Il conquistadore d'Oriente (Boccia), La regina delle Amazzone (La reine des Amazones) (Sala) ; 1961, Maciste contro il vampiro (Maciste contre le fantôme) (Gentilomo), La venere dei pirati (Costa), Treasure of Monte Cristo (Le secret de Monte-Cristo) (R. Baker) ; 1962, Il conquistadore di Corinto (Costa), Le chevalier de Pardaillan (Borderie), Il figlio di Spartacus (S. Corbucci) ; 1963, Le tigre dei 7 mari (Capuano), Il boom (De Sica) ; 1964, Il treno del sabato (Sala), Il ponte dei sospiri (Pierotti).

Venue de Reggio de Calabre, cette beauté brune fut l'héroïne, tantôt bonne, tantôt méchante, d'innombrables films d'action italiens (péplums, histoires de pirates, fantastique...). De là sa popularité. Mariée à Riccardo Freda.

Candelier, Isabelle

Actrice française née en 1963.

1986, On a volé Charlie Spencer ! (Huster) ; 1987, Qui sont mes juges ? (Thierry) ; 1988, Chimère (Devers) ; 1989, Moitié-moitié (Boujenah) ; 1992, Versailles Rive gauche (Podalydès), La fille de l'air (Bagdadi) ; 1994, Couples et amants (Lvoff) ; 1995, Les truffes (Nauer) ; 1996, Des nouvelles du Bon Dieu (Le Pêcheur) ; 1997, Droit dans le mur (Richard) ; 1998, Dieu seul me voit (Podalydès), Un pur moment de rock'n roll (Boursinhac) ; 1999, Le créateur (Dupontel), André le magnifique (Staïb, Silvestre) ; 2000, Deuxième vie (Braoudé), Lise et André (Dercourt), Mercredi, folle journée ! (Thomas), Mademoiselle (Lioret) ; 2001, Being Light (Barr, Arnold), J'ai faim ! (Quentin) ; 2003, La fin du règne animal (Brisse) ; 2003, Effroyables jardins (Becker), Le mystère de la chambre jaune Podalydès), Le pacte du silence (Guilt) ; 2006, Le parfum de la dame en noir (Podalydès) ; 2007, A Good Year (Une grande année) (Scott).

Originaire de Perpignan, elle intègre le Conservatoire en même temps que la famille de comédiens composée de Michel Vuillermoz, Denis Podalydès et Philippe Uchan qu'elle suivra à l'écran et sur scène. Sa candeur évaporée et sa gouaille rigolote en font une interpète comique d'envergure, extraordinaire de finesse et d'intelligence quand elle est bien dirigée (notamment dans *Versailles Rive gauche* ou *André le magnifique*).

Candy, John

Acteur canadien, 1950-1994.

1975, It Seemed Like a Good Idea at the Time (Trent) ; 1976, The Clown Murders (Burke), The Silent Partners (L'argent de la banque) (Duke) ; 1979, 1941 (1941) (Spielberg), Lost and Found (Frank) ; 1981, The Blues Brothers (The Blues Brothers) (Landis), Stripes (Les bleus) (Kotcheff) ; 1982, It Came From Hollywood (Solt et Leo) ; 1983, National Lampoon's Vacation (Ramis), Going Berserk (Steinberg) ; 1984, Splash (Splash) (Howard) ; 1985, Brewster's Millions (Comment claquer un million de dollars par jour) (Hill), Summer Rental (C. Reiner), Volunteers (Meyer) ; 1986, The Canadian Conspiracy (R. Boyd), The Little Shop of Horrors (La petite boutique des horreurs) (Oz), Armed and Dangerous (Lester) ; 1987, Planes, Trains and Automobiles (Un ticket pour deux) (Hughes), Spaceballs (La folle histoire de l'espace) (Brooks) ; 1988, Hot to Trot (Dinner), The Great Outdoors (Deutch) ; 1989, Uncle Buck (Hughes), Who's Harry Crumb ? (Flaherty), Speed Zone (Drake) ; 1990, Home Alone (Maman, j'ai raté l'avion) (Columbus) ; 1991, Career Opportunities (Une place à prendre) (Hughes), Masters of Menace (Raskov), Delirious (T. Mankiewicz), Nothing But Trouble (Aykroyd), JFK (JFK) (Stone), Only the Lonely (Ta mère ou moi) (Oz) ; 1992, Once Upon a Crime (Levy) ; 1993, Cool Runnings (Rasta Rockett) (Turtletaub) ; 1994, Canadian Bacon (Canadian Bacon) (Moore), Wagons East ! (Markle).

Beaucoup de rôles de bon copain un peu niais à l'actif de ce comédien attachant, bien que peu connu en France, et qui a débuté à Chicago au début des années 70 aux côtés de *stand-up comics* tels que John Belushi, Harold Ramis et Dan Aykroyd. Son physique très généreux (voire obèse) l'a sans doute empêché de jouer sur d'autres terrains que la comédie. Il est décédé d'une crise cardiaque lors du tournage de son dernier film.

Canet, Guillaume

Acteur et ralisateur français né en 1973.

1996, Barracuda (Haïm) ; 1998, Ceux qui m'aiment prendront le train (Chéreau), En plein cœur (Jolivet), Sentimental Education (Leigh) ; 1998, Je règle mon pas sur le pas de mon père (Waterhouse) ; 1999, The Beach (La plage) (Boyle) ; 2000, The Day the Ponies Come Back (The Day the Ponies Come Back) (Schatzberg), La fidélité (Zulawski), Vidocq (Titof), Les morsures de l'aube (de Caunes) ; 2002, Le frère du guerrier (Jolivet), Mon idole (Canet), Mille millièmes (Waterhouse) ; 2003, Jeux d'enfants (Samuell) ; 2003, Les clefs de la bagnole (Baffie) ; 2004, Narco (Aurouet et Lellouche) ; 2005, L'enfer (Tanovic), Joyeux Noël (Carion) ; Ne le dis à personne (Canet), Un ticket pour l'espace (Lartigau) ; 2007, Ensemble, c'est tout (Berri). *Pour le metteur en scène*, voir le *Dictionnaire du cinéma*, t. I : *Les réalisateurs*.

Il met fin à une carrière de jockey pour se consacrer au théâtre, montant sa troupe alors qu'il a à peine vingt ans. Brutalisé par Jean Rochefort dans le très trouble *Barracuda*, fils malgré lui d'un escroc de haut vol (Jean Yanne) dans *Je règle mon pas sur le pas de mon père*, il est adoubé star en figurant aux côtés de Leonardo DiCaprio dans *La plage*. Physique, expressif, un grand espoir du cinéma français, excellent dans *Mon idole* qu'il met en scène.

Cannon, Dyan

Actrice et réalisatrice américaine, de son vrai nom Samille Friesen, née en 1937.

1959, This Rebel Breed (Bare), The Rise and Fall of Legs Diamond (La chute d'un caïd) (Boetticher) ; 1969, Bob and Carol and Ted and Alice (Bob et Carol et Ted et Alice) (Mazursky) ; 1970, Doctor's Wives (Schaeffer) ; 1971, The Anderson Tapes (Le gang Anderson) (Lumet), The Love Machine (Haley Jr.), Le casse (Verneuil) ; 1972, Such Good Friends (Des amis comme les miens) (Preminger) ; 1973, Shamus (Le fauve) (Kulik), The Last of Sheila (Invitations dangereuses) (H. Ross) ; 1974, Child Under a Leaf (Bloomfield) ; 1978, Heaven Can Wait (Le ciel peut attendre) (Beatty), The Revenge of the Pink Panther (La revanche de la Panthère rose) (Edwards) ; 1979, For the First Time (Cannon) ; 1980, Coast to Coast (Sargent) ; Honeysuckle Rose (Show-Bus) (Schatzberg) ; 1982, Death Trap (Lumet), Author, Author (Avec les compliments de l'auteur) (Hiller) ; 1983, Having it All (Zick) ; Merlin and the Sword (Donner) ; 1988, Caddyshack II (Arkush) ; 1990, The End of Innocence (Cannon) ; 1993, The Pickle (Mazursky) ; 1996, That Darn Cat ! (Spiers), 8 Heads in a Duffel Bag (8 têtes dans un sac) (Schulman), Out to Sea (Coolidge) ; 1997, Allie and Me (Rymer), The Sender (Pepin) ; 1998, Drop-Dead (Irvin) ; 2003, Kangaroo Jack (Kangourou Jack) (McNally). *Comme réalisatrice :* 1975, Number One : 1979, For the First Time.

Un bout d'essai lui vaut un engagement à Hollywood ; cette apparition lui suffit pour se faire remarquer entre 1961 et 1964 puis elle épouse Cary Grant. Quelques rôles et la voilà qui passe à la réalisation. Un début à la télévision ; quatre cents émissions suivront. Jolie ? A peine plus que d'autres. Bonne comédienne ? Certes, mais là aussi guère plus que mille autres. Douée comme réalisatrice ? On ne sait, faute d'avoir vu ses films. Reste un incontestable magnétisme qui peut seul expliquer son succès.

Cantinflas, Mario Moreno Reyes, dit

Acteur mexicain, 1911-1993.

1936, No te engañes corazón ; 1937, Así es mi tierra (Boytler) ; 1938, Aguila o Sol (Arkady Boytler) ; 1939, El signo de la muerte ; 1940, Ahi esta el detalle (Bustillo Oro) ; 1941, Ni sangre ni arena (Galindo), El gendarme desconocido ; 1942, El circo ; 1943, Los tres mosqueteros, Romeo y Julieta ; 1944, Gran Hotel ; 1945, Un día con el Diablo (Delgado) ; 1946, Soy un rofugo (Delgado) ; 1947, A volar joven (Delgado) ; 1948, El supersabio ; 1949, El mago ; 1950, Puerta joven (Cordon s'il vous plaît) (Delgado) ; 1951, El bombero atómico (Delgado) ; 1952, El señor fotografo ; 1953, Caballero a la medida ; 1954, Arriba el telón ; 1956, Around the World in 80 Days (Le tour du monde en quatre-vingts jours) (Anderson) ; 1960, Pepe (Sidney) ; 1976, Ministro y yo (Delgado).

Populaire comique mexicain dont les films sont, à une ou deux exceptions près, inconnus en France et donc difficiles à identifier en ce qui concerne les réalisateurs (Bustillo Oro et Delgado exceptés). Mais Cantinflas a montré dans deux productions américaines qu'il pouvait en réalité toucher un plus large public.

Canto, Marilyne

Actrice française.

1977, L'hôtel de la plage (Lang) ; 1978, La clé sur la porte (Boisset) ; 1980, Qu'est-ce qui fait craquer les filles... (Vocoret) ; 1981, Elle voit des nains partout (Sussfeld) ; 1985, Le souffleur (Lewitta) ; 1986, États d'âme (Fansten), Les filles du Rhin (Philippon) ; 1991, L'amour en 2 (Gallotte) ; 1992, Grand bonheur (Le Roux) ; 1993, La poudre aux yeux (Dugowson) ; 1995, Le cœur fantôme (Garrel), Chacun cherche son chat (Klapisch), Tykho Moon (Bilal), Trois vies et une seule mort

(Ruiz) ; 1996, Cameleone (Cohen), Marion (Poirier), Western (Poirier), L'autre côté de la mer (Cabrera) ; 1997, Cantique de la racaille (Ravalec) ; 1998, Trois ponts sur la rivière (Biette) ; 1999, Nadia et les hippopotames (Cabrera) ; 2000, 30 ans (Perrin), On appelle ça... le printemps (Le Roux), Nos enfants chéris (Cohen) ; 2001, Le lait de la tendresse humaine (Cabrera) ; 2003, Après vous (Salvadori) ; 2004, Frères (De Choudens), Folle embellie (Cabrera) ; 2006, L'ivresse du pouvoir (Chabrol) ; 2007, Poison d'avril (Karel).

Brunette piquante découverte enfant dans *L'hôtel de la plage*, et qui revient vraiment sur grand écran par l'intermédiaire du cinéma d'auteur (Gallotte, Le Roux). Souvent cantonnée aux petits rôles, elle était plus à son avantage dans *La poudre aux yeux* et *L'autre côté de la mer.*

Cantona, Éric
Footballeur et acteur français né en 1966.

1995, Le bonheur est dans le pré (Chatiliez) ; 1998, Mookie (Palud), Elizabeth (Elizabeth) (Kapur), Les enfants du marais (Becker) ; 2002, La grande vie (Dajoux) ; 2003, L'outremangeur (Benisti) ; 2004 La vie est à nous ! (Krawczyk).

Gloire du football français (à l'OM) puis anglais (il s'illustre au Manchester United Football Club et devient « King Cantona »), il entame une carrière au cinéma où prédomine sa verve marseillaise. Il pèche peut-être encore par une certaine raideur et ce n'est pas la comédie simiesque *Mookie,* dont il tient le rôle principal, qui arrange une renommée cinématographique encore vacillante.

Cantor, Eddie
Acteur américain, 1892-1964.

1929, Glorifying the American Girl (M. Webb) ; 1930, Whoopee (Freeland) ; 1931, Palmy Days (Sutherland) ; 1932, The Kid from Spain (Le Kid d'Espagne) (L. McCarey) ; 1933, Roman Scandals (Tuttle) ; 1934, Kid Millions (Del Ruth) ; 1936, Strike McPink (Taurog) ; 1937, Ali Baba Goes to Town (Butler) ; 1940, Forty Little Mothers (Berkeley) ; 1943, Thank Your Lucky Stars (Remerciez votre bonne étoile) (Butler) ; 1944, Hollywood Canteen (Daves), Show Business (Quatre du music-hall) (Marin) ; 1948, If You Knew Susie (Douglas) ; 1952, The Story of Will Rogers (Curtiz) ; 1953, The Eddie Cantor Story (Green).

Fils d'un violoniste, il se détourne de la musique classique pour celle plus populaire des revues de Ziegfeld. Chanteur et animateur, il passe à Hollywood où ses mimiques (très démodées) en feront une vedette des années 30. *Kid from Spain* est son meilleur film burlesque, mais à des années-lumière de Keaton et Lloyd.

Capshaw, Kate
Actrice américaine, de son vrai nom Kathleen Sue Nail, née en 1953.

1982, A Little Sex (Paltrow) ; 1984, Windy City (Bernstein), Best Defence (Une défense canon) (Huyck), Indiana Jones and the Temple of Doom (Indiana Jones et le temple maudit) (Spielberg), Dreamscape (Dreamscape) (Ruben) ; 1986, Power (Les coulisses du pouvoir) (Lumet), SpaceCamp (Cap sur les étoiles) (Winer) ; 1988, Ti presento un'amica (Massaro) ; 1989, Black Rain (Black Rain) (R. Scott) ; 1990, Love at Large (L'amour poursuite) (Rudolph) ; 1991, My Heroes Have Always Been Cowboys (Rosenberg) ; 1994, Love Affair (Gordon Caron) ; 1995, Just Cause (Juste cause) (Glimcher), How to Make an American Quilt (Le patchwork de la vie) (Moorhouse) ; 1997, The Locusts (Kelley), Life During Wartime (Dunsky) ; 1999, The Love Letter (Destinataire inconnu) (Chan).

Plus connue pour être Mme Steven Spielberg, cette sympathique blonde figure dans quelques séries B agréables, dont le polar fantastique *Dreamscape* et la comédie romantique *Destinataire inconnu.*

Capucine
Actrice française, de son vrai nom Germaine Lefèvre, 1928-1990.

1949, Rendez-vous de juillet (Becker) ; 1960, Song Without End (Le bal des adieux) (Vidor et Cukor), North to Alaska (Le grand Sam) (Hathaway) ; 1962, A Walk on the Wild Side (La rue chaude) (Dmytryk), The Lion (Le lion) (Cardiff) ; 1964, The Pink Panther (La panthère rose) (Edwards), The Seventh Dawn (La septième aube) (L. Gilbert) ; 1965, What's New Pussycat (Quoi de neuf Pussycat ?) (Clive Donner) ; 1966, Le fate (Salce, Monicelli...) ; 1967, The Honey Pot (Guêpier pour trois abeilles) (Mankiewicz) ; 1969, Fräulein Doktor (Lattuada), Fellini Satyricon (Le Satyricon de Fellini) (Fellini) ; 1971, Las crueles (Arante) Soleil rouge (T. Young) ; 1975, L'incorrigible (Broca) ; 1976, Bluff (Corbucci) ; 1978, Giallo Napoletano (Mélodie meurtrière) (S. Corbucci) Ritratto di borghese in nero (T. Cervi) ; 1979, Da Dunkerque alla vittoria (De l'enfer à la victoire) (Hank Milestone), An Arabian Adventure (Le Trésor de la montagne sacrée) (Connor), Jaguar Lives (Pintoff) ; 1982, Trail of the Pink Panther (A la recherche de la panthère rose) (Edwards) ; 1983, Balles perdues (Comolli) ; 1984, The Curse of the Pink Panther (Edwards), Aphrodite (Fuest) ; 1985, Noces de soufre (Vouillanioz) ; 1987, I miei primi quarant'anni (Mes quarante premières années) (Vanzina), Le foto di gioia (L. Bava) ; 1988, Blue Blood (R. Young) ; 1989, Frames from the Edge (Maben).

Née à Toulon, elle débute dans *Rendez-vous de juillet* mais c'est à Hollywood qu'elle trouve la consécration. Sa beauté, sa distinction, son élégance font passer un jeu un peu guindé. De retour en Europe, elle libère son tempérament grâce à Fellini et tourne beaucoup en Italie, pour le cinéma ou la télévision (*Martin Eden*).

Caravaca, Éric

Acteur et réalisateur français né en 1970.

1999, C'est quoi la vie ? (Dupeyron) ; 2000, La chambre des officiers (Dupeyron) ; 2001, Les amants du Nil (Heumann) ; 2002, Son frère (Chéreau), Elle est des nôtres (Alnoy), Monsieur Ibrahim et les fleurs du Coran (Dupeyron), Novo (Limosin) ; 2003, Inguelezi (Dupeyron), Cette femme-là (Nicloux) ; 2005, Le concile de pierre (Nicloux) ; 2006, La raison du plus faible (Belvaux), Le passager (Caravaca) ; 2007, Les ambitieux (Corsini), Mon colonel (Merbiet), J'attends quelqu'un (Bonnell). *Comme réalisateur :* 2006, Le passager.

Acteur atypique, a-t-on dit, Caravaca se veut aussi metteur en scène, adaptant à l'écran *La route de Midland* D'Arnaud Cathrine, où il joue un personnage qui, revenant sur les lieux de son enfance, se fait rattraper par son passé. L'acteur était remarquable dans *La chambre des officiers*, en gueule cassée.

Cardinale, Claudia

Actrice d'origine italienne née en 1938.

1956, Chaînes d'or (Vautier) ; 1957, Goha (Baratier) ; 1958, I soliti ignoti (Le pigeon) (Monicelli) ; 1959, Tre straniere a Roma (Gora), La prima notte (Les noces vénitiennes) (Cavalcanti), Audace colpo dei soliti ignoti (Hold-up à la milanaise) (N. Loy), Il magistrato (Nous sommes tous coupables) (Zampa), Upstairs and Downstairs (Entrée de service) (R. Thomas), Un maledetto imbroglio (Meurtre à l'italienne) (Germi), Vento del Sud (Provenzale), Austerlitz (Gance) ; 1960, Il bell'Antonio (Le bel Antoine) (Bolognini), Rocco e i suoi fratelli (Rocco et ses frères) (Visconti), I delfini (Les dauphins) (Maselli), La ragazza con la valiglia (La fille à la valise) (Zurlini) ; 1961, La viaccia (Le mauvais chemin) (Bolognini), Les lions sont lâchés (Verneuil), Cartouche (Broca), Senilita (Vieillesse) (Bolognini) ; 1963, Il gattopardo (Le guépard) (Visconti), Otto e mezzo (Huit et demi) (Fellini), The Pink Panther (La panthère rose) (Edwards), La ragazza di Bube (La jeune fille) (Comencini), Gli indifferenti (Désirs pervers) (Maselli) ; 1964, Circus World (Le plus grand cirque du monde) (Hathaway), Vaghe stelle dell'Orsa (Sandra) (Visconti), Il magnifico cornuto (Le cocu magnifique) (Pietrangeli) ; 1965, Blindfold (Les yeux bandés) (Dunne), Lost Command (Les centurions) (Robson) ; Una rosa per tutti (Une rose pour tous) (Fr. Rossi), The Professionals (Les professionnels) (Brooks) ; 1966, Le fate (Les ogresses) (sketch de Monicelli), The Hell with the Heroes (Tous les héros sont morts) (Sargent) ; 1967, Don't Make Waves (Comment réussir en amour sans se fatiguer) (Mackendrick), Il giorno della civetta (La maffia fait la loi) (Damiani) ; 1968, Ruba al prossimo tuo (Maselli) ; 1969, C'era una volta il West (Il était une fois dans l'Ouest) (Leone), La tenda rossa (La tente rouge) (Kalatozov), Certo, certossimo, anzi... probabile (Certain, probable et même possible) (Fondato), Adventures of Gerard (Les aventures du brigadier Gérard) (Skolimovski) ; 1970, Nell' anno del Signore (Les conspirateurs) (Magni), La califfa (Bevilacqua), Popsy-Pop (Herman) ; 1971, L'udienza (L'audience) (Ferreri), Les pétroleuses (Christian-Jaque et Casaril), Bello onesto emigrato Australia... (Zampa) ; 1972, La scoumoune (Giovanni), A Man (Calenda), Avril rouge (Caldensa) ; 1973, Liberta, amore mio (Liberté, mon amour) (Bolognini) ; 1974, Gruppo di famiglia in un interno (Violence et passion) (Visconti), Qui comincia l'avventura (Di Palma), I guappi (Lucia et les gouapes) (Squitieri) ; 1975, Il comune senso del pudore (Sordi), A mezzanotte va la ronda del piacere (Histoire d'aimer) (Fondato) ; 1976, Gesu di Nazareth (Jésus de Nazareth) (Zeffirelli), Il prefetto di ferro (L'affaire Mori) (Squitieri) ; 1977, La part du feu (Périer) ; 1978, La petite fille en velours bleu (Bridges), Corleone (Squitieri), Si salvi chi vuole (Faenza) ; 1979, Goodbye & amen (Damiani), L'arma (Squitieri), Bons baisers d'Athènes (Cosmatos) ; 1980, La salamandre (Zinner) ; 1981, La pelle (La peau) (Caviani), Fitzcarraldo (Fitzcarraldo) (Herzog), Le cadeau (M. Lang) ; 1982, Le ruffian (Giovanni), Trail of the Pink Panther (A la recherche de la panthère rose) (Edwards) ; 1983, Princess Daisy (Hussein) ; 1984, Henri IV (Bellocchio), Carlotta (Squitieri) la donna delle maraviglie (Bevilacqua) ; 1985, L'été prochain (N. Trintignant) ; 1986, La storia (Comencini), Un homme amoureux (Kurys) ; 1988, Blue electrico (Gaeng) ; 1989, La Révolution française (Enrico), Hiver 54 (Amar), Atto di dolore (Acte d'amour) (Squitieri) ; 1990, Les tambours de feu (Ben Barka & Mazarov) ; 1991, Mayrig (Verneuil), 588, rue Paradis (Verneuil) ; 1993, The Son of the Pink Panther (Edwards), Elles ne pensent qu'à ça (Dubreuil) ; 1994, Un été à la Goulette (Boughedir) ; 1996, Riches, belles, etc. (Schpoliansky), Sous les pieds des femmes (Krim) ; 1999, Mein Liebster Feind (Ennemis intimes) (Herzog) ; 2001, And Now Ladies and Gentlemen (Lelouch).

Italienne née à Tunis, elle gagne à dix-sept ans un concours de beauté et vient à la biennale de Venise où elle est très remarquée. Après un petit film de Vautier, elle épouse le producteur Franco Cristaldi qui la lance. Elle joue dans les meilleurs films de Visconti, Bolognini, Fellini, Zurlini puis Squitieri (dont elle partage la vie après 1977) et conquiert rapidement le statut de vedette internationale (Edwards, Brooks, Broca, Herzog...). Sa beauté sensuelle n'explique pas seule son succès, elle a révélé, grâce aux leçons de Visconti, un solide talent de comédienne. Ses derniers films (*Carlotta*, sur la maîtresse de Mussolini, et *La storia*, également sur la dernière guerre) montrent qu'elle est capable de tenir des rôles émouvants qui lui permettent de révéler un autre aspect de son talent. Elle est excellente dans les deux films de Verneuil : *Mayrig* et *588, rue Paradis*.

Carel, Roger

Acteur français, de son vrai nom Blancherel, né en 1927.

1957, L'ami de la famille (Pinoteau), Incognito (Dally), Le triporteur (Pinoteau) ; 1958, Le petit prof' (Rim), Chéri, fais-moi peur (Pinoteau), La femme des autres (Barma) ; 1961, Auguste (Chevalier), Ophélia (Chabrol) ; 1962, Les bricoleurs (Girault) ; 1963, La foire aux cancres (Daquin), La mort d'un tueur (Hossein) ; 1965, La grosse caisse (Joffé) ; 1966, Le saint prend l'affût (Christian-Jaque), Le vieil homme et l'enfant (Berri) ; 1968, Salut Berthe (Lefranc), Béru et ces dames (Lefranc) ; 1969, Et qu'ça saute ! (Lefranc), Clérambard (Robert), Une veuve en or (Audiard) ; 1970, On est toujours trop bon avec les femmes (Boisrond) ; 1971, Églantine (Brialy) ; 1972, Elle cause plus... elle flingue (Audiard) ; 1973, Le grand bazar (Zidi), Vive la quille ! (Guerrini), Les Gaspards (Tchernia) ; 1974, Soldat Duroc, ça va être ta fête (Gérard) ; 1976, La grande récré (Pierson), Les grands moyens (Cornfield), Dis bonjour à la dame (Gérard), La grande frime (Zaphiratos) ; 1979, Les phallocrates (Pierson), La gueule de l'autre (Tchernia) ; 1980, Le coup du parapluie (Oury), Signé Furax (Simenon), On a volé la cuisse de Jupiter (Broca), Les malheurs d'Octave (Urban) ; 1982, Le jeune marié (Stora), Le retour des bidasses en folie (Vocoret) ; 1983, Y a-t-il un pirate sur l'antenne ? (Roy), L'émir préfère les blondes (Payet), Papy fait de la résistance (Poiré), L'été meurtrier (Becker) ; 1988, Le Diable rose (Reinhard), Les gauloises blondes (Jabely) ; 1989, Comédie d'amour (Rawson) ; 1990, Les mille et une nuits (Broca) ; 1995, Mon homme (Blier) ; 2004, Le coma des mortels (Sisbane).

Acteur comique de second plan qui maintient la tradition du cinéma d'avant-guerre. Malheureusement, les films qu'il interprète sont dans l'ensemble (et l'on n'a donné ici qu'une filmographie sélective) d'une affligeante médiocrité.

Carell, Steve

Acteur américain né en 1963.

2003, Bruce Almighty (Bruce tout-puissant) (Shadyac) ; 2004, Melinda and Melinda (Melinda et Melinda (Allen) ; 2005, Ron Burgundy (Présentateur vedette : la légende de Ron Burgundy) (McKay) ; 2006, The 40 Years Old Virgin (40 ans, toujours puceau) (Apatow), Miss Little Sunshine (Miss Little Sunshine) (Faris et Dayton), Evan Almighty (Evan tout-puissant) (Shadyac).

Il volait presque la vedette à Jim Carrey dans *Bruce tout-puissant*. Depuis *Little Miss Sunshine*, il est une star de la comédie à part entière.

Carette, Bruno : cf. Nuls (Les).

Carette, Julien

Acteur français, de son vrai nom Victor Julien, 1897-1966.

1931, L'amour à l'américaine (Heymann), Attaque nocturne (Marguenat) ; 1932, L'affaire est dans le sac (Prévert), Les gaietés de l'escadron (Tourneur), La pouponnière (Boyer), Moi et l'impératrice (Hollaender), Sola (Diamant-Berger), Baby (Lamac), Passionnément (Guissart) ; 1933, Adieu les beaux jours (Beucler), Georges et Georgette (Lebon), Je te confie ma femme (Guissart) ; 1934, Mon cœur t'appelle (Veber), Le billet de mille (Didier), L'école des resquilleurs (Fried) ; 1935, Ferdinand le noceur (Sti), Gangster malgré lui (Hugon), Fanfare d'amour (Pottier), Paris-Camargue (Forrester), Les sœurs Hortensia (Guissart), Parlez-moi d'amour (Guissart), Dora Nelson (Guissart), La marraine de Charley (Colombier), Quadrille d'amour (Eichberg) ; 1936, Marinella (Caron), 27, rue de la Paix (Pottier), Aventure à Paris (Allégret), Le golem (Duvivier) ; 1937, La grande illusion (Renoir), La fessée (Caron), Les rois du sport (Colombier), Gribouille (Allégret) ; 1938, Entrée des artistes (Allégret), La bête humaine (Renoir), La Marseillaise (Renoir), La route enchantée (Caron), Le récif de corail (Gleize), L'accroche-cœur (Caron), Le monsieur de cinq heures (Caron), Les gaietés de l'exposition (Hajos), Je chante (Stengel), Café de Paris (Mirande) ; 1939, Tempête (Bernard-Deschamps), La famille Duraton (Stengel), La règle du jeu (Renoir), Battement de cœur (Decoin), Sixième étage (Cloche), Derrière la façade (Lacombe), Le monde tremblera (Pottier) ; 1941, Parade en sept nuits (Allégret), Croisières sidérales (Zwobada), Fromont jeune et Risler aîné (Mathot) ; 1942, A la belle frégate (Valentin), Monsieur des Lourdines (Hérain), Lettres d'amour (Autant-Lara), Fou d'amour (Mesnier) ; 1943, Adieu Léonard (Prévert), Service de nuit (Faurez), Coup de tête (Le Hénaff), Bonsoir mesdames, bonsoir messieurs (Tual), Le bal des passants (Radot) ; 1944, Le merle blanc (Houssin) ; 1945, Impasse (Dard) ; 1946, Sylvie et le fantôme (Autant-Lara), Les portes de la nuit (Carné), Messieurs Ludovic (Le Chanois), Histoire de chanter (Grangier) ; 1947, Le mannequin assassiné (Hérain), Le château de la dernière chance (Paulin) ; 1948, Une si jolie petite plage (Y. Allégret) ; 1949, Premières armes (Wheeler), Branquignol (Dhéry), Occupe-toi d'Amélie (Autant-Lara), La Marie du port (Carné), Le 84 prend des vacances (Joannon), Amédée (Grangier) ; 1950, Sans laisser d'adresse (Le Chanois) ; 1951, L'auberge rouge (Autant-Lara), Drôle de noce (Joannon), Rome-Paris-Rome (Zampa), Agence matrimoniale (Le Chanois), E piu facile che un cammello (Pour l'amour du ciel) (Zampa) ; 1952, La fête à Henriette (Duvivier), Au diable la vertu (Laviron) ; 1953, Gli uomini che mascalzoni (Pellegrini), L'amour d'une femme (Grémillon), Le bon Dieu sans confession (Autant-Lara) ; 1954, Pas de coup dur pour Johnny (Roussel), Sur le banc (Vernay), La maison du souvenir (Gallone) ; 1955, Coup dur chez les mous (Loubignac), La môme Pigalle (Rode), Ces sacrées vacances (Vernay) ; 1956, Paris Palace Hôtel (Verneuil), Pardonnez nos offenses (Hossein), Crime et châtiment (Lampin), Si Paris nous était conté (Guitry), Élena et les hommes (Renoir), Je reviendrai à Kandara (Vicas) ; 1957, Les trois font la paire (Guitry), Le temps des œufs durs (Carbonnaux) ; 1958, Archimède le clochard (Grangier), Le joueur (Autant-Lara), Le miroir à deux faces (Cayatte) ; 1959, La belle et le tzigane (Keleti), La jument verte (Autant-Lara), Pantalaskas (Paviot), La millième fenêtre (Menegoz) ; 1960, Vive Henri IV, vive l'amour (Autant-Lara) ; 1962, Mon oncle du Texas (Guez) ; 1963, La confession de minuit (Granier-Deferre), La foire aux cancres (Daquin) ; 1964, Les Pieds nickelés (Chambon), Les aventures de Salavin (Granier-Deferre).

Le plus populaire des acteurs de second plan grâce à sa gentillesse et à sa gouaille d'ancien camelot qui se donnait libre cours d'emblée dans *L'affaire est dans le sac*. Refusé au Conservatoire, il a fait tous les métiers. Trois parties dans sa carrière cinématographique : avant-guerre, il est révélé par les chefs-d'œuvre de Renoir (l'artiste dans *La grande illusion*, Pecqueux dans *La bête humaine*, Marceau dans *La règle du jeu*, un volontaire dans *La Marseillaise*) ; pendant la guerre, peu de films marquants ; après-guerre, le meilleur (l'aubergiste assassin de *L'auberge rouge*) côtoie le pire (*Coup dur chez les mous*). A peu près paralysé, il mourut brûlé vif en voulant allumer une cigarette. L'homme était aussi drôle dans la vie qu'à l'écran si l'on en croit les souvenirs d'Albert Paraz.

Carey, Harry

Acteur américain, 1878-1947.

1911-1914 : *nombreux courts métrages* ; 1917, Straight Shooting (Ford), A Marked Man (Ford), Bucking Broadway (A l'assaut du boulevard) (Ford), The Secret Man (L'inconnu) (Ford), Beloved Jim, Two Guns, The Fighting Gringo ; 1918, Wild Women (Ford), Three Mounted Men, Thieve's Gold, Hell Bent (Du sang dans la prairie) (Ford), The Scarlet Drop (La tache de sang) (Ford), The Phantom Riders (Le cavalier fantôme) (Ford), A Woman's Fool (Le bébé du cowboy) (Ford) ; 1919, Roped (Sans armes) (Ford), The Outcasts of Poker Flat (Le proscrit) (Ford), Bare Fists (Le serment de Black Billy) (Ford), Ace of the Saddle (Le roi de la prairie) (Ford), Rider of the Law (Black Billy au Canada) (Ford), A Gun Fightin' Gentleman (Tête brûlée) (Ford), Marked Men (Les hommes marqués) (Ford), The Last Outlaw

(Ford), Riders of Vengeance (Ford) ; 1920, West Is West, Overland Red, Sundown Slim, Hitchin' Posts, Human Stuff ; 1921, The Freeze Out (Ford), Desperate Trails (Face à face) (Ford), The Wallop (Ford), The Fox (Thornby), Bullet Proof, Blue Streak McCoy ; 1922, Man to Man (Paton), Canyon of the Fools (Paul), The Kickback (Paul), Good Men and True (Paul) ; 1923, The Man from Texas (Ben Wilson), Desert Driven (Paul), Crashin' Thru (Paul), The Miracle Baby (Paul), The Night Hawk (Paton) ; 1924, Roaring Rails (Forman), Tiger Thompson (Eason), The Lightening Rider (Ingaham), Flaming Forties (Forman) ; 1925, Beyond the Border (Dunlap), Soft Shoes (Ingraham), The Texas Trail (Dunlap), The Man from Red Gulch (Mortimer), The Prairie Pirate (Mortimer), The Bad Lands (Henderson), Wanderer, Silent Sanderson (Dunlap) ; 1926, Driftin'Thru (Dunlap), Satan Town (Mortimer), The Frontier Trail (Dunlap), The Seventh Bandit (Dunlap) ; 1927, Slide, Kelly, Slide (Sedgwick), A Little Journey (Leonard) ; 1928, The Trail of '98 (La piste de 98) (Brown), Border Patrol (Hogan), Burning Bridges (Hogan) ; 1931, Trader Horn (Le trafiquant Horn) (Van Dyke), The Vanishing Legion (Eason) ; 1932, Cavalier of the West (McCarthy), Border Devils (Nigh), Without Honor (Nigh), Law and Order (Cahn), Last of the Mohicans (Eason et Beebe), The Devil Horse (Apache, cheval sauvage) (Brower), Man of the Forest (Hathaway), Sunset Pass (Hathaway) ; 1934, The Thundering Herd (Hathaway) ; 1935, Rustlers Paradise (Fraser), Powdersmoke, Range (Fox), Barbary Coast (Ville sans loi) (Hawks), Wagon Trail (Fraser), Wild Mustang (Fraser), Last of the Clintons (Fraser) ; 1936, Sutter's Gold (L'or maudit) (Cruze), The Accusing Finger (Hogan), Valiant Is the World for Carrie (Ruggles), The Prisoner of Shark Island (Je n'ai pas tué Lincoln) (Ford), Little Miss Nobody (Blystone), The Three Mesquiteers (Taylor) ; 1937, Ghost Town (Fraser), Racing Lady (Fox), Born Reckless (St. Clair), Kid Galahad (Dernier combat) (Curtiz), Souls at Sea (Ames à la mer) (Hathaway), Border Café (Landers) ; 1938, The Port of Missing Girls (Brown), You and Me (Casier judiciaire) (Lang), The Law West of Tombstone, King of Alcatraz (L'évadé d'Alcatraz) (Florey), Gateway (Werker), Sky Giant (Landers) ; 1939, Mr. Smith Goes to Washington (M. Smith au Sénat) (Capra), Street of Missing Men (Salkow), Inside Information (Lamont), Code of Streets (Young), My Son Is Guilty (Barton) ; 1940, Outside the Three Miles Limit (Collins), They Knew That They Wanted (Kanon) ; 1941, Among the Living (Heisler), Sundown (Crépuscule) (Hathaway), The Shepherd of the Hills (Hathaway), Parachute (Goodwins) ; 1942, The Spoilers (Les écumeurs) (Enright) ; 1943, Air Force (Air Force) (Hawks), Happy Land (Pichel) ; 1944, The Great Moment (P. Sturges) ; 1945, China's Little Devil (Monta Bell) ; 1946, Duel in the Sun (Duel au soleil) (Vidor) ; 1947, Sea Grass (Le maître de la prairie) (Kazan), The Angel and the Badman (L'ange et le mauvais garçon) (Grant) ; 1948, So Dear to My Heart (Schuster), Red River (La rivière rouge) (Hawks).

Au préalable auteur de deux pièces, il fut engagé comme acteur par l'Universal et devint l'interprète favori de Jack (devenu John) Ford dans d'innombrables westerns où il était le mauvais garçon qu'une belle fille remettait dans le droit chemin. Ford devait lui rendre hommage comme à l'un des pères du genre. Avec l'avènement du parlant, Carey se retira provisoirement pour travailler sa voix. Il fit un retour remarqué avec *Trader Horn*, admirable film de « jungle ». On le retrouva en homme rude, dans de nombreuses œuvres de Ford, Hawks, Hathaway... Un peu avant sa mort (un accident cardiaque), son fils Harry Carey Junior prit la relève, travaillant avec les mêmes metteurs en scène, Ford (*Three Godfathers, Wagonmaster, Rio Grande...*), Hathaway (*Niagara...*), Hawks (*Red River...*), Curtiz (*The Comancheros...*).

Carey, Phil (Philip)

Acteur américain né en 1925.

1951, Operation Pacific (Opération dans le Pacifique) (Waggner), Inside the Walls of Folsom Prison (Les révoltés de Folsom Prison) (Wilbur), The Tanks Are Coming (Les tanks arrivent) (Seiler), I Was a Communist for the FBI (Douglas) ; 1952, This Woman is Dangerous (La reine du hold-up) (Feist), Springfield Rifle (La mission du commandant Lex) (De Toth), Cattle Town (Smith) ; 1953, Calamity Jane (La blonde du Far West) (Butler), Gun Fury (Bataille sans merci) (Walsh), Massacre Canyon (Sears), The Nebraskan (Sears), The Man Behind the Gun (La taverne des révoltés) (Feist) ; 1954, The Outlaw Stallion (Sears), They Rode West (Karlson), Pushover (Du plomb pour l'inspecteur) (Quine), Wyoming Renegades (Sears) ; 1955, The Long Grey Line (Ce n'est qu'un au revoir) (Ford), Mr. Roberts (Permission jusqu'à l'aube) (Ford), Count Three and Pray (Sherman), Three Stripes in the Sun (La loi des yeux bridés) (Murphy) ; 1956, Port Afrique (Port Afrique) (Maté), Wicked as They Come

(Portrait d'une aventurière) (Hughes) ; 1957, The Shadow on the Window (Asher) ; 1958, Screaming Mimi (Oswald), Tonka (Fortes), Return to Warbow (Nazarro) ; 1960, The Trunk (Winter) ; 1963, FBI Code 98 (Opération FBI à cap Canaveral) (Martinson), Black Gold (Martinson) ; 1964, The Time Travelers (Melchior), Dead Ringer (La mort frappe trois fois) (Henreid) ; 1965, The Great Sioux Massacre (Le massacre des Sioux) (Salkow), Town Tamer (Quand parle la poudre) (Selander) ; 1968, Three Guns for Texas (Bellamy et Rich) ; 1969, Backtrack ! (Bellamy), Once You Kiss a Stranger (Histoire d'un meurtre) (Sparr) ; 1970, The Rebel Rousers (Cohen) ; 1971, The Seven Minutes (Meyer) ; 1976, Fighting Mad (Colère froide) (Demme) ; 1979, Monster (Hartford et Strock).

Solide acteur né dans le New Jersey qui, malgré un physique avantageux et une « belle gueule », n'a jamais réussi à accéder au rang de star. Toujours du côté de la loi, ses personnages de durs au cœur tendre dans d'innombrables westerns lui allaient comme un gant. Sur le tard, il se spécialisa dans les rôles d'officier supérieur ou de détective. Il a joué plusieurs séries télé, dont « Laredo » (1966-1967).

Carey, Timothy

Acteur américain, 1925-1994.

1952, Bloodhounds of Broadway (Jones) ; 1953, White Witch Doctor (La sorcière blanche) (Hathaway) ; 1955, East of Eden (A l'est d'Eden) (Kazan), Finger Man (Schuster) ; 1956, The Killing (Ultime razzia) (Kubrick), The Last Wagon (La dernière caravane) (Daves) ; 1957, Paths of Glory (Les sentiers de la gloire) (Kubrick) ; 1958, Revolt in the Big House (La révolte est pour minuit) (Springsteen) ; 1961, One-Eyed Jacks (La vengeance aux deux visages) (Brando) ; 1962, Convicts 4 (M. Kaufman) ; 1964, Bikini Beach (Asher) ; 1967, Waterhole 3 (Graham), A Time for Killing (La poursuite des tuniques bleues) (Karlson) ; 1968, Head (Rafaelson) ; 1971, What's the Matter with Helen (Harrington), Minnie and Moskowitz (Ainsi va l'amour) (Cassavetes) ; 1972, The Outfit (Échec à l'organisation) (Flynn), The Killing of a Chinese Bookie (Le bal des vauriens) (Cassavetes), Get to Know Your Rabbit (De Palma) ; 1985, Echo Park (Dornhelm).

L'un des meilleurs troisièmes couteaux du cinéma américain. On se souvient du gangster chargé d'abattre un cheval pour faire diversion et permettre le vol de la recette des courses dans *The Killing* ou du soldat qui a peur de mourir dans *Paths of Glory*. Car Timothy Carey doit sa célébrité à Kubrick. On affirme qu'il aurait dirigé un long métrage mais nous n'en avons pas retrouvé le titre.

Carletti, Louise

Actrice française, de son vrai nom Luisa Carboni, 1922-2002.

1938, Les gens du voyage (Feyder), Terre de feu (L'Herbier) ; 1939, Jeunes filles en détresse (Pabst), L'enfer des anges (Christian-Jaque), L'esclave blanche (Sorkin) ; 1940, Macao l'enfer du jeu (Delannoy), Le diamant noir (Delannoy) ; 1941, Le club des soupirants (Gleize), Annette et la dame blonde (Dréville) ; 1942, Des jeunes filles dans la nuit (Le Hénaff), Nous les gosses (Daquin), L'assassin a peur la nuit (Delannoy), Patricia (Mesnier), Mademoiselle Béatrice (Vaucorbeil) ; 1945, Nous ne sommes pas mariés (Bernard-Roland) ; 1946, L'ennemi sans visage (Cammage), Le village de la colère (André), L'homme traqué (Bibal) ; 1947, Fausse identité (Chotin), La renégate (Séverac) ; 1948, L'assassin est à l'écoute (André) ; 1951, Une fille à croquer (André) ; 1954, Marchandes d'illusions (André), Les pépées font la loi (André) ; 1955, Les indiscrètes (André), Les pépées au service secret (André) ; 1956, Ah ! quelle équipe ! (Quignon) ; 1961, La planque (André) ; 1965, Mission spéciale à Caracas (André).

Cette Marseillaise fit entre 1929 et 1937 du cabaret et du music-hall avant de monter à Paris. Un bon départ mais la suite tourna court. Mariée à Raoul André, elle tourna dans les films de son mari, le plus souvent d'une réjouissante ineptie.

Carlyle, Robert

Acteur écossais né en 1961.

1990, Silent Scream (Hayman) ; 1992, Riff-Raff (Riff-Raff) (Loach) ; 1993, Safe (Bird) ; 1994, Priest (Prêtre) (Bird) ; 1995, Trainspotting (Trainspotting) (Boyle), Go Now (Go Now) (Winterbottom) ; 1996, Carla's Song (Carla's Song) (Loach) ; 1997, The Full Monty (The Full Monty) (Cattaneo), Face (Face) (Bird) ; 1998, Plunkett and MacLeane (Guns 1748) (J. Scott), Ravenous (Vorace) (Manchevski, Bird), Angela's Ashes (Les cendres d'Angela) (Parker) ; 1999, The World Is Not Enough (Le monde ne suffit pas) (Apted), The Beach (La plage) (Boyle) ; 2000, There's Only One Jimmy Grimble (Hay), To End All Wars (Cunningham) ; 2001, 51st State (Yu) ; 2002, One Upon a Time in the Midlands (Meadows), Black and White (Lahiff) ; 2006, Eragon (Eragon)

(Fangmeier) ; 2007, 28 Weeks Later (Fresnadillo).

Remarqué au théâtre par Ken Loach qui lui offre son premier rôle, celui d'un jeune ouvrier face à la dure réalité sociale anglaise, Robert Carlyle est à l'aise dans tous les registres : amant d'un prêtre gay (*Priest*), déséquilibré ultra-violent (*Trainspotting*, son rôle le plus marquant à ce jour), malade atteint de sclérose en plaques (*Go Now*), chauffeur de bus plongé dans l'enfer nicaraguayen (*Carla's Song*) ou encore strip-teaseur dans *The Full Monty*. Le héros incontesté du cinéma britannique à portée sociale.

Carmet, Jean

Acteur français, 1920-1994.

1944, Les enfants du Paradis (Carné), Les démons de l'aube (Allégret) ; 1945, François Villon (Zwobada) ; 1946, Copie conforme (Dréville), Tombé du ciel (Reinert), Le destin s'amuse (Reinert) ; 1947, Monsieur Vincent (Cloche), Le diamant de cent sous (Norman), Le destin exécrable de Guillemette Babin (Radot) ; 1948, Bonheur en location (Wall), La louve (Radot), La bataille du feu (Canonge), Cartouche (Radot) ; 1949, Le parfum de la dame en noir (Daquin), Dernière heure, édition spéciale (Canonge), Branquignol (Dhéry), La patronne (Dhéry), Pas de week-end pour notre amour (Montazel) ; 1950, Knock (Lefranc), Le roi des camelots (Berthomieu), Bille de clown (Walt), Les femmes sont folles (Granglor), Dieu a besoin des hommes (Delannoy), Les mémoires de la vache Yolande (Neubach) ; 1951, Minuit quai de Bercy (Stengel), Drôle de noce (Joannon), Ils étaient cinq (Pinoteau), Les quatre sergents du fort Carré (Hugon), Monsieur Leguignon lampiste (Labro) ; 1952, Monsieur Taxi (Hunebelle), Elle et moi (Lefranc), La forêt de l'adieu (Habib), Des quintuplés au pensionnat (Jayet) ; 1953, Piédalu député (Loubignac), La tournée des grands-ducs (Pellenc), Adam est Ève (Gaveau) ; 1954, Bonjour la chance (Lefranc), Ça va barder (Berry), Il visconte di Bragelonne (Le vicomte de Bragelonne) (Cerchio) ; 1955, Les Duraton (Berthomieu), Mon curé champion du régiment (Couzinet), Bonjour sourire (Sautet), La Madelon (Boyer), Ces sacrées vacances (Vernay) ; 1956, Les aventures de Till l'espiègle (Ivens), Mademoiselle et son gang (Boyer), Trois de la marine (Canonge), La Bigorne, caporal de France (Darène), Bébés à gogo (Mesnier) ; 1958, Un drôle de dimanche (Allégret), Cigarettes, Whisky et p'tites pépées (Regamey), Oh ! Que mambo (Berry) ; 1959, Babette s'en va-t-en guerre (Christian-Jaque) ; 1961, La belle américaine (Dhéry), Le caporal épinglé (Renoir), Les trois mousquetaires (Borderie) ; 1962, Un clair de lune à Maubeuge (Chérasse), Le diable et les dix commandements (Duvivier), Nous irons à Deauville (Rigaud) ; 1963, La foire aux cancres (Daquin), Mélodie en sous-sol (Verneuil) ; 1964, Allez France (Dhéry), Les gorilles (Girault), Les pas perdus (Robin) ; 1965, La bourse et la vie (Mocky), Les bons vivants (Grangier) ; 1966, Un idiot à Paris (Korber), Roger la honte (Freda) ; 1967, Alexandre le bienheureux (Robert) ; 1968, L'Auvergnat et l'autobus (Lefranc), Faut pas prendre les enfants du Bon Dieu pour des canards sauvages (Audiard) ; 1969, Le petit théâtre de Jean Renoir (Renoir), Elle boit pas, elle fume pas, elle drague pas... mais elle cause (Audiard), Un merveilleux parfum d'oseille (Bassi), Poussez pas grand-père dans les cactus (Dague), And Soon the Darkness (Fuest) ; 1970, Le cri du cormoran le soir au-dessus des jonques (Audiard), Les novices (Casaril), La rupture (Chabrol) ; 1971, Le drapeau noir flotte sur la marmite (Audiard), L'homme qui vient de la nuit (Dague), L'ingénu (Carbonnaux), Les malheurs d'Alfred (Richard), Les grands sentiments font les bons gueuletons (Berny), Le viager (Tchernia), Les yeux fermés (Santoni), Juste avant la nuit (Chabrol) ; 1972, Elle cause plus, elle flingue (Audiard), La raison du plus fou (Reichenbach), Le trèfle à cinq feuilles (Fress), Le grand blond avec une chaussure noire (Robert) ; 1973, La gueule de l'emploi (Rouland), Pleure pas la bouche pleine (Thomas), Ursule et Grelu (Korber), Le concierge (Girault) ; 1974, Trop c'est trop (Kaminka), Les Gaspards (Tchernia), Comment réussir quand on est con et pleurnichard (Audiard), Le retour du grand blond (Robert), Un linceul n'a pas de poches (Mocky), Dupont Lajoie (Boisset), Bons baisers, à lundi (Audiard) ; 1975, Les œufs brouillés (Santoni) ; 1976, Noir et blanc en couleurs ou La victoire en chantant (Annaud), Alice ou la dernière fugue (Chabrol), René la canne (Girod) ; 1977, Plus ça va moins ça va (Vianey), La septième compagnie au clair de lune (Lamoureux), Le beaujolais nouveau est arrivé (Voulfow) ; 1978, Le sucre (Rouffio), Violette Nozière (Chabrol) ; 1979, Un si joli village (Perier), Il y a longtemps que je t'aime (Tacchella), Gros câlin (Rawson), Buffet froid (Blier) ; 1980, Allons z'enfants (Boisset), L'amour trop fort (Duval), Le faussaire (Schlöndorff), La banquière (Girod) ; 1981, Une affaire d'hommes (Ribowski), La soupe aux choux (Girault), Guy de Maupassant (Drach) ; 1982, Les misérables (Hossein) ; 1983, Un chien dans un jeu de quilles (Guillou), Papy fait de la résistance (Poiré) ; 1984, Canicule (Boisset), Tir à vue (Angelo), Le crime d'Ovide Plouffe (Arcand) ; 1985, Sac de nœuds (Balasko), Night Magic (Furey) ; 1986, Mon beau-frère a tué ma sœur (Rouffio), Suivez mon regard (Curtelin), Les fugitifs (Veber), Champagne amer (Behi) ; 1987, Miss Mona (Mehdi Charef), L'âge de monsieur est avancé (Étaix), Le moine et la sorcière (Schiffman), La brute (Guillemot), Les deux crocodiles (Seria) ; 1988, Mangeclous (Mizrahi), L'invité surprise (Lautner) ; 1989, Périgord noir (Ribowsky) La vouivre (Wilson) ; 1990, Un jeu d'enfant (Kané), Le château de ma mère (Robert), Le sixième doigt (Duparc) ; 1991, Merci la vie (Blier), La reine blanche (Hubert), Le bal des casse-pieds (Robert) ; 1992, La chambre 108 (Moosman), Coup de jeune ! (X. Gélin), Roulez jeunesse (Fansten), Germinal (Berri) ; 1993, Cache cash (Pinoteau).

Originaire de Bourgueil, il débuta comme figurant au Châtelet puis fit partie de la troupe des Branquignols. On le retrouva à la radio dans *La famille Duraton*, au cabaret, à Bobino... Au cinéma, il joua des rôles de composition dans un nombre impressionnant de comédies, hélas trop souvent médiocres. Il tint à merveille les emplois de paysans (parfois cruels comme dans *Canicule*), de Français moyens, d'hommes du peuple (*Les misérables*). Son succès venait de ce que les spectateurs se reconnaissaient volontiers en lui.

Carol, Martine

Actrice française, de son vrai nom Marie-Louise Mourer, 1920-1967.

1941, Le dernier des six (Lacombe), Les inconnus dans la maison (Decoin) ; 1943, La ferme aux loups (Pottier) ; 1944, Bifur 3 (Cam) ; 1945, L'extravagante mission (Calef), Trente et quarante (Grangier) ; 1946, Voyage surprise (Prévert), Miroir (Lamy), En êtes-vous bien sûr ? (Houssin) ; 1947, Carré de valets (Berthomieu) ; 1948, Les amants de Vérone (Cayatte), Les souvenirs ne sont pas à vendre (Hennion) ; 1949, Nous irons à Paris (Boyer), Je n'aime que toi (Montazel), Une nuit de noces (Jayet), Méfiez-vous des blondes (Hunebelle), Caroline chérie (Pottier) ; 1951, Le désir et l'amour (Decoin), Belles de nuit (Clair), Adorables créatures (Christian-Jaque), Un caprice de Caroline chérie (Devaivre), Lucrèce Borgia (Christian-Jaque) ; 1953, Si Versailles m'était conté (Guitry), Destinées (Delannoy, Christian-Jaque), Secrets d'alcôve (Delannoy...) ; 1954, La spiaggia (La pensionnaire) (Lattuada), Nana (Christian-Jaque), Madame du Barry (Christian-Jaque) ; 1955, Lola Montès (Ophuls), Les carnets du major Thompson (Sturges) ; 1956, Around the World in 80 Days (Le tour du monde en quatre-vingts jours) (Anderson), Action of the Tiger (T. Young), Defendo il mio amore (Scandale à Milan) (Sherman) ; 1957, Nathalie (Christian-Jaque), Le passager clandestin (Habib) ; 1959, Nathalie agent secret (Decoin), Ten Seconds to Hell (Tout près de Satan) (Aldrich) ; 1960, Austerlitz (Gance), La prima notte (Les noces vénitiennes) (Cavalcanti), La Française et l'amour (sketch de Le Chanois), Un soir sur la plage (Boisrond) ; 1961, Le cave se rebiffe (Grangier), Vanina Vanini (Rossellini), En plein cirage (Lautner) ; 1962, I Don Giovanni della Costa Azzura (Sala) ; 1966, Hell is Empty (L'Enfer est vide) (Ainsworth) ; 1967, La toile (Cornille).

Elle débuta, après ses études secondaires, sous le pseudonyme de Maryse Arley. Le succès n'étant pas au rendez-vous, elle tenta de se suicider en 1947. L'affaire fit du bruit, l'actrice étant jolie, et un mariage avec Steve Crane acheva de la faire connaître. De nombreux films suivirent, fondés sur sa beauté. De *Caroline chérie* à *Lucrèce Borgia*, elle révéla juste ce qui était permis alors, pour le plus grand plaisir des spectateurs. Survint le malentendu de *Lola Montès*, un film qui n'avait rien à voir avec *Nana* et autres *Du Barry*. Martine Carol faillit y perdre sa réputation auprès d'un public populaire. *Nathalie agent secret* la relança. Mais ses derniers films furent bien médiocres.

Caron, Leslie

Actrice française née en 1931.

1951, An American in Paris (Un Américain à Paris) (Minnelli), The Man with a Cloak (L'homme au manteau noir) (Markle) ; 1952, Glory Alley (La ruelle du péché) (Walsh), Lili (Walters), The Story of Three Loves (Histoire de trois amours, épisode Mademoiselle) (Minnelli) ; 1954, The Glass Slipper (La pantoufle de verre) (Walters) ; 1955, Daddy Long Legs (Papa longues jambes) (Negulesco) ; 1956, Gaby (Bernhardt) ; 1958, Gigi (Minnelli) ; 1959, The Doctor's Dilemma (Asquith), The Man Who Understood Women (L'homme qui comprend les femmes) (Johnson) ; 1960, Austerlitz (Gance), The Subterraeans (Les rats de cave) (McDougall) ; 1961, Fanny (Logan), Guns of Darkness (Sept heures avant la frontière) (Asquith) ; 1962, Les quatre vérités (ép. Les deux pigeons) (Clair) ; 1963, The L-Shaped Room (La chambre indiscrète) (Forbes) ; 1964, Father Goose (Grand méchant loup appelle) (Nelson) ; 1965, A Very Special Favor (Le coup de l'oreiller) (Gordon) ; 1966, Promise Her Anything (Hiller), Paris brûle-t-il ? (Clément) ; 1967, Il padre di famiglia (Jeux d'adultes) (Loy) ; 1970, Madron (Hopper) ; 1972, Chandler (Magwood), Nicole (Ventilla) ; 1976, Serail (Gregorio) ; 1977, L'homme qui aimait les femmes (Truffaut), Valentino (Russell) ; 1978, Golden Girl (Sargent) ; 1979, Tous vedettes (Lang) ; 1980, Kontrakt (Le contrat) (Zanussi) ; 1982, Imperativ (L'imperatif) (Zanussi) ; 1983, La diagonale du fou (Dembo) ; 1989, Guerriers et captives (Cozarinski) ; 1991, Courage Mountain (Leich) ; 1992, Damage (Fatale) (Malle) ; 1994, That's Entertainment III (That's Entertainment III) (Friedgen et Kneivel), Funny Bones (Funny Bones) (Chelsom), Let it Be Me (Berstein) ; 2000, Chocolat (Le chocolat) (Hallström) ; 2003, Le divorce (Ivory).

Père français et mère américaine. Avant tout une danseuse formée au Conservatoire. Elle débute avec Roland Petit mais c'est Gene Kelly qui la remarque et l'exige comme partenaire dans *An American in Paris*. C'est la consécration mondiale. Renoir la demandera à son tour pour créer *Orve* au théâtre en 1955. A l'écran, Leslie Caron ne s'estime pas liée avec un seul genre, la comédie musicale, et elle n'a pas hésité à interpréter des rôles dramatiques.

Carpentier, Marcel

Acteur français, 1892-1960.

1931, Le rosier de Mme Husson (Bernard-Deschamps), Une nuit au paradis (Eine Nacht in Paradies) (Lamac), Die Fledermans (La chauve-souris) (Lamac), Circulez (Limur) ; 1932, Ah ! Quelle gare (Guissert), Ma femme homme d'affaires (Vaucorbeil) ; 1933, Un soir de réveillon (Anton), C'était un musicien (Gleize), Le mari garçon (Cavalcanti) ; 1934, La crise est finie (Siodmak), Sapho (Perret), Le dernier milliardaire (Clair), Le billet de mille (Didier), Quadrille d'amour (Eichberg) ; 1935, Golgotha (Duvivier) ; 1936, Jacques et Jacotte (Péguy), L'homme du jour (Duvivier) ; 1938, Grand-Père (Péguy), Café de Paris (Mirande), Petite peste (Limur) ; 1939, Le chasseur de chez Maxim's (Cammage), Le château des quatre obèses (Noé) ; 1940, L'acrobate (Boyer), Le collier de chanvre (Mathot) ; 1941, Pension Jonas (Caron), Ne bougez plus (Caron) ; 1943, La vie de plaisir (Valentin), L'escalier sans fin (Lacombe), Cécile est morte (Tourneur) ; 1944, Le mystère Saint-Val (Le Hénaff) ; 1945, Le père Serge (Gasnier-Raymond) ; 1946, Le beau voyage (Cuny), Dernier refuge (Maurelle), Le chanteur inconnu (Cayatte).

Une rondeur vouée aux rôles d'oncle ou de joyeux vivant, mais parfois distribuée dans des personnages inquiétants (le trafiquant du *Café de Paris*).

Carradine, David

Acteur et réalisateur américain né en 1936.

1964, Taggart (5 000 dollars mort ou vif) (Springsteen) ; 1965, Bus Riley's Back in Town (Fièvre sur la ville) (Hart) ; 1967, The Violent Ones (F. Lamas) ; 1969, The Good Guys and the Bad Guys (Un homme fait la loi) (Kennedy), Heaven With a Gun (Au paradis à coups de revolver) (Katzin), Young Billy Young (Kennedy) ; 1970, Macho Callahan (Kowalski), The McMasters (Le clan des MacMasters) (Kjellin) ; 1972, Boxcar Bertha (Bertha Boxcar) (Scorsese) ; 1973, The Long Good-Bye (Le privé) (Altman), Mean Streets (Mean Streets) (Scorsese) ; 1975, Death Race 2000 (La course à la mort de l'an 2000) (Bartel), You and Me (D. Carradine) ; 1976, Bound for Glory (En route pour la gloire) (Ashby), Cannonball (Cannonball) (P. Bartel), A Country Mile (D. Carradine), Around (D. Carradine) ; 1977, Death Sport 2000 (Les gladiateurs de l'an 3000) (Suso et Arkush), Thunder and Lightning (Un cocktail explosif) (C. Allen), The Serpent's Egg (L'œuf du serpent) (Bergman), Gray Lady Down (Sauvez le Neptune) (D. Greene) ; 1978, The Silent Flute (Le cercle de fer) (R. Moore) ; 1979, Fast Charlie (Carver), Cloud Dancer (Brown) ; 1980, The Long Riders (Le gang des frères James) (W. Hill), Safari 3000 (Hurwitz) ; 1982, The Winged Serpent (Épouvante sur New York) (Cohen), Trick or Treats (Graver) ; 1983, Lone Wolf McQuade (Œil pour œil) (Carver), Americana (D. Carradine), The Warrior and the Sorceress (Broderick), Arizona Heat (Thomas) ; 1984, Rio Abajo (Borau) ; 1986, Tropical Snow (Duran), The Misfit Brigade (Hessler), P.O.W. the Escape (Dans les bras de l'enfer) (Amir), Armed Response (Armé pour répondre) (Olen-Ray) ; 1989, Try This One For Size (Sauf votre respect) (Hamilton), Night Children (Meisel), Project : Eliminator (Dyal), Crime Zone (Llosa), Nowhere to Run (Franklin), Wizards of the Lost Kingdom II (Griffith), Sundown (Hickox), Dune Warriors (Santiago) ; 1990, Midnight Fear (Crain), Fatal Secret (Helge et Nelson), Martial Law (Cohen), Sonny Boy (Martin), Think Big (Turtletaub), Evil Toons (Ray) ; 1991, Under the Gun (Paragon), Bird on a Wire (Comme un oiseau sur la branche) (Badham) ; 1992, Night Rhythms (Hippolyte), Waxwork II : Lost in time (Hickox), Distant Justice (Murakawa), Animal Instincts (Hippolyte), Field of

Fire (Santiago), Roadside Prophets (Wool) ; 1993, Omega Cop II : The Challenge (Roberts), Kill Zone (Santiago), Body Bags (Carpenter, Hooper) ; 1994, Dead Center (Carver) ; 1997, Crossroads of Destiny (Muspratt), Full Blast (Mintz), The Donor (Pallardy), Lightspeed (Mende), The New Swiss Family Robinson (Les naufragés du Pacifique) (Raffill) ; 1998, Kiss of a Stranger (Irvin), Sublet (Hamilton), Lovers and Liars (Freed), Light Speed (Mende) ; 1999, Zoo (A. King), Shepherd (Hayman), Natural Selection (Lambert Bristol), American Reel (Archer) ; 2000, Nightfall (Gibby), G.O.D. (Rusu) ; 2003, Kill Bill : Vol. 1 (Kill Bill, volume 1) (Tarentino) ; 2004, Kill Bill : volume 2 (Kill Bill : volume 2) (Tarentino). *Comme réalisateur :* 1972, You and Me ; 1978, Mata Hari ; 1981, Americana.

Fils de John Carradine, il a débuté à la télévision dans les séries qui lui ont valu une grande popularité (*Shane, Kung Fu...*). Syndicaliste anarchiste dans *Boxcar Bertha*, il était crucifié sur la porte d'un wagon à bestiaux ; il était Frankenstein, le vainqueur de l'époustouflante *Course à la mort* imaginée par Paul Bartel, puis un Juif américain confronté à la montée du nazisme dans *L'œuf du serpent*. Dans tous ces rôles, il était excellent. Le plus doué des Carradine, il a également dirigé trois films qui n'ont pas eu la diffusion qu'ils méritaient.

Carradine, John

Acteur américain, de son vrai nom Richmond Reed Carradine, 1906-1988.

1930, Tol'able David (King) ; 1931, Bright Lights (Curtiz) ; 1932, The Sign of the Cross (Le signe de la croix) (DeMille) ; 1933, The Invisible Man (L'homme invisible) (Whale) ; 1934, Black Cat (Le chat noir) (Ulmer), Cleopatra (DeMille) ; 1935, Bride of Frankenstein (La fiancée de Frankenstein) (Whale), Clive of India (Boleslavsky), Les misérables (Boleslavsky), Cardinal Richelieu (Lee), The Crusades (Les croisades) (DeMille) ; 1936, Anything Goes (Milestone), The Prisoner of Shark Island (Je n'ai pas tué Lincoln) (Ford), White (Fang), Mary of Scotland (Mary Stuart) (Ford), Dimples (Seiter), Ramona (King), Winterset (Santell), Under Two Flags (Sous deux drapeaux) (Lloyd), The Garden of Allah (Le jardin d'Allah) (Boleslavsky) ; 1937, The Last Gangster (Le dernier gangster) (Ludwig), Thank You Mr. Moto (Le serment de M. Moto) (Foster), Captains Courageous (Capitaines courageux) (Fleming), The Hurricane (Hurricane) (Ford), This Is My Affair (Seiter), Ali Baba Goes to Town (Butler) ; 1938, Four Men and a Prayer (Quatre hommes et une prière) (Ford), Submarine Patrol (Patrouille en mer) (Ford), Alexander's Ragtime Band (La folle parade) (King), Kidnapped (Werker) ; 1939, The Hound of Baskervilles (Le chien des Baskerville) (Lanfield), Jesse James (Le brigand bien aimé) (King), Stagecoach (La chevauchée fantastique) (Ford), The Three Musketeers (Les trois louf' quetaires) (Dwan), Captain Fury (Roach), Frontier Marshal (Dwan), Drums Along the Mohawk (Sur la piste des Mohawks) (Ford), M. Moto's Last Warning (Foster) ; 1940, Chad Hanna (King), The Grapes of Wrath (Les raisins de la colère) (Ford), The Return of Frank James (Le retour de Frank James) (Lang), Brigham Young (Hathaway) ; 1941, Western Union (Les pionniers de la Western Union) (Lang), Blood and Sand (Arènes sanglantes) (Mamoulian), Man Hunt (Chasse à l'homme) (Lang), Swamp Water (L'étang tragique) (Renoir) ; 1942, Reunion in France (Dassin), Son of Fury (Cromwell), Whispering Ghosts (Werker) ; 1943, Isle of the Forgotten Sins (L'île des péchés oubliés) (Ulmer), Hitler's Mad Man (Sirk), I Escaped from the Gestapo (H. Young), Captive Wild Woman (Dmytryk) ; 1944, Bluebeard (Barbe-Bleue) (Ulmer), The Mummy Ghost (Le fantôme de la momie) (Le Borg), Revenge of the Zombies (Sekely), Voodoo Man (Beaudine), The Adventures of Mark Twain (Rapper), The Invisible Man's Revenge (Beebe), Return of the Ape Man (Rosen) ; 1945, House of Dracula (La maison de Dracula) (Kenton), Captain Kidd (Lee), House of Frankenstein (La maison de Frankenstein) (Kenton), Fallen Angel (Crime passionnel) (Preminger) ; 1946, Face of Marble (Beaudine) ; 1947, The Private Affairs of Bel Ami (Bel Ami) (Lewin) ; 1949, C-Man (Lerner) ; 1954, Casanova's Big Night (McLeod), Johnny Guitar (Johnny Guitar) (Ray), The Egyptian (L'Égyptien) (Curtiz) ; 1955, The Kentuckian (L'homme du Kentucky) (Lancaster) ; 1956, Around the World in 80 Days (Le tour du monde en quatre-vingts jours) (Anderson), The Court Jester (Le bouffon du roi) (Frank et Panama), The Black Sleep (Le Borg), The Ten Commandments (Les dix commandements) (DeMille) ; 1957, The Story of Mankind (Allen), The Unearthly (Peters) ; 1958, The Proud Rebel (Le fier rebelle) (Curtiz), The Last Hurrah (La dernière fanfare) (Ford) ; 1959, The Cosmic Man (H. Greene), Invincible Invaders (Cahn) ; 1960, The Adventures of Huckleberry Finn (Les aventuriers du fleuve) (Curtiz) ; 1962, The Man Who Shot Liberty Valance (L'homme qui tua Liberty Valance) (Ford) ; 1964, Cheyenne Autumn (Les Cheyennes) (Ford), The Patsy

(Jerry souffre-douleur) (Lewis) ; 1966, Munster Go Home (Bellamy), Billy the Kide vs. Dracula (Beaudine), Night Train to Mundo Fine (Francis Coleman) ; 1967, Return from the Past or Galery of Horrors (Hewitt) ; 1968, The Astro-Zombies (Mikels), The Hostage (Doughton Jr.) ; 1969, Las Vampiras (Curiel), The Good Guys and the Bad Guys (Un homme fait la loi) (Kennedy), Blood of Dracula's Castle (Adamson) ; 1970, The McMasters (Kjellin), Myra Breckinridge (Sarne) ; 1971, Cain's Way (Osborne), Horror of the Blood Monsters (Adamson), The Seven Minutes (Russ Meyer) ; 1972, Boxcar Bertha (Bertha Boxcar) (Scorsese), Richard (Yerby), Everything You Always Wanted to Know About Sex... (Tout ce que vous avez toujours voulu savoir sur le sexe...) (W. Allen) ; 1973, Hex (Garen), Terror in the Wax Museum (Fenady), Silent Night, Bloody Night (Gershuny), The Gatling Gun (Gordon), Big Foot (Slatzer), Bad Charleston Charlie (Nagy) ; 1974, The House of the Seven Corpses (Harrisson), Moon Child (Gadney) ; 1975, Mary Mary, Bloody Mary (Moctezuma), The Shootist (Le dernier des géants) (Siegel) ; 1976, The Last Tycoon (Le dernier nabab) (Kazan), The Sentinel (La sentinelle des maudits) (Winner), The Killer Inside Me (Kennedy), The White Buffalo (Le bison blanc) (Lee-Thompson) ; 1977, Crash (Band), Satan's Cheerleaders (G. Clark), Golden Rendezvous (Lazarus et Francis), Shock Waves (Le commando des morts-vivants) (Wiederhorn) ; 1978, Monster (Strock), The Vampire Hookers (Santiago), The Bees (Zacharias), Sunset Cove (Adamson) ; 1979, Nocturna (Tampa) ; 1980, The Howling (Hurlements) (Dante), The Boogeyman (Spectre) (Lommel), Phoebia (Phoebia) (Huston), The Monster Club (Baker), The Nesting (Neston), The Scarecrow (Pillsbury) ; 1982, The Vals (Polakof), House of the Long Shadows (Walker), Boogeyman 2 (Starr), Satan's Mistress (Polakof) ; 1983, Klynham Summer (Pillsbury), Monster in the Closet (Dahlin) ; 1984, Prison Ship (Olen Ray), The Ice Pirates (Rafhill) ; 1985, Evils of the Night (Rustam) ; 1986, Revenge (Ch. Lewis), The Tomb (Olen Ray), Peggy Sue Got Married (Peggy Sue s'est mariée) (Coppola) ; 1987, Evil Spawn (Hall) ; 1989, Star Slammer, the Escape (Olen Ray) ; 1990, Buried Alive (Kikoïne).

Ce New-Yorkais, issu d'un milieu très aisé d'artistes, s'est d'abord tourné vers la peinture et la sculpture avant de décider de faire une carrière théâtrale vers 1925, à La Nouvelle-Orléans. Il joua longtemps Shakespeare avant de venir tenter sa chance à Hollywood. Il tint de petits rôles sous le nom de John Peter Richmond et devint en 1935 John Carradine lorsqu'il signa un contrat avec la Fox. Grand, maigre, ascétique, inquiétant, il devint l'un des acteurs préférés de Ford (le joueur Hatfield de *Stagecoach*, le pasteur Casey de *Grapes of Wrath*). Puis, après avoir été Haydrich dans *Hitler's Mad Man*, à partir de *Bluebeard* (où il composait un personnage étonnant d'étrangleur), il devint une vedette des films d'horreur, tenant à plusieurs reprises le rôle de Dracula. Comme les autres vedettes du genre, il finit par tourner dans des films minables. Crédité aussi pour *Stranger on Horseback* (Tourneur), *Jesse James* (Ray).

Carradine, Keith

Acteur américain né en 1951.

1971, A Gunfight (Dialogue de feu) (L. Johnson), McCabe and Mrs. Miller (John McCabe) (Altman) ; 1973, Emperor of the North Pole (L'empereur du Nord) (Aldrich), Hex (Garen), Antoine et Sébastien (J.-M. Perier) ; 1974, Thieves Like Us (Nous sommes tous des voleurs) (Altman) ; 1975, Nashville (Altman), Idaho Transfer (P. Fonda), You and Me (D. Carradine) ; 1976, Lumière (J. Moreau), Welcome to L.A. (Welcome to Los Angeles) (Rudolph) ; 1977, The Duellists (Les duellistes) (R. Scott) ; 1978, Pretty Baby (La petite) (Malle) ; 1979, Old Boyfriends (Old Boyfriends) (Tewkesbury), An almost Perfect Affair (Ritchie) ; 1980, The Long Riders (Le gang des frères James) (W. Hill) ; 1981, Southern Comfort (Sans retour) (W. Hill) ; 1984, Maria's Lovers (Konchalovsky), Choose Me (Rudolph) ; 1985, Blackout (Blackout) (Hickox) ; 1986, Half a Lifetime (Petrie), Trouble in Mind (Wanda's Café) (Rudolph) ; 1987, Backfire (Retour de flamme) (Cates), L'inchiesta (Damiani) ; 1988, The Moderns (Les modernes) (Rudolph), Cold Feet (Dornhelon), Street of No Return (Sans espoir de retour) (Fuller) ; 1989, Daddy's Dyin'-Who's Got the Will (Fisk) ; 1990, Mio caro dottor Graesler (Faenza) ; 1991, Ballad of the Sad Café (Ballad of the Sad Café) (Callow) ; 1992, Crisscross (Menges) ; 1993, Mrs. Parker and the Vicious Circle (Mrs. Parker et le cercle vicieux) (Rudolph) ; 1994, Andre (André mon meilleur copain !) (G. Miller), Wild Bill (Hill), The Tie that Binds (Strick) ; 1995, 2 Days in the Valley (2 jours à Los Angeles) (Herzfeld) ; 1996, A Thousand Acres (Secrets) (Moorhouse) ; 1998, Out of the Cold (Buravsky), Standoff (Chapman) ; 1999, The Hunter's Moon (Weinman) ; 2001, Wooly Boys (Burzynski).

Le deuxième des frères Carradine. Très apprécié par Altman, il fut excellent dans *Les duellistes* de Scott, et dans les deux films que mit en scène Walter Hill, avec Keith en vedette.

Carradine, Robert

Acteur américain né en 1954.

1972, The Cow-Boys (Les cow-boys) (Rydell) ; 1973, Mean Streets (Mean Streets/ Les rues chaudes) (Scorsese) ; 1975, You and Me (D. Carradine), Aloha, Bobby and Rose (Mutrix) ; 1976, A Country Mile (D. Carradine), Jackson County Jail (La prison du viol) (M. Miller), Cannonball ! (L'odyssée du Cannonball) (Bartel), The Pom Pom Girls (Lâche-moi les baskets) (Ruben), Massacre at Central High (Mes baskets se déchaînent) (Daalder) ; 1977, Orca, the Killer Whale (Orca) (Anderson), Joy Ride (Ruben) ; 1978, Coming Home (Retour) (Ashby), New York Black Out (New York ne répond plus) (Matalon) ; 1980, The Big Red One (Au-delà de la gloire) (Fuller), The Long Riders (Le gang des frères James) (Hill) ; 1982, Heartaches (Shebib), TAG (Le jeu de l'assassinat) (Castle) ; 1983, Wavelength (Gray) ; 1984, Revenge of the Nerds (Kanew), Protocol (Ross), Just the Way you Are (Molinaro) ; 1986, Number One with a Bullet (Smight) ; 1987, Revenge of the Nerds II : Nerds in Paradise (Roth) ; 1988, Buy and Cell (Boris) ; 1989, All's Fair (R. Lang), Rude Awakening (Russo et Greenwalt) ; 1992, The Player (The Player) (Altman) ; 1994, Bird of Prey (Lopez) ; 1996, John Carpenter's Escape from L.A. (Los Angeles 2013) (Carpenter) ; 1997, Palmer's Pick Up (Ch. Coppola), Young Hearts Unlimited (FauntLeroy), Lycanthrop (Cook), Scorpio One (Keeter) ; 1998, Stray Bullet (Spera), Stray Bullet II (Cullinane), Breakout (Bradshaw) ; 1999, The Kid with the X-Ray Eyes (Scott) ; 2000, Three Days of Rain (Meredith) ; 2001, Ghosts of Mars (Ghosts of Mars) (Carpenter).

Le plus jeune des Carradine et le moins illustre. Mais il était fort bon chez Fuller et dans le film consacré par Hill au gang des frères James, en compagnie des autres rejetons de John Carradine.

Carré, Isabelle

Actrice française née en 1971.

1986, Paulette, la pauvre petite milliardaire (Confortès) ; 1988, Romuald et Juliette (Serreau) ; 1990, La reine blanche (Hubert) ; 1992, Beau fixe (Vincent) ; 1994, Le hussard sur le toit (Rappeneau) ; 1995, Beaumarchais l'insolent (Molinaro) ; 1996, Les sœurs Soleil (Szwarc) ; 1997, La femme défendue (Harel), La mort du Chinois (Benoît) ; 1998, Volpone (Chalonge), Superlove (Janer), Les enfants du siècle (Kurys), Les enfants du marais (Becker) ; 1999, La bûche (Thompson), L'envol (Suissa) ; 2000, Ça ira mieux demain (Labrune), Mercredi, folle journée ! (Thomas) ; 2001, Bella ciao (Giusti), A la folie... pas du tout (Colombani), Se souvenir des belle choses (Breitman), Les sentiments (Lvovsky) ; 2004, Éros thérapie (Dubroux), Holy Lola (Tavernier) ; 2005, L'avion (Kahn), Cœurs (Resnais), Entre ses mains (Fontaine), Quatre étoiles (Vincent).

Fille d'un designer et d'une secrétaire, elle promène sa blondeur angélique aussi bien au cinéma (on la remarque vraiment dans *Beau fixe*, pour lequel elle est nominée aux césars), qu'à la télévision ou au théâtre (elle était remarquable dans *L'École des femmes*). Philippe Harel lui offrit le rôle unique de *La femme défendue*, fulgurant portrait de femme qui passa malheureusement inaperçu. C'est à Tavernier (*Holy Lola*) et surtout à Resnais (*Cœurs*) qu'elle doit de s'être enfin imposée.

Carrel, Dany

Actrice française, de son vrai nom Chazelles du Chaxel, née en 1935.

1953, Maternité clandestine (Gourguet), Dortoir des grandes (Decoin) ; 1954, La cage aux souris (Gourguet), La patrouille des sables (Chanas), Les chiffonniers d'Emmaüs (Darène), Ce soir les souris dansent ; 1955, La môme Pigalle (Rode), Les indiscrètes (André), Les grandes manœuvres (Clair), Les possédées (Brabant), Des gens sans importance (Verneuil) ; 1956, La fille Élisa (Richebé), Club de femmes (Habib), Que les hommes sont bêtes (Richebé), Porte des Lilas (Clair) ; 1957, Escapade (Habib), Pot-Bouille (Duvivier) ; 1958, La moucharde (Lefranc), Ce corps tant désiré (Saslavsky), Les naufrageurs (Brabant) ; 1959, Les dragueurs (Mocky), Femmes d'un été (Franciolini), Quai du point du jour (Faurez), Sans tambour ni trompette (Kautner), The Enemy General (Sherman) ; 1960, Les mains d'Orlac (Greville), Arrêtez les tambours (Lautner), Il mulino delle donne di pietra (Le moulin des supplices) (Ferroni) ; 1961, Les ennemis (Molinaro), Carillons sans joie (Brabant), Le cave est piégé (Merenda) ; 1962, Règlements de comptes (Chevalier) ; 1963, Le bluffeur (Gobbi), Du grabuge chez les veuves (Poitrenaud) ; 1964, Une souris chez les hommes (Poitrenaud) ; 1965, Piège pour Cendrillon (Cayatte) ; 1966, Le chien fou (Matalon), Un idiot à Paris (Korber) ; 1967, La petite vertu (Korber) ; La prisonnière (Clouzot), Le pacha

(Lautner) ; 1968, Delphine (Le Hung) ; 1969, Clérambard (Robert) ; 1971, Les portes de feu (Bernard-Aubert) ; 1972, Trois milliards sans ascenseur (Pigaut) ; 1981, Faut s'les faire les légionnaires (Nauroy), Le bahut va craquer (Nerval) ; 2000, La fidélité (Zulawski).

Piquante brunette au visage poupin, promise aux rôles de bonnes filles, confidentes de copines de meilleure famille ou prostituées au grand cœur (*La fille Élisa*). Rien de distingué ; la fille qu'on engrosse (la pilule ne règne pas encore) et que l'on plaque ensuite (*Maternité clandestine*).

Carrera, Barbara

Actrice américaine née en 1945.

1970, Portrait of a Downfall Child (Portrait d'une enfant déchue) (Schatzberg) ; 1975, The Master Gunfighter (El pistolero) (Laughlin) ; 1976, Embryo (Nelson) ; 1977, The Island of Dr. Moreau (L'île du docteur Moreau) (Taylor) ; 1980, When Time Ran Out (Goldstone) ; 1981, Condorman (Jarrott) ; 1982, The Jury (J'aurai ta peau) (Heffron), Lone Wolf Mc Quade (Œil pour œil) (Carver) ; 1983, Never Say Never Again (Jamais plus jamais) (Kerschner) ; 1985, Wild Geese II (Rose) ; 1987, The Underachievers (Kong), Love at Stake (Moffitt) ; 1989, Lover Boy (Micklin Silver), Wicked Stepmother (Ma belle-mère est une sorcière) (Cohen) ; 1993, Tryst (Foldy), Point of Impact (Misiorowski), Night of the Archer (Nicholas) ; 1995, Love Is All There Is (Taylor, Bologna) ; 1998, Waking Up Horton (Bromley-Davenport), Illusion Infinity (Steinman).

Mannequin réputée, née au Nicaragua de mère indigène et de père américain, elle a donné le piment supplémentaire de son charme vénéneux à bon nombre de films d'action ou d'épouvante.

Carrey, Jim

Acteur canadien né en 1962.

1983, Introducing... Janet (Salzman, Yates), Copper Mountain (Mitchell) ; 1984, Finders Keepers (Cash cash) (M. Lester) ; 1985, Once Bitten (Storm) ; 1986, Peggy Sue Got Married (Peggy Sue s'est mariée) (Coppola) ; 1988, The Dead Pool (La dernière cible) (Van Horn) ; 1989, Pink Cadillac (Pink Cadillac) (Van Horn), Earth Girls Are Easy (Temple) ; 1991, High Strung (Nygard) ; 1993, Ace Ventura, Pet Detective (Ace Ventura, détective chiens et chats) (Shadyac) ; 1994, The Mask (The Mask) (Russell), Dumb and Dumber (Dumb & Dumber) (Farrelly) ; 1995, Batman Forever (Batman Forever) (Schumacher), Ace Ventura 2 : When Nature Calls (Ace Ventura en Afrique) (Oedekerk) ; 1996, Cable Guy (Disjoncté) (Stiller), Liar Liar (Menteur menteur) (Shadyac) ; 1997, The Truman Show (The Truman Show) (Weir) ; 1998, Simon Birch (Johnson), Man on the Moon (Man on the Moon) (Forman) ; 1999, Me, Myself & Irene (Fous d'Irène) (P. & B. Farelly), How the Grinch Stole Christmas (Le Grinch) (Howard) ; 2001, The Majestic (The Majestic) (Darabont) ; 2003, Bruce Almighty (Bruce tout-puissant) (Shadyac) ; 2004, Lemony Snicket's a Series of Unfortunate Events (Les désastreuses aventures des orphelins Baudelaire) (Silberling), Eternal Sunshine of the Spotless Mind (Gondry) ; 2005, Fun with Dick and Jane (Braqueurs amateurs) (Parisot) ; 2007, The Number 23 (Le nombre 23) (Schumacher).

Un phénomène. Débutant dans de petits cabarets canadiens, il se cantonnait depuis des années à des apparitions au cinéma lorsqu'un producteur eut la bonne idée de lui confier le premier rôle d'une petite comédie de série. *Ace Ventura* fut un triomphe totalement inattendu aux États-Unis, bientôt suivis par ceux, déjà plus prémédités, de *The Mask* et *Dumb & Dumber*. Descendant direct de Jerry Lewis, on peut ne pas apprécier son comique, essentiellement basé sur les grimaces, les blagues douteuses et une gestuelle outrancière, formant un mélange parfois fortement indigeste.

Carrier, Suzy

Actrice française, de son vrai nom Knabel, 1922-1999.

1942, Pontcarral (Delannoy), Secrets (Blanchar) ; 1943, L'escalier sans fin (Lacombe), L'aventure est au coin de la rue (Daniel-Norman) ; 1945, Les clandestins (Chotin), Dorothée cherche l'amour (Greville) ; 1946, Désarroi (Dagan), Gringalet (Berthomieu), Pas si bête (Berthomieu) ; 1947, Un flic (Canonge), Bichon (Jayet), Le diamant de cent sous (Daniel-Norman), Halte, police (Séverac), Une mort sans importance (Noé) ; 1948, La vie est un rêve (Séverac), Trois garçons et une fille (Labro), Les cinq tulipes rouges (Stelli) ; 1949, Histoires extraordinaires (Faurez) ; 1950, Dakota 308 (Daniel-Norman), Les vacances finissent demain (Noé), Mémoires de la vache Yolande (Neubach) ; 1953, Le père de Mademoiselle (L'Herbier) ; 1954, Fantaisie d'un jour (Cardinal) ; 1955, Marie-Antoinette (Delannoy).

Piano et Conservatoire dans la classe de théâtre de Denis d'Inès. Un physique de blonde romantique qu'on n'oublie pas et qui fait sensation dans *Pontcarral* et dans *Secrets*.

Mais c'est ensuite la glissade : Berthomieu, Jayet... Suzy Carrier avait pourtant paru esquisser un pas vers la comédie à l'américaine dans *L'aventure est au coin de la rue*. Elle sombre dans le boulevard. Un seul rôle à sauver, celui de Léontine, dans *Histoires extraordinaires* où elle renoue avec les personnages romantiques de ses débuts.

Carrière, Mathieu

Acteur et réalisateur allemand né en 1950.

1964, Tonio Kröger (Tonio Kröger) (R. Thiele) ; 1966, Der junge Törless (Les désarrois de l'élève Törless) (Schlöndorff) ; 1967, Gates to Paradise (La croisade maudite) (Wajda) ; 1968, État de siège (Scavolini) ; 1969, La maison des bories (Doniol-Valcroze) ; 1970, Le petit matin (Albicocco) ; 1971, Rendez-vous à Bray (Delvaux) ; 1972, L'homme au cerveau greffé (Doniol-Valcroze), Malpertuis (Kumel), Bluebeard (Barbe-bleue) (Dmytryk), Il n'y a pas de fumée sans feu (Cayatte) ; 1973, Don Juan 73 (Vadim) ; 1974, Isabelle devant le désir (Berckmans), Pretty Maids All in a Row (La jeune fille assassinée) (Vadim) ; 1975, Né pour l'enfer (Héroux), India song (Duras), Blondy (Gobbi), Zerschossener Traume (L'appât) (Patzak), Police Python 357 (Corneau) ; 1976, Der Fangschuss (Le coup de grâce) (Schlöndorff), Les Indiens sont encore loin (Moraz), Dieric Bouts (Avec Bouts) (moyen-métrage, Delvaux), Das Mädchen Rosemarie (Eichinger), Bilitis (Hamilton) ; 1978, Le navire Night (Duras), Pareil, pas pareil (Peres) ; 1979, L'associé (Gainville), Femme entre chien et loup (Delvaux), Wege in der Nacht (Les chemins dans la nuit) (Zanussi) ; 1980, Justocœur (Stephen), La femme de l'aviateur (Rohmer) ; 1981, La passante du Sans-Souci (Rouffio) ; 1983, Egon Schiele (Enfer et passion) (Wesely), Benvenuta (Delvaux), Die flambierte Frau (La femme flambée) (Van Ackeren), Bad Boy (Un printemps sous la neige) (Petrie) ; 1984, Mary Ward (Weber), La guerre d'Angela (Bergholm), Yerma (Kabay) ; 1985, L'amour en douce (Molinaro), Beethoven's Nephew (Le neveu de Beethoven) (Morrissey), Bras de fer (Vergez) ; 1986, Johan Strauss (Antel) ; 1987, Las pistolas (Rotaeta), Cérémonie d'amour (Borowczyk), Sanguines (François) ; 1988, Francisco (Cavani), L'œuvre au noir (Delvaux), Fool's Mate (Carrière) ; 1989, Sombra en un jardin (Chavarrias), Rosa Munde (Gunther) ; 1990, Coup de foudre (C. Mack) ; 1991, Malina (Malina) (Schroeter), Die Zeit danach (Kaizik), Shining Through (Une lueur dans la nuit) (Seltzer) ; 1992, Christopher Columbus : The Discovery (Glen) ; 1993, Dieu que les femmes sont amoureuses (Clément) ; 1994, Herz aus Stein (Ligouris), El placer de matar (Rotaeta) ; 1995, L'amour conjugal (Barbier), Manila (Chavarrias) ; 1999, Regarde-moi (Sojcher) ; 2004, Arsène Lupin (Salomé). *Comme réalisateur :* Fool's Mate (1988).

Ce Hambourgeois a débuté très jeune dans le métier (Wajda et Schlöndorff pour directeurs à dix-sept ans) et son exigence comme sa rigueur lui ont valu de tourner surtout avec Delvaux à l'univers duquel il s'accorde bien (il est admirable dans le très beau *Benvenuta*). S'il s'égara chez Vadim, il fut dans *Enfer et passion* un Egon Schiele, peintre contemporain de Klimt, fort convaincant. Ce grand acteur maigre et halluciné peut espérer poursuivre longtemps une carrière des plus brillantes.

Carroll, John

Acteur américain, de son vrai nom Julian La Faye, 1905-1979.

1929, Devil-May-Care (Franklin), Marianne (Leonard), Hearts in Exile (Curtiz) ; 1930, Rogue Song (Barrymore), Doughboys (Buster s'en va-t-en guerre) (Sedgwick), New Moon (Conwav), Monte-Carlo (Lubitsch), Reaching for the Moon (Goulding) ; 1935, Go into Your Dance (Entrez dans la danse) (Mayo) ; 1936, The Accusing Finger (Hogan) ; 1937, Zorro Rides Again (Le retour de Zorro) (Witney et English), Death in the Air (Clifton), We Who Are About to Die (Cabanne) ; 1938, Rose of the Rio Grande (Nigh), I Am a Criminal (Nigh) ; 1939, Only Angels Have Wings (Seuls les anges ont des ailes) (Hawks), Wolf Call (Waggner) ; 1940, Congo Maisie (Potter), Phantom Raiders (Tourneur), Susan and God (Suzanne et ses idées) (Cukor), Go West (Chercheurs d'or) (Buzzell), Hired Wife (Seiter) ; 1941, This Woman Is Mine (Lloyd), Sunny (Wilcox), Lady Be Good (McLead) ; 1942, Rio Rita (Simon), Pierre of the Plains (Seitz), Flying Tigers (Miller) ; 1943, The Youngest Profession (Buzzell), Hit Parade of 1943 (Rogell) ; 1945, Bedside Manner (Stone), A Letter for Evie (Dassin) ; 1947, Fiesta (Señorita Toreador) (Thorpe), Wyoming (Kane), The Flame (Auer), The Fabulous Texan (Ludwig) ; 1948, I, Jane Doe (Auer), Old Los Angeles (Kane), Angel in Exile (Dwan et Philip Ford) ; 1950, The Avengers (Auer), Hit Parade of 1951 (Auer), Surrender (Dwan) ; 1951, Belle le Grand (La belle du Montana) (Dwan) ; 1953, The Farmer Takes a Wife (Fleming) ; 1957, Decision at Sundown (Boetticher) ; 1958, The Plunderers of Painted Flats (Les pillards de la prairie) (Gannaway).

Chanteur à la fine moustache de La Nouvelle-Orléans, il fut un brillant Zorro et le héros de bons films d'action. Moins inspiré dans la comédie, il fut souvent dénoncé pour sa vie privée agitée. Il mourut de leucémie.

Carroll, Leo G.

Acteur américain, 1892-1972.

1934, Sadie McGee (Brown), Outcast Lady (Leonard), Stamboul Quest (Wood), The Barretts of Wimpole Street (Franklin) ; 1935, The Right to Live (Keighley), Murder on a Honeymoon (Corrigan), The Casino Murder Case (Marin), Clive of India (Boleslavsky) ; 1937, London by Night (Thiele) ; 1938, A Christmas Carol (Marin) ; 1939, Bulldog Drummond's Secret Police (Hogan), Charlie Chan in City in Darkness (Leeds), Wuthering Heights (Les hauts de Hurlevent) (Wyler), The Private Lives of Elizabeth and Essex (La vie privée d'Élisabeth d'Angleterre) (Curtiz), Tower of London (La tour de Londres) (Lee) ; 1940, Rebecca (Rebecca) (Hitchcock), Waterloo Bridge (La valse dans l'ombre) (LeRoy), Charlie Chan's Murder Cruise (Forde) ; 1941, Scotland Yard (N. Foster), Suspicion (Soupçons) (Hitchcock), Bahama Passage (E. Griffith), This Woman is Mine (Lloyd) ; 1945, House on 92nd Street (La maison de la 92e rue) (Hathaway), Spellbound (La maison du docteur Edwards) (Hitchcock) ; 1947, Forever Amber (Ambre) (Preminger), Time Out of Mind (Siodmak), Song of Love (Brown) ; 1948, The Paradine Case (Le procès Paradine), So Evil My Love (Une âme perdue) (Allen) ; 1950, The Happy Years (Wellman), Father of the Bride (Le père de la mariée) (Minnelli) ; 1951, The First Legion (Sirk), Strangers on a Train (L'inconnu du Nord-Express) (Hitchcock), The Desert Fox (Le renard du désert) (Hathaway) ; 1952, The Snows of Kilimandjaro (Les neiges du Kilimandjaro) (King), Rogue's March (Allan Davis), The Bad and the Beautiful (Les ensorcelés) (Minnelli) ; 1953, Treasure of the Golden Condor (Le trésor du Guatemala) (Daves), Young Bess (La reine vierge) (Sidney) ; 1955, We're no Angels (La cuisine des anges) (Curtiz), Tarantula (Tarantula) (Arnold) ; 1956, The Swan (Le cygne) (Vidor) ; 1959, North by Northwest (La mort aux trousses) (Hitchcock) ; 1961, One plus One (Oboler), The Parent Trap (Swift) ; 1963, The Prize (Pas de lauriers pour les tueurs) (Robson) ; 1964, The Spy with My Face (Newland) ; 1965, That Funny Feeling (Thorpe) ; 1966, One of Our Spies Is Missing (Hallenbeck).

Grand, maigre, distingué, vieux, tout à la fois respectable et inquiétant, il était l'un des acteurs fétiches d'Hitchcock. On se souvient de son personnage de méchant dans *La maison du docteur Edwards,* où il nous réservait l'un des coups de théâtre favoris du maître du suspense. Dans *Tarantula*, il était également un savant fou dont le visage subissait d'horribles transformations. Il a eu parfois des rôles plus sympathiques : prêtre dans *The First Legion* (sur le monde des jésuites) ou majordome dans *The Swan*. Mais il n'est jamais aussi à l'aise que dans la terreur que l'on distille à petites doses, où un détail insignifiant provoque une peur que l'on ne peut maîtriser.

Carroll, Madeleine

Actrice anglaise, 1906-1987.

1928, The Guns of Loos (S. Hill), What Money Can Buy (Greenwood), The First Born (Mander) ; 1929, The Crooked Billet (Brunel), The Americain Prisoner (Bentley), Atlantic (Dupont) ; 1930, Young Woodley (Bentley), French Leave (Raymond), Escape (Dean), The School for Scandal (Elvey), Kissing Cup's Race (Knight) ; 1931, Madame Guillotine (Fogwell), Fascination (Mander), The Written Law (Fogwell) ; 1933, Sleeping Car (Litvak), I Was a Spy (Saville) ; 1934, The World Moves On (Le monde en marche) (Ford) ; 1935, The 39 Steps (Les 39 marches) (Hitchcock), The Dictator (Saville) ; 1936, The Secret Agent (Quatre de l'espionnage) (Hitchcock), The Case Against Mrs. Ames (Seiter), The General Died at Dawn (Le général est mort à l'aube) (Milestone), Lloyds of London (King) ; 1937, On the Avenue (Del Ruth), It's All Yours (Nugent), The Prisoner of Zenda (Le prisonnier de Zenda) (Cromwell) ; 1938, Blockade (Blocus) (Dieterle) ; 1939, Cafe Society (E. Griffith), Honeymoon in Bali (E. Griffith) ; 1940, My Son, My Son (Ch. Vidor), Safari (E. Griffith), North West Mounted Police (Les tuniques écarlates) (DeMille) ; 1941, Virginia (E. Griffith), One Night in Lisbon (E. Griffith), Bahama Passage (E. Griffith) ; 1942, My Favorite Blonde (Lanfield) ; 1947, White Cradle Inn (French) ; 1948, An Innocent Affair (Bacon) ; 1949, The Fan (Preminger).

Anglaise blonde au visage de porcelaine, déjà vedette en Angleterre quand Hitchcock la fit connaître du monde entier avec *Les 39 marches*. Elle partit à Hollywood où, après quelques bons films d'aventures (*Le général est mort à l'aube, Le prisonnier de Zenda...*), elle alla se perdre dans les insipides comédies d'Edward H. Griffith. Mariée entre 1942 et 1946 avec Sterling Hayden.

Carson, Jack

Acteur américain, 1910-1963.

1937, Stage Door (La Cava), You Only Live Once (J'ai le droit de vivre) (Lang), It Could Happen to You (Rosen), Reported Missing (Carruth), Too Many Wives (Holmes), On Again, Off Again (Cline), High Flyers (Cline), Music for Madame (Musique pour madame) (Blystone), Stand-In (Monsieur Dood part pour Hollywood) (Garnett), The Toast of New York (Lee) ; 1938, Vivacious Lady (Mariage incognito) (Stevens), Carefree (Amanda) (Sandrich), Having Wonderful Time (Santell), This Marriage Business (Cabanne), The Girl Downstairs (Taurog), Condemned Women (Landers), Go Chase Yourself (Cline), Crashing Hollywood (Landers), Night Spot (Cabanne), Law of the Underworld (Landers), Everybody's Doing It (Cabanne), Quick Money (Killy), The Saint in New York (B. Holmes), She's Got Everything (Santley), Bringing Up Baby (L'impossible Monsieur Bébé) (Hawks) ; 1939, The Kid from Texas (Simon), Destry Rides Again (Marshall), Fifth Avenue Girl (La fille de la cinquième avenue) (La Cava), The Escape (LeRoy), The Honeymoon's Over (Forde), Mr. Smith Goes to Washington (M. Smith au Sénat) (Capra), Legion of the Lost Flyers (W. Cabanne) ; 1940, Queen of the Mob (Hogan), Typhoon (L. King), Lucky Partners (Milestone), I Take This Woman (Van Dyke), The Girl in 313 (Cortez), Shooting High (Green), Alias the Deacon (Cabanne), Enemy Agent (Landers), Parole Fixer (Florey), Love Thy Neighbour (Sandrich), Young As You Feel (St. Clair) ; 1941, Love Crazy (Conway), The Strawberry Blonde (Walsh), Mr. and Mrs. Smith (M. et Mme Smith) (Hitchcock), The Bride Came C.O.D. (Keighley), Blues in the Night (Litvak), Navy Blues (Bacon) ; 1942, Larceny Inc. (Bacon), The Male Animal (Nugent), Gentleman Jim (Gentleman Jim) (Walsh), Wings for the Eagle (Bacon), The Hard Way (V. Sherman) ; 1943, Thank Your Lucky Star (Remerciez votre bonne étoile), Arsenic and Old Lace (Arsenic et vieilles dentelles) (Capra), Princess O'-Rourke (Krasna) ; 1944, Shine on Harvest Moon (Butler), Make Your Own Bed (Godfrey) ; 1945, Roughly Speaking (Curtiz), Mildred Pierce (Le roman de Mildred Pierce) (Curtiz) ; 1946, One More Tomorrow (Godfrey), Two Guys From Milwaukee (Butler), The Time, the Place and the Girl (Butler) ; 1947, Love and Learn (Cordova) ; 1948, April Showers (Kern), Two Guys from Texas (Butler), Romance on the High Seas (Curtiz), John Loves Mary (Butler), My Dream Is Yours (Curtiz) ; 1950, Bright Leaf (Le roi du tabac) (Curtiz), The Good Humor Man (Bacon) ; 1951, M. Universe (J. Lerner), The Groom Wore Spurs (Whorf) ; 1953, Dangerous When Wet (Traversons la Manche) (Walters) ; 1954, Red Garters (Les jarretières rouges) (Marshall), A Star Is Born (Une étoile est née) (Cukor), Phffft (Phffft) (Robson) ; 1955, Ain't Misbehavin' (Buzzell) ; 1956, The Bottom of the Bottle (Le fond de la bouteille) (Hathaway), The Magnificent Roughnecks (Sherman Rose) ; 1957, A Tattered Dress (Arnold), The Tarnished Angels (La ronde de l'aube) (Sirk) ; 1958, Cat on a Hot Tin Roof (La chatte sur un toit brûlant) (Brooks) ; 1959, Rally 'Round the Flag, Boys ! (La brune brûlante) (McCarey) ; 1960, The Bramble Bush (Petrie) ; 1961, King of the Roaring Twenties (Newman).

Il a fallu attendre la fin de sa carrière (il devait mourir d'un cancer) pour que ce gros balourd trouve enfin des rôles dignes de son talent. Ses premiers films, dont les noms des metteurs en scène ont été souvent oubliés, ne valent pas cher : comédies pitoyables avec Jane Wyman ou Dennis Morgan (la série des *Two Guys*), mélodrames sans grand intérêt, policiers archi-fauchés... Viennent les chefs-d'œuvre où il se révèle un remarquable troisième couteau : l'attaché de presse de James Mason dans *A Star Is Born*, les personnages marginaux de *Mildred Pierce* ou de *Tarnished Angels...* jusqu'à l'apothéose de *Rally 'Round the Flag, Boys !* où il est envoyé par erreur dans l'espace à la place du singe prévu par la Nasa.

Cartlidge, Katrin

Actrice anglaise, 1961-2002.

1987, Eat the Rich (Richardson) ; 1993, Naked (Naked) (Leigh), Before the Rain (Before the Rain) (Manchevski) ; 1994, Look Me in the Eye (N. Ward), Nobody's Children (Wheatley) ; 1995, 3 Steps to Heaven (3 Steps to Heaven) (Giannaris) ; 1996, Breaking the Waves (Breaking the Waves) (Von Trier) ; 1997, Saint Ex (Tucker), Career Girls (Deux filles d'aujourd'hui) (Leigh), Claire Dolan (Claire Dolan) (Kerrigan) ; 1998, The Lost Son (The Lost Son) (Menges), Hi-Life (Hedden), Varya (La cerisaie) (Cacoyannis) ; 1999, Hotel Splendide (Gross) ; 2000, The Weight of Water (Bigelow) ; 2001, From Hell (A. & A. Hughes).

De mère allemande et de père anglais, on découvre Katrin Cartlidge dans le lugubre et célébré *Naked*. Une carrière sans compromis pour cette actrice très attachante, au jeu partagé entre une certaine forme d'hystérie

(*Deux filles d'aujourd'hui*) et la sobriété la plus complète (*Claire Dolan*).

Carton, Pauline

Actrice française d'origine suisse, de son vrai nom Biarez, 1884-1974.

1922, Le père Goriot (Baroncelli) ; 1923, Château historique (Desfontaines) ; 1924, Les étrennes à travers les âges (Colombier) ; 1925, Feu Mathias Pascal (L'Herbier) ; 1926, Éducation de prince (Diamant-Berger) ; 1927, Yvette (Cavalcanti) ; 1928, La ronde infernale (Luitz-Morat) ; 1929, Miss Édith duchesse (Donatien), L'arpète (Donatien) ; 1930, Le sang d'un poète (Cocteau), Le blanc et le noir (Florey), Mon gosse de père (Limur) ; 1931, L'amour à l'américaine (Heymann), Faubourg Montmartre (Bernard), Sur la voie du bonheur (Joannon) ; 1932, Ce cochon de Morin (Lacombe), Criminel (Forrester), Mon curé chez les riches (Boyer), Suzanne (Rouleau) ; 1933, L'abbé Constantin (Paulin), Ces messieurs de la Santé (Colombier), Ame de clown (Didier), Du haut en bas (Pabst), Miquette et sa mère (Diamant-Berger) ; 1934, Itto (Benoit-Lévy), Nous ne sommes plus des enfants (Genina), Le petit Jacques (Roudes) ; 1935, Bonne chance (Guitry), L'école des cocottes (Colombier), Ferdinand le noceur (Sti), Mademoiselle Mozart (Noé), Nuit de noces (Monca), Le roman d'un jeune homme pauvre (Gance), Train de plaisir (Joannon) ; 1936, Courrier Sud (Billon), La maison d'en face (Christian-Jaque), Le mioche (Moguy), Mon père avait raison (Guitry), Le nouveau testament (Guitry), Le roman d'un tricheur (Guitry), Tarrass Boulba (Granowsky), Toi c'est moi (Guissart), Vous n'avez rien à déclarer (Joannon) ; 1937, Quadrille (Guitry), Le plus beau gosse de France (Pujol), Boissière (Rivers), A Venise une nuit (Christian-Jaque), Gribouille (Allégret), La belle de Montparnasse (Cammage), La citadelle du silence (L'Herbier), Les dégourdis de la IIe (Christian-Jaque), Désiré (Guitry), La fille de la Madelon (Pallu), Mon député et sa femme (Cammage), Nuit de princes (Strijewsky), Les perles de la couronne (Guitry) ; 1938, Les anges noirs (Rozier), Le mot de Cambronne (Guitry), Le cœur ébloui (Vallée), La belle revanche (Mesnier), Conflit (Moguy), Un fichu métier (Ducis), Les gaietés de l'Exposition (Hajos), La marraine du régiment (Rosca), Mon oncle et mon curé (Caron), Paix sur le Rhin (Choux) ; 1939, L'étrange nuit de Noël (Noé), Ils étaient neuf célibataires (Guitry), Louise (Gance), Ma tante dictateur (Pujol), Sans lendemain (Ophuls), Sur le plancher des vaches (Ducis), Vous seule que j'aime (Fescourt) ; 1941, La neige sur les pas (Berthomieu), La troisième dalle (Dulud) ; 1942, L'amant de Bornéo (Feydau/Le Hénaff), La belle aventure (Allégret) ; 1947, Les amants du pont Saint-Jean (Decoin), Blanc comme neige (Berthomieu), Le comédien (Guitry), Tierce à cœur (Casembroot) ; 1948, L'armoire volante (Rim), Barry (Pottier), Le diable boiteux (Guitry), Marlène (Hérain), L'ombre (Berthomieu) ; 1949, Le trésor de Cantenac (Guitry), Ronde de nuit (Campaux), Tête blonde (Cam), Miquette et sa mère (Clouzot), Le 84 prend des vacances (Joannon), Amédée (Grangier), Aux deux colombes (Guitry), Branquignol (Dhéry), Je n'aime que toi (Montazel), Menace de mort (Leboursier) ; 1950, Au fil des ondes (Gautherin), Minne, l'ingénue libertine (Audry), Cœur-sur-Mer (Daniel-Norman), Le rosier de Mme Husson (Boyer), Le tampon du capiston (Labro) ; 1951, Descendez, on vous demande (Laviron), La poison (Guitry), Le vrai coupable (Thévenard) ; 1952, Monsieur taxi (Hunebelle), Soyez les bienvenus (Pierre-Louis), La vie d'un honnête homme (Guitry), Je l'ai été trois fois (Guitry), Ma femme est formidable (Hunebelle), La pocharde (Comberet) ; 1953, Si Versailles m'était conté (Guitry), Carnaval (Verneuil), Le chasseur de chez Maxim's (Diamant-Berger) ; 1954, Napoléon (Guitry), Les fruits de l'été (Bernard), Les deux font la paire (Berthomieu), Pas de souris dans le bizness (Lepage) ; 1955, Les carottes sont cuites (Vernay), Les insoumises (Javeau), Si Paris nous était conté (Guitry), On déménage le colonel (Labro), Ces sacrées vacances (Vernay), Zaza (Gaveau), Rencontre à Paris (Lampin) ; 1956, Assassins et voleurs (Guitry), Ah quelle équipe ! (Quignon), Mon curé chez les pauvres (Diamant-Berger), Le chanteur de Mexico (Pottier), Fric frac en dentelles (Radot) ; 1957, Le coin tranquille (Vernay), En bordée (Chevalier), Les trois font la paire (Guitry), Les gaietés de l'escadrille (Péclet) ; 1958, Brigade des mœurs (Boutel), A pied, à cheval et en spoutnik (Dréville), La vie à deux (Duhour) ; 1959, Business (Duhour), Messieurs les ronds-de-cuir (Diamant-Berger), Vous n'avez rien à déclarer ? (Duhour) ; 1960, La mort n'est pas à vendre (inédit, Desreumeaux), Interpol contre X (Boutel) ; 1961, La fille du torrent (Herzig), The Longest Day (Le jour le plus long) (Annakin) ; 1963, Humour noir (ép. Autant-Lara) ; 1970, Clodo (G. Clair).

Concierge, vieille fille, femme de ménage ou tante à héritage, elle n'a jamais été jeune. Du moins au cinéma. Merveilleuse actrice, la plus populaire de ces admirables seconds rôles qui ont fait la gloire du cinéma français, elle a tourné un peu n'importe quoi, mais toujours de façon remarquable. Elle reste surtout pour avoir été l'actrice fétiche de Guitry qui la fit jouer dans presque tous ses films, lui inventant au besoin des rôles.

Casabianca, Camille de

Actrice et réalisatrice française née en 1957.

1964, L'insoumis (Cavalier) ; 1980, Un étrange voyage (Cavalier) ; 1982, Thieves After Dark (Les voleurs de la nuit) (Fuller) ; 1983, Contes clandestins (Crèvecœur) ; 1985, P.R.O.F.S. (Schulmann) ; 1986, Pékin Central (Casabianca) ; 1988, Après la pluie (Casabianca) ; 1994, La croisade d'Anne Buridan (Cahen), Le fabuleux destin de Mme Petlet (Casabianca) ; 2000, Vive nous ! (Casabianca) ; 2005, Le Filmeur (Cavalier). *Comme réalisatrice :* 1986, Pékin Central ; 1988, Après la pluie ; 1995, Le fabuleux destin de Mme Petlet ; 2000, Vive nous ! ; 2003, Tatami.

Attachante comédienne chez Alain Cavalier (son père), étrangement décalée, elle se met en vedette dans ses propres films, de gentilles bluettes à résonance sociale qui n'obtiennent que peu de succès.

Casaglia, Claudia

Actrice italienne.

1984, Impiegati (Avati) ; 1988, Nulla ci può fermare (Grimaldi) ; 1988, Io Peter Pan (Decaro) ; 1989, Storia di ragazzi e di ragazze (Histoires de garçons et de filles) (Avati) ; 1991, Un amore americano (Schivamappa) ; 1994, Dichiarazione d'amore (Avati) ; 1996, Il cielo è sempre piu blu (Grimaldi), Nei secoli dei secoli (Cesena) ; 1998, S. Caterina da Siena : un'Italiana per la pace (Malaiusti).

Diplômée du Centro sperimentale di cinematografia de Rome, elle est l'actrice fétiche de Pupi Avati.

Casarès, Maria

Actrice d'origine espagnole, 1922-1996.

1944, Les enfants du paradis (Carné), Les dames du bois de Boulogne (Bresson) ; 1945, Roger la honte (Cayatte) ; 1946, La septième porte (Zwoboda), La revanche de Roger la honte (Cayatte), L'amour autour de la maison (Hérain) ; 1947, La chartreuse de Parme (Christian-Jaque) ; 1948, Bagarres (Calef) ; 1949, Orphée (Cocteau), L'homme qui revient de loin (Castanier) ; 1950, Ombre et lumière (Calef) ; 1959, Le testament d'Orphée (Cocteau) ; 1964, La reine verte (Béjart) ; 1974, Flavia la monaca musulmana (Flavia la défroquée) (Mingozzi) ; 1976, L'adieu nu (Meunier) ; 1985, Blanche et Marie (Renard) ; 1987, De sable et de sang (Labrune) ; 1988, La lectrice (Deville) ; 1990, Les chevaliers de la Table ronde (Llorca) ; 1994, Someone Else's America (L'Amérique des autres) (Paskaljevic).

Révélée par *Les enfants du paradis*, confirmée par *Les dames du bois de Boulogne* et portée au pinacle par sa composition de la mort dans *Orphée*, cette très grande comédienne d'origine espagnole (elle est née à La Corogne), sortie du Conservatoire et qui joua à la Comédie-Française et au TNP, s'imposa à travers ces trois chefs-d'œuvre comme l'une des meilleures actrices du cinéma français. Mais après 1950, elle semble délaisser les écrans et ne fait que de furtives apparitions, notamment en religieuse révoltée dans *Flavia*. On peut le déplorer.

Casilio, Maria Pia

Actrice italienne née en 1935.

Principaux films : Umberto D (Umberto D) (De Sica) ; Stazione termini (Station Terminus) (De Sica) ; 1953, Pane, amore e fantasia (Pain, amour et fantaisie) (Comencini) ; Thérèse Raquin (Carné) ; 1954, Pane, amore e gelosia (Pain, amour et jalousie) (Comencini), L'air de Paris (Carné) ; 1957, Amarle è il mio destino (T'aimer est mon destin) (Baldi) ; 1961, Il guidizio universale (Le jugement dernier) (De Sica) ; 1972, Lo chiameremo Andrea (De Sica) ; 1987, Noi uomini duri (Ponzi).

Interprète favorite de De Sica, elle reste dans notre souvenir comme la petite bonne d'*Umberto D*.

Cassavetes, John

Acteur et réalisateur américain, 1929-1989.

1953, Taxi (Ratoff) ; 1955, The Night Holds Terror (Nuit de terreur) (Stone) ; 1956, Crime in the Streets (Face au crime) (Siegel), Edge of the City (L'homme qui tua la peur) (Ritt), Affair in Havana (Benedek) ; 1958, Saddle in the Wind (Libre comme le vent) (Parrish), Virgin Island (Jackson) ; 1959, Shadows (Shadows) (Cassavetes) ; 1962, The Webster Boy (Chaffey) ; 1966, The Killers (A bout portant) (Siegel) ; 1967, The Dirty Dozen (Les douze salopards) (Aldrich), The Devil's Angels (Haller) ; 1968, Rosemary's Baby (Rosemary's Baby) (Polanski), Gli intoccabili (Montaldo), Roma contra Chicago (De Martino) ;

1969, If It's Tuesday, This must Be Belgium (Stuart) ; 1970, Husbands (Husbands) (Cassavetes) ; 1971, Minnie and Moskowitz (Ainsi va l'amour) (Cassavetes) ; 1975, Capone (Carver) ; 1976, Two Minutes Warning (Un tueur dans la foule) (Peerce), Mikey and Nicky (May) ; 1977, Opening Night (Opening Night) (Cassavetes) ; 1978, The Fury (De Palma), Brass Target (La cible étoilée) (Hough) ; 1980, Incubus (Incubus) (Hough) ; 1982, The Tempest (La tempête) (Mazursky), Whose Life Is It Anyway (C'est ma vie après tout) (Badham) ; 1983, The Haircut (Hoffs), Marvin and Tige/Like Father and Son (Weston) ; 1984, Love Streams (Love Streams) (Cassavetes). *Pour le metteur en scène*, voir le *Dictionnaire du cinéma*, t. I : *Les réalisateurs*.

Surtout connu comme père du bébé de Rosemary, il fut un bon acteur de « thrillers » où sa silhouette maigre, sa chevelure noire et ses yeux brillants en faisaient un gangster fort impressionnant. Longtemps marié à l'actrice Gena Rowlands, il comprit très vite qu'il courait à l'enlisement comme interprète et se tourna vers la mise en scène de films souvent austères et ambitieux. Il y gagna une réputation d'intellectuel auprès de Greenwich Village que ne lui auraient pas assurée *The Dirty Dozen* ou *The Killers*.

Cassel, Jean-Pierre

Acteur français, de son vrai nom Crochan, né en 1932.

1952, La route du bonheur (Labro et Simonelli) ; 1953, Un acte d'amour (Litvak) ; 1956, Comme un cheveu sur la soupe (Régamey) ; 1957, A pied, à cheval et en voiture (Delbez), En cas de malheur (Autant-Lara), Trois pin-up comme ça (inédit, Bibal), La peau de l'ours (Boissol) ; 1958, Le désordre et la nuit (Grangier), Et ta sœur (Delbez), Sacrée jeunesse (Berthomieu) ; 1959, La marraine de Charley (Chevalier), Les jeux de l'amour (Broca) ; 1960, Le farceur (Broca), Candide (Carbonnaux), L'amant de cinq jours (Broca), Napoléon II, l'Aiglon (Boissol) ; 1961, Le caporal épinglé (Renoir), La gamberge (Carbonnaux), Les sept péchés capitaux (Chabrol) ; 1962, Arsène Lupin contre Arsène Lupin (Molinaro), Cyrano contre d'Artagnan (Gance) ; 1963, Les plus belles escroqueries du monde (Chabrol) ; 1964, Un monsieur de compagnie (Broca), Une femme est passée (Bardem), Haute infidélité (Salce) ; 1965, Les fêtes galantes (Clair), Paris brûle-t-il ? (Clément), Those Magnificent Men in their Flying Machines (Ces merveilleux fous volants dans leurs drôles de machines) (Annakin) ; 1966, Jeux de massacre (Jessua) ; 1967, Dolce Signori (Zampa) ; 1968, Oh ! What's a Lovely War ! (Attenborough) ; 1969, L'ours et la poupée (Deville), L'armée des ombres (Melville) ; 1970, La rupture (Chabrol), Le bateau sur l'herbe (Brach) ; 1971, Malpertuis (Kumel) ; 1972, Baxter (Jeffries), Le charme discret de la bourgeoisie (Buñuel), Le magnat (Grimaldi) ; 1973, Le mouton enragé (Deville), The Three Musketeers (Les trois mousquetaires) (Lester) ; 1974, Murder on the Orient Express (Lumet) ; 1975, That Lucky Touch (Miles), Docteur Françoise Gailland (Bertucelli), Les œufs brouillés (Santoni), The Four Musketeers (On l'appelait Milady) (Lester) ; 1976, Folies bourgeoises (Chabrol), L'Œil de l'autre (Queysanne) ; 1977, Who Is Killing the Great Chefs of Europe (La grande cuisine) (Kotcheff) ; 1978, Les rendez-vous d'Anna (Akerman), Les Grandison (Kurtz), La giacca verde (Jeux cruels) (Giraldi), Le soleil en face (Kast), Je te tiens, tu me tiens par la barbichette (Yanne), From Hell to Victory (De l'enfer à la victoire) (Milestone) ; 1979, La ville des silences (Marbœuf), 5 % de risques (Pourtalé) ; 1980, Superman II (Superman II, l'aventure continue) (Lester) ; 1981, Ehrengard (Greco), La vie continue (Mizrahi), Nudo di donna (Nu de femme) (Manfredi) ; 1982, La guerillera (Kast), La truite (Losey) ; 1983, Vive la sociale (Mordillat) ; 1985, Tranches de vie (Leterrier) ; 1986, Alice (Bromski, Bruza) ; 1987, Chouans ! (Broca) ; 1988, Mangeclous (Mizrahi), The Return of the Musketeers (Le retour des mousquetaires) (Lester), Migrations (Petrovic) ; 1989, Mister Frost (Setbon), Vado a riprendermi il gatto (Biagetti) ; 1990, Vincent et Théo (Altman), The Maid (Toynton) ; 1991, Amor e dedinhos de pie (Macao, mépris et passion) (Rocha), The Favour, the Watch and the Very Big Fish (La montre, la croix et la manière) (Lewin), Sur la terre comme au ciel (Hänsel), Aqui d'el rei (Vasconcelos) ; 1992, L'œil écarlate (Roulet), Coup de jeune ! (X. Gélin), Pétain (Marbœuf) ; 1993, Cha forte com limao (Thé noir au citron) (de Macedo), Métisse (M. Kassovitz), L'enfer (Chabrol), Casque bleu (Jugnot) ; 1994, Ready to Wear (Prêt-à-porter) (Altman) ; 1995, La cérémonie (Chabrol), Les Bidochon (Korber) ; 1996, Amores que matan (Amores que matan) (Chumilla) ; 1997, La patinoire (Toussaint) ; 1998, Trafic d'influence (Farrugia), Le plus beau pays du monde (Bluwal) ; 2000, Sade (Jacquot), Les rivières pourpres (Kassovitz) ; 2003, Michel Vaillant (Couvelaire) ; 2005, Ma vie en l'air (Bezançon), Narco (Aurouet et Lellouche), La caméra des bois (Luruli) ; 2005, Virgil (el Mechri) ; 2006, Bunker Paradise (Liberski), Fair Play (Bailliu), Call me Agostino (Laurent), Mauvaise foi (Zem) ; 2007, Congorama (Falardeau), Contre-enquête (Mancuso), J'aurais voulu être un danseur (Berliner).

Ce sympathique acteur, découvert par Gene Kelly, a un temps semblé porter malheur aux réalisateurs. Malgré son talent, il fut associé au déclin de Renoir, Clair et Gance et à l'insuccès de plusieurs films qui méritaient mieux, de *Candide* à *Malpertuis*. Mais les comédies de Philippe de Broca où Jean-Pierre Cassel se montrait si à l'aise pourraient infirmer une telle constatation. Beaucoup de théâtre aussi.

Cassel, Seymour

Acteur américain né en 1932.

1960, Murder, inc. (Balaban et Rosenberg), Juke Box Racket (Barris Geallis) ; 1961, Too Late Blues (La ballade des sans-espoir) (Cassavetes) ; 1962, The Webster Boy (Chaffey), A Pair of Boots (court-métrage, Cassavetes) ; 1964, The Killers (A bout portant) (Siegel) ; 1968, Faces (Faces) (Cassavetes), Coogan's Bluff (Un shérif à New York) (Siegel) ; 1970, The Revolutionary (Le révolutionnaire) (Williams) ; 1971, Minnie & Moskowitz (Ainsi va l'amour/Minnie et Moskowitz) (Cassavetes) ; 1976, The Last Tycoon (Le dernier nabab) (Kazan), The Killing of a Chinese Bookie (Le bal des vauriens/Meurtre d'un bookmaker chinois) (Cassavetes), Black Oak Conspiracy (Kelljan), Death Game (Traynor) ; 1977, Opening Night (Opening Night) (Cassavetes), Valentino (Valentino) (Russell), Scott Joplin (Kagan) ; 1978, Convoy (Le convoi) (Peckinpah) ; 1979, California Dreaming (Ça glisse, les filles ?) (Hancock), Sunburn (Sunburn/Coup de soleil) (Sarafian), Ravagers (Compton) ; 1980, The Mountain Men (Fureur sauvage) (R. Lang) ; 1981, King of the Mountain (Nosseck) ; 1982, Double Exposure (Byron Hillman) ; 1984, Love Streams (Torrents d'amour/Love Streams) (Cassavetes) ; 1986, Eye of the Tiger (Justicier malgré lui) (Sarafian) ; 1987, Track 27 (Roeg), Survival Game (Freed), Tin Men (Tin Men/Les filous) (Levinson) ; 1988, Johnny Be Good (Smith), Colors (Colors) (Hopper), Plain Clothes (Coolidge) ; 1989, Wicked Stepmother (Ma belle-mère est une sorcière) (Cohen) ; 1990, Dick Tracy (Dick Tracy) (Beatty), Cold Dog Soup (Metter) ; 1991, White Fang (Croc-Blanc) (Kleiser), Mobsters (Les indomptés) (Karbelnikoff), Diary of a Hitman (Hitman) (London) ; 1992, Honeymoon in Vegas (Lune de miel à Las Vegas) (Bergman), Cold Heaven (Roeg), Adventures in Spying (Covington), Chain of Desire (Lopez Jr.), Indecent Proposal (Proposition indécente) (Lyne), In the Soup (In the Soup) (Rockwell) ; 1993, Love Is Like That (Goldman), Trouble Bound (J. Reiner), Boiling Point (L'extrême limite) (Harris) ; 1994, There Goes my Baby (Mutrux), Chasers (Hopper), It Could Happen to You (Milliardaire malgré lui) (Bergman), Imaginary Crimes (Drazan), When Pigs Fly (Driver), Les frères Gravet (Féret), Tollbooth (Breziner), Handgun (Ransick) ; 1995, Dark Side of Genius (Papamichael), Things I Never Told You (Des choses que je ne t'ai jamais dites) (Coixet), Dreams for an Insomniac (DeBartolo), Trees Lounge (Happy Hour) (Buscemi), The Last Homerun (Gosse) ; 1996, Cameleone (Cohen), I Sfagi tou Kokora (Pantzis), This World Then the Fireworks (Liens secrets) (Oblowitz), Berlin-Niagara (Berlin-Niagara) (Sehr), Cannes Man (Martini, Shapiro) ; 1997, The Treat (Gems), Temps (M. Burton), Relax... It's Just Sex (Relax... It's Just Sex) (Castellaneta), Motel Blue (Firstenberg), Me and Will (Behr, Rose) ; 1998, Rushmore (Anderson), The Last Call (Kurland), Sweet Underground (Alavi), Snapped (Feigelman), Smoking Cuban Style (Wagner) ; 1999, Animal Factory (Animal Factory) (Buscemi), The Flintstones : Viva Rock Vegas (Les Pierrafeu à Rock Vegas) (Levant), The Crew (Dinner) ; 2000, Just One Night (Jacobs), The Sleepy Time Gal (Munch) ; 2001, The Royal Tenenbaums (La famille Tenenbaum) (Anderson) ; 2003, Stuck on You (Deux en un) (Farrelly).

De longs cheveux blonds, la moustache à la gauloise, on le connaît en inoubliable interprète de plusieurs films de Cassavetes, rencontré alors qu'il cherchait à travailler sur les plateaux de cinéma comme machiniste. Il fut un extraordinaire Moskowitz aux côtés de Gena « Minnie » Rowlands. Il a beaucoup tourné à côté, de l'avant-garde à la série B, voire Z, mais personne ne lui en voudra d'avoir voulu nourrir sa famille.

Cassel, Vincent

Acteur français né en 1966.

1988, Les cigognes n'en font qu'à leur tête (Kaminka) ; 1990, Les clefs du paradis (Broca) ; 1992, Hot Chocolate (Dayan) ; 1993, Métisse (Kassovitz) ; 1994, Ainsi soient-elles (Alessandrin), Jefferson in Paris (Jefferson à Paris) (Ivory), La haine (Kassovitz), Adultère (mode d'emploi) (Pascal) ; 1995, L'appartement (Mimouni), Blood of the Hunter (Carle) ; 1996, Méditerranée (Bérenger), Come mi vuoi (Embrasse-moi Pasqualino) (Amoroso),

L'élève (Schatzky), Dobermann (Kounen) ; 1997, Le plaisir (et ses petits tracas) (Boukhrief) ; 1998, Jeanne d'Arc (Besson), Elizabeth (Elizabeth) (Kapur) ; 1999, Guest House Paradiso (Hôtel Paradiso, une maison sérieuse) (Edmonson), Birthday Girl (Butterworth), Femmes enragées (Darsac) ; 2000, Les rivières pourpres (Kassovitz), Féroce (Maistre), Le pacte des loups (Gans) ; 2001, Sur mes lèvres (Audiard) ; Irréversible (Noé), Nadia (Nadia) (Butterworth) ; 2004, Blueberry (Kounen), Agents secrets (L. Schoendoerffer) ; 2004, Ocean's Twelve (Ocean's Twelve) (Soderbergh) ; 2006, Dérapage (Hafstrom), Sheitan (Chapiron) ; 2007, Sa majesté Minor (Annaud).

Fils de Jean-Pierre Cassel, il a étudié le chant, le théâtre et suivi l'école du cirque d'Annie Fratellini. Un profil qui s'adapte à tout : poudré et précieux dans *Jefferson à Paris*, mari moderne, trompeur et trompé dans *Adultère (mode d'emploi)*, et surtout « skin » en proie au doute dans *La haine*, film qui le fit connaître d'un plus large public. Blueberry, faux western, est un véritable échec.

Cassot, Marc

Acteur français né en 1923.

1945, Nuits d'alerte (Mathot), La route du bagne (Mathot) ; 1947, Les amants du pont Saint-Jean (Decoin) ; 1948, Les dieux du dimanche (Lucot) ; 1949, Un certain monsieur (Ciampi) ; 1951, La plus belle fille du monde (Stengel) ; 1953, Le grand pavois (Pinoteau) ; 1954, La patrouille des sables (Chanas), Escalier de service (Rim), L'amour d'une femme (Grémillon) ; 1956, Les copains du dimanche (Aisner), Alerte au deuxième bureau (Stelli), Si tous les gars du monde (Christian-Jaque) ; 1957, Les louves (Saslavsky), Pourquoi viens-tu si tard ? (Decoin) ; 1960, Normandie-Niemen (Dréville), La mort de Belle (Molinaro) ; 1961, Le jeu de la vérité (Hossein) ; 1967, Le crime de David Levinstein (Charpak), L'une et l'autre (Allio) ; 1968, Le guerillero et celui qui n'y croyait pas (D'Ormesson) ; 1970, Un beau monstre (Gobbi), Vertige pour un tueur (Desagnat) ; 1971, Un capitán de quince años (Un capitaine de quinze ans) (Franco) ; 1975, Quand la ville s'éveille (Grasset) ; 1987, La brute (Guillemot) ; 1988, Natalia (Cohn) ; 2005, Renaissance (Volckman), Le fil de la vie (Ronnow-Klarlund).

Stature et roideur chez ce comédien excellent en officier de police, médecin, inspecteur ou capitaine. Plus de télévision que de cinéma cependant.

Casta, Laetitia

Actrice française née en 1978.

1999, Astérix et Obélix contre César (Zidi) ; 2000, Gitano (Gitano) (Palacios) ; 2001, Les âmes fortes (Ruiz) ; 2002, Rue des plaisirs (Leconte) ; 2003, Errance (Odoul) ; 2006, Le grand appartement (Thomas).

Ancien mannequin, elle a su faire oublier qu'elle avait été Falbala chez Zidi pour composer une admirable Thérèse dans *Les âmes fortes*.

Castaldi, Jean-Pierre

Acteur français né en 1944.

1969, L'arbre de Noël (T. Young) ; 1972, RAS (Boisset), Le train (Granier-Defferre), L'affaire Dominici (Aubert) ; 1974, La merveilleuse visite (Carné), La race des seigneurs (Granier-Deferre) ; 1975, French Connection II (French Connection nº 2) (Frankenheimer) ; 1977. Nous irons tous au paradis (Robert) ; 1978, Moonraker (Moonraker) (Gilbert), L'horoscope (Girault) ; 1980, La boum (Pinoteau), Putain d'histoire d'amour (Béhat) ; 1982, Ménage à trois (Ménage à trois) (Forbes), Pour cent briques... t'as plus rien ! (Molinaro) ; 1983, Le voleur de feuilles (Trabaud) ; 1984, Palace (Molinaro), Monsieur de Pourceaugnac (Mitrani), Le jumeau (Robert) ; 1986, La rumba (Hanin), Sarraounia (Hondo), Yiddish connection (Boujenah), L'île (Leterrier) ; 1987, Helsinki Napoli (Helsinki Napoli) (M. Kaurismäki), Quelques jours avec moi (Sautet) ; 1988, Suivez cet avion (Amblard), Les cigognes n'en font qu'à leur tête (Kaminka) ; 1989, Vincent & Theo (Vincent et Théo) (Altman), Ripoux contre ripoux (Zidi) ; 1990, Lune froide (Bouchitey), Money (Money) (Stern), Promotion canapé (Kaminka), A Fine Romance (Tchin tchin) (Saks) ; 1992, Coup de jeune ! (X. Gélin), L'œil écarlate (Roulet) ; 1993, Profil bas (Zidi), Les ténors (Gueltzl) ; 1995, Ma femme me quitte (Kaminka) ; 1996, Arlette (Zidi) ; 1998, Astérix et Obélix contre César (Zidi) ; 2001, D'Artagnan (Hyams) ; 2002, Ma femme s'appelle Maurice (Poiré) ; 2004, Extrem ops (The Extremists) (Duguay) ; 2005, Travaux (Roüan).

Son physique de colosse lui a valu quantité de seconds rôles, dans la comédie comme dans le polar, mais même si on reconnaissait son visage et sa carrure à coup sûr, on ne se souvenait pas toujours de son nom jusqu'à sa nouvelle carrière télévisuelle.

Castel, Lou

Acteur italien d'origine suédoise, de son vrai nom Ulv Quarzell, né en 1943.

1963, Il gattopardo (Le guépard) (Visconti) ; 1965, I pugni in tasca (Les poings dans les poches) (Bellochio) ; 1967, Grazie zia (Merci ma tante) (Samperi), El Chuncho quien sabe ? (Damiani), La prova generale (Scavolini) ; 1968, Lucrèce, fille de Borgia (Civriani), I protagonisti (Flaiano, Fondato), Orgasmo (Une folle envie d'aimer) (Lenzi), Galileo (Cavani) ; 1969, Requiescant (Tue et fais ta prière) (Lizzani) ; 1970, Warnung vor einer heiligen Nutte (Prenez garde à la sainte Putain) (Fassbinder), Matalo (Matalo) (Canevari), Con quale amore, con quanto amore (Tu peux ou tu peux pas ?) (Festa Campanile) ; 1971, Nel nome del padre (Au nom du père) (Bellochio) ; 1972, Der Scharlachrote Buchstabe (La lettre écarlate) (Wenders), Stress (Prisco), Treza ipotesi su un caso di perfetta strategia criminale (Vari) ; 1973, Nada (Chabrol) ; 1974, Voyage en grande Tartarie (Tacchella), Gangsterfilmen (Thelestam) ; 1976, Cassandra crossing (Le pont de Cassandra) (Cosmatos), Come una rosa el naso (Virginité) (Rossi), Caro Michele (Monicelli), Cambio de sexo (Aranda) ; 1977, Violanta (Schmid), Mr. Mean (Williamson), Der Amerikanische Freund (L'ami américain) (Wenders), Les enfants du placard (Jacquot), Porci con le ali (Si les porcs avaient des ailes) (Pietrangeli), Italia ultimo atto (Pirri) ; 1978, L'osceno desiderio (Petroni), Suor omicidio (Berruti) ; 1980, Ombre (Cavedon), Parano (Dubois) ; 1982, Gli occhi e la bocca (Les yeux, la bouche) (Bellochio) ; 1984, Der Beginn aller Schrecken ist Liebe (Sander), Trauma (Kubach), Campo Europa (Maillard) ; 1985, Elle a passé tant d'heures sous les sunlights (Garrel) ; 1986, Nanou (Nanou) (Templeman), L'île au trésor (Ruiz) ; 1987, Les aventures d'Eddie Turley (Courant), Hôtel du Paradis (Bokova), Man on fire (Chouraqui) ; 1988, Rorret (Wetzl) ; 1989, Che ora e ? (Quelle heure est-il ?) (Scola) ; 1990, Fuga del paradiso (La fuite au paradis) (Pasculli) ; 1991, Year of the Gun (Year of the Gun/l'année de plomb) (Frankenheimer), Manila, paloma blanca (Segre) ; 1992, The Power of Angel (Albertazzi), Uova di Garofano (L'œillet sauvage) (Agosti), Dall'altra parte del mondo (Catinari), Zuppa di pesce (Soupe de poissons) (Infascelli), Assolto per aver commesso il fatto (Sordi) ; 1993, La naissance de l'amour (Garrel), In the Name of the Father (Au nom du père) (Sheridan) ; 1995, Encore (Bonitzer), Trois vies et une seule mort (Ruiz) ; 1996, Irma Vep (Assayas) ; 1997, Rita, Rocco & Cléopâtre (Forgeau), Sinon, oui, (Simon) ; 1998, Louise (take 2) (Siegfried) ; 1999, Le domaine (Heritschi) ; 2003, Tiresia (Bonello) ; 2006, El Cantor (Morder), Étoile violette (Ropert).

Lancé par *Les poings dans les poches* où il détruisait sa famille avant de se détruire lui-même, il imposa un personnage de jeune anarchiste qu'il promena dans plusieurs films avant de se perdre soit dans la série Z italienne, soit dans l'avant-garde.

Castel, Robert

Acteur français né en 1933.

1958, Les amants de demain (Blisyène) ; 1959, Un témoin dans la ville (Molinaro) ; 1964, L'insoumis (Cavalier) ; 1966, Un idiot à Paris (Korber) ; 1968, Les gros malins (Leboursier) ; 1969, Trois hommes sur un cheval (Moussy), La honte de la famille (Balducci), L'homme-orchestre (Korber) ; 1971, Il était une fois un flic (Lautner) ; 1972, Le grand blond avec une chaussure noire (Robert) ; 1973, Le permis de conduire (Girault), Le plumard en folie (Lem), Par ici la monnaie (Balducci), Par le sang des autres (Simenon), Le complot (Gainville), Elle court elle court, la banlieue (Pirès), Deux hommes dans la ville (Giovanni) ; 1974, Dupont-Lajoie (Boisset), Vos gueules les mouettes (Dhéry) ; 1975, Attention les yeux (Pirès), Les grands moyens (Bernard), C'est dur pour tout le monde (Gion), La ville-bidon (Baratier) ; 1977, Arrête ton char, bidasse ! (Gérard) ; 1978, Vas-y maman ! (Buron), Je suis timide mais je me soigne (Richard) ; 1979, Les Borsalini (Nerval) ; 1980, Sacrés gendarmes (Launois), Mais qu'est-ce que j'ai fait au Bon Dieu pour avoir une femme qui boit dans les cafés avec les hommes ? (Saint-Hamon) ; 1981, Le bahut va craquer (Nerval) ; 1982, Sandy (Nerval) ; 1983, C'est facile et ça peut rapporter... 20 ans (Luret) ; 2000, Les marchands de sable (Salvadori) ; 2002, 3 zéros (Onteniente) ; 2006, Du jour au lendemain (Le Guay).

Le prototype du pied-noir avec accent et mimiques de rigueur, qui s'illustra sur scène avec sa complice Lucette Sahuquet. Au cinéma, le bilan est qualitativement maigre, alors que le comédien valait nettement mieux.

Castelli, Philippe

Acteur français, 1925-2006.

Films publicitaires puis : 1959, Les bonnes femmes (Chabrol), Les godelureaux (Chabrol) ; 1961, A fleur de peau (Bernard-Aubert), Le caporal épinglé (Renoir) ; 1962, Les bricoleurs (Girault), Landru (Chabrol) ; 1963, Des pissenlits par la racine (Lautner), Les durs à cuire (Pinoteau), Les porteuses de pain (Cloche), Les tontons flingueurs (Lautner), Une ravissante idiote (Molinaro) ; 1964, Aimez-vous les femmes ? (Léon), Les barbouzes (Lautner), Fantômas (Hunebelle), La grande frousse / La cité de l'indicible peur (Mocky), Une souris chez les hommes (Poitrenaud), Un monsieur de compagnie (Broca), Yoyo (Étaix) ; 1965, Bon week-end (Quignon), La bourse et la vie (Mocky), Fantômas se déchaîne (Hunebelle), Monnaie de singe (Robert), Ne nous fâchons pas (Lautner), Pas de caviar pour tante Olga (Becker), La sentinelle endormie (Dréville), Tant qu'on a la santé (Étaix) ; 1966, La nuit des généraux (Litvak) ; 1968, La grande lessive (!) (Mocky) ; 1969, Borsalino (Deray), La promesse de l'aube (Dassin) ; 1970, Doucement les basses ! (Deray), Laisse aller... c'est une valse (Deray) ; 1971, Le viager (Tchernia) ; 1972, Chut ! (Mocky) ; 1974, Sexuellement vôtre (Pecas), Ce cher Victor (Davis), Soldat Duroc, ça va être ta fête (Gérard) ; 1975, Bons baisers de Hong-Kong (Chiffre) ; 1978, Ils sont fous ces sorciers (Lautner), One Two Two, 122 rue de Provence (Gion), Brigade mondaine (Scandelari), Judith Therpauve (Chéreau), Cause toujours, tu m'interesses (Molinaro) ; 1979, Le guignolo (Lautner) ; 1980, Signé Furax (Simenon), Une merveilleuse journée (Vital) ; 1981, Est-ce bien raisonnable ? (Lautner), Le jour se lève et les conneries commencent (Mulot), Pour la peau d'un flic (Delon) ; 1982, Ça va pas être triste (Sisser), On s'en fout, nous on s'aime (Gérard), Plus beau que moi, tu meurs (Clair) ; 1983, Le battant (Delon), Retenez-moi ou je fais un malheur (Gérard) ; 1984, Rebelote (Richard), Par où t'es rentré on t'a pas vu sortir (Clair), Ave Maria (Richard) ; 1985, Banana's boulevard (Balducci), Liberté, égalité, choucroute (Yanne) ; 1988, A deux minutes près (Le Hung).

Type même de l'interprète de films publicitaires où il jouait les professeurs chahutés et les vieilles badernes. Aurait pu, si on lui en avait donné l'occasion, renouer avec la tradition des acteurs de composition des années 30. On l'a remarqué en concierge du Danieli dans *Le guignolo* et en tenancier de bar dans *Pour la peau d'un flic*. Mais il est difficile de recenser toutes ses apparitions.

Castellitto, Sergio

Acteur et réalisateur italien né en 1953.

1983, Le général de l'armée morte (Tovoli) ; 1984, Magic Moments (Odorisio) ; 1985, Giovanni senza pensieri (Colli), Tu sei difficile (moyen-métrage, Taraglio) ; 1986, Sembra morto... ma é solo svenuto (Il semble mort ?) (Farina), La famiglia (La famille) (Scola), Dolce assenza (Sestieri), Il mistero del panino assassino (Soldi) ; 1987, Le grand bleu (Besson), Paura e amore (Les trois sœurs) (von Trotta) ; 1988, Piccoli equivoci (Légers quiproquos) (R. Tognazzi) ; 1989, Tre colonne in cronaca (Vanzina), Alberto Express (Joffé) ; 1990, Stasera a casa di Alice (Sindoni), Stasera a casa di Alice (Verdone), I tarassachi (Ranieri Martinotti) ; 1991, La carne (La chair) (Ferreri), Rossini, Rossini (Monicelli) ; 1992, Nero (Nero) (Soldi), Nessuno (Calogero) ; 1993, Toxic Affair (Esposito), Il grande cocomero (Il grande cocomero) (Archibugi) ; 1994, Con gli occhi chiusi (Les yeux fermés) (Archibugi) ; 1995, Crepacuore (Farina), L'uomo delle stelle (Marchand de rêves) (Tornatore), Le cri de la soie (Marciano), Portraits chinois (Dugowson) ; 1996, Hotel Paura (Hôtel Paura) (De Maria), Quadrille (Lemercier), Silenzio si nasce (Veronesi) ; 1997, Que la lumière soit ! (A. Joffé), A vendre (Masson) ; 1998, Volpone (Chalonge), Libero Burro (Libero Burro) (Castellitto) ; 2001, Va savoir ! (Rivette), Bella Martha (Chère Martha) (Nettelbeck) ; 2002, L'ora di religione (Le sourire de ma mère) (Bellochio) ; 2004, Belle Martha (Chère Martha) (Nettelbeck), Caterina va in citta (Caterina va en ville) (Virzi), Ne quittez pas ! (Joffé) ; 2005, Don't Move – Non ti muovere (A corps perdu) (Castellitto) ; 2006, Paris je t'aime (collectif) ; 2007, Il registra di matrimoni (Le metteur en scène de mariages) (Bellochio), La stella che non c'e (L'étoile imaginaire) (Amelio). *Pour le metteur en scène*, voir le *Dictionnaire du cinéma*, t. I : *Les réalisateurs*.

Vif et intelligent acteur transalpin, moins évaporé et outrancier que Roberto Benigni auquel il peut faire penser. Il fut l'acteur principal d'une formidable comédie, *Alberto Express*, dans laquelle il apportait un grain de folie plutôt bienvenu.

Castelot, Jacques

Acteur d'origine belge, de son vrai nom Storms, 1914-1989.

1942, Le voyageur de la Toussaint (Daquin), Monsieur des Lourdines (Hérain) ; 1943, La Malibran (Guitry) ; 1944, Paméla (Hérain), Les enfants du paradis (Carné), L'île d'amour (Cam) ; 1946, Pour une nuit d'amour (Greville) ; 1947, Capitaine Blomet (Feix), Le mannequin assassiné (Hérain), Les condamnés (Lacombe) ; 1948, Impasse des Deux-Anges (Tourneur), Cartouche (Radot), Marlène (Hérain), Le grand rendez-vous (Dréville), La valse de Paris (Achard), Maya (Bernard) ; 1950, Topaze (Pagnol), Les petites

Cardinal (Grangier), Justice est faite (Cayatte) ; 1951, La vérité sur Bébé Donge (Decoin), Les mains sales (Rivers), Victor (Heymann) ; 1952, Les amours finissent à l'aube (Calef), Le fruit défendu (Verneuil) ; 1953, Les révoltés de Lomanach (Pottier), Le comte de Monte-Cristo (Vernay), Mon mari est merveilleux (Hunebelle), L'aventurière du Tchad (Rozier), Avant le déluge (Cayatte), Les femmes s'en balancent (Borderie), L'envers du Paradis (Greville) ; 1954, Nana (Christian-Jaque), Une balle suffit (Sacha), Obsession (Delannoy), Les deux orphelines (Gentilomo) ; 1956, Gil Blas (Jolivet), Folies-Bergère (Decoin), Crime et châtiment (Lampin), Soupçons (Billon) ; 1957, Ces dames préfèrent le mambo (Borderie) ; 1958, I battellieri del Volga (Tourjansky) ; 1959, Marie des Isles (Combret), Le baron de l'écluse (Grangier) ; Le secret du chevalier d'Eon (Audry), Austerlitz (Gance) ; 1961, La Fayette (Dréville) ; 1962, Les mystères de Paris (Hunebelle) ; 1963, Du grabuge chez les veuves (Poitrenaud), La mort d'un tueur (Hossein) ; 1964, Les gros bras (Rigaud), Hardi Pardaillan (Borderie), Comment épouser un Premier ministre (Boisrond) ; Angélique (Borderie), Sapho (Francisci), La seconde vérité (Christian-Jaque) ; 1965, Rose rosse per Angelica (Le chevalier à la rose rouge) (Steno) ; 1966, Le due orfanelle (Les deux orphelines) (Freda) ; 1967, Sept hommes pour Tobrouk (Milo) ; 1968, Maldonne (Gobbi), Brigade antigang (Borderie) ; 1969, Le temps des loups (Gobbi) ; 1970, Vertige pour un tueur (Desagnat), Sapho (Farrel), Point de chute (Hossein) ; 1971, La part des lions (Lariaga), Absences répétées (Gilles).

Frère de l'historien André Castelot, il fait ses débuts à l'écran sous l'Occupation dans des rôles d'aristocrate dévoyé auxquels convient bien sa distinction naturelle. Il promène ce personnage, avec des variantes, dans plus de cent films, d'où les difficultés pour établir une filmographie aussi complète que possible.

Catalifo, Patrick

Acteur français né en 1957.

1984, La triche (Bellon) ; 1987, De sable et de sang (Labrune) ; 1988, Ne réveillez pas un flic qui dort (Pinheiro), Les enfants du désordre (Bellon) ; 1991, Dien Bien Phu (Schoendoerffer), L'affût (Bellon) ; 1992, La joie de vivre (Guillot), A cause d'elle (Hubert) ; 1995, Mordbüro (Kopp), Clubbed to Death (Lola) (Zaubermann) ; 1996, Choisis-toi un ami (Keita), J'ai horreur de l'amour (Ferreira Barbosa) ; 1998, J'aimerais pas crever un dimanche (Le Pêcheur), Le derrière (Lemercier) ; 1999, Stand-by (Stéphanik), Le cœur à l'ouvrage (Dusseaux) ; 2003, Mister V. (Deleuze) ; 2004, Tout le plaisir est pour moi (Broué) ; 2005, Imposture (Bouchitey) ; 2006, Président (Delplanque) ; 2007, L'année suivante (Czajka).

Belle gueule, physique et jeu solides, mais difficile encore de le repérer plus haut qu'un second rôle.

Catillon, Brigitte

Actrice française.

1977, Des enfants gâtés (Tavernier), Haro (Béhat), Monsieur papa (Monnier) ; 1978, Molière (Mnouchkine) ; 1979, Moments de la vie d'une femme (Bat-Adam) ; 1982, Le quart d'heure américain (Galland) ; 1983, Le juge (Lefèbvre) ; 1986, La dernière image (Lakhdar-Hamina) ; 1987, La lectrice (Deville) ; 1989, Un tour de manège (Pradinas) ; 1991, Homo Faber (The Voyager) (Schlöndorff), Dingo (Dingo) (De Heer), Un cœur en hiver (Sautet) ; 1992, Louis enfant roi (Planchon) ; 1993, Le bateau de mariage (Améris) ; 1995, The Proprietor (La propriétaire) (Merchant) ; 1997, Artemisia (Merlet), J'irai au paradis car l'enfer est ici (Durringer), Disparus (Bourdos) ; 1998, A mort la mort (Goupil) ; 1999, La parenthèse enchantée (Spinosa), Le goût des autres (Jaoui), De l'histoire ancienne (Miret) ; 2000, Merci pour le chocolat (Chabrol) ; 2002, Une femme de ménage (Berri) ; 2004, Inquiétudes (Bourdos), Les sœurs fâchées (Leclère) ; 2006, Frankie (Berthaud), La spectatrice (La spectatrice) (Franchi), Ne le dis à personne (Canet).

Surtout connue au théâtre, le cinéma lui offre cependant régulièrement de jolis seconds rôles. Cette actrice à la beauté classique fut d'ailleurs nommée aux Césars 1991 pour sa prestation dans *Un cœur en hiver*, où elle jouait l'agent artistique d'Emmanuelle Béart.

Caubère, Philippe

Acteur français né en 1950.

1974, 1789 (Mnouchkine) ; 1977, Molière (Mnouchkine) ; 1979, La femme flic (Boisset) ; 1980, Retour à Marseille (Allio) ; 1989, Le château de ma mère (Robert), La gloire de mon père (Robert) ; 1995, Les enfants du soleil (Dartigues) ; 1996, Ariane ou l'âge d'or (Dartigues), Jours de colère (Dartigues), Les marches du palais (Dartigues) ; 2002, La fête de l'amour (Dartigues), Le triomphe de la jalousie (Dartigues) ; 2005, En plein Caubère (Brénéol) ; 2007, Truands (F. Schoendoerffer).

Révélé par Ariane Mnouchkine pour laquelle il fut un inoubliable Molière, puis consacré (au cinéma) par Yves Robert et son diptyque Pagnol, Philippe Caubère reste avant tout un immense homme de théâtre : son *Journal d'un comédien*, récit de sa vie entrepris, sur scène, depuis le milieu des années 80, est filmé et sort, par tronçons, de manière régulière en salles.

Caunes, Antoine de

Animateur de télévision, acteur et réalisateur français né en 1953.

1989, Pentimento (Marshall) ; 1994, Les 2 papas et la maman (Smaïn, Longval) ; 1996, C'est pour la bonne cause ! (Fansten), La divine poursuite (Deville) ; 1997, L'homme est une femme comme les autres (Zilbermann) ; 1998, Au cœur du mensonge (Chabrol) ; 2000, Là-bas mon pays (Arcady) ; 2002, Blanche (Bonvoisin) ; 2003, Les clefs de la bagnole (Baffie) ; 2006, Un ami parfait (Girod). *Pour le metteur en scène*, voir le *Dictionnaire du cinéma*, t. I : *Les réalisateurs*.

Fils de Georges de Caunes, cet animateur de télé qui fut vénéré par la jeunesse, formidable clown cathodique féru de rock et de cinéma, ne convainc pas vraiment à ses débuts devant la caméra. Il faudra attendre *L'homme est une femme comme les autres* et son personnage de juif gay partagé entre tradition et individualisme forcené pour voir naître un véritable acteur, loin du naïf lunaire des premiers films.

Caunes, Emma de

Actrice française née en 1977.

1993, L'échappée belle (Dhaène) ; 1996, Liberté chérie (sketch Jahan) ; 1997, Un frère... (Verheyde), La voie est libre (Clavier), Restons groupés (Salomé) ; 1998, Mille bornes (Beigel), Mondialito (Wadimoff) ; 1999, Princesses (Verheyde), Sans plomb (Téodori) ; 2000, Faites comme si je n'étais pas là (Jahan) ; 2001, Les amants du Nil (Heumann) ; 2002, Astérix et Obélix : mission Cléopâtre (Chabat) ; 2006, Flushed Away (Souris City) (Bowers et Fell), The Science of Sleep (La science des rêves) (Gondry) ; 2004, Ma mère (Honoré).

Fille d'Antoine de Caunes, elle met dans un premier temps son joli minois au service de la publicité, puis décroche le premier rôle d'*Un frère...*, très réussi premier film de Sylvie Verheyde, qui lui permet de décrocher le césar du meilleur jeune espoir féminin.

Caunes, Georges de

Journaliste et acteur français, 1919-2004.

1950, Au fil des ondes (Gautherin) ; 1951, Un drame au Vel'd'hiv' (Cam) ; 1956, Tahiti ou la joie de vivre (Borderie) ; 1960, Alibi pour un meurtre (Bibal) ; 1962, Tartarin de Tarascon (Blanche) ; 1973, Le führer en folie (Clair).

On peut s'étonner que le cinéma n'ait pas davantage utilisé les journalistes et présentateurs de la télévision comme acteurs. Georges de Caunes avait pourtant ouvert la voie avec *Tahiti ou la joie de vivre*.

Caussimon, Jean-Roger

Comédien et chanteur français, 1919-1985.

1945, François Villon (Zwobada), Le jugement dernier (Chanas) ; 1946, Petrus (M. Allégret), Le destin s'amuse (Reinert) ; 1947, Le mannequin assassiné (Hérain), Capitaine Blomet (Feix), Clochemerle (Chenal) ; 1948, L'assassin est à l'écoute (André), Bonheur en location (Wall) ; 1950, La rose rouge (Pagliero), L'homme de la Jamaïque (Canonge), Juliette ou la clé des songes (Carné) ; 1951, L'auberge rouge (Autant-Lara), Port du désir (Greville) ; 1955, La reine Margot (Dréville), French Cancan (Renoir) ; 1956, Fernand cow-boy (Lefranc) ; 1959, Le Saint mène la danse (Nahum), Le Gorille vous salue bien (Borderie) ; 1960, La Fayette (Dréville) ; 1961, A fleur de peau (Bernard-Aubert), Im Stahlnetz des Dr. Mabuse (Le retour du docteur Mabuse) (Reinl) ; 1963, Hardi Pardaillan (Borderie) ; 1964, Les baratineurs (Rigaud), Thomas l'imposteur (Franju) ; 1965, Der Schatz der Azteken/ Die Pyramiden des Sonnengottes (Les mercenaires du Rio Grande) (Siodmak), Dis-moi qui tuer (Périer), Deux heures à tuer (Govar), L'amour à la chaîne (de Givray), Pleins feux sur Stanislas (Dudrumet) ; 1966, Fantômas contre Scotland Yard (Hunebelle) ; 1971, Le trèfle à cinq feuilles (Freess) ; 1972, Moi y'en a vouloir des sous (Yanne) ; 1974, Que la fête commence (Tavernier) ; 1975, Le juge et l'assassin (Tavernier) ; 1976, Deux imbéciles heureux (Freess) ; 1978, Le gendarme et les extraterrestres (Girault) ; 1980, Signé Furax (Simenon) ; 1982, La baraka (Valère), Les misérables (Hossein).

Quelques apparitions mémorables, dont une sorte de Barbe-Bleue dans *Juliette ou la clef des songes* ou un trafiquant louche dans *Port du désir*. Sa haute stature lui permettait de ne pas passer inaperçu. Il s'est orienté ensuite vers la chanson.

Caven, Ingrid

Actrice et chanteuse allemande née en 1946.

1969, Liebe ist kälter als Tod (L'amour est plus froid que la mort) (Fassbinder), Götter der Pest (Fassbinder), Warum läuft Herr Amok ? (Fassbinder) ; 1970, Der amerikanische Soldat (Fassbinder), Warnung vor einer heiligen Nutte (Prenez garde à la sainte Putain) (Fassbinder) ; 1971, Der Handler der vier Jahreszeiten (Le marchand des quatre saisons) (Fassbinder), Der Tod der Maria Malibran (La mort de Maria Malibran) (Schroeter), Ludwig-Requiem für einen jungfraulichen König (Ludwig-Requiem pour un roi vierge) (Syberberg) ; 1972, Heute Nacht oder nie (Cette nuit ou jamais) (Schmid), Die Zartlichkeit des Wolfe (La tendresse des loups) (Lommel) ; 1973, Martha (Martha) (Fassbinder) ; 1974, La Paloma (La Paloma) (Schmid), 1-Berlin Harlem (1-Berlin Harlem) (Lambert) ; 1975, Faustrecht der Freiheit (Le droit du plus fort) (Fassbinder), Schatten der Angel (L'ombre des anges) (Schmid), Mutter Küsters fährt zum Himmel (Maman Küsters s'en va au ciel) (Fassbinder), Mes petites amoureuses (Eustache) ; 1976, Nea (Kaplan), Satansbraten (Le rôti de Satan) (Fassbinder) ; 1977, Violanta (Violanta) (Schmid), Despair (Despair) (Fassbinder) ; 1978, In einem Jahr mit 13 Munden (L'année des 13 lunes) (Fassbinder) ; 1980, Malou (Meerapfel) ; 1981, Looping (Bockmayer) ; 1982, Berlin-Harlem (Lambert), Der Tag der Idioten (Le jour des idiots) (Schroeter) ; 1986, L'araignée de satin (Baratier) ; 1992, Hors saison (Schmid), Ma saison préférée (Téchiné) ; 1995, Stille Nacht (Levy).

Sa voix prenante et sa sensualité en faisaient une prodigieuse Paloma. Elle est devenue l'une des actrices les plus remarquées du nouveau cinéma allemand en même temps qu'elle multiplie les tours de chant. Les paroles de l'une de ses chansons résument assez bien son personnage :

> Ich sing das Lied vom Glück
> Ich spiel das heitre Stück
> Ich male das Bild von der Frau
> Ich schreite durch das Licht
> Doch wirklich bin ich nicht
> Aber ich bin doch mich genau

(Je chante la chanson du bonheur/Je joue la représentation de la joie/je représente l'image de la femme/[...] mais je ne suis pas réelle.) Son mari, le Français Jean-Jacques Schuhl, lui a consacré un roman, *Ingrid Caven*, prix Goncourt 2000.

Caviziel, James ou Jim

Acteur américain né en 1968.

Principaux films : 1998, The Thin Red Line (La ligne rouge) (Malick) ; 2001, Angel Eyes (Angel Eyes) (Mndoki), The Count of Monte Cristo (La vengeance de Monte Cristo), Ride with the Devil (Chevauchée avec le diable (Ang Lee) ; 2002, High Crimes (Crime et pouvoir) (Franklin) ; 2003, The Final Cut (Final Cut) (Naim) ; 2004 Highwaymen (Highwaymen, la poursuite infernale) (Harmon), The Passion of the Christ (La passion du Christ) (Gibson) ; 2005, Madison (Madison) (Bindley), Deja vu (Déjà vu) (T. Scott).

Après avoir promené son physique avantageux dans quelques thrillers réussis, il est « découvert » dans *La ligne rouge*. Il fut un Christ convaincant dans la très sadique *Passion* de Gibson.

Cazale, John

Acteur américain, 1936-1978.

1972, The Godfather (Le parrain) (Coppola) ; 1974, The Godfather, part II (Le parrain II) (Coppola), The Conversation (Conversation secrète) (Coppola) ; 1975, Dog Day Afternoon (Un après-midi de chien) (Lumet) ; 1978, The Deer Hunter (Voyage au bout de l'enfer) (Cimino).

Carrière éclair pour cet acteur au physique chétif qui le prédestinait aux rôles de souffre-douleur. On se souvient notamment de son personnage de cambrioleur homosexuel, amant d'Al Pacino dans *Un après-midi de chien*. Il est fiancé avec Meryl Streep lorsqu'il est emporté par un cancer à la fin du tournage de *Voyage au bout de l'enfer*.

Ceccaldi, Daniel

Acteur et réalisateur français, 1927-2003.

1948, Le diable boiteux (Guitry) ; 1949, Maya (Bernard), Le jugement de Dieu (Bernard) ; 1950, Les miracles n'ont lieu qu'une fois (Allégret) ; 1951, Une histoire d'amour (Lefranc) ; 1952, Deux de l'escadrille (Labre), Un trésor de femme (Stelli), Les amours finissent à l'aube (Calef) ; 1954, Le fils de Caroline chérie (Devaivre), Mam'zelle nitouche (Allégret), La reine Margot (Dréville), Nana (Christian-Jaque), Frou-frou (Genina) ; 1955, La lumière d'en face (Lacombe), Les grandes manœuvres (Clair), Marie-Antoinette (Delannoy) ; 1956, La fille Elisa (Richebé), Club de femmes (Habib), Les aventures d'Arsène Lupin (Becker), Mannequins de Paris (Hunnebelle), Bonsoir Paris, bonjour l'amour (Baum) ; 1957, Miss Pigalle (Cam) ; 1959, Un témoin dans la ville (Molinaro) ; 1960, Le dialogue des carmélites (Agostini), Dans la gueule du loup (Dudrumet), La mort a les yeux bleus (ou Mourir d'amour) (Fog) ; 1961, Les amours célèbres (Boisrond) ; 1962, Le voyage à Biarritz (Grangier) ; 1963, Pouic pouic (Girault), L'appartement des filles (Deville), L'homme de Rio (Broca) ; 1964, La peau douce (Truffaut), Patate (Thomas), Coplan agent secret FX18 (Labro), Cent briques et des tuiles (Grimblat), Requiem pour un caïd (Cloche), Les gros bras (Rigaud) ; 1965, La grosse caisse (Joffe), Du rififi à Paname (La Patellière), La métamorphose des cloportes (Granier-Deferre), Le tonnerre de Dieu (La Patellière), Da 007 : intrigo a Lisbona (Demichell) ; 1966, Le facteur s'en va-t-en guerre (Aubert) ; 1968, Baisers volés (Truffaut), Pas folle la guêpe (Delannoy) ; 1969, L'ours et la poupée (Deville) ; 1970, Domicile conjugal (Truffaut) ; 1971, L'homme qui vient de la nuit (Dague) ; 1972, L'amour l'après-midi (Rohmer), Les zozos (Thomas), Le complot (Grainville), Trop jolies pour être honnêtes (Balducci) ; 1973, Pleure pas la bouche pleine (Thomas), OK Patron (Vital), Amore (Chapier), A nous quatre cardinal/Les Charlots mousquetaires (Hunebelle), La chute d'un corps (Polac), Le concierge (Girault), France SA (Corneau) ; 1974, Le chaud lapin (Thomas), Un divorce heureux (Henning-Carisen), C'est jeune et ça sait tout (Mulot), Dis-moi que tu m'aimes (Boisrond) ; 1975, Le téléphone rose (Molinaro), L'incorrigible (Broca) Les grands moyens (Cornfield) ; 1976, Le chasseur de chez Maxim's (Vital), Le jouet (Veber) ; 1977, Le maestro (Vital), Mort d'un pourri (Lautner), Un oursin dans la poche (Thomas), L'hôtel de la plage (Lang) ; 1978, Ils sont fous ces sorciers (Lautner), La ballade des Dalton (Morris et Goscinny), Le temps des vacances (Vital), Confidences pour confidences (Thomas) ; 1979, Charles et Lucie (Kaplan) Tous vedettes ! (Lang) ; 1980, Une merveilleuse journée (Vital), Celles qu'on n'a pas eues (Thomas), Les Plouffe (Carle) ; 1981, Pour la peau d'un flic (Delon) ; 1982, Le braconnier de Dieu (Darras), Ça va faire mal (Davy) ; 1983, Adieu foulards (Lara) ; 1985, L'amour en douce (Molinaro) ; 1989, Les maris, les femmes, les amants (Thomas), The Mad Monkey (Trueba) ; 1996, Liberté chérie (sketch « Liberté chérie », Gaget) ; 1997, Barbara (Malmros), Dieu seul me voit (Podalydès), Un grand cri d'amour (Balasko) ; 1998, La vie ne me fait pas peur (Lvovsky) ; 1999, Le fils du Français (Lauzier) ; 2001, Le vélo de Ghislan Lambert (Harel) ; 2003, Elle est des nôtres (Alnog). *Pour le metteur en scène, voir le Dictionnaire du cinéma*, t. I : *Les réalisateurs.*

D'excellentes études (droit et lettres) interrompues par une vocation théâtrale impérative. Cours d'art dramatique du Vieux Colombier et nombreuses comédies ; puis radio et cabaret. Beaucoup de télévision. Au cinéma Daniel Ceccaldi, tout en tournant beaucoup, n'a vraiment percé qu'avec Pascal Thomas qui l'a utilisé, avec bonheur, dans la plupart de ses films. Il y est généralement un Français moyen, un peu dépassé par les événements. Sa silhouette s'était vite imposée, au point d'en faire une vedette. Disparu trop tôt.

Célarié, Clémentine

Actrice française, de son vrai prénom Meryem, née en 1957.

1983, Garçon ! (Sautet) ; 1984, La vengeance du serpent à plumes (Oury), Paroles et musique (Chouraqui) ; 1985, Le téléphone sonne toujours deux fois (Vergne), Les nanas (Lanoë), Blanche et Marie (Renard), La gitane (Broca) ; 1986, Justice de flic (Gérard), Moi vouloir toi (Dewolf), 37°2 le matin (Beineix), Le complexe du kangourou (Jolivet), La femme secrète (Grall) ; 1987, La vie dissolue de Gérard Floque (Lautner), De sable et de sang (Labrune) ; 1988, Sanguines (François) ; 1989, Nocturne indien (Corneau), Le silence d'ailleurs (Mouyal) ; 1990, Génial, mes parents divorcent (Braoudé) ; 1992, Les années campagne (Leriche), Les nuits fauves (Collard), Abracadabra (Cleven), Vent d'est (Enrico) ; 1993, Toxic Affair (Esposito), La vengeance d'une blonde (Szwarc), Les braqueuses (Salomé) ; 1994, A cran (Martin), Les misérables (Lelouch), Le cri du cœur (Ouedraogo) ; 1995, XY (Lilienfeld) ; 1996, Les sœurs Soleil (Szwarc) ; 2000, Du côté des filles (Decaux-Thomelet) ; 2001, Reines d'un jour (Vernoux), The Lawless Heart (Husinger, Hunter) ; 2003, Mauvais esprit (Alessandrin).

Des personnages féminins qui retiennent toujours l'attention.

Celi, Adolfo

Acteur italien, 1922-1986.

Principaux films : 1945, Un Americano in vacanza (Zampa) ; 1963, L'homme de Rio (Broca) ; 1965, Thunderball (Opération Tonnerre) (Young) ; 1976, Amici miei (Mes chers amis) (Monicelli) ; E venne un uomo (Olmi).

Metteur en scène de théâtre (il a dirigé également au cinéma en 1969 *L'alibi*), il s'est imposé dans la comédie italienne par sa carrure et sa prestance.

Cellier, Caroline

Actrice française née en 1946.

1965, La tête du client (Poitrenaud) ; 1969, La vie, l'amour, la mort (Lelouch), Que la bête meure (Chabrol) ; 1971, Les aveux les plus doux (Molinaro) ; 1973, L'emmerdeur (Molinaro) ; 1974, Mariage (Lelouch) ; 1977, Une femme un jour (Kiegel), Les fougères bleues (Sagan) ; 1980, Certaines nouvelles (Davila) ; 1982, Surprise-Party (Vadim), Mille milliards de dollars (Verneuil), P'tit con (Lauzier) ; 1984, Femmes de personne (Frank) ; 1985, L'année des méduses (Frank), Poulet au vinaigre (Chabrol) ; 1986, Grand guignol (Marbœuf) ; 1987, Poker (Corsini), Charlie Dingo (Behat), Vent de panique (Stora) ; 1991, La contre-allée (Sebastian), Le zèbre (Poiret) ; 1993, Délit mineur (Girod) ; 1994, Farinelli (Corbiau) ; 1996, Hommes, femmes, mode d'emploi (Lelouch), L'élève (Schatzky), Didier (Chabat) ; 1997, Le plaisir (et ses petits tracas) (Boukhrief) ; 2006, Jean-Philippe (Tuel) ; 2007, Fragile(s) (Valente).

Éblouissante dans *L'année des méduses*, où elle volait – presque – la vedette à Valérie Kaprisky, elle a été l'actrice fétiche de Lelouch, de Frank et de Chabrol, dans l'univers desquels elle s'intègre parfaitement, après avoir fait des débuts remarqués au théâtre.

Cervi, Gino

Acteur italien, 1901-1974.

1932, L'armata azzurra (Righelli) ; 1934, Frontière (Meano) ; 1935, Aldebaran (Blasetti), Amore (Bragaglia) ; 1936, I due sergenti (Les deux sergents) (Guazzoni) ; 1937, Ettore Fieramosca (Blasetti), Gli uomini non sono ingrati (Brignone), L'argine (Errico) ; 1938, Voglio vivere con letizia (Mastrocinque), I figli del marchese Lucera (Palermi), Inventiamo l'amore (Mastrocinque) ; 1940, Un' avventura di Salvatore Rosa (Blasetti), La corona di ferro (La couronne de fer) (Blasetti), Melodie eterne (Gallone), La peccatrice (Palermi), Una romantica avventura (Camerini), I sogni di tutti (Biancoli) ; 1941, I promessi sposi (Camerini), La regina di Navarra (Gallone), L'ultimo addio (Cerlo) ; 1942, Quarta pagina (Manzari), Don Cesare di Bazan (Freda), Quatro passi fra le nuvole (Quatre pas dans les nuages) (Blasetti), Acque di primavera (Malasomma), Gente dell'aria (Pratelli) ; 1943, Nessuno torna indietro (Blasetti), Che distanta famiglia (Bonnard), T'amero sempre (Camerini), La locandiera (Chiarini), Tristi amori (Gallone) ; 1944, Quartetto pazzo (Salvini), Vivere ancora (Gianini) ; 1945, Le miserie del signor Travet (Soldati), Maliak (Amato), Lo sbaglio di essere vivo (Bragaglia) ; 1946, Umanita (Bragaglia), L'angelo e il diavolo (Camerini), Cronaca nera (Bianchi), Un uomo ritorna (Un homme revient) (Neufeld), Aquila nera (L'aigle noir) (Freda), Daniele Cortis (Soldati), Furia (Alessandrini) ; 1947, I miserabili – 1° episodio : La caccia all'uomo, 2° episodio : Tempesta su Parigi (L'évadé du bagne) (Freda) ; 1948, Guglielmo Tell (Les aventures de Guillaume Tell) (Pastino), Anna Karenine (Duvivier), Fabiola (Blasetti) ; 1949, La fiama che non si spegne (Cottafavi), Yvonne la nuit (Amato), La passione secondo san Matteo (La passion selon saint Matthieu) (Marischka), Il cielo e rosso (Le ciel est rouge) (Gora), La sposa non puo attendere (La mariée ne peut attendre) (Franciolini), Le indesirabili donne sensa nome (Femmes sans nom) (Radvanyi) ; 1950, La scogliera del peccato (Montero), Sigillo rosso (Calzavaro), Il caimano del Piave (Bianchi), Il Cristo proibito (Le Christ interdit) (Malaparte), Moglie per una notte (Une femme pour une nuit) (Camerini) ; 1951, Cameriera bella presenza offresi (Pastina), OK Nerone (OK Neron) (Soldati), Tre storie proibite (Histoires interdites) (Genina), Le petit monde de Don Camillo (Duvivier) ; 1952, La regina di Saba (La reine de Saba) (Francisci), La signora senza camelie (La dame sans camélias) (Antonioni), Stazione termini (Station terminus) (De Sica), La dame aux camélias (Bernard), Le retour de Don Camillo (Duvivier) ; 1953, Addio mia bella signora (Cerchio), Maddalena (Une fille appelée Madeleine) (Genina), Les trois mousquetaires (Hunebelle), Si Versailles m'était conté (Guitry), Nerone e Messalina (Néron, tyran de Rome) (Zeglio) ; 1954, Cavallina Storna (Morelli), Una donna libera (Femmes libres) (Cottafavi), Il cardinale Lambertini (Pastina), Napoléon (Guitry) ; 1955, Il coraggio (Paolollа), Gli innamorati (Les amoureux) (Bolognini), Non c'e amore piu'grande (Il n'y a pas de plus grand amour) (Bianchi), Froufrou (Genina), Don Camillo e l'onorevole Peppone (La grande bagarre de Don Camillo) (Gallone) ; 1956, Beatrice Cenci (Le château des amants maudits) (Freda), Moglie e buoi (De Mitri), Guardia, guardia scelta, brigadiere e maresciallo (Bolognini), Amanti del deserto (Le fils du cheik) (Cerchio) ; 1957, Agguato a Tangeri (Guet-apens à Tanger) (Freda), Amore e chiacchiere (Blasotti), Ragazze delle nuvole (Costa) ; 1958, Le grand chef (Verneuil) ; 1959, The Naked Maja (La maja nue) (Koster) ; 1960, Herrin der Welt (Les mystères d'Angkor) (Dieterle), La lunga notte del 43 (La longue nuit de 43) (Vancini), Femmine di lusso (Bianchi), L'assedio di Siracusa (La charge de Syracuse) (Francisci), La rivolta degli schiavi (La révolte des esclaves) (Malasomma) ; 1961, Geheimaktion schwarze Kapelle (R.P.Z. appelle Berlin) (Habib), Anni ruggenti (Les années rugissantes) (Zampa), Gli attendenti (Bianchi), Dieci Italiani per un Tedesco (La furie des SS) (Ratti), Un figlio d'oggi (Girolami/Graziano), Le crime ne paie pas (Oury), Che gioia vivere (Quelle joie de vivre) (Clément), Don Camillo monsignore ma non troppo (Don Camillo monseigneur) (Gallone) ; 1962, Avanti la musica (En avant la musique) (Bianchi), La smania addosso (Viol à l'italienne) (Andrei), Il giorno piu'corto (Le jour le plus court) (Corbucci), Monaca di Monza (La religieuse de Monza) (Gallone) ; 1963, Le bon roi Dagobert (Chevalier) ; 1964, Becket (Glenville), Volles Herz und leere Taschen (Un cœur plein et les poches vides) (Mastrocinque) ; 1965, Il compagno don Camillo (Don Camillo en Russie) (Comencini) ; 1966, Maigret à Pigalle (Landi) ; 1972, I racconti romani di Pietro l'Aretino (Tosini), Uccidere in silenzio (Rolando).

Fils d'un critique théâtral, il fait ses débuts sur scène en 1924 dans la troupe d'Alda Borelli puis joue dans celle de Pirandello. Au cinéma il sera associé au grand essor du cinéma fasciste (notamment *La couronne de fer*), mais il fait partie aussi de la distribution du premier film néoréaliste, *Quatre pas dans les nuages*. Tout en continuant une activité théâtrale, il poursuit sa carrière cinématographique. La série des Don Camillo (où il est Peppone, le communiste) lui vaut une grande célébrité. Son fils est devenu producteur, notamment de *Maigret à Pigalle* où Gino Cervi est Maigret.

Cervo, Pascal

Acteur français né en 1977.

1993, Les amoureux (Corsini) ; 1995, A toute vitesse (Morel) ; 1996, Jeunesse sans Dieu (Corsini) ; 1997, Plus qu'hier, moins que demain (Achard) ; 1998, Praha ocima (Benki, Pavlatova, Sulik...) ; 1999, Peau d'homme, cœur de bête (Angel).

Découvert par Catherine Corsini qui lui confie le rôle principal des *Amoureux*, on attend toujours beaucoup de ce jeune comédien exigeant, à fleur de peau.

Chabat, Alain : cf. Nuls (Les).

Chakiris, George

Acteur américain né en 1933.

1947, Song of Love (Passion immortelle) (Brown) ; 1951, The Great Caruso (Le grand Caruso) (Thorpe) ; 1953, The 5 000 Fingers of Dr. T. (Rowland), Gentlemen Prefer Blondes (Les hommes préfèrent les blondes) (Hawks) ; 1954 ; White Christmas (Noël blanc) (Curtiz), There's No Business Like Show Business (La joyeuse parade) (W. Lang), Brigadoon (Brigadoon) (Minnelli) ; 1955, The Girl Rush (Pirosh) ; 1956, Meet Me in Las Vegas (Rowland) ; 1957, Under Fire (Clark) ; 1961, West Side Story (West Side Story) (Wise) ; 1962, Two and Two Make Six (Francis), Diamond Head (Green) ; 1963, Kings of the Sun (Les dieux du soleil) (Lee-Thompson), La ragazza di Bube (Comencini) ; 1964, 633 Squadron (Grauman) ; 1965, Paris brûle-t-il ? (Clément) ; On a volé la Joconde (Deville) ; 1966, McGuire Go Home (Thomas) ; 1967, Les demoiselles de Rochefort (Demy), Le trouble à deux faces (Perier) ; 1968, Sharon vestida de rojo (Lorente) ; 1969, The Big Cube (Davison) ; 1979, Why Not Stay for Breakfast ? (T. Marcel) ; 1990, Pale Blood (Hsu/Leighton).

D'origine grecque, il suit longtemps des cours d'art dramatique et de danse. Des petits rôles à l'écran, puis, Robbins ayant besoin de comédiens-danseurs, il est engagé pour *West Side Story* qui le rend célèbre et lui vaut un oscar. Demy l'invite en France pour acclimater la comédie musicale sous nos latitudes : ce seront *Les demoiselles de Rochefort*. Depuis 1970, le chanteur semble l'avoir emporté en lui sur le comédien.

Chamarat, Georges

Acteur français, 1901-1982.

1929, Bateaux parisiens (M. Gorel) ; 1938, La belle revanche (Mesnier) ; 1939, Le président Haudecœur (Dréville) ; 1941, L'assassinat du Père Noël (Christian-Jaque), Annette et la dame blonde (Dréville) ; 1942, La main du diable (Tourneur) ; 1943, Au bonheur des dames (Cayatte), La ferme aux loups (Pottier), Pierre et Jean (Cayatte) ; 1944, Les caves du Majestic (Pottier) ; 1945, Son dernier rôle (Gourguet) ; 1946, La septième porte (Zwobada) ; 1948, L'école buissonnière (Le Chanois), Les dieux du dimanche (Lucot) ; 1950, Meurtres (Pottier) ; 1951, Une histoire d'amour (Lefranc), Barbe-Bleue (Christian-Jaque), Deux sous de violette (Anouilh), Les mains sales (Rivers), Massacre en dentelles (Hunebelle), Trois femmes (Michel) ; 1952, Adorables créatures (Christian-Jaque), Il est minuit, docteur Schweitzer (Haguet), Coiffeur pour dames (Boyer), La jeune folle (Y. Allégret), Le boulanger de Valorgue (Verneuil) ; 1953, Mam'zelle Nitouche (Y. Allégret), Les trois mousquetaires (Hunebelle),

Julietta (M. Allégret), Si Versailles m'était conté (Guitry), Les fruits sauvages (Bromberger) ; 1954, Les diaboliques (Clouzot), Cadet Rousselle (Hunebelle), Le mouton à cinq pattes (Verneuil), Le village magique (Le Chanois), Les amants du Tage (Verneuil), Le printemps, l'automne et l'amour (Grangier) ; 1955, La meilleure part (Y. Allégret), La Madelon (Boyer), Chantage (Lefranc) ; 1956, Le couturier de ces dames (Boyer), Mannequins de Paris (Hunebelle), Le salaire du péché (La Patellière), En effeuillant la marguerite (M. Allégret), La roue (Haguet), C'est arrivé à Aden (Boisrond), La fille Elisa (Richebé), Les aventures d'Arsène Lupin (Becker), Till l'Espiègle (Ivens), Paris Palace Hôtel (Verneuil) ; 1957, Premier Mai (Saslavsky), Sénéchal le Magnifique (Boyer) ; 1958, Le bourgeois gentilhomme (Meyer), Le miroir à deux faces (Cayatte), Le petit prof' (Rim), La moucharde (Lefranc), Le grand chef (Verneuil) ; 1959, Les frangines (Gourguet), Le mariage de Figaro (Meyer) ; 1960, La Française et l'amour (Clair, etc.), Le passage du Rhin (Cayatte), Il ladro di Bagdad (Lubin) ; 1961, La traversée de la Loire (Gourguet), Maléfices (Decoin) ; 1962, L'assassin est dans l'annuaire (Joannon) ; 1963, Du grabuge chez les veuves (Poitrenaud), Hardi Pardaillan (Borderie), Les mystères de Paris (Hunebelle), Arsène Lupin contre Arsène Lupin (Molinaro) ; 1965, Up from the Beach (Le jour d'après) (Parrish), La métamorphose des cloportes (Granier-Deferre) ; 1966, Martin soldat (Deville) ; 1973, Na (J. Martin) ; 1975, La grande récré (Pierson) ; 1976, L'aile ou la cuisse (Zidi) ; 1978, La raison d'État (Cayatte) ; 1979, Les phallocrates (Pierson) ; 1980, Ras le cœur (Colas).

Conservatoire, Odéon, Comédie-Française. Au cinéma, des seconds rôles seulement, ceux du Français moyen, lâche et prétentieux, veule et hargneux. Il y fut admirable : que l'on pense au père avachi de Daniel Gélin dans *Une histoire d'amour* ou à M. Bonacieux dans *Les trois mousquetaires* ou encore à l'inspecteur des magasins dans *Au bonheur des dames*. Mais c'est le théâtre qui lui tenait à cœur et l'on peut juger de ce qu'il lui apporta à travers les spectacles de la Comédie-Française filmés par Jean Meyer.

Chamberlain, Richard

Acteur australien né en 1931.

1960, The Secret of the Purple Reef (Witney) ; 1961, A Thunder of Dreams (Tonnerre Apache) (Newman) ; 1964, Joy in the Morning (Segal) ; 1968, Petulia (Lester) ; 1969, Madwoman of Chaillot (La folle de Chaillot) (Forbes) ; 1970, The Music Lovers (Music Lovers) (Russell), Julius Caesar (Barge) ; 1972, Lady Caroline Lamb (Bolt) ; 1973, The Three Musketeers (Les trois mousquetaires) (Lester) ; 1974, The Four Musketeers (On l'appelait Milady) (R. Lester), The Towering Inferno (La tour infernale) (Guillermin) ; 1976, The Slipper and the Rose (Forbes) ; 1977, The Last Wave (La dernière vague) (Weir) ; 1978, The Swarm (L'inévitable catastrophe) (Allen) ; 1980, Shogun (London) ; 1982, Murder by the Phone (Anderson) ; 1985, King Salomon's Mines (Allan Quatermain et les mines du roi Salomon) (Lee-Thompson) ; 1987, Allan Quatermain and the Lost City of Gold (Allan Quatermain et la cité de l'or perdu) (Nelson) ; 1988, The Return of the Musketeers (Le retour des mousquetaires) (Lester) ; 1994, Bird of Prey (Lopez) ; 1997, River Made to Drown In (Merendino) ; 2007, I Now Pronounce You Chuck and Larry (Dugan).

Il doit l'essentiel de sa célébrité au feuilleton télévisé « Les oiseaux se cachent pour mourir ». D'abord peintre, puis acteur de second plan dans des westerns, il a été un fort convaincant Allan Quatermain dans *Les mines du roi Salomon*.

Champion, Jean

Acteur français, 1914-2001.

1943, L'homme de Londres (Decoin) ; 1944, Les enfants du paradis (Carné) ; 1955, Marie-Antoinette (Delannoy) ; 1961, Cléo de 5 à 7 (Varda) ; 1962, Muriel (Resnais), The Longest Day (Le jour le plus long) (Annakin, Zanuck...) ; 1963, Le journal d'un fou (Coggio), La foire aux cancres (Daquin), Les parapluies de Cherbourg (Demy) ; 1964, Monsieur (Le Chanois), Le train (Granier-Deferre) ; 1966, Le voleur (Malle) ; 1967, Mise à sac (Cavalier) ; 1969, La chasse royale (Leterrier) ; 1970, Le cercle rouge (Melville) ; 1971, La cavale (Mitrani) ; 1972, L'invitation (Goretta), Les caïds (Enrico), La nuit américaine (Truffaut) ; 1973, The Day of the Jackal (Chacal) (Zinnemann) ; 1974, Le fantôme de la liberté (Buñuel) ; 1975, Section spéciale (Costa-Gavras), Monsieur Klein (Losey) ; 1977, March or Die (Il était une fois... la Légion) (Richards), Le crabe-tambour (Schoendoerffer), L'honorable société (Weinberger) ; 1978, Le sucre (Rouffio), L'état sauvage (Girod) ; 1979, Retour en force (Poiré), Félicité (Pascal) ; 1980, Une robe noire pour un tueur (Giovanni), Viens chez moi, j'habite chez une copine (Leconte) ; 1981, Coup de torchon (Tavernier), Le maître d'école (Berri), Les fantômes du chapelier (Chabrol), Les jeux de la comtesse Dolingen de Gratz (Binet) ; 1984, L'amour à mort (Resnais), Le sang des autres (Chabrol) ; 1987, Bernadette (Delannoy) ; 1989, I want to go home (Resnais), La vie et rien d'autre (Tavernier) ; 1994, Les anges gardiens (Poiré).

Des rôles de vieux messieurs tout en finesse, avec une mention spéciale pour sa composition de chef de bureau bourru et intransigeant qui se révèle lors d'un week-end à la campagne entre collègues. Un film (*L'invitation*, de Claude Goretta) à redécouvrir.

Chan, Jackie

Acteur et réalisateur de Hong Kong, de son vrai nom Yan Lou, né en 1954.

(Pour plus de compréhension, les titres donnés, originellement en chinois, le sont ici en anglais.) 1961, Big and Little (Wong Tin-bar) ; 1963, Eternal Love (Li Han-xiang), The Story of Giu (Xiang Lin) ; 1971, The Little Tiger of Canton (Le jeune tigre) (Haiang Tzu et Chu Mu) ; 1973, No Scared to Die ; 1974, The Golden Lotus (Li Han-xiang) ; 1975, Hand of Death / Countdown in Kung-Fu (Woo), All in the Family (Chu Mu) ; 1976, The New Fist of Fury (La nouvelle fureur de vaincre) (Lo Wei), Shaolin Wooden Men (L'impitoyable) (Lo Wei) ; 1977, Killer Meteor (La mission fantastique) (Chu Yun-Ping), Shake and Crane, Art of Shaolin (Le magnifique) (Chan Chi-Hwa), Half a Loaf of Kung-Fu (Le protecteur) (Chan Chi-Hwa) ; 1978, Spiritual Kung-Fu (L'irrésistible) (Lo Wei), To Kill With Intrigue (Le vengeur) (Lo Wei), Snake in the Eagle's Shadow (Le Chinois se déchaîne) (Yuen Woo Ping), Dragon Fist (Le poing de la vengeance) (Lo Wei) ; 1979, Drunken Monkey in the Tiger's Eye (Le maître chinois) (Yuen Woo Ping), The Fearless Hyena (La hyène intrépide) (Chan), The Fearless Hyena 2 (Le cri de la hyène) (Chan) ; 1980, Battle Creek Brawl (Le Chinois) (Clouse), The Young Master (La danse du lion) (Chan) ; 1981, The Cannonball Run (Cannonball) (Needham) ; 1982, Dragon Lord (Chan) ; 1983, Boom ! Boom ! (Cheung Tung Joe), First Mission (Samo Hung), The Cannonball Run 2 (Cannonball 2) (Needham), My Lucky Stars (Le flic de Hong Kong) (Samo Hung) ; 1984, The Protector (Le retour du Chinois) (Glickenhaus), Winners and Sinners (Le gagnant) (Samo Hung) ; 1985, Twinkle Twinkle Lucky Stars (Le flic de Hong-Kong 2) (Samo Hung), Project A (Le marin des mers de Chine) (Chan), Wheels On Meals (Soif de justice) (Samo Hung) ; 1986, Police Story (Police Story) (Chan), Armour of God (Mister Dynamite) (Chan), Dragons Forever (Samo Hung) ; 1987, Police Story 2 (Police Story 2) (Chan) ; 1988, Project A n° 2 (Chan) ; 1989, The Miracle (Big brother) (Chan) ; 1990, The Armour of God 2 : Operation Condor (Opération Condor) (Chan), Island of Fire (Chu Yen Ping) ; 1991, Twin Dragons (Hark et Lam), City Hunter (Wong Ching) ; 1992, Supercop (Police story 3) (Tong) ; 1993, Crime Story (Wong) ; 1994, Rumble in the Bronx (Jackie Chan dans le Bronx) (Tong), Drunken Master II (Lau Karleung), City Hunter (Jing) ; 1995, Thunderbolt (CG. Chan) ; 1996, First Strike (Contre-attaque) (Tong), Mr. Nice Guy (Mr. Cool) (Hung) ; 1997, An Alan Smithee Film — Burn Hollywood Burn (An Alan Smithee Film) (Hiller, sous le pseudonyme de Smithee) ; 1998, Ngo hai sui (Chan), Rush Hour (Rush Hour) (Ratner), Bolei Cheun (Kuk) ; 1999, Shanghai Noon (Shanghai Kid) (Dey) ; 2001, Rush Hour 2 (Ratner) ; 2002, The Tuxedo (Le smoking) (Donovan) ; 2003, The Accidental Spy (Espion amateur) (Chen), Around the World in 80 Days (Le tour du monde en 80 jours) (Coraci), The Medallion (Le médaillon) (G. Chan) ; 2004, Come Drink with Me (L'Hirondelle d'or) (Hu) ; 2005, San Gin chaat goo si (New Police Story) (B. Chan). *Pour le metteur en scène*, voir le *Dictionnaire du cinéma*, t. I : *Les réalisateurs*.

Fils unique d'une famille de condition modeste, il entre à l'école de l'Opéra de Pékin à l'âge de sept ans. C'est là qu'il acquerra sa légendaire souplesse et sa maîtrise totale des arts martiaux, dont il deviendra le prince sous le règne de Bruce Lee, puis le roi à la mort de ce dernier. Réalisateur, producteur, scénariste, acteur/cascadeur de la plupart de ses films, c'est une immense star dans toute l'Asie. Les scénarios ne valent en général pas grand-chose mais c'est bien sûr l'action, et souvent l'humour, qui priment avec lui.

Chandler, Jeff

Acteur américain, 1918-1961.

1947, Johnny O'Clock (L'heure du crime) (Rossen), The Invisible Wall (E. Forde), Roses are Red (Tingling) ; 1949, Mr. Belvedere Goes to College (M. Belvédère au collège) (Nugent), Sword in the Desert (La bataille des sables) (G. Sherman), Abandoned (Newman) ; 1950, Broken Arrow (La flèche brisée) (Daves), Two Flags West (Wise), Deported (Siodmak), Bird of Paradise (L'oiseau du Paradis) (Daves), Smuggler's Island (Les pirates de Macao) (Ludwig), Iron Man (Pevney) ; 1952, Flame of Araby (Lamont), Battle at Apache Pass (Au mépris des lois) (G. Sherman), Because of You (Pevney), Red Ball Express (Les conducteurs du diable) (Boeticher), Yankee Buccaneer (Les boucaniers de la Jamaïque) (De Cordova) ; 1953, East of Sumatra (A l'est de Sumatra) (Boetticher), The Great Sioux Uprising (L'aventure est à l'Ouest) (Bacon), War Arrow (A l'assaut du Fort Clark) (Sherman) ; 1954, Yankee Pasha (Pevney), Sign of the Pagan (Le signe du païen) (Sirk) ; 1955, Foxfire (La muraille d'or) (Pevney), Female on the Beach (La maison sur la plage) (Pevney) ; 1956, The Spoilers (Les forbans) (Hibbs), Toy Tiger (Hopper), Away All Boats (Brisants humains) (Pevney), Pillars of the Sky (Les piliers du ciel) (Marshall) ; 1957, Drango (Le pays de la haine) (Bartlett), The Tattered Dress (Arnold), Jeanne Eagels (Un seul amour) (Sidney) ; 1958, Raw Wind in Eden (Orage au paradis) (Wilson), Man in the Shadow (Le salaire du diable) (Arnold), The Lady Takes a Flyer (Madame et son pilote) (Arnold) ; 1959, Ten Seconds to Hell (Tout près de Satan) (Aldrich), Stranger in My Arms (Kautner), Thunder in the Sun (La caravane vers le soleil) (Rouse), The Jayhawkers (Violence au Kansas) (Franck) ; 1960, The Plunderers (La rançon de la peur) (Pevney) ; 1961, Return to Peyton Place (J. Ferrer), Merrill's Marauders (Les maraudeurs attaquent) (Fuller).

Chevelure grisonnante, yeux clairs, contact franc et direct : Chandler fut, après son interprétation de Cochise dans *La flèche brisée*, voué aux rôles de chefs indiens au noble comportement (Hollywood les réhabilitant dans les années 50) ou aux justiciers purs et durs. Surtout vedette de l'Universal, il n'eut droit que rarement aux gros budgets et de ce fait demeura moins connu que d'autres stars.

Chaney, Lon

Acteur et réalisateur américain, 1883-1930.

1913, Poor Jake's Demise, The Sea Urchin, The Trap, Back To Life, Almost an Actress, Bloodhounds of the North ; 1914, The Lie, The Honor of the Mounted, Discord and Harmony, The Embezzler, The Lamb, The Woman, The Wolf, The Forbidden Room, The Oubliette, Richelieu, The Pipes of Pan, Lights and Shadows, A Night of Thrills ; 1915, The Star of the Sea, Threads of Fate, The Measure of a Man, Such Is a Life, The Grind, The Violin Maker (Chaney), The Trust (Chaney), Mountain Justice, The Chimney's Secret (Chaney), The Fascination of the Fleur de Lys, The Millionaire Paupers, A Mother's Atonement, Stronger Than Death, Father and the Boys ; 1916, The Grip of Jealousy, Tangled Hearts, The Gilded Spider, Bobbie of the Ballet, The Grasp of Greed, The Mark of Cain, If My Country Should Call, The Place Beyond the Winds, The Price of Silence ; 1917, Hell Morgan's Girl, A Doll's House, Fires of Rebellion, Vengeance of the West, The Rescue, Bondage, Triumph (De Grasse) ; 1918, The Grand Passion, Broadway Love, The Kaiser, Beast of Berlin, Fast Company, A Broadway Scandal, Riddle Gawne, That Devil Bateese, The Talk of the Town, Danger, Go Slow ; 1919, Victory (Le secret du bonheur) (Tourneur), When Bearcat Went Dry (Sellers), The Miracle Man (Le Miracle) (Tucker), The Wicked Darling (Fleur sans tache) (Browning), False Faces (Willat), A Man's Country (Kolker) ; 1920, Darevil Jack (Van Dyke), Treasure Island (L'île au trésor) (Tourneur), The Gift Supreme (Sellers), Nomads of the North (Hartford), The Penalty (Satan) (Worsley) ; 1921, Outside the Law (Révoltée) (Browning), For Those We Love (Adieu, sœurette) (Rosson), Bits of Life (Neilan), The Ace of Hearts (Worsley) ; 1922, A Blind Bargain (Le rival des dieux) (Worsley), The Trap (Thornby), Voices of the City (Le prince des ténèbres) (Worsley), Flesh and Blood (Cœur de père) (Cummings), The Light in the Dark (Brown), Oliver Twist (Lloyd), Shadows (Le repentir) (Forman), Quincy Adams Sawyer (Badger) ; 1923, All the Brothers Were Valiant (La force du sang) (Willat), The Hunchback of Notre-Dame (Notre-Dame de Paris) (Worsley), While Paris Sleeps (Dans la ville endormie) (Tourneur), The Shock (Hillyer) ; 1924, The Next Corner (Wood), He Who Gets Slapped (Larmes de clown) (Sjöström) ; 1925, The Monster (Docteur X) (West), The Unholy Three (Le club des trois) (Browning), The Phantom of the Opera (Le fantôme de l'Opéra) (R. Julian), The Tower of Lies (Sjöström) ; 1926, The Black Bird (L'oiseau noir) (Browning), The Road to Mandalay (La route de Mandalay) (Browning) ; 1927, Mr. Wu (Monsieur Wu) (Nigh), Tell It to the Marines (Marine d'abord !) (Hill), The Unknown (L'inconnu) (Browning), London After Midnight (Londres après minuit) (Browning), Mockery (Christensen) ; 1928, The Big City (Le loup de soie noire) (Browning), Laugh Clown Laugh (Ris donc, Paillasse) (Brennon), While the City Sleeps (Dans la ville endormie) (Conway), West of Zanzibar (Le talion) (Browning) ; 1929, Where East Is East (Loin vers l'est) (Browning), Thunder (Tonnerre) (Nigh) ; 1930, The Unholy Three (Conway). *Comme réalisateur* : 1915, The Stool Pigeon, For Cash, The Cyster Dredger, The Violin Maker, The Trust, The Chimney's Secret.

L'un des plus grands acteurs du muet. En 1957, un film lui fut consacré, *The Man of a Thousand Faces* (L'homme aux mille visages) ! Ce titre lui convenait parfaitement : il fut Quasimodo et le Fantôme de l'Opéra (au masque particulièrement horrible), l'amiral von Tirpitz et le mystérieux Chinois M. Wu ; on le vit manchot et paralytique, pirate (Pew dans *L'île au trésor*) et homme du monde, gangster et policier. Né de parents sourds-muets, il mourut des suites d'une maladie provoquée par un maquillage. Il fut surtout remarquable dans les films que dirigea Tod Browning ; mais il dirigea lui-même certains films (il n'y paraît pas toujours) ; c'est par exemple le cas de *The Stool Pigeon, For Cash* et *The Oyster Dredger* en 1915.

Chaney Jr., Lon

Acteur américain, 1905-1973.

1932, Girl Crazy (Seiter), Bird of Paradise (L'oiseau de Paradis) (Vidor), Last Frontier (Bennet) ; 1933, Scarlet River, Lucky Devils (Ince), The Three Musketeers (Schaeffer et Clarck) ; 1934, Sixteen Fathoms Deep (Schaeffer) ; 1935, Accent on Youth (Ruggles), Captain Hurricane (Robertson) ; 1936, The Rosebowl (Barton), Ace Drummond (Beebe et Smith), The Singing Cowboy (Wright) ; 1937, Secret Agent X-9 (Beebe et Smith), Charlie Chan on Broadway (Ford), Second Honeymoon (Lang), Slave Ship (Le dernier négrier) (Garnett) ; 1938, Submarine Patrol (Patrouille en mer) (Ford), Alexander's Ragtime (La folle parade) (King), Mr. Moto's Gamble (M. Moto sur le ring) (Tinling), Road Demon (Brower), Passport Husband (Tinling) ; 1939, Jesse James (Le brigand bien-aimé) (King), Union Pacific (Pacific-Express) (DeMille), Frontier Marshall (Dwan), Charlie Chan in the City of Darkness (Leeds) ; 1940, Of Mice and Men (Des souris et des hommes) (Milestone), One Million BC (Tumak fils de la jungle) (Roach), North West Mounted Police (Les tuniques écarlates) (DeMille) ; 1941, Man-Made Monster (L'échappé de la chaise électrique) (Waggner), San Antonio Rose (Lamont), The Wolf Man (Le loup-garou) (Waggner), Billy the Kid (Le réfractaire) (Miller) ; 1942, The Ghost of Frankenstein (Le spectre de Frankenstein) (Kenton), The Mummy's Tomb (H. Young), North to the Klondike (Kenton) ; 1943, Son of Dracula (le fils de Dracula) (Siodmak), Frankenstein Meets the Wolf Man (Frankenstein rencontre le loup-garou) (Neill), Eyes of the Underworld (Neill), Calling Dr Death (Le Borg), Crazy House (Cline) ; 1944, Cobra Woman (Le signe du cobra) (Siodmak), Ghost Catchers (Cline), Weird Woman (Le Borg), The Mummy's Ghost (Le fantôme de la momie) (Le Borg), Dead Man's Eyes (Le Borg) ; 1945, The Dalton Ride Again (Marshall), House of Dracula (La maison de Dracula) (Kenton), House of Frankenstein (La maison de Frankenstein) (Kenton), Pillow of Death (Fox), The Mummy's Curse (Goodwins), The Frozen Ghost (H. Young), Here Come the Co-Eds (Yarbrough), The Impostor (L'imposteur) (Duvivier) ; 1947, My Favorite Brunette (La brune de mes rêves) (Nugent) ; 1948, Sixteen Fathoms Deep (Allen), Abbott and Costello Meet Frankenstein (Deux nigauds contre Frankenstein) (Barton), Albuquerque (La descente tragique) (Enright) ; 1949, Captain China (L. Foster) ; 1951, Only the Valiant (Fort invincible), Behave Yourself (Beck) ; 1952, Black Castle (Le mystère du château noir) (Juran), High Noon (Le train sifflera trois fois) (Zinneman), Flame of Araby (Lamont), Springfield Rifle (La trahison du Capitaine Porter) (De Toth) ; 1953, A Lion in the Streets (Walsh) ; 1954, Casanova's Big Night (McLeod), The Boy from Oklahoma (L'homme des plaines) (Curtiz) ; 1955, Big House USA (Koch), Not as a Stranger (Pour que vivent les hommes) (Kramer), I Died A Thousand Times (La peur au ventre) (Heisler), The Indian Fighter (La rivière de nos amours) (Toth) ; 1956, The Indestructible Man (Pollexfen), Pardners (Le trouillard du Far-West) (Taurog), The Black Sleep (Le Borg) ; 1957, Cyclops (Gordon) ; 1958, The Defiant Ones (La chaîne) (Kramer) ; 1959, The Alligator People (Del Ruth), La casa del terror (Solares), The Devil's Messenger (Strock), Rebellion in Cuba (Gannaway) ; 1963, The Haunted Palace (Corman) ; 1964, Spider Baby (Hill), Witchcraft (Sharp), Law of the Lawless (Condamné à être pendu) (Claxton), Night of the Beast (Daniels), Young Fury (Furie sur le Nouveau-Mexique) (Nyby) ; 1965, Town Tamer (Selander), Black Spurs (Les éperons noirs) (Springsteen), Stage to Thunder Rock (La diligence partira à l'aube) (Claxton) ; 1966, Johnny Reno (Springsteen), Apache Uprising (Sur la piste des Apaches) (Springsteen) ; 1967, Welcome to Hard Times (Kennedy), Hillbillies in a Haunted House (Yarbrough), Return from the Past (Hewitt) ; 1968, Buckskin (M. Moore), Fireball Jungle (Les bolides de la mort) (Mawra), Spider Baby (Hill) ; 1970, A Time to Run (Adamson), Dracula vs. Frankenstein (Adamson) ; 1971, The Female Bunch (Adamson/Cardos).

Il fait mentir le proverbe : « Tel père tel fils. » Bien qu'il ait changé son prénom de Creighton en Lon avec Jr. en prime, il n'a pas retrouvé le talent de son père. Grand, massif et sans expression, il fut un convenable Lennie, la brute de *Of Mice and Men*, puis on l'utilisa dans les films d'épouvante où il fut acceptable en loup-garou (*The Wolf Man*) et en Frankenstein (*The Ghost of Frankenstein*), catastrophique en Dracula (*The Son of Dracula*). Comme il était apparu dans *High Noon* et y avait gagné un brevet de « westerner », on le vit à la fin de sa carrière dans une suite de westerns poussifs de Springsteen ou Claxton en compagnie d'acteurs non moins à bout de souffle.

Channing, Stockard

Actrice américaine, de son vrai nom Susan Williams Antonia Stockard, née en 1944.

1971, The Hospital (L'hôpital) (Hiller) ; 1972, Up the Sandbox (Kershner) ; 1975, The Fortune (La bonne fortune) (Nichols) ; 1976, The Big Bus (Le bus en folie) (Frawley) ; 1977, Sweet Revenge (Vol à la tire) (Schatzberg) ; 1978, The Cheap Detective (Le privé de ces dames) (Moore), Grease (Grease) (Kleiser) ; 1979, The Fish That Saved Pittsburgh (Moses) ; 1982, Safari 3000 (Hurwitz) ; 1983, Without a Trace (Avis de recherches) (Jaffe) ; 1986, The Men's Club (Men's Club) (Medak), Heartburn (La brûlure) (Nichols) ; 1988, A Time of Destiny (Le temps du destin) (Nava) ; 1989, Staying Together (Staying Together) (Grant) ; 1990, Meet the Applegates (Lehmann) ; 1992, Lunes de fiel (Polanski) ; 1993, Six Degrees of Separation (Six degrés de séparation) (Schepisi), Married to It (Hiller), To Wong Foo, Thanks for Everything ! Julie Newmar (Extravagances) (Kidron), Smoke (Smoke) (Wang) ; 1996, Edie & Pen (Irmas), The First Wives Club (Le club des ex) (Wilson), Up Close and Personal (Personnel et confidentiel) (Avnet), Moll Flanders (Moll Flanders) (Densham), A Very Brady Sequel (Les nouvelles aventures de la famille Brady) (Sanford) ; 1997, Twilight (L'heure magique) (Benton) ; 1998, Baby Dance (Anderson), Practical Magic (Les ensorceleuses) (Dunne), Isn't She Great (A. Bergman) ; 1999, Other Voices (McCormack), Where the Heart Is (Williams), The Venice Project (Dornhelm) ; 2002, Life or Something Like It (7 jours et une vie) (Herek), Anything Else (Anything Else, la vie et tout le reste) (Allen), Le divorce (Ivory) ; 2005, Must Love Dogs (La main au collier) (Goldberg).

Révélée par Mike Nichols et par son rôle de Pink Lady dans *Grease*, cette brunette vaguement garçonne à l'humour cinglant s'est illustrée autant au théâtre qu'au cinéma (particulièrement éclatante dans la comédie intellectuelle *Six degrés de séparation*) ou bien à la télévision, où elle a animé un talk-show pendant plusieurs années.

Chantal, Marcelle

Actrice française, 1901-1960.

1929, L'affaire du collier de la reine (Ravel) ; 1930, Au nom de la loi (Tourneur), Le secret du docteur (Rochefort), Toute sa vie (Cavalcanti) ; 1931, La tendresse (Hugon), Le réquisitoire (Buchovetzki), La vagabonde (Bussi) ; 1933, L'ordonnance (Tourjanski) ; 1934, Amok (Ozep) ; 1935, Baccara (Mirande) ; 1936, La gondole aux chimères (Genina), Nitchevo (Baroncelli), La porte du large (L'Herbier) ; 1938, L'affaire Lafarge (Chenal), La tragédie impériale (L'Herbier), A Romance in Flanders (Elvey) ; 1939, Jeunes filles en détresse (Pabst) ; 1948, Fantômas contre Fantômas (Vernay) ; 1949, Julie de Carneilhan (J. Manuel) ; 1950, Chéri (Billon).

Venue du conservatoire de chant, bonne cantatrice, elle débuta sous le nom de Marcelle Jefferson-Cohn. Ses meilleurs rôles furent ceux de Mme Lafarge dans *L'affaire Lafarge*, un film où elle sut se montrer belle et digne dans l'adversité, et de l'épouse adultère d'*Amok*.

Chapiteau, Marc

Acteur français né en 1946.

1970, Out one : noli me tangere/Out one spectre (Rivette), L'escadron Volapük (Gilson) ; 1972, On n'arrête pas le printemps (Gilson) ; 1973, Erica minor (Van Effenterre) ; 1974, Souvenirs d'en France (Téchiné) ; 1975, La meilleure façon de marcher (Miller) ; 1976, Mado (Sautet) ; 1978, Ne pleure pas (Ertaud) ; 1980, Fais gaffe à la gaffe (Boujenah) ; 1981, Le choix des armes (Corneau) ; 1983, Ronde de nuit (Messiaen), Flics de choc (Desagnat) ; 1987, Un été à Paris (Gilson) ; 1997, J'irai au paradis car l'enfer est ici (Durringer) ; 1998, Mille bornes (Beigel), Nos vies heureuses (Maillot) ; 2001, Requiem (Renoh).

Un visage taillé à la serpe qui lui fit endosser des rôles de loubards dans les polars des années 80. Avec l'âge, il est passé du côté des flics.

Chaplin, Charles ou Charlie

Acteur et réalisateur d'origine anglaise, 1889-1977.

1913-1914, Making a Living (Pour gagner sa vie) ; Kid Auto Races at Venice (Charlot est content de lui) ; Mabel's Strange Predicament (L'étrange aventure de Mabel) ;

Between Showers (Charlot et le parapluie) ; Film Johnnie (Charlot fait du cinéma) ; Tango Tangles (Charlot danseur) ; His Favourite Pastime (Entre le bar et l'amour) ; Cruel, Cruel Love (Charlot marquis) ; Star Boarder (Charlot aime la patronne) ; Mabel on the Wheel (Mabel au volant) ; Twenty Minutes of Love (Charlot et le chronomètre) ; Caught in a Cabaret (Charlot garçon de café) ; A Busy Day (Madame Charlot) ; The Fatal Mallet (Le maillet de Charlot) ; Caught in the Rain (Charlot est encombrant) ; Her Friend the Bandit (Le flirt de Mabel) ; The Knock out (Charlot et Fatty dans le ring) ; Mabel's Busy Day (Charlot et les saucisses) ; Mabel's Married Life (Charlot et le mannequin) ; Laughing Gas (Charlot dentiste) ; The Property Man (Charlot garçon de théâtre) ; The Face on the Barroom Floor (Charlot peintre) ; Recreation (Fièvre printanière) ; The Masquerader (Charlot grande coquette) ; His New Profession (Charlot garde-malade) ; The Rounders (Charlot et Fatty en bombe) ; The New Janitor (Charlot concierge) ; Those Love Pangs (Charlot rival d'amour) ; Dough and Dynamite (Charlot mitron) ; Gentlemen of Nerve (Charlot et Mabel aux courses) ; His Musical Career (Charlot déménageur) ; His Trysting Place (Charlot papa) ; Tillie's Punctered Roman (Le roman comique de Charlot et Lolotte) ; Getting Acquainted (Charlot et Mabel en promenade) ; His Prehistoric Past (Charlot roi) ; 1915, His New Job (Charlot débute) ; A Night Out (Charlot fait la noce) ; The Champion (Charlot boxeur) ; In the Park (Charlot dans le parc) ; The Jitney Elopement (Charlot veut se marier) ; The Tramp (Le vagabond) ; By the Sea (Charlot à la plage) ; Work (Charlot apprenti) ; A Woman (Mamzelle Charlot) ; The Bank (Charlot à la banque) ; Shanghaied (Charlot marin) ; A Night in the Show (Charlot au music-hall) ; Carmen (Charlot joue Carmen) ; Triple Trouble (Les avatars de Charlot) ; Police (Charlot cambrioleur) ; 1916-1917, The Floorwalker (Charlot chef de rayon) ; The Fireman (Charlot pompier) ; The Vagabond (Charlot violoniste) ; One a.m. (Charlot rentre tard) ; The Count (Charlot et le comte) ; The Pawnshop (L'usurier) ; Behind the Screen (Le machiniste) ; The Rink (Charlot patine) ; Easy Street (Charlot policeman) ; The Cure (Charlot fait une cure) ; The Immigrant (L'émigrant) ; The Adventurer (Charlot s'évade) ; 1918, A Dog's Life (Une vie de chien) ; The Bond (film de propagande) ; Shoulder Arms (Charlot soldat) ; 1919, Sunnyside (Idylle aux champs) ; A Day's Pleasure (Une journée de plaisir) ; 1921, The Idle Class (Charlot et le masque de fer) ; The Kid (Le kid) ; 1922, Pay Day (Jour de paye) ; 1923, The Pilgrim (Le pèlerin) ; A Woman of Paris (L'opinion publique) ; 1925, The Gold Rush (La ruée vers l'or) ; 1928, The Circus (Le cirque) ; 1931, City Lights (Les lumières de la ville) ; 1936, Modern Times (Les temps modernes) ; 1940, The Great Dictator (Le dictateur) ; 1947, Monsieur Verdoux (Monsieur Verdoux) ; 1952, Limelight (Les feux de la rampe) ; 1957, A King in New York (Un roi à New York) ; 1967, The Countess from Hong-Kong (La comtesse de Hong-Kong). *Pour le metteur en scène*, voir le *Dictionnaire du cinéma*, t. I : *Les réalisateurs*.

Le plus populaire des acteurs de cinéma. Son talent de mime, hérité de sa mère, son sens de l'observation, son travail incessant (confirmé par les bobines retrouvées récemment et non intégrées dans ses œuvres), ses gestes précis et efficaces en font le prodigieux interprète de films qui ont fait rire le monde entier. Mais parce qu'il est avant tout un mime, l'avènement du parlant le gêne. Il paraît peu à l'aise dans ses dernières bandes. La maîtrise semble envolée. Reste le créateur : voir sur ce point le volume consacré aux réalisateurs.

Chaplin, Geraldine

Actrice américaine née en 1944.

1952, Limelight (Les feux de la rampe) (Chaplin) ; 1964, Par un beau matin d'été (Deray), Andremo in citta (Le dernier train) (Risi) ; 1965, Doctor Zivago (Docteur Jivago) (Lean), The Countess from Hong-Kong (La comtesse de Hong-Kong) (Chaplin) ; 1966, Stranger in the House (Étranger dans la maison) (Rouve), J'ai tué Raspoutine (Hossein) ; 1967, Peppermint frappé (Saura) ; 1968, Stress es tres, tres (Saura) ; 1969, La madriguera (La madriguera) (Saura), The Master of the Islands (Le maître des îles) (Gries) ; 1970, Sur un arbre perché (Korber), El jardin de las delicias (Le jardin des délices) (Saura) ; 1971, Z.P.G. (Population zero) (Campus), Don Carlos (Geissendorfer), Les mariposas (Vogor) ; 1972, La casa sin fronteras (Olea), The Innocent Bystanders (Nid d'espions à Istanbul) (Collinson) ; 1973, Ana y los lobos (Anna et les loups) (Saura), The Three Musketeers (Les trois mousquetaires) (Lester), Le mariage à la mode (Mardore), Verflucht die America (Vogeler) ; 1975, Nashville (Altman), Y el projimo 7 (Del Pozo), The Four Musketeers (On l'appelait Milady) (Lester), Brief Letter, Long Farewell (Vessely) ; 1976, Buffalo Bill and the Indians

(Buffalo Bill et les Indiens) (Altman), Cria cuervos (Cria cuervos) (Saura), Welcome to Los Angeles (Rudolph), Scrim (Biji) ; 1977, Une page d'amour (Rabinowicz), Elisa vida mia (Elisa mon amour) (Saura), In memoriam (Braso), Roseland (Ivory), Noroit (Rivette), A Wedding (Un mariage) (Altman) ; 1978, Los ojos vendados (Les yeux bandés) (Saura), L'adoption (Grunebaum), Mais où est donc Ornicar ? (Van Effenterre), Remember my Name (Tu ne m'oublieras pas) (Rudolph) ; 1979, La viuda de Montiel (La veuve Montiel) (Littin), Le voyage en douce (Deville) ; 1980, Les uns et les autres (Lelouch), Mama cumple cien años (Maman a cent ans) (Saura), The Mirror Crack'd (Le miroir se brisa) (Hamilton) ; 1983, La vie est un roman (Resnais), Casting (Joffé) ; 1984, L'amour par terre (Rivette) ; 1985, The Bad Boy (Un printemps sous la neige) (Petrie) ; 1988, White Mischief (Sur la route de Nairobi) (Radford), The Return of the Musketeers (Le retour des mousquetaires (Lester), The Moderns (Les modernes) (Rudolph) ; 1989, I Want to Go Home (Resnais) ; 1990, The Children (Palmer) ; 1991, Buster's Bedroom (Horn) ; 1992, Chaplin (Chaplin) (Attenborough), Hors saison (Schmid), A Foreign Field (Sturridge) ; 1993, The Age of Innocence (Le temps de l'innocence) (Scorsese) ; 1994, Words Upon the Window Pane (McGuckian) ; 1995, Home for the Holidays (Week-end en famille) (Foster), Para recibir el canto de los parajos (Sanjines), Jane Eyre (Jane Eyre) (Zeffirelli) ; 1996, Os Olhos da Asia (Grilo), Crimetime (Sluizer), Cousin Bette (McAnuff) ; 1998, Finisterre – Donde termina el mundo (Villaverde), Berezina, oder die letzte Tage der Schweiz (Bérésina, ou les derniers jours de la Suisse) (Schmid), To Walk with Lions (Schultz) ; 2005, The Bridge of the San Luis Rey (Le pont du roi Saint Louis) (McGuckian) ; 2006, Melissa P. (Melissa P.) (Guadagnino).

Fille de Charlie Chaplin, son nom lui a bien sûr ouvert toutes les portes, mais elle a su aussi s'imposer par elle-même. Sa réputation date du *Docteur Jivago*. Elle a vécu avec le réalisateur espagnol Carlos Saura qui l'a beaucoup fait tourner.

Chaplin, Josephine

Actrice américaine née en 1949.

1952, Limelight (Les feux de la rampe) (Chaplin) ; 1972, I raconti di Canterbury (Les contes de Canterbury) (Pasolini), Niet ! (Golan) ; 1973, A nous quatre cardinal (Hunebelle), Quatre Charlots mousquetaires (Hunebelle), Nuits rouges (Franju) ; 1975, Docteur Françoise Gailland (Bertucelli) ; 1976, Der Dirnemorder von London (Jack l'éventreur) (Franco), Vrhovi zelengore (Velimorovic) ; 1984, Bad Boy (Un printemps sous la neige) (Petrie) ; 1985, Poulet au vinaigre (Chabrol), Coïncidence (Rivière) ; 1990, Downtown Hotel (Franco).

Autre fille de Chaplin. Sa contribution au septième art est plus modeste que celle de sa sœur Geraldine. Elle a été mariée à Maurice Ronet.

Chaplin, Sydney ou Syd

Acteur et réalisateur d'origine anglaise, 1885-1965.

1918, A Dog's Life (Une vie de chien) (C. Chaplin), Shoulder Arms (Charlot soldat) (C. Chaplin) ; 1919, A Day's Pleasure (Une journée de plaisir) (C. Chaplin), Série des Julot (Sennett), Le sous-marin pirate (Chaplin) ; 1920, One Hundred Million (Sydney Chaplin) ; 1921, The Kid (Le kid) (C. Chaplin) ; 1922, The Pilgrim (Le pèlerin) (C. Chaplin) ; 1923, King, Queen and Joker (Un coup d'État) (Sidney Chaplin), Her Temporary Husband (Une fille qui se lance) (McDermott), The Rendez-vous (Neilan) ; 1925, Charley's Aunt (La marraine de Charley) (Scott Sydney) ; 1926, The Galloping Fish (Les deux Agénor) (Ince). *Comme réalisateur :* 1915, A Submarine Pirate ; 1921, King, Queen and Joker.

Frère de Charlie Chaplin, il a été éclipsé par lui. Ses rôles comiques étaient pourtant fort drôles comme on peut en juger encore par *Le sous-marin pirate*. Il joua dans les films de son frère et dirigea lui-même quelques bandes. Il devint par la suite directeur des Charlie Chaplin Productions.

Chaplin, Sydney

Acteur anglais né en 1926.

1952, Limelight (Les lumières de la ville) (Chaplin) ; 1955, Land of the Pharaohs (La terre des pharaons) (Hawks) ; 1956, Pillars of the Sky (Marshall), Four Girls in Town (Sher), The Deadliest Sin (Ken Hughes), Abdulla the Greatest (Ratoff) ; 1957, Quantez (Keller) ; 1966, Sept hommes et une garce (Borderie) ; 1967, The Countess from Hong Kong (La comtesse de Hong-Kong) (Chaplin) ; 1968, Se incontri Sartana prega per la tua morte (Sartana) (Kramer), Ho (Enrico), Ad uno ad uno... spietatamente (Romero Marchent) ; 1969, Le clan des Siciliens (Verneuil), The Adding Machine (Epstein), A doppia faccia (Freda) ; 1970, Nel giorno del signore (B. Corbucci), L'homme qui vient de la nuit (Dague) ; 1971, Papa les petits bateaux (Kaplan), La saignée (Mulot) ; 1972, So Evil My Sister (Le Borg), Liz et Helen (Hampton), Il sorriso della iena (Amadio) ; 1974, Troppo per vivere, poco per morire (Qui êtes-vous, inspecteur Chandler ?) (Lupo) ; 1975, Satan's Cheerleaders (Clark).

Fils de Charlie Chaplin et de Lita Grey, il connaît une carrière honorable dans la série B, mais finit en Europe dans l'épouvante de bas étage.

Chappey, Antoine

Acteur français né en 1960.

1989, Mona et moi (Grandperret) ; 1991, De force avec d'autres (Simon Reggiani) ; 1992, Riens du tout (Klapisch) ; 1993, Les gens normaux n'ont rien d'exceptionnel (Ferreira-Barbosa), La nage indienne (Durringer) ; 1994, Les amoureux (Corsini), Personne ne m'aime (Vernoux) ; 1995, Chacun cherche son chat (Klapisch), Le rocher d'Acapulco (Tuel), Un air de famille (Klapisch) ; 1996, Francorusse (Miansarow), Eau douce (Vermillard), Cameleone (Cohen), Pour rire ! (Belvaux), Le ciel est à nous (Guit) ; 1997, Vive la république ! (Rochant), Cantique de la racaille (Ravalec), Lila Lili (Vermillard) ; 1998, L'ami du jardin (Bouchaud), Le bleu des villes (Brize), La lettre (Oliveira), La tentation de l'innocence (Godet), Banqueroute (Desrosières) ; 2000, 30 ans (Perrin), Selon Matthieu (Beauvois), On appelle ça... le printemps (Le Roux), Je rentre à la maison (Oliveira), Nos enfants chéris (Cohen) ; 2003, Les jours où je n'existe pas (Fitoussi) ; 2004, 5 × 2 (Ozon), Je suis un assassin (Vincent) ; 2005, A ce soir (Duthilleul), Le petit lieutenant (Beauvois) ; 2006, Cache-cache (Caumon), Indigènes (Bouchareb), La maison du bonheur (Boon), Mauvaise foi (Zem).

Très réclamé par le jeune cinéma d'auteur, un comédien attachant auquel manque encore un grand rôle pour passer à l'étape supérieure, en dépit d'une brillante composition dans le *Pour rire !* de Lucas Belvaux.

Charisse, Cyd

Danseuse et actrice américaine, de son vrai nom Tula Ellice Finklea, née en 1921.

1943, Something To Shout About (Ratoff), Mission to Moscow (Curtiz) ; 1945, Ziegfeld Follies (Minnelli), The Harvey Girls (Sidney) ; 1946, Till The Clouds Roll By (La pluie qui chante) (Whorf), Three Wise Fools (Buzzell) ; 1947, Fiesta (Señorita Toreador) (Thorpe), The Unfinished Dance (La danse inachevée) (Koster) ; 1948, On an Island With You (Dans une île avec vous) (Thorpe), The Kissing Bandit (Le brigand amoureux) (Benedek), Word and Music (Ma vie est une chanson) (Taurog), Tension (J. Berry), East Side, West Side (Ville haute, ville basse) (LeRoy) ; 1951, Mark of the Renegade (Le signe des renégats) (Fregonese) ; 1952, The Wild North (Au pays de la peur) (Marton), Singin' in the Rain (Chantons sous la pluie) (Kelly et Donen) ; 1953, Sombrero (Foster) ; The Band Wagon (Tous en scène) (Minnelli), Easy To Love (Désir d'amour) (Walters) ; 1954, Brigadoon (Brigadoon) (Minnelli), Deep in My Heart (Au fond de mon cœur) (Donen) ; 1955, It's Always Fair Weather (Beau fixe sur New York) (Kelly et Donen) ; 1956, Meet Me in Las Vegas (Vive Las Vegas) (Rowland) ; 1957, Silk Stockings (La belle de Moscou) (Mamoulian) ; 1958, Twilight for the Gods (Crépuscule sur l'océan) (Pevney), Party Girl (Traquenard) (Ray) ; 1960, Black Tights (Les collants noirs) (T. Young) ; 1961, Five Golden Hours (Zampi) ; 1962, Something Got to Give (Cukor, inachevé), Two Weeks in Another Town (Quinze jours ailleurs) (Minnelli) ; 1963, Assassinio made in Italy (Amadio) ; 1965, The Silencers (Matt Helm) (Karlson) ; 1966, Maroc 7 (G. O'Hara) ; 1974, That's Entertainment (Il était une fois Hollywood) ; 1975, Won Ton Ton, The Dog Who Saved Hollywood (Winner) ; 1976, That's Entertainment 2 (Hollywood... Hollywood !) ; 1978, Warlords of Atlantis (Les sept cités d'Atlantis) (K. Connor) ; 1990, Visioni privati (Bruschetta, Calogero et Ranvaud) ; 1994, That's Entertainment III (That's Entertainment III) (Friedgen et Knievel).

Reine de la comédie musicale américaine. Ses apparitions dans le « Broadway Melody Ballet » de *Singin' in the Rain*, le « Girl Hunt Ballet » de *Band Wagon*, les métamorphoses du « Silk Stockings Number » de *La belle de Moscou* et la « Dancing Doll » de *Traquenard* sont autant de morceaux d'anthologie. N'oublions pas qu'elle fut une danseuse classique formée aux Ballets russes par Nico Charisse, dont elle devait divorcer pour se marier avec le chanteur Tony Martin. Citons Jean-Claude Missiaen qui lui a consacré un superbe album : « Cyd Charisse aura sans doute été la plus exceptionnelle danseuse de caractère de la comédie musicale hollywoodienne. Elle aura été également, avec Louise Brooks et Ava Gardner, une des plus belles femmes au monde à combler l'écran de son rayonnement. » Si l'on ajoute qu'elle joint à la beauté et au génie de la danse des qualités de comédienne, on aura dit quelle place elle occupe dans le panthéon de tout cinéphile.

Charleson, Ian

Acteur anglais, 1950-1990.

1978, Jubilee (Jubilee) (Jarman) ; 1981, Chariots of Fire (Les chariots de feu) (Hudson) ; 1982, Ascendancy (Bennett), Gandhi (Gandhi) (Attenborough) ; 1984, Louisiane (Broca), Greystoke (La légende de Tarzan) (Hudson), Car Trouble (Green) ; 1987, Opera (Argento).

Carrière essentiellement théâtrale. Au cinéma il est avant tout Eric Liddell, celui qui court pour mieux approcher Dieu dans *Les chariots de feu*.

Charlots (Les)

Groupe formé de Gérard Filipelli, Gérard Rinaldi, Jean Sarrus et, au début, Jean-Guy Fechner et Luis Rego.

1969, La grande java (P. Clair) ; 1970, Les bidasses en folie (Zidi) ; 1972, Les fous du stade (Zidi), Les Charlots font l'Espagne (Girault) ; 1973, Le grand bazar (Zidi) ; 1974, A nous quatre, cardinal (Hunebelle), Les bidasses s'en vont en guerre (Zidi) ; 1975, Bons baisers de Hong Kong (Chiffre) ; 1977, Vive la liberté (Korber) ; 1979, Les Charlots en délire (Basnier) ; 1980, Les Charlots contre Dracula (Desagnat) ; 1982, Le retour des bidasses en folie (Vocoret) ; 1984, Charlots Connection (Couturier) ; 1991, Le retour des Charlots (Sarrus).

Groupe de pop, d'abord connu sous le nom « Les Problèmes », devenu en 1966 « Les Charlots ». Cinq puis trois membres. Leurs films valent ce que valent les gags imaginés par les scénaristes. Dans l'ensemble ces Charlots sont à Charlot ce qu'un joueur de tennis non classé de Romorantin est à Connors ou MacEnroe.

Charmetant, Christian

Acteur français.

1978, Courage fuyons (Robert) ; 1980, Le cycliste (Morvan) ; 1982, Banzaï (Zidi), Que les gros salaires lèvent le doigt ! (D. Granier-Deferre) ; 1985, Baton Rouge (Bouchareb) ; 1986, On a volé Charlie Spencer (Huster), Le débutant (Janneau) ; 1988, Un père et passe (Grall), Moitié moitié (Boujenah) ; 1989, Les mannequins d'osier (Gueltzl) ; 1990, L'Autrichienne (Granier-Deferre) ; 1992, Pétain (Marbœuf), Tout ça... pour ça ! (Lelouch) ; 1993, Le voleur et la menteuse (Boujenah), Les marmottes (Chouraqui) ; 1994, Les truffes (Nauer) ; 1995, Les menteurs (Chouraqui), Des nouvelles du Bon Dieu (Le Pêcheur) ; 1996, Hommes femmes mode d'emploi (Lelouch), Les palmes de M. Schutz (Pinoteau), Tonka (Anglade) ; 1997, Une femme très très très amoureuse (Zeitoun) ; 1997, Gueule d'amour (Dajoux) ; 1998, Une journée de merde (Courtois), Les Collègues (Dajoux), Bimboland (Zeitoun) ; 1999, Le monde de Marty (Bardiau), La veuve de Saint-Pierre (Leconte), Le libertin (Aghion), Les insaisissables (Gion) ; 2000, Harrison's Flowers (Harrison's Flowers) (Chouraqui) ; 2001, La grande vie (Dajoux) ; 2004, Clara et moi (Viard) ; 2005 Le cactus (Bitton).

Sa carrière fourmille de petits rôles tout au long des années 80, puis, à l'orée des années 90, la galère semble cesser grâce à Claude Lelouch et surtout Élie Chouraqui, qui en fait une de ses *Marmottes*. Son nom de famille lui va comme un gant, mais une propension un peu malheureuse à ne tourner que dans des films qui se révèlent être des bides au box-office ralentit à nouveau sa carrière...

Charon, Jacques

Acteur et réalisateur français, 1920-1975.

1942, Des jeunes filles dans la nuit (Le Hénaff) ; 1943, Le colonel Chabert (Le Hénaff) ; 1945, Jericho (Calef) ; L'extravagante mission (Calef) ; 1946, Les chouans (Calef) ; 1949, La valse de Paris (Achard) ; 1950, Au fil des ondes (Gautherin), Dakota 308 (Daniel-Norman), Cœur-sur-Mer (Daniel-Norman) ; 1951, Le dindon (Barma), L'auberge rouge (Autant-Lara) ; 1953, Le petit Jacques (Bibal) ; 1954, Les intrigantes (Decoin), Escalier de service (Rim), Opération Tonnerre (Sandoz) ; 1958, Le bourgeois gentilhomme (J. Meyer) ; 1959, Les affreux (Allégret) ; 1961, Cartouche (de Broca) ; 1962, Comment réussir en amour (Boisrond) ; 1963, Comment trouvez-vous ma sœur ? (Boisrond) ; In the French Style (A la française) (Parrish) ; 1964, Comment épouser un Premier ministre (Boisrond) ; 1965, Le lit à deux places (sketch Delannoy) ; 1969, Trois hommes sur un cheval (Moussy). *Pour le metteur en scène*, voir aussi le *Dictionnaire du cinéma*, t. I : *Les réalisateurs*.

Conservatoire, Comédie-Française à partir de 1941. Avant tout un homme de théâtre. Au cinéma, il a surtout composé des silhouettes : un clerc dans *Le colonel Chabert*, un voyageur dans *L'auberge rouge*. Mais quel talent !

Charpin, Fernand

Acteur français, 1887-1944.

1931, Marius (Korda) ; 1932, Les bleus de l'amour (Marguenat), Chotard et compagnie (Renoir) ; 1933, La guerre des valses (Berger), Fanny (Allégret), Paprika (Limur), Le barbier de Séville (Bourlon et Kemm), Le gendre de M. Poirier (Pagnol) ; 1934, Sapho (Perret), Le train de 8 h 47 (Wulschleger), Tartarin de Tarascon (Bernard), Trois de la marine (Barrois) ; 1935, Les beaux jours (Allégret), Lune de miel (Ducis), Michel Strogoff (Baroncelli) ; 1936, Pépé le Moko (Duvivier), César (Pagnol), La dame de Vittel (Goupillières), La belle équipe (Duvivier) ; 1937, Le schpountz (Pagnol), Les anges noirs (Rozier), Le club des aristocrates (Colombier), Un soir à Marseille (Canonge), Ignace (Colombier), Balthazar (Colombier), Les deux combinards (Houssin), Au soleil de Marseille (Ducis), Êtes-vous jalouse ? (Chomette) ; 1938, Le révolté (Mathot), Les otages (Bernard), La femme du boulanger (Pagnol), Le club des fadas (Couzinet), Éducation de prince (Esway), L'ange que j'ai vendu (Bernheim), Le petit chose (Cloche), Le cœur ébloui (Vallée), Le paradis des voleurs (Marsoudet) ; 1939, Ma tante dictateur (Pujol), Tourbillon de Paris (Diamant-Berger), Le chemin de l'honneur (Paulin), Berlingot et compagnie (Rivers), Le grand élan (Christian-Jaque) ; 1941, La nuit merveilleuse (Paulin), La fille du puisatier (Pagnol), Un chapeau de paille d'Italie (Cammage), Les deux timides (Allégret), Après l'orage (Ducis), La Sévillane (Hugon) ; 1942, Le voile bleu (Stelli), L'Arlésienne (Allégret), Le camion blanc (Joannon), Le mistral (Houssin), Signé illisible (Chamborant) ; 1943, Le secret de Madame Clapain (Berthomieu), Les Roquevillard (Dréville), Ceux du rivage (Séverac), L'île d'amour (Cam), La cavalcade des heures (Noé), Le dernier sou (Cayatte) ; 1944, La fiancée des ténèbres (Poligny), Les caves du Majestic (Pottier).

Ce Marseillais restera à jamais, à la scène comme à l'écran, le Panisse de la célèbre trilogie de Pagnol. Mais sa filmographie qui le voue surtout aux rondeurs méridionales (*Tartarin* et bien d'autres) comprend quelques titres où il tient un emploi différent : le mouchard de *Pépé le Moko* ou le docteur maître chanteur du *Secret de Madame Clapain*. Preuve de la diversité du talent de ce grand acteur.

Charrier, Jacques

Acteur et producteur français né en 1936.

1958, Les tricheurs (Carné) ; 1959, Babette s'en va-t-en guerre (Christian-Jaque), Les dragueurs (Mocky), La main chaude (Oury) ; 1960, Le panier à crabes (Lisbona) ; 1961, La belle Américaine (Dhéry), Tiro al piccone (Le commando traqué) (Montaldo), L'œil du malin (Chabrol), Les sept péchés capitaux (Chabrol, Godard...) ; 1962, Carmen di Trastevere (Carmen 63) (Gallone), A cause, à cause d'une femme (Deville) ; 1964, La bonne occase (Drach), La vie conjugale (Cayatte), Marie Soleil (Bourseiller) ; 1966, Le plus vieux métier du monde (ép. Godard), A belles dents (Gaspard-Huit), Les créatures (Varda) ; 1969, Sirokko (Sirocco d'hiver) (Jancso), Money, money (Varela) ; 1972, Les soleils de l'île de Pâques (Kast), Les volets clos (Brialy).

Fils d'officier, élève aux Beaux-Arts, décorateur de théâtre puis acteur (*Le journal d'Anne Frank*), il débute à l'écran dans *Les tricheurs*. Pourtant, sans son mariage avec Brigitte Bardot en 1958, mariage qui dura jusqu'en 1962, il n'aurait guère été connu. Mais c'est ce mariage qui va gêner sa carrière de comédien. Reconverti dans la production, il a aidé à l'achèvement de films souvent difficiles, montrant un courage inhabituel chez les producteurs.

Chase, Charlie

Acteur et réalisateur américain, de son vrai nom Charles Parrott, 1893-1940.

1914, Mabel's Busy Day (Charlot et les saucisses) ; His New Profession (Charlot garde-malade) ; Dough and Dynamite (Charlot mitron) ; Gentlemen of Nerve (Charlot et Mabel aux courses) ; Tillie's Punctered Romance (Le roman comique de Charlot et Lolotte), Anglers ; 1915, Do-Ré-Mi-Fa ; 1916, A Dash of Courage ; 1917, Chased into Love ; 1918, Hello Trouble ; 1919, Ship Ahoy ; 1920, Kids Is Kids ; 1933, Sherman Said It, Midsummer Mush, Luncheon at Twelve ; 1934, The Craked Iceman, Four Parts, I'll Take Vanilla, Another Wild Idea, It Happened One Day, Something Simple, You Said a Hateful !, Fate's Fathead, The Chases of Pimple Street ; 1936, Okay Toots !, Poker at Eight, Southern Exposure, Thie Four-Star Boarder, Nurse to You, Manhattan Monkey Business, Public Ghost n° 1, Life Hesitates at 40, The Count Takes the Count, Vamp Till Read, On the Wrong Treck, Neighborhood House. *Pour le metteur en scène* (et souvent interprète), voir le *Dictionnaire du cinéma*, t. I : *Les réalisateurs*.

Acteur comique trop méconnu. Grand, une fine moustache, un peu impersonnel, il valait ce que valaient ses gags. Mais ceux-ci étaient souvent fort drôles. Les « deux bobines » de ses débuts sont éblouissants. Le réalisateur fut plus ambitieux mais sans parvenir à égaler Keaton et Lloyd.

Chase, Chevy

Acteur américain, de son vrai prénom Cornelius, né en 1943.

1974, The Groove Tube (Faites-le avec les doigts) (Shapiro) ; 1976, Tunnel Vision (Swirnoff, Israel) ; 1978, Foul Play (Drôle d'embrouille) (Higgins) ; 1980, Caddyshack (Ramis), Oh ! Heavenly Dog (Camp), Seems Like Old Times (Comme au bon vieux temps) (Sandrich) ; 1981, Modern Problems (Shapiro), Under the Rainbow (Rash) ; 1983, National Lampoon's Vacation (Bonjour les vacances !) (Ramis), Deal of the Century (Friedkin) ; 1985, Fletch (Fletch aux trousses) (Ritchie), National Lampoon's European Vacation (Heckerling), Follow That Bird ! (Kwapis), Spies Like Us (Drôles d'espions) (Landis) ; 1986, Three amigos ! (Les 3 amigos) (Landis) ; 1988, Caddyshack II (Arkush), The Couch Trip (Parle à mon psy, ma tête est malade) (Ritchie), Funny Farm (Roy Hill) ; 1989, Fletch Lives (Ritchie), National Lampoon's Christmas Vacation (Chechik) ; 1991, Nothing But Trouble (Aykroyd), L.A. Story (Los Angeles Story) (Jackson) ; 1992, Memoirs of an Invisible Man (Les aventures d'un homme invisible) (Carpenter), Hero (Héros malgré lui) (Frears) ; 1993, Last Action Hero (Last Action Hero) (McTiernan) ; 1994, Cops and Robbersons (Ritchie) ; 1995, Man of the House (Orr) ; 1997, Vegas Vacation (Kessler) ; 1998, Dirty Work (Saget) ; 2000, Snow Day (Jour blanc) (Koch), Hitting the Wall (Davis).

Révélé par « Saturday Night Live », fameuse émission comique, il enchaîne, dans les années 80, toute une série de comédies ineptes, dont le comique potache, américain par essence, a du mal à passer les frontières. Superstar aux États-Unis, il reste largement ignoré en France, à raison.

Chaumette, François

Acteur français, 1923-1996.

Principaux films : 1952, Le chemin de Damas (Glass), Rayé des vivants (Cloche) ; 1956, Le feu aux poudres (Decoin) ; 1957, Les œufs de l'autruche (La Patellière), Retour de manivelle (La Patellière), Thérèse Étienne (La Patellière) ; 1958, Christine (Gaspard-Huit), Le désordre et la nuit (Grangier), Le fauve est lâché (Labro) ; 1959, Le Bossu (Hunnebelle), Rue des prairies (La Patellière), La verte moisson (Villiers).

Théâtre (la Comédie-Française) et télévision (*La caméra explore le temps*) l'ont davantage absorbé que le cinéma. Il n'y a tenu que des rôles secondaires, mais les a marqués de sa griffe : difficile d'oublier l'envieux et ambigu Babin de *Retour de manivelle.* Il fut très apprécié par La Patellière.

Chazel, Marie-Anne

Actrice et réalisatrice française née en 1952.

1976, L'aile ou la cuisse (Zidi), Le locataire (Polanski) ; 1977, Vous n'aurez pas l'Alsace et la Lorraine (Coluche) ; 1978, Les bronzés (Leconte), Les héros n'ont pas froid aux oreilles (Nemès), La tortue sur le dos (Béraud) ; 1979, Le coup de sirocco (Arcady), Les bronzés font du ski (Leconte) ; 1980, French Postcards (French Postcards) (Huyck), On n'est pas des anges, elles non plus (Lang), Je vais craquer (Leterrier) ; 1981, Fais gaffe à la gaffe (Boujenah), L'année prochaine si tout va bien (Hubert), Quand tu seras débloqué, fais-moi signe (Letterier) ; 1982, Le père Noël est une ordure (Poiré) ; 1983, Papy fait de la résistance (Poiré) ; 1984, L'amour en douce (Molinaro) ; 1985, Tranches de vie (Leterrier) ; 1986, Cross (Setbon), La gitane (Broca), La vie dissolue de Gérard Floque (Lautner) ; 1988, Mes meilleurs copains (Poiré) ; 1992, Les visiteurs (Poiré) ; 1993, La vengeance d'une blonde (Szwarc), Grosse fatigue (Blanc) ; 1996, Les sœurs Soleil (Szwarc) ; 1997, Les visiteurs II : Les couloirs du temps (Poiré) ; 2004, Au secours, j'ai 30 ans ! (Chazel) ; 2006, Les bronzés 3, Amis pour la vie (Leconte). *Comme réalisatrice :* 2004, Au secours, j'ai 30 ans !

Venue du Splendid, elle est de toutes les réussites de cette joyeuse équipe, avec mention spéciale pour la compagne enceinte de Jugnot dans *Le père Noël est une ordure.*

Checchi, Andrea

Acteur italien, 1916-1974.

1933, 1860 (1860) (Blasetti) ; 1940, L'assedio dell' Alcazar (Le siège de l'Alcazar) (Genina) ; 1942, Giacomo l'idealista (Lattuada) ; 1945, Due lettere anonime (Deux lettres anonymes) (Camerini) ; 1946, Le vie del peccato (Le chemin du péché) (Pastina) ; 1947, Roma città libera (La nuit porte conseil) (Pagliero), La primula bianca (Armondo le mystérieux) (Bragaglia), Carrefour des passions (Giannini) ; 1948, Caccia tragica (Chasse tragique) (De Santis) ; 1949, Il grido della tierra (Exodus) (Coletti), Au-delà des grilles (Clément) ; 1953, La signora senza camelie (La dame sans camélias) (Antonioni) ; 1954, Le due orfanelle (Les deux orphelines) (Gentilomo) ; 1957, Terrore sulla città (Terreur sur Rome) (Majano) ; 1959, Il terrori dei barbari (La terreur des barbares) (Campogalliani) ; 1960, La maschera del demonio (Le masque du démon) (Bava), Die tausend Augen des Dr. Mabuse (Le diabolique Dr. Mabuse) (Lang), L'ultimo dei Vichinghi (Le dernier des Vikings) (Gentilomo), La cociara (La cociara) (de Sica) ; 1961, Ultimatum alla vita (Aux mains des SS) (Polselli), L'oro di Roma (Traqués par la gestapo) (Lizzani), Don Camillo Monsignore... ma non troppo (Don Camillo monseigneur) (Gallone), L'assassino (L'assassin) (Petri) ; 1962, Caccia a l'uomo (Chasse à la drogue) (Freda), Gli invasori (La ruée des Vikings) (Bava) ; 1963, Il processo di Verona (Le procès de Vérone) (Lizzani), Défi à Gibraltar (Beta Som) ; 1966, Quien sabe ? (El Chuncho) (Damiani) ; 1968, El Che Guevara (Heusch) ; 1970, Waterloo (Waterloo) (Bondartchouk).

Longue carrière qui commence avec le fascisme et se poursuit jusqu'aux années 70. Peu de rôles saillants.

Cheeta

Chimpanzé.

1932, Tarzan (Van Dyke) ; 1934, Tarzan and His Mate (Gibbons) ; 1936, Tarzan Escapes (Tarzan s'évade) (Thorpe) ; 1939, Tarzan Finds a Son (Tarzan trouve un fils) (Thorpe) ; 1941, Tarzan's Secret Treasure (Le trésor de Tarzan) (Thorpe) ; 1942, Tarzan's New York Adventure (Tarzan à New York) (Thorpe).

Cette femelle chimpanzé était la fidèle compagne de Tarzan dans la jungle et y faisait mille facéties. Sous contrat à la MGM, elle semble avoir été remplacée par sa fille dans les derniers *Tarzan* de l'illustre maison. Il fallait la voir se poudrer et manger les crèmes de beauté de Jane dans *Tarzan à New York :* à côté, Jerry Lewis nous paraît un acteur pour Bresson.

Chelton, Tsilla

Actrice française née en 1918.

1963, Bébert et l'omnibus (Robert) ; 1964, Les copains (Robert) ; 1965, La communale (Lhote), La grosse caisse (Joffé) ; 1967, Les gauloises bleues (Cournot), Alexandre le bienheureux (Robert) ; 1968, Mazel Tov ou le mariage (Berri) ; 1970, Le distrait (Richard), L'alliance (Chalonge) ; 1971, La décade prodigieuse (Chabrol) ; 1974, C'est pas parce qu'on a rien à dire qu'il faut fermer sa gueule ! (Besnard) ; 1977, Diabolo menthe (Kurys) ; 1989, Tatie Danielle (Chatiliez) ; 1991, Les eaux dormantes (Tréfouel) ; 1993, La soif de l'or (Oury) ; 2000, Que faisaient les femmes pendant que l'homme marchait sur la Lune ? (Vander Stappen) ; 2003, Le pacte du silence (Guilt) ; 2004, Tout le plaisir est pour moi (Broué) ; 2007, Zone libre (Malavoy).

Venue du théâtre, un seul grand rôle au cinéma, mais quel rôle ! Celui de Tatie Danielle, la terrible.

Cher

Actrice et chanteuse américaine, de son vrai nom Cherilyn La Piere Sarkosian, née en 1946.

1965, Wild on the Beach (Dexter) ; 1967, Good Times (Friedkin) ; 1969, Chastity (Paola) ; 1982, Come Back to the 5 and Dime, Jimmy Dean (Reviens Jimmy Dean, reviens) (Altman) ; 1983, Silkwood (Le mystère Silkwood) (Nichols) ; 1985, Mask (Mask) (Bogdanovich) ; 1986, The Witches of Eastwick (Les sorcières d'Eastwick) (Miller) ; 1987, Moonstruck (Éclair de lune) (Jewison), Suspect (Suspect dangereux) (Yates) ; 1990, Mermaids (Les deux sirènes) (Benjamin) ; 1991, The Player (The Player) (Altman) ; 1994, Ready to Wear (Prêt-à-porter) (Altman), Faithful (Mazursky) ; 1996, If These Walls Could Talk (Savoca, Cher) ; 1998, Tea with Mussolini (Un thé avec Mussolini) (Zeffirelli) ; 2000, Mayor of Sunset Strip (Hickenlooper) ; 2003, Stuck on You (Deux en un) (Farrelly).

Premiers disques avec Sonny en 1965 puis cinéma : prix à Cannes pour *Mask*, oscar pour *Moonstruck*. Une réussite méritée pour cette brune à la fois forte et vulnérable, drôle ou émouvante, victime de Nicholson dans *Les sorcières d'Eastwick* et veuve transfigurée par l'amour dans *Éclair de lune*.

Chéreau, Patrice

Acteur et réalisateur français né en 1945.

1982, Danton (Wajda) ; 1985, Adieu Bonaparte (Chahine) ; 1991, Last of the Mohicans (Le dernier des Mohicans) (Mann) ; 1996, Lucie Aubrac (Berri) ; 2002, Au plus près du paradis (Marshall) ; 2003, Le temps du loup (Haneke). *Pour le metteur en scène*, voir le *Dictionnaire du cinéma*, t. I : *Les réalisateurs*.

Voué par le cinéma aux personnages historiques, ce remarquable acteur et metteur en scène de théâtre fut un inattendu Camille Desmoulins et un Bonaparte grotesque qui contribua à l'échec du film de Chahine.

Cherrill, Virginia

Actrice américaine, 1908-1997.

1931, City Lights (Les lumières de la ville) (Chaplin), The Brat (Ford) ; 1934, White Heat (Weber).

La merveilleuse jeune aveugle des *Lumières de la ville* n'aura été l'héroïne que d'un seul film.

Chesnais, Patrick

Acteur et réalisateur français né en 1947.

1976, Les naufragés de l'île de la Tortue (Rozier), Monsieur Albert (Renard) ; 1978, Laisse-moi rêver/Drôles de diam's (Menegoz), Le dossier 51 (Deville) ; 1979, Premier voyage (Trintignant), Ras le cœur (Colas), Au bout du bout du banc (Kassovitz), Rien ne va plus (Ribes) ; 1980, L'empreinte des géants (Enrico), L'œil du maître (Kurc), Cocktail Molotov (Kurys) ; 1981, La provinciale (Goretta), Neige (J. Berto, Roger), Le règlement intérieur (Vuillermet) ; 1982, Les sacrifiés (Touita), Cap Canaille (Berto et Roger) ; 1984, Femmes de personne (Frank) ; 1985, Blanche et Marie (Renard) ; 1986, Duo solo (Delattre) ; 1987, Embrasse-moi (Rosier), Corentin (Marbœuf) ; 1988, Les années sandwiches (Boutron), Les cigognes n'en font qu'à leur tête (Kaminka), La lectrice (Deville) ; 1989, Le sixième doigt (Duparc), Thank you Satan (Farwagi) ; 1990, Feu sur le candidat (Delarive), La pagaille (Thomas), L'Autrichienne (Granier-Deferre), Il y a des jours... et des lunes (Lelouch), Triplex (Lautner), Promotion canapé (Kaminka) ; 1991, Netchaïev est de retour (Deray), La belle histoire (Lelouch) ; 1992, Coup de jeune ! (X. Gélin), Drôles d'oiseaux (P. Kassovitz), Pas d'amour sans amour (Dress) ; 1993, Aux petits bonheurs (Deville) ; 1997, Post coïtum, animal triste (Roüan) ; 1998, L'homme de ma vie (Kurc), Les enfants du siècle (Kurys) ; 1999, Kennedy & moi (Karmann), Jeu de cons (Verner) ; 2000, Charmant garçon (Chesnais), Te quiero (Poirier) ; 2001, Irène (Calberac), Sexes très opposés (Assous) ; 2002, Mille millièmes (Waterhouse) ; 2004, Casablanca Driver (Barthélemy), J'irai cracher sur vos tongs (Toesca), Mariage mixte (Arcady), Les naufragés de l'île de la Tortue (Rozier) ; 2005, Je ne suis pas là pour être aimé (Brizé), Tu vas rire, mais je te quitte (Harel) ; 2006, J'invente rien (Leclerc), On va s'aimer (Calbérac), Mon dernier rôle (Ayache-Vidal) ; 2007, Le prix à payer (Leclère). *Pour le metteur en scène*, voir le *Dictionnaire du cinéma*, t. I : *Les réalisateurs.*

Avec sa petite moustache et son assurance de cadre moyen, Chesnais compose dans la galerie des seconds rôles une silhouette qui retient l'attention. Un talent sûr lui permet de s'imposer dans *La lectrice* et dans *Promotion canapé*. Il poursuit une carrière discrète mais remarquée, et passe à la mise en scène avec une comédie policière baroque et décousue, *Charmant garçon.*

Cheung, Leslie

Acteur hongkongais, de son vrai nom Cheung Kwok-wing, 1956-2003.

(Pour plus de compréhension, les titres chinois sont donnés dans leur traduction anglaise.) 1978, Erotic Dream of the Red Chamber (Kam Kam) ; 1980, The Drummer (Kuen Yueng) ; 1982, Teenage Dreamers (Clifford Cho), Nomad (Patrick Tam), Energetic 21 (K.C. Chan) ; 1984, Merry Christmas (Clifton Ko), Behind the Yellow Line (Taylor Wong) ; 1985, For Your Heart Only (Sai Hung Fung) ; 1986, A Better Tomorrow (Le syndicat du crime) (Woo), Last Song in Paris (Chu Yuan) ; 1987, A Better Tomorrow II (Le syndicat du crime 2) (Woo), A Chinese Ghost Story (Histoires de fantômes chinois) (Siu-Tung Ching) ; 1987, Rouge (Stanley Kwan) ; 1988, Fatal Love (Po-Chih Leong) ; 1989, Aces Go Places V : The Terracotta Hit (Chia-Liang Liu) ; 1990, Once a Thief (Woo), A Chinese Ghost Story II (Histoires de fantômes chinois 2) (Siu-Tung Ching), Erotic Ghost Story (Ngai Kai Lam) ; 1991, The Banquet (Clifton Ko, Tsui Hark), Days of Being Wild (Nos années sauvages) (Wong Kar-wai) ; 1992, All's Well Ends Well (Raymond Wong), Arrest the Restless (Laurence Ah Mon) ; 1993, The Eagles Shooting Heroes (Jeffrey Lau), The Bride with White Hair (Ronnie Yu), The Bride with White Hair 2 (David Wu, Ronnie Yu), Farewell My Concubine (Adieu ma concubine) (Chen Kaige), All's Well Ends Well Too (Clifton Ko) ; 1994, Long and Winding Road (Gordon Chan), He's a Woman, She's a Man (Peter Chan), It's a Wonderful Life (Clifton Ko), Ashes of Time (Les cendres du temps) (Wong Kar-wai) ; 1995, The Phantom Lover (Ronnie Yu), The Chinese Feast (Le festin chinois) (Tsui Hark) ; 1996, Shanghai Grand (Poon Man Kit), Viva Erotica (Tung-Shing Yee), Who's the Man, Who's the Woman ? (Peter Chan), Tristar (Tsui Hark) ; 1996, Temptress Moon (Chen Kaige) ; 1997, All's Well Ends Well 1997 (Alfred Cheung), Happy Together (Happy Together) (Wong Kar-wai) ; 1998, A Time to Remember (Ye Daying), Anna Magdalena (Chung-Man Hai), Knock Off (Knock Off) (Tsui Hark) ; 1999, Moonlight Express (Daniel Lee) ; 2000, Double Tap (Law Chi Leung).

Star à Hong Kong, il fut remarquable en chanteur de l'opéra de Pékin, travesti et maquillé, dans le rôle principal d'*Adieu ma concubine*. On le retrouva, drôle et très physique, dans le trépidant *Festin chinois*, ou encore en gay malheureux en amour dans *Happy together*. Un acteur sans moule préconçu, à l'aise dans tous les registres et les univers du cinéma asiatique.

Cheung, Maggie

Actrice hongkongaise née en 1964.

(Pour plus de compréhension, les titres originaux en mandarin sont donnés en anglais.) 1984, Fate (T. Wong) ; 1985, Christmas Romance (Chung), The Story of Rose (Sherman, Yon), Modern Cinderella (J. Wong), Police Story (Police Story) (Chan) ; 1986, The Seventh Curse (Ngai Kam-lam), Happy Ghost 3 (J. To) ; 1987, You Are My Destiny (E. Tsang), The Game They Call Sex (Chang, S. D. Wang), Heartbeat 100 (K. Cheng), Project A nº 2 (Jackie Chan), Heavenly Fate, Chasing Girls (J. Wong), Yellow Story (S. Chang, Siu-di Wang) ; 1988, Sun, Moon & Star (M. Mak), North & South Mamas (Tony Leung Si-hung), Last Romance (F. Yon), Paper Marriage (A. Cheung), As Tears Go By (Wong Kar-wai), Police Story II (Police Story 2) (Jackie Chan), Love Army (Yuen), Happy Fat New Year, Soldier of Love, Call Girl 88 ; 1989, Bachelor's Swan Song (Tung-shing Yee), Little Cop (E. Tsang), Double Causes Trouble (C. Yuen), A Fishy Story (A. Chan), In Between Love, Iceman Cometh (Yiu-leung Fok), Full Moon in New York (Kwan) ; 1990, Heart Into Hearts (S. Shin), Will of Iron, Song of Exile (Hui), Red Dust (Yim), The Dragon from Russia (Yiu-lung Fok), Farewell China (Law) ; 1991, Today's Hero, Alan & Eric Between Hello and Goodbye (P. Chan), My Dear Son (Chiang), Hearts Against Hearts (S. Shin), The Actress/Center Stage (Center Stage) (Kwan), The Perfect Match (Shin), The Banquet (Ko, T. Hark), Days of Being Wild (Nos années sauvages) (Wong Kar-wai) ; 1992, True Love, All's Well Ends Well (R. Wong), What a Hero (Chan), Twin Dragon (Lam, T. Hark), The Heroic Trio (To, Kiu-tung Ching), Supercop (Police Story 3) (Tong), Millionaire Cop (Wong), Too Happy for Words (Kwan), Dragon Inn (Lee) ; 1993, The Eagle Shooting Heroes (Lau), The Seven Princesses (J. Wong), Flying Dagger (Full), First Shot (D. Lam), Enigma of Love (Wong), Mad Monk (Ching, J. To), Moon Warriors (Sammo Hung Kambo), Rose (Chiu), Heroic Trio 2 : Executioners (Ching, J. To), Green Snake (T. Hark), Boys Are Easy (Wong), The Bare-Footed Kid (J. To) ; 1994, Ashes of Time (Les cendres du temps) (Wong Kar-wai), Conjugal Affair (Chang) ; 1996, Comrades : Almost a Love Story (Chan), Irma Vep (Assayas) ; 1997, Chinese Box (Chinese Box) (Wang), The Soong Sisters (Mabel Cheung) ; 1998, Augustin roi du kung-fu (Fontaine) ; 2000, In the Mood for Love (In the Mood for Love) (Wong Kar-wai) ; 2003, Ying Xiong (Hero) (Yimou) ; 2004, Clean (Assayas), 2046 (2046) (Wong Kar-wai).

Élevée à Hong Kong, en Chine et en Angleterre, elle devient Miss Hong Kong 1983 et entame une impressionnante – car très prolifique – carrière d'actrice, spécialisée dans les films d'action mâtinés de fantastique dont les Asiatiques sont friands. Remarquée en Europe dans les films de Jackie Chan, Tsui Hark et surtout Wong Kar-wai, Olivier Assayas la fait venir en France pour lui faire reprendre le rôle de Musidora (des *Vampires* de Louis Feuillade) dans *Irma Vep*, un formidable film-hommage. Elle triomphe avec *In the Mood for Love*.

Chevalier, Jacques

Acteur français.

Nombreux films dont : 1939, Menaces (Greville) ; 1968, Salut Berthe (Lefranc) ; 1969, L'Américain (Bozzuffi) ; 1974, Marseille Contract (Marseille contrat) (Parrish) ; 1976, Le locataire (Polanski).

Excellent dans de tout petits rôles.

Chevalier, Louise

Actrice française, 1897-1986.

1935, Couturier de mon cœur (Cesse, Jayet) ; 1955, Cela s'appelle l'aurore (Buñuel), Si Paris nous était conté (Guitry) ; 1958, Les quatre cents coups (Truffaut) ; 1959, La verte moisson (Villiers), Pantalaskas (Paviot) ; 1960, Le farceur (Broca), L'amant de cinq jours (Broca), Les godelureaux (Chabrol), Vacances en enfer (Kerchbron) ; 1963, L'homme de Rio (Broca), Le magot de Josefa (Autant-Lara), Une ravissante idiote (Molinaro), Un monsieur de compagnie (Broca) ; 1964, Mademoiselle (Richardson), Up from the Beach (Le jour d'après) (Parrish), Les pas perdus (Robin) ; 1965, How to Steal a Million Dollar (Comment voler un million de dollars) (Wyler) ; 1966, Le journal d'une femme en blanc (Autant-Lara) ; 1967, Les grandes vacances (Girault) ; 1968, La femme infidèle (Chabrol), L'Astragale (Guy) ; 1969, Que la bête meure (Chabrol) ; 1970, Peau d'âne (Demy), La rupture (Chabrol) ; 1971, La maison sous les arbres (Clément), La cavale (Broca) ; 1973, Salut l'artiste (Robert) ; 1974, Le voyage d'Amélie (Duval) ; 1976, La marge (Borowczyk), Le gang (Deray), Le locataire (Polanski), L'ombre des châteaux (Duval) ; 1977, Pourquoi pas ! (Serreau), Va voir maman, papa travaille (Leterrier), Un oursin dans la poche (Thomas), Ne pleure pas (Ertaud), Violette Nozière (Chabrol) ; 1979, La guerre des polices (Davis), Alors, heureux ? (Barrois) ; 1980, Il cappotto di Astrakan (Vicario), Les uns et les autres (Lelouch) ; 1981, T'empêches tout le monde de dormir (Lauzier) ; 1982, Édith et Marcel (Lelouch) ; 1984, Le sang des autres (Chabrol), Les ripoux (Zidi).

Très nombreux (petits) rôles de femme du peuple. L'âge et Chabrol aidant, elle deviendra peu à peu la concierge assermentée du cinéma français.

Chevalier, Maurice

Chanteur et acteur français, 1888-1972.

1908, Trop crédule (Durand) ; 1911, Un marié qui se fait attendre (L. Gasnier), La mariée récalcitrante (Gasnier), Par habitude (Linder) ; 1917, Une soirée mondaine (Diamant-Berger) ; 1921, Le mauvais garçon (Diamant-Berger) ; 1922, Le match Criqui-Ledoux (Diamant-Berger) ; 1923, Gonzague (Diamant-Berger), L'affaire de la rue de Lourcine (Diamant-Berger) ; 1924, Par habitude (Diamant-Berger), Jim Bougne boxeur (Diamant-Berger) ; 1928, Skyscraper Symphony (Bonjour New York) (Florey), Innocents of Paris (La chanson de Paris) (Wallace) ; 1929, The Love Parade (Parade d'amour) (Lubitsch) ; 1930, Paramount on Parade (Lubitsch et autres), The Big Pound (La grande mare) (Henley), Playboy of Paris (Le petit café) (Berger) ; 1931, The Stolen Joals (Mac Gann), El cliente seductor (Blumenthal et Rey), The Smiling Lieutenant (Le lieutenant souriant) (Lubitsch) ; 1932, One Hour With You (Une heure près de toi) (Lubitsch), Make Me a Star (Beaudine), Love Me Tonight (Aimez-moi ce soir) (Mamoulian) ; 1933, A Bedtime Story (Monsieur Bébé) (Taurog), The Way to Love (L'amour guide) (Taurog) ; 1934, The Merry Widow (La veuve joyeuse) (Lubitsch) ; 1935, Folies-Bergère (Del Ruth) ; 1936, L'homme du jour (Duvivier), Avec le sourire (Tourneur) ; The Beloved Vagabond (Le vagabond bien-aimé) (Bernhardt) ; 1938, Break the News (Fausses nouvelles) (Clair) ; 1939, Pièges (Siodmak) ; 1945, Le silence est d'or (Clair) ; 1949, Le roi (Sauvajon) ; 1950, Ma pomme (Sauvajon) ; 1953, Schlager Parade (Ode) ; 1954, Cento anni d'amore (Un siècle d'amour) (De Felice) ; 1955, J'avais sept filles (Boyer) ; 1957, The Happy Road (La route joyeuse) (Kelly), Love in Afternoon (Ariane) (Wilder) ; 1958, Gigi (Minnelli) ; 1959, Count Your Blessings (J'ai épousé un Français) (Negulesco) ; 1960, Can-Can (W. Lang), A Breath of Scandal (Scandale à la cour) (Curtiz), Pepe (G. Sidney) ; 1961, Fanny (Logan) ; 1962, Jessica (Negulesco) ; In Search of Castaways (Les enfants du capitaine Grant) (Stevenson) ; 1963, A New Kind of Love (La fille à la casquette) (Shavelson) ; 1964, Panic Button (G. Sherman), I'd Rather Be Rich (Smight) ; 1966, Monkeys Go Home ! (McLaglen).

Populaire chanteur, type même du « Parigot » de Ménilmontant, il triomphe à l'Empire, aux Folies-Bergère et au Casino de Paris avant d'être engagé par Diamant-Berger pour une série de moyens métrages (dont *L'affaire de la rue de Lourcine* qui a été conservée). Certaines sources indiquent d'autres films auparavant (cf. Mazeau et Thouart, *Acteurs et chanteurs*) mais sans certitude. C'est aux États-Unis en 1928 que Chevalier va vraiment commencer sa carrière d'acteur avec, pour metteur en scène, l'un des grands d'Hollywood : Lubitsch. Les Américains s'emballent pour ce jovial personnage, à la lippe ironique et qui parle anglais avec l'accent parisien. En France, seuls Tourneur (il est fort drôle dans *Avec le sourire*, quand il explique comment détailler les couplets), Siodmak (dans un rôle dramatique) et, après la guerre, René Clair l'utiliseront. Accusé de collaboration en 1944, Chevalier se dédouane en signant différents appels de gauche. Il est un moment interdit aux États-Unis, mais très vite il reprend le chemin d'Hollywood. Paradoxalement, entre 1957 et 1967, il n'a tourné que des films américains : parfois catastrophique (*Fanny*), il n'est vraiment bon que dans *Gigi*. Parallèlement, il a poursuivi jusqu'à sa mort une carrière de chanteur plus réussie.

Chevrier, Jean

Acteur français, de son vrai nom Dufayard, 1915-1975.

1938, Trois de Saint-Cyr (Paulin) ; 1939, Grand-Père (Péguy), L'émigrante (Joannon), La Sévillane (Hugon) ; 1941, Le dernier des six (Lacombe) ; 1942, Andorra (Couzinet), L'assassin a peur la nuit (Delannoy), La grande marnière (Marguenat) ; 1943, Tornavara (Dréville), La cavalcade des heures (Noé) ; 1944, Falbalas (Becker) ; 1945, L'ange qu'on m'a donné (Choux) ; 1946, Au cœur de l'orage (Le Chanois), Le mystérieux monsieur Sylvain (Stelli), Messieurs Ludovic (Le Chanois) ; 1947, Le maître de forges (Rivers), Le diable souffle (Greville) ; 1948, Aux yeux du souvenir (Delannoy), La voix du rêve (Paulin), L'escadron blanc (Chanas), Le droit de l'enfant (Daroy) ; 1950, Donne e briganti (Fra Diavolo) (Soldati) ; 1951, Messaline (Messaline) (Gallone), La maison dans la dune (Lampin) ; 1952, Horizons sans fin (Dréville), Les dents longues (Gelin) ; 1953, Le grand pavois (Pinoteau), Si Versailles m'était conté (Guitry) ; 1954, Napoléon (Guitry) ; 1955, Les hommes en blanc (Habib), Le couteau sous la gorge (J. Séverac) ; 1956, Ce soir les jupons volent (Kirsanoff) ; 1957, Le captif (Labro) ; 1958, Un homme à vendre (Labro) ; 1960, Le gigolo (Deray), Le vergine di Roma (Les vierges de Rome) (Cottafavi) ; 1968, Phèdre (P. Jourdan).

Ce beau brun ténébreux, 1er prix du Conservatoire en 1935 et sociétaire de la Comédie-Française de 1942 à 1946 et de 1948 à 1953, fit ses débuts à l'écran sous l'uniforme d'officier et ne s'en remit pas. Il devint un séducteur bon chic bon genre avant la lettre, l'anti-Préjean. Très à l'aise dans la tragédie classique, il ne fit jamais preuve de grandes ambitions au cinéma, assumant son personnage de beau soldat avec une louable conviction.

Chiari, Walter

Acteur italien, de son vrai nom Annichiarico, 1924-1991.

1947, Vanita (Pastina) ; 1950, I cadetti di Guascogna (Mattoli) ; 1951, Bellissima (Visconti), OK ! Nerone (OK Néron) (Soldati), Il sogno di Zorro (L'héritier de Zorro) (Soldati), Inafferabile 12 (Mon frère a peur des femmes) (Mattoli), La minute de vérité (Delannoy) ; 1952, Era lui... si... (Quelles drôles de nuits) (Metz et Marchetti) ; 1953, Gran varietà (Paolella) ; 1954, Un giorno in pretura (Les gaietés de la correctionnelle) (Steno), Cinema d'altri tempi (Drôles de bobines) (Steno), Rosso e nero (Paolella) ; 1955, Avanzi di galera (Repris de justice) (Cottafavi) ; 1956, Pepote (Vajda) ; Donatella (Donatella) (Monicelli), Nana (Christian-Jaque), Je suis un sentimental (Berry) ; 1957, The Little Hut (La petite hutte) (Robson) ; 1958, Bonjour tristesse (Preminger), Amore a prima vista (F. Rossi), Premier Mai (Saslavsky) ; 1960, Femmine di lusso (Bianchi), A Breath of Scandal (Scandale à la cour) (Curtiz) ; 1962, Copacabana Palace (Steno) ; 1963, Giovedi (Le jeudi) (Risi) ; 1964, I Maniaci (Fulci), Se permettete parliamo di donne (Parlons femmes) (Scola), L'attico (Puccini) ; 1965, Le corniaud (Oury), Made in Italy (Loy), Thrilling (sketch, Polidoro) ; 1966, Io, io, io e gli altri (Moi, moi, moi et les autres) (Blasetti), Falstaff (Welles), Ischia, operazione amore (Sala) ; 1968, Capricio all'italiana (Steno), La piu bella coppia del mondo (Mastrocinque) ; 1969, Monte Carlo or Bust (Gonflés à bloc) (Annakin) ; 1970, Squeeze a Flower (Daniels) ; 1972, Cosa nostra (Young) ; 1974, Zig-Zag (Zsabo), Amore mio non farmi male (Sindoni) ; 1975, Son tornate a fiorire le rose (Sindoni) ; 1976, La banca di Monate (Massaro) ; 1977, Como ti rapisco il pupo ride bene... chi ride ultimo (Caruso) ; 1978, Ridendo e scherzando (Aleandri), Belli e brutti ridono tutti (Paolella) ; 1979, Tre sotto il lenzuolo (Tantini) ; 1986, Romance (Mazzucco) ; 1990, Tracce di una vita amorosa (Del Monte).

Un personnage voisin de celui de Gassman : le fanfaron plein de séduction. Il fut longtemps un comique (*OK Néron* est cité par Gili dans son étude sur la comédie italienne comme un chef-d'œuvre parodique où, à un moment donné, Campanini et Chiari parodient avec bonheur Laurel et Hardy). S'il pratiqua d'autres registres, Chiari en revint toujours au registre drôle, atteignant au génie selon Gili dans *Giovedi* et *Io, io, io e gli altri.*

Chicot, Étienne

Acteur français né en 1949.

1971, Over (Huissman) ; 1973, Femmes au soleil (Dreyfus) ; 1974, On n'est pas sérieux quand on a 17 ans (Pianko), The Crazy American Girl (D. Newman), L'agression (Pirès) ; 1975, Le bon et les méchants (Lelouch), Le plein de super (Cavalier) ; 1976, Monsieur Klein (Losey) ; 1978, Le dernier amant romantique (Jaeckin), La tortue sur le dos (Béraud), Je te tiens, tu me tiens par la barbichette (Yanne), Girls (Jaeckin) ; 1979, Le point douloureux (Bourgeois), La guerre des polices (Davis) ; 1980, Une sale affaire (Bonnot), Un mauvais fils (Sautet), Asphalte (Amar) ; 1981, Pour la peau d'un flic (Delon), Hôtel des Amériques (Téchiné), Le choix des armes (Corneau) ; 1982, Mortelle randonnée (Miller), Le choc (Davis), Le bourgeois gentilhomme (Coggio) ; 1985, Osa (Osa) (Egorov) ; 1986, Kamikaze (Grousset), Désordre (Assayas), Mort un dimanche de pluie (Santoni) ; 1987, Duo/Solo (Delattre), La nuit de l'océan (Perset), Fréquence meurtre (E. Rappeneau), Les nouveaux tricheurs (Schock) ; 1988, Après la pluie (Casabianca), 36 fillette (Breillat) ; 1989, Le vent de la Toussaint (Béhat), L'orchestre rouge (Rouffio) ; 1990, Meeting Venus (La tentation de Vénus) (Szabo), Dancing machine (Béhat) ; 1991, Lune froide (Bouchitey) ; 1993, Dieu que les femmes sont amoureuses (Clément) ; 1998, Innocent (Natsis), Furia (Aja) ; 2000, Les portes de la gloire (Merret-Palmair) ; 2002, Entre chiens et loups (Arcady) ; 2003, A la petite semaine (Karmann), Gomez & Tavarès (Paquet-Brenner) ; 2004, Inquiétudes (Bourdos) ; 2005, Imposture (Bouchitey), L'empire des loups (Nahon), Palais royal ! (Lemercier) ; 2006, Da Vinci Code (Da Vinci Code) (Howard).

A la fin de ses études, il prend des cours d'art dramatique et trouve dès lors sa voie. Il s'illustre des 1971 dans une pièce intitulée *Des frites, des frites et des frites*. Suivront une multitude de rôles de composition au cinéma, et plus tardivement à la télévision. Le révèle son personnage du *Plein de super*, à travers lequel il impose déjà une silhouette de grande gueule pas très aimable et plutôt physique, qui devient dès lors sa marque déposée.

Chong, Rae Dawn

Actrice canadienne née en 1962.

1978, Stony Island (Davis) ; 1981, La guerre du feu (Annaud) ; 1984, Fear City (New York, deux heures du matin) (Ferrara), Choose Me (Rudolph), Cheech and Chong's the Corsican Brothers (Chong), Beat Street (Beat Street) (Lathan) ; 1985, Commando (Commando) (Lester), City Limits (Lipstadt), American Flyers (Le prix de l'exploit) (Badham), The Color Purple (La couleur pourpre) (Spielberg) ; 1986, Soul Man (Soul Man) (Miner) ; 1987, The Squeeze (Manhattan Loto) (R. Young), The Principal (Cain) ; 1988, Walking After Midnight (Kay) ; 1989, Rude Awakening (Greenwalt, Russo) ; 1990, Tales from the Darkside (Darkside) (Harrison), Far Out Man (T. Chong), Chaindance (Goldstein) ; 1991, Denial (Dignam), The Borrower (McNaughton) ; 1992, When the Party's Over (Irmas), Amazon (Amazon) (M. Kaurismäki) ; 1993, Time Runner (Mazo) ; 1994, Boulevard (Buithenhuis), Boca (Avancini) ; 1995, Power of Attorney (Himelstein), Hideway (Souvenirs de l'au-delà) (Leonard), The Break (Katzin), Crying Freeman (Crying Freeman) (Gans) ; 1996, Starlight (Kay), Mask of Death (Mitchell), Goodbye America (Notz) ; 1997, Highball (Baumbach), Waiting for the Man (Reiner) ; 1998, Small Time (J. Reiner), Boca (Avancini) ; 1999, Double Edged (Buitenhuis).

Fille du comique canadien Tommy Chong (du duo Cheech & Chong), on la remarque en femme des cavernes dans *La guerre du feu*, puis en monstre difforme dans le film d'horreur à sketches *Darkside*. Suit un rôle important dans le film d'aventures *Amazon*, puis celui de la femme-flic de *Crying Freeman*. Au total, une carrière sans éclat pour cette superbe sang-mêlé, mais une régularité à l'écran qui lui vaut une place dans ce dictionnaire.

Choureau, Etchika

Actrice française née en 1933.

1952, I vinti (Les vaincus) (Antonioni) ; 1953, Les enfants de l'amour (Moguy), L'envers du paradis (Greville) ; 1954, Les intrigantes (Decoin), Les fruits de l'été (Bernard), Escalier de service (Rim) ; 1955, Monsieur Pipelet (Hunebelle), La foire aux femmes (Stelli), Toute la ville accuse (Boissol) ; 1956, Les lumières du soir (Vernay) ; 1957, Darby's Rangers (Les commandos passent à l'attaque) (Wellman) ; 1958, La Fayette Escadrille (Wellman) ; 1962, La prostitution (Boutel) ; 1964, Angélique, marquise des anges (Borderie) ; 1965, Paris au mois d'août (Granier-Deferre).

Révélée par Moguy, elle fut excellente en jeune phtisique profitant de ses derniers instants dans *L'envers du paradis*. Elle esquissa une carrière américaine qui tourna court.

Chow Yun-fat

Acteur hongkongais né en 1955.

(Pour plus de compréhension, les titres chinois sont donnés dans leur traduction anglaise.) 1976, Massage Girls (Sum Cheung) ; 1978, Heroic Cops, Miss O (Sum Cheung) ; 1980, Master Father (Dennis Yu) ; 1981, Patrol Horse (Ronny Yu), The Story of Woo Viet (Ann Hui) ; 1983, Blood Money (Shu Tong Wong), The Bund (Chun Keung Chiu), The Bund Part II (Chun Keung Chiu), The Head Hunter (Shing Hon Lau), Flower City (Fa Sing) ; 1984, Love in a Fallen City (Ann Hui), The Occupant (Ronny Yu), Hong Kong 1941 (Po-Chih Leong) ; 1985, The Nepal Affair (Siu-Tung Ching), Women (Stanley Kwan), The Story of Rose/Lost Romance (Tomasso Sherman Yonfan), Why Me ? (Kent Cheng), The Phantom Bride/Spiritual Love (David Lai, Terry Wong) ; 1986, Dr. Yuen and Wisely (Ngai Kai Lam), A Better Tomorrow (Le syndicat du crime) (Woo), A Heavy Response (Norman Lau), 100 Ways to Murder Your Wife (Kenny Bee), You Want I Want (Jamie Luk), Dream Lovers (Tony Au), The Lunatics (Tung-Shing Yee), Love Unto Waste (Stanley Kwan), The Missed Date (Teresa Woo) ; 1987, A Better Tomorrow II (Le syndicat du crime 2) (Woo), Rich and Famous (Taylor Wong), Scared Stiff (Chia-Liang Liu), City on Fire (Ringo Lam), An Autumn's Tale (Mabel Cheung), Dragon and Tiger Fight/Flaming Brothers (Tung Cho Cheung), Hero/-Rich and Famous 2 (David Lai, Terry Wong), Prison on Fire (Ringo Lam), Chasing Girls/-The Romancing Star (Wong Jing) ; 1988, Goodbye Hero (Lin Chow Ho), Cherry Blossoms/The Legend of Yu Ta Fu (Eddie Ling-

Ching Fong), City War (Chung Sun), Tiger on Beat (Chia-Liang Liu), The Greatest Lover (Clarence Yiu-leung Fok), Diary of a Big Man (Yuen Chor), Fractured Follies, The Eighth Happiness (Johnny To) ; 1989, All About Ah-Long (Johnny To), A Better Tomorrow III (Le syndicat du crime 3) (Woo), Brotherhood/Code of Honour (Billy Chan), The Inside Story (Terry Wong), The Fun, the Luck and the Tycoon (Johnny To), God of Gamblers (Wong Jing), The Killer (The Killer) (Woo), Wild Search (Ringo Lam) ; 1990, Once a Thief (Woo), No Way Back, Black Vengeance (Taylor Wong) ; 1991, Prison on Fire II (Ringo Lam), God of Gamblers II (Wong Jing) ; 1992, Full Contact (Ringo Lam), Love : Now You See It... Now You Don't (Mabel Cheung, Alex Lau), Hard Boiled (A toute épreuve) (Woo), All for the Winner (Jeffrey Lau, Corey Yuen) ; 1994, God of Gamblers Returns (Wong Jing), American Shaolin (Jeffrey Lau) ; 1995, The Peace Hotel (Ka-Fai Wai) ; 1997, The Replacement Killers (Un tueur pour cible) (Fuqua) ; 1998, The Corruptor (Le corrupteur) (Foley) ; 1999, Anna and the King (Anna et le roi) (Tennant) ; 2000, Crouching Tiger Hidden Dragon (Tigre et dragon) (Ang Lee) ; 2003, Bulletproof Monk (Le gardien du manuscrit sacré) (Hunter) ; 2007, Man cheng jin dai huang jin jia (La malédiction des fleurs dorées) (Yimou), Pirates of Caribbean : At Worlds End (Pirates des Caraïbes, jusqu'au bout du monde) (Verbinski).

Fils de fermiers, il multiplie les petits boulots avant d'être engagé par les fameux frères Shaw, grands producteurs hongkongais pour lesquels il tourne, quasiment à la chaîne, sitcoms et téléfilms, souvent dans des rôles ultraromantiques. Au cinéma, il démarre dans des séries Z, voire porno soft, avant de connaître le succès au milieu des années 80, grâce notamment à *Hong Kong 1941* de Po-Chih Leong. Mais c'est sa collaboration avec John Woo, notamment pour la série de films *Le syndicat du crime*, qui en fait le comédien non spécialisé dans les arts martiaux le plus populaire de toute l'Asie. Gangster au grand cœur baigné dans une violence chorégraphique comme les affectionne Woo, sa réputation dépasse les frontières et, dès le début des années 90, Chow Yun-fat tourne aux États-Unis. Mais le succès y est encore relatif. Une immense star néanmoins.

Christie, Julie

Actrice anglaise née en 1940.

1962, Crooks Anonymous (Annakin) The Fast Lady (La merveilleuse Anglaise) (Annakin) ; 1963, Billy Liar (Billy le menteur) (Schlesinger) ; 1964, Young Cassidy (Le jeune Cassidy) (Cardiff) ; 1965, Darling (Schlesinger), Doctor Zhivago (Docteur Jivago) (Lean) ; 1966, Fahrenheit 451 (Truffaut) ; 1967, Far From the Madding Crowd (Loin de la foule déchaînée) (Schlesinger) ; 1968, Petulia (Lester) ; 1969, In Search of Gregory (A la recherche de Gregory) (Peter Wood) ; 1971, The Go-Between (Le messager) (Losey), McCabe and Mrs. Miller (John MacCabe) (Altman) ; 1973, Don't Look Now (Ne vous retournez-pas) (Roeg) ; 1975, Shampoo (Ashby), Nashville (Altman) ; 1977, Demon Seed (Génération Proteus) (Cammel) ; 1978, Heaven Can Wait (Le ciel peut attendre) (Beatty) ; 1981, Memoirs of a Survivor (Mémoires d'un survivant) (Gladwell), Les quarantièmes rugissants (Chalonge) ; 1982, The Return of the Soldier (Le retour du soldat) (Bridges) ; 1983, Heat and Dust (Ivory) ; 1984, The Gold Diggers (S. Potter) ; 1986, La mémoire tatouée (Behi), Miss Mary (Bernberg), Power (Les coulisses du pouvoir) (Lumet) ; 1986, Champagne amer (Behi) ; 1990, Fools of Fortune (Fools of Fortune) (O'Connor) ; 1994, Dragonheart (Cœur de dragon) (Cohen) ; 1996, Hamlet (Hamlet) (Branagh), Afterglow (L'amour... et après) (Rudolph) ; 2000, Belphégor, le fantôme du Louvre (Salomé) ; 2002, I'm with Lucy (Autour de Lucy) (Sherman) ; 2004, Harry Potter and the Prisoner of Azakaban (Harry Potter et le prisonnier d'Azkaban) (Cuaron), Troy (Troie) (Petersen) ; 2005, Finding Neverland (Neverland) (Forster) ; 2006, La vida secreta de las palabras (The Secret Life of Words) (Coixet) ; 2007, Away From Her (Polley).

Née aux Indes, elle suit à Londres des cours d'art dramatique avant d'être révélée au cinéma par Schlesinger. Elle entame alors une carrière internationale qui la conduira de l'héroïne romantique (*Docteur Jivago, Loin de la foule déchaînée*, et les personnages plus ambigus de *Ne vous retournez pas* et *Le messager...*) à la femme moderne (*Fahrenheit 451, Petulia, Shampoo*), jusqu'à finir par être violée par un robot (*Demon Seed*). Heureux robot ! *Darling* lui a valu un oscar en 1965.

Christophe, Françoise

Actrice française née en 1923.

1941, Premier rendez-vous (Decoin) ; 1942, Mariage d'amour (Decoin) ; 1946, Fantômas (Sacha) ; 1947, Une jeune fille savait (Lehmann), Carrefour du crime (Sacha) ; 1948, Scandale aux Champs-Élysées (R. Blanc) ; 1949, Mademoiselle de La Ferté (Dallier) ; 1950, La belle image (Heymann) ; 1951, Victor (Heymann), Nez-de-cuir (Y. Allégret) ; 1952, Les amours finissent à l'aube (Calef) ; 1954, Una donna libera (Une femme libre) (Cottafavi) ; 1955, Walk Into Paradise (L'odyssée du capitaine Steve) (Robinson), La rue des bouches peintes (Vernay) ; 1958, Les grandes familles (La Patellière) ; 1959, Le testament d'Orphée (Cocteau) ; 1960, Gli invasori (La ruée des Vikings) (Bava) ; 1961, La grande Bretèche (Barma), Les trois mousquetaires (Borderie) ; 1966, Le roi de cœur (Broca), Fantômas contre Scotland Yard (Hunebelle) ; 1968, Caroline chérie (La Patellière) ; 1969, Borsalino (Deray) ; 1970, Aussi loin que l'amour (Rossif) ; 1973, La morte negli occhi del gatto (Les diablesses) (Margheriti, sous le pseudonyme de Dawson) ; 1981, Les ailes de la colombe (Jacquot) ; 1987, Les pyramides bleues (Dombasle) ; 1989, Try This One For Size (Sauf votre respect) (Hamilton) ; 1992, Les amies de ma femme (Van Cauwelaert) ; 1994, Fiesta (Boutron) ; 1996, Le plus beau métier du monde (Lauzier) ; 2000, Charmant garçon (Chesnais).

Elle débute très jeune au cinéma mais à partir des années 50, elle exerce une importante activité théâtrale qui la tient éloignée de l'écran. On la reverra néanmoins dans des rôles de composition remarqués où sa distinction fait merveille. Au théâtre, sa meilleure création reste celle de l'impitoyable infirmière de *Vol au-dessus d'un nid de coucou.*

Chtraukh, Maksim

Acteur soviétique, 1900-1974.

1924, Statchka (La grève) (Eisenstein) ; 1930, Prividenige kotoroye ne vozvrachtchayetsa (Le fantôme qui ne revient pas) (Room) ; 1938, Tchelovek s roujuyom (L'homme au fusil) (Youtkevitch) ; 1946, Kliatva (Le serment) (Tchiaourelli) ; 1956, Ubustvo na ulitse Dante (Le meurtre de la rue Dante) (Romm) ; 1958, Rankazi o Lenin (Récits sur Lénine) (Youtkevitch) ; 1966, Lenin v Polshe (Lénine en Pologne) (Youtkevitch).

Au théâtre il travaille avec Ehrenbourg, Maïakovski, Meyerhold. Au cinéma il est surtout connu pour son rôle de Lénine.

Churchill, Berton

Acteur canadien, 1876-1940.

1923, Six Cylinder Love (Clifton) ; 1924, Tongues of Flame (Henabery) ; 1925, Nothing But the Truth (Schertzinger) ; 1931, Secrets of Secretary (Abbott), Air Eagles (Whitman) ; 1932, A Husband's Holiday (Milton), The Rich are Always With Us (Green), The Dark Horse (Green), I am a Fugitive from a Chain Gang (Je suis un évadé) (LeRoy), The Wet Parade (Fleming), Okay America (Garnett) ; 1933, Elmer the Great (LeRoy), Heroes for Sale (Wellman) ; 1934, The Judge Priest (Ford), Babbitt (Keighley), Frontier Marshall (Seiler) ; 1935, Steamboat Round the Bend (Ford) ; 1937, Parnell (Stahl) ; 1938, In Old Chicago (King), The Cowboy and the Lady (Madame et son cow-boy) (Potter) ; 1939, Daughters Courageous (Filles courageuses) (Curtiz), Angels Wash Their Faces (Enright), Stagecoach (La chevauchée fantastique) (Ford) ; 1940, Brother Rat and a Baby (Enright), Twenty-Mule Team (Thorpe).

Volumineux acteur qui fut l'inoubliable banquier véreux de *Stagecoach.* On n'a donné ici qu'une partie de sa filmographie : il fut toujours un père noble ou un notable corrompu.

Cintra, Luis Miguel

Acteur portugais né en 1949.

1981, Silvestre (Silvestre) (Monteiro) ; 1982, A ilha dos amores (L'île des amours) (P. Rocha) ; 1984, Le soulier de satin (Oliveira), Vertiges (Laurent) ; 1985, O meu caso (Mon cas) (Oliveira) ; 1986, O desejado (Les montagnes de la lune) (P. Rocha) ; 1987, Os canibais (Les cannibales) (Oliveira), O bobo (Morais), Uma pedra no bolso (Pinto) ; 1989, Recordçoês de casa amarela (Souvenirs de la maison jaune) (Monteiro) ; 1990, Non o A va gloria de mandar (Non ou la vaine gloire de commander) (Oliveira) ; 1991, O sangue (Le sang) (Costa), A divina comedia (La divine comédie) (Oliveira), Villa Mauresque (Mimouni), A morte do Principe (M. de Medeiros) ; 1992, O dia do desespero (Le jour du désespoir) (Oliveira), Vale Abraào (Le val Abraham) (Oliveira) ; 1993, Aqui na terra (Ici sur la terre) (Botelho), Tres irmaos (Villaverde) ; 1994, A caixa (La cassette) (Oliveira) ; 1995, O convento (Le couvent) (Oliveira) ; 1996, Transatlantique (Laurent) ; 1998, Inquiétude (Oliveira), La lettre (Oliveira) ; 1999, As bodas de deus (Les noces de Dieu) (Monteiro), A raiz do coracão (La racine du cœur) (Rocha), Capitães d'Abril (Capitaines d'avril) (de Medeiros), Peixe-Lua (Alvaro Morais) ; 2000, Branca de Neve (voix seulement) (Monteiro), Dancer Upstairs (Malkovich), Palavra e utopia (Parole et utopie) (Oliveira), Rasganço (Freire) ; 2001, La Espalda de Dios (Llorca) ; 2002, O princípio da incerteza (Le principe d'incertitude) (Oliveira) ; 2003, Les jours où je n'existe pas (Fitoussi), Um filme falado (Un film parlé) (Oliveira).

Grand tragédien portugais, sombre et ténébreux, c'est l'acteur fétiche de Manoel de Oliveira. Sa carrière théâtrale démarre en 1968 alors qu'il est à l'université, puis il part en Angleterre étudier son art, en revient et fonde sa propre compagnie. Acteur et metteur en scène de ses spectacles, il mène une carrière cinématographique de plus en plus active.

Claire, Cyrielle

Actrice française, de son vrai nom Besnard, née en 1955.

1979, Tusk (Jodorowsky) ; 1981, Le professionnel (Lautner) ; 1982, L'été de nos quinze ans (Jullian), Sword of the Valiant (Weeks) ; 1983, La belle captive (Robbe-Grillet) ; 1984, Le joli cœur (Perrin) ; 1986, Control (Contrôle) (Montaldo) ; 1994, Les misérables (Lelouch) ; 1996, Metalmeccanico e parruchiera in un turbine di sesso e politica (Wertmuller) ; 2000, Le roman de Lulu (Scotto) ; 2004, Les gaous (Sekulic), Le genre humain (Lelouch), San-Antonio (Auburtin), Triple agent (Rohmer) ; 2005, Le courage d'aimer (Lelouch) ; 2006, Incontrôlable (Shart).

Ravissante vedette révélée à la fois à la scène par *Angelo* (de Victor Hugo) et à l'écran par *Le joli cœur*. Débuts prometteurs, beauté et talent étant au rendez-vous. Elle s'est finalement consacrée au théâtre et à la télévision, se limitant à quelques apparitions, toujours remarquées, à l'écran.

Clariond, Aimé

Acteur français, 1894-1960.

1931, Les frères Karamazov (Ozep) ; 1932, Occupe-toi d'Amélie (Viel) ; 1933, Mariage à responsabilité limitée (Limur), Belle de nuit (Valray) ; 1934, Sans famille (Allégret) ; 1935, Lucrèce Borgia (Gance), Crime et châtiment (Chenal), La route impériale (L'Herbier) ; 1936, L'île des veuves (Heymann) ; 1937, Le mensonge de Nina Petrovna (Tourjansky) ; 1938, La Marseillaise (Renoir), Le petit chose (Cloche), Le révolté (Mathot), Katia (Tourneur), Entente cordiale (L'Herbier) ; 1939, De Mayerling à Sarajevo (Ophuls), Derrière la façade (Mirande) ; 1940, Paris-New York (Mirande) ; 1941, Madame Sans-Gêne (Richebé), Mademoiselle Bonaparte (Tourneur) ; 1942, Le comte de Monte-Cristo (Vernay), Le baron fantôme (Poligny), La duchesse de Langeais (Baroncelli), Le voile bleu (Stelli), Le destin fabuleux de Désirée Clary (Guitry), Patricia (Mesnier), L'homme qui joue avec le feu (Limur), Monsieur La Souris (Lacombe), Les affaires sont les affaires (Dréville), L'auberge de l'abîme (Rozier) ; 1943, Les Roquevillard (Dréville), Donne-moi tes yeux (Guitry), Le colonel Chabert (Le Hénaff), La valse blanche (Stelli), Le soleil de minuit (Bernard-Roland), La vie de plaisir (Valentin), Domino (Richebé) ; 1944, Mademoiselle X (Billon), La grande meute (Limur) ; 1945, Le capitan (Vernay), M. Grégoire s'évade (Daniel-Norman), Étrange destin (Cuny), J'ai dix-sept ans (Berthomieu) ; 1946, Le café du cadran (Gehret), L'homme au chapeau rond (Billon), La septième porte (Zwobada) ; 1947, Monsieur Vincent (Cloche) ; 1948, La ferme des sept péchés (Devaivre), Fantômas contre Fantômas (Vernay) ; 1949, L'épave (Rozier), La danseuse de Marrakech (Mathot), La ronde des heures (Ryder) ; 1950, Rue des Saussaies (Habib) ; 1951, Foyer perdu (Loubignac) ; 1953, Si Versailles m'était conté (Guitry) ; 1954, Napoléon (Guitry) ; 1955, Si Paris nous était conté (Guitry), Je suis un sentimental (Berry), Don Juan (Berry), Marie-Antoinette (Delannoy) ; 1956, Voici le temps des assassins (Duvivier), Le secret de sœur Angèle (Joannon), Les lumières du soir (Vernay) ; 1957, A pied, à cheval et en voiture (Delbez), Trois jours à vivre (Grangier), Nathalie (Christian-Jaque) ; 1958, Les grandes familles (La Patellière), Délit de fuite (Borderie) ; 1959, Une fille pour l'été (Molinaro).

Né à Périgueux, il s'oriente très tôt vers le théâtre, échoue au Conservatoire mais finit par entrer à la Comédie-Française... Le cinéma a su utiliser son visage anguleux et inquiétant pour lui confier des rôles de fourbes : Machiavel dans *Lucrèce Borgia*, Fouché dans *Madame Sans-Gêne*, M. de Villefort dans *Le comte de Monte-Cristo*... Il est le parfait traître de mélodrame, intelligent et raffiné, mais totalement corrompu.

Clark, Dane

Acteur américain, de son vrai nom Bernard Zanville, 1913-1998.

1942, Glass Key (La clé de verre) (Heisler) ; 1943, Tennessee Johnson (Dieterle), Sunday Punch, Destination Tokyo (Destination Tokyo) (Daves), Action in the North Atlantic (Convoi vers la Russie) (Bacon) ; 1944, The Very Thought of You (Daves), Hollywood Canteen (Hollywood Canteen) (Daves) ; 1945, God is my Co-pilot (Bombes sur Hong Kong) (Florey), Pride of the Marines (L'orgueil des Marines) (Daves) ; 1946, A Stolen Life (La voleuse) (Bernhardt), Her Kind of Man (De Cordova) ; 1947, That Way with Women (De Cordova), Deep Valley (Negulesco) ; 1948, Embarceable You (Jacoves), Whiplash (Seiler) ; 1949, Moonrise (Le fils du pendu) (Borzage) ; 1950, Barricade (Barricade) (Godfrey), Without Honor (Pichel), Backfire (Du sang sur le tapis vert) (V. Sherman), Le traqué (Tuttle) ; 1951, Never Trust a Gambler (Murphy), Fort Defiance (Le fort de la vengeance) (Rawlins), Highly Dangerous (Baker) ; 1952, The Gambler and the Lady (Jenkins) ; 1954, Go, Man, Go (Vas-y, mon gars) (Wong Howe), Port of Hell (Schuster), Murder by Proxy (Fisher), Paid to Kill (Tully), Thunder Pass (McDonald) ; 1955, The Toughest Man Alive (Salkow) ; 1956, Massacre (L. King), The man is Armed (Cet homme est armé) (Adreon) ; 1957, Out-law's Son (Selander) ; 1970, The McMasters (Le clan des McMasters) (Kjellin) ; 1981, The Woman Inside (Van Winkle) ; 1982, Blood Song ; 1988, Last Rites (Bellisario)

Né à Brooklyn, N.Y., il fut surnommé « le Garfield du pauvre ». Il a d'abord essayé, sans succès, de percer comme joueur de base-ball, boxeur, puis a vécu de petits boulots avant de débuter au théâtre en 1934. De là à Hollywood, il n'y avait qu'un pas ! Sa carrière cinématographique semblait prometteuse jusqu'au jour où il eut une prise de bec avec Jack L. Warner au sujet du renouvellement de son contrat. Warner le traita de « cabotin » et Clark le frappa. Dès lors, Warner s'arrangea pour le « griller » auprès des autres grands studios. Clark fut obligé de s'expatrier en Europe et de végéter dans des séries B. Conséquences : le rôle du « Champion » lui passa sous le nez et imposa Kirk Douglas. Il a fait également de la télévision (films et séries).

Clavier, Christian

Acteur français né en 1952.

1974, Que la fête commence (Tavernier) ; 1975, Oublie-moi mandoline (Wyn), Attention les yeux ! (Pirès) ; 1976, F comme Fairbanks (Dugowson) ; 1977, Le diable dans la boîte (Lary), Des enfants gâtés (Tavernier), Dites-lui que je l'aime (Miller), L'amour en herbe (Andrieux), La tortue sur le dos (Beraud) ; 1978, Les bronzés (Leconte), Les héros n'ont pas froid aux oreilles (Nemès) ; 1979, Les bronzés font du ski (Leconte) ; 1980 Cocktail Molotov (Kurys), Je vais craquer (Leterrier), Clara et les chics types (Monnet) ; 1981, Elle voit des nains partout (Sussfeld), Quand tu seras débloqué, fais-moi signe (Leterrier) ; 1982, Le père Noël est une ordure (Poiré), Rock and Torah/Le préféré (Grunebaum) ; 1983, Papy fait de la résistance (Poiré) ; 1985, Tranches de vie (Leterrier) ; 1986, Twist again à Moscou (Poiré), La vie dissolue de Gérard Floque (Lautner) ; 1988, Les cigognes n'en font qu'à leur tête (Kaminka) ; 1989, Mes meilleurs copains (Poiré) ; 1990, Les secrets professionnels du docteur Apfelglück (collectif) ; 1991, Opération Corned-Beef (Poiré) ; 1992, Les visiteurs (Poiré) ; 1993, La soif de l'or (Oury), La vengeance d'une blonde (Szwarc), Grosse fatigue (Blanc) ; 1994, Les anges gardiens (Poiré) ; 1996, Les sœurs Soleil (Szwarc) ; 1997, Les visiteurs II : Les couloirs du temps (Poiré) ; 1998, Astérix et Obélix contre César (Zidi) ; 1999, Just Visiting (Les visiteurs en Amérique) (Poiré sous le pseudonyme de Gaubert), Les acteurs (Blier) ; 2001, Astérix et Obélix : Opération Cléopâtre (Chabat) ; 2003, Lovely Rita (Clavier), Albert est méchant (Palud) ; 2004, L'enquête corse (Berberian) ; 2005, L'antidote (de Brus), 2006 L'entente cordiale (de Brus), Les bronzés 3, Amis pour la vie (Leconte) ; 2007, Le prix à payer (Leclère).

Avec Thierry Lhermitte et Michel Blanc, il est l'un des produits de la célèbre troupe du Splendid. Maigre, l'air triste, et le regard caché derrière des lunettes, il était prodigieux dans *Papy fait de la résistance* où il surclassait la vieille génération des Galabru et Maillan. Il est non moins extraordinaire en travesti dans *Le père Noël est une ordure*. Il accumule les succès comiques : Jacquouille la fripouille dans *Les visiteurs*, l'avare Urbain Donnadieu dans *La soif de l'or*, le présentateur de télévision dans *La vengeance d'une blonde*, le rival de Depardieu dans *Les anges gardiens. Les visiteurs II* et surtout *L'enquête corse*, où il est excellent en détective privé, le consacrent comme une valeur sûre du comique français. Il a même été Napoléon à la télévision.

Clay, Philippe

Chanteur et acteur français né en 1927.

1951, Le crime du Bouif (Cerf) ; 1954, French Cancan (Renoir) ; 1956, La vie est belle (Pierre et Thibault), Notre-Dame de Paris (Delannoy) ; 1957, C'est arrivé à 36 chandelles (Diamant-Berger), En bordée (Chevalier) ; 1958, Nathalie (Christian-Jaque), Des femmes disparaissent (Molinaro), Bell, Book and Candle (Adorable voisine) (Quine) ; 1959, Drôles de phénomènes (Vernay), Toto a Parigi (Parisien malgré lui) (Mastrocinque), Messieurs les ronds-de-cuir (Diamant-Berger) ; 1960, Dans l'eau qui fait des bulles (Delbaz), Les canailles (Labro), La nuit des traqués (Bernard-Roland), Touchez pas aux blondes (Cloche) ; 1961, I moschiettieri del mare (Il était une fois trois flibustiers) (Steno) ; 1963, Le gentleman de Cocody (Christian-Jaque) ; 1966, Commissaire San Antonio (Lefranc) ; 1967, Les têtes brûlées (W. Rozier) ; 1969, Pour un sourire/Barbara (Dupont-Midy) ; 1971, Deux corniauds au régiment (Cicero) ; 1972, Pas folle la guêpe (Delannoy), Les joyeux lurons (Gérard) ;

1973, L'insolent (Roy) ; 1975, Il figliocco (Girolami) ; 1982, Deux heures moins le quart avant Jésus-Christ (Yanne) ; 1983, Salut la puce ! (Balducci), Un bon petit diable (Brialy) ; 1992, Die Wildnis (Masten) ; 1995, Krim (Bouchaala) ; 1997, Les cachetonneurs (Dercourt) ; 1998, Lautrec (Planchon), Tuvalu (Tuvalu) (Helmer).

Ce grand diable maigre au visage en lame de couteau, par ailleurs chanteur réputé, ne pouvait être ignoré par le cinéma, même s'il n'y composa que des silhouettes. Il était remarquable en Valentin le désossé chez Renoir et en poète famélique dans *Notre-Dame de Paris*.

Clayburgh, Jill

Actrice américaine née en 1944.

1966, The Wedding Party (De Palma) ; 1971, The Telephone Book (Lyon) ; 1972, Portnoy's Complaint (Lehman) ; 1973, The Thief Who Came to Dinner (Le voleur qui vient dîner) (Yorkin) ; 1974, The Terminal Man (Hodges) ; 1976, Gable and Lombard (Furie), Griffin and Phoenix (Le sourire aux larmes) (Duke), Transamerica Express (Hiller) ; 1977, Semi-Tough (Les faux durs) (Ritchie) ; 1978, An Unmarried Woman (La femme libre) (Mazursky) ; 1979, La luna (Bertolucci) ; 1980, It's my Turn (C'est ma chance) (Weill), Starting Over (Merci d'avoir été ma femme) (Pakula) ; 1981, First Monday in October (Neame) ; 1982, I'am Dancing as Fast as I can (Hofsiss) ; 1983, Hanna K. (Costa-Gavras) ; 1986, Where Are the Children ? (Malmuth) ; 1987, Shy People (Le Bayou) (Konchalovsky) ; 1990, Beyond the Ocean (Gazzara) ; 1992, Whispers in the Dark (Intimes confessions) (Crowe), Rich in Love (Beresford), Le grand pardon II (Arcady) ; 1993, Naked in New York (Naked in New York) (Algrant) ; 1996, Going all the Way (Pellington), Fools Rush In (Coup de foudre et conséquences) (Tennant) ; 2007, Running with Scissors (Courir avec des ciseaux) (R. Murphy).

Fille d'un grand banquier et d'une secrétaire de production (ce qui aide beaucoup), elle a commencé par monter sur les planches avant d'être engagée avec un autre débutant, Robert De Niro, dans un film de Brian De Palma. Peu à peu elle s'est imposée dans de grands rôles tragiques : *Une femme libre, La luna* (où elle est remarquable), et enfin *Hanna K.* où elle est une juive dont les amours reflètent les conflits qui déchirent le Liban. On la voit surtout depuis quelques années à la télévision.

Cleese, John

Acteur anglais né en 1939.

1968, Interlude (Billington) ; 1969, The Best House in London (Saville) ; 1970, The Magic Christian (McGrath), The Rise and Rise of Michael Rimmer (Billington) ; 1971, The Statue (Le plaisir des dames) (Amateau), And Now For Something Completely Different (Pataquesse/La première folie des Monty Python) (McNaughton) ; 1974, Romance With a Double Dass (R. Young) ; 1975, Monty Python and the Holy Grail (Monty Python-Sacré Graal !) (Jones et Gilliam) ; 1977, The Strange Case of the End of Civilization as We Know It (McGrath) ; 1979, Monty Python's Life of Brian (La vie de Brian) (Jones) ; 1980, Time Bandits (Bandits, bandits) (Gilliam) ; 1981, The Great Muppet Caper (Henson) ; 1982, Monty Python Live at the Hollywood Bowl (Monty Python à Hollywood) (T. Hughes) ; 1983, Yellowbeard (Barbe d'Or et les pirates) (Damski), Monty Python's the Meaning of Life (Le sens de la vie) (Jones), Privates of Parade (Blakemore) ; 1985, Silverado (Silverado) (Kasdan) ; 1986, Clockwise (Morahan) ; 1988, A Fish Called Wanda (Un poisson nommé Wanda) (Crichton) ; 1989, Erik the Viking (Erik le Viking) (Jones), The Big Picture (Guest) ; 1991, Bullseye ! (Winner) ; 1992, Splitting Heirs (Grandeur et descendance) (Young) ; 1993, Mary Shelley's Frankenstein (Frankenstein) (Branagh) ; 1994, Rudyard Kipling's the Jungle Book (Le livre de la jungle) (Sommers) ; 1995, Fierce Creatures (Créatures féroces) (R. Young) ; 1997, The Wind in the Willows (Jones), Parting Shots (Winner) ; 1998, Isn't She Great (A. Bergman), The Out-of-Towners (Escapade à New York) (Weisman) ; 1999, The World Is Not Enough (Le monde ne suffit pas) (Apted) ; 2000, Rat Race (Zucker) ; 2001, Harry Potter and the Sorcerer's Stone (Harry Potter à l'école des sorciers) (Columbus) ; 2002, Harry Potter and the Chamber of Secrets (Harry Potter et la chambre des secrets) (Columbus), Charlie's Angels Full Throttle (Les anges se déchaînent) (McG) ; 2004, Around the World in 80 Days (Le tour du monde en 80 jours) (Coraci) ; 2006, L'entente cordiale (De Brus).

Avec Palin, Gilliam et Jones, il était de la bande des Monty Python et fut de toutes les aventures. On en retrouve l'esprit et l'humour si *british* dans *Un poisson nommé Wanda* où Cleese a la vedette – avec Jamie Lee Curtis – et révèle en solo l'étendue de son talent.

Clément, Andrée

Actrice française, de son vrai nom Boyer, 1918-1954.

1943, Les anges du péché (Bresson), Premier de cordée (Daquin) ; 1945, La fille du diable (Decoin) ; 1946, Macadam (Blistène), La symphonie pastorale (Delannoy), Coïncidences (Debecque) ; 1947, Bethsabée (Moguy), Une grande fille toute simple (Manuel) ; 1949, La soif des hommes (Poligny) ; 1950, Dieu a besoin des hommes (Delannoy) ; 1952, Suivez cet homme (Lampin), Destinées (sketch de Delannoy) ; 1953, La vierge du Rhin (Cayatte).

Marseillaise montée à Paris, elle est l'élève de Dullin, Ledoux et Barrault. A l'écran, elle incarne les filles sauvages et mal dans leur peau avant de disparaître prématurément.

Clément, Aurore

Actrice française née en 1945.

1974, Lacombe Lucien (Malle) ; 1975, One Flew over the Cuckoo's Nest (Vol au-dessus d'un nid de coucous) (Forman) ; 1976, Caro Michele (Monicelli), L'agnese va a morire (Montaldo) ; 1977, Le juge Fayard dit le shérif (Boisset), Le crabe-tambour (Schoendorffer) ; 1978, Les rendez-vous d'Anna (Akerman) ; 1979, Apocalypse Now (Rôle coupé au montage) (Coppola), Viaggio con Anita (Voyage avec Anita) (Monicelli), Caro papa (Cher papa) (Risi), Le buone notizie (Petri), 5 % de risques (Pourtalé), So weit das Auge reicht (Keusch) ; 1980, Aimée (Farges) ; 1981, L'amour des femmes (Soutter) ; 1982, Invitation au voyage (Del Monte), La cinquième femme (Negria), El sur (Le sud) (Erice), Les fantômes du chapelier (Chabrol), Toute une nuit (Akerman) ; 1983, Les années 80 (Akerman) ; 1984, Paris, Texas (Wenders) ; 1985, Festa di Laurea (Avati) ; 1987, Mosca addio (Bolognini) ; 1989, Comédie d'amour (Rawson) ; 1990, Stan the flasher (Gainsbourg), Fuga dal paradiso (La fuite au paradis) (Pasculli), L'Autrichienne (Granier-Deferre), Faccia di lepre (Ginanneschi) ; 1991, Eline Vere (Eline Vere) (Kümel) ; 1992, Pas d'amour sans amour (Dress), Taxi de nuit (Leroy) ; 1993, Marie (Handwerker), Joe et Marie (Stocklin) ; 1995, Facciamo Paradiso (Monicelli), Mon homme (Blier) ; 1996, Nous sommes tous encore ici (Miéville) ; 1997, A vendre (Masson) ; 1999, Love me (Masson), La captive (Akerman) ; 2000, Jet Set (Onteniente), Faites comme si je n'étais pas là (Jahan), Trouble Every Day (Denis) ; 2001, Vivante (Rey), Le fossé des générations est un lit douillet (Bardinet), Une affaire privée (Nicloux) ; 2002, La repentie (Masson) ; 2003, Adieu (Des Pallières) ; 2004, Demain on déménage (Akerman) ; 2004, Ce qu'ils imaginent (Théron), La demoiselle d'honneur (Chabrol), Ils se marièrent et eurent beaucoup d'enfants (Attal) ; 2005, La petite Jérusalem (Albou) ; 2006, Marie-Antoinette (S. Coppola) ; 2007, Mon frère se marie (Bron).

Née à Soissons, elle fait plusieurs métiers avant de se tourner vers le cinéma. Elle est révélée par *Lacombe Lucien*. On la perd un peu de vue pour la retrouver dans *Paris, Texas* où cette douceur qui lui est propre exerce toujours la même fascination.

Clémenti, Pierre

Acteur français, 1942-1999.

1960, Le chien de pique (Y. Allégret) ; 1961, Adorable menteuse (Deville) ; 1962, Il gattopardo (Le guépard) (Visconti) ; 1964, Cent briques et des tuiles (Grimblat) ; 1965, As ilhas encantadas (Les îles enchantées) (Vilardebo) ; 1966, Brigade antigang (Borderie) ; 1967, Un homme de trop (Costa-Gavras), Lamiel (Aurel), Belle de jour (Buñuel), Pop' Game (Leroi) ; 1968, Les idoles (Marc'O), Benjamin (Deville), Scusi, facciamo l'amore (Caprioli), Partner (Bertolucci), Wheel of Ashes (Goldman) ; 1969, La voie lactée (Buñuel), Porcile (Porcherie) (Pasolini) ; 1970, Le lit de la vierge (Garrel), Il conformista (Le conformiste) (Bertolucci), I cannibali (Cavani), Cabezas cortadas (Rocha), La leçon de choses (Lagrange), Nini Tirabuscio (Nini Tirebouchon) (Fondato), Necropolis (Brocani), La victime désignée (Lucidi), La san giornata di gloria (Bruno) ; 1971, La famille (Lagrange), Jupiter (Prevost), La pacifista (Jancso), La cicatrice intérieure (Garrel), Crushproof (Demesnil) ; 1973, L'ironie du sort (Molinaro) ; 1974, Steppenwolf (Le loup des steppes) (Haimes), Sweet Movie (Makavejev) ; 1975, Le fils d'Amr est mort (Audrien) ; 1976, Le berceau de cristal (Garrel), L'affiche rouge (Cassenti), Visa de censure (Clementi) ; 1977, Zoo zéro (A. Fleischer), Les apprentis sorciers (Cozarinsky), Le manque (Dianoud) ; 1978, La chanson de Roland (Cassenti), Plages sans suite (Turine) ; 1979, New Old (Clémenti), La vraie histoire de Gérard Lechomeur (Lledo), Fou (E. Duvivier) ; 1980, La brune et moi (Puicouyoul), Cauchemar (Simsolo), Le pont du Nord (Rivette) ; 1981, Quartet (Quartet) (Ivory), L'amour des femmes (Soutter), Chassé-croisé (Dombasle), Exposed (Surexposé) (Tobak) ; 1983, Canicule (Boisset) ; 1984, Le rapt (Koralnik), Clash (Delpard) ; 1985, 44 ou les récits de la nuit (Smihi) ; 1986, A l'ombre de la canaille bleue (Clémenti) ; 1987, Un bambino di nome Gesù (Rossi) ; 1989, L'Autrichienne (P. Granier-Deferre) ; 1990, Hard to Be a God (Un dieu rebelle) (Fleischmann) ; 1993, KL Transit (Pavlides) ; 1994, Ipoptos politis (Pavlides) ; 1995, Massacres (Roy) ; 1996, Le bassin de J.W. (Monteiro) ; 1997, Hideous Kinky (Marrakech Express) (McKinnon).

Grand, maigre, inquiétant, cet ancien élève des cours du Vieux-Colombier a partagé sa carrière entre l'Italie et la France, entre des œuvres commerciales (Deville, Grimblat, Molinaro...) et confidentielles (Garrel). Impliqué dans une affaire de drogue en Italie, il connut la prison, et dut repartir de zéro. Sa carrière sombra malheureusement dans une impasse.

Cléry, Corinne

Actrice française née en 1951.

1976, Histoire d'O (Jaeckin), ... e tanta paura (Cavara), Sturmtruppen (Le bataillon en folie) (Samperi), Bluff (Bluff) (S. Corbucci), Autostop rosso sangue (Festa Campanile) ; 1977, Natale in casa d'appuntamento (Allô madame) (Nannuzzi) ; 1978, L'umanoide (L'humanoïde) (A. Lado, *sous le pseudonyme de* G. Lewis) ; 1979, Moonraker (Moonraker) (Gilbert) ; 1980, Odio le bionde (Je hais les blondes) (Capitani), Eroina (Pirri) ; 1981, L'ultimo harem (Garrone) ; 1982, Yor (Yor, le chasseur du futur) (Dawson) ; 1985, Il miele di diavolo (Plaisirs pervers) (Fulci) ; 1986, Yuppies, i giovani di successo (Vanzina) ; 1987, Monte Napoleone (Vanzina) ; 1988, La partita (Vanzina) ; 1991, No chiamarmi Omar (Staino) ; 1993, Le roi de Paris (Maillet) ; 1995, A dio piacendo (Altadonna).

Célèbre cover-girl choisie pour interpréter le rôle principal d'*Histoire d'O,* version soft. Malgré un incontestable charme, sa carrière tourna court et on ne la revit que dans des séries B italiennes et un bon James Bond.

Clift, Montgomery

Acteur américain, 1920-1966.

1948, The Search (Les anges marqués) (Zinneman), Red River (La rivière rouge) (Hawks) ; 1949, The Heiress (L'héritière) (Wyler) ; 1950, The Big Lift (La ville écartelée) (Seaton) ; 1951, A Place in the Sun (Une place au soleil) (Stevens) ; 1952, I Confess (La loi du silence) (Hitchcock) ; 1953, From Here to Eternity (Tant qu'il y aura des hommes) (Zinneman) ; 1954, Stazione Termini (Station Terminus) (De Sica) ; 1957, Raintree Country (L'arbre de vie) (Dmytryk) ; 1958, The Young Lions (Le bal des maudits) (Dmytryk) ; 1959, Lonelyhearts (Cœurs à la dérive) (Donohue), Suddenly Last Summer (Soudain l'été dernier) (Mankiewicz) ; 1960, Wild River (Le fleuve sauvage) (Kazan), The Misfits (Les désaxés) (Huston) ; 1961, Judgment at Nuremberg (Jugement à Nuremberg) (Kramer), Freud (Freud, passions secrètes) (Huston), L'espion (R. Lévy).

Astre filant dans le monde des étoiles d'Hollywood. Un acteur inoubliable : le cowboy de *La rivière rouge*, le prêtre qui ne peut se justifier, victime du secret de la confession dans *La loi du silence*, le médiocre arriviste de *Une place au soleil*, le soldat de *Tant qu'il y aura des hommes*, le désaxé des *Misfits*... Toujours des héros vulnérables, fragiles, ambigus. Il fut défiguré en partie par un accident de voiture en 1956. Prématurément usé, il mourut, jeune, d'une crise cardiaque.

Clive, Colin

Acteur anglais, de son vrai nom Creig, 1898-1937.

1930, Journey's End (Whale) ; 1931, Frankenstein (Whale) ; 1932, Lily Christine (Stein) ; 1933, Christopher Strong (Arzner), Looking Forward (Brown) ; 1934, Jane Eyre (Cabanne), The Key (Curtiz), One More River (Whale) ; 1935, Clive of India (Boleslavsky), Mad Love (Les mains d'Orlac) (Freund), The Girl From Tenth Avenue (Green), The Man Who Broke the Bank at Monte Carlo (Roberts), The Bride of Frankenstein (La fiancée de Frankenstein) (Whale) ; 1937, History Is Made at Night (Le destin se joue la nuit) (Borzage), The Woman I Love (Litvak).

Acteur de théâtre réputé, il vient à Hollywood pour interpréter sous la direction de James Whale la version filmée de la pièce *Journey's End*. Whale le retient pour être le docteur Frankenstein créateur du fameux monstre que joue Karloff. C'est la célébrité mondiale. Clive ne cesse dès lors de tourner des films à Hollywood, dont la suite de Frankenstein. Mais il meurt dans des conditions mystérieuses à trente-neuf ans. Est-ce la malédiction de Frankenstein ? On retrouvera un peu plus tard Whale noyé dans sa piscine. Il restera dans notre mémoire comme la star des films fantastiques.

Clooney, George

Acteur et metteur en scène américain né en 1961.

1987, Return to Horror High (Froehlich) ; 1988, Return of the Killer Tomatoes (DeBello) ; 1990, Red Surf (Boos) ; 1992, Unbecoming Age (Ringel) ; 1995, From Dusk till Dawn (Une nuit en enfer) (Rodriguez) ; 1996, Full Tilt Boogie (Full Tilt Boogie) (Kelly), One Fine Day (Un beau jour) (Hoffman), The Peacemaker (Le pacificateur) (Leder), Batman and Robin (Batman & Robin) (Schumacher) ; 1997, The Thin Red Line (La ligne rouge) (Malick) ; 1998, Out of Sight (Hors d'atteinte) (Soderbergh) ; 1999, Three Kings (Les rois du désert) (Russell), Oh Brother, Where Art Thou ? (O'Brother) (Coen) ; 2000, The Perfect Storm (En pleine tempête) (Petersen) ; 2001, Ocean's Eleven (Ocean's Eleven) (Soderbergh), Solaris (Solaris) (Soderbergh) ; 2002, Confessions of a Dangerous Mind (Confessions d'un homme dangereux) (Clooney) ; 2003, Intolerable Cruelty (Intolérable cruauté) (Coen) ; 2003, Spy Kids 3D : Game Over (Mission 3D Spy Kids 3) (Rodriguez) ; 2004, Ocean's Twelve (Ocean's Twelve) (Soderbergh) ; 2006, Good Night and Good Luck (Clooney), Syriana (Syriana) (Gaghan) ; 2007, The Good German (The Good German) (Soderbergh), Michael Clayton (Gilroy), Ocean's Thirteen (Ocean's Thirteen) (Soderbergh). *Pour le metteur en scène*, voir le *Dictionnaire du cinéma*, t. I : *Les réalisateurs*.

Des séries B, de la télé et beaucoup de galères pour le neveu de la chanteuse Rosemary Clooney. Et puis le miracle : Tarantino et Rodriguez le choisissent pour le rôle du méchant dans *Une nuit en enfer*. Clooney est lancé sur la foi d'un seul rôle et ne s'arrête plus de tourner, avec en prime un rôle récurrent de pédiatre dans la série culte « Urgences ». Œil de velours, sourire ravageur, il incarne le parfait nouveau play-boy (*Intolérable cruauté*) mais, acteur engagé, sait aussi passer à un registre sérieux : les problèmes pétroliers (*Syriana*).

Close, Glenn

Actrice américaine née en 1947.

1982, The World According to Garp (Le monde selon Garp) (Hill) ; 1983, The Big Chill (Les copains d'abord) (Kasdan) ; 1984, The Stone Boy (Cain), The Natural (Le meilleur) (Levinson) ; 1985, Maxie (Aaron), The Jagged Edge (A double tranchant) (Marquand) ; 1987, Fatal Attraction (Liaison fatale) (Lynn) ; 1988, Dangerous Liaisons (Les liaisons dangereuses) (Frears) ; 1989, Immediate Family (Immediate Family) (Kaplan) ; 1990, Reversal of Fortune (Le mystère von Bulow) (Schroeder) ; 1990, Meeting Venus (La tentation de Vénus) (I. Szabo), Hamlet (Hamlet) (Zeffirelli) ; 1991, Hook (Hook-la revanche du capitaine Crochet) (Spielberg) ; 1993, The House of the Spirits (La maison aux esprits) (August), The Paper (Le journal) (Howard) ; 1994, Mary Reilly (Mary Reilly) (Frears) ; 1996, 101 Dalmatians (Les 101 dalmatiens) (Herek), Paradise Road (Beresford), Mars Attacks ! (Mars Attacks !) (Burton), Air Force One (Air Force One) (Petersen) ; 1998, Cookie's Fortune (Cookie's Fortune) (Altman) ; 1999, Things You Can Tell Just by Looking at Her (Ce que je sais d'elle... d'un simple regard) (Garcia) ; 2000, 102 Dalmatians (102 dalmatiens) (Lima) ; 2001, The Safety of Objects (Troche) ; 2003, Le divorce (Ivory) ; 2004, The Stepford Wives (Et l'homme créa la femme) (Oz).

Grande actrice de la lignée des Bette Davis et Joan Crawford : terrifiante dans *Liaison fatale* où elle perturbe la vie privée de Michael Douglas qui a eu le malheur d'avoir une liaison avec elle, inquiétante en Madame de Merteuil dans *Les liaisons dangereuses*, elle sait aussi être drôle en présidente des États-Unis dans *Mars Attacks !*

Cloutier, Suzanne

Actrice d'origine canadienne, 1927-2003.

1947, Temptation (Tentation) (Pichel) ; 1949, Au royaume des cieux (Duvivier) ; 1950, Othello (Welles), Juliette ou la clef des songes (Carné) ; 1952, Derby Day (Wilcox) ; 1954, Doctor in the House (Toubib or not Toubib) (Thomas) ; 1961, Romanoff et Juliette (Ustinov) ; 1996, Whiskers (Kaufman) ; 1997, La comtesse de Baton Rouge (Forcier).

D'abord cover-girl à New York, elle dut au personnage de Desdemone dans l'*Othello* de Welles et à celui de Juliette chez Carné de devenir célèbre. Mais elle ne fut qu'un feu de paille. Mariée à Peter Ustinov, elle cessa pratiquement de tourner, sauf dans des films de son mari.

Clouzot, Véra

Actrice d'origine brésilienne, de son vrai nom Vera Amado, 1913-1960

1953, Le salaire de la peur (Clouzot) ; 1954, Les diaboliques (Clouzot) ; 1957, Les espions (Clouzot).

Découverte par Clouzot qui l'épousa. Détail troublant : cette femme fragile mourut d'une crise cardiaque... comme dans *Les diaboliques*.

Cluny, Geneviève

Actrice française née en 1934.

Films publicitaires. 1956, Mon curé chez les pauvres (Diamant-Berger) ; 1958, Les cousins (Chabrol) ; 1959, Les jeux de l'amour (Broca),

Un témoin dans la ville (Molinaro) ; 1960, Réveille-toi chérie (Magnier), Le farceur (Broca) ; 1961, Les filles de La Rochelle (Deflandre) ; 1962, Les veinards (sketch Broca), Die lustige Witwe (La veuve joyeuse) (Jacobs) ; 1965, Rififi in Beirut (Baroud à Beyrouth pour FBI 505) (Kohler).

« Dents blanches, haleine fraîche, superdentifrice Colgate » : Geneviève Cluny fut la première star du cinéma publicitaire. C'est à ce titre qu'elle figure ici et non pour sa contribution aux chefs-d'œuvre du septième art.

Cluzet, François

Acteur français né en 1955.

1978, Cocktail Molotov (Kurys) ; 1979, Le cheval d'orgueil (Chabrol) ; 1982, Les fantômes du chapelier (Chabrol) ; 1983, L'été meurtrier (Becker), Vive la sociale (Mordillat), Coup de foudre (Kurys) ; 1984, Les enragés (Glenn) ; 1985, Elsa, Elsa (Haudepin) ; 1986, Autour de minuit (Tavernier), États d'âme (Fausten), Rue du départ (Gatlif) ; 1987, Association de malfaiteurs (Zidi) ; 1988, Jaune revolver (Langlois), Deux (Zidi), Chocolat (Denis), Une affaire de femmes (Chabrol) ; 1989, Un tour de manège (Pradinas), Force majeure (Jolivet), Trop belle pour toi (Blier), La Révolution française (Enrico et Heffron) ; 1991, A demain (Martiny), Olivier, Olivier (Holland) ; 1992, Sexes faibles ! (Meynard), L'instinct de l'ange (Dembo) ; 1993, L'enfer (Chabrol), Le vent du Wyoming (Forcier) ; 1994, Ready to Wear (Prêt-à-porter) (Altman), Les apprentis (Salvadori), French Kiss (French Kiss) (Kasdan) ; 1995, Le hussard sur le toit (Rappeneau), Enfants de salaud (Marshall) ; 1996, Le silence de Rak (Loizillon) ; 1997, Le déménagement (Doran), Rien ne va plus (Chabrol), La voie est libre (Clavier), Dolce farniente (Caranfil) ; 1998, L'examen de minuit (Dubroux), Fin août, début septembre (Assayas) ; 2002, L'adversaire (Garcia) ; 2003, Quand je vois le soleil (Cortal), Janis et John (Benchetrit), France Boutique (Marshall), Mais qui a tué Pamela Rose ? (Lartigau) ; 2004, Je suis un assassin (Vincent) ; 2005, La cloche a sonné (Herbulot), Le domaine perdu (Ruiz) ; 2006, Ne le dis à personne (Canet), Quatre étoiles (Vincent) ; 2007, Ma place au soleil (Montalier).

S'est imposé en vrai cinglé du jazz dans *Autour de minuit* avant de gagner ses galons de vedette dans *Association de malfaiteurs*. Il est un bon Camille Desmoulins dans *La Révolution française*. Un césar pour *Ne le dis à personne*.

Clyde, Andy

Acteur américain, 1892-1967.

1926, *courts métrages avec Billy Bevan. Par la suite :* 1932, Million Dollar Legs (Cline) ; *nombreux westerns de* Selander *et* Harry Sherman ; 1944, Limberjack (Les maîtres de la forêt) (Selander) ; 1955, Colorado Saloon (Kane).

Acteur comique sans grand relief qui vaut ce que valent les gags qui lui sont proposés, mais qui fut un bon partenaire de Billy Bevan et survécut à l'invention du parlant.

Cobb, Lee J.

Acteur américain, de son vrai nom Lou Jacoby, 1911-1976.

1937, North of the Rio Grande (Watt) ; Rustler's Valley (Watt) ; Ali Baba Goes to Town (Butler) ; 1938, Danger on Air (Garrett) ; 1939, The Phantom Creeps (Beebe) ; Golden Boy (Mamoulian) ; 1941, This Thing Called Love (Hall) ; Men of Boy Towns (Taurog) ; 1942, Paris Calling (Marin) ; 1943, The Moon Is Down (Pichel) ; Tonight We Raid Calais (Brahm) ; Buckskin Frontier (Selander) ; The Song of Bernadette (Le chant de Bernadette) (King) ; 1946, Boomerang (Kazan), Anna and the King of Siam (Anna et le roi de Siam) (Cromwell), Johnny O'Clock (L'heure du crime) (Rossen) ; 1947, Captain from Castille (Capitaine de Castille) (King), The Miracle of the Bells (Le miracle des cloches) (Pichel), Call Northside 777 (Appelez Nord 777) (Hathaway) ; 1948, The Luck of the Irish (L'énigmatique M. Horrace) (Koster), The Dark Past (La fin d'un tueur) (Maté) ; 1949, Thieves' Highway (Les bas-fonds de Frisco) (Dassin) ; 1950, The Man Who Cheated Himself (Feist) ; 1951, Sirocco (Bernhardt), The Family Secret (Le poids du remords) (Levin) ; 1952, The Fighter (Le libérateur) (Kline), The Tall Texan (Les démons du Texas) (Williams) ; 1954, Yankee Pacha (Pevney), On the Waterfront (Sur les quais) (Kazan), Gorilla at Large (Panique sur la ville) (Jones), Day of Triumph (Pichel) ; 1955, The Racers (Le cercle infernal) (Hathaway), The Left Hand of God (La main gauche du seigneur) (Dmytryk), The Road of Denver (Colorado Saloon) (Kane) ; 1956, The Man in the Grey Flannel Suit (L'homme au complet gris) (Johnson), Miami Expose (Meurtre à Miami) (Sears), Twelve Angry Men (Douze hommes en colère) (Lumet), The Garment Jungle (Racket dans la couture) (Sherman) ; 1957, The Three Faces of Eve (Les trois visages d'Eve) (Johnson), The Man of the West (L'homme de l'Ouest) (Mann) ; 1958, The Brothers Karamazov (Les frères Karamazov)

(Brooks), Party Girl (Traquenard) (Ray), The Trap (Dans la souricière) (Panama) ; 1959, Green Mansions (Vertes demeures) (Ferrer), But Not for Me (La vie à belles dents) (Lang) ; 1960, Exodus (Preminger) ; 1961, The Four Horsemen of Apocalypse (Les quatres cavaliers de l'Apocalypse (Minnelli) ; 1962, How the West Was Won (La conquête de l'Ouest) (Hathaway, Ford, Marshall), Brazen Bell (Panique à l'ouest) (Sheldon) ; 1963, Come Blow Your Horn (T'es plus dans la course, papa) (Yorkin) ; 1965, Our Man Flint (Notre homme Flint) (Mann) ; 1967, In Like Flint (F. comme Flint) (Douglas), Il giorno della civetta (La maffia fait la loi) (Damiani) ; 1968, Coogan's Bluff (Un shérif à New York) (Siegel), Mac Kenna's Gold (L'or de Mac Kenna) (Thompson), Las Vegas 500 Millions (Les hommes de Las Vegas) (Isasi) ; 1969, The Liberation of L.B. Jones (On n'achète pas le silence) (Wyler) ; 1970, Macho Callahan (Kowalski) ; 1971, The Lawman (L'homme de la loi) (Winner), The Bull of the West (Le solitaire de l'Ouest) (Hopper) ; 1973, The Man Who Loved Cat Dancing (Le fantôme de Cat Dancing) (Sarafan), The Exorcist (L'exorciste) (Friedkin), La polizia sta a guardare (Le grand kidnapping) (Infascelli) ; 1975, That Lucky Touch (Le veinard) (Miles).

Excellent musicien, il doit renoncer à sa vocation de violoniste à la suite d'un accident ; il s'oriente vers le théâtre où il triomphe à Broadway dans *Death of a Salesman* (*Mort d'un commis-voyageur*). Ce passage sur scène et l'influence de Strasberg et de l'Actor's Studio expliquent un jeu outré qui convenait parfaitement à certains films de Kazan qui l'impose dans *Boomerang*. Il restera par la suite fidèle à un style (excessif) et à un personnage (le fort en gueule).

Coburn, Charles

Acteur américain, 1877-1961.

1938, Of Human Hearts (Brown), Yellow Jack (Seitz), Vivacious Lady (Mariage incognito) (Stevens) ; 1939, Idiot's Delight (Brown), The Story of Graham Bell (Cummings), Made for Each Other (Le lien sacré) (Cromwell), Stanley and Livingstone (Stanley et Livingstone) (King), Bachelor Mother (Mademoiselle et son bébé) (Kanin), In Name Only (L'autre) (Cromwell) ; 1940, Edison the Man (Brown), The Captain Is a Lady (Sinclair) ; 1941, The Devil and Miss Jones (Le diable s'en mêle) (Wood), The Lady Eve (Sturges), Our Wife (Stahl), Unexpected Uncle (Godfrey), King's Row (Crimes sans châtiment) (Wood), H.M. Pulham Esq. (Souvenirs) (Vidor) ; 1942, In This Our Life (Huston), George Washington Slept Here (Keighley) ; 1943, The More the Merrier (Plus on est de fous) (Stevens), The Constant Nymph (Tessa la nymphe au cœur fidèle) (Goulding), Heaven Can Wait (Le ciel peut attendre) (Lubitsch), My Kingdom for a Cook (Wallace), Princess O'Rourke (Krasna) ; 1944, Since You Went Away (Depuis ton départ) (Cromwell), The Impatient Years (Cummings), Together Again (Ch. Vidor) ; 1945, A Royal Scandal (Preminger), Over 21 (Ch. Vidor) ; 1946, The Green Years (Saville) ; 1947, Lured (Des filles disparaissent) (Sirk) ; 1948, Green Grass of Wyoming (L. King), The Paradine Case (Le procès Paradine) (Hitchcock), BF's Daughter (Leonard) ; 1949, Impact (Lubin), Yes Sir, That's My Baby (G. Sherman), The Doctor and the Girl (Bernhardt), Everybody Does It (E. Goulding) ; 1950, Louisa (Hall), Peggy (De Cordova), Mr. Music (Haydn) ; 1951, The Highwayman (Selander) ; 1952, Monkey Business (Chérie, je me sens rajeunir) (Hawks), Trouble Along the Way (Curtiz) ; 1953, Gentlemen Prefer Blondes (Les hommes préfèrent les blondes) (Hawks) ; 1954, The Long Wait (Saville), The Rocket Man (Rudolph) ; 1955, How To Be Very Very Popular (N. Johnson) ; 1956, The Power and the Prize (Koster) ; 1957, Town on Trial (Guillermin), How To Murder a Rich Uncle (Comment tuer un oncle à héritage) (Patrick) ; 1959, A Stranger in My Arms (Kautner), The Remarkable Mr. Pennypacker (Le remarquable M. Pennypacker) (Levin), John Paul Jones (John Paul Jones, maître des mers) (Farrow) ; 1960, Pepe (Pepe) (Sidney).

Après une longue carrière théâtrale, il est découvert par Hollywood pour les emplois de vieil oncle gâteau et gâteux, de milliardaire excentrique, de monsieur âgé porté sur la bagatelle. Ses deux meilleurs rôles sont ceux de *Monkey Business* et de *Gentlemen Prefer Blondes*.

Coburn, James

Acteur américain, 1928-2002.

1958, Ride Lonesome (La chevauchée de la vengeance) (Boetticher), Face of a Fugitive (Wendkos) ; 1960, The Magnificent Seven (Les sept mercenaires) (Sturges) ; 1962, Hell is for Heroes (L'enfer est pour les héros) (Siegel), The Murder Men (Peyser) ; 1963, The Great Escape (La grande évasion) (Sturges), Charade (Donen) ; 1964, The Americanization of Emily (Les jeux de l'amour et de la guerre) (Hiller), Major Dundee (Peckinpah) ; 1965, A High Wind in Jamaica (Cyclone à la

Jamaïque) (Mackendrick), The Loved One (Le cher disparu) (Richardson), Our Man Flint (Notre homme Flint) (D. Mann) ; 1966, What Did You Do in the War, Daddy (Qu'as-tu fait à la guerre, papa ?) (Edwards), Dead Heat on a Merry Go-Round (Girard) ; 1967, In Like Flint (F comme Flint) (Douglas), Watherhole n° 3 (L'or des pistoleros) (Graham), The President's Analyst (Flicker) ; 1968, Duffy (Duffy, le renard de Tanger) (Parrish), Candy (Marquand) ; 1969, Hard Contract (Cet homme est prêt à tout) (Pogostin), The Last of the Mobile Hot-Shots (Lumet) ; 1971, Giu la testa (Il était une fois la Révolution) (Leone), The Honkers (Les centaures) (Inhat) ; 1972, A Case of Murder (Opération clandestine) (Edwards), Una ragione per vivere e una per morire (Valerii) ; 1973, The Last of Sheila (Les invitations dangereuses) (Ross), Pat Garret and Billy the Kid (Peckinpah), Harry in Your Pocket (Harry gentleman pickpocket) (Geller) ; 1974, The Internecine Project (Hughes), The Street Fighter (Le bagarreur) (W. Hill) ; 1975, Bite the Bullet (La chevauchée sauvage) (Brooks), Midway (La bataille de Midway) (Smight), The Last Hard Men (La loi de la haine) (McLaglen) ; 1976, Sky Riders (Intervention Delta) (Hickox), Cross of Iron (Croix de fer) (Peckinpah), White Rock (Maylans) ; 1978, Speed Fever (Morra, Orefici) ; 1979, Goldengirl (Sargent), The Muppet Film (Les Muppets, ça c'est du cinéma) (Frawley), The Baltimore Bullet (Revanche à Baltimore) (R.E. Hiller) ; 1980, High Risk (Les risques de l'aventure) (Raffill), Firepower (L'arme au poing) (Winner), Mr. Patman (Monsieur Patman) (Guillermin), Loving Couples (Smight) ; 1981, Looker (Video Crime) (Crichton) ; 1983, Digital Dreams (Dornhelm), Crossover (Gullerm), Screwballs (Zielinski) ; 1985, The Leonski Incident (Mora) ; 1986, Death of a Soldier (Mora) ; 1988, Walking After Midnight (Kay) ; 1989, Tag till Himlen (Anderberg) ; 1990, Young Guns 2 (Murphy) ; 1991, Hudson Hawk (Hudson Hawk, gentleman cambrioleur) (Lehmann), The Player (The Player) (Altman) ; 1993, Sister Act 2 : Back in the Habit (Sister Act, acte 2) (Duke), Deadfall (Ch. Coppola) ; 1994, Maverick (Maverick) (Donner) ; 1995, Avenging Angel (Baxley) ; 1996, Eraser (L'effaceur) (Russell), The Nutty Professor (Le professeur foldingue) (Shadyac), Keys to Tulsa (Greif), The Disappearance of Kevin Johnson (Megahy) ; 1997, Affliction (Affliction) (Schrader), The Second Civil War (The Second Civil War) (Dante), Skeletons (Decoteau) ; 1998, Payback (Payback) (Helgeland) ; 2000, American Gun (Jacobs) ; 2001, The Man from Elysian Fields (Hickenlooper), Snow Dogs (Levant).

Venu de Los Angeles, il fut l'un des sept mercenaires (il incarnait le flegmatique lanceur de couteaux), ce qui devait le rendre célèbre comme les autres interprètes. Utilisant au mieux son physique impassible et son allure dégingandée, il fut le héros d'une série d'espionnage, Flint. On le retrouva dans de nombreux films d'action (Peckinpah et Winner l'affectionnent) où il fit toujours merveille grâce à sa désinvolture.

Cochran, Steve

Acteur et réalisateur américain, 1917-1965.

1943, Stage Door Canteen (Le cabaret des étoiles) (Borzage) ; 1945, Wonder Man (Le joyeux phénomène) (Humberstone), Boston Blackie Booked on Suspicion (Dreifuss), The Gay Senorita (Dreifuss), Boston Blackie's Rendez-vous (Dreifuss) ; 1946, The Kid from Brooklyn (Le laitier de Brooklyn) (McLeod), The Best Years of Our Lives (Les meilleures années de notre vie) (Wyler), The Chase (Ripley) ; 1947, Copacabana (Green) ; 1948, A Song Is Born (Si bémol et fa dièse) (Hawks) ; 1949, White Heat (L'enfer est à lui) (Walsh) ; 1950, The Damned Don't Cry (L'esclave du gang) (V. Sherman), Highway 301 (Stone), Storm Warning (Heisler), The West Point Story (Les cadets de West Point) (Del Ruth), Dallas (Dallas ville frontière) (Heisler) ; 1951, Raton Pass (Marin), The Tanks Are Coming (Les tanks arrivent) (Seiler), Inside the Walls of Folsom Prison (Wilbur), Jim Thorpe, All American (Le chevalier du stade) (Curtiz), Tomorrow Is Another Day (Les amants du crime) (Feist) ; 1952, The Lion and the Horse (L. King), Operation Secret (Seiler) ; 1953, She's Back on Broadway (Douglas) ; The Desert Song (Humberstone), Back to God's Country (Le justicier impitoyable) (Pevney), Shark River (Rawlins) ; 1954, Carnival Story (Neumann), Private Hell 36 (Ici brigade criminelle) (Siegel) ; 1956, Come Next Spring (Springsteen), Slander (Rowland), The Weapon (Chester) ; 1957, Il grido (Le cri) (Antonioni) ; 1958, I Mobster (Corman), Quantrill's Raiders (Bernds) ; 1959, The Beat Generation (Haas), The Big Operator (Le témoin doit être assassiné) (Haas) ; 1961, The Deadly Companions (Peckinpah) ; 1963, Of Love and Desire (Rush) ; 1967, Tell Me in the Sunlight (Cochran). *Comme réalisateur :* 1967, Tell Me in the Sunlight.

Plus célèbre pour sa vie privée agitée, comparable à celle de Flynn, que pour ses talents d'acteur. Solide, brun de poil, viril, il a joué les durs avec conviction dans de nombreux westerns et thrillers après avoir donné la réplique à Danny Kaye. Nul n'a jamais su pourquoi il figurait dans un film d'Antonioni, la seule note intellectuelle de sa carrière. Il périt victime d'une blessure alors qu'il se trouvait à bord de son bateau pris dans la tempête, avec un équipage de trois jolies filles. Il avait dirigé en 1964 une œuvre restée confidentielle.

Coëdel, Lucien

Acteur français, 1899-1947.

1936, Le coupable (Bernard), Nitchevo (Baroncelli) ; 1937, Mollenard (Siodmak), Le messager (Rouleau) ; 1939, Courrier d'Asie (Marcilly et Gilbert), Nord-Atlantique (Cloche) ; 1941, L'assassinat du père Noël (Christian-Jaque), Caprices (Joannon), Le pavillon brûle (Baroncelli) ; 1942, Carmen (Christian-Jaque), Le journal tombe à cinq heures (Lacombe), Les inconnus dans la maison (Decoin), Opéra-musette (Lefèvre) ; 1943, Les mystères de Paris (Baroncelli), Voyage sans espoir (Christian-Jaque) ; 1944, Sortilèges (Christian-Jaque) ; 1945, La route du bagne (Mathot), Peloton d'exécution (Berthomieu) ; 1946, L'idiot (Lampin), Roger la Honte (Cayatte), La revanche de Roger la Honte (Cayatte), Contre-enquête (Faurez) ; 1947, La chartreuse de Parme (Christian-Jaque), Une belle garce (Daroy), Un flic (Canonge) ; La carcasse et le tord-cou (Chanas).

Une brève — trop brève carrière. Il promena sa trogne un peu inquiétante dans d'excellents films, voué à être le Chourineur dans *Les mystères de Paris*, Garcia le borgne pour *Carmen* ou Rassi de *La chartreuse de Parme*.

Colbert, Claudette

Actrice américaine d'origine française, de son vrai nom Lily Chauchoin, 1905-1996.

1927, For the Love of Mike (Capra) ; 1929, The Lady Lies (Henley), The Hole in the Wall (Florey) ; 1930, The Big Pond (La grande mare) (Bell), Young Man of Manhattan (Bell), L'énigmatique Mr. Parkes (Gasnier), Manslaughter (Abboth) ; 1931, The Smiling Lieutenant (Le lieutenant souriant) (Lubitsch), Secrets of a Secretary (Abbott), His Woman (Sloman), Honor Among Lovers ; 1932, The Wiser Sex (Le sexe le plus habile) (Viertel), The Phantom President (Le président fantôme) (Taurog), Man From Yesterday (Viertel), Make Me a Star (Beaudine), The Misleading Lady (Walker), The Sign of the Cross (Le signe de la croix) (DeMille) ; 1933, Three Cornered Moon (Nugent), Tonight Is Ours, Torch Singer (Hall), I Cover the Warterfront (Cruze) ; 1934, Four Frightened People (DeMille), It Happened One Night (New York-Miami) (Capra), Cleopatra (Cléopâtre) (DeMille), Imitation of Life (Images de la vie) (Stahl) ; 1935, The Gilded Lily (Ruggles), Private Worlds (La Cava), She Married Her Boss (Mon mari le patron) (La Cava), The Bride Comes Home (Ruggles) ; 1936, Under Two Flags (Sous deux drapeaux) (Lloyd) ; 1937, Maid of Salem (Les filles de Salem) (Lloyd), Tovarich (Litvak), I Met Him in Paris (A Paris tous les trois) (Ruggles) ; 1938, Bluebeard's Eighth Wife (La huitième femme de Barbe-Bleue) (Lubitsch) ; 1939, Zaza (Cukor), Midnight (La baronne de minuit) (Leisen), Drums Along the Mohawk (Sur la piste des Mohawks) (Ford), It's a Wonderful World (Le monde est merveilleux) (Van Dyke) ; 1940, Boom Town (La fièvre du pétrole) (Conway), Arise My Love (Leisen) ; 1941, Skylark (La folle alouette) (Sandrich), Remember That Day (Adieu ma jeunesse) (King) ; 1942, The Palm Beach Story (Madame et ses flirts) (P. Sturges) ; 1943, No Time for Love (La dangereuse aventure) (Leisen), So Proudly We Hail (Sandrich) ; 1944, Since You Went Away (Depuis ton départ) (Cromwell) ; 1945, Practically Yours (Leisen), Guest Wife (Désir de femme) (Wood) ; 1946, Without Reservations (LeRoy), The Secret Heart (Cœur secret) (Leonard) ; 1947, The Egg and Me (L'œuf et moi) (Erskine) ; 1948, Sleep My Love (L'homme aux lunettes d'écaille) (Sirk), Family Honeymoon (Ma femme et ses enfants) (Binyon) ; 1949, Bride for Sale (Fiancée à vendre) (Russell) ; 1950, Three Came Home (Captives à Bornéo) (Negulesco), The Secret Fury (Ferrer) ; 1951, Thunder on the Hill (Tempête sur la colline) (Sirk), Let's Make It Legal (Sale) ; 1952, The Planter's Wife (La femme du planteur) (Annakin) ; 1953, Destinées (Delannoy), Si Versailles m'était conté (Guitry) ; 1955, Texas Lady (Le rendez-vous de quatre heures) (Whelan) ; 1961, Parrish (La soif de la jeunesse) (Daves).

Elle avait émigré avec ses parents aux États-Unis en 1912. Figurante puis actrice à Broadway, elle va brusquement, après avoir été remarquée par Capra, connaître le fabuleux destin des stars. Elle est extraordinaire en Popée dans *Le signe de la croix* et en Cléopâtre dans la super-production de DeMille. Elle fut également excellente dans deux films dramatiques de Sirk et dans le western de Ford, *Sur la piste des Mohawks*, où elle avait Fonda pour partenaire. Mais son vrai domaine fut la comédie. Elle gagna un oscar avec *It Happened One Night* en 1934 et joua dans de nombreux films de Lubitsch et Leisen. Liée à la Paramount, elle en reçut de formidables cachets. Sa dernière grande apparition date de *Si Versailles m'était conté* où Guitry confia à cette Française d'origine le rôle de Mme de Montespan.

Colin, Grégoire

Acteur français né en 1975.

1990, Le silence d'ailleurs (Mouyal) ; 1991, L'année de l'éveil (Corbiau), Olivier, Olivier (Holland) ; 1992, Roulez jeunesse (Fansten), L'œil écarlate (Roulet) ; 1993, La reine Margot (Chéreau), Pas très catholique (Marshall), A propos de Nice, la suite (sketch Cl. Denis) ; 1994, Before the Rain (Before the Rain) (Manchevski), Le fils de Gascogne (Aubier) ; 1995, Fiesta (Boutron) ; 1996, Nenette et Boni (Denis) ; 1997, Nel profondo paese straniero (Homère — La dernière odyssée) (Carpi), La vie rêvée des anges (Zonca), Secret défense (Rivette), Disparus (Bourdos) ; 1998, Superlove (Janer) ; 1999, Beau travail (Denis) ; 2000, Sade (Jacquot), Adela (Mignogna) ; 2001, Sex is Comedy (Breillat) ; 2002, Vendredi soir (Denis) ; 2003, Snowboarder (Barco) ; 2004, Inquiétudes (Bourdos) ; 2005, Le domaine perdu (Ruiz), L'intrus (Denis), La ravisseuse (Santana) ; 2006, Exes (Cognito).

Brun, élancé, les yeux en amande, il démarre au théâtre et au cinéma à l'âge de douze ans et depuis mène sa carrière très intelligemment, malgré les rôles souvent difficiles qu'on lui donne dans des œuvres ambitieuses.

Collette, Toni

Actrice australienne née en 1972.

1992, Spottswood (M. Joffe) ; 1993, Muriel's Wedding (Muriel) (Hogan) ; 1995, Lilian's Story (Domaradzki) ; 1996, Cosi (M. Joffe), The Pallbearer (Reeves), Clockwatchers (Sprecher), Emma (Emma l'entremetteuse) (McGrath) ; 1997, The James Gang (The James Gang) (Barker), Diana and Me (Parker), Velvet Goldmine (Velvet Goldmine) (Haynes), The Boys (Woods) ; 1998, Eight and a Half Woman (Greenaway), The Sixth Sense (Sixième sens) (M.N. Shyamalan) ; 1999, Hotel Splendide (Gross) ; 2000, Shaft (Shaft) (Singleton) ; 2001, Changing Lanes (Dérapages incontrôlés) (Michell) ; 2002, About a Boy (Pour un garçon) (Weitz) ; 2003 The Hours (The Hours) (Daldry) ; 2004, Connie and Clara (Connie et Clara) (Lembeck), Japanese Story (Japanese Story) (S. Brooks) ; 2005, In Her Shoes (In Her Shoes) (Hanson) ; 2006, Little Miss Sunshine (Little Miss Sunshine) (Dayton et Faris).

Pour obtenir le rôle de Muriel lors du casting du film homonyme, elle a à cœur d'épaissir d'une bonne dizaine de kilos. Bien lui en prend : le film, qui raconte les mésaventures d'une grosse nunuche australienne fan de Abba, est un triomphe dans le monde entier. Du coup, Toni Collette devient une vedette. Lui restait peut-être à trouver un nouveau rôle aussi fort pour entériner une carrière encore jeune : c'est fait avec *In Her Shoes*.

Collette, Yann

Acteur français né en 1955.

1979, La bande du Rex (Meunier) ; 1984, L'amour braque (Zulawski) ; 1987, Embrasse-moi (Rosier), La maison assassinée (Lautner) ; 1988, Bunker Palace Hotel (Bilal) ; 1991, La légende (Diamant-Berger), Rome-Roméo (Fleischer), J'entends plus la guitare (Garrel) ; 1992, Le souper (Molinaro) ; 1993, Jeanne la pucelle-Les prisons (Rivette), Personne ne m'aime (Vernoux) ; 1994, Ready to Wear (Prêt-à-porter) (Altman), Pullman paradis (Rosier) ; 1995, Marie-Louise ou la permission (Flèche), Tykho Moon (Bilal) ; 1996, Les démons de Jésus (Bonvoisin) ; 1997, Le Bossu (Broca), Cantique de la racaille (Ravalec) ; 1998, Le monde à l'envers (Colla) ; 2002, La merveilleuse odyssée de l'idiot Toboggan (Ravalec) ; 2003, Shimkent Hotel (Meaux) ; 2005, La maison de Nina (Dembo) ; 2006, Les fragments d'Antonin (Le Bomin).

Malgré un physique fort inquiétant (œil de verre et crâne rasé), il est souvent drôle et ses compositions savoureuses retiennent facilement l'intérêt. Voir par exemple *Marie-Louise*, où il interprète trois rôles différents : un commissaire, un fossoyeur et une bonne sœur.

Collins, Joan

Actrice anglaise née en 1933.

1951, Lady Godiva Rides Again (Launder et Gilliat) ; 1952, The Woman's Angle (Arliss), Judgement Deferred (Baxter), I Believe in You (Dearden), Decameron Nights (Fregonese) ; 1953, Cosh Boy (L. Gilbert), The Square Ring (Dearden), Turn the Key Softly (Jack Lee), Our Girl Friday (Minter) ; 1954, The Good Die Young (L. Gilbert) ; 1955, Land of the Pharaohs (Terre des Pharaons) (Hawks), The Virgin Queen (Le seigneur de l'aventure) (Koster), The Girl in the Red Velvet Swing (La fille sur la balançoire) (Fleischer) ; 1956, The Opposite Sex (D. Miller) ; 1957, Sea Wife (McNaught), Island in the Sun (Une île au soleil) (Rossen), The Wayward Bus (Les naufragés de l'autocar) (Vicas), Stop Over Tokyo (Breen) ; 1958, The Bravados (Bravados) (King), Rally' round the Flag, Boys (La brune brûlante) (McCarey) ; 1959, Seven Thieves (Les sept voleurs) (Hathaway) ; 1960, Esther and the King (Esther et le roi) (Walsh) ; 1962, The Road to Hong Kong (Panama) ; 1964, La congiuntura (Scola) ; 1967, Warning Shot (L'assassin est-il coupable ?) (Kulik) ; 1968, Subterfuge (Peter G. Scott), Can Hieronymus Merkin Ever Forget Mercy Humppe and Find True Happiness ? (Newley) ; 1969, If It's Tuesday, This Must Be Belgium (Stuart) ; 1970, Up in the Cellar (Flicker), The Executioner (L'exécuteur) (Wanamaker) ; 1971, Quest for Love (R. Thomas), Revenge (Hayers) ; 1972, Tales from the Crypt (Histoires d'outre-tombe) (Francis), Fear in the Night (Sangster) ; 1973, Dark Places (Le manoir des fantasmes) (Sharp) ; Tales That Witness Madness (Francis) ; 1974, Alfie Darling (K. Hughes) ; 1975, The Bawdy Adventures of Tom Jones (Owen), I Don't Want To Be Born (Sasdy) ; 1976, The Great Adventure ; 1977, Empire of the Ants (L'empire des fourmis géantes) (Gordon) ; 1978, The Stud (Masters), The Big Sleep (Le grand sommeil) (Winner), Zero to Sixty (Weis) ; 1979, The Bitch (O'Hara), Game for the Vultures (Le putsch des mercenaires) (Fargo), Sunburn (Sunburn/coup de soleil) (Sarafian) ; 1982, Nutraker (Kawadir), Homework (Beshears) ; 1992, Decadence (Berkoff) ; 1995, In the Bleak Midwinter (Au beau milieu de l'hiver) (Branagh) ; 1999, The Clandestine Marriage (Miles), The Flintstones in Viva Rock Vegas (Les Pierrafeu à Rock Vegas) (Levant).

Cette brune Anglaise fut longtemps cantonnée dans les petits rôles de la production britannique et ne devint une vedette internationale qu'avec Hawks et Fleischer en 1956. Avec des fortunes diverses, elle travailla à Hollywood entre 1955 et 1962 (King, Walsh et surtout Vicas, qui en fit l'épouse d'un conducteur de car dans le néoréaliste *The Wayward Bus*, lui confièrent des rôles importants). Puis ce fut le retour en Angleterre et une filmographie plus décousue mais souvent intéressante. Redécouverte à la télé dans *Dynasty*.

Collins, Ray

Acteur américain, 1889-1965.

1940, The Grapes of Wrath (Les raisins de la colère) (Ford) ; 1941, Citizen Kane (Welles) ; 1942, The Big Street (Reis), Highways by Night (Godfrey), Commandos Strike at Dawn (Les commandos frappent à l'aube) (Farrow), The Magnificent Ambersons (La splendeur des Amberson) (Welles), The Navy Comes Through (Sutherland) ; 1943, The Crime Doctor (Gordon), The Human Comedy (Cl. Brown), Madame Curie (LeRoy), Slighty Dangerous (Ruggles), Salute to the Marines (Simon), Whistling in Brooklyn (Simon) ; 1944, The Eve of St. Mark (Stahl), See Here, Private Hargrove (Ruggles), Barbary Coast Gent (Del Ruth), The Seventh Cross (Zinneman), Can't Help Singing (Ryan), The Hitler Gang (Hitler et sa clique) (Farrow), Shadows in the Night (E. Forde) ; 1945, Roughly Speaking (Curtiz), The Hidden Eye (Whorf), Leave Her to Heaven (Stahl) ; 1946, Badman's Territory (La ville des sans-loi) (Whelan), Boy's Ranch Crack-up (Reis), Three Wise Fools (Buzzell), Two Years Before the Mast (Révolte à bord) (Farrow), The Return of Monte Cristo (Levin), The Best Years of Our Lives (Les plus belles années de notre vie) (Wyler), Up Goes Maisie (Beaumont), A Night in Paradise (Lubin) ; 1947, The Bachelor and the Bobby Soxer (Reis), The Red Stallion (Selander), The Swordsman (Le manoir de la haine) (Lewis), The Senator Was Indiscret (Kaufman) ; 1948, Homecoming (LeRoy), Good Sam (Ce bon vieux Sam) (McCarey), The Man from Colorado (La peine du talion) (Levin), A Double Life (Othello) (Cukor), Command Decision (Tragique décision) (Wood), For the Love of Mary (De Cordova) ; 1949, Red Stallion in the Rockies (Murphy), Hideout, It Happens Every Spring (Bacon), The Fountainhead (Le rebelle) (K. Vidor), The Heiress (L'héritière) (Wyler), Free for All (Barton), Francis (Lubin) ; 1950, Paid in Full (Dieterle), Kill the Umpire (Bacon), Summer Stock (La jolie fermière) (Walters), The Reformer and the Redhead (Panama et Frank), You're in the Navy Now (La marine est dans le lac) (Hathaway) ; 1951, Ma and Pa Kettle Back on the Farm (Sedgwick), I Want You (Robson), Reunion in Reno (Neumann), The Racket (Cromwell), Vengeance Valley (La vallée de la vengeance) (Thorpe) ; 1952, Invitation (Reinhardt), Dreamboat (Binyon), Young Man With Ideas (Leisen) ; 1953, The Desert Song (Humberstone), Column South (De Cordova), Ma and Pa Kettle at the Fair (Barton), Ma and Pa Kettle on Vacation (Lamont), Bad for Each Other (Rapper), The Kid from Left Field (Jones) ; 1954, Rose-Marie (LeRoy), Athena (Thorpe) ; 1955, The Desperate Hours (La maison des otages) (Wyler), Texas Lady (Whelan) ; 1956, Invitation to a Gunfighter (Le mercenaire de minuit) (Wilson), Never Say Goodbye (Hopper), The Solid Gold Cadillac (Une cadillac en or massif) (Quine) ; 1957, Spoilers of the Forest (Kane) ; 1958, Touch of Evil (La soif du mal) (Welles).

Il était, dans *Citizen Kane*, un politicien véreux qui se débarrassait par un scandale de

Kane le naïf qui avait cru pouvoir lui enlever son siège. On le revit, l'air rusé, faussement bienveillant, trapu et un peu voûté dans d'innombrables films, chez tous les grands noms du cinéma américain. La série télévisée des « Perry Mason » (où il était le lieutenant Tragg) lui valut une petite célébrité qui relança sa carrière cinématographique.

Colman, Ronald

Acteur anglais, 1891-1958.

1917, The Live Wire (Dewhurst) ; 1919, The Toilers (T. Watts), A Daughter of Eve (W. West), Sheba (Hepworth), Snow in the Desert (W. West) ; 1920, A Son of David (Plumb), Anna the Adventuress (Hepworth), The Blacks Spider (Humphrey) ; 1921, Handcuffs or Kisses ? (Archainbaud) ; 1923, The White Sister (King) ; 1924, The Eternal City (Fitzmaurice), 20 Dollars a Week (Weight), Romola (King), Tarnish (Fitzmaurice) ; 1925, Her Night of Romance (Franklin), A Thief in Paradise (Fitzmaurice), His Supreme Moment (Fitzmaurice), The Sporting Venus (Marshall Neilan), Her Sister from Paris (Franklin), The Dark Angel (Fitzmaurice), Stella Dallas (King), Lady Windermere's Fan (L'éventail de lady Windermere) (Lubitsch) ; 1926, Kiki (Brown), Beau Geste (Brenon), The Winning of Barbara Worth (Barbara fille du désert) (King) ; 1927, The Night of Love (Fitzmaurice), The Magic Flame (King) ; 1928, Two Lovers (Niblo) ; 1929, The Rescue (Brenon), Bulldog Drummond (R. Jones), Condemned (Ruggles) ; 1930, Raffles (H. d'Arrast), The Devil to Pay (Fitzmaurice) ; 1931, The Unholy Garden (Le jardin impie) (Fitzmaurice), Arrowsmith (Ford) ; 1932, Cynara (Vidor) ; 1933, The Masquered (R. Wallace) ; 1934, Bulldog Drummond Strikes Back (Del Ruth) ; 1935, Clive of India (Boleslavsky), The Man Who Broke the Bank at Monte Carlo (Roberts), A Tale of Two Cities (Conway) ; 1936, Under Two Flags (Sous deux drapeaux) (Lloyd) ; 1937, Lost Horizon (Les horizons perdus) (Capra), The Prisoner of Zenda (Cromwell) ; 1938, If I Were King (Le roi des gueux) (Lloyd) ; 1939, The Light That Failed (La lumière qui s'éteint) (Wellman) ; 1940, Lucky Partners (Milestone) ; 1941, My Life With Caroline (Milestone) ; 1942, The Talk of the Town (La justice des hommes) (Stevens), Random Harvest (Prisonnier du passé) (LeRoy) ; 1944, Kismet (Dieterlé) ; 1947, The Late George Appley (Mankiewicz), A Double Life (Othello) ; 1950, Champagne for Caesar (Whorf) ; 1956, Around the World in 80 Days (Le tour du monde en 80 jours) (Anderson) ; 1957, The Story of Mankind (I. Allen).

Acteur anglais, il fait des débuts modestes dans les studios de Londres avant d'aller tenter sa chance en Amérique. Il réussira parfaitement à Hollywood dans les rôles de gentleman : il sera Raffles, le gentleman cambrioleur, ou Bulldog Drummond, le détective amateur. Il joue beaucoup également dans les drames mondains de Fitzmaurice : élégant, le visage barré d'une fine moustache, d'une élocution étudiée, il devient l'un des principaux séducteurs de l'écran, obtenant même un oscar en 1947 grâce à *Othello*. Mais on peut le préférer vieillissant et vulnérable dans ses derniers films comme *Random Harvest* ou *A Double Life*.

Coluche

Acteur français, de son vrai nom Michel Colucci, 1944-1986.

1969, Le pistonné (Berri) ; 1971, Laisse aller, c'est une valse (Lautner) ; 1972, Elle court, elle court, la banlieue (Pirès), L'an 01 (Doillon), Themroc (Faraldo) ; 1973, Le grand bazar (Zidi) ; 1976, Les vécés étaient fermés de l'intérieur (Leconte), Drôles de zèbres (Lux) ; 1977, L'aile ou la cuisse (Zidi) ; 1978, Vous n'aurez pas l'Alsace et la Lorraine (Coluche et Monnet) ; 1980, Inspecteur La Bavure (Zidi), Signé Furax (Simenon) ; 1981, Le maître d'école (Berri), Elle voit des nains partout (Sussfeld), Reporters (Depardon) ; 1982, Deux heures moins le quart avant J.-C. (Yanne) ; 1983, Banzaï (Zidi), La femme de mon pote (Blier), Tchao Pantin (Berri) ; 1984, Dagobert (Risi), La vengeance du serpent à plume (Oury) ; 1985, Les rois du gag (Zidi), Sac de nœuds (Balasko), Scemo di guerra (Le fou de guerre) (Risi).

Venu du café-théâtre, il obtient un gros succès, surtout lorsqu'il annonce, en 1981, son intention de se présenter à la présidence de la République. L'assassinat de son régisseur paraît un moment l'éprouver, mais il retrouve bientôt une verve et une grossièreté savamment cultivées. On doit toutefois reconnaître que sa contribution au septième art est des plus minces jusqu'à *Tchao Pantin* où il révèle un extraordinaire tempérament dramatique qui lui vaudra un césar en 1984. Malgré son énorme popularité, les films suivants sont pourtant des échecs commerciaux. Il est médiocre en Dagobert, trop conventionnel dans *Les rois du gag*, par ailleurs fort drôle, mais sa composition de fou inquiétant dans *Scemo di guerra* aurait mérité un meilleur sort. Il se tua en moto dans un accident de la route peu de temps après avoir créé les Restos du cœur.

Comingore, Dorothy
Actrice américaine, 1918-1971.

1938, Prison Train (Wiles), Comet Over Broadway (Berkeley) ; 1939, Trade Winds (La femme aux cigarettes blondes) (Garnett), Blondie Meets the Boys (Strayer), North of the Yukon (S. Nelson), Scandal Sheet (Grinde), Cafe Hostess (Salkow), Mr. Smith Goes to Washington (M. Smith au Sénat) (Capra) ; 1940, The Pioneers of the Frontier (Orlebeck) ; 1941, Citizen Kane (Welles) ; 1944, The Hairy Ape (Santell) ; 1949, Any Number Can Play (Faites vos jeux) (LeRoy) ; 1951, The Big Night (Losey).

Elle était sublime en protégée de Kane que celui-ci tentait d'imposer comme cantatrice et dont il faisait sa seconde épouse. Elle avait débuté sous le nom de Linda Winters dans des courts métrages des Stooges et dans des séries Z. Elle ne tourna que trois films après le chef-d'œuvre de Welles où elle était pourtant admirable, notamment dans la scène de la rupture.

Compson, Betty
Actrice américaine, 1896-1974.

1914, Wanted, Some Chaperone, Jed's Trip to the Fair, Where the Heather Blooms, Their Quiet Honeymoon ; 1915, Hist at Six O'clock, Love and a Savage, Mingling Spirits, Her Steady Car Fare, When The Loosers Won, Her Friend the Doctor, A Quiet Supper for You, When Lizzie Disappeared, Cupid Trims His Lordship, The Deacon's Waterloo, Love and Vaccinations, He Almost Eloped, The Janitor's Busy Day, A Leap Year Tangle, Eddie's Night Out, Lem's College Career, He's a Devil ; 1916, Her Celluloid Hero, Almost a Widow, Wanted a Husband, Her Friend the Chauffeur, Hubby's Night Out, Small Change ; 1917, A Bold Bad Night, As Luck Would Have It, His Last Pill, Those Wedding Bells, Won in a Cabaret, Crazy by Proxy, Down by the Sea ; 1918, Betty Makes Up, Betty's Adventure, Their Seaside Tangle, The Sheriff, Many a Slip ; 1919, The Terror of the Range, The Prodigal Liar, The Miracle Man (Le miracle) (Tucker), The Devil's Trail, The Little Diplomat, Light of Victory ; 1920, Prisoners of Love, For Those We Love, Ladies Must Live, At the End of the World, The Law and the Woman, The Green Temptation ; 1922, Over the Border (Stanlaws), The Bonded Woman (Rosen), To Have and to Hold (Fitzmaurice) ; 1923, The White Flower (Julia Ivers), Kick In (Fitzmaurice), The Rustle of Silk (Brenon), Woman with Four Faces (Brenon), Hollywood (Cruze) ; 1924, The White Shadow (Cutts), The Stranger, Miami, The Enemy Sex (Cruze), The Female (Wood), The Garden of Weeds (Cruze), The Fast Set (W. DeMille) ; 1925, New Lives for Old (Badger), Poney Express (Cruze), Paths to Paradise (Badger), Beggar on Horseback (Cruze), Locked Doors (W. DeMille), Eve's Secret (Badger) ; 1926, The Counsel for Defense (B. King), The Wise Guy (Lloyd), The Belle of Broadway (Hoyt), The Palace of Pleasure (Flynn) ; 1927, Twelve Miles Out (Conway), The Ladybird (W. Lang), Temptations of a Shop Girl (Terriss), Say It With Diamonds (Nelson), Cheating Cheaters (Leammle) ; 1928, Big City (Browning), The Desert Bride (W. Lang), The Masked Angel (O'Connor), Love Me and the World Is Mine (Dupont), Scarlet Seas (Dillon), The Barker (Fitzmaurice), Court Martial (Seitz), Docks of New York (Les damnés de l'Océan) (Sternberg) ; 1929, Woman to Woman (remake), The Time, The Place and the Girl (Bretherton), The Show of the Shows (Adolfi), Street Girl (Ruggles), The Great Gabbo (Le grand Gabbo) (Cruze), Skin Deep (Enright), On With the Show (Crosland), The Weary River (Lloyd) ; 1930, The Midnight Mystery (Seitz), Blaze o'Glory (Renaud Hoffman), The Czar of Broadway (Craft), The Case of Sergeant Grischa (Brenon), Inside the Lines (Pomeroy), Isle of Escape (Bretherton), Boudoir Diplomat (St. Clair), The Spoilers (Carewe), Those Who Dance (Beaudine), She Got What She Wanted (Cruze) ; 1931, The Lady Refuses (Archainbaud), Three Who Loved (Archainbaud), Virtuous Husband, The Gay Diplomat (Boleslavsky) ; 1932, The Silver Lining (Crosland), Guilty or Not Guilty (A. Ray) ; 1933, Destination Unknown (Garnett), West of Singapore (A. Ray), Notorious but Nice (Thorpe) ; 1935, False Pretences (Lamont), The Millionaire Kid (Ray), August Week-end (Lamont) ; 1936, Laughing Irish Eyes (Santley), Bulldog Edition (Lamont), Hollywood Boulevard (Florey), Killer at Large (Selman) ; 1937, Circus Girl (Trois du trapèze) (Auer), Federal Bullets (K. Brown), Two Minutes to Play (Hill) ; 1938, Torchy Blane in Panama (Clemens), A Slight Case of Murder (Un meurtre sans importance) (Bacon), Port of Missing Girls (K. Brown), Blondes at Work (McDonald), Two Guns Justice (James), Under the Big Top (K. Brown) ; 1939, The Mystic Circle Murder (O'Connor), News Is Made at Night (Werker), Cowboys from Texas (Sherman), 1940, Mad Youth (Kent), Strange Cargo (Le cargo maudit)

(Borzage), Laughing at Danger (Bretherton) ; 1941, Mr. and Mrs. Smith (M. et Mme Smith) (Hitchcock), The Roar of the Press (Rosen), The Invisible Ghost (Lewis) ; 1943, Danger ! Women at Work (Newfield), Her Adventurous Night (Rawlins) ; 1946, Claudia and David (W. Lang) ; 1947, Hard Boiled Mahoney (Beaudine), Second Chance (Tinling) ; 1948, Here Comes Trouble (Guiol).

Fille d'un ingénieur, elle se lance dans le spectacle de variétés à quinze ans sous le nom de « The Vagabond Violonist ». Jolie blonde, elle est embauchée par Al Christie pour une série de comédies qui la rendent très vite populaire. Elle devient une comédienne accomplie avec un rôle tragique dans *The Miracle Man* où elle a pour partenaire Lon Chaney. Elle est à son apogée lorsqu'elle épouse en 1922 Cruze, qui la dirigera plusieurs fois, date à partir de laquelle elle interprète *The Docks of New York*. Son divorce d'avec Cruze et l'avènement du parlant précipitent son déclin. Elle ne joue plus que dans des films aujourd'hui totalement oubliés, sauf un Hitchcock et un Bacon.

Conklin, Chester

Acteur américain, 1888-1971.

1914, Tillie's Punctured Romance (Chaplin), Between Showers (Chaplin), Caught in a Cabaret (Chaplin), Mabel's Busy Day (Chaplin) ; 1914-1920, *série des* Casimir (Sennett) ; 1923, Greed (Les rapaces) (Stroheim) ; 1926, Gentlemen Prefer Blondes (St. Clair), Wilderness Woman (Higgin) ; 1927, Tell it to Sweeney (Au bout du quai) (La Cava) ; 1928, Moran of the Marines (Strayer), Varsity (Tuttle), Big Noise (Dwan), Fools for Luck (Reisner), Two Flaming Youths (Waters) ; 1929, The Virginian (Fleming), House of Horrors (Christensen), Sunset Pass (Brower), The Studio Murder Mystery (Tuttle) ; 1933, Hallelujah I'm a Bum (Milestone) ; 1936, Modern Times (Les temps modernes) (Chaplin), Hollywood Cavalcade (Cummings) ; 1940, The Great Dictator (Le dictateur) (Chaplin) ; 1944, Hail the Conquering Hero (Héros d'occasion) (P. Sturges), Sunday Dinner for a Soldier (Bacon), Knickerbocker Holiday (H. Brown) ; 1947, Perils of Pauline (Marshall) ; 1949, Beautiful Blonde from Bashful Bend (Mamzelle Mitraillette) (Sturges), Jiggs and Maggie in Jackpot Jitters (Cline et Beaudine), Golden Stallion (Witney) ; 1955, Apache Woman (La femme apache) (Corman).

Clown au cirque Barnum, ce joyeux moustachu fut des Keystone Cops de l'écurie Mack Sennett et joue dans les premiers *Charlot*. Il aura sa propre série connue en France sous le nom des Casimir (dont *Casimir et les lions* est le plus drôle). On le retrouve au parlant dans certains films de Chaplin (le mécanicien des *Temps modernes* et le client du barbier dans *Le dictateur*).

Connelly, Jennifer

Actrice américaine née en 1970.

1984, Once Upon a Time in America (Il était une fois en Amérique) (Leone), Phenomena (Phenomena) (Argento) ; 1985, Seven Minutes in Heaven (Feferman), Dario Argento's World of Horror (Soavi) ; 1986, Labyrinth (Labyrinth) (Henson) ; 1988, Etoile (Del Monte) ; 1989, Some Girls (Hoffman) ; 1990, The Hot Spot (Hot Spot) (Hopper) ; 1991, Career Opportunities (Une place à prendre) (Gordon), The Rocketeer (Rocketeer) (Johnston) ; 1994, Of Love and Shadows (Kaplan) ; 1995, Higher Learning (Fièvre à Columbus University) (Singleton) ; 1996, Mulholland Falls (Les hommes de l'ombre) (Tamahori), Far Harbor (Huddles) ; 1997, Inventing the Abbotts (O'Connor), Dark City (Dark City) (Proyas) ; 1999, Waking the Dead (Le fantôme de Sarah Williams) (Gordon), Pollock (Harris) ; 2000, Requiem for a Dream (Requiem for a Dream) (Aronofsky) ; 2001, Beautiful Mind (Un homme d'exception) (Howard) ; 2003, Hulk (Hulk) (Ang Lee) ; 2003, Pollock (Pollock) (Ed Harris) ; 2005, Dark Water (Dark Water) (Salles) ; 2007, Blood Diamond (Zwick), Little Children (Field).

Découverte adolescente dans *Il était une fois en Amérique*, dotée de pouvoirs surnaturels dans le répugnant *Phenomena* de Dario Argento, il faudra attendre plus de dix ans, entre petits rôles dans des films inconséquents et une volonté de poursuivre des études supérieures, pour enfin retrouver Jennifer Connelly au cinéma, notamment en femme fatale et rêvée de *Dark City*. Sa prestation dans le très intense *Requiem for a Dream* révèle, une fois de plus, sa ténébreuse beauté.

Connery, Sean

Acteur écossais né en 1930.

1956, No Road Back (Les criminels de Londres) (Tully) ; 1957, Action of the Tiger (Au bord du volcan) (Young), Time Lock (Thomas), Hell Drivers (Train d'enfer) (Endfield) ; 1958, Another Time, Another Place (Je pleure mon amour) (Allen), Darby O'Gill and the Little People (Stevenson) ; 1959, Tarzan's Greatest Adventure (La plus grande aventure de Tarzan) (Guillermin) ; 1961, The Frightened City (L'enquête mystérieuse) (Lemont), On the Fiddle (Deux des commandos) (Frankel) ; 1962, Doctor No (James Bond 007 contre Docteur No) (Young), The Longest Day (Le jour le plus long) (Annakin) ; 1963, From Russia with Love (Bons baisers de Russie) (Young) ; 1964, Goldfinger (Goldfinger) (Hamilton), The Woman of Straw (La femme de paille) (Dearden), Marnie (Pas de printemps pour Marnie) (Hitchcock) ; 1965, The Hill (La colline des hommes perdus) (Lumet), Thunderball (Opération tonnerre) (Young) ; 1966, A Fine Madness (L'homme à la tête fêlée) (Kershner) ; 1967, You Only Live Twice (On ne vit que deux fois) (Gilbert) ; 1968, Shalako (Shalako) (Dmytryk) ; 1969, The Molly Maguires (Traître sur commande) (Ritt), Tenda rossa-The Red Tent (La tente rouge) (Kalatozov) ; 1970, The Anderson Tapes (Le gang Anderson) (Lumet) ; 1971, Diamonds Are Forever (Les diamants sont éternels) (Hamilton) ; 1972, The Offence (Lumet), Something Like the Truth (Lumet) ; 1973, Zardoz (Zardoz) (Boorman) ; 1974, Murder on the Orient-Express (Le crime de l'Orient-Express) (Lumet), Ransom (Un homme voit rouge) (Wrede) ; 1975, The Wind and the Lion (Le lion et le vent) (Milius), The Man Who Would Be King (L'homme qui voulut être roi) (Huston) ; 1976, Robin and Marian (La rose et la flèche) (Lester), A Bridge Too Far (Un pont trop loin) (Attenborough) ; 1978, Meteor (Meteor) (Neame), The Great Train Robbery (La grande attaque du train d'or) (Crichton) ; 1979, Cuba (Lester) ; 1981, Outland (Outland) (Hyams) ; 1982, Time Bandits (Bandits bandits) (Monty Python), The Man with the Deadly Lens (Meurtres en direct) (Brooks), Five Days One Summer (Cinq jours ce printemps-là) (Zinneman), Sword of the Valiant (Weeks) ; 1983, Never Say Never Again (Jamais plus jamais) (Kershner) ; 1986, Highlander (Highlander) (Mulcahy), Le nom de la rose (Annaud) ; 1987, The Untouchables (Les incorruptibles) (De Palma) ; 1988, The Presidio (Presidio) (Hyams), Memories of Me (Winkler) ; 1989, Indiana Jones and the Last Crusade (Indiana Jones et la dernière croisade) (Spielberg), Family Business (Family Business) (Lumet) ; 1990, The Hunt for Red October (A la poursuite d'Octobre-Rouge) (Mac Tiernan), Highlander 2 (Highlander 2, le retour) (Mulcahy), Robin Hood : Prince of Thieves (Robin des bois, prince des voleurs) (Reynolds) ; 1991, The Russia House (La maison Russie) (Schepisi), Medicine Man (Medicine Man) (McTiernan) ; 1993, Rising Sun (Soleil levant) (Kaufman), A Good Man in Africa (Un Anglais sous les tropiques) (Beresford) ; 1994, Just Cause (Juste cause) (Glimcher), Dragonheart (Cœur de dragon) (voix) (Cohen), First Knight (Lancelot) (J. Zucker) ; 1996, The Rock (Rock) (Bay) ; 1997, The Avengers (Chapeau melon et bottes de cuir) (Chechik) ; 1998, Playing by Heart (La carte du cœur) (Carroll), Entrapment (Haute voltige) (Amiel) ; 2000, Finding Forrester (A la rencontre de Forrester) (Van Sant) ; 2003, The League of Extraordinary Gentlemen (La ligue des gentlemen extraordinaires) (Norrington).

Enfance difficile dans un quartier pauvre d'Édimbourg. Royal Navy puis divers métiers. Peinture et théâtre. Il gagne un concours du *London Express* destiné à désigner le meilleur acteur pour le rôle de James Bond. *Doctor No* est un triomphe. Voilà Connery installé dans le personnage et universellement célèbre. Mais trop intelligent pour ne pas comprendre le piège, il rompt brusquement avec James Bond pour tourner d'autres œuvres et se débarrasser d'une étiquette gênante. D'autant qu'excellent acteur, il sera un remarquable Robin Hood chez Lester et un non moins fascinant « homme qui voulut être roi » pour Huston, si l'on ne retient que deux de ses meilleurs films. Retour à James Bond : on n'échappe pas au personnage, mais c'est pour le présenter à moitié chauve et fort essoufflé dans *Never Say Never Again*. Une manière de l'exorciser. On retrouve un Connery, vieilli, mais toujours aussi séduisant en seigneur de la guerre voué à la mort dans *Highlander* et en moine enquêteur, introduisant les méthodes de Sherlock Holmes dans un couvent médiéval avec le célèbre *Nom de la rose*. Il n'est pas moins éblouissant dans un petit rôle d'*incorruptible* chez De Palma. Sa carrière semble ne devoir jamais prendre fin. Il est le policier désabusé de *Soleil levant* ou l'avocat, farouche adversaire de la peine de mort, dans *Juste cause*, sans parler du médecin misanthrope de *Medecine Man*. Il est même le roi Arthur dans *Lancelot* et un cambrioleur dans *Entrapment*. Cet Écossais militant a été anobli par la reine Élisabeth.

Connors, Chuck

Acteur américain d'origine irlandaise, 1921-1992.

1952, Pat and Mike (Mademoiselle risquetout) (Cukor) ; 1953, Trouble Along the Way (Curtiz), Code Two (Wilcox), South Sea Woman (Lubin) ; 1954, Naked Alibi (Hopper), The Human Jungle (Dans les bas-fonds de Chicago) (Newman), Dragonflysquadron (Selander) ; 1955, Target Zero (Dix hommes pour l'enfer) (H. Jones), Good Morning, Miss

Dove (Koster), Three Stripes in the Sun (R. Murphy) ; 1956, Hold Back the Night (Bataillon dans la nuit) (Dwan), Hot Rod Girl (Martinson), Walk the Dark Street (Ordung) ; 1957, Tomahawk Trail, Designing Woman (La femme modèle) (Minnelli), Death in Small Doses (Newman), Old Yeller, The Hired Gun (Nazarro), The Lady Takes a Flyer (Arnold) ; 1958, The Big Country (Les grands espaces) (Wyler) ; 1962, Geronimo (Laven) ; 1963, Flipper (J. Clarck), Move Over Darling (Gordon) ; 1965, Synanon (Quine) ; 1966, Ride Beyond Vengeance (McEveety) ; 1969, Captain Nemo and the Underwater City (J. Hill) ; 1970, The Deserter (Kennedy) ; 1972, Embassy (Baraka à Beyrouth) (Hessler), The Proud and the Damned (Grofe Jr.), Pancho Villa (E. Martin), Support Your Local Gunfighter (Kennedy), The Mad Bomber (Gordon) ; 1973, Soylent Green (Fleischer) ; 1974, 99 and 44/100 % Dead (Refroidi à 99 %) (Frankenheimer) ; 1975, Wolf Larsen (Vari) ; 1978, The Legend of the Sea Wolf (J. Green), Tourist Trap (Schmoeller) ; 1979, Bordello (Fellows), Day of the Assassin (Trenchard-Smith) ; 1980, Virus (Virus) (Fukasaku) ; 1982, The Vals (Polakof), Airplane II-The Sequel (Y a-t-il enfin un pilote dans l'avion ?) (Finkleman), Target Eagle (de la Loma), Balboa (Polakof) ; 1983, Lone Wolf McQuade (Œil pour œil) (Carver) ; 1986, Summer Camp Nightmare (Dragin) ; 1987, Sakura Killers (Ward), Skinheads (Clark) ; 1988, Mania (White), Terror Squad (Maris), Taxi Killer (Massi) ; 1989, Trained to Kill (Dyal) ; 1991, Salmonberries (Salmonberries) (Adlon), Last Flight to Hell (Robinson) ; 1992, Three Days to Kill (Williamson).

Ce bouillant Irlandais, ancien champion de base-ball, longtemps troisième couteau, est devenu une vedette grâce aux séries télévisées et notamment à Geronimo. Sur grand écran, il a surtout joué les vilains ou les durs àcuire.

Conrad, William

Acteur et réalisateur américain, 1920-1994.

1946, The Killers (Les tueurs) (Siodmak) ; 1947, Body and Soul (Sang et or) (Rossen) ; 1948, Arch of Triumph (Milestone), Four Faces West (Green), To the Victor (Daves), Sorry, Wrong Number (Raccrochez, c'est une erreur) (Litvak), Joan of Arc (Fleming) ; 1949, Any Number Can Play (LeRoy), Tension (Berry), East Side West Side (Ville haute, ville basse) (LeRoy), The Milkman (Barton), Dial 1119 (G. Mayer) ; 1951, The Sword of Monte Cristo (Geraghty), Cry Danger (L'implacable) (Parrish), The Racket (Cromwell) ; 1952, The Lone Star (L'étoile du destin) (V. Sherman) ; 1953, Cry of the Hunted (Le mystère des bayous) (Lewis), The Desert Song (Humberstone) ; 1954, The Naked Jungle (Quand la Marabunta gronde) (Haskin) ; 1955, Five Against the House (On ne joue pas avec le crime) (Karlson) ; 1956, The Conqueror (Le conquérant) (Powell), Johnny Concho (McGuire) ; 1957, The Ride Back (La chevauchée du retour) (Miner) ; 1977, Moonshine County Express (Trikonis) ; 1985, Killing Cars (M. Verhoeven). *Pour le metteur en scène*, voir le *Dictionnaire du cinéma*, t. I : *Les réalisateurs*.

Petit, gros, moustachu, il était extraordinaire en tueur dans le fameux film de Siodmak : c'est sa banalité qui faisait peur. On le revit dans de nombreux « thrillers ». Puis il passa à la mise en scène avant de se consacrer à la télévision.

Constantin, Michel

Acteur français, de son vrai nom Constantin Hokloff, 1924-2003.

1956, En effeuillant la marguerite (M. Allégret) ; 1959, Le trou (Becker) ; 1961, Un nommé La Rocca (Jean Becker) ; 1962, La loi des hommes (Ch. Gérard) ; 1963, Maigret voit rouge (Grangier) ; 1964, Les gorilles (Girault) ; 1965, Les grandes gueules (Enrico), Ne nous fâchons pas (Lautner) ; 1966, Le deuxième souffle (Melville) ; La loi du survivant (Giovanni), Jerk à Istanbul (Rigaud) ; 1967, Mise à sac (Cavalier), Dalle Ardenne all'inferno (La gloire des canailles) (Martino) ; 1968, Southern Star (L'étoile du Sud) (Hayers), Les étrangers (Desagnat) ; 1969, La fiancée du pirate (Kaplan), L'ardoise (Bernard-Aubert), La peau de torpédo (Delannoy), Dernier domicile connu (Giovanni) ; 1970, Vertige pour un tueur (Desagnat), Citta violenta (La cité de la violence) (Sollima), Un condé (Boisset), De la part des copains (T. Young), Laisse aller c'est une valse (Lautner) ; 1971, Il était une fois un flic (Lautner) ; La part des lions (Larriaga) ; 1972, Les caïds (Enrico), La scoumoune (Giovanni), Les hommes (Vigne), Un homme est mort (Deray) ; 1973, Le mataf (S. Leroy), La ragazza di via Condotti (Meurtres à Rome) (Lorente), La valise (Lautner), Un linceul n'a pas de poches (Mocky) ; 1974, Il bestione (Deux grandes gueules) (S. Corbucci) ; 1975, La traque (Leroy), Au-delà de la peur (Andréi) ; 1977, Sahara Cross (Les requins du désert) (Valerii), Quel maledetto treno blindato (Une poignée de salopards) (Castellari) ; 1978, Plein les poches pour pas un rond (Daert), Ça fait tilt (Hunebelle) ; 1980, Signé Furax (Simenon) ; 1982, Tir groupé (Messiaen), Deux heures moins le quart avant J.-C. (Yanne) ; 1984, Le téléphone sonne toujours deux fois (Vergne), Les morfalous (Verneuil) ; 1985, La baston (Messiaen), La loi sauvage (Reusser) ; 1990, Le cri des hommes (Touita) ; 1992, Ville à vendre (Mocky).

Cet ancien ouvrier de Renault, fils d'immigrés de l'Europe de l'Est, qui fut capitaine de l'équipe de France de volley, s'est spécialisé dans les rôles de gangsters. Son visage aux traits accentués et sa haute carrure sont devenus familiers aux amateurs du genre. Il est excellent chez Desagnat dans *Les étrangers* ou chez Messiaen dans *La baston*. Homme fort et vulnérable à la fois, il fait penser à Sterling Hayden.

Constantine, Eddie

Acteur américain, 1917-1993.

1953, Egypt by Three (Stoloff), La môme Vert-de-Gris (Borderie), Cet homme est dangereux (Sacha) ; 1954, Votre dévoué Blake (Laviron), Les femmes s'en balancent (Borderie), Ça va barder (Berry) ; 1955, Vous pigez ? (Chevalier), Je suis un sentimental (J. Berry) ; 1956, Ce soir les jupes volent (Kirsanov), Les truands (Rim), Folies-Bergère (Decoin), L'homme et l'enfant (André) ; 1957, Le grand bluff (Dally), Incognito (Dally), Ces dames préfèrent le mambo (Borderie) ; 1958, Hoppla jetzt kommt Eddie ; 1959, Passport to Shame (Rakof), The Treasure of San Teresa (Rakof), Ravissante (Lamoureux), SOS Pacific, Du rififi chez les femmes (Joffé) ; 1960, Bomben auf Monte Carlo, Comment qu'elle est ! (Borderie), Me faire ça à moi (Grimblat), Ça va être ta fête (Montazel), Chien de pique (Y. Allégret) ; 1961, Les sept péchés capitaux (sketch de Godard), Bonne chance Charlie (Richard), Lemmy pour les dames (Borderie), Une grosse tête (Givray), Cause toujours mon lapin (Lefranc), En pleine bagarre (Bianchi) ; 1962, Cléo de 5 à 7 (Varda), Les femmes d'abord (André), L'empire de la nuit (Grimblat), Nous irons à Deauville (Rigaud), Comme s'il en pleuvait (Monter) ; 1963, A toi de faire, mignonne (Borderie), Comment trouvez-vous ma sœur ? (Boisrond), Des frissons partout (André) ; 1964, Nick Carter va tout casser (Decoin), Lucky Joe (Deville), Cent briques et des tuiles (Grimblat) ; 1965, Alphaville (Godard), Laissez tirer les tireurs (Lefranc), Ces dames s'en mêlent (André), Feu à volonté (Ophuls), Je vous salue Maffia (R. Lévy), Cartes sur table (Franco), Nick Carter et le trèfle rouge (Savignac) ; 1967, Ça barde chez les mignonnes (Franco), A tout casser (Berry), Les gros malins (Leboursier), Ces messieurs de la famille (André) ; 1969, Lions'Love (Varda) ; 1970, Malatesta (Lilienthal) ; 1971, Warnung vor einer heiligen Nutte (Prenez garde à la Sainte Putain) (Fassbinder), Malatesta (Lilienthal) ; 1974, Une baleine qui avait mal aux dents (Bral) ; 1975, Der zweite Frühling ; 1976, Le couple témoin (Klein), Raid on Entebbe (Raid sur Entebbe) (Kershner), Mort au sang donneur (Lindner) ; 1978, It Lives Again (Les monstres sont toujours vivants) (Cohen) ; 1979, Die dritte Generation (La troisième génération) (Fassbinder) ; 1980, Box Office (Bogdanovitch), The Long Good Friday (Racket) (Mackenzie) ; 1981, Neige (Berto, Roger), Freak Orlando (Ottinger) ; 1983, La bête noire (Chaput), Flight to Berlin (Petit) ; 1984, Manhattan Dream (Laurenti) ; 1987, Helsinki Napoli (Kaurismäki) ; 1991, Europa (Europa) (Trier), Allemagne année 90 neuf zéro (Godard) ; 1993, Three Shake a Leg Steps to Heaven (Bausch).

Venu tenter sa chance en France après la guerre, cet Américain de Los Angeles va profiter de la vogue de Peter Cheyney pour incarner Lemmy Caution dans une série de films où sa tête de dur, sa décontraction et son talent lui vaudront une grande popularité. Willy Rozier lui inventera sans succès un rival sorti aussi de l'imagination de Cheyney, Callaghan, joué par T. Wright. Même la Nouvelle Vague s'enthousiasme pour l'acteur que Jean-Luc Godard et Claude de Givray feront tourner. Il est ensuite Nick Carter mais paraît aussi dans des films de Varda ou de Bral, d'accès plus difficile. Il tourne beaucoup en Allemagne de l'Ouest avec l'avant-garde. Chanteur à l'occasion (« L'homme et l'enfant ») et bourré d'humour, il a mené sa carrière comme ses enquêtes, de façon nonchalante mais réussie, un œil fixé sur son écurie de courses.

Conte, Richard

Acteur américain, 1910-1975.

1945, A Walk in the Sun (Le commando de la mort) (Milestone), The Spider (L'assassin rôde toujours) (Webb), A Bell for Adamo (Une cloche pour Adamo) (King), Captain Eddy (Capitaine Eddy) (Bacon) ; 1946, Somewhere in the Night (Quelque part dans la nuit) (Mankiewicz), 13, rue Madeleine (Hathaway) ; 1947, The Other Love (L'orchidée blanche) (Toth), Call Northside 777 (Appelez Nord 777) (Hathaway) ; 1948, Cry of the City (La proie) (Siodmak) ; 1949, Thieves Highway (Les bas-fonds de Frisco) (Dassin), House of Strangers (La maison des étrangers) (Mankiewicz), Big Jack (Thorpe), Whirlpool (Le mystérieux docteur Korvo) (Preminger) ; 1950, The Sleeping City (Brigade secrète)

(Sherman), Under the Gun (Tetzlaff) ; 1951, Hollywood Story (Un crime parfait) (Castle), The Racing Tide (La quatrième issue) (Sherman) ; 1952, The Fighter (Le libérateur) (Kline), The Raiders (L'heure de la vengeance) (Selander), The Blue Gardenia (La femme au gardénia) (Lang) ; 1953, Slaves of Babylon (Les esclaves de Babylone) (Castle), Desert Legion (La légion du Sahara) (Pevney) ; 1954, Highway Dragnet (La tueuse de Las Vegas) (Juran), A Race for Life (Fisher) ; 1955, The Big Combo (Association criminelle) (Lewis), Target Zero (Dix hommes pour l'enfer) (Jones), Bengazi (Brahm), The Case of the Red Monkey (Hugues), New York Confidential (New York confidentiel) (Rouse), The Big Top Off (McDonald) ; 1956, I'll Cry Tomorrow (Une femme en enfer) (Mann), Full of Life (Pleine de vie) (Quine) ; 1957, The Brothers Rico (Les frères Rico) (Karlson), La diga sul pacifico (Barrage contre le Pacifique) (Clément) ; 1959, They Came to Cordura (Ceux de Cordura) (Rossen) ; 1960, Ocean's Eleven (L'inconnu de Las Vegas) (Milestone) ; 1963, Who's Been Sleeping in My Bed ? (Mercredi soir, neuf heures) (Mann), The Greatest Story Ever Told (La plus grande histoire jamais contée) (Stevens) ; 1964, Circus World (Le plus grand cirque du monde) (Hathaway), Synanon (Quine), The Eyes of Annie Jones (Le Borg) ; 1965, Assault on a Queen (Le hold-up du siècle) (Donohue) ; 1966, Hôtel (Hôtel St. Gregory) (Quine) ; 1967, Tony Rome (Tony Rome est dangereux) (Douglas) ; 1968, Lady in Cement (La femme en ciment) (Douglas) ; 1969, Sentenza di morte (Sentence de mort) (Lafranchi), Explosion (Bricken) ; 1970, The Challengers (Martinson) ; 1972, The Godfather (Le parrain) (Coppola), Anastasia mio fratello (Steno), Il boss (Le boss) (Di Leo) ; 1973, Big Guns (Les grands fusils) (Tessari), Milano trema, la polizia vuole giustizia (Police parallèle en action) (Martino), Piazza pulita (Vanzi) ; Onorato famiglia-Uccidere e cosa nostra (Ricci), Il poliziotto e'Marcio (Di Leo) ; 1974, Anna quel particolare piacere (Carmineo) ; 1975, Perversione (Mur Oti), Roma violenta (Martinelli), Un urlo dalle tenebre (Bacchanales infernales) (Pannaccio).

Acteur de théâtre à Broadway en 1939, pianiste de jazz, peintre, il était issu d'un milieu modeste d'Italiens immigrés à New York et se fit remarquer par ses dons exceptionnels. Il ne fut jamais une star mais tint la vedette dans de nombreux « thrillers », des *Frères Rico* au *Parrain*, où son physique latin en faisait au choix un gangster ou un policier d'origine italienne, et ayant maille à partir avec la Maffia. Il finit d'ailleurs sa carrière dans les séries Z de la péninsule.

Conti, Tom

Acteur anglais né en 1942.

1975, Galileo (Losey), Flame (Loncraine) ; 1977, Eclipse (Perry), Full Circle (Le cercle infernal) (Loncraine), The Duellists (Les duellistes) (Scott) ; 1982, Merry Christmas Mister Lawrence (Furyo) (Oshima), Pink Floyd-The Wall (The Wall) (Parker) ; 1983, Reuben Reuben (Reuben Reuben ou la vie d'artiste) (R.E. Miller), American Dreamers (Rosenthal) ; 1984, Miracles (Tout va trop bien) (Kouf) ; 1986, Gospel According to Vic (Gormley), Saving Grace (Young) ; 1987, Beyond Therapy (Beyond Therapy) (Altman) ; 1989, Blade on the Feather (Loncraine), Shirley Valentine (Gilbert), That Summer of White Roses (L'été des roses blanches) (Grlic) ; 1991, Two Brothers Running (Robinson), L'assedio di Venezia (G. Ferrara) ; 1992, Caccia alla vedova (Le diable à quatre) (G. Ferrara) ; 1994, Someone Else's America (L'Amérique des autres) (Paskaljevic) ; 1996, Sub Down (Champion) ; 1997, Something to Believe In (Hough), Don't Go Breaking My Heart (Amour sous influence) (Paterson) ; 1998, Out of Control (Trevor).

Mère écossaise et père italien. Il fait ses débuts au théâtre à Glasgow puis s'impose à Londres. Au cinéma on retiendra surtout sa composition d'écrivain déchu et pourtant séduisant de *Reuben Reuben*.

Coogan, Jackie

Acteur américain, 1914-1984.

1916, Skinner's Baby ; 1919, A Day's Pleasure (Une journée de plaisir) (Chaplin) ; 1920, The Kid (Le Kid) (Chaplin) ; 1921, Peck's Bad Boy (S. Wood) ; 1922, Oliver Twist (Lloyd), Trouble (Austin), My Boy (Heerman) ; 1923, Daddy (Hopper), Circus Days (L'enfant du cirque) (Cline) ; 1924, Long Live the King (Schertzinger), Little Robinson Crusoe (Cline), A Boy of Flanders (Schertzinger), The Rag Man (Cline) ; 1925, Old Clothes (Cline), Johnny Get Your Hair Cut (Mayo) ; 1927, The Bugle Call (Sedgwick) ; Buttons (G. Hill) ; 1930, Tom Sawyer (Cromwell) ; 1931, Huckleberry Finn (Taurog) ; 1935, Home on the Range (Willett) ; 1938, College Swing (Walsh) ; 1939, Million Dollar Legs (Grinde), Sky Patrol (Bretherton) ; 1947, Kilroy Was Here (Karlson) ; 1948, French Leave (McDonald) ; 1951, Skiplong Rosenbloom (Newfield), Varieties on Parade (Ormond) ; 1952, Outlaw Women (Femmes hors la loi) (Newfield) ; 1953, The Actress (Cukor) ; 1956, The Proud Ones (Le shérif) (Webb) ; 1957, The Buster Keaton Story (L'homme qui n'a jamais ri) (S. Sheldon), The Joker Is Wild (Le pantin brisé) (Ch. Vidor), Eighteen and Anxious (Joe Parker), High School Confidential (Arnold), No Place to Land (Grannaway), The Space Children (Arnold), Night of the Quarter Moon (Haas) ; 1959, The Big Operator (Le témoin doit être assassiné) (Haas), The Beat Generation (Les beatnicks) (Haas) ; 1960, Platinum High School (Haas) ; 1964, John Goldfarb, Please Come Home (Lee-Thompson) ; 1965, Girl Happy (Sagal) ; 1966, A Fine Madness (L'homme à la tête fêlée) (Kershner) ; 1968, The Shakiest Gun in the West (Rafkin) ; 1969, Marlowe (La valse des truands) (Bogart), Cahill (McLaglen) ; 1975, The Manchu Eagle Murder Caper Mystery (Hargrove) ; 1979, Human Experiments (Rothstein) ; 1980, Dr. Heckyl and Mr. Hype (Ch. Griffith) ; 1981, The Escape Artist (Deschanel).

Enfant prodige, il est resté à jamais le Kid avec son pantalon trop grand et sa casquette qui lui tombait sur les oreilles. Star entre les stars, il exploita cette immense popularité dans une série de « Coogan Productions », supervisées par ses parents. Hélas, il grandit, perdit son charme juvénile et fut impliqué dans des batailles juridiques avec ses parents concernant le montant de ses gains. Sa réputation s'écroula. Il continua une carrière cinématographique mais en troisième couteau et dans des séries B comme en faisait alors Charles Haas qui l'utilisa beaucoup. Il fut le mari de Betty Grable entre 1937 et 1939.

Cook, Clyde

Acteur d'origine australienne, 1891-1984.

1920, série des Dudule (The Guide-Dudule alpiniste, The Torreador-Dudule toréador, The Esquimau, The Sailor...) ; 1924, He Who Gets Slapped (Larmes de clown) (Sjoström) ; 1926, The Winning of Barbara Worth (Barbara fille du désert) (King), Miss Nobody (Vagabond malgré elle) (Hillyer) ; 1927, White Gold (La toison d'or) (Howard), The Climbers (Stein), The Brute (Cummings), The Bush Leager (Bretherton), A Sailor's Sweetheart (Bacon) ; 1928, The Docks of New York (Les damnés de l'Océan) (Sternberg), Good Time Charley (Curtiz), Beware of Married Men (Mayo), Domestic Troubles (Enright) ; 1929, Jazz Heaven (M. Brown), Celebrity (Garnett), Captain Lash (Blystone), Beware of Bachelors (Del Ruth), Dangerous Woman (Lee), Masquerade (Birdwell), Strong Boy (Ford), Taming of the Shrew (La mégère apprivoisée) (S. Taylor) ; 1930, The Dude Wrangler (Thorpe), Officier O'Brien (Garnett), The Dawn Patrol (La patrouille de l'aube) (Hawks) ; 1935, Barbary Coast (Ville sans loi) (Hawks) ; 1936, The White Angel (Dieterle) ; 1937, Love Under Fire (Marshall), Bulldog Drummond Escapes (Hogan) ; 1939, The Light That Failed (La lumière qui s'éteint) (Wellman) ; 1940, The Sea Hawk (L'aigle des mers) (Curtiz) ; 1942, White Cargo (Tondelayo) (Thorpe) ; 1943, For Ever and a Day (Lloyd, Clair...), The Man from Dawn Under (Leonard), The Mysterious Doctor (Stoloff) ; 1946, The Verdict (Siegel), To Each His Own (Leisen) ; 1953, Loose in London (Bernds).

Bon comique moustachu, auteur de la série des Dudule où son expérience de la pantomime et du music-hall faisait merveille. Acteur de composition chez Hawks, Sternberg ou Curtiz à partir de 1924. En 1933, il va en Angleterre comme superviseur de production mais rentre très vite aux États-Unis.

Cook Jr., Elisha

Acteur américain, 1906-1995.

1930, Her Unborn Child (Mc Grath) ; 1936, Pigskin Parade (Butler), Two in a Crowd (Green), Bullets or Ballots (Guerre au crime) (Keighley) ; 1937, Wife, Doctor and Nurse (W. Lang), They Won't Forget (La ville gronde) (LeRoy), The Devil Is Driving (Stoloff), Life Begins in College (Seiter), Love Is News (L'amour en première page) (Garnett), Breezing Home (Carruth), Danger Love at Work (Charmante famille) (Preminger) ; 1938, Submarine Patrol (Patrouille en mer) (Ford), Three Blind Mice (Seiter), My Lucky Star (Del Ruth) ; 1939, Grand Jury Secrets (Hogan), Newsboy's Home (H. Young) ; 1940, He Married His Wife (Del Ruth), Stranger on the Third Floor (Ingster), Public Deb. N° 1 (Ratoff), Tin Pan Alley (W. Lang) ; 1941, Man at Large (E. Forde), The Maltese Falcon (Le faucon maltais) (Huston), I Wake Up Screaming (Humberstone), Ball of Fire (Boule de feu) (Hawks), Sergeant York (Hawks) ; 1942, A Haunting We Will Go (Fantômes déchaînés) (Werker), In This Our Life (Huston), A Gentleman at Heart (McCarey), Sleepy Time Girl (Rogell), Wildcat (McDonald), Manila Calling (Leeds) ; 1944, Phantom Lady (Les mains qui tuent) (Siodmak), Up in Arms (Nugent), Dark Waters (De Toth), Dark Mountain (Berke), Dillinger (Nosseck), Casanova Brown (Casanova le Petit) (Wood) ; 1945, Why Girls Leave Home

(Berke) ; 1946, Blonde Alibi (Will Jason), Cinderella Jones (Berkeley), Joe Palooka (LeBorg), The Falcon's Alibi (Ray McCarey), Two Smart People (Dassin), The Big Sleep (Le grand sommeil) (Hawks) ; 1947, Born to Kill (Né pour tuer) (Wise), The Long Night (Litvak), The Gangster (Wiles), Fall Guy (Le Borg) ; 1949, Flaxy Martin (Bare), The Great Gatsby (Nugent) ; 1951, Behave Yourself (Beck) ; 1952, Don't Bother to Knock (Troublez-moi ce soir) (Roy Baker) ; 1953, Shane (L'homme des vallées perdues) (Stevens), I the Jury (Essex), Thunder over the Plains (La trahison du capitaine Porter) (De Toth) ; 1954, The Outlaw's Daughter (W. Barry), Drum Beat (L'aigle solitaire) (Daves) ; 1955, Timberjack (Kane), The Indian Fighter (La rivière de nos amours) (De Toth), Trial (Le procès) (Robson) ; 1956, The Killing (Ultime razzia) (Kubrick), Accused of Murder (Kane) ; 1957, The Lonely Man (Jicop le proscrit) (Levin), Voodoo Island (Le Borg), Baby Face Nelson (L'ennemi public) (Siegel), Chicago Confidential (Salkow), Plunder Road (Hold-up) (Cornfield) ; 1958, The House on Haunted Hill (La nuit de tous les mystères) (Castle) ; 1959, Day of the Outlaw (La chevauchée des bannis) (De Toth) ; 1960, Platinum High School (Haas), College Confidential (Zugsmith) ; 1961, One Eyed Jacks (La vengeance aux deux visages) (Brando) ; 1962, Papa's Delicate Condition (Marshall) ; 1963, Black Zoo (Les fauves meurtriers) (Gordon), Johnny Cool (Asher), The Haunted Palace (Corman) ; 1964, The Glass Cage (Santean), Blood on the Arrow (Salkow) ; 1966, The Spy in the Green Hat (Sargent) ; 1967, Welcome to Hard Times (Kennedy) ; 1968, Rosemary's Baby (Polanski) ; 1969, The Great Bank Robbery (Averback) ; 1970, El Condor (Guillermin) ; 1972, Blacula (W. Crain) ; The Great Northfield Minnesota Raid (La légende de Jesse James) (Kaufman) ; 1973, Emperor of the North Pole (L'empereur du Nord) (Aldrich), Electra Glide in Blue (Guercio) ; 1974, The Outfit (Échec à l'organisation) (Flynn), Messiah of Evil (Katz) ; 1975, The Black Bird (Giler), Winterhawk (Pierce) ; 1976, St. Ives (Monsieur Saint-Yves) (Lee-Thompson) ; 1979, The Champ (Le champion) (Zeffirelli), 1941 (1941), (Spielberg), Carny (Kaylor) ; 1980, Tom Horn (Tom Horn, sa véritable histoire...) (Wiard), Harry's War (Merrill), Carny (Kaylor) ; 1981, The Escape Artist (Deschanel) ; 1982, Hammett (Hammett) (Wenders).

Petit, malingre, inquiet, le malheureux Elisha Cook est voué à être battu, humilié, torturé, tué. Du *Grand sommeil* à *Shane*, le nombre des sévices qu'il a subis est impressionnant : empoisonné, noyé dans un marécage, tué à coups de revolver, etc. Qu'il soit marié à une jolie femme, celle-ci le trompe aussitôt (*The Killing*). Les personnages qu'il incarne, tous besogneux et étriqués, n'ont jamais de chance. Mais l'acteur, que reconnaît tout bon cinéphile dans les quelques scènes qui lui ont été octroyées dans plus de cent films, présente une remarquable longévité : cinquante années à l'écran.

Cooper, Gary

Acteur américain, de son vrai prénom Frank James, 1901-1961.

1925, The Thundering Herd (Howard), Wild Horse Mesa (Seitz), The Lucky Horseshoe (Blystone), The Vanishing American (Seitz), The Eagle (Brown) ; 1926, The Enchanted Hill (Willat), Watch Your Wife (S. Gade). *Puis :* 1926, The Winning of Barbara Worth (Barbara fille du désert) (King) ; 1927, It (Badger), Children of Divorce (F. Lloyd), Arizona Bound (J. Waters), Wings (Wellman), Nevada (Waters), The Last Outlaw (A. Rosson) ; 1928, Beau sabreur (J. Waters), The Legion of the Condemned (Les pilotes de la mort) (Wellman), Doomsday (Lee), Half a Bride (Mariage à l'essai) (La Cava), Lilac Time (Fitzmaurice), The First Kiss (Lee), The Shopworn Angel (Wallace) ; 1929, Wolf Song (Le chant du loup) (Fleming), Betrayal (Milestone), The Virginian (Fleming) ; 1930, Only the Brave (Tuttle), Paramount on Parade (plusieurs réalisateurs), The Texan (Cromwell), Seven Days Leave (Wallace), A Man from Wyoming (Lee), The Spoilers (Carewe), Morocco (Cœurs brûlés) (Sternberg) ; 1931, Fighting Caravans (Brower), City Streets (Les carrefours de la ville) (Mamoulian), I Take this Woman (Gering), His Woman (Sloman) ; 1932, Make Me a Star (Beaudine), Devil and the Deep (Gering), If I Had a Million (McLeod), A Farewell to Arms (L'adieu aux armes) (Borzage) ; 1933, To Day We Live (Hawks), One Sunday Afternoon (Roberts), Design for Living (Sérénade à trois) (Lubitsch), Alice in Wonderland (Alice au pays des merveilles) (McLeod), Operator 13 (Boleslavsky), Now and Forever (Hathaway), The Wedding Night (Vidor) ; 1935, The Lives of a Bengal Lancer (Les trois lanciers du Bengale) (Hathaway), Peter Ibbetson (Hathaway) ; 1936, Désiré (Borzage), Mr. Deeds Goes to Town (L'extravagant M. Deeds) (Capra), Hollywood Boulevard (Florey), The General Died at Dawn (Le général est mort à l'aube) (Milestone), The Plainsman (Une aventure de Buffalo Bill) (DeMille) ; 1937, Souls at Sea (Ames à la mer) (Hathaway) ; 1938, The Adventures of Marco Polo (Les aventures de Marco Polo) (Mayo), Bluebeard's Eighth Wife (La huitième femme de Barbe-Bleue) (Lubitsch), The Cow-boy and the Lady (Madame et son cow-boy) (Potter) ; 1939, Beau Geste (Beau Geste) (Wellman), The Real Glory (Hathaway) ; 1940, The Westerner (Le cavalier du désert) (Wyler), North West Mounted Police (Les tuniques écarlates) (DeMille), Meet John Doe (L'homme de la rue) (Capra) ; 1941, Sergeant York (Hawks), Ball of Fire (Hawks) ; 1942, The Pride of the Yankees (Wood) ; 1943, For Whom the Bell Tolls (Pour qui sonne le glas) (Wood) ; 1944, The Story of Dr. Wassell (L'odyssée du docteur Wassell) (DeMille), Casanova Brown (Wood) ; 1945, Along Came Jones (Le grand Bill) (Heisler), Saratoga Trunk (L'intrigante de Saratoga) (Wood) ; 1946, Cloak and Dagger (Cape et poignard) (Lang) ; 1947, Unconquered (Les conquérants d'un nouveau monde) (DeMille), Variety Girl (Marshall) ; 1948, Good Sam (Ce bon vieux Sam) (McCarey), The Fountainhead (Le rebelle) (Vidor) ; 1949, It's a Great Feeling (Butler), Task Force (Horizons en flammes) (Daves) ; 1950, Bright Leaf (Le roi du tabac) (Curtiz), Dallas (Heisler) ; 1951, You're in the Navy Now (La marine est dans le lac) (Hathaway), Starlift (Del Ruth), It's a Big Country (Brown, Sturges...), Distant Drums (Les aventures du capitaine Wyatts) (Walsh) ; 1952, High Noon (Le train sifflera trois fois) (Zinneman), Springfield Rifle (La mission du commandant Lex) (De Toth), Return to Paradise (Retour au Paradis) (Robson) ; 1953, Blowing Wild (Le souffle sauvage) (Fregonese) ; 1954, Garden of Evil (Le jardin du diable) (Hathaway), Vera Cruz (Aldrich) ; 1955, The Court Martial of Billy Mitchell (Condamné au silence) (Preminger) ; 1956, Fiendly Persuasion (La loi du Seigneur) (Wyler) ; 1957, Love in Afternoon (Ariane) (Wilder) ; 1958, Ten North Frederick (10, rue Frederick) (Dunne), Man of the West (L'homme de l'Ouest) (Mann) ; 1959, The Hanging Tree (La colline de la potence) (Daves), Alias Jesse James (McLeod), They Came to Cordura (Ceux de Cordura) (Rossen), The Wreck of the Mary Deare (Cargaison dangereuse) (Anderson) ; 1961, The Naked Edge (La lame nue) (Anderson).

Un symbole : toute l'histoire d'Hollywood des années 20 aux années 60. A l'exception de Ford, tous les grands réalisateurs américains figurent dans sa prestigieuse filmographie. Venu du Montana, il fut guide au Yellowstone National Park et dessinateur dans des journaux locaux, puis figurant à Hollywood. Un remplacement sur le plateau de *The Winning of Barbara Worth* lui permet de révéler des dons de cavalier qui lui valent d'être embauché dans plusieurs westerns. Grand, élégant, mince, tout à la fois viril et timide, il va personnifier l'Américain, fort, taciturne et loyal. Il peut jouer dans des comédies de Capra et de Lubitsch comme dans des westerns (le *Buffalo Bill* de DeMille où il est Bill Hicock). Mais il est aussi un héros de guerre dans *Sergeant York* qui lui vaut un premier oscar en 1941. En définitive, c'est l'aventure, avec lui, qui est le plus souvent au rendez-vous, des *Lanciers du Bengale* à *Marco Polo*. En vieillissant il embellit. Qui pourrait oublier le shérif fatigué de *High Noon*, les rides qui creusent son visage et son allure voûtée ? Jamais Cooper, récompensé par un deuxième oscar en 1952, ne fut plus émouvant ni plus beau peut-être. Lorsqu'il meurt, emporté par un cancer, en 1961, s'amorce le déclin de Hollywood.

Cooper, Jackie

Acteur et réalisateur américain, de son vrai nom John Cooperman Jr., né en 1921.

1929, Fox Movietone Follies (Butler), Sunny Side Up (Butler) ; 1931, Skippy (Taurog), The Champ (Le champion) (Vidor), Sooky (Taurog) ; 1932, Divorce in the family (Reisner), When a Fellow Needs a Friend (Pollard) ; 1933, The Bowery (Walsh), Broadway to Hollywood (Mack) ; 1934, Treasure Island (L'île au trésor) (Fleming) ; 1935, O'Shaughnessy's Boy (Tempête au cirque) (Boleslavsky) ; 1936, Tough Guy (Le défenseur silencieux) (Franklin), The Devil is a Sissy (Au seuil de la vie) (Van Dyke) ; 1937, Boy of the Streets (Nigh) ; 1938, White Banners (Goulding), That Certain Age (Ludwig) ; 1939, Spirit of Culver (Santley), What a Life (Reed), Streets of New York (Nigh) ; 1940, The Big Guy (Lubin), The Return of Frank James (Lang) ; 1941, Life With Henry (Reed), Ziegfeld Girl (Leonard) ; 1942, Syncopation (Dieterle), The Navy Comes Through (Sutherland) ; 1944, Where Are Your Children ? (Nigh) ; 1947, Kilroy Was Here (Karlson) ; 1961, Everything's Ducky (Taylor) ; 1971, The Love Machine (Haley Jr.) ; 1974, Chosen Survivors (Roley) ; 1976, The Pink Panther Strikes Again (Quand la Panthère rose s'emmêle) (Edwards) ; 1978, Superman, the Movie (Superman) (Donner) ; 1980, Superman II (Superman II, l'aventure continue) (Lester) ; 1983, Superman III (Superman III) (Lester) ; 1987, Superman IV (Superman IV) (Furie) *Comme réalisateur :* 1972, Stand up and Be Counted.

Neveu du réalisateur Taurog, il débute à trois ans dans des courts métrages de Lloyd Hamilton puis dans la série « Our Gang ». Entre dix et treize ans, il devient l'une des stars les plus appréciées, jouant en tandem avec Wallace Beery dans trois films : *The Champ, The Bowery* et *Treasure Island*. Après la guerre, il a vieilli et doit se contenter de films médiocres. Il tente sa chance comme réalisateur, sans succès. Heureusement, c'est la télévision qui le sauve.

Cooper, Miriam

Actrice américaine, 1892-1976.

Principaux films : 1915, The Birth of a Nation (Naissance d'une nation) (Griffith) ; 1916, Intolerance (Intolérance) (Griffith) ; 1917, The Silent Lie (Walsh) ; 1922, Kindred of the Dust (Walsh).

Star du muet et épouse de Walsh, elle a abandonné le cinéma en 1924. Elle a publié ses Mémoires, *Dark Lady of the Silents*, en 1974.

Copeau, Jacques

Acteur français, 1879-1949.

1936, Sous les yeux d'Occident (Allégret) ; 1937, L'affaire du courrier de Lyon (Lehmann) ; La dame de Malacca (Allégret) ; 1938, Conflit (Moguy), La Vénus de l'or (Delannoy).

Avant tout un grand homme de théâtre, mais quelques apparitions intéressantes à l'écran.

Cordy, Annie

Actrice et chanteuse belge, de son vrai nom Cooreman, née en 1928.

1953, Si Versailles m'était conté (Guitry), Boum sur Paris (Canonge) ; 1954, Poisson d'avril (Grangier) ; 1955, Bonjour sourire (Sautet) ; 1956, Le chanteur de Mexico (Pottier) ; 1957, Tabarin (Pottier) ; 1958, Cigarettes, whisky et p'tites pépées (Regamey) ; 1959, Tête folle (Vernay) ; 1964, Ces dames s'en mêlent (André) ; 1965, L'or du duc (Baratier) ; 1967, Ces messieurs de la famille (André) ; 1969, Le bourgeois gentil mec (André), Ces messieurs de la gâchette (André), Le passager de la pluie (Clément) ; 1970, La rupture (Chabrol), Le chat (Granier-Deferre) ; 1971, Les portes de feu (Bernard-Aubert), Les galets d'Étretat (Gobbi) ; 1972, Elle court, elle court la banlieue (Pires), Le mataf (Leroy) ; 1973, La dernière bourrée à Paris (André), Les Gaspards (Tchernia) ; 1975, Isabelle devant le plaisir (Berckmans) ; 1976, Rue Haute (Ernott), Drôles de zèbres (Lux) ; 1982, Le braconnier de Dieu (Darras) ; 1990, Un été après l'autre (Étienne) ; 1993, La vengeance d'une blonde (Szwarc) ; 1996, Moi, j'aime Albert (Chaudier) ; 1999, Un Noël de chien (Monfils) ; 2004, Madame Édouard (Monfils) ; 2006, C'est beau une ville la nuit (Bohringer) ; 2007, Le dernier des fous (Achard).

Pétulante et inusable chanteuse de variétés. Au milieu de nombreux navets, à sauver ses interprétations dans *Le passager de la pluie* et *Le chat*.

Cordy, Raymond

Acteur français, de son vrai nom Cordiaux, 1898-1956.

1931, Le million (Clair), A nous la liberté (Clair), Pour un sou d'amour (Grémillon, non crédité) ; 1932, Les croix de bois (Bernard), Bidon d'or (Christian-Jaque), Pomme d'amour (Dréville) ; 1933, Quatorze Juillet (Clair), Le testament du docteur Mabuse (Lang) ; 1934, Mam'zelle Spahi (Vaucorbeil), Pension Mimosas (Feyder), Le dernier milliardaire (Clair), La caserne en folie (Cammage), Vive la compagnie (Moulins), Le cavalier Lafleur (Ducis), L'auberge du Petit Dragon (Limur), Au bout du monde (Chomette), L'hôtel du Libre-Échange (Allégret), La rosière des Halles (Limur), Son Excellence Antonin (Tavano), L'or dans la rue (Bernhardt), La maison dans la dune (Billon) ; 1935, L'équipage (Litvak), Les gaietés de la finance (Forrester), Les mystères de Paris (Gandera), Adémaï au Moyen Age (Marguenat) ; 1936, J'arrose mes galons (Pujol), La belle équipe (Duvivier), Les jumeaux de Brighton (Heymann), La flamme (Berthomieu), Trois artilleurs au pensionnat (Pujol), Le roman d'un spahi (Bernheim), Les réprouvés (Séverac), La brigade en jupons (Limur) ; 1937, Ignace (Colombier) ; 1938, Mon curé chez les riches (Boyer), La marraine du régiment (Rosca), L'ange que j'ai vendu (Bernheim), Feux de joie (Houssin), Retour à l'aube (Decoin), Lumières de Paris (Pottier), Place de la Concorde (Lamac) ; 1939, Chantons quand même (Caron), Le veau gras (Poligny) ; 1940, Ils étaient cinq permissionnaires (Caron), Vingt-quatre heures de perm' (Cloche) ; 1942, Les inconnus dans la maison (Decoin), La grande marnière (Marguenat) ; 1943, Le val d'enfer (Tourneur), La valse blanche (Stelli) ; 1945, Le roi des resquilleurs (Devaivre), Mission spéciale (Canonge) ; 1946, Le silence est d'or (Clair), Le village de la colère (André) ; 1947, Brigade criminelle (Gil), Colomba (Couzinet) ; 1948, Ma tante d'Honfleur (Jayet) ; 1949, L'épave (Rozier), Les Conquérants solitaires (Vermorel), La beauté du diable (Clair) ; 1950, Le gang des tractions arrière (Loubignac) ; 1951, Capitaine Ardant (Zwobada) ; 1952, Les belles de nuit (Clair) ; 1953, Les enfants de l'amour (Moguy) ; 1955, Les grandes manœuvres (Clair), Les indiscrètes (André) ; 1956, Bonjour Jeunesse (Cam).

Ce sympathique acteur a partagé sa carrière entre une fidélité à toute épreuve à l'égard de René Clair (il figure dans presque tous ses films sonores) et le pire cinéma commercial, du vaudeville militaire au théâtre de boulevard. Pourtant, dès sa première apparition en chauffeur de maître dans *Pour un sou d'amour*, il révèle une incontestable finesse de jeu qui lui permet d'éclipser le couple vedette et, même dans le pire Rozier ou André, il trouve moyen de tirer son épingle du jeu.

Corey, Isabelle

Actrice française née en 1929.

1956, Bob le flambeur (Melville), Et Dieu créa la femme (Vadim) ; 1958, Giovani mariti (Les jeunes maris) (Bolognini), Afrodite, dea dell'amore (L'esclave de l'Orient) (Bonnard) ; 1958, Giuditta e Oloferme (La tête du tyran) (Cerchi) ; 1960, La giornata balorda (Ça s'est passé à Rome) (Bolognini), L'ultimo dei Vichinghi (Le dernier des Vikings) (Gentilomo) ; 1961, Il gladiatore invincibile (Le gladiateur invincible) (Monplet).

Mystérieuse et fragile créature entrevue à demi nue dans *Bob le flambeur* et dont le souvenir hante encore les nuits de quelques cinéphiles.

Corey, Wendell

Acteur américain, 1914-1968.

1947, Desert Fury (Allen), I Walk Alone (L'homme aux abois) (Haskin) ; 1948, The Search (Zinneman), Man-Eater of Kumaon (Haskin), Sorry, Wrong Number (Raccrochez, c'est une erreur) (Litvak), The Accused (Dieterle) ; 1949, Any Number Can Play (LeRoy) ; Holiday Affair (Hartman) ; 1950, Thelma Jordan (La femme à l'écharpe pailletée) (Siodmak), No Sad Songs for Me (La flamme qui s'éteint) (Maté), The Furies (Les furies) (Mann), Harriet Craig (V. Sherman) ; 1951, The Great Missouri Raid (Les rebelles du Missouri) (G. Douglas), Rich, Young and Pretty (Taurog), The Wild Blue Yonder (Dwan) ; 1952, The Wild North (Au pays de la peur) (Marton), Carbine Williams (Thorpe), My Man and I (Wellman) ; 1953, Jamaica Run (Courrier pour la Jamaïque) (L. Foster) ; 1954, Hell's Half Acre (Auer), Rear Window (Fenêtre sur cour) (Hitchcock) ; 1955, The Big Knife (Le grand couteau) (Aldrich) ; 1956, The Bold and the Brave (Le brave et le téméraire) (L. Foster), The Killer Is Loose (Le tueur s'est évadé) (Boetticher), The Rack (Laven), The Rainmaker (Le faiseur de pluie) (Anthony) ; 1957, Loving You (Hal Kanter) ; 1958, The Light in the Forest (Daugherty) ; 1959, Alias Jesse James (Ne tirez pas sur le bandit) (McLeod) ; 1964, Blood on the Arrow (Salkow) ; 1966, Agent for Harm (G. Oswald), Waco (Springsteen), Picture Mommy Dead (Bert I. Gordon), Women of the Prehistoric Planet (Peerce) ; 1968, Buckskin (Moore).

Débuts au théâtre en 1935. Longue carrière à Broadway et découverte tardive par le cinéma. C'est Hal Wallis qui l'engagea pour Paramount. A l'écran, des rôles d'obsédés (le vengeur de *The Killer Is Loose*, dont la femme a été tuée par Cotten), de corrompus (le journaliste de *The Big Knife*), de policiers sceptiques (l'ami de James Stewart dans *Rear Window*, qui ne croit pas à la culpabilité de Raymond Burr ; le shérif de *The Wild North*). Grand, fin, distingué, il n'a pas été remplacé dans ce type de personnage où il excellait.

Corne, Léonce

Acteur français, 1894-1977.

1931, La fille et le garçon (Thiele-Le-bon) ; 1932, Avec l'assurance (Capellani) ; 1933, Dédé (Guissart), Une fois dans la vie (Vaucorbeil) ; 1935, Debout là-dedans ! (Wulschleger), Baccara (Mirande) ; 1936, La dame de Vittel (Goupillières), Une gueule en or (Colombier), L'homme sans cœur (Joannon), Le mioche (Moguy), Puits en flammes (Tourjansky), Sept hommes et une femme (Mirande) ; 1937, Trois artilleurs au pensionnat (Pujol), Alexis gentleman-chauffeur (Vaucorbeil), Le cantinier de la coloniale (Wulschleger), Ignace (Colombier), L'homme de nulle part (Chenal), L'habit vert (Richebé), Messieurs les ronds-de-cuir (Mirande), Un déjeuner de soleil (Cohen) ; 1938, Retour à l'aube (Decoin), Werther (Ophuls), Prisons de femmes (Richebé) ; 1939, Remorques (Grémillon), Bach en correctionnelle (Wulschleger), La tradition de minuit (Richebé), Le jour se lève (Carné), Le paradis des voleurs (Marsoudet) ; 1941, Fièvres (Delannoy), Les jours heureux (Marguenat), Nous les gosses (Daquin), Ce n'est pas moi (Baroncelli), Chèque au porteur (Boyer) Romance de Paris (Boyer), Le valet maître (Mesnier), Les inconnus dans la maison (Decoin), Montmartre sur Seine (Lacombe) ; 1942, A vos ordres madame (Boyer), A la belle frégate (Valentin), La boîte aux rêves (Allégret), Adémaï bandit d'honneur (Grangier), Pontcarral (Delannoy) Lumière d'été (Grémillon), Madame et le mort (Daquin) ; 1943, Le soleil de minuit (Bernard-Roland), Le ciel est à vous (Grémillon), Tornavara (Dréville), Douce (Autant-Lara), Le voyageur sans bagage (Anouilh), Domino (Richebé) ; 1944, Sortilèges (Christian-Jaque), La fiancée des ténèbres (Poligny), Le père Goriot (Vernay) ; 1945, La ferme du pendu (Dréville), Seul dans la nuit (Stengel) ; 1946, Les gosses mènent l'enquête (Labro), Désarroi (Dagan), Roger la honte (Cayatte), Fausse identité (Chotin) ; 1947, Mort ou vif (Tédesco), Le dessous des cartes (Cayatte), Le fort de la solitude (Vernay), Le village perdu (Stengel) ; 1948, Le mystère de la chambre jaune (Asnier), Retour à la vie (sketch Dréville), Le bonheur en location (Wall), Fantômas contre Fantômas (Vernay) ; 1949, Miquette et sa mère (Clouzot), On ne triche pas avec la vie (Delacroix) ; 1950, Justice est faite (Cayatte), La route inconnue (Poirier), Souvenirs perdus (Christian-Jaque) ; 1951, Seul dans Paris (Bromberger), Deux sous de violettes (Anouilh) ; 1952, Nous sommes tous des assassins (Cayatte) ; 1953, Avant le déluge (Cayatte), Capitaine pantoufle (Lefranc) ; 1956, Le sang à la tête (Grangier) ; 1958, Archimède le clochard (Grangier) ; 1959, Les héritiers (Laviron) ; 1962, Le gentleman d'Epsom (Grangier) ; 1963, Comment trouvez-vous ma sœur ? (Boisrond) ; 1964, La grande frousse/La cité de l'invincible peur (Mocky) ; 1965, Paris au mois d'août (Granier-Deferre), La bourse et la vie (Mocky), De l'assassinat considéré comme l'un des beaux-arts (Boutel), La seconde vérité (Christian-Jaque) ; 1967, Alexandre le bienheureux (Robert) ; 1972, Rendez-vous à Bray (Delvaux).

A peine plus qu'un figurant, mais il fait partie de la grande famille du cinéma français : tailleur pour académicien dans *L'habit vert*, chambellan dans *Werther*, greffier pour *Les inconnus dans la maison*... Il apparaît quelques minutes mais son apparition ne laisse pas indifférent. Compromis dans des films de propagande antisémite (*Les corrupteurs...*), il est sauvé (une fois n'est pas coutume) par Daquin... bien qu'interprète du rôle du baron de Nucingen dans *Le père Goriot* ! On le retrouve comme troisième couteau dans plusieurs films de Cayatte.

Cornillac, Clovis

Acteur français né en 1967.

2002, Carnages (Gleize), Maléfique (Valette), Une affaire qui roule (Veniard), Mariées mais pas trop (Corsini) ; 2003, A la petite semaine (Karmann) ; 2004, La femme de Gilles (Fonteyne), Je t'aime, je t'adore (Bontzolakis), Malabar Princess (Legrand), Mensonges et trahisons (Tirard), Un long dimanche de fiançailles (Jeunet), Vert paradis (Bourdieu) ; 2005, Au suivant (Biras), Brice de Nice (Huth), Le cactus (Bitton et Munz), Les chevaliers du ciel (Pirès), Doo Wop (Lanzmann) ; 2006, Les brigades du Tigre (Cornuau), Poltergay (Lavaine), Le serpent (Barbier) ; 2007, Scorpion (Seri).

Révélé par *Brice de Nice*, où il est le compagnon de Dujardin. Excellent dans *Un long dimanche de fiançailles*, il est non moins convaincant en capitaine Vallois luttant contre les terroristes dans *Les chevaliers du ciel*. *Les brigades du Tigre* en ont fait une star.

Corraface, Georges

Acteur français d'origine grecque né en 1952.

1982, S.A.S. à San Salvador (Coutard) ; 1989, La révolution française (Enrico, Heffron), Le Mahabharata (Brook) ; 1991, Not Without My Daughter (Jamais sans ma fille) (Gilbert), Impromptu (Impromptu) (Lapine) ; 1991, Meine Tochter gehört mir all (Naefe) ; 1992, Christopher Columbus : The Discovery (Glen) ; 1994, La pasion turca (Aranda) ; 1995, Legends of the North (Manzor), Cuatro mujeres (Taragona) ; 1996, I Sfagi tou Kokora (Pantzis), John Carpenter's Escape from L.A. (Los Angeles 2013) (Carpenter) ; 1997, Minotaur (Tammuz), C'est la tangente que je préfère (Silvera), Préférence (Delacourt), Vive la mariée... et la libération du Kurdistan ! (Saleem) ; 1998, Alger-Beyrouth : pour mémoire (Allouache) ; 2000, Stand-by (Stephanik) ; 2003, Les filles, personne s'en méfie (Silvera).

Après des années au service de la télévision, il manque obtenir la célébrité en devenant Christophe Colomb dans une superproduction hollywoodienne, mais, en concurrence avec le film de Ridley Scott mettant Gérard Depardieu en vedette, la version de John Glen ne sortira pas sur les écrans français et ne connaîtra aucun succès ailleurs. Acteur multilingue, international par excellence, il est capable de prendre n'importe quel accent avec un naturel confondant (kurde dans *Vive la mariée...*, tchèque dans *C'est la tangente que je préfère*). Semble revenir de plus en plus au cinéma d'auteur hexagonal.

Cortese, Valentina

Actrice italienne, de son vrai nom Rossi Coenzo, née en 1925.

1941, Il bravo di Venezia (Campogalliani), La cena del beffe (La farce tragique) (Blasetti), La regina di Navarre, Primo amore ; 1942, Soltanto un bacio, Una signora dell'Ovest (La dame de l'Ouest) (Koch), Orizzonte di sangue, Quarto pagino, Giorni felici, L'angelo bianco, Quattro ragazze sognano (Giannini), Chi l'ha visto ? (Alessandrini), Nessuno torna indietro (Blasetti) ; 1945, Un Americano in vacanza (Zampa) ; 1947, Il passatore (Coletti), I miserabili (L'évadé du bagne) (Freda), Gli uomini sono nemici (Carrefour des passions) (Giannini), L'ebreo errante (Le juif errant) (Alessandrini), Il corriere del re (Righelli) ; 1949, The Glass Mountain (La montagne de verre) (Cass), Donne senza nome (Radvanyi), Black Magic (Cagliostro) (Ratoff), Thieves'Highway (Les bas-fonds de Frisco) (Dassin) ; 1950, Malaya (Thorpe), Shadow of the Eagle (A l'ombre de l'aigle) (Salkow) ; 1951, The House on Telegraph Hill (La maison sur la colline) (Wise) ; 1952, Secret People (Dickinson), Lulu (Cerchio) ; 1953, La passeggiata (Rascel), Donne proibite (Femmes damnées) (Amato) ; 1954, Il matrimonio (Petrucci), Addio, mia bella signora (Cerchio), The Barefoot Contessa (La comtesse aux pieds nus) (Mankiewicz), Avanzi di galera (Repris de justice) (Cottafavi) ; 1955, Faccia da mascalzone (Comfort), Il conte Aquila (Salvini), Le amiche (Femmes entre elles) (Antonioni) ; 1956, Magic Fire (Feu magique) (Dieterle), Adriana Lecouvreur (Salvini), Calabuch (Calabuig) (Berlanga) ; 1959, Amore è guai (Dorigo) ; 1961, Barabbas (Fleischer), Nasilje na trgu (Bercovici) ; 1962, La ragazza che saveva troppo (Bava) ; 1964, La rancune (Wicki) ; 1965, Giulietta degli spiriti (Juliette des esprits) (Fellini), La donna del lago (Bazzoni) ; 1966, Soleil noir (La Patellière) ; 1968, The Legend of Lylah Clare (Le démon des femmes) (Aldrich), Scusi, facciamo l'amore (Caprioli) ; 1969, The Secret of Santa Vittoria (Le secret de Santa Vittoria) (Kramer), Les caprices de Marie (Broca), To, è morta la nonna (Monicelli) ; 1970, Erste Liebe (Premier amour) (Schell), Madly (Kahane) ; 1971, Le bateau sur l'herbe (Brach), Fratello sole, sorella luna (François et le chemin du soleil) (Zeffirelli), Imputazione di omicido per uno studente (Bolognini) ; 1972, The Assassination of Trotsky (L'assassinat de Trotsky) (Losey), L'iguana dalla lingua di fuoco (Pareto) ; 1973, La nuit américaine (Truffaut), Il bacio (Lanfranchi) ; 1974, Appassionata (Calderoni), Amore mio non farmi male (Sindoni), Tendre Dracula (Grunstein) ; 1975, Il cavaliere costante nicosia demoniaco ovveo Dracula in Brianza (Fulci) 1976, Le grand escogriffe (Pinoteau) ; Jésus de Nazareth (Zeffirelli) ; 1978, Nido de viudas (Navarro), Un'ombra nell'ombra (P. Carpi) ; 1979, When Time Ran Out... (Le jour de la fin du monde) (Goldstone) ; 1987, Monte Napoleone (Vanzina) ; 1988, The Adventures of Baron Munchausen (Les aventures du baron de Münchhausen) (Gilliam), Il giovane Toscanini (Zeffirelli) ; 1989, The Snare (Lizzani) ; 1990, The Betrothed (Nocita) ; 1991, Buster's Bedroom (Horn).

Débuts modestes au temps du fascisme. C'est avec *The Glass Mountain* qu'elle gagne ses galons de vedette et qu'Hollywood l'invite. Elle change son nom et épouse Richard Basehart. En fait elle revient très vite travailler en Europe. Prix des critiques new-yorkais pour *La nuit américaine.*

Cortez, Ricardo

Acteur et réalisateur américain, de son vrai nom Jack Krantz, 1899-1977.

1923, Sixty Cents an Hour (Henabery), Children of Jazz (Storm) ; 1924, Feet of Clay (DeMille), A Society Scandal (Dwan), Argentine Love (Dwan), The Fighting Coward (Cruze), The Next Corner (Wood), The Bedroom Window (DeMille), This Woman (Rosen) ; 1925, The Swan (Buchowetzki), The Pony Express (Cruze), The Spaniaro (Walsh), Not So Long Ago (Olcott), In the Name of Love (Higgin) ; 1926, The Eagle of the Sea (Lloyd), The Torrent (Bell), Volcano (Howard) ; 1927, The Private Life of Helen of Troy (Korda), The Sorrows of Satan (Griffith), New York (Reed), Mockery (Christensen), By Whose Hand ? (Lang) ; 1928, Prowlers of the Sea (Adolfi), The Grain of Dust (Archainbaud), The Gun Runner (Lewis), Excess Baggage (Cruze), La danseuse Orchidée (Perret) ; 1929, The Younger Generation (Capra), New Orleans (Barker), Midstream (Flood), The Phantom in the House (Rosen), The Lost Zeppelin (Sloman) ; 1930, Montana Moon (St. Clair), Her Man (Garnett) ; 1931, Big Business Girl (Seiter), The Maltese Falcon (Le faucon maltais) (Del Ruth), White Shoulders (Brown), Transgression (Brenon), Ten Cents a Dance (Barrymore), Bad Company (Garnett), Reckless Living (Gardner) ; 1932, No One Man (Corrigan), Phantom of Crestwood (Ruben), Is My Face Red ? (Seiter), Flesh (Ford), Symphony of Six Millions (La Cava), Thirteen Women (Archainbaud) ; 1933, The House on 56th Street (Florey), Broadway Bad (Lanfield), Torch Singer (Hall et Somnes), Midnight Mary (Wellman), Big Executive (Kenton) ; 1934, Wonder Bar (Bacon), Mandalay (Curtiz), The Big Shakedown (Dillon), Hat, Coat and Glove (Miner), A Lost Lady (Green),

The Man With Two Faces (Mayo), The Firebird (Dieterle) ; 1935, I Am a Thief (Florey), Shadow of Doubt (Seitz), Special Agent (Keighley), Frisco Kid (Bacon) ; 1936, The Case of the Black Cat (Gann), Man Hunt (Clemens), The Walking Dead (Le mort qui marche) (Curtiz), Postal Inspector (Brower) ; 1937, Talk of the Devil (Reed), West of Shanghai (Farrow), Her Husband Lies (Ludwig), The Californian (Meins) ; 1938, City Girl (Werker) ; 1939, Charlie Chan in Reno (Foster), Mr. Moto's Last Warning (Foster) ; 1940, Murder Over New York (Lachman) ; 1941, I Killed That Man (Rosen), World Première (Tetzlaff), Romance of the Rio Grande (Leeds) ; 1942, Tomorrow We Live (King), Rubber Racketeers (Young), Who Is Hope Schuyler ? (Loring) ; 1944, Make Your Own Bed (Godfrey) ; 1946, The Inner Circle (Ford), The Locket (Le médaillon) (Brahm) ; 1947, Blackmail (Selander) ; 1948, Mystery In Mexico (Wise) ; 1950, Bunco Squad (Leeds) ; 1958, The Last Hurrah (La dernière fanfare) (Ford). *Pour le metteur en scène*, voir le *Dictionnaire du cinéma*, t. I : *Les réalisateurs*.

D'origine viennoise, il faillit succéder à Valentino en raison de son type latino-américain. Il a beaucoup tourné, mais aucune œuvre importante. Son principal titre de gloire est d'avoir été Sam Spade dans la première version du *Faucon maltais*. Frère de l'opérateur Stanley Cortez, ce fut aussi un réalisateur apprécié.

Cosso, Pierre

Acteur français né en 1961.

1981, Beau-père (Blier) ; 1982, La boum 2 (Pinoteau) ; 1984, Windsurf, il vento nelle mani (C. Risi) ; 1985, Rosa la rose, fille publique (Vecchiali) ; 1987, I miei primi quarant'anni (Mes quarante premières années) (Vanzina) ; 1991, A la vitesse d'un cheval au galop (Onteniente) ; 1997, An American Werewolf in Paris (Le loup-garou de Paris) (Waller) ; 1999, La candide Mme Duff (Mocky).

L'archétype du jeune premier, à l'œuvre dans *La boum 2* où ses yeux céruléens faisaient craquer Sophie Marceau. La suite a été plus difficile, mais la télévision sera sa rédemption grâce à plusieurs séries de l'été dans lesquelles il a pu composer avec sa trop belle gueule.

Costello : cf. Abbott et Costello.

Costner, Kevin

Acteur et réalisateur américain né en 1955.

1974, Sizzle Beach, USA (Brander) ; 1981, Shadows Run Black (Heard), Stacy's Nights (Wilson), Frances (Frances) (rôle coupé au montage, Clifford) ; 1982, Nightshift (Howard), Table For Five (Liebermann) ; 1983, The Big Chill (Les copains d'abord) (rôle du mort, coupé au montage) (Kasdan), Testament (Littman) ; 1984, Fandango (Une bringue du tonnerre) (Reynolds) ; 1985, Amazing Stories (Histoires fantastiques) (sketch Spielberg), Silverado (Silverado) (Kasdan), American Flyers (Badham) ; 1987, The Untouchables (Les incorruptibles) (De Palma), No Way Out (Sens unique) (Donaldson) ; 1988, Bull Durham (Duo à trois) (Shelton) ; 1989, Field of Dreams (Jusqu'au bout du rêve) (Robinson), Revenge (Revenge) (Scott) ; 1990, Dances with Wolves (Danse avec les loups) (Costner), Robin Hood, Prince of Thieves (Robin des bois, prince des voleurs) (Reynolds) ; 1991, Madonna : Truth or Dare (In Bed with Madonna) (Keshishian), JFK (JFK) (Stone) ; 1992, The Bodyguard (Bodyguard) (Jackson) ; 1993, A Perfect World (Un monde parfait) (Eastwood) ; 1994, Wyatt Earp (Wyatt Earp) (Kasdan), The War (Chacun sa guerre) (Avnet) ; 1995, Waterworld (Waterworld) (Reynolds) ; 1996, Tin Cup (Tin Cup) (Shelton) ; 1997, The Postman (Postman) (Costner) ; 1998, Message in a Bottle (Une bouteille à la mer) (Mandoki) ; 1999, For Love of the Game (Pour l'amour du jeu) (Raimi), Thirteen Days (Treize jours) (Donaldson), Play It to the Bone (Les adversaires) (Shelton) ; 2000, 3,000 Miles to Graceland (Destination : Graceland) (Lichtenstein) ; 2001, Dragonfly (Apparitions) (Shadyac) ; 2003, Open Range (Open Range) (Costner) ; 2005, The Upside of Anger (Les bienfaits de la colère) (Binder) ; 2006, The Guardian (Coast Guards) (Davis), Rumor Has It (La rumeur court…) (Reiner). *Pour le metteur en scène*, voir le *Dictionnaire du cinéma*, t. I : *Les réalisateurs*.

Remarqué dans *Les incorruptibles*, il s'impose grâce à l'énorme succès d'un western épique, *Danse avec les loups*, dont il est l'interprète et le metteur en scène. Il connaît de gros échecs avec *Wyatt Earp*, un western un peu long dont il est l'interprète et le producteur, puis avec *Rapa Nui* (dont il n'est que producteur). Il retrouve Reynolds, le metteur en scène d'*Une bringue d'enfer* et de *Robin des bois* pour *Waterworld*, épopée maritime située au XXIe siècle, dans un monde emporté par la fonte des glaces. Dans cette production – le plus gros budget de l'histoire du cinéma à l'époque –, il laisse une grande part de son crédit, mais se rachète avec un excellent western, *Open Range*.

Côte, Laurence

Actrice française née en 1966.

1987, Travelling avant (Tacchella), Der Küss der Tigers (Haffter) ; 1988, La bande des quatre (Rivette) ; 1989, La vengeance d'une femme (Doillon) ; 1990, Nouvelle vague (Godard), La vie des morts (Desplechin), Dames galantes (Tacchella) ; 1991, L'amour en deux (Gallotta), Souvenirs (Shamberg) ; 1992, Grand bonheur (Le Roux) ; 1993, Circuit Carole (Cuau) ; 1994, Haut bas fragile (Rivette), Au petit Marguery (Bénégui) ; 1995, Les voleurs (Téchiné), Encore (Bonitzer) ; 1996, Transatlantique (Laurent), Romaine (Obadia), Fire (Fire) (Mehta) ; 1997, Alissa (Goldschmidt), La vie est dure, nous aussi (Castella) ; 1998, Le monde à l'envers (Colla), Je règle mon pas sur le pas de mon père (Waterhouse), Un pur moment de rock'n roll (Boursinhac), Praha ocima (Benki, Pavlatova, Sulik...), Les cendres du paradis (Crèvecœur) ; 2002, Comme un avion (Pisier) ; 2003, Nos enfants chéris (B. Cohen) ; 2005, Trois couples en quête d'orage (Otmezguine) ; 2006, Quand les anges s'en mêlent… (Amsalem), Oublier Cheyenne (Minetto).

Du théâtre avec Chéreau, puis elle tourne avec Rivette qui sait utiliser son allure féline et sa douce et fragile sensualité. Elle est l'une des quatre dans *La bande des quatre* et l'une des trois de *Haut bas fragile*, qui s'inspire de sa propre histoire. Elle est césarisée pour *Les voleurs*.

Cotillard, Marion

Actrice française née en 1975.

1998, Du bleu jusqu'en Amérique (Lévy), La guerre dans le Haut Pays (Reusser), Taxi (Pirès) ; 1999, Taxi 2 (Krawczyk) ; 2000, Lisa (Grimblat) ; 2001, les jolies choses (Paquet-Brenner), Une affaire privée (Nicloux) ; 2002, Taxi 3 (Krawczyk) ; 2003, Big Fish (Big Fish) (Burton) ; 2004, Un long dimanche de fiançailles (Jeunet), Innocence (Hadzihalilovic) ; 2005, La boîte noire (Berry), Cavalcade (Suissa), Edy (Guerin-Tillé), Mary (Ferrara), Ma vie en l'air (Bezançon) ; 2006, Dikkenek (Hoofstadt), Sauf le respect que je vous dois (Godet), A Good Year (Une grande année) (R. Scott) ; 2007, La môme (Dahan)

Une notoriété gagnée avec *Taxi* puis des rôles souvent secondaires (*Big Fish* de Tim Burton, Gretchen Mol dans *Mary*) jusqu'à son éblouissante interprétation d'Édith Piaf dans *La môme*.

Cotten, Joseph

Acteur américain, 1905-1994.

1941, Citizen Kane (Welles), Lydia (Duvivier) ; 1942, The Magnificent Ambersons (La splendeur des Ambersons) (Welles), Journey into Fear (Voyage au pays de la peur) (Foster) ; 1943, Shadow of a Doubt (L'ombre d'un doute) (Hitchcock), Hers to Hold (F. Ryan) ; 1944, Gaslight (Hantise) (Cukor), Since You Went Away (Cromwell), I'll Be Seeing You (Dieterle) ; 1945, Love Letters (Le poids d'un mensonge) (Dieterle), The Farmer's Daughter (Ma femme est un grand homme) (Potter), Duel in the Sun (Duel au soleil) (Vidor) ; 1949, Portrait of Jenny (Le portrait de Jenny) (Dieterle), Under Capricorn (Les amants du Capricorne) (Hitchcock), Beyond the Forest (La garce) (Vidor), The Third Man (Le troisième homme) (Reed) ; 1950, Walk Softly Stranger (L'étranger dans la ville) (Stevenson), September Affair (Les amants de Capri) (Dieterle), Two Flags West (Wise) ; 1951, Half Angel (Sale), Peking Express (Pékin Express) (Dieterle), The Man with a Cloak (Fletcher Markle) ; 1952, Untamed Frontier (Passage interdit) (Fregonese), The Steel Trap (Stone) ; 1953, Niagara (Hathaway), Blueprint for Murder (Stone) ; 1955, Special Delivery (Brahm) ; 1956, The Bottom of the Bottle (Le fond de la bouteille) (Hathaway), The Killer Is Loose (Le tueur s'est évadé) (Boetticher) ; 1957, The Halliday Brand (Lewis) ; 1958, From the Earth to the Moon (De la Terre à la Lune) (Haskin), Touch of Evil (La soif du mal) (Welles) ; 1960, The Angel Wore Red (L'ange pourpre) (Johnson) ; 1961, The Last Sunset (El Perdido) (Aldrich) ; 1964, Hush... Hush, Sweet Charlotte (Chut, chut, chère Charlotte) (Aldrich) ; 1966, The Money Trap (Piège au grisbi) (Kennedy), The Great Sioux Massacre (Salkow), The Oscar (La statue en or massif) (Rouse), Gli uomini dal paso pesante (A. Band), I crudeli (Corbucci), Brighty of Grand Canyon (Foster) ; 1967, Jack of Diamonds (Don Taylor) ; 1968, Rio Hondo (Briz), Petulia (Lester) ; 1969, Latitude Zero (Hondo) ; 1970, Tora ! Tora ! Tora ! (Fleischer), The Grasshopper (Paris), E venne l'ora della vendetta ; 1971, Lady Frankenstein (Mell Welles), The Abominable Dr. Phibes (L'abominable docteur Phibes) (Fuest) ; City Beneath the Sea (La citadelle sous la mer) (Allen) ; 1972, Lo scopone scientifico (L'argent de la vieille) (Comencini), Doomsday Voyage (Adamson), Gli orrori del castello di Norimberga (Baron Blood) (Bava) ; 1973, Soylent Green (Soleil vert) (Fleischer), F for Fake (Vérités et mensonges) (Welles) ; 1974, A Delicate Balance (Richardson) ; 1975, Timber Tramp (Garnett) ;

1976, Un sussurro nel buio (Aliprandi) ; 1977, Airport 77 (Jameson), Twilight's Last Gleaming (L'ultimatum des trois mercenaires) (Aldrich) ; 1978, The Swarm (L'inévitable catastrophe) (Allen), L'ordre et la sécurité du monde (D'Anna), Caravans (Fargo), Isola degli uomini pesce (Le continent des hommes poissons) (Martino), SOS Concorde (SOS Concorde) (Deodato) ; 1979, Indagine su un delitto perfetto (Rosati), Guyana (Guyana, la secte de l'enfer) (Cardona Jr.) ; 1980, The Hearse (Bowers), The Survivor (Hemmings), Delusion (Beattie) ; 1981, Heaven's Gate (La porte du paradis) (Cimino) ; 1982 Rambo sfida la citta' (Lenzi).

Venu du Mercury Theatre, la prestigieuse troupe d'Orson Welles, il est de l'aventure de *Citizen Kane*. Désormais célèbre, il est associé par Welles à ses films suivants et joue en vedette dans des œuvres importantes de Cukor, Hitchcock, Dieterle et Vidor. Visage fin, silhouette élégante, allure distinguée, il est voué aux amours romantiques et souvent déçues (*Love Letter*), au génie incompris de l'artiste (*Portrait of Jenny*), aux humiliations des frères brutaux fermés à sa sensibilité (*Duel in the Sun*)... Mais il peut se transformer en tueur de veuves cynique et impitoyable, sous son apparence d'aristocrate désinvolte et séduisant (*Shadow of a Doubt*). Il est à son apogée dans *Le troisième homme*, déchiré entre l'amitié et le devoir, formant avec Welles un impressionnant duo. Par la suite on le vit dans de bons westerns et de solides « thrillers », mais il y parut souvent peu à l'aise, malgré la qualité des metteurs en scène. Il erra dans de médiocres films d'horreur. Mais nous n'oublierons pas le compagnon de Kane, renvoyé par son patron et ami pour cause de franchise.

Cottençon, Fanny

Actrice française née en 1957.

1977, La nuit de Saint-Germain (Swaim) ; 1980, Signé Furax (Simenon), Le roi des cons (Confortes) ; Les fourberies de Scapin (Coggio) ; 1981, L'étoile du Nord (Granier-Deferre), Tête à claques (Perrin) ; 1982, Tout le monde peut se tromper (Couturier), Paradis pour tous (Jessua), A coup de crosse (Arenda), L'ami de Vincent (Granier-Deferre) ; 1984, Femmes de personne (Frank), Les fausses confidences (Moosman) ; 1985, Monsieur de Pourceaugnac (Mitrani), Spécial police (Vianey), David, Thomas et les autres (Szabo) ; 1986, Golden Eighties (Akerman) ; 1987, Poussière d'ange (Niermans), Le journal d'un fou (Coggio), Tant qu'il y aura des femmes (Kaminka) ; 1987, Les saisons du plaisir (Mocky) ; 1988, A gauche en sortant de l'ascenseur (Molinaro) ; 1989, La folle journée (Coggio) ; 1991, Les clefs du paradis (Broca) ; 1997, L'homme idéal (X. Gélin), Ça reste entre nous (Lamotte) ; 1998, Nos vies heureuses (Maillot), 2000, Mortel transfert (Beinex), La fille de son père (Deschamps) ; 2001, Change-moi ma vie (Begeja) ; 2002, Vivante (S. Ray) ; 2004, Mariage mixte (Arcady).

Remarquée chez Granier-Deferre. Son « tempérament » est indéniable. A découvrir, dans sa filmographie, un petit polar d'Aranda, *A coup de crosse*, où ses rapports sado-masochistes avec Bruno Cremer créaient un climat particulièrement trouble.

Coulouris, George

Acteur britannique, 1903-1989.

1933, Christopher Bean ; 1940, All This and Heaven Too (Litvak), The Lady in Question (Ch. Vidor) ; 1941, Citizen Kane (Welles) ; 1943, Assignment in Brittany (Conway), This Land Is Mine (Vivre libre) (Renoir), For Whom the Bell Tolls (Pour qui sonne le glas) (Wood), Watch on the Rhine (Shumlin) ; 1944, Between Two Worlds (Blatt), Mr. Skeffington (V. Sherman), The Master Race (Bibermann), None But the Lonely Heart (Rien qu'un cœur solitaire) (Odets), A Song to Remember (La chanson du souvenir) (Ch. Vidor) ; 1945, Hotel Berlin (Godfrey), Lady on a Train (Ch. David), Confidential Agent (Shumlin) ; 1946, Nobody Lives Forever (Negulesco), The Verdict (Siegel) ; 1947, California (Californie terre promise) (Farrow), Mr. District Attorney, Where There's Life (Lanfield) ; 1948, Sleep My Love (L'homme aux lunettes d'écaille) (Sirk), Joan of Arc (Jeanne d'Arc) (Fleming), Beyond Glory (Farrow), A Southern Yankee (Sedgwick) ; 1951, Appointment With Venus (R. Thomas), Outcast of the Islands (Le banni des îles) (Reed) ; 1952, Venetian Bird (R. Thomas) ; 1953, The Heart of the Matter (O'Ferrell), A Day to Remember (R. Thomas), The Dog and the Diamonds (R. Thomas) ; 1954, The Runaway Bus (Guest), Doctor in the House (Thomas) ; 1956, Private's Progress (Boulting) ; 1957, Doctor at Large (Thomas), The Man Without a Body (Lee Wilder), Kill Me Tomorrow (Fisher), Seven Thunders (Les sept tonnerres) (Fregonese), Tarzan and the Lost Safari (Tarzan et le safari perdu) (Humberstone) ; 1958, Spy in the Sky (Wilder), I Accuse (L'affaire Dreyfus) (Ferrer), Law and Disorder (Crichton), The Son of Robin Hood (G. Sherman) ; 1960, Conspiracy of Hearts (Thomas), Bluebeard's 10 Honeymoons (Wilder), Surprise Package (Un cadeau pour le patron)

(Donen) ; 1961, King of Kings (Le roi des rois) (Ray), Fury at Smuggler's Bay (Gilling), The Boy Who Stole a Million (Crichton) ; 1964, The Crooked Road (Chaffey) ; 1965, The Skull (Le crâne maléfique) (Francis) ; 1966, Arabesque (Donen) ; 1968, The Assassination Bureau (Dearden) ; 1969, Land Raiders ; 1970, No Blade of Grass (Terre brûlée) (Wilde) ; 1971, Blood from the Mummy's Tomb (Holt et Carreras) ; 1972, Tower of Evil ; 1973, The Final Programme (Les décimales du futur) (Fuest) ; 1974, Mahler (Russell), Papillon (Schaffner), Percy's Progress (Thomas), Murder on the Orient Express (Meurtre dans l'Orient-Express) (Lumet) ; 1976, L'anticristo (L'antéchrist) (De Martino), Shout at the Devil (Hunt), The Ritz (Lester) ; 1980, The Long Good Friday (Racket) (MacKenzie) ; 1983, Vivement dimanche (Truffaut).

D'origine anglaise, malgré son nom grec, il va dans les années 30 tenter sa chance en Amérique. C'est *Citizen Kane*, où il est le banquier Walter Parks Thatcher, qui le révèle. Mais il ne trouvera plus par la suite de rôle dans des films de ce niveau. Il retourne en Angleterre où il se perd dans les films de Ralph Thomas et fait la navette entre Londres et les États-Unis. De bons films mais pas de grands rôles.

Courau, Clotilde

Actrice française née en 1969.

1990, Le petit criminel (Doillon) ; 1991, Map of a Human Heart (Cœur de métisse) (Ward), The Pickle (Mazursky) ; 1993, Polski Crash (Heidelbach), Tom est tout seul (Onteniente) ; 1994, L'appât (Tavernier), Elisa (Becker) ; 1995, Les grands ducs (Leconte) ; 1996, Fred (Jolivet) ; 1997, Marthe (Hubert), Hors jeu (Dridi) ; 1998, Le Poulpe (Nicloux), Deterrence (Lurie) ; 1999, Milk (Brookfield), En face (Ledoux), La parenthèse enchantée (Spinosa), Exit (Mégaton), Promenons-nous dans les bois (Delplanque) ; 2002, Embrassez qui vous voudrez (Blanc), La mentale (Boursinhac), Un monde presque paisible (Deville), Mon idole (Canet) ; 2005, Nuit noire, 17 octobre 1961 (Tasma) ; 2007, La môme (Dahan).

Découverte chez Doillon, Clotilde Courau s'exile tout de suite aux États-Unis où elle tourne sous la direction de Mazursky et donne la réplique, sur scène, à John Malkovich. Fin du rêve et retour en France où, après plusieurs mois d'inactivité, elle se refait une santé dans le registre social (*Elisa, Fred*) ou sentimental (*Marthe*). Une carrière qui se construit sous de bons auspices et atteint son apogée avec un mariage royal qui en fait l'épouse du prétendant au trône d'Italie.

Courcel, Nicole

Actrice française, de son vrai nom Andrieux, née en 1930.

1946, Antoine et Antoinette (Becker) ; 1947, Les amoureux sont seuls au monde (Decoin) ; 1949, Rendez-vous de juillet (Becker), La Marie du port (Carné) ; 1950, Les amants de Bras-Mort (Pagliero) ; 1951, Gibier de potence (Richebé) ; 1952, Les amours finissent à l'aube (Calef) ; 1953, Le collège en folie (Lepage), Si Versailles m'était conté (Guitry) ; 1954, Le grand pavois (Pinoteau), Marchandes d'illusions (André), Les clandestines (André), Papa, maman, la bonne et moi (Le Chanois), Huis clos (Audry) ; 1955, La sorcière (Michel), Papa, maman, ma femme et moi (Le Chanois) ; 1956, L'inspecteur aime la bagarre (Devaivre), Club de femmes (Habib), Le cas du docteur Laurent (Le Chanois) ; 1957, La peau de l'ours (Boissol) ; 1958, La belle et le tzigane (Dréville) ; 1959, Le testament d'Orphée (Cocteau) ; 1960, Le passage du Rhin (Cayatte), Vive Henri IV, vive l'amour ! (Autant-Lara), Les amours de Paris (Poitrenaud), Le vergine di Roma (Les vierges de Rome) (Bragaglia) ; 1961, Konga-Yo/Terreur sur la savane (Y. Allégret), Les dimanches de Ville-d'Avray (Bourguignon) ; 1965, Nick Carter et le trèfle rouge (Savignac), Les ruses du diable (Vecchiali) ; 1966, La nuit des généraux (Litvak), Les créatures (Varda) ; 1970, L'étrangleur (Vecchiali) ; 1972, L'aventure c'est l'aventure (Lelouch), Un officier de police sans importance (Larriaga), Le rempart des béguines (Casaril) ; 1974, La gifle (Pinoteau) ; 1975, Thomas (Dion) ; 1978, L'esprit de famille (Blanc).

Révélée par Becker, cette fort appétissante créature (cf. *Gibier de potence*, film trop méconnu) s'est parfois égarée chez Le Chanois ou Pinoteau. Elle semble s'orienter vers le théâtre et la télévision de préférence au cinéma.

Courtenay, Tom

Acteur anglais né en 1937.

1962, The Loneliness of the Long Distance Runner (La solitude du coureur de fond) (Richardson), Private Potter (Wrede) ; 1963, Billy Liar (Billy le menteur) (Schlesinger) ; 1964, King and Country (Pour l'exemple) (Losey) ; 1965, Operation Crossbow (Anderson), King Rat (Un caïd) (Forbes) ; 1966, The Doctor Zhivago (Docteur Jivago) (Lean), Night of the Generals (La nuit des généraux)

(Litvak) ; 1967, The Day the Fish Came Out (Le jour où les poissons) (Cacoyannis), A Dandy in Aspic (Maldonne pour un espion) (Mann) ; 1969, Otley (D. Clement) ; 1971, Catch Me a Spy (Les doigts croisés) (D. Clement), One Day in the Life of Ivan Denisovitch (Une journée dans la vie d'Ivan Denissovitch) (Wrede) ; 1984, The Dresser (L'habilleur) (Yates) ; 1987, Happy New Year (Avildsen), Leonard, part 6 (Weiland) ; 1990, Le cri du papillon (Kachyna) ; 1991, Let Him Have It (L'âge de vivre) (Medak) ; 1995, The Boy From Mercury (Duffy) ; 1998, A Rather English Marriage (Seed) ; 1999, Whatever Happened to Harold Smith ? (Hewitt).

Révélé, après de solides études à l'université de Londres, par Richardson, alors qu'il venait d'être engagé à l'Old Vic. Son aspect juvénile, sinon fragile, le voue aux rôles de victimes ou de solitaires. Il fut éblouissant en déserteur dans *King and Country*. Durant une décennie, il a pris ses distances à l'égard du cinéma. Sa rentrée, en 1984, dans *The Dresser* en habilleur d'un vieux cabot spécialisé dans les rôles shakespeariens confirme la solidité et le brillant de son talent.

Coutteure, Ronny

Acteur et réalisateur belge, 1951-2000.

1982, Un dimanche de flic (Vianey), Les ailes du papillon (Rodde) ; 1983, Et la tendresse... bordel ! 2 (Schulmann) ; 1988, Bluberry Hill (De Hert) ; 1989, Bal perdu (Benoin), Pentimento (Marshall) ; 1992, Le roi de Paris (Maillet) ; 1994, Het Verdriet van Belgiën (Goretta) ; 1996, Arlette (Zidi). *Comme réalisateur* : 1987, Carnaval.

Sa silhouette imposante et ses petites lunettes rondes ont marqué le grand public par leurs apparitions régulières à la télévision (« Merci Bernard », « L'Instit »...) plutôt qu'au cinéma. Il était par ailleurs auteur et interprète de one-man-shows.

Cowl, Darry

Acteur et réalisateur français, de son vrai nom André Darricau, 1925-2006.

1955, Ces sacrées vacances (Vernay), Bonjour sourire (Sautet), Les Duraton (Berthomieu), Cette sacrée gamine (Boisrond), Paris coquin (Gaspard-Huit), Quatre jours à Paris (Berthomieu) ; 1956, Paris Palace Hôtel (Verneuil), A la Jamaïque (Berthomieu), En effeuillant la marguerite (M. Allégret), Assassins et voleurs (Guitry), L'amour descend du ciel (Cam), Cinq millions comptant (Berthomieu), Courte-tête (Carbonnaux), Fric-frac en dentelles (Radot), La joyeuse prison (Berthomieu) ; 1957, Les trois font la paire (Guitry), Le temps des œufs durs (Carbonnaux), A pied, à cheval et en voiture (Delbez), Ce joli monde (Rim), L'école des cocottes (Audry), Fumée blonde (Vernay), L'ami de la famille (Cowl et Pinoteau), Chéri fais-moi peur (Pinoteau), Sois belle et tais-toi (M. Allégret), Les lavandières du Portugal (Gaspard-Huit) ; 1958, A pied, à cheval et en spoutnik (Dréville), Robinson et le triporteur (Pinoteau), L'increvable (Boyer), Le triporteur (Pinoteau), Le naïf aux quarante enfants (Agostini), Archimède le clochard (Grangier), Le petit prof' (Rim), Vous n'avez rien à déclarer ? (Duhour) ; 1959, Les affreux (M. Allégret), La française et l'amour (Decoin) ; 1960, Bouche cousue (Boyer), Les pique-assiette (Girault), Les amours de Paris (Poitrenaud), Les fortiches (Combret), Les lions sont lâchés (Verneuil), Les moutons de Panurge (Girault), Un martien à Paris (Daninos) ; 1961, Les Parisiennes (sketch Poitrenaud), Les petits matins (Audry), Les livreurs (Girault) ; 1962, Les saintes nitouches (Montazel), Tartarin de Tarascon (Blanche), Striptease (Poitrenaud), L'abominable homme des douanes (M. Allégret), Les bricoleurs (Girault), Les veinards (Girault) ; 1963, Mandrin (Le Chanois), Le bon roi Dagobert (Chevalier), Les gros bras (Rigaud) ; 1964, Déclic... et des claques (Clair), Les gorilles (Girault), Jaloux comme un tigre (Cowl), Des pissenlits par la racine (Lautner) ; 1965, Les combinards (Roy), Le lit à deux places (Delannoy), Les baratineurs (Rigaud), La bourse et la vie (Mocky), La bonne occase (Drach), Les tribulations d'un Chinois en Chine (Broca), Les bons vivants (Lautner et Grangier), Les malabars sont au parfum (Lefranc), La tête du client (Poitrenaud), Les terreurs de l'Ouest (F. Wilson) ; 1967, Le grand bidule (André) ; 1968, Salut Berthe (Lefranc), Ces messieurs de la famille (André) ; 1969, Poussez pas grand-père dans les cactus (Dague), Le bourgeois gentil mec (André) ; 1970, Ces messieurs de la gâchette (André) ; 1972, Elle cause plus... elle flingue (Audiard) ; 1973, La gueule de l'emploi (Rouland) ; 1974, C'est jeune et ça sait tout (Mulot), Non toccare la donna bianca (Touche pas à la femme blanche) (Ferreri), Y'a un os dans la moulinette (André) ; 1975, Trop c'est trop (Kaminka) ; 1976, Le jour de gloire (Besnard) ; 1977, Arrête ton char... bidasse ! (Gérard), Un oursin dans la poche (P. Thomas) ; 1978, Général nous voilà (Besnard) ; 1979, Les Borsalini (Nerval) ; 1980, Voulez-vous un bébé Nobel ? (Pouret), Les surdoués de la première compagnie (Gérard) ; 1981, Le bahut va craquer (Nerval), T'es folle ou quoi ? (Gérard) ; 1982, On s'en fout, nous on s'aime (Gérard),

Deux heures moins le quart avant Jésus-Christ (Yanne), Pour cent briques, t'as plus rien (Molinaro), Qu'est-ce qui fait craquer les filles ? (Vocoret), Ça va pas être triste (Sisser) ; 1983, Mon curé chez les Thaïlandaises (R. Thomas), On l'appelle Catastrophe (Balducci) ; 1985, Le téléphone sonne toujours deux fois (Vergne), Liberté, égalité, choucroute (Yanne) ; 1986, Suivez mon regard (Curtelin) ; 1987, Les saisons du plaisir (Mocky) ; 1988, Une nuit à l'Assemblée nationale (Mocky) ; 1991, Ville à vendre (Mocky) ; 1994, Les misérables (Lelouch) ; 1995, Ma femme me quitte (Kaminka) ; 1997, Droit dans le mur (Richard) ; 1998, Augustin roi du kung-fu (Fontaine) ; 2001, Le nouveau Jean-Claude (Tronchet) ; 2002, Ah ! si j'étais riche (Munz et Bitton) ; 2003, Pas sur la bouche (Resnais), Les marins perdus (Devers), Le cou de la girafe (Nebbou) ; Les Dalton (Haim) ; 2006, L'Homme qui rêvait d'un enfant (Gleize), Vie privée (Z. Modiano). *Comme réalisateur :* 1964, Jaloux comme un tigre.

On en veut à ce fils de radiologue, premier prix de fugue et d'harmonie du Conservatoire, qui avait créé au cabaret un personnage de zozoteur et de bafouilleur original (que reprendra Pierre Rep), de s'être compromis, après un bon départ sous l'égide de Sacha Guitry, dans une série de comédies d'une consternante bêtise. A aucun moment il ne songea à se renouveler. Rappelons qu'il toucha à la mise en scène et qu'il composa la musique du *Jour de gloire* et de *Général nous voilà*. Un bilan plutôt mince mais un césar pour son rôle de concierge dans *Pas sur la bouche*.

Cox ou Cox Arquette, Courteney

Actrice américaine née en 1964.

1987, Masters of the Universe (Goddard), Down Twisted (Pyun) ; 1988, Cocoon : the Return (Cocoon, le retour) (Daniel Petrie) ; 1990, Mr. Destiny (Orr), Shaking the Tree (Clark) ; 1991, Blue Desert (Battersby) ; 1992, The Opposite Sex and How to Live with Them (Meshekoff) ; 1994, Ace Ventura : Pet Detective (Ace Ventura, détective chiens et chats) (Shadyac) ; 1996, Scream (Scream) (Craven) ; 1997, Commandments (Taplitz), Scream 2 (Scream 2) (Craven) ; 1999, The Runner (Moler), Scream 3 (Scream 3) (Craven), The Shrink Is In (Benjamin) ; 2000, 3,000 Miles to Graceland (Destination : Graceland) (Lichtenstein) ; 2001, The Longest Yard (Mi-temps au mitard) (Segal) ; 2007, Alpha Dog (Alpha Dog) (N. Cassavetes), The Tripper (The Tripper) (D. Arquette).

Passée du mannequinat à la comédie, elle se fait connaître grâce à son personnage de la pétillante Monica dans la série « Friends » et à son rôle de journaliste fouineuse, Gale Weathers, dans la saga *Scream*. Un joli minois, mais sa puissance de jeu reste à prouver.

Coyote, Peter

Acteur américain, de son vrai nom Cohon, né en 1941.

1979, Die Laughing (Werner) ; 1980, Tell Me a Riddle (Telle me...) (Grant) ; 1981, Southern Comfort (Sans retour) (Hill), The Pursuit of D.B. Cooper (200 000 dollars en cavale) (Spottiswoode) ; 1982, E.T. the Extra-Terrestrial (E.T. l'extra-terrestre) (Spielberg), Out (Hollander) ; 1983, Endangered Species (Rudolph), Timerider (Dear), Cross Creek (Marjorie) (Ritt) ; 1984, Strangers Kiss (Strangers Kiss) (Chapman), Heartbreakers (Roth), Slayground (Bedford) ; 1985, The Legend of Billie Jean (Robbins), Jagged Edge (A double tranchant) (Marquand), Kerouac (Antonelli) ; 1987, Stacking (Rosen), Un homme amoureux (Kurys), Outrageous Fortune (Une chance pas croyable) (Hiller) ; 1988, Oklahoma (Roth) ; 1989, Heart of Midnight (Chapman) ; 1990, The Man Inside (L'affaire Wallraff) (Roth) ; 1991, High Art (Salles Jr), Crooked Hearts (Bortman) ; 1992, Lunes de fiel (Polanski) ; 1993, Kika (Kika) (Almodóvar) ; 1994, That Eye, The Sky (Ruane) ; 1995, Unforgettable (Mémoires suspectes) (Dahl), Cybertech P.D. (King) ; 1996, Roads Ends (R. King) ; 1997, Sphere (Sphere) (Levinson) ; 1998, Patch Adams (Docteur Patch) (Shadyac), Last Call (C. Lucas), Random Hearts (L'ombre d'un soupçon) (Pollack) ; 1999, The Basket (Cowan), More Dogs than Bones (Sac d'embrouilles) (Browning) ; 2000, Erin Brockovich (Erin Brockovich) (Soderbergh), Red Letters (Battersby), Jack the Dog (Roth) ; 2001, American Leather (J. Anderson), Purpose (Lazar), Femme fatale (De Palma), Northfork (Northfork) (Polish) ; 2003, Bon voyage (Rappeneau) ; 2004, Le grand rôle (Suissa).

Révélé en réalisateur tout à la fois efficace et désabusé dans *Strangers Kiss* puis en procureur auquel, contrairement à la logique, les événements donnaient raison dans *Jagged Edge*. Un rôle ambigu enfin dans *Lunes de fiel*.

Crabbe, Larry « Buster »

Acteur américain, 1907-1983.

1930, Good News (Grinde) ; 1932, The Most Dangerous Game (Les chasses du comte Zaroff) (Schoedsack et Pichel) ; 1933, Tarzan the

Fearless (Tarzan l'intrépide) (R. Hill), King of the Jungle (Kaspa, fils de la brousse) (Humberstone), To the Last Man (Hathaway), The Thundering Herd (Hathaway), The Sweetheart of Sigma Chi (Marin) ; 1934, Search for Beauty (L'école de la beauté) (Kenton), The Oil Raider (Bennet), You're Telling Me (Kenton), Badge of Honor (Bennet), She Had to Choose (Cedar), We're Rich Again (Seiter) ; 1935, Wanderer of the Wasteland (Lovering), Nevada (Barton) ; 1936, Drift Fence, Desert Gold (Hogan), Arizona Raiders (Hogan), Flash Gordon (Stephani), Arizona Mahoney (Hogan) ; 1937, Murder Goes to College (Riesner), Daughter of Shangai (Florey), King of Gamblers (L'homme qui terrorisait New York) (Florey), Thrill of a Lifetime (Archainbaud) ; 1938, Red Darry (Beebe et James), Flash Gordon's Trip to Mars (Beebe et Hill), Hunted Men (L. King), Tip-off Girls (L. King), Illegal Traffic (L. King) ; 1939, Million Dollar Legs (Grinde), Unmarried (Neumann), Buck Rogers (Beebe), Colorado Sunset (Sherman), Call a Messenger (Lubin) ; 1940, Sailor's Lady (Dwan), Flash Gordon Conquers The Universe (Beebe et Taylor) ; 1941, Billy the Kid Wanted (Scott Sherman), Jungle Man (Fraser) ; 1942, Billy the Kid Trapped (Sherman), Law and Order (Newfield), Jungle Siren (Newfield), Mysterious Rider (Newfield), Sheriff of Sage Valley (Newfield), Billy the Kid's Smoking Guns (Sherman), Queen of Broadway (Newfield) ; 1943, The Kid Rides Again (Sherman), Fugitive of the Plains (Newfield), Western Cyclone (Newfield), Devil Riders (Newfield), The Drifter (Newfield), The Renegade (Newfield), Blazing Frontier (Newfield), Cattle Stampede (Panique au Far West) (Newfield) ; 1944, Nabonga (Newfield), Thundering Gunslingers (Newfield), Oath of Vengeance (Newfield), Frontier Outlaws (Newfield), Fuzzy Settles Down (Newfield), The Contender (Newfield), Valley of Vengeance (Newfield), Wild Horse Phanton (Newfield), Rustler's Hideout (Newfield) ; 1945, Border Badmen (Newfield), Stagecoach Outlaws (Newfield), Fighting Bill Carson (Newfield), Lightning Raiders (Newfield), Prairie Rustlers (Newfield), Gangster's Den (Newfield), His Brother's Ghost (Newfield) ; 1946, Overland Raiders (Newfield), Outlaws of the Plains (Newfield), Prairie Badmen (Newfield) Gentlemen with Guns (Newfield), Terrors on Horseback (Newfield), Swamp Fire (Pine) ; 1947, Last of the Redmen (Le dernier des Peaux-Rouges) (G. Sherman) ; 1948, Caged Fury (Berke) ; 1950, Pirates of the High Seas (Bennett et Carr), Captive Girl (Berke) ; 1952, King of the Congo (Bennett et Grissell) ; 1956, Gun Brothers (Salkow) ; 1957, The Lawless Eighties (Kane) ; 1958, Badman's Country (Sears) ; 1965, Bounty Killer (Chasseur de primes) (Bennett), Arizona Raiders (Witney) ; 1972, The Comeback Trail (Hurwitz) ; 1983, The Alien Dead (Olen Ray).

Champion de natation, il gagna une médaille de bronze aux jeux Olympiques de 1928 et une médaille d'or en 1932. Il fut Tarzan avant d'être éclipsé par Johnny Weissmuller et ses grands rôles demeurent ceux de Flash Gordon, d'Alex Raymond et de Buck Rogers d'après la bande dessinée de Dick Calkins et Phil Nowlan. Il correspondait exactement au dessin des créateurs. Il se perdit ensuite dans des westerns de série Z dont les moins mauvais (et c'est tout dire) sont signés par Sam Newfield.

Craig, Daniel

Acteur anglais né en 1968.

1992, The Power of One (Avildsen) ; 1997, Berlin Niagara (Berlin Niagara) (Sehr) ; 1998, Elizabeth (Elizabeth) (Kapur) ; 1998, Love Is the Devil (Maybury), La tranchée (La tranchée) (Boyd) ; 2000, Some Voices (Some Voices) (Jones) ; 2001, Lara Croft : Tomb Raider (Lara Croft : Tomb Raider) (West) ; 2002, Road to Perdition (Les sentiers de la perdition) (Mendes) ; 2003, The Mother (The Mother) (Michell) ; 2004, Layer Cake (Layer Cake) (Vaughn) ; 2005, The Jacket (The Jacket) (Maybury), Munich (Munich) (Spielberg) ; 2006, Casino Royale (Casino Royale) (Campbell), Infamous (Scandaleusement célèbre) (McGrath) ; 2007, The Invasion (Hirschbiegel), The Golden Compass (A la croisée des mondes, les royaumes du Nord) (Weitz).

Formé au National Youth Theatre, il débute à la BBC et ne découvre le cinéma qu'en 1992 : il est le sergent Botha dans *The power of One*. La suite est plus discrète (un sculpteur du Zimbabwe dans *Berlin Niagara*, un gangster assoiffé de vengeance dans *Les sentiers de la perdition*...). Il se fait remarquer en vedette dans *Layer Cake*, un thriller original, puis dans *Munich*. On cherche pour le rôle de James Bond un remplaçant à Pierce Brosnan, remercié au printemps 2004. On préfère Craig à Colin Farrell, Clive Owen et Jude Law. Mais son nez cassé, ses cheveux clairs en brosse suscitent la critique des puristes. Pourtant, on en revient avec lui au premier James Bond, brutal et vulnérable à la fois, dépourvu des gadgets qui faisaient habituellement le triomphe de la série. Finalement, *Casino Royale* est un succès : on reverra à coup sûr Craig en Bond.

Crain, Jeanne

Actrice américaine, 1925-2003.

1943, The Gang's All Here (Berkeley) ; 1944, Home in Indiana (Hathaway), In the Meantime, Darling (Preminger), Winged Victory (Cukor) ; 1945, State Fair (W. Lang), Leave Her to Heaven (Péché mortel) (Stahl) ; 1946, Centennial Summer (Preminger), Margie (Margie) (King) ; 1948, You Were Meant for Me (Bacon), Apartment for Peggy (Koster) ; 1949, A Letter to Three Wives (Chaînes conjugales) (Mankiewicz), The Fan (Preminger), Pinky (L'héritage de la chair) (Kazan) ; 1950, Cheaper by the Dozen (Treize à la douzaine) (W. Lang), I'll Get By (Sale) ; 1951, Take Care of My Little Girl (Negulesco), People Will Talk (On murmure dans la ville) (Mankiewicz), The Model and the Marriage Broker (Cukor) ; 1952, Belles on Their Toes (Levin), O'Henry's Full House (La sarabande des pantins) (Hathaway, Hawks, Koster, Negulesco) ; 1953, City of Bad Men (H. Jones), Dangerous Crossing (Newman), Vicki (Horner) ; 1954, Duel in the Jungle (Duel dans la jungle) (Marshall) ; 1955, Man Without a Star (L'homme sans étoile) (Vidor), Gentlemen Marry Brunettes (Les hommes épousent les brunes) (Sale), The Second Guatest Sex (Marshall) ; 1956, The Fatest Gun Alive (La première balle tue) (Rouse) ; 1957, The Tattered Dress (Arnold), The Joker Is Wild (Le pantin brisé) (Ch. Vidor) ; 1960, Guns of Timberland (Tonnerre sur Timberland) (Webb) ; 1961, Twenty Plus Two (Newman), Nefertite (Nefertiti reine du Nil) (Cerchio) ; 1962, Madison Avenue (Humberstone) ; 1964, Daggers of Blood (Cerchio) ; 1967, Pontius Pilate (Ponce Pilate) (Rapper et Callegari), Hot Rods to Hell (Brahm) ; 1972, Skyjacked (Alerte à la bombe) (Guillermin) ; 1974, The Night God Screamed (Madden).

Charmante brune, type même jusqu'en 1953 de la « Fox Girl ». Excellente chez Mankiewicz, elle s'est perdue ensuite dans des péplums et des films d'aventures de peu d'intérêt.

Crauchet, Paul

Acteur français né en 1920.

1951, Foyer perdu (Loubignac) ; 1955, Série noire (Foucaud), La bande à papa (Lefranc) ; 1958, La moucharde (Lefranc) ; 1959, Le signe du lion (Rohmer) ; 1961, À fleur de peau (Bernard-Aubert), La guerre des boutons (Robert) ; 1965, Les grandes gueules (Enrico), Paris brûle-t-il ? (Clément), La guerre est finie (Resnais), Le dimanche de la vie (Herman) ; 1966, Les aventuriers (Enrico), Estouffade à la Caraïbe (Besnard) ; 1967, Tante Zita (Enrico) ; 1968, La piscine (Deray), Ho (Enrico) ; 1969, Les lettres de Stalingrad (Katz), L'armée des ombres (Melville), Dernier domicile connu (Giovanni) ; 1970, Les mariés de l'an II (Rappeneau), Le cercle rouge (Melville) ; 1971, Où est passé Tom ? (Giovanni), Sans mobile apparent (Labro), Un flic (Melville), Bôf... (Anatomie d'un livreur) (Faraldo) ; 1974, Un nuage entre les dents (Pico), Pas si méchant que ça (Goretta), Au-delà de la peur (Andreï) ; 1972, L'affaire Dominici (Bernard-Aubert) ; 1973, Les granges brûlées (Chapot) ; 1975, Flic story (Deray) ; 1977, Le beaujolais nouveau est arrivé (Voulfow), Le témoin (Mocky) ; 1978, Un papillon sur l'épaule (Deray) ; 1979, Félicité (Pascal) ; 1981, La gueule du loup (Leviant) ; 1982, Bancals (Lièvre) ; 1984, Liste noire (Bonnot) ; 1985, Le temps d'un instant (Jallaud) ; 1987, La brute (Guillemot) ; 1988, To Kill a Priest (Le complot) (Holland), A deux minutes près (Le Hung) ; 1990, La putain du roi (Corti), La gloire de mon père (Robert), Le château de ma mère (Robert), Un été après l'autre (Étienne) ; 1991, Le coup suprême (Sentier) ; 1992, Faut-il aimer Mathilde ? (Baily) ; 1993, Fast (Desarthe) ; 1995, La belle verte (Serreau).

Ancien élève de Dullin, il est avant tout un acteur de théâtre (compagnie Grenier-Hussenot, TNP...), mais les silhouettes qu'il a composées dans les films de Melville, des personnages glacés, strictement vêtus de noir, implacables, sont encore dans toutes les mémoires.

Cravat, Nick

Acteur américain, 1911-1986.

1950, The Flame and the Arrow (La flèche et le flambeau (Tourneur) ; 1952, The Crimson Pirate (Le corsaire rouge) (Siodmak) ; 1953, Veils of Bagdad (Le prince de Bagdad) (G. Sherman) ; 1954, King Richard and the Crusades (Richard Cœur de lion) (Butler), Three Ring Circus (Le clown est roi) (Pevney) ; 1955, Kiss Me Deadly (En quatrième vitesse) (Aldrich), Davy Crockett (N. Foster) ; 1957, The Story of Mankind (Allen) ; 1958, Run Silent, Run Deep (L'odyssée du sous-marin Nerka) (Wise) ; 1967, The Way West (La route de l'Ouest) (McLaglen) ; 1968, The Scalphunters (Les chasseurs de scalps) (Pollack) ; 1971, Valdez is coming (Valdez) (Sherin) ; 1972, Ulzana's Raid (Fureur apache) (Aldrich) ; 1974, The Midnight Man (Le flic se rebiffe) (Lancaster) ; 1977, The Island of Dr. Moreau (L'île du docteur Moreau) (Taylor).

Acrobate, il fut le partenaire de Burt Lancaster. Celui-ci l'imposa ensuite lorsqu'il devint une star de l'écran. Il est irrésistible dans *The Crimson Pirate* où sa fantaisie et son agilité font merveille.

Crawford, Broderick

Acteur américain, 1911-1986.

1937, Woman Chases Man (Blystone) ; 1938, Start Cheering (Rogell), Sudden Money (Grinde) ; 1939, Ambush (Neumann), Undercover Doctor (L. King), Beau Geste (Beau Geste) (Wellman), Eternally Yours (Divorce malgré lui) (Garnett), Island of Lost Men (Neumann), The Real Glory (La glorieuse aventure) (Hathaway) ; 1940, Slighthly Honorable (Le poignard mystérieux) (Garnett), I can't Give You Anything But Love, Baby (Rogell), When The Daltons Rode (Marshall), Seven Sinners (La maison des sept péchés) (Garnett), Trail of the Vigilants (Sur la piste des vigilants) (Dwan) ; 1941, Texas Rangers Ride Again (Hogan), The Black Cat (Rogell), Badlands of Dakota (Green), South of Tahiti (Waggner) ; 1942, Butch Minds the Baby (Rogell), North to the Klondike (La fièvre de l'or) (Kenton), Larceny Inc. (Bacon), Broadway (Seiter), Men of Texas (Enright), Sin Town (Enright) ; 1946, The Runaround (Lamont), Black Angel (L'ange noir) (Neill) ; 1947, Slave Girl (La belle esclave) (Lamont), The Flame (Auer) ; 1948, The Time of Your Life (Le bar des illusions) (Potter), Sealed Verdict (Verdict secret) (Allen), Bad Men of Tombstone (Neumann) ; 1949, A Kiss in the Dark (Daves), Night Into Night (Siegel), Anna Lucasta (Rapper), All the King's Men (Les fous du roi) (Rossen) ; 1950, Cargo to Capetown (McEvoy), Convicted (La loi des bagnards) (Levin), Born Yesterday (Comment l'esprit vient aux femmes) ; 1951, The Mob (Dans la gueule du loup) (Parrish) ; 1952, Scandal Sheet (L'inexorable enquête) (Karlson), Lone Star (L'étoile du destin) (V. Sherman), Stop ! You're Killing Me (Del Ruth), Last of the Comanche (Le sabre et la flèche) (De Toth) ; 1953, The Last Posse (Werker) ; 1954, Night People (Les gens de la nuit) (N. Johnson), Human Desire (Désirs humains) (Lang), Down Three Dark Streets (L'assassin est parmi eux) (Laven) ; 1955, New York Confidential (New York Confidentiel) (Rouse), Big House USA (Koch), Il bidone (Fellini), Not as a Stranger (Pour que vivent les hommes) (Kramer) ; 1956, The Fastest Gun Alive (La première balle tue) (Rouse), Between Heaven and Hell (Le temps de la colère) (Fleischer) ; 1958, The Decks Ran Red (Stone) ; 1960, La vendetta di Ercole (La vengeance d'Hercule) (Cottafavi) ; 1961, Nasilje na Trgu (Bercovici) ; 1962, Convicts Four (Kaufman) ; 1963, The Castilian (Al Wyatt) ; 1964, House Is Not a Home (Rouse) ; 1965, Kid Rodelo (Carlson) ; Up From the Beach (Le jour d'après) (Parrish) ; 1966, The Oscar (La statue en or massif) (Rouse), The Texican (Selander), The Vulture (Huntington) ; 1967, Red Tomahawk (Fort Bastion ne répond plus) (Springsteen) ; 1968, The Fakers (Adamson) ; 1970, Wie kommt ein so reizendes Mädchen zu diesem Gewerbe ? (Tremper) ; 1972, Embassy (Hessler) ; 1973, Terror in the Wax Museum (Fenady) ; 1975, Won Ton Ton, The Dog Who Saved Hollywood (Winner) ; 1977, The Private Files of Edgar Hoover (L. Cohen) ; 1979, I Love You, je t'aime (Roy Hill) 1980, Harlequin (Wincer), There Goes the Bride (Marcel), A Little Romance (Hill) ; 1981, Den Tüchtigen gehört die Welt (Patzak) ; 1983, Liar's Moon (Le challenger) (Fisher).

Petits-fils et fils de comédiens, il n'est guère attiré par le théâtre et préfère le sport : sa carrure le prédispose au base-ball. Pour échapper à sa famille, il s'engage dans la marine puis déserte, dit-on, à la faveur d'une escale à New York. Pour vivre, il fait de la radio et bientôt du théâtre. On n'échappe pas à son destin. Il est révélé par le rôle de Lennie dans *Des souris et des hommes*. Le cinéma le happe, avec une interruption due à la guerre. Westerns et « thrillers » : il y joue les flics véreux ou les shérifs fatigués, les gangsters au grand cœur et les hommes politiques douteux. Il est couronné par un oscar en 1949 pour son interprétation de *All the King's Men*. Fellini fait appel à lui pour jouer l'un des escrocs de *Il Bidone*. Mais après 1970, il se partage entre la télévision et des films à petit budget.

Crawford, Joan

Actrice américaine, de son vrai nom Lucille Le Sueur, 1904-1977.

1925, Lady of the Night [comme doublure de Norma Shearer] (Bell), Proud Flesh (Fraternité) (King Vidor), Pretty' Ladies (Bell) (créditée sous son nom : Lucille Le Sueur), Old Clothes (Vieux amis, vieux habits) (Cline), The Only Thing (L'appât de l'or) (Conway), Sally, Irene and Mary (Poupées de théâtre) (Goulding) ; 1926, The Boob (Wellman), Tramp, Tramp, Tramp (Sportif d'occasion) (Edwards), Paris (Goulding) ; 1927, The Taxi Dancer (Taxi Girl) (Millard), Winners of the Wilderness (Le dernier refuge) (Van Dyke), The Understanding Heart (Conway), The Unknown (L'inconnu) (Browning),

Twelve Miles Out (Le bateau ivre) (Conway), Spring Fever (Le temps des cerises) (Sedgwick) ; 1928, West Point (L'irrésistible) (Sedgwick), Rose Marie (Hubbard), Across to Singapore (Un soir à Singapour) (Nigh), The Law to the Range (La mauvaise route) (Nigh), Four Walls (La prison du cœur) (Nigh), Our Dancing Daughters (Les nouvelles vierges) (Beaumont), Dream of Love (Cœur de Tzigane) (Niblo) ; 1929, The Duke Steps Out (La tournée du grand-duc) (Cruze), Hollywood Revue of 1929 (Hollywood chante et danse) (Reisner), Our Modern Maidens (Ardente jeunesse ou Jeunes filles modernes) (Conway) ; 1930, Montana Moon (St. Clair), Our Blushing Brides (Beaumont), Paid (Wood) ; 1931, Dance Fools Dance (La pente) (Beaumont), Laughing Sinners (La pécheresse) (Beaumont), This Modern Age (Grinde), Possessed (Fascination) (Brown) ; 1932, Grand Hôtel (Grand Hôtel) (Goulding), Letty Lynton (Captive) (Brown), Rain (Pluie) (Milestone) ; 1933, To Day We Live (Après nous le déluge) (Hawks), Dancing Lady (Tourbillon de la danse) (Leonard) ; 1934, Sadie Mc Kee (Vivre et aimer) (Brown), Chained (La passagère) (Brown), Forsaking All Others (Souvent femme varie) (Van Dyke) ; 1935, No More Ladies (La femme de sa vie) (Griffith), I Live My Live (Vivre sa vie) (Van Dyke) ; 1936, The Gorgeous Hussy (L'enchanteresse) (Brown), Love on the Run (Loufoque et Cie) (Van Dyke) ; 1937, The Last of Mrs. Cheyney (La fin de Madame Cheyney) (Boleslavsky), The Bride Wore Red (L'inconnue du Palace) (Arzner) ; 1938, Mannequin (Mannequin) (Borzage), The Shining Hour (l'ensorceleuse) (Borzage) ; 1939, Ice Follies of 1939 (La féerie de la glace) (Schunzel), The Women (Femmes) (Cukor) ; 1940, Strange Cargo (Le cargo maudit) (Borzage), Susan and God (Suzanne et ses idées) (Cukor) ; 1941, A Woman's Face (Il était une fois) (Cukor), When Ladies Meet (Duel de femmes) (Leonard) ; 1942, They All Kissed the Bride (Embrassons la mariée) (Hall), Reunion in France (Quelque part en France) (Dassin) ; 1943, Above Suspicion (Un espion a disparu) (Thorpe) ; 1944, Hollywood Canteen (Daves) ; 1945, Mildred Pierce (Le roman de Mildred Pierce (Curtiz) ; 1946, Humoresque (Negulesco) ; 1947, Possessed (La possédée) (Bernhardt), Daisy Kenyon (Femme ou maîtresse) (Preminger) ; 1949, Flamingo Road (Boulevard des passions) (Curtiz), It's a Great Feeling (Les travailleurs du chapeau) (Butler) ; 1950, The Damned Don't Cry (L'esclave du gang) (Sherman), Harriet Graig (La perfide) (Sherman) ; 1951, Good Bye My Fancy (La flamme du passé) (Sherman) ; 1952, This Woman Is Dangerous (La reine du hold-up) (Feist), Sudden Fear (Le masque arraché) (Miller) ; 1953, Torch Song (La madone gitane) (Walters) ; 1954, Johnny Guitar (Johnny Guitar) (Ray) ; 1955, Female on the Beach (La maison sur la plage) (Pevney), Queen Bee (Une femme diabolique) (McDougall) ; 1956, Autumn Leaves (Feuilles d'automne) (Aldrich) ; 1957, The Story of Esther Costello (Le scandale Costello) (Miller) ; 1959, The Best of Everything (Rien n'est trop beau) (Negulesco) ; 1962, What Ever Happened to Baby Jane ? (Qu'est-il arrivé à Baby Jane ?) (Aldrich) ; 1963, The Caretakers (Bartlett) ; 1964, Strait Jacket (La meurtrière diabolique) (Castle) ; 1965, Saw What You Did (Tuer n'est pas jouer) (Castle) ; 1967, Berserk (O'Connolly), The Karate Killers (Tueurs au karaté) (Shear) ; 1970, Trog (Francis).

L'une des plus grandes stars d'Hollywood. Débuts comme figurante, après avoir été danseuse. Elle devient dès le muet l'une des vedettes de la MGM. La légende, aidée par la suite par le livre de souvenirs de sa fille, s'est emparée d'elle. Perverse, dure avec son enfant, le contraire de l'image qu'elle donne à l'écran. Mariée à Douglas Faibanks Jr., à Franchot Tone puis à Philips Terry, elle obtient un oscar pour *Mildred Pierce* en 1945. Elle abandonne le cinéma en 1970 pour se consacrer à Pepsi Cola qu'elle a hérité de son dernier mari.

Cregar, Laird

Acteur américain, 1916-1944.

1940, Oh Johnny, How You Can Love (Lamont), Granny Get Your Gun (Any), Hudson's Bay (Pichel) ; 1941, Blood and Sand (Arènes sanglantes) (Mamoulian), Charley's Aunt (Mayo), I Wake Up Screaming (Humberstone) ; 1942, Joan of Paris (Stevenson), Rings on Her Fingers (Qui perd gagne) (Mamoulian), This Gun for Hire (Tueur à gages) (Tuttle), The Black Swan (Le cygne noir) (King), Ten Gentlemen from West Point (Hathaway) ; 1943, Hello, Frisco, Hello (Humberstone), Holy Matrimony (Stahl), Heaven Can Wait (Le ciel peut attendre) (Lubitsch) ; 1944, The Lodger (Jack l'éventreur) (Brahm) ; 1945, Hangover Square (Brahm).

On le vit au théâtre dans une vie d'Oscar Wilde avant sa conquête d'Hollywood. Grand, massif, le teint blafard des gens bouffis de graisse, il fut un impressionnant Jack l'éventreur dans *The Lodger* et un personnage non moins menaçant dans *Hangover Square* et surtout dans *I Wake Up Screaming*. Il mourut d'une crise cardiaque lors d'une cure d'amaigrissement.

Cremades, Michel

Acteur français né en 1955.

1984, Les ripoux (Zidi), Le facteur sonne toujours deux fois (Vergne) ; 1985, Conseil de famille (Costa-Gavras), Le bonheur a encore frappé (Trotignon) ; 1987, Club de rencontres (M. Lang) ; 1988, Les cigognes n'en font qu'à leur tête (Kaminka) ; 1989, Ripoux contre ripoux (Zidi), Ticket d'amour, tarif étudiant (Vuillot) ; 1990, Promotion canapé (Kaminka) ; 1993, Profil bas (Zidi) ; 1996, Hercule et Sherlock (Szwarc) ; 1997, Le secret de mon grand-père (Viguer), Les visiteurs II : Les couloirs du temps (Poiré) ; 2002, Astérix et Obélix : mission Cléopâtre (Chabat) ; 2004, Marié(s) ou presque (Llopis).

Une gueule comme on n'en voit qu'au cinéma. Petit, une drôle de tête de souris effrayée au nez qui n'en finit pas, c'est dans les Club Med puis au café-théâtre qu'il fait ses premières armes, avant d'endosser une pléiade de troisièmes rôles dans divers téléfilms, séries, publicités, pièces de théâtre, et, plus accessoirement, au cinéma.

Crémer, Bruno

Acteur français né en 1929.

1957, Quand la femme s'en mêle (Allégret) ; 1960, Le tout pour le tout (Dally), La morte a les yeux bleus (Fog) ; 1964, La 317e section (Schoendoerffer) ; 1966, Paris brûle-t-il ? (Clément), Objectif 500 millions (Schoendoerffer) ; 1967, Un homme de trop (Costa-Gavras), Breakdown (Si j'étais un espion) (Blier), Le viol (Doniol-Valcroze), Lo straniero (L'étranger) (Visconti), Le tueur aime les bonbons (Cloche) ; 1968, Les gauloises bleues (Cournot), La bande à Bonnot (Fourastié), Bye Bye Barbara (Deville) ; 1969, Pour un sourire (Dupont-Midy), Cran d'arrêt (Boisset), Le temps de mourir (Farwagi) ; 1970, Biribi (Moosmann) ; 1971, L'amante dell'orsa maggiore (Orsini), La guerre d'Algérie (Monnier) (comment.) ; 1972, L'attentat (Boisset), R.A.S. (Boisset), Sans sommation (Gantillon) ; 1973, Le protecteur (Hanin) ; 1974, Les suspects (Wyn), La chair de l'orchidée (Chéreau) ; 1975, Section spéciale (Costa-Gavras), Les loubards (Barjol), Le bon et les méchants (Lelouch) ; 1976, L'alpagueur (Labro) ; 1977, Wages of Fear (Le convoi de la peur) (Friedkin), L'ordre et la sécurité du monde (D'Anna) ; 1978, Même les mômes ont du vague à l'âme (Daniel), On efface tout (P. Vital), Une histoire simple (Sautet) ; 1979, Tout est à nous (Daniel) ; 1980, Aimée (Farges), Une robe noire pour un tueur (Giovanni), Anthracite (Niermans) ; 1981, La puce et le privé (R. Kay), Josepha (Frank), Espion lève-toi (Boisset) ; 1982, L'honneur d'un capitaine (Schoendoerffer), Le prix du danger (Boisset) ; 1983, Effraction (Duval), Un jeu brutal (Brisseau) ; 1984, Le matelot 512 (Allio) ; 1985, A coup de crosse (Aranda), Derborence (Reusser), Le transfuge (Lefebvre) ; 1986, Tenue de soirée (Blier), Adieu je t'aime (Bernard Aubert), Falsch (L. et J. P. Dardenne) ; 1988, De bruit et de fureur (Brisseau) ; 1989, Atto di dolore (Acte d'amour) (Squitieri), Tumultes (Van Effenterre), Noce blanche (Brisseau), L'union sacrée (Arcady) ; 1990, Money (Money) (Stern), Un vampire au paradis (Bahloul) ; 1992, Taxi de nuit (Leroy) ; 2000, Sous le sable (Ozon), Mon père (Giovanni) ; 2004, Là-haut, un roi au-dessus des nuages (P. Schoendoerffer).

Conservatoire, puis théâtre (*Robinson* de Supervielle, *Périclès* de Shakespeare, *Becket* et *Pauvre Bitos* de Jean Anouilh). Au cinéma, qu'il soit combattant en Indochine (*La 317e section*), journaliste communiste (*Section spéciale*), détective privé façon Marlowe (*La puce et le privé*), ou policier corrompu et sadique humiliant dans sa chair Fanny Cottençon (*A coup de crosse*), il est toujours l'homme fort sensible sur qui on peut compter. Avec des faiblesses. (Le professeur qui se laisse séduire par son élève dans *Noce blanche*.) De là, sans doute, sa popularité. Une popularité fondée sur un talent incontestable et reposant sur un physique viril : nez busqué, pectoraux, taille élevée. A lui seul il a sauvé bien des films, mais il ne fut jamais aussi bon que dans *La 317e section*. Il est devenu Maigret à la télévision.

Crémieux, Henri

Acteur français, 1896-1980.

1937, Hercule (Esway) ; 1938, Gibraltar (Ozep) ; 1939, Ils étaient neuf célibataires (Guitry), Remorques (Grémillon), Narcisse (Aguiar), Nord-Atlantique (Cloche), Sixième étage (Cloche) ; 1945, François Villon (Zwobada), La tentation de Barbizon (Stelli) ; Au petit bonheur (L'Herbier) ; 1946, Miroir (Lamy) ; 1947, Capitaine Blomet (Feix), Les requins de Gilbraltar (Reinert) ; 1948, Les casse-pieds (Dréville), Le bal des pompiers (Berthomieu), Bal Cupidon (Sauvajon), Tous les deux (Cuny), Le droit de l'enfant (Daroy) ; 1948, Lady Paname (Jeanson), Orphée (Cocteau), L'homme qui revient de loin (Castanier), La petite chocolatière (Berthomieu), Au P'tit Zouave (Grangier) ; 1950, Le passe-muraille

(Boyer), Trois télégrammes (Decoin), Méfiez-vous des blondes (Hunebelle) ; 1951, Le plaisir (Ophuls), Deux sous de violettes (Anouilh), La plus belle fille du monde (Stengel) ; 1952, Nous sommes tous des assassins (Cayatte), La dame aux camélias (Bernard), La fête à Henriette (Duvivier) ; 1954, Lettres de mon moulin (Pagnol), Cadet Rousselle (Hunebelle), L'étrange désir de M. Bard (Radvanyi), Le fil à la patte (Lefranc) ; 1955, Gas-Oil (Grangier), Le dossier noir (Cayatte), La bande à papa (Lefranc) ; 1956, Les suspects (Dréville), Le sang à la tête (Grangier), Honoré de Marseille (Régamey) ; 1957, Le chômeur de Clochemerle (Boyer), Le gorille vous salue bien (Borderie), Le naïf aux quarante enfants (Agostini) ; 1958, La moucharde (Lefranc), Toi le venin (Hossein) ; 1959, Le testament d'Orphée (Cocteau), La corde raide (Dudrumet) ; 1960, Le président (Verneuil) ; 1961, L'assassin est dans l'annuaire (Joannon) ; 1962, Le septième juré (Lautner), Cyrano et d'Artagnan (Gance), Le glaive et la balance (Cayatte), Mathias Sandorf (Lampin), 1963, La vie conjugale (Cayatte) ; 1964, Monsieur (Le Chanois) ; 1966, Les demoiselles de Rochefort (Demy) ; 1969, Les caprices de Marie (Broca) ; 1970, Un beau monstre (Gobbi), Peau d'âne (Demy), Ils (Simon) ; 1972, Na (Martin) ; 1976, Le pays bleu (Tacchella) ; 1977, La barricade du Point-du-jour (Richon) ; 1978, Confidences pour confidences (Thomas) ; 1979, Au bout du bout du banc (Kassovitz), Rien ne va plus (Ribes).

Du confident de Guitry dans *Ils étaient neuf célibataires* au grand-père de *Confidences pour confidences*, une carrière de bon second plan, seulement interrompue par les mesures raciales de l'Occupation. Ce Marseillais, qui avait débuté à l'Odéon en 1916, avant de découvrir plus tardivement le cinéma, s'est longuement raconté dans *Je est un autre. Itinéraire d'un histrion*.

Crenna, Richard
Acteur américain, 1927-2003.

1951, Red Skies of Montana (Duel dans la forêt) (Newman) ; 1952, The Pride of St. Louis (Jones), It Grows on Trees (Ça pousse sur les arbres) (Lubin) ; 1955, Our Miss Brooks (Lewis) ; 1956, Over-Exposed (Surexposé) (Seller) ; 1964, John Goldfarb, Please Come Home (L'encombrant Mr. John) (Lee-Thompson) ; 1965, Made in Paris (Segal) ; 1966, The Sand Pebbles (La canonnière du Yang Tsé) (Wise) ; 1967, Wait Until Dark (Seule dans la nuit) (Young) ; 1968, The Midas Run (Une combine en or) (Kjellin), Star (Wise) ; 1969, Marooned (Les naufragés de l'espace) (Sturges), The Deserter (Les dynamiteros) (Kennedy) ; 1970, Doctor's Wives (Femmes de médecin) (Schaefer), Red Sky at Morning (L'aube écarlate) (Goldstone) ; 1971, Catlow (Catlow) (Wanamaker) ; 1972, The Man Called Noon (Les colts au soleil) (Collison), Un flic (Melville) ; 1975, Breakheart Pass (Le solitaire de Fort Humbolt) (Gries) ; 1977, Cry Demon (Trikonis) ; 1978, The Evil (Le couloir de la mort) (Trikonis) ; 1979, Wild Horses Hank (Till), Death Ship (Le bateau de la mort) (Rakoff) ; 1980, Stone Cold Dead (Mendeluk) ; 1981, Body Heat (La fièvre au corps) (Kasdan) ; 1982, Table for Five (Lieberman) ; 1983, First Blood (Rambo) (Kotcheff) ; 1984, Flamingo Kid (Le kid de la plage) (Marshall) ; 1985, Rambo II (Rambo 2) (Cosmatos), Summer Rental (Reiner) ; 1988, Rambo III (Rambo 3)(Mac Donald), Leviathan (Leviathan) (Cosmatos) ; 1993, Hot Shots ! 2 (Hot Shots ! 2) (Abrahams) ; 1994, A Pyromaniac's Love Story (Brand) ; 1995, Jade (Jade) (Friedkin), Sabrina (Sabrina) (Pollack) ; 1998, Wrongfully Accused (Le détonateur) (Proft) ; 2000, Don't Let Go (Myers).

Naissance à Los Angeles, études à l'université de Californie. Débute très tôt au théâtre. Bonnes compositions au cinéma. Presque une vedette, puis la télévision l'accapare et il devient un incontournable du téléfilm à portée sociale.

Cresté, René
Acteur et réalisateur français, 1875-1924.

Premier film en 1908, anonymement, puis : 1913, Par l'amour (Perret), La fiancée du diable (Perret) ; 1914, Le roi de la montagne (Perret), Les mystères de l'ombre (Perret), Le dernier amour (Perret) ; 1916, Judex (Feuillade) ; 1917, Déserteuse (Feuillade), Petites marionnettes (Feuillade), Le passé de Monique (Feuillade), La nouvelle mission de Judex (Feuillade) ; 1918, Tih-Minh (Feuillade) ; 1919, L'homme sans visage (Feuillade), L'autre (Feuillade), L'engrenage (Feuillade), Le château du silence (Cresté) ; 1922, Un coup de tête (Cresté), L'aventure de René (Cresté). *Pour le metteur en scène*, voir le *Dictionnaire du cinéma*, t. I : *Les réalisateurs*.

Il débute au théâtre comme jeune premier en 1901 puis Perret l'engage chez Gaumont en 1913, mais la guerre interrompt sa carrière. C'est Feuillade qui va l'imposer en lui confiant le rôle de Judex, le justicier à la cape, qui le rendra célèbre. Non sans ingratitude, Cresté quitte Feuillade pour fonder sa propre compagnie et mettre en scène trois films.

Crisp, Donald

Acteur et réalisateur américain, 1880-1974.

1907-1914, *nombreux courts métrages*. 1914, The Battle of Sexes (La bataille des sexes) (Griffith), The Escape (Griffith), Home, Sweet Home (Griffith), The Avenging Conscience (Griffith) ; 1915, The Birth of a Nation (Naissance d'une nation) (Griffith), The Love Road, The Commanding Officer, A Girl of Yesterday, The Foundling, May Blossom, Such a Little Girl, Bed in the Bone ; 1916, Intolerance (Griffith), Joan the Woman (Jeanne d'Arc) (DeMille), Ramona ; 1917, The Countess Charming ; 1918, One More American ; 1919, Broken Blossoms (Le lys brisé) (Griffith) ; 1921, Beside the Bonnie Brier Bush ; 1925, Don Q Son of Zorro (Crisp) ; 1926, The Black Pirate (Le pirate noir) (Parker) ; 1928, The Vicking (Neill), The River Pirate (Howard) ; 1929, Trent's Last Case (Hawks), The Pagan (Van Dyke), The Return of Sherlock Holmes ; 1930, Scotland Yard (Howard) ; 1931, Svengali (Mayo), Kick in ; 1932, A Passport to Hell (Lloyd), Red Dust (La belle de Saigon) (Fleming) ; 1933, Broadway Bad (Lanfield) ; 1934, The Crime Doctor (Robertson), The Little Minister (Wallace), The Key (La clé) (Curtiz), The Life of Vergie Winters (Santell), What Every Woman Knows (La Cava) ; 1935, Vanessa, Her Love Story (Howard), Laddie (Stevens), Mutiny on the Bounty (Les révoltés du Bounty) (Lloyd), Oil for the Lamps of China (LeRoy) ; 1936, Mary of Scotland (Mary Stuard) (Ford), The Charge of the Light Brigade (La charge de la brigade légère) (Curtiz), The White Angel (L'ange blanc) (Dieterle), A Woman Rebels (Sandrich), The Great O'Malley (Septième district) (Dieterle), Beloved Enemy (Potter) ; 1937, Parnell (Stahl), The Life of Emile Zola (La vie d'Émile Zola) (Dieterle), That Certain Woman (Goulding), Confession (May), Sergeant Murphy (Eason) ; 1938, Jezebel (L'insoumise) (Wyler), The Amazing Doctor Clitterhouse (Le mystérieux docteur Clitterhouse) (Litvak), Valley of the Giants (Keighley), The Beloved Brat (Lubin), The Sisters (Litvak), The Dawn Patrol (Goulding), Comet Over Broadway (Berkeley) ; 1939, Juarez (Dieterle), The Old Maid (La vieille fille) (Goulding), Wuthering Heights (Les hauts de Hurlevent) (Wyler), The Oklahoma Kid (Terreur à l'Ouest) (Bacon), Daughters Courageous (Filles courageuses) (Curtiz), The Private Lives of Elizabeth and Essex (La vie privée d'Élisabeth d'Angleterre) (Curtiz) ; 1940, Dr. Ehrlich's Magic Bullett (Dieterle), Brother Orchid (Bacon), The Sea Hawk (L'aigle des mers) (Curtiz), City for Conquest (La ville conquise) (Litvak), Knute Rockne, All American (Bacon) ; 1941, Dr. Jekyll and Mr. Hyde (Fleming), Shining Victory (Rapper), How Green Was My Valley (Qu'elle était verte ma vallée) (Ford) ; 1942, The Gay Sisters (Rapper) ; 1943, Forever and a Day (Lloyd, Clair...), Lassie Come Home (La fidèle Lassie) (Wilcox) ; 1944, The Uninvited (La falaise mystérieuse) (Allen), The Adventures of Mark Twain (Rapper), National Velvet (Le grand National) (Brown) ; 1945, Son of Lassie (Le fils de Lassie) (Simon), The Valley of Decision (La vallée du jugement) (Garnett) ; 1947, Ramrod (Femme de feu) (De Toth) ; 1948, Hills of Home (Le maître de Lassie) (Wilcox), Whispering Smith (Smith le taciturne) (Fenton) ; 1949, Challenge to Lassie (Le défi de Lassie) (Thorpe) ; 1950, Bright Leaf (Le roi du tabac) (Curtiz) ; 1951, Home Town Story (Pierson) ; 1954, Prince Valiant (Prince Vaillant) (Hathaway), The Long Gray Line (Ce n'est qu'un au revoir) (Ford) ; 1955, The Man from Laramie (L'homme de la plaine) (Mann) ; 1957, Drango (Le pays de la haine) (Bartlett) ; 1958, Saddle the Wind (Libre comme le vent) (Parrish), The Last Hurrah (La dernière fanfare) (Ford) ; 1959, A Dog of Flanders (Clark) ; 1960, Pollyanna (Swift) ; 1961, Greyfriars Bobby (Chaffley) ; 1963, Spencer's Mountain (Daves). *Pour le metteur en scène*, voir le *Dictionnaire du cinéma*, t. I : *Les réalisateurs*.

Il ne fut pas seulement un metteur en scène réputé, mais l'interprète des grands films de Griffith. Avec l'avènement du parlant, il abandonne la mise en scène pour le métier d'acteur. Avec sa blanche chevelure et sa noble prestance, il joue les pères de famille (dans la série des *Lassie* ou dans *The National Velvet*), les prêtres (*Brother Orchid*), les patrons de ranch (dans des westerns comme *The Man from Laramie* ou *Saddle the Wind*). Il eut un oscar pour son rôle du père dans *How Green Was My Valley*.

Crosby, Bing

Acteur et chanteur américain, 1901-1977.

1930, King of Jazz (Anderson), Check and Double Check (Brown) ; 1931, Confessions of a Co-Ed (Burton et Murphy), Reaching for the Moon (E. Goulding), The Big Broadcast (Tuttle) ; 1933, College Humor (Ruggles), Too Much Harmony (Sutherland), Going Hollywood (Walsh) ; 1934, We're Not Dressing (Taurog), Here Is My Heart (Tuttle) ; 1935, Mississippi (Sutherland), Two for Tonight (Tuttle), The Big Broadcast of 1936 (Taurog) ; 1936, Anything Goes (Milestone),

Rhythm on the Range (Taurog), Pennies from Heaven (McLeod) ; 1937, Waikiki Wedding (Tuttle), Double or Nothing (T. Reed) ; 1938, Doctor Rhythm (Tuttle), Sing, You Sinners (Ruggles) ; 1939, Paris Honeymoon (Tuttle), East Side of Heaven (Butler), The Star Maker (Del Ruth) ; 1940, Road to Singapore (En route pour Singapour) (Schertzinger), If I Had My Way (Butler), Rhythm on the River (Schertzinger) ; 1941, The Road to Zanzibar (En route pour Zanzibar) (Schertzinger), Birth of the Blues (Schertzinger) ; 1942, Holiday Inn (L'amour chante et danse) (Sandrich), Road to Morocco (En route pour le Maroc) (Butler), Star Spangled Rhythm (Au pays du rythme) (Marshall) ; 1943, Dixie (Sutherland) ; 1944, Here Come the Waves (Sandrich), Going My Way (La route semée d'étoiles) (McCarey) ; 1945, Duffy's Tavern (Walker), The Bells of St. Mary's (Les cloches de Sainte-Marie) (McCarey) ; 1946, Road to Utopia (En route vers l'Alaska) (Walker), Blue Skies (La mélodie du bonheur) (Heisler) ; 1947, Welcome Stranger (Le docteur et son toubib) (Nugent), Variety Girl (Hollywood en folie) (Marshall), Road to Rio (En route pour Rio) (McLeod) ; 1948, The Emperor Waltz (La valse de l'Empereur) (Wilder) ; 1949, A Connecticut Yankee in King Arthur's Court (Un Yankee à la cour du roi Arthur) (Garnett), Top O'the Morning (Miller) ; 1950, Riding High (Jour de chance) (Capra), Mr. Music (Haydn) ; 1951, Here Comes the Groom (Si l'on mariait papa) (Capra) ; 1952, Just for You (Pour vous mon amour) (Nugent), Road to Bali (En route pour Bali) (Walker) ; 1953, Little Boy Lost (Le petit garçon perdu) (Seaton) ; 1954, White Christmas (Noël blanc) (Curtiz), The Country Girl (Une fille de la province) (Seaton) ; 1956, Anything Goes (Lewis), High Society (Haute société) (Walters) ; 1957, Man on a Fire (Mac Dougall) ; 1959, Say One for Me (L'habit ne fait pas le moine) (Tashlin), Let's Make Love (Le milliardaire) (Cukor), High Time (Edwards), Pepe (Sidney) ; 1962, Road to Hong-Kong (Astronautes malgré eux) (Panama) ; 1964, Robin and the Seven Hoods (Les sept voleurs de Chicago) (Douglas) ; 1966, Stagecoach (La diligence vers l'Ouest) (Douglas).

L'une des plus populaires vedettes de la chanson américaine (il fut lancé par le chef d'orchestre Paul Whiteman), Bing Crosby a joué dans de nombreux films musicaux généralement pour Paramount. Type même du « crooner », passablement démodé aujourd'hui, ce fut un acteur moyen, mais les vieux cinéphiles gardent un souvenir ému de la série des *En route pour... Going my way* lui a valu un oscar en 1944.

Cross, Ben

Acteur anglais, de son vrai prénom Bernard, né en 1947.

1977, A Bridge Too Far (Un pont trop loin) (Attenborough) ; 1981, Chariots of Fire (Les chariots de feu) (Hudson) ; 1984, L'attenzione (Plaisirs de femme) (Soldati) ; 1985, The Assisi Underground (Ramati) ; 1988, The Unholy (Vila), The Jeweller's Shop (La boutique de l'orfèvre) (M. Anderson) ; 1989, Paperhouse (Rose), Eye of the Widow (SAS, l'œil de la veuve) (McLaglen) ; 1992, Live Wire (Explosion immédiate) (Duguay) ; 1993, Cold Sweat (Harvey), Les audacieux (A. Mastroianni) ; 1994, Dark Goddess (Lanoff), Caro dolce amore (Coletti), The Ascent (Shebib) ; 1995, First Knight (Lancelot) (Zucker) ; 1996, El último viaje de Robert Rylands (Le dernier voyage de Robert Rylands) (Querejeta), The Criminal Mind (Vittorie) ; 1997, Turbulence (Turbulences à 30 000 pieds) (Butler), The Corporate Ladder (Vallelonga), The Invader (Rosman) ; 1999, The Venice Project (Dornhelm) ; 2000, Young Blades (Andreacchio) ; 2001, The Order (Lettich) ; 2004, Exorcist : The Beggining (L'Exorciste : au commencement) (Harlin).

Issu de la classe ouvrière anglaise, il travaille au théâtre et au cinéma à partir de 1977, trouvant son premier (et quasi unique) moment de gloire avec *Les chariots de feu*, dans lequel il incarnait un sprinter vainqueur du 100 mètres aux jeux Olympiques de Paris de 1924. La suite de sa carrière, très dispersée en Europe, ne retient pas l'attention.

Crowe, Russell

Acteur néo-zélandais né en 1964.

1990, Prisoners of the Sun (Wallace), The Crossing (Ogilvie) ; 1991, Spotswood (Spotswood) (Joffé), Hammers over the Anvil (Turner), Proof (Proof) (Moorhouse) ; 1992, Romper Stomper (Wright), For the Moment (Johnston) ; 1993, The Silver Brumby (Tatoulis), Love in Limbo (Elfick) ; 1994, The Sum of Us (Burton, Dowling) ; 1995, The Quick and the Dead (Mort ou vif) (Raimi), Virtuosity (Programmé pour tuer) (Leonard), Rough Magic (Miss Shumway jette un sort) (Peploe) ; 1997, L.A. Confidential (L.A. Confidential) (Hanson), Heaven's Burning (Lahiff), Breaking Up (Breaking Up) (Greenwald) ; 1998, Mystery, Alaska (Roach) ; 1999, Gladiator (Gladiator) (Scott), The Insider (Révélations) (Mann) ; 2000, Proof of Life (L'échange) (Hackford) ; 2001, A Beautiful Mind (Un homme d'exception) (Howard) ; 2003, Master and Commander (Master and

Commander) (Weir) ; 2005, The Cinderella Man (De l'ombre à la lumière) (Howard) ; 2006, A Good Year (Une grande année) (R. Scott) ; 2007, American Gangster (R. Scott).

Révélé en Australie par son personnage de skinhead monolithique dans *Romper Stomper*, il s'exile à Hollywood et fait valoir un physique épais à la finesse de jeu inversement proportionnelle. Excellent dans le rôle du flic brutal Bud White de *L.A. Confidential*, il fait presque de l'ombre à Al Pacino dans *Révélations*, puis est un très convaincant chef romain devenu gladiateur dans *Gladiator* de Ridley Scott, film qui en fait une superstar. Réputé aussi pour sa grande gueule.

Cruise, Tom

Acteur américain né en 1962.

1981, Endless Love (Un amour infini) (Zeffirelli), Taps (Taps) (Becker) ; 1983, Outsiders (Outsiders) (Coppola), Losin' it (American teenagers) (Hanson), Risky Business (Brickman), All the Rights Move (Chapman) ; 1985, Legend (R. Scott) ; 1986, Top Gun (T. Scott) ; 1987, The Color of Money (La couleur de l'argent) (Scorsese) ; 1988, Cocktail (Cocktail) (Donaldson) ; 1989, Rain Man (Rain Man) (Levinson) ; 1990, Born on the 4th of July (Né un 4 juillet) (Stone), Days of Thunder (Jours de tonnerre) (Scott) ; 1992, A Few Good Men (Des hommes d'honneur) (Reiner), Far and Away (Horizons lointains) (R. Howard) ; 1993, The Firm (La firme) (Pollack) ; 1994, Interview With the Vampire (Entretien avec un vampire) (Jordan) ; 1995, Mission : Impossible (Mission impossible) (De Palma) ; 1996, Jerry Maguire (Jerry Maguire) (Crowe) ; 1997, Eyes Wide Shut (Eyes Wide Shut) (Kubrick) ; 1999, Magnolia (Magnolia) (Anderson), Mission : Impossible 2 (Mission : impossible 2) (Woo) ; 2001, Vanilla Sky (Crowe), Minority Report (Minority Report) (Spielberg) ; 2003, Last Samouraï (Le dernier samouraï) (Zwick) ; 2004, Collateral (Collateral) (Mann) ; 2005, War of the Worlds (La guerre des mondes) (Spielberg) ; 2006, M : i : III (Mission : impossible 3) (Abrams).

Révélé par *Top Gun*, film tourné à la gloire des pilotes d'élite des États-Unis, ce jeune premier se transformait en prodige du billard affrontant Paul Newman dans *The Color of Money*. Il devient une star. *Des hommes d'honneur* puis *La firme* confirment son talent. *Entretien avec un vampire* révèle une autre facette du comédien. Anne Rice, l'auteur du roman, avait préféré Rutger Hauer, mais en Lestat, vampire homosexuel, Cruise est finalement convaincant. Sa naïveté fait merveille dans *Eyes Wide Shut*, comme son dynamisme dans *Mission impossible*. Il est l'un des acteurs les mieux payés d'Hollywood. Il a été marié à Nicole Kidman.

Cruz, Penélope

Actrice espagnole, de son vrai nom Cruz Sánchez, née en 1974.

1991, El laberinto griego (Alcazar) ; 1992, Jamón, jamón (Jambon, jambon) (Bigas Luna), Belle époque (Belle époque) (Trueba) ; 1993, La ribelle (Grimaldi), Per amore, solo per amore (Veronesi) ; 1994, Todo es mentira (Fernández Armero), Entre rojas (Rodríguez), Alegre ma non troppo (Mi-fugue, mi-raisin) (Colomo) ; 1995, Brujas (Fernandez Armero), El efecto mariposa (L'effet papillon) (Colomo) ; 1996, La Celestina (Vera), El amor perjudica seriamente la salud (L'amour nuit gravement à la santé) (Gómez Pereira), Más que amor, frenesí (Albacete, Bardem, Menkes), Talk of Angels (Hamm) ; 1997, Carne tremula (En chair et en os) (Almodóvar), Abre los ojos (Ouvre les yeux) (Amenábar), Don Juan (Weber) ; 1998, The Man with Rain in His Shoes (If Only...) (Ripoll), The Hi-Lo Country (The Hi-Lo Country) (Frears), La niña de tus ojos (La fille de tes rêves) (Trueba) ; 1999, Todo sobre mi madre (Tout sur ma mère) (Almodóvar), Volavérunt (Volavérunt) (Bigas Luna), All the Pretty Horses (De si jolis chevaux) (Thornton), Woman on Top (Woman on Top) (Torres) ; 2000, Blow (T. Demme), Captain Corelli's Mandolin (Madden) ; 2001, Vanilla Sky (Crowe) ; 2002, Sin noticias de Dios (Sans nouvelles de Dieu) (Yanes) ; 2003, Fanfan la Tulipe (Krawczyk), Gothika (Gothika) (Kassovitz) ; 2004, Head in the Clouds (Nous étions libres) (Duigan), Don't Move – Non ti muovere (A corps perdus) (Castellitto) ; 2005, Sahara (Eisner), Bandidas (Roenning et Sandberg) ; 2006, Chromophobia (Fiennes), Volver (Almodóvar).

Gentille pimpette espagnole dont on avait apprécié les mines boudeuses dans le *Jambon, jambon* de Bigas Luna. En dépit d'un talent dramatique qui paraît limité, elle semble faire une carrière internationale. Les voies du succès sont impénétrables... N'est-elle pas un démon dans *Sans nouvelles de Dieu* ? Après s'être égarée dans un western, *Bandidas*, elle retrouve Almodóvar dans *Volver*.

Crystal, Billy

Acteur, humoriste et réalisateur américain né en 1948.

1978, Rabbit Test (Rivers) ; 1983, This Is Spinal Tap (B. Reiner) ; 1986, Running Scared (Deux flics à Chicago) (Hyams) ; 1987, The Princess Bride (Princess Bride) (B. Reiner), Throw Momma From the Train (Balance maman hors du train) (de Vito) ; 1988, Memories of Me (Winkler) ; 1989, When Harry Met Sally (Quand Harry rencontre Sally) (B. Reiner) ; 1991, City Slickers (La vie, l'amour, les vaches) (Underwood) ; 1992, Mr. Saturday Night (Crystal) ; 1994, City Slickers 2 : the Legend of Curly's Gold (L'or de Curly) (Weiland), Forget Paris (Forget Paris) (Crystal) ; 1996, Hamlet (Hamlet) (Branagh), Father's Day (Reitman) ; 1997, Deconstructing Harry (Harry dans tous ses états) (Allen), My Giant (Lehmann) ; 1998, Analyze This (Mafia Blues) (Ramis) ; 1999, Get Bruce (Kuehn) ; 2001, American Sweethearts (Roth) ; 2002, Analyze That (Mafia Blues, la rechute) (Ramis). *Comme réalisateur :* 1992, Mr. Saturday Night ; 1994, Forget Paris.

Beaucoup de one-man-shows et de télévision avant de se consacrer plus intensément au cinéma. Deux grands succès populaires à son actif : *Quand Harry rencontre Sally* et *La vie, l'amour, les vaches*. Mais une popularité très relative encore de ce côté-ci de l'Atlantique.

Culkin, Macaulay
Acteur américain né en 1980.

1988, Rocket Gibraltar (Petrie) ; 1989, See You in the Morning (Pakula), Uncle Buck (Hughes) ; 1990, Jacob's Ladder (L'échelle de Jacob) (Lyne), Home Alone (Maman, j'ai raté l'avion) (Colombus) ; 1991, Only the Lonely (Ta mère ou moi) (Columbus), My girl (My girl) (Zieff) ; 1992, Home Alone 2 : lost in New York (Maman, j'ai encore raté l'avion) (Columbus) ; 1993, The Good Son (Le bon fils) (Ruben), The Nutcracker (Ardolino), Getting Even With Dad (Rends la monnaie, papa !) (Deutch), The Pagemaster (Richard au pays des livres magiques) (Johnstone et Hunt) ; 1994, Richie Rich (Richie Rich) (Petrie) ; 2005, Saved (Saved !) (Dannelly).

Après Shirley Temple, l'un des plus célèbres enfants stars, à qui le succès incroyable de *Maman j'ai raté l'avion* a valu de figurer dans toute une série de comédies ineptes forcément moins populaires. Des problèmes de famille ont également fortement contribué à ralentir sa carrière, alors qu'il avait à peine quinze ans.

Cumming, Alan
Acteur écossais né en 1965.

1992, Prague (Prague) (Sellar) ; 1994, Second Best (Menges) ; 1995, Circle of Friends (Le cercle des amies) (O'Connor), GoldenEye (GoldenEye) (Campbell) ; 1996, Emma (Emma l'entremetteuse) (McGrath) ; 1997, Spiceworld, the Movie (Spiceworld, le film) (Spiers), For My Baby (Van Den Berg), Romy and Michele's High School Reunion (Mirkin), Buddy (Mon copain Buddy) (Thompson) ; 1998, Eyes Wide Shut (Eyes Wide Shut) (Kubrick), Plunkett & Macleane (Guns 1748) (J. Scott) ; 1999, Titus (Titus) (Taymor), Company Man (Company Man) (Askin, McGrath), The Flintstones in Viva Rock Vegas (Les Pierrafeu à Rock Vegas) (Levant), Urbania (Shear) ; 2000, Get Carter (Get Carter) (Kay), Spy Kids (Spy Kids) (Rodriguez), Josie and the Pussycats (Kaplan, Elfont), The Anniversary Party (The Anniversary Party) (Jason Leigh).

Précieux et raffiné dans *Guns 1748*, il peut aussi être visqueux et fourbe (*Le cercle des amies*), voire carrément évaporé (le réceptionniste gay de *Eyes Wide Shut*). Un second rôle très apprécié, ambigu à souhait, qui a débuté une carrière théâtrale en fanfare avec le rôle du maître de cérémonie de *Cabaret*.

Cummings, Robert
Acteur américain, 1910-1990.

1935, So Red the Rose (Vidor) ; 1936, Desert Gold (Hogan) ; 1937, Wells Fargo (Une nation en marche) (Lloyd), The Last Train from Madrid (Hogan) ; 1938, You and Me (Casier judiciaire) (Lang), The Texans (Hogan), I Stand Accused (Auer) ; 1939, Three Smalt Girls Grow up (Koster), Everything Happens at Night (Cummings) ; 1940, And One Was Beautiful (Sinclair), Spring Parade (Chanson d'avril), Private Affairs (Rogell) ; 1941, Free and Easy (Sidney), The Devil and Miss Jones (Le diable s'en mêle) (Wood), Moon over Miami (Soirs de Miami) (Lang), It Started with Eve (Koster) ; 1942, Kings Row (Crimes sans châtiment) (Wood), Saboteur (Cinquième colonne) (Hitchcock) ; 1943, Flesh and Fantasy (Obsessions) (Duvivier), Princess O'Rourke (Krasna), For ever and a Day (Clair, Goulding, Lloyd, etc.) ; 1945, You Came Along (Farrow) ; 1946, The Chase (Ripley), The Bride Wore Boots (Pichel) ; 1947, Heaven Only Knows (Rogell), The Lost Moment (Gabel) ; 1948, Reign of Terror (Le livre noir) (Mann) ; 1949, Tell it to the Judge (Foster), The Accused (Dieterle), Free for All (Barton) ; 1950, For Heaven's Sake (Seaton), The Pretty Girl (Levin) ; 1951, Barefoot Mailman (Mc Evoy) ; 1952, The First Time (Tashlin) ; 1953, Marry Me Again (Tashlin) ; 1954, Dial M for Murder (Le crime était presque parfait) (Hitchcock, Lucky Me (Donohue), How to Be very very Popular (Johnson).

Hitchcock, Lang, Mann l'ont utilisé. Mais ce fut un jeune premier sans grand relief. Il avait abandonné le cinéma pour la télévision.

Cummins, Peggy

Actrice anglaise née en 1925.

Principaux films : 1947, The Late George Apley (Un mariage à Boston) (Mankiewicz), Moss Rose (Ratoff) ; 1950, Gun Crazy (Le démon des armes) (Lewis) ; 1957, Hell Drivers (Train d'enfer) (Endfield), Curse of the Demon (Tourneur).

D'une excellente filmographie se détache son rôle dans *Le démon des armes* où elle justifiait l'autre titre original du film : *Deadly Is the Female*.

Cuny, Alain

Acteur et réalisateur français, 1908-1994.

1939, Remorques (Grémillon) ; 1940, Après « Mein Kampf », mes crimes (Ryder) ; 1941, Madame Sans-Gêne (Richebé) ; 1942, Les visiteurs du soir (Carné), Le baron fantôme (Poligny) ; 1945, Solita de Cordoue (W. Rozier) ; 1949, Les conquérants solitaires (Vermorel) ; 1951, Il Cristo proibito (Le Christ interdit) (Malaparte) ; 1952, Camicie rosse (Les chemises rouge) (Allessandrini), Les crimes de l'amour (sketch Mina de Venghel, de Clavel) ; 1953, La signora senza camelie (La dame sans camélias) (Antonioni) ; 1956, Notre-Dame de Paris (Delannoy) ; 1958, Les amants (Malle) ; 1959, La dolce vita (La douceur de vivre) (Fellini) ; 1960, Scano boa (dall'Ara) ; 1961, La croix des vivants (Govar) ; 1963, Peau de banane (Ophuls) ; 1967, Meurtre dans la cathédrale (Cazeneuve) ; 1968, La voie lactée (Buñuel) ; 1969, Fellini Satyricon (Fellini-Satyricon) (Fellini) ; 1970, I uomini contro (Les hommes contre) (Rosi) ; 1971, L'udienza (L'audience) (Ferreri), Valparaiso, Valparaiso (Aubier) ; 1972, Il maestro e Margherita (Le maître et Margerite) (Petrovic) ; 1973, Touche pas à la femme blanche (Ferreri) ; 1974, Si salveranno i maiali (Otto), Emmanuelle (Jaeckin) ; 1975, Cadaveri eccelenti (Cadavres exquis) (Rosi) ; 1976, Irene, Irene (Irène, Irène) (Del Monte) ; 1978, Cristo se e fermato a Eboli (Le Christ s'est arrêté à Eboli) (Rosi), Viva el Presidente (Le recours de la méthode) (Littin) ; 1979, La chanson de Roland (Cassenti) ; 1980, Les jeux de la comtesse Dolingen de Gratz (Binet) ; 1984, Quartetto Basileus (Quartetto Basileus) (Carpi) ; 1985, Détective (Godard) ; 1986, Le retour de l'enfant prodigue (Pierlot), Ravi (Takvorian) ; 1987, Cronaca di una morte anunciata (Chronique d'une mort annoncée) (Rosi), La conscience de Zeno (Bolchi), Sous le soleil de Satan (Pialat) ; 1988, See You (Kurahara), Camille Claudel (Nuytten), Les chevaliers de la table ronde (Lorca) ; 1990, L'annonce faite à Marie (Cuny) ; 1991, Le retour de Casanova (Niermans), Nova di Garofana (L'œillet sauvage) (Agosti) ; 1993, Casa ricordi (Bolognini). *Comme réalisateur :* 1990, L'annonce faite à Marie.

Passionné de peinture et de psychiatrie (il fut un disciple de Lacan), il a fréquenté Dullin et joué comme acteur de théâtre chez Barrault. Au cinéma, le rôle de Gilles dans *Les visiteurs du soir* de Marcel Carné le rendit célèbre. Acteur exigeant, il a toujours choisi ses films, certains étant d'un ton très élevé comme *Le Christ interdit*. On a été d'autant plus surpris de le voir surgir, tout de noir vêtu, dissertant sur la sexualité, dans *Emmanuelle*. C'était oublier son intérêt pour la psychanalyse.

Curry, Tim

Acteur anglais né en 1946.

1975, The Rocky Horror Picture Show (The Rocky Horror Picture Show) (Sherman) ; 1978, The Shout (Le cri du sorcier) (Skolimovski) ; 1980, Times Square (Moyle) ; 1982, Annie (Annie) (Huston) ; 1983, The Ploughman's Lunch (R. Eyre) ; 1985, Clue (Lynn), Legend (Legend) (Scott) ; 1988, Pass the Ammo (Beaird) ; 1990, The Hunt for Red October (A la poursuite d'Octobre-Rouge) (McTiernan) ; 1991, Oscar (L'embrouille est dans le sac) (Landis) ; 1992, Passed Away (Peters), Home Alone II : Lost in New York (Maman j'ai encore raté l'avion) (Columbus) ; 1993, National Lampoon's Loaded Weapon 1 (Alarme fatale) (Quintano), The Three Musketeers (Les trois mousquetaires) (Herek) ; 1994, The Shadow (The Shadow) (Mulcahy) ; 1995, Congo (Congo) (Marshall) ; 1996, Muppet Treasure Island (Brian, Henson), Lover's Knot (Shaner) ; 1997, McHale's Navy (Spicer) ; 1999, Four Dogs Playing Poker (Rachman) ; 2000, Sorted (Jovy), Charlie's Angels (Charlie et ses drôles de dames) (McG) ; 2001, The Duo (Hewett).

Révélé par la comédie musicale *Hair*, il tient le rôle-phare (Doctor Frank N. Furter) du cultissime et grotesque *Rocky Horror Picture Show*. Son seul titre de gloire, d'ailleurs, puisque, outre quelques rôles de méchants ici et là, plusieurs comédies musicales, quatre albums de chansons (avec une belle voix de baryton à la clé) et pléthore de voix off dans des dessins animés, une vraie reconnaissance populaire pour Tim Curry tiendrait dorénavant du domaine du miracle.

Curtis, Jamie Lee

Actrice américaine née en 1958.

1978, Halloween (La nuit des masques) (Carpenter) ; 1979, The Fog (Fog) (Carpenter) ; 1980, Prom Night (Le bal de l'horreur) (Simpson), Terror Train (Le monstre du train) (Spottiswoode) ; 1981, Roadgames (Franklin), Halloween 2 (Rosenthal) ; 1983, Love Letters (Jones), Trading Places (Un fauteuil pour deux) (Landis) ; 1984, Grandview USA (Kleiser) ; 1985, Perfect (Bridges) ; 1987, Amazing Grace and Chuck (Newell), Un homme amoureux (Kurys), Silent Voice (La force du silence) (Newell) ; 1988, Dominick and Eugene (Nicky et Gino) (Young), A Fish Called Wanda (Un poisson nommé Wanda) (Crichton) ; 1989, Blue Steel (Blue Steel) (Bigelow) ; 1991, Queens Logic (Rash) ; 1992, My Girl (My Girl) (Zieff), Forever Young (Forever Young) (Miner) ; 1993, My Girl II (Copain, copine) (Zieff), Mother's Boy (Simoneau), True Lies (True Lies) (Cameron) ; 1995, House Arrest (Winer), Fierce Creatures (Créatures féroces) (R. Young) ; 1996, Homegrown (Gyllenhaal) ; 1997, Virus (Virus) (Bruno) ; 1998, Halloween : H20 (Halloween, 20 ans après) (Miner) ; 1999, Drowning Mona (Gomez) ; 2002, Halloween Resurrection (Halloween Resurrection) (Rosenthal) ; 2003, Freaky Friday (Dans la peau de ma mère) (M. Waters) ; 2004, Christmas with Kranks (Un Noël de folie) (Roth).

Fille de Tony Curtis et de Janet Leigh, elle fait ses débuts sous le signe de l'horreur puis passe dans la comédie où son physique anguleux fait merveille. C'est avec *Un poisson nommé Wanda* qu'elle gagne ses galons de vedette. *Blue Steel* semblerait traduire un glissement vers le thriller.

Curtis, Tony

Acteur américain, de son vrai nom Bernard Schwartz, né en 1925.

1949, Criss Cross (Pour toi, j'ai tué) (Siodmak), The Lady Gambles (Une femme joue son destin) (Gordon), City Across the River (Graine de faubourg) (Shane), Johnny Stool Pigeon (Johnny le mouchard) (Castle), Take One False Step (Le faux pas) (Erskine) ; 1950, Francis (Lubin), I Was a Shoplifter (J'étais une voleuse) (Lamont), Winchester 73 (Mann), Kansas Raiders (Kansas en feu) (Enright), Sierra (Green) ; 1951, The Prince Who Was a Thief (Le voleur de Tanger) (Mate), Meet Dany Wilson (Pevney) ; 1952, Flesh and Fury (La voix du cœur) (Pevney), No Room For the Groom (Sirk), Son of Ali Baba (Le fils d'Ali Baba) (Neumann) ; 1953, Houdini (Houdini, le grand magicien) (Marshall), The All American (Le démon blond) (Hibbs), Forbidden (Double filature) (Mate) ; 1954, Beachhead (La patrouille infernale) (Heisler), Johnny Dark (Les bolides de l'enfer) (Sherman), Black Field of Sherwood (Le chevalier du roi) (Mate) ; 1955, So This Is Paris (Ça c'est Paris) (Quine), Six Bridges to Cross (La police était au rendez-vous) (Pevney), The Purple Mask (Le cavalier au masque) (Humberstone), The Rawhide Years (Les années sauvages) (Mate), Trapeze (Reed) ; 1956, The Square Jungle (La jungle des hommes) (Hopper), Mister Cory (L'extravagant monsieur Cory) (Edwards) ; 1957, Sweet Smell of Success (Le grand chantage) (Mackendrick), The Midnight Story (Rendez-vous avec une ombre) (Pevney) ; 1958, Kings Go Forth (Les diables au soleil) (Daves), The Vikings (Les Vikings) (Fleischer), The Defiant Ones (La chaîne) (Kramer), The Perfect Furlough (Vacances à Paris) (Edwards) ; 1959, Some Like It Hot (Certains l'aiment chaud) (Wilder), Operation Petticoat (Opération Jupons) (Edwards) ; 1960, Who Was That Lady ? (Qui était donc cette dame ?) (Sidney), The Rat Race (Les pièges de Broadway) (Mulligan), Spartacus (Kubrik), The Great Impostor (Le roi des imposteurs) (Mulligan), Pepe (Sidney) ; 1961, The Outsider (Le héros d'Iwo Jima) (Mann) ; 1962, Taras Bulba (Thompson), Paris When It Sizzles (Paris qui pétille) (Quine) ; 1963, Forty Pounds of Trouble (Des ennuis à la pelle) (Jewlson), The List of Adrian Messenger (Le dernier de la liste) (Huston), Captain Newman M.D. (Le combat du capitaine Newman) (Miller), Wild and Wonderful (La mariée a du chien) (Anderson) ; 1964, Good Bye Charlie (Minnelli), Sex and the Single Girl (Une vierge sur canapé) (Quine) ; 1965, The Great Race (La grande course autour du monde) (Edwards), Boeing Boeing (Rich) ; 1966, Not With My Wife You Don't (Surtout pas avec ma femme) (Panama), Arrivederci Baby (Hughes), Chamber of Horrors (La chambre des horreurs) (Averback) ; 1967, Don't Make Waves (Comment réussir en amour sans se fatiguer) (Mackendrick), La cintura di castita (La ceinture de chasteté) (Festa Campanile) ; 1968, The Boston Strangler (L'étrangleur de Boston) (Fleischer) ; 1969, Those Daring Young Men in Their Jaunty Jalopies (Gonflés à bloc) (Annakin), You Can't Win 'Em All (Les baroudeurs) (Collinson) ; 1973, Suppose They Gave a War and Nobody Came (Trois réservistes en java) (Averback) ; 1974, The Count of Monte Cristo (Greene), Lepke (Lepke, le caïd) (Golan) ; 1976, The Last Tycoon (Le dernier nabab) (Kazan) ; 1977, Treize femmes pour Casanova (Legrand) ; 1978, The Manitou (Girdler), Sextet (Sextette) (Hughes), The Bad News Bears Go to Japan (J. Berry), Deux affreux sur le sable (Gessner) ; 1979, The Mirror Crack'd (Le miroir se brisa) (Hamilton) ; 1980, Little Miss Marker (La puce et le grincheux) (Bernstein) ; 1982, Balboa (Polakoff) ; 1984, Where is Parsifal ? (Helman) ; 1985, Insignifiance (Une nuit de réflexion) (Roeg) ; 1986, Club Life (Vane), The Last of Philip Banter (Hachuel) ; 1988, Der Passagier – Welcome to Germany (Brash) ; 1989, Lobster Man From Mars (Sheff), Walter & Carlo i Amerika (Friis-Mikkelsen, Stephensen) ; 1991, Prime Target (Heavener, Roth) ; 1992, Center of the Web (Prior), The Mummy Lives (O'Hara) ; 1993, Naked in New York (Naked in New York) (Algrant) ; 1995, The Immortals (Grant) ; 1996, Brittle Glory (Schill), Hardball (Erschbamer) ; 1997, Louis and Frank (Louis & Frank) (Rockwell) ; 1999, Play It to the Bone (Les adversaires) (Shelton).

Fils d'un tailleur juif immigré dans le Bronx, il a connu une enfance difficile. Après avoir servi dans la marine, il tâte du théâtre et fait quelques petites apparitions à Broadway. L'Universal le prend sous contrat. Il va très vite se faire connaître par ses exploits physiques dans de bons films d'aventures. Mais il montre ses dons de comédien dans *The Sweet Smell of Success* (il est l'agent de presse corrompu Sidney Falco). Il s'oriente alors vers la comédie, s'intégrant parfaitement dans l'univers de Blake Edwards (*The Great Race*) et dans celui de Wilder (*Some Like It Hot*). Son charme de beau brun, son sourire en font un redoutable séducteur. Comment n'aurait-il pas été Casanova en 1977 ? Il fut aussi, reflet de sa double personnalité (Curtis et Schwartz), un fort impressionnant caïd juif du Bronx dans *Lepke*. Après 1978, il semble n'avoir tourné que dans des œuvres médiocres et a écrit d'amusants souvenirs.

Cusack, Joan

Actrice américaine née en 1962.

1980, My Bodyguard (Bill) ; 1983, Class (Class) (Carlino) ; 1984, Sixteen Candles (Happy Birthday) (Hughes), Grandview, USA (Kleiser) ; 1987, The Allnighter (Hoffs), Broadcast News (Broadcast News) (Brooks) ; 1988, Married to the Mob (Veuve mais pas trop) (Demme), Working Girl (Working Girl) (Nichols), Stars and Bars (O'Connor) ; 1989, Say Anything (Crowe) ; 1990, Men Don't Leave (Hackford), My Blue Heaven (Ross) ; 1991 The Cabinet of Dr. Ramirez (Le cabinet du docteur Ramirez) (Sellars) ; 1992, Hero (Héros malgré lui) (Frears), Toys (Toys) (Levinson) ; 1993, Addams Family Values (Les valeurs de la famille Addams) (Sonnenfeld) ; 1994, Corrina, Corrina (Corrina, Corrina) (Nelson) ; 1995, Mr. Wrong (Castle), Two Much (Two Much) (Trueba), Nine Months (Neuf mois aussi) (Columbus) ; 1997, Grosse Pointe Blank (Armitage), A Smile Like Yours (A Smile Like Yours) (Samples), In & Out (In & Out) (Oz) ; 1998, Arlington Road (Arlington Road) (Pellington), Cradle Will Rock (Broadway 39e Rue) (Robbins) ; 1999, Runaway Bride (Just Married (ou presque)) (Marshall), High Fidelity (High Fidelity) (Frears), Where the Heart Is (Williams) ; 2000, Anti-Trust (Howitt) ; 2004, School of Rock (Rock Academy) (Linklater) ; 2005, Raising Helen (Fashion Maman) (G. Marshall) ; 2006, Friends with Money (Holofcener).

Sœur de John Cusack, elle est inoubliable de drôlerie dans le rôle de la croqueuse de diamants des *Valeurs de la famille Addams*, ou dans celui de la femme délaissée d'un Kevin Kline gay dans *In & Out*. Dotée d'un potentiel comique absolument inépuisable, on regrette seulement de ne la voir cantonnée qu'aux seconds rôles.

Cusack, John

Acteur américain né en 1966.

1983, Class (Class) (Carlino) ; 1984, Grandview, USA (Kleiser), Sixteen Candles (Hughes) ; 1985, The Sure Thing (Garçon choc pour nana chic) (R. Reiner), The Journey of Natty Gann (Natty Gann) (Kagan), Better Off Dead (Holland) ; 1986, Stand By Me (Stand By Me) (R. Reiner), One Crazy Summer (Holland) ; 1987, Hot Pursuit (Lisberger), Broadcast News (Broadcast News) (J.L. Brooks) ; 1988, Eight Men Out (Sayles), Tapeheads (Les as du clip) (Fishman) ; 1989, Say Anything (Crowe), The Shadow Makers (Les maîtres de l'ombre) (Joffé) ; 1990, The Grifters (Les arnaqueurs) (Frears) ; 1991, True Colors (Ross) ; 1992, Shadows and Fog (Ombres et brouillard) (Allen), Bob Roberts (Bob Roberts) (Robbins), The Player (The Player) (Altman), Roadside Prophets (Wool) ; 1993, Map of the Human Heart (Cœur de métisse) (Ward), Money for Nothing (Menendez), Floundering (MacCarthy) ; 1994, Bullets over Broadway (Coups de feu sur Broadway) (Allen), The Road to Wellville (Aux bons soins du docteur Kellogg) (Parker) ; 1995, City Hall (City Hall) (Becker) ; 1996, Grosse Pointe Blank (Armitage), Con Air (Les ailes de l'enfer) (West) ; 1997, Chicago Cab (Cybulski, Tintori), Midnight in the Garden of Good and Evil (Minuit dans le jardin du Bien et du Mal) (Eastwood), The Thin Red Line (La ligne rouge) (Malick), This Is My Father (P. Quinn) ; 1998, Pushing Tin (Les aiguilleurs) (Newell), Cradle Will Rock (Broadway 39e Rue) (Robbins), Being John Malkovich (Dans la peau de John Malkovich) (Jonze) ; 1999, High Fidelity (High Fidelity) (Frears) ; 2000, Serendipity (Un amour à New York) (Chelsom) ; 2001, American Sweethearts (Couple de stars) (Roth) ; 2003, Identity (Identity) (Mangold), Max (Max) (Meyjes), Runaway Jury (Le maître du jeu) (Fleder) ; 2005, Must Love Dogs (La main au collier) (Goldberg) ; 2006, The Ice Harvest (Faux amis) (Ramis).

Après quelques comédies pour teenagers, Frears en fait le héros de ses *Arnaqueurs*, film dans lequel il a pour partenaire Anjelica Huston. De manière générale, il joue souvent des rôles d'intellectuel opprimé, un peu à l'image de Woody Allen dont il est le miroir dans *Coups de feu sur Broadway*. Il y est un metteur en scène assailli par le doute, métier qu'il exerce par ailleurs hors du champ des caméras. Il est le frère de la comédienne Joan Cusack.

Cushing, Peter

Acteur anglais, 1913-1994.

1939, The Man in the Iron Mask (L'homme au masque de fer) (Whale), Vigil in the Night (Stevens) ; 1940, A Chump at Oxford (Les as d'Oxford) (Goulding), Women in War (Auer), Laddie (Hively) ; 1941, They Dare not Love (Whale) ; 1948, Hamlet (Olivier) ; 1953, Moulin Rouge (Huston) ; 1954, The Black Knight (Le serment du chevalier noir) (Garnett) ; 1955, Alexander the Great (Alexandre le Grand) (Rossen), The End of the Affair (Vivre un grand amour) (Dmytryk), Magic Fire (Feu magique) (Dieterle) ; 1956, Time Without Pity (Temps sans pitié) (Losey) ; 1957, The Curse of Frankenstein (Frankenstein s'est échappé) (Fisher), The Abominable Snowman (Le redoutable homme des neiges) (Guest) ; 1958, The Revenge of Frankenstein (La revanche de Frankenstein) (Fisher), Horror of Dracula (Le cauchemar de Dracula) (Fisher), Violent Playground (Jeunesse délinquante) (Dearden) ; 1959, The Flesh and the Friends (L'impasse des violences) (Gilling), John Paul Jones (John Paul Jones, maître des mers) (Farrow), The Hound of the Baskervilles (Le chien des Baskerville) (Fisher), The Mummy (La malédiction des Pharaons) (Fisher) ; 1960, The Brides of Dracula (Les maîtresses de Dracula) (Fisher), Cone of Silence (Frend), The Naked Edge (La lame nue) (Anderson), Suspect (Boulting), Sword of the Sherwood Forest (Le serment de Robin des Bois) (Fisher) ; 1961, The Hellfire Club (Les chevaliers du démon) (Baker-Berman), Cash on Demand (Lawrence) ; 1962, Night Creatures (Le fascinant capitaine Clegg) (Scott), The Man Who Finally Died (Lawrence) ; 1963, Fury at Smugglers Bay (Les pirates de la nuit) (Gilling), The Evil of Frankenstein (L'empreinte de Frankenstein) (Francis) ; 1964, The Gorgon (La gorgone) (Fisher), Dr. Terror's House of Horrors (Le train des épouvantes) (Francis) ; 1965, Dr. Who and the Daleks (Flemyng), The Skull (Le crâne maléfique) (Francis), She (La déesse de feu) (Day) ; 1966, Daleks-Invasion Earth Ad 2150 (Les Daleks envahissent la Terre) (Flemyng), Island of Terror (L'île de la terreur) (Fisher) ; 1967, The Torture Garden (Le jardin des tortures) (Francis), Frankenstein Created Woman (Frankenstein créa la femme) (Fisher), Some May Live (Sewell), Night of the Big Heat (La nuit de la grande chaleur) (Fisher) ; 1968, Blood Beast Terror (Le vampire a soif) (Sewell), Corruption (Carnage) (Hartford-Davis) ; 1969, Frankenstein Must Be Destroyed (Le retour de Frankenstein) (Fisher), Scream and Scream Again (Lâchez les monstres) (Hessier) ; 1970, The Vampire Lovers (Baker), Incense for the Damned (Hatford-Davis) ; 1971, The House That Dripped Blood (La maison qui tue) (Duffell), Twins of Evil (Les sévices de Dracula) (Hough) ; 1972, Monster (Weeks), Fear in the Night (Sueur froide dans la nuit) (Sangster), Asylum (Baker), Dr. Phibes Rises Again (Le retour de l'abominable Dr. Phibes) (Fuest), Dracula A.D 72 (Dracula 73) (Gibson), Tales From The Crypt (Histoires d'outre-tombe) (Francis), The Creeping Flesh (Francis), Nothing but the Night (Sasdy), Horror Express (Terreur dans le Shanghai-Express) (Martin) ; 1973, The Satanic Rites of Dracula (Dracula vit toujours à Londres) (Gibson), Frankenstein and the Monster from Hell (Frankenstein le monstre de l'enfer) (Fisher), From Beyond the Grave (Connor), And Now the Screaming Starts (Baker) ; 1974, The Beast Must Die... (Annett), Madhouse (Clark), La grande trouille (Grunstein), The Ghoul (Francis), The Legend of the Seven Golden Vampires (Les sept vampires d'or) (Baker), The Legend of the Werewolf (Francis) ; 1975, Death Corps (Wiederhorn), Dirty Knight's

Work (Connor), Call Him Mr. Shatter (Carreras et Hellman) ; 1976, At the Earth Core (Centre Terre : 7e continent) (Connor), The Devil's Men (La secte des morts-vivants) (Carayiannis), A Choice of Weapon (Connor) ; 1977, The Uncanny (Héroux), Die Standarte (Runze), Shock Waves (Le commando des morts-vivants) (Wiederhorn), Star Wars (La guerre des étoiles) (Lucas) ; 1978, Hitler's Son (Amateau) ; 1979, An Arabian Adventure (Le trésor de la montagne sacrée) (Connor) ; 1980, Misterio en la isla de los monstruos (Le mystère de l'île aux monstres) (Piquer Simon) ; 1982, House of the Long Shadows (Walker), Sword of the Valiant (Weeks) ; 1984, Top Secret (Top Secret) (Abrahams), Sword of the Valiant (Weeks) ; 1986, Biggles (Biggles) (Hough) ; 1992, Innocent Blood (Innocent Blood) (Landis).

Cet Anglais plus britannique que nature (il fut un Sherlock Holmes fort ressemblant et au demeurant un baron de Frankenstein non moins crédible) a fait ses débuts d'acteur aux États-Unis, après quelques modestes emplois de bureau à Londres. Après avoir tenu quelques petits rôles (dont un Laurel et Hardy : *Chump at Oxford !*) à Hollywood, il est de retour dans sa patrie, en 1948. Sa grande période correspond à l'apogée de la Hammer, la firme spécialisée dans l'épouvante. Avec son confrère Christopher Lee, il a joué dans de nombreuses bandes destinées à susciter l'effroi du spectateur. Qu'il paraisse... et le sang coule à flots, de tendres vierges frémissent d'épouvante, enchaînées dans des caves obscures, et toutes les forces de la science sont mises au service du mal par des savants fous. Gare aux périodes de pleine lune. Au milieu de tant d'horreurs, Peter Cushing conserve un calme et un flegme tout britanniques. Le monstre parfait.

Cybulski, Zbigniew
Acteur polonais, 1927-1967.

1955, Pokolenie (Une fille a parlé) (Wajda), Kariera (La carrière) (Koecher), Trzy Starty (Les trois départs-3e épisode) (Lenartowicz) ; 1956, Trajemnica dzikiego szibu (Le secret du vieux puits) (Bereslowski) ; 1957, Koniec Wojny (La fin de la nuit) (Bohdziewicz), Wrak (Épaves) (Petelski) ; 1958, Popiol i diament (Cendres et diamants) (Wajda), Osmy Dzien Tyg (Le huitième jour de la semaine) (Ford) ; 1959, Krzyz Walecznych (Croix de guerre) (Kutz), Pociag (Train de nuit) (Kawalerowicz) ; 1960, Do widzenia, do jutra (Au revoir, à demain) (Morgenstern), Niewinni Czarodzieje (Les innocents charmeurs) (Wajda) ; 1961, Rozstanie (Adieu jeunesse) (Has), La poupée (Baratier) ; 1962, Milosc Owudziestolatkow (épis. de L'amour à vingt ans) (Wajda) ; 1963, Jak Byc Kochana (L'art d'être aimée) (Has), Ich dzien powszedni (Leur vie quotidienne) (Scibor-Rylski), Zbrodniarz panna (L'assassin et la demoiselle) (Nasfeter), Milozenie (Le silence) (Kutz) ; 1964, Rozwodow nie bedzie (Pas de divorce) (Stawinski), Att alska (Aimer) (Donner) ; 1965, Salto (Konwicki), Rekopis znaleziony w Saragossie (Le manuscrit trouvé à Saragosse) (Has), Pingwin (Le pingouin) (Stawinski), Posrop miasta (Seul dans la ville) (Bielinska) ; 1966, Przedswiqteczny wieczor (Veillée de fête) (Amiradzki/Stawinski), Szyfry (Les codes) (Has), Jutr Meksyk (Demain le Mexique) (Scibor-Rylski) ; 1967, Jowita (Morgenstern), Cala naprzod (En avant toute) (Lenartowicz), Mordereca zostawia slad (L'assassin laisse des traces (Scibor-Rylski).

Acteur fétiche de Wajda. Il avait beaucoup joué au théâtre et était considéré comme l'un des plus sûrs espoirs du cinéma polonais lorsqu'il mourut accidentellement à Wroclaw.

D

Dacascos, Mark

Acteur américain né en 1964.

1985, Dim Sum (Wang) ; 1990, Angel Town (Karson) ; 1993, Only the Strong (Only the Strong) (Lettich), Double Dragon (Double Dragon) (Yukich), Roosters (Young), American Samurai (Firstenberg) ; 1994, Kickboxer 5 (Peterson) ; 1995, Deadly Past (Takacs), Crying Freeman (Crying Freeman) (Gans) ; 1996, Sabotage (Takacs), The Island of Dr. Moreau (L'île du docteur Moreau) (Frankenheimer), Drive (Wang) ; 1997, DNA (Mesa), Boogie Boy (Hermann), Deathline (Takacs), Sanctuary (Takacs) ; 1998, No Code of Conduct (Michaels) ; 2000, Le pacte des loups (Gans), China Strike Force (Tong).

Issu d'une famille de sportifs de haut niveau, ce sang-mêlé (irlandais, japonais, chinois, espagnol, philippin) s'est spécialisé dans les films d'action à base d'arts martiaux. Au milieu d'une filmographie souvent inconsistante, seule sa belle composition de justicier abandonné dans le *Crying Freeman* de Christophe Gans, où il fait étrangement penser à Alain Delon jeune, mérite l'attention des cinéphiles.

Dacqmine, Jacques

Acteur français né en 1923.

1941, Premier rendez-vous (Decoin) ; 1942, Signé illisible (Chamborant) ; 1946, L'affaire du collier de la reine (L'Herbier), Macadam (Blistène) ; 1948, Sombre dimanche (Audry), La nuit blanche (Pottier), Le secret de Mayerling (Delannoy) ; 1949, Julie de Carneilhan (Manuel) ; 1950, Caroline chérie (Pottier) ; 1952, Un caprice de Caroline chérie (Devaivre) ; 1954, Le fils de Caroline chérie (Devaivre) ; 1955, Les aristocrates (La Patellière) ; 1956, Action immédiate (Labro), C'est arrivé à Aden (Boisrond), Michel Strogoff (Gallone), Sylviane de mes nuits (Blistène) ; 1957, Charmants garçons (Decoin), La belle et le Tzigane (Dréville) ; 1958, Des femmes disparaissent (Molinaro) ; 1959, A double tour (Chabrol), Classe tous risques (Sautet), Ravissante (Lamoureux) ; 1960, Quai Notre-Dame (Berthier) ; 1961, Maléfices (Decoin), L'affaire Nina B (Siodmak), Le jeu de la vérité (Hossein) ; 1964, Coplan agent secret (Cloche) ; 1965, Coplan FX 18 casse tout (Fredda), Il terrore dei mantelli rossi (Les cavaliers de la terreur) (Costa), Le commissaire mène l'enquête (Collin) ; 1967, Caroline chérie (La Patellière) ; 1968, Phèdre (Jourdan) ; 1978, Brigade mondaine (Scandelari) ; 1983, La crime (Labro) ; 1986, Mélo (Resnais), Inspecteur Lavardin (Chabrol) ; 1989, Nouvelle vague (Godard), Erreur de jeunesse (Tadic) ; 1991, Opération Cornedbeef (Poiré) ; 1992, Germinal (Berri) ; 1994, Occhiopinocchio (Nuti) ; 1997, ...Comme elle respire (Salvadori) ; 1998, La dilettante (Thomas), The Ninth Gate (La neuvième porte) (Polanski) ; 2000, Un crime au paradis (Becker) ; 2003, Rien que du bonheur (Parent) ; 2004, Adieu (des Pallières).

Sa noble prestance prédisposait ce fils d'industriel à entrer à la Comédie-Française qu'il quitta en 1947 pour rejoindre la compagnie Renaud-Barrault. A l'écran, il joua les aristocrates sous la Révolution (le cycle des *Caroline chérie*) ou au XXe siècle (*Les aristocrates*). Il s'est surtout consacré aux tâches syndicales à partir de 1958, mais on l'a revu avec plaisir dans *Inspecteur Lavardin* où il interprétait le rôle d'un écrivain catholique assassiné dans des conditions particulièrement troubles.

Daems, Marie

Actrice française née en 1928.

1948, Vire-vent (Faurez), Le sorcier du ciel (Blistène) ; 1949, Au p'tit zouave (Grangier), Ce siècle a cinquante ans (Tual) ; 1950, Mon phoque et elles (Grangier) ; 1951, L'amour madame (Grangier) ; 1952, Un trésor de femme (Stelli) ; 1954, Scènes de ménage (Berthomieu), L'air de Paris (Carné) ; 1955, L'irrésistible Catherine (Pergament), Paris canaille (Gaspard-Huit) ; 1957, Le coin tranquille (Vernay), Filous et compagnie (Saytor), La garçonne (Audry) ; 1958, Les charmants garçons (Decoin), La vie à deux (Duhour), Le voyage (Litvak) ; 1960, Pierrot la tendresse (Villiers) ; 1961, Le puits aux trois vérités (Villiers) ; 1962, Nous irons à Deauville (Rigaud), Le crime ne paie pas (Oury) ; 1963, Que personne ne sorte (Govar) ; 1976, Une fille cousue de fil blanc (Lang) ; 1979, Le mouton noir (Deville) ; 1985, Deux enfoirés à Saint-Tropez (Pécas) ; 1989, Un week-end sur deux (Garcia) ; 1997, Ceux qui m'aiment prendront le train (Chéreau) ; 1998, Le créateur (Dupontel).

Théâtre et cinéma, drame et comédie. Type de la jeune première. Fille d'un technicien du cinéma, débutant à la scène sous le patronage de Marcel Herrand, elle fut mariée avec François Périer.

Dafoe, Willem

Acteur américain né en 1955.

1979, Heaven's Gate (La porte du paradis) (Cimino) ; 1980, The Loveless (Bigelow) ; 1982, New York Nights (Nuchtern) ; 1983, The Hunger (Les prédateurs) (Scott) ; 1984, Streets of Fire (Les rues de feu) (Hill), Roadhouse 66 (Robinson) ; 1985, To Live and Die in L.A. (Police fédérale Los Angeles) (Friedkin) ; 1986, Platoon (Platoon) (Stone) ; 1987, Saigon (L'enfer pour deux flics) (Crowe) ; 1988, The Last Temptation of Christ (La dernière tentation du Christ) (Scorsese), Mississippi Burning (Mississippi Burning) (Parker), Off Limits (Crowe) ; 1989, Triumph of the Spirit (Young), Born a Fourth of July (Né un 4-juillet) (Stone) ; 1990, Wild at Heart (Sailor et Lula) (Lynch), Cry Baby (Cry Baby) (Waters), Arrive Alive (Chechik) ; 1991, Flight of the Intruder (Milius) ; 1992, White Sands (Sables mortels) (Donaldson), Body of Evidence (Body) (Edel), Light Sleeper (Light Sleeper) (Schrader) ; 1993, In weiter Ferne, so nah ! (Si loin, si proche !) (Wenders) ; 1994, Clear and Present Danger (Danger immédiat) (Noyce), Tom and Viv (Gilbert), La nuit et le moment (Tato), Victory (Victory) (Peploe) ; 1995, Basquiat (Basquiat) (Schnabel) ; 1996, The English Patient (Le patient anglais) (Minghella) ; 1997, Speed 2 : Cruise Control (Speed 2 – Cap sur le danger) (De Bont), Affliction (Schrader) ; 1998, Lulu on the Bridge (Lulu on the Bridge) (Auster), eXistenZ (eXistenZ) (Cronenberg), New Rose Hotel (New Rose Hotel) (Ferrara), Boondock Saints (Duffy) ; 1999, American Psycho (American Psycho) (Harron), Shadow of the Vampire (L'ombre du vampire) (Merhige), Pavilion of Women (Ho), Animal Factory (Animal Factory) (Buscemi) ; 2000, Bullfighter (Bendixen), Edges of the Lord (Bogayevicz) ; 2001, Morality Play (McGuigan), Spider-Man (Raimi) ; 2002, Autofocus (Autofocus) (Schrader) ; 2003, Once upon a Time in Mexico (Desperado 2) (Rodriguez) ; 2004, The Aviator (Aviator) (Scorsese), The Clearing (L'Enlèvement) (Brugge) ; 2005, The Life Aquatic with Steve Zissou (La vie aquatique) (Wes Anderson), Manderlay (Trier), XXX 2 : The Next Level (Tamahori) ; 2006, American Dreamz (Weitz), Inside Man (Inside Man – l'homme de l'intérieur) (Lee), Paris je t'aime (collectif) ; 2007, Mr Bean's Holiday (Les vacances de Mr. Bean) (Bendelack).

Venu du théâtre expérimental de Milwaukee puis du Wooster Group, son physique étrange lui a valu des rôles de méchant. Il est le Christ dans le film de Scorsese, un Christ qui fit scandale. Il est aussi Nosferatu ou le Bouffon vert que combat Spider-Man.

Dagover, Lil

Actrice allemande, de son vrai nom Maria Antonia Sieglinde Senbert, 1897-1980.

1919, Harakiri (Lang), Das Kabinett des Dr. Caligari (Le cabinet du docteur Caligari) (Wiene), Die Spinnen (Les araignées) (Lang) ; 1921, Der müde Tod (Les trois lumières) (Lang) ; 1922, Dr. Mabuse der Spieler (Dr. Mabuse) (Lang), Phantom (Murnau) ; 1925, Tartüff (Tartuffe) (Murnau), Zur Chronik von Grieshus (Chronique de Grieshus) (Gerlach), Die Brüder Schellenberg (Grune) ; 1927, Orient Express (Thiele) ; 1928, Ungarische Rhapsodie (Schwartz), Tourbillon de Paris (Duvivier) ; 1929, Monte-Cristo (Fescourt) ; 1930, Das alte Lied (Waschneck), Der weisse Teufel (Le diable blanc) (Volkoff), Boykott (Land) ; 1931, Der Kongress tanzt (Le congrès s'amuse) (Charell), Der Fall des Generalstabs-Oberst Redl (Anton) ; 1932, Woman from Monte-Carlo (Curtiz), Die Tänzerin von Sanssouci (Zelnik), Das Abenteuer der Thea Roland (Kosterlitz) ; 1933, Johannisnacht (Reiber) ; 1934, Eine Frau, die weiss was sie will (Janson) ; 1935, Lady Windermeres Fächer (L'éventail de lady Windermere) (Hilpert), Der Vogelhändler, Der höhere Befehl (L'espion de Napoléon) (Lamprecht) ; 1936, Schlussakkord (Accord final) (Sirk), Fredericus (Meyer), August der Starke (Wegener) ; 1937, Die Kreutzersonate (La sonate à Kreutzer) (Harlan) ; 1940, Friedrich Schiller (Maisch), Bismarck (Liebeneimer) ; 1942, Vien 1910 (Emo) ; 1948, Die Söhne des Herrn Gaspary (Meyer) ; 1949, Man spielt nicht mit der Liebe (Deppe) ; 1953, Königliche Hoheit (Braun) ; 1954, Schloss Hubertus (Weiss) ; 1955, Ich weiss, wofür ich lebe (Verhoeven), Die Barrings (Thiele), Rosen im Herbst (Jugert) ; 1957, Bekenntnisse des Hochstaplers Felix Krull (Hoffmann), Unter Palmen am blauen Meer (Deppe) ; 1959, Die Buddenbrooks (Weidenmann) ; 1961, Die seltsame Gräfin (Baky), Karl May (Syberberg) ; 1973, Der Fussgänger (Le piéton) (Schell) ; 1975, Der Richter und sein Henker (Schell) ; 1977, Die Standarte (Runze) ; 1979, Geschichten aus dem Wienerwald (Légendes de la forêt viennoise) (Schell).

L'une des plus illustres actrices du cinéma allemand. Sa carrière résume toutes les étapes de l'évolution du 7e art outre-Rhin : l'expressionnisme avec Lang et Murnau, le Lammerspiel, le film musical des années 30 (*Der Kongress tanzt*), le film de propagande (*Bismarck*), la médiocrité des productions de l'ère Adenauer, le renouveau avec Syberberg. De l'Allemagne du maréchal Hindenburg à celle de Strauss, en passant par Schacht, Hitler et Ehrard, un bel itinéraire.

Dahl, Arlene

Actrice américaine née en 1928.

1947, Life With Father (Curtiz), My Wild Irish Rose (Rose d'Irlande) (Butler) ; 1948, The Bride Goes Wild (Taurog), A Southern Yankee (Sedgwick) ; 1949, Reign of Terror (Le livre noir) (Mann), Scene of the Crime (La scène du crime) (Rowland), Ambush (Embuscade) (Wood) ; 1950, The Outriders (Le convoi maudit) (Rowland), Three Little Words (Trois petits mots) (Thorpe), Watch the Birdie (Donohue) ; 1951, Inside Straight (G. Mayer), No Questions Asked (Kress) ; 1952, Caribean (Le trésor des Caraïbes) (Ludwig) ; 1953, Desert Legion (La légion du Sahara) (Pevney), Jamaica Run (Courrier pour la Jamaïque) (L. Foster), Here Come the Girls (Binyon), The Diamond Queen (Brahm), Sangaree (Sangaree) (Ludwig) ; 1954, Bengal Brigade (La révolte des cipayes) (Benedek), Woman's World (Negulesco) ; 1956, Wicked as They Come (Portrait d'une aventurière) (Hughes), Slighty Scarlet (Deux rouquines dans la bagarre) (Dwan) ; 1959, Journey to the Centre of the Earth (Voyage au centre de la terre) (Levin) ; 1964, Kisses for My President (Bernhardt) ; 1969, Land Raiders (Juran) ; 1991, Night of the Warrior (Zulinski).

Mariée à Lex Barker puis à Fernando Lamas, elle a promené ses boucles savamment agencées et ses maquillages où pas un faux cil ne manquait dans les contrées les plus sauvages et les aventures les plus délirantes, du Sahara à la Jamaïque, à travers toute une série de petits films exotiques signés par Ludwig, Foster ou Pevney. Aussi rouquine que sa rivale Rhonda Fleming, elle la retrouva dans un « polar » de Dwan dont le titre pourrait être la devise de ces deux actrices, idoles des cinéphiles : « Deux rouquines dans la bagarre ».

Dahlbeck, Eva

Actrice suédoise née en 1920.

1942-1950, *plusieurs films en Suède* ; 1952, Unser Dorf (Lindtberg), Kuinnors Vantan (L'attente des femmes) (Bergman) ; 1953, Barabbas (Sjöberg) ; 1954, En lektion i kärlek (Une leçon d'amour) (Bergman), Resa i natten (Faustman) ; 1955, Sommarnattens Leende (Sourires d'une nuit d'été) (Bergman), Kvinnodrom (Rêves de femmes) (Bergman) ; 1958, Nara Livet (Au seuil de la vie) (Bergman) ; 1961, The Counterfeit Traitor (Trahison sur commande) (Seaton) ; 1964, For attinte tala on alla dessa Kvinor (Toutes ses femmes) (Bergman) ; 1965, Kattorna (Carlsen), Morianerna (Mattson), Alskande par (Les amoureux) (Zetterling) ; 1966, Les créatures (Varda), Den Rode Kappe (La mante rouge) (Axel) ; 1967, Mennesker modes of sod musik opstaari, Ljertet (Sophie de 6 à 9) (Carlsen).

Interprète de Bergman, venue du théâtre royal de Stockholm, elle a excellé dans la comédie et sa blondeur éclaire *Sourires d'une nuit d'été*. Elle reçut un prix à Cannes pour *Au seuil de la vie*. Elle a travaillé ensuite avec le réalisateur Mattson.

Dailey, Dan

Acteur américain, 1914-1978.

1939, The Captain is a Lady (Sinclair) ; 1940, Hullabaloo (Marin), Susan and God (Suzanne et ses idées) (Cukor), The Mortal Storm (Borzage), Duley (Simon) ; 1941, Ziegfeld Girl (La danseuse des folies Ziegfeld) (Leonard), Moon Over Her Shoulder (Werker), Lady Be Good (McLeod), The Wild Man of Borneo (Sinclair), Washington Melodrama (Simon), The Get-Away (Buzzell),

Down in San-Diego (Sinclair) ; 1942, Mockey (Roots), Panama Hattie (McLeod), Sunday Punch (Miller), Timber (Cabanne), Give out, Sisters (Cline) ; 1947, Mother Wore Tights (Lane) ; 1948, You Were Meant for Me (Bacon), Give My Regards to Broadway (Bacon), Chicken Every Sunday (Seaton), When My Baby Smiles at Me (W. Lang) ; 1949, You're My Everything (Lang) ; 1950, When Willie Comes Marching Home (Planqué malgré lui) (Ford), A Ticket to Tomahawk (Sale), My Blue Heaven (Koster), I'll Get By (Sale) ; 1951, I Can Get It for You Wholesale (Gordon), Call Me Mister (Bacon) ; 1952, What Price Glory ? (Ford), Meet Me at the Fair (Sirk), The Pride of Saint Louis (Jones) ; 1953, The Girl Next Door (Sale) ; 1954, There's No Business Like Show Business (La joyeuse parade) (Lang) ; 1955, It's Always Fair Weather (Beau fixe sur New York) (Kelly et Donen) ; 1956, Meet Me In Las Vegas (Viva Las Vegas) (Rowland), The Best Things In Life Are Free (Curtiz) ; 1957, The Wings of Eagle (L'aigle vole au soleil) (Ford), Oh Men ! Oh Women (Johnson), The Wayward Bus (Les naufragés de l'autocar) (Vicas) ; 1958, Underwater Warrior (Morton) ; 1960, Pepe (Sidney) ; 1962, Hemingway's Adventures of a Young Man (Aventures de jeunesse) (Ritt) ; 1977, The Private Files of J. Edgar Hoover (Cohen).

Grand, sympathique, l'air ouvert, ce descendant d'enfants de la balle fut très aimé du public sans parvenir au vedettariat. Ford l'utilisa à plusieurs reprises et on le retrouve dans de nombreuses comédies. Il mourut d'anémie.

Dalban, Robert

Acteur français, de son vrai nom Gaston Barré, 1903-1987.

1937, Passeurs d'hommes (Jayet) ; 1939, Deuxième bureau contre Kommandantur (Jayet et Bibal) ; 1941, La neige sur les pas (Berthomieu) ; 1942, Promesse à l'inconnue (Berthomieu), Ne le criez pas sur les toits (Daniel-Norman) ; 1945, Boule de suif (Christian-Jaque), Peloton d'exécution (Berthomieu), Le jugement dernier (Chanas) ; 1946, La taverne du poisson couronné (Chanas), La maison sous la mer (Calef) ; 1947, Les jeux sont faits (Delannoy), Non coupable (Decoin), Quai des Orfèvres (Clouzot) ; 1948, Fandango (Reinert), Manon (Clouzot), Au-delà des grilles (Clément), Le secret de Monte-Cristo (Valentin), Le paradis des pilotes perdus (Lampin), L'assassin est à l'écoute (André) ; 1949, Au p'tit zouave (Grangier), Un homme marche dans la ville (Pagliero) ; 1950, La passante (Calef), Les amants de Bras-Mort (Pagliero), La belle image (Heymann), Quai de Grenelle (Reinert) ; 1951, Les sept péchés capitaux (Dréville, Rossellini...), Gibier de potence (Richebé) ; 1952, Ouvert contre X (Pottier), Ils étaient cinq (J. Pinoteau), La minute de vérité (Delannoy) ; 1953, Minuit, Champs-Élysées (Blanc), Mandat d'amener (P. Louis), Destinées (Delannoy), Les révoltés de Lomanach (Pottier), Leur dernière nuit (Lacombe), Quand tu liras cette lettre (Melville), Mourez, nous ferons le reste (Stengel) ; 1954, Les diaboliques (Clouzot), Le fils de Caroline chérie (Devaivre), Obsession (Delannoy), Pas de souris dans le bizness (Lepage), Escalier de service (Rim), French Cancan (Renoir), Interdit de séjour (de Canonge), Votre dévoué Blake (Laviron), Casse-cou, mademoiselle (Stengel) ; 1955, La Madelon (Boyer), Des gens sans importance (Verneuil), Chiens perdus sans collier (Delannoy), Paris coquin (Gaspard-Huit), La môme Pigalle (Rode), Gas-oil (Grangier), Les salauds vont en enfer (Hossein), A la manière de Sherlock Holmes (Lepage), Zaza (Gaveau), M'sieur La Caille (Pergament) ; 1956, La châtelaine du Liban (Pottier), Le désir mène les hommes (M. Roussel), La joyeuse prison (Berthomieu), Le chanteur de Mexico (Pottier), Je reviendrai à Kandara (Vicas), La loi des rues (Habib), Les truands (Rim), La rivière des trois jonques (Pergament), Paris Palace Hôtel (Verneuil) ; 1957, Les amants de demain (Blistène), Cargaison blanche (Lacombe), Donnez-moi ma chance (Moguy), Le souffle du désir (Lepage), Ce joli monde (Rim), Les trois font la paire (Guitry), La Tour, prends garde (Lampin) ; 1958, Amour, autocar et boîte de nuit (Kapps), En légitime défense (Berthomieu), Sois belle et tais-toi (M. Allégret), Pourquoi viens-tu si tard ? (Decoin), Marie-Octobre (Duvivier) ; 1959, Quai du point du jour (Faurez), Le baron de l'écluse (Delannoy), Vers l'extase (Wheeler), Un témoin dans la ville (Molinaro), Signé Arsène Lupin (Robert), Interpol contre X (Boutel), Monsieur Suzuki (Favez) ; 1960, L'affaire d'une nuit (Verneuil), La bride sur le cou (Vadim), La menace (Oury), La grande vie (Duvivier), Vive Henri IV, vive l'amour (Autant-Lara), Le pavé de Paris (Decoin), Boulevard (Duvivier), Les vieux de la vieille (Grangier) ; 1961, Le cave se rebiffe (Grangier), Le Monocle noir (Lautner), Le miracle des loups (Hunebelle), Le septième juré (Lautner) ; 1962, L'œil du Monocle (Lautner), Le repos du guerrier (Vadim), Du mouron pour les petits oiseaux (Carné), Les mystères de Paris (Hunebelle), Les grands chemins (C. Marquand), Le vice et la vertu (Vadim), Le chevalier de Pardaillan (Borderie), La loi des hommes (Gerard) ; 1963, Mort d'un tueur (Molinaro), Chair de poule (Duvivier), Les tontons flingueurs (Lautner) ; 1964, Le Monocle rit jaune (Lautner), Fantômas (Hunebelle), Le gentleman de Cocody (Christian-Jaque), Les gorilles (Girault) ; 1965, Fantômas se déchaîne (Hunebelle), Ne nous fâchons pas (Lautner) ; 1966, Fantômas contre Scotland Yard (Hunebelle), Le grand restaurant (Besnard), Trois enfants dans le désordre (Joannon), Un choix d'assassins (Fourastié), Un idiot à Paris (Korber) ; 1967, Le fou du Labo 4 (Besnard), Le pacha (Lautner) ; 1968, Le cerveau (Oury), Faut pas prendre les enfants du bon dieu pour des canards sauvages (Audiard), Maldonne (Gobbi), Sous le signe du taureau (Grangier) ; 1969, Clérambard (Robert), Elle boit pas, elle fume pas, elle drague pas... mais elle cause (Audiard), Et qu'ça saute ! (Lefranc), Les libertines (Young), Mon oncle Benjamin (Molinaro), Le temps des loups (Gobbi) ; 1970, Le cri du cormoran le soir au-dessus des jonques (Audiard), Le distrait (Richard), Point de chute (Hossein), Vertige pour un tueur (Desagnat) ; 1971, Les malheurs d'Alfred (Richard) ; 1972, Le grand blond avec une chaussure noire (Robert), Quelques messieurs trop tranquilles (Lautner), L'insolent (Roy) ; 1973, Mais où est donc passée la septième compagnie ? (Lamoureux), Ursule et Grelu (Korber), La valise (Lautner), OK patron (Vital) ; 1974, Comment réussir quand on est con et pleurnichard (Audiard), Comme un pot de fraises (Aurel), Pas de problème ! (Lautner), Seul le vent connaît la réponse (Vohrer), La giffle (Pinoteau) ; 1975, L'incorrigible (Broca), D'amour et d'eau fraîche (Blanc), Les vécés étaient fermés de l'intérieur (Leconte), On a retrouvé la 7e compagnie (Lamoureux), Quand la ville s'éveille (Grasset), Le téléphone rose (Molinaro) ; 1977, Le gang (Deray), Le maestro (Vital) ; 1978, La carapate (Oury), Coup de tête (Annaud), Je suis timide... mais je me soigne (Richard) ; 1980, 5 % de risque (Pourtalé), Le coup du parapluie (Oury), La boum (Pinoteau) ; 1981, La chèvre (Veber), Prends ta Rolls... et va pointer (Balducci) ; 1982, La boum 2 (Pinoteau), L'été de nos quinze ans (Jullian), Jamais avant le mariage (Ceccaldi), Les misérables (Hossein) ; 1983, Attention, une femme peut en cacher une autre (Lautner), Les parents ne sont pas simples cette année (Jullian), P'tit con (Lauzier), Les compères (Veber) ; 1986, Neuville... ma belle (collectif).

Une sale tête de brute le voue d'emblée aux rôles de gangster. C'est Clouzot qui l'utilise le mieux (le malfaiteur menottes aux poings dans *Quai des Orfèvres*), mais il a tourné avec tout ce qui a compté dans le cinéma français entre 1943 et 1983. Après 1963, il est confiné à dire vrai dans de brèves apparitions. De là, l'impossibilité d'établir une filmographie exhaustive. D'autant que la plupart des films où il apparaît deviennent de plus en plus médiocres. Mais il est le symbole d'un type d'acteur, proche du « troisième couteau » et crédité au générique en dixième ou douzième position.

Dalbray, Muse

Actrice française, de son vrai prénom Georgette, 1903-1998.

1936, La vie est à nous (Renoir) ; 1970, Macédoine (Scandelari) ; 1972, Nous ne vieillirons pas ensemble (Pialat) ; 1974, Ce cher Victor (Davis) ; 1983, Les princes (Gatlif) ; 1989, Suivez cet avion (Amblard) ; 1998, Je suis né d'une cigogne (Gatlif).

Débuts au théâtre de l'Odéon à l'âge de vingt ans dans le rôle de l'Aiglon. En 1925, elle est une valeur sûre de la scène parisienne, où elle se spécialise dans le mélodrame. Dotée d'une voix et d'une présence fortes, elle écrit aussi dans les journaux, donne des conférences. En 1929, elle épouse le dramaturge et comédien Tristan Sévère. Ensemble, ils écrivent plusieurs pièces, puis fondent le théâtre de la Paix. Délaissant un peu la scène à partir des années 50, elle se tourne vers la télévision, où elle incarne des vieilles dames au fort caractère. On se souvient surtout de son visage à la foix doux et sévère, et de son étrange coiffure chignonnée, dans *Les princes* de Tony Gatlif, où elle jouait une vieille gitane.

Dalio, Marcel

Acteur français, de son vrai nom Blauschild, 1899-1983.

1931, Une nuit à l'hôtel (Mittler) ; 1933, Mon chapeau (Guissart) ; 1934, Les affaires publiques (Bresson), Turandot (Lamprecht) ; 1935, Le golem (Duvivier), Retour au paradis (Poligny) ; 1936, Pépé le Moko (Duvivier), Un grand amour de Beethoven (Gance), Quand minuit sonnera (Joannon), Le chemin de Rio (Siodmak), L'homme à abattre (Mathot) ; 1937, La grande illusion (Renoir), Gribouille (M. Allégret), L'alibi (Chenal), Les perles de la couronne (Guitry), Chéri-Bibi (Mathot), Les pirates du rail (Christian-Jaque), Miarka (Choux), Mollenar (Siodmak), Naples au baiser de feu (Genina), Sarati (Hugon), Marthe Richard (Bernard) ; 1938, Entrée des artistes (M. Allégret), La maison du Maltais (Chenal), Conflit (Moguy) ; 1939, La règle du jeu (Renoir), Le bois sacré (Mathot), L'esclave blanche (Sorkin), Tempête (Bernard-Deschamps), La tradition de minuit (Richebé) ; 1941, The Unholy Partners (LeRoy) ; 1942, Shanghai Gesture (Sternberg), Joan of Paris (Stevenson), The Pied Piper (Pichel) ; 1943, Casablanca (Curtiz), Tonight We Raid Calais (Brahm), The Constant Nymph (Goulding), Paris after Dark (Moguy), The Desert Song (Humberstone), The Song of Bernadette (King) ; 1944, To Have and Have Not (Le port de l'angoisse) (Hawks), Pin-up Girl (Humberstone), The Conspirators (Negulesco) ; 1945, Wilson (King), A Bell for Adano (King) ; 1946, Temptation Harbour (Le port de la tentation) (Comfort), Petrus (M. Allégret), Son dernier rôle (Gourguet), Le bataillon du ciel (Esway), Les maudits (Clément) ; 1947, Dédée d'Anvers (Allégret), Erreur judiciaire (Canonge) ; 1948, Hans le marin (Villiers), Sombre dimanche (Loubignac), Snowbound (McDonald), Les amants de Vérone (Cayatte) ; 1949, Maya (Bernard), Black Jack (Duvivier), Menace de mort (Leboursier), Portrait d'un assassin (Bernard-Roland) ; 1950, Porte d'Orient (Dernay), On the Riviera (Sur la Riviera) (Land), Rich, Young and Pretty (Riche, jeune et jolie) (Taurog) ; 1951, Nous irons à Monte-Carlo (Boyer) ; 1952, The Happy Time (Sacré printemps) (Fleischer), The Merry Widow (La veuve joyeuse) (Bernhardt), The Snows of Kilimandjaro (Les neiges du Kilimandjaro) (King) (aux U.S.A.) ; 1953, Gentlemen Prefer Blondes (Les hommes préfèrent les blondes) (Hawks), Flight to Tanger (Vol sur Tanger) (Warren) ; 1954, Sabrina (Wilder), Lucky Me (Mademoiselle porte-bonheur) (Donohue), Razzia sur la chnouf (Decoin), La patrouille des sables (Chanas), China Gate (Porte de Chine) (Fuller) ; 1955, Jump Into Hill (L'enfer de Dien Bien-Phu) (Butler), Les amants du Tage (Verneuil) ; 1956, Miracle in the Rain (Immortel amour) (Mate) ; 1957, The Sun Also Rises (Le soleil se lève aussi) (King), Ten Thousand Bedrooms (Dix mille chambres à coucher) (Thorpe), Tip on a Dead Jockey (Contrebande au Caire) (Thorpe), La Fayette Escadrille (Wellman) ; 1958, The Perfect Furlough (Vacances à Paris) (Edwards) ; 1959, The Man Who Understood Women (L'homme qui comprenait les femmes) (Johnson), Pillow Talk (Confidences sur l'oreiller) (Gordon), Classe tous risques (Sautet) ; 1960, Can Can (Lang), Song Without End (Le bal des adieux) (Vidor/Cukor) ; 1961, The Devil at Four O' Clock (Le diable à quatre heures) (Le Roy), Le petit garçon de l'ascenseur (Granier-Deferre) ; 1962, Jessica (La sage-femme, le curé et le bon Dieu) (Negulesco), Donovan's Reef (La taverne de l'Irlandais) (Ford), Le diable et les dix commandements (Duvivier), L'abominable homme des douanes (Allégret), Cartouche (Broca), La loi des hommes (Gérard) ; 1963, The List of Adrian Messenger (Le dernier de la liste) (Huston), A couteaux tirés (Gérard) ; 1964, Wild and Wonderful (La mariée a du chien) (Anderson), Un monsieur de compagnie (Broca), Le monocle rit jaune (Lautner) ; 1965, Le dix-septième ciel (Korber), Made in Paris (Sagal), Lady (Ustinov) ; 1966, How to Steel a Million (Comment voler un million de dollars) (Wyler), Tendre voyou (Becker), Le plus vieux métier du monde (Autant-Lara), La vingt-cinquième heure (Verneuil) ; 1968, How Sweet It Is (Adorablement vôtre) (Paris), L'amour c'est gai, l'amour c'est triste (Pollet) ; 1969, Le blé en liasse (Brunet) ; 1970, Catch 22 (Nichols), The Great White Hope (L'insurgé) (Ritt) ; 1971, Aussi loin que l'amour (Rossif), Papa les petits bateaux (Kaplan), Les yeux fermés (Santoni) ; 1972, Dédé la tendresse (Van Belle), La punition (Jolivet) ; 1973, Les aventures de Rabbi Jacob (Oury), Ursule et Grelu (Korber) ; 1974, Que la fête commence (Tavernier), Trop c'est trop (Kaminka), La chatte sur un doigt brûlant (Chardon), Hard love (Thomas) ; 1975, La bête (Borowczyk), Le faux cul (Hanin) ; 1976, L'aile ou la cuisse (Zidi) ; 1977, Chaussette surprise (Davy), L'ombre des châteaux (Duval), La communion solennelle (Feret), L'honorable société (Weinberg), Une page d'amour (Rabinowicz) ; 1978, Le paradis des riches (Barge) ; 1980, Vaudou aux Caraïbes (Monnier).

Voué aux rôles de juif, de métèque, d'apatride, Dalio (ce pseudonyme avait été emprunté à Danilo, le prince de *La veuve joyeuse*), passé par le Conservatoire et le cabaret, s'est imposé à l'écran avec le personnage du marquis de La Chesnaye dans *La règle du jeu*. En 1940, il se réfugie aux États-Unis et tient des petits rôles dans des films importants. De retour en France, après la guerre, il y tourne beaucoup ainsi qu'à l'étranger ; il est par exemple le souteneur dans *Dédée d'Anvers*. Sa carrière résume quarante ans de cinéma. Il a laissé un livre de souvenirs : *Mes années folles*.

Dalle, Béatrice

Actrice française née en 1964.

1986, 37°2 le matin (Beineix), On a volé Charlie Spencer (Huster) ; 1988, La sorcière (Bellocchio) ; 1989, Chimère (Devers), Les bois noirs (Deray) ; 1990, La vengeance d'une femme (Doillon), Night on Earth (Night on Earth) (Jarmusch) ; 1991, La belle histoire

(Lelouch) ; 1992, La fille de l'air (Bagdadi) ; 1993, J'ai pas sommeil (Denis) ; 1994, A la folie (Kurys) ; 1995, Désiré (Murat) ; 1996, Clubbed to Death (Lola) (Zaubermann), The Blackout (The Blackout) (Ferrara) ; 1998, Al limite (Al limite) (Campoy), Volpone (Chalonge), Toni (Esposito) ; 2000, Trouble Every Day (Denis), Les oreilles sur le dos (Durringer), H. Story (Suwa) ; 2001, 17 fois Cécile Cassard (Honoré) ; 2003, Le temps des loups (Haneke) ; 2004, Clean (Assayas), La porte du soleil (Nasrallah), Process (Leigh) ; 2005, Dans tes rêves (Thybaud). L'intrus (Denis) ; 2007, Truands (F. Schoendoerffer).

Révélation de *37°2*, elle se promenait la plupart du temps entièrement nue dans le film avant de s'y défigurer et avouait n'avoir rien compris à la nécessité de faire la cuisine dans le plus simple appareil. Le spectateur n'a pas compris non plus mais ne s'est pas plaint de ce charmant spectacle. Les films suivants montrent l'ambition d'une véritable actrice. Si *La belle histoire* de Lelouch fut un bel échec, Béatrice Dalle fut remarquée dans *La fille de l'air*, inspiré d'un fait divers authentique et où elle n'avait d'autre idée que de faire évader de prison l'homme qu'elle aimait. Elle donnait également un grain de folie à son personnage d'Elsa venant détruire le bonheur de sa sœur Alice, dans *A la folie*.

Dallesandro, Joe

Acteur américain né en 1948.

1967, The Loves of Ondine (Warhol) ; 1968, Surfing Movie/San Diego Surf (inachevé, Warhol), Lonesome Cow-boys (Lonesome Cow-boys) (Warhol) ; 1969, Flesh (Flesh) (Morrissey) ; 1970, Trash (Trash) (Morrissey) ; 1971, Heat (Heat) (Morrissey) ; 1973, Flesh for Frankenstein (De la chair pour Frankenstein) (Morrissey) ; 1974, Blood for Dracula (Du sang pour Dracula) (Morrissey), Donna e bello (Bazzini) ; 1975, The Gardener (Kay), Je t'aime, moi non plus (Gainsbourg), Il tempo degli assassini (Andrei), L'ambizioso (Squitieri) ; 1976, La marge (Borowczyk), Black Moon (Black Moon) (Malle), L'ultima volta (Lado) ; 1978, Merry-go-round (Rivette), Un cuore semplice (G. Ferrara), Suor omicidio (Berruti), 6 000 km di paura (Albertini) ; 1979, Tapage nocturne (Breillat), Vacanze per un massacro (Di Leo) ; 1980, Queen Lear (Chorfi), Seeds of Evil (Kay), Parano (Dubois) ; 1984, The Cotton Club (Cotton Club) (Coppola), Double Revenge (A. Mastroianni) ; 1987, Critical Condition (Apted) ; 1988, Sunset (Meurtre à Hollywood) (Edwards) ; 1989, Private War (F. de Palma) ; 1990, Almost an Angel (Cornell), Cry-Baby (Cry-Baby) (Waters), Double Revenge (A. Mastroianni) ; 1991, Wild Orchid II — Blue Movie Blue (Blue, L'orchidée sauvage II) (King) ; 1992, Guncrazy (Davis) ; 1993, Love Is Like That (Goldman) ; 1994, Sugar Hill (Ichaso) ; 1997, Pacino is Missing (Galler) ; 1998, L.A. Without a Map (I Love L.A.) (M. Kaurismäki), Citizens of Perpetual Indulgence (Canawati), Beefcake (Fitzgerald) ; 1999, The Limey (L'Anglais) (Soderbergh).

Sorti tout droit d'une revue culturiste, il fut l'interprète favori de Warhol et de Morrissey. *La marge* montra les limites de l'acteur, peu à l'aise hors de l'« underground ».

Dalsace, Lucien

Acteur français, de son vrai nom Gustave Chalot, 1893-1980.

1922, La loupiote (Hatot) ; 1924, Ferragus (Ravel), L'enfant des halles (Leprince) ; 1925, La douleur (Roudès) ; 1926, Le berceau de Dieu (Leroy-Granville) ; 1928, Belphégor (Desfontaines), Le ruisseau (Hervil) ; 1938, Le révolté (Mathot), Chéri-Bibi (Mathot) ; 1939, Deuxième Bureau contre Kommandantur (Jayet et Bibal), Rappel immédiat (Mathot) ; 1942, Patrouille blanche (Chamborant).

Grande vedette du muet, il quitte le cinéma à l'avènement du parlant pour se consacrer à la parfumerie. En 1938, il fait un éphémère retour.

Dalton, Timothy

Acteur anglais né en 1946.

1968, The Lion in Winter (Le lion en hiver) (Harvey) ; 1970, Cromwell (Cromwell) (Hugues), Wuthering Heights (Fuest) ; 1971, Mary, Queen of Scots (Marie Stuart, Reine d'Écosse) (Jarrott) ; 1975, Permission to Kill (La trahison) (Frankel), El hombre que supo amar (Picazo) ; 1978, Sextet (Sextette) (Hughes) ; 1979, Agatha (Agatha) (Apted) ; 1980, Flash Gordon (Flash Gordon) (Hodges) ; 1981, Chanel Solitaire (Kaczender) ; 1985, The Doctor and the Devils (Le docteur et les assassins) (Francis) ; 1987, Brenda Starr (R.E. Miller), The Living Daylights (Tuer n'est pas jouer) (Glen) ; 1988, Hawks (R.E. Miller) ; 1989, License to Kill (Permis de tuer) (Glen) ; 1990, La putain du roi (Corti) ; 1991, The Rocketeer (Rocketeer) (Johnston) ; 1993, Naked in New York (Naked in New York), (Algrant) ; 1995, Salt Water Moose (Margolin) ; 1996, Johnny Loves Susie (McBride), Beautician and the Beast (L'éducatrice et le tyran) (Kwapis) ; 1997, The Informant (McBride), The Reef (Ackerman) ; 1999, Made Men (Fausse donne) (Morneau), Timeshare (Von Wietersheim) ; 2000, Possessed (De Souza), Jesse James (Mayfield) ; 2002, American Outlaws (American Outlaws) (Mayfield) ; 2007 Hot Fuzz (Wright).

Carrière modeste, mais il est choisi pour être le troisième James Bond. Plus assuré que Moore mais moins séduisant que Connery.

Damita, Lili

Actrice française, de son vrai nom Marie-Madeleine Carré, 1901-1994.

1921, L'empereur des pauvres (Leprince), Corsica (Carrère) ; 1922, La fille sauvage (Étievant) ; 1923, La voyante (Mercanton) ; 1925, Célimène, poupée de Montmartre (Kertesz), Der Goldene Schmetterling (Papillon d'or) (Kertesz) ; 1926, Geheimnisse einer Seele (Les secrets d'une âme) (Pabst), Der Letzte Nacht (Colette danseuse de l'Opéra) (Kertesz) ; 1927, Die berühmte Frau (La princesse de Grenade) (Wiene) ; 1928, Die grosse Abenteurerin (La grande aventurière) (Wiene), Die Frau auf der Folter (Tu ne mentiras pas) (Wiene), The Queen Was in the Parlour (Cutts) ; 1928, The Rescue (Brenon), The Cock-Eyed World (Têtes brûlées) (Walsh), The Bridge of San Luis Rey (Brabin) ; 1930, Le père célibataire (Robison) ; 1931, The Fighting Caravans (Brower), The Woman Between (Schertzinger), Friends and Lovers (Schertzinger), Quand on est belle (Robison), Soyons gais (Robison) ; 1932, This is the Night (Tuttle), The Match King (Bretherton), Une heure près de toi (Lubitsch), Goldie Gets Along (St. Clair), On a volé un homme (Ophuls) ; 1935, Brewster's Millions (Freeland) ; 1936, L'escadrille de la chance (Vaucorbeil).

Née à Bordeaux, elle se lance dans le music-hall et succède à Mistinguett comme meneuse de revue au Casino de Paris. Le cinéma l'attire. Elle prend pour pseudonyme Damita del Rojo puis Lily Seslys et enfin Lili Damita. Elle tourne en Autriche avec le futur Curtiz, en Angleterre, en Allemagne avec Wiene, puis part pour Hollywood à la demande de Goldwyn. En 1935, elle épouse Errol Flynn. Liaison orageuse qui prendra fin en 1942. Elle en aura un fils, Sean Flynn, disparu au Viêtnam où il était correspondant de guerre. Elle se retire en 1936.

Damon, Matt

Acteur américain né en 1970.

1987, The Good Mother (Le prix de la passion) (Nimoy) ; 1988, Mystic Pizza (Mystic Pizza) (Petrie) ; 1992, School Ties (La différence) (Mendel) ; 1993, Geronimo (Geronimo) (Hill) ; 1996, Courage Under Fire (A l'épreuve du feu) (Zwick) ; 1996, Glory Daze (Wilkes), Chasing Amy (Méprise multiple) (Smith) ; 1997, Good Will Hunting (Will Hunting) (Van Sant), The Rainmaker (L'idéaliste) (Coppola), Saving Private Ryan (Il faut sauver le soldat Ryan) (Spielberg) ; 1998, Rounders (Les joueurs) (Dahl), Dogma (Dogma) (Smith), The Talented Mr. Ripley (Le talentueux Mr. Ripley) (Minghella) ; 1999, All the Pretty Horses (De si jolis chevaux) (Thornton) ; 2000, The Legend of Bagger Vance (La légende de Bagger Vance) (Redford), Finding Forrester (A la rencontre de Forrester) (Van Sant), The Third Wheel (Brady) ; 2001, The Bourne Identity (La mémoire dans la peau) (Liman), Jay and Silent Bob Strike Back (Smith) ; 2003, Stuck on You (Deux en un) (Farrelly), Gerry (Gerry) (Van Sant) ; 2004, Jersey Girl (Père et fille) (K. Smith), The Bourne Supremacy (La mort dans la peau) (Greengrass), Ocean's Twelve (Soderbergh) ; 2005, Brothers Grimm (Les frères Grimm) (Gilliam), Magnificent Desolation : Walking on the Moon 3D (Magnifique désolation : marchons sur la lune) (Cowen) ; 2006, Syriana (Syriana) (Gaghan), The Departed (Les infiltrés) (Scorsese) ; 2007, The Bourne Ultimatum (La vengeance dans la peau) (Greengrass), The Good Shepherd (The Good Shepherd) (De Niro), Ocean's Thirteen (Ocean's Thirteen) (Soderbergh).

En un an, et après plusieurs années de galère, il tourne coup sur coup en vedette pour Gus Van Sant, Francis Ford Coppola et Steven Spielberg, devenant immédiatement une valeur montante de Hollywood. Par ailleurs scénariste avec le comédien Ben Affleck, de *Will Hunting*, ils ont obtenu un double oscar pour ce film dans lequel Damon incarne avec sensibilité un jeune génie incompris. Il est ensuite Bourne, un agent secret ayant perdu la mémoire, dans deux adaptations de romans de Ludlum. Il y est excellent comme dans *Syriana*. Il incarne le rival de DiCaprio dans *Les infiltrés* de Scorsese.

Dance, Charles

Acteur anglais né en 1946.

1980, Fatal Spring (Darlow) ; 1981, For Your Eyes Only (Rien que pour vos yeux) (Glen) ; 1985, Plenty (Plenty) (Schepisi), The McGuffin (Bucksey) ; 1986, The Golden Child (L'enfant sacré du Tibet) (Ritchie) ; 1987, White Mischief (Sur la route de Nairobi) (Radford), Good Morning Babilonia (Good Morning Babylone) (P. & V. Taviani) ; 1988, Hidden City (Poliakoff), Pascali's Island (L'île de Pascali) (Dearden) ; 1992, La valle di pietra (Zaccaro), Alien 3 (Alien 3) (Fincher) ;

1993, Century (Poliakoff), Last Action Hero (Last Action Hero) (McTiernan) ; 1994, Kabloonak (Kabloonak) (Massot), Exquisite Tenderness (Schenkel), Desvio al paraiso (Herrero), China Moon (Lune rouge) (Bailey) ; 1996, Undertow (Red), Michael Collins (Michael Collins) (Jordan) ; 1997, The Blood Oranges (Haas), Star Truckers (Gordon) ; 1998, Hilary and Jackie (Tucker), Don't Go Breaking My Heart (Amour sous influence) (Patterson) ; 2000, Dark Blue World (Sverak) ; 2002, Gosford Park (Gosford Park) (Altman) ; 2003, Swimming Pool (Ozon) ; 2006, Désaccord parfait (De Caunes), Scoop (Allen).

Issu de la Royal Shakespeare Company, il promène tranquillement, sur grand écran, un personnage racé, subtil et élégant, pourvu d'un étrange regard bleu presque transparent qui lui permet de tenter quelques compositions de sadiques dans des séries B américaines. Mais outre son interprétation de Robert Flaherty dans *Kabloonak*, film consacré au réalisateur de *Nanouk l'Esquimau*, sa carrière, trop dispersée, peine à trouver un véritable souffle.

Dandridge, Dorothy

Actrice américaine, 1922-1965.

1937, A Day at the Races (Un jour aux courses) (Wood) ; 1941, Lady from Louisiana (Vorhaus), Bahama Passage (Sous le ciel de Polynésie) (Griffith), Sundown (Crépuscule) (Hathaway), Sun Valley Serenade (Tu seras mon mari) (Humberstone) ; 1942, Drums of Congo (La jungle rugit) (Cabane) ; 1943, Hit parade of 1943 (Rogell) ; 1944, Since You Went Away (Depuis ton départ) (Cromwell) ; 1950, Harlem Globetrotters (Harlem Globetrotters) (Phil Brown) ; 1951, Tarzan's Peril (Tarzan et la reine de la jungle) (Haskin), Jungle Queen (Collins) ; 1953, Bright Road (Mayer), Remains to Be Seen (Drôle de meurtre) (Weis) ; 1954, Carmen Jones (Carmen Jones) (Preminger) ; 1957, Island in the Sun (Une île au soleil) (Rossen), Tamango (Berry) ; 1958, The Decks Ran Red (Terreur en mer) (Stone) ; 1959, Porgy and Bess (Porgy and Bess) (Preminger), Malaga (Le chemin de la peur) (Benedek).

Sculpturale beauté noire, danseuse, chanteuse et actrice, elle débute sous le signe des frères Marx dans *Un jour aux courses*, mais c'est avec *Carmen Jones* et *Porgy and Bess* qu'elle devient célèbre. On la retrouve dans le film antiraciste *Island in the Sun* et dans *Tamango*, sur la traite des Noirs. Elle succombe en 1965 à Hollywood à la suite d'une trop grande absorption de barbituriques. Halle Berry a tourné un film retraçant sa vie pour la télévision.

D'Angelo, Beverly

Actrice américaine née en 1951.

1977, The Sentinel (La sentinelle des maudits) (Winner), First Love (Darling), Annie Hall (Annie Hall) (Allen) ; 1978, Every Which Way But Loose (Doux, dur et dingue) (Fargo) ; 1979, Hair (Hair) (Forman) ; 1980, Coal Miner's Daughter (Nashville Lady) (Apted) ; 1981, Honkytonk Freeway (Schlesinger), Paternity (Steinberg) ; 1983, National Lampoon's Vacation (Bonjour les vacances) (Ramis) ; 1984, Finders Keepers (Cash Cash) (Lester), Highpoint (Carter) ; 1985, Get Out of My Room (Marin), National Lampoon's European Vacation (Heckerling) ; 1986, Big Trouble (Cassavetes) ; 1987, Trading Hearts (Leifer), Maid to Order (Jones), In the Mood (Robinson), Aria (Aria) (Altman, Beresford, Godard, etc.) ; 1988, High Spirits (High Spirits) (Jordan) ; 1989, Cold Front (Goldstein), National Lampoon's Christmas Vacation (Chechik) ; 1990, Daddy's Dyin'... Who's Got the Will ? (Fisk), Pacific Heights (Fenêtre sur Pacifique) (Schlesinger) ; 1991, The Pope Must Die (P. Richardson), Lonely Hearts (Lane), The Miracle (L'étrangère) (Jordan) ; 1992, Man Trouble (Man Trouble) (Rafelson) ; 1994, Pterodactyl Woman from Beverly Hills (Mora), Lightning Jack (Jack l'éclair) (Wincer) ; 1995, The Crazysitter (McDonald) ; 1996, Edie & Pen (Irmas), Eye for an Eye (Au-delà des lois) (Schlesinger) ; 1997, National Lampoon's Vegas Vacation (Kessler), Die Story von Monty Spinnerratz (Huse), Nowhere (Nowhere) (Araki), Love Always (Eberhard) ; 1998, With Friends Like These... (Messina), Illuminata (Illuminata) (Turturro), American History X (American History X) (Kaye), Sugar Town (Sugar Town) (Anders), Merchants of Venus (Richmond) ; 1999, Jazz Night (Nicita), High Fidelity (High Fidelity) (Frears).

Jeune fille rangée devenue hippie dans *Hair*, elle incarne la chanteuse Patsy Cline dans *Nashville Lady*, autant de films importants qui, à la fin des années 70, lancent sa carrière. Dessinatrice de bande dessinée avant de devenir actrice, chanteuse confirmée, elle enchaîne les comédies insipides dans les années 80 (la série des *National Lampoon*), partage sa vie entre l'Italie et les États-Unis, et réapparaît au début des années 90, toujours aussi blonde et énigmatique, dans *L'étrangère*, de Neil Jordan, où elle suscite la fascination d'un adolescent. En dépit de quelques rôles marquants (la mère d'un néonazi dans *American History X*), on regrette que sa carrière n'ait pas tenu ses promesses initiales. Elle est fiancée à Al Pacino.

Danes, Claire

Actrice américaine née en 1979.

1994, Little Women (Les quatre filles du Docteur March) (Armstrong) ; 1995, Home for the Holidays (Week-end en famille) (Foster) ; 1996, How to Make an American Quilt (Le patchwork de la vie) (Moorhouse), I Love You, I Love You Not (I Love You, I Love You Not) (Hopkins), Romeo + Juliet (Roméo + Juliette) (Luhrmann), To Gillian on her 37th Birthday (Par amour pour Gillian) (Pressman) ; 1997, U-Turn (U-Turn) (Stone), The Rainmaker (L'idéaliste) (Coppola), Polish Wedding (Connelly) ; 1998, Les Misérables (August), Brokedown Palace (Bangkok aller simple) (Kaplan), Mod Squad (Mod Squad) (Silver) ; 2002, Igby Goes Down (Steers) ; 2003, Terminator 3 (Terminator 3) (Mostow) ; 2005, The Family Stone (Esprit de famille) (Bezucha), Stage Beauty (Stage Beauty) (Eyre) ; 2006, Shopgirl (Shopgirl) (Tucker) ; 2007, Stardust (Vaughn).

Elle est révélée par la formidable série « Angela, 15 ans », qui racontait les émois existentiels d'une adolescente américaine moyenne. Sa composition d'Angela, tout en retenue et en grâce maladroite, tenait du prodige. Au cinéma, on la découvre en Juliette dans l'adaptation modernisée de la pièce de Shakespeare, puis en Cosette dans la version des *Misérables* signée Bille August. Après une éclipse, elle reparaît dans *Terminator 3*.

Dani

Actrice et chanteuse française, de son vrai nom Danièle Graule, née en 1945.

1964, La ronde (Vadim) ; 1968, Mazel Tov ou le mariage (Berri), Delphine (Le Hung) ; 1970, Tumuc Hamac (Périer), Ils (Simon) ; 1972, Un officier de police sans importance (Larriaga), Quelques messieurs trop tranquilles (Lautner) ; 1973, La nuit américaine (Truffaut) ; 1977, Et vive la liberté ! (Korber) ; 1978, L'amour en fuite (Truffaut) ; 1993, J'ai pas sommeil (Denis) ; 1998, A mort la mort ! (Goupil) ; 1999, Princesses (Verheyde) ; 2003, Les lionceaux (Doyon), Violence des échanges en milieu tempéré (Moutart) ; 2006, Fauteuils d'orchestre (D. Thompson).

Plus connue du public pour son combat passé contre la drogue que par ses prestations cinématographiques, elle n'en est pas moins très touchante dans *L'amour en fuite* où elle incarne le refuge chez un Antoine Doinel en pleine crise existentielle. Après une courte carrière de meneuse de revue et quelques disques, elle s'est retirée du monde du spectacle et s'est lancée avec succès dans le commerce des fleurs (les roses uniquement) avant de faire son « retour » à la chanson et au cinéma.

Daniel, Bebe

Actrice américaine, 1901-1971.

1908, A Common Enemy (Selig) ; 1914, The Savage, Anne of the Golden West ; 1916-1919, courts métrages de la série *Lonesome Luke*, avec Harold Lloyd ; 1920, Feet of Clay (DeMille), Why Change Your Wife ? (DeMille) ; 1921, The Affairs of Anatole (DeMille), The Speed Girl (Campbell), Ducks and Drakes (Campbell), One Wild Week (Campbell), The March Hare (Campbell), Two Weeks With Pays (Campbell) ; 1922, Nancy from Nowhere (Franklin), North of the Rio Grande (Sturgeon), Singed Wings (Stanlaws), Pink Gods (Stanlaws) ; 1923, The Exciters (Campbell), The World's Applause (Des gens très bien) (W. DeMille), Glimpses of the Moon (Dwan), His Children's Children (S. Wood) ; 1924, Sinners in Heaven (Crosland), Daring Youth (Beaudine), Dangerous Money (Tuttle), Monsieur Beaucaire (Olcott), Argentine Love (Le tango tragique) (Dwan), Unguarded Women (Crosland), Heritage of the Desert (L'héritage du désert) (Willat) ; 1925, The Crowded Hour (E. Mason Hopper), Wild, Wild Susan (Sutherland), Lovers in Quarantine (Tuttle), Miss Bluebeard (Miss Barbe-Bleue) (Tuttle) ; 1926, The Splendid Crime (W. DeMille), Mrs. Brewster's Millions (Badger), Stranded in Paris (Rosson), The Palm Beach Girl (Kenton), Volcano (Howard), The Campus Flirt (Badger) ; 1927, She's a Sheik (Badger), A Kiss in a Taxi (Badger), Senorita (Badger), Swim, Girl, Swim (Petite championne) (Badger) ; 1928, Feel My Pulse (LaCava), The Fifty-Fifty Girl (Badger), What a Night (Sutherland), Hot News (Badger), Take Me Home (Neilan) ; 1929, Rio Rita (L. Reed) ; 1930, Alias French Gertie (Archainbaud), Dixiana (L. Reed), Love Comes Along (Julian), Lawful Larceny (L. Sherman) ; 1931, Reaching for the Moon (Goulding), My Past (Del Ruth), The Maltese Falcon (Le faucon maltais) (Del Ruth), Honor of the Family (Bacon) ; 1932, Silver Dollar (Valet d'argent) (Green) ; 1933, 42nd Street (42e rue) (Bacon), Counsellor at Law (Le grand avocat) (Wyler), Cocktail Hour (L'heure du cocktail) (Schertzinger), The Song You Gave Me (Stein) ; 1934, Registred Nurse (Florey) ; 1935, Music Is Magic (Marshall) ; 1938, The Return of Carol Deane

(Woods) ; 1941, Hi Cang (V. Guest) ; 1947, The Fabulous Joe (B. Carr).

Fille d'un directeur de compagnie théâtrale, elle commence sur les planches à quatre ans. Elle débute à neuf ans sur les écrans. Elle n'a pas quinze ans qu'elle joue dans les comédies d'Hal Roach. Elle devient la partenaire d'Harold Lloyd. En 1919, elle signe un contrat à la Paramount dont elle devient avec Pola Negri et Gloria Swanson la vedette la plus populaire. A l'avènement du parlant, elle quitte Paramount pour la RKO ; elle se révèle une excellente chanteuse et pas seulement l'étourdissante actrice comique du fort drôle *Feel My Pulse*. Mariée à Ben Lyon, son partenaire dans *Alias French Gertie*, elle est entraînée dans sa chute par ce mauvais acteur. Entre 1936 et 1946 elle fait surtout du music-hall. Elle revient à Hollywood mais ne peut s'imposer à nouveau. Elle tourne alors des films médiocres inspirés d'une émission radiophonique, « Life with the Lyons », avant de succomber à une hémorragie cérébrale.

Daniell, Henry

Acteur d'origine britannique, 1894-1963.

1929, Jealousy (Limur), The Awful Truth (Neilan) ; 1930, Last of the Lone Wolf (Boleslavsky) ; 1936, The Unguarded Hour (Wood), Camille (Le roman de Marguerite Gautier) (Cukor) ; 1937, The Thirteenth Chair (Seitz), Madame X (S. Wood), The Firefly (L'espionne de Castille) (Leonard), Under Cover of Night (Seitz) ; 1938, Holiday (Vacances) (Cukor), Marie-Antoinette (Van Dyke) ; 1939, We Are Not Alone (Goulding), The Private Lives of Elizabeth and Essex (La vie privée d'Élisabeth d'Angleterre) (Curtiz) ; 1940, The Sea Hawk (L'aigle des mers) (Curtiz), The Great Dictator (Le dictateur) (Chaplin), The Philadelphia Story (Indiscrétions) (Cukor), All This and Heaven Too (Litvak) ; 1941, Four Jacks and a Jill (Hively), The Feminine Touch (Van Dyke), Dressed to Kill (Forde), A Woman's Face (Il était une fois) (Cukor) ; 1942, Sherlock Holmes and the Voice of Terror (La voix de la terreur) (Rawlins), Reunion in France (Dassin), Nightmare (Whelan), Random Harvest (Prisonnier du passé) (LeRoy), Castle in the Desert (Lachman), The Great Impersonation (Rawlins) ; 1943, Mission to Moscou (Curtiz), Watch on the Rhine (Shumlin), Sherlock Holmes in Washington (Sherlock Holmes à Washington) (Neill) ; 1944, Jane Eyre (Stevenson), The Suspect (Le suspect) (Siodmak) ; 1945, Captain Kidd (Lee), Body Snatcher (Le récupérateur de cadavres) (Wise), The Woman in Green (La femme en vert) (Neill), Hotel Berlin (Godfrey), The Chicago Kid (McDonald) ; 1946, The Bandit of Sherwood Forest (Sherman et Levin) ; 1947, The Exile (L'exilé) (Ophuls), Song of Love (Brown) ; 1948, Wake of the Red Witch (Le réveil de la sorcière rouge) (Ludwig), Siren of Atlantis (L'Atlantide) (Tallas) ; 1949, Secret of St. Ives (Rosen) ; 1950, Buccaneer's Girl (La fille des boucaniers) (De Cordova) ; 1954, The Egyptian (L'Égyptien) (Curtiz) ; 1955, The Prodigal (Le fils prodigue) (Thorpe), Diane (Diane de Poitiers) (Miller) ; 1956, The Man in the Grey Flannel Suit (L'homme au complet gris) (Johnson), Lust for Life (La vie passionnée de Van Gogh) (Minnelli), Around the World in 80 days (Le tour du monde en quatre-vingts jours) (Anderson) ; 1957, The Girls (Les girls) (Cukor), The Sun Also Rises (Le soleil se lève aussi) (King), The Story of Mankind (I. Allen), Mister Cory (L'extravagant M. Cory) (Edwards), Witness for the Prosecution (Témoin à charge) (Wilder) ; 1958, From the Earth to the Moon (De la terre à la lune) (Haskin) ; 1959, The Four Skulls of Jonathan Drake (Cahn) ; 1961, Voyage to the Bottom of the Sea (Le sous-marin de l'Apocalypse) (I. Allen), The Comancheros (Les Comancheros) (Curtiz) ; 1962, The Chapman Report (Les liaisons coupables) (Cukor), The Notorious Landlady (L'inquiétante dame en noir) (Quine), Madison Avenue (Humberstone), Mutiny on the Bounty (Les révoltés du Bounty) (Milestone), Five Weeks in Balloon (Cinq semaines en ballon) (I. Allen) ; 1963, My Fair Lady (My Fair Lady) (Cukor).

Venu du théâtre, il a été l'un des méchants les plus brillants du cinéma américain, du *Dictateur* à *Sherlock Holmes in Washington*. Grand, sombre, les lèvres minces, il est le traître par excellence, distingué et raffiné. Il mourut peu après le tournage de son rôle dans *My Fair Lady*.

Danson, Ted

Acteur américain né en 1947.

1979, The Onion Field (Tueurs de flics) (Becker) ; 1981, Body Heat (La fièvre au corps) (Kasdan) ; 1982, Creepshow (Creepshow) (Romero) ; 1985, Little Treasure (Sharp) ; 1986, Just Between Friends (Burns), A Fine Mess (Un sacré bordel !) (Edwards) ; 1987, Three Men and a Baby (Trois hommes et un bébé) (Nimoy) ; 1989, Cousins (Cousins) (Schumacher), Dad (Mon père) (Goldberg) ; 1990, Three Men and a Little Lady (Tels pères, telle fille) (Ardolino) ; 1993, Made in America (Made in America) (Benjamin) ; 1994, Getting Even With Dad (Rends la monnaie, papa !) (Deutch), Pontiac Moon

(Medak), Loch Ness (Loch Ness) (Henderson) ; 1996, Homegrown (Gyllenhaal) ; 1997, Jerry and Tom (Rubinek) ; 1998, Saving Private Ryan (Il faut sauver le soldat Ryan) (Spielberg), Mumford (Kasdan).

Play-boy spécialisé dans les comédies légères, il est surtout célèbre outre-Atlantique pour son rôle de la série télé « Cheers ».

Dante, Michael

Acteur américain, de son vrai nom Ralph Vitti, né en 1931.

1956, Somebody Up There Likes Me (Marqué par la haine) (Wise) ; 1957, Raintree Country (L'arbre de vie) (Dmytryk) ; 1958, Fort Dobbs (Sur la piste des Comanches) (Douglas) ; 1959, Westbound (Le courrier de l'or) (Boetticher) ; 1960, Seven Thieves (Les sept voleurs) (Hathaway) ; 1962, Kid Galahad (Un direct au cœur) (Karlson) ; 1963, Operation Bikini (Carras) ; 1964, The Naked Kiss (Police spéciale) (Fuller), Apache Rifles (La fureur de l'Apache) (Witney) ; 1965, Harlow (Segal), Arizona Raiders (Représailles en Arizona) (Witney) ; 1971, Willard (Willard) (D. Mann) ; 1975, That's the Way of the World (Shore), Winterhawk (Le faucon blanc) (Pierce) ; 1976, The Farmer (Berlatsky) ; 1979, Teheran Incident (Martinson) ; 1980, Beyond Evil (Freed) ; 1983, The Big Score (Williamson) ; 1987, The Messenger (Williamson) ; 1988, Return from the River Kwaï (Retour de la rivière Kwaï) (McLaglen) ; 1989, Cage (Elliott).

Prototype du troisième couteau. Nombreux westerns et thrillers. Une fois en vedette dans *Winterhawk* où il est l'Indien qui enlève une Blanche. Ils deviendront amants. Dante ne paraît pas s'en être remis et s'est reconverti dans les téléfilms.

Danton, Ray

Acteur et réalisateur américain, 1931-1992.

1955, Chief Crazy Horse (G. Sherman), The Looters (Biberman), I'll Cry Tomorrow (D. Mann), The Spoilers (Hibbs) ; 1956, Outside the Law (Arnold) ; 1957, The Night Runner (A. Biberman) ; 1958, Too Much Too Soon (Une femme marquée) (Napoléon), Onionhead (Taurog), Tarawa Beachhead (Tarawa tête de pont) (Wendkos) ; 1959, The Big Operator (Le témoin doit être assassiné) (Haas), Yellowstone Kelly (Le géant du Grand Nord) (Douglas), The Beat Generation (Haas) ; 1960, The Rise and Fall of Legs Diamond (La chute d'un caïd) (Boetticher), The Ice Palace (Les aventuriers) (V. Sherman) ; 1961, The Fever in the Blood (V. Sherman), Portrait of a Mobster (Pevney), A Majority of One (LeRoy), The George Raft Story (Dompteur de femmes) (Newman) ; 1962, The Chapman Report (Les liaisons coupables) (Cukor), The Longest Day (Le jour le plus long) (Annakin...) ; 1964, FBI code 98 (Opération FBI à cap Canaveral) (Martinson), Sandokan alla riscossa (Le trésor de Malaisie) (Capuano), Sandokan contro il leopardo di Sarawak (Le léopard de la jungle noire) (Capuano) ; 1965, Corrida pour un espion (Labro) ; 1966, New York chiama Superdrago (New York appelle Super Dragon) (Ferroni) ; 1967, Ballata da un milliardo (Puccini) ; 1968, L'ultimo mercenario (Les mercenaires de la violence) (Muller) ; 1971, The Triangle ; 1972, The Ballad of Billie Blue ; 1974, The Centerfold Girls (Quillen) ; 1975, Pursuit (Peyser). *Pour le metteur en scène,* voir le *Dictionnaire du cinéma*, t. I : *Les réalisateurs.*

Cet admirable acteur, trop méconnu par la critique, fut éblouissant dans de nombreux films de gangsters : *Legs Diamond, George Raft, Portrait of a Mobster*, tous trois remarquables. Il se perdit ensuite dans la série Z italienne, passa à la mise en scène (on aimerait bien voir ses films, rarement distribués) et finit à la télévision.

Darc, Mireille

Actrice et réalisatrice française, de son vrai nom Aigroz, née en 1938.

1960, La revenante (Poitrenaud), Les distractions (Dupont), Mourir d'amour (Fog) ; 1961, Les nouveaux aristocrates (Rigaud) ; 1962, Virginie (Boyer), Les veinards (Broca, Girault, Pinoteau) ; 1963, Des pissenlits par la racine (Lautner), Les durs à cuire (Pinoteau), Pouic-Pouic (Girault) ; 1964, Les barbouzes (Lautner), La chasse à l'homme (Molinaro), Monsieur (Le Chanois) ; 1965, Les bons vivants (Grangier, Lautner), Galia (Lautner), Du rififi à Paname (La Patellière), La muerte viaja demasiado (Barbouze chérie) (Forque) ; 1966, A belles dents (Gaspard-Huit), La grande sauterelle (Lautner), Jeff (Herman), Summit (Un corps de nuit) (Bontempi), Ne nous fâchons pas (Lautner) ; 1967, La blonde de Pékin (Gessner), Fleur d'oseille (Lautner), Week-end (Godard) ; 1969, Elle boit pas, elle fume pas, elle drague pas... mais elle cause (Audiard), Monte Carlo or Bust (Gonflés à bloc) (Annakin), Borsalino (Deray) ; 1970, Fantasia chez les ploucs (Pirès), Laisse aller c'est une valse (Lautner), Madly (Kahane) ; 1971, Il était une fois un flic (Lautner) ; 1972, Le grand blond avec une chaussure noire (Robert), Il n'y a pas de fumée sans feu

(Cayatte) ; 1973, La valise (Lautner), O.K. Patron (Vital) ; 1974, Dis-moi que tu m'aimes (Boisrond), Le retour du grand blond (Robert), Les seins de glace (Lautner), Borsalino et compagnie (Deray) ; 1975, Le téléphone rose (Molinaro), L'ordinateur des pompes funèbres (Pirès) ; 1976, Les passagers (S. Leroy) ; 1977, L'homme pressé (Molinaro), Mort d'un pourri (Lautner) ; 1978, Les ringards (Pouret) ; 1981, Pour la peau d'un flic (Delon), Reporters (Depardon) ; 1982, Si elle dit oui je ne dis pas non (Vital), Jamais avant le mariage (Ceccaldi) ; 1983, Réveillon chez Bob (Granier-Deferre) ; 1986, La vie dissolue de Gérard Floque (Lautner). *Comme réalisatrice :* La barbare (1989).

Originaire de Toulon, cette fille d'horticulteur monte à Paris pour y tenter sa chance. Belle, intelligente et ambitieuse, elle débute comme mannequin. Inévitablement remarquée, elle est engagée par la télévision pour *La grande bretèche*, mais elle n'y tient encore qu'un petit rôle. D'autres réalisations suivent. Puis c'est le passage du petit au grand écran. *Galia*, portrait d'une femme moderne, la révèle et lui vaudra un grand prix d'interprétation au festival de Mar del Plata. *La grande sauterelle* achève de la rendre populaire et sa robe qui découvre un dos ravissant dans *Le grand blond* fera le reste. Devenue star, elle s'essaie, sous l'influence peut-être d'Alain Delon dont elle partage alors l'existence, dans des œuvres plus ambitieuses, comme l'adaptation des *Seins de glace* de Matheson ou celle de *L'homme pressé* de Paul Morand. Elle montre qu'elle peut interpréter des rôles tragiques et qu'elle est une actrice complète, ce dont personne n'avait douté. Après un passage dans la réalisation, elle semble s'être reconvertie dans la photo et le théâtre.

Darcel, Denise

Actrice française, de son vrai nom Billecard, née en 1925.

1948, To the Victor (Daves), Thunder in the Pines (Edwards) ; 1949, Battleground (Bastogne) (Wellman) ; 1950, Tarzan and the Slave Girl (Tarzan et la belle esclave) (Sholem) ; 1952, Westward the Women (Convoi de femmes) (Wellman), Young Man With Ideas (Leisen), Challenge the Wilderness (Atlas) ; 1953, Dangerous When Wet (Traversons la Manche) (Walters), Flame of Calcutta (Friedman) ; 1954, Vera Cruz (Vera Cruz) (Aldrich) ; 1961, Seven Women from Hell (Webb).

Étudiante à Dijon, elle bifurque vers la carrière de chanteuse de boîte de nuit, part pour Hollywood en 1947, s'y fait remarquer et se retrouve aux génériques d'excellents films de Wellman et d'Aldrich. Elle fut sublime en comtesse jouant un double et même triple jeu dans *Vera Cruz*.

Darcey, Janine

Actrice française, de son vrai nom Cazaubon, 1917-1993.

1935, La tendre ennemie (Ophuls) ; 1936, Le mioche (Moguy), L'assaut (Ducis) ; 1937, La plus belle fille du monde (Kirsanov), Sœurs d'âmes (Poirier), Trois artilleurs au pensionnat (Pujol), Orage (M. Allégret), Double crime sur la ligne Maginot (Gandera) ; 1938, Entrée des artistes (M. Allégret), Le drame de Shanghai (Pabst), Le petit chose (Cloche) ; 1939, Je chante (Stengel), Entente cordiale (L'Herbier), Cavalcade d'amour (Bernard), Sixième étage (Cloche) ; 1940, La nuit merveilleuse (Paulin), Parade en sept nuits (M. Allégret) ; 1941, Les petits riens (Leboursier), Les hommes sans peur (Noé), Six petites filles en blanc (Noé) ; 1942, Cap au large (Paulin), L'auberge de l'abîme (Rozier), La bonne étoile (Boyer) ; 1943, Le carrefour des enfants perdus (Joannon) ; 1947, Le dessous des cartes (Cayatte) ; 1948, Le mystère de la chambre jaune (Aisner), Retour à la vie (sk. Lampin) ; 1954, Du rififi chez les hommes (Dassin) ; 1959, Un témoin dans la ville (Molinaro) ; 1961, La ligne droite (Gaillard) ; 1962, Le glaive et la balance (Cayatte) ; 1978, Coup de tête (Annaud) ; 1983, Le bon plaisir (Girod) ; 1988, Moitié-moitié (Boujenah), Le complot (Holland) ; 1990, Deux hommes et une femme (Stroh) ; 1993, Délit mineur (Girod), Priez pour nous (Vergne).

Jeune première des années 30, elle fut révélée par *Entrée des artistes*. Ingénue du cinéma des années 40, elle s'efface plus ou moins après 1950.

D'Arcy, Roy

Acteur américain, de son vrai nom Roy Francis Giusti, 1894-1969.

1925, The Merry Widow (La veuve joyeuse) (Stroheim) ; 1926, La Bohème (Vidor), Bardelys the Magnificent (Vidor), The Temptress (La tentatrice) (Niblo), Beverly of Graustark (Franklin) ; 1927, Valencia (Buchowetski) ; 1928, The Last Warning (Dernier avertissement) (Leni), The Actress (Franklin) ; 1929, The Black Watch (Ford), The Woman from Hell (Erickson) ; 1932, The Gay Buckaroo (Rosen), Sherlock Holmes (Sherlock Holmes) (Howard), From Broadway to Cheyenne (Fraser) ; 1934, Flying down to Rio (Freeland), Orient-Express (Martin) ; 1935,

Outlawed Guns (Taylor) ; 1936, Revolt of the Zombies (Halperin), Hollywood Boulevard (Florey) ; 1939, The Story of Vernon and Irene Castle (La grande farandole) (Potter), Chasing Danger (Cortez) ; 1948, L'ange rouge (Daniel-Norman).

Inoubliable prince Mirko de *La veuve joyeuse*, incarnation de la débauche, il fut un superbe acteur du muet. L'évolution des mœurs et l'avènement du parlant rendirent son personnage ridicule. Il se retira.

Darel, Florence

Actrice française née en 1968.

1989, Le champignon des Carpathes (Biette), Erreur de jeunesse (Tadic), Conte de printemps (Rohmer) ; 1990, Uranus (Berri) ; 1991, Les enfants volés (Amelio) ; 1992, Fausto (Duchemin) ; 1993, Henri le vert (Koerfer) ; Jeanne la pucelle – les prisons (Rivette) ; 1998, J'aimerais pas crever un dimanche (Le Pêcheur).

Femme-fleur idéale pour un Rohmer romantique et printanier, elle démontre pourtant qu'elle sait avoir du caractère et une belle présence scénique au cours de prestations théâtrales remarquées.

Darfeuil, Colette

Actrice française, 1906-1998.

1923, Retour à la vie (Dorval), Château historique (Desfontaines), Quelqu'un dans l'ombre (Manchez) ; 1925, La justicière (Marsan et Gleize), La flamme (Hervil) ; 1926, Mots croisés (Colombier), Les fiançailles rouges (Lion), La réponse du destin (Navarre) ; 1927, Le navire aveugle (Guarino-Glavany) ; 1929, Sables (Kirsanoff), Paris-New York-Paris (Péguy), La roche d'amour (Carton) ; 1930, De sept heures à minuit (Weill), Sa maman (Mouru), La bodega (Perojo), Voici dimanche (Weill), L'éternelle idole (Brignone), La fin du monde (Gance) ; 1931, Le procureur Hallers (Wiene), Cendrillon de Paris (Hemard), Baroud (Ingram), Autour d'une enquête (Siodmak), Un coup de téléphone (Lacombe) ; 1932, Le rosier de Mme Husson (Bernard-Deschamps), Le martyre de l'obèse (Chenal), Le béguin de la garnison (Weill), Mirages de Paris (Ozep), L'âne de Buridan (Ryder), Monsieur de Pourceaugnac (Ravel) ; 1933, Ce cochon de Morin (Lacombe), Casanova (Berberis), La vierge du rocher (Pallu), Trois balles dans la peau (Lion), Tout pour l'amour (May), Le truc du Brésilien (Cavalcanti), Feu Toupinel (Capellani), La maison dans la dune (Billon), Pour un soir (Godard) ; 1934, Mam'zelle Spahi (Vaucorbeil), Minuit place Pigalle (Richebé), Le chéri de sa concierge (Guarino-Glavany), Mon cœur t'appelle (Gallone), Les bleus de la Marine (Cammage) ; 1935, Le roi des Champs-Élysées (Nosseck), Escale (Valray), La caserne en folie (Cammage), Et moi j'te dis qu'elle t'a fait de l'œil (Forrester) ; 1936, Tout va très bien, Madame la marquise (Wulschleger), Michel Strogoff (Baroncelli), L'école des journalistes (Christian-Jaque), Prête-moi ta femme (Cammage), Une gueule en or (Colombier), La petite dame du wagon-lit (Cammage), La chanson du souvenir (Poligny et Sirk) ; 1937, Tamara la Complaisante (Gandera), La belle de Montparnasse (Cammage), Franco de port (Kirsanoff), L'empreinte rouge (Canonge), La treizième enquête de Grey (Maudru), Touche à tout (Dréville), Le prince de mon cœur (Daniel-Norman), Train d'amour (Weill) ; 1938, Chéri-Bibi (Mathot), L'avion de minuit (Vaucorbeil), Le patriote (Tourneur), Quartier sans soleil (Kirsanoff) ; 1939, Cas de conscience (Kapps), Sidi Brahim (Didier) ; 1940, Untel père et fils (Duvivier) ; 1941, Le club des soupirants (Gleize) ; 1943, L'escalier sans fin (Lacombe) ; 1948, Les souvenirs ne sont pas à vendre (Hennion) ; 1949, Les vagabonds du rêve (Tavano), Le furet (Leboursier) ; 1950, Bibi Fricotin (Blistène), Cet âge est sans pitié (Blistène) ; 1951, Le costaud des Batignolles (Lacourt) ; 1952, La fille au fouet (Dréville).

Fort jolie, plutôt canaille, proche de Ginette Leclerc et de Viviane Romance, elle fut l'une des vedettes des années 20-30 avant de sombrer dans l'oubli. Trop de vaudevilles militaires et de mélodrames. A sauver : *La fin du monde* d'Abel Gance et *La chanson du souvenir*, de Serge de Poligny et Douglas Sirk.

Darlan, Eva

Actrice française née en 1948.

1976, Le jouet (Veber) ; 1977, Monsieur papa (Monnier), Pauline et l'ordinateur (Fehr), Pour Clémence (Belmont) ; 1978, Une histoire simple (Sautet) ; 1979, Rien ne va plus (Ribes), Ils sont grands ces petits (Santoni) ; 1980, Les uns et les autres (Lelouch) ; 1982, Banzaï (Zidi) ; 1983, Oubour (Ben Mahmoud) ; 1985, Parking (Demy), Parole de flic (Pinheiro) ; 1987, Le bonheur se porte large (Metayer), Les saisons du plaisir (Mocky), Poule et frites (Rego), Soigne ta droite (Godard) ; 1988, Un été d'orages (Brandström), La petite amie (Béraud) ; 1989, Le vent de la Toussaint (Béhat) ; 1991, Aujourd'hui peut-être (Bertucelli), Sushi, sushi (Perrin) ; 1993, Un, deux, trois, soleil (Blier), Les patriotes (Rochant) ; 1996, Violetta la reine de la moto

(Jacques) ; 1999, Scènes de crimes (L. Schoendoerffer) ; 2002, Femme fatale (De Palma) ; 2004, Grande école (Salis) ; 2005, Le plus beau jour de ma vie (Lipinski) ; 2006, Je vous trouve très beau (Mergault).

Cette excellente comédienne reste plus connue pour ses prestations télévisuelles que cinématographiques, où on la cantonne le plus souvent dans des troisièmes rôles. Elle fut l'une des interprètes privilégiées de Jean-Michel Ribes pour ses séries d'émissions « Merci Bernard » et « Palace ». Souvent associée à l'écran avec Philippe Khorsand, elle est très à l'aise dans des rôles de divas évaporées ou de femmes du monde excessivement snobs. Elle enrichit souvent ses rôles d'un humour délirant, faisant le bonheur d'une indéfectible chapelle d'adorateurs.

Darmon, Gérard

Acteur français né en 1948.

1971, L'humeur vagabonde (Luntz) ; 1975, Le faux-cul (Hanin) ; 1979, Courage, fuyons (Robert) ; 1981, Diva (Beineix), Putain d'histoire d'amour (Behat) ; 1982, Le grand pardon (Arcady), La baraka (Valère) ; 1983, Cap Canaille (Berto), Le grand carnaval (Arcady), Les princes (Gatlif) ; 1984, Notre histoire (Blier) ; 1985, Liberté égalité choucroute (Yanne), On ne meurt que deux fois (Deray), Les loups entre eux (Giovanni) ; 1986, Suivez mon regard (Curtelin), 37°2, le matin (Beineix) ; 1987, Le beauf (Lamoureux), Preuve d'amour (Courtois), A taste for tears (Raffanini) ; 1988, Sans peur et sans reproche (Jugnot) ; 1989, Passport (Passport) (Danelia), Il y a des jours... et des lunes (Lelouch) ; 1990, Gaspard et Robinson (Gatlif) ; 1991, Pour Sacha (Arcady), La belle histoire (Lelouch), Vagabond (Le Monnier) ; 1992, Le grand pardon II (Arcady), Pas d'amour sans amour (Dress), Tout ça... pour ça ! (Lelouch) ; 1993, Le voleur et la menteuse (Boujenah), La cité de la peur (Berberian) ; 1994, La teta y la luna (La lune et le téton) (Bigas-Luna) ; 1995, Pourvu que ça dure (Thibaud) ; 1996, Les victimes (Grandperret), Amour et confusions (Braoudé) ; 1998, Les grandes bouches (Bonvoisin) ; 2001, 3 zéros (Onteniente) ; 2002, Astérix et Obélix : Mission Cléopâtre (Chabat), Le boulet (Berberian) ; 2003, Le cœur des hommes (Esposito), Mais qui a tué Pamela Rose ? (Lartigan) ; 2003, Les clefs de la bagnole (Baffie), L'homme de la Riviera (Jordan) ; 2004, Pédale dure (Aghion) ; 2005, Les parrains (Forestier), Emmenez-moi (Bensimon) ; 2007, Le cœur des hommes 2 (Esposito).

Des rôles virils et/ou de comédie. Accède au rang de vedette avec Gatlif.

Darnell, Linda

Actrice américaine, 1923-1965.

1939, Hotel for Women (Hôtel pour femmes) (Ratoff), Day-Time Wife (Ratoff) ; 1940, Star Dust (W. Lang), Brigham Young (Hathaway), The Mark of Zorro (Le signe de Zorro) (Mamoulian), Chad Hanna (King) ; 1941, Blood and Sand (Arènes sanglantes) (Mamoulian), Rise and Shine (Dwan) ; 1942, The Loves of Edgar Allan Poe (Lachman) ; 1943, City Without Men (Salkow), The Song of Bernadette (Le chant de Bernadette) (King) ; 1944, It Happened Tomorrow (C'est arrivé demain) (Clair), Buffalo Bill (Buffalo Bill) (Wellman), Summer Storm (L'aveu) (Sirk), Sweet and Lowdown (Mayo) ; 1945, Hangover Square (Brahm), The Great John L. (Le grand John) (Tuttle), Fallen Angel (Crime passionnel) (Preminger) ; 1946, Centennial Summer (Preminger), Anna and the King of Siam (Anna et le roi de Siam) (Cromwell), My Darling Clementine (La poursuite infernale) (Ford) ; 1947, Forever Amber (Ambre) (Preminger) ; 1948, The Walls of Jericho (Stahl), Unfaithfully Yours (Infidèlement vôtre) (Sturges) ; 1949, A Letter to Three Wives (Chaînes conjugales) (Mankiewicz), Slattery's Hurricane (De Toth), Everybody Does It (Goulding) ; 1950, No Way Out (La porte s'ouvre) (Mankiewicz), Two Flags West (Wise) ; 1951, The Thirteenth Letter (Preminger), The Guy Who Came Back (Newman), The Lady Pays Off (Sirk) ; 1952, Island of Desire (L'île du désir) (Heisler), Night Without Sleep (R. Baker), Blackbeard the pirate (Barbenoire le pirate) (Walsh) ; 1953, Donne Proibite (Femmes damnées) (Amato), Second Chance (Passion sous les Tropiques) (Mate), This Is My Love (Heisler) ; 1955, Gli ultimi cinque minuti (Les cinq dernières minutes) (Amato) ; 1956, Dakota Incident (Guet-apens chez les Sioux) (L. Foster), Zero Hour (A l'heure zéro) (Bartlett) ; 1965, Black Spurs (Les éperons noirs) (Springsteen).

L'une des plus grandes stars de la Fox. Remarquée par Zanuck, elle échoua au test du studio. Revenue comme Miss Texas, elle s'imposa cette fois et tourna avec Hathaway, King, Mamoulian et Dwan, metteurs en scène attitrés de la Fox. C'est *Ambre* qui devait lui valoir une grande réputation. Restant fidèle à la compagnie de ses débuts, elle travailla beaucoup avec Preminger et Mankiewicz. Hélas, après son troisième mariage, elle sombra dans l'alcoolisme. Sa déchéance fut alors rapide : on s'en rend compte dans *Black Spurs*. Elle mourut dans un incendie.

Darras, Jean-Pierre

Acteur et réalisateur français, de son vrai nom Dumontet, 1927-1999.

1959, Deux hommes dans Manhattan (Carné) ; 1961, Un nommé La Rocca (Becker) ; 1964, Lucky Jo (Deville), Monsieur (Le Chanois) ; 1965, La seconde vérité (Christian-Jaque), Un monde nouveau (De Sica) ; 1966, Safari Diamants (Drach) ; 1967, Caroline chérie (La Patellière) ; 1968, Le tatoué (La Patellière), Une cigarette pour un ingénu (Grangier) ; 1969, Élise ou la vraie vie (Drach) ; Une veuve en or (Audiard) ; 1970, La décharge (Baratier), Elle boit pas, elle fume pas, elle drague pas... mais elle cause (Audiard), L'alliance (Chalonge), La coqueluche (Arrighi), Et que ça saute (Lefranc), La décharge/La ville bidon (Baratier) ; 1971, La vieille fille (Blanc), Le viager (Tchernia) ; 1972, Au rendez-vous de la mort joyeuse (Buñuel), Elle court, elle court la banlieue (Pirès) ; 1973, L'emmerdeur (Molinaro) ; 1974, Dis-moi que tu m'aimes (Boisrond), Au-delà de la peur (Andrei) ; 1975, Oublie-moi Mandoline (Wyn), La ville bidon (Baratier), Attention les yeux (Pirès), Mords pas on t'aime (Y. Allégret), D'amour et d'eau fraîche (Blanc) ; 1976, Le chasseur de chez Maxim's (Vital) ; 1977, La vie parisienne (Christian-Jaque) ; 1978, La carapate (Oury), Genre masculin (Marbeuf) ; 1980, Le chêne d'Allouville (Pénard), Trois hommes à abattre (Deray), On n'est pas des anges, elles non plus (Lang), Les fourberies de Scapin (Coggio), Signé Furax (Simenon) ; 1981, La puce et le privé (Kay), Te marre pas c'est pour rire (Bernard), Pour la peau d'un flic (Delon) ; 1982, Le braconnier de Dieu (Darras), Le bourgeois gentilhomme (Coggio), Jamais avant le mariage (Ceccaldi) ; 1983, Adieu foulards (Lara) ; 1984, Le voleur de feuilles (Trabaud) ; 1987, Le journal d'un fou (Coggio). *Pour le metteur en scène*, voir le *Dictionnaire du cinéma*, t. I : *Les réalisateurs.*

Débuts au TNP avec Noiret. Avec le même Noiret, il met au point un amusant numéro qui fait fureur dans les cabarets vers 1958. Il débute tardivement au cinéma dans des rôles de second plan. En 1982, il a mis en scène une amusante pochade sur l'escapade d'un moine où il a réuni de nombreux acteurs comiques.

Darrieu, Gérard

Acteur français, 1925-2004.

1949, Le jugement de Dieu (Bernard) ; 1950, Dieu a besoin des hommes (Delannoy), Quai de Grenelle (Reinert), Trois télégrammes (Decoin), Juliette ou la clé des songes (Carné) ; 1951, Trois femmes (Michel), Du-pont-Barbès (Lepage), Boîte de nuit (Rode) ; 1952, Rires de Paris (Lepage), Le rideau rouge (Barsacq), L'amour n'est pas un péché (Cariven), Nous sommes tous des assassins (Cayatte) ; 1954, Il visconte di Bragelonne (Le vicomte de Bragelonne) (Cerchio), Poisson d'avril (Grangier) ; 1955, Marie-Antoinette (Delannoy), Sophie et le crime (Gaspard-Huit), Des gens sans importance (Verneuil), Gervaise (Clément) ; 1957, Une vie (Astruc), Les sorcières de Salem (Rouleau), Sans famille (Michel), Les misérables (Le Chanois), Maigret tend un piège (Delannoy) ; 1958, Les naufrageurs (Brabant), Les tricheurs (Carné), Ascenseur pour l'échafaud (Malle) ; 1959, Les dragueurs (Mocky), La chatte sort ses griffes (Decoin), La corde raide (Dudrumet), Ein Engel auf Erde (Mademoiselle Ange) (Von Radvanyi), Un témoin dans la ville (Molinaro) ; 1960, La millième fenêtre (Menegoz), Normandie-Niemen (Dréville), Comment qu'elle est (Borderie), La famille Fenouillard (Robert), Un couple (Mocky), Affäre Nabob (Habib), Le caïd (Borderie) ; 1961, Le caporal épinglé (Renoir) ; 1962, Kriss Romani (Schmidt), Les trois mousquetaires (Borderie), Arsène Lupin contre Arsène Lupin (Molinaro) ; 1963, Les barbouzes (Lautner), Week-end à Zuydcoote (Verneuil), Les gorilles (Girault), Laissez tirer les tireurs (Lefranc) ; 1965, Mademoiselle (Richardson), Les malabars sont au parfum (Lefranc), Qui êtes-vous Polly Maggoo ? (Klein), La sentinelle endormie (Dréville) ; 1966, Commissaire San Antonio (Lefranc) ; 1967, Un homme de trop (Costa-Gavras) ; 1968, Z (Costa-Gavras) ; 1969, L'aveu (Costa-Gavras), L'Auvergnat et l'autobus (Lefranc) ; 1970, Laisse aller... c'est une valse (Lautner), Mais ne nous délivrez pas du mal (Séria) ; 1972, L'affaire Dominici (Bernard-Aubert), Le gang des otages (Molinaro) ; 1975, La traque (Leroy) ; 1977, Paradiso (Bricout) ; 1980, Mon oncle d'Amérique (Resnais) ; 1981, Le professionnel (Lautner) ; 1982, Les princes (Gatlif) ; 1983, P'tit con (Lauzier), Sarah (Dugowson) ; 1991, Netchaïev est de retour (Deray).

Une multitude de seconds rôles dans les années 50 et 60 pour ce comédien massif abonné aux rôles de types durs et patibulaires, qui a longtemps fait partie de la bande à Audiard et Gabin.

Darrieux, Danielle

Actrice française née en 1917.

1931, Le bal (Thiele) ; 1932, Coquecigrole (Berthomieu), Le coffret de laque (Kemm), Panurge (Bernheim) ; 1933, Château de rêve

(Bolvary) ; 1934, L'or dans la rue (Bernhardt), Mauvaise graine (Wilder), Dédé (Guissart), Mon cœur t'appelle (Gallone), La crise est finie (Siodmak), Volga en flammes (Tourjansky) ; 1935, Quelle drôle de gosse (Joannon), J'aime toutes les femmes (Lamac), Le contrôleur des wagons-lits (Eichberg), Le domino vert (Decoin), Mademoiselle Mozart (Noé) ; 1936, Mayerling (Litvak), Port-Arthur (Farkas), Tarass Boulba (Granowsky), Un mauvais garçon (Boyer) Club de femmes (Deval) ; 1937, Abus de confiance (Decoin), Mademoiselle ma mère (Decoin) ; 1938, Katia (Tourneur), Retour à l'aube (Decoin), The Rage of Paris (Koster) ; 1939, Battement de cœur (Decoin) ; 1941, Premier rendez-vous (Decoin), Caprices (Joannon) ; 1942, La fausse maîtresse (Cayatte) ; 1945, Adieu chérie (Bernard), Au petit bonheur (L'Herbier) ; 1947, Ruy Blas (Billon), Bethsabée (Moguy) ; 1948, Jean de la lune (Achard) ; 1949, Occupe-toi d'Amélie (Autant-Lara) ; 1950, La ronde (Ophuls), Toselli (Coletti), Rich, Young and Pretty (Riche, jeune et jolie) (Taurog) ; 1951, La maison Bonnadieu (Rim), Le plaisir (Ophuls), La vérité sur Bébé Donge (Decoin), Five Fingers (L'affaire Cicéron) (Mankiewicz) ; 1952, Adorables créatures (Christian-Jaque) ; 1953, Le bon Dieu sans confession (Autant-Lara), Madame de... (Ophuls), Châteaux en Espagne (Wheeler) ; 1954, Escalier de service (Rim), Napoléon (Guitry), Bonnes à tuer (Decoin), Le rouge et le noir (Autant-Lara), Alexander the Great (Alexandre le Grand) (Rossen) ; 1955, L'affaire des poisons (Decoin), L'amant de Lady Chatterley (M. Allégret), Si Paris nous était conté (Guitry) ; 1956, Typhon sur Nagasaki (Ciampi), Le salaire du péché (La Patellière) ; 1957, Pot-Bouille (Duvivier), Le 7e ciel (R. Bernard) ; 1958, Le désordre et la nuit (Grangier), La vie à deux (Duhour), Un drôle de dimanche (M. Allégret), Marie-Octobre (Duvivier) ; 1959, Les yeux de l'amour (La Patellière) ; 1960, Meurtre en 45 tours (Périer), L'homme à femmes (Cornu), Vive Henri IV, vive l'amour (Autant-Lara) ; 1961, The Greengage Summer (Un si bel été) (Gilbert), Les lions sont lâchés (Verneuil), Les bras de la nuit (Guymont), Le crime ne paie pas (Oury) ; 1962, Landru (Chabrol), Le diable et les dix commandements (Duvivier), Pourquoi Paris (La Patellière) ; 1963, Du grabuge chez les veuves (Poitrenaud), Méfiez-vous Mesdames (Hunebelle) ; 1964, Patate (Thomas) ; 1965, Le coup de grâce (Cayrol), L'or du duc (Baratier) ; 1966, Le dimanche de la vie (Herman), Les demoiselles de Rochefort (Demy) ; 1967, L'homme à la Buick (Grangier), Les oiseaux vont mourir au Pérou (Gary), 24 heures de la vie d'une femme (Delouche) ; 1969, La maison de campagne (Girault) ; 1973, No encontre rosas para mi madre (Roses rouges et piments verts) (Rovira-Belata) ; 1974, Divine (Delouche) ; 1975, L'année sainte (Girault) ; 1978, Le cavaleur (Broca) ; 1982, Une chambre en ville (Demy) ; 1983, En haut des marches (Vecchiali) ; 1986, Le lieu du crime (Téchiné), Corps et biens (Jacquot) ; 1988, Quelques jours avec moi (Sautet) ; 1989, Bille en tête (Cotti) ; 1991, Le jour des rois (Treilhou), Les nanas (Lanoe) ; 2000, Ça ira mieux demain (Labrune) ; 2001, Huit femmes (Ozon) ; 2004, Une vie à t'attendre (Klifa) ; 2006, Nouvelle chance (Fontaine) ; 2007, Persépolis (Satrapi).

A quatorze ans, elle gagne un concours destiné à recruter l'actrice du *Bal* de Thiele. Aussitôt remarquée pour sa beauté piquante et son air de fausse ingénue, elle devient vedette avec *Mayerling* puis *Battement de cœur*. Elle poursuit sa carrière sous Vichy malgré les menaces lancées de Londres. La Libération n'interrompt pourtant pas sa carrière, mais peu à peu l'ingénue va se transformer en héroïne plus mûre sans rien perdre de sa grâce. Mariée au réalisateur Henri Decoin, elle le quitte pour le play-boy Porfirio Rubirosa puis pour Georges Mitsinkidès. Son talent de chanteuse lui permettra de sauver sur le plan vocal les comédies musicales de Demy qui contribuent par ailleurs à relancer sa vogue. Grande actrice, ses meilleurs rôles sont finalement dramatiques : elle est remarquable en épouse de Gabin dans le méconnu *La vérité sur Bébé Donge*, ainsi que dans *Marie-Octobre*, l'un des rares films sur la Résistance qui échappe au ridicule et qui ne manque pas de saveur quand on sait qu'elle fut critiquée par son attitude sous l'Occupation – un passé qu'évoque avec beaucoup de justesse *En haut des marches*. Elle est aussi inoubliable chez Ophuls. Toujours jeune, elle poursuit sa carrière, arpentant toujours les planches et les plateaux de cinéma, chantant toujours dans *Huit femmes*...

Darroussin, Jean-Pierre

Acteur et réalisateur français né en 1953.

1980, Psy (Broca) ; 1981, Celles qu'on n'a pas eues (Thomas), Est-ce bien raisonnable ? (Lautner) ; 1984, Notre histoire (Blier) ; 1985, Tranches de vie (Leterrier), Elsa, Elsa (Haudepin), On ne meurt que deux fois (Deray) ; 1986, Ki lo sa (Guédiguian) ; 1988, Mes meilleurs copains (Poiré) ; 1989, Dieu vomit les tièdes (Guédiguian), Mado, poste restante (Abadachian) ; 1990, L'amour en deux (Gallotta) ; 1991, Riens du tout (Klapisch), Le cri du cochon (Guesnier) ; 1992, Cuisine et dépendances (Muyl) ; 1993, Cache cash (Pinoteau) ; 1994, L'eau froide (Assayas), Le fabuleux destin de Mme Petlet (Casabianca) ; 1995, A la vie, à la mort (Guédiguian), Un air de famille (Klapisch), Mon homme (Blier) ; 1996, Marius et Jeannette (Guédiguian) ; 1997, On connaît la chanson (Resnais), A la place du cœur (Guédiguian), Si je t'aime... prends garde à toi (Labrune) ; 1998, Le Poulpe (Nicloux), Qui plume la lune ? (Carrière) ; 1999, C'est quoi la vie ? (Dupeyron), Inséparables (Couvelard), La bûche (Thompson), A l'attaque ! (Guédiguian) ; 2000, La ville est tranquille (Guédiguian), Ça ira mieux demain (Labrune), 15 août (Alessandrin) ; 2001, L'art (délicat) de la séduction (Berry) ; 2002, Ah ! si j'étais riche (Munz et Bitton), Mille millièmes (Waterhouse), Marie-Jo et ses deux amours (Guédiguian) ; 2003, C'est le bouquet ! (Labrune), Le cœur des hommes (Esposito) ; 2004, Feux rouges (Kahn), Cause toujours ! (Labrune) ; 2004, Mariage mixte (Arcady), Mon père est ingénieur (Guédiguian), Un long dimanche de fiançailles (Jeunet) ; 2005 Le cactus (Bitton), Combien tu m'aimes ? (Blier), Saint-Jacques... La Mecque (Serreau) ; 2006, Le pressentiment (Darroussin), Le voyage en Arménie (Guédiguian), Toute la beauté du monde (Esposito) ; 2007, J'attends quelqu'un (Bonnell), Jean de La Fontaine (Vigne), Le cœur des hommes 2 (Esposito). *Comme réalisateur :* 2006, Le pressentiment.

Tour à tour drôle ou émouvant, il fut excellent en thanatopracteur dans *Celles qu'on n'a pas eues* ou en ami post-baba dans *Mes meilleurs copains* (réplique fétiche : « Y a pas mort d'homme ! »). A l'aise dans le registre de la comédie, sa nonchalance décalée est aussi fort efficace dans les films plus austères de Guédiguian ou d'Assayas. Il a mis en scène un film intéressant : *Le pressentiment.*

Darwell, Jane

Actrice américaine, 1888-1967.

Près de cent films dont : 1930, Tom Sawyer (Cromwell) ; 1932, Back Street (Stahl) ; 1934, The Scarlet Empress (L'impératrice rouge) (Sternberg) ; 1939, Jesse James (Le brigand bien-aimé) (King), Gone with the Wind (Autant en emporte le vent) (Fleming) ; 1940, The Grapes of Wrath (Les raisins de la colère) (Ford) ; 1943, The Ox Bow Incident (L'étrange incident) (Wellman) ; 1946, My Darling Clementine (La poursuite infernale) (Ford) ; 1950, Wagon Master (Le convoi des braves) (Ford) ; 1958, The Last Hurrah (La dernière fanfare) (Ford) ; 1964, Mary Poppins (Mary Poppins) (Stevenson).

La matrone aux formes généreuses et au parler haut en couleur. Elle fut très appréciée par Ford. Sa dernière apparition : la vieille aux oiseaux de *Mary Poppins.*

Dary, René

Acteur français, de son vrai nom Anatole Mary, 1905-1974.

1908-1914, série Bébé (sous le nom de Bébé Abelard) (Feuillade) ; 1935, Le train de 8 h 47 (Wulschleger), Sidonie Panache (Wulschleger) ; 1936, Hélène (Benoit-Lévy) ; 1937, Nostalgie (Tourjansky), Le mensonge de Nina Petrovna (Tourjansky) ; 1938, Le révolté (Mathot), Un fichu métier (Ducis), SOS Sahara (Baroncelli) ; 1939, Nord-Atlantique (Cloche), Sidi Brahim (Didier), Moulin rouge (Hugon), Le café du port (Choux) ; 1941, Après l'orage (Ducis), Mélodie pour toi (Rozier) ; 1942, Huit hommes dans un château (Pottier), Port d'attache (Choux) ; 1943, Le carrefour des enfants perdus (Joannon) ; 1944, Bifur III (Cam) ; 1946, 120, rue de la Gare (Daniel-Norman), Le fugitif (Bidal) ; 1947, Le diamant de cent sous (Daniel-Norman), 1948, Suzanne et ses brigands (Ciampi), L'inconnue n° 13 (Paulin), Cinq tulipes rouges (Stelli), La cité de l'espérance (Stelli) ; 1949, Un certain monsieur (Ciampi) ; 1950, L'inconnue de Montréal (Devaivre) ; 1954, Touchez pas au grisbi (Becker) ; 1960, Les mordus (Jolivet), La peau et les os (Sassy) ; 1961, Jusqu'à plus soif (Labro), Napoléon II l'Aiglon (Boissol) ; 1963, Règlements de comptes (Chevalier) ; 1964, Passeport diplomatique (Vernay) ; 1965, Piège pour Cendrillon (Cayatte) ; 1967, Les risques du métier (Cayatte), L'horizon (Rouffio) ; 1969, Goto, L'île d'amour (Borowczyk).

Enfant prodige, ce fils de comédien débute dans la série *Bébé* où il fait les quatre cents coups. En grandissant, il deviendra aussi bien marin rebelle mais généreux (*Le révolté*) que soldat d'Afrique (*Sidi Brahim*), Nestor Burma, le détective privé de Léo Malet (*120, rue de la Gare*), voleur sympathique (*Un certain monsieur* d'après *Le pouce, l'index et le majeur* de Jean Le Hallier) ou gangster (*Touchez pas au grisbi*). De toute manière il est toujours, quel que soit le rôle, l'incarnation du Français, petit, râleur, bagarreur mais bon cœur.

Da Silva, Howard

Acteur américain, de son vrai nom Harold Silverblatt, 1909-1986.

1936, Once in a Blue Moon (Hecht et MacArthur) ; 1939, Golden Boy (L'esclave aux mains d'or) (Mamoulian) ; 1940, Abe Lincoln in Illinois (Abraham Lincoln) (Cromwell), I'm Still Alive (Reis) ; 1941, The Sea Wolf (Le vaisseau fantôme) (Curtiz), Steel Against the Sky (Sutherland), Navy Blues (Bacon), Strange Alibi, Sergeant York (Hawks), Bad Men of Missouri (Enright), Nine Lives Are Not Enough (Sutherland), Wild Bill Hickok Rides (Enright) ; 1942, Bullet Scars (Lederman), Native Land (Hurwitz), Juke Girl (Bernhardt), Big Shot (Le caïd) (Seiler), Reunion in France (Dassin), Keeper of the Flame (Cukor), The Omaha Trail (Buzzell) ; 1943, Tonight We Raid Calais (Brahm) ; 1945, Five Were Chosen, The Lost Week-end (Le poison) (Wilder), Duffy's Tavern (Hal Walker) ; 1946, The Blue Dahlia (Le dahlia bleu) (Marshall), Two Years Before the Mast (Révolte à bord) (Farrow) ; 1947, Unconquered (Les conquérants du Nouveau Monde) (DeMille), Blaze of Noon (Farrow) ; 1949, The Great Gatsby (Nugent), They Live by Night (Les amants de la nuit) (Ray), Border Incident (Incident de frontière) (Mann) ; 1950, Underworld Story (Endfield), Wyoming Mail (Le Borg), Tripoli (Price) ; 1951, Fourteen Hours (14 heures) (Hathaway), Three Husbands (Reis), M (Losey) ; 1962, David and Lisa (Perry) ; 1964, The Outrage (L'outrage) (Ritt) ; 1966, Nevada Smith (Hathaway) ; 1974, The Great Gatsby (Clayton) ; 1977, The Private Files of J. Edgar Hoover (Cohen) ; 1981, Mommie Dearest (Maman très chère) (Perry) ; 1984, Garbo Talks (A la recherche de Garbo) (Lumet).

Le mot « patibulaire » semble avoir été inventé pour lui. « Troisième couteau » modèle standard du cinéma américain, il travailla avec Mann, Losey et Ray avant de voir sa carrière interrompue par le maccarthysme. Il fut exclu du plateau de *Slaughter Trail* en 1951 et resta onze ans sans travail, dans la misère. Il reprit par la suite une carrière sporadique.

Dasté, Jean

Acteur français, 1904-1994.

1932, Boudu sauvé des eaux (Renoir) ; 1933, Zéro de conduite (Vigo) ; 1934, L'Atalante (Vigo) ; 1935, Le crime de Monsieur Lange (Renoir) ; 1936, La vie est à nous (Renoir, Le Chanois, Becker, Zwobada) ; 1937, Le temps des cerises (Le Chanois), La grande illusion (Renoir) ; 1941, Croisières sidérales (Zwobada), Remorques (Grémillon) ; 1942, Picpus (Pottier), Une étoile au soleil (Zwobada) ; 1943, Adieu Léonard (Prévert) ; 1944, Le mystère Saint-Val (Le Hénaff), La grande meute (Limur) ; 1963, Muriel ou le temps d'un retour (Resnais) ; 1964, Le ciel sur la tête (Ciampi) ; 1966, La guerre est finie (Resnais) ; 1969, Z (Costa-Gavras) ; 1970, L'enfant sauvage (Truffaut) ; 1973, Les jours gris (Azimi) ; 1975, Le petit Marcel (Fansten) ; 1976, Le corps de mon ennemi (Verneuil) ; 1977, L'homme qui aimait les femmes (Truffaut) ; 1978, La chambre verte (Truffaut) ; La tortue sur le dos (Béraud), Molière (Mnouchkine), Utopia (Azimi) ; 1979, Rue du Pied-de-grue (Grand-Jouan) ; 1980, Une semaine de vacances (Tavernier) ; 1981, Crime d'amour (Gilles) ; 1982, Les îles (Azimi) ; 1984, L'amour à mort (Resnais) ; 1986, Le moine et la sorcière (Schiffmann) ; 1987, Nuit docile (Gilles) ; 1988, Le radeau de la méduse (Azimi) ; 1989, Noce blanche (Brisseau).

Grand animateur de théâtre (La comédie de Saint-Étienne), son nom était associé aux deux chefs-d'œuvre de Vigo dont il était la vedette ainsi qu'à de grands classiques de Renoir, Truffaut ou Resnais dans lesquels il tenait seulement des rôles de second plan.

Dauphin, Claude

Acteur français, de son vrai nom Legrand, 1903-1978.

1931, La fortune (Hémard), Mondanités (Hémard), Figuration (Bideau), Aux urnes citoyens (Hémard) ; 1932, Tout s'arrange (Diamant-Berger), Une jeune fille et un million (Neufeld), Un homme heureux (Bideau), Faubourg Montmartre (Bernard), Paris Soleil (Hémard) ; 1933, L'abbé Constantin (Paulin), La fille du régiment (Lamac-Billon), Pas besoin d'argent (Paulin), Les surprises du sleeping (Anton) ; 1934, Dédé (Guissart), D'amour et d'eau fraîche (Gandéra), Voyage imprévu (Limur), Nous ne sommes plus des enfants (Genina) ; 1935, Retour au paradis (Poligny) ; 1936, La route heureuse (Lacombe), Clair de lune (Diamant-Berger) ; 1937, Les perles de la couronne (Guitry) ; 1938, Entrée des artistes (M. Allégret), Conflit (Moguy) ; 1939, Cavalcade d'amour (Bernard), Menaces (Greville), Paris-New York (Mirande-Lacombe), English Without Tears (En français, messieurs) (French), Le monde tremblera (Pottier), Les surprises de la radio (Aboulker), Battement de cœur (Decoin) ; 1941, Les petits riens (Leboursier), L'étrange Suzy (Ducis), Les deux timides (Y. Allégret) ; 1942, Une femme disparaît (Feyder), Les hommes sans peur (Noé), Une femme dans la nuit (Greville), Promesse à l'inconnue (Berthomieu), La belle aventure (M. Allégret), Félicie Nanteuil (M. Allégret) ; 1943, The Gentle Sex (Elvey), Salute to France (Renoir) ; 1945, Nous ne sommes pas mariés (Rolland), La femme coupée en morceaux (Noé), Dorothée cherche l'amour (Greville), Cyrano de Bergerac (Rivers) ; 1946, L'éventail (Reinert), Parade du rire (Verdier), Rendez-vous à Paris (Grangier), Tombé du ciel (Reinert) ; 1947, Croisière pour l'inconnu (Montazel), Route sans issue (Stelli) ; 1948, Jean de la Lune (Achard), Le bal des pompiers (Berthomieu), Ainsi finit la nuit (Reinert), L'impeccable Henri (Tavano), L'inconnue d'un soir (Neufeld/Bromberger), *commentaire de* Van Gogh (Resnais) ; 1949, La petite chocolatière (Berthomieu), La renaissance du rail (Chaperot) ; 1950, Deported (Siodmak) ; 1951, Le plaisir (Ophuls) ; 1952, Casque d'or (Becker), April in Paris (Avril à Paris) (Butler), Little Boy Lost (Le petit garçon perdu) (Seaton), Innocents in Paris (Week-end à Paris) (Parry) ; 1954, Bedevilled (Boulevards de Paris) (Leisen), The Phantom of the Rue Morgue (Le fantôme de la rue Morgue) (Del Ruth) ; 1955, Les mauvaises rencontres (Astruc) ; 1956, Mon coquin de père (Lacombe) ; 1957, The Quiet American (Un Américain bien tranquille) (Mankiewicz) ; 1959, Pourquoi viens-tu si tard ? (Decoin), *commentaire de* Passeport pour le monde (Stoloff) ; 1960, Stop Me Before I Kill (Traitement de choc) (Guest) ; 1961, Tiari Tahiti (La belle des îles) (Kotcheff), Le diable et les dix commandements (Duvivier) ; 1963, La bonne soupe (Thomas), Symphonie pour un massacre (Deray), The Visit (La rancune) (Wicki) ; 1965, Compartiment tueurs (Costa-Gavras), Lady L. (Ustinov), Paris brûle-t-il ? (Clément) ; 1966, Grand Prix (Frankenheimer), Two for the Road (Voyage à deux) (Donen) ; 1967, Lamiel (Aurel), L'une et l'autre (Allio), Adolphe ou l'âge tendre (Michell), Barbarella (Vadim), Da Berlino l'apocalisse (Le tigre sort sans sa mère) (Maffel) ; 1968, Hard Contract (Pogostin), *commentaire de* Comme un éclair (Dassin), The Madwoman of Chaillot (La folle de Chaillot) (Forbes) ; 1971, Églantine (Brialy) ; 1972, La piu bella serata della mia vita (Scola), Vogliamo colonnelli (Nous voulons les colonels) (Monicelli), Au rendez-vous de la mort joyeuse (Buñuel) ; 1974, L'important c'est d'aimer (Zulawski), Rosebud (Preminger) ; 1975, La course à l'échalote (Zidi) ; 1976, Le locataire (Polanski), Mado (Sautet) ; 1977, La vie devant soi (Mizrahi), Le point de mire (Tramont) ; 1978, Le pion (Gion).

Fils du poète Franc-Nohain, il est décorateur de théâtre, avant de débuter sur les planches dans une pièce de T. Bernard. A l'écran, il a joué des personnages charmants et élégants. Très apprécié aux États-Unis comme représentant du style à la française, il a aussi travaillé en Angleterre.

Dauphin, Jean-Claude
Acteur français né en 1948.

1967, Adolphe ou l'âge tendre (Toublanc-Michel) ; 1969, Le témoin (Walter) ; 1970, Les amis (Blain) ; 1971, La mandarine (Molinaro), What a flash ! (Barjol) ; 1973, Le hasard et la violence (Labro) ; 1974, La fille d'Amérique (Newman), Les suspects (Wyn) ; 1976, Dracula père et fils (Molinaro) ; 1977, Dernière sortie avant Roissy (Paul) ; 1981, Le choix des armes (Corneau) ; 1982, Une jeunesse (Mizrahi) ; 1983, Sarah (Dugowson) ; 1984, Souvenirs souvenirs (Zeitoun) ; 1985, L'amour propre ne le reste jamais lontemps (Veyron), Spécial police (Vianey) ; 1986, Charlie Dingo (Béhat), Yiddish Connection (Boujenah), Nuit d'ivresse (Nauer) ; 1987, The Unbearable Lightness of Being (L'insoutenable légèreté de l'être) (Kaufman) ; 1990, Netchaïev est de retour (Deray) ; 1997, El Che (Dugowson) ; 1998, Pourquoi pas moi ? (Giusti), L'école de la chair (Jacquot) ; 1999, Six-Pack (Berbérian) ; 2001, La tour Montparnasse infernale (Nemes), Les âmes câlines (Bardinet) ; 2003, Félicitations (Rozé).

Fils de Claude Dauphin et de Marie Mauban, il suit la voie familiale en tournant son premier rôle, à l'âge de dix-neuf ans, dans *Adolphe ou l'âge tendre*. Il sera beaucoup plus populaire à la télévision grâce à des séries telles que « Maigret » ou « Au Bon Beurre ».

Davenport, Nigel
Acteur anglais né en 1928.

1960, Peeping Tom (Le voyeur) (Powell) ; 1962, Lunch Hour (Hill) ; 1963, In the Cool of the Day (Les chemins de la vengeance) (Stevens), Return to Sender (Hales), Ladies Who Do (Pennington-Richards) ; 1964, The Verdict (Eady), The Third Secret (Crichton) ; 1965, Life at the Top (Kotcheff), Sands of the Kalahari (Endfield), A High Wind in Jamaica (Un cyclone à la Jamaïque) (Mackendrick), Where the Spies Are (Passeport pour l'oubli) (Valuest) ; 1966, A Man for All Seasons (Un homme pour l'éternité) (Zinnemann) ; 1967, Red and Blue (Richardson) ; 1968, Sebastian (Les filles du code secret) (Greene), The Strange Affair (Chantage à la drogue) (Breene), Play Dirty (Enfants de salaud) (De Toth), Sinful Davey (Davey des grands chemins) (Huston) ; 1969, Royal Hunt of the Sun

(Lerner), The Virgin Soldiers (Dexter), The Mind of Mr. Soames (Cooke) ; 1970, The Last Valley (La vallée perdue) (Clavell), No Blade of Grass (Terre brûlée) (Wilde) ; 1971, Mary Queen of Scott (Marie Stuart, reine d'Écosse) (Jarrott), Villain (Salaud) (Tuchner) ; 1972, Living Free (Nés pour être libres) (Couffer), L'attentat (Boisset), Charley One-Eye (Chaffey) ; 1973, Dracula (Les compagnes de Dracula) (Curtis) ; 1974, Phase IV (Bass) ; 1975, La Regenta (Suarez) ; 1977, The Island of Dr. Moreau (L'île du docteur Moreau) (Taylor), Stand Up Virgin Soldiers (N. Cohen) ; 1978, An Eye for an Eye (Brown) ; 1979, The Omega Connection (Clouse), Zulu Dawn (Ultime attaque) (Hickox) ; 1980, Nighthawks (Les faucons de la nuit) (Malnuth) ; 1981, Chariots of Fire (Les chariots de feu) (Hudson), Den Tuchtigen gehört die Welt (Patzak) ; 1982, Strata (Steven) ; 1984, Greystoke (La légende de Tarzan) (Hudson) ; 1986, Caravaggio (Caravaggio) (Jarman) ; 1988, Without a Clue (Élémentaire mon cher Lock Holmes) (Eberhardt) ; 1997, La vuelta de El Coyote (Mario Camus) ; 2000, Mumbo Jumbo (Cookson).

Oxford puis une carrière théâtrale. Viril, il est l'homme fort des histoires pleines « de bruit et de fureur » qu'il interprète, l'humaniste qui s'oppose à la violence dans *No Blade of Grass*, le héros de *Phase IV*, le médecin qui combat Dracula dans la version de Curtis.

David, Mario

Acteur français, de son vrai prénom Jean-Louis, 1927-1996.

1952, La tournée des grands-ducs (Pellenc) ; 1954, Ah ! Les belles bacchantes (Loubignac), Les corsaires du bois de Boulogne (Carbonnaux) ; 1955, Cette sacrée gamine (Boisrond), Cherchez la femme (André), Impasse des vertus (Méré), Plus de whisky pour Callaghan (Rozier), Une fille épatante (André) ; 1957, Le triporteur (Pinoteau) ; 1959, A double tour (Chabrol), Les bonnes femmes (Chabrol) ; 1961, Le caporal épinglé (Renoir), Les livreurs (Girault), Le tracassin ou les plaisirs de la ville (Joffé), Un nommé La Rocca (Becker) ; 1962, Les bricoleurs (Girault), Landru (Chabrol) ; 1963, La bande à Bobo (Saytor), Le commissaire mène l'enquête (Collin) ; 1964, Comment épouser un premier ministre ? (Boisrond), Les gorilles (Girault), Le Tigre aime la chair fraîche (Chabrol) ; 1965, Le caïd de Champignol (Bastia), Les tribulations d'un Chinois en Chine (Broca) ; La ligne de démarcation (Chabrol) ; 1967, Oscar (Girault), L'homme à la Buick (Grangier), Le fou du labo 4 (Besnard) ; 1968, Faut pas prendre les enfants du bon dieu pour des canards sauvages (Audiard), Le cerveau (Oury), Le gendarme se marie (Girault) ; 1969, Borsalino (Deray), Une veuve en or (Audiard) ; 1970, Les mariés de l'an II (Rappeneau), Qu'est-ce qui fait courir les crocodiles ? (Poitrenaud), La rupture (Chabrol) ; 1971, Les malheurs d'Alfred (Richard) ; 1973, Le magnifique (Broca) ; 1974, Bons baisers... à lundi (Audiard) ; 1975, Flic story (Deray) ; 1976, L'animal (Zidi), Drôles de zèbres (Lux) ; 1978, Violette Nozière (Chabrol), La zizanie (Zidi), Coup de tête ! (Annaud) ; 1981, Les fantômes du chapelier (Chabrol) ; 1982, En cas de guerre mondiale, je file à l'étranger (Ardouin), Tir groupé (Missiaen) ; 1986, La vie dissolue de Gérard Floque (Lautner) ; 1992, L'inconnu dans la maison (Lautner) ; 1993, L'enfer (Chabrol).

Dompteur et danseur dans les cirques et music-halls, il se lie avec Robert Hossein avec lequel il collabore au Grand-Guignol. Devenu l'éternel second rôle du cinéma français, spécialisé dans les rôles de méchants pathétiques, il est accessoirement connu pour ses fameuses chutes dans les piscines dans les films de Chabrol ou Girault.

Davidson, Jaye

Acteur américain né en 1968.

1992, The Crying Game (The Crying Game) (Jordan) ; 1994, Stargate (Stargate, la porte des étoiles) (Emmerich) ; 1995, Catwalk (Leacock).

Venu des milieux de la mode, il fut la grande surprise et tout le piquant de *The Crying Game*. De ce rôle d'androgyne, il passa directement à celui du dieu Râ dans une superproduction hollywoodienne. Quel parcours en seulement deux films !

Davies, Marion

Actrice américaine, de son vrai nom Douras, 1897-1961.

1917, Runaway Romany ; 1918, Cecilia of the Pink Roses, The Burden of Proof ; 1919, The Cinema Murder, The Dark Star, The Belle of New York, Getting Mary Married ; 1920, April Folly, Restless Sex ; 1921, Buried Treasure (Baker), Enchantement (Vignola) ; 1922, The Bride's Play (Terwilliger), The Young Diana (Vignola), When Knighthood Was in Flower (Sur les marches du trône) (Vignola) ; 1923, Adam and Eva (Vignola), Little Old New York (Patricia) (Olcott) ; 1924, Yolanda (Vignola), Janice Meredith (Hopper) ; 1925, Zander the Great (G. Hill), Lights of Old Broadway (Bell) ; 1926, Beverly of

Graustark (Franklin) ; 1927, The Fair Co-Ed (Son fils avait raison) (Wood), Quality Street (Quand la femme est roi) (Franklin), The Red Mill (Goodrich), Tillie the Toiler (Henley) ; 1928, The Patsy (Vidor), Show People (Mirages) (Vidor), The Cardboard Lover (Leonard) ; 1929, Hollywood Revue of 1929 (Reisner), Marianne (Leonard) ; 1930, Not So Dumb (Dolly) (Vidor), The Floradora Girl (Beaumont) ; 1931, Bachelor Father, It's a Wise Child, Five and Ten ; 1932, Polly of the Circus (Santell), Blondie of the Follies (Goulding), Peg o'My Heart (Peg de mon cœur) (Leonard) ; 1933, Going Hollywood (Walsh) ; 1934, Operator 13 (Boleslavsky) ; 1935, Page Miss Glory (LeRoy) ; 1936, Hearts Divided (Betsy) (Borzage), Cain and Mabel (Bacon) ; 1937, Ever since Eve (Bacon).

Plus connue comme maîtresse du magnat de la presse Randolph Hearst qui fonda pour elle une compagnie de production, la Cosmopolitan, que comme actrice, encore qu'elle ait interprété trois films de King Vidor. Beauté blonde, elle avait débuté comme danseuse aux Ziegfeld Follies avant de venir à Hollywood en 1917 où elle fut remarquée par Hearst. Elle rencontra un grand succès dans le rôle de Marie Tudor de *When Knighthood Was in Flower*. Par la suite Hearst fit distribuer ses films par MGM. Excellente dans le pastiche, elle s'amusait à parodier ses rivales. Elle passa le cap du parlant, mais quand Hearst rompit avec MGM, sa carrière prit pratiquement fin. Hearst lui resta fidèle jusqu'à sa mort.

Davis, Bette

Actrice américaine, 1908-1989.

1931, Bad Sister (Henley), Seed (Dix petits pieds) (Stahl), Waterloo Bridge (Whale) ; 1932, Way Back Home (Seiter), The Menace (Neill), Hell's House (Higgins), The Man Who Played God (Adolfi), So Big (Mon grand) (Wellman), The Rich Are Always With Us (Green), The Dark Horse (Green), Cabin in the Cotton (Ombres vers le Sud) (Curtiz), Three on a Match (Une allumette à trois) (LeRoy), 20 000 Years in Sing Sing (Vingt mille ans sous les verrous) (Curtiz), Parachute Jumper (Green), The Working Man (Le roi de la chaussure) (Adolfi), Ex-Lady (Florey), Bureau of Missing Persons (Del Ruth) ; 1934, Fashion of 1934 (Dieterle), The Big Shakedown (Dillon), Jimmy the Gent (Curtiz), Fog over Frisco (Dieterle), Of Human Bondage (L'emprise) (Cromwell), Housewife (Green) ; 1935, Bordertown (Ville frontière) (Mayo), The Girl from Tenth Avenue (Green), Front Page Woman (Curtiz), Special Agent (Agent spécial) (Keighley), Dangerous (L'intruse) (Green) ; 1936, The Petrified Forest (La forêt pétrifiée) (Mayo), The golden Arrow (Green), Satan Met a Lady (Dieterle) ; 1937, Marked Woman (Femmes marquées) (Bacon), Kid Galahad (Le dernier combat) (Curtiz), That Certain Woman (Goulding), It's Love I'm After (L'aventure de minuit) (Mayo) ; 1938, Jezebel (L'insoumise) (Wyler), The Sisters (Nuits de bal) (Litvak) ; 1939, Dark Victory (Victoire sur la nuit) (Goulding), Juarez (Dieterle), The Old Maid (La vieille fille) (Goulding), The Private Lives of Elizabeth and Essex (La vie privée d'Élisabeth d'Angleterre) (Curtiz) ; 1940, All This, and Heaven Too (L'étrangère) (Litvak), The Letter (La lettre) (Wyler) ; 1941, The Great Lie (Le grand mensonge) (Goulding), The Bride Came C.O.D. (Keighley), The Little Foxes (La vipère) (Wyler) ; The Man Who Came to Dinner (Keighley) ; 1942, In This Our Life (Huston), Now Voyager (Une femme cherche son destin) (Rapper) ; 1943, Watch on the Rhine (Quand le jour viendra) (Shumlin), Thank Your Lucky Stars (Remerciez votre bonne étoile) (Butler), Old Acquaintance (L'impossible amour) (V. Sherman) ; 1944, Mr. Skeffington (Femme aimée est toujours jolie) (V. Sherman), Hollywood Canteen (Daves) ; 1945, The Corn Is Green (Le blé est vert) (Rapper), A Stolen Life (La voleuse) (Bernhardt), Deception (Jalousie) (Rapper) ; 1948, Winter Meeting (Windust), June Bride (Windust) ; 1949, Beyond the Forest (La garce) (K. Vidor) ; 1950, All About Eve (Ève) (Mankiewicz) ; 1951, Payment on Demand (L'ambitieuse) (Bernhardt), Another Man's Poison (Jézebel) (Rapper) ; 1952, Phone Call from a Stranger (Appel d'un inconnu) (Negulesco), The Star (Heisler) ; 1955, The Virgin Queen (Le seigneur de l'aventure) (Koster) ; 1956, Storm Center (Au cœur de la tempête) (Taradash), The Catered Affair (Rooks) ; 1959, John Paul Jones (Farrow), The Scapegoat (Le bouc émissaire) (Hamer) ; 1961, Pocketful of Miracles (Milliardaire d'un jour) (Capra), What Ever Happened to Baby Jane (Qu'est-il arrivé à Baby Jane ?) (Aldrich) ; 1964, Dead Ringer (La mort frappe trois fois) (Henreid), La noia (L'ennui) (Damiani), Where Love Has Gone (Rivalités) (Dmytryk), Hush... Hush, Sweet Charlotte (Chut, chut, chère Charlotte) (Aldrich) ; 1965, The Nanny (Confession à un cadavre) (Holt) ; 1967, The Anniversary (Baker) ; 1970, Connecting Rooms (Appartements communiquants) (Gollings) ; 1971, Bunny O'Hare (Oswald) ; 1972, Lo scopone scientifico (L'argent de la vieille) (Comencini), Madame Sin (D. Greene) ; 1976, Burnt Offerings (D. Curtis) ; 1978, Return from Witch Mountain (Les visiteurs d'un autre monde) (Hough), Death on The Nile (Mort sur le Nil) (Guillermin) ; 1982, The Watchers in the Wood (Les yeux de la forêt) (Hough) ; 1987, The Whales of August (Les baleines du mois d'août) (Anderson) ; 1989, Wicked Stepmother (Ma belle-mère est une sorcière) (Cohen).

« The first Lady of the American Screen » : tel fut son surnom à Hollywood. Attirée très jeune par le théâtre, elle suit les cours de John Murray Anderson et fait ses débuts à Broadway en 1928. Goldwyn la remarque, mais c'est Universal qui l'engage. Non sans réserves, Laemmle lui trouvant fort peu de sex-appeal. Elle passe chez les frères Warner où elle va peu à peu forcer l'attention du public. Peut-être n'est-elle pas jolie par rapport à d'autres, mais elle a plus de personnalité et elle joue mieux. La critique la découvre enfin en Mildred dans *Of Human Bondage*. En 1935, elle gagne un oscar avec *Dangerous*. Ses rôles s'étoffent, de *Marked Woman* (où elle a Bogart, déjà croisé dans *La forêt pétrifiée*, pour partenaire) à *Jézebel* (qui lui vaut un deuxième oscar en 1938) en passant par *Dark Victory*, avec comme points culminants le rôle d'Élisabeth d'Angleterre envoyant Flynn-Essex à la mort dans le somptueux film de Curtiz, et plus encore *La vipère* où elle est éblouissante. L'après-guerre lui donne un second souffle : *Ève* et *La garce* sont des chefs-d'œuvre qui mettent en lumière ses dons exceptionnels de comédienne. Courageusement, elle accepte de se vieillir et de s'enlaidir dans les films d'Aldrich, *Baby Jane* et *Sweet Charlotte*, deux compositions aux limites de l'outrance mais qui lui ouvrent la voie du cinéma fantastique. Pourtant un réalisateur comme Hough ne parvient pas à tirer tout le parti qu'il pourrait de ce beau visage blessé et de cette silhouette alourdie mais majestueuse. En 1962, elle a raconté sa carrière et ses quatre mariages dans un livre de souvenirs : *The Lonely Life*.

Davis, Brad

Acteur américain, 1949-1991.

1976, Sybil (Petrie) ; 1978, Midnight Express (Midnight Express) (Parker) ; 1979, A Small Circle of Friends (Un petit cercle d'amis) (Cohen) ; 1981, Chariots of Fire (Les chariots de feu) (Hudson) ; 1982, Querelle (Fassbinder), Der Bauer von Babylon (Schindot) ; 1987, Cold Steel (Sur le fil du rasoir) (Puzo), Heart (Lemmo) ; 1988, Rosalie Goes Shopping (Rosalie fait ses courses) (Adlon) ; 1991, The Player (The Player) (Altman), Hangfire (Maris).

Venu du théâtre et des séries télévisées, il s'est fait connaître avec *Midnight Express* où il forçait l'attention en portant à lui seul le film. Hudson et Fassbinder ont su également l'utiliser avec bonheur.

Davis, Geena

Actrice américaine, de son vrai prénom Virginia, née en 1956.

1982, Tootsie (Tootsie) (Pollack) ; 1985, Fletch (Fletch aux trousses) (Ritchie), Transylvania 6.500 (De Luca) ; 1986, The Fly (La mouche) (Cronenberg) ; 1988, Beetlejuice (Beetle juice) (Burton), The Accidental Tourist (Voyageur malgré lui) (Kasdan) ; 1989, Earth Girls Are Easy (Temple) ; 1990, Quick Change (Franklin) ; 1991, Thelma and Louise (Thelma et Louise) (Scott) ; 1992, A League of Their Own (Une équipe hors du commun) (Marshall), Hero (Héros malgré lui) (Frears) ; 1994, Angie (Angie) (Coolidge), Speechless (Underwood) ; 1995, Cutthroat Island (L'île aux pirates) (Harlin) ; 1996, The Long Kiss Goodnight (Au revoir à jamais) (Harlin) ; 1998, Stuart Little (Stuart Little) (Minkoff) ; 2002, Stuart Little 2 (Minkoff).

Cette pétillante et gigantesque (par la taille) comédienne démarre comme mannequin avant de se tourner vers la télévision où elle acquiert une solide popularité grâce à plusieurs séries. Le cinéma fait alors appel à elle et elle obtient un oscar pour son rôle dans *Voyageur malgré lui*. Partenaire de Susan Sarandon dans *Thelma et Louise*, film qui lui fait gagner ses galons de star, on la voit encore dans une bonne comédie de Stephen Frears, puis elle disparaît un peu du devant de la scène. Elle revient dans un film de pirates à gros budget, réalisé par son mari, le Finlandais Renny Harlin, mais c'est un gros échec.

Davis, Judy

Actrice australienne née en 1955.

1976, High Rolling (Brustall) ; 1978, My Brilliant Career (Ma brillante carrière) (Armstrong) ; 1981, The Winter of Our Dreams (Duigan), Heatwave (Noyce), Hoodwink (Whatham) ; 1982, Who Dares Win (Commando) (Sharp) ; 1983, The Final Option (Clark) ; 1984, A Passage to India (La route des Indes) (Lean) ; 1985, Phar Lap (Wincer) ; 1986, Kangaroo (Burstall) ; 1987, High Tide (Armstrong) ; 1988, Georgia (Lewin) ; 1990, Alice (Alice) (Allen) ; 1991, Barton Fink (Barton Fink) (Coen), Impromptu (Impromptu) (Lapine), The Naked Lunch (Le festin nu) (Cronenberg), Where Angels Fear to Tread (Sturridge) ; 1992, Husbands and Wives (Maris et femmes) (Allen), On My Own (Tibaldi) ; 1993, Dark Blood (inachevé, Sluizer) ; 1994, The Ref (Demme), The New Age (Tolkin) ; 1995, Children of the Revolution (Children of the Revolution) (Duncan) ; 1996, Blood and Wine (Blood & Wine) (Rafelson), Absolute Power (Les pleins pouvoirs) (Eastwood) ; 1997, Deconstructing Harry (Harry dans tous ses états) (Allen) ; 1998, Celebrity (Celebrity) (Allen) ; 2000, Gaudi Afternoon (Seidelman) ; 2005, Swimming Upstream (Mulcahy) ; 2006, The Break Up (La rupture) (Reed), Marie-Antoinette (Marie-Antoinette) (S. Coppola).

C'est après une courte carrière de chanteuse que cette élégante brune, sensuelle et racée, se tourne vers le cinéma. D'abord en Australie où elle obtient plusieurs prix d'interprétation, puis aux États-Unis où Lean fait appel à elle pour *La route des Indes*. Sa carrière devient dès lors internationale.

Davoli, Ninetto

Acteur italien né en 1944.

1964, Il vangelo secondo Matteo (L'évangile selon saint Mathieu) (Pasolini) ; 1965, Uccelacci e uccellini (Des oiseaux petits et grands) (Pasolini) ; 1966, Le streghe (Les sorcières) (sketch Pasolini) ; 1967, Edipo re (Œdipe roi) (Pasolini) ; 1968, Amore e rabbia (La contestation) (sk. Pasolini), Teorema (Théorème) (Pasolini), Capriccio all'italiana (sketch Pasolini) ; 1969, Ostia (Ostia) (S. Citti), Requiescant (Lizzani), Porcile (Porcherie) (Pasolini) ; 1971, Il Decamerone (Le Décaméron) (Pasolini), Er più : storia d'amore e di coltello (S. Corbucci) ; 1972, I raconti di Canterbury (Les contes de Canterbury) (Pasolini), Anche se volessi lavorare, che faccio (Mogherini), Abuso di potere (Bazzoni) ; 1973, Storie scellerate (Histoires scélérates) (S. Citti), Tosca (Une Tosca pas comme les autres) (Magni), Appassionata (Les passionnées) (Calderone), Una matta, matta, matta corsa in Russia (Prosperi, Ryazanov), Maria Rosa la guardona (Girolami) ; 1974, I fiore delle mille e una notte (Les mille et une nuits) (Pasolini) ; 1975, Il vizio ha le calze nere (Cimarosa) ; 1976, Frankenstein all'Italiana (Crispino), Spogliami cosi senza pudor (Martino) ; 1977, No alla violenza (Cimarosa) ; 1978, Malabestia (Leoncini), La liceale seduce i professori (Laurenti) ; 1981, Il minestrone (Citti), A Zsarnok Szive avagy Boccaccio Magyarorszagan (Jancso) ; 1982, Il conte Tacchia (S. Corbucci) ; 1986, Momo (Schaaf) ; 1989, La ragazza del metro (Scandariato) ; 1995, L'anno prossimo... vado al letto alle dieci (Orlando) ; 1996, I magi randagi (Citti) ; 1999, Una vita non violenta (Emmer), Le mystère Paul (Ségal).

Ses cheveux frisés et son sourire en ont fait l'interprète fétiche de Pasolini qui l'avait découvert. Après la mort de Pasolini, il continue à tenir des rôles très secondaires.

Davray, Dominique

Actrice française, 1919-1998.

1941, La duchesse de Langeais (Baroncelli) ; 1948, L'assassin est à l'écoute (André), Le diable boiteux (Guitry), Le secret de Monte-Cristo (Valentin), Les dieux du dimanche (Lucot) ; 1949, La cage aux Filles (Cloche), On n'aime qu'une fois (Stelli) ; 1950, Ma pomme (Sauvajon), Identité judiciaire (Bromberger), Garou-Garou le passe-muraille (Boyer) ; 1951, Casque d'or (Becker) ; 1952, Suivez cet homme (Lampin) ; 1953, Touchez pas au grisbi (Becker), Un acte d'amour (Litvak), La rage au corps (Habib), Piédalu député (Loubignac), Les compagnes de la nuit (Habib) ; 1954, Papa, maman, la bonne et moi (Le Chanois), Pas de souris dans le biznesse (Lepage) ; 1955, To Catch a Thief (La main au collet) (Hitchcock), Rencontres à Paris (Lampin), Marie-Antoinette (Delannoy) ; 1956, Notre-Dame de Paris (Delannoy) ; 1957, La Tour, prends garde (Lampin), Méfiez-vous fillettes (Y. Allégret), Les espions (Clouzot) ; 1958, A Tale of Two Cities (Thomas), Le grand chef (Verneuil), Maigret tend un piège (Delannoy), Guingette (Delannoy), Les filles de nuit (Cloche), Prison de femmes (Cloche) ; 1959, Les yeux de l'amour (La Patellière), La main chaude (Oury), Par-dessus le mur (Le Chanois) ; 1960, Boulevard (Duvivier), Terrain vague (Carné) ; 1961, Fanny (Logan), Le cave se rebiffe (Grangier), Trois filles à Paris (Axel), Cartouche (Broca), Le bateau d'Émile (La Patellière), Le tracassin ou les plaisirs de la ville (Joffé), Un cheval pour deux (Thibault) ; 1962, Cléo de 5 à 7 (Varda), Du mouron pour les petits oiseaux (Carné), Comment réussir en amour (Boisrond), Mélodie en sous-sol (Verneuil) ; 1963, Les tontons flingueurs (Lautner) ; 1964, Coplan prend des risques (Labro), Cent briques et des tuiles (Grimblat) ; 1965, Paris au mois d'août (Granier-Deferre), Les bons vivants (sketch « La fermeture », Grangier), La tête du client (Poitrenaud), Pas de caviar pour tante Olga (J. Becker), Piège pour Cendrillon (Cayatte) ; 1967, Les grandes vacances (Girault) ; 1968, Le tatoué (La Patellière), Le gendarme se marie (Girault), La puce à l'oreille (Charon) ; 1970, Le gendarme en balade (Girault) ; 1971, Églantine (Brialy) ; 1972, Les volets clos (Brialy) ; 1973, Les valseuses

(Blier) ; 1975, Calmos (Blier), L'éducation amoureuse de Valentin (L'Hôte) ; 1976, L'aile ou la cuisse (Zidi), Le chasseur de chez Maxim's (Vital), Le trouble-fesses (Foulan), Le gang (Deray) ; 1979, Nous maigririons ensemble (Vocoret) ; 1981, Les misérables (Hossein).

Équivalent féminin des Dalban et autre Zardi, elle a, à l'image de Dora Doll, multiplié les apparitions et, curieusement, les rôles de femme de petite vertu (exemple culte : Mme Mado, dans *Les tontons flingueurs*). Vue aussi en faire-valoir de Louis de Funès dans plusieurs films, et dans *Les valseuses* où elle est persécutée par le duo de loubards Dewaere-Depardieu.

Davy, Jean

Acteur français, 1911-2001.

1935, L'équipage (Litvak) ; 1936, Mayerling (Litvak) ; 1938, Remontons les Champs-Élysées (Bibal, Guitry) ; 1941, Le destin fabuleux de Désirée Clary (Guitry, Le Hénaff) ; 1942, L'homme qui joue avec le feu (Limur), Une étoile au soleil (Zwobada) ; 1943, Mon amour est près de toi (Pottier), La main du diable (Tourneur) ; 1944, Farandole (Swobada), Le mystère Saint Val (Le Hénaff), Premier de cordée (Daquin) ; 1945, Le jugement dernier (Chanas), Seul dans la nuit (Stengel), Mission spéciale (Canonge) ; 1946, Vertiges (Pottier) ; 1947, Le destin exécrable de Guillemette Babin (Radot), Brigade criminelle (Gil), Erreur judiciaire (Canonge), Une mort sans importance (Noé), La grande Maguet (Richebé) ; 1948, Cartouche roi de Paris (Radot), La louve (Radot) ; 1949, Au royaume des cieux (Duvivier), On ne triche pas avec la vie (Delacroix, Vendenberghe), La femme nue (Berthomieu) ; 1950, Souvenirs perdus (Christian-Jaque) ; 1951, Le vrai coupable (Thévenard) ; 1952, Othello (Othello) (Welles) ; 1958, Drôles de phénomènes (Vernay), Christine (Gaspard-Huit) ; 1962, Le masque de fer (Decoin) ; 1973, Stavisky... (Resnais), Le complot (Gainville) ; 1977, Le diable dans la boîte (Lary) ; 1980, La provinciale (Goretta) ; 1983, Les maîtres du soleil (Aublanc) ; 1987, Bernadette (Delannoy), La queue de la comète (Lièvre) ; 1990, Lacenaire (Girod) ; 1991, La dernière saison (Beccu) ; 1995, Fiesta (Boutron) ; 1999, Pas de scandale (Jacquot) ; 2000, Éloge de l'amour (Godard).

Un physique d'homme dur et autoritaire qui se spécialise naturellement, dans les années 50, dans les rôles de militaires ou d'hommes de l'ordre. Avec la maturité, il incarne des vieillards impassibles et sévères, à l'instar de son rôle de patriarche dans « Châteauvallon ». A noter une émouvante composition de vieux berger bourru et sauvage dans *La dernière saison*, qui dénote dans sa filmographie.

Dax, Micheline

Actrice française née en 1926.

1949, Branquignol (Dhéry) ; 1952, Rue de l'Estrapade (Becker), M'sieur La Caille (Pergament), Femmes de Paris (Boyer), Si Paris nous était conté (Guitry) ; 1954, Pas de souris dans le bizness (Lepage) ; 1955, La villa Sans-Souci (Labro), Don Juan (Berry) ; 1956, Courte-tête (Carbonnaux), Miss Catastrophe (Kirsanoff), Printemps à Paris (Roy), Le septième commandement (Bernard) ; 1957, Mimi Pinson (Darène), L'ami de la famille (Pinoteau), Ce joli monde (Rim) ; 1958, Sacrée jeunesse (Berthomieu) ; 1959, Messieurs les ronds-de-cuir (Diamant-Berger), La Française et l'amour (un sketch), A rebrousse-poil (Armand) ; 1960, Le pavé de Paris (Decoin) ; 1962, C'est pas moi, c'est l'autre (Boyer) ; 1964, Les mordus de Paris (Armand) ; 1965, A nous deux Paris (Vierne), Paris vu par... (sketch Pollet) ; 1966, Tendre voyou (Becker) ; 1967, Le grand bidule (André) ; 1969, Ces messieurs de la gâchette (André), La honte de la famille (Balducci) ; 1973, La dernière bourrée à Paris (André), L'événement le plus important depuis que l'homme a marché sur la lune (Demy) ; 1974, Le pied ! (Unia), Vos gueules les mouettes ! (Dhéry) ; 1975, Le grand fanfaron (Ph. Clair) ; 1976, L'acrobate (Pollet) ; 1982, En cas de guerre mondiale, je file à l'étranger (Ardouin) ; 1989, Pentimento (Marshall) ; 1991, Les clés du paradis (Broca) ; 1992, La joie de vivre (Guillot) ; 1996, Violetta la reine de la moto (Jacques) ; 2005, L'ex-femme de ma vie (Balasko).

Beaucoup de théâtre mais une filmographie sans œuvres marquantes. Néanmoins, de la verve et de la gaieté.

Day, Doris

Actrice américaine, de son vrai nom Kappelhoff, née en 1924.

1948, Romance on the High Seas (Romance à Rio) (Curtiz) ; 1949, My Dream Is Yours (Il y a de l'amour dans l'air) (Curtiz), It's a Great Feeling (Les travailleurs du chapeau) (Butler) ; 1950, Tea for Two (No, No, Nanette) (Butler), Young Man With a Horn (La femme aux chimères) (Curtiz) ; 1951, Lullaby of Broadway (Escale à Broadway) (Butler), The West Point Story (Les cadets de West Point) (Del Ruth), Starlift (Del Ruth), On Moonlight Bay (Le bal du printemps) (Del Ruth) ; 1952, I'll See You in My Dreams (La femme de mes rêves) (Curtiz), The Winning Team (Seiler) ; 1953, April in Paris

(Avril à Paris) (Butler), By the Light of the Silvery Moon (Butler), Calamity Jane (Butler) ; 1954, Lucky Me (Donohue) ; 1955, Young at Heart (Douglas), Love Me or Leave Me (Les pièges de la passion) (Ch. Vidor) ; 1956, The Man Who Knew Too Much (L'homme qui en savait trop) (Hitchcock), Julie (Stone) ; 1957, Pajama Game (Pique-nique en pyjama) (Donen) ; 1958, Teacher's Pet (Le chouchou du professeur) (Seaton) ; 1959, Pillow Talk (Confidences sur l'oreiller) (Gordon), It Happened to Jane (Train, amour et crustacés) (Quine) ; 1960, Please Don't Eat the Deasies (Ne mangez pas les marguerites) (Walters), Midnight Lace (Piège à minuit) (Miller) ; 1962, Lover Come Back (Delbert Mann), That Touch of Mink (Delbert Mann), Billy Rose's Jumbo (La plus belle fille du monde) (Walters) ; 1963, The Thrill of It All (Le piment de la vie) (Jewison), More Over, Darling (Gordon) ; 1964, Send Me No Flowers (Ne m'envoyez pas de fleurs) (Jewison) ; 1965, Do Not Disturb (Ralph Levy) ; 1966, The Glass Bottom Boat (La blonde défie le FBI) (Tashlin) ; 1967, Caprice (Opération Caprice) (Tashlin) ; 1968, The Ballad of Josie (McLaglen), Where Were You When the Lights Went Out ? (Où étiez-vous quand les lumières se sont éteintes ?) (Averback), With Six You Get Eggroll (Il y a un homme dans le lit de maman) (H. Morris) ; 1994, That's Entertainment III (That's Entertainment III) (Friedgen, Knievel).

Symbole d'un cinéma aseptisé, pour familles, à deux ou trois exceptions près. Danseuse, un accident d'automobile interrompt sa carrière ; chanteuse, elle se voit proposer un rôle à l'écran en remplacement de Betty Hutton. Elle sera actrice, se contentant de chanter de temps à autre (dont « Que sera sera » de *L'homme qui en savait trop*). Deux fois divorcée, elle épouse son imprésario Martin Melcher qui meurt en 1968. Ce brusque décès détermine la retraite de Doris Day. On ne pleurera pas sur cette retraite devant tant de comédies insipides à l'exception de *Pajama Game*. Seuls quelques rôles dramatiques (Ch. Vidor, Hitchcock ou David Miller) montrent qu'elle valait peut-être mieux.

Day, Josette

Actrice française, de son vrai nom Dagory, 1914-1979.

1919, Ames d'Orient (Poirier) ; 1920, La pocharde (Étiévant) ; 1931, Allô Berlin, ici Paris (Duvivier) ; 1932, Léon tout court (Francis) ; 1933, Les aventures du roi Pausole (Granowsky), Le coucher de la mariée (Lion), Miss Helyett (Bourlon et Kemm) ; 1934, Les filles de la concierge (J. Tourneur) ; 1934, Mam'zelle Spahi (Vaucorbeil), L'aristo (Berthomieu), Le barbier de Séville (Bourbon et Kemm), Bibi la purée (Joannon), C'était un musicien (Gleize), Coralie et Compagnie (Cavalcanti), N'aimer que toi (Berthomieu) ; 1935, Lucrèce Borgia (Gance), La sonnette d'alarme (Christian-Jaque), Jeunesse d'abord (Stelli), Aux portes de Paris (Barrois) ; 1936, L'homme du jour (Duvivier), Ménilmontant (Guissart), Une fille à papa (Guissart), Club de femmes (Deval) ; 1937, Messieurs les ronds-de-cuir (Mirande), Sœurs d'armes (Poirier) ; 1938, Le patriote (Tourneur), Éducation de prince (Esway), Les cinq sous de Lavarède (Cammage), Accord final (Rozenkrantz) ; 1939, Monsieur Brotonneau (Esway) ; 1940, La fille du puisatier (Pagnol) ; 1942, La croisée des chemins (Berthomieu) ; 1943, Arlette et l'amour (Vernay) ; 1946, La belle et la bête (Cocteau) ; 1947, La révoltée (L'Herbier) ; 1948, Les parents terribles (Cocteau) ; 1949, Swiss Tour (Lindtberg).

Débuts à cinq ans. Puis c'est la danse qui l'attire de préférence au cinéma. Elle y revient pourtant en 1930. Ses films sont bien mauvais, mais elle séduit Paul Morand puis Marcel Pagnol après avoir joué *La fille du puisatier*, scénario écrit pour elle. Elle se séparera par la suite de Pagnol. Mais Cocteau lui donne la vedette de deux de ses meilleurs films. En 1950, elle se marie avec le milliardaire Maurice Solvay et se retire.

Day-Lewis, Daniel

Acteur anglais né en 1957.

1971, Sunday Bloody Sunday (Un dimanche comme les autres) (Schlesinger) ; 1982, Gandhi (Gandhi) (Attenborough) ; 1984, The Bounty (Le Bounty) (Donaldson) ; 1985, The Insurance Man (Eyre), My Beautiful Launderette (My Beautiful Launderette) (Frears) ; 1986, A Room With a View (Chambre avec vue) (Ivory) ; 1987, Nanou (Nanou) (Templeman) ; 1988, The Unbearable Lightness of Being (L'insoutenable légèreté de l'être) (Kaufman), Stars and Bars (O'Connor) ; 1989, Eversmile, New Jersey (Sorin), My Left Foot (My Left Foot) (Sheridan) ; 1992, Last of the Mohicans (Le dernier des Mohicans) (Mann) ; 1993, The Age of Innocence (Le temps de l'innocence) (Scorsese), In the Name of the Father (Au nom du père) (Sheridan) ; 1996, The Crucible (La chasse aux sorcières) (Hytner) ; 1997, The Boxer (The Boxer) (Sheridan) ; 2001, Gangs of New York (Gangs of New York) (Scorsese) ; 2005, The Ballad of Jack and Rose (The Ballad of Jack and Rose) (Miller).

Fils du poète et romancier Cecil Day-Lewis, il fait partie de cette catégorie d'acteurs dits « de composition », à l'instar de Robert de Niro, Dustin Hoffman ou Jennifer Jason Leigh. Une anecdote montre son implication dans chacun de ses rôles, qu'il choisit d'ailleurs avec parcimonie : lors du tournage de *My Left Foot*, où il incarne le peintre handicapé Christy Brown, il refuse de se lever entre les prises de vues. Ce film lui vaut d'ailleurs un oscar en 1989. Sa performance est extraordinaire dans *Au nom du père*, où il interprète Jerry Conlon, soupçonné d'appartenance à l'IRA et condamné à quinze ans de prison, alors qu'il était innocent.

Déa, Marie

Actrice française, de son vrai nom Odette Deupès, 1912-1992.

1938, La vierge folle (Diamant-Berger) ; 1939, Pièges (Siodmak), Nord Atlantique (Cloche) ; 1940, Finance noire (Gandera), Documents secrets (Joannon) ; 1941, Histoire de rire (L'Herbier), Premier bal (Christian-Jaque) ; 1942, Le journal tombe à cinq heures (Lacombe), Secrets (Blanchar), Les visiteurs du soir (Carné) ; 1945, L'impasse (Dard), Les atouts de M. Wens (Meyst), Rouletabille contre la dame de pique/Rouletabille joue et gagne (Chamborant) ; 1948, La maternelle (Diamant-Berger), 56, rue Pigalle (Rozier) ; 1949, Orphée (Cocteau) ; 1950, Caroline chérie (Pottier) ; 1952, Ouvert contre X (Pottier) ; 1956, OSS 117 n'est pas mort (Sacha) ; 1959, La jument verte (Autant-Lara) ; 1960, Tendre et violente Élisabeth (Decoin) ; 1961, L'assassin est dans l'annuaire (Joannon) ; 1962, Le glaive et la balance (Cayatte) ; 1965, Les ruses du diable (Vecchiali) ; 1974, Mariage (Lelouch).

Charmante ingénue, toute de douceur mais aussi de fermeté : son grand rôle reste celui des *Visiteurs du soir*.

Dean, James

Acteur américain, 1931-1955.

1951, Fixed Bayonets (Baïonnette au canon) (Fuller), Sailors Beware (La polka des marins) (Walker) ; 1952, Has Anybody Seen My Gal ? (Sirk) ; 1954, East of Eden (A l'est d'Éden) (Kazan) ; 1955, Rebel Without a Cause (La fureur de vivre) (Ray), Giant (Géant) (Stevens).

En trois films il s'est élevé au niveau du mythe. A quoi attribuer le culte dont il fut l'objet ? A son talent ? Il était réel mais limité. A sa mort brutale dans un accident de voiture ? D'autres – hélas ! – ont connu un sort identique sans susciter pareille frénésie. Peut-être a-t-il tout simplement surgi au bon moment pour capter une jeunesse toujours avide d'idoles. Dans *Come back to the 5 and dime, Jimmy Dean, Jimmy Dean*, Altman a dépeint quelques-unes de ses admiratrices, près de trente ans après le drame. Son film explique bien quel public fut alors envoûté par Dean.

Né dans l'Indiana, d'une famille de fermiers méthodistes, il fit des débuts modestes dans un petit groupe théâtral puis dans des films publicitaires à la télévision et tint quelques petits rôles au cinéma. En 1952, il vint à New York et joua à Broadway *See the Jaguar*. Pour se perfectionner, il s'inscrivit à l'Actor's Studio. Après un nouveau passage à Broadway pour *The Immoralist*, il passa sous contrat à la Warner, où il tourna trois films, tous remarquables, avant son accident. Un autre film devait être consacré à sa vie : *The James Dean's Story* (1957).

Dearly, Max

Acteur français, de son vrai nom Rolland, 1874-1943.

1908, L'empreinte ; 1910, Carmen (Calmettes) ; 1930, Azaïs (Hervil) ; 1931, Coquecigrole (Berthomieu), Coups de roulis (J. de la Cour) ; 1932, L'amour et la veine (M. Banks) ; 1933, Arlette et ses papas (Roussell), Madame Bovary (Renoir), Les misérables (Bernard) ; 1934, Le dernier milliardaire (Clair), Si j'étais le patron (Pottier) ; 1935, Un oiseau rare (Pottier), La vie parisienne (Siodmak), Paris-Camargue (Forrester) ; 1936, La reine des resquilleuses (M. de Gastyne et M. Glass) ; 1937, Claudine à l'école (Poligny) ; 1938, Le cœur ébloui (Vallée), Le train pour Venise (Berthomieu) ; 1939, Ils étaient neuf célibataires (Guitry), Le grand élan (Christian-Jaque), Bécassine (Caron) ; 1941, Le club des soupirants (Gleize).

Un peu oublié aujourd'hui, il a été réhabilité par Barrot et Chirat dans leur livre sur *Les Excentriques du cinéma français*. Ce grand acteur du théâtre des Variétés a peu tourné, mais ses compositions furent éblouissantes : il fut M. Homais dans la version Renoir de *Madame Bovary* et Flaubert eût savouré sa conception du personnage ; on n'oubliera pas non plus le dictateur Banco du méconnu *Dernier milliardaire* de René Clair ; il tenait encore tête à Jules Berry dans *Arlette et ses papas* et à Marguerite Moréno dans *Ils étaient neuf célibataires*. Son meilleur rôle ? Le dernier : celui du prince Nivarnoff dans le délirant *Club des soupirants*.

Debar, Andrée

Actrice française née en 1926.

1946, Le bataillon du ciel (Esway) ; 1947, Une mort sans importance (Noé) ; 1948, Le paradis des pilotes perdus (Lampin) ; 1949, Le jugement de Dieu (Bernard) ; 1950, Les mauvents (Dupé) ; 1951, Les sept péchés capitaux ; 1952, Le marchand de Venise (Billon) ; 1954 ; Le masque de fer (Pottier) ; 1955, Le port du désir (Greville) ; 1956, Je plaide non coupable (Greville), L'eau vive (Villiers) ; 1957, La garçonne (Audry) ; 1959, Le secret du chevalier d'Éon (Audry).

Née à Maisons-Laffitte, elle paraît s'orienter vers la musique puis bifurque vers le théâtre. Le cinéma saura utiliser son visage un peu dur, presque masculin : elle sera « la garçonne » de Marguerite et le chevalier d'Éon. Devenue productrice par la suite.

Debbouze, Jamel

Humoriste et acteur français né en 1975.

1997, Les oiseaux, le ciel et... ta mère ! (Bensalah) ; 1998, Zonzon (Bouhnik) ; 2000, Le fabuleux destin d'Amélie Poulain (Jeunet) ; 2001, Astérix et Obélix : Mission Cléopâtre (Chabat) ; 2002, Le boulet (Berbérian, Forestier) ; 2003, Les clefs de bagnole (Baffie) ; 2005, Angel-A (Besson) ; 2006, Indigènes (Bouchareb).

Issu d'une banlieue parisienne peu favorisée, il met à profit un tempérament expansif en s'adonnant, adolescent, à l'improvisation. Un comique est né, qui connaît en quelques années une ascension fulgurante à la télévision et sur scène puis au cinéma, où il impose un personnage de petit banlieusard teigneux et gouailleur, à la repartie imparable. Son personnage prend une dimension inattendue dans *Angel-A*, puis Debbouze s'implique dans *Indigènes*, film destiné à rappeler le sacrifice des troupes coloniales lors de la Seconde Guerre mondiale.

Debucourt, Jean

Acteur français, de son vrai nom Pélisse, 1894-1958.

1922, Tempêtes (Boudrioz) ; 1923, Le petit chose (Hugon) ; 1924, La rue du pavé d'amour ; 1928, Madame Récamier (Ravel), La merveilleuse vie de Jeanne d'Arc (Gastyne), La chute de la maison Usher (Epstein) ; 1931, Un soir au front (Ryder), Mistigri (Lachman) ; 1933, Le gendre de M. Poirier (Pagnol), L'agonie des aigles (Richebé), Belle de nuit (Valray) ; 1934, Maître Bolbec et son mari (Natanson), Le prince Jean (Marguénat), Le mari garçon (Cavalcanti) ; 1936, Koenigsmark (Tourneur), Deuxième bureau (Billon), Mayerling (Litvak), Parlez-moi d'amour (Guissart), La pocharde (Kem), Les loups entre eux (Mathot), Le clown Bux (Natanson) ; 1937, La dame de Malacca (Allégret) ; 1939, De Mayerling à Sarajevo (Ophuls) ; 1941, Une femme dans la nuit (Greville) ; 1942, Dernier atout (Becker), Les affaires sont les affaires (Dréville), Marie-Martine (Valentin), Monsieur des Lourdines (Hérain), Lettres d'amour (Autant-Lara), Malaria (Gourguet), Coup de feu dans la nuit (Péguy) ; 1943, La Malibran (Guitry), Le ciel est à vous (Grémillon), Douce (Autant-Lara) ; 1945, Roger la honte (Cayatte), Son dernier rôle (Gourguet), Tant que je vivrai (Baroncelli), L'idiot (Lampin) ; 1946, Le diable au corps (Autant-Lara), Torrents (Poligny), Vertiges (Pottier), Rêves d'amour (Stengel), Le fugitif (Bibal), Désarroi (Dagan), Le visiteur (Dréville), Rendez-vous à Paris (Grangier), La femme en rouge (Cuny) ; 1947, Monsieur Vincent (Cloche), Non coupable (Decoin), L'aigle à deux têtes (Cocteau), Le carrefour du crime (Sacha), La dame d'onze heures (Devaivre) ; 1948, Le diable boiteux (Guitry), D'homme à hommes (Christian-Jaque), L'échafaud peut attendre (Valentin), Pattes blanches (Grémillon), Le secret de Mayerling (Delannoy), Le crime des justes (Gehret) ; 1949, La belle que voilà (Le Chanois), Prélude à la gloire (Lacombe), Rome Express (Stengel) ; 1950, Justice est faite (Cayatte), Identité judiciaire (Bromberger) ; 1951, La poison (Guitry), Barbe-Bleue (Christian-Jaque), Procès au Vatican (Haguet), Nez de cuir (Y. Allégret), Les sept péchés capitaux (6e sketch), Jocelyn (Casembrot), Cap de l'espérance (Bernard) ; 1952, La jeune folle (Y. Allégret), Le petit monde de Don Camillo (Duvivier, la voix de Dieu), Le carrosse d'or (Renoir), La fête à Henriette (Duvivier), Il est minuit docteur Schweitzer (Haguet), La danseuse nue (Louis), Mon curé chez les riches (Diamant-Berger), Les dents longues (Gélin) ; 1953, Le chasseur de chez Maxim's (Diamant-Berger), Madame de (Ophuls), La nuit est à nous (Stelli), Les révoltés de Lomanach (Pottier), Le secret d'Hélène Marimont (Calef), Les amoureux de Marianne (Stelli), Mam'zelle Nitouche (Y. Allégret) ; 1954, Napoléon (Guitry), Nana (Christian-Jaque), Huis Clos (Audry) ; 1955, Les hommes en blanc (Habib), Si Paris nous était conté (Guitry), Marguerite de la nuit (Autant-Lara), La lumière d'en face (Lacombe), Milord l'Arsouille (Haguet) ; 1956, Mon curé chez les pauvres (Diamant-Berger), Le salaire du péché (La Patellière), Les sorcières de Salem (Rouleau), Till l'espiègle (Ivens) ; 1957, Maigret tend un piège (Delannoy), Quand la femme s'en mêle (Y. Allégret).

Fils du grand acteur Le Bargy qui le pousse vers le théâtre, il entre au Conservatoire, fait partie de la troupe de l'Odéon puis devient pensionnaire de la Comédie-Française, comme Clariond, Seigner et bien d'autres. Il apportera au cinéma (où il joue beaucoup) un style un peu théâtral à l'exemple de ses confrères qui sortent du Conservatoire. A l'écran il joue les notables, les bourgeois cossus, les grands avocats, les médecins. Mais il peut se révéler, sous cette apparence respectable, un criminel dangereux comme dans *Identité judiciaire*, l'un de ses meilleurs rôles.

De Carlo, Yvonne

Actrice canadienne, de son vrai nom Peggy Yvonne Middleton, 1922-2007.

1941, Harvard, Here I Come (Landers) ; 1942, This Gun for Hire (Tueur à gages) (Tuttle), Youth on Parade (Rogell), Road to Morocco (En route pour le Maroc) (Butler), Lucky Jordan (Tuttle) ; 1943, The Crystal Ball (Nugent), For Whom the Bell Tolls (Pour qui sonne le glas) (Wood), So Proudly We Hail (Sandrich), Let's Face It (Lanfield), True to Life (Marshall), The Deerslayer (Landers) ; 1944, The Story of Dr. Wassell (L'odyssée du docteur Wassell) (DeMille), Kismet (Dieterle), Here Come the Waves (Sandrich), Practically Yours (Leisen), Rainbow Island (Murphy), Standing Room Only (L'amour cherche un toit) (Lanfield) ; 1945, Bring on the Girls (L'or et les femmes) (Lanfield), Salome Where She Danced (Salomé) (Lamont), Frontier Gal (La taverne du cheval rouge) (Lamont) ; 1947, Song of Scheherazade (Reisch), Slave Girl (La belle esclave) (Lamont), Brute Force (Les démons de la liberté) (Dassin) ; 1948, Casbah (Berry), River Lady (Le barrage de Burlington) (Sherman), Black Bart (Sherman) ; 1949, The Gal Who Took the West (La belle aventurière) (De Cordova), Criss Cross (Pour toi j'ai tué) (Siodmak), Calamity Jane and Sam Bass (La fille des prairies) (Sherman) ; 1950, Buccaneer's Girl (La fille des boucaniers) (De Cordova), The Desert Hawk (L'aigle du désert) (De Cordova) ; 1951, Tomahawk (Sherman), Hotel Sahara (Annakin), Silver City (La ville d'argent) (Haskin) ; 1952, Hurricane Smith (Maître après le diable) (Hopper), Scarlet Angel (Salkow), San Francisco Story (La madone du désir) (Parrish) ; 1953, Sea Devils (La belle espionne) (Walsh), Sombrero (N. Foster), Captain's Paradise (Capitaine Paradis) (Kimmins), Fort Algiers (Selander), La Castiglione (Combret) ; 1954, Border River (Les rebelles) (Sherman), Passion (Tornade) (Dwan), Happy Ever After (Héritage et vieux fantômes) (Zampi) ; 1955, Shotgun (Amour fleur sauvage) (Selander), Flame of the Islands (La femme du hasard) (Ludwig) ; 1956, Magic Fire (Feu magique) (Dieterle), Raw Edge (La proie des hommes) (J. Sherwood), The Ten Commandments (Les dix commandements) (DeMille), Death of Scoundrel (Martin) ; 1957, Band of Angels (L'esclave libre) (Walsh) ; 1958, La spada e la croce (Ludovico) ; 1959, Timbuktu (Tourneur) ; 1963, McLintock (Le Grand McLintock) (McLaglen), Law of the Lawless (Condamné à être pendu) (Claxton) ; 1964, A Global Affair (Arnold), Tentazioni proibiti (Civironi) ; 1966, Munster Go Home (Bellamy) ; 1968, The Power (La guerre des cerveaux) (Haskin), Hostile Guns (Springsteen), Arizona Bushwackers (Les rebelles de l'Arizona) (Selander) ; 1970, The Delta Factor (Opération Traquenard) (Garnett) ; 1971, The Seven Minutes (R. Meyer) ; 1974, The Girl on the Late (Morgan), Won Ton Ton, The Dog Who Saved Hollywood (Winner) ; 1975, It Seemed Like a Good Idea at the Time (Trent) ; 1976, Blazing Stewardesses (Sherman) ; 1977, Satan's Cheerleaders (Clarks) ; 1978, Nocturna (Tampas) ; 1979, Guyana, the Crime of the Century (Guyana, la secte de l'enfer) (Cardona Jr.), Silent Scream (Le silence qui tue) (Harris) ; 1980, The Man With Bogart's Face (Détective comme Bogart) (Day) ; 1981, Play Dead (Wittman) ; 1982, Liar's Moon (Le challenger) (Fisher) ; 1983, Vulture in Paradise (Leder) ; 1985, Flesh and Bullets (Tobalina) ; 1987, American Gothic (Hough) ; 1988, Cellar Dweller (Buechler) ; 1990, Mirror Mirror (Sargenti).

Née à Vancouver, elle vient tenter sa chance à Hollywood. D'abord figurante à la Paramount, elle est lancée par l'Universal comme la plus belle fille du monde (non sans raison d'ailleurs). Elle prend comme nom d'actrice celui de sa mère, Marie De Carlo. C'est *Salomé*, l'un des films les plus extravagants jamais tournés, qui en fait une star. Éblouissante chez Walsh dans *L'esclave libre* face à Clark Gable et dans certains films noirs (*Criss Cross*), elle a eu peut-être le tort de se perdre dans des westerns de série B (Sherwood, Sherman) et de série Z (Selander, Springsteen), indignes d'un talent incontestable de comédienne qui lui permet de passer de la distinction la plus accomplie (*Black Bart*) à la vulgarité la plus aimable (*Captain's Paradise*). Elle a fait de sensationnels débuts à Broadway en 1971 et conserve aujourd'hui encore de fidèles admirateurs de par le monde. A Paris, ses inconditionnels se réunissent pour communier dans un même culte grâce à des projections (très) privées de ses meilleurs films. Elle a écrit en 1987 son autobiographie : *Yvonne*.

Dechamps, Charles

Acteur français, 1883-1959.

1930, Flagrant délit (Schwartz) ; 1931, Paris-Méditerranée (May), Pour un sou d'amour (renié par Grémillon) ; 1932, Ce cochon de Morin (Lacombe) ; 1933, Ève cherche un père (Bonnard), Trois hommes en habit (Bonnard), Le fakir du Grand Hôtel (Billon), Toi que j'adore (Bolvary), Vive la compagnie (Monluis), Un peu d'amour (Steinhoff) ; 1934, Le Nouveau Testament (Guitry), Mon cœur t'appelle (Gallone), Si j'étais le patron (Pottier) ; 1935, Monsieur Sans-Gêne (Anton), Adémaï au Moyen Age (Marguenat) ; 1936, Pattes de mouche (Grémillon), J'aime toutes les femmes (Lamac), Œil de lynx détective (Ducus), Pantins d'amour (Kapps), Cœur de gueux (Epstein), Une gueule en or (Colombier), Passé à vendre (Pujol) ; 1937, La chaste Suzanne (Berthomieu), Hercule (Esway), Un déjeuner au soleil (Cohen), Nostalgie (Tourjansky), Les secrets de la mer Rouge (Pottier), La reine des resquilleurs (Glass) ; 1938, Barnabé (Esway), Un fichu métier (Ducis), Le père Lebonnard (Limur) ; 1939, Battement de cœur (Decoin), Un de la Canebière (Pujol) ; 1940, L'acrobate (Boyer) ; 1946, Amour, délices et orgues (Berthomieu), Le chanteur inconnu (Cayatte), Les beaux jours du roi Murat (Pathé) ; 1947, Clochemerle (Chenal), La révoltée (L'Herbier), Mort ou vif (Tedesco) ; 1948, Les amants de Vérone (Cayatte), Rome Express (Stengel), Ma tante d'Honfleur (Jayet) ; 1949, Occupe-toi d'Amélie (Autant-Lara), Le Furet (Leboursier) ; 1950, Dakota 308 (Daniel-Norman), Le don d'Adèle (Couzinet), Une fille à croquer (André), Tête blonde (Cam), Les maîtres nageurs (Lepage), Et moi je te dis qu'elle t'a fait de l'œil (Gleize) ; 1953, Le blé en herbe (Autant-Lara), Tourments (Daniel-Norman), Pas de souris dans le bizness (Lepage).

Rôle de vieux beaux, de cocus d'un certain âge, d'aristocrates plus ou moins décavés. Sa fine moustache et sa prestance font merveille dans *Le Nouveau Testament* où il est cocu, dans *Une gueule en or* où il est trop empressé et dans *Barnabé* où il se présente comme le comte des Estoufettes. Sa carrière s'interrompt pendant la guerre, qu'il passe aux États-Unis ; elle reprend dans des personnages identiques de 1946 à sa mort.

De Corsia, Ted

Acteur américain, 1903-1973.

1948, The Lady from Shanghai (La dame de Shanghai) (Welles), The Naked City (La cité sans voiles) (Dassin) ; 1949, It Happens Every Spring (Bacon), Neptune Daughter (La fille de Neptune) (Buzzell), Mr. Soft Touch (Levin) ; 1950, The Outriders (Le convoi maudit) (Rowland), Three Secrets (Wise), Cargo to Capetown (McEvoy) ; 1951, The Enforcer (La femme à abattre) (Windust), Vengeance Valley (La vallée de la vengeance) (Thorpe), New Mexico (Reis), Inside the Walls of Folsom Prison (Wilbur), A Place in the Sun (Une place au soleil) (Stevens) ; 1952, Captain Pirate (Murphy), The Turning Point (Le cran d'arrêt) (Dieterle), The Savage (Le fils de Geronimo) (Marshall) ; 1953, Man in the Dark (Landers), Ride Vaquero (Vaquero) (Farrow), Hot News (Bernds) ; 1954, Crime Wave (Chasse au gang) (De Toth), 20 000 Leagues under the Sea (Vingt mille lieues sous les mers) (Fleischer) ; 1955, The Big Combo (Association criminelle) (Lewis), The Man with the Gun (L'homme au fusil) (Wilson), Kismet (Minnelli) ; 1956, The Conqueror (Le conquérant) (Powell), The Kettles in the Ozarks (Lamont), The Steel Jungle (Doniger), Slighty Scarlet (Deux rouquines dans la bagarre) (Dwan), Mohawk (L'attaque du Fort Douglas) (Neumann), The Killing (Ultime razzia) (Kubrick), Showdown at Abilene (Les dernières heures d'un bandit) (Ch. Haas), Dance with Me, Henry (Barton) ; 1957, Gunfight at the OK Corral (Règlement de comptes à OK Corral) (Sturges), The Midnight Story (Rendez-vous avec une ombre) (Pevney), The Lawless Eighties (Kane), The Joker Is Wild (Le pantin brisé) (Ch. Vidor), Gun Battle at Monterey (Hittelman), Baby Face Nelson (L'ennemi public) (Siegel), Man on the Prowl (A. Napoleon) ; 1958, Enchanted Island (Dwan), Handle with Care (Friedkin), The Buccaneer (Les boucaniers) (Quinn) ; 1959, Inside the Mafia (Cahn) ; 1960, Oklahoma Territory (Cahn), Noose for a Gunman (Cahn), From the Terrace (Du haut de la terrasse) (Robson) ; 1964, The Quick Gun (Feux sans sommation) (Salkow), Blood on the Arrow (Mille dollars pour une Winchester) (Salkow) ; 1966, Nevada Smith (Hathaway) ; 1967, The King's Pirate (Weis) ; 1968, Five Card Stud (Cinq cartes à abattre) (Hathaway) ; 1970, The Delta Factor (Opération traquenard) (Garnett).

Acteur radiophonique remarqué par Welles qui le fit débuter à l'écran dans *La dame de Shanghai*, il fut tantôt flic tantôt gangster dans une impressionnante série de thrillers où les cinéphiles prennent plaisir à repérer sa silhouette massive. L'un des meilleurs seconds rôles du cinéma américain.

Deed, André

Acteur français, de son vrai nom André de Chapais, 1884-1934.

1906, La course à la perruque (Heuzé) ; 1907-1908, série des Boireau ; 1908-1911, série des Cretinetti (Gribouille en France) ; 1912 : nouvelle série des Boireau ; 1923, Tao (Ravel) ; 1924, Phi-Phi (Fexis) ; 1928, Graine au vent (Keroul) ; 1932, Léon... tout court (Nalpas).

L'un des pionniers du cinéma comique en France, il venait du café-concert et s'était illustré comme acrobate au Châtelet et aux Folies-Bergère. Il créa le personnage de Boireau, un ahuri lancé dans de folles poursuites, puis fut engagé pour une autre série comique en Italie, celle de Cretinetti où il avait sa femme, Valentina Frascaroli, comme partenaire. Il revient chez Pathé en 1912. Mobilisé pendant la guerre de 1914-1918, il ne retrouva plus ensuite sa popularité passée. Il aurait joué et dirigé, selon G. Sadoul, deux ciné-romans en Italie : *Le document humain* et *L'homme mécanique*. Il finit dans la misère, complètement oublié.

De Havilland, Olivia

Actrice américaine née en 1916.

1935, A Midsummer Night's Dream (Le songe d'une nuit d'été) (Reinhardt et Dietele), The Irish in Us (Bacon), Alibi Ike (Enright), Captain Blood (Capitaine Blood) (Curtiz) ; 1936, Anthony Adverse (Anthony Adverse) (LeRoy), The Charge of the Light Brigade (La charge de la brigade légère) (Curtiz) ; 1937, Call It a Day (Une journée de printemps) (Mayo), The Great Garrick (Whale), It's Love I'm After (L'aventure de minuit) (Mayo) ; 1938, Gold Is Where You Find It (La bataille de l'or) (Curtiz), The Adventures of Robin Hood (Les aventures de Robin des Bois) (Curtiz), Hard to Get (Enright), Four's a Crowd (Quatre au paradis) (Curtiz) ; 1939, Dodge City (Les conquérants) (Curtiz), The Private Lives of Elizabeth and Essex (La vie privée d'Élisabeth d'Angleterre) (Curtiz), Gone with the Wind (Autant en emporte le vent) (Fleming), Wings of the Navy (Les ailes de la flotte) (Bacon) ; 1940, My Love Cames Back (Bernhardt), Raffles (Wood), Santa Fe Trail (La piste de Santa Fe) (Curtiz) ; 1941, Strawberry Blonde (Walsh), The Died With Their Boots on (La charge fantastique) (Walsh), Hold Back the Dawn (Leisen) ; 1942, In this Our Life (Huston), The Male Animal (Nugent) ; 1943, Thank Your Lucky Stars (Remerciez votre bonne étoile) (Butler), Government Girl (D. Nichols), Princess O'-Rourke (Krasna) ; 1946, Devotion (La vie passionnée des sœurs Brontë) (Bernhardt), The Well-Groomed Bride (Champagne pour deux) (Lanfield), The Dark Mirror (La double énigme) (Siodmak), To Each His Own (A chacun son destin) (Leisen) ; 1948, The Snake Pit (La fosse aux serpents) (Litvak) ; 1949, The Heiress (L'héritière) (Wyler) ; 1953, My Cousin Rachel (Ma cousine Rachel) (Koster) ; 1954, That Lady (La princesse d'Éboli) (Young), Not as a Stranger (Pour que vivent les hommes) (Kramer) ; 1955, The Ambassador's Daughter (La fille de l'ambassadeur) (Krasna) ; 1958, The Proud Rebel (Le fier rebelle) (Curtiz) ; 1959, Libel (La nuit est mon ennemie) (Asquith) ; 1962, Light in the Piazza (Lumière sur la Piazza) (Green) ; 1964, Lady in a Cage (Une femme dans une cage) (Grauman) ; 1965, Hush... Hush Sweet Charlotte (Aldrich) ; 1969, The Adventurers (Les derniers aventuriers) (Gilbert) ; 1972, Pope Joan (Jeanne, papesse du Diable) (Anderson) ; 1977, Airport 77 (Jameson), The Swarm (L'inévitable catastrophe) (Allen) ; 1979, The 5th musketeer (Annakin) ; 1981, Murder in Easy (Whatan) ; 1983, The Devil Impostor (Anderson).

Sœur de Joan Fontaine, elle débute à l'écran en 1935 et forme à la fin des années 30 un couple idéal avec Errol Flynn dans une suite de chefs-d'œuvre dirigés par Curtiz et Walsh. On la retrouve dans la distribution d'*Autant en emporte le vent*. Par la suite elle obtient des oscars pour *To Each His Own* en 1946 et *The Heiress* en 1949 où elle est admirable en héroïne d'Henry James. On l'a découverte transformée et vieillie (hélas !) dans *Hush... Hush, Sweet Charlotte*.

Dehelly, Suzanne

Actrice française, 1896-1968.

1930, Un trou dans le mur (Barberis) ; 1931, Tout s'arrange (Diamant-Berger) ; 1932, Ma femme homme d'affaires (Vaucorbeil) ; 1933, Mon amant l'assassin (S. Bussi), La prison en folie (Wulschleger) ; 1934, La reine des resquilleuses (Glass et Gastyne), Les bleus de la Marine (Cammage), Une nuit de folie (Cammage), La crise est finie (Siodmak) ; 1935, La mariée du régiment (Cammage), Retour au paradis (Poligny), Un soir de bombe (Cammage) ; 1936, La brigade en jupons (Limur), Prête-moi ta femme (Cammage), La petite dame des wagons-lits (Cammage) ; 1937, Titin des Martigues (Pujol), Une de la cavalerie (Cammage), Arsène Lupin détective (Diamant-Berger), Cinderella (Caron), Mon député et sa femme (Cammage) ; 1938, La présidente (Rivers), Ça c'est du sport (Pujol), Vacances payées (Cammage) ; 1939, Gargousse (Wulschleger), L'homme qui cherche la vérité (Esway), Marseille mes amours (Daniel-Norman) ; 1941, Pension Jonas (Caron), Premier rendez-vous (Decoin) ; 1942, Croisières sidérales (Zwobada), Le grand combat (Bernard-Roland), La belle aventure (M. Allégret), A vos ordres, Madame (Boyer) ; 1943, La collection Ménard (Bernard Roland), Feu Nicolas (Houssin) ; 1945, Le roi des resquilleurs (Devaivre) ; 1946, Le château de la dernière chance (Paulin), Rouletabille joue et gagne (Chamborant), Rouletabille contre la dame de pique (Chamborant), Pas un mot à la reine mère (Cloche) ; 1947, L'idole (Esway) ; 1948, Ma tante d'Honfleur (Jayet), Cinq tulipes rouges (Stelli) ; 1949, Au grand balcon (Decoin) ; 1950, Topaze (Pagnol), Le rosier de Madame Husson (Boyer), Olivia (Audry) ; 1951, La nuit est mon royaume (Lacombe), Ma femme est formidable (Hunebelle) ; 1952, Quitte ou double (Vernay), Ils sont dans les vignes (Vernay), Les amours finissent à l'aube (Calef) ; 1953, Châteaux en Espagne (Wheeler) ; 1954, Huis clos (Audry), Les fruits de l'été (R. Bernard) ; 1955, La bande à papa (Lefranc) ; 1957, La garçonne (Audry), Police judiciaire (Canonge), Sénéchal le magnifique (Boyer), Le temps des œufs durs (Carbonnaux), Fumée blonde (Vernay), L'école des cocottes (Audry) ; 1959, La valse du Gorille (Borderie) ; 1961, Les livreurs (Girault).

C'est le gros rire, un rire sans complexe, que déclenche cette grande bringue aux cheveux courts, pétulante comme pas deux. Ses scénaristes et ses metteurs en scène ne travaillent pas dans la finesse (les cocus et les militaires sont toujours au rendez-vous) mais on finit par marcher. Puis avec *L'idole*, elle change de registre et donne dans le sérieux, son jeu devenant brusquement sobre. On ne la reconnaît plus et on l'oublie. Le temps d'un Audry ou d'un Carbonnaux, elle tente de se rappeler à nous. Il est trop tard. Elle meurt dans l'indifférence.

Dejoux, Christine

Actrice française née en 1953.

1973, L'an 01 (Gébé, Doillon, Resnais), Juliette et Juliette (Forlani), Si vous n'aimez pas ça, n'en dégoûtez pas les autres (Lewin) ; 1974, Au long de rivière Fango (Sotha) ; 1975, Attention les yeux ! (Pirès) ; 1976, L'apprenti salaud (Deville) ; 1977, Le diable dans la boîte (Lary), Un moment d'égarement (Berri) ; 1980, Viens chez moi, j'habite chez une copine (Leconte) ; 1981, La soupe aux choux (Girault) ; 1982, Les sacrifiés (Touita) ; 1991, El rey pasmado (Le roi ébahi) (Uribe) ; 1992, Max et Jérémie (Devers) ; 1993, Le bateau de mariage (Améris) ; 1994, Tout le monde n'a pas eu la chance d'avoir des parents communistes (Zilbermann).

Débuts au café-théâtre et une toute petite carrière cinématographique pour une actrice discrète, subtile et méconnue.

Dekker, Albert

Acteur américain, 1906-1968.

1937, The Great Garrick (Whale) ; 1938, Marie-Antoinette (Marie-Antoinette) (Van Dyke), The Last Warning (Le dernier avertissement) (Rogell), The Lone-Wolf in Paris (Rogell), Extortion (Hillyer), She Married an Artist (Gering) ; 1939, Beau Geste (Wellman), Paris Honeymoon (Tuttle), Never Say Die (La source aux loufoques) (Nugent), Hotel Imperial (Florey), The Man in the Iron Mask (Whale) ; 1940, Seven Sinners (La maison des sept péchés) (Garnett), Dr. Cyclops (Schoedsack), Strange Cargo (Le cargo maudit) (Borzage) ; 1941, Among the Living (Heisler), You're The One (Murphy), Blonde Inspiration (Berkeley), Reaching for the Sun (Wellman), Buy Me That Town (E. Forde), Honky Tonk (Franc jeu) (Conway) ; 1942, The Lady Has Plans (Lanfield), Yokel Boy (Santley), The Forest Rangers (La fille de la forêt) (Marshall), Wake Island (La sentinelle du Pacifique) (Farrow), Once Upon a Honeymoon (Lune de miel mouvementée) (McCarey), Star Splangled Rhythm (Place au rythme) (Marshall), In Old California (McGann), A Night in New Orleans (Clemens) ; 1943, The Woman of the Town (Archainbaud), In Old Oklahoma (Rogell), Buckskin Frontier (Selander), The Kansan (Archainbaud) ; 1944, Experiment Perilous (Angoisse) (Tourneur), The Hitler Gang (Farrow) ; 1945, Salome Where She Danced (Salomé) (Lamont), Incendiary Blonde (Marshall), Hold That Blonde (Marshall) ; 1946, Two Years Before the Mast (Révolte à bord) (Farrow), Suspense (Tuttle), The French Key (W. Colmes), The Killers (Les tueurs) (Siodmak), California (Californie terre promise) (Farrow) ; 1947, Slave Girl (Lamont), Gentleman's Agreement (Le mur invisible) (Kazan), Cass Timberlane (Éternel tourment) (Sidney), Wyoming (Kane), The Pretender (W. Lee Wilder), The Fabulous Texan (Ludwig) ; 1948, Lulu Belle Sidney, Fury at Furnace Creek (Massacre à Furnace Creek) (Humberstone) ; 1949, Search for Danger (Bernhardt), Bride of Vengeance (La vengeance des Borgia) (Leisen) ; 1950, Tarzan's Magic Fountain (Tarzan et la fontaine magique) (Sholem), The Furies (Les furies) (Mann), The Kid from Texas (Le Kid du Texas) (Neuman), Destination Murder ; 1951, As Young as You Feel (Jones) ; 1952, Wait Till the Sun Shines, Nellie (King) ; 1955, The Silver Chalice (Le calice d'argent) (Saville), East of Eden (A l'est d'Éden) (Kazan), Kiss Me Deadly (En quatrième vitesse) (Aldrich), Illegal (Le témoin à abattre) (Allen) ; 1957, The She-Devil (Neumann) ; 1958, Machete (Neumann) ; 1959, Suddenly Last Summer (Soudain l'été dernier) (Mankiewicz), These Thousand Hills (Duel dans la boue) (Fleischer), The Sound and the Fury (Le bruit et la fureur) (Ritt), The Wonderful Country (L'aventurier du Rio Grande) (Parrish), Middle of the Night (Au milieu de la nuit) (D. Mann) ; 1965, Gammera the Invincible (Yuasi) ; 1967, Come Spy With Me (Stone) ; 1969, The Wild Bunch (La horde sauvage) (Peckinpah).

Type même du méchant : savant fou qui rapetisse ses victimes (*Dr. Cyclops*) ou chef d'une bande de voleurs de secrets atomiques (*Kiss Me Deadly*). Il déploya toujours un réel talent, servi par son physique : une présence lourde et menaçante et toujours une moustache barrant son visage. Sur la fin il semblait passé du côté de l'ordre (il était capitaine de rangers dans *The Wonderful Country* !). On le retrouvera en 1968, à son domicile, pendu dans des conditions mystérieuses.

Delair, Suzy

Actrice française, de son vrai nom Suzanne Delaire, née en 1917.

1936, Prends la route (Boyer) ; 1941, Le dernier des six (Lacombe) ; 1942, L'assassin habite au 21 (Clouzot), La vie de bohème (L'Herbier), Défense d'aimer (Pottier) ; 1946, Copie conforme (Dréville) ; 1947, Quai des Orfèvres (Clouzot), Par la fenêtre (Grangier) ; 1948, Pattes blanches (Grémillon) ; 1949, Lady Paname (Jeanson), Botta e risposta (Soldati) ; 1950, Atoll K (Joannon), Souvenirs perdus (Christian-Jaque) ; 1954, Le fil à la patte (Lefranc) ; 1955, Gervaise (Clément), Si Paris nous était conté (Guitry) ; 1956, Le couturier de ces dames (Boyer) ; 1959, Les régates de San Francisco (Autant-Lara) ; 1960, Rocco e i suoi fratelli (Rocco et ses frères) (Visconti) ; 1962, Du mouron pour les petits oiseaux (Carné) ; 1973, Les aventures de Rabbi Jacob (Oury) ; 1975, Oublie-moi Mandoline (Wynn).

Pétulante vedette, à l'aise partout, qu'il s'agisse d'Offenbach (*La vie parisienne, La Périchole*...), du tour de chant (Grand Prix du disque), du théâtre (compagnie Renaud-Barrault), de la télévision ou du cinéma. A l'écran, elle fut Mila-Malou, l'empoisonnante compagne de Pierre Fresnay-M. Wens, le célèbre policier inventé par Steeman, dans *L'assassin habite au 21*, la non moins empoisonnante compagne de Bernard Blier, Jenny Lamour, dans *Quai des Orfèvres*, et la trépidante Caprice de *Lady Paname*. On se souvient aussi de la fessée que lui infligeait Maria Schell dans *Gervaise*, et qui eût enchanté Rebell, mais ses fesses étaient « doublées ». Après 1962, Suzy Delair a beaucoup ralenti ses activités cinématographiques.

Delaître, Marcel

Acteur français, 1888-1963.

1919, Travail (Pouctal) ; 1926, Belphégor (Desfontaines) ; 1931, Paris-Béguin (Genina), Les croix de bois (Bernard) ; 1933, Cœurs joyeux (Vaucorbeil) ; 1934, Poliche (Gance), La rue sans nom (Chenal) ; 1935, Le roman d'un jeune homme pauvre (Gance) ; 1937, J'accuse (Gance) ; 1939, Paradis perdu (Gance), Pour le maillot jaune (Stelli) ; 1943, Premier de cordée (Daquin), Le corbeau (Clouzot), L'homme de Londres (Decoin), Adémaï bandit d'honneur (Grangier) ; 1944, Farandole (Zwobada), Le père Goriot (Vernay) ; 1945, L'affaire du collier de la reine (L'Herbier) ; 1946, La maison sous la mer (Calef) ; 1947, Le village perdu (Stengel) ; 1948, Du Guesclin (La Tour) ; 1949, Au p'tit zouave (Grangier), Le roi (Sauvajon) ; 1950, Dieu a besoin des hommes (Delannoy), Le bagnard (Rozier) ; 1960, La vérité (Clouzot).

Sorti de l'ombre des troisièmes plans par Raymond Chirat dans *Les Excentriques du cinéma français*. Une gueule de personnage à la Marcel Aymé : un visage long, un regard abruti. Il a joué pendant quarante ans les flics ou les gâteux. On n'a recensé ici que ses rôles les plus importants. Dans *Le corbeau*, il est le dominicain qui prêche pendant que vole dans l'église une lettre anonyme qui détourne l'attention des fidèles. Une scène qui est un peu à l'image de la carrière de Delaître. On le voit à peine et on oublie son nom. Mais il vaut mieux que ce presque anonymat de figurant.

Delamare, Lise

Actrice française 1913-2006.

1933, Georges et Georgette (Le Bon) ; 1934, Pension Mimosas (Feyder), Les Précieuses ridicules (Perret) ; 1936, Notre-Dame d'Amour (Caron) ; 1937, Forfaiture (L'Herbier) ; 1938, La Marseillaise (Renoir) ; 1941, Péchés de jeunesse (Tourneur) ; 1942, La duchesse de Langeais (Baroncelli), Le destin fabuleux de Désirée Clary (Guitry), La fausse maîtresse (Cayatte), Le comte de Monte-Cristo (Vernay), La symphonie fantastique (Christian-Jaque), Des jeunes filles dans la nuit (Le Hénaff) ; 1943, Graine au vent (Gleize), La valse blanche (Stelli) ; 1944, Farandole (Zwobada), Le père Goriot (Vernay) ; 1945, Le Capitan (Vernay), Lunegarde (Allégret), Raboliot (Daroy) ; 1947, Monsieur Vincent (Cloche) ; 1949, Un certain Monsieur (Ciampi) ; 1950, Le roi du bla-bla-bla (Labro) ; 1955, Lola Montès (Ophuls), Les grandes manœuvres (Clair) ; 1957, Escapade (Habib), Nathalie (Christian-Jaque) ; 1958, Le chemin des écoliers (Boisrond) ; 1960, Le Capitan (Hunebelle), Vive Henri IV, vive l'Amour (Autant-Lara), L'ennemi dans l'ombre (Gérard), Il suffit d'aimer (Darène) ; 1962, Comment réussir en amour (Boisrond) ; 1969, Clérambard (Robert) ; 1973, Salut l'artiste ! (Robert) ; 1988, Baxter (Boivin).

Conservatoire et Comédie-Française. Très distinguée, abonnée aux rôles de reines, elle fut une inoubliable Marie-Antoinette dans *La Marseillaise*.

Deldick, Françoise

Actrice française née en 1939.

1959, Les dragueurs (Mocky), Le bossu (Hunebelle), Katia (Siodmak), Heures chaudes (Félix) ; 1960, Samedi soir (Andrei), Vingt mille lieues sur la terre (Pagliero), Le président (Verneuil) ; 1961, La gamberge (Carbonnaux), La tricheuse (De Meyst), Le tracassin (Joffé) ; 1963, Bébert et l'omnibus (Robert) ; 1964, La bonne occase (Drach), La traite des Blanches (Combret) ; 1965, La grosse caisse (Joffé) ; 1979, La dérobade (Duval) ; 1980, L'entourloupe (Pirès), Le bar du téléphone (Barrois) ; 1982, Qu'est-ce qui fait craquer les filles ? (Vercoret) ; 1984, Charlots Connection (Couturier).

Ingénue plus ou moins perverse des années 50-60.

Delmont, Édouard

Acteur français, 1893-1955.

1931, Mam'zelle Nitouche (Allégret), Marius (Korda) ; 1932, Fanny (Allégret) ; 1934, Angèle (Pagnol), Toni (Renoir) ; 1936, Blanchette (Caron), Regain (Pagnol), César (Pagnol) ; 1938, La femme du boulanger (Pagnol), Quai des brumes (Carné), La Marseillaise (Renoir), Le petit chose (Cloche), L'étrange M. Victor (Grémillon), Balthazar (Colombier), Le héros de la Marne (Hugon) ; 1939, Berlingot et Cie (Rivers), Le déserteur (Moguy), L'embuscade (Rivers) ; 1940, La nuit merveilleuse (Paulin), Un chapeau de paille d'Italie (Cammage) ; 1941, Le soleil a toujours raison (Billon), Une femme dans la nuit (Greville) ; 1942, Picpus (Pottier), La bonne étoile (Boyer), L'Arlésienne (M. Allégret), Feu sacré (Cloche), Simplet (Fernandel) ; 1943, Adieu Léonard (Prévert), Le val d'enfer (Tourneur) ; L'île d'amour (Cam), Mon amour est près de toi (Pottier) ; 1944, La fiancée des ténèbres (Poligny) ; 1945, Roger la Honte (Cayatte), Le gardian (Marguenat) ; 1946, Nuit sans fin (Séverac) ; 1947, Le destin exécrable de Guillemette Babin (Radot), Colomba (Couzinet), Le dessous des cartes (Cayatte), La renégate (Séverac) ; 1948, L'école buissonnière (Le Chanois), Tabusse (Gehret), Bagarres (Calef), Les eaux troubles (Calef) ; 1949, Le grand cirque (Peclet), L'homme qui revient de loin (Castanier), L'auberge du péché (Marguenat) ; 1950, Juliette ou la clef des songes (Carné) ; 1951, La table aux crevés (Verneuil), Ce coquin d'Anatole (Couzinet), Au pays du soleil (Canonge), Éternel espoir (Joly) ; 1952, Manon des Sources (Pagnol), Son dernier Noël (Daniel-Norman), L'appel du destin (Lacombe), Le retour de Don Camillo (Duvivier), La caraque blonde (Audry) ; 1954, Les lettres de mon moulin (Pagnol), Ali Baba et les quarante voleurs (Becker), Le mouton à cinq pattes (Verneuil).

Une silhouette maigre de paysan pauvre lui a valu de tourner dans de nombreux films sur la Provence. Pagnol en fit l'un de ses acteurs fétiches mais aussi Renoir avant la guerre.

Delon, Alain

Acteur et réalisateur français né en 1935.

1957, Quand la femme s'en mêle (Y. Allégret) ; 1958, Sois belle et tais-toi (M. Allégret), Faibles femmes (Boisrond), Christine (Gaspard-Huit) ; 1959, Le chemin des écoliers (Boisrond), Plein soleil (Clément) ; 1960, Rocco e i suoi fratelli (Rocco et ses frères) (Visconti) ; 1961, Les amours célèbres (Boisrond), Quelle joie de vivre ! (Clément) ; 1962, L'eclisse (L'éclipse) (Antonioni), Le diable et les dix commandements (Duvivier) ; 1963, Il gattopardo (Le guépard) (Visconti), Mélodie en sous-sol (Verneuil), La tulipe noire (Christian-Jaque), Les félins (Clément), Carambolages (Bluwal), L'amour à la mer (Gilles) ; 1964,

The Yellow Rolls-Royce (La Rolls-Royce jaune) (Asquith) ; L'insoumis (Cavalier) ; 1965, Once a Thief (Les tueurs de San Francisco) (Nelson) ; 1966, Texas Across the River (Texas nous voilà) (Gordon), Lost Command (Les centurions) (Robson), Les aventuriers (Enrico) ; 1967, Paris brûle-t-il ? (Clément), Diaboliquement vôtre (Duvivier), Le samouraï (Melville), Adieu l'ami (Herman) ; 1968, La motocyclette (Cardiff), Histoires extraordinaires (Malle), La piscine (Deray) ; 1969, Jeff (Herman), Le clan des Siciliens (Verneuil), Borsalino (Deray) ; 1970, Le cercle rouge (Melville), Madly (Kahane), Doucement les basses (Deray), Fantasia chez les ploucs (Pirès) ; 1971, Soleil rouge (T. Young), La veuve Couderc (Granier-Deferre), Il était une fois un flic (Lautner) ; 1972, The assassination of Trotsky (L'assassinat de Trotsky) (Losey), Un flic (Melville), La prima notte di quiete (Le professeur) (Zurlini) ; 1973, Scorpio (Scorpio) (Winner), Traitement de choc (Jessua), Tony Arzenta (Big guns) (Tessari), Les granges brûlées (Chapot), Deux hommes dans la ville (Giovanni) ; 1974, La race des seigneurs (Granier-Deferre), Les seins de glace (Lautner), Borsalino and C° (Deray) ; 1975, Flic Story (Deray), Le Gitan (Giovanni), Zorro (Tessari) ; 1976, Monsieur Klein (Losey), Comme un boomerang (Giovanni) ; 1977, Le gang (Deray), Armaguedon (Jessua), L'homme pressé (Molinaro), Mort d'un pourri (Lautner) ; 1978, Attention, les enfants regardent (Leroy) ; 1979, Concorde Airport 80 (Rich), Le toubib (Granier-Deferre) ; 1980, Trois hommes à abattre (Deray), Pour la peau d'un flic (Delon), Téhéran 43 (Alov) ; 1981, Reporters (Depardon) ; 1982, Le choc (Davis) ; 1983, Le battant (Delon) ; 1984, Un amour de Swann (Schlöndorff), Notre histoire (Blier) ; 1985, Parole de flic (Pinheiro) ; 1986, Le passage (Manzor) ; 1988, Ne réveillez pas un flic qui dort (Pinheiro) ; 1990, Nouvelle vague (Godard), Dancing Machine (Béhat) ; 1991, Le retour de Casanova (Niermans) ; 1992, Un crime (Deray) ; 1993, L'ours en peluche (Deray) ; 1994, Les cent et une nuits (Varda) ; 1996, Le jour et la nuit (B.-H. Lévy) ; 1997, 1 chance sur 2 (Leconte) ; 2000, Les acteurs (Blier) ; 2007, Astérix aux jeux Olympiques (Langmann). *Pour le metteur en scène*, voir le *Dictionnaire du cinéma*, t. I : *Les réalisateurs*.

L'une des plus fortes personnalités du cinéma français. Une enfance turbulente, des parents divorcés, l'Indochine pendant quatre ans : voilà qui trempe un caractère. Un contrat à Hollywood mais finalement Delon choisit la France en 1957. Les étapes de son ascension ? D'abord l'idylle avec Romy Schneider sur le plateau de *Christine* ; puis *Plein soleil* où il s'oppose, dans le film, à Ronet ; ensuite la rencontre avec Visconti qui lui apprend le métier en deux films (*Rocco* et *Le guépard*), le mariage avec Nathalie Delon qui lui donnera un fils ; un échec inattendu mais finalement favorable en Amérique lors des années 1965-1966 ; *Le samouraï* de Melville qui en fait une vedette du film « noir » ; enfin la fortune avec *Borsalino*, en tandem avec Belmondo qui bat les records de recettes. Riche, célèbre, envié, Delon qui vit, entre 1968 et 1984, avec Mireille Darc, tourne film sur film. Producteur, il veut être plus encore : un auteur complet en assurant sa propre mise en scène. *Pour la peau d'un flic* reste encore dans la tradition du polar français, mais Delon réussit son passage derrière la caméra à la manière de Clint Eastwood. Il confirme sa maîtrise de réalisateur dans *Le battant* dédié à René Clément. Il n'hésite pas à se remettre en cause en jouant M. de Charlus dans *Un amour de Swann* ou un garagiste alcoolique pour *Notre histoire*. Ce dernier rôle lui vaut un césar en 1985. Il prend parfois des paris trop risqués : *Le passage* est un échec. Mais qu'importe. A l'inverse d'un Belmondo, il tente chaque fois de sortir de son « personnage ». Tourner avec Godard lui offre l'occasion de renouveler son image. Mais le succès s'essouffle. *Le retour de Casanova* est un gros échec dont il semble porter l'entière responsabilité. Par deux fois Deray, son réalisateur fétiche, ne parvient pas à le conduire à de nouveaux succès. Leconte l'oppose à Belmondo, autre star fatiguée, dans *1 chance sur 2*. C'est la télévision qui relance sa carrière avec le rôle du flic marseillais Fabio Montale.

Delon, Nathalie

Actrice et réalisatrice française, de son vrai nom Francine Canovas, née en 1941.

1967, Le samouraï (Melville) ; 1968, La leçon particulière (Boisrond) ; 1969, Les sœurs (Malenotti), La main (Glaeser) ; 1970, Commando pour un homme seul (Périer) ; 1971, Doucement les basses (Deray) ; 1972, Absences répétées (Gilles), Le moine (Kyrou), Sex Shop (Berri) ; 1973, Bluebeard (Barbe-bleue) (Dmytryk), Profession : aventurier (Mulot), L'histoire très bonne et très joyeuse de Colinot Trousse-Chemise (Companeez) ; 1974, Vous intéressez-vous à la chose ? (Baratier) ; 1975, Hold-up (Lorente), The Romantic Englishwoman (Une Anglaise romantique) (Losey), Docteur Justice (Christian-Jaque), The Eye of Dream (Whitehead) ; 1976, Une femme fidèle (Vadim), Un sussuro nel buio (Aliprandi) ; 1978, Occhi dalle stelle (La quatrième rencontre) (Garrett), Le temps des vacances (Vital) ; 1980, La bande du Rex (Jean-Meunier) ; 1982, Ils appellent ça un accident (N. Delon). *Comme réalisatrice :* 1982, Ils appellent ça un accident.

C'est plus à sa beauté et à son mariage avec Alain Delon en 1964 qu'à son réel talent d'actrice qu'elle doit d'avoir fait une carrière cinématographique honorable. Si elle n'était pas le personnage du *Moine* de Lewis et contribuait à faire sombrer le film de Kyrou, si elle semblait mal à l'aise dans *Une Anglaise romantique* de Losey, elle s'intégra parfaitement à l'univers de Vadim dans *Une femme fidèle*. Elle avait été remarquable dans *Le samouraï*. Elle se révéla ensuite comme metteur en scène. Elle est séparée d'Alain Delon dont elle a eu un fils, Anthony, interprète de *Chronique d'une mort annoncée* (Rosi, 1987).

Delorme, Danièle

Actrice française, de son vrai nom Girard, née en 1926.

1942, Félicie Nanteuil (Allégret), La belle aventure (M. Allégret) ; 1943, Les petites du quai aux Fleurs (M. Allégret) ; 1945, Le Capitan (Vernay) ; 1946, Lunegarde (Allégret) ; 1947, Les jeux sont faits (Delannoy) ; 1948, Gigi (Audry), Impasse des deux anges (Tourneur) ; 1949, La cage aux filles (Cloche), Agnès de rien (Billon) ; 1950, Miquette et sa mère (Clouzot), Minne (Audry), Souvenirs perdus (Christian-Jaque) ; 1951, Sans laisser d'adresse (Le Chanois), Olivia (Audry) ; 1952, Les dents longues (Gélin), La jeune folle (Y. Allégret) ; 1953, Le guérisseur (Ciampi), Tempi nostri (Blasetti) ; 1954, Si Versailles m'était conté (Guitry), Huis clos (Audry) ; 1955, Le dossier noir (Cayatte), Casa ricordi (Gallone), Voici le temps des assassins (Duvivier) ; 1956, Mitsou (Audry) ; 1957, Les misérables (Le Chanois) ; 1958, Prison de femmes (Cloche), Chaque jour a son secret (Boissol) ; 1962, Le septième juré (Lautner), La guerre des boutons (Robert), Cléo de 5 à 7 (Varda) ; 1964, Alexandre le Bienheureux (Robert), Marie-Soleil (Bourseiller) ; 1969, Des Christ par milliers (Arthuys), Le voyou (Lelouch) ; 1972, Absences répétées (Gilles), Belle (Delvaux) ; 1976, Un éléphant ça trompe énormément (Robert) ; 1977, Nous irons tous au paradis (Robert), La barricade du point du jour (Richon) ; 1982, Cote d'amour (Dubreuil) ; 1989, Bal perdu (Benoin) ; 1991, Les eaux dormantes (Tréfouel) ; 1995, Sortez des rangs ! (Robert).

Pianiste de talent, réfugiée à Cannes pendant la guerre, elle débute au cinéma en 1942 comme ingénue, personnage qui ne la quittera plus, même après un passage au cours Simon, où elle connaît et épouse Daniel Gélin : Miquette, Gigi... tout y passe. Divorcée de Gélin, elle épouse Yves Robert et fonde avec lui une maison de production. On la retrouve au générique de certains films de son mari. Elle préside ensuite la Commission d'avances sur recettes. L'ingénue s'est transformée en femme d'affaires.

Delpy, Albert

Acteur français né en 1941.

1969, La horse (Granier-Deferre) ; 1971, Chut ! (Mocky) ; 1974, Peur sur la ville (Verneuil), Le locataire (Polanski) ; 1976, Guerres civiles en France (Farges) ; 1977, Le pays bleu (Tacchella) ; 1978, Molière (Mnouchkine), L'amant de poche (Queysanne) ; 1980, La bande du Rex (Jean-Meunier) ; 1981, La gueule du loup (Léviant) ; 1982, Bancals (Lièvre) ; 1984, Paris vu par... vingt ans après (sketch Dubois) ; 1985, Le thé au harem d'Archimède (Charef), On ne meurt que deux fois (Deray) ; 1986, La queue de la comète (Lièvre), Miss Mona (Charef), Twist again à Moscou (Poiré) ; 1987, L'œil au beur(re) noir (Meynard), Camomille (Charef), Envoyez les violons (Andrieux), Le moustachu (Chaussois), Il y a maldonne (Berry), Tandem (Leconte) ; 1988, L'autre nuit (Limosin) ; 1989, Maman (Goupil), Je t'ai dans la peau (Thorn) ; 1990, Le mari de la coiffeuse (Leconte) ; 1991, Arthur Rimbaud — Une biographie (Dindo), Méchant garçon (Gassot) ; 1992, L'homme sur les quais (Peck) ; 1993, Le colonel Chabert (Angelo) ; 1994, L'exil du roi Béhanzin (Deslauriers) ; 1995, Les grands ducs (Leconte) ; 1998, L'âme sœur (Bigard) ; 1999, La maladie de Sachs (Deville), Le prof (Jardin) ; 2000, Le sens des affaires (Bertin) ; 2002, Mille millièmes (Waterhouse).

Sympathique acteur de second plan. Sans ce type d'acteur, le cinéma français ne serait pas ce qu'il est.

Delpy, Julie

Actrice et réalisatrice française née en 1969.

1976, Guerres civiles en France (Farges) ; 1984, Détective (Godard) ; 1985, L'amour ou presque (Gautier) ; 1986, Mauvais sang (Carax), King Lear (inédit, Godard) ; 1987, La passion Béatrice (Tavernier) ; 1988, Lacrima di Eros (Brancato), L'autre nuit (Limosin), La noche oscura (Nuit obscure) (Saura) ; 1989, Europa, Europa (Holland) ; 1990, Homo Faber (The voyager) (Schlöndorff) ; 1991, Warszawa — année 5703 (Kijowski) ; 1992, Bleu (figuration, Kieslowski) ; 1993, The Three Musketeers (Les trois mousquetaires) (Herek) ; Blanc (Kieslowski), Rouge (Kieslowski), Younger and younger (Adlon) ; 1994, Killing Zoe (Killing Zoe) (Avary), Before Sunrise (Before Sunrise) (Linklater), Sunny Side Up (Speer) ; 1995, Tykho Moon (Bilal) ; 1996, Les mille merveilles de l'univers (Roux), An American Werewolf in Paris (Le loup-garou de Paris) (Waller) ; 1997, The Treat (Gems) ; 1998, L.A. Without a Map (I Love L.A.) (M. Kaurismäki), The Passion of Ayn Rand (Menaul) ; 2000, Sand (Palmieri), La villa des roses (Passel), Investigations Sex (Rudolph) ; 2004, Before Sunset (Linklater) ; 2005, Broken Flowers (Jarmusch). *Comme réalisatrice :* 2000, Tell Me ; 2002, Looking for Jimmy.

Un talent naissant, un charme de primitif flamand. Excellente chez Godard et Tavernier. Son rôle de madame Bonacieux dans *Les trois mousquetaires* semble avoir été coupé au montage. Kieslowski en fait la figure féminine principale de *Blanc*. Elle est aussi la vedette de *Before Sunrise*, mais le film est un échec. Elle a réalisé deux films qu'elle interprétait aussi.

Del Rio, Dolores

Actrice mexicaine, de son vrai nom Dolores Asunsolo López Negrete, 1905-1983.

1925, Joanna (Carewe) ; 1926, High Steppers (Carewe), The Whole Town's Talking (Laemmle), Pals First (Carewe), What Price Glory ? (Au service de la gloire) (Walsh) ; 1927, Resurrection (Carewe), The Loves of Carmen (Walsh) ; 1928, The Gateway to the Moon (Griffith Wray), The Trail of 98 (La piste de 98) (Brown), No Other Woman (Tellegen), The Red Dance (Walsh), Ramona (Carewe), Revenge (Carewe) ; 1930, The Bad One (Fitzmaurice) ; 1932, The Bird of Paradise (L'oiseau au paradis) (Vidor), The Girl of the Rio (Brenon) ; 1933, Flying Down to Rio (Carioca) (Freeland) ; 1934, Wonder Bar (Wonder Bar) (Bacon), Madame Du Barry (Dieterle) ; 1935, In Caliente (A Caliente) (Bacon), I Live for Love (Berkeley), The Widow of Monte Carlo (Collins) ; 1936, Accused (Freeland) ; 1937, The Devil's Playground (Kenton) ; 1938, International Settlement (Forde) ; 1940, The Man From Dakota (Fenton) ; 1942, Journey Into Fear (Voyage aux pays de la peur) (Foster) ; 1943, Flor Silvestre (L'ouragan) (Fernández), María Candalería (María Candalería) (Fernández) ; 1944, Bugambilla (Fernández), Las abandonas (Les abandonnés) (Fernández) ; 1945, La selva de fuego (de Funes) ; 1946, La otra (Gavaldón) ; 1947, The fugitive (Dieu est mort) (Ford) ; 1948, Historia de una mala mujer (Saslavsky) ; 1949, La malquerida (La mal-aimée) (Fernández), La casa chica (La maison de l'amour perdu) (Gavaldón) ; 1950, Doña perfecta (Gavaldón) ; 1953, Reportaje (Fernandez), El niño y la niebla (Gavaldon) ; 1956, A donde van nuestros hijos (Alazráki) ; 1958, La cucaracha (Rodríguez) ; 1960, Flaming Star (Les rôdeurs de la plaine) (Don Siegel) ; 1964, Cheyenne Autumn (Les cheyennes) (Ford) ; 1966, La dama del alba, Casa de mujeres ; 1967, C'era una volta (La belle et le cavalier) (Rosi), Rio blanco (Gavaldón) ; 1978, The Children of Sanchez (Bartlett).

Issue d'une excellente famille, elle fut, au moment de la révolution mexicaine, envoyée à Paris puis à Madrid. C'est là qu'elle épousa Jaime Del Rio, à quinze ans. Elle le quittera quelques années plus tard pour le réalisateur américain Carewe qui lui fera faire ses débuts à l'écran. Elle aura une liaison avec le décorateur Gibbons puis épousera un producteur, Lewis Riley. Sa carrière se partage entre le Mexique et Hollywood. A Hollywood elle a déjà tourné dans plusieurs comédies musicales, mais c'est le film mexicain de Fernandez, *Maria Candaleria*, qui lui vaut une gloire internationale. Désormais, elle tournera plus au Mexique qu'aux États-Unis.

Del Toro, Benicio

Acteur américain né en 1967.

1988, Big Top Pee-Wee (Kleiser) ; 1989, Licence to Kill (Permis de tuer) (Glen) ; 1991, The Indian Runner (Indian Runner) (Penn) ; 1992, Christopher Columbus : the Discovery (Glen) ; 1993, Money for Nothing (Menendez), Huevos de oro (Macho) (Bigas Luna), Fearless (État second) (Weir) ; 1994, China Moon (Lune rouge) (Bailey) ; 1995, The Usual Suspects (Usual Suspects) (Singer), The Buddy Factor (Swimming with Sharks) (Huang) ; 1996, Cannes Man (Martini, Shapiro), The Funeral (Nos funérailles) (Ferrara), The Fan (Le fan) (T. Scott), Basquiat (Basquiat) (Schnabel), Joyride (Peeples) ; 1997, Excess Baggage (Excess Baggage) (Brambilla) ; 1998, Fear and Loathing in Las Vegas (Las Vegas parano) (Gilliam) ; 1999, The Way of the Gun (Way of the Gun) (McQuarrie) ; 2000, Bread and Roses (Bread and Roses) (Loach), Snatch (Snatch) (Ritchie), The Pledge (The Pledge) (Penn), Traffic (Traffic) (Soderbergh) ; 2003, 21 Grams (21 grammes) (Iñárritu).

On remarque la grande carrure de cet hispano-américain nonchalant parmi les assassins potentiels de *Usual suspects*. Gilliam lui offre le haut de l'affiche avec *Las Vegas parano*.

Delubac, Jacqueline

Actrice française, de son vrai nom Basset, 1907-1997.

1930, Chérie (Mercanton) ; 1931, Marions-nous (Mercanton) ; 1932, Topaze (Gasnier) ; 1935, Bonne chance (Guitry) ; 1936, Le roman d'un tricheur (Guitry), Le nouveau testament (Guitry), Faisons un rêve (Guitry), Mon père avait raison (Guitry), 1937, Le mot de Cambronne (Guitry), Les perles de la couronne (Guitry) ; 1938, Désiré (Guitry), Quadrille (Guitry), L'accroche-cœur (Caron), Remontons les Champs-Élysées (Guitry) ; 1939, Jeunes filles en détresse (Pabst), Volpone (Tourneur), Dernière jeunesse (Musso) ; 1940, Le collier de chanvre (Mathot), La comédie du bonheur (L'Herbier), L'homme qui cherche la vérité (Esway) ; 1941, Fièvres (Delannoy) ; 1945, J'ai dix-sept ans (Berthomieu) ; 1949, Le furet (Leboursier) ; 1950, La vie est un jeu (Leboursier).

Son nom est associé aux réussites de Guitry, qu'elle épousa, dans les années 30. Mais elle fut également charmante en épouse de Ledoux dans *Volpone*. Séparée de Guitry, elle ne retrouva pas de rôles dignes de son talent.

Deluc, Xavier

Acteur français, de son vrai nom Lepetit, né en 1958.

Sous le nom de Lepetit : 1980, Les surdoués de la première compagnie (Gérard) ; 1981, Belles, blondes et bronzées (Pécas), Les branchés à Saint-Tropez (Pécas) ; *Sous le nom de Deluc* : 1983, La triche (Bellon) ; 1985, Diesel (Kramer), On ne meurt que deux fois (Deray), La tentation d'Isabelle (Doillon), Captive (Mayersberg), Beau temps mais orageux en fin de journée (Frot-Coutaz) ; 1986, États d'âme (Fansten), Cours privé (Granier-Deferre) ; 1987, La brute (Guillemot) ; 1988, Cayenne Palace (Maline), Ne réveillez pas un flic qui dort (Pinheiro) ; 2004, Marié(s) ou presque (Llopis), Les Parisiens (Lelouch) ; 2006, Un printemps à Paris (Bral).

Jeune premier à crinière blonde, il s'évade par bonheur de chez Pécas pour devenir un réel espoir du cinéma français. Hélas, il se disperse par la suite dans la chanson et du côté de la scientologie, détruisant beaucoup de la crédibilité qu'il avait acquise en à peine dix ans d'une carrière en dents de scie. Reconverti depuis dans la télévision.

DeLuise, Dom

Acteur et réalisateur américain né en 1933.

1962, Fail Sale (Point limite) (Lumet) ; 1966, The Glass Bottom Boat (La blonde défie le FBI) (Tashlin) ; 1970, Norwood (Haley Jr.), The Twelve Chairs (Les douze chaises) (M. Brooks) ; 1971, Who Is Harry Kellerman (Qui est Harry Kellerman ?) (Grosbard) ; 1972, Every Little Crook and Nanny (Cy Howard) ; 1974, Blazing Saddles (Le shérif est en prison) (Brooks) ; 1975, Sherlock Holmes' Smartest Brother (Le frère le plus futé de Sherlock Holmes) (Wilder) ; 1976, Silent Movie (La dernière folie de Mel Brooks) (M. Brooks), The World's Greatest Lover (Drôle de séducteur) (Wilder) ; 1978, The Cheap Detective (Le privé de ces dames) (Moore), The End (Suicidez-moi, docteur) (Reynolds) ; 1979, The Muppet Movie (Les Muppets, ça c'est du cinéma) (Frawley), Sextet (Sextette) (Hughes), The Last Married Couple in America (Cates), Smokey and the Bandit II (Tu fais pas le poids, shérif) (Needham), Hot Stuff (Les fourgueurs) (De Luise) ; 1980, Wholly Moses (Sacré Moïse) (Weis), Fatso (Fatso) (Bancroft), The Cannonball Run (L'équipée du Cannonball) (Needham) ; 1981, History of the World, part I (La folle histoire du monde) (M. Brooks) ; 1983, The Best Little Whorehouse in Texas (La cage aux poules) (Higgins), Cannonball Run II (Cannonball 2) (Needham) ; 1984, Johnny Dangerously (Heckerling) ; 1986, Haunted Honeymoon (Nuit de noces chez les fantômes) (G. Wilder) ; 1987, Spaceballs (La folle histoire de l'espace) (M. Brooks), Un tassinaro a New York (Sordi), Going Bananas (Davidson) ; 1989, Loose Cannons (Clarke) ; 1990, The Princess and the Dwarf (Grace), Happily Ever After (Howley) ; 1991, Driving me Crazy (Turteltaub) ; 1992, Almost Pregnant (M. De Luise) ; 1993, Robin Hood, Men in Tights (Sacré Robin des bois) (M. Brooks), The Silence of the Hams (Le silence des jambons) (Greggio) ; 1994, Munchie Strikes Back (Wynorski), Redline (Sjogren) ; 1997, Boys Will Be Boys (DeLuise), Killer per caso (Greggio) ; 1998, Wedding Band (Guigui), The Godson (Hoge), Baby Geniuses (P'tits génies) (Clark). *Pour le metteur en scène*, voir le *Dictionnaire du cinéma*, t. I : *Les réalisateurs*.

Cette rondeur, venue de la TV, joue les Fatty ou les Hardy dans l'équipe de Mel Brooks quand il ne se met pas lui-même en scène dans *Hot Stuff*.

Demange, Paul

Acteur français, 1901-1983.

1933, Un direct au cœur (Lion) ; 1936, L'amant de Madame Vidal (Berthomieu), L'empreinte rouge (Canonge) ; 1939, Menaces (Greville) ; 1941, Le dernier des six (Lacombe) ; 1942, La femme que j'ai le plus aimée (Vernay), Malaria (Gourguet) ; 1943, Le ciel est à vous (Grémillon), Lucrèce (Joannon) ; 1944, Les enfants du paradis (Carné) ; 1945, Sylvie et le fantôme (Autant-Lara), Le pays sans étoiles (Lacombe), Le couple idéal (Bernard-Roland), Jéricho (Calef) ; 1946, Macadam (Blistène) ; 1947, Quai des orfèvres (Clouzot), Clochemerle (Chenal), Le silence est d'or (Clair) ; 1948, Gigi (Audry), L'armoire volante (Rim), Impasse des Deux-Anges (Tourneur) ; 1949, Occupe-toi d'Amélie (Autant-Lara), Le trésor de Cantenac (Guitry), Le 84 prend des vacances (Joannon), Menace de mort (Leboursier) ; 1950, La rue sans loi (Gibaud), Bibi Fricotin (Blistène), Andalousie (Vernay) ; 1951, Anatole chéri (Heymann), Buridan (Couzinet) ; 1952, Belles de nuit (Clair) ; 1959, Pantalaskas (Paviot) ; 1961, La fille du torrent (Herwig), Alerte au barrage (Daniel-Norman) ; 1962, Arsène Lupin contre Arsène Lupin (Molinaro), Le scorpion (S. Hanin) ; 1963, Une ravissante idiote (Molinaro), L'assassin connaît la musique (Chenal), La bonne soupe (Thomas), Le magot de Josefa (Autant-Lara) ; 1964, Les Pieds nickelés (Chambon) ; 1965, Les enquiquineurs/Bon week-end (Quignon), Mission spéciale à Caracas (André), L'or du duc (Baratier), Quand passent les faisans (Molinaro) ; 1976, Pourquoi ? (Bernard).

Plus de deux cents films mais avec des apparitions si brèves (et de surcroît Demange est si petit !) qu'il n'a pas paru utile de les recenser tous. On retiendra surtout l'auteur dont Brasseur massacre la pièce dans *Les enfants du Paradis* et ses personnages à la Dubout.

Demazis, Orane

Actrice française, de son vrai nom Henriette Burgat, 1894-1991.

1931, Marius (Korda) ; 1932, Fanny (Allégret) ; 1933, Les misérables (Bernard) ; 1934, Angèle (Pagnol) ; 1936, César (Pagnol) ; 1937, Regain (Pagnol), Le schpountz (Pagnol) ; 1938, Le moulin dans le soleil (Didier) ; 1939, Feu de paille (Benoit-Lévy) ; 1942, Le mistral (Houssin) ; 1948, Bagarres (Calef) ; 1952, La caraque blonde (Audry) ; 1956, Le cas du docteur Laurent (Le Chanois) ; 1957, Jusqu'au dernier (Billon), Police judiciaire (Canonge) ; 1967, Au pan coupé (Gilles) ; 1973, Rude journée pour la reine (Allio) ; 1974, Le fantôme de la liberté (Buñuel) ; 1975, Souvenirs d'en France (Techiné) ; 1980, Bastien, Bastienne (Andrieu).

Elle fut Fanny dans la célèbre trilogie de Pagnol, Rôle qui l'a marquée à jamais, mais qui ne doit pas faire oublier ses autres personnages de Pagnol. Après la rupture avec l'écrivain, elle se perdit dans des séries B. Elle avait été Éponine dans la version donnée par Raymond Bernard des *Misérables*.

Demongeot, Mylène

Actrice française née en 1936.

1953, Les enfants de l'amour (Moguy) ; 1955, Futures vedettes (M. Allégret), Papa, maman, ma femme et moi (Le Chanois), Froufrou (Genina) ; 1956, Quand vient l'amour (Cloche) ; 1957, Les sorcières de Salem (Rouleau), Une manche et la belle (Verneuil), Bonjour tristesse (Preminger) ; 1958, Sois belle et tais-toi (Allégret), Le vent se lève (Ciampi) ; 1959, Entrée de service (Thomas), La bataille de Marathon (Tourneur), Faibles femmes (Boisrond), Un amore a Roma (L'inassouvie) (Risi), The Singer Not the Song (Le cavalier noir) (Baker), Sotto dieci bandiere (Sous dix drapeaux) (Coletti), La notte brava (Les garçons) (Bolognini) ; 1961, Les trois mousquetaires (Borderie), L'enlèvement des Sabines (Pottier) ; 1963, Cherchez l'idole (Boisrond), A cause, à cause d'une femme (Deville), L'appartement des filles (Deville), Doctor in Distress (R. Thomas), Oro per i Cesari (L'or des césars) (Freda, De Toth), La case de l'oncle Tom (Radvanyi) ; 1964, Fantômas (Hunebelle) ; 1965, Fantômas se déchaîne (Hunebelle), Furia à Bahia pour OSS 117 (Hunebelle) ; 1966, Fantômas contre Scotland Yard (Hunebelle), Tendre voyou (J. Becker) ; 1969, Douze + 1 (Gessner), Le Champignon (Simenon) ; 1970, Explosion (Simenon), The Private Navy of Sergent O'Farrell (La marine en folie) (Tashlin) ; 1971, Quelques arpents de neige (Heroux), Le pavillon de verre (Gerber), Montreal Blues (Gelinas) ; 1972, Quand c'est parti, c'est parti (Heroux) ; 1973, Par le sang des autres (Simenon) ; 1975, Les noces de porcelaine (Coggio), Il faut vivre dangereusement (Makovski) ; 1977, L'échappatoire (Patin) ; 1979, Un jour un tueur (Korber) ; 1980, Signé Furax (Simenon) ; 1982, Surprise-party (Vadim) ; 1983, Le bâtard (Van Effenterre), Flics de choc (Dessagnat), Retenez-moi ou je fais un malheur (Gérard) ; 1986, Paulette (Confortes), Tenue de soirée (Blier) ; 1993, La piste du télégraphe (Kermadec) ; 1997, L'homme idéal (X. Gélin) ; 2004, 36, quai des Orfèvres (Marchal), Feux rouges (Khan), Victoire (Murat) ; 2006, Camping (Onteniente), La Californie (Fieschi).

Remarquée par Marc Allégret, révélée par *Les sorcières de Salem*, elle n'a pas eu la carrière que laissaient supposer sa beauté et son talent (il suffit de voir comme elle transforme un petit rôle de maîtresse de bordel dans *Flics de choc*). Mariée à Marc Simenon, fils de l'écrivain, et metteur en scène.

De Mornay, Rebecca

Actrice américaine, de son vrai nom George, née en 1961.

1982, One from the Heart (Coup de cœur) (Coppola) ; 1983, Risky Business (Risky Business) (Coppola), Testament (Littman) ; 1985, Runaway Train (Runaway Train) (Konchalowsky), The Trip to Bountiful (Masterson), Slugger's Wife (Ashby) ; 1987, And God created Woman (Vadim), Beauty and the Beast (Marner) ; 1988, Feds (Goldberg) ; 1989, Dealers (Bucksey) ; 1991, Backdraft (Backdraft) (Howard) ; 1992, The Hand that Rocks the Cradle (La main sur le berceau) (Hanson), Blind Side (Murphy) ; 1993, The Three Musketeers (Les trois mousquetaires) (Herek), Guilty as Sin (L'avocat du diable) (Lumet) ; 1995, Never Talk to Strangers (Hall) ; 1996, The Winner (Cox) ; 1998, Hi-Life (Hedden), Thick as Thieves (Comme un voleur) (Sanders) ; 2003, Identity (Identity) (Mangold) ; 2004, Lords of Dogtown (Les seigneurs de Dogtown) (Hardwick) ; 2005, The Wedding Crashers (Serial noceurs) (Dobkin).

Elle a terrifié l'Amérique dans son rôle de nurse désireuse de se venger dans *La main sur le berceau*. Elle fut une féroce Milady dans la version Disney des *Trois Mousquetaires*. Un rôle plus sympathique dans *L'avocat du diable*. Elle vaut mieux que ses derniers films.

Demy, Mathieu

Acteur français né en 1972.

1976, L'une chante, l'autre pas (Varda) ; 1981, Documenteur (Varda) ; 1987, Kung-fu Master (Varda) ; 1993, A la belle étoile (Desrosières) ; 1994, Les cent et une nuits (Varda) ; 1996, Arlette (Zidi) ; 1997, Jeanne et le garçon formidable (Ducastel, Martineau), Le New-Yorker (Graffin) ; 1998, Banqueroute (Desrosières), Mes amis (Hazanavicius) ; 1999, La chambre obscure (Questerbert) ; 2000, Les marchands de sable (Salvadori) ; 2001, Quand on sera grand (Cohen), Le nouveau Jean-Claude (Tronchet), Aram (Kechichian), Nos enfants chéris (Cohen) ; 2003, Mister V. (Deleuze) ; 2004, Le silence (Miret) ; 2005, Un fil à la patte (Deville) ; 2006, Quelques jours en septembre(Amigorena), Qui m'aime me suive (B. Cohen).

Fils de Jacques Demy et d'Agnès Varda, il apparaît, enfant, dans quelques films de celle-ci, et fait ses premiers pas en tant qu'acteur dans le brouillon mais attachant *A la belle étoile*. Un physique de jeune premier romantique et fuyant dans *Jeanne et le garçon formidable*, puis lunaire et attachant dans le méconnu *Le New-Yorker*.

Dench, Judi

Actrice anglaise, de son vrai prénom Judith, née en 1934.

1965, A Study in Terror (Sherlock Holmes contre Jack l'éventreur) (Hill) ; 1966, Four in the Morning (Quatre heures du matin) (Simmons) ; 1968, A Midsummer Night's Dream (P. Hall) ; 1973, Luther (Green) ; 1974, Dead Cert (Richardson) ; 1985, Wetherby (Hare) ; 1986, 84 Charing Cross Road (Jones), A Room with a View (Chambre avec vue) (Ivory) ; 1988, A Handful of Dust (Une poignée de cendre) (Sturridge) ; 1989, Henry V (Henry V) (Branagh) ; 1995, Jack & Sarah (Jack & Sarah) (Sullivan), GoldenEye (GoldenEye) (Campbell) ; 1996, Hamlet (Hamlet — version longue) (Branagh) ; 1997, Mrs. Brown (La dame de Windsor) (Madden), Tomorrow Never Dies (Demain ne meurt jamais) (Spottiswoode) ; 1998, Shakespeare in Love (Shakespeare in Love) (Madden), Tea with Mussolini (Un thé avec Mussolini) (Zeffirelli) ; 1999, The World Is Not Enough (Le monde ne suffit pas) (Apted) ; 2000, Chocolat (Le chocolat) (Hallström).

Grande tragédienne shakespearienne, elle s'illustre sur les planches pendant une bonne trentaine d'années, et ce n'est qu'au cours des années 80 qu'on la découvre vraiment au cinéma grâce à James Ivory. Elle devient M, la supérieure hiérarchique de James Bond à partir de *GoldenEye*, puis incarne une formidable reine Victoria dans *La dame de Windsor*, gagnant enfin les faveurs du grand public.

Deneuve, Catherine

Actrice française, de son vrai nom Dorléac, née en 1943.

1958, Les collégiennes (Hunebelle) ; 1959, Les petits chats (Villa) ; 1960, Les portes claquent (Poitrenaud), L'homme à femmes (Cornu) ; 1961, Les Parisiennes (Allégret) ; 1962, Le vice et la vertu (Vadim), Et Satan conduit le bal (Dabat) ; 1963, Les parapluies de Cherbourg (Demy), Les plus belles escroqueries du monde (épis. L'homme qui vendit la tour Eiffel) (Chabrol), Vacances portugaises (Kast) ; 1964, La chasse à l'homme (Molinaro), Un monsieur de compagnie (Broca), Le costanza della ragione (Avec amour et avec rage) (Festa Campanile) ; 1965, Répulsion (Polanski), Le chant du monde (Camus), La vie de château (Rappeneau), Les créatures

(Varda), Liebes Karusell (Parade d'amour) (Thiele, Von Ambesser, Weidenmann) ; 1966, Les demoiselles de Rochefort (Demy), Belle de jour (Buñuel) ; 1967, Manon 70 (Aurel), Casotto (Citti) ; 1968, Benjamin ou les mémoires d'un puceau (Deville), Mayerling (Young), La chamade (Cavalier) ; 1969, April Fools (Les fous d'avril) (Rosenberg), La sirène du Mississippi (Truffaut) ; 1970, Tristana (Buñuel), Peau d'âne (Demy) ; 1971, Ça n'arrive qu'aux autres (N. Trintignant), Liza (Ferreri) ; 1972, L'événement le plus important depuis que l'homme a marché sur la lune (Demy), Un flic (Melville) ; 1973, Touche pas la femme blanche (Ferreri) ; 1974, Fatti di gente per bene (La grande bourgeoise) (Bolognini), L'agression (Pirès), La femme aux bottes rouges (Buñuel), Zig zig (Szabo) ; 1975, Le sauvage (Rappeneau), Hustle (La cité des dangers) (Aldrich) ; 1976, Si c'était à refaire (Lelouch), Anima persa (Ames perdues) (Risi) ; 1977, March or die (Il était une fois la légion) (Richards), Ils sont grands ces petits (Santoni) ; 1978, L'argent des autres (Chalonge), Écoute voir (Santiago) ; 1979, A nous deux (Lelouch), Courage fuyons (Y. Robert) ; 1980, Le dernier métro (Truffaut), Je vous aime (Berri) ; 1981, Le choix des armes (Corneau), Hôtel des Amériques (Téchiné) ; 1982, L'Africain (Broca) ; 1983, Hunger (Les prédateurs) (T. Scott) ; 1984, Le bon plaisir (Girod), Fort Saganne (Corneau), Paroles et musique (Chouraqui) ; 1986, Le lieu du crime (Téchiné), Speriamo que sia femmina (Pourvu que ce soit une fille) (Monicelli) ; 1987, Agent trouble (Mocky) ; 1988, Drôle d'endroit pour une rencontre (Dupeyron), Fréquence meurtre (Rappeneau) ; 1989, Frames from the Edge (Maben) ; 1991, Contre l'oubli (collectif), La reine blanche (Hubert) ; 1992, Indochine (Wargnier), Les demoiselles ont eu 25 ans (Varda) ; 1993, Ma saison préférée (Téchiné) ; 1994, La partie d'échecs (Anchar), Les cent et une nuits (Varda) ; 1995, O convento (Le couvent) (de Oliveira), Les voleurs (Téchiné) ; 1996, Généalogies d'un crime (Ruiz) ; 1997, Place Vendôme (Garcia), Pola X (Carax) ; 1998, Le vent de la nuit (Garrel), Belle-maman (Aghion) ; 1999, Est-Ouest (Wargnier), Le temps retrouvé (Ruiz), Dancer in the Dark (Dancer in the Dark) (Trier) ; 2000, Le petit poucet (Dahan), Je rentre à la maison (Oliveira) ; 2001, D'Artagnan (Hyams), Absolument fabuleux (Aghion) ; 2002, Huit femmes (Ozon), Au plus près du paradis (Marshall) ; 2003, Un film falado (Un film parlé) (Oliveira) ; 2004, Rois et reine (Desplechin), Les temps qui changent (Téchiné) ; 2005, Palais royal ! (Lemercier) ; 2006, Le concile de pierre (Nicloux), Le héros de la famille (Klifa) ; 2007, Après lui (G. Morel), Persépolis (Satrapi).

Fille du comédien Maurice Dorléac, elle occupa de petits rôles jusqu'à sa rencontre avec Vadim qui devait en faire une vedette dans *Le vice et la vertu* où elle symbolisait la vertu. Mais c'est avec *Les parapluies de Cherbourg* qu'elle devient célèbre. D'une éclatante beauté, d'une incontestable distinction, elle peut jouer les petites filles modèles comme les « belles de jour », les Marlowe féminins (*Écoute voir*) ou les « grandes bourgeoises », une folle (*Répulsion*) ou une héroïne romantique (*Mayerling*). Une qualité : elle a toujours su choisir d'excellents réalisateurs et éviter la vulgarité. Une récompense : elle gagna le césar de la meilleure actrice en 1981 pour *Le dernier métro*. Une consécration après Brigitte Bardot : elle a été choisie en 1986 pour symboliser Marianne. Simple ménagère dans *La reine blanche* ou châtelaine romantique dans *La partie d'échecs*, dirigeant un cabinet de notaire avec son mari dans *Ma saison préférée* ou des exploitations dans *Indochine* (qui lui vaut un nouveau césar en 1993), elle reste belle, comme hors de l'atteinte du temps. Nouvelle récompense en 1998 à Venise où elle reçoit le prix d'interprétation féminine pour son rôle de bourgeoise alcoolique dans *Place Vendôme*. Après quelques films mineurs, elle retrouve un rôle à sa mesure, celui d'une souveraine, dans *Palais royal !*

Dennehy, Brian

Acteur américain né en 1940.

1977, Looking for Mr. Goodbar (A la recherche de Mr. Goodbar) (Brooks) ; 1978, Foul Play (Drôle d'embrouille) (Higgins), F.I.S.T. (F.I.S.T.) (Jewison), Semi-Tough (Les faux durs) (Ritchie) ; 1979, Butch and Sundance : The Early Years (Les joyeux débuts de Butch Cassidy et le Kid) (R. Lester), 10 (Elle) (Edwards) ; 1980, Little Miss Marker (La puce et le grincheux) (Bernstein) ; 1982, Split Image (L'envoûtement) (Kotcheff), First Blood (Rambo) (Kotcheff) ; 1982, Never Cry Wolf (Ballard), Gorky Park (Gorky Park) (Apted) ; 1984, The River Rat (Rickman), Finders Keepers (Cash cash) (R. Lester) ; 1985, Twice in a Lifetime (Soleil d'automne) (Yorkin), Cocoon (Cocoon) (Howard), Silverado (Silverado) (Kasdan) ; 1986, The Check Is in the Mail... (Darling), F/X (F/X — Effet de choc) (Mandel), Legal Eagles (L'affaire Chelsea Deardon) (Reitman) ; 1987, Best Seller (Flynn), The Belly of an Architect (Le ventre de l'architecte) (Greenaway) ; 1988, Miles from Home (Sinise), Return from

Snowy River (Burrowes), Cocoon : The Return (Cocoon, le retour) (Petrie) ; 1989, Indio (Margheriti), Georg Elser — Einer aus Deutschland (Brandauer) ; 1990, The Last of the Finest (Mackenzie), Presumed Innocent (Présumé innocent) (Pakula) ; 1991, F/X 2 (Franklin), Gladiator (Gladiator) (Herrington) ; 1995, Tommy Boy (Segal), The Stars Fell on Henrietta (Keach) ; 1996, Romeo + Juliet (Roméo + Juliette) (Luhrmann) ; 1998, Dish Dogs (Kubilos), Out of the Cold (Buravsky) ; 1999, Gilligan's Island ; 2000, Summer Catch (M. & M. Tollin).

Second rôle pansu et ultraprolifique (au cinéma mais surtout à la télévision), qui eut son nom en haut de l'affiche dans *Le ventre de l'architecte*.

Deniaud, Yves

Acteur français, 1901-1959.

1937, Drôle de drame (Carné), Prisons de femmes (Richebé), Les gens du voyage (Feyder), Le ruisseau (Lehmann) ; 1939, Les surprises de la radio (Paul), Le récif de corail (Gleize), L'héritier des Montdésir (Valentin), Je chante (Stengel), Angelica (Choux), Dernière jeunesse (Musso), Quartier latin (Colombier), La tradition de minuit (Richebé) ; 1941, Les deux timides (Y. Allégret), Une femme dans la nuit (Greville) ; 1942, Le comte de Monte-Cristo (Vernay), Signé illisible (Chamborant), Lettres d'amour (Autant-Lara), A la belle frégate (Valentin), Le bienfaiteur (Decoin), Jeunes filles dans la nuit ; 1943, Premier de cordée (Daquin), La vie de plaisir (Valentin), Service de nuit (Faurez), Feu Nicolas (Houssin), Domino (Richebé), Adieu Léonard (Prévert), Cécile est morte (Tourneur) ; 1944, Florence est folle (Lacombe) ; 1945, Le couple idéal (Bernard-Roland), Jéricho (Calef), La part de l'ombre (Delannoy), Leçon de conduite (Grangier), La tentation de Barbizon (Stelli), L'extravagante mission (Calef) ; 1946, Messieurs Ludovic (Le Chanois), L'arche de Noé (Jacques), La foire aux chimères (Chenal), Pas si bête (Berthomieu), La colère des dieux (Lamac) ; 1947, Fantômas (Sacha), L'idole (Esway), Carré de valets (Berthomieu) ; 1948, L'armoire volante (Rim), Fantômas contre Fantômas (Vernay), Barry (Pottier), Le signal rouge (Neubach), Jean de la lune (Achard) ; 1949, Les amants de Vérone (Cayatte), L'héroïque Monsieur Boniface (Labro), Monseigneur (Richebé), On demande un assassin (Neubach), Un homme marche dans la ville (Pagliero), Millionnaires d'un jour (Hunebelle), Le 84 prend des vacances (Joannon), Au p'tit zouave (Grangier) ; 1950, Knock (Lefranc), La rose rouge (Pagliero), Le roi des camelots (Berthomieu), Boniface somnambule (Labro), La peau d'un homme (Jolivet) ; 1951, La maison Bonnardieu (Rim), Leguignon lampiste (Labro), Le banquet des fraudeurs (Storck) ; 1952, Mon curé chez les riches (Diamant-Berger) ; 1953, Si Versailles m'était conté (Guitry), L'étrange désir de M. Bard (Radvanyi), Le chasseur de chez Maxim's (Diamant-Berger), Crainquebille (Habib) ; 1954, Huis clos (Audry), Les chiffonniers d'Emmaüs (Darène), Leguignon guérisseur (Labro), Fantaisie d'un jour (Cardinal) ; 1955, On déménage le colonel (Labro), Le couteau sur la gorge (Séverac), Mon curé chez les pauvres (Diamant-Berger) ; 1956, Le colonel est de la revue (Labro) ; 1957, Quand la femme s'en mêle (Y. Allégret) ; 1958, La moucharde (Lefranc), Sérénade au Texas (Pottier).

Radio, théâtre, music-hall, puis cinéma. Il a composé un personnage comique très populaire : valet de chambre, chiffonnier, clochard... Il est le Crainquebille d'Anatole France ou Leguignon, au nom prédestiné, le Français humble mais débrouillard. Un symbole : il est dans *Si Versailles m'était conté* le paysan auquel Henri IV a promis la poule au pot.

Denicourt, Marianne

Actrice française née en 1966.

1983, L'argent (Bresson) ; 1987, L'amoureuse (Doillon), Hôtel de France (Chéreau) ; 1988, La lectrice (Deville) ; 1989, Vanille fraise (Oury), Aventure de Catherine C. (Beuchot) ; 1990, La vie des morts (Desplechin) ; 1992, La sentinelle (Desplechin), La belle noiseuse (Rivette), L'instinct de l'ange (Dembo) ; 1994, Innocent Lies (Les péchés mortels) (Dewolf), Haut, bas, fragile (Rivette) ; 1995, Comment je me suis disputé... (Ma vie sexuelle) (Desplechin), Le bel été 1914 (Chalonge) ; 1996, Passage à l'acte (Girod), Le jour et la nuit (Levy) ; 1997, Hölderlin (Grosse) ; 1998, The Lost Son (The Lost Son) (Menges), Le plus beau pays du monde (Bluwal), L'homme de ma vie (Kurc), A mort la mort ! (Goupil) ; 1999, Une pour toutes (Lelouch) ; 2000, Sade (Jacquot) ; 2001, Heidi (Imboden), Me Without You (Goldbacher) ; 2002, Monique (Guignabodet), Quelqu'un de bien (Timsit).

Figurante chez Bresson puis élève de Chéreau, c'est avec Desplechin et *La vie des morts* qu'elle gagne vraiment ses galons d'actrice de cinéma. Elle restera par la suite fidèle au réalisateur, tout en faisant beaucoup de théâtre. Sortant de l'ornière du cinéma intellectuel à partir de 1995, elle se tourne dès lors vers d'autres registres, la comédie notamment (*L'homme de ma vie*).

De Niro, Robert

Acteur et réalisateur américain né en 1943.

1965, Trois chambres à Manhattan (Carné) ; 1966, The Wedding Party (De Palma) ; 1968, Greetings (De Palma) ; 1970, Hi Mom (De Palma), Bloody Mama (Corman) ; 1971, Born to Win (Né pour vaincre) (Passer), The Gang that Couldn't Shoot Straight (Goldstone), Jennifer on My Mind (N. Black) ; 1973, Bang the Drum Slowly (Hancock), Mean Streets (Mean Streets/Les rues chaudes) (Scorsese) ; 1974, The Goldfather II (Le parrain II) (Coppola), The Swap (Leondopulus) ; 1976, Taxi Driver (Taxi Driver) (Scorsese), Novecento (1900) (Bertolucci), The Last Tycoon (Le dernier nabab) (Kazan) ; 1977, New York, New York (New York, New York) (Scorsese) ; 1978, The Deer Hunter (Voyage au bout de l'enfer) (Cimino) ; 1980, Raging Bull (Raging Bull) (Scorsese), True Confessions (Sanglantes confessions) (Grosbard) ; 1982, King of Comedy (La valse des pantins) (Scorsese) ; 1984, Once Upon a Time in America (Il était une fois en Amérique) (Leone) ; 1985, Brazil (Brazil) (T. Gilliam), Falling in Love (Falling in Love) (Grosbard) ; 1986, The Mission (La mission) (Joffé), Angel Heart (Angel Heart) (Parker) ; 1987, The Untouchables (Les incorruptibles) (De Palma) ; 1988, Midnight Run (Midnight Run) (Brest), Jacknife (Jacknife) (Jones) ; 1989, Stanley and Iris (Stanley et Iris) (Ritt) ; 1990, Guilty by Suspicion (La liste noire) (Winkler), Good Fellas (Les affranchis) (Scorsese), We're No Angels (Nous ne sommes pas des anges) (Jordan) ; 1991, Awakenings (L'éveil) (Marshall), Backdraft (Backdraft) (Howard), Mistress (Hollywood mistress) (Primus), Cape Fear (Les nerfs à vif) (Scorsese) ; 1992, Night and the City (La loi de la nuit) (Winkler), Mad Dog and Glory (Mad Dog and Glory) (McNaughton) ; 1993, This Boy's Life (Blessures secrètes) (Caton-Jones), A Bronx Tale (Il était une fois le Bronx) (De Niro) ; 1994, Mary Shelley's Frankenstein (Frankenstein) (Branagh), Les cent et une nuits (Varda) ; 1995, Casino (Casino) (Scorsese), Heat (Heat) (Mann) ; 1996, Marvin's Room (Simples secrets) (Zaks), Sleepers (Sleepers) (Levinson), The Fan (Le fan) (T. Scott), Copland (Copland) (Mangold), Great Expectations (De grandes espérances) (Cuaron) ; 1997, Wag the Dog (Des hommes d'influence) (Levinson), Jackie Brown (Jackie Brown) (Tarantino) ; 1998, Ronin (Ronin) (Frankenheimer), Analyze This (Mafia blues) (Ramis) ; 1999, Flawless (Personne n'est parfait[e]) (Schumacher), The Adventures of Rocky and Bullwinkle (Les aventures de Rocky & Bullwinkle) (McAnuff), Men of Honor (Les chemins de la dignité) (Tillman, Jr.), 15 Minutes (15 minutes) (Herzfeld) ; 2000, Meet the Parents (Mon beau-père et moi) (Roach), The Score (The Score) (Oz) ; 2001, City by the Sea (Caton-Jones) ; 2002, Analyze That (Mafia Blues : la rechute) (Ramis) ; 2003, City by the Sea (Père et flic) (Caton-Jones) ; 2004, Meet the Fockers (Mon beau-père, mes parents et moi) (Roach) ; 2005, The Bridge of the San Luis Rey (Le pont du roi Saint Louis) (McGuckian), Hide and Seek (Trouble jeu) (Polson) ; 2007, Stardust (Vaughn), The Good Shepherd (The Good Shepherd) (De Niro). *Pour le metteur en scène*, voir le *Dictionnaire du cinéma*, t. I : *Les réalisateurs*.

Issu du quartier new-yorkais de la « petite Italie » où vivaient ses parents, un couple de peintres qui allait bientôt divorcer. Très jeune, il se découvre une vocation théâtrale et suit (encore un !) les cours de l'Actor's Studio. Il joue Tchekhov et autres classiques. Débuts hésitants au cinéma puis l'éclatement. C'est Scorsese qui le révèle : on parle d'un nouveau Brando ou d'un nouveau Dean. Mais aucun de ses prédécesseurs ne serait allé aussi loin que lui pour *Raging Bull* où il interprète le rôle du boxeur Jake La Motta : il suivit un entraînement très serré en vue de donner le maximum de vérité aux combats puis grossit en quatre mois de trente kilos pour mieux évoquer le boxeur déchu. Cette performance lui valut l'oscar en 1980. Il fut propriétaire terrien italien dans *1900*, saxophoniste dans *New York, New York*, ou prêtre dans *True Confessions* avec la même facilité. Il symbolisait la pègre juive de New York dans la saga de Leone. Il fut esclavagiste converti dans *Mission* et surtout Satan exigeant de Mickey Rourke le respect du pacte conclu dans *Angel Heart*. On le retrouve en Al Capone dans *The Untouchables*. Loin d'être un acteur *mythique* à la manière de Dean, il est un comédien complet capable de passer d'un registre à l'autre sans problèmes. Ce n'est pas lui qui se fera doubler. Il se partage entre les policiers paumés (*Mad Dog*) ou les petits parieurs douteux (*Night and the City*) d'un côté, et les monstres de l'autre : le terrifiant psychopathe des *Nerfs à vif* et, consécration suprême, le *Frankenstein* de Branagh. Mais il est aussi producteur (*Les Nerfs à vif, Night and the City*) des films qu'il interprète. Il devient même acteur-réalisateur-interprète avec *Il était une fois le Bronx*. Par la suite, il se perd trop souvent dans de médiocres comédies indignes de son talent.

Denis, Jacques

Acteur français né en 1947.

1969, Attention fantômes (Bimpage) ; 1970, James ou pas (Soutter) ; 1971, La salamandre (Tanner) ; 1972, Les arpenteurs (Soutter) ; 1973, Le troisième cri (Niddam) ; 1974, L'horloger de Saint-Paul (Tavernier), Un nuage entre les dents (Pico), Le milieu du monde (Tanner), Pas si méchant que ça (Goretta) ; 1975, Calmos (Blier) ; 1976, La question (Heynemann), Jonas qui aura vingt-cinq ans en l'an 2000 (Tanner) ; 1977, Dites-lui que je l'aime (Miller), Le compromis (Zerbib) ; 1978, Plurielles (Lebel), L'arrêt au milieu (m.m., Sentier), Odo-Toum, d'autres rythmes (Haralambis) ; 1979, I comme Icare (Verneuil), Le diable dans la tête (Othenin-Girard) ; 1980, La fuite en avant (Zerbib) ; 1981, Allons z'enfants (Boisset) ; 1984, Notre histoire (Blier) ; 1985, Swing troubadour (Bayen) ; 1987, Chocolat (Denis) ; 1992, La petite apocalypse (Costa-Gavras), La cavale des fous (Pico) ; 1996, Fourbi (Tanner).

Acteur fétiche de la nouvelle vague suisse des années 70, il semble s'être laissé presque totalement absorber par la télévision depuis quelques années.

Denis, Maria

Actrice italienne née en 1916.

1933, Treno populare (Matarazzo) ; 1934, 1860 (Blasetti), Secunda B (Alessandrini) ; 1938, Hanno rapito un uomo (On a volé un homme) (Righelli), Napoli d'altri tempi (Naples d'autrefois) (Alessandrini) ; 1939, Il documento (Camerini) ; 1940, L'assedio dell'Alcazar (Les cadets de l'Alcazar) (Genina), Abbandono (L'intruse) (Mattoli) ; 1941, Addio giovinezza (Adieu jeunesse) (Poggioli), Sissignora (Oui madame) (Poggioli) ; 1942, La vie de bohème (L'Herbier) ; 1946, La danse de mort (Cravenne) ; 1949, La fiamme che non si spegne (Cottafavi) ; 1954, Tempi nostri (Quelques pas dans la vie) (Blasetti).

Émouvante et belle actrice de l'époque fasciste, vouée aux amours malheureuses et à une mort certaine. Elle était abandonnée par son amant étudiant dès que celui-ci avait son diplôme de médecin en poche dans *Addio giovinezza* ; elle était une gouvernante d'enfant qui contractait une maladie mortelle dans *Sissignora* ; elle fut enfin la Mimi de *La vie de bohème*.

Denner, Charles

Acteur français d'origine polonaise, 1926-1995.

1955, La meilleure part (Y. Allégret), Les hommes en blanc (Habib) ; 1957, Ascenseur pour l'échafaud (Malle) ; 1962, Landru (Chabrol) ; 1964, La vie à l'envers (Jessua), Les Pieds nickelés (Chambon), Mata-Hari (Richard) ; 1965, Compartiment tueurs (Costa-Gavras), Marie-Chantal contre docteur Kah (Chabrol) ; 1966, Yul 871 (Godbout), Le vieil homme et l'enfant (Berry) ; 1967, Le voleur (Malle), La mariée était en noir (Truffaut) ; 1968, Z (Costa-Gavras), Le corps de Diane (Richard) ; 1969, La trêve (Guillemot) ; 1970, Le voyou (Lelouch), Les mariés de l'an II (Rappeneau), Les assassins de l'ordre (Carné) ; 1971, L'aventure c'est l'aventure (Lelouch) ; 1972, Une belle fille comme moi (Truffaut), L'héritier (Labro), Un officier de police sans importance (Larriaga) ; 1973, Défense de savoir (N. Trintignant), Les Gaspards (Tchernia) ; 1974, Toute une vie (Lelouch), Quand on est mort, c'est pour la vie (Dupont-Midy), Peur sur la ville (Verneuil) ; 1976, Mado (Sautet), Si c'était à refaire (Lelouch), La première fois (Berri), L'homme qui aimait les femmes (Truffaut) ; 1978, Robert et Robert (Lelouch) ; 1980, Le cœur à l'envers (Apprederis) ; 1982, Mille milliards de dollars (Verneuil), La verdad sobre el caso Savolta (L'affaire Savolta) (Drove) ; 1983, Stella (Heynemann), L'honneur d'un capitaine (Schoendoerffer), Rock'n Torah/Le préféré (Grynbaum) ; 1986, L'unique (Diamant-Berger), Golden Eighties (Akerman).

Né à Tarnow en Pologne, il vient en France à l'âge de quatre ans. Passionné de théâtre, il entre chez Dullin, puis chez Vilar. A l'écran, il se spécialise dans des personnages inquiétants d'anarchistes, de voyous de médiocre envergure, d'apatrides... Son meilleur rôle : Landru.

Dennis, Nick

Acteur américain, 1904-1980.

Principaux films : 1951, A Streetcar Named Desire (Un tramway nommé désir) (Kazan) ; 1955, Kiss Me Deadly (En quatrième vitesse) (Aldrich), The Big Knife (Le grand couteau) (Aldrich) ; 1956, East of Eden (A l'est d'Eden) (Kazan) ; 1968, The Legend of Lylah Clare (Le démon des femmes) (Aldrich).

Acteur fétiche d'Aldrich, il fut notamment le garagiste de *Kiss Me Deadly* : « Va va voum ! » De petits rôles mais dont les vrais cinéphiles font leurs délices.

Dennis, Sandy

Actrice américaine, 1937-1992.

1961, Splendor in the Grass (La fièvre dans le sang) (Kazan) ; 1966, Who's Afraid of Virginia Woolf ? (Qui a peur de Virginia Woolf ?) (Nichols), The Three Sisters (Bogart) ; 1967, Up the Down Staircase (Escalier interdit) (Mulligan), The Fox (Le renard) (Rydell) ; 1968, Sweet November (Miller) ; 1969, That Cold Day in the Park (Altman), A Touch of Love (Hussein) ; 1970, Out-of-Towners (Hiller), Mr. Sycamore (Kohner) ; 1976, The Demon or Gold Told Me to (Meurtres sous contrôle) (Cohen) ; 1977, Nasty Habits (Drôles de manières) (Lindsay-Hogg), The Three Sisters (Bogart) ; 1981, Four Seasons (Alda), The Animals Film (Schonfeld, Alaux) ; 1982, Come Back to the Five and Dime Jimmy Dean, Jimmy Dean (Reviens Jimmy Dean, reviens) (Altman) ; 1988, Another Woman (Une autre femme) (Allen) ; 1992, The Indian Runner (Indian Runner) (Penn).

Difficile d'oublier la mariée un peu sotte de *Virginia Woolf* ou l'institutrice naïve d'*Escalier interdit.* Formée à l'Actor's Studio et à Broadway, Sandy Dennis a marqué quelques films d'une personnalité attachante et trop méconnue.

Dent, Vernon

Acteur américain, 1895-1963.

Nombreux courts métrages de Mack Sennett dont : Lucky Stars, The Soldier Man, etc.

Il fut le partenaire de Langdon comme Finlayson l'était pour Laurel et Hardy. Gros, important, il composait des silhouettes de charlatan (*Lucky Stars*) ou de chambellans (*The Soldier Man*) avec beaucoup de finesse. Dommage qu'on ne l'ait jamais distribué en vedette. Mais il méritait de ne pas tomber dans l'oubli.

Depardieu, Élisabeth

Actrice française née en 1941.

1967, Des garçons et des filles (Perrier) ; 1984, Le Tartuffe (Depardieu) ; 1985, L'amour propre (Veyron), Jean de Florette (Berri), On ne meurt que deux fois (Deray) ; 1986, Manon des sources (Berri) ; 1995, Le garçu (Pialat) ; 1996, Les aveux de l'innocent (Améris) ; 1997, Bouge ! (Cornuau) ; 2000, Pas d'histoires ! (sketch Lindon) ; 2001, Ceci est mon corps (Marconi) ; 2002, Mischka (J.-F. Stévenin).

Elle rencontre Gérard Depardieu dans un cours de théâtre et l'épouse à la fin des années 60. Dans l'ombre du comédien, sa carrière cinématographique reste longtemps au point mort. Davantage de théâtre à son actif.

Depardieu, Gérard

Acteur et réalisateur français né en 1948.

1965, Le beatnik et le minet (court métrage) (Leenhardt) ; 1970, Nausicaa (inédit, Varda) ; 1971, Nathalie Granger (Duras), Le cri du cormoran le soir au-dessus des jonques (Audiard), Le tueur (La Patellière), Le viager (Tchernia) ; 1972, L'affaire Dominici (Aubert), Un peu de soleil dans l'eau froide (Deray), Au rendez-vous de la mort joyeuse (J. Buñuel), La scoumoune (Giovanni), Deux hommes dans la ville (Giovanni) ; 1973, Rude journée pour la reine (Allio), Les Gaspards (Tchernia), Les valseuses (Blier), Stavisky (Resnais), La femme du Gange (Duras) ; 1974, Vincent, François, Paul et les autres (Sautet), Pas si méchant que ça (Goretta) ; 1975, 1900 (Bertolucci), Maîtresse (Schroeder), Sept morts sur ordonnance (Rouffio), La dernière femme (Ferreri), Je t'aime moi non plus (Gainsbourg) ; 1976, Barocco (Téchiné), René la canne (Girod), Baxter, Vera Baxter (Duras) ; 1977, Le camion (Duras), Dites-lui que je l'aime (Miller), La nuit tous les chats sont gris (Zingg), Préparez vos mouchoirs (Blier), Ciao Maschio (Rêve de singe) (Ferreri), Violanta (Schmid) ; 1978, Le sucre (Rouffio), Les chiens (Jessua), L'ingorgo (Le grand embouteillage) (Comencini), Die linkshändige Frau (La femme gauchère) (Handke) ; 1979, Loulou (Pialat), Temporale Rosy (Rosy la bourrasque) (Monicelli), Buffet froid (Blier), Mon oncle d'Amérique (Resnais) ; 1980, Le dernier métro (Truffaut), Je vous aime (Berri), Inspecteur la bavure (Zidi) ; 1981, La femme d'à côté (Truffaut), La chèvre (Francis Veber), Le retour de Martin Guerre (Vigne), Le grand frère (Girod), Le choix des armes (Corneau) ; 1982, Danton (Wajda), La lune dans le caniveau (Beineix) ; 1983, Les compères (Veber) ; 1984, Fort Saganne (Corneau), Le Tartuffe (Depardieu), Rive droite, rive gauche (Labro) ; 1985, Police (Pialat) ; Une femme ou deux (Vigne) ; 1986, Rue du départ (Gatlif), Jean de Florette (Berri) ; Tenue de soirée (Blier), Je hais les acteurs (Krawczyk), Les fugitifs (Veber) ; 1987, Sous le soleil de Satan (Pialat) ; 1988, Drôle d'endroit pour une rencontre (Dupeyron), Camille Claudel (Nuytten) ; 1989, Deux (Zidi), I Want to Go Home (Resnais), Trop belle pour toi (Blier) ; 1990, Cyrano de Bergerac (Rappeneau), Uranus (Berri) ; 1991, Green Card (Green Card) (Weir), Mon père, ce héros (Lauzier), Merci la vie (Blier), Tous les matins du monde (Corneau) ; 1992, 1492 — Christophe Colomb (Scott), Patrick Dewaere (Esposito), François Truffaut, portraits volés (Toubiana et Pascal), Hélas pour moi (Godard), Germinal (Berri) ; 1993, Une pure formalité (Tornatore), My Father the Hero (My Father ce héros) (Miner), Le colonel Chabert (Angelo) ; 1994, La machine (Dupeyron), Élisa (Becker), Les anges gardiens (Poiré), Les cent et une nuits (Varda), Le hussard sur le toit (Rappeneau) ; 1995, Le garçu (Pialat), Bogus (Bogus) (Jewison), The Secret Agent (L'agent secret) (Hampton), Unhook the Stars (Décroche les étoiles) (N. Cassavetes) ; 1996, Hamlet (Hamlet) (Branagh), Le plus beau métier du monde (Lauzier), XXL (Zeitoun) ; 1997, The Man in the Iron Mask (L'homme au masque de fer) (Wallace), La parola amore esiste (Mots d'amour) (Calopresti) ; 1998, Bimboland (Zeitoun), Astérix et Obélix contre César (Zidi), Un pont entre deux rives (Depardieu, Auburtin) ; 1999, Tutto l'amore che c'é (Rubini), Vatel (Vatel) (Joffé), Les acteurs (Blier), Mirka (Benhadj) ; 2000, Zavist Bogov (Menshov), 102 Dalmatians (102 dalmatiens) (Lima), Vidocq, la dernière aventure (Titof), Le placard (Veber), Cocorrenza sleale (Concurrence déloyale) (Scola) ; 2001, Astérix et Obélix : Mission Cléopâtre (Chabat), CQ (R. Coppola), Aime ton père (Berger) ; 2002, Blanche (Bonvoisin), Le pacte du silence (Guit), Between Strangers (Ponti) ; 2003, Bon voyage (Rappeneau), Dina (Bornedal), Tais-toi ! (Veber), Wanted (Mirman), RRRrrrr !!! (Chabat), Nathalie (Fontaine) ; San Antonio (Auburtin), Les clefs de la bagnole (Baffie) ; 2004, Les temps qui changent (Téchiné), 36 Quai des Orfèvres (Marchal) ; 2005, Boudu (Jugnot), Combien tu m'aimes ? (Blier), Je préfère qu'on reste amis... (Toledano), Nouvelle-France (Beaudin), La vie de Michel Muller est plus belle que la vôtre (Muller) ; Olé ! (Quentin) ; 2006, Quand j'étais chanteur (Giannoli), Paris je t'aime (collectif), Vacances sur ordonnance (Wang) ; 2007, Astérix aux jeux Olympiques (Langmann), La môme (Dahan), Michou d'Auber (Gilou). *Pour le metteur en scène*, voir le *Dictionnaire du cinéma*, t. I : *Les réalisateurs*.

Révélé par *Les valseuses*. Une enfance heureuse puis une adolescence perturbée. De nombreux petits métiers dès l'âge de treize ans. Un tour d'Europe qui s'achève dans une imprimerie à Châteauroux. Puis c'est Paris et la découverte du théâtre. Il joue dans *Les garçons de la bande* et obtient de petits rôles à l'écran. Devenu vedette à part entière à partir de 1974. Brute (*Rosy*) ou loubard (*Loulou*), il peut aussi jouer dans des films « intellectuels » (*Le camion* où il écoute respectueusement Marguerite Duras). Son animalité, saine et brutale, contraste avec l'univers masochiste des pervers de *Maîtresse*. Récompensé par un césar en 1981 pour *Le dernier métro*, il confirme son talent dans *Martin Guerre* où il est admirable en imposteur dépassé par l'ampleur prise par son imposture. Toutefois il échoue en Danton : sa laideur n'est pas celle du conventionnel et ses manières ne ressemblent pas à celles d'un bourgeois démagogue. Son interprétation du prêtre dans *Sous le soleil de Satan* laisse beaucoup de critiques sceptiques. Il emporte mieux l'adhésion en docker soucieux de venger sa sœur (*La lune dans le caniveau*). Il est désigné par la presse américaine comme le meilleur acteur de 1983 et son interprétation de *Tartuffe* au théâtre fait courir Strasbourg puis Paris et devient un film. En enchaînant coup sur coup *Trop belle pour toi*, *Cyrano* (un rôle en or qui lui vaut un nouveau césar en 1991) et *Uranus* (sa meilleure interprétation peut-être) puis en partant à la conquête d'Hollywood avec *Green Card*, le voilà classé « monstre sacré ». La suite va de succès (*Le colonel Chabert* où il ne fait pas oublier Raimu) en échecs (*My Father the Hero*, *Une pure formalité*, *La machine*) avec de courtes apparitions ici ou là (*Tous les matins du monde*, *Le hussard sur le toit*). Après *Cyrano,* il devient Porthos puis Obélix et Bérurier. Le nombre de films qu'il tourne devient impressionnant.

Depardieu, Guillaume

Acteur français né en 1971.

1974, Pas si méchant que ça (Goretta) ; 1986, Jean de Florette (Berri) ; 1990, Cyrano de Bergerac (Rappeneau) ; 1991, Tous les matins du monde (Corneau) ; 1992, Cible émouvante (Salvadori) ; 1994, L'histoire du garçon qui voulait qu'on l'embrasse (Harel) ; 1995, Les apprentis (Salvadori) ; 1996, L'amour est à réinventer (sk. Allouache) ; 1997, Alliance cherche doigt (Mocky), Marthe (Hubert), ... Comme elle respire (Salvadori), Pola X (Carax) ; 1999, Elle et lui au 14e étage (Blondy), Les marchands de sable (Salvadori) ; 2000, Amor, curiosidad, Prozac y dudas (Santesmases) ; 2001, Aime ton père (Berger), Comme un avion (Pisier), Peau d'ange (Perez), Le pharmacien de garde (J. Veber) ; 2004, Process (Leigh) ; 2006, Célibataires (Verner) ; 2007, Ne touchez pas la hache (Rivette).

Après ses débuts en apprenti joueur de viole de gambe dans l'austère film de Corneau, Pierre Salvadori fait appel à lui pour ses deux excellentes comédies dans lesquelles son physique de grand maigrichon est brillamment exploité, pour un personnage à la fois maladroit, ingénu et émouvant. Il est le fils de Gérard et Élisabeth Depardieu. César du meilleur espoir 1996, sa carrière a été ralentie par un terrible accident.

Depardieu, Julie

Actrice française née en 1973.

1991, Le colonel Chabert (Angelo) ; 1994, La machine (Dupeyron) ; 1998, L'examen de minuit (Dubroux) ; 1999, Peut-être (Klapish) ; 2000, Love Me (Masson), Les destinées sentimentales (Assayas), La mer à boire (Laubier), Les marchands de sable (Salvadori) ; 2001, Dieu est grand et je suis toute petite (Bailly) ; 2002, Veloma (Laubier), Adieu pays (Ramos), Bienvenue au gîte (Duty) ; 2003, Je suis votre homme (Dubroux), La petite Lili (Miller), Podium (Moix) ; 2004, Éros thérapie (Dubroux) ; 2005, L'œil de l'autre (Lvoff), Un fil à la patte (Deville) ; 2006, Toi et moi (Lopes-Curval), Sauf le respect que je vous dois (Godet), Essaye-moi (Martin-Laval), Qui m'aime me suive (Cohen), La faute à Fidel (Gavras), Poltergay (Lavaine) ; 2007, Les témoins (Téchiné), Un secret (Miller).

Fille de Gérard et Élisabeth Depardieu, sœur de Guillaume, elle tourne beaucoup (y compris pour la télévision), mais plusieurs de ses films n'ont pas dépassé un cercle restreint de cinéphiles.

Depp, Johnny

Acteur et réalisateur américain né en 1963.

1984, A Nightmare on Elm Street (Les griffes de la nuit) (Craven) ; 1985, Private Resort (Bowers) ; 1987, Platoon (Platoon) (Stone) ; 1990, Edward Scissorhands (Edward aux mains d'argent) (Burton), Cry Baby (Cry Baby) (Waters) ; 1991, Freddy's Dead : The Final Nightmare (La fin de Freddy : L'ultime cauchemar) (Talalay) ; 1992, Arizona Dream (Arizona Dream) (Kusturica), Benny and Joon (Benny & Joon) (Chechik) ; 1993, What's Eating Gilbert Grape (Gilbert Grape) (Hallström) ; 1994, Ed Wood (Ed Wood) (Burton), Don Juan DeMarco (Don Juan DeMarco) (Leven) ; 1995, Dead Man (Dead Man) (Jarmusch), Nick of Time (Meurtre en suspens) (Badham), Divine Rapture (inachevé, Eberhardt) ; 1996, Donnie Brasco (Donnie Brasco) (Newell), The Brave (The Brave) (Depp), Cannes Man (Martini, Shapiro) ; 1998, Fear and Loathing in Las Vegas (Las Vegas parano) (Gilliam), Astronaut (Intrusion) (Ravich), The Ninth Gate (La neuvième porte) (Polanski), L.A. Without a Map (I Love L.A.) (Kaurismäki) ; 1999, Sleepy Hollow (Sleepy Hollow) (Burton) ; 2000, Before Night Falls (Avant la nuit) (Schnabel), The Man Who Cried (The Man Who Cried) (Potter), Blow (T. Demme), Chocolat (Le chocolat) (Hallström) ; 2001, From Hell (From Hell) (A. & A. Hughes), The Man Who Killed Don Quixote (Gilliam, inachevé) ; 2002, Blow (Demme) ; 2003, Lost in la Mancha (Fulton et Pepe), Pirates of the Carribean (Pirates des Caraïbes) (Verbinski), Once upon a Time in Mexico (Desperado 2) (Rodriguez) ; 2004, Secret Window (Fenêtre secrète) (Koepp), Ils se marièrent et eurent beaucoup d'enfants (Attal) ; 2005, Charlie and the Chocolate Factory (Charlie et la chocolaterie) (Burton), The Libertine (Rochester, le dernier des libertins) (Dunmore), Finding neverland (Neverland) (Forster) ; 2006, Pirates of Carïbbean 2 : Dead Man's Chest (Pirates des Caraïbes, Le secret du coffre maudit) (Verbinski) ; 2007, Pirates of Caribbean : At Worlds End (Pirates des Caraïbes, Jusqu'au bout du monde) (Verbinski). *Pour le metteur en scène*, voir le *Dictionnaire du cinéma*, t. I : *Les réalisateurs*.

Rescapé des séries télé où sa belle gueule faisait pourtant des ravages, il a complètement changé de registre en abordant le cinéma. Il travaille presque exclusivement pour des auteurs exigeants tels que Burton, Kusturica ou Jarmusch, qui voient en lui l'interprète idéal de personnages lunaires, fragiles et décalés. Il fut un éblouissant Rochester, le dernier libertin du règne de Charles II, mais il a conquis une grande popularité avec ses films de pirates.

Dequenne, Émilie

Actrice belge, née en 1981.

1999, Rosetta (Dardenne) ; 2000, Le pacte des loups (Ganz) ; 2002, Une femme de ménage (Berri), Avant qu'il ne soit trop tard (Dussaux) ; 2005, De profundis (Santana), The Bridge of San Luis Rey (Le pont du roi Saint-Louis) (McGuckian), La ravisseuse (Santana), Les États-Unis d'Albert (Forcier) ; 2006, Le grand Meaulnes (Verhaeghe), La vie d'artiste (Fitoussi).

Elle est inoubliable en Rosetta à la recherche d'un emploi. *Le pacte des loups* lui a proposé un emploi plus conventionnel.

Derek, Bo

Actrice américaine, de son vrai nom Mary Cathleen Collins, née en 1956.

1977, Orca (Orca) (Anderson) ; 1978, Love You (Derek) ; 1979, Ten (Elle) (Edwards) ; 1980, A Change of Seasons (Changement de saison) (R. Lang) ; 1981, Fantasies/Once upon a Love (Femme) (Derek), Tarzan the Ape Man (Tarzan l'homme singe) (Derek) ; 1984, Bolero (Bolero) (Derek) ; 1990, Ghosts Can't Do It (Derek) ; 1991, Hot Chocolate (Dayan) ; 1993, Woman of Desire (Ginty), Sognando la California (Vanzina) ; 1994, Tommy Boy (Segal).

Superbe créature découverte par John Derek. Elle mérite le 10 que lui décerne Edwards dans *Ten*. Hélas son principal metteur en scène et époux, John Derek, était dépourvu de talent et *Bolero* fit définitivement sombrer la carrière de son épouse dans le ridicule.

Derek, John

Acteur et réalisateur américain, de son vrai prénom Harris, 1926-1998.

1944, I'll Be Seeing You (Dieterle) ; 1948, A Double Life (Othello) (Cukor) ; 1949, Knock on Any Door (Les ruelles du malheur) (Ray), All the King's Men (Les fous du roi) (Rossen) ; 1950, Rogues on Sherwood Forest (La révolte des gueux) (Douglas) ; 1951, Saturday's (Miller), Mask of the Avenger (L'épée de Monte-Cristo) (Karlson), Scandal Sheet (L'inexorable enquête) (Karlson), The Family Secret (Levin) ; 1952, Thunderbirds (Auer) ; 1953, Mission Over Korea (Sears), The Last Posse (Werker), Prince of Pirates (Salkow), Ambush at Tomahawk Gap (Sears) ; 1954, Sea of Lost Ships (Kane), The Outcast (Witney), The Adventures of Hajii Baba (Les aventures d'Hadji) (Weis), Run for Cover (A l'ombre des potences) (Ray), Prince of Players (Dunne) ; 1955, Annapolis Story (Siegel) ; 1956, The Leather Saint (Ganzer), The Ten Commandments (Les dix commandements) (DeMille) ; 1957, Omar Khayyam (Les amours d'Omar Khayyam) (Dieterle), Fury at Showdown (Oswald), High Hell (Balaban), Il corsaro della mezzaluna (Scotese), I Battellieri del Volga (Tourjansky) ; 1960, Exodus (Preminger) ; 1963, Nightmare in the Sun (Lawrence) ; 1966, Once Before I Die (Derek) ; 1969, Childish Things (Derek) ; 1975, And Once Upon a Time (Derek) ; 1978, I Love You (Derek). *Pour le metteur en scène*, voir le *Dictionnaire du cinéma*, t. I : *Les réalisateurs.*

Ce beau gosse fut un jeune premier qui sut choisir ses metteurs en scène : il était excellent chez Ray. Quand l'âge mit fin aux duels et aux « gunfights », Derek se transforma en metteur en scène... peu doué et victime de nombreuses cabales. On ne lui pardonne pas d'avoir eu dans sa vie Ursula Andress et Mary Collins, dite « Bo Derek ». De quoi faire des jaloux !

Dermoz, Geneviève

Actrice française, 1888-1966.

1909, L'inventeur (Carré) ; 1912, Le petit Jacques (Monca) ; 1923, La souriante madame Beudet (Dulac) ; 1930, L'Arlésienne (Baroncelli) ; 1931, Le rêve (Baroncelli) ; 1934, La porteuse de pain (Sti), Les nuits moscovites (Granowski) ; 1937, Les anges noirs (Rozier) ; 1938, Remontons les Champs-Élysées (Guitry), La vie est magnifique (Cloche), Le héros de la marine (Hugon) ; 1941, Andorra (Couzinet) ; 1942, Monsieur des Lourdines (Hérain) ; 1947, Le mannequin assassiné (Hérain) ; Monsieur Vincent (Cloche) ; 1950, Le rosier de Madame Husson (Boyer) ; 1951, Poil de Carotte (Mesnier) ; 1954, Le fils de Caroline Chérie (Devaivre) ; 1963, L'honorable Stanislas, agent secret (Dudrumet) ; 1964, La grande frousse/La cité de l'indicible peur (Mocky).

Brillante tragédienne elle débuta sous l'égide du film d'art, fut Madame Beudet et finit en incarnant Anne d'Autriche dans *Monsieur Vincent* et Madame Husson dans une pitrerie de Jean Boyer.

Dern, Bruce

Acteur américain né en 1936.

1960, Wild River (Le fleuve sauvage) (Kazan) ; 1964, Marnie (Pas de printemps pour Marnie) (Hitchcock) ; 1965, Hush... Hush Sweet Charlotte (Chut, chut, chère Charlotte) (Aldrich) ; 1966, The Wild Angels (Les anges sauvages) (Corman), The St. Valentine's Day Massacre (L'affaire al Capone) (Corman) ; 1967, The Trip (Corman), Waterhole N° 3 (L'or des pistoleros) (Graham), The War Wagon (La caravane en feu) (Kennedy), Will Penny (Will Penny le solitaire) (Gries), Psych-Out (Rush), Hang'em High (Pendez-les haut et court) (Post) ; 1968, Castle Keep (Un château en enfer) (Pollack) ; 1969, Support Your Local Sheriff (Ne tirez pas sur le shérif) (Kennedy), Number One (Gries), They Shoot Horses, Don't They ? (On achève bien les chevaux) (Pollack) ; 1970, Bloody Mama (Corman), Cycle Savages (Brame), Rebel Rousers (Cohen) ; 1971, Drive He Said (Vas-y fonce) (Nicholson), The Incredile Two-Headed Transplant (Lanza), The King of Marvin Gardens (Rafelson) ; 1972, The Cow-Boys (Les cow-boys) (Rydell), Silent Running (Trumbull), Thumb Tripping (Masters) ; 1973, The Laughing Policeman (Le flic ricanant) (Rosenberg) ; 1974, The Great Gatsby (Gatsby le magnifique) (Clayton) ; 1975, Smile (Ritchie), Posse (La brigade du Texas) (Douglas), Family Plot (Complot de famille) (Hitchcock), Won Ton Ton the Dog

Who Saved Hollywood (Won Ton Ton le chien qui sauva Hollywood) (Winner) ; 1976, Folies bourgeoises (Chabrol) ; 1977, Black Sunday (Un dimanche terrifiant) (Frankenheimer), Coming Home (Le retour) (Ashby), The Driver (Driver) (Hill) ; 1978, The Moto Drivers (Cohen), Tatoo (Brooks) ; 1979, Middle Age Crazy (Trent) ; 1981, Marry Tracy (Graham) ; 1983, That Championship Season (Miller) ; 1986, On the Edge (Nilsson) ; 1987, The Big Town (Bolt) ; 1988, 1969 (Thompson), World Gone Wild (Katzin) ; 1989, The Burb's (Dante) ; 1990, After Dark My Sweet (Foley) ; 1992, Diggstown (La nuit du défi) (Ritchie) ; 1993, Amelia Earhart (Simoneau) ; 1994, Wild Bill (Hill) ; 1995, Mrs. Munck (Ladd), Mulholland Falls (Les hommes de l'ombre) (Tamahori), Down Periscope (Touche pas à mon périscope) (Ward) ; 1996, Last Man Standing (Dernier recours) (Hill) ; 1999, The Haunting (Hantise) (De Bont), All the Pretty Horses (De si jolis chevaux) (Thornton) ; 2001, The Glass House (La prison de verre) (Sackhein) ; 2003, Milwaukee, Minnesota (Mindel) ; 2006, Down in the Valley (Jacobson).

Études dramatiques à l'Université de Pennsylvanie ; débuts à Broadway en 1958. Puis c'est l'Actor's Studio qui marquera son jeu. Il joue en effet parfois de façon outrée et a gâché certains films par ses excès. Il n'en est pas moins excellent dans *Bloody Mama* de Corman ou *Driver* de Walter Hill, deux réalisateurs peu portés sur les méthodes de Strasberg. C'est que l'empreinte de la « Corman Connection » a été en définitive plus forte que celle de l'Actor's Studio. Il est le père de Laura Dern.

Dern, Laura

Actrice américaine née en 1966.

1973, White Lightning (Les bootleggers) (Sargent) ; 1975, Alice Doesn't Live Here Anymore (Alice n'habite plus ici) (Scorsese) ; 1980, Foxes (Ça plane les filles) (Lyne) ; 1982, Ladies and Gentlemen, the Fabulous Stains (Adler) ; 1984, Teachers (Ras les profs) (Hiller) ; 1985, Mask (Mask) (Bogdanovich), Smooth Talk (Chopra) ; 1986, Blue Velvet (Blue Velvet) (Lynch) ; 1988, Haunted Summer (Passer) ; 1989, The Shadow Makers (Les maîtres de l'ombre) (Joffe) ; 1990, Wild at Heart (Sailor et Lula) (Lynch) ; 1991, Rambling Rose (Rambling Rose) (Coolidge) ; 1993, Jurassic Park (Jurassic Park) (Spielberg), A Perfect World (Un monde parfait) (Eastwood) ; 1994, Down Came a Blackbird (Sanger) ; 1995, Citizen Ruth (Payne) ; 1998, October Sky (Ciel d'octobre) (Johnston), Baby Dance (Anderson), Daddy and Them (Thornton) ; 2000, Dr. T and the Women (Dr. T et les femmes) (Altman), Novocaine (Atkins) ; 2001, Jurassic Park III (Jurassic Park III) (Johnston), I am Sam (Sam, je suis Sam) (Nelson) ; 2002, Searching for Debra Winger (Searching for Debra Winger) (Arquette) ; 2004, We Don't Live Here Anymore (We Don't Live Here Anymore) (Curran) ; 2007, Inland Empire (Inland Empire) (Lynch).

Fille de Bruce Dern et Diane Ladd, elle débute très jeune dans des séries télévisées mais c'est le rôle de Lula qui la fait connaître. « Bien que Lula, confie-t-elle, soit sexuelle, sauvage et extravertie, j'apporte une innocence et une pureté qui rendent le personnage véritablement attachant. »

Derrien, Marcelle

Actrice française née en 1916.

1945, Les J 3 (Richebé) ; 1947, Le silence est d'or (Clair) ; 1948, L'inconnue du n° 13 (Paulin), L'impeccable Henri (Tavano) ; 1950, Le secret de Monte-Cristo (Valentin), Sombre dimanche (Audry), Chéri (Billon), Mon phoque et elles (Billon).

Parfaite ingénue du *Silence est d'or*, admirable sainte-nitouche des films suivants, elle ne fut pourtant qu'une étoile filante.

Derval, Daniel

Acteur français.

1978, Les réformés se portent bien (Clair), Comment se faire réformer (Clair), Ces flics étranges venus d'ailleurs (Clair) ; 1979, On est venu là pour s'éclater (Pécas) ; 1980, Mieux vaut être riche et bien portant que fauché et mal foutu (Pécas) ; 1981, Faut s'les faire ces légionnaires (Nauroy), Belles, blondes et bronzées (Pécas), Tais-toi quand tu parles (Clair) ; 1983, Les planqués du régiment (Caputo) ; 1984, Y a pas le feu (Balducci) ; 1986, On se calme et on boit frais à Saint-Tropez (Pécas).

Folle du régiment assermentée du cinéma « comique » franchouillard des années 70, il savait néanmoins faire vivre ses personnages en deux scènes, ce qui n'était pas rien face à la totale incapacité des metteurs en scène qui l'ont employé. Totalement oublié, sauf par quelques fans (honteux).

Desailly, Jean

Acteur français né en 1920.

1942, Le voyageur de la Toussaint (Daquin) ; 1944, Le père Goriot (Vernay), Sylvie et le fantôme (Autant-Lara), Le jugement dernier (Chanas), Patrie (Daquin) ; 1946, La symphonie pastorale (Delannoy), Amours, délices et orgues (Berthomieu), La revanche de Roger la Honte (Cayatte) ; 1947, Carré de valets (Berthomieu), Une grande fille toute simple (Manuel) ; 1948, L'échafaud peut attendre (Valentin), Le point du jour (Daquin), La veuve et l'innocent (Cerf), Occupe-toi d'Amélie (Autant-Lara) ; 1949, Véronique (Vernay), Il faut qu'une porte soit ouverte ou fermée (Cuny) ; 1950, Chéri (Billon), Demain nous divorçons (Cuny) ; 1951, Jocelyn (Casembroot), Chicago-Digest (Paviot), Chagall (Hessens), *commentaire de* Avec André Gide (M. Allégret) ; 1953, Si Versailles m'était conté (Guitry) ; 1955, Les grandes manœuvres (Clair) ; 1957, Maigret tend un piège (Delannoy) ; 1958, Les grandes familles (La Patellière), Les seigneurs de la forêt (Sielmann, Brandt), A la rencontre de Jean-Sébastien Bach (Viallet), Soleil de pierre (Lecomte) ; 1959, Le secret du chevalier d'Éon (Audry), 125, rue Montmartre (Grangier), Le Saint mène la danse (Nahum), Le baron de l'écluse (Delannoy), Préméditation (Berthomieu), *commentaire de* Songe d'une nuit d'été (film d'anim. de Trnka) ; 1960, Un soir sur la plage (Boisrond), La mort de Belle (Molinaro) ; 1961, Legge di guerra (La loi de la guerre) (Paolinelli), Les sept péchés capitaux (épis. La luxure) (Demy), Les amours célèbres (épis. Les comédiennes) (Boisrond), Le jeu de la vérité (Hossein), Le septième juré (Lautner) ; 1962, Le doulos (Melville) ; 1963, L'année du bac (Delbez) ; 1964, La peau douce (Truffaut) ; 1965, La due orfanelle (Les deux orphelines) (Freda), De Dans Van de Reiger (La danse du héron) (Rademakers) ; 1966, La 25e heure (Verneuil) ; 1967, Le franciscain de Bourges (Autant-Lara) ; 1969, L'ardoise (Bernard-Aubert) ; 1970, Comptes à rebours (Pigaut) ; 1971, L'assassinat de Trotsky (Losey) ; 1972, Un flic (Melville), L'héritier (Labro) ; 1973, L'ironie du sort (Molinaro) ; 1978, Le cavaleur (Broca), Le mouton noir (Moscardo) ; 1979, Je te tiens tu me tiens par la barbichette (Yanne) ; 1980, Pile ou face (Enrico) ; 1981, Le professionnel (Lautner) ; 1984, Le fou du roi (Chiffre) ; 1988, Le radeau de la méduse (Azimi) ; 1990, Équipe de nuit (Anna) ; 1998, La dilettante (Thomas).

Curieuse carrière qui le conduit des Beaux-Arts (il est d'abord dessinateur publicitaire) au Conservatoire où il obtient un premier prix. Il joue à la Comédie-Française puis chez Barrault avec Simone Valère, son épouse. Il a tourné de nombreux films, où il est toujours remarquable depuis qu'il fut le jeune homme écœuré du *Voyageur de la Toussaint.* Très remarqué chez Truffaut, sa meilleure création reste celle de l'obsédé sexuel plein de veulerie de *Maigret tend un piège.*

Desarthe, Gérard

Acteur français né en 1945.

1963, La soupe au poulet (Agostini) ; 1968, Bye bye Barbara (Deville) ; 1970, Les camisards (Allio) ; 1971, Jaune le soleil (Duras) ; 1973, Les yeux fermés (Santoni) ; 1974, France société anonyme (Corneau) ; 1975, Les conquistadores (Pauly), Que la fête commence (Tavernier) ; 1979, La guerre des polices (Davis) ; 1982, Hécate (Schmid), Un dimanche de flics (Vianey) ; 1983, Stella (Heynemann), L'homme blessé (Chéreau), Un amour en Allemagne (Wajda), Ronde de nuit (Missiaen) ; 1985, La baston (Missiaen), Paulette la pauvre petite milliardaire (Confortès) ; 1990, Cherokee (Ortega), Lacenaire (Girod), Uranus (Berri) ; 1993, Daens (Coninx).

Surtout consacré par le théâtre, il attend encore au cinéma un rôle à la mesure de son talent.

Descas, Alex

Acteur français né en 1958.

1984, L'arbalète (Gobbi) ; 1985, Urgence (Béhat), Justice de flic (Gérard), Bleu comme l'enfer (Boisset) ; 1986, Taxi boy (Page), Je hais les acteurs (Krawczyk), Y'a bon les blancs (Ferreri), Les keufs (Balasko) ; 1990, S'en fout la mort (Denis) ; 1991, A Child from the South (Rezende) ; 1992, Die Abwesenheit (L'absence) (Handke) ; 1993, In weiter Ferne, so nah ! (Si loin, si proche !) (Wenders), J'ai pas sommeil (Denis) ; 1994, Le cri du cœur (Ouedraogo), Le grand blanc de Lambaréné (Ba Kobhio) ; 1996, Nénette et Boni (Denis), Irma Vep (Assayas), Saraka bô (Amar), Clubbed to death (Lola) (Zauberman) ; 1997, The House (The House) (Bartas), L'honneur de ma famille (Bouchareb), Le serpent a mangé la grenouille (Guesnier) ; 1998, Fin août, début septembre (Assayas) ; 1999, Harem Suare' (Le dernier harem) (Ozpetek), Lumumba (Peck) ; 2003, Tiresia (Bonello) ; 2004, Coffee and Cigarettes (Coffee and Cigarettes) (Jarmusch) ; 2005, L'intrus (Denis).

Austère, hiératique, il contraste avec l'idée de jovialité et de bonhomie naturelles que l'on associe généralement aux Antillais. Il trouve ses meilleurs rôles chez Claire Denis, particulièrement dans *S'en fout la mort* où il élevait des coqs afin de les faire participer à des combats clandestins. Beaucoup de théâtre en parallèle.

Deschamps, Hubert

Acteur français, 1923-1999.

1950, Bertrand cœur de lion (Dhéry), La rue sans loi (Gibaud) ; 1953, Les hommes ne pensent qu'à ça... (Robert) ; 1954, Escale à Orly (Dréville) ; 1956, Comme un cheveu sur la soupe (Regamey), Courte-tête (Carbonneaux), Fernand cow-boy (Lefranc), Nous autres à Champignol (Bastia) ; 1957, L'ami de la famille (Pinoteau), A pied, à cheval et en voiture (Delbez), Ascenseur pour l'échafaud (Malle), Amour de poche (Kast), En bordée (Chevalier), Fernand clochard (Chevalier), Les espions (Clouzot) ; 1958, Messieurs les ronds-de-cuir (Diamant-Berger), Les motards (Laviron), Bobosse (Périer), Le sicilien (Chevalier) ; 1959, Le travail c'est la santé (Grospierre), Pantalaskas (Paviot), Les affreux (M. Allégret), La corde raide (Dudrumet), Meurtres en 45 tours (Périer), La millième fenêtre (Menegoz), La marraine de Charley (Chevalier) ; 1960, Zazie dans le métro (Malle), La famille Fenouillard (Robert), La peau et les os (Sassy) ; 1961, Auguste (Chevalier), L'affaire Nina B. (Siodmak), Une blonde comme ça (Jabely), Les livreurs (Girault) ; 1962, Les bonnes causes (Christian-Jaque), Tartarin de Tarascon (Blanche), Les quatre vérités (Clair, Blasetti...), Arsène Lupin contre Arsène Lupin (Molinaro), Janine (c.m., Pialat) ; 1963, A toi de faire, mignonne (Borderie) ; La bonne soupe (Thomas), Des pissenlits par la racine (Lautner), Le feu follet (Malle), Les durs à cuire (Pinoteau) ; 1964, Les Barbouzes (Lautner), La chance et l'amour (sketch Berri), Les copains (Robert), La corde au cou (Lisbona), Moi et les hommes de quarante ans (Pinoteau), Patate (Thomas), Un monsieur de compagnie (Broca) ; 1965, Le dimanche de la vie (Herman), L'or du duc (Baratier), Les bons vivants (Grangier) ; 1966, Le dimanche de la vie (Herman) ; 1968, Le tatoué (La Patellière) ; 1969, Un merveilleux parfum d'oseille (Bassi) ; 1970, Compte à rebours (Pigaut), Macédoine (Scandelari) ; 1971, L'ingénu (Carbonnaux) ; 1973, La gueule ouverte (Pialat) ; 1974, Le mâle du siècle (Berri), La soupe froide (Pouret), Le trio infernal (Girod), Soldat Duroc, ça va être ta fête (Gérard), Zig-Zig (Szabo) ; 1975, C'est dur pour tout le monde (Gion), Chobizenesse (Yanne) ; 1977, Bartleby (Ronet), Tendre poulet (Broca) ; 1978, La zizanie (Zidi), Coup de tête (Annaud) ; 1979, Démons de midi (Paureilhe) ; 1980, Les sous-doués (Zidi), Rue du Pied-de-Grue (Grand-Jouan), La banquière (Girod), T'inquiète pas, ça se soigne (Matalon), L'amour trop fort (Duval), Les surdoués de la première compagnie (Gérard) ; 1981, Salut j'arrive (Poteau), Pourquoi pas nous ? (Berny), Inspecteur la Bavure (Zidi), San Antonio ne pense qu'à ça (Séria), Les sous-doués en vacances (Zidi) ; 1982, Prends ton passe-montagne, on va à la plage (Matalon), Ça va pas être triste (Sisser), Ça va faire mal (Davy), Garçon ! (Sautet) ; 1983, Un bon petit diable (Brialy) ; 1984, L'été prochain (N. Trintignant), Tranches de vie (Leterrier) ; 1985, Adieu blaireau (Decout), Y'a pas le feu (Balducci) ; 1986, Association de malfaiteurs (Zidi) ; 1987, La septième dimension (collectif), A notre regrettable époux (Korber) ; 1988, Bonjour l'angoisse (Tchernia), Corps z'à corps (Halimi), A deux minutes près (Le Hung) ; 1989, Mona et moi (Grandperret), Un jeu d'enfant (Kané) ; 1992, L'inconnu dans la maison (Lautner) ; 1998, Le voyage à Paris (Dufresne).

Bon acteur de composition, venu au théâtre (Dasté, Grenier-Hussenot) après avoir fait les Beaux-Arts.

Descrières, Georges

Acteur français né en 1930.

1954, Le rouge et le noir (Autant-Lara), Le fils de Caroline Chérie (Devaivre) ; 1955, Les aristocrates (La Patellière) ; 1956, Bonjour toubib (L. Cuny) ; 1957, Le bourgeois gentilhomme (Meyer) ; 1959, La corde raide (Dudrumet), Voulez-vous danser avec moi ? (Boisrond), Le mariage de Figaro (Meyer) ; 1960, Le pavé de Paris (Decoin), Ce soir ou jamais (Deville) ; 1961, Le soleil dans l'œil (Bourdon), Les trois mousquetaires (Borderie) ; 1966, L'homme à la Buick (Grangier) ; 1967, Two for the road (Voyage à 2) (Donen) ; 1968, L'homme à la Buick (Grangier), La puce à l'oreille (Charon) ; 1974, Dis-moi que tu m'aimes (Boisrond) ; 1975, Attention les yeux ! (Pirès) ; 1977, Le couple témoin (Klein) ; 1978, L'horoscope (Girault), Le sucre (Rouffio) ; 1982, Mon curé chez les nudistes (R. Thomas), Qu'est-ce qui fait craquer les filles ? (Vocoret) ; 1986, L'homme qui n'était pas là (Féret).

Brillant sociétaire de la Comédie-Française, et inoubliable *Arsène Lupin* à la télévision.

De Sica, Vittorio

Acteur et réalisateur italien, 1901-1974.

1922, L'affaire Clemenceau (Bencivenga) ; 1926, La belleza del mondo (Almirante) ; 1928, La compagnia dei matti (Almirante) ; 1932, La vecchia signora (Palermi), Gli uomini... che mascalzoni (Les hommes, quels mufles) (Camerini), Due cuori felici (Negroni). La segretaria per tutti (La secrétaire pour tous) (Palermi) ; 1933, Un cattivo so-getto (Bragaglia), Il signor desidera ? (Righelli), La canzone del sole (Neufeld), Lisetta Paprika (Lisette) (Emo) ; 1934, Tempo massimo (Mattoli) ; 1935, Daro un millione (Je donnerai un million) (Camerini), Amo te sola (Mattoli), Lohengrin (Malasomma) ; 1936, Non ti conosco piu (Malasomma), Ma non è una cosa seria (Mais ce n'est pas une chose sérieuse) (Camerini), L'uomo che sorride (Mattoli) ; 1937, Questi ragazzi (Ces garçons) (Mattoli), Il signor Max (Monsieur Max) (Camerini), Napoli d'altri tempi (Palermi) ; 1938, La mazurka di papa (Biancoli), Hanno rapito un uomo (Righelli), Partire (Palermi), L'orologio a cucu (Mastrocinque), Le due madri (Palermi), Castelli in aria (Châteaux en l'air) (Genina) ; 1939, Ai vostri ordini, signora ! (Mattoli), Grandi magazzini (Grands magasins) (Camerini), Manon Lescaut (Gallone), Finisce sempre cosi (Susini), Pazza di gioia (Bragaglia) ; 1940, La peccatrice (Palermi), Rose scarlatte (De Sica) ; Maddalena, zero in condotta (De Sica) ; 1941, Teresa Venerdi (De Sica), L'avventuriera del piano di sopra (Matarazzo), Un garibaldino al convento (De Sica) ; 1942, Se io fossi onesto (Bragaglia), La guardia del corpo (Bragaglia) ; 1943, I nostri sogni (Cottafavi), Non sono superstizioso, ma (Bragaglia), Nessuno torna indietro (Blasetti), L'ippocampo (Rosmino), Dieci minuti di vita (Rosmino) ; 1945, Lo sbaglio di essere vivo (Bragaglia) ; 1946, Il mondo vuole cosi (Bianchi), La notte porta consiglio (La nuit porte conseil) (Pagliero), Abbasso la ricchezza (A bas la richesse) (Righelli) ; 1947, Lo sconosciuoto di San Marino (Cottafavi), Sperduti nel buio (Perdus dans les ténèbres) (Mastrocinque), Natale al campo 119 (Francisci), Cuore (Coletti) ; 1949, Demain il sera trop tard (Moguy) ; 1951, Cameriera bella presenza offresi (Pastina), Gli uomini non guardano il cielo (Scarpelli), Buongiorno elefante (Franciolini) ; 1952, Altri tempi (Heureuse époque) (Blasetti) ; 1953, Madame de... (Ophuls), Pane, amore et fantasia (Pain, amour et fantaisie) (Comencini), Tempi nostri (Quelques pas dans la vie) (Blasetti), Villa Borghese (Les amants de la villa Borghese) (Franciolini), Cent'anni d'amore (Un siècle d'amour) (De Felice), Il matrimonio (Petrucci), Gran varieta (Paolella) ; 1954, L'oro di Napoli (De Sica), Il letto (Franciolini) ; Pane, amore e gelosia (Pain, amour et jalousie) (Comencini), Peccato che sia una canaglia (Dommage que tu sois une canaille) (Blasetti), Vergine moderna (Pagliero), L'allegro squadrone (Les gaietés de l'escadron) (Moffa) ; 1955, Il segno di Venere (Le signe de Vénus) (Risi), Gli ultimi cinque minuti (Les cinq dernières minutes) (Amato), Pane, amore e... (Pain, amour, ainsi soit-il) (Risi), La bella mugnaia (Par-dessus les moulins) (Camerini), Racconti romani (Les mauvais garçons) (Franciolini), Il bigamo (Le bigame) (Emmer), Cinema d'altri tempi (Drôles de bobines) (Steno) ; 1956, Mio figlio Nerone (Les week-ends de Néron) (Steno), Monte-Carlo (Une histoire de Monte-Carlo) (S. Taylor), Padre e figli (Pères et fils) (Monicelli), Noi siamo le collone (d'Amico), Tempo di villeggiatura (Amours de vacances) (Racioppi), Il giorni piu belli (Mattoli), La donna che venne dal mare (L'aventurière de Gibraltar) (De Robertis) ; 1957, It Happened in Roma (Souvenirs d'Italie) (Pietrangeli), Il colpevoli (Responsabilité limitée) (Vasile), Vacanze a Ischia (Vacances à Ischia) (Camerini), Il conte Max (Madame, le comte, la bonne et moi) (Bianchi), Amore e chiacchiere (Amour et blablabla) (Blasetti), Il medico e lo stregone (Le médecin et la sorcière) (Monicelli), Dites 33 (Mastrocinque) ; 1958, Casino de Paris (Hunebelle), A Farewell to Arms (L'adieu aux armes) (Vidor), Les trois Etc. du colonel (Boissol), La ragazza di piazza San Pietro (Costa), Domenica è sempre domenica (Dimanche est toujours dimanche) (Mastrocinque), Bellerina è Buon Dio (Leonviola), Kanonen Serenade (Sérénade au canon) (Staudte), Pane, amore e Andalusia (Pain, amour et Andalousie) (Seto), Gli Zitelloni (Faux célibataire) (Bianchi), Anna di Brooklyn (supervision De Sica), La prima notte (Les noces vénitiennes) (Cavalcanti), Austerlitz (Gance) ; 1959, Il generale della Rovere (Le général della Rovere) (Rossellini), Volare, nel blu dipinto di blu (Tellini), Gastone (Bonnard), Il nemico di mia moglie (Puccini), Vacanze d'inverno (Brèves amours) (Mastrocinque), Ferdinando I, re di Napoli (Francioloni), Il moralista (Bianchi), L'onorata societa (Pazzaglia), The Millionaires (Les dessous de la millionnaire) (Asquith) ; 1960, Il vigile (Zampa), Le pilole di Ercole (Les pilules d'Hercule) (Salce) ; 1961, Il giudizio universale (Le jugement dernier) (De Sica), Gli attendenti (Bianchi), I due marescialli (S. Corbucci), Gli incensurati (Giaculli), It Started in Naples (C'est arrivé à Naples) (Shavelson), The Angel Wore Red (L'ange pourpre) (N. Johnson) ; 1962, La Fayette (Dréville), Le meraviglie di Aladino (Les mille et une nuits) (Bava et Levin), Vive Henri IV, Vivre l'amour (Autant-Lara), Un amore a Roma (L'inassouvie) (Risi) ; 1964, The Amourous Adventures of Moll Flanders (Les aventures amoureuses de Moll Flanders) (T. Young), La bonne soupe (Thomas) ; 1965, Caccia alla volpe (Le renard s'évade à 3 heures) (De Sica) ; 1967, lo, io, io... e gli altri (Moi, moi, moi et les autres) (Blasetti), Un Italiano in America (Sordi), Gli altri, gli altri e noi (Les uns, les autres et nous) (Blasetti) ; 1968, Cose di cosa nostra (Steno), Caroline chérie (La Patellière), The Shoes of the Fisherman (Les souliers de Saint-Pierre) (Anderson), The Biggest Bundle of Them All (La bande à César) (Annakin) ; 1969, 12 + 1 (Gessner), If it's Tuesday, This Must Be Belgium (Stuart) ; 1971, Grand Slalom (Englund), Trastevere (Tozzi), lo non vedo, tu non parli, lui non sente (Camerini) ; 1972, L'odeur des fauves (Balducci), Pinocchio (Comencini), Il delitto Matteoti (L'affaire Matteoti) (Vancini) ; 1973, Blood of Dracula (Du sang pour Dracula) (Morrissey), Viaggia ragazza, viaggia (Squittieri) ; 1974, C'eravamo tanto amati (Nous nous sommes tant aimés) (Scola). *Pour le metteur en scène*, voir le *Dictionnaire du cinéma*, t. I : *Les réalisateurs*.

S'il fut le père ou l'un des pères du néoréalisme, on n'aura garde d'oublier qu'il fut aussi le fort séduisant jeune premier des comédies dites « du téléphone blanc » que signèrent Camerini et Mattoli. On trouvera dans les souvenirs de Maria Mercader (*Un amour obstiné*) de nombreuses anecdotes sur les débuts difficiles de Vittorio. Pourtant en 1941, quand elle le rencontre, il n'est pas encore très connu hors de la péninsule. C'est l'après-guerre qui lança le metteur en scène et l'acteur profita par la suite de cette célébrité. L'âge des emplois de jeune premier était alors passé, mais De Sica restait un prodigieux séducteur aux tempes argentées. Son charme était irrésistible. Surtout en uniforme. La série des *Pain, amour et fantaisie*, bien qu'agréable sans plus, lui permet d'entreprendre une deuxième carrière d'acteur, carrière qui devient vite internationale (productions anglaises, allemandes ou françaises) : il sera même Pie VII dans l'*Austerlitz* de Gance ! S'il ne s'intégra pas tout à fait à l'univers de la nouvelle comédie, celle de Risi, Monicelli ou Scola, où Gassman tendit à prendre sa place, Scola lui rendit un vibrant hommage au moment de sa mort dans *Nous nous sommes tant aimés*, qui lui est dédié. Cependant que le metteur en scène poursuivait après *Umberto D.* une carrière en zigzag, l'acteur multipliait les prestations. Du *Generale della Rovere* à *Caroline chérie*, ne cherchons pas de ligne directrice. Un peu comme Welles, De Sica a tourné n'importe quoi. Du moins y apportait-il toujours une élégance et une chaleur qui nous permettent, grâce à sa seule présence, de supporter des œuvres par ailleurs le plus souvent médiocres.

Desmarets, Sophie

Actrice française, de son vrai prénom Jacqueline, née en 1922.

1941, Premier rendez-vous (Decoin) ; 1942, Jeunes filles dans la nuit (Le Hénaff) ; 1945, 120, rue de la Gare (Daniel-Norman), Le Capitan (Vernay), Seul dans la nuit (Stengel) ; 1946, Rocambole (Baroncelli) ; 1947, Croisière pour l'inconnu (Montazel), Tierce à cœur (Casembroot) ; 1948, Femme sans passé (Grangier), La veuve et l'innocent (Cerf), Vire-Vent (Faurez), Rapide de nuit (Blistène), Les souvenirs ne sont pas à vendre (Hennion) ; 1949, Le roi (Sauvajon), Mon ami Sainfoin (Sauvajon) ; 1950, Ma pomme (Sauvajon), Demain nous divorçons (Cuny) ; 1951, Ma femme est formidable (Hunebelle) ; 1952, Mon mari est merveilleux (Hunebelle), Rome Paris Rome (Hunebelle), Femmes de Paris (Boyer) ; 1954, Escalier de service (Rim), Le fils de Caroline chérie (Devaivre) ; 1955, Le secret de sœur Angèle (Joannon), Les cinq dernières minutes (Amato), Si Paris nous était conté (Guitry), Scènes de ménage (Berthomieu), Une fille épatante (André), Ces sacrées vacances (Vernay), Treize à table (Hunebelle) ; 1956, Ce soir les jupons volent (Kirsanoff), Miss Catastrophe (Kirsanoff), Les trois font la paire (Guitry) ; 1957, Filous et compagnie (Saytor), Fumée blonde (Vernay) ; 1958, Nina (Boyer), Madame et son auto (Vernay) ; 1959, La vie à deux (Duhour), Drôles de phénomènes (Vernay) ; 1960, La famille Fenouillard (Robert), La Française et l'amour (Delannoy), Anonima cocottes (Mastrocinque) ; 1963, La foire aux cancres (Daquin), Dragées au poivre (Baratier) ; 1964, La chance et l'amour (ép. Bitsch), Les motorisées (Mastrocinque) ; 1965, La tête du client (Poitrenaud) ; 1966, Toutes folles de lui (Carbonnaux) ; 1970, Le mur de l'Atlantique (Camus) ; 1973, La raison du plus fou (Reichenbach) ; 1976, Le maestro (Vital) ; 1977, Un second souffle (Blain) ; 1992, Les mamies (Lanoë) ; 1993, Pourquoi maman est dans mon lit ? (Malakian) ; 1995, Fantôme avec chauffeur (Oury) ; 1996, Fallait pas !... (Jugnot).

Cours René Simon, puis débuts au théâtre, son véritable domaine. A l'écran cette pétulante et ravissante actrice n'a guère eu de chance. Supérieurement douée, elle n'a pourtant tourné que de médiocres comédies mises en scène par des tâcherons (Guitry excepté). Quel dommage qu'elle n'ait pas eu plus d'ambition !

Desny, Ivan

Acteur français d'origine russe, de son vrai nom Desnitz, 1922-2002.

1948, Bonheur en location (Wall) ; 1950, Madeleine (Lean) ; 1952, La p... respectueuse (Brabant, Pagliero) ; 1953, Weg ohne Umkehr (Vicas, Von Mollo), La signora senza camelie (La dame sans camélias) (Antonioni), Le Bon Dieu sans confession (Autant-Lara) ; 1954, Herr über Leben und Tod (Vicas), Die Goldene Pest (Brahm), Geständnis unter vier Augen (Michel) ; 1955, Mädchen ohne Grenzen (Radvanyi), Dunja (Von Baky), Andre und Ursula (Jacobs), Frou-Frou (Genina), Lola Montès (Ophuls) ; 1956, OSS 117 n'est pas mort (Sacha), Mannequins de Paris (Hunebelle), Rosen für Bettina (Pabst), Anastasia – Die letzte Zarentochter (Harnack), Club de femmes (Habib) ; 1957, Von allen geliebt (Verhoeven), Skandal in Ischl (Thiele), Alle Sünden dieser Erde (Umgelter), Wie ein Sturmwind (Harnack), Donnez-moi ma chance (Moguy) ; 1958, Heisse Ware (May), Frauensee (Jugert), Petersburger Nächte (Martin), La vie à deux (Duhour), Une vie (Astruc), Le miroir à deux faces (Cayatte), Polikuschka (Gallone) ; 1959, Was eine Frau im Frühling träumt (Ode, Rabenalt) ; 1960, Der Satan lockt mit Liebe (Jugert), Geständnis einer Sechzehnjährigen (Tressler), Femmine di lusso (Bianchi), Monsieur Suzuki (Vernay), Song without End (Cukor, Vidor) ; 1961, De quoi tu te mêles, Daniela ? (Pécas), Schicksals-Sinfonie (Tressler) ; 1962, Number Six (Tronson), L'ammutinamento (Les révoltés de l'Albatros) (Amadio), Bon voyage ! (Neilson), Sherlock Holmes und das Halsband des Todes (Fisher, Winterstein) ; 1963, Der Unsichtbare (Nussbaum), Ist Geraldine ein Engel ? (Previn) ; 1964, I misteri della giuglia nera (Capuano), Jack und Jenny (Vicas) ;1965, La sfinge sorride prima di morire – stop – Londra (Tessari), Das Liebeskarussell (Thiele, Weidenmann, Von Ambesser) ; 1966, Tendre voyou (Becker), La muerte se llama Myriam (Martin), L'affare Beckett (Civirani) ; 1967, Liebesnächte in der Taiga (Philipp), Der Tod eines Doppelgänger (Thiele), J'ai tué Raspoutine (Hossein) ; 1968, Rebus (Zanchin), La bataille de San Sebastián (Verneuil), Mayerling (Mayerling) (Young) ; 1970, The Adventures of Gerard (Les aventures du brigadier Gérard) (Skolimovski) ; 1971, Nocturno (Gies), Die Tote aus der Themse (Philipp) ; 1972, Una secretaria para matar (Zeitler) ; 1973, Little Mother (Metzger) ; 1974, Who ? (Gold), Touch Me Not (Fifthian), Falsche Bewegung (Faux mouvement) (Wenders) ; 1975, Paper Tiger (Annakin) ; 1977, Die Eroberung der Zitadelle (Wicki) ; 1978, Enigma rosso (Negrin) ; 1979, Die Ehe der Maria Braun (Le mariage de Maria Braun) (Fassbinder) ; 1980, Odio le bionde (Je hais les blondes) (Capitani), Fabian (Gremm), Berlin-Alexanderplatz (Berlin-Alexanderplatz) (Fassbinder), Bestellt – geklauft – geliefert (Wicker) ; 1981, Malou (Malou) (Meerapfel), Lola (Lola, une femme allemande) (Fassbinder) ; 1983, Die Wilde Fünfziger (Zadek), Flügel und Fesseln (L'avenir d'Émilie) (Sanders-Brahms) ; 1986, Caviar rouge (Hossein) ; 1987, Virgin Terror (Negrin), Motten im Licht (Egger), Hôtel de France (Chéreau) ; 1988, Un amore di donna (N. Risi) ; 1989, Quicker than the Eye (Gessner) ; 1990, Godafton, Herr Wallenberg (Wallenberg) (Grede), La désenchantée (Jacquot) ; 1991, J'embrasse pas (Téchiné) ; 1996, Les voleurs (Téchiné) ; 1999, Beresina oder die letzte Tage der Schweiz (Berezina ou les derniers jours de la Suisse) (Schmid).

Né à Pékin, fils d'un diplomate d'origine russe, il entame une carrière internationale grâce à sa connaissance des langues étrangères. Après une période française qui vire à la série B après quelques œuvres fortes (*Lola Montès*), il tourne en Angleterre puis en Allemagne où Fassbinder lui donne un second souffle. Dans les années 90, il fait deux apparitions remarquées chez Téchiné.

Detmers, Maruschka

Actrice d'origine néerlandaise née en 1962.

1983, Le faucon (Boujenah), Prénom Carmen (Godard), La pirate (Doillon) ; 1984, La vengeance du serpent à plumes (Oury) ; 1985, Le diable au corps (Bellochio) ; 1987, Y'a bon les blancs (Ferreri) ; 1988, Hanna's War (La guerre d'Hanna) (Golan), Deux (Zidi) ; 1989, Comédie d'été (Vigne) ; 1991, Le brasier (Barbier), The Mambo Kings (Les Mambo Kings) (Glimcher) ; 1993, Elles n'oublient jamais (Frank) ; 1994, The Shooter (The Shooter) (Kotcheff) ; 1995, Méfie-toi de l'eau qui dort (Deschamps) ; 1996, Comme des rois (Velle) ; 1997, Rewind (Gobbi) ; 1999, St. Pauli Nacht (Wortmann) ; 2000, Te quiero (Poirier).

Imposée par Godard, elle fait sensation dans *Le diable au corps*, qui scandalise par une scène de fellation. Elle est belle et émouvante dans *Comédie d'été*, mais son retour à l'écran dans *Le brasier* se solde par un échec.

Deval, Marguerite

Actrice française, de son vrai nom Bruhifer de Valcourt, 1868-1955.

1932, La folle nuit (Bibal) ; 1933, Cent mille francs pour un baiser (Bourlon) ; 1935, Bichon (Rivers) ; 1936, L'homme du jour (Duvivier) ; 1937, Gueule d'amour (Grémillon), Prisons de femmes (Richebé) ; 1938, Bécassine (Caron), La rue sans joie (Hugon) ; 1939, Ils étaient neuf célibataires (Guitry), La famille Duraton (Stengel), Le président Haudecœur (Dréville) ; 1941, Le valet maître (Mesnier) ; 1942, La grande marnière (Marguenat), Marie-Martine (Valentin), La loi du printemps (Daniel-Norman), Mademoiselle Béatrice (Vaucorbeil), La maison des sept jeunes filles (Valentin) ; 1943, La collection Ménard (Bernard-Roland), Le voyageur sans bagages (Anouilh) ; 1945, Tant que je vivrai (Baroncelli), Les J 3 (Richebé) ; 1946, On demande un ménage (Cam), Gringalet (Berthomieu), Monsieur chasse (Rozier) ; 1948, Les cassepieds (Dréville) ; 1949, Dernière heure, Édition spéciale (Canonge), Le furet (Leboursier), Ève et le serpent (Tavano) ; 1951, Paris chante toujours (Montazel).

Petite, ronde, elle joue avec le même naturel les duchesses (*Le voyageur sans bagages*) et les gouvernantes (*Marie-Martine*). Tout son charme est dans la manière dont elle sait camper ses personnages.

Devillers, Renée

Actrice française, 1903-2001.

1930, La douceur d'aimer (Hervil) ; 1932, Ma femme homme d'affaires (Vaucorbeil) ; 1936, L'homme du jour (Duvivier) ; 1937, J'accuse (Gance) L'appel de la vie (Neveux) ; 1940, Untel père et fils (Duvivier) ; 1942, Les affaires sont les affaires (Dréville), Le voile bleu (Stelli), La femme que j'ai le plus aimée (Vernay) ; 1944, Lunegarde (M. Allégret) ; 1946, Roger la Honte (Cayatte), Fausse identité (Chotin) ; 1947, Les dernières vacances (Leenhardt) ; 1948, Cartouche (Radot), Les amoureux sont seuls au monde (Decoin), Le diable boiteux (Guitry), Le droit de l'enfant (Daroy) ; 1951, Un grand patron (Ciampi) ; 1952, Coiffeur pour dames (Boyer) ; 1953, Mam'zelle Nitouche (Y. Allégret) ; 1957, Fernand Clochard (Chevalier) ; 1961, Climats (Lorenzi) ; 1962, Thérèse Desqueyroux (Franju).

Sa distinction en fit l'interprète idéale de drames mondains au demeurant bien faits et qu'elle joua avec sensibilité.

Devine, Andy

Acteur américain, 1905-1977.

1928, We American (Sloman) ; 1929, Hot Stuff (LeRoy), Naughty Baby (LeRoy) ; 1931, The Spirit of Notre Dame (Russel Mack), The Criminal Code (Code criminel) (Hawks) ; 1932, Law and Order (Cahn), Destry Rides Again (Stoloff), Man Wanted (Dieterle), Three Wise Girls (Beaudine), The Impatient Maiden (Whale), Radio Patrol (Cahn), Tom Brown of Culver (Wyler), Fast Companions (Neumann), The All American (Russell) ; 1933, Song of the Eagle (Murphy), Chance at Heaven (Seiter), Dr. Bull (Ford), Saturday's Millions (Sedwick), Midnight Mary (Wellman), The Cohens and Kellys in Trouble (Stevens) ; 1934, Stingaree (Stingaree) (Wellman), Hell in the Heavens (Blystone), The Big Cage (Neumann), Let's Talk It Over (Neumann), Upper World (Del Ruth), Gift of Gab (Freund), Wake Up and Dream (Neumann), Million Dollar Ransom (Roth), The President Vanishes (Wellman), The Farmer Takes a Wife (La jolie batelière) (Fleming), Way Down East (King), Coronado (McLeod), Chinatown Squad (Roth), Straight from the Heart (Beal), Fighting Youth (McFadden) ; 1936, Romeo and Juliet (Roméo et Juliette) (Cukor), Flying Hostess (Roth), Small Town Girl (Wellman), Yellowstone (Lubin) ; 1937, Mysterious Crossing (Lubin), A Star Is Born (Une étoile est née) (Wellman), Double or Nothing (Reed), You're a Sweetheart (Butler), The Road Back (Whale) ; 1938, The Storm (Young), Yellow Jack (Seithz), In Old Chicago (L'incendie de Chicago) (King), Dr. Rhythm (Tuttle), Men With Wings (Wellman), Strange Faces (Taggert), Personal Secretary (Garrett) ; 1939, Stagecoach (La chevauchée fantastique) (Ford), Geronimo (Geromino) (Sloane), Mutiny on the Backhawk (Cabanne), Tropic Fury (Cabanne), The Spirit of Culver (Santley), Never Say Die (Nugent), Legion of the Lost Flyers (Cabanne), The Man from Montreal (Cabanne) ; 1940, Little Old New York (King), Torrid Zone (Keighley), When the Dalton Rode (Marshall), Buck Benny Rides Again (Sandrich), Black Diamonds (Cabanne), Hot Steel (Cabanne), The Devil's Pipeline (Cabanne), Trail of the Vigilantes (Sur la piste des Vigilants) (Dwan), Danger on Wheels (Cabanne), The Leather Pushers (Rawlins) ; 1941, A Dangerous Game (Rawlins), South of Tahiti (Waggner), Lucky Devils (Landers), Flame of the New Orleans (La belle ensorceleuse) (Clair), Men of the Timberland (Rawlins), The Kid from Kansas (Nigh), Mutiny in the Arctic (Rawlins), Raiders of the Desert (Rawlins), Badlands of Dakota (Green) ; 1942, Unseen Enemy (Rawlins), Sin Town (Enright), North to the Klondike (La fièvre de l'or) (Kenton), Escape from Hong Kong (Nigh), Top Sergeant (Cabanne), Timber (Cabanne), Danger in the Pacific (Collins), Between US Girls (Koster) ;

1943, Frontier Badman (Beebe), Corvette K 225 (Rosson), Rhythm of the Islands (Neill), Crazy House (Cline) ; 1944, Ali Baba and the Forty Thieves (Lubin), Follow the Boys (Hollywood Parade) (Sutherland), Ghost Catchers (Cline), Bowery to Broadway (Lamont), Babes on Swing Street (Lilley) ; 1945, Sudan (Rawlins), Frisco Sal (Waggner), Frontier Gal (Lamont), That's the Spirit (Lamont) ; 1946, Canyon Passage (Le passage du canyon) (Tourneur) ; 1947, The Michigan Kid (R. Taylor), The Vigilantes Return (Taylor), The Marauders (Archainbaud), Bells of San Angelo (Witney), On the Old Spanish Trail (Witney), Springtime in the Sierras (Witney), The Fabulous Texan (Ludwig), The Slave Girl (La belle esclave) (Lamont) ; 1948, Under California Skies (Witney), Eyes of Texas (Witney), Grand Canyon Trail (Witney), The Far Frontier (Witney), Night Time in Nevada (Witney) ; 1949, The Last Bandit (Kane), Travelling Saleswoman (Riesner) ; 1950, Never a Dull Moment (Marshall) ; 1951, New Mexico (Reis), Slaughter Trail (Allen), Red Badge of Courage (La charge victorieuse) (Huston) ; 1952, Montana Belle (Dwan) ; 1953, Island in the Sky (Aventure dans le Grand Nord) (Wellman) ; 1954, Thunder Pass (F. McDonald) ; 1955, Pete Kelly's Blues (Webb) ; 1956, Around the World in Eighty Days (Le tour du monde en quatre-vingts jours) (Anderson) ; 1960, The Adventures of Huckleberry Finn (Curtiz) ; 1961, Two Rode Together (Les deux cavaliers) (Ford) ; 1962, The Man Who Shot Liberty Valance (L'homme qui tua Liberty Valance) (Ford), How the West Was Won (La conquête de l'Ouest) (séquence de Ford) ; 1963, It's a Mad, Mad, Mad, Mad World (Un monde fou, fou, fou, fou) (Kramer) ; 1965, Zebra in the Kitchen (Tors) ; 1968, The Ballad of Josie (McLaglen) ; 1970, Smoke (McEveety), The Phynx (Katzin), Myra Breckinridge (Sarne) ; 1975, Won Ton Ton, the Dog Who Saved Hollywood (Winner) ; 1976, A Whale of a Time (E.M. Brown).

Ancien champion de football américain, il vient tenter sa chance à Hollywood. Son allure pataude, son teint rougeaud, sa voix éraillée (suite d'un accident de jeunesse) le destinent aux rôles de faire-valoir comique. C'est *Stagecoach* où il est le conducteur de la diligence qui le fait connaître. Ford le fit plusieurs fois tourner par la suite ainsi que Wellman. Il gagna beaucoup d'argent en interprétant pour la compagnie Republic un vieux cow-boy ronchon aux côtés de Roy Rogers dans une série de westerns ineptes. La télévision lui permit de reprendre ce personnage auprès de Guy Madison. Ce qu'il fit tout en continuant de tenir au cinéma des rôles de composition (policier, juge, médecin...) plus dignes de son talent.

DeVito, Danny

Acteur et réalisateur américain né en 1944.

1970, Dreams of Glass (Clouse) ; 1972, Mortadella (Mortadella) (Monicelli) ; 1973, Hurry up, or I'll Be 30 (Jacoby), Scalawag (Douglas) ; 1974, The Money (The money) (Workman) ; 1975, One Flew over the Cuckoo's Nest (Vol au-dessus d'un nid de coucou) (Forman) ; 1977, The Van (La trappe à nanas) (Grossman), The World's Greatest Lover (Drôle de séducteur) (Wilder) ; 1978, Goin' South (En route vers le sud) (Nicholson) ; 1981, Going Ape ! (Kronsberg) ; 1983, Terms of Endearments (Tendres passions) (Brooks) ; 1984, Romancing the Stone (A la poursuite du diamant vert) (Zemeckis), Johnny Dangerously (Heckerling) ; 1985, The Jewel of the Nile (Le diamant du Nil) (Teague) ; 1986, Head Office (Finkleman), Ruthless People (Y a-t-il quelqu'un pour tuer ma femme ?) (Zucker), Wise Guys (De Palma) ; 1987, Tin Men (Les filous) (Levinson), Throw Momma From the Train (Balance maman hors du train) (DeVito) ; 1988, Twins (Jumeaux) (Reitman) ; 1989, The War of the Roses (La guerre des Rose) (DeVito) ; 1991, Other People's Money (Larry le liquidateur) (Jewison) ; 1992, Jack the Bear (Herskovitz), Batman Returns (Batman – le défi) (Burton), Hoffa (Hoffa) (DeVito) ; 1994, Renaissance Man (Opération Shakespeare) (P. Marshall), Junior (Junior) (Reitman) ; 1995, Get Shorty (Get Shorty) (Sonnenfeld), Matilda (Matilda) (DeVito) ; 1996, Mars Attacks ! (Mars Attacks !) (Burton), L.A. Confidential (L.A. Confidential) (Hanson), The Rainmaker (L'idéaliste) (Coppola) ; 1998, Man on the Moon (Man on the Moon) (Forman), The Virgin Suicides (Virgin Suicides) (S. Coppola), Living Out Loud (D'une vie à l'autre) (LaGravenese) ; 1999, Drowning Mona (Gomez), The Big Kahuna (Swanbeck), Screwed (Alexander, Karaszewski) ; 2001, Death to Smoochie (DeVito), Heist (Braquages) (Mamet) ; 2003, Anything Else (La vie et tout le reste) (Allen), Big Fish (Big Fish) (Burton) ; 2002, What's the Worst that Could Happen ? (Escrocs) (Weisman) ; 2005, Be Cool (Be Cool) (Gray). *Pour le metteur en scène*, voir le *Dictionnaire du cinéma*, t. I : *Les réalisateurs*.

Une rondeur remarquée dès *Vol au-dessus d'un nid de coucou* et une finesse sensible dans ses interprétations comme dans ses mises en scène (*La guerre des Rose.*) Excellent dans *Batman* et *Hoffa*.

Devon, Richard

Acteur américain né en 1931.

Principaux films : 1955, The Prodigal (Le fils prodigue) (Thorpe) ; 1956, The Undead (Corman) ; 1957, Teenage Doll (Corman), Escape from San Quentin (Sears), Blood of Dracula (Strock) ; 1958, Machine Gun Kelly (Corman), War of the Satellites (Corman), The Saga of the Viking Women and Their Voyage to the Waters of the Great Sea Serpent (Corman), Money, Women and Guns (L'héritage de la colère) (Bartlett), Badman's Country (Sears) ; 1961, The Comancheros (Les comancheros) (Curtiz) ; 1962, Kid Galahad (Un direct au cœur) (Karlson) ; 1963, Cattle King (Les ranchers du Wyoming) (Garnett) ; 1966, The Silencers (Matt Helm, agent très spécial) (Karlson) ; 1973, Magnum Force (Magnum Force) (Post) ; 1988, The Seventh Sign (La septième prophétie) (Schultz).

Le plus patibulaire de tous les tueurs du cinéma et de la télévision américains. Et ils sont pourtant fort nombreux !

Devos, Emmanuelle

Actrice française née en 1964.

1986, On a volé Charlie Spencer (Huster) ; 1990, La vie des morts (Desplechin) ; 1992, La sentinelle (Desplechin) ; 1992, Sauve-toi (Fabre) ; 1993, Les patriotes (Rochant) ; 1994, Oublie-moi (Lvovsky), Consentement mutuel (Stora) ; 1995, Comment je me suis disputé... (Ma vie sexuelle) (Desplechin) ; 1996, Anna Oz (Rochant), Le déménagement (Doran) ; 1997, Artemisia (Merlet) ; 1998, La tentation de l'innocence (Godet), Les cendres du paradis (Crèvecœur), La vie ne me fait pas peur (Lvovsky) ; 1999, Peut-être (Klapisch), Cours toujours (Desarthe), Vive nous ! (Casabianca) ; 2000, Aïe (Fillières) ; 2001, Sur mes lèvres (Audiard) ; 2002, L'adversaire (Garcia), Au plus près du paradis (Marshall), Il est plus facile pour un chameau... (Bruni-Tedeschi) ; 2003, Rencontre avec le dragon (Angel) ; 2004, Bienvenue en Suisse (Frazer), La femme de Gilles (Fonteyne), Rois et reines (Desplechin) ; 2005, La moustache (Carrère), De battre mon cœur s'est arrêté (J. Audiard), Gentille (Fillières) ; 2007, J'attends quelqu'un (Bonnell).

Du cinéma intellectuel (Desplechin, Lvovsky, Fillières), certes, mais une grâce et une présence de tous les instants qui promettent dès ses débuts un bel avenir. Deux films de Jacques Audiard en font en effet une star. Un césar pour *Sur mes lèvres.*

Dewaere, Patrick

Acteur français, de son vrai nom Maurin, 1947-1982.

1951, Monsieur Fabre (Diamant-Berger) ; 1957, Les espions (Clouzot) ; 1970, Les mariés de l'An II (Rappeneau) ; 1971, La maison sous les arbres (Clément) ; 1972, Themroc (Faraldo) ; 1974, Les valseuses (Blier), Au long de la rivière Fango (Sotha), Lily, aime-moi (Dugowson) ; 1975, Pas de problème (Lautner), Catherine et Cie (Boisrond), Adieu poulet (Garnier-Deferre), La meilleure façon de marcher (Miller), F. comme Fairbanks (Dugowson), Marcia Triomfale (La marche triomphale) (Bellochio) ; 1976, Le juge Fayard dit le Shérif (Boisset), La stanza del vescovo (Risi) ; 1977, Préparez vos mouchoirs (B. Blier) ; 1978, La clé sur la porte (Boisset), Coup de tête (Annaud), L'ingorgo (Comencini) ; 1979, Série noire (Corneau), Paco l'infaillible (Haudepin) ; 1980, Un mauvais fils (Sautet), Plein sud (Béraud), Psy (Broca), Beau-père (B. Blier) ; 1981, Hôtel des Amériques (Téchiné), Mille milliards de dollars (Verneuil), Les matous sont romantiques (Sotha) ; 1982, Paradis pour tous (Jessua).

Né à Saint-Brieuc, dans une famille modeste, il entre très jeune dans le monde du spectacle et rejoint en 1968 le Café de la Gare. Il va imposer son curieux visage barré d'une moustache et son allure dégingandée dans *Les valseuses* où il a pour partenaire Depardieu. Dewaere devient avec ce film l'un des meilleurs représentants d'un nouveau type de jeune premier. Tournant en Italie ou en France, passant de rôles conventionnels (*Le juge Fayard*) à des personnages plus complexes (le moniteur brutal de *La meilleure façon de marcher*), il amorce une brillante carrière interrompue par un suicide imprévisible.

Dexter, Brad

Acteur américain, de son vrai nom Boris Milanovich, 1917-2002.

1944, Winged Victory (Cukor) ; 1946, Helldorado (Witney) ; 1947, Sinbad the Sailor (Sindbad le marin) (Wallace) ; 1950, The Asphalt Jungle (Quand la ville dort) (Huston) ; 1951, Fourteen Hours (Quatorze heures) (Hathaway), The Las Vegas Story (Stevenson) ; 1952, Macao (Sternberg) ; 1953, 99 River Street (Karlson), Vice Squad (Laven) ; 1955, Untamed (Quand soufflera la tempête) (King), House of Bamboo (Maison de bambou) (Fuller), Violent Saturday (Les inconnus dans la ville) (Fleischer) ; 1956, The Bottom of the Bottle (Le fond de la bouteille) (Hathaway), Between Heaven and Hell (Le temps de la colère) (Fleischer) ; 1957, The Oklahoman (Lyon) ; 1958, Run Silent, Run Deep (L'odyssée du sous-marin Nerka) (Wise) ; 1959, The Last Train from Gun Hill (Le dernier train de Gun Hill) (Sturges) ; 1960, The Magnificent Seven (Les sept mercenaires) (Sturges), 13 Fighting Men (Gerstad) ; 1961, X-15 (R. Donner), The George Raft Story (Dompteur de femmes) (Newman), Twenty Plus Two (Newman) ; 1962, Tarass Bulba (Tarass Boulba) (Lee-Thompson) ; 1963, Johnny Cool (La revanche du Sicilien) (Asher), Kings of the sun (Thompson) ; 1964, Invitation to a Gungfighter (Le mercenaire de minuit) (Wilson) ; 1965, Von Ryan's Express (L'express du colonel von Ryan) (Robson), Bus Riley's Back in Town (Hart), None but the Brave (Sinatra) ; 1966, Blindfold (Les yeux bandés) (Dunne) ; 1973, Jory (J. Fons) ; 1975, Shampoo (Ashby) ; 1976, Vigilante Force (Armitage) ; 1977, The Private Files of J. Edgar Hoover (Cohen), House Calls (Zieff) ; 1979, Winter Kills (Richert) ; 1990, Secret Ingredient (Shijan).

Troisième couteau, il a dû sa célébrité aux *Sept mercenaires* où il était le sceptique, indifférent au sort des paysans et convaincu qu'il y avait une histoire d'or derrière l'intervention de Brynner en faveur des Mexicains. Par la suite, il est surtout devenu producteur, notamment de certains des meilleurs films de Furie entre 1967 et 1970.

Dhéran, Bernard

Acteur français, de son vrai nom Poulain, né en 1926.

1948, Le diable boiteux (Guitry) ; 1952, Belles de nuit (Clair) ; 1953, Si Versailles m'était conté (Guitry), Le grand pavois (Pinoteau) ; 1954, Napoléon (Guitry) ; 1955, Les hommes en blanc (Habib), Si Paris nous était conté (Guitry), Les grandes manœuvres (Clair), Si tous les gars du monde (Christian-Jaque) ; 1956, Ce soir les jupons volent (Kirsanoff), Vacances explosives (Stengel), L'inspecteur aime la bagarre (Devaivre) ; 1957, La peau de l'ours (Boissol), La garçonne (Audry), Le grand bluff (Dally) ; 1958, Christine (Gaspard-Huit), Soupe au lait (Chevalier) ; 1959, Classe tous risques (Sautet), Rue des Prairies (La Patellière) ; 1960, Le capitaine Fracasse (Gaspard-Huit) ; 1961, La belle américaine (Dhéry) ; Le comte de Monte-Cristo (Autant-Lara) ; 1962, Les bricoleurs (Girault) ; 1963, Gibraltar (Gaspard-Huit) ; 1964, Les gorilles (Girault) ; 1965, De l'assassinat considéré comme l'un des beaux-arts (Bourdon), Les bons-vivants (sketch Grangier) ; 1966, Le nouveau journal d'une femme de chambre (Autant-Lara) ; 1967, L'homme à la Buick (Grangier), Le grand bidule (André) ; 1971, Mais ne nous délivrez pas du mal (Séria) ; 1972, Le silencieux (Pinoteau) ; 1975, On a retrouvé la 7e compagnie (Lamoureux) ; 1982, Les princes (Gatlif) ; 1987, Bernadette (Delannoy) ; 1991, Loulou Graffiti (Lejalé) ; 1996, Ridicule (Leconte).

Ancien élève du Conservatoire, engagé à la Comédie-Française, il a pris à l'écran, en rivalité avec Jacques Castelot, les emplois de Maurice Escande. Guitry l'appréciait pour les films historiques où sa distinction faisait merveille. On le vit encore dans une adaptation de Thomas de Quincey (*De l'assassinat…*), puis il s'orienta plutôt vers la télévision (*Les Mohicans de Paris*).

Dhéry, Robert

Acteur et réalisateur français, de son vrai nom Fourrey, 1921-2004.

1942, Monsieur des Lourdines (Hérain) ; 1943, Service de nuit (Faurez), Feu Nicolas (Houssin) ; 1944, La fiancée des ténèbres (Poligny), Le merle blanc (Houssin), Les enfants du paradis (Carné) ; 1945, Madame et son flirt (Marguenat) ; 1946, Le château de la dernière chance (Paulin), On demande un ménage (Cam), En êtes-vous bien sûr ? (Houssin) ; 1947, Les Pieds nickelés (Aboulker), Une nuit à Tabarin (Lamac) ; 1948, Métier de fous (Hunebelle) ; 1949, Je n'aime que toi (Montazel), Les Branquignols (Dhéry) ; 1950, Bertrand cœur de lion (Dhéry) ; 1951, La demoiselle et son revenant (Allégret) ; 1952, L'amour n'est pas un péché (Cariven) ; 1954, Ah les belles bacchantes (Loubignac) ; 1955, Bonjour sourire (Sautet), Sourire aux lèvres ; 1961, Un cheval pour deux (Thibault), La belle américaine (Dhéry) ; 1964, Allez France (Dhéry) ; 1965, La communale (L'Hote) ; 1967, Le petit baigneur (Dhéry) ; 1969, Trois hommes sur un cheval (Moussy) ; 1970, On est toujours trop bon avec les femmes (Boisrond) ; 1974, Vos gueules les mouettes (Dhéry) ; 1980, Malevil (Chalonge) ; 1987, La passion Béatrice (Tavernier). *Pour le metteur en scène*, voir le *Dictionnaire du cinéma*, t. I : *Les réalisateurs*.

Le père des Branquignols a fait oublier le comédien fin et sensible qui débuta en 1942 à l'écran et épousa Colette Brosset (1922-2007) que l'on retrouve dans tous ses films. S'il fut un excellent réalisateur, il faut aussi souligner ses qualités d'acteur chez les autres (il fut un bon Filochard dans *Les Pieds nickelés*). Dans *Allez France*, il révèle un comique essentiellement visuel, condamné par la faute d'un dentiste à ne pouvoir ouvrir la bouche.

Diaz, Cameron

Actrice américaine née en 1972.

1993, The Mask (The Mask) (Russell) ; 1995, Feeling Minnesota (Feeling Minnesota) (Baigelmann), She's the One (She's the One/-Petits mensonges entre frères) (Burns), The Last Supper (L'ultime souper) (Title) ; 1996, Keys to Tulsa (Greif), Head Above Water (Wilson) ; 1997, My Best Friend's Wedding (Le mariage de mon meilleur ami) (Hogan), A Life Less Ordinary (Une vie moins ordinaire) (Boyle) ; 1998, Fear and Loathing in Las Vegas (Las Vegas parano) (Gilliam), Very Bad Things (Very Bad Things) (Berg), There's Something About Mary (Mary à tout prix) (P. & B. Farrelly), Being John Malkovich (Dans la peau de John Malkovich) (Jonze) ; 1999, Any Given Sunday (L'enfer du dimanche) (Stone), Things You Can Tell Just by Looking at Her (Ce que je sais d'elle... d'un simple regard) (Garcia) ; 2000, Charlie's Angels (Charlie et ses drôles de dames) (McG) ; 2001, Gangs of New York (Scorsese), Vanilla Sky (Crowe) ; 2002, The Sweetest Things (Allumeuses) (Kumble) ; 2003, Charlie's Angels : Full Throttle (Les anges se déchaînent) (McG) ; 2005, In her Shoes (In Her Shoes) (Hanson) ; 2006, The Holiday (The Holiday) (Meyers).

Agréable nymphette issue du mannequinat, qui tente tant bien que mal de casser son image de femme plastiquement parfaite. C'est chose faite avec son personnage de femme au foyer, hirsute de *Dans la peau de John Malkovich.* Elle est époustouflante de drôlerie dans *Charlie et ses drôles de dames.*

DiCaprio, Leonardo

Acteur américain né en 1974.

1991, Critters 3 (Critters 3) (Peterson) ; 1992, Poison Ivy (Shea Ruben) ; 1993, This Boy's Life (Blessures secrètes) (Caton-Jones), What's Eating Gilbert Grape ? (Gilbert Grape) (Hallström) ; 1994, Les cent et une nuits (Varda) ; 1995, The Basketball Diaries (Basketball Diaries) (Kalvert), The Quick and the Dead (Mort ou vif) (Raimi), Total Eclipse (Rimbaud/Verlaine) (Holland) ; 1996, Marvin's Room (Simples secrets) (Zaks), Romeo + Juliet (Roméo + Juliette) (Luhrmann), Don's Plum (Robb) ; 1997, Titanic (Titanic) (Cameron), The Man in the Iron Mask (L'Homme au masque de fer) (Wallace) ; 1998, Celebrity (Celebrity) (Allen) ; 1999, The Beach (La plage) (Boyle) ; 2001, Gangs of New York (Scorsese) ; 2002, Catch me If You Can (Arrête-moi si tu peux) (Spielberg) ; 2004, The Aviator (Aviator) (Scorsese) ; 2006, The Departed (Les infiltrés) (Scorsese) ; 2007, Blood Diamond (Zwick).

Deux rôles difficiles, un enfant martyrisé dans *Blessures secrètes* et un adolescent psychotique dans *Gilbert Grape*, l'ont fait considérer comme un futur grand espoir d'Hollywood. Il ne déçoit pas. *Titanic* en fait une star dont la popularité est énorme. Il tient un double rôle, Louis XIV et son frère jumeau, dans *L'homme au masque de fer,* sans rencontrer le même succès. Il se fait voler la vedette dans *Gangs of New York* par Day-Lewis, mais retrouve son punch chez Spielberg. Il semble par la suite devenir, en incarnant Howard Hughes dans *Aviator* puis un policier dans *Les infiltrés*, un acteur fétiche de Scorsese.

Dickinson, Angie

Actrice américaine, de son vrai nom Angeline Brown, née en 1931.

1954, Lucky Me (Donohue) ; 1955, The Man With the Gun (L'homme au fusil) (Wilson), The Return of Jack Slade (Schuster), Tennessee's Partner (Le mariage est pour demain) (Dwan), Hidden Guns (Gannaway) ; 1956, Gun the Man Down (McLaglen), The Black Whip (Warren), Tension at Table Rock (Tension à Rock City) (Warren) ; 1957, Calypso Joe (Dein), I Married a Woman (Kanter), Shoot-Out at Medecine Bend (Bare), Run of the Arrow (Le jugement des flèches) (Fuller) (voix seulement), China Gate (Fuller) ; 1958, Cry Terror (Stone), Frontier Rangers (Tourneur) ; 1959, Rio Bravo (Rio Bravo) (Hawks), The Bramble Bush (Le buisson ardent) (Petrie) ; 1960, A Fever in the Blood (Sherman), Ocean's Eleven (L'inconnu de Las Vegas) (Milestone) ; 1961, The Sins of Rachel Cade (Au péril de sa vie) (Douglas) ; 1962, Jessica (La sage femme, le curé et le bon dieu) (Negulesco), Rome Adventure (Daves) ; 1963, Captain Newman M.D. (Miller) ; 1964, The Killers (A bout portant) (Siegel) ; 1965, The Art of Love (Jewison) ; The Chase (La poursuite impitoyable) (Penn) ; 1966, Cast a Giant Shadow (L'ombre d'un géant) (Shavelson) ; 1967, Point Blank (Le point de non-retour) (Boorman), The Last Challenge (Le pistolero de la rivière rouge) (Thorpe) ; 1969, Sam Whiskey (Laven), Young Billy Young (La vengeance du shérif) ; 1970, Some Kind of a Nut (Kanin), Si tu crois fillette (Vadim) ; 1971, The Resurrection of Zachary Wheeler (Wynn) ; 1972, Un homme est mort (Deray) ; 1974, Big Bad Mama (Super nanas) (Carver) ; 1978, L'homme en colère (Pinoteau) ; 1979, Jack London's Klondike Fever (Varter) ; 1980, Dressed to Kill (Pulsions) (De Palma) ; 1981, Death Hunt (Chasse à mort) (Hunt), Charlie Chan and the Curse of the Dragon Queen (Donner) ; 1988, Big Bad Mama II (Wynorski) ; 1993, Even Cowgirls Get the Blues (Even Cowgirls Get the Blues) (Van Sant) ; 1994, The Maddening (D. Huston) ; 1995, Sabrina (Sabrina) (Pollack) ; 1996, The Sun the Moon and the Stars (Creed) ; 1999, Duets (Duos d'un jour) (Paltrow) ; 2000, Pay It Forward (Un monde meilleur) (Leder) ; 2001, Big Bad Love (Howard).

Après Marlene Dietrich et Cyd Charisse, les plus belles jambes du cinéma. Révélée par un concours de beauté, elle débute à l'écran aux côtés de Doris Day qu'elle n'a pas de mal à éclipser sur le plan physique. C'est *Rio Bravo* qui l'impose et elle ne sera jamais aussi à l'aise qu'en entraîneuse de saloon. Mais elle se défend également fort bien en vamp de thriller (deux chefs-d'œuvre : *The Killers* et *Point Blank*). Depuis 1968 elle fait — hélas ! — surtout de la télévision.

Didi, Évelyne

Actrice française.

1981, Eaux profondes (Deville) ; 1983, L'été meurtrier (Becker), Le garde du corps (Leterrier) ; 1986, Taxi boy (Page), États d'âme (Fansten), Levy et Goliath (Oury) ; 1988, Baxter (Boivin), Une affaire de femmes (Chabrol) ; 1990, Tolérance (Salfati) ; 1991, Tatie Danielle (Chatiliez) ; 1992, La vie de bohème (Kaurismäki) ; 1994, Mécaniques célestes (Torres) ; 1996, Transatlantique (Laurent).

Beaucoup de théâtre et quelques apparitions cinématographiques qui restent dans les mémoires : sombre et froide en Mimi dans *La vie de bohème* d'Aki Kaurismäki, elle devient fofolle et absolument irrésistible dans le rôle de la psy hystérique de *Mécaniques célestes*.

Diefenthal, Frédéric

Acteur français né en 1968.

1991, La totale (Zidi) ; 1993, Les gens normaux n'ont rien d'exceptionnel (Ferreira Barbosa) ; 1995, Une histoire d'amour à la con (Korchia), Douce France (Chibane) ; 1996, Capitaine Conan (Tavernier) ; 1997, Taxi (Pirès) ; 1998, Je veux tout (G. Braoudé), Six-Pack (Berbérian) ; 1999, Jeu de cons (Verner), Taxi 2 (Krawczyk) ; 2000, Belphégor, le fantôme du Louvre (Salomé) ; 2001, Les âmes fortes (Ruiz) ; 2002, Une affaire privée (Nicloux) ; 2003, Dédales (Manzor), Plat du jour (Boudre), Taxi 3 (Krawczyk) ; 2004, L'incruste, fallait pas le laisser entrer ! (Julius et Castagnetti), Nos amis les flics (Swaim) ; 2005, Avant qu'il ne soit trop tard (Dussaux) Voisins voisines (Chibane), Le souffleur (Pixie) ; 2007, Taxi 4 (Krawczyk).

Il est découvert en jeune flic de choc dans les très mouvementés *Taxi* et *Taxi 2*. On attend la suite, mais *Six-Pack* le cantonne à nouveau aux rôles de policier.

Diesel, Vin

Acteur et réalisateur américain, de son vrai nom Mark Vincent, né en 1967.

1997, Strays (Diesel) ; 1998, Saving Private Ryan (Il faut sauver le soldat Ryan) (Spielberg) ; 1999, Pitch Black (Pitch Black) (Twohy), Boiler Room (Les initiés) (Younger), Multi-Facial (Diesel) ; 2001, The Fast and the Furious (Fast and Furious) (Cohen), The Knockaround Guys (Koppelman et Levien) ; 2002, XXX (XXX) (Cohen) ; 2004, The Chronicles of Riddick (Les chroniques de Riddick) (Twohy) ; 2005, The Pacifier (Baby-sittor) (Shankman) ; 2006, Fast and Furious : Tokyo Drift (Fast and Furious : Tokyo Drift) (Lin), Find Me Guilty (Jugez-moi coupable) (Lumet). *Comme réalisateur :* 1997, Strays ; 1999, Multi-Facial.

Athlétique, il est le jeune premier des sports extrêmes, mais met son goût de la violence et de la vitesse au service de la loi (XXX). Qu'est-il venu faire dans le monde des golden boys de la *Boiler Room* ? Il s'amuse à jouer un rôle de nounou dans *Baby-sittor*.

Diessl, Gustav

Acteur autrichien, 1899-1948.

Une soixantaine de films dont : 1927, Abwege (Crise) (Pabst) ; 1929, Die Büchse der Pandora (Loulou) (Pabst), Die weisse Holle von Piz Palu (Prisonniers de la montagne) (Franck) ; 1930, Westfront 1918 (Quatre de l'infanterie) (Pabst), Big House (Fejos) ; 1932, L'Atlantide (Pabst), Les Nuits de Port-Saïd (Mittler) ; 1933, Das Testament des Dr. Mabuse (Le testament du docteur Mabuse) (Lang), SOS Iceberg (Franck) ; 1935, Der Damon des Himalaya (Dyhrenfurth), Alles um ein Frau (Abel) ; 1937, Der Tiger von Eschnapur (Eichberg), Starke Herzen (Maisch) ; 1938, Kautschuk (Borsody) ; 1940, Stern von Rio (Anton), Senza Cielo (Alerte aux blancs) (Guarini) ; 1941, Clarissa (Lamprecht) ; 1942, Komödianten (Pabst) ; 1944, Nora (Braun) ; 1945, Kolberg (Harlan) ; 1948, Der Prozess (Le procès) (Pabst).

Colosse blond qui personnifia le bel Aryen dans les films allemands de la grande époque. Il avait fait ses débuts avec Pabst : le mari trompé de *Crise*, Jack l'Éventreur dans *Loulou*, le soldat amer de *Westfront*.

Dietrich, Marlene

Actrice d'origine allemande, de son vrai prénom Maria Magdalene, 1901-1992.

1923, Der Kleine Napoleon (Le petit Napoléon) (Jacoby), Tragödie der Liebe (Tragédie de l'amour) (May), Der Mensch am Wege (L'homme du bord de la route) (Dieterle) ; 1924, Der Sprung ins Leben (Le saut dans la vie) (Guter) ; 1926, Die Freudlose Gasse (La rue sans joie) (Pabst), Manon Lescaut (Robison), Eine Du Barry von Heute (La Du Barry) (Korda), Madame wünscht keine Kinder (Madame ne veut pas d'enfants) (Korda), Kopf Hoch, Charly (Tête haute, Charlie) (Wolff) ; 1927, Der Juxbaron (Le baron imaginaire) (Wolff), Sein gröster Bluff (Son plus grand bluff) (Piel) ; 1928, Cafe Elektric (Filles d'amour) (Ucicky), Prinzessin Olala (Princesse Olala) (Land) ; 1929, Ich küsse ihre Hand, Madame (Je baise votre main, Madame) (Land), Die Frau Nach der Man sich sehnt (L'énigme) (Bernhardt), Das Schiff der verlorenen Menschen (Le navire des hommes perdus) (Tourneur), Gefahren der Brautzeit (Dangereuses fiançailles) (Sauer) ; 1930, Der blaue Engel (L'ange bleu) (Sternberg), Morocco (Cœurs brûlés) (Sternberg) ; 1931, Dishonored (X 27) (Sternberg) ; 1932, Shanghai Express (Shanghai Express) (Sternberg) ; Blonde Venus (Blonde Vénus) (Sternberg) ; 1933, Song of Songs (Le cantique des cantiques) (Mamoulian) ; 1934, The Scarlet Empress (L'impératrice rouge) (Sternberg) ; 1935, The Devil Is a Woman (La femme et le pantin) (Sternberg) ; 1936, Desire (Borzage) ; The Garden of Allah (Le jardin d'Allah) (Boleslavsky) ; 1937, Knight Without Armour (Le chevalier sans armure) (Feyder), Angel (Lubitsch) ; 1939, Destry Rides Again (Femme ou démon) (Marschall) ; 1940, Seven Sinners (La maison des sept péchés) (Garnett) ; 1941, The Flame of New Orleans (La belle ensorceleuse) (Clair), Manpower (L'entraîneuse fatale) (Walsh) ; 1942, The Lady Is Willing (Madame veut un bébé) (Leisen), The Spoilers (Les écumeurs) (Enright), Pittsburgh (Pittsburgh) (Seiler) ; 1944, Follow the Boys (Hollywood Parade) (Sutherland), Kismet (Dieterle) ; 1946, Martin Roumagnac (Lacombe) ; 1947, Golden Earrings (Les anneaux d'or) (Leisen) ; 1948, A Foreign Affair (La scandaleuse de Berlin) (Wilder) ; 1949, Jigsaw (L'ange de la haine) (Fletcher Markle) ; 1950, Stage Fright (Le grand alibi) (Hitchcock) ; 1951, No Highway in the Sky (Le voyage fantastique) (Koster) ; 1952, Rancho Notorious (L'ange des maudits) (Lang) ; 1956, Around the World in 80 Days (Le tour du monde en 80 jours) (Anderson) ; 1957, The Monte Carlo Story (Monte-Carlo) (Taylor) ; 1958, Witness for the Prosecution (Témoin à charge) (Wilder), Touch of Evil (La soif du mal) (Welles) ; 1961, Judgement at Nuremberg (Jugement à Nuremberg) (Kramer) ; 1964, Paris When It Sizzles (Deux têtes folles) (Quine) ; 1978, Just a Gigolo (Gigolo) (Hemmings) ; 1984, Marlene (Schell).

Qu'elle ait été créée par Sternberg, comme celui-ci l'affirme, ou qu'elle ait déjà eu un grand passé d'actrice quand elle rencontra celui qui s'intitule son Pygmalion, comme elle le déclare de son côté, importe peu. Marlene Dietrich a entouré sa jeunesse de mystère : on a longtemps cru qu'elle était née Maria Magdalena von Losch et que sa naissance se plaçait en 1904. Elle aurait été, a-t-on dit, une violoniste remarquable avant d'être blessée et de devoir renoncer à ce rêve. Elle aurait été formée par le grand metteur en scène Max Reinhardt. Elle aurait enfin fait de la figuration dans *La rue sans joie* dont Garbo était la vedette (ce qui paraît probable). Seule certitude : elle a débuté dans d'honnêtes comédies allemandes. En 1930, c'est *L'ange bleu.* La voix rauque et les jambes de Marlene en font du jour au lendemain non seulement une vedette internationale, mais encore un mythe cinématographique. Paramount se l'attache pour la lancer en rivale de Garbo, alors sous contrat à la MGM. Elle tourne avec Sternberg six films extravagants, dans des décors que n'auraient renié ni Maerten Heemskerk ni Goya. Après l'échec de *The Devil is a Woman*, le couple Dietrich-Sternberg se sépare. Mais Marlene est trop marquée par le personnage de Lola pour pouvoir lui échapper. C'est ainsi que *The Garden of Allah* aurait pu être signé par Sternberg. Clair, Walsh et Garnett lui ont également offert des personnages tout à la gloire de son mythe. Pendant la guerre, Marlene Dietrich refuse de regagner l'Allemagne. Elle participe à la campagne anti-hitlérienne et vient assister les soldats sur le front. Son attitude lui vaudra la Légion d'honneur. Ses derniers films, après 1948, sont dirigés par Lang, Hitchcock et Welles, preuve qu'elle demeure la star par excellence. Ses tours de chant à Londres, New York, Paris, Las Vegas... (et dont le disque nous a gardé le souvenir) déchaînent l'enthousiasme. En 1979, l'heure des Mémoires a sonné. Ce sera *My Life Story*.

Dieudonné

Acteur français né en 1966.

1998, Le derrière (Lemercier) ; 2000, Voyance et manigance (Fourniols) ; 2001, HS (Lilienfeld), Astérix et Obélix : mission

Cléopâtre (Chabat) ; 2003, Les clefs de la bagnole (Baffie), Les 11 commandements (Desagnat et Sorriaux), Casablanca Driver (Barthélemy), État de guerre (Pignède et Condemi).

Comique « sulfureux », il a donné quelques bonnes interprétations à l'écran dont Caius Céplus dans *Astérix et Obélix*.

Dieudonné, Albert

Acteur et réalisateur français, 1889-1976.

1910, Le baiser de Judas (Bour), La fleur des ruines (Devarennes) ; 1916, L'héroïsme de Paddy (Gance), Ce que les flots racontent (Gance), Le fou de la falaise (Gance), Le périscope (Gance) ; 1927, Une vie sans joie (Dieudonné), Napoléon (Gance) ; 1941, Madame Sans-Gêne (Richebé). *Pour le metteur en scène*, voir le *Dictionnaire du cinéma*, t. I : *Les réalisateurs*.

Très complet, il fut scénariste (*L'angoisse* de Hugon, *L'idole brisée* de Mariaud, *La douceur d'aimer* de R. Hervil, *L'homme du Niger* de Baroncelli), réalisateur (on lui attribue, outre *Une vie sans joie, Sous la griffe, Gloire rouge, Son crime*), mais c'est comme interprète de Bonaparte dans le *Napoléon* de Gance qu'il est passé à la postérité. Le rôle lui colla comme une tunique de Nessus ; il fut encore Napoléon dans *Madame Sans-Gêne*, et finit par se prendre pour l'Empereur.

Diffring, Anton

Acteur anglais, 1918-1989.

1950, State (Secret d'État) (Gilliat), Highly Dangerous (Baker) ; 1951, Hôtel Sahara (Annakin), Appointment With Venus (Thomas) ; 1952, The Woman's Angle (Arliss), Song of Paris (Guillermin), Top Secret (Zampi) ; 1953, Albert Royal Navy (Le prisonnier fantôme) (Gilbert), The Red Berets (Les bérets rouges) (Young), Park Plaza 605 (Double crime a minuit (Knowles), Operation Diplomat (Guillermin) ; 1954, The Sea Shall Not Have Them (Gilbert), Betrayed (Voyage au-delà des vivants) (Reinhardt), The Colditz Story (Les indomptables de Colditz) (Hamilton) ; 1955, Double-cross (Squire), I Am a Camera (Une fille comme ça) (Cornelius) ; 1956, Reach for the Sky (Vainqueur du ciel) (Gilbert), The Black Tent (Le secret des tentes noires) (Desmond Hurst), House of Secrets (La maison des secrets) (Green), The Mark of the Phoenix (Rogers) ; 1957, The Crooked Sky (Cass), The Traitors (Mc Carthy), Lady of Vengeance (Balaban) ; 1958, A Question of Adultary (Chaffey), Seven Thunders (Les sept tonnerres) (Fregonese), The Accused (Mc Carthy) ; 1959, The Man Who Could Cheat Death (Fischer) ; 1960, Circus of Horrors (Le cirque des horreurs) (Hayers) ; 1961, Enter Inspector Duval (Varnel) ; 1963, Incident at Midnight (Harrison) ; 1964, Lana Konigin der Amazon (Liane fille sauvage) (Cziffra) (Vorsicht Mr. Dodd) (Grawert) ; 1965, The Heroes of Telemark (Les héros de Telemark) (Mann), Operation Crossbow (Anderson), Schusse in Dreivierteltakt (Du suif dans l'Orient-Express) (Weidenmann) ; 1966, Fahrenheit 451 (Truffaut), The Blue Max (Le crépuscule des aigles) (Guillermin) ; 1967, The Double Man (La griffe) (Schaffner), Counterpoint (La symphonie des héros) (Nelson) ; 1968, Michael Kohlhaas, der Rebell (Michael Kohlhaas) (Schlöndorff), Where Eagles Dare (Quand les aigles attaquent) (Hutton) ; 1970, Uccidete Rommel (Brescia), Piggies (Zadeck) ; 1971, Zeppelin (Périer), L'iguana dalla lingua di fuoco (Pareto) ; 1972, Corringa (Les diablesses) (Dawson), Der Stoff (Vohrer), Don't Cry for Me Little Mother (Metzger) ; 1973, Big Guns (Tessari), Dead Pigeon on Beethoven Street (Un pigeon mort dans Beethoven Strasse) (Fuller) ; 1974, Borsalino and Co (Deray), Seul le vent connaît la réponse (Vohrer), The Beast Must Die (Annett) ; 1975, Operation Daybreak (Gilbert), The Swiss Conspiracy (Arnold), Torture (Hoven) Call Him Mr. Shatter (Carreras/Hellman) ; 1976, Vanessa (H. Frank), Potato Fritz (Schamoni) ; 1977, Valentino (Russell), Les Indiens sont encore loin (Mora), Waldrausch (Hoechler), Io sono mia (Scandurra) ; 1978, L'imprécateur (Bertucelli) ; 1980, Hitler's Son (Amateau), Tusk (Jodorowsky) ; 1981, Escape to Victory (A nous la victoire) (Huston) ; 1982, Der Gast (Roland), SAS à San Salvador (Coutard) ; 1984, Masks of Death (Baker) ; 1985, Der Schnuffler (Runze), Marie Ward (Weber) ; 1986, Der Sommer des Samurai (Blumenberg) ; 1987, Richard und Cosima (Patzak) ; 1988, Les prédateurs de la nuit (Franco).

Acteur d'origine germanique que son visage froid et cruel a voué aux personnages de traîtres et de sadiques (il est Heydrich dans *Operation Daybreak* et le docteur fou du *Cirque des horreurs*).

Dillon, Matt

Acteur américain né en 1964.

1979, Over the Edge (Violence sur la ville) (Kaplan) ; 1980, Little Darlings (Les petites chéries) (Maxwell), My Bodyguard (Bill), Liar's Moon (Le Challenger) (Fisher) ; 1982, Tex (Hunter) ; 1983, Outsiders (Coppola) ; 1984, Rumble Fish (Rusty James) (Coppola), Flamingo Kid (Le kid de la plage) (Marshall) ; 1985, Target (Penn) ; 1986, Rebel (Jenkins) ; 1987, The Native Son (Fredman), The Big Town (Bolt) ; 1988, Kansas (Stevens) ; 1989, Drugstore Cowboy (Van Sant) ; 1990, Bloodhounds of Broadway (Brookner) ; 1991, A Kiss Before Dying (Un baiser avant de mourir) (Dearden) ; 1992, Mr. Wonderful (Minghella), The Saint of Fort Washington (Le saint de Manhattan) (Hunter), Singles (Singles) (Crowe) ; 1994, To Die For (Prête à tout) (Van Sant) ; 1995, Frankie Starlight (Frankie Starlight) (Lindsay-Hogg), Beautiful Girls (Ted Demme), Grace of My Heart (Grace of my Heart) (Anders), Albino Alligator (Albino Alligator) (Spacey) ; 1996, In & Out (In & Out) (Oz) ; 1997, Wild Things (Sexcrimes) (McNaughton) ; 1998, There's Something About Mary (Mary à tout prix) (P. & B. Farrelly) ; 1999, One Night at McCool's (Zwart) ; 2005, Herbie : Fully Loaded (La Coccinelle revient) (Robinson), Crash (Collision) (Haggis), Factotum (Hamer) ; 2006, You, Me and Dupree (Toi et moi... et Dupree) (Russo et Russo).

Il doit à Coppola qui lui confia des rôles de « loubard » sa célébrité. Viril et fragile, beau et vulgaire à la fois, il symbolise un type nouveau de jeune premier. Dans *To Die For* où il est le partenaire de Nicole Kidman, gérant une pizzeria et soucieux de connaître les joies familiales, il change de personnage et élargit son répertoire avec *Crash*.

Divine

Chanteur et acteur américain, de son vrai nom Harris Glenn Milstead, 1945-1988.

1966, Eat Your Make-Up (Waters) ; 1970, Mondo Trasho (Waters) ; 1971, Multiple Maniacs (Waters) ; 1972, Pink Flamingos (Pink flamingos) (Waters) ; 1975, Underground and Emigrants (Von Praunheim), Female Trouble (Waters) ; 1978, Tally Brown, N.Y. (Von Praunheim) ; 1980, The Alternative Miss World (Gayor) ; 1981, Polyester (Polyester) (Waters) ; 1984, Lust in the Dust (Lust in the dust) (Bartel) ; 1985, Trouble in Mind (Wanda's café) (Rudolph) ; 1988, Hairspray (Hairspray) (Waters) ; 1989, Out of the Dark (M. Schroeder).

Découvert par John Waters dont il/elle fut l'interprète fétiche jusqu'au bout, ce célèbre (et obèse) travesti a parallèlement mené une carrière dans la chanson où sa vulgarité crasse est devenue légendaire. Pas mal non plus au cinéma où dans *Pink Flamingos*, un must du mauvais goût, elle absorbe avec bonheur des crottes de chien bien fumantes dans un plan-séquence mémorable.

Dix, Richard

Acteur américain, de son vrai nom Ernest Brimmer, 1894-1949.

1919, One of the Finest ; 1921, The Sin Flood (Lloyd), Not Guilty (Franklin), All's Fair in Love (Hopper), The Old Nest (Barker), The Poverty of Riches (Barker), Dangerous Curve Ahead (Hopper) ; 1922, The Glorious Fool (Hopper), Yellow Men and Gold (Willar), The Bonded Women (Rosen), The Wallflower (Hughes), Fools First (Neilan) ; 1923, The Christian (M. Tourneur), Racing Hearts (Powell), The Woman With Four Faces (La femme aux quatre masques) (Brenon), The Ten Commandments (Les dix commandements) (DeMille), Souls for Sale (Hughes), The Call of The Canyon (Fleming), To the Last Man (Fleming), Quicksands (Conway) ; 1924, Sinners in Heaven (Crosland), Icebound (DeMille), The Iron Horse (Le cheval de fer) (Ford), Manhattan (Barnside), The Stranger (Henabery), Unguarded Women (Crosland) ; 1925, The Vanishing American (La race qui meurt) (Seitz), The Shock Punch (Sloane), Too Many Kisses (Sloane), The Lucky Devil (Tuttle), A Man Must Live (Sloane), The Lady Who Lied (Carewe), Men and Women (DeMille), Woman-Handled (Papa spécule) (La Cava) ; 1926, The Quaterback (Newmeyer), Say It Again (La Cava), Fascinating Youth (Wood), Let's Get Married (La Cava), Manpower ; 1928, Easy Come, Easy Go (Tuttle), Moran of the Marines (Strayer), Sporting Goods (St. Clair), The Gay Defender (La Cava), Warming Up (Newmeyer) ; 1929, Nothing But the Truth (Schertzinger), Redskin, The Wheel of Life (Schertzinger), The Love Doctor, Seven Keys to Baldpate ; 1930, Lovin'the Ladies (Brown), Shooting Straight (Archainbaud) ; 1931, Cimarron (La ruée vers l'Ouest) (Ruggles), Secret Services (Ruben), Public Defender (Ruben) ; 1932, The Lost Squadron (Quatre de l'aviation) (Airchainbaud), Hell's Highway (Brown), The Conquerors (Les conquérants) (Wellman) ; 1933, No Marriage Ties (Ruben), The Ace of Aces (Ruben) ; 1934, Stingaree (Stingaree) (Wellman), West of Pecos (Rosen), His Greatest Gambler (Robertson) ; 1935, The Tunnel (Le tunnel) (Elvey), The Arizonian (Vidor) ; 1936, The Devil's Squadron (Escadrille du diable) (Kenton), Yellow Dust (Fox), Special Investigator (L. King) ; 1937, The Devil is Driving (Stoloff), It Happened in Hollywood (Lachman), The Devil's Playground (La danseuse de San Diego) (Kenton) ; 1938, Sky Giant (Landers), Blind Alibi (Landers) ; 1939, Reno (Farrow), Here I Am a Stranger (Del Ruth) ; 1940, The Marines Fly High (Stoloff), Cherokee Strip (Selander), Men Against the Sky (Goodwins) ; 1941, Bandlands of Dakota (Green), The Round-Up (Selander) ; 1942, American Empire (McGann), Tombstone, the Town Too Tough to Die (McGann) ; 1943, Buckskin Frontier (Selander), The Kansan (Archainbaud), Eyes of the Underworld (Neill), Top Man (Lamont), The Ghost Ship (Robson) ; 1944, The Whistler (Castle), The Mark of the Whistler (Castle), The Mysterious Intruder (Castle), The Secret of the Whistler (Sherman) ; 1947, The Thirteenth Hour (Clemens).

Solide, le poil brun et l'œil malicieux, il fut le héros viril des années 20, excellent surtout dans le western (*Iron Horse, Cimarron*). Sa carrière déclina avec l'avènement du parlant. Dans ses derniers films il n'est plus qu'un faire-valoir relégué avec les troisièmes couteaux. Il succomba à une crise cardiaque alors qu'il avait retrouvé une petite popularité avec la série des Whistler.

Dobtcheff, Vernon

Acteur franco-anglais né en 1934.

1966, The Idol (Petrie) ; 1967, La bisbetica domata (La mégère apprivoisée) (Zeffirelli) ; 1968, A Dandy in Aspic (Maldonne pour un espion) (Harvey, Mann) ; 1969, Anne of the Thousand Days (Anne de mille jours) (Jarrott), The Assassination Bureau (Assassinats en tous genres) (Dearden) ; 1970, Darling Lili (Darling Lili) (Edwards), Ils (Simon), Les mariés de l'an II (Rappeneau) ; 1971, I racconti di Canterbury (Les contes de Canterbury) (Pasolini), Mary, Queen of Scots (Mary Stuart, reine d'Écosse) (Jarrott), The Horsemen (Les cavaliers) (Frankenheimer), The Beast in the Cellar (Kelley), Fiddler on the Roof (Un violon sur le toit) (Jewison), Nicholas and Alexandra (Nicolas & Alexandra) (Schaffner) ; 1972, Up the Front (Kellett) ; 1973, Soft Bed Hard Battles (En voiture Simone) (Boulting), Story of a Love Story (L'impossible objet) (Frankenheimer), The Day of the Jackal (Chacal) (Zinnemann) ; 1974, Marseille Contract (Marseille contrat) (Parrish), Murder on the Orient-Express (Crime dans l'Orient-Express) (Lumet) ; 1975, Le sauvage (Rappeneau), Profumo di donna (Parfum de femme) (Risi), India Song (Duras), Galileo (Losey) ; 1976, Operation Daybreak (Sept hommes à l'aube) (Gilbert), Le chat et la souris (Lelouch) ; 1977, The Spy Who Loved Me (L'espion qui m'aimait) (Gilbert), March or Die (Il était une fois la légion) (Richards) ; 1978, Il Messia (Rossellini), L'ordre et la sécurité du monde (D'Anna) ; 1980, Nijinsky (Nijinsky) (Ross) ; 1981, Condorman (Condorman) (Jarrott) ; 1982, Nutcracker (Kawadri), La nuit de Varennes (Scola), Enigma (Szwarc) ; 1984, Ronde de nuit (Messiaen), Gwendoline (Jaeckin), Mon ami Washington (Soto) ; 1985, Mata Hari (Harrington) ; 1986, Caravaggio (Caravaggio) (Jarman) ; 1986, The Name of the Rose (Le nom de la rose) (Annaud) ; 1988, Testimony (Palmer), Splendor (Splendor) (Scola), Madame Sousatzka (Madame Sousatzka) (Schlesinger), Curse IV : The Ultimate Sacrifice (Schmoeller), Pascali's Island (L'île de Pascali) (Dearden) ; 1989, Jeniec Europy (Otage de l'Europe) (Kawalerowicz), Berlin-Yerushalaim (Gitai), Indiana Jones and the Last Crusade (Indiana Jones et la dernière croisade) (Spielberg) ; 1990, Vincent et moi (Rubbo), Near Mrs. (B. Taylor), The Krays (Les frères Kray) (Medak), Hamlet (Hamlet) (Zeffirelli) ; 1991, Let Him Have It (L'âge de vivre) (Medak) ; 1992, Toutes peines confondues (Deville) ; 1993, M. Butterfly (M. Butterfly) (Cronenberg), The Hour of the Pig (The Hour of the Pig) (Megahey) ; 1995, England my England (Palmer), Jefferson in Paris (Jefferson à Paris) (Ivory) ; 1996, Jude (Jude) (Winterbottom), Surviving Picasso (Surviving Picasso) (Ivory), The Ogre (Le roi des aulnes) (Schlöndorff) ; 1997, Déjà vu (Jaglom), Anna Karenina (Anna Karénine) (Rose), Vigo (Vigo, histoire d'une passion) (Temple) ; 1998, St. Ives (Hook), Spanish Fly (Spanish Fly) (Kastner), Hilary and Jackie (Tucker) ; 1999, Dreaming of Joseph Lees (Joseph Lees) (Styles) ; 2000, Le prof (Jardin) ; 2002, La sirène rouge (Megaton) ; 2003, Brocéliande (Headline), Merci... Dr Rey ! (Litvack) ; 2005, Before Sunset (Linklater) ; 2006, Hors de prix (Salvadori).

Né à Nîmes de père russe et de mère anglaise, cet acteur anglo-français parfaitement bilingue fait d'intéressantes apparitions dans nombre de productions internationales. Sa haute taille, son visage émacié et son élégance naturelle le prédestinent aux rôles de ministres, diplomates ou espions. Il a été remarquable en inspecteur de police dans *Toutes peines confondues*. Trois années passées à l'Old Vic Theatre de Londres ont contribué à faire de lui un solide et talentueux second rôle.

Doll, Dora

Actrice française, de son vrai nom Dorothée Feinberg, née en 1922.

1938, Entente cordiale (L'Herbier), Entrée des artistes (M. Allégret) ; 1939, Paradis perdu (Gance), Nuit de décembre (Bernhardt), Battements de cœur (Decoin), Moulin Rouge (Hugon) ; 1940, Parade en sept nuits (M. Allégret), Untel père et fils (Duvivier) ;

1946, La foire aux chimères (Chenal), La maison sous la mer (Calef), L'inspecteur Sergil (Daroy) ; 1947, Quai des orfèvres (Clouzot) ; 1948, Ainsi finit la nuit (Reinert), Le sorcier du ciel (Blistène), La passagère (Daroy), Manon (Clouzot) ; 1949, Un homme marche dans la ville (Pagliero), Rendez-vous avec la chance (Reinert), Pardon My French (Vorhaus), Le parfum de la dame en noir (Daquin) ; 1950, La passante (Calef), Dans la vie tout s'arrange (Cravenne), La rose rouge (Pagliero), Identité judiciaire (Bromberger) ; 1951, Le garçon sauvage (Delannoy) ; 1952, Bacchus mène la danse (Houssin), Destinées (Delannoy), Opération Magali (Kish) ; 1953, Un acte d'amour (Litvak), L'envers du paradis (Greville), La fille perdue (Gourguet), Maternité clandestine (Gourguet), Monsieur scrupule gangster (Daroy) ; 1954, Huis clos (Audry), Pas de souris dans le bizness (Lepage), Touchez pas au grisbi (Becker), Votre dévoué Blake (Laviron), Les impures (Chevalier), Obsession (Delannoy), Nana (Christian-Jaque), La cage aux souris (Gourguet), Le crâneur (Kirsanoff), On déménage le colonel (Labro), Soupçons (Billon), Pas de pitié pour les caves (Lepage), La môme Pigalle (Rode), Gueule d'ange (Blistène), Sophie et le crime (Gaspard-Huit), La foire aux femmes (Stelli), French cancan (Renoir) ; 1955, Chiens perdus sans collier (Delannoy), Calle mayor (Grand'-rue) (Bardem) ; 1956, Le colonel est de la revue (Labro), Pas de grisbi pour Ricardo (Lepage), Quelle sacrée soirée (Vernay), L'amour descend du ciel (Cam), Adorables démons (Cloche), Ah ! Quelle équipe ! (Quignon), Fernand cow-boy (Lefranc), Elena et les hommes (Renoir) ; 1957, Mademoiselle strip-tease (Foucaud), Miss Pigalle (Cam), Énigme aux Folies-Bergère (Mitry), Archimède le clochard (Grangier), The Young Lions (Le bal des maudits) (Dmytryk) ; 1959, 125, rue de Montmartre (Grangier), Les frangines (Gourguet), Un témoin dans la ville (Molinaro) ; 1960, Première brigade criminelle (Boutel), Cocagne (Cloche) ; 1960, La reina del Tabarino (La belle de tabarin) (Franco) ; 1961, Le dernier quart d'heure (Saltel), Dossier 1413 (Rode) ; 1962, Mélodie en sous-sol (Verneuil) ; 1964, Une souris chez les hommes (Poitrenaud), Un drôle de caïd (Poitrenaud) ; 1965, Pas de caviar pour tante Olga (Becker) ; 1970, La liberté en croupe (Molinaro) ; 1971, Hellé (Vadim) ; 1972, Certaines chattes n'aiment pas le mou (Logan) ; 1974, La main à couper (Périer), Zerschossene Träume (L'appât) (Patzak) ; 1975, Champagner aus dem Knobebecher (Y en a plein les bottes) (Marischka), En grandes pompes (Teisseire), Catherine et Cie (Boisrond), L'incorrigible (Broca) ; 1976, Calmos (Blier), Le pays bleu (Duval), Deux imbéciles heureux (Freess), Comme un boomerang (Giovanni), La victoire en chantant (Annaud) ; 1977, Julia (Julia) (Zinnemann), Diabolo menthe (Kurys) ; 1978, Les filles du régiment (Bernard-Aubert), Violette Nozière (Chabrol), Coup de tête (Annaud), Grandison (Kurz), Les givrés (Jaspard) ; 1980, Les Charlots contre Dracula (Desagnat) ; 1981, La nuit de Varennes (Scola) ; 1983, El señor presidente (Monsieur le président) (Gómez), Bastille (Van den Berg) ; 1984, La femme ivoire (Cheminal), Ave Maria (Richard) ; 1985, Gros dégueulasse (Zincone), Le voyage à Paimpol (Berry) ; 1986, Commando Mengele (L'ange de la mort) (Bianchi) ; 1987, Les 2 crocodiles (Seria), Les keufs (Balasko), Encore (Vecchiali) ; 1988, Mon ami le traître (Giovanni) ; 1992, Pas d'amour sans amour (Dress), Le mari de Léon (Mocky) ; 1993, L'enfer (Chabrol) ; 1999, Là-bas... mon pays (Arcady) ; 2000, Meilleur espoir féminin (Jugnot), Là-bas mon pays (Arcady) ; 2004, Morasseix (Odoul) ; 2006, Comme t'y es belle ! (Azuelos) ; 2007, Jacquou le Croquant (Boutonnat).

Plantureuse blonde qui a beaucoup œuvré, au cinéma, dans les rôles de professionnelles de la rue, alors que sa carrière théâtrale donnait dans un registre plus classique. L'âge aidant, elle devient la mère du héros, sans perdre de sa bonne silhouette teutonne. Elle a été mariée à Raymond Pellegrin.

Dombasle, Arielle

Actrice et réalisatrice française, de son vrai nom Sonnery de Fromental, née en 1957.

1970, La montagne sacrée (Jodorowsky) ; 1978, Perceval le Gallois (Rohmer) ; 1979, Tess (Polanski) ; 1980, Justocœur (Stephen), Une robe noire pour un tueur (Giovanni), Les fruits de la passion (Terayama) ; 1981, Putain d'histoire d'amour (Béhat), Chassé-croisé (Dombasle) ; 1982, Le beau mariage (Rohmer) ; 1983, La belle captive (Robbe-Grillet), Pauline à la plage (Rohmer) ; 1984, La nuit porte-jarretelles (Thévenet) ; 1985, Flagrant désir (Faraldo) ; 1986, Feux d'artifice (Thévenet), The Boss's Wife (Steinberg) ; 1989, Try This One For Size (Sauf votre respect) (Hamilton) ; 1990, Lola Zipper (Duran Cohen), The Mad Monkey (Trueba) ; 1991, Villa Mauresque (Mimouni), Hors saison (Schmid), Miroslava (Pelayo), Die Abwesenheit (L'absence) (Handke) ; 1992, La vie crevée (Nicloux), L'arbre, le maire et la médiathèque (Rohmer), Grand bonheur (Le Roux) ; 1993, Un bruit qui rend fou (Robbe-Grillet), A propos de Nice, la suite (sk. Ruiz) ; 1994, Mécaniques célestes (Torrès), Fado majeur et mineur (Ruiz), Un Indien dans la ville (Palud), Les cent et une nuits (Varda) ; 1995, Les deux papas et la maman (Smaïn et Longval), Raging Angels (Smithee), Saigon Baby (Attwod), Trois vies et une seule mort (Ruiz) ; 1996, Jeunesse (Alpi), Le jour et la nuit (Levy), J'en suis ! (Fournier) ; 1997, Que la lumière soit ! (A. Joffé), Hors jeu (Dridi), Anniversaires (sketch : « Les amis de Ninon ») (Rosette) ; 1998, Astérix et Obélix contre César (Zidi), C'est pas ma faute ! (Monnet), L'ennui (Kahn), Les infortunes de la beauté (Lvoff), Bo Ba Bu (Khamraev) ; 1999, Le temps retrouvé (Ruiz), Vatel (Vatel) (Joffé), Le libertin (Aghion) ; 2000, Amazone (Broca), 30 ans (Perrin), Gamer (Fishman) ; 2001, Les âmes fortes (Ruiz) ; 2002, Two (Deux) (Schroeter) ; 2003, Lovely Rita (Clavier), Albert est méchant (Palud) ; 2004, Le genre humain (Lelouch) ; 2005, Le courage d'aimer (Lelouch) ; 2006, Quand je serai star (Mimouni), Nouvelle chance (Fontaine). *Pour la réalisatrice*, voir le *Dictionnaire du cinéma*, t. I : *Les réalisateurs*.

Brillante actrice venue du théâtre, elle s'est parfaitement intégrée dans l'univers de Rohmer. Elle n'est pas moins à l'aise en épouse d'un gros récoltant de vin bordelais (*Flagrant désir*) ou dans des films marginaux. Le succès populaire vient avec *Un Indien dans la ville.*

Domergue, Faith
Actrice américaine, 1924-1999.

1946, Young Widow (Marin) ; 1950, Where Danger Lives (Farrow), Vendetta (Ferrer) ; 1952, Duel at Silver Creek (Duel sans merci) (Siegel) ; 1953, The Great Sioux Uprising (L'aventure est à l'Ouest) (Bacon) ; 1954, This Is My Love (Heisler) ; 1955, Cult of the Cobra (Lyon), This Island Earth (Les survivants de l'infini) (Newman), It Came from Beneath the Sea (Le monstre vient de la mer) (Gordon), Santa Fe Passage (Le passage de Santa Fé) (Witney), Atomic Man (Hughes) ; 1956, Soho Incident (Soho quartier dangereux) (Sewell) ; 1957, Man in the Shadow (Le salaire du diable) (Arnold) ; 1959, Escort West (Escorte pour l'Oregon) (Lyon) ; 1963, California (Petroff) ; 1966, Prehistoric Women (Tallas) ; 1967, Track of the Thunder (Kane) ; 1969, The Gamblers (Winston), Una sull'altra (Perversion story) (Fulci) ; 1970, L'amore breve (Scavolini) ; 1971, L'uomo dagli occhi di ghiaccio (De Martino) ; 1972, So Evil My Sister (Le Borg) ; 1973, The House of the Seven Corpses (Harrison).

Protégée du milliardaire Howard Hughes, cette sous-Jane Russell s'attira la sympathie des cinéphiles par sa présence dans de nombreux petits westerns, films policiers ou de science-fiction dont le fameux *This Island Earth.* Princesse de la série B à défaut d'avoir été star de la RKO. Elle a écrit *My Life with Howard Hughes* en 1972.

Donat, Robert
Acteur anglais, 1905-1958.

1932, Men of Tomorrow (Les hommes de demain) (Sagan), That Night in London (Lee) ; 1933, Cash (Korda), The Private Life of Henry VIII (La vie privée d'Henri VIII) (Korda) ; 1934, The Count of Monte Cristo (Lee) ; 1935, The 39 Steps (Les trente-neuf marches) (Hitchcock), The Ghost Goes West (Fantôme à vendre) (Clair) ; 1937, The Knight Without Armour (Le chevalier sans armure) (Feyder) ; 1938, The Citadel (La citadelle) (Vidor) ; 1939, Goodbye Mr. Chips (Au revoir, Mr. Chips) (Wood) ; 1942, The Young Mr. Pitt (Le jeune M. Pitt) (Reed) ; 1943, The Adventures of Tartu (Bucquet) ; 1945, Perfect Strangers (Korda) ; 1947, Captain Boycott (Launder) ; 1948, The Winslow Boy (Winslow contre le roi) (Asquith) ; 1949, The Cure for Love (Donat) ; 1951, The Magic Box (La boîte magique) (Boulting) ; 1954, The Lease of Life (Frend) ; 1958, The Inn of the Sixth Happiness (L'auberge du sixième bonheur) (Robson).

Le plus représentatif des acteurs anglais. Sauf une escapade pour *Le comte de Monte-Cristo*, il a essentiellement joué en Angleterre, partageant son temps entre les planches et les studios. A l'écran, il fut le professeur timide de *Goodbye Mr. Chips* — qui lui vaut un oscar en 1939 —, William Pitt, l'adversaire de Napoléon, et Friese Greene, l'inventeur anglais du cinématographe dans *The Magic Box*, entre autres rôles.

Donlevy, Brian
Acteur américain, 1899-1972.

1924, Monsieur Beaucaire (Olcott), Damaged Hearts (Hayes Hunter) ; 1925, School for Wives (Halperin) ; 1926, A Man of Quality (Ruggles) ; 1928, Mother's Boy (Parker) ; 1935, Another Face (Cabanne), Barbary Coast (Ville sans loi) (Hawks), Mary Burns (Howard), Fugitive (Fraser) ; 1936, Strike Me Pink (Taurog), High Tension (Dwan), Crack-Up (Sous le masque) (St. Clair), Human Cargo (Dwan), Half Angel (Lanfield), Thirteen Hours by Air (Leisen), 36 Hours to Kill (Forde) ; 1937, Born Reckless (St. Clair), Midnight Taxi (Le taxi de minuit) (Forde), This Is My Affair (Seiter) ; 1938, In Old Chicago (L'incendie de Chicago) (King), Battle of Broadway (Marshall), Sharpshooters (Amours de marins) (Tinling) ; 1939, Jesse James (Le brigand bien-aimé) (King), Union Pacific (Pacific Express) (DeMille), Behind Prison Gates (Barton), Beau Geste (Beau Geste) (Wellman), Destry Rides Again (Femme ou démon) (Marshall) ; 1940, The Great Mc Ginty (Gouverneur malgré lui) (Sturges), Brigham Young (Hathaway), When the Daltons Rode (Marshall) ; 1941, I Wanted Wings (Leisen), Birth of the Blues (Schertzinger), Hold Back the Dawn (Leisen), Billy the Kid (Le réfractaire) (Miller), South of Tahiti (Waggner) ; 1942, The Great Man's Lady (Wellman), The Remarkable Andrew (Heisler), A Gentleman after Dark (Marin), Wake Island (Farrow), The Glass Key (La clef de verre) (Tuttle), Nightmare (Whelan), Stand by for Action (Leonard), Two Yanks in Trinidad (Ratoff) ; 1943, Hangmen Also Die (Les bourreaux meurent aussi) (Lang) ; 1944, An American Romance (Romance américaine) (Vidor) ; 1945, Duffy's Tavern (Walker), The Trouble with Women (Landfield) ; 1946, Canyon Passage (Le passage du cañon) (Tourneur), The Years Before the Mast (Révolte à bord) (Farrow) ; 1947, The Beginning of the End (Bert Gordon), Song of Scheherazade (Scheherazade) (Reisch), Heaven Only Knows (Rogell), Kiss of Death (Le carrefour de la mort) (Hathaway), Killer Mc Coy (Mc Coy aux poings d'or) (Rowland) ; 1948, A Southern Yankee (Sedgwick), Impact (Lubin), Command Decision (Tragique décision) (Wood) ; 1949, The Lucky Stiff (L. Foster) ; 1950, Shakedown (Pevney), Kansas Raiders (Kansas en feu) (Enright) ; 1951, Fighting Coast Guard (Kane), Slaughter Trail (Allen), Hoodlum Empire (Kane) ; 1952, Ride the Man Down (Kane) ; 1953, The Woman They Almost Lynch (La femme qui faillit être lynchée) (Dwan) ; 1955, The Big Combo (Association criminelle) (Lewis), The Quatermass Experiment (Le monstre) (Guest) ; 1956, A Cry in the Night (Tuttle) ; 1957, Quatermass Two (Terre contre satellite) (Guest) ; 1958, Escape From Red Rock (Bernds), Cowboy (Daves) ; 1959, Juke Box Rhythm (Driefuss), Never So Few (La proie des vautours) (Sturges) ; 1960, The Girl in the Room 13 (Cunha) ; 1962, The Errand Boy (Le zinzin d'Hollywood) (Lewis), The Pigeon That Took Rome (Le pigeon qui sauva Rome) (Shavelson) ; 1964, The Curse of the Fly (Don Sharp) ; 1965, Gammera the Invincible (Ynasi), How to Stuff a Wild Bikini (Asher) ; 1966, The Fat Spy (Cates), Waco (Springsteen) ; 1967, Hostile Guns (Springsteen) ; 1968, Arizona Bushwhackers (Les rebelles de l'Arizona) (Selander), Rogue's Gallery (Horn) ; 1969, Pit Shop (Hill).

Ce solide Irlandais à la fine moustache a joué les méchants dans de nombreux films des années 30 avant de passer de troisième à premier couteau dans *The Great McGinty*. Mais il retomba au niveau des seconds rôles en raison de son intempérance. On le retrouve alors dans de nombreux westerns (*Kansas Raiders...*), thriller (*Big Combo...*), films de science-fiction (*Quatermass...*) et même chez Jerry Lewis (*The Errand Boy*). Il mourut d'un cancer de la gorge.

Donnadieu, Bernard-Pierre

Acteur français né en 1949.

1976, Si c'était à refaire (Lelouch) ; 1978, Coup de tête (Annaud), Mon premier amour (Chouraqui), Un si joli village (Périer) ; 1979, Twee Vrouwen (Sluizer) ; 1981, Judith Therpauve (Chéreau), Le retour de Martin Guerre (Vigne), Le professionnel (Lautner), Les uns et les autres (Lelouch) ; 1982, L'indic (Leroy), Libery Belle (Kané), La mort de Mario Ricci (Goretta) ; 1983, La vie est un roman (Resnais), Rue Barbare (Béhat) ; 1984, Urgence (Béhat) ; 1985, Les loups entre eux (Giovanni) ; 1986, Max mon amour (Oshima), Flagrant désir (Faraldo), L'intruse (Gantillon) ; 1987, Les fous de Bassan (Simoneau), La passion Béatrice (Tavernier) ; 1988, Connemara (Grospierre) ; 1989, L'homme qui voulait savoir (Sluizer), Cellini (L'or et le sang) (Battiati) ; 1991, Blanc d'ébène (Doukouré), Marcellino (Marcellino) (Comencini), Mauvais garçon (Bral) ; 1992, Agaguk (Dorfmann), Le batard de dieu (Fechner) ; 1993, Faut pas rire du bonheur (Nicloux) ; 1994, Szwadron (Machulski) ; 1998, La 6e piste (Grynbaum) ; 1999, Vercingétorix (Dorffman).

Il suit à Reims les cours de Robert Hossein puis fait du théâtre, de la télévision. On le remarque dans *Martin Guerre* mais avec *Rue Barbare*, il crève l'écran, composant l'une des plus formidables silhouettes de méchant de l'après-guerre. Il n'est pas moins éblouissant en notable bordelais méprisant la police dans *Flagrant désir* et surtout en terrifiant assassin de *L'homme qui voulait savoir* Il a été Napoléon à la télévision.

D'Onofrio, Vincent

Acteur américain né en 1959.

1983, The First Turn-On (Herz) ; 1987, Adventures in Babysitting (Columbus), Full Metal Jacket (Full Metal Jacket) (Kubrick) ; 1988, Mystic Pizza (Mystic Pizza) (Petrie), Salute of the Juggers (Le sang des héros) (Peoples) ; 1989, Signs of Life (Coles) ; 1990, Naked Tango (L. Schrader) ; 1991, JFK (JFK) (Stone), Fires Within (Armstrong), Crooked Hearts (Bortman), Dying Young (Le choix d'aimer) (Schumacher) ; 1992, The Player (The Player) (Altman), Salt on Our Skin (Les vaisseaux du cœur) (Birkin), Malcolm X (Malcolm X) (Lee) ; 1993, Mr. Wonderful (Minghella), Household Saints (Savoca), Being Human (Forsyth) ; 1994, Imaginary Crimes (Drazan), Ed Wood (Ed Wood) (Burton) ; 1995, Hotel Paradise (Roeg), Stuart Saves His Family (Ramis), Strange Days (Strange Days) (Bigelow) ; 1996, The Winner (Cox), The Whole Wide World (Ireland), Guy (Lindsay-Hogg), Good Luck (LaBrie), Feeling Minnesota (Feeling Minnesota) (Baigelman) ; 1997, Boy's Life 2 (DeCerchio, Christopher), Men in Black (Men in Black) (Sonnenfeld) ; 1998, Claire Dolan (Claire Dolan) (Kerrigan), The Velocity of Gary (Ireland), The Newton Boys (Linklater), The Thirteenth Floor (Passé virtuel) (Rusnak), Impostor (Fleder) ; 1999, The Cell (The Cell) (Tarsem), Spanish Judges (Scott) ; 2000, Happy Accidents (Anderson), Steal this Movie (Greenwald) ; 2002, The Salton Sea (Salton Sea) (Caruso).

Après un passage à l'Actors' Studio, il est découvert en marine suicidaire dans *Full Metal Jacket*, mais ne confirme pas par la suite, alignant les seconds rôles et ne retrouvant un véritable souffle que dans le très (trop) intimiste *Claire Dolan*. Son physique et sa trogne de rugbyman ne semblent pas inspirer les réalisateurs.

Donovan, Martin

Acteur américain né en 1957.

1986, Hard Choices (R. King) ; 1990, Trust (Trust Me) (Hartley) ; 1991, Julia Has Two Lovers (Julia a deux amants) (Shbib), Surviving Desire (Surviving Desire) (Hartley) ; 1992, Simple Men (Simple Men) (Hartley) ; 1992, Malcolm X (Malcolm X) (Lee) ; 1993, Quick (R. King) ; 1994, The Rook (Palatnik), Nadja (Almereyda), Amateur (Amateur) (Hartley) ; 1995, French Exit (Kastner), Flirt (Flirt) (Hartley) ; 1996, Hollow Reed (Une vie normale) (Pope), The Portrait of a Lady (Portrait de femme) (Campion) ; 1997, Spanish Fly (Spanish Fly) (Kastner) ; 1998, Living Out Loud (D'une vie à l'autre) (LaGravenese), In a Savage Land (Bennett), Heaven (S. Reynolds), The Opposite of Sex (Sexe et autres complications) (Roos), The Book of Life (Hartley) ; 1999, Onegin (M. Fiennes) ; 2000, Custody of the Heart (Jones) ; 2001, Insomnia (Insomnia) (Nolan).

Acteur fétiche de Hal Hartley, il est désormais confiné dans le cercle restreint des acteurs américains « intellos ». Mari indigne dans *D'une vie à l'autre*, père homosexuel dans *Une vie normale*, il tente, par ces quelques écarts vers un cinéma plus « abordable », de trouver un second souffle, mais ne semble pas trop s'y contraindre.

Dor, Karin

Actrice allemande, de son vrai nom Kätherose Derr, née en 1936.

1953, Der Letztenwalzer (La dernière valse) (Rabenalt) ; 1954, Rosen-Resli (La porteuse de fleurs) (Reinl), Ihre grosse Prüfung (Jugert) ; 1955, Solange du lebst (Reinl) ; 1957, Kleiner Mann — ganz gross (Grimm), Die Zwillinge vom Zillertal (Reinl), Almenrausch und Edelweiss (Reinl) ; 1958, Skandal um Dodo (Von Borsody), Dreizehn alte Esel (Deppe), Mit Eva fing die Sünde an (Umgelter), Worüber man nicht spricht (Glück) ; 1959, So angelt man keinen Mann (Deppe), Das blaue Meer und du (Engel), Ein Sommer den man nie vergisst (Jacobs) ; 1960, Die Bande des Schreckens (Scotland Yard contre le Masque) (Reinl), Im weissen Rössl (Jacobs) ; 1961, Der Fälscher von London (Le faussaire de Londres) (Reinl), Der grüne Bogenschütze (L'archer vert) (Roland), Im schwarzen Rössl (Antel), Bei Pichler stimmt die Kasse nicht (Quest), An Sonntag will mein Süsser mit mir segel geh'n (Marischka) ; 1962, The Playgirl and the Bellboy (Coppola, Umgelter), Ohne Krimi geht die Mimi nie ins Bett (Antel), Der Teppich des Grauens (Espions sur la Tamise) (Reinl), Der Schatz im Silbersee (Le trésor du lac d'argent) (Reinl), Die unsichtbaren Krallen des Dr. Mabuse (L'invisible docteur Mabuse) (Reinl) ; 1963, Zimmer 13 (Chambre 13) (Reinl), Der Würger von Schloss Blackmoor (Le mystère du château de Blackmoor) (Reinl), Das Geheimnis der schwarzen Witwe (Le secret de la veuve noire) (Gottlieb), Die weisse Spinne (L'Araignée blanche défie Scotland Yard) (Reinl) ; 1964 Winnetou II (Le trésor des Montagnes bleues) (Reinl) ; 1965, Io la conoscevo bene (Je la connaissais bien) (Pietrangeli), The Face of Fu Manchu (Le masque de Fu Manchu) (Sharp), Hotel der toten Gäste (Itzenplitz), Der letzte Mohikaner (Le dernier des Mohicans) (Reinl), Der unheimliche Mönch (Reinl), Der Mann mit den 1000 Masken (De Martino) ; 1966, Niebelungen Teil 2 : Kriemhilds Rache (Le trésor des Niebelungen) (Reinl), Le carnaval des barbouzes (Soulanes, Reynolds, Cardone), Wie totet man eine Dame (Guet-apens à Téhéran) (Koehler) ; 1967, Die Schlangengrube und das Pendel (Le vampire et le sang des vierges) (Reinl), Caroline chérie (La Patellière), You Only Live Twice (On ne vit que deux fois) (Gilbert) ; 1968, Winnetou und Shatterhand imTal der Toten (Le trésor de la vallée de la Mort) (Reinl) ; 1969, Los monstruos del terror (Demicheli, Fregonese), Topaz (L'étau) (Hitchcock) ; 1970, Haie on Bord (Rabenalt) ; 1974, Warhead (O'Connor), Die Antwort kennt nur der Wind (Seul le vent connaît la réponse) (Vohrer) ; 1976, Frauenstation (Thiele) ; 1986, Johan Strauss, der König ohne Krone (Johan Strauss, le roi sans couronne) (Antel).

Sublime beauté brune et froide, muse et épouse de Harald Reinl, elle donne, au cours des années 60, dans tous les genres populaires qu'affectionnait son mari : western, fantastique, aventures... Ses titres de gloire : Isabelle Loigny dans *Caroline chérie*, une James Bond girl tortionnaire dans *On ne vit que deux fois* et le belle Juanita dans *L'étau* de Hitchcock, dont la mort, dans une robe rouge sang qui se déploie lentement en corolle, reste dans les mémoires des cinéphiles. Ce fut le chant du cygne pour la comédienne côté cinéma, qui se reconvertit à la télévision.

Doris, Pierre

Acteur et fantaisiste français, de son vrai nom Tugot, né en 1919.

1956, L'amour est en jeu (M. Allégret), Comme un cheveu sur la soupe (Regamey) ; 1957, Mimi Pinson (Darène), Le triporteur (Pinoteau), Paris Music-hall (Cordier) ; 1958, Cigarettes, whisky et p'tites pépées (Regamey), Messieurs les ronds-de-cuir (Diamant-Berger), Julie la rousse (Boissol), En légitime défense (Berthomieu) ; 1959, Business (Boutel) ; 1960, Dans la gueule du loup (Dudrumet), Dans l'eau qui fait des bulles (Delbez), Le sahara brûle (Gast), Fortunat (Joffé) ; 1961, Les veinards (Girault, Pinoteau, Broca) ; 1962, L'empire de la nuit (Grimblat), Clémentine chérie (Chevalier) ; 1963, L'assassin viendra ce soir (Maley), Cherchez l'idole (Boisrond), Le bon roi Dagobert (Chevalier), La porteuse de pain (Cloche) ; 1964, Les gorilles (Girault), Allez France ! (Dhéry), Déclic et... des claques (Clair), Les mordus de Paris (Armand), Le petit monstre (Sassy), Requiem pour un caïd (Cloche) ; 1966, Trois enfants dans le désordre (Joannon) ; 1967, La permission (Van Peebles) ; 1968, Bruno l'enfant du dimanche (Grospierre) ; 1969, Aux frais de la princesse (Quignon) ; 1974, Le führer en folie (Clair) ; 1976, Le jour de gloire (Besnard), Les petits dessous des grands ensembles (Chevreuse) ; 1977, Si vous n'aimez pas ça, n'en dégoûtez pas les autres (Lewin), Freddy (Thomas) ; 1979, La ville des silences (Marbœuf) ; 1981, San Antonio ne pense qu'à ça (Séria) ; 1982, Ça va faire mal (Davy), Le cadeau (Lang) ; L'émir préfère les blondes (Payet), On n'est pas sortis de l'auberge (Pécas) ; 1983, On l'appelle Catastrophe (Balducci), Les planqués du régiment (Caputo) ; 1985, Les rois du gag (Zidi), Dressage (Reinhard) ; 1988, Le Diable Rose (Reinhard) ; 1989, Outremer (Roüan).

Prince de l'absurde et de l'humour noir, il est un acteur incontestablement doué et une rondeur sortie tout droit d'un dessin de Bellus (il fut un merveilleux père de Clémentine). Malheureusement il n'a jamais eu la chance d'avoir de vrais metteurs en scène et sa contribution au septième art demeure — hélas ! — fort limitée.

Dorléac, Françoise

Actrice française, 1942-1967.

1959, Les loups dans la bergerie (Braumberger) ; 1960, La fille aux yeux d'or (Albicocco), Les portes claquent (Poitrenaud), Ce soir ou jamais (Deville) ; 1961, La gamberge (Carbonnaux), Le jeu de la vérité (Hossein), Tout l'or du monde (Clair), Arsène Lupin contre Arsène Lupin (Molinaro) ; 1963, L'homme de Rio (Broca) ; 1964, La peau douce (Truffaut), Genghis Khan (Levin), La chasse à l'homme (Molinaro) ; 1965, Where the Spies Are (Passeport pour l'oubli) (Guest), Cul-de-sac (Polanski) ; 1966, Les demoiselles de Rochefort (Demy) ; 1967, Billion Dollar Brain (Un cerveau d'un milliard de dollars) (Russell).

Fille du comédien Maurice Dorléac et sœur aînée de Catherine Deneuve, elle connut un brillant début de carrière avant de périr tragiquement, brûlée vive dans un accident d'automobile.

Dors, Diana

Actrice anglaise, de son vrai nom Fluck, 1931-1984.

1946, The Shop at Sly Corner (Légitime défense) (King) ; 1947, Holiday Camp (Annakin), Dancing With Crime (Carstairs) ; 1948, Good Time Girl (Les ailes brûlées) (Mac Donald), The Calendar (Crabtree), Penny and Pownall Case (Hand), My Sister and I (Huth), Oliver Twist (Lean), Here Come the Huggetts (Annakin) ; 1949, Vote for Huggett (Annakin), Its Not Cricket (Room-Rich) ; 1950, Dance Hall (Crichton), Diamond City (Mac Donald) ; 1951, Worm's Eye View (Raymond),

Lady Godiva Rides Again (Launder) ; 1952, My Wife's Lodger (Elvey), The Last Page (Fisher) ; 1953, The Greats Game (Elvey), Is Your Honeymoon Really Necessary ? (Drôle de nuit de noce) (Elvey), It's a Grand Life (Blakeley) ; 1954, The Weak and the Wicked (Filles sans joie) (Thompson), The Saint's Return (Le Saint défie Scotland Yard) (Friedman) ; 1955, A Kid for Two Farthing (L'enfant et la licorne) (Reed), An Alligator Named Daisy (Thompson), Value for Money (Fièvre blonde) (Annakin), As Long As They're Happy (L'abominable invitée) (Thompson) ; 1956, Yield to the Night (Peine capitale) (Thompson) ; 1957, Tread Softly Stranger (Le coup de minuit) (Parry), The Unholy Wife (La femme et le rôdeur) (Farrow), The Long Haul (Les trafiquants de la nuit) (Hugues) ; 1958, La ragazza del Palio (La blonde enjôleuse) (Zampa) ; 1959, Passport to Shame (Passeport pour la honte) (Rakof) ; 1961, On the Double (La doublure du général) (Shavelson) ; 1962, Mrs. Gibbon's Boys (Varnel) ; 1963, West Eleven (Winner) ; 1964, Allez France (Dhéry) ; 1966, The Sandwich Man (Hartford Davis) ; 1967, Berserk (Le cercle de sang) (O'Connolly), Danger Route (Le coup du lapin) (Holt) ; 1968, Hammerhead (Les requins voient bas) (Miller), Baby Love (Reid) ; 1970, There's a Girl in my Soup (R. Boulting), Deep End (Skolimowski) ; 1971, Hannie Caulder (Un colt pour trois salopards) (Kennedy), The Pied Piper of Hamelin (Le joueur de flûte) (Demy) ; 1972, The Amazing Mr. Blunden (Jeffries), Nothing But the Night (Sasdy) ; 1973, Theatre of Blood (Théâtre de sang) (Hickow), Steptoe and Son Ride Again (Sykes), From Beyond the Grave (Frissons d'outre-tombe) (Connor), Craze (Francis) ; 1974, The Amorous Milkman (Nesbitt), Swedish Wildcats (Sarno), Bedtime with Rosie (Rilla), Three for all (Campbell) ; 1975, The Adventures of a Private Eye (Les aventures érotiques d'un chauffeur de taxi) (Long) ; 1976, Keep it Up Downstairs (Young) ; 1977, The Groove Tube (Faites-le avec les doigts) (Shapiro) ; 1979, Confessions from the David Galaxy Affair (Roe) ; 1984, Steamin' (Steamin') (Losey).

Blonde aux rondeurs agressives, elle gagna un concours de beauté avant d'être embauchée par la Rank. Elle devint vite un symbole sexuel qui remua la puritaine Albion. Mais ne dédaignons pas la comédienne (elle avait suivi les cours de l'Académie d'art dramatique de Londres). Diana Dors était excellente dans *The Unholy Wife* où elle donnait à ce film de John Farrow une ambiguïté et une tension qui le transformaient en un chef-d'œuvre du suspense.

Dorville

Acteur français, de son vrai nom Georges Dodane, 1901-1941.

1931, Circulez (Limur) ; 1932, Don Quichotte (Pabst) ; 1934, Le billet de mille (Didier), Sans famille (Allégret), Trois cents à l'heure (Rozier) ; 1935, Pluie d'or (Rozier) ; 1936, Les deux gosses (Rivers) ; 1937, L'affaire du courrier de Lyon (Lehman) ; 1938, Le drame de Shanghai (Pabst), Le dompteur (Colombier) ; 1939, Les otages (Bernard), La goualeuse (Rivers), Circonstances atténuantes (Boyer), Entente cordiale (L'Herbier), Cavalcade d'amour (Bernard), Le veau gras (Poligny), L'enfer des anges (Christian-Jaque).

Il fut un truculent Sancho Pança et un pittoresque assassin dans *L'affaire du courrier de Lyon*, après avoir joué dans plusieurs revues.

Dorziat, Gabrielle

Actrice française, de son vrai nom Sigrist, 1880-1979.

1922, L'infante à la rose (Houry) ; 1936, L'amour veille (Roussell), Courrier Sud (Billon), Samson (Tourneur), Le mioche (Moguy), Mayerling (Litvak) ; 1937, Mollenard (Siodmak), La dame de Malacca (M. Allégret), Le mensonge de Nina Petrovna (Tourjansky), M. Breloque a disparu (Péguy) ; 1938, Êtes-vous jalouse ? (Chomette), La chaleur du sein (Boyer), La vierge folle (Diamant-Berger), Le drame de Shanghai (Pabst) ; 1939, De Mayerling à Sarajevo (Ophuls), La fin du jour (Duvivier) ; 1940, L'homme qui cherche la vérité (Esway), Soyez les bienvenus (Baroncelli) ; 1941, Premier rendez-vous (Decoin) ; 1942, Le voyageur de la Toussaint (Daquin), Le loup des Malveneurs (Radot), Le journal tombe à cinq heures (Lacombe), Le baron fantôme (Poligny), Patricia (Mesnier), L'appel du bled (Gleize) ; 1943, Échec au roy (Paulin) ; 1944, Falbalas (Becker) ; 1945, Adieu chérie (Bernard), L'ange qu'on m'a donné (Choux) ; 1946, Miroir (Lamy) ; 1947, Une grande fille toute simple (Manuel), Ruy Blas (Billon), Monsieur Vincent (Cloche) ; 1948, Manon (Clouzot), Les parents terribles (Cocteau) ; 1949, Le jugement de Dieu (Bernard), Ballerina (Berger) ; 1950, Né de père inconnu (Cloche), Demain il sera trop tard (Moguy) ; 1951, La vérité sur Bébé Donge (Decoin) ; 1952, Little Boy Lost (Le petit garçon perdu) (Seaton) ; 1953, Traviata 53 (Fille d'amour) (Cottafavi), Un acte d'amour (Litvak) ; 1954, Le fil à la patte (Lefranc), Madame Du Barry (Christian-Jaque), Nagana (Bramberger), Crime au concert Mayol (Méré), Le due orfanelle (Gentilomo) ;

1956, Mitsou (Audry), Pitié pour les vamps (Josipovici) ; 1957, Les espions (Clouzot) ; 1958, Drôles de phénomènes (Vernay) ; 1959, Katia (Siodmak) ; 1961, Gigot (Kelly), Climats (Lorenzi) ; 1963, Un singe en hiver (Verneuil), Un mari à prix fixe (De Givray), Monsieur (Le Chanois), Germinal (Y. Allégret) ; 1965, Thomas l'imposteur (Franju).

Remarquée par Guitry, elle fait beaucoup de théâtre et ne s'intéresse guère au cinéma qu'à partir du parlant. Elle joue alors les épouses tyranniques (*Mollenard*), les femmes de tête (*Le voyageur de la Toussaint*), les archiduchesses et les douairières (chez Ophuls et chez Billon), les tantes à l'œil sec (chez Cocteau) et les entremetteuses (chez Clouzot). Elle a marqué tous ces personnages de sa griffe.

Douglas, Illeana

Actrice américaine née en 1965.

1987, Hello Again (La joyeuse revenante) (Perry), The Last Temptation of Christ (La dernière tentation du Christ) (Scorsese) ; 1989, New York Stories (New York Stories) (sketch Scorsese) ; 1990, Goodfellas (Les affranchis) (Scorsese) ; 1991, Cape Fear (Les nerfs à vif) (Scorsese), Guilty by Suspicion (La liste noire) (Winkler) ; 1993, Household Saints (Savoca), Grief (Glatzer), Alive (Les survivants) (Marshall) ; 1994, Quiz Show (Quiz Show) (Redford) ; 1995, To Die For (Prête à tout) (Van Sant), Judgement (D. Winkler), Search and Destroy (Search & Destroy) (Salle) ; 1996, Grace of My Heart (Grace of My Heart) (Anders) ; 1997, Picture Perfect (Gordon Caron), Hacks (Rosen), Flypaper (Hoch), Wedding Bell Blues (Lustig) ; 1998, Happy, Texas (Happy, Texas) (Illsley), Message in a Bottle (Une bouteille à la mer) (Mandoki), The Thin Pink Line (Dietl, Irpino) ; 1999, Stir of Echoes (Hypnose) (Koepp), Can't Stop Dancing (Falick, Zook), The Next Big Thing (Un couple presque parfait) (Schlesinger) ; 2000, Ghost World (Ghost World) (Zwigoff).

Alors qu'elle n'est que figurante, Scorsese la remarque et lui confie des petits et bientôt des seconds rôles. Pourtant, on ne prête attention à son étrange visage (yeux en billes de loto, bouche démesurée) que dans le rôle de la patineuse de *Prête à tout*, et enfin surtout dans celui d'Edna Buxton, auteur-compositeur de chansons à succès dans l'Amérique des années 50-60 dans le très joli film d'Allison Anders, *Grace of My Heart*. Beaucoup de finesse dans l'interprétation, mais la suite se fait attendre.

Douglas, Kirk

Acteur et réalisateur américain, de son vrai nom Yssur Danielovitch Demsky, né en 1916.

1946, The Strange Love of Martha Ivers (L'emprise du crime) (Milestone) ; 1947, Out of Past/Build my Gallous High (La griffe du passé/Pendez-moi haut et court) (Tourneur) ; 1948, I Walk Alone (L'homme aux abois) (Haskin), Mourning Becomes Electra (Le deuil sied à Électre) (Nichols), The Walls of Jericho (Stahl), My Dear Secretary (Martin) ; 1949, A Letter to Three Wives (Chaînes conjugales) (Mankiewicz), Champion (Le champion) (Robson) ; 1950, Young Man With a Horn (La femme aux chimères) (Curtiz), The Glass Menagerie (La ménagerie de verre) (Rapper) ; 1951, Along the Great Divide (Le désert de la peur/Une corde pour te pendre) (Walsh), The Big Carnival, Ace in the Hole (Le gouffre aux chimères) (Wilder), Detective Story (Histoire de détective) (Wyler) ; 1952, The Big Trees (La vallée des géants) (Feist), The Big Sky (La captive aux yeux clairs) (Hawks), The Bad and the Beautiful (Les ensorcelés) (Minnelli) ; 1953, The Story of Three Loves (Histoire de trois amours) (ép. Reinhardt), The Juggler (Le jongleur) (Dmytryk) ; 1954, Act of Love (Un acte d'amour) (Litvak), 20 000 Leagues Under the Sea (20 000 lieues sous les mers) (Fleischer), Ulisse (Ulysse) (Camerini) ; 1955, The Racers (Le cercle infernal) (Hathaway), The Man Without a Star (L'homme qui n'a pas d'étoile) (Vidor), The Indian Fighter (La rivière de nos amours) (De Toth) ; 1956, Lust for Life (La vie passionnée de Vincent Van Gogh) (Minnelli), Top Secret Affair (Affaire ultra-secrète) (Potter) ; 1957, Gunfight at OK Corral (Règlement de comptes à OK Corral) (Sturges) ; 1958, Paths of Glory (Les sentiers de la gloire) (Kubrick), The Vikings (Les Vikings) (Fleischer), The Last Train From Gun Hill (Le dernier train de Gun Hill) (Sturges) ; 1959, The Devil's Disciple (Au fil de l'épée) (Hamilton) ; 1960, Strangers When We Meet (Les liaisons secrètes) (Quine), Spartacus (Spartacus) (Kubrick) ; 1961, The Last Sunset (El perdido) (Aldrich), Town Without Pity (Ville sans pitié) (Reinhardt), Lonely Are the Brave (Seuls sont les indomptés) (Miller) ; 1962, Two Weeks in Another Town (Quinze jours ailleurs) (Minnelli), The Hook (Un homme doit mourir) (Seaton) ; 1963, The List of Adrian Messenger (Le dernier de la liste) (Huston), For Love or Money (Trois filles à marier) (Gordon) ; 1964, Seven Days in May (Sept jours en mai) (Frankenheimer) ; 1965, In Harm's Way (Première victoire) (Preminger), The Heroes of Telemark (Les héros de

Telemark) (Mann), Paris brûle-t-il ? (Clément) ; 1966, Cast a Giant Shadow (L'ombre d'un géant) (Shavelson) ; 1967, The Way West (La route de l'Ouest) (McLaglen), The War Wagon (La caravane de feu) (Kennedy) ; 1968, The Brotherhood (Les frères siciliens) (Ritt), A Lovely Way to Die (Un détective à la dynamite) (Lowell Rich) ; 1969, The Arrangement (L'arrangement) (Kazan), There Was a Crooked Man (Le reptile) (Mankiewicz) ; 1970, A Gunfight (Dialogue de feu) (Johnson), The Light at the Edge of the World (Le phare du bout du monde) (Bellington) ; 1971, Catch Me a Spy (Les doigts croisés) (Clément) ; 1972, Un uomo da rispettare (Un homme à respecter) (Lupo), Scalawag (Douglas) ; 1974, Cat and Mouse (Pris au piège) (Petrie) ; 1975, Jacqueline Susann's « Once Is Not Enough » (Une fois ne suffit pas de Jacqueline Susann) (Green), Posse (La brigade du Texas) (Douglas) ; 1976, Victory at Entebbe (Victoire à Entebbe) (Chomsky) ; 1977, Holocaust 2000 (Martino), The Fury (Furie) (De Palma) ; 1978, The Chosen (De Martino) ; 1979, The Villain (Cactus Jack) (Needham), Saturn 3 (Saturn 3) (Donen), The Final Countdown (Nimitz, retour vers l'enfer) (Taylor), Home Movies (De Palma) ; 1983, The Man from the Snowy River (L'homme de la rivière d'argent) (G. Miller), Eddie Macon's Run (Un flic aux trousses) (Kanew) ; 1986, Tough Guys (Coup double) (Kanew) ; 1991, Veraz (Castano), Oscar (L'embrouille est dans le sac) (Landis) ; 1993, Greedy (Lynn) ; 1999, Diamonds (Asher) ; 2002, In Runs in the Family (Une si belle famille) (Schepisi) ; 2006, Scoop (Scoop) (Allen). *Pour le metteur en scène*, voir le *Dictionnaire du cinéma*, t. I, *Les réalisateurs*.

Ses parents avaient émigré de Russie en 1910 et leurs débuts aux États-Unis furent difficiles. Il commence au théâtre à Broadway en 1941 dans de petits rôles, et cette carrière théâtrale se poursuivra jusqu'en 1945. En 1946, un rôle important à l'écran dans *The Strange Love of Martha Ivers*. Il tourne une série de films noirs où il excelle : son physique rugueux avec une curieuse fossette au menton ne passe pas inaperçu. Le western lui réussit également : il est éblouissant dans *Along the Great Divide, The Man Without a Star* et *OK Corral* (où il est un Doc Holliday joueur et alcoolique très réaliste). Il déploie enfin ses qualités athlétiques dans *The Vikings*. A l'occasion il sait s'identifier avec un personnage connu : n'oublions pas son extraordinaire Van Gogh (*Lust for Life*). Mais il fut parfois tyrannique sur le plateau, faisant renvoyer Anthony Mann qui dirigeait *Spartacus* ou faisant refaire le montage de *The Last Sunset*. Il s'est aussi orienté vers l'écriture : cf. son récit autobiographique *Le Fils du chiffonnier* (1988).

Douglas, Melvyn

Acteur américain, de son vrai nom Hesselberg, 1901-1981.

1931, Tonight or Never (Ce soir ou jamais) (LeRoy) ; 1932, Prestige (Garnett), The Wiser Sex (Le sexe le plus habile) (Viertel), The Broken Wing (Corrigan), The Old Dark House (Une soirée étrange) (Whale) ; As You Desire Me (Comme tu me veux) (Fitzmaurice) ; 1933, Nagana (Frank), The Vampire Bat (Strayer), Counsellor at Law (Le grand avocat) (Wyler) ; 1934, Woman in the Dark (Traqués) (Rosen), Dangerous Corner (Tournant dangereux) (Rosen) ; 1935, Mary Burns Fugitive (Mary Burns, fugitive) (Howard), Annie Oakley (La gloire du cirque) (Stevens), She Married Her Boss (Mon mari le patron) (La Cava) ; 1936, The Lone Wolf Returns (Neill), The Gorgeous Hussy (Brown), And So They Were Married (Deux enfants terribles) (Nugent), Theodora Goes Wild (Théodora devient folle) (Boleslavsky) ; 1937, Angel (Ange) (Lubitsch), Captain Courageous (Capitaine courageux) (Fleming), I Met Him in Paris (A Paris tous les trois) (Ruggles) ; 1938, Arsene Lupin Returns (Le retour d'Arsène Lupin) (Fitzmaurice), The Shining Hour (L'ensorceleuse) (Borzage), The Toy Wife (Frou-frou) (Thorpe), Fast Company, There's Always a Woman (Miss Catastrophe) (Hall), There's That Woman Again, That Certain Age (Ludwig) ; 1939, Ninotchka (Ninotchka) (Lubitsch), The Amazing Mr. Williams (Hall), Good Girls Go to Paris (Hall), Tell no Tales (Fenton) ; 1940, Too Many Husbands (Ruggles), Third Finger, Left Hand (Leonard), He Stayed for Breakfast (Hall) ; 1941, Our Wife (Stahl), Two-Faced Woman (La femme aux deux visages) (Cukor), That Uncertain Feeling (Illusions perdues) (Lubitsch), This Thing Called Love (Hall), A Woman's face (Cukor) ; 1942, They All Kissed the Bride (Embrassons la mariée) (Hall), We Were Dancing (Leonard) ; 1943, Three Hearts for Julia (Thorpe) ; 1947, Sea of Grass (Le maître de la prairie) (Kazan), The Guilt of Janet Ames (Peter Ibbetson avait raison) (Levin) ; 1948, Mr. Blandings Builds His Dream House (Potter), My Own True Love (Bennett) ; 1949, The Great Sinner (Passion fatale) (Siodmak), Woman's Secret (Ray) ; 1950, My Forbidden Past (Stevenson) ; 1951, On the Loose (Lederer) ; 1962, Billy Budd (Billy Budd) (Ustinov) ; 1963, Hud (Le plus sauvage d'entre tous) (Ritt) ; 1964, Advance to the Rear (Le bataillon des lâches) (Marshall), The Americanization of Emily (Les jeux de l'amour et de la guerre) (Hiller) ; 1965, Rapture (Guillermin) ; 1966, Hotel (Quine) ; 1969, I Never Sang for My Father (Cates) ; 1972, The Candidate (Votez McKay) (Ritchie), One Is a Lonely Number (Mel Stuart) ; 1976, Le locataire (Polanski) ; 1977, Twilight's Last Gleaming (L'ultimatum des trois mercenaires) (Aldrich) ; 1979, Being There (Bienvenue Mr. Chance) (Ashby), The Seduction of Joe Tynan (La vie privée d'un sénateur) (Schatzberg), The Changeling (Medak) ; 1980, Tell Me a Riddle (Grant) ; 1981, The Ghost Story (Le fantôme de Milburn) (Irvin), Hot Touch (Vadim).

Un peu démodé aujourd'hui, cet acteur élégant et à la fine moustache, fils d'un professeur de piano, joua les séducteurs dans les années 30. Bon interprète de théâtre, il promena à l'écran une nonchalance étudiée et une voix modulée un peu agaçante dans des rôles de jeune premier. On le vit aussi en gentleman cambrioleur : il fut le loup solitaire de Vance et Arsène Lupin revu par Hollywood. Il ne lui manqua que Raffles et le Saint. Vieillissant, il reçut un oscar pour *Hud* et un autre pour *Being There.*

Douglas, Michael

Acteur américain né en 1944.

1969, Hail Hero (Miller) ; 1970, Adam at 6 a.m. (Sheerer) ; 1971, Summertree (Newly) ; 1972, Napoleon and Samantha (McEveety) ; 1977, Coma (Morts suspectes) (Crichton) ; 1978, The China Syndrom (Le syndrome chinois) (Bridges) ; 1979, Running (Le Vainqueur) (Hilliard Stern) ; 1980, C'est ma chance (Weill) ; 1983, The Star Chamber (La nuit des juges) (Hyams) ; 1984, Romancing the Stone (A la poursuite du diamant vert) (Zemeckis) ; 1985, The Jewel of the Nile (Le diamant du Nil) (Teague) ; 1986, Chorus Line (Attenborough) ; 1987, Wall Street (Stone) ; 1988, Fatal Attraction (Liaison fatale) (Lyne), Black Rain (Black Rain) (Scott) ; 1989, The War of the Roses (La guerre des Rose) (De Vito) ; 1992, Basic Instinct (Basic Instinct) (Verhoeven), Shining Through (Une lueur dans la nuit) (Seltzer), Falling Down (Chute libre) (Schumacher) ; 1994, Disclosure (Harcèlement) (Levinson) ; 1995, The American President (Le Président et miss Wade) (Reiner) ; 1996, Ghost and the Darkness (L'ombre et la proie) (Hopkins), The Game (The Game) (Fincher) ; 1997, A Perfect Murder (Meurtre parfait) (Davis) ; 1999, Wonder Boys (Wonder Boys) (Hanson) ; 2000, One Night at McCool's (Zwart), Traffic (Traffic) (Soderbergh) ; 2001, Don't Say a Word (Pas un mot) (Fleder), One Night at McCool's (Divine mais dangereuse) (Zwart) ; 2004, The In-Laws (Espion mais pas trop !) (Fleming) ; 2006, One Day in September (Un jour en septembre) (Macdonald), The Sentinel (The Sentinel) (Johnson), You, Me and Dupree (Toi et moi... et Dupree) (Russo et Russo).

Fils aîné de Kirk Douglas, il fut assistant réalisateur, producteur heureux de *Vol au-dessus d'un nid de coucou* avant d'osciller comme acteur de cinéma entre un personnage d'aventurier ou un héros, humain sous des apparences dures, comme le chorégraphe de *Chorus Line*. De *Wall Street* – qui lui vaut un oscar en 1987 – à *Black Rain*, il se compose un personnage « macho » et cynique mais parfois aussi fragile (*Fatal attraction* où il est persécuté par Glenn Close). Impression renforcée avec *Basic Instinct* où Sharon Stone le manipule lors de l'enquête, et *Harcèlement* où il devient la proie de Demi Moore. Il confie adorer les personnages « politiquement incorrects » : c'est le cas dans le curieux *Chute libre*, un de ses meilleurs rôles.

Douglas, Paul

Acteur américain, 1907-1959.

1949, A Letter to Three Wives (Chaînes conjugales) (Mankiewicz), It Happens Every Spring (Bacon), Everybody Does It (Goulding) ; 1950, The Big Lift (Seaton), Love that Brute (Hall), Panic in the Streets (Panique dans la rue) (Kazan) ; 1951, The Guy Who Came Back (Newman), Fourteen Hours (Quatorze heures) (Hathaway), Angels in the Outfield (Brown) ; 1952, When in Rome (Brown), Clash by Night (Le démon s'éveille la nuit) (Lang), We're Not Married (Goulding), Never Wave at a Wac (N'embrassez pas les Wac) (McLeod) ; 1953, Forever Female (Rapper) ; 1954, Executive Suite (La tour des ambitieux) (Wise), High and Dry (Mackendrick), Green Fire (L'émeraude tragique) (Marton) ; 1955, Joe Macbeth (Hughes) ; 1956, The Leather Saint (L'ange du ring) (Ganzer), The Solid Gold Cadillac (Une cadillac en or massif) (Quine), The Gamma People (Gilling) ; 1957, This Could Be The Night (Wise), Beau James (Shavelson), Fortunella (De Filippo) ; 1959, The Mating Game (Comment dénicher un mari) (Marshall).

Joueur de football américain puis journaliste sportif, il en a le côté massif et carré, sorte de bourru débonnaire (*Chaînes conjugales*), amoureux transi (*The Solid Gold Cadillac*) ou bon cocu. Il excelle aussi en homme d'affaires.

Douglas, Robert

Acteur et réalisateur d'origine anglaise, de son vrai nom Finlayson, 1909-1999.

1931, P.C. Josser (Rosmer), Many Waters (Rosmer) ; 1933, The Blarney Stone (Walls) ; 1935, Death Drives Through (Cahn), Our Fighting Navy (Walker) ; 1937, London Melody (Wilcox), Over the Moon (Mademoiselle Cresus) (Freeland) ; 1938, The Challenge (Rosmer) ; 1939, The Lion Has Wings (Le lion a des ailes) (Powell, Hurst, Brunel) ; 1940, The Chinese Bungalow (G. King) ; 1947, The End of the River (Twist) ; 1948, The Adventures of Don Juan (Les aventures de Don Juan) (Sherman), The Decision of Christopher Blake (Godfrey) ; 1949, The Fountainhead (Le Rebelle) (Vidor), Lady Takes a Sailor (Curtiz) ; 1950, The Flame and the Arrow (La flèche et le flambeau) (Tourneur), Kim (Kim) (Saville), Bucaneer's Girl (La fille des boucaniers) (De Cordova), Mystery Submarine (Le mystérieux sous-marin) (Sirk) ; 1951, Thunder on the Hill (Tempête sur la colline) (Sirk), At Sword's Point (Allen) ; 1952, Ivanhoe (Ivanhoé) (Thorpe), The Prisoner of Zenda (Le prisonnier de Zenda) (Thorpe) ; 1953, The Desert Rats (Les rats du désert) (Wise), Flight to Tanger (Warren), Fair Wind to Java (Kané) ; 1954, Saskatchewan (La brigade héroïque) (Walsh), King Richard and the Crusaders (Richard Cœur de Lion) (Butler) ; 1955, Helen of Troy (Hélène de Troie) (Wise), The Scarlet Goat (Duel d'espions) (Sturges), The Virgin Queen (Le seigneur de l'aventure) (Koster) ; 1959, The Young Philadelphians (Ce monde à part) (Sherman), Tarzan the Ape-Man (Tarzan l'homme singe) (Newman) ; 1998, Secret Ceremony (Cérémonie secrète) (Losey). *Comme réalisateur :* 1964, Night Train to Paris.

Solide acteur anglais venu à Hollywood en 1948, où il prit la succession de Basil Rathbone dans les rôles de vilain où il faut se battre en duel. Depuis 1960, il ne travaille que pour la télévision.

Dourif, Brad

Acteur américain né en 1950.

1969, Split (Shaw) ; 1974, W.W. and the Dixie Dancekings (W.W. Dixie) (Avildsen) ; 1975, One Flew over the Cuckoo's Nest (Vol au-dessus d'un nid de coucou) (Forman) ; 1977, Gruppenbild mit Dame (Portrait de groupe avec dame) (Petrovic) ; 1978, The Eyes of Laura Mars (Les yeux de Laura Mars) (Kershner) ; 1979, Wise Blood (Le malin) (Huston) ; 1980, Heaven's Gate (Les portes du paradis) (Cimino) ; 1981, Ragtime (Ragtime) (Forman) ; 1985, Dune (Dune) (Lynch) ; 1986, Impure Thoughts (Simpson), Blue Velvet (Blue Velvet) (Lynch) ; 1987, Fatal Beauty (T. Holland) ; 1988, Mississippi Burning (Mississippi Burning) (Parker), Child's Play (Jeu d'enfant) (T. Holland) ; 1989, Medium Rare (Madden), Spontaneous Combustion (Le feu de l'au-delà) (Hooper) ; 1990, Sonny Boy (Carroll), Child's Play 2 (Chucky, la poupée de sang) (Lafia), The Graveyard Shift (La créature du cimetière) (Singleton), The Exorcist 3 (L'exorciste, la suite) (Blatty), Hidden Agenda (Hidden agenda) (Loach), Grim Prairie Tales (Coe), Horseplayer (Voss) ; 1991, Child's Play 3 (Bender), Body Parts (Red), Jungle Fever (Jungle Fever) (Lee), Chaindance (Goldstein), London Kills Me (Kureishi), Schrei aus Stein (Cerro Torre, le cri de la roche) (Herzog) ; 1992, Dead Certain (Palm), Critters 4 (Critters 4) (Harvey) ; 1993, Final Judgment (Morneau), Amos & Andrew (Frye), Trauma (Trauma) (Argento) ; 1994, Color of Night (Color of Night) (Rush), Murder in the First (Meurtre à Alcatraz) (Rocco), Death Machine (Norrington) ; 1995, The Hurdy-Gurdy Man (Von Dettre) ; 1996, Blonde Justice (Maslak), Nightwatch (Le veilleur de nuit) (Bornedal), Sworn to Justice (Maslak) ; 1997, Alien Resurrection (Alien, la résurrection) (Jeunet), Best Men (Best Men) (Davis), Cypress Edge (Rodnunsky), Senseless (Supersens) (Spheeris), Progeny (Yuzna) ; 1998, Bride of Chucky (La fiancée de Chucky) (Yu), Urban Legend (Urban Legend) (Blanks), Brown's Requiem (Freeland) ; 1999, Shadow Hours (Eaton) ; 2000, Prophecy III : The Ascent (Lussier) ; 2002, The Lord of the Rings : The Two Towers (Le seigneur des anneaux : les deux tours) (Jackson) ; 2003, Gothika (Gothika) (Kassovitz).

Il fut le malade obsédé par sa mère et brimé par l'infirmière Ratched dans *Vol au dessus d'un nid de coucou.* Un rôle qui le fit accéder à des réalisations prestigieuses. Mais il semble s'être égaré dans une flopée de films d'horreur dont beaucoup ne sont même pas sortis en salle. Dommage pour un acteur qui exprimait si bien une idée de la fragilité masculine.

Doutey, Alain

Acteur français né en 1944.

1967, Les Arnaud (Joannon) ; 1969, Une fille libre (Pierson), Les cousines (Soulanes) ; 1973, Mais où est donc passée la Septième Compagnie ? (Lamoureux) ; 1974, Opération Lady Marlène (Lamoureux) ; 1975, Cousin, cousine (Tacchella) ; 1978, La carapate (Oury) ; 1979, Il y a longtemps que je t'aime (Tacchella), Un si joli village (Périer) ; 1980, Deux lions au soleil (Faraldo), Deprisa, deprisa (Vivre vite) (Saura), The Big Red One (au-delà de la gloire) (Fuller) ; 1981, Les filles de Grenoble (Le Moign'), Croque la vie (Tacchella) ; 1982, Jamais avant le mariage (Ceccaldi), L'été de nos quinze ans (Jullian) ; 1984, Le sang des autres (Chabrol), Pinot simple flic (Jugnot) ; 1986, Nuit d'ivresse (Nauer) ; 1987, Quelques jours avec moi (Sautet), Frantic (Frantic) (Polanski) ; 1988, Sans peur et sans reproche (Jugnot), Rouge Venise (Périer) ; 1990, Dames galantes (Tacchella) ; 1991, L'homme de ma vie (Tacchella) ; 1992, L'œil écarlate (Roulet) ; 1995, Les Bidochon (Korber), Fiesta (Boutron) ; 1996, Hommes, femmes, mode d'emploi (Lelouch) ; 1997, Les sœurs Soleil (Szwarc) ; 1998, Le plus beau pays du monde (Bluwal) ; 1999, Le derrière (Lemercier).

Avant tout de la télévision pour ce sympathique comédien aux allures de Français moyen, qui a, à partir des années 80, beaucoup œuvré dans les grandes sagas estivales.

Downey Jr., Robert

Acteur américain né en 1965.

1970, Pound (Downey) ; 1982, America (Downey) ; 1983, Baby It's You (Sayles) ; 1984, Firstborn (Downey) ; 1985, To Live and Die in L.A. (Police fédérale Los Angeles) (Friedkin), Tuff Turf (Quartier chaud) (Kiersh), Weird Science (Une créature de rêve) (Hughes) ; 1986, Back to School (A fond la fac) (Metter) ; 1987, Less Than Zero (Neige sur Beverly Hills) (Kanievska), The Pick-up Artist (Toback) ; 1988, Johnny Be Good (Smith), Rented Lips (Downey), 1969 (Thompson) ; 1989, Chances Are (Le ciel s'est trompé) (Ardolino), That's Adequate (Hurwitz), True Believer (Coupable ressemblance) (Ruben) ; 1990, Air America (Air America) (Spottiswoode) ; 1991, Too Much Sun (Downey), Soapdish (Hoffman) ; 1992, Chaplin (Chaplin) (Attenborough) ; 1993, Short Cuts (Short Cuts) (Altman), The Last Party (Levin et Benjamin), Hearts and Souls (Underwood) ; 1994, Natural Born Killers (Tueurs-nés) (Stone), Only You (Only You) (Jewison), Hail Caesar (Hall), Restoration (Le don du roi) (Hoffman) ; 1995, Home for the Holidays (Week-end en famille) (Foster), Danger Zone (Eastman) ; 1996, Richard III (Richard III) (Loncraine), One Night Stand (Pour une nuit) (Figgis), Hugo Pool (Downey Sr.), Two Girls and a Guy (Toback) ; 1997, The Gingerbread Man (The Gingerbread Man) (Altman), In Dreams (Prémonitions) (Jordan), U.S. Marshals (U.S. Marshals) (Baird) ; 1998, Friends and Lovers (G. Haas), Bowfinger (Bowfinger, roi d'Hollywood) (Oz) ; 1999, Black & White (Black and White) (Toback), Wonder Boys (Wonder Boys) (Hanson) ; 2003, Gothika (Gothika) (Kassovitz) ; 2005, Kiss Kiss Bang Bang (Kiss kiss, bang bang) (Black), Eros (Antonioni, Soderbergh et Wong Kar-wai) ; 2006, A Scanner Darkly (Linklater), Good Night and Good Luck (Clooney), The Shaggy Dog (Raymond) (Robbins) ; Fur : An Imaginary Portrait of Diane Arbus (Fur : un portrait imaginaire de Diane Arbus) (Shainberg), Lucky You (Hanson), Zodiac (Fincher).

Fils de la chanteuse Elsie Downey et du scénariste-réalisateur Robert Downey, il débute en tenant des petits rôles dans les films de son père. Alternant par la suite rôles comiques et dramatiques, il passe de l'un à l'autre avec un naturel déconcertant. C'est à lui qu'échoit la lourde tâche d'incarner Charlie Chaplin dans le *biopic* réalisé par Richard Attenborough, mais en dépit de sa bonne volonté, la ressemblance est un peu forcée et le film est un échec.

Drain, Émile

Acteur français, 1890-1966.

1917, Trois familles (Devarennes) ; 1921, L'aiglonne (Keppens), Château historique (Desfontaines), Un drame sous Napoléon (Bourgeois) ; 1924, Après l'amour (Champreux) ; 1925, Madame Sans-Gêne (Perret) ; 1928, Madame Récamier (Ravel), The Fighting Eagle (Crisp) ; 1930, L'étrangère (Ravel) ; 1931, L'aiglon (Tourjansky) ; 1932, Casanova (Barbéris) ; 1933, Violettes impériales (Roussell) ; 1937, Les perles de la couronne (Guitry) ; 1938, Remontons les Champs-Élysées (Guitry), La rue sans joie (Hugon) ; 1943, Le bal des passants (Radot) ; 1945, Master Love (Péguy) ; 1946, Panique (Duvivier), La kermesse rouge (Mesnier), La revanche de Roger la Honte (Cayatte), Les portes de la nuit (Carné), Antoine et Antoinette (J. Becker) ; 1947, Les amoureux sont seuls au monde (Decoin), Croisière pour l'inconnu (Montazel), Le diamant de cent sous (Daniel-Norman) ; 1948, Le diable boiteux (Guitry) ; 1949, La Marie du port (Carné) ; 1950, Justice est faite (Cayatte) ; 1953, Si Versailles m'était conté (Guitry) ; 1955, Si Paris nous était conté (Guitry) ; 1956, Le pays d'où je viens (Carné).

Type même de l'acteur de composition : il se spécialisa à l'écran et sur scène dans le rôle de Napoléon. Selon Jeanne et Ford, il aurait été substitué dans la version française de *Fighting Eagle* à Max Barwyn pour interpréter le rôle de l'empereur. Il fut fréquemment Napoléon dans les films de Guitry, des *Perles de la couronne* au *Diable boiteux*. Sa ressemblance avec son modèle impérial était lointaine, mais au cinéma on n'en demande pas tant. Sur sa lancée, il fut même Napoléon III dans *Violettes impériales* !

Dravic, Milena

Actrice yougoslave née en 1940.

Principaux films : 1959, Vrata ostaju ofvorena (Bauer) ; 1961, Uzavreli grad (Bulajic) ; 1962, Kozara (Les diables rouges face aux SS) (Bulajic) ; 1965, Covek nije tica (L'homme n'est pas un oiseau) (Makavejev) ; 1966, Rondo (Berkovic) ; 1968, Hrst vody (Adrift) (Kadari et Klos) ; 1969, Bitka na Neretvi (La bataille de la Neretva) (Bulajic), Cross country (Djordjevic) ; 1971, W.R., misterije organizma (W.R. : Les mystères de l'organisme) (Makavejev) ; 1973, Sutjeska (La cinquième offensive) (Delic) ; 1975, Strakh (La peur) (Klopcic) ; 1976, Gruppenbild mit Dame (Portrait de groupe avec dame) (Petrovic) ; 1980, Osam kila srece (Djordjevic) ; 1984, Una (Radivojevic) ; 1997, Tri letni dni (Vukomanovic) ; 1998, Bure baruta (Baril de poudre) (Paskaljevic).

Ravissante blonde et populaire actrice yougoslave qui gagna ses galons de vedette internationale avec *La bataille de la rivière Neretva*.

Dressler, Marie

Actrice canadienne, de son vrai nom Leila von Koerber, 1869-1934.

1914, Tillie's Punctered Romance (Le roman comique de Charlot et Lolotte) (Chaplin-Sennett) ; 1917-1918, *nombreux courts métrages* ; 1926, The Joy Girl (Dwan) ; 1927, Breakfast at Sunrise (St. Clair), The Callahans and the Murphys (Hill) ; 1928, The Patsy (Vidor), Bringing up Father (Conway) ; 1929, The Vagabond Lover (Neilan), The Divine Lady (Lloyd), Hollywood Revue of 1929 (Reisner) ; 1930, Anna Christie (Brown), Chasing Rainbows (Reisner), The Girl Said No (Wood), One Romantic Night (Stein), Let Us Be Gay (Leonard), Min and Bill (Hill), Caught Short (Reisner), Call of the Flesh (Brabin), Derelict (Lee) ; 1931, Reducing (Reisner), Politics (Reisner) ; 1932, Prosperity (Wood), Emma (Brown) ; 1933, Tugboat Annie (Annie la batelière) (LeRoy), Dinner at Eight (Les invités de huit heures) (Cukor), The Late Christopher Bean (Wood).

Énorme, monstrueuse, véritable gargamelle, elle fut découverte par Sennett qui en fit une héroïne burlesque. On la vit avec Chaplin et dans de nombreux courts métrages. Le parlant relança sa carrière, et elle obtint même un oscar en 1930-1931 pour *Min and Bill*. Elle forma dans plusieurs films de la MGM un tandem comique avec Pollie Moran, et par la suite ni LeRoy ni Cukor ne parvinrent à la contenir.

Dreyfus, Jean-Claude

Acteur français né en 1946.

1975, L'uomo che sfido l'organizzazione (Grieco) ; 1977, Schatten der Engel (L'ombre des anges) (Schmid) ; 1978, Je te tiens, tu me tiens par la barbichette (Yanne) ; 1979, Les héroïnes du mal (Borowczyk), Le sucre (Rouffio) ; 1980, La dérobade (Duval), Allons z'enfants (Boisset), Théâtre (Fieschi et Mabilles), Fitzcarraldo (Fitzcarraldo) (Herzog) ; 1982, Éducation anglaise (Roy), Le prix du danger (Boisset) ; 1983, Canicule (Boisset), Le marginal (Deray), Rue barbare (Béhat) ; 1984, Cheech and Chong's the Corsican Brothers (Chong), Liste noire (Bonnot), Notre histoire (Blier), Le fou du roi (Chiffre) ; 1987, La vieille quimboiseuse et le majordome (Laou), Tandem (Leconte) ; 1988, Black Mic-Mac 2 (Pauly), Radio corbeau (Boisset), Ville étrangère (Goldschmidt) ; 1989, Il y a des jours... et des lunes (Lelouch) ; 1990, Delicatessen (Caro et Jeunet), La tribu (Boisset), Un vampire au paradis (Bahloul) ; 1991, Tous les matins du monde (Corneau), La belle histoire (Lelouch), La voix (Granier-Deferre) ; 1992, La fille de l'air (Bagdadi), Bonsoir (Mocky), Coyote (Ciupka), Pétain (Marbœuf), L'ombre du doute (Isserman) ; 1993, Les histoires d'amour finissent mal... en général (Fontaine), Cache cash (Pinoteau) ; 1994, La cité des enfants perdus (Caro et Jeunet), En mai, fais ce qu'il te plaît (Grange), Le fils de Gascogne (Aubier), Une trop bruyante solitude (Cais) ; 1995, Krim (Bouchaala), Tiré à part (Rapp), Oui (Pérennès) ; 1996, La cible (Courrège), Pinocchio (Barron), La ballade de Titus (De Brus) ; 2003, Lovely Rita (Clavier), L'Anglaise et le duc (Rohmer) ; 2004, Deux frères (Annaud), Le p'tit curieux (Marbœuf), Rien, voilà l'ordre (Baratier), Un long dimanche de fiançailles (Jeunet) ; 2007, Jean de La Fontaine (Vigne).

Du cabaret, du théâtre et de la télévision avant de gagner la gloire grâce à une série de publicités vantant les mérites d'une marque de plats cuisinés. D'où une succession ininterrompue de rôles de guest-stars au cinéma. En tout état de cause, un immense talent dans la composition.

Dreyfuss, Richard

Acteur américain né en 1947.

1967, The graduate (Le lauréat) (Nichols), Valley of the Dolls (La vallée des poupées) (Robson) ; 1968, The Young Runaways (Dreifuss) ; 1969, Hello Down There (Arnold) ; 1973, American Graffiti (Lucas), Dillinger (Milius) ; 1974, The Apprenticeship of Duddy Kravitz (L'apprentissage de Duddy Kravitz) (Kotcheff), The Second Coming of Suzanne (Barry) ; 1975, Jaws (Les dents de la mer) (Spielberg) ; 1976, Inserts (Gros plan) (Byrum), Victory at Entebbe (Victoire à Entebbe) (Chomsky) ; 1977, The Goodbye Girl (Adieu, je reste) (Ross), Close Encounters of the Third Kind (Rencontres du troisième type) (Spielberg) ; 1978, The Big Fix (The Big Fix) (Kagan) ; 1980, The Competition (Le concours) (Oliansky) ; 1981, Whose Life Is It Anyway (C'est ma vie après tout) (Badham) ; 1984, The Buddy System (Jordan) ; 1986, Down and Out in Beverley Hills (Le clochard de Beverley Hills) (Mazursky), Stand by me (Compte sur moi) (Reiner) ; 1987, Tin Men (Les filous) (Levinson), Stake out (Étroite surveillance) (Badham), Nuts (Cinglée) (Ritt) ; 1988, Moon over Parador (Mazursky) ; 1989, Always (Always) (Spielberg), Let it Ride (Pytka) ; 1990, Postcards from the Edge (Bons baisers d'Hollywood) (Nichols), Rosencrantz and Guildenstern Are Dead (Rosencrantz et Guildenstern sont morts) (Stoppard) ; 1991, Once Around (Ce cher intrus) (Hallstrom), What about Bob ? (Quoi de neuf Bob ?) (Oz) ; 1993, Lost in Yonkers (La vie sous silence) (Coolidge), The Lockout (Indiscrétion assurée) (Badham) ; 1994, Silent Fall (Silent Fall) (Beresford), Mr. Holland's Opus (Professeur Holland) (Herek) ; 1995, The American President (Le président et Miss Wade) (Reiner) ; 1996, Night Falls on Manhattan (Dans l'ombre de Manhattan) (Lumet), Mad Dog Time (Mad Dogs) (Bishop), Jack London's The Call of the Wild (Svatek) ; 1997, Krippendorf's Tribe (Holland) ; 1999, The Crew (Dinner) ; 2001, The Old Man Who Read Love Stories (Le vieux qui lisait des romans d'amour) (De Heer).

Un oscar pour *The Goodbye Girl* en 1977. Il fut révélé par *Jaws* où il était un spécialiste des requins. Voué parfois aux rôles de juif, il fut médiocre dans *Close Encounters* en Américain moyen confronté à des phénomènes qui le dépassent ; il était en revanche éblouissant en faux Sternberg, contraint de diriger des films pornographiques mais incapable de renoncer à ses recherches esthétiques dans *Inserts*. Après une longue retraite, il a fait sa rentrée dans un remake américain de *Boudu sauvé des eaux*. Mais n'est pas Michel Simon qui veut. Il n'emporte pas davantage l'adhésion dans les films suivants qui, à l'exception de *Stand by Me*, furent de relatifs échecs.

Droukarova, Dinara

Actrice russe née en 1976.

1989, Et bylo u morya (Shakhmalieva) ; 1990, Zamri, umri, voskresni ! (Bouge pas, meurs, ressuscite !) (Kanevski) ; 1992, Samostoyatelnaya zhizn (Une vie indépendante) (Kanevski), Smog (Shakhmalieva) ; 1993, Angely v rayu (Des anges au paradis) (E. Lounguine) ; 1994, Nous les enfants du xxe siècle (Kanevski) ; 1995, Le fils de Gascogne (Aubier) ; 1998, Pro urudov i lyudej (Des monstres et des hommes) (Balabanov) ; 1999, The Heart of Siberia (Icho) ; 2000, L'engrenage (Nicotra) ; 2003, Petites coupures (Bonitzer) ; 2006, Pour aller au ciel il faut mourir (Usmonov), Je pense à vous (Bonitzer).

Visage de la perestroïka du cinéma soviétique, elle est avant tout l'admirable interprète des films de Kanevski, qui la découvrit enfant. Elle partage désormais sa carrière entre la Russie et la France.

Dru, Joanne

Actrice américaine, de son vrai nom Jeanne La Coque, 1923-1996.

1946, Abie's Irish Rose (Sutherland) ; 1948, Red River (La rivière rouge) (Hawks) ; 1949, She Wore a Yellow Ribbon (La charge héroïque) (Ford), All the King's Men (Les fous du roi) (Rossen) ; 1950, Wagonmaster (Le convoi des braves) (Ford), 711 Oceans Drive (Newman) ; 1951, Vengeance Valley (La vallée de la vengeance) (Thorpe), Mr. Belvedere Rings the Bell (Koster) ; 1952, Return of the Texan (Daves), The Pride of St. Louis (Jones), My Pal Gus (Parrish) ; 1953, Thunder Bay (Le port des passions) (Mann), Forbidden (Double filature) (Mate), Outlaw Territory (Ireland) ; 1954, Duffy of San Quentin (Doniger), The Siege at Red River (Mate), Southwest Passage (Nazarro), Three Ring Circus (Le clown est roi) (Pevney), Day of Triumph (Pichel) ; 1955, The Dark Avenger (L'armure noire) (Levin) ; Sincerely Yours (Douglas), Hell on Frisco Bay (Colère noire) (Tuttle) ; 1957, Drango (Le pays de la haine) (Bartlett) ; 1958, The Light in the Forest (Daugherty) ; 1959, The Wild and the Innocent (Le bagarreur solitaire) (Sher) ; 1960, September Storm (Haskin) ; 1965, Sylvia (Douglas) ; 1980, Supersnooper (Un drôle de flic) (S. Corbucci).

Cette piquante brunette aux yeux verts et aux pommettes saillantes a joué dans quelques-uns des plus beaux westerns des années 50, ceux de Ford et Hawks, mais aussi ceux de Bartlett et de Sher.

Dubillard, Roland

Acteur, dramaturge et metteur en scène français né en 1923.

1966, Les compagnons de la marguerite (Mocky) ; 1968, La grande lessive (!) (Mocky) ; 1971, M comme Mathieu (Adam) ; 1972, Quelque part quelqu'un (Bellon), Elle court elle court la banlieue (Pirès) ; 1974, France, société anonyme (Corneau), Le mâle du siècle (Berri), Lili aime-moi (Dugowson), Peur sur la ville (Verneuil) ; 1975, Sérieux comme le plaisir (Benayoun), Les vécés étaient fermés de l'intérieur (Leconte), La ville bidon (Baratier), Aloïse (Kermadec) ; 1978, Le témoin (Mocky) ; 1979, Ciao les mecs (Gobbi) ; 1980, Cherchez l'erreur (Korber) ; 1982, La belle captive (Robbe-Grillet) ; 1983, Un bruit qui court (Sentier), Debout les crabes, la mer monte (Grand-Jouan), Polar (Bral) ; 1984, L'amour braque (Zulawski) ; 1985, Paulette la pauvre petite milliardaire (Confortès), Lien de parenté (Rameau) ; 1986, Charlotte for ever (Gainsbourg).

D'abord auteur rattaché au Théâtre de l'Absurde (avec Ionesco, Beckett et Adamov), il publie ses premières œuvres dans les années 50. Des nouvelles, des pièces, des feuilletons radiophoniques dans lesquels il joue généralement. Mocky l'amène au cinéma, où il composera pendant une vingtaine d'années des silhouettes étranges pour des réalisateurs aussi différents que Leconte, Robbe-Grillet ou Zulawski.

Dubois, Marie

Actrice française, de son vrai nom Claudine Huzé, née en 1937.

1959, Le signe du lion (Rohmer), Tirez sur le pianiste (Truffaut) ; 1960, Une femme est une femme (Godard), La croix des vivants (Govar) ; 1961, Jules et Jim (Truffaut), Le monocle noir (Lautner) ; 1962, Jusqu'au bout du monde ; 1964, La ronde (Vadim), La chasse à l'homme (Molinaro), L'âge ingrat (Grangier), Week-end à Zuydcoote (Verneuil), Mata-Hari (Richard) ; 1965, Les grandes gueules (Enrico), Les fêtes galantes (Clair), Le dix-septième ciel (Korber) ; 1966, La grande vadrouille (Oury), Le voleur (Malle) ; 1967, Ce sacré grand-père (Poitrenaud) ; 1969, Monte Carlo or Bust (Gonflés à bloc) (Annakin) ; 1970, La maison des Bories (Doniol-Valcroze) ; 1971, Bof... (Anatomie d'un livreur) (Faraldo), L'œuf (Herman) ; 1972, Les arpenteurs (Soutter), Le serpent (Verneuil) ; 1973, L'escapade (Soutter), Antoine et Sébastien (Périer) ; 1974, Vincent, François, Paul et les autres (Sautet) ; 1976, Nuit d'or (Moati), Les mal partis (Rossi), L'innocente (L'innocent) (Visconti) ; 1977, La menace (Corneau) ; 1978, Je vous ferai aimer la vie (Korber) ; 1979, Il y a longtemps que je t'aime (Tacchella), Je parle d'amour (Hartmann-Clausset) ; 1980, La petite sirène (Andrieux), Mon oncle d'Amérique (Resnais) ; 1983, L'ami de Vincent (Granier-Deferre), Si j'avais mille ans (Enckell), Garçon ! (Sautet) ; 1984, L'intrus (Jouannet) ; 1986, Descente aux enfers (Girod) ; 1987, Grand-Guignol (Marbœuf) ; 1989, Un jeu d'enfants (Kané) ; 1990, Les enfants du vent (Rogulski), La dernière saison (Beccu) ; 1991, Faux frère (Martorana) ; 1995, Confidences à un inconnu (Bardawil), Les caprices d'un fleuve (Giraudeau) ; 1997, Rien ne va plus (Chabrol).

Révélée par Truffaut en serveuse de bar dans *Tirez sur le pianiste*, appréciée par Soutter, elle apparaît dans les années 70 comme l'interprète privilégiée d'un certain cinéma d'avant-garde ou de jeunes auteurs sans toutefois dédaigner les valeurs consacrées, de René Clair à Visconti.

Dubost, Paulette

Actrice française née en 1911.

1931, Un chien qui rapporte (Choux), Le bal (Thiele), Un coup de téléphone (Lacombe) ; 1932, Le martyre de l'obèse (Chenal), Vous serez ma femme (Poligny), À moi le jour, à toi la nuit (Berger), L'homme sans nom (Ucicky) ; 1933, Cette nuit-là (Sorkin), Dans les rues (Trivas), Les rivaux de la piste (Poligny), Les vingt-huit jours de Clairette (Hugon), Georges et Georgette (Schunzel), Pour être aimé (Tourneur), Le prince des Six Jours (Vernay), L'ordonnance (Tourjansky), Vive la compagnie (Moulins) ; 1934, La reine des resquilleuses (Glass et Gastyne), Le fakir du Grand Hôtel (Billon), Auberge du Petit Dragon (Limur), Jeunesse (Lacombe), Le bonheur (L'Herbier) ; *plusieurs courts ou moyens métrages* : 1935, Le roi des Champs-Élysées (Nosseck), Le comte Obligado (Mathot), Ferdinand le noceur (Sti), La petite sauvage (Limur), La rosière des Halles (Limur) ; 1936, La brigade en jupons (Limur) ; 1937, Le mensonge de Nina Petrovna (Tourjansky), Titin des Martigues (Pujol) ; 1938, Bécassine (Caron), Barnabé (Esway), Hôtel du Nord (Carné), L'ange que j'ai vendu

(Bernheim), Les femmes collantes (Caron) ; 1939, La règle du jeu (Renoir), Le paradis des voleurs (Marsoudet) ; 1942, Opéra-musette (Lefèvre) ; 1943, Adrien (Fernandel), Le bal des passants (Radot), Je suis avec toi (Decoin) ; 1944, Farandole (Zwobada) ; 1945, Roger la Honte (Cayatte), Au petit bonheur (L'Herbier) ; 1946, La dernière chevauchée (Mathot), Ploum ploum tra la la (Hennion), La revanche de Roger la honte (Cayatte), Six heures à perdre (Joffé) ; 1947, Le dolmen tragique (Mathot), Et dix de der (Hennion), Plume la poule (Kapps), Blanc comme neige (Berthomieu) ; 1948, Le bal des pompiers (Berthomieu), Dernier amour (Stelli), Ma tante d'Honfleur (Jayet) ; 1949, La petite chocolatière (Berthomieu), Le 84 prend des vacances (Joannon), Tire-au-flanc (Rivers), La femme nue (Berthomieu), Le roi Pandore (Berthomieu) ; 1950, Quatre dans une jeep (Lindtberg), Uniformes et grandes manœuvres (Le Hénaff) ; 1951, Le plaisir (Ophuls), Le chéri de sa concierge (Jayet), Descendez, on vous demande (Laviron) ; 1952, La fête à Henriette (Duvivier) ; 1953, L'œil en coulisses (Berthomieu), Mon frangin du Sénégal (Lacourt) ; 1955, Lola Montès (Ophuls), Les carnets du major Thompson (Sturges), Impasse des vertus (Méré), Ces sacrées vacances (Vernay) ; 1954, Le mouton à cinq pattes (Verneuil) ; 1956, La joyeuse prison (Berthomieu) ; 1957, Maigret tend un piège (Delannoy), Sans famille (Michel) ; 1958, Soupe au lait (Chevalier), Mädchen in Uniform (Jeunes filles en uniforme) (Radvanyi), Taxi, roulotte et corrida (Hunebelle) ; 1959, Le déjeuner sur l'herbe (Renoir), La main chaude (Oury), Ein Engel auf Erden (Mademoiselle Ange) (Radvanyi), Le Bossu (Hunebelle), Le chemin des écoliers (Boisrond) ; 1960, La Française et l'amour (sketch de Decoin), Tendre et violente Élisabeth (Decoin), Arrêtez les tambours (Lautner), La récréation (Wagner) ; 1961, Seul... à corps perdu (Maley), Les sept péchés capitaux (Duvivier,...) ; 1962, La dérive (Delsol), Le meurtrier (Autant-Lara), Les mystères de Paris (Hunebelle), Pourquoi Paris ? (La Patellière), Germinal (Y. Allégret) ; 1963, Peau de banane (Ophuls), L'assassin viendra ce soir (Maley), Maigret voit rouge (Grangier), Humour noir (ép. Autant-Lara) ; 1964, L'âge ingrat (Grangier), La chance et l'amour (ép. Schlumberger) ; 1965, Le 17e ciel (Korber), Viva Maria (Malle), Le dimanche de la vie (Herman) ; 1973, Juliette et Juliette (Forlani) ; 1977, Tendre poulet (Broca), La barricade du Point du jour (Richon) ; 1979, On a volé la cuisse de Jupiter (Broca), La gueule de l'autre (Tchernia) ; 1980, Le dernier métro (Truffaut) ; 1981, La vie continue (Mizrahi) ; 1982, Le retour des bidasses en folie (Vocoret) ; 1984, La femme ivoire (Cheminal), Charlots connection (Couturier) ; 1985, Cent francs l'amour (Richard) ; 1987, La comédie du travail (Moullet) ; 1989, Milou en mai (Malle) ; 1990, Feu sur le candidat (Delarive) ; 1991, Le jour des rois (Treilhou) ; 1992, Les mamies (Lanoë) ; 1993, Le roi de Paris (Maillet) ; 1998, Les savates du Bon Dieu (Brisseau), Augustin, roi du kung-fu (Fontaine) ; 2005, Les yeux clairs (Bonnell).

Piquante frimousse qui servit à illustrer à l'écran le personnage de Bécassine. On se souvient aussi de Lise dans *La règle du jeu*, de Ginette dans *Hôtel du Nord* et puis... Berthomieu, Jayet, Rivers sont passés par là. Paulette Dubost ne sait pas dire non aux plus médiocres et aux plus ringards des metteurs en scène. Elle va se perdre parmi *Les bidasses en folie* et n'échappe même pas aux Charlots ! De temps en temps, on l'aperçoit dans un film de qualité, *Lola Montès* par exemple. Mais elle n'y fait qu'une apparition.

Duby, Jacques

Acteur français né en 1922.

1951, Trois femmes (Michel) ; 1953, Thérèse Raquin (Carné), Avant le déluge (Cayatte) ; 1954, Escale à Orly (Dréville), Huis clos (Audry), Les impures (Chevalier) ; 1955, Les salauds vont en enfer (Hossein), Le dossier noir (Cayatte), Frou-frou (Genina), Rencontre à Paris (Lampin) ; 1956, Mitsou (Audry), L'homme à l'imperméable (Duvivier), Courte-Tête (Carbonnaux), C'est arrivé à Aden (Boisrond) ; 1957, Pot-Bouille (Duvivier) ; 1959, Prisons de femmes (Cloche), Christine (Gaspard-Huit) ; 1959, Une gueule comme la mienne (Dard) ; 1960, Boulevard (Duvivier), La Française et l'amour (2e sketch) ; 1964, Requiem pour un caïd (Cloche) ; 1966, Le plus vieux métier du monde (ép. Autant-Lara) ; 1969, Le clan des Siciliens (Verneuil) ; 1970, Les novices (Casaril), Qui ? (Keigel) ; 1973, Piaf (Casaril) ; 1974, Vos gueules les mouettes (Dhéry) ; 1975, Ça va être ta fête (Montazel), Un linceul n'a pas de poches (Mocky) ; 1979, Le coup de sirocco (Arcady) ; 1990, Lacenaire (Girod), Feu sur le candidat (Delarive).

Ce délicieux acteur, interprète rêvé des personnages lunaires ou naïfs, ancien élève du Conservatoire, s'est surtout consacré au théâtre ou à la télévision (*L'écornifleur* d'après Jules Renard). On l'a vu trop peu au cinéma et dans des rôles secondaires.

Ducaux, Annie

Actrice française, 1908-1997.

1932, Coup de feu à l'aube (Poligny) ; 1933, L'agonie des aigles (Richebé), Le gendre de Monsieur Poirier (Pagnol) ; 1934, Le petit Jacques (Roudes), Le fakir du Grand Hôtel (Billon), Cessez le feu (Baroncelli), Nuit de mai (Ucicky) ; 1935, Un homme de trop à bord (Lamprecht) ; 1936, Les deux gosses (Rivers), Un grand amour de Beethoven (Gance), Le voleur de femmes (Gance) ; 1937, Les filles du Rhône (Paulin) ; 1938, La vierge folle (Diamant-Berger), Conflit (Moguy), Prison sans barreaux (Moguy) ; 1939, Tempête (Deschamps), L'homme du Niger (Baroncelli) ; 1940, L'empreinte du Dieu (Moguy) ; 1941, La dernière aventure (Péguy) ; 1942, Pontcarral (Delannoy) ; 1943, Le bal des passants (Radot), L'inévitable M. Dubois (Billon) ; 1944, Florence est folle (Lacombe) ; 1946, Rêves d'amour (Stengel), Rendez-vous à Paris (Grangier) ; 1947, Les requins de Gibraltar (Reinert) ; 1949, La patronne (Dhéry), Le roi (Sauvajon) ; 1958, Les grandes familles (La Patellière) ; 1960, La princesse de Clèves (Delannoy) ; 1961, La belle américaine (Dhéry) ; 1963, Le chevalier de Maison-Rouge (Barma).

Conservatoire, Odéon, Comédie-Française, une beauté distinguée : Annie Ducaux excelle dans le mélodrame à la Gance (*Un grand amour de Beethoven*), dans les héroïnes amoureuses des beaux officiers (*L'homme du Niger*) et dans les drames des grandes familles.

Duchaussoy, Michel

Acteur français né en 1938.

1967, Jeu de massacre (Jessua), La louve solitaire (Logereau) ; 1958, La femme infidèle (Chabrol), Bye bye Barbara (Deville) ; 1969, Que la bête meure (Chabrol), La main (Glaeser) ; 1970, Ils (Simon), Aussi loin que l'amour (Rossif), La rupture (Chabrol) ; 1971, Les stances à Sophie (Mizrahi), Juste avant la nuit (Chabrol) ; 1972, Traitement de choc (Jessua), L'homme au cerveau greffé (Doniol-Valcroze) ; 1973, Le complot (Grainville), Nada (Chabrol) ; 1974, La jeune fille assassinée (Vadim), Le retour du grand blond (Robert) ; 1975, Femmes, femmes (Vecchiali) ; 1976, Armaguedon (Jessua) ; 1977, L'homme pressé (Molinaro), Un oursin dans la poche (Thomas) ; 1978, Je te tiens, tu me tiens par la barbichette (Yanne) ; 1979, La ville des silences (Marbœuf) ; 1981, Un matin rouge (Aublanc) ; 1982, Le beau mariage (Rohmer) ; 1983, Surprise-party (Vadim) ; 1984, Fort Saganne (Corneau) ; 1985, Partenaires (d'Anna) ; 1986, Le môme (Corneau), Suivez mon regard (Curtelin) ; 1987, Bernadette (Delannoy) ; 1989, Milou en mai (Malle), Les bois noirs (Deray), La Révolution française (Enrico et Heffron), La vie et rien d'autre (Tavernier) ; 1990, Équipe de nuit (d'Anna), Voir l'éléphant... (Marbœuf) ; 1992, Caccia alla vedova (Le diable à quatre) (G. Ferrara), Pas d'amour sans amour (Dress) ; 1993, Cache cash (Pinoteau) ; 1997, Disparus (Bourdos) ; 1998, Fait d'hiver (Enrico) ; 1999, La veuve de Saint-Pierre (Leconte), T'aime (Sébastien) ; 2000, Les portes de la gloire (Merret-Palmair), Lise et André (Dercourt) ; 2001, Amen (Costa-Gavras) ; 2002, La mentale (Boursinhac) ; 2004, Confidences trop intimes (Leconte), Le cadeau d'Elena (Graziani), La demoiselle d'honneur (Chabrol) ; 2005, La boîte noire (Berry), Le plus beau jour de ma vie (Lipinski) ; 2006 Poltergay (Lavaine).

Premier prix du Conservatoire. Comédie-Française. A l'écran, il est apprécié par Chabrol et Jessua qui ont fait souvent appel à lui. Il impose un personnage élégant, séduisant, parfois veule. Il est éblouissant en officier fou dans *Fort Saganne* ou en auteur fat et plus que suffisant dans *Partenaires*.

Duchesne, Roger

Acteur français, de son vrai nom Jordaens, 1906-1996.

1936, Le golem (Duvivier), Le roman d'un tricheur (Guitry) ; 1937, Tarass Boulba (Granowsky), Les loups entre eux (Mathot), Der Tiger von Eschnapur (Le tigre du Bengale) (Eichberg) ; 1938, Prison sans barreaux (Moguy) ; 1939, Tempête sur l'Asie (Oswald), Gibraltar (Ozep), Le joueur (Lamprecht), Le monde tremblera (Pottier), Conflit (Moguy), L'inconnue de Monte-Carlo (Berthomieu) ; 1941, Rappel immédiat (Mathot), Montmartre sur Seine (Lacombe) ; 1942, Cartacalha (Mathot), La femme perdue (Choux), Adrien (Fernandel), L'ange gardien (Casembroot), Le mistral (Houssin), Jeannou (Poirier) ; 1955, Bob le flambeur (Melville) ; 1957, Marchand de filles (Cloche).

Jeune premier de l'avant-guerre dont la carrière fut pratiquement interrompue en 1944. Melville lui redonna une chance sans lendemain dans *Bob le flambeur*.

Duchovny, David

Acteur américain né en 1960.

1988, Working Girl (Working Girl) (Nichols) ; 1986, New Year's Day (Jaglom) ;

1990, Bad Influence (Bad Influence) (Hanson) ; 1991, The Rapture (Une femme envoûtée) (Tolkin), Don't Tell Mom the Babysitter's Dead (Herek), Denial (Dignam), Julia Has Two Lovers (Julia a deux amants) (Shbib) ; 1992, Venice/Venice (Jaglom), Chaplin (Chaplin) (Attenborough), Beethoven (Beethoven) (Levant), Ruby (Ruby) (Mackenzie) ; 1993, Kalifornia (Kalifornia) (Sena) ; 1997, Playing God (Playing God) (Wilson) ; 1998, The X-Files (The X-Files – Le film) (Bowman) ; 1999, Return to Me (Droit au cœur) (B. Hunt) ; 2001, Evolution (Reitman).

Révélé par son rôle de Fox Mulder de la célèbre série « X-Files », il était déjà convaincant en écrivain spécialisé ès *serial killers* dans le sous-estimé *Kalifornia.* Mais, outre l'adaptation de *X-Files*, sa contribution au 7ᵉ art reste encore toute relative.

Ducreux, Louis

Metteur en scène et acteur français, 1911-1992.

1937, Le schpountz (Pagnol) ; 1958, Le désordre et la nuit (Grangier) ; 1984, Un dimanche à la campagne (Tavernier) ; 1987, Zoo (Zoo, l'appel de la nuit) (C. Comencini) ; 1988, Une affaire de femmes (Chabrol) ; 1990, 36-15 code Père Noël (Manzor), Daddy nostalgie (Tavernier) ; 1991, La double vie de Véronique (Kieslowski), Mensonges (Margolin).

Avant tout un grand homme de théâtre, mais comment oublier son interprétation de M. Ladmiral dans le film de Tavernier ?

Dudan, Pierre

Chanteur et acteur d'origine suisse, 1916-1984.

1942, Manouche (Surville) ; 1945, Nuits d'alerte (Mathot) ; 1947, Les requins de Gibraltar (Reinert), L'éventail (Reinert), Figure de proue (Stengel) ; 1948, Le fugitif (Bibal) ; 1949, La maison du printemps (Daroy), La patronne (Dhéry) ; 1950, Casablanca (Peclet) ; 1951, Si ça vous chante (Loew) ; 1955, Fernand cow-boy (Lefranc), Si Paris nous était conté (Guitry) ; 1957, Un homme se penche sur son passé (W. Rorier) ; 1958, The Roots of Heaven (Les racines du ciel) (Huston), Amour, autocar et boîte de nuit (Kapps) ; 1959, Visa pour l'enfer (Rode), Monsieur Suzuki (Vernay), Les petits chats (Villa), Certains l'aiment froide (Bastia) ; 1960, Dans l'eau qui fait des bulles (Delbez), Natercia (Kast) ; 1961, L'éducation sentimentale (Astruc).

Cet amusant chanteur et compositeur (« Le café au lait au lit... ») fut un merveilleux comédien (le Brésilien dans *La patronne*) que l'on n'a pas su utiliser. L'on n'a pas su tirer parti davantage du musicien. Quant au producteur, il fut rapidement ruiné. Au rayon des regrets. Lire ses souvenirs : *Trous de mémoire.*

Duff, Howard

Acteur américain, 1917-1990.

Principaux films : 1947, Brute Force (Les démons de la liberté) (Dassin) ; 1948, The Naked City (La cité sans voiles) (Dassin) ; 1949, Calamity Jane and Sam Bass (La fille des prairies) (Sherman) ; 1954, Private Hell 36 (Ici brigade criminelle) (Siegel), Tanganyka (De Toth) ; 1955, Flame of the Islands (La femme du hasard) (Ludwig) ; 1977, The Late Show (Le chat connaît l'assassin) (Benton) ; 1978, A Wedding (Un mariage) (Altman) ; 1979, Kramer vs. Kramer (Kramer contre Kramer) (Benton) ; 1980, Double Negative (Bloomfield), Oh God ! Book II (Cates) ; 1983, Monster in the Closet (Dahlin) ; 1987, No Way Out (Sens unique) (Donaldson) ; 1991, Too Much Sun (Downey).

Un peu négligé, il figure au générique de bons films américains où il représente les « durs ».

Dufilho, Jacques

Acteur et réalisateur français, 1914-2005.

1941, Croisières sidérales (Zwobada) ; 1943, Premier de cordée (Daquin) ; Adieu Léonard (Prévert) ; 1946, Le bateau à soupe (Gleize) ; 1947, Le destin exécrable de Guillemette Babin (Radot), Brigade criminelle (Gil), Figure de proue (Stengel) ; 1948, La ferme des sept péchés (Devaivre) ; 1949, Les étoiles (Dufilho), Vendetta en Camargue (Devaivre), Histoires extraordinaires (Faurez) ; 1950, Bibi Fricotin (Blistène), Caroline chérie (Pottier) ; 1951, Ma femme, ma vache et moi (Devaivre), Deux sous de violettes (Anouilh) ; 1952, Le chemin de Damas (Glass), Un caprice de Caroline chérie (Devaivre), Le rideau rouge (Barsacq) ; 1953, Saadia (Lewin), Sang et lumière (Rouquier) ; 1954, Le chevalier de la nuit (Darène), Cadet Rousselle (Hunebelle) ; 1955, Milord l'arsouille (Haguet), Paris coquin (Gaspard Huit), Marie-Antoinette (Delannoy), Ce sacré Amédée (Félix) ; 1956, Mon curé chez les pauvres (Diamant-Berger), Notre-Dame de Paris (Delannoy), La vie est belle (Pierre-Thibault), Que les hommes sont bêtes (Richebé), Jusqu'au dernier (Billon), Happy Road (La route joyeuse) (Kelly), Courte-Tête (Carbonnaux) ; 1957, Nathalie (Christian-Jaque), Mademoiselle Strip-Tease (Foucaud), Le temps des œufs durs (Carbonnaux) ; 1958, Et ta sœur (Delbez), Chéri fais-moi peur (Pinoteau), Taxi, roulotte et corrida (Hunebelle), Maxime (Verneuil), Bobosse (Perier), Le petit prof (Rim), Fripouillard et Cie (Stone) ; 1959, Signé Arsène Lupin (Robert), Julie la Rousse (Boissol), Préméditation (Berthomieu), Le travail c'est la liberté (Grospierre), Certains l'aiment froide (Bastia) ; 1960, Zazie dans le métro (Malle), Dans la gueule du loup (Dudrumet), Dans l'eau qui fait des bulles (Delbez), Le vergini di Roma (Les vierges de Rome) (Cottafavi) ; 1961, Snobs (Mocky), La guerre des boutons (Robert), La poupée (Baratier), Le monocle noir (Lautner) ; 1962, Un clair de lune à Maubeuge (Cherasse), Clémentine chérie (Chevalier), Coup de bambou (Boyer) ; 1963, Voir Venise et crever (Versini), L'assassin connaît la musique (Chenal), Le bon roi Dagobert (Chevalier), La rancune (Wicki), Dragée au poivre (Baratier) ; 1964, La grande frousse (Mocky) ; Lady L (Ustinov) 1965, L'or du duc (Baratier), La communale (L'Hote) ; 1966, Johnny Banco (Allégret) ; 1967, L'inconnu de Shandigor (Roy), Les têtes brûlées (Rozier) ; 1968, Benjamin ou les mémoires d'un puceau (Deville) ; 1969, Y mañana ? (Degelin), Appelez-moi Mathilde (Mondy), Un merveilleux parfum d'oseille (Bassi), Une veuve en or (Audiard) ; 1970, Fantasia chez les ploucs (Pirès) ; 1971, Les bidasses en folie (Zidi), Chut ! (Mocky) ; 1972, La brigade en folie (Clair), Une journée bien remplie (Trintignant) ; 1973, Les corps célestes (Carle), Ce cher Victor (Davis), La grande nouba (Caza), Un ufficiale non si arrende mai nemmeno di fronte all'evidenza firmato colonnello Buttiglione (Si si mon colonel) (Guerrini) ; 1974, Il colonnello Buttiglione diventa generale (Vive la classe) (Guerrini), Basta con la guerra... Facciamo l'amore (Bianchi), Crash che botte strippo strappo stroppio (Les trois supermen du Kung Fu) (Albertini), Professor venga accompagnato dai suoi genitori (Guerrini) ; 1975, Corazon solitario (Betriu), Il soldato di ventura (La grande bagarre) (Festa Campanille), Il medico... la studentassa (Amadio), Buttiglione diventa capo del servizio segreto (Guerrini) ; 1976, La victoire en chantant/ Noirs et Blancs en couleurs (Annaud), Dimmi che fai tutto per me (Festa Campanille), Voto di castita (D'Amato) ; 1977, Le crabe-tambour (Schoendoerffer), Von Buttiglione Sturmtruppenfuhrer (Guerrini) ; 1978, Nosferatu (Nosferatu fantôme de la nuit) (Herzog) ; 1979, Rue du pied de grue (Grand-Jouan), Fou (E. Duvivier) ; 1980, Le cheval d'orgueil (Chabrol), Un mauvais fils (Sautet) ; 1982, Y a-t-il un Français dans la salle ? (Mocky) ; 1983, Le colonel en folie (Bianchi) ; 1985, L'homme qui n'était pas là (Feret) ; 1988, A notre regrettable époux (Korber) ; 1989, La vouivre (Wilson), Mangeclous (Mizrahi), Condorcet A, B, C (Soutter) ; 1991, Les enfants du naufrageur (Foulon) ; 1992, Pétain (Marbœuf) ; 1997, Nel profondo paese straniero (Homère — La dernière odyssée) (Carpi) ; 1998, Les enfants du marais (Becker) ; 1999, C'est quoi la vie ? (Dupeyron) ; 2003, Là-haut (Schoendoerffer). *Comme réalisateur :* 1949, Les étoiles.

Une tête extraordinaire comme taillée à coups de serpe : ce fils de pharmacien ne pouvait que faire du théâtre ; ce qu'il fit, à partir de 1938, avec Dullin, Barrault, Barsacq, puis Vitaly. Au cinéma, il a commencé dès 1941, mais est resté généralement confiné dans les seconds rôles (un césar pour *Le crabe-tambour*). Agriculteur, sa seconde vocation, il fit merveille, cette fois en vedette, dans *Le cheval d'orgueil*, bien que né à Bègles et non en Bretagne. Ce prodigieux acteur, revenu au théâtre, mérite mieux que sa filmographie où surnage surtout sa composition du fou dans *Nosferatu* et son interprétation de Pétain. Il a écrit ses souvenirs : *Les sirènes du bateau-loup* (2003).

Duflos, Huguette

Actrice française, de son vrai nom Hermance Hert, 1887-1983.

1916, L'instinct (Pouctal) ; 1917, Madeleine (Kemm), La femme inconnue (Ravel), Volonté (Pouctal) ; 1918, Les bleus de l'amour (Desfontaines), Son héros (Burguet) ; 1919, Travail (Pouctal), L'ami Fritz (Hervil) ; 1920, Le piège de l'amour (Ryder) ; 1921, La fleur des Indes (Bergerat), Mademoiselle de La Seiglière (Antoine), Amie d'enfance (Asselin), Lily Vertu (D. Bompard) ; 1922, Les mystères de Paris (Burguet) ; 1923, Koenigsmark (Perret) ; 1924, Le chevalier à la rose (Wiene) ; 1925, J'ai tué (R. Lion), La princesse aux clowns (Hugon) ; 1926, Yasmina (Hugon), L'homme à l'Hispano (Duvivier) ; 1928, Palaces (Durand), Chantage (Debair) ; 1929, Le procès de Mary Dugan (M. de Sano) ; 1931, Le mystère de la chambre jaune (L'Herbier), Le parfum de la dame en noir (L'Herbier) ; 1934, Martha (Anton) ; 1937, Maman Colibri (Dréville), Les perles de la couronne (Guitry) ; 1938, Le cœur ébloui (Vallée), Le train pour Venise (Berthomieu), Visages de femmes (Guissart) ; 1942, La loi du printemps (Daniel-Norman), Des jeunes filles dans la nuit (Le Hénaff) ; 1945, Le Capitan (Vernay), Christine se marie (Le Hénaff) ; 1952, Douze heures de bonheur (Grangier).

Née à Tunis, elle fait ses études au Conservatoire de Paris. Un premier prix lui permet d'entrer à la Comédie-Française où elle restera jusqu'en 1927. Au cinéma, elle est une Mlle de La Seiglière qui porte à ravir les robes de la Restauration. Avec l'avènement du parlant, elle sera Mathilde Stangerson dans *Le mystère de la chambre jaune* et dans *Le parfum de la dame en noir* de Marcel L'Herbier. Elle est alors créditée sous le nom de Huguette ou Huguette ex-Duflos. Elle écrit en 1929 *Heures d'actrice* et se reconvertit ensuite dans la chronique de journal.

Duhour, Clément

Acteur, réalisateur et producteur français, 1911-1983.

1941, L'âge d'or (Limur) ; 1942, Dernier atout (Becker) ; 1945, La route du bagne (Mathot), La colère des dieux (Lamac) ; 1946, La maison sous la mer (Calef) ; 1947, Le carrefour des passions (Gianini) ; 1950, Passion (Lampin) ; 1951, Paris chante toujours (Montazel) ; 1952, Saluti e bacci (Amical souvenir) (Simonelli), La route du bonheur ; 1953, Si Versailles m'était conté (Guitry) ; 1954, Napoléon (Guitry) ; 1955, Si Paris m'était conté (Guitry) ; 1956, Le pays d'où je viens (Carné), Assassins et voleurs (Guitry) ; 1957, Le naïf aux quarante enfants (Agostini). *Pour le metteur en scène*, voir le *Dictionnaire du cinéma*, t. I : *Les réalisateurs*.

Champion sportif, chanteur sous le nom de Guy Lormont, acteur, producteur des derniers Guitry à partir de *Si Versailles m'était conté*, réalisateur, on ne sait où le classer.

Dujardin, Jean

Acteur français né en 1972.

2002, Ah ! Si j'étais riche (Munz et Bitton) ; 2003, Toutes les filles sont folles (Pouzadoux), Bienvenue chez les Rozes (Palluau) ; 2004, Mariages ! (Guignabodet), Les Dalton (Haim), Le Convoyeur (Boukhrief) ; 2005, L'amour aux trousses (Chauveron), Brice de Nice (Huth), Il ne faut jurer de rien (Civanyan) ; 2006, OSS 117 : Le Caire nid d'espions (Hazanavicius) ; 2007, Contre-enquête (Mancuso).

Venu du café-théatre et de la télé (*Un gars et une fille*), il impose en deux films cultes, *Brice de Nice* et *OSS 117*, un personnage de crétin satisfait de lui où il est sublime. Mais il ne faudrait pas le réduire à ce rôle. Il se révèle un excellent Valentin dans *Il ne faut jurer de rien*.

Dullac, Paul

Acteur français, 1882-1941.

1931, Marius (Korda) ; 1932, Maquillage (Anton) ; 1935, Bonne chance (Guitry) ; 1936, César (Pagnol), La Marseillaise (Renoir) ; 1938, La femme du boulanger (Pagnol), Un de la Canebière (Pujol) ; 1939, Le club des fadas (Couzinet).

Bon acteur de théâtre, il reste dans notre mémoire comme le capitaine Escartefigue de la célèbre trilogie de Pagnol. Il fut toutefois remplacé par Mouriès dans *Fanny*.

Dullea, Keir

Acteur américain né en 1936.

1961, The Hoodlum Priest (Kershner) ; 1962, David and Lisa (David et Lisa) (Perry) ; 1963, West of the Montana (A l'ouest du Montana) (Kennedy) ; 1964, The Red Thin Line (L'attaque dura sept jours) (Marton) ; 1965, Bunny Lake Is Missing (Bunny Lake a disparu) (Preminger), Madame X (Madame X) (Rich) ; 1967, The Fox (Le renard) (Rydell) ; 1968, 2001 : A Space Odyssey (2001, l'odyssée de l'espace) (Kubrick) ; 1969, De Sade (Le divin marquis) (Endfield) ; 1972, Paperback Hero (Pearson), Pope Joan (Jeanne, papesse du diable) (Anderson) ; 1973, Il diavolo nel cervello (Sollima) ; 1974, Paul and Michelle (Gilbert), Black Christmas (Clark) ; 1976, Full Circle (Le cercle infernal) (Loncraine) ; 1977, Welcome to Blood City (Sasdy), Leopard in the Snow (Gerry O'Hara) ; 1980, The Hostage Tower (La tour Eiffel en otage) (Guzman) ; 1982, Brain Waves (Lommel) ; 1984, 2010 (Hyams), Blind Date (Onde de choc) (Mastorakis), The Next Ones (Mastorakis) ; 1992, Oh, What a Night ! (Till).

Originaire de Cleveland, il se fait remarquer dans des rôles de jeune premier où il introduit un grain d'insolite (*David and Lisa*). Mais c'est *2001* qui le rend célèbre. Il y est un navigateur de l'espace aux prises avec son ordinateur et qui franchira la barrière du temps. Mais après un curieux marquis de Sade, il semble se désintéresser de sa carrière et tourne dans des films mineurs qui n'ajoutent rien à son prestige.

Dullin, Charles

Acteur français, 1885-1949.

1920, Le secret de Rosette Lambert (Bernard) ; 1921, L'homme qui vendit son âme au diable (Caron), Les trois mousquetaires (Diamant-Berger) ; 1924, Le miracle des loups (Bernard) ; 1927, Le joueur d'échecs (Bernard), Maldone (Grémillon) ; 1929, Cagliostro (Oswald) ; 1933, Les misérables (Bernard) ; 1936, Mademoiselle Docteur (Pabst) ; 1937, L'affaire du courrier de Lyon (Lehmann) ; 1938, Volpone (Tourneur) ; 1941, Le briseur de chaînes (Daniel-Norman) ; 1947, Quai des Orfèvres (Clouzot), Les jeux sont faits (Delannoy).

Ce grand acteur de théâtre, directeur de l'Atelier et remarquable metteur en scène (*L'avare, Volpone...*), n'a pas dédaigné le cinéma qui lui doit quelques saisissantes compositions : Louis XI dans *Le miracle des loups*, le Thénardier des *Misérables*, l'usurier de *Volpone* ou encore l'amateur de photos de nus (« gardez les chaussures ») dans *Quai des Orfèvres*.

Dumas, Roger

Acteur français né en 1932.

1953, Les fruits sauvages (Bromberger), Avant le déluge (Cayatte) ; 1955, Les premiers outrages (Gourguet), Paris canaille (Gaspard-Huit) ; 1956, Pardonnez nos offenses (Hossein), Les promesses dangereuses (Gourguet), Si tous les gars du monde (Christian-Jaque), La mariée était trop belle (Gaspard-Huit) ; 1957, Isabelle a peur des hommes (Gourguet) ; 1958, Asphalte (Bromberger) ; 1959, Rue des Prairies (La Patellière), Signé Arsène Lupin (Robert) ; 1960, La croix des vivants (Govar) ; 1962, Le gorille a mordu l'archevêque (Labro), Carillons sans joie (Brabant) ; 1963, Pouic-Pouic (Girault), L'homme de Rio (Broca) ; 1964, La chance et l'amour (sketch Berri), Le Tigre aime la chair fraîche (Chabrol) ; 1965, Le Tigre se parfume à la dynamite (Chabrol) ; 1966, La ligne de démarcation (Chabrol) ; 1967, Caroline chérie (La Patellière) ; 1968, Bruno, l'enfant du dimanche (Grospierre) ; 1969, Du blé en liasses (Brunet) ; 1973, La balançoire à minouches (Van Belle) ; 1974, Le bougnoul (Moosmann) ; 1975, Le faux-cul (Hanin) ; 1977, Tendre poulet (Broca) ; 1978, Général, nous voilà (Besnard) ; 1983, Fort Saganne (Corneau), Le marginal (Deray) ; 1984, La femme publique (Zulawski) ; 1985, Suivez mon regard (Curtelin), L'amour en douce (Molinaro) ; 1986, Le débutant (Janneau), Masques (Chabrol) ; 1987, Association de malfaiteurs (Zidi), Chouans ! (Broca) ; 1988, Les années sandwiches (Boutron) ; 1989, Bunker Palace Hôtel (Bilal) ; 1991, Loulou Graffiti (Lejalé), Conte d'hiver (Rohmer) ; 1993, Une nouvelle vie (Assayas) ; 1994, Le nouveau monde (Corneau) ; 1996, Tykho moon (Bilal) ; 1997, Soleil (Hanin) ; 2000, Les destinées sentimentales (Assayas) ; 2001, Inch'Allah dimanche (Y. Benguigui) ; 2006, L'ivresse du pouvoir (Chabrol), Le grand Meaulnes (Verhaeghe).

Jeune premier ou bon copain à ses débuts, il est devenu, en prenant de l'âge, le réac' mauvais coucheur de nombreux films et téléfilms. Parfait second rôle, il incarne avec talent des personnages ignobles que sa rondeur et sa bonhomie ne laissent pas présager. Auteur d'une pièce de théâtre, *En attendant Martin*, il a également œuvré dans le showbiz en écrivant avec Jean-Jacques Debout des tubes pour Sylvie Vartan (« Comme un garçon »), Chantal Goya, Johnny Hallyday ou Yves Montand. Il est le seul homme a avoir obtenu le prix Suzanne-Bianchetti, pour *Rue des Prairies*.

Dumas, Sandrine

Actrice française née en 1963.

1979, Twee Vrouwen (Sluizer) ; 1983, Surprise-party (Vadim) ; 1984, Liste noire (Bonnot) ; 1985, Le thé au harem (Charef) ; 1986, États d'âme (Fansten), Beyond Therapy (Altman) ; 1987, Accroche-cœur (Picault), L'homme voilé (Bagdadi), La leggenda del santo bevidore (La légende du saint buveur) (Olmi) ; 1988, Valmont (Valmont) (Forman) ; 1989, La valse des pigeons (Perotta) ; 1990, Sushi, sushi (Perrin) ; 1991, La double vie de Véronique (Kieslowski) ; 1992, Écrans de sable (Chahal-Sebbag) ; 1994, Come due coccodrille (Comme deux crocodiles) (Campiotti), Échec à l'empereur (Kostenko) ; 1999, Il tempo dell'amore (Les saisons de l'amour) (Campiotti).

Une mère grecque et un père français, une longue escapade aux États-Unis où elle débute au théâtre. D'où, peut-être, une carrière internationale un peu désordonnée pour cette actrice tout en grâce féline (un seul rôle principal dans *La valse des pigeons*), que les cinéphiles connaissent aussi pour son rôle de névrosée suicidaire dans le formidable court métrage de Pierre Salvadori, *Ménage*.

Dumesnil, Jacques

Acteur français, de son vrai nom André Joly, 1903-1998.

1931, Mon amant l'assassin (Bussi) ; 1932, Les rivaux de la piste (Poligny), Le maître de forges (Rivers), Danton (Roubaud) ; 1933, Belle de nuit (Valray) ; 1934, Trois de la marine (Barrois), Le roi des Champs-Élysées (Nosseck) ; 1935, Lucrèce Borgia (Gance) ; 1936, L'or (Poligny-Hartl), Bach détective (Pujol), Le cœur dispose (Lacombe), Un homme de trop à bord (Lamprecht) ; 1937, Les pirates du rail (Christian-Jaque), Yamilé sous les cèdres (Espinay), Puits en flammes (Tourjansky) ; 1938, Retour à l'aube (Decoin), Prisons de femmes (Richebé) ; 1939, Derrière la façade (Lacombe), L'homme du Niger (Baroncelli) ; 1940, L'empreinte de dieu (Moguy) ; 1942, La fausse maîtresse (Cayatte), Le mariage de Chiffon (Autant-Lara), Les ailes blanches (Péguy), Boléro (Boyer), Malaria (Gourguet), Secrets (Blanchar) ; 1943, Graine au vent (Gleize), Le bal des passants (Radot), Service de nuit (Faurez), Pierre et Jean (Cayatte) ; 1944, La grande meute (Limur) ; 1945, Le père Serge (Gasnier-Raymond) ; 1946, Dernière chevauchée (Mathot), Jeux de femmes (Cloche), Rumeurs (Daroy) ; 1947, Les trafiquants de la mer (Rozier) ; 1948, 56, rue Pigalle (Rozier), La ferme des sept péchés (Devaivre) ; 1949, Dernier amour (Stelli), Julie de Carneilhan (Manuel) ; 1952, Anna (Lattuada) ; 1953, Ulysse (Camerini) ; 1954, Le vicomte de Bragelonne (Cerchio), Napoléon (Guitry) ; 1955, Si Paris nous était conté (Guitry) ; 1956, En effeuillant la marguerite (Allégret), Mitsou (Audry), Le septième commandement (Bernard) ; 1958, La vie à deux (Duhour), La putain sentimentale (Gourguet) ; 1960, Première brigade (Boutel), Dossier 1413 (Rode), La tricheuse (Meyst) ; 1961, Les amours célèbres (Boisrond) ; 1962, La planque (André) ; 1963, Les tontons flingueurs (Lautner), Que personne ne sorte (Govar).

Solide acteur à la noble prestance et à la belle moustache : rôles d'officier, d'ingénieur, d'aviateur, toujours généreux et aimé des femmes, parfois cocu (*L'homme du Niger*), mais en général avec une belle abnégation et au nom d'intérêts supérieurs. Bref une sorte de pithécanthrope des années 30.

Dumont, Margaret

Actrice américaine, de son vrai nom Daisy Baker, 1889-1965.

1917, A Tale of Two Cities (Un drame d'amour sous la Révolution) (Lloyd) ; 1929, Cocoanuts (Noix de coco) (Florey) ; 1930, Animal Crackers (L'explorateur en folie) (Heerman) ; 1931, The Girl Habit (Cline) ; 1933, Duck Soup (Soupe aux canards) (McCarey) ; 1934, Kentucky Kernels (Stevens), Fifteen Wives (Strayer) ; 1935, A Night at the Opera (Une nuit à l'Opéra) (Wood), Orchids to You (Seiter), Rendez-vous (Howard) ; 1936, Anything Goes (Transatlantic Folies) (Milestone), The Song and Dance Man (Dwan) ; 1937, A Day at the Races (Un jour aux courses) (Wood), Wise Girl (Jason), Youth on Parole (Rosen), The Life of the Party (Del Ruth), High Flyers (Cline) ; 1938, Dramatic School (Sinclair) ; 1939, At the Circus (Un jour au cirque) (Buzzell), The Women (Femmes) (Cukor) ; 1941, The Big Store (Les Marx au grand magasin) (Reisner), For Beauty's Sake (Traube), Never Give a Sucker an Even Break (Passez muscade) (Cline) ; 1942, Born to Sing (Berkeley et Ludwig), About Face (Del Ruth), Sing Your Worries Away (Sutherland), Rhythm Parade (Bretherton) ; 1943, Dancing Masters (Laurel et Hardy maîtres de ballet) (St. Clair) ; 1944, Bathing Beauty (Le bal des sirènes) (Sidney), Up in Arms (Nugent) ; Seven Days Ashore (Auer) ; 1945, The Horn Blows at Midnight (Walsh), Sunset in El Dorado (McDonald) ; 1946, Little Giant (Seiter), Susie Steps Out (Le Borg) ; 1952, Three for Bedroom (Bren) ; 1956, Rattle and Rock (Cahn) ; 1958, Auntie Mame (DaCosta) ; 1962, Zotz ! (Castle) ; 1964, What a Way To Go (Madame Croque-Maris) (Lee-Thompson).

Elle fait partie de l'épopée des frères Marx. Belle et digne, elle est traitée avec une parfaite muflerie par Groucho dans *Animal Crackers* ou bombardée de projectiles divers par les trois frères réunis à la fin de *Duck Soup*. Elle incarne la bonne société face à l'anarchisme des Marx. Elle a tourné également dans de nombreuses comédies musicales : n'avait-elle pas débuté dans le tour de chant avant de faire du cinéma ?

Dunaway, Faye

Actrice américaine née en 1938.

1966, The Happening (Les détraqués) (Silverstein) ; 1967, Hurry Sundown (Que vienne la nuit) (Preminger), The Extraordinary Seaman (Frankenheimer), Bonnie and Clyde (Bonnie and Clyde) (Penn) ; 1968, The Thomas Crown Affaire (L'affaire Thomas Crown) (Jewison) ; 1969, Gli amanti (Le temps des amants) (De Sica), The Arrangement (L'arrangement) (Kazan) ; 1970, Little Big Man (Little Big Man ou les extravagantes aventures d'un visage pâle) (Penn), Puzzle of a Downfall Child (Portrait d'une enfant déchue) (Schatzberg) ; 1971, Doc (Doc Holliday) (Perry), La maison sous les arbres (Clément) ; 1972, Oklahoma Crude (L'or noir de l'Oklahoma) (Kramer) ; 1973, The Three Musketeers (Les trois mousquetaires) (Lester) ; 1974, Chinatown (Polanski), The Towering Inferno (La tour infernale) (Guillermin) ; 1975, Three Days of the Condor (Les trois jours du Condor) (Pollack), The Four Musketeers (On l'appelait Milady) (Lester) ; 1976, Network (Network/Main basse sur la télévision) (Lumet), Voyage of the Damned (Le voyage des damnés (Rosenberg) ; 1978, Eyes of Laura Mars (Les yeux de Laura Mars) (Kershner) ; 1979, The Champ (Le champion) (Zeffirelli) ; 1980, The First Deadly Sin (De plein fouet) (Hutton) ; 1981, Mommie Dearest (Maman très chère) (Perry) ; 1983, The Wicked Lady (Winner), Duet for one (O'-Neill) ; 1984, Supergirl (Szwarc), Ordeal by Innocence (Davis) ; 1987, Barfly (Schroeder) ; 1988, Midnight Crossing (Halzberg), Burning Secret (Brûlant secret) (Birkin) ; 1989, Frames From the Edge (Maben), Bandini (Deruddere), In una notte di chiaro di luna (Wertmüller) ; 1990, The Handmaid's Tale (La servante écarlate) (Schlöndorff), Scorchers (Beaird) ; 1992, Arizona Dream (Arizona Dream) (Kusturica), Double Edge (Kollek) ; 1994, Don Juan DeMarco (Don Juan DeMarco) (Leven) ; 1995, Dunston Checks in (Dunston panique au palace) (Kwapis), Drunks (Cohn), Albino Alligator (Albino Alligator) (Spacey) ; 1996, The Chamber (L'héritage de la haine) (Foley), En brazos de la mujer madura (Lombardero), The Twilight of the Golds (Marks) ; 1998, The Yards (The Yards) (Gray), Jeanne d'Arc (Besson) ; 1999, The Thomas Crown Affair (L'affaire Thomas Crown) (McTiernan), Love Lies Bleeding (Tannen), Stanley's Gig (Lazard), The Yards (The Yards) (Gray) ; 2002, The Rules of Attraction (Les lois de l'attraction) (Avary).

Études à l'université de Floride et débuts dans une troupe universitaire. Elle est « photo-model » avant de passer à l'écran où elle s'imposera avec *Bonnie and Clyde*. Sa filmographie est riche en réussites. Brillante comédienne, représentant la femme moderne, cette blonde au visage doux est en fait, selon Jean Domarchi, « le comble de la sophistication ». Hommage à *Portrait d'une enfant déchue* ? En fait c'est avec *Network*, un rôle à l'opposé, qu'elle gagna un oscar en 1976.

Dunne, Griffin

Acteur, producteur et réalisateur américain né en 1955.

1975, The Other Side of the Mountain (Un jour, une vie) (Peerce) ; 1979, Head over Heels (Micklin Silver) ; 1981, The Fan (Bianchi), An American Werewolf in London (Le loup-garou de Londres) (Landis) ; 1983, Cold Feet (Van Dusen) ; 1984, Johnny Dangerously (Heckerling), Almost You (Adam Brooks) ; 1985, After Hours (After Hours) (Scorsese) ; 1987, Amazon Women on the Moon (Cheeseburger Film Sandwich) (Dante, Gottlieb, Horton, Landis, Wass), Who's That Girl ? (Who's That Girl ?) (Foley) ; 1988, Le grand bleu (Besson), Lip Service (Macy) ; 1989, Ich und er (Dörrie) ; 1992, Straight Talk (Franc-parler) (Kellman), Big Girls Don't Cry, They Get Even (Micklin Silver) ; 1993, The Pickle (Mazursky) ; 1994, Quiz Show (Quiz Show) (Redford), Naked in New York (Naked in New York) (Algrant), I Like It Like That (I Like It Like That) (Martin) ; 1995, Search and Destroy (Search & Destroy) (Salle) ; 2000, Famous (Dunne). *Comme réalisateur :* 1997, Addicted To Love (Addicted to Love) ; 1998, Practical Magic (Les ensorceleuses) ; 2000, Famous.

Un rôle à retenir dans une filmographie particulièrement inégale, celui de Paul Hackett, informaticien condamné à passer « une nuit de galère » (selon le sous-titre français du film) dans l'excellent film de Scorsese, *After hours*, qu'il avait par ailleurs coproduit. Il est passé à la réalisation avec *Addicted to Love*, aimable bluette dans laquelle figurent Tcheky Karyo et Meg Ryan.

Dunne, Irene

Actrice américaine, 1901-1990.

1930, Leather Necking (Cline) ; 1931 ; Bachelor Apartment (Sherman), Cimarron (La ruée vers l'ouest) (Ruggles), The Great Lover (Beaumont) ; 1932, Consolation Mariage (Sloan), Symphony of Six Millions (L'âme du ghetto) (La Cava), Thirteen Women (Archainbaud), Back Street (Stahl) ; 1933, The Secret of Madame Blanche (Brabin), No Other Woman (Walter Ruben), The Silver Cord (Cromwell), Ann Vickers (Ann Vickers) (Cromwell), If I Were Free (Nugent) ; 1934, This Man Is Mine (Cromwell), Stingaree (Wellman), The Age of Innocence (Moeller), Roberta (Roberta) (Seiter) ; 1935, Sweet Adeline (Un soir en scène) (LeRoy), Magnificent obsession (Le secret magnifique) (Stahl) ; 1936, Show-Boat (Le théâtre flottant) (Whale), Theodora Goes Wild (Théodora devient folle) (Boleslavsky) ; 1937, High Wide and Handsome (La furie de l'or noir) (Mamoulian), The Awful Thruth (Cette sacrée vérité) (Carey), Joy of Living (Quelle joie de vivre) (Garnett) ; 1939, Love Affair (Elle et lui) (McCarey), Invitation to Happiness (Ruggles), When Tomorrow Comes (Veillée d'amour) (Stahl) ; 1940, My Favorite Wife (Mon épouse favorite) (Kanin) ; 1941, Penny Serenade (La chanson du passé) (Stevens), Unfinished Business (La Cava) ; 1942, Lady in a Jam (La Cava) ; 1943, A Guy Named Joe (Un nommé Joé) (Fleming) ; 1944, The White Cliffs of Dover (Les blanches falaises de Douvres) (Brown), Together Again (Coup de foudre) (Vidor) ; 1945, Over 21 (Vidor), Over 21 (Vidor) ; 1946, Anna and the King of Siam (Anna et le roi du Siam) (Cromwell) ; 1947, Life With Father (Mon père et nous) (Curtiz) ; 1948, I Remember Mama (Tendresse) (Stevens) ; 1950, Never a Dull Moment (Mon cow-boy adoré) (Marshall), The Mudlark (Le moineau de la Tamise) (Negulesco) ; 1952, It Grows on Trees (Ça pousse sur les arbres) (Lubin).

A l'origine une brillante chanteuse soprano née à Louisville et qui joua de nombreuses opérettes à Broadway (*Irène, Lollipop, Show-Boat...*). A Hollywood elle interprétera les héroïnes romantiques, faisant verser des torrents de larmes dans *Back Street*. Elle ne dédaignera pas la comédie (*The Awful Truth*) mais ne retrouvera les charmes de l'opérette que dans *Roberta* et *Show-Boat*.

Dunst, Kirsten

Actrice américaine née en 1982.

1999, Dick (Dick) (Fleming) ; 2001, Bring It On (American Girls) (Reed), Crazy/Beautiful (Crazy/Beautiful) (Stockwell), Spider-Man (Spider-Man) (Raimi) ; 2001, The Cat's Meow (Bogdanovich) ; 2002, Mona Lisa Smile (Le sourire de Mona Lisa) (Newell), Spider-Man 2 (Raimi) ; 2004, Eternal Sunshine of the Spotless Mind (Gondry), Wimbledon (La plus belle victoire) (Loncraine) ; 2005, Elizabethtown (Rencontres à Elizabethtown) (Crowe) ; 2006, Marie-Antoinette (Marie-Antoinette) (S. Coppola)

Elle fut longtemps le symbole de la jeune Américaine, jolie et évaporée, avant de devenir une inattendue Marie-Antoinette

Duperey, Anny

Actrice française née en 1947.

1966, Deux ou trois choses que je sais d'elle (Godard) ; 1967, L'homme qui valait des milliards (Boisrond), Histoires extraordinaires (sketch de Vadim) ; 1968, Bye Bye Barbara (Deville) ; 1969, Les femmes (Aurel) ; 1971, Les malheurs d'Alfred (Richard) ; 1972, Pas folle la guêpe (Delannoy) ; 1973, L'oiseau rare (Brialy), Stavisky (Resnais), Sans sommation (Gantillon) ; 1974, Pas de problèmes (Lautner), Le malin plaisir (Toublanc-Michel) ; 1975, Nuit d'or (Moati) ; 1976, Un éléphant ça trompe énormément (Robert), Bobby Deerfield (Pollack) ; 1978, Trocadéro bleu citron (Schock) ; 1979, Da Dunkerque alla vittoria (Milestone) ; 1980, Psy (Broca) ; 1981, Le grand pardon (Arcady), Mille milliards de dollars (Verneuil) ; 1982, Meurtres à domicile (Lobet), Le démon dans l'île (Leroi) ; 1983, Les compères (Veber) ; 1984, La triche (Bellon) ; 1992, Germinal (Berri) ; 1999, Tôt ou tard... (Étienne) ; 2007, Danse avec lui (Guignabodet).

Conservatoire de Rouen et cours Simon. Débuts sous la houlette de Godard mais rapide orientation vers un cinéma plus commercial. Un grand rôle : la compagne de Belmondo dans *Stavisky*. Elle y était très belle. Elle semble avoir piétiné depuis, puis paraît s'être ressaisie dans *Le démon dans l'île* où on la retrouve plus splendide encore qu'à ses débuts. Puis à nouveau elle disparaît des écrans, préférant le théâtre et la littérature. Elle a publié plusieurs livres (*L'admiroir, Le nez de Mazarin,* etc.).

Dupontel, Albert

Acteur et réalisateur français né en 1964.

1988, La bande des quatre (Rivette) ; 1989, Encore (Vecchiali) ; 1992, Chacun pour toi (Ribes) ; 1995, Un héros très discret (Audiard) ; 1996, Bernie (Dupontel) ; 1997, Serial Lover (Huth) ; 1998, Le créateur (Dupontel), Du bleu jusqu'en Amérique (Lévy) ; 1999, La maladie de Sachs (Deville), Les acteurs (Blier) ; 2000, L'origine du monde (J. Enrico) ; 2001, Petite misère (Boon, Brandenburger), Irréversible (Noé) ; 2002, Monique (Guignabodet) ; 2003, Les clefs de la bagnole (Baffie) ; 2004, Le convoyeur (Boukhrief) ; 2006, Avida (Delépine), Fauteuils d'orchestre (Thompson) ; Enfermés dehors (Dupontel), Président (Delplanque) ; 2007, Chrysalis (Leclercq) ; Jacquou le Croquant (Boutonnat), L'ennemi intime (Siri), Odette Toulemonde (Schmitt). *Pour le metteur en scène*, voir le *Dictionnaire du cinéma*, t. I : *Les réalisateurs*.

Il quitte un milieu bourgeois et des études « sérieuses » pour se lancer dans le théâtre. Sur scène, il offre un personnage abrupt, drôle dans le côté « limite » des situations exposées. Au cinéma, il ne fait que passer, jusqu'au moment où il met en scène ses propres films. Si *Bernie*, en dépit d'un côté BD déjantée et violente, est un succès, le plus introspectif *Le créateur* est un bide sans appel. Il est éblouissant, en revanche, dans *Le convoyeur*, récit d'une vengeance, avant de devenir... président de la République dans *Président*.

Duprez, June

Actrice anglaise, 1918-1984.

1936, The Crimson Circle (Denham), The Cardinal (Hill) ; 1939, The Spy in Black (L'espion noir) (Powell), The Four Feathers (Les quatre plumes blanches) (Korda), The Lion Has Wings (Le lion a des ailes) (Powell, Brunel, Hurst) ; 1940, The Thief of Bagdad (Le voleur de Bagdad) (Powel, Berger et Whelan) ; 1941, Don Winslow of the Coast Guard (Taylor), Little Tokyo USA (Brower), They Raid by Night (Bennet) ; 1943, Forever and a Day (Clair, Lloyd, etc.), Tiger Fangs (Newfield) ; 1944, None But the Lonely Heart (Rien qu'un cœur solitaire) (Odets) ; 1945, The Brighton Strangler (Nosseck), And Then There Were None (Les dix petits Indiens) (Clair) ; 1946, Calcutta (Farrow), That Brennan Girl (Santell), 1961, One Plus One (Oboler).

Ravissante brune qui connut son heure de gloire grâce à Korda. Partie tenter sa chance à Hollywood, elle échoua et se maria. Une manière de faire une fin.

Dupuis, Claudine

Actrice française, de son vrai nom Andrée Chaloum, 1924-1991.

1945, François Villon (Zwobada), La ferme du pendu (Dréville) ; 1946, Les atouts de M. Wens (De Meyst), La foire aux chimères (Chenal) ; 1947, Quai des Orfèvres (Clouzot), Cargaison clandestine (Rode), Le fort de la solitude (Vernay) ; 1948, Le crime des justes (Gehret), La maudite (De Meyst) ; 1949, La maison du printemps (Daroy), Il bivio (Brigades volantes) (Cerchio), Gli inesorabili (Mastrocinque) ; 1950, Boîte de nuit (Rode) ; 1951, Les sept péchés capitaux (plusieurs réalisateurs), Sergil chez les filles (Daroy) ; 1952, Tourbillon (Rode), La fille perdue (Gourguet), C'est la vie parisienne (Rode) ; 1954, Les pépées font la loi (André), Ball der Nationen (Ritter) ; 1955, Les pépées au service secret (André), La môme Pigalle (Rode) ; 1956, Béatrice Cenci (Freda) Adorables démons (Cloche) ; 1957, La fille de feu (Rode), Paris clandestin (Kapps), Dossier 1413 (Rode) ; 1958, Los cobardes (Rue de la peur) (Thorry) ; 1959, Visa pour l'enfer (Rode).

Danseuse puis actrice au Grand-Guignol, elle prend vers 1945 la relève de Viviane Romance dans les rôles de vamp. Sa beauté brune, sensuelle et plutôt vulgaire en fait l'héroïne obligée et agréablement déshabillée des films noirs français de série B (Daroy, Rode qui l'épousa, etc.).

Durante, Jimmy

Acteur américain, 1893-1980.

1930, Roadhouse Nights (Henley) ; 1931, Cuban Love Song (Rumba) (Van Dyke), The New Adventures of Get-Rich-Quick Wallingford (Wood) ; 1932, The Wet Parade (Fleming), The Passionate Plumber (Le plombier amoureux) (Sedgwick), The Phantom President (Le président fantôme) (Taurog), Speak Easily (Le professeur) (Sedgwick), Blondie of the Follies (Goulding) ; 1933, Hell Below (Conway), What ! No Beer (Le roi de la bière) (Sedgwick), Meet the Baron (W. Lang), Broadway to Hollywood (Mack) ; 1934, George White's scandals (White), She Learned about Sailors (Les gars de la flotte) (Marshall), Hollywood Party (Dwan), Strictly Dynamite (Nugent), Palooka (Estoloff), Carnival (W. Lang), Student Tour (Riesner) ; 1938, Start Cheering (Rogell), Little Miss Broadway (Cummings), Forbidden Music, Sally, Irene and Mary (Seiter) ; 1940, Melody Ranch (Santley) ; 1941, You're in the Army Now (Seiler), The Man Who Came to Dinner (Keighley) ; 1944, Two Girls and a Sailor (Deux jeunes filles et un marin) (Thorpe), Music for Millions (Koster) ; 1946, Two Sisters from Boston (Koster) ; 1947, This Time for Keeps (Le souvenir de vos lèvres) (Thorpe) ; 1948, On an Island With You (Dans une île avec vous) (Thorpe) ; 1950, The Milkman (Bartom), The Great Rupert (Pichel) ; 1957, Beau James (Shavelson) ; 1960, Pepe (Sidney) ; 1961, Il giudizio universale (Le jugement dernier) (De Sica) ; 1962, Billy Rose's Jumbo (La plus belle fille du monde) (Walters) ; 1963, It's a Mad, Mad, Mad, Mad World (Un monde fou, fou, fou, fou) (Kramer).

Un grand nez, une voix curieuse et un incontestable talent de pianiste, il fut le comique attitré de la MGM, servant de faire-valoir à Buster Keaton (de *The Passionate Plumber* à *What ! No Beer*) ou aux héros des comédies musicales, (Esther Williams), sans être jamais poussé en vedette. Sympathique mais décevant.

Duranti, Doris

Actrice italienne, 1917-1995.

1935, Freccia d'amore (D'Errico) ; 1936, La gondole aux chimères (Genina), Amazzoni bianche (Righelli) ; 1937, Sentinelle di bronzo (Sentinelle de bronze) (Marcellini), Vivere (Brignone) ; 1938, Sotto la croce del sud (Brignone) ; 1939, Diamanti (D'Errico), Cavalleria rusticcena (Palermi), Ricchezza senza domani (Poggioli), E sbarcato un marinaio (Ballerini) ; 1940, La figlia del corsaro verde (La fille du corsaire) (Guazzoni), Il cavaliere di Kruja (Campogalliani) ; 1941, Il re si diverte (Le roi s'amuse) (Bonnard), Tragica notte (Soldati) ; 1942, Capitan Tempesta (Capitaine Tempête) (D'Errico), Il leone di Damasco (D'Errico), Carmela (Calzavara), Calaferia (Calzavara), La contessa di Castiglione (Calzavara) ; 1943, Resurezzione (Resurrection) (Calzavara), Nessuno torna indietro (*en Belgique :* 7 femmes, 7 destins) (Blasetti) ; 1944, Rosalba ; 1950, Estrelade manha (Marquès de Oliveira), Il voto (Bonnard), 1951, Candestino a Trieste (Salvini), I falsari (Rossi) ; 1952, La minute de vérité (Delannoy), A fil di spada (A la pointe de l'épée) (Bragaglia), Tragico ritorno (P.L. Faraldo), Pentimento (Di Gianni), La muta di Portici (Arnoldi), La storia del fornaretto di Venezia (Solito), Papa ti ricordo (Volpe) ; 1953, Vuelo 971 (Salvia), Il bacio dell'aurora (Parolini) ; 1954, François il contrabandiere (Parolini) ; 1955, J Palsari (Police en alerte) (Rossi) ; 1975, Divina creatura (Divine créature) (Patroni-Griffi).

Star de l'époque fasciste, elle survit dans les mémoires pour deux films d'aventures qui firent les délices de la jeunesse dans les années 40.

Durbin, Deanna

Actrice américaine, de son vrai prénom Edna Mae, née en 1922.

1937, Three Smart Girls (Trois jeunes filles à la page) (Koster), One Hundred Men and a Girl (Diana et ses boys) (Koster) ; 1938, Mad About Music (Délicieuse) (Taurog) ; 1939, Three Smart Girls Grow Up (Trois jeunes filles ont grandi) (Koster), First Love (Premier amour) (Koster) ; 1940, It's a Date (Seiter), Spring Parade (Chanson d'avril) (Koster) ; 1941, Nice Girl (Tout à toi) (Seiter), It Started With Eve (Koster) ; 1943, The Amazing Mrs. Holiday (Manning), Hers to Hold (Ryan), His Butler's Sister (La sœur de son valet) (Borzage) ; 1944, Christmas Holiday (Vacances de Noël) (Siodmak), Can't Help Singing (Caravane d'amour) (Ryan) ; 1945, Lady on a Train (Deanna mène l'enquête) (Davis) ; 1946, Because of Him (Wallace) ; 1947, I'll Be Yours (Bonne fée) (Seiter), Something in the Wind (Pichel) ; 1948, Up in Central Park (Seiter) ; 1949, For the Love of Mary (De Corva).

D'origine canadienne, elle est remarquée par un découvreur de talents de la MGM après un tour de chant et débute dans un court métrage avec Judy Garland. Gentille et équilibrée, elle est l'idole des parents à défaut d'être celle des jeunes filles, dans une série de comédies bien sages. Elle aurait souffert de ce personnage très convenable qui lui était imposé par Hollywood mais ne put s'en affranchir.

Duris, Romain

Acteur français né en 1974.

1993, Le péril jeune (Klapisch), Mademoiselle Personne – Jean-Louis Murat a-live (Bailly), Mémoires d'un jeune con (Aurignac) ; 1995, Chacun cherche son chat (Klapisch) ; 1996, Dobermann (Kounen) ; 1997, Gadjo dilo (Gatlif) ; 1998, Déjà mort (Dahan), Les kidnappeurs (Guit), Je suis né d'une cigogne (Gatlif) ; 1999, Peut-être (Klapisch) ; 2001, Being Light (Barr, Arnold), Osmose (Fejtö) ; 2002, L'auberge espagnole (Klapisch), Dix-sept fois Cécile Cassard (Honoré), Filles perdues, cheveux gras (Duty), Shimkent Hotel (de Meaux), Une pure coïncidence (Goupil), Adolphe (Jacquot) ; 2003, CQ (R. Coppola), Le divorce (Ivory), Pas si grave (Rapp) ; 2004, Arsène Lupin (Salomé), Exils (Gatlif) ; 2005, De battre mon cœur s'est arrêté (J. Audiard), Les poupées russes (Klapisch) ; 2006, Dans Paris (Honoré) ; 2007, Molière (Tirard).

L'archétype du loulou parisien branché des années 90, révélé dans les films de Cédric Klapisch : un peu trop porté sur les drogues dans *Le péril jeune*, il est un batteur inconséquent dans *Chacun cherche son chat* puis, assagi, voyage dans le futur dans *Peut-être*. Tony Gatlif exploite son côté « chien fou » dans une autre veine, et il est excellent dans *Gadjo dilo*, où il part à la rencontre des Roms sur les routes de Roumanie. Promotion : il devient Arsène Lupin puis Molière.

Durning, Charles

Acteur américain né en 1923.

1965, Harvey Middleman fireman (Pintoff) ; 1970, Hi, Mom (De Palma), I Walk the Line (Le pays de la violence) (Frankenheimer) ; 1971, The Pursuit of Happiness (Mulligan) ; 1972, Dealings (Williams) ; 1973, Sisters (Sœurs de sang) (De Palma), The Sting (L'arnaque) (Roy Hill) ; 1974, Front Page (Spéciale première) (Wilder) ; 1975, Dog Day Afternoon (Un après-midi de chien) (Lumet), Hindenburg (L'odyssée du Hindenburg) (Wise) ; 1976, Harry and Walter go to New York (Deux farfelus à New York) (Rydell), Breakheart Pass (Le solitaire de Fort Humboldt) (Gries) ; 1977, Twilight's Last Gleaming (L'ultimatum des trois mercenaires) (Aldrich), Choir Boys (Bande de flics) (Aldrich) ; 1978, Greek Tycoon (L'empire du Grec) (Lee-Thompson), An Enemy of the People (Schaefer) ; 1979, Tilt (Durand), The Fury (Furie) (De Palma), The Muppet Movie (Les Muppets, ça c'est du cinéma !) (Frawley), When a Sranger Calls (Terreur sur la ligne) (Walton), North Dallas Forty

(Kotcheff) ; 1980, The Final Countdown (Nimitz, retour vers l'enfer) (Don Taylor), Starting Over (Merci d'avoir été ma femme) (Pakula), Die Laughing (Werner) ; 1981, Sharky's Machine (L'antigang) (Reynolds), True Confessions (Sanglantes confessions) (Grosbard) ; 1982, Deadhead Miles (Zimmerman) ; 1983, Tootsie (Tootsie) (Pollack) ; 1984, Mass Appeal (Prêchi-Prêcha) (Jordan), To Be or Not to Be (To Be or Not to Be) (Johnson), The Best Little Whorehouse in Texas (La cage aux poules) (Higgins), Two of a Kind (Seconde chance) (Herzfeld) ; 1985, The Man With One Red Shoe (Dragoti), Stand Alone (Beatty), Stick (Le justicier de Miami) (Reynolds) ; 1986, Big trouble (Cassavetes), Solarbabies (Johnson), Where The River Runs Black (Cain) ; 1987, Tough Guys (Coup double) (Kanew), Tiger's Tale (Douglas), Happy New Year (Avildsen), Cop (Cop) (Harris) ; 1988, Far North (Shepard) ; 1989, The Rosary Murders (Confession criminelle) (Walton), Etoile (Del Monte), Cat Chaser (Ferrara) ; 1990, Dick Tracy (Dick Tracy) (Beatty), Project : Alien (Shields) ; 1991, V.I. Warshawski (V.I. Warshawski, un privé en escarpins) (Kanew), Dreamers (Lyons) ; 1992, Brenda Starr (R.E. Miller) ; 1993, The Music of Chance (La musique du hasard) (Haas) ; 1994, The Hudsucker Proxy (Le grand saut) (Coen), Roommates (Yates), I.Q. (L'amour en équation) (Schepisi) ; 1995, The Last Supper (L'ultime souper) (Title), The Grass Harp (Ch. Matthau), Home for the Holidays (Week-end en famille) (Foster), Spy Hard (Agent zéro zéro) (Friedberg) ; 1996, One Fine Day (Un beau jour) (Hoffman), The Secret Life of Algernon (Jarrott) ; 1997, Jerry and Tom (Rubinek), Shelter (Paulin) ; 1998, Hi-Life (Hedden) ; 1999, Hunt for the Devil (B.J. Davis), O Brother, Where Art Thou ? (O'Brother) (Coen) ; 2000, Never Look Back (Tristano), The Last Producer (Reynolds), State and Maine (Séquences et conséquences) (Mamet), Very Mean Men (Vitale), Lakeboat (Mantegna), Turn of Faith (Jarrott), The Confidence Game (Chilsen, Foreman), Bombshell (Dear).

Service militaire en Corée puis American Academy of Dramatic Arts de New York. Découragé, il abandonne le métier d'acteur pour devenir chauffeur de taxi, barman et ne renoue avec le monde du spectacle qu'en 1962. Il joue avec succès du Shakespeare. Le cinéma découvre ce personnage un peu rougeaud, un peu ventripotent, excellent pour incarner les classes moyennes. Il devient presque une vedette. Mais il sert plutôt de faire-valoir à Hoffman dans *Tootsie* et à Reynolds dans *La cage aux poules*. Typiquement américain. Trop peut-être.

Duryea, Dan

Acteur américain, 1907-1968.

1941, The Little Foxes (La vipère) (Wyler), Ball of Fire (Boule de feu) (Hawks) ; 1942, The Pride of the Yankees (Vainqueur du destin) (Wood), That Other Woman (Ray McCarey) ; 1943, Sahara (Korda) ; 1944, Man from Frisco (Florey), Mrs. Parkington (Madame Parkington) (Garnett), None but the Lonely Heart (Rien qu'un cœur solitaire) (Odets), Ministry of Fear (Espions sur la Tamise) (Lang), The Woman in the Window (La femme au portrait) (Lang), Main Street After Dark (Cahn) ; 1945, Valley of the Decision (La vallée du jugement) (Garnett), The Great Flammarion (Mann), Scarlet Street (La rue rouge) (Lang), Along Came Jones (Le grand Bill) (Heisler) ; 1946, Black Angel (L'ange noir) (Neill), White Tie and Tails (Barton) ; 1948, Black Bart (Sherman), Another Part of the Forest (Gordon), River Lady (Sherman), Larceny (Sherman) ; 1949, Criss Cross (Pour toi j'ai tué) (Siodmak), Too Late for Tears (La tigresse) (Haskin), Johnny Stool Pigeon (Castle), Manhandled (L'homme au chewing-gum) (Foster) ; 1950, One Way Street (L'impasse maudite) (Fregonese), The Underworld Story (Endfield), Winchester 73 (Mann) ; 1951, Al Jennings of Oklahoma (Nazarro), Chicago Calling (Reinhardt) ; 1953, Thunder Bay (Le port des passions) (Mann), Sky Commando (Sears) ; 1954, World for Ransom (Alerte à Singapour) (Aldrich), Ride Clear of Diabolo (Chevauchée avec le diable) (Hibbs), Rails Into Laramie (Seul contre tous) (Hibbs), This Is My Love (Heisler), Silver Lode (Quatre étranges cavaliers) (Dwan) ; 1955, The Marauders (Mayer), Foxfire (La muraille d'or) (Pevney) ; 1956, Storm Fear (Wilde), Battle Hymn (Les ailes de l'espérance) (Sirk) ; 1957, The Burglar (Le cambrioleur) (Wendkos), Night Passage (Le survivant des monts lointains) (Neilson), Slaughter on Ten^th^ Avenue (Meurtres sur la 10e avenue) (Laven) ; 1958, Kathy O' (Sher) ; 1960, Platinum High School (Haas) ; 1962, Six Black Horses (Six chevaux dans la plaine) (Keller) ; 1964, He Rides Tall (La valse des colts) (Springsteen), Walk a Tightrope (Frank Nesbitt), Taggart (Cinq mille dollars mort ou vif) (Springsteen) ; 1965, The Bounty Killer (Chasseur de primes) (Bennett), Flight of the Phoenix (Le vol du Phoenix) (Aldrich) ; 1966, Incident at Phantom Hill (Sans foi ni loi) (Bellamy), Un fiume di dollari (Du sang dans la montagne) (Lizzani, Beaver) ; 1967, Five Golden Dragons (Summers), Stranger on the

Run (Siegel) ; 1968, The Bamboo Saucer (Telford).

Type même du « heavy », du méchant américain. Cet ancien élève de la Cornell University, révélé par sa création à Broadway de *The Little Foxes*, fut l'adversaire de Lancaster dans *Criss Cross*, de Robinson dans *The Woman in the Window* et d'Audy Murphy dans de nombreux westerns de série Z. Une brochette de gangsters et de bandits de l'Ouest assez impressionnante avec des personnages parfois inattendus comme le tueur de *Chasseur de primes*. Il fut à coup sûr l'une des plus belles « gueules » de Hollywood et l'archétype du vilain.

Duse, Eleonora

Actrice italienne, 1858-1924.

1916, Cenere (Cendres) (Mari).

La plus célèbre actrice de tous les temps, l'égérie de Gabriele D'Annunzio, n'a joué que dans un film. Difficile de la juger sur cette unique prestation dont l'intérêt est purement documentaire.

Dussollier, André

Acteur français né en 1946.

1970, Ils (Simon) ; 1972, Une belle fille comme moi (Truffaut) ; 1973, Toute une vie (Lelouch) ; 1975, Un divorce heureux (Carlsen), Il pleut sur Santiago (Soto) ; 1976, Le couple témoin (Klein), Ben et Benedict (Delsol), Marie Poupée (Séria), Alice ou la dernière fugue (Chabrol) ; 1978, Perceval le Gallois (Rohmer) ; 1979, Extérieur nuit (Bral) ; 1980, La triple mort du troisième personnage (Soto), Paradis provisoire (Andras) ; 1981, Les filles de Grenoble (Lemoigne) ; 1982, La vie est un roman (Resnais), Qu'est-ce qui fait courir David ? (Chouraqui), Le beau mariage (Rohmer) ; 1983, Frontières (de Winter), Liberty Bell (Kane) ; 1984, L'amour par terre (Rivette), L'amour à mort (Resnais), Stress (Bertucelli), Just the Way you Are (Molinaro) ; 1985, Trois hommes et un couffin (Serreau), Les enfants (Duras) ; 1986, Yiddish Connection (Boujenah), Mélo (Resnais), États d'âme (Fansten) ; 1987, De sable et de sang (Labrune) ; 1988, Mon ami le traître (Giovanni), Fréquence meurtre (Rappeneau), L'enfance de l'art (Girod) ; 1990, La femme fardée (Pinheiro), Sushi sushi (Perrin), Borderline (Dubroux) ; 1991, Un cœur en hiver (Sautet) ; 1992, La petite apocalypse (Costa-Gavras), Belij Korol (Roi blanc, dame rouge) (Bodrov) ; 1993, Aux petits bonheurs (Deville), Les marmottes (Chouraqui), Le colonel Chabert (Angelo) ; 1994, Montparnasse-Pondichery (Yves Robert) ; 1995, Il Romanzo di un giovane povero (Le roman d'un jeune homme pauvre) (Scola) ; 1996, Quadrille (Lemercier), Un air si pur... (Angelo) ; 1997, On connaît la chanson (Resnais), Voleur de vie (Angelo) ; 1998, Les enfants du marais (Becker), Augustin, roi du kung-fu (Fontaine) ; 1999, Scènes de crimes (L. Schoendoerffer), Les acteurs (Blier) ; 2000, Aïe (Fillières), Vidocq, la dernière aventure (Titof), Un crime au paradis (Becker), La chambre des officiers (Dupeyron) ; 2003, Effroyables jardins (Becker), Tais-toi ! (Veber), Dix-huit ans après (Serreau), Pas sur la bouche (Resnais) ; 2004, Agents secrets (L. Schoendoerffer), 36, quai des Orfèvres (Marchal), Un long dimanche de fiançailles (Jeunet) ; 2005, Lemming (Moll), Mon petit doigt m'a dit (Thomas) ; 2006, Un ticket pour l'espace (Lartigau), Ne le dis à personne (Canet), Cœurs (Resnais) ; 2007, Le mas des Alouettes (Taviani), Ma place au soleil (Montalier).

Fortes études classiques à Grenoble ; cours de l'excellent acteur Jean-Laurent Cochet ; Conservatoire avec un premier prix à la sortie et entrée immédiate à la Comédie-Française. Sa filmographie témoigne de la part de ce séduisant acteur de beaucoup d'ambition ; à une ou deux exceptions près, il s'agit d'œuvres difficiles et visant un public restreint. Dussollier a davantage gagné sa célébrité grâce à la scène. *Trois hommes et un couffin* ont relancé sa carrière. Il est l'un des trois pères improvisés et éclipse ses partenaires. Excellent dans *Le colonel Chabert* et dans *Quadrille,* deux remakes où il fait oublier les deux interprètes précédents, il est éblouissant dans l'étonnant *On connaît la chanson* de Resnais. On le retrouve chez Resnais, toujours aussi séduisant, dans *Cœurs*, après quelques « polars » dont *36, quai des Orfèvres*.

Duthilleul, Laure

Actrice et réalisatrice française née en 1959.

1979, Très insuffisant (Bérard) ; 1981, Les matous sont romantiques (Sotha), Diva (Beineix) ; 1982, A toute allure (Kramer) ; 1983, Le jeune marié (Stora), Le destin de Juliette (Isserman), Que les gros salaires lèvent le doigt (D. Granier-Deferre), Qu'est-ce qu'on attend pour être heureux ? (Serreau) ; 1984, Le matelot 512 (Allio) ; 1985, Le thé au harem d'Archimède (Charef) ; 1986, L'île aux oiseaux (Larcher) ; 1987, Le bonheur se porte large (Metayer) ; 1989, Peaux de vaches (Mazuy) ; 1991, Au pays des Juliets (Charef) ; 1994,... à la campagne (Poirier) ; 1995, Sortez des rangs (Robert) ; 1996, Walk the Walk

(Kramer) ; 2001, Le fossé des générations est un lit douillet (Bardinet) ; 2001, Les âmes câlines (Bardinet) ; 2005, L'un reste, l'autre part (Berri) ; 2006, Les fragments d'Antonin (Le Bomin). *Comme réalisatrice :* A ce soir (2005).

Peu connue hors des cinéphiles, elle sait, par ses rôles, rendre touchantes des femmes un peu rustres, souvent malmenées par la vie, à l'image de son rôle de détenue en permission dans *Au pays des Juliets*, très joli film de Mehdi Charef.

Dutronc, Jacques

Acteur et chanteur français né en 1943.

1973, Antoine et Sébastien (Périer), OK Patron (Vidal) ; 1974, L'important c'est d'aimer (Zulawski) ; 1975, Le bon et les méchants (Lelouch) ; 1976, Mado (Sautet), Si c'était à refaire (Lelouch), Violette et François (Rouffio) ; 1977, L'état sauvage (Girod), Sale rêveur (Périer), Le point de mire (Tramont) ; 1978, Retour à la bien-aimée (Adam) ; 1979, A nous deux (Lelouch), Le mors aux dents (Heynemann), Le mouton noir (Moscardo) ; 1980, L'entourloupe (Pirès), Sauve qui peut (la vie) (Godard), Malevil (Chalonge), Rends-moi la clef (Pirès) ; 1981, L'ombre rouge (Comolli) ; 1982, Y a-t-il un Français dans la salle ? (Mocky) ; 1983, Sarah (Dugowson), Une jeunesse (Misrahi) ; 1984, Tricheurs (Schroeder) ; 1989, Mes nuits sont plus belles que vos jours (Zulawski), Chambre à part (Cukier) ; 1991, Van Gogh (Pialat), Toutes peines confondues (Deville) ; 1995, Le maître des éléphants (Grandperret) ; 1996, Les victimes (Grandperret) ; 1997, Place Vendôme (Garcia) ; 2000, Merci pour le chocolat (Chabrol) ; 2001, C'est la vie (Améris) ; 2002, Embrassez qui vous voudrez (Blanc) ; 2004, Pédale dure (Aghion) ; 2007, Ma place au soleil (de Montalier).

Venu des arts décoratifs, joueur de guitare, perdu dans des groupes comme Les Cyclones ou les Fantômes, il compose des chansons pour Françoise Hardy qu'il épousera. Il chante lui-même. Puis il délaisse un temps la chanson pour le cinéma. C'est une révélation. Ses personnages tendres ou cyniques lui valent une grande popularité. Son interprétation de Van Gogh lui vaut même un césar en 1992. Ses compositions dans *Victimes* et *Place Vendôme* confirment son immense talent.

Duval, Daniel

Acteur et réalisateur français né en 1944.

1970, La décharge/La ville bidon (Baratier) ; 1974, Le voyage d'Amélie (Duval), Que la fête commence (Tavernier) ; 1976, Ben et Benedict (Delsol) ; 1977, Va voir maman, papa travaille (Leterrier) ; 1979, La dérobade (Duval) ; 1980, Le bar du téléphone (Barrois) ; 1981, L'amour trop fort (Duval) ; 1983, Le juge (Lefebvre) ; 1984, Un été d'enfer (Schock) ; 1985, Les loups entre eux (Giovanni) ; 1989, Stan the flasher (Gainsbourg) ; 1992, Néfertiti (Gilles) ; 1995, Y aura-t-il de la neige à Noël ? (Veysset) ; 1996, Love, etc. (Vernoux) ; 1997, J'irai au paradis car l'enfer est ici (Durringer), Ça ne se refuse pas (Woreth), Je ne vois pas ce qu'on me trouve (Vincent) ; 1998, Si je t'aime... prends garde à toi (Labrune), Le vent de la nuit (Garrel) ; 2002, Total Kheops (Beverini) ; 2003, Le temps des loups (Haneke) ; 2004, Process (Leigh), 36, quai des Orfèvres (Marchal) ; 2005, Caché (Haneke), Le temps qui reste (Ozon) ; 2006, C'est beau une ville la nuit (Bohringer) ; 2007, Jean de La Fontaine (Vigne). *Pour le metteur en scène*, voir le *Dictionnaire du cinéma*, t. I : *Les réalisateurs*.

Réalisateur de télévision, il vient au cinéma comme metteur en scène mais aussi comme acteur. Il est excellent dans *Le bar du téléphone*. Puis il sembla un temps confondre la vie et le cinéma, jouant dans la réalité ses personnages de l'écran, ce qui lui valut des ennuis.

Duvaleix, Christian

Acteur français, 1923-1979.

1941, Premier rendez-vous (Decoin) ; 1947, Le bâton (Gibaud) ; 1948, Docteur Laënnec (Cloche) ; 1949, Les Branquignols (Dhéry), Nous irons à Paris (Boyer) ; 1950, Le roi du bla-bla-bla (Labro) ; 1952, Au diable la vertu (Laviron), La tournée des grands-ducs (Pellenc), La route du bonheur (Labro) ; 1953, Les corsaires du bois de Boulogne (Carbonnaux) ; 1955, Sourire aux lèvres (Sautet) ; 1956, A la Jamaïque (Berthomieu), Mademoiselle et son gang (Boyer) ; 1957, Comme un cheveu sur la soupe (Regamey), C'est arrivé à trente-six chandelles (Diamant-Berger), La Tour prends garde (Lampin) ; 1958, La vie à deux (Duhour) ; 1960, Un couple (Mocky) ; 1961, La belle américaine (Dhéry) ; 1963, Paris when it Sizzles (Deux têtes folles) (Quine) ; 1969, Solo (Mocky) ; 1970, Les promesses de l'aube (Dassin) ; 1974, Vos gueules les mouettes ! (Dhéry), Un linceul n'a pas de poches (Mocky) ; 1977, La vie parisienne (Christian-Jaque).

Fils d'Albert Duvaleix (*Signe illisible, Adrien, Les Branquignols, La poison, Si Versailles m'était conté, Eléna et les hommes...*), il a continué la tradition familiale d'un comique non dépourvu de finesse. Né en Tunisie, il débuta au music-hall comme l'un des trois « Socketts » avec Robert Dhéry et Jacques Emmanuel. Cabaret, radio, théâtre, il fit partie de la troupe des Branquignols. Pas de grands films mais d'agréables comédies.

Duvall, Robert

Acteur et réalisateur américain né en 1931.

1962, To Kill a Mockingbird (Du silence et des ombres) (Mulligan) ; 1963, Captain Newman M.D. (Le combat du capitaine Newman) (Miller) ; 1964, Nightmare in the Sun (Tendre garce) (Lawrence) ; 1966, The Chase (La poursuite infernale) (Penn), Countdown (Altman), The Detective (Le détective) (Douglas), Bullitt (Yates) ; 1969, True Grit (Cent dollars pour un shérif) (Hathaway), The Rain People (Les gens de la pluie) (Coppola) ; 1970, Mash (Altman), The Revolutionary (Le révolutionnaire) (Williams) ; 1971, Lawman (L'homme de la loi) (Winner) ; THX 1138 (Lucas) ; 1972, The Godfather (Le parrain) (Coppola), The Great Northfield Minnesota Raid (La légende de Jesse James) (Kaufman), Joe Kidd (Sturges), Tomorrow (Tomorrow) (Anthony) ; 1973, Badge 373 (Police Connection) (Koch), Lady Ice (Gries), The Outfit (Échec à l'organisation) (Flynn) ; 1974, The Conversation (Conversation secrète) (Coppola), The Godfather II (Le Parrain 2) (Coppola) ; 1975, Breakout (L'évadé) (Gries), Killer Elite (Tueur d'élite) (Peckinpah) ; 1976, The Seven Per-Cent Solution (Sherlock Holmes attaque l'Orient-Express) (Ross), Network (Main basse sur la T.V.) (Lumet) ; 1977, The Greatest (Gries), The Eagle Has Landed (L'aigle s'est envolé) (Sturges) ; 1978, The Betsy (Betsy) (Petrie), Invasion of the Body Snatchers (L'invasion des profanateurs) (Kaufman) ; 1979, Apocalypse Now (Apocalyspe Now) (Coppola), The Great Santini (Carlino) ; 1981, True Confessions (Sanglantes confessions) (Grosbard), Pursuit of D.B. Cooper (200 000 dollars en cavale) (Spottiswoode) ; 1983, Tender Mercies (Tendre bonheur) (Beresford), The Natural (Le meilleur) (Levinson), The Terry Fox Story (Thomas) ; 1984, Stone Boy (Cain) ; 1985, The Lightship (Le bateau phare) (Skolimowski) ; 1986, Belizaire the Cajun (Pitre) ; 1987, Hotel colonial (Torrini), Let's get Harry (Six hommes pour sauver Harry) (Smithee), Tango Bayle nuestro (Zanada) ; 1988, Colors (Colors) (Hopper) ; 1989, A Handmaid Tale (La servante écarlate) (Schlöndorff) ; 1990, A Show of Force (Barreto), Days of Thunder (Jours de tonnerre) (T. Scott) ; 1991, Convicts (Masterson), Rambling Rose (Rambling Rose) (Coolidge) ; 1992, Newsies (Ortega), The Plague (La peste) (Puenzo), Falling Down (Chute libre) (Schumacher) ; 1993, Wrestling Ernest Hemingway (Haines), Geronimo (Geronimo) (Hill) ; 1994, The Paper (Le journal) (Howard), The Stars Fell on Henrietta (Keach), The Scarlet Letter (Les amants du Nouveau Monde) (Joffé) ; 1995, Something to Talk About (Amour et mensonges) (Hallström), A Family Thing (Pearce), Phenomenon (Phénomène) (Turteltaub) ; 1996, Sling Blade (Sling Blade) (Thornton), The Apostle (Le prédicateur) (Duvall) ; 1997, Deep Impact (Deep Impact) (Leder), The Gingerbread Man (The Gingerbread Man) (Altman) ; 1998, A Civil Action (Zaillian) ; 1999, Gone in Sixty Seconds (60 secondes chrono) (Sena) ; 2000, The 6th Day (A l'aube du sixième jour) (Spottiswoode), A Shot at Glory (Corrente) ; 2001, John Q (N. Cassavetes) ; 2003, Open Range (Open Range) (Costner) ; 2004, Assassination Tango (Assassination Tango) (Duvall), Secondhands Lions (Le secret des frères McCann) (McCanlies) ; 2006, Thank You for Smoking (Reitman) ; 2007, Bee Movie (Smith et Hickner), Lucky You (Lucky You) (Hanson). *Pour le metteur en scène*, voir le *Dictionnaire du cinéma*, t. I : *Les réalisateurs.*

Excellent acteur de composition dans la grande tradition américaine. A force de remarquer sa calvitie naissante et ses yeux enfoncés dans une suite de très bons films (surtout des thrillers), on finit par le considérer comme une vedette. Mais il n'avait pas fini de nous surprendre. Il réalisa un documentaire *We're Not the Jet Set* en 1974, puis, en 1983, *Angelo My Love*, qu'il vint présenter à Cannes et où il engloutit ses économies. Un film inattendu par l'émotion qu'il contient, de la part d'un acteur que l'on voit toujours en avocat glacé ou en gangster impitoyable. Oscar pour *Tender Mercies.*

Duvall, Shelley

Actrice américaine née en 1949.

1970, Brewster McCloud (Brewster McCloud) (Altman) ; 1971, McCabe and Mrs. Miller (John McCabe) (Altman) ; 1974, Thieves Like Us (Nous sommes tous des voleurs) (Altman) ; 1975, Nashville (Nashville) (Altman) ; 1977, Annie Hall (Annie Hall) (Allen), Three Women (Trois femmes) (Altman) ; 1980, The Shining (Shining) (Kubrick), Popeye (Popeye) (Altman) ; 1981, Time Bandits (Bandits, bandits) (Gilliam) ; 1984, Frankenweenie (m.m., Burton) ; 1987, Roxanne (Roxanne) (Schepisi) ; 1990, Suburban Commando (Kennedy) ; 1995, The Underneath (A fleur de peau) (Soderbergh) ; 1996, Portrait of a Lady (Portrait de femme) (Campion), Changing Habits (Roth), Rocket Man (Gillard) ; 1997, The Twilight of the Ice Nymphs (Maddin), Home Fries (Parisot), Talos the Mummy (Mulcahy) ; 1998, The 4th Floor (Le 4e étage) (Klausner).

Interprète favorite d'Altman qui la remarqua sur un plateau où elle accompagnait un ami. Maigre, les yeux exorbités, elle manque de sex-appeal, mais se révèle bonne comédienne au point de remporter un prix d'interprétation féminine à Cannes pour *Three Women*. Elle fut dans *Popeye* une hallucinante Olive fidèle au dessin de Segar. Si elle grossissait, elle ferait une extraordinaire tante Pim dans un *Pim, Pam, Poum*.

Duvallès, Frédéric

Acteur français, de son vrai nom Coffinières, 1894-1971.

1931, Paris-Méditerranée (May) ; 1932, La merveilleuse journée (Mirande) ; 1933, Tout pour rien (Pujol), L'héritier du bal Tabarin (Kemm), Chourinette (Hugon) ; 1934, Train de plaisir (Joannon) ; 1935, Dora Nelson (Guissart), Et moi j'te dis qu'elle t'a fait de l'œil (Forrester) ; 1936, Le roi (Colombier), La dame de Vittel (Goupillières) ; 1937, La belle de Montparnasse (Cammage) ; 1938, Les cinq sous de Lavarède (Cammage), Une de la cavalerie (Cammage), Tricoche et Cacolet (Colombier), Les gaietés de l'exposition (Hajos), Vacances payées (Cammage) ; 1943, Donne-moi tes yeux (Guitry) ; 1946, Monsieur Chasse (W. Rozier) ; 1948, Une femme par jour (Boyer), Trois marins dans un couvent (Couzinet) ; 1949, Le trésor des Pieds nickelés (Aboulker) ; 1950, Et moi j'te dis qu'elle t'a fait de l'œil (Gleize) ; Le gang des traction-arrière (Loubignac), Coq en pâte (Tavano), Folie douce (Paulin), Le tampon du capiston (Labro) ; 1951, Le passage de Vénus (Gleize) ; 1952, Le chéri de sa concierge (Jayet), Allô, je t'aime (Berthomieu) ; 1953, Piédalu député (Loubignac) ; 1955, Élena et les hommes (Renoir) ; 1957, A la Jamaïque (Berthomieu) ; 1958, Ni vu ni connu (Robert) ; 1961, La chambre ardente (Duvivier) ; 1963, La casta Suszana (La chaste Suzanne) (Amadori).

Petit, nerveux, inépuisable, changeant de tenue à tout propos, il fut l'acteur parfait de vaudeville et volait presque la vedette à Fernandel dans *Tricoche et Cacolet*.

Dux, Pierre

Acteur français, de son vrai nom Pierre Martin Vargas, 1908-1990.

1933, Le mariage de Mlle Beulemans (Choux) ; 1934, Le monde où l'on s'ennuie (Marguenat) ; 1935, Marie des angoisses (Bernheim), La marmaille (Bernard-Deschamps) ; 1938, Retour à l'aube (Decoin) ; 1941, Dernière aventure (Péguy) ; 1943, La Malibran (Guitry) ; 1945, Patrie (Daquin) ; 1946, Les Chouans (Calef), L'affaire du collier de la reine (L'Herbier) ; 1947, Les dernières vacances (Leenhardt), Monsieur Vincent (Cloche) ; 1948, Jean de la lune (Achard), Docteur Laënnec (Cloche) ; 1949, La valse de Paris (Achard) ; 1950, Ombre et lumière (Calef) ; 1951, Gibier de potence (Richebé), Lettre ouverte à un mari (Richebé) ; 1954, Poisson d'avril (Grangier) ; 1955, Les grandes manœuvres (Clair), Si Paris nous était conté (Guitry), Sophie et le crime (Gaspard-Huit), Rencontre à Paris (Lampin) ; 1957, Le gorille vous salue bien (Borderie) ; 1958, Les vignes du seigneur (Boyer) ; 1960, Aimez-vous Brahms ? (Litvak), La verte moisson (Villiers) ; 1961, Les croulants se portent bien (Boyer), Amours célèbres (Boisrond) ; 1962, Le jour et l'heure (Clément), Patate (Thomas) ; 1967, Paris brûle-t-il ? (Clément) ; 1969, Z (Costa-Gavras), La main (Glaeser) ; 1970, La horse (Granier-Deferre) ; 1975, Section spéciale (Costa-Gavras) ; 1980, Trois hommes à abattre (Deray) ; 1981, Plein Sud (Beraud), La vie continue (Mizrahi) ; 1988, La lectrice (Deville) ; 1991, Plaisir d'amour (Kaplan).

Fils d'une sociétaire de la Comédie-Française, pensionnaire lui-même puis sociétaire et administrateur de la Comédie-Française, professeur au Conservatoire, conseiller économique et social, membre de l'Académie des beaux-arts... on ne le conçoit qu'en notable, la rosette de la Légion d'honneur à la boutonnière. C'est d'ailleurs dans ce registre qu'il trouve ses meilleurs rôles : il est un procureur de la République surtout soucieux d'esquiver ses responsabilités dans *Section spéciale* après avoir été le chancelier Séguier dans *Monsieur Vincent*. Petite énigme : ses scènes semblent avoir été coupées dans *La Malibran*.

Dvorak, Ann

Actrice américaine, de son vrai nom Anna McKim, 1911-1979.

1916, Ramona ; 1929, The Hollywood Revue of 1929 (Reisner) ; 1930, Free and Easy (Le metteur en scène) (Sedgwick) ; Love in the Rough (Riesener), Way Out West (Niblo), Lord Byron of Broadway (Beaumont) ; 1931, Son of India (Feyder), Susan Lenox (Courtisane) (Leonard), The Guardsman (Franklin), Just a Gigolo (Conway), Politics (Riesener), This Modern Age (Grinde), Dance, Fools, Dance (La pente) (Beaumont) ;

1932, Sky Devils (Sutherland), The Crowd Roars (La foule hurle) (Hawks), The Strange Love of Molly Louvain (Curtiz), Scarface (Scarface) (Hawks), Three on a Match (LeRoy), Crooner (Bacon), Stranger in Town (Kenton), Love Is a Racket (Wellman) ; 1933, College Coach (Wellman), The Way To Love (Taurog) ; 1934, Massacre (Massacre) (Crosland), Side Streets (Green), Midnight Alibi (Crosland), Friends of Mr. Sweeney (Ludwig), Housewife (Green), Murder in the Clouds (Lederman), I Sell Anything (Florey), Gentlemen Are Born (Green) ; 1935, G-Men (Hors-la-loi) (Keighley), Sweet Music (Green), Bright Lights (Dans le décor) (Berkeley), Folies-Bergère (Del Ruth), Dr. Socrates (Docteur Socrate) (Dieterle), Thanks a Million (Votez pour moi) (Del Ruth) ; 1936, We Who Are About to Die (Cabanne) ; 1937, Racing Lady (Fox), Midnight Court (McDonald), Manhattan Merry Go-Round (Riesner), The Case of the Stuttering Bishop (Clemens), She's No Lady (Vidor) ; 1938, Merrily We Live (McLeod), Gangs of New York (Ruze) ; 1939, Blind Alley (L'étrange rêve) (Vidor), Café Hostess (Salkow), Stronger than Desire (Fenton) ; 1940, Street of Missing Man (Salkow), Girls of the Road (Grinde) ; 1942, Don Wislow of the Navy (Beebe et Taylor), There's a Future in It (Fenton) ; 1945, Flame of the Barbary Coast (Kane), Abilene Town (Marin), Masquerade in Mexico (Leisen) ; 1946, The Bachelor's Daughter (Stone) ; 1947, The Long Night (Litvak), The Private Affairs of Bel Ami (Lewin), Out of the Blue (Jason) ; 1948, The Walls of Jericho (Stahl) ; 1950, A Life of Her Own (Cukor), The Return of Jesse James (Hilton), Our Very Own (Miller), Mrs O'Malley and Mr Malone (Taurog) ; 1951, The Secret of Convict Lake (Gordon), I Was an American Spy (Selander).

Fille de l'actrice Anna Lehr, cette brune devenue blonde par la suite fit une brillante démonstration de son talent dans *Scarface* où Paul Muni lui portait un amour incestueux. Mais elle ne tint pas ses promesses. Elle fut probablement desservie par son physique un peu irrégulier et surtout par son conflit avec les frères Warner qui refusaient de la distribuer dans les rôles qu'elle demandait. Elle conserva jusqu'au bout la vedette ou l'un des premiers rôles, mais dans des œuvres mineures.

Dynam, Jacques

Acteur français, 1923-2004.

1938, Avec l'amour au cœur (Roland) ; 1941, La symphonie fantastique (Christian-Jaque) ; 1942, L'ange de la nuit (Berthomieu) ; 1943, La boîte aux rêves (Y. Allégret), Les petites du quai aux fleurs (M. Allégret) ; 1944, Lunegarde (M. Allégret) ; 1945, Le couple idéal (Bernard-Roland), Les démons de l'aube (Y. Allégret), Seul dans la nuit (Stengel) ; 1946, Fantômas (Sacha) ; 1947, Le diamant de cent sous (Daniel-Norman), Figure de proue (Stengel) ; 1948, Manon (Clouzot), Barry (Pottier), Docteur Laënnec (Cloche), Toute la famille était là (Marguenat) ; 1949, Le furet (Leboursier), L'invité du mardi (Deval), Le jugement de Dieu (Bernard), Millionnaires d'un jour (Hunebelle), Vient de paraître (Houssin), Amour et Cie (Grangier), La valse de Paris (Achard) ; 1950, Les femmes sont folles (Grangier), Ma pomme (Sauvajon), Mon phoque et elles (Billon), La passante (Calef), Sans laisser d'adresse (Le Chanois), La vie est un jeu (Leboursier) ; 1951, Les amants maudits (W. Rozier), Ma femme est formidable (Hunebelle), Descendez, on vous demande (Laviron), Duel à Dakar (Orval et Combret), La nuit est mon royaume (Lacombe), Massacre en dentelles (Hunebelle) ; 1952, Allô... je t'aime ! (Berthomieu), Les amours finissent à l'aube (Calef), La jeune folle (Y. Allégret), Légère et court-vêtue (Laviron), Mon mari est merveilleux (Hunebelle) ; 1953, Le collège en folie (Lepage), Le secret d'Hélène Marimon (Calef), Mam'zelle Nitouche (Y. Allégret), Quai des blondes (Cadéac) ; 1954, Cadet-Rousselle (Hunebelle), Pas de souris dans le bizness (Lepage), Le port du désir (Greville), Votre dévoué Blake (Laviron) ; 1955, A la manière de Sherlock Holmes (Lepage), L'impossible Monsieur Pipelet (Hunebelle), La Madelon (Boyer), On déménage le colonel (Labro), Pas de pitié pour les caves (Lepage) ; 1956, L'auberge en folie (Chevalier), C'est une fille de Paname (Lepage), Crime et châtiment (Lampin), Vacances explosives (Stengel), Que les hommes sont bêtes (Richebé), La polka des menottes (André) ; 1957, Marchands de filles (Cloche), Les femmes sont marrantes (Hunebelle), Le souffle du désir (Lepage) ; 1958, Le gendarme de Champignol (Bastia), Jeux dangereux (Chenal), Prisons de femmes (Cloche), Taxi, roulotte et corrida (Hunebelle) ; 1960, Les moutons de Panurge (Girault) ; 1961, Le comte de Monte-Cristo (Autant-Lara), Seul... à corps perdu (Maley) ; 1963, Carambolages (Bluwal), Cherchez l'idole (Boisrond), Coup de bambou (Boyer), Maigret voit rouge (Grangier), Une ravissante idiote (Molinaro) ; 1964, La chasse à l'homme (Molinaro), Compartiment tueurs (Costa-Gavras), Fantômas (Hunebelle), Une souris chez les hommes (Poitrenaud), Un monsieur de compagnie (Broca) ; 1965, Fantômas se déchaîne (Hunebelle), Un milliard dans un billard (Gessner) ; 1966, Fantômas contre Scotland Yard (Hunebelle), Le grand restaurant (Besnard) ; 1967, L'homme qui valait des milliards (Boisrond), Les têtes brûlées (W. Rozier), Les risques du métier (Cayatte), Les grandes vacances (Girault) ; 1968, Faites donc plaisir aux amis (Rigaud), Un drôle de colonel (Giraud) ; 1970, Le soldat Laforêt (Cavagnac), Les bons sentiments font les grands gueuletons (Berny) ; 1971, Le petit théâtre de Jean Renoir (Renoir) ; 1973, La grande nouba (Caza), Les trois mousquetaires (Hunebelle) ; 1975, French connection II (French connection II) (Frankenheimer) ; 1977, Ne pleure pas (Ertaud), La vie parisienne (Christian-Jacque) ; 1979, Clair de femme (Costa-gavras) ; 1982, Le braconnier de dieu (Darras), L'été meurtrier (Becker), Qu'est-ce qui fait courir les filles ? (Vocoret) ; 1985, Tranches de vie (Leterrier) ; 1988, Bonjour l'angoisse (Tchernia) ; 1991, Madame Bovary (Chabrol) ; 1998, Chômeurs, mais on s'soigne (L. Thomas) ; 1999, Le monde de Marty (Bardiau) ; 2003, Fanfan la Tulipe (Krawcyk).

Une longévité exceptionnelle dans le cinéma français pour ce brillant troisième couteau.

Dyrek, François

Acteur français, 1933-1999.

1964, La baie du désir (Pécas), Les cœurs verts (Luntz) ; 1967, Drôle de jeu (Kast) ; 1968, L'amour c'est gai, l'amour c'est triste (Pollet), La bande à Bonnot (Fourastié), Ho (Enrico) ; 1972, Themroc (Faraldo) ; 1973, Piaf (Casaril), Projection privée (Leterrier), Si vous n'aimez pas ça, n'en dégoûtez pas les autres (Lewin), L'emmerdeur (Molinaro) ; 1974, Que la fête commence (Tavernier) ; 1975, Les ambassadeurs (Ktari), Le juge et l'assassin (Tavernier), Je suis Pierre Rivière (Lipinska) ; 1976, L'exercice du pouvoir (Galland), La question (Heynemann), Le juge Fayard dit « Le Shérif » (Boisset) ; 1977, L'arrêt au milieu (Sentier), Monsieur papa (Monnet), Le crabe-tambour (Schoendoerffer) ; 1978, Vas-y maman ! (Buron), Un balcon en forêt (Mitrani), Écoute voir (Santiago), Tendrement vache (Pénard), Coup de tête (Annaud) ; 1979, Le divorcement (Barouh), Tout dépend des filles (Fabre), Le mors aux dents (Heynemann) ; 1980, Le jardinier (Sentier), La petite sirène (Andrieux), Asphalte (Amar), Le chêne d'Allouville (Pénard) ; 1981, La vie continue (Mizrahi) ; 1982, Parti sans laisser d'adresse (Veuve), Le corbillard de Jules (Pénard), Paradis pour tous (Jessua), Équateur (Gainsbourg) ; 1983, Le voleur de feuilles (Trabaud) ; 1985, Le gaffeur (Pénard), Les rois du gag (Zidi) ; 1986, Flagrant désir (Faraldo) ; 1987, Noyade interdite (Granier-Deferre) ; 1988, Torquemada (Barabas), Radio Corbeau (Boisset) ; 1989, La vie et rien d'autre (Tavernier) ; 1990, Aujourd'hui peut-être (Bertucelli), La fracture du myocarde (Fansten), La tribu (Boisset) ; 1991, Le coup suprême (Sentier), Le zèbre (Poiret) ; 1993, La braconne (Pénard) ; 1994, État des lieux (Richet, Dell'Isola) ; 1997, Tempête dans un verre d'eau (Barkus) ; 1999, La grande muette (Leprêtre).

D'origine polonaise, il débute à la fois au cinéma, à la télévision et au théâtre au début des années 60, trouvant ses meilleurs rôles sur scène dans le cadre du TNP et au sein du Café de la Gare. Sur grand écran, il sera toute sa vie abonné aux seconds rôles, des personnages virils, solides, mais qui ne sortiront pas ce comédien remarquable d'un certain anonymat.

E

Eastman, George

Acteur italien, de son vrai nom Luigi Montefiori, né en 1942.

1966, Colpo maestro al servizio di sua Maesta Britannica (Lupo), Il cobra (Sequi) ; 1967, The Belle Starr Story (Cristofani), Un poker di pistole (Vari), Due once di piombo (Lucidi), L'ultimo killer (Vari), Bill il taciturno (Pupillo) ; 1968, Pas de roses pour OSS 117 (Desagnat), Cinque figli di cane (Caltabianco), Preparati la bara (Trinita, prépare ton cercueil) (Baldi), Odio il prossimo tuo (Baldi) ; 1969, Fellini Satyricon (Le Satyricon de Fellini) (Fellini), La collina degli stivali (La colline des bottes) (Colizzi), Ciak Mull l'uomo della vendetta (Barboni) ; 1971, Bastardos... vamos a matar (Mangini), W Django (Mulargia) ; 1972, Amico, stammi lontano almeno un palmo (Méfie-toi, Ben Charlie veut ta peau) (Lupo), Call of the Wild (L'appel de la forêt) (Annakin) ; 1973, Quel maledetto giorno della resa dei conti (Garrone), Scalawag (Douglas, Calic), Baba Yaga (Farina), Tutti per uno, botte per tutti (B. Corbucci), La tigre venuta dal fiume Kwaii (Lattanzi), Celestina/Amores prohibidos (Sabidos) ; 1974, A forza di sberle (B. Corbucci), Cane arrabbiati (Bava) ; 1975, Bordella (Avati), Emanuelle e Françoise (Emmanuelle et Françoise) (Massaccesi), Giube rosse, Keoma (Girolami) ; 1976, Bestialità (V. Mattei), Sangue di sbirro (Brescia), Cuginetta... amore mio ! (B. Mattei) ; 1977, Canne mozze (Imperoli), Voto di castità (Massaccesi), Quella strana voglia d'amare (Imperoli), Emanuelle perche... violenza alla donne ? (Massaccesi) ; 1978, Le evase (Brusadori), Candido erotico (De Molinis), American Fever (De Molinis) ; 1979, Porno Holocaust (Massaccesi), La ragazza del vagone letto (Baldi) ; 1980, Anthropophagous (Anthropophagous) (D'Amato), Sesso nero (Massaccesi), Le déchaînement pervers de Manuela (Massaccesi, sous le pseudonyme de Bird), Hard Sensation (Massaccesi), Le notte erotiche dei morti viventi (Massaccesi) ; 1981, Rosso sangue (Horrible) (Massaccesi, sous le pseudonyme de Newton), Absurd (Horrible) (Massaccesi), I nuovi barbari (Les nouveaux barbares) (Girolami) ; 1982, Caligula, la storia mai raccontata (Massaccesi), Delizie erotiche (Massaccesi), 1990 — I guerrieri del Bronx (Les guerriers du Bronx) (Girolami), Endgame — Bronx lotta finale (Le gladiateur du futur) (Massaccesi), La guerra del ferro (La guerre du fer) (Lenzi) ; 1983, Blastfighter (L. Bava), 2019 dopo la caduta de New York (2019 après la chute de New York) (Martino) ; 1984, Anno 2020 : I gladiatori del futuro (Eastman, Massaccesi) ; 1985, La vendetta del futuro/Mani di pietra (Atomic Cyborg) (Martino), Dumb Dicks (Attention privés !) (Ottoni), King David (Le roi David) (Beresford) ; 1986, Regalo di natale (Avati) ; 1987, Polar (Fontana), I Barbarians (Les Barbarians) (Deodato, Slobodan), Le foto di Gioia (L. Bava), Asilo di polizia (Otoni) ; 1989, DNA formula letale (Eastman), In una notte di chiaro di luna (Wertmüller) ; 1990, Il ritorno del grande amico (Molteni) ; 1994, La figlia del maharaja (Brinckerhoff).

Pape de la série Z italienne pendant les années 70, ce grand brun viril a tourné un nombre incalculable de pornos soft et de nanars peuplés de motards bardés de cuir et de métal, censés se faire la guerre sur une Terre dévastée par quelque guerre nucléaire (en réalité des terrains vagues aux abords de Rome). Régulièrement sous la direction de son metteur en scène fétiche, Aristide Massaccesi,

Luigi Montefiori, outre son pseudo officiel de George Eastman, a également officié sous les appellations de G.L. Eastman, Lew Cooper, Richard Franks, Louis London, John Cart et Alex Carver.

Eastwood, Clint

Acteur et réalisateur américain né en 1930.

1955, Revenge of the Creature (La revanche de la créature) (Arnold), Francis in the Navy (Lubin), Lady Godiva (Lubin), Tarantula (Tarantula) (Arnold) ; 1956, Never Say Goodbye (Ne dites jamais adieu) (Hopper), The First Travelling Sales Lady (Lubin), Star in the Dust (La corde est prête) (Haas), Away All Boats (Pevney) ; 1957, Escapade in Japan (Escapade au Japon) (Lubin) ; 1958, Ambush at Cimarron Pass (Copelan), La Fayette Escadrille (Wellman) ; 1964, Per un pugno di dollari (Pour une poignée de dollars) (Leone) ; 1965, Per qualchi dollari in piu (Et pour quelques dollars de plus) (Leone) ; 1966, Il buono, il brutto e il cattivo (Le bon, la brute et le truand) (Leone) ; 1967, Le streghe (Les sorcières) (sketch de De Sica) ; 1968, Hang'em High (Pendez-les haut et court) (Post), Cogan's Bluff (Un shérif à New York) (Siegel) ; 1969, Where Eagles Dare (Quand les aigles attaquent) (Hutton), Paint Your Wagon (La kermesse de l'Ouest) (Logan) ; 1970, Two Mules for Sister Sara (Sierra torride) (Siegel), Kelly's Heroes (De l'or pour les braves) (Hutton) ; 1971, The Beguiled (Les proies) (Siegel), Play Misty for Me (Un frisson dans la nuit) (Eastwood) ; 1972, Dirty Harry (L'inspecteur Harry) (Siegel), Joe Kidd (Joe Kidd) (Sturges) ; 1973, High Plains Drifter (L'homme des hautes plaines) (Eastwood), Magnum Force (Magnum Force) (Post) Breezy (Breezy) (Breezy) (Eastwood) ; 1974, Thunderbolt and Lightfoot (Le canardeur) (Cimino) ; 1975, The Eiger Sanction (La sanction) (Eastwood) ; 1976, The Enforcer (L'inspecteur ne renonce jamais) (Fargo), The Outlaw Josey Wales (Josey Wales hors la loi) (Eastwood) ; 1977, Gauntlet (L'épreuve de force) (Eastwood) ; 1979, Every Which Way But Loose (Doux, dur et dingue) (Fargo), Escape from Alcatraz (L'évadé d'Alcatraz) (Siegel) ; 1980, Bronco Billy (Eastwood), Any Which Way You Can (Ça va cogner) (Van Horn) ; 1982, Firefox (Firefox) (Eastwood), Honkytonk Man (Honkytonk Man) (Eastwood) ; 1983, Sudden Impact (Le retour de l'inspecteur Harry) (Eastwood) ; 1984, Tightrope (La corde raide) (Tuggle), City Heat (Haut les flingues) (Benjamin) ; 1985, Pale Rider (Pale Rider) (Eastwood) ; 1986, Heartbreak Ridge (Le maître de guerre) (Eastwood) ; 1988, The Dead Pool (L'inspecteur Harry est la dernière cible) (Van Horn) ; 1989, Pink Cadillac (Pink Cadillac) (Van Horn) ; 1990, White Hunter, Black Heart (Chasseur blanc, cœur noir) (Eastwood), The Rookie (La relève) (Eastwood) ; 1992, Unforgiven (Impitoyable) (Eastwood), In the Line of fire (Dans la ligne de mire) (Petersen) ; 1993, A perfect World (Un monde parfait) (Eastwood) ; 1995, The Bridges of Madison County (Sur la route de Madison) (Eastwood), Casper (Casper) (Silberling) ; 1996, Absolute Power (Les pleins pouvoirs) (Eastwood) ; 1998, True Crime (Jugé coupable) (Eastwood) ; 2000, Space Cowboys (Space Cowboys) (Eastwood) ; 2002, Blood Work (Créance de sang) (Eastwood) ; 2005, Million Dollar Baby (Million Dollar Baby) (Eastwood). *Pour le metteur en scène*, voir le *Dictionnaire du cinéma*, t. I : *Les réalisateurs.*

Né à San Francisco, il passe sous contrat à l'Universal, après ses études. C'est la télévision qui le fait connaître grâce à la série *Rawhide* mais il ne devient une vedette internationale qu'avec la fameuse trilogie de westerns spaghetti conçue par Leone. Devenu plus ambitieux, Clint Eastwood fonde sa propre compagnie puis passe à la mise en scène avec un réel bonheur. Le personnage qu'il a créé s'inscrit dans le droit fil des John Wayne et Gary Cooper : fort et tranquille. Si le héros laisse parfois percevoir sa faiblesse (*Firefox*) c'est pour mieux la surmonter. Il peut être un chanteur paumé comme dans *Honkytonk Man*, un policier vulnérable qui s'identifie progressivement à sa proie et en assume les fantasmes (*La corde raide*), un baroudeur qui ne sait pas parler aux femmes (*Le maître de guerre*), mais l'Amérique ne l'admet pas et il faut en revenir à Madigan ou au mystérieux *Pale Rider*. Conservateur, il l'est certes, mais moins qu'on ne le dit car il sait manier l'humour et se moquer de lui (*Bronco Billy*). Au total un homme attachant, sympathique et de talent certain, dont on comprend mal, comme le rappelle François Guérif dans sa biographie, qu'il suscite tant de haine chez les intellectuels américains de gauche. Il est vrai que son procès, depuis *Honkytonk Man*, a été soumis à révision. Il le gagne avec *Chasseur blanc, cœur noir* qui montre un changement de personnage. Le « bon » devient de plus en plus vulnérable, d'*Impitoyable* où il est un crève-la-faim prêt à tuer pour survivre, à *Dans la ligne de mire* où il se transforme en policier qui doute de lui-même. L'évolution s'interrompt avec *The Bridges of Madison County* où Clint Eastwood joue un photographe de presse qui connaît une très brève liaison avec une fermière de l'Iowa : une note sentimentale bien loin des sanglants exploits de l'inspecteur Harry. Dans *Absolute Power,* l'acteur vieillit bien ; le héros qu'il incarne est un cambrioleur fatigué, en conflit avec sa fille, loin des personnages monolithiques du western. Il poursuit parallèlement une carrière de metteur en scène de plus en plus exigeant sur le choix de ses sujets. Sa maîtrise d'acteur et de réalisateur est totale dans l'admirable *Million Dollar Baby.*

Eccleston, Christopher

Acteur anglais né en 1964.

1991, Let Him Have It (L'âge de vivre) (Medak) ; 1992, Friday on My Mind (Hinchcliffe) ; 1993, Anchoress (La recluse) (Newby) ; 1994, Shallow Grave (Petits meurtres entre amis) (Boyle) ; 1996, Jude (Jude) (Winterbottom), Death and the Compass (A. Cox) ; 1998, A Price Above Rubies (Sonia Horowitz) (Yakin), Elizabeth (Elizabeth) (Kapur), eXistenZ (eXistenZ) (Cronenberg), Heart (Mort clinique) (McDougall) ; 1999, With or Without You (With or Without You) (Winterbottom), Gone in Sixty Seconds (60 secondes chrono) (Sena) ; 2000, Invisible Circus (A. Brooks) ; 2001, The Others (Amenábar), The Man Who Killed Don Quichotte (Gilliam, inachevé).

Révélé par Danny Boyle dans *Petits meurtres entre amis* (au même titre que Ewan McGregor), son visage sévère lui ouvre d'autres portes que celles du star-system, et il passe du drame moyenâgeux (*Jude, Elizabeth*) au thriller sanglant (*Mort clinique*) avec une assez grande aisance. Peu de charisme, cependant.

Écoffey, Jean-Philippe

Acteur suisse né en 1959.

1984, No man's land (Tanner) ; 1985, Gardien de la nuit (Limosin), L'effrontée (Miller) ; 1986, Nanou (Templeman) ; 1987, Les mendiants (Jacquot), Les possédés (Wajda), Poker (Corsini) ; 1988, L'enfant de l'hiver (Assayas) ; 1989, Henry & June (Henry et June) (Kaufman), La femme de Rose Hill (Tanner), Manika, une vie plus tard (Villiers) ; 1993, Ainsi soient-elles (Alessandrin), Mina Tannenbaum (Martine Dugowson), La reine Margot (Chéreau) ; 1994, Fiesta (Boutron) ; 1995, Mon homme (Blier), Portraits chinois (Martine Dugowson), L'appartement (Mimouni) ; 1997, Le ciel est à nous (Guit), Ma vie en rose (Berliner) ; 1998, Les infortunes de la beauté (Lvoff) ; 1999, Rembrandt (Matton), Les fantômes de Louba (Dugowson) ; 2000, Daybreak (Rudden), Des chiens dans la neige (Welterlin) ; 2001, Peau d'ange (Perez) ; 2002, Des chiens dans la neige (Welterlin), Dirty Pretty Things (Loin de chez eux) (Frears) ; 2003, Snowboarder (Barco), Moi, César, 10 ans 1/2, 1,39 m (R. Berry).

Des rôles de composition tout en finesse le font remarquer chez Tanner et Miller, mais le choix de paraître dans des œuvres pour la plupart austères ne le rend guère connu du grand public.

Eddy, Nelson

Chanteur et acteur américain, 1901-1967.

1933, Broadway to Hollywood (Mack), Dancing Lady (Le tourbillon de la danse) (Leonard) ; 1935, Naughty Marietta (La fugue de Mariette) (Van Dyke) ; 1936, Rose-Marie (Rose-Marie) (Van Dyke) ; 1937, Rosalie (Van Dyke) ; 1938, Girl of the Golden West (La belle cabaretière) (Leonard) ; 1939, Balalaika (Schünzel), Let Freedom Ring (Le flambeau de la liberté) (Conway) ; 1940, Bitter Sweet (Van Dyke) ; 1941, The Chocolate Soldier (Del Ruth) ; 1942, I married an Angel (Van Dyke) ; 1943, Phantom of the Opera (Lubin) ; 1944, Knickerbocker Holiday (H. Brown) ; 1947, Northwest Outpost (Poste avancé) (Dwan).

Bon chanteur et piètre comédien qui servit de faire-valoir à Jeanette MacDonald dans une série d'insipides opérettes produites par la MGM. Leur duo dans *Rose-Marie,* bien que très célèbre, suscite aujourd'hui l'hilarité.

Egan, Richard

Acteur américain, 1921-1987.

1950, Return of the Frontiersman (Bare), The Good Humor Man (Bacon), The Damned Don't Cry (Esclave du gang) (Sherman), The Killer that Stalked New York (McEvory), Wyoming Mail (Le Borg), Kansas Raiders (Kansas en feu) (Enright), Undercover Girl (Pevney), Bright Victory (Robson) ; 1951, Flame of Araby (Lamont), The Golden Horde (Sherman), Hollywood Story (Castle), Up Front (Knox), Highway 301 (Stone) ; 1952, Battle at Apache Pass (Au mépris des lois) (Sherman), The Devil Makes Three (Le diable fait le troisième) (Marton), Backbeard the Pirate (Barbenoire le pirate) (Walsh), One Minute to Zero (Une minute avant l'heure H) (Garnett), Cripple Creek (Nazarro) ; 1953, Split Second (Powell), The Glory Brigade (Webb), Wicked Woman (La scandaleuse) (Rouse) ; 1954, Gog (Strock), Demetrius and the Gladiators (Les gladiateurs) (Daves), Khyber Patrol (Friedman), Underwater (La Vénus des mers chaudes) (Sturges) ; 1955, Untamed (Quand soufflera la tempête) (King), Violent Saturday (Les inconnus dans la ville) (Fleischer), Seven Cities of Gold (Webb) ; The View from Pompey's Head (Dunne) ; 1956, The Revolt of Mamie Stover (Bungalow pour femmes) (Walsh), Tension at Table Rock (Tension à Rock City) (Warren), Love Me Tender (Le cavalier du crépuscule) (Webb) ; 1957, Slaughter on Tenth Avenue (Meurtres sur la 10e avenue) (Laven), Voice in the Mirror (Keller) ; 1958, These Thousand Hills (Duel dans la boue) (Fleischer), The Hunters (Flammes sur l'Asie) (Powell) ; 1960, A Summer Place (Ils n'ont que vingt ans) (Daves), Esther and the King (Esther et le roi) (Walsh), Pollyana (Swift) ; 1962, The 300 Spartans (La bataille des Thermopyles) (Maté) ; 1966, The Destructors (Lyon) ; 1967, Valley of Mystery (Leytes) ; 1968, Chubasco (Miner) ; 1969, The Big Cube (Davison) ; 1970, The Day of the Wolves (Grofe) ; 1977, The Amsterdam Kill (Du sang dans les tulipes) (Clouse), Kino, the Padre on Horseback (Kennedy) ; 1978, The Ravagers (Compton), The Sweet Creek County War (James).

On en fit un temps le successeur possible de Gable : son sympathique sourire allié à une incontestable virilité en faisaient le type même de l'aventurier tombeur de femmes. Pourtant, ni Walsh ni Daves ne parvinrent à lui corriger un jeu trop stéréotypé ni à le débarrasser de son goût pour les séries B.

Eggar, Samantha

Actrice anglaise née en 1939.

1962, Doctor Crippen (Lynn) ; 1963, The Wild and the Willing (Thomas), Doctor in Distress (Thomas) ; 1964, Psyche (Singor), The Collector (L'obsédé) (Wyler) ; 1965, Return From the Ashes (Le démon est mauvais joueur) (Lee Thompson) ; 1966, Walk Don't Run (Rien ne sert de courir) (Walters), Doctor Dolittle (L'extravagant docteur Dolittle) (Fleischer) ; 1969, Lady in the Car with Glasses and a Gun (Une dame dans l'auto avec des lunettes et un fusil) (Litvak), The Molly Maguires (Traître sur commande) (Ritt), The Walking Stick (Till) ; 1970, The Light at the Edge of the World (Le phare du bout du monde) (Bellington) ; 1972, L'etrusco uccide ancora (Crispino) ; 1976, The Seven Percent Solution (Sherlock Holmes attaque l'Orient Express) (Ross), Why Shoot the Teacher (Pitié pour le professeur) (Narizzano) ; 1977, Welcome to Blood City (Sasdy), The Uncanny (Héroux) ; 1978, Il grande attacco (La grande bataille) (Lenzi) ; 1979, The Brood (Chromosome 3) (Cronenberg) ; 1980, The Exterminator (Le droit de tuer) (Glickenhaus), Curtains (Stryker) ; 1981, Hot Touch (Vadim) ; 1985, For the Term of his Natural Life (Stewart) ; 1990, Ragin' Cajun (Hillman) ; 1992, Dark Horse (Hemmings), Round Numbers (Zala) ; 1994, Inevitable Grace (Canawati) ; 1995, The Phantom (Le fantôme du Bengale) (Wincer) ; 1997, The Astronaut's Wife (Intrusion) (Ravich).

Révélée par *The Collector* qui lui valut un prix d'interprétation au festival de Cannes. Mais a un peu déçu en se consacrant essentiellement à la télévision.

Eichhorn, Lisa

Actrice américaine née en 1952.

1979, Yanks (Yanks) (Schlesinger), The Europeans (Les Européens) (Ivory) ; 1980, Why Would I Lie ? (Peerce) ; 1981, Cutter's Way (Cutter's way) (Passer) ; 1983, The Weather in the Streets (Millar) ; 1984, Wildrose (Hanson) ; 1986, Opposing Force (Karson) ; 1990, Nocturne (Chamberlain), Moon 44 (Moon 44) (Emmerich), Grim Prairie Tales (Coe) ; 1993, Nick of Time (Oakley), The Vanishing (La disparue) (Sluizer), King of the Hill (King of the Hill) (Soderbergh) ; 1994, Mr. 247 (Oakley) ; 1995, First Kid (Evans) ; 1996, Sticks and Stones (Tolkin), Angel Blue (Kovacs) ; 1997, Goodbye Lover (Goodbye Lover) (Joffé) ; 1998, The Talented Mr. Ripley (Le talentueux Mr. Ripley) (Minghella).

Cette Américaine de Pennsylvanie fut une bouleversante jeune femme britannique dans *Yanks* qui la révéla. Fascinante aristocrate révoltée des *Européens*, elle sut enfin se faire émouvante en alcoolique déchue pour *Cutter's Way*. En trois films, elle a dessiné une carrière.

Ekberg, Anita

Actrice suédoise née en 1931.

1951, Terras förster n° 5 ; 1953, Abbott and Costello Go to Mars (Lamont), The Golden Blade (Juran) ; 1955, Blood Alley (L'allée sanglante) (Wellman), Artists and Models (Artistes et modèles) (Tashlin), Man in the Vault (McLaglen) ; 1956, War and Peace (Guerre et Paix) (Vidor), Hollywood or Bust (Un vrai cinglé du cinéma) (Tashlin), Back from Eternity (Les échappés du néant) (Farrow), Zarak (Young) ; 1957, Interpol (Gilling), Valerie (Oswald) ; 1958, Paris Holiday (A Paris tous les deux) (Oswald), Screaming Mimi (Oswald), The Man Inside (Gilling), Nel segne di Roma (Bragaglia) ; 1959, Apocalisse sul fiume gallo (Merusi), Le tre etcetera del colonnello (Les trois etc. du colonel)

(Boissol) ; 1960, La dolce vita (La douceur de vivre) (Fellini), A porte chiuse (Risi) ; 1961, Il giudizio universale (Le jugement dernier) (De Sica), I Mongoli (Les Mongols) (De Toth) ; 1962, Boccacio 70 (Boccace 70) (Visconti) ; 1963, Call Me Bwana (Appelez-moi chef) (Douglas), Four for Texas (Quatre du Texas) (Aldrich) ; 1964, Bianco, rosso, giallo, rosa (Puccini) ; 1965, The Alphabet Murders (ABC contre Hercule Poirot) (Tashlin) ; 1966, Way... Way Out (Tiens bon la rampe Jerry) (Douglas), Scusi, lei favorevole o contrarie (Sordi), Come imparai ad amare la donne (Salce) ; 1967, The Cobra (Sequi), La sfinge d'ore (Scattini) ; 1968, Malenka (De Ossorio) ; 1969, If It's Tuesday, This Must Be Belgium (Stuart), La morte bussa due volte (Philip) ; 1970, Il debito conjugale (Prosperi), Il divorzio (Guerrieri), I clowns (Les clowns) (Fellini) ; 1972, La casa d'appuntamento (Merighi) ; 1973, La lunga cavalcata della vendetta (La longue chevauchée de la vengeance) (Anton) ; 1979, Suor omicidi (Berruti), Gold of the Amazon women (Lester) ; 1983, Cicciabomba (Lenzi) ; 1987, Dolce pelle di Angela (Bianchi), Intervista (Intervista) (Fellini) ; 1991, Ambrogio (Labate), Il conte Max (C. de Sica) ; 1992, Cattive ragazze (Ripa di Meana) ; 1996, Bambola (Bambola) (Bigas Luna) ; 1997, Le nain rouge (Le Moine).

Pulpeuse Suédoise (elle fut Miss Suède en 1951) qui fut prise sous contrat par Hughes. Après un bon départ à Hollywood où ses charmes plus que son talent furent mis en valeur, elle fut surtout lancée par Fellini grâce à son extraordinaire numéro de la *Dolce Vita*. Devenue l'un des plus parfaits symboles du sexe, elle se perdit dans de médiocres productions.

Ekerot, Bengt

Acteur et réalisateur suédois, 1920-1971.

Principaux films : 1938, Med livet som insats ; 1940, Haana i Societen ; 1942, Snapphanar ; 1943, Natt i Hamin, Sonja ; 1945, Rosen pa Tistelon, Brott och Straff ; 1947, Dynamit ; 1956, Der Sjunde Inseglet (Le septième sceau) (Bergman). *Comme réalisateur* : 1956, Sceningang.

Ce grand acteur suédois fut l'interprète remarqué du *Septième sceau* de Bergman ; il était la Mort.

Ekland, Britt

Actrice suédoise, de son vrai nom Britt-Marie Eklund, née en 1942.

1962, Kort är sommaren (Henning-Jensen), Det är hos mig han har varit (Mattson) ; 1963, Il commandante (Heusch) ; 1966, Too Many Thieves (Biberman), Caccia alla volpe (Le renard s'évade à trois heures) (De Sica) ; 1967, The Double Man (La griffe) (Schaffner), The Bobo (Parrish) ; 1968, Gli intoccabili (Les intouchables) (Montaldo), The Night They Raided Minsky's (The Night They Raided Minsky's) (Friedkin) ; 1969, Stiletto (Kowalski), Nell'anno del Signore (Les conspirateurs) (Magni) ; 1970, I cannibali (Les cannibales) (Cavani), Tinto Mara (Abramson) ; 1971, A Time for Loving (Le temps d'aimer) (Miles), Endless Night (Gilliat), Percy (Mon petit oiseau s'appelle Percy, il va beaucoup mieux merci) (Thomas), Get Carter (La loi du milieu) (Hodges) ; 1972, Asylum (Asylum) (Baker), Diabolica malicia (Bianchi, Kelley) ; 1973, The Wicker Man (Hardy), Baxter ! (Jeffries) ; 1974, The Ultimate Thrill (Butler), The Man with the Golden Gun (L'homme au pistolet d'or) (Hamilton) ; 1975, Royal Flash (Le froussard héroïque) (Lester) ; 1976, Slavers (Les négriers) (Goslar), Casanova & Co. (Treize femmes pour Casanova) (Antel) ; 1977, King Solomon's Treasure (Rakoff), High Velocity (Remi Kramer) ; 1980, The Monster Club (Baker) ; 1981, Satan's Mistress/The Vals (Polakof) ; 1983, Erotic Images (Langan), Dead Wrong (Kowalewich) ; 1984, Love Scenes (Townsend) ; 1985, Marbella, un golpe de cinco estrellas (Hermoso), Fraternity Vacation (Frawley) ; 1987, Moon in Scorpio (Graver) ; 1988, Beverly Hills Vamp (Olen Ray) ; 1989, Scandal (Scandal) (Caton-Jones), Cold Heat (Lommel) ; 1990, The Children (T. Palmer).

A vingt ans, elle décide qu'elle sera un jour une James Bond girl, vœu qu'elle verra exaucé en 1974 avec son personnage de Mary Bonne-Nuit, séduisante assistante de 007 dans *L'homme au pistolet d'or*. Sa beauté nordique, tout en lippe boudeuse et cheveu blond, lui avaient déjà apporté un certain succès sur la scène internationale, surtout en Italie. Mais sa carrière se résume généralement à des séries B sans grande envergure. Elle a été mariée à Peter Sellers entre 1964 et 1968.

Elam, Jack

Acteur américain, 1916-2003.

1949, The Sundowners (Templeton) ; 1950, One Way Street (Fregonese), High Lonesome (Le May), Love That Brute (Hall), American Guerrilla in the Philippines (Lang), A Ticket to Tomahawk (Sale) ; 1951, Bird of Paradise (L'oiseau du Paradis) (Daves), Rawhide (L'attaque de la malle-poste) (Hathaway), The Frogmen (Les hommes grenouilles) (Bacon), Finders Keepers (De Cordova) ; 1952, Kansas City Confidential (Le quatrième homme) (Karlson), Rancho Notorious (L'ange des maudits) (Lang), Montana Territory (Nazarro), My Man and I (Wellman), Lure of the Wilderness (Prisonniers du marais) (Negulesco) ; 1953, Count the Hours (Siegel), Ride Vaquero (Vaquero) (Farrow), The Moonlighter (Rowland), Appointment in Honduras (Les révoltés de la Claire Louise) (Tourneur), Ride Clear of Diablo (Chevauchée avec le diable) (Hibbs), Jubilee Trail (Kane), Cattle Queen of Montana (La reine de la prairie) (Dwan), Princess of the Nile (Jones), Vera Cruz (Vera Cruz) (Aldrich) ; 1955, Tarzan's Hidden Jungle (Tarzan chez les Soukoulous) (Schuster), Man Without a Star (L'homme qui n'a pas d'étoile) (K. Vidor), Moonfleet (Les contrebandiers de Moonfleet) (Lang), Kiss Me Deadly (En quatrième vitesse) (Aldrich), The Man from Laramie (L'homme de la plaine) (Mann), Kismet (Minnelli) ; 1956, Jubal (L'homme de nulle part) (Daves), Artists and Models (Artistes et modèles) (Tashlin), Pardners (Le trouillard du Far-West) (Taurog), Thunder over Arizona (Kane) ; 1957, Dragon Wells Massacre (La poursuite fantastique) (Schuster), Gunfight at the OK Corral (Règlement de comptes à OK Corral) (Sturges), Night Passage (Le survivant des monts lointains) (Neilson), Lure of the Swamp (Le secret des eaux mortes) (Cornfield), Baby Face Nelson (L'ennemi public) (Siegel) ; 1958, The Gun Runners (Siegel) ; 1961, The Last Sunset (El Perdido) (Aldrich), The Comancheros (Les comancheros) (Curtiz), Pocketful of Miracles (Milliardaire d'un jour) (Capra) ; 1963, Four for Texas (Quatre du Texas) (Aldrich) ; 1965, The Rare Breed (Rancho Bravo) (McLaglen) ; 1966, The Way West (McLaglen), The Last Challenge (Le pistolero de la rivière rouge) (Thorpe) ; 1968, Fire-Creek (Les cinq hors-la-loi) (McEveety), C'era une volta il West (Il était une fois dans l'Ouest) (Leone), Support Your Local Sheriff (Ne tirez pas sur le shérif) (Kennedy) ; 1970, Rio Lobo (Rio Lobo) (Hawks), Dirty Dingus Magee (Un beau salaud) (Kennedy) : The Cockeyed Cowboy of Calico County (Leader) ; 1971, Support Your Local Gunfighter (Kennedy), The Wild Country (Totten), Hannie Caulder (Un colt pour trois salopards) (Kennedy), The Last Rebel (McCoy) ; 1973, Pat Garrett and Billy the Kid (Pat Garrett et Billy le Kid) (Peckinpah) ; 1974, A Knife for the Ladies (Spangler) ; 1976, Hawmps (Camp), Pony Express Rider (Harrison), The Creature from Black Lake (Houck), The Winds of Autumn (Pierce) ; 1977, Crayeagle (Pierce) ; 1978, The Norseman (Pierce), Hot Head and Cool Feet (Butler) ; 1979, The Villain (Cactus Jack) (Needham), The Apple Dumpling Yang Rides Again (McEveety) ; 1981, The Cannonball Run (L'équipée de Cannon Ball) (Needham) ; 1982, Jinxed (La flambeuse de Las Vegas) (Siegel) ; 1984, Cannonball Run 2 (Cannonball 2) (Needham) ; 1985, The Aurora Encounter (McCullogh) ; 1989, Hawken's Breed (Pierce) ; 1990, Big Bad John (Kennedy) ; 1991, Suburban Commando (Kennedy) ; 1992, The Giant of Thunder Mountain (Roberson) ; 1993, Shadow Force (Lamkin), Uninvited (Bohusz).

Troisième couteau (ou « heavy ») du cinéma américain, il donne de ses personnages de tueurs ou de brutes des interprétations sublimes. Servi par sa haute taille, sa sale gueule que vient accentuer un défaut dans l'œil, il a joué dans les meilleurs films de la décennie 1950-1960. Une seule fois, dans *Dragon Wells Massacre*, il avait un rôle plus humain. Ce qui ne l'empêchait pas d'être tué.

Elbaz, Vincent

Acteur français né en 1971.

1993, Le péril jeune (Klapisch) ; 1994, Le plus bel âge... (Haudepin) ; 1995, Enfants de salaud (Marshall) ; 1996, Les randonneurs (Harel) ; 1997, Grève party (Onteniente), La vérité si je mens ! (Gilou), Petits désordres amoureux (Péray) ; 1998, Les kidnappeurs (Guit), Quasimodo d'El Paris (Timsit), Un pur moment de rock'n roll (Boursinhac) ; 1999, La parenthèse enchantée (Spinosa), Peut-être (Klapisch), Nag la bombe (Milési) ; 2001, Absolument fabuleux (Aghion), Rue des plaisirs (Leconte) ; 2002, Embrassez qui vous voudrez (Blanc), Un monde presque paisible (Deville), Ni pour ni contre (bien au contraire) (Klapisch) ; 2005, Ma vie en l'air (Bezançon) ; 2006, Le parfum de la dame en noir (Podalydès) ; 2007, J'aurais voulu être un danseur (Berliner), Teen Spirit (Plas).

Découvert dans *Le péril jeune*, il se situe, dans la nouvelle génération de comédiens français, dans un registre « jeune premier », ce qui ne l'empêche pas de développer un personnage rieur et plutôt sympathique.

Elliott, Denholm

Acteur anglais, 1922-1992.

Principaux films : 1949, Dear Mr. Prohack (Freeland) ; 1952, The Sound Barrier (Le mur du son) (Lean), The Holly and the Ivy (More O'Ferrall) ; 1953, They Who Dare (Commando à Rhodes) (Milestone), The Cruel Sea (La mer cruelle) (Frend), The Ringer (L'assassin a de l'humour) (Hamilton) ; 1954, Lease of Life (Frend), The Heart of the Matter (Le fond du problème) (More O'Ferrall) ; 1955, The

Night My Number Came Up (La nuit où mon destin s'est joué) (Norman), The Man Who Loved Redheads (L'homme qui aimait les rousses) (French) ; 1956, Pacific Destiny (Rilla) ; 1960, Scent of Mystery (Cardiff) ; 1963, Station Six Sahara (Holt) ; 1964, Nothing but the Best (Tout ou rien) (Donner) ; 1965, King Rat (Un caïd) (Forbes), The High Bright Sun (Dernière mission à Nicosie) (Thomas) ; 1966, Alfie (Alfie le dragueur) (Gilbert) ; 1967, Maroc 7 (O'Hara) ; 1968, The Sea Gull (La mouette) (Lumet), Here We Go Round the Mulberry Bush (trois petits tours et puis s'en vont) (Donner), The Night They Raided Minsky's (The Night They Raided Minsky's) (Friedkin) ; 1970, Too Late the Hero (Trop tard pour les héros) (Aldrich) ; 1971, Quest for Love (R. Thomas), Percy (Mon petit oiseau s'appelle Percy, il va beaucoup mieux merci) (R. Thomas) ; 1973, Tales from the Crypt II : The Vault of Horror (Histoires d'outre-tombe II) (Ward Baker), A Doll's House (P. Garland) ; 1974, Percy's Progress (R. Thomas), The Apprenticeship of Duddy Kravitz (L'apprentissage de Duddy Kravitz) (Kotcheff) ; 1975, Russian Roulette (Lombardo) ; 1976, Voyage of the Damned (Le voyage des damnés) (Rosenberg), Robin and Marian (La rose et la flèche) (Lester), To the Devil a Daughter (Une fille pour le diable) (Sykes), Partners (Owen) ; 1977, A Bridge Too Far (Un pont trop loin) (Attenborough) ; 1978, The Hound of the Baskervilles (Morrissey), The Boys from Brazil (Ces garçons qui venaient du Brésil) (Schaffner) ; 1979, Zulu Dawn (L'ultime attaque) (Hickox), Saint Jack (Jack le magnifique) (Bogdanovich), A Game for Vultures (Le putsch des mercenaires) (Fargo), Cuba (R. Lester) ; 1980, Bad Timing (Enquête sur une passion) (Roeg), Sunday Lovers (Les séducteurs) (Forbes, Molinaro...) ; 1981, Raiders of the Lost Ark (Les aventuriers de l'arche perdue) (Spielberg) ; 1982, The Missionnary (Drôle de missionnaire) (Loncraine), Brimstone and Treacle (Loncraine) ; 1983, Trading Places (Un fauteuil pour deux) (Landis), The Wicked Lady (Winner) ; 1984, The Razor's Edge (Le fil du rasoir) (Byrum) ; 1985, A Private Function (Porc royal) (Mowbray), Defence of the Realm (Drury) ; 1986, The Whoopee Boys (Byrum), A Room with a View (Chambre avec vue) (Ivory) ; 1987, September (September) (Allen), Overindulgence (Devenish), Maurice (Maurice) (Ivory) ; 1988, Stealing Heaven (C. Donner), Return from the River Kwai (Retour de la rivière Kwaï) (McLaglen), Keys to Freedom (Feke) ; 1989, Killing Dad (Austin), Indiana Jones and the Last Crusade (Indiana Jones et la dernière croisade) (Spielberg), Rude Awakening (Greenwalt, Russo) ; 1990, Sunday Pursuit (Zetterling) ; 1991, Toy Soldiers (L'école des héros) (Petrie), Scorchers (Beaird) ; 1992, Noises Off... (Bogdanovich).

Second rôle prolifique spécialisé dans les rôles d'Anglais distingués, cyniques et légèrement excentriques, il a surtout incarné, pour le grand public, l'archéologue et universitaire Marcus Brody dans la saga *Indiana Jones*. Il est décédé du sida.

Elmaleh, Gad

Acteur d'origine marocaine né en 1971.

1996, Salut cousin ! (Allouache) ; 1997, Vive la République (Rochant), XXL (Zeitoun) ; 1998, L'homme est une femme comme les autres (Zilbermann) ; 2001, La vérité si je mens ! 2 (Gilou), A + Pollux (Pagès) ; 2003, Chouchou (Allouache), Les clefs de la bagnole (Baffie) ; 2004, Les 11 commandements (Desagnat), 2005, Bab el Web (Allouache), Olé ! (Quentin) ; 2006, La doublure (Veber), Hors de prix (Salvadori).

Fin et distingué, il vaut mieux que son rôle de travesti dans *Chouchou*. Il le prouve dans *La doublure :* un personnage est né.

Ely, Ron

Acteur américain, de son vrai nom Pierce, né en 1938.

1965, Once Before I Die (Derek) ; 1966, The Night of the Grizzly (La nuit du Grizzly) (Pevney) ; 1967, The perils of Charity Jones (Tarzan est en difficulté) (Nichol) ; 1970, Tarzan's Deadly Silence (Tarzan et le silence de la mort) (Friend et Doskin), Tarzan's Jungle Rebellion (Tarzan et la révolte de la jungle) (Witney) ; 1972, Der Schrei der schwarzen Wolfe (Le hurlement des loups) (Reinl) ; 1975, Doc Savage, the Man of Braonze (Doc Savage arrive) (Anderson) ; 1976, Mitgift (M. Verhoeven) ; 1977, Slavers (Goslar).

Superbe athlète qui fut un honorable Tarzan à la télévision et au cinéma. Il a tenté sa chance ensuite en Allemagne mais sa carrière a tourné court.

Emilfork, Daniel

Acteur d'origine chilienne, 1924-2006.

1954, Frou-frou (Genina), Futures vedettes (M. Allégret), Sophie et le crime (Gaspard-Huit) ; 1956, Notre-Dame de Paris (Delannoy), Sait-on jamais ? (Vadim) ; 1957, Les espions (Clouzot), Le temps des œufs durs (Carbonnaux), Goha (Baratier), Une parisienne (Boisrond), Sans famille (Michel), Maigret tend un piège (Delannoy) ; 1958, Du rififi chez les femmes (Joffé), Les motards (Laviron), Les tripes au soleil (Bernard-Aubert), Le joueur (Autant-Lara) ; 1959, Pantalaskas (Paviot) ; 1960, Le bal des espions (Clément) ; 1961, La poupée (Baratier), Le rendez-vous de minuit (Leenhardt), Seul... à corps perdu (Maley), Le triomphe de Michel Strogoff (Tourjansky) ; 1962, Ballade pour un voyou (Bonnardot), Les bricoleurs (Girault) ; 1963, L'assassin viendra ce soir (Maley), Château en Suède (Vadim), Le commissaire mène l'enquête (Collin), Des frissons partout (André), O.S.S. 117 se déchaîne (Hunebelle), Voir Venise et crever (Versini) ; 1964, Lady L. (Ustinov) ; 1965, Dis-moi qui tuer (Périer), L'or du duc (Baratier) ; 1966, Trans-Europ-Express (Robbe-Grillet) ; 1969, Midi-minuit (Philippe), L'inconnu de Shandigor (Roy) ; 1971, Kill (Gary), Le château du vice (Brismée) ; 1976, Il Casanova di Fellini (Le Casanova de Fellini) (Fellini) ; 1978, Who Is Killing the Great Chefs of Europe ? (La grande cuisine) (Kotcheff), The Thief of Bagdad (Le voleur de Bagdad) (Donner) ; 1982, Deux heures moins le quart avant Jésus-Christ (Yanne), La belle captive (Robbe-Grillet), Meurtres à domicile (Lobet) ; 1986, Pirates (Polanski) ; 1988, Nieswykla Podroz Baltazara Kobera (Les tribulations de Balthazar Kober) (Has) ; 1993, Taxandria (Servais) ; 1994, De vliegende Hollander (Stelling), La cité des enfants perdus (Caro et Jeunet) ; 1998, Les frères Sœur (Jardin).

Un physique étrange en lame de couteau, une diction rauque et parfois incompréhensible : Emilfork assure un dépaysement complet. Dommage que le film fantastique ne l'ait pas davantage utilisé.

Emoto, Akira

Acteur japonais né en 1948.

1980, Hipokuratesu-tachi (Omori) ; 1982, Otoko wa tsurai yo : Torajiro ajisai no koi (Yamada) ; 1985, Kapone oi ni naku (Suzuki) ; 1989, Uchuu no hosoku (Izutsu), Otoko wa tsurai yo : Torajiro kokoro no tabiji (Yamada) ; 1990, Pekin no suika (Obayashi) ; 1991, Bakumatsu jyunjyoden (Yakushiji) ; 1992, Shiko funjatta (Suo) ; 1993, Private Lessons II (Izumi) ; 1994, Gojira VS Supesugojira (Yamashita) ; 1995, Maborosi no hikari (Maborosi) (Kore-eda) ; 1996, Shall we dansu ? (Suo), Unagi (L'anguille) (Imamura) ; 1997, Yukai (Okawara), Kanzo sensei (Kanzo sensei) (Imamura) ; 1999, Bootleg Film (Kobayashi) ; 2000, Hyoryu gai (Miike), Another Heaven (Iida).

Révélé sur la scène internationale par deux films d'Imamura (*L'anguille*, dans lequel il incarne un homme d'affaires qui tue sa femme et qui devient coiffeur à sa sortie de prison, et le très beau *Kanzo sensei*), il bénéficie d'un physique classique qu'il retourne à son avantage avec un jeu intériorisé mais expressif. Un des meilleurs acteurs japonais des années 90.

Englund, Robert

Acteur américain né en 1949.

1974, Buster and Billie (Petrie) ; 1975, Hustle (La cité des dangers) (Aldrich) ; 1976, Death Trap (Le crocodile de la mort) (Hooper), Stay Hungry (Stay Hungry) (Rafelson), A Star is Born (Une étoile est née) (Pierson), St. Ives (Monsieur Saint-Ives) (Lee-Thompson), The Great Smokey Roadblock (J. Leone) ; 1978, Bloodbrothers (Les chaînes de sang) (Mulligan), Big Wednesday (Graffiti party) (Milius) ; 1979, The Fifth War (Avedis) ; 1980, Dead and Buried (Réincarnations) (Sherman) ; 1981, Quest (La galaxie de la terreur) (Clark), Don't Cry, it's Only Thunder (Werner) ; 1984, A Nightmare on Elm Street (Les griffes de la nuit) (Craven) ; 1985, A Nightmare on Elm Street 2 (La revanche de Freddy) (Sholder) ; 1986, A Nightmare on Elm Street 3 (Freddy 3) (Russell), Never too Young to Die (Bettman) ; 1988, A Nightmare on Elm Street 4 (Le cauchemar de Freddy) (Harlin) ; 1989, The Phantom of the Opera (Le fantôme de l'opéra) (Little) ; 1990, The Adventures of Ford Fairlane (Harlin), A Nightmare on Elm Street 5 (Freddy 5) (Hopkins) ; 1991, Freddy's Dead : The Final Nightmare (La fin de Freddy : L'ultime cauchemar) (Talalay) ; 1992, Dance Macabre (Clark) ; 1994, The Mangler (Hooper), Wes Craven's New Nightmare (Freddy sort de la nuit) (Craven) ; 1996, The Vampyre War (Parks), Killer Tongue (Sciamma), Perfect Target (Lettich) ; 1997, Wishmaster (Wishmaster) (Kurtzmann), Meet the Deedles (Boyum) ; 1998, Urban Legend (Urban Legend) (Blanks), Dee Snider's Strangeland (Pieplow).

Freddy Krueger fait son apparition dans *Les griffes de la nuit* : visage brûlé et ongles en lames de rasoir. Robert Englund, qui l'interprète, succède à Boris Karloff en créateur de monstres. Énorme succès. Puis après un *Freddy V* il s'attaque au Fantôme de l'Opéra immortalisé par Lon Chaney, mais là c'est l'échec.

Ericson, John

Acteur américain, de son vrai nom Meibes, né en 1926.

1951, Teresa (Teresa) (Zinnemann) ; 1954, The Student Prince (Le prince étudiant) (Thorpe), Bad Day at Black Rock (Un homme est passé) (Sturges), Rhapsody

(Rhapsodie) (Vidor), Green Fire (L'émeraude tragique) (Marton) ; 1955, The Return of Jack Slade (Schuster) ; 1956, The Cruel Tower (Landers) ; 1957, Forty Guns (Fuller), Oregon Passage (Landres) ; 1958, Day of the Bad Men (La journée des violents) (Keller) ; 1960, Under Ten Flags (Coletti), Pretty Boy Floyd (L'héritier d'Al Capone) (Leder) ; 1962, Io, Semiramis (Sémiramis) (Zeglio) ; 1964, The Seven Faces of Dr. Lao (Pal) ; 1966, The Destructors (Lyon) ; 1967, Odio per odio (Paolella) ; 1968, The Money Jungle (Lyon) ; 1969, Testa o croce (Pierotti) ; 1971, Bedknobs and Broomsticks (L'apprentie sorcière) (Stevenson) ; 1976, Hustler Squad (Santiago), The Dirty Half Dozen (Gallardo) ; 1977, Crash (Band) ; 1984, Final Mission (Santiago) ; 1990, Primary Target (Henderson).

D'origine allemande, ce beau garçon, révélé par Zinnemann, promena sa silhouette athlétique dans de nombreux westerns et fut un excellent gangster dans *Pretty Boy Floyd*. Par la suite, il ne tourna que des séries Z difficiles à identifier.

Ermey, R. Lee

Acteur américain, de son vrai prénom Ronald Lee, né en 1944.

1978, The Boys in Company C. (Furie) ; 1979, Apocalypse Now (Apocalypse Now) (Coppola) ; 1984, Purple Hearts (Furie) ; 1987, Full Metal Jacket (Full Metal Jacket) (Kubrick) ; 1988, Mississippi Burning (Mississippi Burning) (Parker) ; 1989, The Sieg of Firebase Gloria (Trenchard-Smith), Fletch Lives (Ritchie), Demonstone (Prowse) ; 1990, The Terror Within II (Stevens), La grieta (Piquer Simon) ; 1991, Toy Soldiers (L'école des héros) (Petrie), True Identity (Lane), Kid (Robinson) ; 1993, Sommersby (Sommersby) (Amiel), Body Snatchers (Body Snatchers) (Ferrara), Hexed (Spencer) ; 1994, On Deadly Ground (Terrain miné) (Seagal) ; 1994, The Naked Gun 33 1/3 : The Final Insult (Y a-t-il un flic pour sauver Hollywood ?) (Segal), Savate (Florentine), Love Is a Gun (Hartwell) ; 1995, Murder in the First (Meurtre à Alcatraz) (Rocco), Leaving Las Vegas (Leaving Las Vegas) (Figgis), Seven (Seven) (Fincher), Under the Hula Moon (Celentano), Dead Man Walking (La dernière marche) (Robbins), Chain of Command (Worth) ; 1996, The Frighteners (Fantômes contre fantômes) (Jackson) ; 1997, Prefontaine (James), Dead Men Can't Dance (S. Anderson), Switchback (La piste du tueur) (Stuart), The Sender (Pepin) ; 1998, Gunshy (Celentano), Avalanche (Kroschel) ; 1999, Life (T. Demme), Skipped Parts (T. Davis) ; 2000, The Chaos Factor (Cunningham), On the Borderline (Oblowitz), The Colored Star (Grossfeld), Megiddo : Omega Code 2 (B.T. Smith) ; 2001, Saving Silverman (Dugan).

Après avoir passé onze années au sein du corps des Marines, où il officie notamment en tant qu'instructeur, et avoir étudié l'art dramatique à l'université de Manille, il s'improvise comédien sur le plateau de *Full Metal Jacket* alors qu'il avait été recruté par Kubrick en tant que conseiller militaire. D'une violence et d'une sauvagerie inouïes dans sa manière de donner des ordres aux jeunes GI's dans le film, il dessine depuis une carrière hollywoodienne ténue mais vivace, sempiternellement cantonné dans les rôles de militaires.

Escande, Maurice

Acteur français, 1892-1973.

1918, Simone (Morlhon) ; 1920, L'essor (Burguet) ; 1921, Fromont jeune et Rilser aîné (Krauss), Les trois lys (Desfontaines), Mademoiselle de La Seiglière (Antoine), La ferme du Choquart (Kemm) ; 1923, Un gentleman neurasthénique (Brasier-Poncet), Nantas (Donatien) ; 1932, Embrassez-moi (Bibal) ; 1933, Le gendre de M. Poirier (Pagnol), Les trois mousquetaires (Diamant-Berger), Son altesse impériale (Bernard-Derosne) ; 1935, Lucrèce Borgia (Gance), Dora Nelson (Guissart), Le domino vert (Decoin), Jeunes filles à marier (Vallée), Les époux scandaleux (Lacombe) ; 1936, Les deux gosses (Rivers), Les deux gamines (Hervi), Tout va très bien madame la marquise (Wulschleger), La garçonne (Limur), Les petites alliées (Dréville), Sept hommes... une femme (Mirande), Les demi-vierges (Caron) ; 1937, Le messager (Rouleau), La danseuse rouge (Paulin), La liberté (Kemm), Cinderella (Caron) ; 1938, La belle revanche (Mesnier), La Marseillaise (Renoir), Café de Paris (Mirande) ; 1939, Derrière la façade (Mirande), Moulin Rouge (Hugon) ; 1940, Paris-New-York (Mirande), Le diamant noir (Delannoy) ; 1941, Madame Sans-Gêne (Richebé) ; 1942, Le capitaine Fracasse (Gance), Patricia (Mesnier), La femme que j'ai le plus aimée (Vernay) ; 1943, La vie de plaisir (Valentin), Échec au roy (Paulin) ; 1944, Farandole (Zwobada), Le père Goriot (Vernay), Bifur 3 (Cam) ; 1945, Le Capitan (Vernay) ; 1946, L'affaire du collier de la reine (L'Herbier), Hyménée (Couzinet) ; 1947, La renégate (Séverac) ; 1948, Le diable boiteux (Guitry), D'homme à hommes (Christian-Jaque) ; 1949, Amour et cie (Grangier), Monseigneur (Richebé) ; 1950, L'étrange Madame X (Grémillon), Coq en pâte (Tavano) ; 1951, Buridan (Couzinet) ; 1952, La dame aux camélias (Bernard) ; 1954, Napoléon (Guitry), Le fils de Caroline chérie (Devaivre) ; 1955, Si Paris nous était conté (Guitry) ; 1960, Le président (Verneuil) ; 1964, Comment épouser un premier ministre (Boisrond) ; 1966, Martin soldat (Deville).

Premier prix du Conservatoire, il fit toute sa carrière théâtrale à la Comédie-Française. Ce Parisien se laissa parfois tenter par le cinéma. Sa distinction le destinait aux rôles d'aristocrates. Il fut le duc de Gandie dans *Lucrèce Borgia*, le cardinal de Rohan dans *L'affaire du collier* et Metternich pour *Le diable boiteux* de Guitry.

Esposito, Gianni

Acteur et chanteur belge, 1930-1974.

1953, Quai des blondes (Cadeac) ; 1954, French Cancan (Renoir), Huis clos (Audry), Cadet Rousselle (Hunebelle) ; 1955, Les mauvaises rencontres (Astruc), Le dossier noir (Cayatte), Cela s'appelle l'aurore (Buñuel), Les Hussards (Joffé) ; 1956, Paris nous appartient (Rivette), Reproduction interdite (Grangier), Pardonnez nos offenses (Hossein) ; 1957, Les misérables (Le Chanois) ; 1958, Le bel âge (Kast) ; 1959, Normandie-Niemen (Dréville) ; 1960, Vers l'extase (Wheeler) ; 1963, La vie conjugale (Cayatte) ; 1966, Tormento al Pacifico (Tonnerre sur l'océan Indien) (Bergonzelli).

Jeune premier au physique tourmenté, mort prématurément.

Estevez, Emilio

Acteur et réalisateur américain né en 1962.

1982, Tex (Hunter) ; 1983, Outsiders (Outsiders) (Coppola), Nightmares (En plein cauchemar) (Sargent) ; 1984, Repoman (Repoman) (Cox), The Breakfast Club (Breakfast Club) (Hughes) ; 1985, St Elmo's Fire (Schumacher), That Was Then, This Is Now (Cain) ; 1986, Maximum overdrive (King), Wisdom (Estevez) ; 1987, Stakeout (Étroite surveillance) (Badham) ; 1988, Young Guns (Young Guns) (Cain) ; 1989, Never on Tuesday (Rifkin) ; 1990, Men at Work (Men at Work) (Estevez), Young Guns II (Young Guns II) (Murphy) ; 1992, Freejack (Freejack) (Murphy), The Mighty Ducks (Les petits champions) (Herek), National Lampoon's Loaded Weapon 1 (Alarme fatale) (Quintano) ; 1993, Judgment Night (S. Hopkins), Another Stakeout/The Lockout (Indiscrétion assurée) (Badham) ; 1994, The Mighty Ducks 2 (Weisman) ; 1995, The Mighty Ducks 3 (Lieberman) ; 1996, The War at Home (Estevez), Mission : Impossible (Mission impossible) (De Palma) ; 1997, Sand (Palmieri) ; 1999, Rated X (Classé X) (Estevez) ; 2006, Bobby (Estevez). *Comme réalisateur :* 1999, Rated (Classé X) ; 2006, Bobby.

Fils de Martin Sheen, ex-jeune loup du cinéma américain, il a moins bien réussi que Dillon ou Cruise, mais à travers la série des *Young Guns* il a su donner une image crédible de Billy the Kid.

Étaix, Pierre

Acteur et réalisateur français né en 1928.

1959, Pickpocket (Bresson) ; 1961, Rupture (Étaix), Insomnie (Étaix) ; 1962, Une grosse tête (Givray), Heureux anniversaire (Étaix), Le soupirant (Étaix) ; 1964, Yoyo (Étaix) ; 1965, Tant qu'on a la santé (Étaix) ; 1966, Le voleur (Malle) ; 1968, Le grand amour (Étaix) ; 1970, I clowns (Les clowns) (Fellini) ; 1971, Pays de cocagne (Étaix) ; 1974, Sérieux comme le plaisir (Benayoun) ; 1986, Max mon amour (Oshima) ; 1987, L'âge de Monsieur est avancé (Étaix), Nuit docile (Gilles) ; 1990, Henry and June (Henry et June) (Kaufman). *Pour le metteur en scène*, voir le *Dictionnaire du cinéma*, t. I : *Les réalisateurs*.

Beaux-Arts puis cirque (un numéro de clown avec Nino), « gagman » puis acteur et enfin auteur trop discret.

Evans, Gene

Acteur américain, 1922-1998.

1947, Under Colorado Skies (Springsteen) ; 1948, Berlin Express (Tourneur), Assigned to Danger (Boetticher) ; 1949, Criss Cross (Pour toi j'ai tué) (Siodmak), It Happens Every Spring (Bacon) ; 1950, Armored Car Robberry (Fleischer) ; 1951, The Steel Helmet (J'ai vécu l'enfer de Corée) (Fuller), Force of Arms (Les amants de l'enfer) (Curtiz) ; 1952, Park Row (Fuller) ; 1953, Donovan's Brain (Feist), The Golden Blade (La légende de l'épée magique) (Juran) ; 1954, Hell and High Water (Le démon des eaux troubles) (Fuller), The Long Wait (Saville), Cattle Queen of Montana (La reine de la prairie) (Dwan) ; 1955, Crash Out (Foster) ; 1957, The Sad Sack (Petite tête de troufion) (Marshall), The Helen Morgan Story (Pour elle un seul amour) (Curtiz) ; 1958, Bravados (King) ; 1959, The Hangman (Le bourreau du Nevada) (Curtiz), Operation Petticoat (Opération jupons) (Edwards) ; 1961, Gold of the Seven Saints (Le trésor des sept collines) (Douglas) ; 1963,

Shock Corridor (Fuller) ; 1966, Nevada Smith (Hathaway), Waco (Springsteen) ; 1967, The War Wagon (La caravane de feu) (Kennedy) ; 1969, Support Your Local Sheriff (Kennedy) ; 1970, The Ballad of Cable Hogue (Peckinpah), There Was a Crooked man (Le reptile) (Mankiewicz) ; 1971, Support Your Local Gunfighter (Kennedy) ; 1973, Pat Garrett and Billy the Kid (Peckinpah), Walking Tall (Justice sauvage) (Karlson), Camper John (McGregor) ; 1974, A Knife for the Ladies (Spangler), Devil Times Five (McGregor) ; 1977, Sourdough (Spinelli) ; 1978, The Magic of Lassie (Chaffey).

Une trogne. Trapu, costaud, viril, il était un personnage pour Fuller qui l'utilisa à plusieurs reprises. Assassin sadique dans *The Bravados*, il était un soldat rouspéteur dans *Steel Helmet* mais se révélait un innovateur de la presse dans *Park Row*.

Everett, Rupert

Acteur anglais né en 1960.

1982, Dead on Time (Hobbs et White), A Shocking Accident (Scott) ; 1983, Bloody Chamber (Lewin), Merlin and the Sword (Donner), Another Country (Another Country) (Kanievska) ; 1984, Real Life (Megahy) ; 1985, The Right Hand Man (Drew), Dance With a Stranger (Dance with a Stranger) (Newell) ; 1986, Duet for One (Duo pour une soliste) (Konchalovsky) ; 1987, Hearts of Fire (Marquand), Cronaca de una muerta anunciade (Chronique d'une mort annoncée) (Rosi), Gli occhiali d'oro (Les lunettes d'or) (Montaldo) ; 1988, Tolérance (Salfati) ; 1990, The Comfort of Strangers (Étrange séduction) (Schrader) ; 1992, Inside Monkey Zetterland (Levy) ; 1993, Remembrance of Things Fast (Maybury) ; 1994, Dellamorte Dellamore (Dellamorte Dellamore) (Soavi), Ready to Wear (Prêt-à-porter) (Altman), The Madness of King George (La folie du roi George) (Hytner) ; 1995, Dunston Checks in (Dunston panique au palace) (Kwapis) ; 1996, My Best Friend's Wedding (Le mariage de mon meilleur ami) (Hogan), B. Monkey (Radford) ; 1998, A Midsummer's Night Dream (Le songe d'une nuit d'été) (Hoffman), An Ideal Husband (Un mari idéal) (O. Parker), Inspector Gadget (Inspecteur Gadget) (Kellogg), Shakespeare in Love (Shakespeare in Love) (Madden) ; 1999, The Next Big Thing (Un couple presque parfait) (Schlesinger) ; 2001, Unconditional Love (Amours suspectes) (Hogan) ; 2002, The Importance of Being Earnest (L'importance d'être constant) (Parker) ; 2004, People Jet set 2 (Onteniente) ; 2005, Stage Beauty (Stage Beauty) (Eyre) ; 2006, Separates Lies (Fellowes).

Issu d'une riche famille écossaise, il est le prototype même du dandy. Très grand, beau et ténébreux, il est à son aise dans les rôles où ressortent son flegme et son détachement. Il fait sensation en ami gay de Julia Roberts dans *Le mariage de mon meilleur ami*. Sa carrière cinématographique internationale peut paraître en dents de scie, mais il est par ailleurs chanteur et écrivain. Il vit à Paris.

Ewell, Tom

Acteur américain, de son vrai nom Yewell Tompkind, 1909-1994.

1940, They Knew What They Wanted (Kanin) ; 1941, Desert Bandit (Sherman) ; 1949, Adam's Rib (Madame porte la culotte) (Cukor) ; 1950, American Guerilla in the Philippines (Guérillas) (Lang), Mr. Music (Haydn), A Life or Her Own (Cukor) ; 1951, Up Front (Knox), Finders Keepers (De Cordova) ; 1952, Lost in Alaska (Deux nigauds en Alaska) (Yarbrough), Back at the Front (G. Sherman) ; 1955, The Seven Year Itch (Sept ans de réflexion) (Wilder), The Lieutenant Wore Skirts (Chéri ne fais pas le zouave) (Tashlin) ; 1956, The Great American Pastime (Hoffman) ; 1957, The Girl Can't Help It (La blonde et moi) (Tashlin) ; 1958, A Nice Little Bank That Should Be Robbed (Comment dévaliser une bonne petite banque) (Levin) ; 1961, Tender Is the Night (Tendre est la nuit) (King) ; 1962, State Fair (Ferrer) ; 1970, Suppose They Gave a War and Nobody Came (Trois réservistes en java) (Averback) ; 1972, They Only Kill Their Masters (Godstone) ; 1973, To Find a Man (Kulik) ; 1974, The Great Gatsby (Gatsby le magnifique), (Clayton) ; 1983, Easy Money (Signorelli).

Spécialiste des rôles d'Américain moyen aux prises avec des somptueuses blondes : Marilyn Monroe ou Jayne Mansfield (le rêve de tout homme). Ses mimiques affolées rappellent celles de personnages de dessin animé.

F

Fabbri, Jacques

Acteur français, 1925-1997.

1949, Rendez-vous de juillet (Becker) ; 1950, La dame de chez Maxim's (Aboulker) ; 1951, Les sept péchés capitaux (Dréville, Rossellini...), Trois femmes (Michel) ; 1952, Destinées (Delannoy, Pagliero, Christian-Jaque), Les femmes sont des anges (Aboulker) ; 1953, Crainquebille (Habib), Le défroqué (Joannon), Les hommes ne pensent qu'à ça... (Robert), Mon frangin du Sénégal (Lacourt), Une vie de garçon (Boyer) ; 1954, Les chiffonniers d'Emmaüs (Darène), Cadet-Rousselle (Hunebelle) ; 1955, Les grandes manœuvres (Clair) ; 1956, Mitsou (Audry) ; 1957, Ce joli monde (Rim), A pied, en cheval et en voiture (Delbez), La bonne tisane (Bromberger), Fumée blonde (Vernay) ; 1958, Bobosse (Périer), Les naufrageurs (Brabant), Madame et son auto (Vernay) ; 1959, La chatte sort ses griffes (Decoin) ; 1960, Les filles sèment le vent (Soulanes), La française et l'amour (sk. R. Clair), Le pavé de Paris (Decoin) ; 1961, Napoléon II, l'Aiglon (Boissol), La belle américaine (Dhéry) ; 1962, L'empire de la nuit (Grimblat), Mon oncle du Texas (Guez) ; 1964, Les gorilles (Girault), Les pieds dans le plâtre (Fabbri et Lary) ; 1970, La dame dans l'auto avec des lunettes et un fusil (Litvak) ; 1973, La raison du plus fou (Reichenbach) ; 1974, Les suspects (Wyn) ; 1978, Je suis timide... mais je me soigne (Richard) ; 1980, Signé Furax (Simenon), Diva (Beineix), La banquière (Girod) ; 1981, Un matin rouge (Aublanc), Guy de Maupassant (Drach) ; 1990, La femme fardée (Pinheiro). *Comme réalisateur :* Les pieds dans le plâtre (avec Lary, 1964).

Truculent acteur porté davantage sur le théâtre que sur le cinéma.

Fabian, Françoise

Actrice française, de son vrai nom Michèle Cortes de Leone y Fabianera, née en 1932.

1955, Cette sacrée gamine (Boisrond), Mémoire d'un flic (Foucaud) ; 1956, Ce sacré Amédée (Félix), L'aventurière des Champs-Élysées (R. Blanc), Le couturier de ces dames (Boyer), Les aventures de Till l'Espiègle (Ivens), Le feu aux poudres (Boissol), Les fanatiques (Joffé), Les violents (Calef) ; 1957, Chaque jour a son secret (Boissol) ; 1960, La brune que voilà (Lamoureux) ; 1961, Un dimanche d'été (Petroni) ; 1963, Il magnifico aventuriero (Freda), Maigret voit rouge (Grangier) ; 1966, Le voleur (Malle), Les chiens (Faraldo), Belle de jour (Buñuel) ; 1969, Ma nuit chez Maud (Rohmer), Gli specialisti (Les spécialistes) (Corbucci), L'Américain (Bozzufi) ; 1970, Êtes-vous fiancée à un marin grec ou à un pilote de ligne ? (Aurel), Un condé (Boisset), Raphaël ou le débauché (Deville) ; 1972, L'amour l'après-midi (Rohmer), Torino nera (La vengeance du Sicilien) (Lizzani), Les voraces (Gobbi), Au rendez-vous de la mort joyeuse (J. Buñuel), La bonne année (Lelouch) ; 1973, Projection privée (Leterrier), Salut l'artiste (Y. Robert), Per amare Ofelia (Mogherini) ; 1974, Out One : Spectre (Rivette), Un uomo, una citta (Guerrieri), Perche si uccidi un magistrato (Damiani) ; 1975, Per le antiche scale (Vertiges) (Bolognini), Les fougères bleues (Sagan), Chi dice donna, dice donna (Cervi) ; 1976, Madame Claude (Jaeckin), Al piacere di revederla (Leto) ; 1977, Natale in casa d'appuntamento (Allô madame) (Nannuzzi) ; 1982, Archipel des amours (ép. Guiguet), Deux heures moins le quart avant Jésus-Christ (Yanne) ; 1983, Le cercle des passions (d'Anna), Benvenuta (Delvaux), L'ami de Vincent (Granier-Deferre) ; 1985, Faubourg Saint-Martin (Guiguet), Partir, revenir (Lelouch) ; 1988, Trois places pour le 26 (Demy), Reunion (L'ami retrouvé) (Schatzberg) ; 1991, Plaisir d'amour (Kaplan) ; 1992, Reflessi en un cielo oscuro (Maira) ; 1993, Donne in un giorno di fiesta (Maira) ; 1997, Secret défense (Rivette) ; 1998, La lettre (Oliveira) ; 1999, La bûche (Thompson) ; 2004, 5 × 2 (Ozon).

Père espagnol et mère polonaise : la flamme et le rêve. Des études de musique et de théâtre. Finalement le cinéma. Si elle épouse Jacques Becker en 1958, elle ne tournera jamais sous sa direction. Son univers c'est davantage celui de Rohmer, mais son meilleur rôle c'est Deville qui le lui a confié dans *Raphaël ou le débauché*, où son insolite et rayonnante beauté s'accordait parfaitement avec l'époque de la Restauration.

Fabre, Fernand

Acteur français, 1899-1987.

1925, Knock (Hervil) ; 1927, Miss Helyett (Monca et Kéroul) ; 1928, La femme du voisin (Baroncelli) ; 1929, L'Appassionata (Mathot), Paris-Girls (Henry Roussel), Le permis d'aimer (Pallu), L'affaire du collier de la reine (Ravel) ; 1930, L'étrangère (Ravel), Toute sa vie (Cavalcanti) ; 1931, La vagabonde (Bussi), La chance (Guissart), Le réquisitoire (Buchowetski) ; 1932, On a volé un homme (Ophuls) ; 1933, Le sexe faible (Siodmak), Les riveaux de la piste (Poligny), Miss Helyett (Kemm) ; 1934, Madame Bovary (Renoir), Le secret d'une nuit (Gandera) ; 1935, Cavalerie légère (Vitrac), Barcarolle (Lamprecht) ; 1936, La mystérieuse Lady (Péguy), Les nouveaux riches (Berthomieu) ; 1937, Ma petite marquise (Péguy) ; 1938, Double crime sur la ligne Maginot (Gandéra), Nuits de prince (Strijewski), Le héros de la Marne (Hugon), Deux de la réserve (Pujol) ; 1939, Noix de coco (Boyer) ; 1943, L'escalier sans fin (Lacombe), Le colonel Chabert (Le Hénaff) ; 1945, Dernier métro (Canonge), Master Love (Péguy), Mission spéciale (Canonge) ; 1946, Le cabaret du grand large (Jayet), Triple enquête (Orval), L'homme de la nuit (Jayet) ; 1947, Après l'amour (Tourneur), Les jeux sont faits (Delannoy) ; 1949, Dernière heure édition spéciale (Canonge) ; 1950, Les amants de Bras-Mort (Pagliero) ; 1951, Barbe-bleue (Christian-Jaque) ; 1952, The Sword and the Rose (Annakin) ; 1956, Les collégiennes (Hunebelle) ; 1958, Maxime (Verneuil) ; 1960, Austerlitz (Gance) ; 1962, Arsène Lupin contre Arsène Lupin (Molinaro), Le Gorille a mordu l'archevêque (Labro) ; 1966, La presa del potere di Luigi XIV (La prise du pouvoir par Louis XIV) (Rossellini).

Premier prix au Conservatoire, il se tourna vers le théâtre. Curieusement il fut le premier Knock de l'écran et par la suite Rodolphe dans la première version de *Madame Bovary*, celle de Renoir. Il dut après 1945 se contenter de petits rôles.

Fabre, Saturnin

Acteur français, 1884-1961.

1930, La route est belle (Florey), L'amour chante (Florey) ; 1931, Paris-Béguin (Genina), Ma cousine de Varsovie (Gallone), Atout cœur (Roussel) ; 1932, Le fils improvisé (Guissart), Le père prématuré (Guissart) ; 1933, Casanova (Barbéris), Les deux canards (Schmidt), Son autre amour (Machard) ; 1934, L'hôtel du Libre-Échange (Allégret), On a trouvé une femme nue (Joannon), Mam'zelle Spahi (Vaucorbeil), L'enfant du carnaval (Volkoff) ; 1935, Le roman d'un jeune homme pauvre (Gance), Train de plaisir (Joannon), Le gagnant (Y. Allégret) ; 1936, Les dégourdis de la IIe (Christian-Jaque), Une poule sur un mur (Gleize), Le voleur de femmes (Gance), Sept hommes... une femme (Mirande), Toi c'est moi (Guissart), La guerre des gosses (Daroy), Pépé le Moko (Duvivier) ; 1937, Messieurs les ronds-de-cuir (Mirande), Ignace (Colombier), Vous n'avez rien à déclarer ? (Joannon), Désiré (Guitry), Un de la coloniale (Wulschleger), Le chanteur de minuit (Joannon) ; 1938, Tricoche et Cacolet (Colombier), La Vénus de l'or (Delannoy), La belle étoile (Baroncelli), Gargousse (Wulschleger), Le dompteur (Colombier) ; 1939, Ils étaient neuf célibataires (Guitry), Cavalcade d'amour (Bernard), Les otages (Bernard), Le récif de corail (Gleize), Monsieur Bretonneau (Esway) ; 1940, Battement de cœur (Decoin), Fausse alerte (Baroncelli) ; 1941, Opéra-musette (Lefevre), Le club des soupirants (Gleize), Mademoiselle Swing (Pottier), Ne bougez plus (Caron) ; 1942, La nuit fantastique (L'Herbier), Les ailes blanches (Péguy), Marie-Martine (Valentin) ; 1943, Le soleil de minuit (Bernard-Roland), Jeannou (Poirier) ; 1944, Le merle blanc (Houssin) ; 1945, Christine se marie (Le Hénaff), Les J 3 (Richebé), Un ami viendra ce soir (R. Bernard) ; 1946, Lunegarde (Allégret), On demande un ménage (Cam), Jeux de femmes (Cloche), Ploum, ploum, tra la la (Hennion), Les portes de la nuit (Carné) ; 1947, Si jeunesse savait (Cerf), Clochemerle (Chenal) ; 1948, Docteur Laënnec (Cloche), La veuve et l'innocent (Cerf) ; 1949, Miquette et sa mère (Clouzot), Rome-Express (Stengel) ; 1950, La dame de chez Maxim's (Aboulker), Les petites Cardinal (Grangier), Le mariage de mademoiselle Beulemans (Cerf) ; 1952, La fête à Henriette (Duvivier) ; 1953, Le secret d'Hélène Marimon (Calef), Carnaval (Verneuil), L'ennemi public n° 1 (Verneuil), C'est la vie parisienne (Rode), Virgile (Rim) ; 1954, Escalier de service (Rim).

Combien de films a-t-il sauvés par sa seule présence ? Ce premier prix du Conservatoire occupa une place à part dans la production française : immense, doté d'une voix grave et d'un physique avantageux, torse bombé et verbe tonitruant, il volait la vedette aux autres acteurs, accaparant toute l'attention. Certaines de ses prestations font partie des anthologies : « Tiens la bougie... droite ! » dans *Marie-Martine* ou le « Senéchal nous voilà » du vieux collabo des *Portes de la nuit*. Il excellait dans les rôles d'aristocrates plus ou moins décavés : il fut un extraordinaire Adhémar Colombinet de La Jonchère (*sic*) dans *Ils étaient neuf célibataires*. Il était un psychiatre à moitié fou dans *Vous n'avez rien à déclarer*. Marcel Oms le définit comme « le tonton complice qui rend poétiques les pires corvées familiales ». Tout aussi farfelu dans la vie, il écrivit d'incroyables souvenirs, en 1948, « Douche écossaise », sous le pseudonyme de Nirutas Herbaf !

Fabrizi, Aldo

Acteur et réalisateur italien, 1906-1990.

1942, Avanti c'è posto (Bonnard) ; 1943, Campo de'fiori (Bonnard), L'ultima carrozzella (Le diamant mystérieux) (Mattoli) ; 1944, Roma città aperta (Rome ville ouverte) (Rossellini) ; 1946, Mio figlio professore (Castellani) ; 1947, Il delitto di Giovanni Episcopo (Lattuada), Tombolo paradiso nero (Ferroni), Vivere in pace (Vivre en paix) (Zampa), Natale al campo 119 (Francisci) ; 1949, Antonio de Padova (Francisci) ; 1950, Francesco giullare di Dio (Onze fioretti de François d'Assise) (Rossellini), Prima communione (Sa majesté Monsieur Dupont) (Blasetti), Vita da cani (Sténo et Monicelli), Tre passi a nord (Lee Wilder) ; 1951, Guardie e ladri (Gendarmes et voleurs) (Monicelli), Parigi è sempre Parigi (Emmer), Singori in carrozza ! (Zampa), Cameriera belle presenza offresi (Pastina), Altri tempi (Blasetti) ; 1952, Cinque poveri in automobile (Mattoli), La voce del silenzio (La maison du silence) (Pabst) ; 1953, L'età dell'amore (De Felice), Siamo tutti inquilini (Mattoli) ; 1954, Cose da pazzi (Affaires de fou) (Pabst), Cento anni d'amore (ép. « Garibaldina ») (De Felice), Hanno rubato un tram (Bonnard) ; 1955, Accadde al penitenziario (Bianchi), Carosello di varieta (Bonaldi), Un po'di cielo (Moser), I due compari (Borghesio) ; 1956, Donatella (Donatella) (Monicelli), Guardia, guardia scelta, brigadiere e maresciallo (Bolognini), Mi permette babbo ? (Bonnard), I pappagalli (Paolinelli) ; 1958, Festa di maggio (Premier Mai) (Saslavski), I prepotenti (Amendola), Cameriera bella presenza offresi... ; 1959, Ferdinando I re di Napoli (Franciolini), Prepotenti più di prima (Mattoli), I tartassati (Fripouillard et Cie) (Steno) ; 1960, Un militare e mezzo (Steno), La sposa bella (Johnson), Toto Fabrizi e i giovani d'oggi (Mattoli) ; 1962, Gerarchi si muore (Simonelli), Le meraviglie di Aladino (Les mille et une nuits) (Bava et Levin), Orazi e Curiazi (Les Horace et les Curiace) (Baldi), I quattro monaci (Bragaglia), Twist, lotite e vitelloni (Girolami) ; 1963, I quattro moschettieri (Bragaglia), Toto contro i quattro (Steno) ; 1964, Frà Manisco cerca guai (Tamburella), I quattro tassisti (Bianchi), La donna è una cosa meravigliosa ; 1966, Sette monaci d'oro (Rossi) ; 1970, Cose di cosa nostri (Steno) ; 1972, La Tosca (Une Tosca pas comme les autres) (Magni) ; 1974, C'eravamo tanto amati (Nous nous sommes tant aimés) (Scola) ; 1977, Il ginecologo della mutua (d'Amato) ; 1986, Giovanni senzapienseri (Colli). *Pour le metteur en scène*, voir le *Dictionnaire du cinéma*, t. I : *Les réalisateurs*.

L'une des fortes personnalités du cinéma italien d'après-guerre. Il a mis en scène plusieurs films et après avoir travaillé avec Rossellini (il fut le prêtre de *Rome ville ouverte*) et Pabst, il s'est égaré du côté de Steno, pour reparaître en 1972 et 1974 dans des films plus élaborés.

Fabrizi, Franco

Acteur italien, 1926-1995.

1950, Cronaca di un amore (Chronique d'un amour) (Antonioni) ; 1953, Prigionera delle torre di fuoco (Chili), I vitelloni (Les Vitelloni — Les inutiles) (Fellini) ; 1955, Il bidone (Il bidone) (Fellini), Le amiche (Femmes entre elles) (Antonioni), La Romana (La belle Romaine) (Zampa) ; 1956, Noi siamo le colonne (D'Amico), Calabuig (Calabuch) (Berlanga) ; 1957, Sait-on jamais (Vadim), Mariti in città (Comencini) ; 1958, Racconti d'estate (Femmes d'un été) (Franciolini), E arrivata la Parigina (La loi de l'homme) (Mastrocinque) ; 1959, Un maledetto imbroglio (Meurtre à l'italienne (Germi), Via Margutta (La rue des amours faciles) (Camerini), Schwarze Kappelle (RPZ appelle Berlin) (Habib), Le notti di Lucrezia Borgia (Les nuits de Lucrèce Borgia) (Grieco), Un témoin dans la ville (Molinaro) ; 1960, Le miroir aux alouettes (Sala) ; 1961, Le puits aux trois vérités (Villiers), Le reflux (Gégauff), Orazi e Curiazi (Les Horaces et les Curiaces) (Baldi), Il relitto (L'épave) (Cacoyannis), Una vita difficile (Une vie difficile) (Risi) ; 1963, Le rat d'Amérique (Albicocco), Casablanca, nid d'espions (Decoin) ; 1965, Io la conoscevo bene (L'amour tel qu'il est) (Pietrangeli), Le facteur s'en va-t-en guerre (Bernard-Aubert) ; 1966, Le Vicomte règle ses comptes (Cloche), Signori e signore (Ces messieurs dames) (Germi) ; 1967, Le petit baigneur (Dhéry) ; 1969, L'homme-orchestre (Korber), Fellini Satyricon (Satyricon) (Fellini) ; 1971, Morte a Venezia (Mort à Venise) (Visconti) ; 1972, Roma Bene (Scandale à Rome) (Lizzani), Abuso di potere (Bazzoni) ; 1973, La signora e stata violentata (Sindoni) ; 1974, La torta in cielo (La tarte volante) (Del Fra), L'agression (Pirès) ; 1975, L'ultimo trema della notte (La bête tue de sang froid) (Lado) ; 1978, La polizia ha le mani legate (Les dossiers rouges de la Mondaine) (Ercoli) ; 1985, Ginger e Fred (Ginger et Fred) (Fellini) ; 1988, Il piccolo diavolo (Le petit diable) (Benigni).

Il débute avec Fellini en séducteur fanfaron dans *Les Vitelloni* et sera marqué par ce rôle qu'il a tenu dans de très nombreuses comédies dont on n'a retenu que les meilleures.

Fainsilber, Samson

Acteur français d'origine roumaine, 1904-1983.

1930, Le requin (Chomette), La fin du monde (Gance) ; 1932, Mater dolorosa (Gance), Roger la Honte (Roudès), La porteuse de pain (Sti) ; 1933, Les trois mousquetaires (Diamant-Berger), Jocelyn (Guerlais) ; 1934, Gangster malgré lui (Hugon), Le bossu (Sti) ; 1935, Jérôme Perreau (Gance), Odette (Houssin), Marie des Angoisses (Bernheim), L'escale (Valray) ; 1936, Un grand amour de Beethoven (Gance) ; 1938, Retour à l'aube (Decoin) ; 1939, Tourbillon de Paris (Diamant-Berger) ; 1945, Les clandestins (Chotin), Dorothée cherche l'amour (Greville) ; 1953, Si Versailles m'était conté (Guitry) ; 1974, Stavisky (Resnais), Un linceul n'a pas de poches (Mocky) ; 1975, Vivre dangereusement (Makovski) ; 1977, Providence (Resnais), Charles et Lucie (Kaplan) ; 1983, La vie est un roman (Resnais).

Né à Jasny en Roumanie, il se réfugia en France et y suivit les cours du Conservatoire. Il fit plus de théâtre que de cinéma. A l'écran, petit et d'un jeu plutôt exagéré, il fut Richelieu dans *Les trois mousquetaires* et Conti dans *Jérôme Perreau*. Les lois raciales brisèrent en partie sa carrière. Resnais lui confia le rôle d'un homme traqué au début de *Providence* et celui du vieillard paralysé de *La vie est un roman*.

Fairbanks, Douglas

Acteur américain, de son vrai nom Ulman, 1883-1939.

1915, The Lamb (Le timide) (Cabanne), Double Trouble (Cabanne), His Picture in the Paper (Emerson) ; 1916, Reggie Mixes In (Cabanne), The Habit of Happiness (Dwan), Flirting with Fate (Un terrible adversaire) (Cabanne), The Good Bad Man (Dwan), The Mystery of the Leaping Fish (Emerson), The Half-Breed (Dwan), Manhattan Madness (Une aventure à New York) (Dwan), American Aristocracy (Lloyd Ingraham), The Matrimaniac (P. Powell), The Americano (L'Américain) (Emerson) ; 1917, In Again, Out Again (Emerson), Wild and Woolly (Emerson), Down to Earth (L'île du salut) (Emerson), The Man From Painted Post (Henabery), Reaching for the Moon (Douglas dans la lune) (Emerson) ; 1918, A Modern Musketeer (Un nouveau d'Artagnan) (Dwann), Headin' South (Rosson), Mr. Fix-It (Dwan), Say Young Fellow (Henabery), Bound in Morocco (Dwan), He Comes Up Smiling (Dwan), Arizona (Albert Parker), A Knickerbocker Buckaroo (Albert Parker) ; 1919, His Majesty the American (Sa majesté Douglas) (Henabery), When the Clouds Roll By (Fleming) ; 1920, The Mollycoddle (Fleming), The Mark of Zorro (Le signe de Zorro) (Niblo) ; 1921, The Nut (Reed), The Three Musketeers (Les trois mousquetaires) (Niblo) ; 1922, Robin Hood (Robin des Bois) (Dwan) ; 1923, The Thief of Bagdad (Le voleur de Bagdad) (Walsh) ; 1925, Don Q, Son of Zorro (Don Q fils de Zorro) (Crisp) ; 1926, The Black Pirate (Le pirate noir) (Parker) ; 1928, The Gaucho (F. R. Jones) ; 1929, The Iron Mask (Dwan), The Taming of the Shrew (La mégère apprivoisée) (Taylor) ; 1931, Reaching for the Moon (Goulding), Around the World in Eighty Minutes with Douglas Fairbanks (Fleming) ; 1932, Mr. Robinson Crusoe (Robinson moderne) (Sutherland) ; 1934, The Private Life of Don Juan (Les quarante ans de Don Juan) (Korda).

Le plus populaire acteur américain de l'époque du muet. Il fut d'Artagnan, Zorro, Robin des Bois, le Pirate noir, bondissant, ferraillant, chevauchant sans arrêt dans d'extravagants décors. Il avait fait ses débuts sur scène à l'âge de douze ans. Après de brèves études à Harvard et un voyage en Europe comme steward, il sembla s'orienter vers la carrière sédentaire d'un employé de Wall Street lorsque le démon du théâtre le reprit. En 1910, il est une vedette de Broadway qu'Hollywood cherche à attirer. Il est engagé par la Triangle en 1915. Devenu très vite adulé par le public, il fonde sa propre compagnie. En 1920, il s'éprend de Mary Pickford et divorce de sa première femme, Anna Sully, pour l'épouser. C'est un an auparavant, qu'avec Mary Pickford, Chaplin et Griffith, il a fondé la compagnie United Artists. Plusieurs chefs-d'œuvre suivent. Mais *The Taming of the Shrew* qu'il joue avec sa femme, en 1929, est un échec. Ils se séparent en 1933 et divorcent en 1936. Fairbanks se remarie avec l'ex-lady Ashley mais renonce au cinéma. Il a symbolisé à l'écran l'humour, le panache, la joie de vivre ; bon acteur il fut un acrobate remarquable et l'on n'oubliera pas ses exploits du *Pirate noir*. Charles Ford le définit comme « le prince valeureux du royaume des rêves », dans *Douglas Fairbanks ou la Nostalgie d'Hollywood* (1980).

Fairbanks, Douglas Jr.

Acteur américain, 1909-2000.

1923, Stephen Out (Henabery) ; 1924, The Air Mail (Willat) ; 1925, The American Venus (Tuttle), Wild Horse Mesa (Seitz), Stella Dallas (King) ; 1926, Padlocked (Les briseurs de joie) (Dwan), Broken Hearts of Hollywood (Bacon), Man Bait (Crisp) ; 1927, Women Love Diamonds (Goulding), Is Zat So ? (Green), A Texas Steer (Wallace) ; 1928, Dead Man's Curve (Rosson), Modern Mothers (Rosen), The Toilers (Barker), The Power of the Press (Capra), A Woman of Affairs (Brown), The Barker (Fitzmaurice) ; 1929, Fast Life (Dillon), The Jazz Age (Lynn Shores), Our Modern Maidens (Conway), The Careless Age (Wray), The Forward Pass (Cline), The Show of the Shows (Adolfi) ; 1930, L'aviateur (Seiter), L'athlète incomplet (Autant-Lara), Party Girl (Halperin), Loose Ankles (Wilde), Dawn Patrol (La patrouille de l'aube) (Hawks), The Little Accident (Craft), Outward Bound (Milton), Le plombier amoureux (Autant-Lara), The Way of All Men (Lloyd), One Night At Susie's (Dillon) ; 1931, Little Caesar (LeRoy), Chances (Dwan), I Like Your Nerve (McGann), Union Depot (Green), It's Tough To Be Famous (Green), Love Is a Racket (Wellman) ; 1932, Scarlet Dawn (Dieterle) ; 1933, Parachute Jumper (Green), The Life of Jimmy Dola (Mayo), The Narrow Corner (Green), Captured (Del Ruth), Morning Glory (Morning Glory) (L. Sherman) ; 1934, Catherine the Great (Catherine la Grande) (Czinner), Success at Any Price (Ruben) ; 1935, Mimi (Stein), Man of the Moment (Banks) ; 1936, The Amateur Gentleman (Freeland), Accused (Freeland) ; 1937, When Thief Meets Thief (Les deux aventuriers) (Walsh), The Prisoner of Zenda (Le prisonnier de Zenda) (Cromwell) ; 1938, The Joy of Living (La joie de vivre) (Garnett), The Rage of Paris (La coqueluche de Paris) (Koster), Having Wonderful Time (Santell), The Young in Heart (Wallace) ; 1939, Gunga Din (Gunga Din) (Stevens), The Sun Never Sets (Lee), Rulers of the Sea (Les maîtres de la mer) (Lloyd) ; 1940, Green Hell (L'enfer vert) (Whale), Safari (E. Griffith), Angels Over Broadway (Hecht) ; 1941, The Corsican Brothers (Vendetta) (Ratoff) ; 1947, Sinbad the Sailor (Sinbad le marin) (Wallace), The Exile (L'exilé) (Ophuls) ; 1948, That Lady in Ermine (Lubitsch) ; 1949, The Fighting O'Flynn (A. Pierson) ; 1950, State Secret (Gilliat) ; 1951, Mr. Drake's Duck (Guest) ; 1979, The Hostage Tower (La tour Eiffel en otage) (Guzman) ; 1981, Ghost Story (Le fantôme de Milburn) (Irvin).

Né du premier mariage de Douglas Fairbanks, il ne fut guère soutenu dans sa carrière par son père, malgré une première apparition à l'âge de treize ans. C'est son mariage avec Joan Crawford qui le rendit ambitieux. Malgré quelques réussites, il ne put s'imposer à l'égal de son père, barré par Errol Flynn et Ronald Colman dans son type d'emploi.

Faivre, Paul

Acteur français, 1886-1973.

Près de deux cents films dont : 1935, Jim la Houlette (Berthomieu) ; 1937, François Ier (Christian-Jaque) ; 1939, Les musiciens du ciel (Lacombe) ; 1941, La duchesse de Langeais (Baroncelli), Les inconnus dans la maison (Decoin) ; 1942, Le comte de Monte-Cristo (Vernay), Monsieur des Lourdines (Hérain) ; 1943, Le secret de Mme Clapain (Berthomieu) ; 1945, Boule de suif (Christian-Jaque) ; 1946, Fantômas (Sacha), Le silence est d'or (Clair) ; 1947, Monsieur Vincent (Cloche) ; 1948, Fantômas contre Fantômas (Vernay) ; 1950, Knock (Lefranc), Justice est faite (Cayatte) ; 1952, Nous sommes tous des assassins (Cayatte) ; 1953, Le défroqué (Joannon) ; 1955, Marie-Antoinette (Delannoy) ; 1956, Et Dieu créa la femme (Vadim) ; 1960, Une aussi longue absence (Colpi) ; 1966, Le grand restaurant (Besnard) ; 1967, Les grandes vacances (Girault).

Omniprésent second rôle du cinéma français, il utilise sa petite silhouette pour camper des policiers ou des concierges principalement, toujours excellent et toujours discret.

Falconetti, Renée

Actrice française, 1892-1946.

1917, La comtesse de Somerive (Denola) ; 1928, La passion de Jeanne d'Arc (Dreyer).

Un seul rôle parlant mais un visage inoubliable saisi en gros plan par la caméra de Dreyer. Elle venait du théâtre et dut se plier aux exigences de Dreyer (vrais crachats, cheveux réellement coupés). Prisonnière de ce rôle, elle mourut prématurément (suicide ?) en Argentine.

Falk, Peter

Acteur américain né en 1927.

1958, Wind Across the Everglades (La forêt interdite) (Ray) ; 1960, Pretty Boy Floyd (Leder), Murder Inc. (Crime, société anonyme) (Balaban et Rosenberg), The Secret of Purple Reef (Witney) ; 1961, Pocketful of Miracles (Milliardaire d'un jour) (Capra) ; 1962, Pressure Point (Cornfield) ; 1963, The Balcony (Strick), It's a Mad, Mad, Mad, Mad World (Un monde fou, fou, fou, fou) (Kramer) ; 1964, Robin and the Seven Hoods (Les sept voleurs de Chicago) (Douglas) ; 1965, The Great Race (La grande course autour du monde) (Edwards), Italiano brava gente (De Santis) ; 1966, Two Many Thieves (A. Biberman), Penelope (Hiller) ; 1967, Luv (Cl. Donner) ; 1968, Anzio (Bataille pour Anzio) (Dmytryk) ; 1969, Rosolino Paterno soldato (Loy), Castle Keep (Un château en enfer) (Pollack) ; 1970, Husbands (Husbands) (Cassavetes) ; 1975, A Woman Under Influence (Une femme sous influence) (Cassavetes) ; 1976, Murder by Death (Un cadavre au dessert) (Moore), Mickey and Nicky (E. May), Griffin and Phoenix (Duke) ; 1977, Opening Night (Cassavetes) ; 1978, Cheap Detective (Le privé de ces dames) (Moore), The Brink's Job (Têtes vides cherchent coffres pleins) (Friedkin) ; 1979, The In-Laws (Tirez pas sur le dentiste) (Hiller) ; 1981, The Great Muppet Caper (Henson), All The Marbles (Deux filles au tapis) (Aldrich) ; 1986, Big Trouble (Cassavetes) ; 1987, Happy New Year (Avildsen), Der Himmel über Berlin (Les ailes du désir) (Wenders), The Princess Bride (Princess Bride) (R. Reiner) ; 1988, Vibes (Kwapis), Cookie (Cookie) (Seidelman) ; 1989, Scandal (Scandal) (Caton-Jones) ; 1990, Aunt Julia and the Scriptwriter/Tune in Tomorrow... (Tante Julia et le scribouillard) (Amiel), In the Spirit (Seacat) ; 1991, The Player (The Player) (Altman) ; 1992, In weiter Ferne, so nah ! (Si loin, si proche !) (Wenders) ; 1994, Roommates (Yates) ; 1998, Vig (Theakston) ; 1999, A Storm in Summer (Wise) ; 2000, Lakeboat (Mantegna), Enemies of Laughter (Joey Travolta), Corky (Pritts), Three Days of Rain (Meredith) ; 2001, Undisputed (Un seul deviendra invincible) (Hill), The Lost World (Le monde interdit) (Orme).

Une carrière cinématographique d'abord sans grand éclat. C'est la série télévisée *Columbo* qui en fait une vedette. Devenu plus exigeant, il joue ensuite dans des films « intellectuels » et ambitieux.

Fantastichini, Ennio

Acteur italien né en 1955.

1982, Fuori dal giorno (Bologno) ; 1984, Il ragazzo di Ebalus (Schito) ; 1985, I soliti ignoti, vent'anni dopo (Le pigeon, vingt ans après) (Todini) ; 1988, I ragazzi di via Panisperna (Amelio), I cammelli (G. Bertolucci) ; 1990, Una vita scellerata (Cellini, l'or et le sang) (Battiato), La stazione (Le chef de gare) (Rubini), Porte aperte (Portes ouvertes) (Amelio), Un cane sciolto (Capitani) ; 1991, Les secrets professionnels du docteur Apfelglück (sketch Capone), Una storia semplice (Greco), Mezzaestate (Costantini), Caldo soffocante (Gagliardo), 18 anni fra una settimana (Perelli) ; 1992, Gangsters (Guglielmi), La bionda (Rubini) ; 1994, La vera vita di Antonio H. (Monteleone) ; 1995, Vendetta (Hafström) ; 1996, Ferie d'agosto (Virzi) ; 1997, Arlette (Zidi), Consigli per gli acquisti (Baldoni), Altri uomini (Bonivento) ; 1998, Viol@ (Viol@) (voix seulement, Maiorca), Vite in sospeso (Turco), Per tutto il tempo che ci resta (Terracciano) ; 1999, Senza movente (Odorisio), Il corpo dell'anima (Piscicelli) ; 2000, Controvento (Del Monte).

Fils d'un carabinier, il débute dans l'avant-garde théâtrale (Dario Fo, Memé Perlini), et trouve sa mesure au cinéma avec des personnages durs et intériorisés, qui n'excluent pas une certaine mélancolie.

Farcy, Bernard

Acteur français.

1983, La lune dans le caniveau (Beineix) ; 1984, Femmes de personne (Frank), Notre histoire (Blier), Marche à l'ombre (Blanc) ; 1986, Lien de parenté (Rameau), Tenue de soirée (Blier) ; 1987, François Villon, poetul vagabond (Nicolaescu), Le solitaire (Deray), Saxo (Zeitoun) ; 1988, Accord parfait (Floquet), A Soldier's Tale (Parr), Ne réveillez pas un flic qui dort (Pinheiro), La travestie (Boisset) ; 1989, A deux minutes près (Le

Hung) ; 1992, Les équilibristes (Papatakis) ; 1993, Justinien Trouvé ou le bâtard de Dieu (Fechner) ; 1994, Grosse fatigue (Blanc) ; 1995, Les trois frères (Campan) ; 1997, Les sœurs Soleil (Szwarc), La divine poursuite (Deville) ; 1998, Taxi (Pirès) ; 2000, Taxi 2 (Krawczyk) ; 2001, Le pacte des loups (Gans) ; 2002, Astérix et Obélix : mission Cléopâtre (Chabat), Les percutés (Cuq) ; 2003, Taxi 3 (Krawczyk) ; 2004, Le plein des sens (Chabot), Albert est méchant (Palud), People Jet Set 2 (Onteniente) ; 2005, Iznogoud (Braoudé) ; 2007, Taxi 4 (Krawczyk).

Acteur dont la veine comique est révélée par son rôle de commissaire gaffeur dans la série des *Taxi*.

Farmer, Frances

Actrice américaine, 1910-1970.

1936, Border Flight (Lovering), Come And Get it (Le vandale) (Hawks et Wyler), Rhythm on the Range (Taurog) ; 1937, The Toast of New York (Lee), Ebb Tide (Hogan), Exclusive (Hall) ; 1938, Ride a Crooked Mile (Green) ; 1940, South of Pago Pago (Green), Flowing Gold (Green) ; 1941, World Première (Tetzlaff), Badlands of Dakota (Green), Among the Living (Heisler) ; 1942, Son of Fury (Cromwell) ; 1958, The Party Crashers (Girard).

Elle défraya la chronique de Hollywood à la fin des années 30 et eut sa carrière brisée par l'alcoolisme et la folie. Un film lui a été consacré en 1983, *Frances*, où son rôle est tenu par Jessica Lange.

Farmer, Mimsy

Actrice américaine, de son vrai prénom Merle, née en 1945.

1963, Spencer's Mountain (La montagne des neuf Spencer) (Daves) ; 1967, Devil's Angels (Les anges de l'enfer) (Haller) ; 1968, The Wild Racers (Haller) ; 1969, More (Schroeder), La route de Salina (Lautner) ; 1970, Michel Strogoff (E. Visconti) ; 1971, Quattro mosche di velluto grigio (Quatre mouches de velours gris) (Argento) ; 1972, Les 1001 mains (Ben Barka), Il maestro e Margherita (Le maître et Marguerite) (Petrovic) ; 1973, La vita in gioco (La vie en jeu) (Mingozzi), Deux hommes dans la ville (Giovanni), Il profumo della signora in nero (Barilli) ; 1974, Les suspects (Wyn), Allonsanfan (Allonsanfan) (Taviani), La traque (Leroy) ; 1975, Macchie solari (Frissons d'horreur) (Crispino), L'amant de poche (Queysanne) ; 1978, Même les mômes ont du vague à l'âme (Daniel), Ciao maschio (Rêve de singe) (Ferreri), S.O.S. Concorde (S.O.S. Concorde) (Deodato) ; 1979, La légion saute sur Kolwezi (Coutard) ; 1981, Il gato nero (Le chat noir) (Fulci), Quartetto Basileus (Quartetto Basileus) (Carpi) ; 1982, La ragazza di Trieste (La fille de Trieste) (Festa Campanile) ; 1983, Don Camilo (Don Camilo) (Hill), Un Foro nel Parabrezza (Scavolini) ; 1984, La mort de Mario Ricci (Goretta), Geheimcode : Wildgänse (Nom de code : Oie sauvage) (Margheriti) ; 1985, Fratelli (Dordi), Dario Argento's World of Horror (Soavi) ; 1986, Camping del terrore (Deodato), Sensi (Lavia) ; 1987, Poisons (Maillard).

Formée à Hollywood, elle débute à la télévision en 1961. Son travail dans un hôpital psychiatrique lui permettra d'interpréter avec une vérité tragique la jeune droguée de *More*. Fixée à Rome, elle joue dans quelques œuvres intéressantes dont *La traque* de Leroy.

Farr, Felicia

Actrice américaine née en 1932.

1956, Timetable (M. Stevens), Jubal (L'homme de nulle part) (Daves), Reprisal (Sherman), The First Texan (Attaque à l'aube) (Haskin), The Last Wagon (La dernière caravane) ; 1958, 3.10 to Yuma (Trois heures 10 pour Yuma) (Daves), Onionhead (Taurog) ; 1959, Hell Bent for Leather (G. Sherman) ; 1964, Kiss Me Stupid (Embrasse-moi, idiot) (Wilder) ; 1967, The Venetian Affair (Minuit sur le grand canal) (J. Torpe) ; 1971, Kotch (Lemmon) ; 1983, Charley Varrick (Siegel) ; 1986, That's Life ! (That's Life !) (Edwards) ; 1992, The Player (The Player) (Altman).

Brève carrière, mais marquée par des westerns importants de Daves. Elle a été mariée à Jack Lemmon.

Farré, Jean-Paul

Acteur français né en 1948.

1974, Pas de problème ! (Lautner), Que la fête commence ! (Tavernier), Les bidasses s'en vont en guerre (Zidi) ; 1975, La fille du garde-barrière (Savary) ; 1976, Comme sur des roulettes (Companez) ; 1978, La fille de Prague avec un sac très lourd (Jaeggi), Les ringards (Pouret) ; 1979, Comment passer son permis de conduire (Derouillat) ; 1980, Le roi des cons (Confortès) ; 1981, Tête à claques (Perrin), Les sous-doués en vacances (Zidi) ; 1982, Le préféré/Rock'n Torah (Grynbaum) ; 1983, Le joli cœur (Perrin) ; 1984, La femme publique (Zulawski) ; 1986, Lévy et Goliath (Oury) ; 1987, Les deux crocodiles (Séria) ; 1988, Trop belle pour toi (Blier) ; 1990, Le brasier (Barbier) ; 1991, Tableau d'honneur (Némès) ; 1995, Dieu, l'amant de ma mère et le fils du charcutier (Issermann) ; 1996, Tenue correcte exigée (Lioret), Swamp ! (Bu) ; 1998, Astérix et Obélix contre César (Zidi), L'ami du jardin (Bouchaud).

Cité ici pour sa composition du psychiatre fou (cela va de soi) dans le ravissant film de Perrin, *Le joli cœur*. Au théâtre il se produit dans d'étonnants « one man shows ».

Farrell, Charles

Acteur américain, 1901-1990.

1923, Rosita (Lubitsch), The Cheat (Fitzmaurice), The Hunchback of Notre-Dame (Worsley), The Ten Commandments (Les dix commandements) (DeMille) ; 1925, The Love Hour (Raymaker), The Freshman (Vive le sport !) (Newmeyer), Wings of Youth (Flynn), Clash of the Wolves (Smith) ; 1926, Old Ironside (Cruze), Sandy (Beaumont), A Trip to Chinatown (Kerr) ; 1927, The Rough Riders (Fleming), Seventh Heaven (L'heure suprême) (Borzage) ; 1928, Street Angel (L'ange de la rue) (Borzage), The Red Dance (Walsh), The River (La femme au corbeau) (Borzage), Fazil (Hawks) ; 1929, City Girl (L'intruse) (Murnau), Sunny Side up (Butler), Lucky Star (Borzage), Happy Days (Stoloff) ; 1930, Liliom (Borzage), The Princess and the Plumber (Korda), The Man Who Came Back (Walsh), High Society Blues (Butler) ; 1932, After Tomorrow (Borzage), The First Year (Howard), Tess of Storm Country (Tess au pays des haines) (Santell), Wild Girl (Walsh) ; 1933, Girl Without a Room (Murphy), Aggie Appleby (Sandrich), Maker of Men (Sedgwick), The Big Shakedown (Dillon) ; 1934, Change of Heart (Blystone) ; 1935, Fighting Youth (McFadden), Forbidden Heaven (Barker) ; 1936, The Flying Doctor (Mendor) ; 1937, Moonlight Sonata (Sonate au clair de lune) (Mendes) ; 1938, Flight to Fame (Coleman), Just Around the Corner (Cummings), Tail Spin (Del Ruth) ; 1941, The Deadly Game (Rosen).

Il fut le jeune premier romantique par excellence des années 20, avec pour partenaire principale Janet Gaynor. Dirigé par Borzage, Hawks, Walsh, Murnau, il s'est retrouvé au générique de quelques-uns des plus grands films romantiques de la fin du muet. Il se retira en 1941 pour se consacrer aux affaires, mais revint comme acteur de films pour la télévision dans les années 50.

Farrell, Colin

Acteur irlandais né en 1976.

1997, Drinking Crude (McPolin) ; 1998, The War Zone (The War Zone) (Roth) ; 1999, Ordinary Decent Criminal (Ordinary Decent Criminal) (O'Sullivan) ; 2001, Tigerland (Schumacher), American Outlaws (American Outlaws) (Mayfield) ; 2002, Hart's War (Mission évasion) (Hoblit), Minority Report (Minority Report) (Spielberg), Hypnotic (Willing), Phone Booth (Phone Game) (Schumacher) ; 2003, Daredevil (Daredevil) (Johnson), The Recruit (La recrue) (Donaldson), Veronica Guerin (Veronica Guerin) (Schumacher), S.W.A.T. (S.W.A.T.) (Johnson), Intermission (Growley) ; 2004, Alexander (Alexandre) (Stone) ; 2005, The New World (Le Nouveau Monde) (Malick) ; 2006, Ask the Dust (Demande à la poussière) (Towne), Miami Vice (Miami Vice – Deux flics à Miami) (Mann).

Nouveau venu dans le cinéma américain, il débute en tueur, incarne Jesse James dans *American Outlaws* et devient l'élève d'Al Pacino dans *La recrue*. En quelques films il devient une star, ce que confirme *Le Nouveau Monde*. Il est en revanche peu convaincant chez Oliver Stone en Alexandre le Grand, un rôle qui le dépasse.

Farrow, Mia

Actrice américaine, de son vrai nom Maria de Lourdes Villiers Farrow, née en 1945.

1964, Guns at Batasi (Les canons de Batasi) (Guillermin) ; 1968, A Dandy in Aspic (Maldonne pour un espion) (A. Mann), Secrete Ceremony (Cérémonie secrète) (Losey), Rosemary's Baby (Le bébé de Rose-Marie) (Polanski) ; 1969, John and Mary (John et Mary) (Yates) ; 1970, Blind Terror (Terreur aveugle) (Fleischer) ; 1971, Follow Me (Sentimentalement vôtre) (Reed) ; 1972, Docteur Popaul (Chabrol) ; 1974, The Great Gatsby (Gatsby le Magnifique) (Clayton) ; 1977, Full Circle (Le cercle infernal) (Longcraine), A Wedding (Un mariage) (Altman) ; 1978, The Hurricane (L'ouragan) (Troell), Death on the Nile (Mort sur le Nil) (Guillermin), Avalanche (C. Allen) ; 1982, Midsummer Night's Sex Comedy (Comédie érotique d'une nuit d'été) (Allen) ; 1983, Zelig (Zelig) (Allen) ; 1984, Broadway Danny Rose (Broadway Danny Rose) (Allen), Supergirl (Supergirl) (Szwarc) ; 1985, The Purple Rose of Cairo (La rose pourpre du Caire) (Allen) ; 1986, Hannah and her Sisters (Hannah et ses sœurs) (Allen) ; 1987, Radio Days (Radio Days) (Allen) ; 1988, September (Septembre) (Allen) ; 1989,

Another Woman (Une autre femme) (Allen), Crimes and Misdemeanors (Crimes et délits) (Allen), New York Stories (New York Stories) (sketch Allen) ; 1990, Alice (Alice) (Allen) ; 1991, Shadows and Fog (Ombres et brouillard) (Allen) ; 1992, Husbands and Wives (Maris et femmes) (Allen) ; 1993, Wolf (Wolf) (Nichols) ; 1994, Widow's Peak (Parfum de scandale) (Irvin), Miami Rhapsody (Miami rhapsodie) (Frankel) ; 1995, Reckless (Rene) ; 1996, Private Parts (Parties intimes) (Thomas) ; 1997, Angela Mooney Dies Again (McArdle) ; 1998, Coming Soon (Burson) ; 2001, Purpose (Lazar).

Fille de Maureen O'Sullivan, la compagne de Tarzan, et du réalisateur John Farrow, elle a suivi des cours d'art dramatique, de danse et de musique à New York avant de débuter à la télévision dans « Peyton Place ». Au cinéma elle reste Rose-Marie, qui accouche d'un bébé Satan dans l'extraordinaire film de Polanski, mais cette excellente comédienne a joué également dans plusieurs films importants, de Losey à Woody Allen. Elle fut mariée à Sinatra entre 1966 et 1968 puis à André Previn entre 1970 et 1979 et vécut avec Woody Allen. Elle se sépara de lui, après avoir tourné dans la plupart de ses films entre 1982 et 1992.

Farrow, Tisa

Actrice américaine, de son vrai prénom Theresa, née en 1951.

1970, Homer (Trent) ; 1972, La course du lièvre à travers les champs (Clément) ; 1973, Some Call It Loving (Harris) ; 1976, Strange Shadows in a Empty Room (DeMartino) ; 1978, Fingers (Mélodie pour un tueur) (Toback) ; 1979, Zombi 2 (L'enfer des zombies) (Fulci) ; 1979, Winter Kills (Richert), Search and Destroy (L'exterminateur) (Fruet), Manhattan (Manhattan) (Allen) ; 1980, L'ultimo cacciatore (Margheriti) ; 1981, Anthropophagous (Anthropophagous) (D'Amato) ; 2004, The Omen (666 La malédiction) (Moore) ; 2007, Fast Track (Peretz).

Sœur de Mia Farrow, elle tente une carrière internationale pour finalement atterrir, quelques nanars plus loin, dans les pires délires de Lucio Fulci et consort.

Farrugia, Dominique : cf. Nuls (Les).

Fassbinder, Rainer Werner

Acteur et réalisateur allemand, 1945-1982.

1969, Liebe ist kälter als der Tod (Fassbinder, film TV), Katzelmacher (Fassbinder) ; 1970, Götter der Pest (Fassbinder), Der amerikanische Soldat (Le soldat américain) (Fassbinder) ; 1971, Rio das Mortes (Fassbinder), Warnung vor einer heiligen Nutte (Fassbinder) ; 1972, Händler der vier Jahreszeiten (Le marchand des quatre saisons) (Fassbinder) ; 1974, Faustrecht der Freiheit (Le droit du plus fort) (Fassbinder), 1-Berlin Harlem (1-Berlin Harlem) (Lambert) ; 1976, Schatten der Engel (L'ombre des anges) (Schmid) ; 1982, Kamikaze 1989 (Gremm). *Pour le metteur en scène*, voir le *Dictionnaire du cinéma*, t. I : *Les réalisateurs*.

L'aura du metteur en scène ne doit pas faire oublier l'interprète de ses propres films qui, par sa présence, donne une unité à son œuvre.

Fatty, Roscoe Arbuckle, dit

Acteur et réalisateur américain, 1887-1933.

1910, The Sanitarium (Selig) ; à partir de 1913, sous la supervision de Sennett : 1913, Help ! Help ! Hydrophobia, The gangsters, A Bandit, The Noise from the Deep, The Gypsy Queen ; 1914, The Masquerader, The Rounders, The Knock-Out, Tanglo Tangles, A Film Johnnie ; 1915, Mabel and Fatty's Married Life, The Little Teacher ; 1920, The Life of the Party. *Pour l'interprète-auteur et le metteur en scène seul*, voir le *Dictionnaire du cinéma*, t. I : *Les réalisateurs* à Arbuckle.

Une « rondeur », cruelle et sadique, faussement débonnaire. Le personnage est ambigu. Fatty, comme on l'a dit, était l'auteur de ses films, même s'il doit beaucoup à Sennett. Une « party » à Hollywood qui se termina par la mort d'une convive mit fin à sa carrière d'acteur. Il continua à tourner, sous pseudonyme, comme réalisateur.

Faure, Renée

Actrice française, 1919-2005.

1941, L'assassinat du Père Noël (Christian-Jaque), Le prince charmant (Boyer) ; 1942, Des jeunes filles dans la nuit (Le Hénaff) ; 1943, Béatrice devant le désir (Marguenat), Les anges du péché (Bresson) ; 1945, Sortilèges (Christian-Jaque), François Villon (Zwobada) ; 1946, Torrents (Poligny) ; 1947, La chartreuse de Parme (Christian-Jaque) ; 1948, L'ombre (Berthomieu) ; 1949, On n'aime qu'une fois (Stelli) ; 1952, Adorables créatures (Christian-Jaque), Kœnigsmark (S. Térac) ; 1953, Raspoutine (Combret) ; 1954, Bel ami (Daquin) ; 1956, Le sang à la tête (Grangier) ; 1957, Cargaison blanche (Lacombe) ; 1959, Rue des Prairies (La Patellière) ; 1960, Le président (Verneuil) ; 1966, Les sultans (Delannoy) ; 1976, Le juge et l'assassin (Tavernier) ; 1979, Un neveu silencieux (Enrico) ; 1985, L'amour en douce (Molinaro) ; 1988, La petite voleuse (Miller) ; 1989, Dédé (Benoît) ; 1990, A la vitesse d'un cheval au galop (Onteniente) ; 1992, L'inconnu dans la maison (Lautner) ; 1997, Nel profondo paese straniero (Homère — La dernière odyssée) (Carpi).

Surtout connue pour son activité théâtrale à la Comédie-Française. Quelques grands rôles au cinéma : Anne-Marie dans *Les anges du péché*, Clélia dans *La chartreuse de Parme*...

Fawcett ou Fawcett-Majors, Farrah

Actrice américaine née en 1947.

1969, Un homme qui me plaît (Lelouch) ; 1970, Myra Breckinridge (Myra Breckinridge) (Sarne) ; 1971, The Feminist and the Fuzz (Paris) ; 1975, Murder on Flight 502 (Mystère sur le vol 502) (McGowan) ; 1976, Logan's Run (L'âge de cristal) (Anderson) ; 1978, Somebody Killed Her Husband (L. Johnson) ; 1979, Sunburn (Sunburn/Coup de soleil) (Sarafian) ; 1980, Saturn 3 (Saturn 3) (Donen) ; 1981, The Cannonball Run (L'odyssée du Cannonball) (Needham) ; 1986, Beate Klarsfeld (Lindsay-Hogg), Extremities (Young) ; 1989, See You in the Morning (Pakula) ; 1994, Man of the House (Orr) ; 1996, The Lovemaster (Goldberg) ; 1997, The Apostle (Le prédicateur) (Duvall) ; 2000, Dr. T and the Women (Dr. T et les femmes) (Altman).

Cette Texane a été diplômée d'université, mais c'est en cover girl puis en vedette de la série télévisée « Drôles de dames » qu'elle s'est imposée. Sportive, « puncheuse », c'est à l'écran le type même de l'amazone.

Faye, Alice

Actrice américaine, de son vrai nom Alice Jeanne Leppert, 1915-1998.

1934, George White's Scandals (Freeland), Now I'll Tell (Burke), She Learned About Sailors (Marshall), 365 Nights in Hollywood (Marshall) ; 1935, George White's 1935 Scandals (White), Every Night At Eight (Walsh), Music Is Magic (Marshall) ; 1936, King of Burlesque (Le roi du music-hall) (Lanfield), Poor Little Rich Girl (Pauvre petite fille) (Cummings), Sing, Baby, Sing (Lanfield), Stowaway (Seiter) ; 1937, On the Avenue (Sur l'avenue) (Del Ruth), Wake Up and Live (Fantôme radiophonique) (Landfield), You Can't Have Everything (Taurog), You're a Sweetheart (Butler), Sally, Irene and Mary (Seiter) ; 1938, In Old Chicago (King), Alexander's Ragtime Band (La folle parade) (King) ; 1939, Tail Spin (Del Ruth), Rose of Washington Square (Ratoff), Hollywood Cavalcade (Cummings), Barricade (Ratoff) ; 1940, Little Old New York (King), Lillian Russel (Cummings), Tin Pan Alley (W. Lang) ; 1941, That Night in Rio (Cummings), The Great American Broadcast (Mayo), Weekend in Havana (Week-end à La Havane) (W. Lang) ; 1943, Hello, Frisco, Hello (Humberstone), The Gang's All Here (Berkeley) ; 1944, Four Jills in a Jeep (Seiter) ; 1945, Fallen Angel (Crime passionnel) (Preminger) ; 1962, State Fair (Ferrer) ; 1978, The Magic of Lassie (Chaffey).

Entrée très jeune dans une compagnie de ballet, elle débute à un rang modeste de « chorus girl » à l'écran. Aimable fantaisiste, sans grand relief, elle précède Betty Grable dans ce panthéon de la Fox dont les comédies, musicales ou non, furent franchement insipides.

Feldman, Marty

Acteur, scénariste et réalisateur d'origine anglaise, 1933-1982.

1969, The Bed Sitting Room (L'ultime garçonnière) (Lester) ; 1970, Every Home Should Have One (Jim Clark) ; 1974, Young Frankenstein (Frankenstein Junior) (Brooks) ; 1975, 40 gradi soto il lenzuolo (Martino), The Adventure of Sherlock Holmes Smarter Brother (Le frère le plus futé de Sherlock Holmes) (Wilder) ; 1976, Silent Movie (La dernière folie de Mel Brooks) (Brooks) ; 1977, The Last Remake of Beau Geste (Mon beau légionnaire) (Feldman) ; 1979, In God We Trust (La bible fait le moine) (Feldman) ; 1983, Slapstick of Another Kind (Paul), Yellowbeard (Barbe d'or et les pirates) (Damski). *Pour le metteur en scène*, voir le *Dictionnaire du cinéma*, t. I : *Les réalisateurs*.

Venu des Monty Python, il impose un étonnant physique : yeux exorbités, grand nez, maigreur qui suscite le rire par la seule apparition de l'acteur. Celui-ci fut révélé par Mel Brooks dans *Young Frankenstein*. Il tourna deux films fort drôles avant de disparaître prématurément.

Felix, Maria

Actrice mexicaine, de son vrai nom de Los Angeles Felix Guereña, 1914-2002.

1942, La mujer sin alma (F. de Fuentes), El penon de las animas (Zacarias) ; 1946, Enamorada (Fernandez) ; 1947, Rio Escondido (Fernandez) ; 1948, Mare Nostrum (Du sang à l'aube) (Gil) ; 1951, Oliva incantesimo tragico (Trésor maudit) (Sequi), Messaline (Gallone) ; 1954, La belle Otéro (Pottier) ; 1955, French Cancan (Renoir), Les héros sont fatigués (Ciampi) ; 1958, La cucaracha (Rodriguez) ; 1959, Sonatas (Bardem), La fièvre monte à El Pao (Buñuel), La Bandida (Rodriguez) ; 1961, Fantasia mexicaine (Alazraki) ; 1962, Juan Gallo (La grande révolte) (Zacarias) ; 1969, Zona sagrada (Zacarias).

Superbe plante au jeu sensuel que l'on put voir dans quelques films européens au cours des années 50 : de la belle Otéro à l'amie de Montand dans *Les héros sont fatigués*, cette belle brune fit quelques ravages. Elle se retira très tôt après un riche mariage.

Fenech, Edwige

Actrice italienne d'origine maltaise née en 1946.

1967, Toutes folles de lui (Carbonnaux) ; 1968, Die Tolldreisten Gesichten (Les vierges folichonnes) (Zachar), Samoa, regina della giunglia (Malatesta), Frau Wirtin hat auch einen Grafen (Oui à l'amour, non à la guerre) (Antel), Il figlio dell'aquila nera (Malatesta) ; 1969, Alle Kätzschen naschen gern) (Les petites chattes sont toutes gourmandes) (Zachar), Die Nackte Bovary (Les folles nuits de la Bovary) (John Frott), Top sensation (Alessi), Testa o croce (Pierotti), Der Mann mit dem goldenen Pinsel (Marischka), Madame und ihre Nichte (Schröder), Komm, liebe Maid und mache (Zacher), Frau Wirtin hat auch eine Nichte (Antel), Don Franco e Don Ciccio nell'anno della contestazione (Girolami) ; 1970, Lo strano vizio della signora Ward (Martino), Satiricosissimo (Laurenti), Le Mans scorciatoia per l'inferno (Civirani), Cinque bambole per la luna d'agosto (L'île de l'épouvante) (Bava) ; 1971, Ubalda (Laurenti), Deserto di fuoco (Merusi), Los amores de Don Juan (Brescia) ; 1972, Opuando le donne si chiamavano madonne (Crimaldi), Il tuo vizio è una stanza chiusa... (Martino), Antonia (Laurenti), Tutti i colori del buio (Martino), Der Pfaffenspiegel (Grimaldi), Perche quelle strane gocce di sangue sul corpo di Jennifer ? (Les rendez-vous de Satan) (Ascott), Un Casanova en apuros (Ascott), La Bella Antonia, prima Monica e poi Dimonia (Laurenti) ; 1973, Giovannona Coscialunga disonorata con onore (Martino), La Signora gioca bene a scopa ? (Carnimeo), Thank's grandmother (Martinelli), Innocenza e Turbamento (La bourgeoise et le puceau) (Dallamasco), Fuori uno, sotto un altro, arriva « il Pastore » (Ascott), Dio, sei un padreterno ! (Lupo) ; 1974, L'insegnante (La prof donne des leçons particulières) (Cilero), Interpol in allarme (Lupo), La vedova inconsolabile ringrazia quanti la consolarono (Laurenti), Anna, quel particolare piacere (Ascott) ; 1975, La moglie vergine (Martinelli), Il vizio di famiglia (La vie de famille) (Laurenti), 40 gradi all'ombra d'un lenzuolo (Martino), Scandali in provincia (Rossati), Nude per l'assassino (Bianchi), Grazie nonna (Girolami) ; 1976, La poliziotta fa carriera (Tarantini), Cattivi pensieri (Qui chauffe le lit de ma femme ?) (Tognazzi), La dottoressa del distretto militare (La toubib du régiment) (Martucci), La dottoressa solto il lenzuolo (La toubib au cours du soir) (Martucci), La Pretora (La main de ma sœur) (Tulei) ; 1977, Taxi girl (Massimo), La soldatessa alla visita militare (La toubib aux grandes manœuvres) (Cicero), Il grande attacco (La grande bataille) (Lenzi), La vergine, il toro e il capricorno (Martino) ; 1978, L'insegnante viene a casa (La prof' connaît la musique) (Tarantini), La soldatessa alle grandi manovre (La toubib prend du galon) (Cicero), Amori miei (Steno), L'insegnante va in collegio (Laurenti), La sauvageonne (Reed) ; 1979, La poliziotta della squadra del buoncostume (Le flic à la police des mœurs) (Tarantini), Dottor Jekyll e gentile signora (Steno), Sabato, domenica e venerdi (Martino), La patata bollente (Steno) ; 1980, La moglie in vacanza... L'amante in città (Les zizis baladeurs) (Martino), Jo e Caterina (Moi et Catherine) (Sordi), Sono fotogenico (Je suis photogénique) (Risi), Il ladrone (Le larron) (Festa Campanile), Il ficcanaso (Corbucci), Zucchero, miele e peperoncino (Martino) ; 1981, Cornetti alla crema (Martino), Asso (Castellano e Pipolo), La poliziotta a New York (Reste avec nous, on s'tire) (Tarentini), Tais-toi quand tu parles (P. Clair), Ricchi, ricchissimi... praticamente in mutande (Martino) ; 1982, Il paramedico (Nasca) ; 1984, Vacanze in America (Vanzina) ; 1987, Un delitto poco comune (Deodato).

Fille d'un industriel maltais et d'une mère italienne, elle voit le jour à Annaba (anc. Bône) en Algérie et se fixe à Nice avec ses parents où à dix-huit ans elle décroche le titre de « Miss Nice ». Les studios allemands puis italiens vont l'accaparer. Elle tourne dans des comédies érotiques où seul son physique avantageux est mis en valeur : elle est flic, toubib, prof dans des films souvent débiles mais qui remplissent les salles. A partir des années 80, la situation change : de grands metteurs en scène comme Dino Risi font appel à elle. C'est la deuxième actrice maltaise après Yvonne Romain.

Fenn, Sherilyn

Actrice américaine née en 1965.

1981, Prep School (Almond) ; 1984, The Wild Life (Linson) ; 1985, Just One of the Guys (Gottlieb), Out of Control (Holzman) ; 1986, Thrashin' (Winters), The Wraith (Marvin) ; 1987, Zombie High (Link) ; 1988, Crime Zone (Llosa) ; 1989, Two Moon Junction (A fleur de peau) (Z. King), True Blood (Kerr) ; 1990, Meridian : Kiss of the Beast (Band), Wild at Heart (Sailor et Lula) (Lynch), Backstreet Dreams (Hitzig) ; 1991, Desire and Hell at Sunset Motel (Castle), Diary of a Hitman (Hitman) (London) ; 1992, Ruby (Ruby) (McKenzie), Of Mice and Men (Des souris et des hommes) (Sinise), Three of Hearts (Bogayevitz), Twin Peaks, Fire Walk With Me (Twin Peaks) (Lynch) ; 1993, Boxing Helena (Boxing Helena) (J. Lynch) ; 1994, Slave of Dreams (R. Young) ; 1996, Just Write (Gallerani), Lovelife (Feldman) ; 1997, The Shadow Men (T. Bond), Dangerous Obsession (Lively) ; 1998, Outside Ozona (Cardone) ; 1999, Cement (Pasdar).

Sensuelle, racée, elle était Audrey Horne, la femme fatale de la série télé « Twin Peaks » de David Lynch. Puis, elle a eu le mérite de remplacer Kim Basinger dans *Boxing Helena* (de Jennifer Chambers Lynch, fille de), où Julian Sands, fou amoureux, la découpe en morceaux. Le film, raté, ne fit malheureusement aucune vague, ralentissant sa carrière.

Fennec, Sylvie

Actrice française née en 1947.

1968, Adélaïde (Simon) ; 1969, Gli specialisti (Le spécialiste) (S. Corbucci), Midi-Minuit (Lestringuez), Le bal du comte d'Orgel (Allégret) ; 1970, Ils (Simon) ; 1971, A la guerre comme à la guerre (Borderie) ; 1973, Quem e beta ? (Pas de violence entre nous) (Dos Santos) ; 1974, Il pleut toujours où c'est mouillé (Simon) ; 1977, Goodbye Emmanuelle (Leterrier) ; 1987, Le maître de musique (Corbiau), En toute innocence (Jessua) ; 1990, Stanno tutti bene (Ils vont tous bien) (Tornatore) ; 1992, Sale temps pour un voyou (Hakkar).

Belle brune distinguée et diaphane, qui jouait notamment l'épouse du chanteur (incarné par José Van Dam) dans *Le maître de musique*. Une fraîcheur qui semble avoir disparu des écrans, malgré notamment des rôles à la télévision (la mère aimante dans la série « Mon ami Gaylor »).

Féraudy, Maurice de

Acteur français, 1859-1932.

1921, Blanchette (Hervil) ; 1922, Crainquebille (Feyder), Molière (Féraudy) ; 1923, Le cousin Pons (Robert) ; 1926, Lady Harrington (Leroy-Grandville) ; 1927, Fleur d'amour (Vandal), Les deux timides (Clair).

Venu du théâtre, il fut l'une des grandes vedettes du muet : inoubliables Crainquebille ou Cousin Pons.

Ferch, Heino

Acteur allemand né en 1963.

1988, Schloss Königswald (Schamoni) ; 1990, Wedding (Schier) ; 1992, Alles Lüge (Schier) ; 1995, Küss mich ! (Pfeiffer) ; 1995, The Ogre (Le roi des aulnes) (Schlöndorff) ; 1996, Winterschläfer (Les rêveurs) (Tykwer), Lucie Aubrac (Berri) ; 1997, Das Leben ist eine Baustelle (Becker), Comedian Harmonists (Comedian Harmonists) (Vilsmaier), Widows – Erst di Ehe, dann das Vergnügen (Horman) ; 1998, 2 Männer, 2 Frauen – 4 Probleme ! ? (Naefe), Lola rennt (Cours Lola cours) (Tykwer), Green Desert (Saul) ; 1999, Straight Shooter (Bohn), Grüne Wüste (Saul), Everybody Dies (Junghans, Komarnicki) ; 2000, Marlene (Vilsmaier).

Impitoyable SS dans *Le roi des aulnes*, il rempile en Klaus Barbie dans *Lucie Aubrac*. Massif, bonne gueule un peu dans la lignée de Bruce Willis, il sait aussi se montrer subtil en chanteur de charme dans *Comedian Harmonists*. Beaucoup de télé en Allemagne.

Ferida, Luisa

Actrice italienne, 1914-1945.

1935, Freccia doro (d'Errico), Re Burlone (Guazzoni) ; 1936, I due sergenti (Guazzoni) ; 1938, Il conte di Brechard (Bonnard) ; 1940, Un'avventura di Salvator Rosa (Une aventure de Salvator Rosa) (Blasetti), La fanciulla di Portici (Bonnard) ; 1941, La corona di ferro (La couronne de fer) (Blasetti) ; 1942, Fari nella nebbia (Franciolini), Nozze di sangue (Alessandrini), La bella addormentata (Chiarini), Fedora (Mastrocinque), Gelosia (Jalousie) (Poggioli) ; 1943, La locandiera (Chiarini).

Star du cinéma fasciste (elle était la chasseresse sauvage de *La couronne de fer*), elle suivit, ainsi que son mari, l'acteur Osvaldo Valenti, Mussolini dans sa retraite et fut assassinée avec lui en 1945.

Ferjac, Anouk

Actrice française, de son vrai nom Anne-Marie Levain, née en 1932.

1946, Un revenant (Christian-Jaque) ; 1948, La cité de l'espérance (Stelli), Scandale aux Champs-Élysées (Blanc) ; 1949, Sans tambour ni trompette (Blanc) ; 1950, Boîte de nuit (Rode) ; 1951, Justice est faite (Cayatte) ; 1952, Nous sommes tous des assassins (Cayatte) ; 1953, Adam est... Ève (Gaveau) ; 1956, La traversée de Paris (Autant-Lara), Mitsou (Audry) ; 1957, La garçonne (Audry), L'étrange monsieur Steve (Bailly), Paris clandestin (Kapps) ; 1959, Le dialogue des carmélites (Agostini) ; 1960, L'espionne sera à Nouméa (Peclet) ; 1965, La guerre est finie (Resnais) ; 1966, Vivre pour vivre (Lelouch) ; 1967, Fleur d'oseille (Lautner), Je t'aime, je t'aime (Resnais) ; 1968, Hallucinations sadiques (Kormon) ; 1969, Mektoub (Ghalem), Que la bête meure (Chabrol) ; 1971, Viva la muerte ! (Arrabal), Les bons sentiments font les grands gueuletons (Berny) ; 1972, Salut voleurs (Cassenti), La michetonneuse (Leroi) ; 1974, Le jardin qui bascule (Gilles), Véronique ou l'été de mes treize ans (Guillemain), Piaf (Casaril) ; 1975, Docteur Françoise Gailland (Bertucelli), Le petit Marcel (Fansten) ; 1976, Le diable dans la boîte (Lary) ; 1977, Diabolo menthe (Kurys), Le vieux pays où Rimbaud est mort (Lefèbvre) ; 1980, Celles qu'on n'a pas eues (Thomas), Clara et les chics types (Monnier) ; 1983, Liberty Belle (Kané), Svarte Fugler (Glomm) ; 1985, Lien de parenté (Rameau) ; 1986, Buisson ardent (Perrin) ; 1988, La salle de bain (Lvoff) ; 1991, Merci la vie (Blier) ; 1997, Le déménagement (Doran).

Fille d'un dessinateur célèbre, Pol Ferjac, elle fait de la danse classique avant de camper les ingénues à l'écran. Sauf avec Cayatte et Autant-Lara, elle a eu malheureusement peu de rôles intéressants.

Fernandel

Acteur français, de son vrai nom Fernand Contandin, 1903-1971.

1930, Le blanc et le noir (Florey), La meilleure bobonne (Allégret), J'ai quelque chose à vous dire (Allégret) ; 1931, Attaque nocturne (Allégret), On purge bébé (Renoir), Vive la classe (Cammage), Cœur de lilas (Litvak), La fine combine (Chotin), Pas un mot à ma femme (Chotin), Paris béguin (Genina) ; 1932, Le rosier de madame Husson (Bernard-Deschamps), Maruche (Péguy), Un homme sans nom (Lebon), Les gaietés de l'escadron (Tourneur), La claque (Péguy), Par habitude (Cammage), Quand tu nous tiens, amour (Cammage), Le jugement de minuit (Esway), Une brune piquante (Poligny), Ordonnance malgré lui (Cammage), Un beau jour de noces (Cammage), La terreur de la pampa (Cammage), Comme une carpe (Heymann) ; 1933, Ça colle (Christian-Jaque), Le coq du régiment (Cammage), Pas de femmes (Bonnard), Le gros lot (Cammage), Lidoire (Tourneur), L'ordonnance (Tourjansky), D'amour et d'eau fraîche (Gandéra), Adémaï aviateur (Tarride), La garnison amoureuse (Vaucorbeil) ; 1934, Une nuit de folies (Cammage), Le chéri de sa concierge (Glavanti), Le train de huit heures quarante-sept (Wulschleger), L'hôtel du Libre-Échange (M. Allégret), Angèle (Pagnol), Les bleus de la marine (Cammage), Le cavalier Lafleur (Ducis), La porteuse de pain (Sti) ; 1935, Ferdinand le Noceur (Sti), Jim la Houlette (Berthomieu), Les gaietés de la finance (Forrester) ; 1936, Un de la légion (Christian-Jaque), Josette (Christian-Jaque) ; 1937, François Ier (Christian-Jaque), Les dégourdis de la Onzième (Christian-Jaque), Ignace (Colombier), Regain (Pagnol), Le Schpountz (Pagnol), Les rois du sport (Colombier), Un carnet de bal (Duvivier), Hercule (Esway) ; 1938, Barnabé (Esway), Raphaël le Tatoué (Christian-Jaque), Tricoche et Cacolet (Colombier), Ernest le Rebelle (Christian-Jaque), Les cinq sous de Lavarède (Cammage) ; 1939, Berlingot et Cie (Rivers), Fric-Frac (Lehmann), L'héritier des Mondésir (Valentin) ; 1940, L'acrobate (Boyer), Monsieur Hector (Cammage), Un chapeau de paille d'Italie (Cammage), La nuit merveilleuse (Paulin), La fille du puisatier (Pagnol) ; 1941, Une vie de chien (Cammage), Les petits riens (Leboursier), Le club des soupirants (Gleize) ; 1942, Simplet (Fernandel), La bonne étoile (Boyer), Ne le criez pas sur les toits (Daniel-Norman) ; 1943, La cavalcade des heures (Noé), Adrien (Fernandel) ; 1945, Le mystère Saint-Val (Le Hénaff), Naïs (Pagnol), Les gueux au paradis (Le Hénaff) ; 1946, Petrus (Allégret), L'aventure de Cabassou (Grangier), Cœur de coq (Cloche) ; 1947, Escale au soleil (Verneuil), Émile l'Africain (Vernay) ; 1948, Si ça peut vous faire plaisir (Daniel-Norman), L'armoire volante (Rim) ; 1949, L'héroïque M. Boniface (Labro), On demande un assassin (Neubach), Botta e risposta (Soldati) ; 1950, Casimir (Pottier), Meurtres (Pottier), Tu m'as sauvé la vie (Guitry), Uniformes et grandes manœuvres (Le Hénaff), Topaze (Pagnol), Boniface somnambule (Labro) ; 1951, Adhémar (Fernandel), L'auberge rouge (Autant-Lara), La table aux crevés (Verneuil), Le petit monde de Don Camillo (Duvivier) ; 1952, Coiffeur pour dames (Boyer), Le fruit défendu (Verneuil), Le boulanger de Valorgue (Verneuil), Le retour de Don Camillo (Duvivier) ; 1953, L'ennemi public n° 1 (Verneuil), Carnaval (Verneuil), Mam'zelle Nitouche (Y. Allégret), Le mouton à cinq pattes (Verneuil), Ali Baba (Becker), Le printemps, l'automne et l'amour (Grangier) ; 1955, La grande bagarre de Don Camillo (Gallone), Don Juan (Berry) ; 1956, Le couturier de ces dames (Boyer), Sous le ciel de Provence (Soldati), Honoré de Marseille (Regamey), L'homme à l'imperméable (Duvivier), Le tour du monde en quatre-vingts jours (Anderson) ; 1957, Sénéchal le Magnifique (Boyer), Le chômeur de Clochemerle (Boyer), A Paris tous les deux (Oswald), La loi c'est la loi (Christian-Jaque) ; 1958, La vie à deux (Duhour), Les vignes du Seigneur (Boyer), Le grand chef (Verneuil) ; 1959, Le confident de ces dames (Boyer), La vache et le prisonnier (Verneuil) ; 1960, Crésus (Giono), Le caïd (Borderie), Cocagne (Cloche), Dynamite Jack (Bastia) ; 1961, Don Camillo monseigneur (Gallone), L'assassin est dans l'annuaire (Joannon), Le jugement dernier (De Sica) ; 1962, Le diable et les dix commandements (Duvivier), Avanti la musica (Bianchi), Le voyage à Biarritz (Grangier) ; 1963, Blague dans le coin (Labro), Le bon roi Dagobert (Chevalier), La cuisine au beurre (Grangier) ; 1964, Relaxe-toi (Boyer), L'âge ingrat (Grangier) ; 1965, Don Camillo en Russie (Comencini), La bourse et la vie (Mocky) ; 1966, Le voyage du père (La Patellière) ; 1967, L'homme à la Buick (Grangier) ; 1969, Heureux qui comme Ulysse (Colpi).

A ses débuts sur scène un chanteur comique troupier à la dentition chevaline ; dès 1937 l'un des plus populaires comiques de l'écran. Il est Ignace, Barnabé, Lafleur, le Schpountz, un militaire ahuri, un demeuré... Mais il peut être aussi Lavarède, Ernest, Raphaël et incarner toute la débrouillardise du Français. Le Toine dans *Naïs* cesse brusquement de faire rire pour prendre une dimension tragique. Les facettes du talent de Fernandel sont multiples. Chefs-d'œuvre et navets alternent dans sa filmographie. On en trouvera une bonne analyse dans l'excellente étude que lui a consacrée Jacques Lorcey ainsi que le récit d'une vie sans grands à-coups depuis que sa belle-mère inventa son pseudonyme (« Voilà le Fernand d'elle ! ») jusqu'à la fondation avec Gabin de la compagnie de production, la Gafer. Fernandel a ainsi résumé sa conception du comique : « L'acteur (au cinéma) ne dispose pas ou très peu d'une histoire pour l'aider. Il n'y a que le gag, un point c'est tout. Et le gag, c'est nous qui le créons. Sans ambiance. Dans le silence du studio. Seul point de repère : les techniciens avec lesquels je travaille. S'ils rient : ça ira. Parce que eux, eh bien, ils en ont vu ! » C'est un peu la servante de Molière.

Ferréol, Andréa

Actrice française née en 1947.

1972, La scoumoune (Giovanni), Les gants blancs du diable (Szabo), The Day of the Jackal (Chacal) (Zinnemann) ; 1973, La raison du plus fou (Reichenbach), Elle court, elle court, la banlieue (Pirès), La grande bouffe (Ferreri), Le trio infernal (Girod) ; 1974, Sérieux comme le plaisir (Benayoun), Gold Flocken (Les flocons d'or) (Schroeter), Le futur aux trousses (Grassian), Vergine e di nome Maria (Peppino et la vierge Marie) (Nasca), Il piatto piange (Le tapis hurle) (Nuzzi), Legami non impossibili (La femme c'est beau) (Bazzini) ; 1975, Parlez-moi d'amour (Drach), Les galettes de Pont-Aven (Seria), L'incorrigible (Broca), Soldato di Fortuna (La grande bagarre) (Festa Campanile), L'ammazzatina (Dolce) ; 1976, Marie-poupée (Seria), Scandalo (Samperi), Servante et maîtresse (Gantillon) ; 1977, Treize femmes pour Casanova (Legrand), L'amant de poche (Queysanne) ; 1978, Despair (Fassbinder) ; 1979, Viaggio con Anita (Voyage avec Anita) (Monicelli), Die Blechtrommel (Le tambour) (Schlöndorff), Retour à Marseille (Allio), L'empreinte des géants (Enrico) ; 1980, Le dernier métro (Truffaut), Tre fratelli (Trois frères) (Rosi) ; 1981, L'ombre rouge (Comolli), La nuit de Varennes (Scola), Ligebue (Nocita) ; 1982, Y a-t-il un Français dans la salle ? (Mocky), Le prix du danger (Boisset) ; 1983, Le battant (Delon), Balles perdues (Comolli), La ragazza di Trieste (La fille de Trieste) (Festa Campanile) ; 1984, Louisiane (Broca), Le jumeau (Robert), Aldo et Junior (Schulmann), Le juge (Lefèbvre) ; 1985, Le due vite di Mattia Pascal (La double vie de Mathias Pascal) (Monicelli), Douce France (Chardeaux), Cuore (Cuore) (Comencini), A zed and two noughts (Zoo) (Greenaway) ; 1986, Letter to an unknown lover (Duffell), Suivez mon regard (Curtelin) ; 1987, Noyade interdite (Granier-Deferre), Promis juré (Monnet), Control (Contrôle) (Montaldo) ; 1988, Una botta di vita (Oldoini), Corentin ou les infortunes conjugales (Marbœuf), Gli padri di nardino (Goldlitz), Francesco (Cavani), Rouge Venise (Périer), Lo zio indegno (Brusati) ; 1989, Wings of Fame (Les ailes de la renommée) (Votocek), Il maestro (Hänsel), Street of No Return (Sans espoir de retour) (Fuller), L'année des treize lunes (Theubet) ; 1991, The True Story of Men and Women (von Ackeren), Hors saison (Schmid), Sweet Killing (Deux doigts de meurtre) (Matalon), Une saison (Coscas) ; 1992, A linha do horizonte (Le fil de l'horizon) (Lopes) ; 1993, Domenica (Kern) ; 1994, Les cent et une nuits (Varda), Le montreur de boxe (Ladoge), Scar (La cicatrice) (Bouzaglo) ; 1996, Les couleurs du diable (Jessua), La vida privada (Perez Herrero), Sono pazzo di Iris Blond (Verdone) ; 1998, Premier de cordée (Niermans, Hiroz) ; 1999, No respires... el amor esta en el aire (Potau), Le conte du ventre plein (Van Peebles) ; 2000, Le prof (Jardin) ; 2001, La boîte (Zidi) ; 2004, Le cadeau d'Elena (Graziani), Madame Édouard (Monfils), Le p'tit curieux (Marbœuf) ; 2006, Les États-Unis d'Albert (Forcier).

Cette Méridionale, formée au cours Jean-Laurent Cochet puis à Aix par Bourseiller, a fait beaucoup de théâtre avant de jouer à l'écran les bonnes grosses filles un peu faciles (de *La grande bouffe* au *Battant*) avec parfois une pointe de perversité (*Servante et maîtresse*) qui n'exclut pas le morbide (*Zoo*).

Ferrer, José

Acteur et réalisateur américain, de son vrai nom José Vicente Ferrer de Otero y Cintrón, 1909-1992.

1948, Joan of Arc (Jeanne d'Arc) (Fleming) ; 1949, Whirlpool (Le mystérieux docteur Korvo) (Preminger) ; 1950, Crisis (Cas de conscience) (Brooks), Cyrano de Bergerac (Cyrano de Bergerac) (Gordon) ; 1952, Moulin-Rouge (Moulin-Rouge) (Huston), Anything Can Happen (Seaton) ; 1953, Miss Sadie Thompson (La belle du Pacifique) (Bernhardt) ; 1954, The Caine Mutiny (Ouragan sur le Caine) (Dmytryk), Deep in My Heart (Au fond de mon cœur) (Donen) ; 1955, The Shrike (Ange ou démon) (Ferrer), Cockleshell Heroes (Commando dans la Gironde) (Ferrer) ; 1956, The Great Man (Ferrer) ; 1958, I Accuse (L'affaire Dreyfus) (Ferrer), The High Cost of Loving (Ferrer) ; 1961, Leggi di guerra ; 1962, Lawrence of Arabia (Lawrence d'Arabie) (Lean) ; 1963, Nine Hours to Rama (A neuf heures de Rama) (Robson), D'Artagnan et Cyrano (Gance) ; 1965, The Greatest Story Ever Told (La plus grande histoire jamais contée) (Stevens), Ship of Fools (La nef des fous) (Kramer) ; 1966, Enter Laughing (Reiner) ; 1968, Cervantes (V. Sherman) ; 1973, El Clan de los immorales (Ordre de tuer) (Maresco) ; 1975, E'lollipop (Les orphelins du bon Dieu) (Lazarus), Paco (O'Neil) ; 1976, Crash (Band), The Sentinel (La sentinelle des maudits) (Winner), The Big Bus (Le bus en folie) (Frawley), Voyage of the Damned (Le voyage des damnés) (Rosenberg) ; 1977, Behind the Iron Mask (L'homme au masque de fer) (Annakin), Zoltan, Hound of Dracula (Zoltan, le chien de Dracula) (Band), The Private Files of J. Edgar Hoover (Cohen) ; Who Has Seen the Wind ? (A. King) ; 1978, The Swarm (L'inévitable catastrophe) (Allen), The Amazing Captain Nemo (Le retour du capitaine Nemo) (A. March), Fedora (Wilder) ; 1979, The Natural Enemies (Kanew), The 5th Musketeer (Annakin) ; 1980, Bloody Birthday (Les tueurs de l'éclipse/Bon anniversaire) (Hunt), Big Brawl (Le chinois) (Clouse) ; 1982, Blood Tide (Jefferies), A Midsummer-night's Sex Comedy (Comédie érotique d'une nuit d'été) (Allen) ; 1983, The Being (Kong) ; 1984, To Be or Not to Be (To be or not to be) (Johnson), The Evil that Men Do (L'enfer de la violence) (Lee-Thompson), Dune (Dune) (Lynch) ; 1985, Hitler's SS (Goddard) ; 1987, The Sun and the Moon (Conway) ; 1988, Samson and Delilah (Philips) ; 1990, Old Explorers (Pohlad), Hired to Kill (Mastorakis et Rader), A Life of Sin (Neris) ; 1991, Primary Motive (Adams). *Pour le metteur en scène*, voir le *Dictionnaire du cinéma*, t. I : *Les réalisateurs*.

Ce Portoricain, qui a fait ses études en Suisse et à l'université de Princeton (où il échoua à ses examens pour cause de trop grande passion pour le jazz), est le plus français des comédiens américains : ne fut-il pas à l'écran Cyrano de Bergerac (deux fois) et un extraordinaire Toulouse-Lautrec (dans *Moulin Rouge*) ? Il fut même Charles VII dans la *Jeanne d'Arc* de Fleming et dirigea deux films sur la France dont une solide et honnête *Affaire Dreyfus*. Récompensé par un oscar en 1950 pour *Cyrano*, ce remarquable comédien, surtout intéressé par le théâtre, s'est par la suite égaré dans une série de productions médiocres ou insignifiantes.

Ferrer, Mel

Acteur et réalisateur américain né en 1917.

1949, Lost Boundaries (Frontières invisibles) (Werker) ; 1950, Born to Be Bad (Ray) ; 1951, The Brave Bulls (La corrida de la peur) (Rossen) ; 1952, Rancho Notorious (L'ange des maudits) (Lang), Scaramouche (Sidney) ; 1953, Lili (Walters), Saadia (Lewin) ; 1954, Knights of the Round Table (Les chevaliers de la Table ronde) (Thorpe) ; 1956, War and Peace (Guerre et paix) (Vidor), Éléna et les hommes (Renoir) ; 1957, The Vintage (Hayden), The Sun Also Rises (Le soleil se lève aussi) ; 1959, The World, the Flesh and the Devil (Le monde, la chair et le diable) (Mac-

Dougall) ; 1960, Et mourir de plaisir (Vadim), L'homme à femmes (Cornu) ; 1961, Les mains d'Orlac (Greville), I lancieri neri (Gentilomo), Leggi di guerra (Paolelli) ; 1962, Le diable et les dix commandements (Duvivier) ; 1964, The Fall of the Roman Empire (La chute de l'Empire romain) (Mann), Paris When It Sizzles (Deux têtes folles) (Quine), Sex and the Single Girl (Une vierge sur canapé) (Quine), El Greco (Salce) ; 1974, Hi, riders ! (Riders) (Clark) ; 1975, Brannigan (Brannigan) (Hickox) ; 1976, Death Trap (Le crocodile de la mort) (Hooper), L'anticristo (L'Antéchrist) (De Martino) ; 1978, La ragazza dal pigiama giallo (Mogherini), Il visitatore (Paradisi), The Amazing Captain Nemo (Le retour du capitaine Nemo) (March), The Norseman (Pierce) ; 1979, Il fiume del grande caimano (Alligator) (L. Martino), Screamers (Martino, Drake), The Visitor (Paradise) ; 1980, Sfida all'ultimo paradiso, Avvoltoi sulla citta (Martino), Incubu sulla citta' contaminata (L'avion de l'apocalypse) (Lenzi), Murder obsession (Freda, sous le pseudonyme de Robert Hampton) ; 1981, Lili Marleen (Fassbinder) ; 1982, Mille milliards de dollars (Verneuil) ; 1989, Eye of the Widow (SAS, l'œil de la veuve) (McLaglen). *Pour le metteur en scène*, voir aussi le *Dictionnaire du cinéma*, t. I : *Les réalisateurs*.

Débuts dans les années 50. Ce long jeune homme maigre et distingué obtient un succès foudroyant, surtout après son mariage avec Audrey Hepburn. Ray, Lang, Vidor, Renoir et Mann le dirigent. Mais il se lance ensuite dans la mise en scène (sans grand succès), divorce d'avec Audrey Hepburn en 1968, et se passionne pour le théâtre. On le revoit par la suite de temps à autre à l'écran dans de petits rôles.

Ferrero, Anna Maria

Actrice italienne, de son vrai nom Guerra, née en 1934.

1949, Il cielo è rosso (Gora) ; 1950, Domani è un altro giorno (Moguy), Il Cristo proibito (Christ interdit) (Malaparte), Il conte di Sant'Elmo (Brignone) ; 1951, Lorenzaccio (Pacini), Le due verita (Les deux vérités) (Leonviola) ; 1952, Fanciulle di lusso (Vorhaus), Canzoni del mezzo secolo (Paolella) ; 1953, Febbre di vivere (Gora), Le infideli (Monicelli), I Vinti (Antonioni), Ragazze da marito (De Filippo), Lo sai che i papaveri (Marchesi) ; 1954, Chronache di poveri amanti (Chronique des pauvres amants) (Lizzani), Napoletani a Milano (De Filippo), Villa Borghese (Franciolini), Siamo tutti inquilini (Mattoli), Giuseppe Verdi (Matarazzo) ; 1955, Toto e Carolina (Monicelli), Una parigina a Roma (Kobler), Guai ai vinti ! (Matarazzo) ; 1956, Il faco d'oro (Bragaglia), Canzoni di tutta Italia (Paolella) ; 1957, La rivale (Majano), Kean (Gassman), Giovanni della banda nere (Grieco), War and Peace (Guerre et paix) (K. Vidor) ; 1958, Suprema confessione (S. Corbucci) ; 1959, Gastone (Bonnard), La notte brava (Les garçons) (Bolognini) ; 1960, Le Capitaine Fracasse (Gaspard-Huit), Il mattatore (L'homme aux cent visages) (Risi), La sorprese dell'amore (Comencini), Austerlitz (Gance), I delfini (Les dauphins) (Maselli), Il gobbo (Le bossu de Rome) (Lizzani) ; 1961, Una domenica d'estate (Petroni), L'oro di Roma (Lizzani) ; 1964, Controsesso (F. Rossi).

Charmante brunette, née à Rome et qui occupa la vedette dans plusieurs films des années 50, dont la *Chronique des pauvres amants, I Vinti* et *Les dauphins*. Lizzani, Antonioni et Maselli : un certain style. Mariée à Jean Sorel, elle semble s'être retirée.

Ferzetti, Gabriele

Acteur italien né en 1925.

Principaux films : 1942, Via delle cinque lune (Chiarini) ; 1947, I Miserabili (L'évadé du bagne) (Freda) ; 1952, Cuore ingrato (Brignone), La provinciale (Marchande d'amour) (Soldati) ; 1953, Puccini (Gallone) ; 1954, Le aventure di Giacomo Casanova (Steno) ; 1955, Le Amiche (Femmes entre elles) (Antonioni) ; 1956, Donatella (Donatella) (Monicelli) ; 1960, L'avventura (L'aventure) (Antonioni) ; 1961, Le crime ne paie pas (Oury), Rencontres (Agostini) ; 1963, Mort, où est ta victoire ? (Bromberger) ; 1964, Par un beau matin d'été (Deray) ; 1965, Trois chambres à Manhattan (Carné) ; 1968, C'éra una volta il West (Il était une fois dans l'Ouest) (Leone) ; 1969, Un diablo bajo la almohada (Le diable sous l'oreiller) (Forqué), Grazie, zia ? (Merci ma tante) (Samperi), Gli intoccabili (Le clan des non-violents) (Montaldo), On Her Majesty's secret service (Au service de Sa Majesté) (Hunt) ; 1970, De la part des copains (T. Young), Cannabis (Koralnik), L'aveu (Costa-Gavras) ; 1971, Mendiants et orgueilleux (Poitrenaud), Un'anguilla da 300 milioni (Samperi) ; 1972, Trois milliards sans ascenseur (Pigaut), Alta tension (Buchs) ; 1973, Divorce his divorce hers (Divorce) (Hussein), Portere di notte (Portier de nuit) (Cavani), Un'uomo della pelle dura (Prosperi), Bisturi, la Mafia bianca (Bistouri, la mafia blanche) (Zampa), Hitler, the Last Ten Days (Concini) ; 1974, La prova d'amore (Longo), Processo per direttissima (Caro), Fatevi vivi, la polizia non interverra (Fago), Appassionata (Les passionnées) (Calderone), Corruzione al palazzo di giustizia (Aliprandi) ; 1975, Le guêpier (Pigaut), Lezioni di violoncello con toccata e fuga (Montemurri),... a tutte le auto della polizia... (Caiano), Der Richter und Sein Henken (Schell) ; 1976, A matter of time (Nina) (Minelli), Sette notte in nero (L'emmurée vivante) (Fulci), L'orca (E. Visconti), Gli amici di Nick Hezard (Di Leo) ; 1978, L'ordre et la sécurité du monde (d'Anna), Incontro con gli umanoidi (Richmond), Mon premier amour (Chouraqui) ; 1979, Gli anni struggenti (Sindoni), Bloodline (Liés par le sang) (T. Young) ; 1980, Inchon (T. Young) ; 1982, Morte in Vaticano (Aliprandi) ; 1983, Quartetto Basileus (Quartetto Basileus) (Carpi), Grog (Laudadio) ; 1985, Follia, amore mio (Bongioanni) ; 1987, Julia & Julia (Julia et Julia) (Del Monte) ; 1995, Othello (Othello) (O. Parker).

Type même du séducteur transalpin. Beaucoup de comédies avant de devenir célèbre dans le rôle de l'architecte à la recherche de sa maîtresse disparue dans *L'aventura.*

Feuillère, Edwige

Actrice française, de son vrai nom Cunati, 1907-1998.

1931, Le cordon bleu (Anton), La perle (Guissart) ; 1932, Topaze (Gasnier), Maquillage (Anton), Une petite femme dans le train (Anton) ; 1933, Toi que j'adore (Bolvary), Matricule 33 (Anton), Les aventures du roi Pausole (Granowsky), Ces messieurs de la Santé (Colombier) ; 1934, Le miroir aux alouettes (Steinhoff-Valentin) ; 1935, Lucrèce Borgia (Gance), Golgotha (Duvivier), Barcarolle (Lamprecht), Stradivarius (Bolvary-Valentin) ; 1936, Mister Flow (Siodmak), La route heureuse (Lacombe) ; 1937, Marthe Richard (R. Bernard), Feu (Baroncelli), La dame de Malacca (M. Allégret) ; 1938, J'étais une aventurière (R. Bernard) ; 1939, De Mayerling à Sarajevo (Ophuls), Sans lendemain (Ophuls), L'émigrante (Joannon) ; 1941, Mam'zelle Bonaparte (Tourneur) ; 1942, La duchesse de Langeais (Baroncelli), L'honorable Catherine (L'Herbier) ; 1943, Lucrèce (Joannon) ; 1945, La part de l'ombre (J. Delannoy), Tant que je vivrai (Baroncelli) ; 1946, Il suffit d'une fois (Feix), L'idiot (Lampin) ; 1947, L'aigle à deux têtes (Cocteau) ; 1948, The Woman Hater (Les ennemis amoureux) (Young) ; 1949, Julie de Carneilhan (Manuel) ; 1950, Souvenirs perdus (Christian-Jaque), Olivia (Audry) ; 1951, Le cap de l'espérance (Bernard) ; 1952, Adorables créatures (Christian-Jaque) ; 1953, Le blé en herbe (Autant-Lara) ; 1954, Les fruits de l'été (Bernard) ; 1956, Le septième commandement (Bernard) ; 1958, La vie à deux (Duhour), En cas de malheur (Autant-Lara), Quand la femme s'en mêle (Y. Allégret) ; 1961, Les amours célèbres (Boisrond), Le crime ne paie pas (Oury) ; 1964, Aimez-vous les femmes ? (Léon), La bonne occase (Drach) ; 1968, Scusi, facciamo l'amore (Et si on faisait l'amour) (Caprioli) ; 1969, OSS 117 prend des vacances (Hunebelle), Le clair de terre (Gilles) ; 1974, La chair de l'orchidée (Chéreau).

Née à Vesoul. Études au conservatoire de Paris et débuts à la Comédie-Française en 1931. Elle jouera également au TNP et dans la compagnie Renaud-Barrault. Créations de Giraudoux, Claudel, Cocteau... Bref, une carrière théâtrale prestigieuse. Au cinéma, débuts sous le pseudonyme de Cora Lynn. Gros scandale avec *Lucrèce Borgia* où elle se montre nue. Mais Balzac revu par Giraudoux (*La duchesse de Langeais*) et Cocteau (*L'aigle à deux têtes*) rachètent *Lucrèce Borgia* et *Le roi Pausole.* Après *Le blé en herbe*, en 1953, elle n'a plus de rôles intéressants et tourne trop de films médiocres. Elle est devenue la grande dame du cinéma français qui reçoit un césar d'honneur en 1984. Elle continuera son activité théâtrale jusqu'à sa mort.

Field, Sally

Actrice et réalisatrice américaine, de son vrai nom Sally Field Mahoney, née en 1946.

1967, The Way West (La route de l'Ouest) (McLaglen) ; 1976, Stay Hungry (Rafelson), Sybil (Petrie) ; 1977, Smokey and the Bandit (Cours après moi, shérif) (Needham), Heroes (Héros) (Kagan) ; 1978, The End (Suicidez-moi, docteur) (Reynolds), Hooper (La fureur du danger) (Needham) ; 1979, Norma Rae (Ritt), Beyond the Poseidon Adventure (Le dernier secret du Poséidon) (I. Allen) ; 1980, Smokey and the Bandit Ride Again (Tu fais pas le poids, shérif) (Needham) ; 1981, Black Roads (Ritt) ; 1982, Kiss Me Good bye (Mulligan), Absence of Malice (Absence de malice) (Pollack) ; 1984, Places in the Heart (Les saisons du cœur) (Benton) ; 1985, Murphy's Romance (Ritt) ; 1987, Surrender (Cordes et discordes) (Belson) ; 1988, Punchline (Seltzner) ; 1990, Not Without my Daughter (Jamais sans ma fille) (Gilbert) ; 1991, Soap Dish (Hoffman) ; 1993, Mrs. Doubtfire (Madame Doubtfire) (Columbus) ; 1994, Forrest Gump (Forrest Gump) (Zemeckis) ; 1995, Eye for an Eye (Au-delà des lois) (Schlesinger), Homeward Bound II (Ellis) ; 2000, Say It Isn't So (Rogers) ; 2003, Legally Blonde : Red, White

& Blonde (La blonde contre-attaque) (Herman-Wurmfeld). *Comme réalisatrice :* 2002, Beautiful.

Belle-fille de l'acteur Jack Mahoney et fille de l'actrice Maggie Field Mahoney, elle est née à Pasadena. Beaucoup de télévision avec Sargent, B. Sagal et Petrie (*Sybil*). A l'écran, elle est lancée par un oscar et un prix d'interprétation à Cannes, en 1979, pour *Norma Rae*. Un talent confirmé par *Places in the Heart* qui lui vaut un nouvel oscar en 1984.

Fields, Gracie

Actrice anglaise, de son vrai nom Grace Stansfield, 1898-1979.

Principaux films : 1936, Queen of Heart (Banks) ; 1938, Keep Smiling (Banks) ; 1943, Holy Matrimony (Stahl).

Très populaire en Angleterre en dépit d'une filmographie sans grand intérêt, dont les œuvres les plus marquantes sont signées de son mari, Monty Banks.

Fields, William Claude

Acteur, réalisateur et scénariste américain, 1879-1946.

1915, Pool Sharks (Middleton) ; 1924, Janice Meredith (Hopper) ; 1925, Sally of the Sawdust (Sally fille de cirque) (Griffith) ; 1926, That Royle Girl (Détresse) (Griffith), It's the Old Army Game (Sutherland), So's Your Old Man (Aie ! Mes aïeux !) (La Cava) ; 1927, The Potters (Papa spécule) (Newmayer), Running Wild (Dans la peau du lion) (La Cava), Two Flaming Youths (Waters) ; 1928, Tillie Punctured Romance (Sutherland), Fools for Luck (Reisner) ; 1930, The Golf Specialist (Brice) ; 1931, Her Majesty, Love (Dieterle) ; 1932, Million Dollar Legs (Cline), If I Had a Million (Si j'avais un million) (Taurog), The Dentist (Pierce) ; 1933, The Fatal Glass of Beer (Bruckman), The Pharmacist (Ripley), The Barber Shop (Ripley), International House (International House) (Sutherland), Tillie and Gus (F. Martin), Alice in Wonderland (Alice au pays des merveilles) (McLeod) ; 1934, Six of a Kind (Poker Party) (McCarey), You're Telling Me (Dollars et whisky) (Kenton), The Old-Fashioned Way (La parade du rire) (Beaudine), Mrs. Wiggs of the Cabbage Patch (Taurog), It's a Gift (Une riche affaire) (McLeod) ; 1935, David Copperfield (David Copperfield) (Cukor), Mississippi (Mississippi) (Sutherland), The Man on the Flying Trapeze (Les joies de la famille) (Bruckman) ; 1936, Poppy (Sutherland) ; 1938, The Big Broadcast (Leisen) ; 1939, You Can't Cheat an Honest Man (Sans peur et sans reproche) (G. Marshall) ; 1939, My Little Chickadee (Mon petit poussin chéri) (Cline) ; 1940, The Bank Dick (Mines de rien) (Cline) ; 1941, Never Give a Sucker an Even Break (Passez muscade) (Cline) ; 1942, Tales of Manhattan (Duvivier, sketch coupé) ; 1944, Follow the Boys (Sutherland), Song of the Open Road (Hollywood Melodie, S. Simon) ; 1945, Sensations of 1945 (Swing Circus) (Stone). *Pour le metteur en scène*, voir le *Dictionnaire du cinéma*, t. I : *Les réalisateurs*.

En évoquant sa carrière, on a dit dans le volume consacré aux réalisateurs que Fields était plus un créateur qu'un acteur. Avec son gros nez, ses airs bougons, sa haine des animaux et des enfants, ses calembours et ses aphorismes, il compose de film en film un personnage qui ne doit rien aux pâles metteurs en scène qui l'ont dirigé. A Hollywood, dans sa piscine tournoyait un cygne ivre de whisky. Tout un symbole.

Fiennes, Ralph

Acteur anglais né en 1962.

1992, Wuthering Heights (Kominsky), The Baby of Mâcon (The Baby of Mâcon) (Greenaway) ; 1993, Schindler's List (La liste de Schindler) (Spielberg) ; 1994, Quiz Show (Quiz Show) (Redford) ; 1995, Strange Days (Strange Days) (Bigelow) ; 1996, The English Patient (Le patient anglais) (Minghella), Oscar and Lucinda (Armstrong) ; 1997, The Avengers (Chapeau melon et bottes de cuir) (Chechik) ; 1998, Eugen Onegin (M. Fiennes), Sunshine (Sunshine) (Szabo) ; 1999, The End of the Affair (La fin d'une liaison) (Jordan) ; 2001, Killing Me Softly (Feu de glace) (Kaige) ; 2002, Leo (Norowzian), Red Aragon (Aragon rouge) (Ratner) ; 2003, Spider (Spider) (Cronenberg), The Good Thief (L'homme de la Riviera) (Jordan) ; 2005, Harry Potter and the Goblet of Fire (Harry Potter et la coupe de feu) Newell ; The Constant Gardener (The Constant Gardener) (Meirelles) ; 2005, Man to Man (Wargnier) ; 2006, Chromophobia (M. Fiennes) ; 2007, Harry Potter and the Order of the Phoenix (Harry Potter et l'ordre du Phénix) (Yates).

Acteur shakespearien de formation, au charisme comparable à celui d'un Daniel Day-Lewis, il se fait connaître en tenant le rôle du nazi Amon Goeth dans *La liste de Schindler*.

Finch, Peter

Acteur anglais, de son vrai nom William Mitchell, 1916-1977.

Films tournés en Australie : 1938, Dad and Dave Come to Town, Mr. Chedworth Steps

Out ; 1939, Ants in His Pants ; 1940, The Power and the Glory ; 1942, Another Threshold ; 1943, South West Pacific ; 1944, Rats of Tobruk (Chauvel) ; *en Angleterre :* 1949, Eureka Stockade (Watt), Train of Events (Dearden, Crichton, Cole) ; 1950, Minniver Story (Potter), The Wooden Horse (Le cheval de bois) (J. Lee) ; 1951, Robin Hood and His Merry Men (Robin des Bois et ses joyeux compagnons) (Annakin) ; 1953, The Story of Gilbert and Sullivan (Gilliat et Launder), The Heart of the Matter (Le fond du problème) (More O'Ferrall), Elephant Walk (La piste des éléphants) (Dieterle) ; 1954, Father Brown (Détective du bon Dieu) (Hamer), Make Me an Offer (Frankel) ; 1955, The Dark Avenger (L'armure noire) (Levin), Passage Home (Baker), Josephine and Men (Boulting), Simon and Laura (Box) ; 1956, A Town Like Alice (Ma vie commence en Malaisie) (Lee), The Battle of the River Plate (La bataille du Rio de la Plata) (Powell et Pressburger) ; 1957, The Shiralee (L. Norman), Robbery Under Arms (Lee) ; 1958, Windom's Way (Alerte en Extrême-Orient) (Neame), Operation Amsterdam (Mac Carthy) ; 1959, The Nun's Story (Au risque de se perdre) (Zinnemann), Kidnapped (Stevenson), The Sins of Rachel Cade (Au péril de sa vie) (Douglas) ; 1960, The Trials of Oscar Wilde (Le procès d'Oscar Wilde) (K. Hughes) ; 1961, No Love for Johnnie (R. Thomas) ; 1962, I Think a Fool (R. Stevens), In the Cool of the Days (Les chemins de la vengeance) (Stevens) ; 1964, Girl with Green Eyes (La fille aux yeux verts) (Davis), First Men on the Moon (Les premiers hommes dans la lune) (Juran), The Pumpkin Eater (Le mangeur de citrouille) (Clayton) ; 1965, The Flight of the Phœnix (Le vol du phénix) (Aldrich), Judith (Daniel Mann) ; 1967, 10.30 PM Summer (Dassin), Far from the Madding Crowd (Loin de la foule déchaînée) (Schlesinger) ; 1968, The Legend of Lylah Clare (Le démon des femmes) (Aldrich) ; 1969, The Red Tent (La tente rouge) (Kalatazov) ; 1971, Sunday Bloody Sunday (Un dimanche comme les autres) (Schlesinger), Something to Hide (A. Reid) ; 1973, The Nelson Affair (Jones), England Made Me (Le financier) (Duffell), Request to the Nation (J. Jones), The Lost Horizons (Les horizons perdus) (Jarrott) ; 1974, The Abdication (Harvey) ; 1975, Journey into Fear (D. Mann) ; 1976, Raid on Entebbe (Raid sur Entebbe) (Kershner), Network (Main basse sur la télévision) (Lumet).

Ses débuts en Australie où ce Londonien a passé sa jeunesse demeurent mal connus. Il fait beaucoup de théâtre et Laurence Olivier lui conseille de retourner à Londres. C'est un bon conseil. Le cinéma toutefois, plus que le théâtre, va l'emporter dans la suite de la carrière de Finch. Tantôt méchant (Flambeau, l'adversaire de Guinness, dans *Father Brown*), tantôt déchiré (*The Pumpkin Eater*), amoureux transi (*Far from the Madding Crowd*) ou homosexuel honteux (*Sunday Bloody Sunday*), il est toujours remarquable. En 1976, il obtint avec *Network* un oscar posthume. Il était mort peu avant d'une crise cardiaque.

Finlayson, James

Acteur américain d'origine écossaise, 1887-1954.

1919, Love's False Faces (Les surprises du dancing) (Jones) ; 1920, Down On the Farm (Un mariage mouvementé) (Kenton), Married Life (Kenton), Great Scott (Bevan), Don't Weaken (St. Clair), My Goodness (N. Smith), Bungalow Troubles (Austin) ; 1921, A Small Town Idol (Sennett) ; 1922, The Crossroads of New York (Jones), Home Made Movies (Gray) ; 1923, Where Is My Wandering Boy This Evening ? (Waldron), Pitfalls of a Big City (Waldron), Rex, King of the Wild Horses (Sans loi) (Jones), The Handy Man (avec Laurel), A Man About Town (Suivons la piste) (avec Laurel), Roughest Africa (Laurel chasse le fauve) (avec Laurel), The Whole Truth (avec Laurel), The Soilers (Héros de l'Alaska) (avec Laurel), Cow-boy Cry For It (La ferme en folie) (avec Laurel) ; 1924, Smithy (avec Laurel), Near Dublin (Le facteur incandescent) (avec Laurel), Short Kilts (avec Laurel), Brothers Under the Chin (avec Laurel) ; 1927, Love'em and Weep, With Love and Hisses, Do Detectives Think ?, Flying Elephants, Sugar Daddies, Call of the Cuckoo, The Second Hundred Years, Hats Off (tous avec Laurel et Hardy) ; 1929, Liberty, Big Business, Men O'War, The Hoosegow (avec Laurel et Hardy) ; 1930, Night Owls, Another Fine Mess (avec Laurel et Hardy), The Dawn Patrol (Hawks) ; 1931, Oh ! Oh ! Cleopatra (Santley), False Roomers (Sandrich), A Melon Drama (Sandrich), Scratch as Catch Can (Sandrich), Chickens Come Home, Our Wife, Pardon Us, One Good Turn (avec Laurel et Hardy) ; 1932, Angel (Lubitsch), The Iceman's Ball (Sandrich), The Millionaire Cat (Sandrich), The Chimp (Laurel et Hardy), Pack-Up Your Troubles (Les sans-soucis) (Marshall, avec Laurel et Hardy), Thunder Bellow (Wallace) ; 1933, Me and My Pal (avec Laurel et Hardy), The Devil's Brother (Fra Diavolo) (Roach, avec Laurel et Hardy) ; 1935, Thicker than Water (avec Laurel et Hardy),

Bonnie Scotland (Bons pour le service) (Horne, avec Laurel et Hardy) ; 1936, Our Relations (C'est donc ton frère) (Lachman, avec Laurel et Hardy), The Bohemian Girl (La Bohémienne) (Horne, avec Laurel et Hardy) ; 1937, Way Out West (Laurel et Hardy au Far-West) (Horne, avec Laurel et Hardy), Pick a Star (Sedgwick, avec Laurel et Hardy), All over the Town (Horne) ; 1938, Blockheads (Têtes de pioche) (Blystone, avec Laurel et Hardy) ; 1939, Hollywood Cavalcade (Cummings), The Flying Deuces (Laurel et Hardy conscrits) (Sutherland) ; 1940, Foreign Correspondant (Correspondant 17) (Hitchcock), A Chump at Oxford (Les as d'Oxford) (Goulding avec Laurel et Hardy), Saps at Sea (Laurel et Hardy en croisière) (Douglas) ; 1942, To Be or Not to Be (Jeux dangereux) (Lubitsch) ; 1947, Perils of Pauline (Les exploits de Pearl White) (Marshall) ; 1951, Royal Wedding (Mariage royal) (Donen).

Il est inséparable de la saga de Laurel et Hardy. « Ses plus mémorables compositions aux côtés de Laurel et Hardy resteront à coup sûr ses bagarres innombrables qui débutent en beauté avec le magnifique et dévastateur *Big Business* où il savait avec une mimique de contentement et de satisfaction indescriptible couper la cravate de Hardy ou lui déchirer son pan de chemise » (Coursodon, *Laurel et Hardy*, p. 218). Petit à petit ses rôles se sont amenuisés, mais tous les amateurs gardent le souvenir de Bagoutin, son surnom français.

Finney, Albert

Acteur et réalisateur anglais né en 1936.

1960, The Entertainer (Le cabotin) (Richardson), Saturday Night and Sunday Morning (Samedi soir et dimanche matin) (Reisz) ; 1963, Tom Jones (Entre l'alcôve et la potence) (Richardson), The Victors (Les vainqueurs) (Foreman) ; 1964, Night Must Fall (La force des ténèbres) (Reisz) ; 1967, Two for the Road (Voyage à deux) (Donen) ; 1968, Charlie Bubbles (Charlie Bubbles) (Finney) ; 1969, The Picasso Summer (Sallin) ; 1970, Scrooge (Neame) ; 1971, Gumshoe (Frears) ; 1972, Alpha Beta (Page) ; 1974, Murder on the Orient-Express (Le crime de l'Orient-Express) (Lumet) ; 1975, The Adventure of Sherlock Holmes' Smarter Brother (Le frère le plus futé de Sherlock Holmes) (Wilder) ; 1977, The Duellists (Les duellistes) (Scott) ; 1981, Wolfen (Wolfen) (Wadleigh), Shoot the Moon (L'usure du temps) (Parker) ; 1982, Annie (Huston) ; 1983, Loophole (Quested), The Dresser (L'habilleur) (Yates), Looker (Video Crime) (Crichton), Under the Volcano (Au-dessous du volcan) (Huston) ; Orphans (Les enfants de l'impasse) (Pakula) ; 1990, Miller's Crossing (Coen) ; 1992, The Playboys (The Playboys) (McKinnon), Rich in Love (Beresford) ; 1993, The Browning Version (Les leçons de la vie) (Figgis) ; 1994, A Man of no Importance (Un homme sans importance) (Krishnamma), The Run of the Country (Yates) ; 1996, Washington Square (Washington Square) (Holland) ; 1998, Breakfast of Champions (Breakfast of Champions) (Rudolph), A Rather English Marriage (Seed) ; 1999, Simpatico (Simpatico) (Warchus), Delivering Milo (Castle) ; 2000, Erin Brockovich (Erin Brockovich) (Soderbergh), Traffic (Traffic) (Soderbergh) ; 2003, Big Fish (Big Fish) (Burton). *Pour le metteur en scène*, voir le *Dictionnaire du cinéma*, t. I : *Les réalisateurs*.

Cours de l'Académie royale d'art dramatique puis de la Royal Shakespeare Company de Stratford-upon-Avon. Mais il touche aussi à la comédie musicale et, producteur heureux (10 % des recettes de *Tom Jones*), il tourne ses propres films : *Charlie Bubbles* et, dit-on, sous un nom d'emprunt, *Gumshoe*. L'acteur fut révélé par *Samedi soir et dimanche matin*, mais c'est *Tom Jones* qui le rendit célèbre. Il s'est amusé à composer différents personnages comme Fouché, le ministre de la police de Napoléon (*The Duellists*), ou Hercule Poirot, le détective d'Agatha Christie (*Le crime de l'Orient-Express*). Il est un amusant maître d'hôtel dans *Annie*, d'après la célèbre bande dessinée et un fabuleux cabot qui mélange les rôles de Shakespeare dans le splendide et méconnu *The Dresser*.

Fiorentino, Linda

Actrice américaine, de son vrai prénom Florinda, née en 1960.

1985, Vision Quest (Becker), After Hours (After hours) (Scorsese), Gotcha ! (Touché) (Kanew) ; 1988, The Moderns (Les modernes) (Rudolph), Wildfire (King) ; 1991, Shout (Hornaday), Queens Logic (Rash) ; 1992, Chain of Desire (Lopez), Beyond the Law (Ferguson) ; 1993, Acting on Impulse/Roses Are Dead (Irvin) ; 1994, The Last Seduction (Last Seduction) (Dahl), The Desperate Trail (Pesce), Bodily Harm (Lemmo), Charlie's Ghost Story (Edwards) ; 1995, Jade (Jade) (Friedkin), Unforgettable (Mémoires suspectes) (Dahl) ; 1996, Men in Black (Men in Black) (Sonnenfeld), Larger than Life (Un éléphant sur les bras) (Franklin) ; 1997, Body Count (Patton-Spruill), Kicked in the Head (Harrison) ; 1998, Dogman (Smith), Where the Money Is (En toute complicité) (Kanievska) ; 1999, Ordinary Decent Criminal (Ordinary Decent Criminal)

(O'Sullivan), What Planet Are You From ? (De quelle planète viens-tu ?) (Nichols) ; 2000, Till the End of Time (Kanievska).

Peu vue avant sa prestation de *Last Seduction*, où elle offre une composition de femme fatale qui lui vaut les éloges de la critique du monde entier. Remarquable dans *Jade* et *Mémoires suspectes,* elle semble marquer le pas dans ses films suivants.

Fischer, Otto Wilhelm

Acteur et réalisateur autrichien, 1915-2004.

Plus de 50 films dont : 1949, Rosen der Liebe (Neufeld) ; 1950, Marchen vom Gluck (Glahs) ; 1953, Tagebrich einer Verliebten (Baky) ; 1954, Napoléon (Guitry) ; 1955, Glanz und Ende eines Königs (Louis II de Bavière) (Kautner) ; 1957, El Hakim (Thiele) ; 1958, Peter Voss der Millionen dieb (Peter Foss le voleur de millions) (W. Becker) ; 1959, Menschen im Hotel (Grand Hôtel) (Reinhardt) ; 1962, Axel Munthe (Marischka). *Comme réalisateur :* 1955, Hanussen (avec Marischka) ; 1956, Ich suche Dich, Mein Vater, der Schauspieler.

Bel homme blond venu du Burgtheater de Vienne, peu expressif mais imposant. Son meilleur rôle est celui du soldat dans *El Hakim.* Assez bon réalisateur autant qu'on puisse en juger par *Hanussen.*

Fishburne, Laurence ou Larry

Acteur et réalisateur américain né en 1961.

1975, Cornbread, Earl and Me (Manduke) ; 1979, Apocalypse Now (Apocalypse Now) (Coppola) ; 1980, Willie and Phil (Willie et Phil) (Mazursky) ; 1981, Death Wish II (Un justicier dans la ville n° 2) (Winner) ; 1983, Rumble Fish (Rusty James) (Coppola) ; 1984, The Cotton Club (Cotton Club) (Coppola) ; 1985, The Color Purple (La couleur pourpre) (Spielberg) ; 1986, Quicksilver (Donnelly), Band of the Hand (Le mal par le mal) (Glaser) ; 1987, A Nightmare on Elm Street part III : Dream Warriors (Freddy 3, les griffes du cauchemar) (Russell), Gardens of Stone (Jardins de pierre) (Coppola) ; 1988, Red Heat (Double détente) (Hill), School Daze (Lee) ; 1990, Cadence (Cadence) (Sheen), The King of New York (King of New York) (Ferrara) ; 1991, Class Action (Class Action) (Apted), Boyz'n the Hood (Boyz'n the hood) (Singleton) ; 1992, Deep Cover (Dernière limite) (Duke) ; 1993, What's Love Got to Do With It ? (Tina) (Gibson), Searching for Bobby Fischer (Zaillian) ; 1994, Bad Company (Harris), Higher Learning (Fièvre à Columbus University) (Singleton), Just Cause (Juste Cause) (Glimcher) ; 1995, Othello (Othello) (O. Parker), Fled (Liens d'acier) (Hooks) ; 1996, Hoodlum (Les seigneurs de Harlem) (Duke) ; 1997, Event Horizon (Event Horizon : le vaisseau de l'au-delà) (Anderson) ; 1998, The Matrix (Matrix) (Wachowski), Cassandra Wilson's Traveling Miles (De Bankolé, Amalbert), Welcome to Hollywood (Markes) ; 1999, Once in the Life (Fishburne) ; 2003, The Matrix Reloaded (Matrix Reloaded) (Wachowski), The Matrix Revolutions (Matrix Revolutions) (Wachowski), Mystic River (Mystic River) (Eastwood). *Comme réalisateur :* 1999, Once in the Life.

A dix ans il débute au théâtre, et à treize au cinéma. Beaucoup de rôles secondaires, soldats, flics ou voyous, jusqu'à ce que l'on remarque le père protecteur de *Boyz'n the Hood.* Il devient le premier Othello véritablement noir de l'histoire du cinéma, dans la version d'Oliver Parker.

Fisher, Carrie

Actrice américaine née en 1951.

1975, Shampoo (Shampoo) (Ashby) ; 1977, Star Wars (La guerre des étoiles) (Lucas) ; 1978, I Want to Hold Your Hand (Crazy Day) (Zemeckis) ; 1979, Wise Blood (Le malin) (Huston) ; 1980, The Empire Strikes Back (L'empire contre-attaque) (Kershner), The Blues Brothers (The Blues Brothers) (Landis) ; 1983, The Return of the Jedi (Le retour du Jedi) (Marquand) ; 1984, Garbo Talks (A la recherche de Garbo) (Lumet) ; 1985, The Man With One Red Shoe (Dragoti) ; 1986, Hannah and Her Sisters (Hannah et ses sœurs) (Allen), Hollywood Vice Squad (Spheeris) ; 1987, Amazon Women on the Moon (Hamburger film sandwich) (Landis) ; 1988, Appointment With Death (Rendez-vous avec la mort) (Winner) ; 1989, Loverboy (Micklin Silver), The Burbs' (Dante), When Harry Met Sally (Quand Harry rencontre Sally) (R. Reiner) ; 1990, Sibling Rivalry (L'amour dans de beaux draps) (C. Reiner) ; 1991, Drop Dead Fred (Jong), Soap Dish (Hoffman) ; 1992, This Is My Life (Ephron) ; 1999, Scream 3 (Scream 3) (Craven) ; 2000, Famous (Dunne).

Cette petite créature aseptisée née du croisement du chanteur Eddie Fisher et de Debbie Reynolds est l'héroïne de l'inépuisable saga de *La guerre des étoiles.*

Fitzgerald, Barry

Acteur américain d'origine irlandaise, 1888-1961.

1930, Juno and the Paycock (Hitchcock) ; 1936, The Plough and the Stars (Révolte à

Dublin) (Ford) ; 1937, Ebb Tide (Hogan) ; 1938, Pacific Liner (Landers), Bringing up Baby (L'impossible Monsieur Bébé) (Hawks) ; The Dawn Patrol (Goulding), Marie-Antoinette (Marie-Antoinette) (Van Dyke), Four Men and a Prayer (Quatre hommes et une prière) (Ford) ; 1939, The Saint Strikes Back (Farrow), Full Confession (Farrow) ; 1940, The Long Voyage Home (Les hommes de la mer) (Ford), San Francisco Docks (Lubin) ; 1941, The Sea Wolf (Le vaisseau fantôme) (Curtiz), How Green Was My Valley (Qu'elle était verte ma vallée) (Ford), Tarzan's Secret Treasure (Le trésor de Tarzan) (Thorpe) ; 1943, Two Tickets to London (Marin), The Amazing Mr. Holliday (Manning), Corvette K-225 (Rossen) ; 1944, Going My Way (La route semée d'étoiles) (McCarey), None But the Lonely Heart (Rien qu'un cœur solitaire) (Odets), I Love a Soldier (Sandrich) ; 1945, And Then There Were None (Dix petits Indiens) (Clair), Duff's Tavern (Walker), The Stork Club (Walker) ; 1946, Two Years Before the Mast (Révolte à bord) (Farrow), California (Californie, terre promise) (Farrow) ; 1947, Easy Come Easy Go (Farrow), Welcome Stranger (Le docteur et son toubib) (Nugent), Variety Girl (Marshall) ; 1948, The Sainted Sisters (Russell), Naked City (La cité sans voiles) (Dassin), Miss Tatlock's Millions (Haydn) ; 1949, Top O' the Morning (Miller), The Story of Sea Biscuit (Sa plus belle conquête) (Butler) ; 1950, Union Station (Midi gare centrale) (Mate) ; 1951, Silver City (Ville d'argent) (Haskin) ; 1952, The Quiet Man (L'homme tranquille) (Ford) ; 1954, Tonight's the Night (Zampi) ; 1956, The Catered Affair (Le repas de noces) (Brooks) ; 1958, Rooney (Pollock), Broth of a Boy (Pollock).

Débuts à l'Abbey Theatre de Dublin. Au cinéma il s'intègre parfaitement à l'œuvre de John Ford où il joue les Irlandais un peu ivrognes et bien batailleurs. Bien que protestant, il fut un prêtre catholique malicieux dans *Going My Way* et y gagna un oscar.

Fix, Paul

Acteur américain, de son vrai nom Morrison, 1901-1983.

1920, The Adventures (Balshofer) ; 1926, Hoodoo Ranch (Bertram) ; 1927, Chicago (Urson) ; 1928, The First Kiss (Lee) ; 1929, Lucky Star (Borzage), Trial Marriage (Kenton). *Plus de deux cents films au parlant dont :* 1932, Back Street (Stahl) ; 1933, 200 in Budapest (Lee) ; 1936, The Road to Glory (Les chemins de la gloire) (Hawks), The Prisoner of Shark Island (Je n'ai pas tué Lincoln) (Ford) ; 1937, Souls at Sea (Ames à la mer) (Hathaway), The Buccaneer (Les flibustiers) (DeMille) ; 1940, Dr. Cyclops (Docteur Cyclops) (Schoedsack), Virginia City (La caravane héroïque) (Curtiz), Trail of the Vigilantes (Dwan), Strange Cargo (Le cargo maudit) (Borzage) ; 1943, Captive Wild Woman (Dmytryk) ; 1945, Back to Bataan (Dmytryk) ; 1948, Wake of the Red Witch (Le réveil de la sorcière rouge) (Ludwig), Angel in Exile (Dawn), Red River (La rivière rouge) (Hawks) ; 1951, The Great Missouri Raid (Douglas) ; 1952, What Price Glory ? (Ford) ; 1954, Hondo (Hondo) (Farrow), Johnny Guitar (Johnny Guitar) (Ray), The High and the Mighty (Écrit dans le ciel) (Wellman) ; 1955, Blood Alley (L'allée sanglante) (Wellman) ; 1956, Giant (Géant) (Stevens) ; 1958, La Fayette Escadrille (Wellman) ; 1962, To Kill a Mockingbird (Du silence et des ombres) (Mulligan) ; 1964, The Outrage (L'outrage) (Ritt) ; 1965, The Sons of Katie Elder (Les Quatre fils de Katie Elder) (Hathaway) ; 1966, Nevada Smith (Nevada Smith) (Hathaway) ; 1967, El Dorado (El Dorado) (Hawks) ; 1970, Dirty Dingus Magee (Un beau salaud) (Kennedy), Zabriskie Point (Zabriskie Point) (Antonioni) ; 1971, Something Big (Rio Verde) (McLaglen), Shoot Out (Quand siffle la dernière balle) (Hathaway) ; 1972, Night of the Lepus (Claxton) ; 1973, Cahill, United States Marshal (Les cordes de la potence) (McLaglen), Pat Garrett and Billy The Kid (Pat Garrett et Billy le Kid) (Peckinpah) ; 1977, Grayeagle (Pierce) ; 1979, Wanda Nevada (P. Fonda).

Type même du second plan. Il est shérif (*Nevada Smith*), juge (*To Kill a Mockingbird*), chauffeur de taxi, rancher, docteur (*Giant*) pour de brèves apparitions. Scénariste de *Tall in the Saddle* de Marin.

Flamand, Didier

Acteur français né en 1947.

1978, Mais où est donc Ornicar ? (Van Effenterre) ; 1979, Le pull-over rouge (Drach), Un neveu silencieux (Enrico) ; 1980, Un assassin qui passe (Vianey) ; 1981, La revanche (Lary), Ballade à blanc (Gauthier) ; 1982, Le bâtard (Van Effenterre), Stella (Heynemann) ; 1985, Mon beau-frère a tué ma sœur (Rouffio) ; 1986, Der Himmel über Berlin (Les ailes du désir) (Wenders), Le complexe du kangourou (Jolivet) ; 1987, Chocolat (Denis) ; 1988, Blancs cassés (Venault), Jeniec Europy (L'otage de l'Europe) (Kawalerowicz) ; 1989, Un jeu d'enfant (Kané), Erreur de jeunesse (Tadic), Le bal du gouverneur (Pisier) ; 1991, Blanc d'ébène (Doukouré),

Les années campagne (Leriche) ; 1992, Rupture(s) (Citti), Krapatchouk (Lipschutz), La crise (Serreau) ; 1994, L'année Juliette (Le Guay) ; 1995, Elle (Sarmiento), Sortez des rangs (Robert), En avoir (ou pas) (Masson), La belle verte (Serreau) ; 1996, Elles (Galvaõ Teles) ; 1997, A vendre (Masson) ; 1998, Quasimodo d'El Paris (Timsit) ; 2000, Meilleur espoir féminin (Jugnot), Les destinées sentimentales (Assayas), Les rivières pourpres (Kassovitz) ; 2001, Ceci est mon corps (Marconi) ; 2002, Merci... Dr Rey ! (Litvack) Le raid (Bensalah) ; 2005, Factotum (Hamer) ; 2006, L'entente cordiale (de Brus), La maison du bonheur (Boon), Les brigades du Tigre (Cornuau), Vive la vie (Fajnberg).

Sympathique acteur de second plan, on le voit également beaucoup à la télévision. Il a réalisé un court-métrage fantastique, *La vis*, très remarqué dans nombre de festivals.

Flamant, Georges

Acteur français, 1903-1990.

1931, La chienne (Renoir) ; 1932, A moi le jour, à toi la nuit (Berger) ; 1933, La voix sans visage (Mittler) ; 1936, La reine des resquilleuses (Gastyne), La peur (Tourjansky), La terre qui meurt (Vallée), Les rois du sport (Colombier) ; 1937, Le puritain (Musso) ; 1938, Prisons de femmes (Richebé), Terre de feu (L'Herbier), L'étrange monsieur Victor (Grémillon) ; 1939, Gibraltar (Ozep), Angelica (J. Choux) ; 1940, La tradition de minuit (Richebé), Vénus aveugle (Gance) ; 1941, Une femme dans la nuit (Greville), Feu sacré (Cloche) ; 1942, Le grand combat (Bernard-Roland), Cartacalha (Mathot) ; 1957, Méfiez-vous fillettes (M. Allégret), Trois jours à vivre (Grangier) ; 1959, Les quatre cents coups (Truffaut).

Son souvenir reste associé à celui de Viviane Romance dont il fut le partenaire pour *Vénus aveugle*, *Cartacalha* et *Feu sacré*.

Flanagan, Bud : cf. O'Keefe, Dennis.

Fleming, Rhonda

Actrice américaine, de son vrai nom Marilyn Louis, née en 1923.

1945, Spellbound (La maison du Docteur Edwards) (Hitchcock) ; 1946, Abilene Town (Les pionniers d'Abilène) (Marin), The Spiral Staircase (Deux mains la nuit) (Siodmak) ; 1947, Adventure Island (L'île aux serpents) (Stewart), Out of the Past (La griffe du passé) (Tourneur) ; 1949, A Connecticut Yankee at King Arthur's Court (Un Yankee à la cour du roi Arthur) (Garnett), The Last Outpost (Le dernier bastion) (Foster), The Great Lover (Le don Juan de l'Atlantique) (Hall) ; 1950, The Eagle and the Hawk (L'aigle et le vautour) (Foster) ; 1951, Cry Danger (L'implacable) (Parrish), The Redhead and the CowBoy (Tête d'or et tête de bois) (Fenton), Crosswinds (L'or de la Nouvelle-Guinée) (Foster), Little Egypt (La danse infernale) (Cordova) ; 1952, Hong-Kong (Foster), The Golden Hawk (Le faucon d'or) (Salkow) ; 1953, Tropic Zone (Sous les tropiques) (Foster), Pony Express (Le triomphe de Buffalo Bill) (Hopper), Serpent of the Nile (Le serpent du Nil) (Castle), Inferno (La piste fatale) (Baker), Those Redheads from Seattle (Foster) ; 1954, Jivaro (L'appel de l'or) (Ludwig), Yankee Pacha (Pevney) ; 1955, Tennessee's Partner (Le mariage est pour demain) (Dwan), La cortigiana di Babilonia (Semiramis, esclave et reine) (Bragaglia) ; 1956, The Killer Is Loose (Le tueur s'est évadé) (Boetticher), Slightly Scarlet (Deux rouquines dans la bagarre) (Dwan), While the City Sleeps (La cinquième victime) (Lang), Odongo (Odongo) (Gilling) ; 1957, Gunflight at the OK Corral (Règlement de compte à OK Corral) (Sturges), The Buster Keaton Story (L'homme qui n'a jamais ri) (Sheldon), Gun Glory (Terreur dans la vallée) (Rowland) ; 1958, Bullwhip (La femme au fouet) (Jones), Home Before Dark (Retour avant la nuit) (LeRoy) ; 1959, Alias Jesse James (Ne tirez pas sur le bandit) (McLeod), The Big Circus (Le cirque infernal) (Newman) ; 1960, The Crowded Sky (Pevney), A Touch of Larceny (Un brin d'escroquerie) (Hamilton), La rivolta degli schiavi (La révolte des esclaves) (Malasomma) ; 1964, The Patsy (Le souffre-douleur) (Lewis) ; 1967, Una moglie americana (Mes femmes américaines) (Polidoro) ; 1969, Backtrack (Bellamy) ; 1975, Won Ton Ton the Dog Who Saved Hollywood (Winner) ; 1980, The Nude Bomb (Le plus secret des agents secrets) (Donner).

Lancée par Selznick qui lui trouva son pseudonyme, elle devint bientôt l'idole des cinéphiles pour ses apparitions pleines de sensualité dans de nombreux films de série B. Elle fut superbe dans deux chefs-d'œuvre de Dwan : *Tennessee's Partner* et *Slightly Scarlet*.

Fletcher, Louise

Actrice américaine née en 1934.

1974, Thieves Like Us (Nous sommes tous des voleurs) (Altman) ; 1975, Russian Roulette (Lombardo), One Flew over the Cuckoo's Nest (Vol au-dessus d'un nid de coucou) (Forman) ; 1977, The Exorcist II : The Heretic (L'exorciste 2 : L'hérétique) (Boorman) ; 1978, The Cheap Detective (Moore) ;

1979, Natural Enemies (Kanew), The Magician of Lublin (Le magicien de Lublin) (Golan), The Lady in Red (Du rouge pour un truand) (Teague) ; 1980, Mama Dracula (Szulzinger), The Lucky Star (Fischer) ; 1981, Dead Kids (Laughlin) ; 1983, Strange Invaders (Laughlin), Brainstorm (Trumbull) ; 1984, Firestarter (Charlie) (M. Lester) ; 1986, Nobody's Fool (Purcell), The Boy Who Could Fly (Castle), Invaders from Mars (Hooper) ; 1987, Flowers in the Attic (Bloom) ; 1988, Two Moon Junction (A fleur de peau) (King) ; 1989, Best of the Best (Best of the Best) (Radler) ; 1990, Shadowzone (Cardone), Blue Steel (Blue Steel) (Bigelow) ; 1992, Blind Vision (Levy), The Player (The Player) (Altman) ; 1994, Tryst (Foldy), Tollbooth (Breziner), Return to Two Moon Junction (F. Mann), Giorgino (Boutonnat) ; 1995, Virtuosity (Programmé pour tuer) (Leonard) ; 1996, Frankenstein and Me (Tinnell), Edie & Pen (Irmas), Mulholland Falls (Les hommes de l'ombre) (Tamahori), 2 Days in the Valley (2 jours à Los Angeles) (Herzfeld), High School High (Bochner) ; 1997, The Girl Gets Moe (Bruce), American Perfekt (Chart) ; 1998, Love Kills (Van Peebles), La 6ᵉ piste (Grynbaum), A Map of the World (Une carte du monde) (Elliot), Cruel Intentions (Sexe intentions) (Kumble) ; 1999, More Dogs than Bones (Sac d'embrouilles) (Browning) ; 2000, Very Mean Men (Vitale), Manna from Heaven (M. & G. Burton), Rage of the Blue Moon (Shilton), Afterimage (Manganelli).

Native de l'Alabama, elle incarne la monstrueuse (et inoubliable) infirmière Ratched de *Vol au-dessus d'un nid de coucou*. Mais la suite n'est guère brillante et, à l'instar de celle de Brad Dourif, qu'elle martyrisait dans le film, sa carrière échoue dans des séries B de seconde zone : voir son rôle de propriétaire de maison de prêt-à-porter, réincarnation de Dracula, dans le parodique *Mama Dracula*.

Flippen, Jay C.

Acteur américain, 1898-1971.

1934, Million Dollar Ransom (Roth), Marie Galante (H. King) ; 1947, Brute Force (Les démons de la liberté) (Dassin), Intrigue (Marin) ; 1948, They Live by Night (Les amants de la nuit) (Ray) ; 1949, A Woman's Secret (Ray), Down to the Sea in Ships (Les marins de l'Orgueilleux) (Hathaway) ; 1950, Buccaneer's Girl (La fille des boucaniers) (De Cordova), Love that Brute (Hall) ; 1951, Flying Leathernecks (Les diables de Guadalcanal) (Ray), Winchester 73 (Mann), The People Against O'Hara (Sturges), The Model and the Marriage Broker (Cukor), The Lady from Texas (Pevney), The Lemon Drop Kid (Lanfield) ; 1952, Bend of the River (Les affameurs) (Mann), The Las Vegas Story (Stevenson), Woman of the North Country (Kane) ; 1953, Thunder Bay (Le port des passions) (Mann), East of Sumatra (A l'est de Sumatra) (Boetticher), Devil's Canyon (Nuit sauvage) (Werker), The Wild One (L'équipée sauvage) (Benedek) ; 1954, Carnival Story (Neumann), The Far Country (Je suis un aventurier) (Mann) ; 1955, Six Bridges to Cross (La police était au rendez-vous), Strategic Air Command (Strategic Air Command) (Mann), The Man Without a Star (L'homme sans étoile) (Vidor), It's Always Fair Weather (Beau Fixe sur New York) (Donen et Kelly), Oklahoma (Oklahoma) (Zinnemann), Kismet (Kismet/Un étranger au paradis) (Minnelli) ; 1956, The Killing (L'ultime razzia) (Kubrick), The Seventh Cavalry (Lewis), The King and Four Queens (Un roi et quatre reines) (Walsh), The Halliday Brand (Lewis) ; 1957, Night Passage (Le survivant des monts lointains) (Neilson), Hot Summer Night (Friedkin), Public Pigeon N° 1 (McLeod), The Restless Breed (Dwan), The Deers Layer (Neumann), Run of the Arrow (Le jugement des flèches) (Fuller), The Midnight Story (Pevney), Lure of the Swamp (Le secret des eaux mortes) (Cornfield) ; 1958, From Hell to Texas (La fureur des hommes) (Hathaway), Escape from Red Rock (Bernds) ; 1960, Wild River (Le fleuve sauvage) (Kazan), Studs Lonigan (Lerner), Where the Boys Are (Levin), The Plunderers (Pevney) ; 1962, How the West Was Won (La conquête de l'Ouest) (Marshall, Ford, Hathaway) ; 1964, Looking for Love (Weiss) ; 1965, Cat Ballou (Cat Ballou) (Silverstein) ; 1967, Firecreek (Les cinq hors-la-loi) (McEveety), The Spirit Is Willing (Castle), Hellfighters (Les feux de l'enfer) (McLaglen) ; 1971, The Seven Minutes (Meyer).

Carré, massif, une tête de bouledogue, il peut être général ou gangster sans problème. Il incarne la sagesse, une sagesse souvent désabusée (le chef de la police dans *The Wild One*, le malfaiteur de *The Killing*). Il trouva ses meilleurs rôles chez Mann qui l'appréciait particulièrement. La maladie (il perdit une jambe et souffrit des artères) l'éloigna peu à peu des studios.

Flon, Suzanne

Actrice française, 1923-2005.

1947, Capitaine Blomet (Feix) ; 1948, Suzanne et ses brigands (Ciampi), Dernier amour (Stelli) ; 1949, Rendez-vous avec la chance (Reinert), La cage aux filles (Cloche) ; 1950, La belle image (Heyman) ; 1951, Procès au Vatican (Haguet) ; 1952, Moulin-Rouge (Huston) ; 1955, Confidential Report (Monsieur Arkadin) (Welles) ; 1960, Tu ne tueras point (Autant-Lara) ; 1961, Les amours célèbres (Boisrond) ; 1963, Le procès (Welles), Château en Suède (Vadim), Un singe en hiver (Verneuil), La porteuse de pain (Cloche) ; 1964, Le train (Frankenheimer) ; 1966, Si j'étais un espion (Blier) ; 1967, Tante Zita (Enrico), Le soleil des voyous (Delannoy) ; 1968, Le franciscain de Bourges (Autant-Lara) ; 1969, Jeff (Herman), La chasse royale (Leterrier) ; 1970, Aussi loin que l'amour (Rossif), Sous le signe du taureau (Grangier), Teresa (Vergez) ; 1972, Les volets clos (Brialy), Le silencieux (Pinoteau) ; 1973, Un amour de pluie (Brialy) ; 1975, Docteur Françoise Gailland (Bertucelli), Monsieur Albert (Renard) ; 1976, M. Klein (Losey) ; 1977, Comme un boomerang (Giovanni) ; 1980, Quartet (Quartet) (Ivory) ; 1983, L'été meurtrier (Becker) ; 1987, The Diary of an Old Man (Le journal d'un vieux fou) (Rademakers), Noyade interdite (Granier-Deferre) ; 1988, En toute innocence (Jessua) ; 1989, La vouivre (Wilson) ; 1990, Gaspard et Robinson (Gatlif) ; 1992, Voyage à Rome (Lengliney) ; 1998, Les enfants du marais (Becker) ; 1999, Je suis né d'une cigogne (Gatlif) ; 2000, Un crime au Paradis (Becker) ; 2002, Mille milliêmes (Waterhouse), La fleur du mal (Chabrol) ; 2003, Effroyables jardins (Becker) ; 2004, La demoiselle d'honneur (Chabrol) ; 2006, Fauteuils d'orchestre (Thompson), Joyeux Noël (Carion).

Frêle, féminine, elle est vouée aux héroïnes fragiles puis aux mères désespérées. Elle avait débuté comme secrétaire d'Édith Piaf. Elle présenta ensuite les spectacles de l'ABC avant d'être engagée comme actrice par Rouleau. Du théâtre au cinéma, le pas fut vite franchi, De Cloche à Welles, tous les réalisateurs qui l'ont fait travailler ont chanté ses louanges et l'ont redemandée.

Florelle, Odette

Actrice française, de son vrai nom Rousseau, 1898-1974.

1923, Gonzague (Diamant-Berger) ; 1924, Jim Bougne boxeur (Diamant-Berger), L'affaire de la rue de Lourcine (Diamant-Berger) ; 1930, L'opéra de quat'sous (Pabst), Mon cœur incognito (M. Noa), Le poignard malais (Goupillières) ; 1931, Tumulte (Siodmak), Vacances (Boudrioz), Atout cœur (Henry Roussell), Faubourg Montmartre (Bernard), Autour d'une enquête (Siodmak), Gagne ta vie (Berthomieu), Le joker (Washneck), Ma tante d'Honfleur (Diamant-Berger), Nuits de Venise (Billon) ; 1932, L'Atlantide (Pabst), La femme nue (Paulin), La dame de chez Maxim's (Korda), Le fils improvisé (Guissart), La merveilleuse journée (R. Wyler), Monsieur, Madame et Bibi (Boyer), Passionnément (Guissart) ; 1933, Les misérables (Bernard), La dernière nuit (Casembroot), Les deux canards (E. Schmidt), Le grand bluff (Champreux), Mariage à responsabilité limitée (Limur), Les surprises du sleeping (Anton) ; 1934, Liliom (Lang), Sidonie Panache (Wulschleger) ; 1935, Amants et voleurs (Bernard), Les dieux s'amusent (Schunzel et Valentin), Le crime de M. Lange (Renoir), La marmaille (Bernard Deschamps), Une nuit de noces (Monca et Keroul) ; 1936, Gigolette (Noé) ; 1937, Les anges noirs (W. Rozier), Un meurtre a été commis (Orval) ; 1938, Clodoche (Orval et Lamy) ; 1939, Sixième étage (Cloche) ; 1944, Les caves du Majestic (Pottier) ; 1955, Oasis (Y. Allégret), Gervaise (Clément) ; 1956, Le sang à la tête (Grangier).

Chanteuse, c'est avec le parlant qu'elle trouve dans le cinéma une voie nouvelle : elle fut inoubliable dans *L'opéra de quat' sous*. Mais comment ne pas mentionner la Fantine des *Misérables* ou Valentine du *Crime de M. Lange* ? Elle mourut dans la misère.

Florencie, Louis

Acteur français, 1886-1951.

Plus de cent films dont : 1931, Tumultes (Siodmak) ; 1933, Le coq du régiment (Cammage), Madame Bovary (Renoir) ; 1935, La bandera (Duvivier) ; 1937, L'affaire du courrier de Lyon (Lehmann) ; 1939, Les musiciens du ciel (Lacombe) ; 1942, L'assassin habite au 21 (Clouzot) ; 1943, Les enfants du paradis (Carné) ; 1946, Panique (Duvivier) ; 1948, L'armoire volante (Rim) ; 1951, Une fille sur la route (Stelli).

Une rondeur : curé dans *Madame Bovary*, notaire dans *L'armoire volante*.

Flynn, Errol

Acteur américain, 1909-1959.

1930, In the Wake of the Bounty (Chauvel) ; 1934, Murder at Monte-Carlo (R. Ince) ; 1935, The Case of Curious Bride (Curtiz), Don't Bet on Blondes (Ne pariez pas sur les blondes) (Florey), I Found Stella Parish (La femme traquée, apparition) (LeRoy), Pirate Party on Catalina Isle (Van Dorn), Captain Blood (Capitaine Blood) (Curtiz) ; 1936, The Charge of the Light Brigade (La charge de la brigade légère) (Curtiz), Green Light (La lumière verte) (Borzage) ; 1937, The Prince and the Pauper (Le prince et le pauvre) (Keighley), Another Dawn (La tornade) (Dieterle), The Perfect Specimen (Un homme a disparu) (Curtiz) ; 1938, The Adventures of Robin Hood (Les aventures de Robin des Bois) (Curtiz), Four's a Crowd (Quatre au paradis) (Curtiz), The Sisters (Nuits de bal) (Litvak), The Dawn Patrol (Goulding) ; 1939, Dodge City (Les conquérants) (Curtiz), The Private Lives of Elizabeth and Essex (La vie privée d'Élisabeth d'Angleterre) (Curtiz) ; 1940, Virginia City (La caravane héroïque) (Curtiz), The Sea Hawk (L'aigle des mers) (Curtiz), Santa Fe Trail (La piste de Santa Fé) (Curtiz) ; 1941, Footsteps in the Dark (Bacon), Dive Bomber (Curtiz), They Died with Their Boots on (La charge fantastique) (Walsh) ; 1942, Desperate Journey (Sabotage à Berlin) (Walsh), Gentleman Jim (Gentleman Jim) (Walsh) ; 1943, Edge of Darkness (L'ange des ténèbres) (Milestone), Thank Your Lucky Stars (Remerciez votre bonne étoile) (Butler), Northern Pursuit (Du sang sur la neige) (Walsh) ; 1944, Uncertain Glory (Saboteur sans gloire) (Walsh) ; 1945, Objective Burma (Aventures en Birmanie) (Walsh), San Antonio (San Antonio) (Butler) ; 1946, Never Say Good Bye (Ne dites jamais adieu) (Kern), Escape Me Never (Godfrey), Cry Wolf (Godfrey), Always Together (Cordova) ; 1948, Silver River (La rivière d'argent) (Walsh), The Adventures of Don Juan (Les aventures de Don Juan) (V. Sherman) ; 1949, It's a Great Feeling (Les travailleurs du chapeau) (Butler), Montana (Enright), That Forsyte Woman (La dynastie des Forsyte) (C. Bennett) ; 1950, Kim (Saville), Hello God ! (W. Marshall), Rocky Mountain (La révolte des dieux rouges) (Keighley), The Adventures of Captain Fabian (La taverne de La Nouvelle-Orléans) (W. Marshall) ; 1951, Mara Maru (Douglas) ; 1952, Against All Flags (A l'abordage) (G. Sherman) ; 1953, The Master of Ballantrae (Le vagabond des mers) (Keighley), Il maestro di Don Giovanni (Le maître de Don Juan) (M. Krims) ; 1954, Lilacs in the Spring (Voyage en Birmanie) (Wilcox), The Dark Avenger (L'armure noire) (Levin) ; 1955, King's Rhapsody (Rhapsodie royale) (Wilcox) ; 1956, Istanbul (Istanbul) (Pevney), The Big Boodle (Trafic à La Havane) (Wilson) ; 1957, The Sun Also Rises (Le soleil se lève aussi) (King) ; 1958, Too Much Too Soon (Une femme marquée) (Art Napoleon), The Roots of Heaven (Les racines du ciel) (Huston) ; 1959, Cuban Rebel Girls (B. Mahon).

Après sa mort on l'a chargé de tous les péchés du monde : ivrognerie et goût pour les nymphettes (ce qui n'était pas faux dans les deux cas), impossibilité (selon William Marshall) de satisfaire les dames faute d'un organe aux dimensions suffisantes et rôle d'agent de renseignements des nazis pendant la guerre (tout cela probablement exagéré). Il est vrai que Flynn prêtait le flanc aux critiques en raison d'une vie privée très agitée. Il suffit d'ailleurs de lire ses souvenirs : *My Wicked, Wicked Ways*, précédés de *Bean Ends*. Originaire d'Australie, d'un milieu de marins, il débute à l'écran dans un film sur les révoltés du Bounty tourné par Chauvel. Il est également boxeur. En juillet 1934, il débarque aux États-Unis. A Hollywood, il tient d'abord des petits rôles. Puis c'est *Captain Blood* et le début d'une extraordinaire série de films d'action avec Curtiz puis Walsh qui portent le cinéma américain à son apogée. Flynn est admirable surtout dans ces deux chefs-d'œuvre que sont *Robin Hood* (où il fait oublier Fairbanks) et *Objective Burma*. Mais il sera aussi un *Don Juan* plus vrai que nature, dans le film de Vincent Sherman : n'aura-t-il pas trois femmes (Lili Damita, Nora Eddington et Patricia Wymore), plus une accusation de viol et une autre de « débauche »... C'est ensuite le déclin. Flynn perd sa fortune en tentant de monter un *Guillaume Tell* qui restera inachevé. L'alcool le mine (il joue d'ailleurs de façon convaincante un personnage d'ivrogne, le comédien John Barrymore, dans *Too Much Too Soon*). « Too Much Too Soon » : une belle devise pour Errol Flynn. Il meurt d'une crise cardiaque dans les bras, dit-on, d'une nymphette. La mort qu'il avait sans doute rêvée.

Flynn, Sean

Acteur américain, 1941-1970.

1962, Il segno di Zorro (Le signe de Zorro) (Caiano), El hijo del Capitan Blood (Le fils du Capitaine Blood) (Demicheli) ; 1963, Voir Venise et crever (Versini), Verspatung in Marienborn (Le train de Berlin s'est arrêté) (Hädrich) ; 1964, Sandok, il Maciste delle giunglia (Le temple de l'éléphant blanc) (Lenzi) ; 1965, Pas de pitié pour Ringo (Marchent), Sette pistoli per i MacGregor (Sept colts du tonnerre) (Girolani) ; 1966, Cinq gars pour Singapour (Toublanc-Michel).

Fils d'Errol Flynn et de Lili Damita, il entreprit une carrière sur les traces de son père (il est le fils du capitaine Blood, ce dernier rôle étant le plus célèbre d'Errol Flynn !). Bandes médiocres et l'on ne peut guère sauver que *Cinq pour Singapour*. Correspondant de guerre, il disparaît au Viêt-nam. Mais son sort exact demeure indéterminé.

Flynn Boyle, Lara

Actrice américaine née en 1970.

1988, Poltergeist III (Sherman) ; 1989, Dead Poets Society (Le cercle des poètes disparus) (Weir), How I Got into College (Holland) ; 1990, The Rookie (La relève) (Eastwood), May Wine (Wiseman) ; 1991, The Dark Backward (Rifkin), Eye of the Storm (Zeltser), Mobsters (Les indomptés) (Karbelnikoff) ; 1992, Wayne's World (Wayne's world) (Spheeris), Twin Peaks, Fire Walk With Me (Twin Peaks) (Lynch), Where the Day Takes You (Rocco) ; 1993, Red Rock West (Red Rock West) (Dahl), The Temp (Holland), Equinox (Rudolph) ; 1994, Threesome (2 garçons, 1 fille... 3 possibilités) (Fleming), Baby's Day Out (Bébé part en vadrouille) (Hughes), The Road to Wellville (Aux bons soins du Dr. Kellogg) (Parker) ; 1995, Farmer & Chase (Seitzman), Cafe Society (Cafe Society) (DeFelitta) ; 1996, The Big Squeeze (De Leon), Since You've Been Gone (Schwimmer), Cannes Man (Martini, Shapiro), Red Meat (Burnett), Afterglow (L'amour... et après) (Rudolph) ; 1997, Happiness (Happiness) (Solondz) ; 1998, Susan's Plan (Susan a un plan...) (Landis) ; 1999, Chain of Fools (Traktor).

C'est le rôle de Donna Hayward, la jeune fille de bonne famille de la série culte de David Lynch, *Twin Peaks*, qui la révèle au grand public. La voir dans un film en version originale permet de se rendre compte de l'étrangeté de son timbre, très rauque. Mais son physique de femme fatale échappée des années 30 et la joliesse de ses taches de rousseur passent quant à eux très bien en français...

Foch, Nina

Actrice américaine, de son vrai nom Fock, née en 1924.

1943, Return of the Vampire (Landers) ; 1944, Cry of the Werewolf (La fille du loup-garou) (Levin), Strange Affair (Green), Nine Girls (L. Jason), She's a Soldier Too (Castle), Shadows in the Night (Castle), She's a Sweetheart (Del Lord) ; 1945, Prison Ship (Dreifuss), Escape in the Fog (Boetticher), My Name Is Julia Ross (Lewis), I Love a Mystery (Levin), A Song to Remember (La chanson du souvenir) (Vidor), Boston Blackie's Rendez-vous (Dreifuss) ; 1947, Johnny O'Clock (L'heure du crime) (Rossen), The Guilt of Janet Ames (Peter Ibbetson avait raison) (Levin) ; 1948, The Dark Past (La fin d'un tueur) (Mate) ; 1949, Johnny Allegro (L'homme de main) (Tetzlaff), The Undercover Man (Le maître du gang) (Lewis) ; 1951, St. Benny the Dip (Ulmer), An American in Paris (Un Américain à Paris) (Minnelli), Young Man With Ideas (Leisen) ; 1952, Scaramouche (Scaramouche) (Sidney), Fast Company (Sturges) ; 1953, Sombrero (Foster) ; 1954, Executive Suite (La tour des ambitieux) (Wise), Four Guns to The Border (Quatre tueurs et une fille) (Carlson) ; 1955, You're Never Too Young (Taurog), Illegal (Allen) ; 1956, The Ten Commandments (Les dix commandements) (DeMille), Three Violent People (Terre sans pardon) (Maté) ; 1957, Three Brave Men (Dunne) ; 1960, Cash McCall (Cet homme est un requin) (Pevney), Spartacus (Spartacus) (Kubrick) ; 1971, Such Good Friends (Des amis comme les miens) (Preminger) ; 1973, Salty (Browning) ; 1975, Mahogany (Gordy) ; 1978, Jennifer (Horrible carnage) (Mack) ; 1981, Rich and Famous (Riches et célèbres) (Cukor) ; 1988, Skin Deep (L'amour est une grande aventure) (Edwards), Dixie Lanes (Cato) ; 1992, Encino Man (California man) (Mayfield) ; 1993, Sliver (Sliver) (Noyce), Morning Glory (Stern) ; 1995, It's My Party (Kleiser) ; 1996, Hush (Du venin dans les veines) (Darby), Til There Was You (L'amour de ma vie) (Winant) ; 1997, Shadow of Doubt (La dernière preuve) (Kleiser).

Fille du compositeur Foch et de l'actrice Consuelo Flowerton, cette blonde enfant, très germanique, débute sous le signe de l'épouvante, Dracula et le loup-garou. Elle se trouve par la suite confinée, injustement, mais peut-être faute de personnalité, dans des rôles de second plan. Elle y excelle. Beaucoup de théâtre et de télévision.

Foïs, Marina

Actrice française née en 1972.

1994, Casque bleu (Jugnot) ; 1997, Serial Lover (Huth) ; 1998, Mille bornes (Beigel) ; 1999, Trafic d'influence (Farrugia) ; 2001, La tour Montparnasse infernale (Nemes) ; 2002, Astérix et Obélix : mission Cléopâtre (Chabat), Le raid (Bensalah), Jojo la frite (Cuche), Filles perdues, cheveux gras (Duty) ; 2003, Mais qui a tué Pamela Rose ? (Lartigau), Bienvenue au gîte (Duty), RRRrrrr !!! (Chabat) ; 2004, J'me sens pas belle (Jeanjean), Un petit jeu sans conséquence (Rapp) ; Casablanca Driver (Barthélemy), A boire (Vernoux) ; 2006, Essaye-moi (Martin-Laval), Un ticket pour l'espace (Lartigau).

Elle appartient à la bande des Robins des Bois qui fit les bonnes soirées de Canal+ après avoir fait ses armes au théâtre. C'est Duty qui la révèle, d'abord en coiffeuse stupide et alcoolique dans *Filles perdues, cheveux gras* puis en directrice hyperactive de gîte rural, bousculant la vie paisible d'un village de la France profonde dans *Bienvenue au gîte*.

Fonda, Bridget

Actrice américaine née en 1964.

1988, Aria (sketch Roddam), You Can't Hurry Love (Martini), Shag (Barron) ; 1989, Scandal (Scandal) (Caton-Jones), Strapless (Hare) ; 1990, Frankenstein Unbound (Corman), The Godfather, part III (Le parrain III) (Coppola) ; 1991, Out of the Rain (Winick), Doc Hollywood (Doc Hollywood) (Caton-Jones), Leather Jackets (Drysdale), Drop Dead Fred (Jong) ; 1992, Iron Maze (Yoshida), Single White Female (JF partagerait appartement) (Schroeder), Singles (Singles) (Crowe), Army of Darkness (Evil dead III : L'armée des ténèbres) (Raimi) ; 1993, The Assassin/ Point of No Return (Nom de code : Nina) (Badham), Bodies, Rest and Motion (Une pause... quatre soupirs) (Steinberg), Little Buddha (Little Buddha) (Bertolucci) ; 1994, It Could Happen to You (Millionnaire malgré lui) (A. Bergman), The Road to Wellville (Aux bons soins du Dr. Kellogg) (Parker), Camilla (Mehta), Rough Magic (Miss Shumway jette un sort) (C. Peploe) ; 1995, City Hall (City Hall) (Becker) ; 1996, Grace of My Heart (Grace of My Heart) (Anders), Touch (Touch) (Schrader), No Vacancy (Gordon), Mr. Jealousy (Baumbach) ; 1997, Jackie Brown (Jackie Brown) (Tarantino), Finding Graceland (Road to Graceland) (Winkler) ; 1998, The Breakup (Marcus), A Simple Plan (Un plan simple) (Raimi), Lake Placid (Lake Placid) (Miner) ; 1999, Monkeybone (Selick), South of Heaven, West of Hell (Yoakam), Delivering Milo (Castle) ; 2000, The Whole Shebang (Zaloom) ; 2001, Kiss of the Dragon (Nahon).

Fille de Peter Fonda, elle impose de film en film sa présence gracieuse jusqu'à devenir tête d'affiche dans le thriller de Barbet Schroeder *JF partagerait appartement*. Alterne depuis gros films hollywoodiens et petites productions indépendantes.

Fonda, Henry

Acteur américain, 1905-1982.

1935, The Farmer Takes a Wife (La jolie batelière) (Fleming), Way Down East (A travers l'orage) (King), I Dream Too Much (Griseries) (Cromwell), The Trail of the Lonesome Pine (La fille du bois maudit) (Hathaway) ; 1936, The Moon's Our Home (Le diable au corps) (Seiter), Spendthrift (Walsh) ; 1937, Wings of the Morning (La baie du destin) (Schuster), You only Live Once (J'ai le droit de vivre) (Lang), Slim (Rivalité) (Enright), That Certain Woman (Goulding) ; 1938, I Met my Love Again (Ripley), Jezebel (L'insoumise) (Wyler), Blockade (Blocus) (Dieterle), Spawn of the North (Les gars du large) (Hathaway), The Mad Miss Manton (Miss Manton est folle) (Jason) ; 1939, Jesse James (Le brigand bien-aimé) (King), Let Us Live (Laissez-nous vivre) (Brahm), The Story of Alexander Graham Bell (Et la parole fut) (Cummings), Young Mister Lincoln (Vers sa destinée) (Ford), Drums Along the Mohawk (Sur la piste des Mohawks) ; 1940, Grapes of Wrath (Les raisins de la colère) (Ford), Lilian Russel (Cummings), The Return of Frank James (Le retour de Frank James) (Lang), Chad Hanna (La belle écuyère) (King) ; 1941, The Lady Eve (Un cœur pris au piège) (Sturges), Wild Geese Calling (Brahm), You Belong to Me (Tu m'appartiens) (Ruggles) ; 1942, The Male Animal (Nugent), Ring on her Fingers (Qui perd gagne) (Mamoulian), The Magnificent Dope (W. Lang), Tales of Manhattan (Six destins) (Duvivier), The Big Street (Reis) ; 1943, The Oxbow Incident (L'étrange incident) (Wellman), The Immortal Sergeant (Aventure en Libye) (Stahl) ; 1946, My Darling Clementine (La poursuite infernale) (Ford) ; 1947, The Long Night (Litvak), The Fugitive (Dieu est mort) (Ford), Daisy Kenyon (Femme ou maîtresse) (Preminger) ; 1948, On Our Merry Way (La folle enquête) (Vidor), Fort Apache (Le massacre de Fort Apache) (Ford) ; 1949, Jigsaw (Markle) ; 1955, Mister Roberts (Permission jusqu'à l'aube) (Ford-LeRoy) ; 1956, War and Peace (Guerre et paix) (Vidor), The Wrong Man (Le faux coupable) (Hitchcock) ; 1957, Twelve Angry Men (Douze hommes en colère) (Lumet), The Tin Star (Du sang dans le désert) (Mann) ; 1958, Stage Struck (Les feux du théâtre) (Lumet) ; 1959, Warlock (L'homme aux colts d'or) (Dmytryk), The Man Who Understood Women (L'homme qui comprend les femmes) (N. Johnson) ; 1962, Advise and Consent (Tempête à Washington) (Preminger), The Longest Day (Le jour le plus long) (Annakin, Marton...), How the West Was Won (La conquête de l'Ouest) (Marshall, Hathaway, Ford) ; 1963, Spencer's Mountain (La montagne des neuf Spencer) (Daves) ; 1964, Fail Safe (Point Limite) (Lumet), The Best Man (Que le meilleur l'emporte) (Schaffner), Sex and Single Girl (Une vierge sur canapé) (Quine) ; 1965, The Rounders (Le mors aux dents) (Kennedy), In Harm's Way (Première victoire) (Preminger), Battle of the Bulge (La bataille des Ardennes) (Annakin), Guerre secrète (Young, Christian-Jaque, Lizzani) ; 1966, A Big Hand for the Little Lady (Gros coup à Dodge City) (F. Cook) ; 1967, Welcome to Hard Times (Kennedy), Strangers on the Run (Siegel) ; 1968, Fire Creek (Les cinq hors-la-loi) (Eveety), Les tiens, les miens, le nôtre (Yours, Mine and Ours) (Shavelson), Madigan (Police sur la ville) (Siegel), The Boston Strangler (L'étrangleur de Boston) (Fleischer) ; 1969, C'era una volta il West (Il était une fois dans l'Ouest) (Leone) ; 1970, Too Late the Hero (Trop tard pour les héros) (Aldrich), The Cheyenne Social Club (Attaque au Cheyenne Club) (Kelly), There Was a Crooked Man (Le reptile) (Mankiewicz) ; 1971, Sometimes a Great Notion (Le clan des irréductibles) (Newman) ; 1973, Le serpent (Verneuil), The Red Pony (Totten), Ash Wednesday (Noces de cendre) (Peerce), The Alpha Caper (Un camion en or massif) (R.M. Lewis) ; 1974, Mussolini : ultimo atto (Les derniers jours de Mussolini) (Lizzani), Il mio nome e nessuno (Mon nom est personne) (Valerii) ; 1976, Midway (La bataille de Midway) (Smight), The Great Smokey Roadblock (John Leone) ; 1977, Rollercoaster (Le toboggan de la mort) (Goldstone), The Last of the Cow-boys (John Leone), Tentacules (O. Hellman) ; 1978, The Biggest Battle (La grande bataille) (Lenzi), Fedora (Wilder), The Swarm (L'inévitable catastrophe) (I. Allen) ; 1979, Meteor (Neame), City on Fire (Cité en feu) (Rakoff), Wanda Nevada (Fonda) ; 1981, On Golden Pond (La maison du lac) (Rydell).

Il venait du Minnesota où il avait fait ses études. C'est la mère de Marlon Brando qui le fait débuter au théâtre dans *You and I*. En 1928, il est à Broadway où il fait partie de la troupe des University Players (Logan, Margaret Sullavan y jouent également). Il ne se rendra à Hollywood qu'en 1935. Il joue alors les jeunes premiers un peu timides ou les frères du héros (Frank James dans *Le brigand bien-aimé*) mais il impose bien vite avec ses yeux bleus et son regard franc l'image de l'homme fort et intègre (qu'il était d'ailleurs dans la vie) avec *The Oxbow Incident* (sur le lynchage) et toute une suite de chefs-d'œuvre de Ford, des *Raisins de la colère* à *La poursuite infernale* (où il est le shérif Wyatt Earp). Pendant la guerre, il servit avec distinction dans la marine. En 1957, *Twelve Angry Men*, qui suit *The Wrong Man*, relance sa carrière, celle désormais d'un homme mûri et marqué. Il doit ensuite s'exiler pour tourner quelques westerns spaghetti (où il tient même des rôles antipathiques) sans qu'il connaisse véritablement une éclipse car on le voit beaucoup au théâtre (il jouera pendant plus de cinq ans *Mr. Roberts*) et à la télévision. Mais ce n'est qu'en 1982 qu'il gagnera son premier oscar pour *La maison du lac* qu'il joue avec sa fille et Katharine Hepburn.

Fonda, Jane

Actrice américaine née en 1937.

1960, Tall Story (La tête à l'envers) (Logan) ; 1961, Walk on the Wild Side (La rue chaude) (Dmytryk), The Chapman Report (Les liaisons coupables) (Cukor) ; 1962, Period of Adjustment (L'école des jeunes maris) (Roy Hill) ; 1963, In the Cool of the Day (Les chemins de la vengeance) (Stevens), Les félins (Clément), Jane (documentaire) ; 1964, Sunday in New York (Un dimanche à New York) (Tewksbury), La ronde (Vadim) ; 1965, Cat Ballou (Cat Ballou) (Silverstein) ; 1966, The Chase (La poursuite impitoyable) (Penn), La curée (Vadim), Any Wednesday (Chaque mercredi) (Miller) ; 1967, Hurry Sundown (Que vienne la nuit) (Preminger), Barefoot in the Park (Pieds nus dans le parc) (Saks), Barbarella (Vadim), Histoires extraordinaires (épis. Metzengerstein) (Vadim) ; 1969, They Shoot Horses Don't They (On achève bien les chevaux) (Pollack) ; 1971, Klute (Klute) (Pakula) ; 1972, F.T.A. (Parker), Tout va bien (Godard, Gorin) ; 1973, Steelyard Blues (Myerson), A Doll's House (Maison de poupée) (Losey) ; 1975, The Blue Bird (L'oiseau bleu) (Cukor) ; 1976, Fun with Dick and Jane (Touche pas à mon gazon) (Kotcheff) ; 1977, Sois belle et tais-toi (Seyrig), Julia (Zinnemann), Coming Home (Le retour) (Ashby) ; 1978, Comes a Horseman Wild and Free (Le souffle de la tempête) (Pakula/Bridges), California suite (Ross), The China Syndrom (Le syndrome chinois) (Bridges) ; 1979, The Electric Horseman (Le cavalier électrique) (Pollack) ; 1980, 9 to 5 (Comment se débarrasser de son patron) (Higgins) ; 1981, On Golden Pond (La maison du lac) (Rydell), Rollover (Une femme d'affaires) (Pakula) ; 1985, Agnes of God (Agnès de Dieu) (Jewison) ; 1986, The Morning After (Le lendemain du crime) (Lumet) ; 1987, Leonard, part 6 (Weiland) ; 1989, Old Gringo (Old Gringo) (Puenzo) ; 1990, Stanley and Iris (Stanley et Iris) (Ritt) ; 2004, Monster-in-Law (Sa mère ou moi !) (Luketic) ; 2005, Searching for Debra Winger (R. Arquette).

Les *Cahiers du cinéma* la choisirent dans les années 60 comme couverture de leur numéro sur le cinéma américain. Fille de Henry Fonda, elle promettait alors beaucoup. Elle avait débuté au théâtre en 1954 aux côtés de son père puis avait malheureusement suivi l'enseignement théâtral diffusé alors par Lee

Strasberg (alors que son père, admirable comédien, aurait largement suffi). Autre influence désastreuse, celle de Vadim qui la dirigea dans trois films et l'épousa. La guerre du Viêt-nam fit le reste. Jane Fonda devint une militante de toutes les bonnes ou mauvaises causes. Le bilan (strictement cinématographique) est-il nul ? Jane Fonda gagna deux oscars (*Klute* en 1971, *Coming Home* en 1977) et, comme productrice et interprète, fit un malheur dans *On Golden Pond*, le dernier film de son père. Après quelques années sans tourner, elle reparaît dans des films de ces réalisateurs pachydermiques qu'elle affectionne : Jewison, Ritt et Lumet.

Fonda, Peter

Acteur et réalisateur américain né en 1939.

1963, Tammy and the Doctor (Tammy et le docteur) (Keller), The Victors (Les vainqueurs) (Foreman) ; 1964, The Young Lovers (Les jeunes amours) (Goldwyn), Lilith (Lilith) (Rossen) ; 1965, Hawai (Hawaii) (Hill), The Rounders (Le mors aux dents) (Kennedy) ; 1966, The Wild Angels (Les anges sauvages) (Corman) ; 1967, Histoires extraordinaires (épis. Metzengerstein) (Vadim), The Trip (Corman) ; 1969, Easy Rider (Easy Rider) (Hopper) ; 1970, The Last Movie (Le dernier film) (Hopper) ; 1971, The Hired Hand (L'homme sans frontière) (Fonda) ; 1972, Two People (Brève rencontre à Paris) (Wise) ; 1973, Idaho Transfer (Fonda), Dirty Mary Crazy Larry (Larry le dingue Mary la garce) (Hough), Open Season (Collinson) ; 1974, Race With the Devil (Course contre l'enfer) (Starrett) ; 1975, 92 in the Shade (McGuane), Killer Force (Les mercenaires) (Guest) ; 1976, Futureworld (Les rescapés du futur) (Heffron), Fighting Mad (Colère froide) (Demme), Outlaw Blues (Un couple en fuite) (Heffron) ; 1978, Wanda Nevada (Fonda), High Ballin (Carter) ; 1980, The Cannonball run (L'équipée du Cannonball) (Needham), The Hostage Tower (La tour Eiffel en otage) (Guzman) ; 1982, Spasms (Freut), Split Image (L'envoûtement) (Kotcheff) ; 1983, Dance of the dwarfs (Pris au piège) (Trikonis) ; 1984, Daijoobu mai furrendo (Murakami), Certain Fury (La cavale impossible) (Gyllenhaal), Peppermint Frieden (Rosenbaum) ; 1988, Freedom Fighters (Schelach) ; 1989, The Rose Garden (Rademakers), Gli indifferenti (Bolognini), Hawken's Breed (Pierce) ; 1990, Fatal Mission (Rowe) ; 1991, Family Express (Family express) (Hayek) ; 1992, Bodies, Rest and Motion (Une pause... quatre soupirs) (Steinberg) ; 1993, Deadfall (Ch. Coppola), South Beach (Williamson) ; 1994, Molly & Gina (Leder), Love & a 45 (L'amour et un 45) (Talkington) ; 1995, Nadja (Almereyda) ; 1996, John Carpenter's Escape to LA (Los Angeles 2013) (Carpenter), Grace of My Heart (Grace of My Heart (voix uniquement)) (Anders) ; 1997, Ulee's Gold (Ulee's Gold) (Nunez) ; 1999, The Limey (L'Anglais) (Soderbergh), The Passion of Ayn Rand (Menaul), Thomas and the Magic Railroad (Allcroft) ; 2001, Wooly Boys (Burzynski) ; 2005, The Heart is Deceitful Above All Things (Le livre de Jérémie) (Argento) ; 2007, Ghost Rider (Johnson). *Pour le réalisateur*, voir aussi le *Dictionnaire du cinéma*, t. I : *Les réalisateurs*.

Fils de Henry Fonda, il a imposé sa longue silhouette dégingandée dans deux films qui ont révolutionné le cinéma américain : *The Wild Angels* et *Easy Rider*. Il y apparaît comme une sorte d'antihéros que l'on retrouve dans le cow-boy désabusé du film qu'il met en scène, *The Hired Hand*. A travers ses films, ce sont toutes les obsessions de l'Amérique que l'on retrouve : la drogue (*The Trip*), la guerre (*Two People*), les affaires (*Fighting Mad*)... A cet égard, il est, plus que sa sœur, le véritable héritier de son père.

Fontaine, Joan

Actrice américaine, de son vrai nom De Havilland, née en 1917.

1935, No More Ladies (E. Griffith) ; 1937, Quality Street (Quality Street) (Stevens), Music for Madame (Musique pour madame) (Blystone), You Can't Beat Love (Cabanne), A Damsel in Distress (Une demoiselle en détresse) (Stevens) ; 1938, Maid's Night Out (Holmes), Blonde Cheat (Stanley), The Man Who Found Himself (Un homme qui se retrouve) (Landers), Sky Giant (Landers) ; 1939, The Duke of West Point (Green), Gunga Din (Gunga Din) (Stevens), Man of Conquest (Nichols), The Women (Femmes) (Cukor) ; 1940, Rebecca (Rebecca) (Hitchcock) ; 1941, Suspicion (Soupçons) (Hitchcock) ; 1942, This Above All (Ames rebelles) (Litvak) ; 1943, The Constant Nymph (Tessa, la nymphe au cœur fidèle) (Goulding) ; 1944, Jane Eyre (Jane Eyre) (Stevenson), Frenchman's Creek (L'aventure vient de la mer) (Leisen) ; 1945, The Affairs of Susan (Les caprices de Suzanne) (Seiter) ; 1946, From This Day Forward (J. Berry) ; 1947, Ivy (Le crime de Mme Leixton) (Wood) ; 1948, The Emperor Waltz (La valse de l'Empereur) (Wilder), Letter from an Unknown Woman (Lettre d'une inconnue) (Ophuls), Kiss the Blood Off My Hands (Les amants traqués) (N. Foster), You Gotta Stay Happy (Potter) ; 1950, Born to Be Bad (Ray) ; 1951, September Affair (Les amants de Capri) (Dieterle), Darling How Could You (Leisen) ; 1952, Something to Live (L'ivresse et l'amour) (Stevens), Ivanhoe (Ivanhoé) (Thorpe) ; 1953, Decameron Nights (Pages galantes de Boccace) (Fregonese), Flight to Tangier (Vol sur Tanger) (Warren), The Bigamist (Lupino) ; 1954, Casanova's Big Night (La grande nuit de Casanova) (McLeod) ; 1956, Serenade (Mann), Beyond a Reasonable Doute (L'invraisemblable vérité) (Lang) ; 1957, Island in the Sun (Une île au soleil) (Rossen), Until They Sail (Femmes coupables) (Wise) ; 1958, A Certain Smile (Un certain sourire) (Negulesco) ; 1961, Voyage to the Bottom of the Sea (Le sous-marin de l'Apocalypse) (Allen), Tender Is the Night (Tendre est la nuit) (King) ; 1966, The Devil's Own (Frankel) ; 1982, All by Myself (All by Myself) (Blackwood).

Sœur d'Olivia De Havilland, elle débuta sous le nom de Joan Burfield avant de prendre le nom du second mari de Mme De Havilland. Elle entra en rivalité avec sa sœur. Plus terne physiquement, elle avait un jeu plus sensible. Sa création de *Rebecca* puis celle de *Jane Eyre* en firent une star plus appréciée des âmes romantiques qu'Olivia, associée aux films d'action d'Errol Flynn. Sa blondeur bien coiffée plaisait aussi à Hitchcock qui, après la jeune mariée de *Rebecca*, en fit la victime (supposée) de Cary Grant dans *Suspicion*. Un rôle qui lui valut un oscar en 1941. Retirée en 1966, elle a fait une discrète rentrée à la télévision en 1978.

Fontan, Gabrielle

Actrice française, de son vrai nom Pène-Castel, 1880-1959.

1929, Gardiens de phare (Grémillon), Le crime de Silvestre Bonnard (Berthomieu) ; 1931, Pour un sou d'amour (non signé par Grémillon), Mon ami Victor (Berthomieu) ; 1934, Toto (Tourneur) ; 1935, La petite sauvage (Limur) ; 1936, Une partie de campagne (Renoir), Le mort en fuite (Berthomieu) ; 1937, La vie est à nous (Renoir), Un carnet de bal (Duvivier), Ces dames au chapeau vert (Cloche) ; 1939, Macao l'enfer du jeu (Delannoy) ; 1942, La fausse maîtresse (Cayatte), Picpus (Pottier), Madame et le mort (Daquin), Les inconnus dans la maison (Decoin), Mademoiselle Béatrice (Vaucorbeil), Huit hommes dans un château (Pottier) ; 1943, La collection Menard (Bernard-Roland), Douce (Autant-Lara), Les Roquevillard (Dréville), Le voyageur sans bagage (Anouilh), Service de nuit (Faurez) ; 1944, Le merle blanc (Houssin), Le dernier sou (Cayatte), Les caves du Majestic (Pottier) ; 1945, Boule de suif (Christian-Jaque), Jericho (Calef), Lunegarde (Allégret), François Villon (Zwobada), Sylvie et le fantôme (Autant-Lara) ; 1946, Messieurs Ludovic (Le Chanois), Le diable au corps (Autant-Lara), Torrents (Poligny) ; 1947, Monsieur Vincent (Cloche), Plume la poule (Kapps), Après l'amour (Tourneur), Le dessous des cartes (Cayatte) ; 1948, Une si jolie petite plage (Allégret) ; 1949, La Marie du port (Carné), Julie de Carneilhan (Manuel) ; 1950, La vie chantée (Noël-Noël), Juliette ou la clé des songes (Carné) ; 1951, Deux sous de violettes (Anouilh) ; 1952, La jeune folle (Y. Allégret) ; 1954, Huis clos (Audry) ; 1955, Le dossier noir (Cayatte), Papa, maman, ma femme et moi (Le Chanois), Les grandes manœuvres (Clair) ; 1956, Le temps des assassins (Duvivier), Till l'Espiègle (Ivens), Le pays d'où je viens (Carné), Porte des Lilas (Clair) ; 1957, Un certain monsieur Jo (Jolivet) ; 1958, En cas de malheur (Autant-Lara), Sois belle et tais-toi (M. Allégret), Les tricheurs (Carné) ; 1959, Julie la Rousse (Boissol), M. Suziki (Vernay), Maigret et l'affaire Saint-Fiacre (Delannoy).

Cette Bordelaise, qui travailla avec Dullin et fut professeur d'art dramatique, a été l'une de nos meilleures actrices de composition. Maigre, sèche, aigre, elle se spécialisa dans les rôles de vieille fille, de tante à héritage et de dame au chapeau vert.

Fontanel, Geneviève

Actrice française née en 1937.

1960, Quai Notre-Dame (Berthier) ; 1962, Un singe en hiver (Verneuil) ; 1963, La confession de minuit (Granier-Deferre) ; 1964, Angélique, marquise des anges (Borderie), Un monsieur de compagnie (Broca) ; 1969, Trois hommes sur un cheval (Moussy) ; 1972, La femme en bleu (Deville), L'affaire Dominici (Bernard-Aubert) ; 1973, Femmes au soleil (Dreyfus) ; 1974, La rivale (Gobbi), Dis-moi que tu m'aimes (Boisrond) ; 1976, Cours après moi que je t'attrape (Pouret), L'homme qui aimait les femmes (Truffaut) ; 1977, La vie devant soi (Mizrahi), La zizanie (Zidi) ; 1978, Les ringards (Pouret) ; 1979, Rodriguez au pays des merguez (Clair), Chère inconnue (Mizrahi), Cocktail Molotov (Kurys) ; 1979, Tête à claques (Perrin) ; 1982, Transit (Candilis), Le grain de sable (Meffre), La cote d'amour (Dubreuil) ; 1984, Notre histoire (Blier) ; 1987, Bonjour l'angoisse (Tchernia) ; 1989, Un jeu d'enfant (Kané) ; 1990, La reine blanche (Hubert) ; 1991, Le fils du Mékong (Leterrier) ; 1993, Montparnasse Pondichéry (Robert), Le mangeur de lune (Sijie) ; 1996,

Lucie Aubrac (rôle coupé au montage) (Berri) ; 1999, Une pour toutes (Lelouch).

Elle naît à Paris mais grandit à Casablanca, avant de revenir en France où elle apprend l'art dramatique à l'école de la rue Blanche et au Conservatoire, dont elle ressort avec deux premiers prix. Engagée à la Comédie-Française, elle y reste quatre ans avant de se consacrer principalement au théâtre (beaucoup de boulevard) et, plus accessoirement, au cinéma.

Ford, Glenn

Acteur américain, de son vrai nom Gwyllyn Samuel Newton Ford, 1916-2006.

1940, Heaven with a Barbed Wire Fence (R. Cortez), My Son Is Guilty (Barton), Man Without Souls (Grinde), Convicted Woman (Grinde), Babies for Sale (Barton), Blondie Pays Cupid (Strayer), The Lady in Question (Ch. Vidor) ; 1941, So Ends Our Night (Cromwell), Texas (Texas) (Marshall), Go West Young Lady (Strayer) ; 1942, The Adventures of Martin Eden (Salkow), Flight Lieutenant (Salkow) ; 1943, The Desperadoes (Les desperados) (Ch. Vidor), Destroyer (Seiter) ; 1946, Gilda (Ch. Vidor), A Stolen Life (La voleuse) (Bernhardt), Gallant Journey (Wellman) ; 1947, Framed (R. Wallace) ; 1948, The Mating of Millie (Levin), The Loves of Carmen (Ch. Vidor), The Return of October (Joseph Lewis), The man from Colorado (La peine du talion) (Levin) ; 1949, The Undercover Man (Le maître du gang) (Lewis), Lust for Gold (Le démon de l'or) (Simon), Mr. Soft Touch (Levin), The Doctor and the Girl (Bernhardt) ; 1950, The Redhead and the Cow-boy (Tête d'or et tête de bois) (Fenton), The White Tower (La tour blanche) (Tetzlaff), Convicted (La loi des bagnards) (Levin), The Flying Missile (L'engin mystérieux) (Levin) ; 1951, Follow the Sun (Lanfield), The Secret of Convict Lake (M. Gordon) ; 1952, The Green Glove (Le gantelet vert) (Maté), Young Man with Ideas (Reinhardt), Affair in Trinidad (L'affaire de Trinidad) (V. Sherman) ; 1953, Terror on a Train (Tetzlaff), The Man from Alamo (Le déserteur du Fort Alamo) (Boetticher), Plunder of the Sun (Les pillards de Mexico) (Farrow), The Big Heat (Règlement de comptes) (Lang), Appointment in Honduras (Les révoltés de la Claire-Louise) (Tourneur) ; 1954, Human Desire (Désirs humains) (Lang) ; 1955, The Americano (Castle), The Violent Men (Le souffle de la violence) (Maté), The Blackboard Jungle (Graine de violence) (Brooks), Interrupted Melody (Bernhardt), Trial (Le procès) (Robson) ; 1956, Ransom (Segal), Jubal (L'homme de nulle part) (Daves), The Teahouse of the August Moon (La petite maison de thé) (D. Mann), The Fatest Gun Alive (La première balle tue) (Rouse) ; 1957, 3.10 to Yuma (Trois heures dix pour Yuma) (Daves), Don't Go Near the Water (Walters) ; 1958, Cowboy (Daves), The Sheepman (La vallée de la poudre) (Marshall), Imitation General (Général Casse-cou) (Marshall), Torpedo Run (La dernière torpille) (Pevney) ; 1959, It Started with a Kiss (Tout commence par un baiser) (Marshall) ; 1960, Cimarron (La ruée vers l'Ouest) (Mann), The Gazebo (Un mort récalcitrant) (Marshall) ; 1961, Cry for Happy (Opération Geisha) (Marshall), Pocketful of Miracles (Milliardaire d'un jour) (Capra) ; 1962, The Four Horsemen of the Apocalypse (Les quatre cavaliers de l'Apocalypse) (Minnelli), Expirement in Terror (Allô, brigade spéciale) (Edwards) ; 1963, Love Is a Ball (Swift), The Courtship of Eddie's Father (Il faut marier papa) (Minnelli) ; 1964, Advance to Rear (Le bataillon des lâches) (Marshall), Daer Hart (D. Mann), Fate is the Hunter (Le crash mystérieux) (Nelson) ; 1965, The Rounders (Le mors aux dents) (Kennedy) ; 1966, Rage (Gazcon), The Money Trap (Piège au grisbi) (Kennedy), Paris brûle-t-il ? (Clément) ; 1967, The Last Challenge (Le pistolero de la rivière rouge) (R. Thorpe) ; 1968, The Long Ride Home (La poursuite des tuniques bleues) (Karlson), Day of the Evil Gun (Le jour des Apaches) (J. Thorpe) ; 1969, Heaven with a Gun (Au paradis à coups de revolver) (Katzin), Smith ! (O'Herlihy) ; 1971, Santee (Nelson) ; 1975, Midway (La bataille de Midway) (Smight) ; 1978, Superman (Superman) (Donner) ; 1979, The Visitor (Paradise) ; 1980, Virus (Fukasaku) ; 1981, Happy Birthday to Me (Lee-Thompson) ; 1989, Casablanca Express (Casablanca Express) (Martino), Border Shootout (McIntyre) ; 1991, Raw Nerves (Prior).

Né à Québec au Canada, il vient tenter sa chance avec sa famille en Californie. Il y fut palefrenier de Will Rogers qui l'initia au monde du spectacle. Après avoir essayé tous les métiers du théâtre, il se laissa tenter par le cinéma. Mais ses débuts furent interrompus par la guerre. Il ne devient vraiment une vedette qu'en 1946 avec *Gilda*. Il tournera beaucoup par la suite : excellent dans le western, il sombra plus tard dans une série de comédies d'une incroyable stupidité mises en scène par George Marshall. Il lui a manqué de se composer un personnage : policier intègre mais soucieux de retourner contre les gangsters leurs propres armes dans *Big Heat*, il se révèle en revanche d'une grande naïveté dans *Gilda*. Meneur de troupeaux cynique et brutal dans *Cowboy*, il était auparavant un professeur idéaliste dans *Blackboard Jungle* avant de redevenir un chef de bande sans illusions dans *Trois heures dix pour Yuma.*

Ford, Harrison

Acteur américain né en 1942.

1966, Dead Heat on a Merry-Go-Round (Un truand) (Girard) ; 1967, The Long Ride Home (La poursuite des tuniques bleues) (Karlson), Journey to Shiloh (La brigade des cow-boys) (W. Hale) ; 1970, Zabriskie Point (Zabriskie Point) (Antonioni), Getting Straight (Campus) (Rush) ; 1973, American Graffiti (American Graffiti) (Lucas) ; 1974, The Conversation (Conversation secrète) (Coppola) ; 1977, Star Wars (La guerre des étoiles) (Lucas) ; 1977, Heroes (Héros) (Kagan) ; 1978, Frisco Kid (Un rabbin au Far West) (Aldrich), Force Ten from Navarone (L'ouragan vient de Navarone) (Hamilton) ; 1979, Apocalypse Now (Apocalypse Now) (Coppola), Hanover Street (Guerre et passion) (Hyams) ; 1980, The Empire Strikes Back (L'empire contre-attaque) (Kerschner) ; 1981, Blade Runner (R. Scott), Raiders of the Lost Ark (Les aventuriers de l'arche perdue) (Spielberg) ; 1983, Return of the Jedi (Le retour du Jedi) (Marquand), ET the Extraterrestrial (E.T.) (apparition) (Spielberg) ; 1984, Indiana Jones and The Temple of Doom (Indiana Jones et le temple maudit) (Spielberg) ; 1985, Witness (Témoin sous surveillance) (Weir) ; 1986, The Mosquito Coast (Mosquito Coast) (Weir) ; 1987, Frantic (Polanski) ; 1988, Working Girl (Quand les femmes s'en mêlent) (Nichols) ; 1989, Indiana Jones and the Last Crusade (Indiana Jones et la dernière croisade) (Spielberg) ; 1990, Presumed Innocent (Présumé innocent) (Parker) ; 1991, Regarding Henry (A propos d'Henry) ; 1992, Patriot Games (Jeux de guerre) (Noyce), L'envers du décor (doc. Salis) ; 1993, The Fugitive (Le fugitif) (A. Davis) ; 1994, Jimmy Hollywood (Levinson), Clear and Present Danger (Danger immédiat) (Noyce), Les cent et une nuits (Varda) ; 1995, Sabrina (Sabrina) (Pollack) ; 1996, Devil's Own (Ennemis rapprochés) (Pakula), Air Force One (Air Force One) (Petersen) ; 1997, Six Days Seven Nights (6 jours 7 nuits) (Reitman) ; 1998, Random Hearts (L'ombre d'un soupçon) (Pollack) ; 2000, What Lies Beneath (Apparences) (Zemeckis) ; 2001, K-19 (Le piège des profondeurs) (Bigelow) ; 2003, Hollywood Homicide (Hollywood Homicide) (Shelton) ; 2006 Firewall (Firewall) (Loncraine).

Venu de Chicago tenter sa chance à Los Angeles, il végète quelques années à la Columbia puis passe à l'Universal. Un grand acteur ? Un physique remarquable ? Sa chance fut de jouer en vedette dans des films de Coppola, Lucas et Spielberg qui pulvérisèrent tous les records de recette. Après une série impressionnante de succès il connaît un échec avec un rôle d'écologiste dans *Mosquito Coast. Frantic* déçoit, mais le retour d'Indiana Jones et *Le fugitif* relancent sa carrière.

Fossey, Brigitte

Actrice française née en 1946.

1952, Jeux interdits (Clément) ; 1953, La corda d'acciaio (La corde d'acier) (Borghesio) ; 1956, The Happy Road (La route joyeuse) (Kelly) ; 1967, Le grand Meaulnes (Albicocco) ; 1968, Adieu l'ami (Herman) ; 1970, M comme Mathieu (Adam), Raphaël ou le débauché (Deville) ; 1971, Mio (Hani) ; 1973, L'ironie du sort (Molinaro), Les valseuses (Blier), Erica Minor (Van Effenterre) ; 1974, The Crazy American Girl (La fille d'Amérique) (D. Newman), La brigade (Gilson) ; 1975, Calmos (Blier), Le bon et les méchants (Lelouch), Le chant du départ (Aubier) ; 1976, Les fleurs du miel (Faraldo), L'homme qui aimait les femmes (Truffaut) ; 1977, Les enfants du placard (Jacquot), Le pays bleu (Tacchella), Guerres civiles (ép. La commune, Farges), Die Glaserne Zelle (La cellule de verre) (Geissendorfer) ; 1978, Quintet (Quintet) (Altman), Mais où est donc Ornicar ? (Van Effenterre) ; 1979, Le mouton noir (Moscardo) ; 1980, La triple mort du troisième personnage (Soto), La boum (Pinoteau), Un mauvais fils (Sautet) ; 1981, Croque la vie (Tacchella) ; 1982, La boum 2 (Pinoteau), Impératif (Zanussi) ; 1983, Le jeune marié (Stora), Le bâtard (Van Effenterre), Enigma (Enigma) (Szwarc), La scarlatine (Aghion), Chanel solitaire (Kaczender), Au nom de tous les miens (Enrico) ; 1984, Les fausses confidences (Moosman), Un amour interdit (Dougnac) ; 1986, L'avenir d'Émilie (Sanders), Un caso di inconscienza (Greco) ; 1989, 36-15 Code Père Noël (Manzor) ; 1990, Le cri du papillon (Kachyna), Un vampire au paradis (Bahloul) ; 1991, Les enfants du naufrageur (Foulon).

A cinq ans elle est déjà une vedette avec pour partenaire Georges Poujouly dans *Jeux interdits*. A dix ans elle tourne sous la direction de Gene Kelly. Fossey ne veut pourtant pas devenir comédienne et suit des cours de philosophie. Mais Albicocco lui proposant de jouer dans *Le grand Meaulnes*, elle revient à l'écran. Elle est devenue une belle femme blonde au sourire très doux mais qui ne manque pas de fantaisie. Films difficiles (*Les fleurs du miel, Impératif*) et comédies de boulevard (*La boum*) alternent dans sa filmographie.

Foster, Jodie

Actrice et réalisatrice américaine née en 1962.

1972, Napoleon and Samantha (B. McEveety), Kansas City Bomber (Freedman) ; 1973, One Little Indian (Un petit Indien) (McEveety), Tom Sawyer (D. Taylor) ; 1974, Alice Doesn't Live Here Anymore (Alice n'est plus ici) (Scorsese) ; 1975, Taxi Driver (Taxi Driver) (Scorsese), Echoes of a Summer (Taylor), Bugsy Malone (Bugsy Malone) (A. Parker) ; 1976, The Little Girl Who Lives down the Lane (La petite fille au bout du chemin) (Gessner) ; 1977, Freaky Friday (Un vendredi dingue, dingue, dingue) (G. Nelson), Moi fleur bleue (E. Le Hung) ; 1978, Candleshoe (Tokar), Casotto (Citti) ; 1980, Foxes (Ça plane les filles) (Lyne), Carny (R. Kaylor) ; 1981, O'Hara's Wife (Bartman) ; 1984, Le sang des autres (Chabrol), Hotel New Hampshire (Richardson) ; 1986, Mesmerized (Laughlin) ; 1987, Siesta (Lambert), Five Corners (Bill) ; 1988, Stealing Home (Kampmann), The Accused (Les accusés) (Kaplan) ; 1989, Backtrack/Catchfire (Hopper) ; 1990, The Silence of the Lambs (Le silence des agneaux) (Demme) ; 1991, Little Man Tate (Le petit homme) (Foster), Shadows and Fog (Ombres et brouillard) (Allen) ; 1992, Sommersby (Sommersby) (Amiel) ; 1993, Maverick (Maverick) (Donner) ; 1994, Nell (Nell) (Apted) ; 1997, Contact (Contact) (Zemeckis) ; 1999, Anna and the King (Anna et le roi) (Tennant) ; 2001, The Panic Room (Panic Room) (Fincher) ; 2004, Ne quittez pas ! (Joffé), Un long dimanche de fiançailles (Jeunet) ; 2005, Flight Plan (Flight Plan) (Schwentke) ; 2006, Inside Man (Inside Man – L'homme de l'intérieur (Lee) ; 2007, The Brave One (Jordan). *Pour la réalisatrice*, voir le *Dictionnaire du cinéma*, t. I : *Les réalisateurs*.

Vedette enfant dès l'âge de trois ans, ses rôles n'ont rien à voir avec ceux de Shirley Temple : prostituée dans *Taxi Driver* ou vamp dans *Bugsy Malone*, cynique et désabusée, elle offre aux amateurs son corps de petite fille sans rien attendre sur le plan des sentiments. De Temple à Foster, l'Amérique a évolué. De façon plus inquiétante, elle a inspiré une immense passion à l'auteur d'un attentat manqué contre le président Reagan en 1981. Depuis, elle a gagné deux oscars (pour *Les accusés* et *Le silence des agneaux*) et s'est lancée dans la réalisation.

Foster, Preston

Acteur américain, 1900-1970.

1929, Nothing but the Truth (Schertzinger) ; 1930, Heads Up (Schertzinger), Follow the Leader (Taurog) ; 1931, His Woman (Sloman) ; 1932, Life-Begins (Flood), The All American (Mack), You Said a Mouthful (Bacon), Two Seconds (LeRoy), Doctor X (Curtiz), The Last Mile (Bischoff), I Am a Fugitive from a Chain Gang (Je suis un évadé) (LeRoy) ; 1933, Elmer the Great (LeRoy), Ladies They Talk About (Bretherton), Corruption (Roberts), The Man Who Dared (Wilbur), Hoopla (Lloyd), The Devil's Mate (Rosen), Sensation Hunters (Chasseurs de sensation) (Vidor) ; 1934, Heat Lightening (LeRoy), Sleepers East (Mac-Kenna), The Band Plays On (Mack) ; 1935, The People's Enemy (Wilbur), Strangers All (Vidor), The Informer (Le mouchard) (Ford), Annie Oakley (La gloire du cirque) (Stevens), The Arizonian (Ch. Vidor), The Last Days of Pompei (Les derniers jours de Pompéi) (Schoedsack) ; 1936, We're Only Human (Flood), Love Before Breakfast (Ce que femme veut) (W. Lang), The Plough and the Stars (Révolte à Dublin) (Ford), We Who Are About to Die (Cabanne) ; 1937, The Outcasts of Poker Flat (Cabanne), Sea Devils (Stoloff), You Can't Beat Love (Cabanne), First Lady (Logan), The Westland Case (Cabanne) ; 1938, Everybody's Doing It, Submarine Patrol (Patrouille en mer) (Ford), Double Danger (Landers), The Lady in the Morgue (Garret), Up the River (Werker), The Last Warning (Rogell), White Banners (Goulding), Army Girl (Nicholls), The Storm (Young) ; 1939, Chasing Danger (Cortez), Missing Evidence (Rosen), News Is Made at Night (Werker), Society Smugglers (May) ; 1940, Cafe Hostess (Salkow), Geronimo (Geronimo) (Sloan), Moon Over Burma (L. King), North West Mounted Police (Les tuniques écarlates) (DeMille) ; 1941, The Roundup (Selander), Unfinished Business (La Cava) ; 1942, Secret Agent of Japan (Pichel), Little Tokyo USA (Brower), A Gentleman after Dark (Marin), A Night in New Orleans (Clemens), American Empire (McGann), Thunder Birder (Wellman) ; 1943, My Friend Flicka (Mon amie Flicka) (Schuster) ; 1945, The Valley of Decision (La vallée du jugement) (Garnett), Abbott and Costello in Hollywood (Simon), Twice Blessed (Beaumont), Blonde from Brooklyn (Lord) ; 1946, Inside Job (Yarbrough), Tangier (Waggner), Strange Alibi (Lederman), The Harvey Girls (Sidney) ; 1947, King of the Wild Horses (Archainbaud), Ramrod (De Toth) ; 1948, The Hunted (Bernhard), Thunderhoof (Karlson) ; 1949, The Big Cat (Karlson), I Shot Jesse

James (J'ai tué Jesse James) (Fuller) ; 1950, Tomahawk (G. Sherman), The Tougher They Come (Nazarro) ; 1951, The Big Night (Losey), Three Desperate Men (Newfield), The Big Gusher (Landers) ; 1952, Montana Territory (Nazarro), Face to Face (Brahm), Kansas City Confidential (Le quatrième homme) (Karlson) ; 1953, I the Jury (Essex), Law and Order (Quand la poudre parle) (Juran), The Marshal's Daughter (Berke) ; 1957, Destination 60 000 (Waggner) ; 1963, Advance to Rear (Le bataillon des lâches) (Marshall) ; 1964, The Time Travellers (Melchior), The Man from Galveston (Conrad) ; 1968, Chubasco (Chubasco le rebelle) (Miner).

Épaules carrées, haute taille, le cheveu noir, une moustache le plus souvent, il est l'homme fort par excellence. Parfois méchant, souvent bon. Ford et LeRoy en disaient grand bien. Pourtant il ne fut jamais une vedette à part entière, et on l'a souvent confondu avec Robert Preston. Après 1945, il se dévalorise en jouant dans de petits « thrillers » de Karlson (*Le quatrième homme*), des westerns de Nazarro ou de Juran. C'est ainsi que Fuller à ses débuts en fit l'un des protagonistes de *J'ai tué Jesse James*. Curieusement en accumulant les films d'action sa filmographie dans les dernières années de sa carrière finit par être plus intéressante que celle des années 30.

Fox, Edward

Acteur anglais né en 1937.

1962, The Mind Benders (Dearden) ; 1965, Morgan, a Suitable Case for Treatment (Morgan) (Reisz), The Jokers (Scotland Yard au parfum) (Winner) ; 1966, The Frozen Dead (Leder) ; 1967, I'll Never Forget What's his Name (Qu'arrivera-t-il après ?) (Winner), The Long Duel (Les turbans rouges) (Annakin), The Naked Runner (Chantage au meurtre) (Furie) ; 1969, The Battle of Britain (La bataille d'Angleterre) (Hamilton), Oh ! What a Lovely War (Dieu, que la guerre est jolie !) (Attenborough) ; 1970, Skullduggery (Douglas), The Breaking of Bumbo (Sinclair) ; 1971, The Go-Between (Le messager) (Losey) ; 1973, The Day of the Jackal (Chacal) (Zinneman), Doll's House (La maison de poupée) (Losey) ; 1974, Galileo (Losey) ; 1976, The Squeeze (Le piège infernal) (Apted) ; 1977, The Cat and the Canary (Le chat et le canari) (Metzger), A Bridge Too Far (Un pont trop loin) (Attenborough), The Duellists (Les duellistes) (R. Scott) ; 1978, The Big Sleep (Le grand sommeil) (Winner), Force Ten From Navarone (L'ouragan vient de Navarone) (Hamilton) ; 1979, Soldier of Orange (Verhoeven) ; 1980, The Mirror Crack'd (Le miroir se brisa) (Hamilton) ; 1982, Gandhi (Gandhi) (Attenborough) ; 1983, Never Say Never Again (Jamais plus jamais) (Kershner) ; 1984, The Bounty (Le Bounty) (Donaldson), The Dresser (L'habilleur) (Yates) ; 1985, Wild Geese II (Rose), The Shooting Party (La partie de chasse) (Bridges) ; 1988, Return from the River Kwai (Retour de la rivière Kwaï) (McLaglen) ; 1990, Robin Hood (Robin des Bois) (Irvin) ; 1994, Heart of Darkness (Roeg) ; 1995, A Feast at Midnight (Hardy) ; 1996, Prince Valiant (Prince Valiant) (Hickox) ; 1997, Lost in Space (Perdus dans l'espace) (Hopkins).

Élève à Harrow puis à l'Académie royale d'art dramatique, il sait donner à ses rôles (voir le tueur chargé de supprimer de Gaulle dans *Chacal*) un incontestable relief.

Fox, James

Acteur anglais né en 1939.

1950, The Miniver Story (L'histoire des Miniver) (Potter), The Magnet (L'aimant) (Frend) ; 1962, The Loneliness of the Long Distance Runner (La solitude du coureur de fond) (Richardson) ; 1963, Tamahine (Leacock), The Servant (The Servant) (Losey) ; 1965, Those Magnificent Men in Their Flying Machines (Ces merveilleux fous volants dans leurs drôles de machines) (Annakin), King Rat (Un caïd) (Forbes) ; 1966, The Chase (La poursuite impitoyable) (Penn) ; 1967, Thoroughly Modern Millie (Millie) (Roy Hill), Arabella (Bolognini) ; 1968, Duffy (Duffy, le renard de Tanger) (Parrish), Isadora (Isadora) (Reisz) ; 1970, Performance (Performance) (Roeg et Cammell) ; 1979, No Longer Alone (Webster) ; 1983, Runners (Sturridge), Pavlova (Lotianou) ; 1984, Greystoke, the Legend of Tarzan, Lord of Apes (Greystoke, la légende de Tarzan, seigneur des singes) (Hudson), A Passage to India (La route des Indes) (Lean) ; 1986, Absolute Beginners (Absolute Beginners) (Temple), Comrades (Douglas) ; 1987, High Season (Soleil grec) (Peploe), The Whistle Blower (Langton) ; 1989, Farewell to the King (L'adieu au roi) (Milius), The Mighty Quinn (Schenkel) ; 1990, The Russia House (La maison Russie) (Schepisi) ; 1991, Afraid of the Dark (Double vue) (Peploe), As You Like It (Comme il vous plaira) (Edzard) ; 1992, Patriot Games (Jeux de guerre) (Noyce) ; 1993, The Remains of the Day (Les vestiges du jour) (Ivory) ; 1996, Never Ever (Finch), Anna Karenina (Anna Karénine) (Rose) ; 1998, Mickey Blue-Eyes (Mickey les yeux bleus) (Makin), Up at the Villa (Il suffit d'une nuit) (Haas), Jinnah (Dehlavi), Shadow Run (Reeve) ; 1999, The Golden Bowl (La coupe d'or) (Ivory) ;

2000, Sexy Beast (Sexy Beast) (Glazer) ; 2001, The Lost World (Le monde interdit) (Orme).

Frère d'Edward Fox, il fut extraordinaire en aristocrate corrompu dans *The Servant* ainsi que dans le rôle du gangster de *Performance*. Retiré dans un monastère, il a fait sa rentrée cinématographique en 1982.

Fox, Kerry

Actrice néo-zélandaise née en 1966.

1990, An Angel at my Table (Un ange à ma table) (Campion) ; 1993, Shallow Grave (Petits meurtres entre amis) (Boyle) ; 1994, Country Life (Blakemore) ; 1996, Welcome to Sarajevo (Winterbottom) ; 1998, The Wisdom of Crocodiles (La sagesse des crocodiles) (Po Chih Leong) ; 2000, Intimité (Chéreau) ; 2001, The Point Man (Point Man) (Glen) ; 2002, The Gathering (Gilbert), Black and White (Lahiff) ; 2003, So Close to Home (Hobbs).

Une filmographie déjà très variée, de personnages austères à un rôle très dénudé dans *Intimité*, qui lui vaut le prix d'interprétation au festival de Berlin.

Fox, Michael J.

Acteur canadien né en 1961.

1979, Midnight Madness (Wechter et Nankin) ; 1982, Class of 1984 (Class 1984) (Lester) ; 1985, Teen Wolf (Daniel), Back to the Future (Retour vers le futur) (Zemeckis) ; The Secret of My Success (Le secret de mon succès) (Ross) ; 1987, Light of Day (Schrader) ; 1988, Bright Light, Big City (Les feux de la nuit) (Bridges), Casualties of War (Outrages) (De Palma) ; 1989, Back to the Future 2 (Retour vers le futur 2) (Zemeckis) ; 1990, Back to the Future 3 (Retour vers le futur 3) (Zemeckis) ; 1991, Doc Hollywood (Doc Hollywood) (Caton-Jones), The Hard Way (La manière forte) (Badham) ; 1993, Life With Mikey (Lapine), The Concierge/For Love or Money (Le concierge du Bradbury) (Sonnenfeld), Greedy (Lynn) ; 1994, Coldblooded (Wolodarsky), Where the Rivers Flow North (L. Craven), Blue in the Face (Brooklyn Boogie) (Wang et Auster) ; 1995, The American President (Le président et Miss Wade) (Reiner), Homeward Bound II (Ellis), Frighteners (Fantômes contre fantômes) (Jackson) ; 1996, Mars Attacks ! (Mars Attacks !) (Burton) ; 2001, Interstate 60 (Gale).

Un visage d'adolescent qui n'exclut pas un caractère tourmenté. Il doit sa popularité à *Retour vers le futur*, un rôle sans relief alors qu'il est très bon dans *Outrages*. Alors qu'il revient avec succès à la télévision (« Spin City »), sa carrière est fortement ralentie par la maladie de Parkinson.

France, Cécile de

Actrice belge née en 1976.

1999, Toutes les nuits (Green) ; 2000, L'art (délicat) de la séduction (R. Berry) ; 2001, A + Pollux (Pagès), L'auberge espagnole (Klapisch), Irène (Calberac) ; 2003, Haute tension (Aja), Regarde-moi (en face) (Nicoletti), Moi, César, dix ans 1/2, 1,39 m (R. Berry) ; 2004, La confiance règne (Chatiliez), Around the World in 80 Days (Le tour du monde en 80 jours) (Coraci) ; 2005, Les poupées russes (Klapisch) ; 2006, Fauteuils d'orchestre (D. Thompson), Mon colonel (Herbiet), Quand j'étais chanteur (Giannoli), Mauvaise foi (Zem) ; 2007, Un secret (Miller), J'aurais voulu être un danseur (Berliner).

César du meilleur espoir pour son rôle dans *L'auberge espagnole*, elle change de personnage dans *Haute tension*, un film d'une grande violence où elle affronte un redoutable psychopathe. Par la suite, elle passe de la comédie (*Fauteuils d'orchestre*) au mélodrame (*Quand j'étais chanteur*).

Francen, Victor

Acteur belge, de son vrai nom Franssen, 1889-1977.

1921, Crépuscule d'épouvante (Étiévant) ; 1923, La neige sur les pas (Étiévant) ; 1930, La fin du monde (Gance) ; 1931, Après l'amour (Perret) ; L'aiglon (Tourjansky) ; 1933, Mélo (Czinner), Les ailes brisées (Berthomieu) ; 1934, Le voleur (L'Herbier), Ariane jeune fille russe (Czinner), L'aventurier (L'Herbier) ; 1935, Veillée d'armes (L'Herbier), Le chemineau (Rivers) ; 1936, Le roi (Colombier), Nuits de feu (L'Herbier), La porte du large (L'Herbier), 1937, Tamara la complaisante (Gandera), Feu (Baroncelli), Forfaiture (L'Herbier) ; 1938, J'accuse (Gance), La vierge folle (Diamant-Berger), Double crime sur la ligne Maginot (Gandera) ; 1939, L'homme du Niger (Baroncelli), Entente cordiale (L'Herbier), La fin du jour (Duvivier) ; 1941, Hold Back the Dawn (Par la porte d'or) (Leisen) ; 1942, The Turtles of Tahiti (Ch. Vidor), The Gentlemen from West Point (Hathaway), Tales of Manhattan (Six destins) (Duvivier) ; 1943, Mission to Moscow (Curtiz), The Desert Song (Florey), Madame Curie (LeRoy) ; 1944, In Our Time (Sherman), Passage to Marseille (Curtiz), The Mask of Dimitrios (Le masque de Dimitrios) (Negulesco), Hollywood Canteen (Daves),

Follow the Boys (Sutherland), The Conspirators (Les conspirateurs) (Negulesco) ; 1945, Confidential Agent (Agent secret) (Shumlin), San Antonio (San Antonio) (Butler) ; 1946, Devotion (La vie passionnée des sœur Brontë) (Bernhardt), Night and Day (Nuit et jour) (Curtiz), The Beast with Five Fingers (La bête aux cinq doigts) (Florey) ; 1947, The Beginning or the End (Au carrefour du siècle) (Taurog), To the Victor (Ombres sur Paris) (Daves), La révoltée (L'Herbier) ; 1949, La nuit s'achève (Méré) ; 1950, The Adventures of Captain Fabian (W. Marshall) ; 1954, Hell and High Water (Le démon des eaux troubles) (Fuller) ; 1955, Bedevellid (Leisen) ; 1957, A Farewell to Arms (L'adieu aux armes) (Ch. Vidor) ; 1958, Der Tiger von Eschnapur (Le tigre du Bengale) (Lang), Das indische Grabmal (Le tombeau hindou) (Lang) ; 1961, Fanny (Logan) ; 1964, La grande frousse (Mocky).

Sa distinction, son beau collier de barbe, ses costumes bien coupés le vouaient aux rôles de ganaches héroïques et de cocus sublimes. Prêtre ou officier, il ne pouvait qu'exprimer des sentiments d'une grande noblesse. Son apogée ? *L'homme du Niger* où son abnégation laisse pantois. Ne confondons pas l'homme et l'acteur. Francen sut être un « roi » plein de finesse et de libertinage dans le film de Colombier. Puis il fit une brillante carrière à la Warner, dans les années 40, où on lui confia des personnages ambigus et douteux. Il y révéla la grande diversité de son talent.

Francey, Micheline

Actrice française, de son vrai nom Gay-Bellile, 1919-1969.

1936, Vous n'avez rien à déclarer ? (Joannon) ; 1937, Le chanteur de minuit (Joannon), Les gens du voyage (Feyder) ; 1938, Le joueur d'échecs (Dréville), La présidente (Rivers) ; 1939, La charrette fantôme (Duvivier) ; 1942, Fou d'amour (Mesnier), La grande marnière (Marguenat), Monsieur la souris (Lacombe) ; 1943, Le corbeau (Clouzot) ; 1944, La cage aux rossignols (Dréville) ; 1945, François Villon (Zwobada), L'aventure de Cabassou (Grangier) ; 1946, La colère des dieux (Lamac), Destins (Pottier), Vertiges (Pottier), Le village de la colère (André) ; 1947, La dame d'onze heures (Devaivre), Danger de mort (Grangier) ; 1948, La femme que j'ai assassinée (Daniel-Norman), Marlène (Hérain), Piège à hommes (Lhoubignac) ; 1949, La ronde des heures (Ryder), Envoi de fleurs (Stelli) ; 1950, Quai de Grenelle (Reinert) ; 1952, La fête à Henriette (Duvivier), Violettes impériales (Pottier) ; 1961, La gamberge (Carbonnaux).

Jeune première un peu oubliée, elle fut excellente en épouse de Larquey dans *Le corbeau* et fort drôle dans *La fête à Henriette*.

Franciosa, Anthony

Acteur américain, de son vrai nom Papaleo, 1928-2006.

1957, A Face in the Crowd (Un homme dans la foule) (Kazan), This Could Be This Night (Cette nuit ou jamais) (Pasternak), A Hatful of Rain (Une poignée de neige) (Zinnemann), Wild Is the Wind (Car sauvage est le vent) (Cukor) ; 1958, The Long Hot Summer (Les feux de l'été) (Ritt), The Naked Maja (La Maja nue) (Koster) ; 1959, The Story on Page One (Du sang en première page) (Odets), Career (En lettres de feu) (Anthony), Go Naked in the World (McDougall) ; 1961, Senilita (Quand la chair succombe) (Bolognini) ; 1962, Period of Adjustment (L'école des jeunes mariés) (Hill) ; 1964, Rio Conchos (Rio Conchos) (Douglas), The Pleasure Seekers (Negulesco) ; 1966, Assault on a Queen (Donohue), A Man Could Get Killed (D pour Danger) (Neame), The Swinger (Sidney) ; 1967, Fathom (Martinson) ; 1968, The Sweet Ride (Fureur sur la plage) (Hart), In Enemy Country (En pays ennemi) (Keller), A Man Called Gannon (Un colt nommé Gannon) (Goldstone) ; 1971, Nella stretta morsa del ragno (Margheriti) ; 1972, Across the 110th Avenue (Shear) ; 1973, Ghost in the Noonday Sun (Medak) ; 1975, The drowning Pool (La toile d'araignée) (Rosenberg) ; 1979, The World is Full of Married Men (R. Young), Firepower (L'arme au poing) (Winner) ; 1980, La cicala (La cigale) (Lattuada) ; 1981, Aiutami a sognare (Avati), Death Wish 2 (Un justicier dans la ville 2) (Winner) ; 1982, Tenebrae (Ténèbres) (Argento), Julie Darling (Nicholas, Smith), La Cicala (La cigala) (Lattuada) ; 1983, Summer Heat (Starrett) ; 1988, Death House (Saxon) ; 1990, La morte e di mode (Gaburro), Backstreets Dreams (Hitzig) ; 1992, Double Threat (Prior) ; 1996, City Hall (City Hall) (Becker).

Théâtre avec Piscator et Strasberg. Kazan le remarque. Son côté « séducteur latin », sa virilité, son sourire éclatant en font un héros de westerns (*Rio Conchos*) ou de films noirs (*Across the 110th Avenue, The Drowning Pool, Firepower*). Beaucoup de télévision. On le retrouve plutôt vieilli et un peu fatigué dans un film d'horreur de D'Argento, preuve que les temps sont devenus difficiles.

Francis, Anne

Actrice américaine née en 1930.

1947, This Time for Keeps (Thorpe), Summer Holiday (Belle jeunesse) (Mamoulian) ; 1948, Portrait of Jennie (Le portrait de Jenny) (Dieterle) ; 1950, So Young, So Bad (Vorhaus) ; 1951, The Whistle at Eaton Falls (Siodmak), Elopement (Koster) ; 1952, Dreamboat (Binyon), Lydia Bailey (Negulesco) ; 1953, A Lion in the Streets (Walsh) ; 1954, The Rocket Man (O. Rudolph), Rogue Cop (Sur la trace du crime) (Rowland), Bad Day at Black Rock (Un homme est passé) (Sturges), Susan Slept Here (Suzanne découche) (Tashlin) ; 1955, Battle Cry (Le cri de la victoire) (Walsh), Blackboard Jungle (Graine de violence) (Brooks), The Scarle Coat (Duel d'espions) (Sturges) ; 1956, Forbidden Planet (Planète interdite) (Wilcox), The Rack (Laven), The Great American Pastime (Herman Hoffman) ; 1957, The Hired Gun (Nazarro), Don't Go Near the Water (Walters) ; 1960, The Crowded Sky (Pevney), Girl of the Night (Cates) ; 1964, The Satan Bug (Station 3, ultra-secret) (Sturges) ; 1965, Brainstorm (W. Conrad) ; 1968, Impasse (Benedict), Funny Girl (Funny Girl) (Wyler), More Dead than Alive (Starr) ; 1969, Hook, Line and Sinker (G. Marshall), The Love God ? (Hiken) ; 1972, Pancho Villa (E. Martin) ; 1978, Born Again (Rapper) ; 1979, Agatha (Agatha) (Apted) ; 1990, Little Vegas (P. Lang) ; 1993, Double O Kid (McLachlan) ; 1996, Lover's Knot (Shaner).

Cette ravissante blonde s'est partagée entre deux compagnies : la Fox où elle fut très « cool » et la MGM qui l'invita à prendre la succession de la brûlante Lana Turner. Deux visages qui finalement nous laissent perplexes sur la vraie personnalité d'Anne Francis.

Francis, Ève

Actrice d'origine belge, 1886-1980.

1917, Ames de fous (Dulac) ; 1918, Frivolité (Landay) ; 1919, La fête espagnole (Dulac) ; 1920, Le silence (Delluc), Fumée noire (Delluc) ; 1921, Le chemin d'Ernoa) (Delluc), Prométhée banquier (L'Herbier), Eldorado (L'Herbier), Fièvre (Delluc) ; 1922, La femme de nulle part (Delluc) ; 1924, L'inondation (Delluc) ; 1926, Antoinette Sabrier (Dulac) ; 1936, Club de femmes (Deval) ; 1937, Forfaiture (L'Herbier) ; 1939, La brigade sauvage (L'Herbier), Yamila sous les cèdres (D'Espinay) ; 1940, La comédie du bonheur (L'Herbier) ; 1974, La chair de l'orchidée (Chéreau) ; 1975, Adieu poulet (Broca).

Épouse de Louis Delluc, elle fut l'égérie du cinéma français des années 20, ou du moins d'un cinéma ambitieux et d'avant-garde qui, avec Germaine Dulac et Marcel L'Herbier notamment, entendait sortir le septième art de l'ornière commerciale. Ève Francis fut assistante à la réalisation pour plusieurs films de L'Herbier comme *Le bonheur* ou *La citadelle du silence* et pour *Le roman d'un spahi* de Bernheim.

Francis, Kay

Actrice américaine, de son vrai nom Katharine Gibbs, 1903-1968.

1929, Gentlemen of the Press (Webb), The Coconuts (Noix de coco) (Florey et Santley), Dangerous Curves (Mendes), Illusion (Mendes), The Marriage Playground (Mendes) ; 1930, Raffles (D'Arrast), Street of Chance (Cromwell), Paramount on Parade (Arzner, Brower, Goulding, Lee, Lubitsch), Behind the Make-Up (Milton), A Notorious Affair (Bacon), The Virtuous Sin (Cukor et Gasnier), Passion Flower (DeMille), For the Defense (P. Powell), Let's Go Native (McCarey) ; 1931, Scandal Street (Cromwell), Vice Squad (Cromwell), Ladies' Man (Mendes), Transgression (Brenon), Guilty Hands (Van Dyke), The False Madonna (Walker), Girls About Town, 24 Hours (Cukor) ; 1932, Strangers in Love (Mendes), Man Wanted (Dieterle), Street of Women (Mayo), Jewel Robbery (Dieterle), One Way Passage (Voyage sans retour) (Garnett), Trouble in Paradise (Haute pègre) (Lubitsch), Cynara (Vidor) ; 1933, The Keyhole (Le trou de la serrure) (Curtiz), The House on 56th Street (Florey), Mary Stevens M.D. (Bacon), I Loved a Woman (Green), Storm at Daybreak (Boleslavsky), Mandalay (Curtiz), British Agent (Agent britannique) (Curtiz), Wonder Bar (Bacon), Dr Monica ; 1935, Living on Velvet (Borzage), Stranded (Borzage), The Goose and the Gander (Green), I Found Stella Parrish (LeRoy) ; 1936, The White Angel (Dieterle), Give Me Your Heart (Mayo), Stolen Holiday (Curtiz) ; 1937, Another Dawn (Dieterle), First Lady (Logan), Confession (May) ; 1938, My Bill (Farrow), Women Are Like That (Logan), Come Over Broadway (Berkeley), Secrets of an Actress (Keighley) ; 1939, In Name Only (L'autre) (Cromwell), King of the Underworld (Hommes sans loi) (Seiler), Women in the Wind (Farrow) ; 1940, When the Dalton Rode (Marshall), It's a Date (Seiter), Little Men (McLeod) ; 1941, Play Girl (Woodruff), Charley's Aunt (Mayo), The Man Who Lost Himself (Ludwig), The Feminine Touch (Van Dyke) ; 1942, Always in My Heart (J. Graham), Between Us Girls (Koster) ; 1944, Four Jills in a Jeep (Seiter) ; 1945, Divorce (Nigh),

Allotment Wives (Nigh) ; 1946, Wife Wanted (Karlson).

Cette ravissante brune connut une grande célébrité dans les années 30 avec notamment *One Way Passage* et *Trouble in Paradise*. Elle passa de la Paramount à la Warner sans y rien gagner malgré la direction de Curtiz ou de Dieterle. Après 1940, sa carrière s'infléchit nettement. Elle mourut d'un cancer.

François, Jacques

Acteur français, 1920-2003.

1949, The Barkleys of Broadway (Walter) ; 1951, Édouard et Caroline (Becker), Maître après Dieu (Daquin) ; 1953, Encore (Pelissier), Si Versailles m'était conté (Guitry) ; 1954, To Paris with Love (Hamer) ; 1955, Trois femmes (Michel) ; 1956, Le père de Mademoiselle (L'Herbier), Mon gosse de père (Mathot) ; 1957, Les trois mousquetaires (Hunebelle), Les grandes manœuvres (Clair) ; 1969, Clair de terre (Gilles) ; 1971, La maison d'Églantine (Brialy) ; 1972, Tout le monde il est beau, tout le monde il est gentil (Yanne), L'attentat (Boisset), Le chacal (Zinneman), Moi y'en a vouloir des sous (Yanne) ; 1973, Les aventures de Rabbi Jacob (Oury), Les Chinois à Paris (Yanne) ; 1974, Section spéciale (Costa-Gavras) ; 1975, Le chat et la souris (Lelouch) ; 1976, Le jouet (Veber) ; 1977, Je suis timide mais je me soigne (Richard), La zizanie (Zidi), Wages of Fear (Le convoi de la peur) (Friedkin) ; 1978, Confidences pour confidences (Thomas), Le gendarme et les extraterrestres (Girault), Je te tiens, tu me tiens par la barbichette (Yanne), Cause toujours, tu m'intéresses (Molinaro), One two two, 122 rue de Provence (Gion) ; 1979, Rien ne va plus (Ribes), Les sept jours de janvier (Bardem) ; 1980, On n'est pas des anges... elles non plus (Lang), Celles qu'on n'a pas eues (Thomas) ; 1981, San Antonio ne pense qu'à ça (Seria), Tais-toi quand tu parles (Clair), Le cadeau (Lang), Mille milliards de dollars (Verneuil), Tête à claques (Perrin) ; 1982, Le gendarme et les gendarmettes (Girault), L'Africain (Broca), Le Père Noël est une ordure (Poiré), A Man, a Woman and a Child (Un homme, une femme, un enfant) (Richards) ; 1983, Papy fait de la résistance (Poiré), Until September (French Lover) (Marquand), Le sang des autres (Chabrol), Les parents ne sont pas simples cette année (Jullian) ; 1984, La tête dans le sac (Lauzier) ; 1985, Liberté, égalité, choucroute (Yanne) ; 1986, Twist again à Moscou (Poiré), Sauve-toi Lola (Arach) ; 1987, La vie dissolue de Gérard Floque (Lautner) ; 1988, Mes meilleurs copains (Poiré), L'invité surprise (Lautner) ; 1990, Triplex (Lautner) ; 1991, L'opération Corned-Beef (Poiré), Le fils du Mékong (Leterrier) ; 1992, Les amis de ma femme (Van Cauwelaert) ; 1995, Grand Nord (Gaup), Mon homme (Blier) ; 1997, Les visiteurs II : Les couloirs du temps (Poiré) ; 1998, Recto/verso (Longval) ; 1999, Les acteurs (Blier) ; 2000, Le roi danse (Corbiau).

Avant tout un acteur de théâtre, mais sa distinction et son flegme tout britannique font merveille dans les comédies de Jean Yanne, Pascal Thomas et Poiré. Qui n'a ri à ses malheurs dans *Le père Noël est une ordure* ? Il continua à mettre son talent au service de petits rôles dans des films mineurs. Heureusement il triompha au théâtre, en 1995, dans le rôle d'Hudson Lowe de *La dernière salve* de Brisville.

Frankeur, Paul

Acteur français, 1905-1974.

1941, Nous les gosses (Daquin) ; 1942, Le voyageur de la Toussaint (Daquin), Madame et le mort (Daquin), La nuit fantastique (L'Herbier), Croisières sidérales (Zwobada) ; 1943, Premier de cordée (Daquin) ; 1944, Les enfants du paradis (Carné), La cage aux rossignols (Dréville) ; 1945, Étoile sans lumière (Blistène), La fille du diable (Decoin) ; 1946, Le père tranquille (Clément), Contre-enquête (Faurez) ; 1947, Les frères Bouquinquant (Daquin), Jour de fête (Tati), Les amants du pont Saint-Jean (Decoin) ; 1948, Les casse-pieds (Dréville), Retour à la vie (sketch de Dréville), Le point du jour (Daquin) ; 1949, Histoires extraordinaires (Faurez), Premières armes (Wheeler), Monseigneur (Richebé), Au p'tit zouave (Grangier) ; 1950, Passion (Lampin), Sous le ciel de Paris (Duvivier), Justice est faite (Cayatte) ; 1952, Nous sommes tous des assassins (Cayatte) ; 1953. L'étrange désir de M. Bard (Radvanyi), Thérèse Raquin (Carné), Touchez pas au grisbi (Becker), Avant le déluge (Cayatte) ; 1954, Huis clos (Audry), Razzia sur la chnouf (Decoin), Dossier noir (Cayatte), Des gens sans importance (Verneuil), Je suis un sentimental (Berry), Les assassins du dimanche (Joffé), Nana (Christian-Jaque) ; 1956, Œil pour œil (Cayatte), Le sang à la tête (Grangier), Reproduction interdite (Grangier) ; 1957, Le rouge est mis (Grangier) ; 1958, Le désordre et la nuit (Grangier), Marie-Octobre (Duvivier), Archimède le clochard (Grangier), Le fauve est lâché (Labro), Une balle dans le canon (Deville et Gérard) ; 1959, Maigret et l'affaire Saint-Fiacre (Delannoy), Rue des Prairies (La Patellière), Quai du Point-du-

Jour (Faurez), Voulez-vous danser avec moi ? (Boisrond) ; 1960, Le panier aux crabes (Lisbona), La viaccia (Bolognini) ; 1961, Le crime ne paie pas (Oury) ; 1962, Le gentleman d'Epsom (Grangier), Un singe en hiver (Verneuil) ; 1963, Maigret voit rouge (Grangier), Nick Carter va tout casser (Decoin) ; 1965, Le tonnerre de Dieu (La Patellière), On a volé la Joconde (Deville) ; 1969, La voie lactée (Buñuel) ; 1972, Le charme discret de la bourgeoisie (Buñuel), Poil de carotte (Graziani) ; 1973, Un tueur, un flic, ainsi soit-il/La balançoire à minouches (Van Belle) ; 1974, Le cri du cœur (Lallemand), Le fantôme de la liberté (Buñuel).

Débuts au cabaret avec Deniaud qu'il retrouvera au cinéma dans *Monseigneur*. A l'écran, lancé par Daquin qui l'utilisera beaucoup, il se révèle un solide acteur de second plan. Sa bonne bouille lui vaut des emplois de personnages sympathiques encore que bougons, style patrons de café. Il va surtout se trouver associé avec Gabin dans une série de films policiers français auxquels Becker ouvre la voie avec son *Grisbi*. Grangier surtout, Delannoy, La Patellière vont apporter leur contribution au cycle. Le public reconnaît aisément Frankeur au sommet de sa popularité. Il a parfois la vedette, comme dans *Reproduction interdite*, où il est un marchand de tableaux acculé au crime. En 1969, virage à quatre-vingt-dix degrés : Frankeur devient l'interprète des films français de Buñuel : pèlerin, bourgeois ou aubergiste.

Fraser, Brendan

Acteur américain né en 1968.

1991, Dogfight (Savoca) ; 1992, School Ties (La différence) (Mandel), Encino Man (California man) (Mayfield) ; 1993, Twenty Bucks (Rosenfeld), Younger and Younger (Adlon), Son in Law (Rash) ; 1994, With Honors (Keshishian), Airheads (Radio Rebels) (Lehmann), The Scout (Ritchie), In the Army Now (Petrie, Jr.) ; 1995, The Passion of Darkly Noon (Darkly Noon) (Ridley), Now and Then (Glatter) ; 1996, Mrs. Winterbourne (Mrs. Winterbourne) (Benjamin), Kids in the Hall : Brain Candy (Kids in the Hall) (Makin), George of the Jungle (George de la jungle) (Weisman), Glory Daze (Wilkes) ; 1997, Still Breathing (Robinson), Gods and Monsters (Condon) ; 1998, The Mummy (La momie) (Sommers), Blast from the Past (Dernière sortie) (Wilson) ; 1999, Dudley Do-Right (Wilson), Monkeybone (Selick) ; 2000, Bedazzled (Endiablé) (Ramis), The Mummy Returns (Le retour de la momie) (Sommers).

Découvert en homme des cavernes ressurgi à l'époque contemporaine dans *California Man*, Fraser donnait le ton dès ce premier film : des emplois de rustauds bas du front, qu'il s'ingénie à porter jusqu'à la parodie avec le délirant *George de la jungle*. Plus subtil dans le méconnu *Gods and Monsters* (où il incarnait le jardinier du cinéaste James Whale), il décroche le haut de l'affiche en devenant égyptologue dans le triomphal *La momie* (et sa suite).

Freeman, Morgan

Acteur et réalisateur américain né en 1937.

1965, The Pawnbroker (Le prêteur sur gages) (Lumet) ; 1971, Who Says I Can't Ride a Rainbow ? (E. Mann) ; 1980, Brubaker (Brubaker) (Rosenberg), Eyewitness (L'œil du témoin) (Yates) ; 1983, Harry and Son (L'affrontement) (Newman) ; 1984, Teachers (Ras les profs !) (Hiller) ; 1986, That Was Then... This Is Now (Cain), Marie : a True Story (Marie : justice criminelle) (Donaldson) ; 1987, Street Smart (Enquête pour une vengeance) (Schatzberg) ; 1988, Clean and Sober (Retour à la vie) (Gordon Caron) ; 1989, Glory (Glory) (Zwick), Johnny Handsome (Johnny Belle gueule) (Hill), Lean on Me (Avildsen), Driving Miss Daisy (Miss Daisy et son chauffeur) (Beresford) ; 1990, The Bonfire of the Vanities (Le bûcher des vanités) (De Palma) ; 1991, Robin Hood, Prince of Thieves (Robin des bois, Prince des voleurs) (Jackson) ; 1992, Unforgiven (Impitoyable) (Eastwood), The Power of One (La puissance de l'ange) (Avildsen) ; 1994, The Shawshank Redemption (Les évadés) (Darabont) ; 1995, Outbreak (Alerte !) (Petersen), Seven (Seven) (Fincher), Moll Flanders (Moll Flanders) (Densham) ; 1996, Chain Reaction (Poursuite) (Davis), Kiss the Girls (Le collectionneur) (Fleder), Hard Rain (Pluie d'enfer) (Salomon) ; 1997, Amistad (Amistad) (Spielberg), Deep Impact (Deep Impact) (Leder) ; 1999, Nurse Betty (Nurse Betty) (LaBute), Under Suspicion (Suspicion) (Sommers) ; 2000, Along Came a Spider (Le masque de l'araignée) (Tamahori) ; 2001, High Crimes (Crimes et pouvoir) (Franklin) ; 2003, Dreamcatcher (Dreamcatcher) (Kasdan), Bruce Almighty (Bruce tout-puissant) (Shadyac), Levity (Solomon) ; 2005, Batman Begins (Batman Begins) (Nolan), Danny the Dog (Danny the Dog) (Leterrier), The Hitchhiker's Guide to the Galaxy (H2 G2 : Le guide du voyageur galactique) (Jennings), Million Dollar Baby (Million Dollar Baby) (Eastwood), War of the Worlds (La guerre des mondes) (Spielberg), Magnificent Desolation : Walking on the Moon 3D (Magnifique désolation : marchons sur la Lune) (Cowen) ; 2006, An Unfinished Life (Une vie inachevée) (Hallström), Edison (Burke),

Lucky Number Slevin (Slevin) (McGuigan) ; 2007, 10 Items or Less (Silberling), Evan Almigthty (Evan tout-puissant) (Shadyac). *Comme réalisateur :* 1993, Bopha !

Cet acteur noir ne connaît le succès qu'à près de cinquante ans en interprétant le rôle du chauffeur d'une vieille femme dans l'Amérique raciste des années 50. Depuis *Miss Daisy et son chauffeur*, premiers et seconds rôles se succèdent, où prédominent ceux de sages au passé bien rempli à l'image de son rôle dans *Seven*. Il a également réalisé un film sur l'Afrique du Sud, inédit en France.

Freiss, Stéphane

Acteur français né en 1960.

1983, Les parents ne sont pas simples cette année (Jullian), Premiers désirs (Hamilton) ; 1985, Sans toit ni loi (Varda) ; 1986, Le complexe du kangourou (Jolivet) ; 1987, Chouans ! (Broca) ; 1988, Les mille et une nuits (Broca), Les bois noirs (Deray) ; 1990, La tribu (Boisset), La putain du roi (Corti) ; 1996, Comme des rois (Velle) ; 1997, Gueule d'amour (Dajoux), The Misadventures of Margaret (Les folies de Margaret) (Skeet), Ça reste entre nous (Lamotte) ; 1999, Sulla spaggia di là dal molo (Fago) ; 2000, Tra due mondi (Entre deux mondes) (Conversi) ; 2001, Betty Fischer et autres histoires (Miller) ; 2004, 5 × 2 (Ozon), Le grand rôle (Suissa) ; 2006, Je m'appelle Élisabeth (Améris), Munich (Munich) (Spielberg).

César du meilleur espoir masculin pour sa prestation dans *Chouans !*, sa carrière cinématographique reste en deçà des attentes, mais il est très actif au théâtre où son charisme est incontestable.

Frémont, Thierry

Acteur français né en 1962.

1986, Les noces barbares (Hänsel) ; 1987, Travelling avant (Tacchella) ; 1988, Mon ami le traître (Giovanni) ; 1989, Fortune express (Schatzky) ; 1990, Merci la vie (Blier) ; 1992, Abracadabra (Cleven), Rock'n'roll control (Saurel) ; 1993, Le petit garçon (Granier-Deferre) ; 1995, Les caprices d'un fleuve (Giraudeau) ; 1996, Les démons de Jésus (Bonvoisin) ; 1998, Les grandes bouches (Bonvoisin) ; 1999, Le fils du Français (Lauzier), Nadia et les hippopotames (Cabrera) ; 2001, Femme Fatale (De Palma) ; 2003, Mais qui a tué Pamela Rose ? (Lartigau) ; 2003, Les clefs de la bagnole (Baffie), Livraison à domicile (Delahaye) ; 2005, Espace détente (Solo et Le Bolloc'h ; 2006, Les brigades du Tigre (Cornuau), Un ticket pour l'espace (Lartigau).

Roux, nerveux, sanguin, il tourne peu mais chacun de ses films est marqué par son jeu rappelant les méthodes extrêmes de l'Actor's Studio. On ne peut oublier son personnage d'adolescent au passé difficile dans *Les noces barbares*, ni celui du cambrioleur paraplégique de *Fortune express*...

Fresnay, Pierre

Acteur et réalisateur français, de son vrai nom Laudenbach, 1897-1975.

1915, France d'abord (Pouctal) ; 1920, L'essor (Burguet), La bâillonnée (Burguet) ; 1922, Les mystères de Paris (Burguet) ; 1923, Le diamant noir (Hugon), Le petit Jacques (Lannes) ; 1924, Rocambole (Maudru) ; 1928, La vierge folle (Luitz-Morat) ; 1929, Ça c'est Paris (Mourre) ; 1931, Marius (Pagnol) ; 1932, Fanny (M. Allégret) ; 1933, Ame de clown (Didier) ; 1934, La dame aux camélias (Gance), The Man Who Knew Too Much (L'homme qui en savait trop) (Hitchcock) ; 1935, Le roman d'un jeune homme pauvre (Gance) ; 1936, Koenigsmark (Tourneur), Sous les yeux d'Occident (M. Allégret), César (Pagnol), Salonique nid d'espions (Pabst) ; 1937, Le puritain (Musso), La bataille silencieuse (Billon), La grande illusion (Renoir), Chéri-Bibi (Mathot) ; 1938, Adrienne Lecouvreur (L'Herbier), Les trois valses (Berger) ; 1939, Le duel (Fresnay), La charrette fantôme (Duvivier) ; 1941, Le dernier des six (Lacombe), Le briseur de chaînes (Daniel Norman), Les inconnus dans la maison (Decoin) ; 1942, L'assassin habite au 21 (Clouzot), La main du diable (Tourneur), Le journal tombe à cinq heures (Lacombe) ; 1943, Le corbeau (Clouzot), L'escalier sans fin (Lacombe), Le voyageur sans bagage (Anouilh), Je suis avec toi (Decoin) ; 1945, La fille du diable (Decoin) ; 1946, Le visiteur (Dréville) ; 1947, Monsieur Vincent (Cloche), Les condamnés (Lacombe) ; 1948, Barry (Pottier) ; 1949, Au grand balcon (Decoin), La valse de Paris (Achard), Vient de paraître (Houssin) ; 1950, Dieu a besoin des hommes (Delannoy), Ce siècle a cinquante ans (Tual) ; 1951, Monsieur Fabre (Diamant-Berger), Voyage en Amérique (Lavorel), Un grand patron (Ciampi) ; 1952, Il est minuit, docteur Schweitzer (Haguet) ; 1953, Le défroqué (Joannon), La route Napoléon (Delannoy) ; 1954, Les évadés (Le Chanois) ; 1955, Les aristocrates (La Patellière) ; 1956, L'homme aux clés d'or (Joannon) ; 1957, Les œufs de l'autruche (La Patellière), Les fanatiques (Joffé) ; 1958, Et ta sœur (Delbez), Tant d'amour perdu (Joannon) ; 1959, Les affreux (M. Allégret), La millième fenêtre (Menegoz) ; 1960, Les vieux de la vieille (Grangier). *Pour le metteur en scène*, voir le *Dictionnaire du cinéma*, t. I : *Les réalisateurs*.

Considéré comme l'un des plus grands acteurs français. Il fait ses débuts sur scène à quinze ans, conseillé par un oncle lui-même acteur. Il entre à la Comédie-Française à dix-neuf ans. Il y deviendra sociétaire, épousera Berthe Bovy, puis quittera la maison de Molière à grand fracas et se séparera de son épouse. C'est la rencontre avec Yvonne Printemps qu'il épouse et la proposition de Pagnol de tenir le rôle de Marius (prévu au départ pour Blanchar) qui vont véritablement le lancer. Sa grande période cinématographique se situe entre 1941 et 1944 (M. Wens dans *Le dernier des six* et *L'assassin habite au 21* ; le médecin du *Corbeau*). A la Libération, il est inquiété pour avoir travaillé à la Continental, firme allemande. Avec *Monsieur Vincent*, où il est un admirable saint Vincent de Paul, sa carrière prend un nouveau départ. Il se spécialise dès lors dans les personnages historiques : le savant Fabre, Offenbach (*La valse de Paris*), etc. En fait, le théâtre l'attire davantage et il dirige avec compétence La Michodière, délaissant de plus en plus l'écran. C'est sans doute ce qui explique la médiocrité de ses derniers films, indignes de son immense talent.

Fresson, Bernard

Acteur français, 1931-2002.

1959, Hiroshima mon amour (Resnais) ; 1960, Le testament du docteur Cordelier (Renoir), La ragazza in vetrina (La fille dans la vitrine) (Emmer), Svenska flickori Paris (Les Suédoises à Paris) (Borman) ; 1961, La bride sur le cou (Vadim) ; 1962, The Longest Day (Le jour le plus long) (Annakin, Marton) ; 1964, Le ciel sur la tête (Ciampi), Cent briques et des tuiles (Grimblat), The Train (Le Train) (Frankenheimer) ; 1965, La surface perdue (Grassian), La grosse caisse (Joffé) ; 1966, La guerre est finie (Resnais), Jeudi on chantera comme dimanche (Heusch), Mon amour, mon amour (N. Trintignant), The Eddie Chapman Story Triple Cross (La fantastique histoire vraie d'Eddie Chapman) (Young), Paris brûle-t-il ? (Clément) ; 1967, Je t'aime, je t'aime (Resnais), Loin du Viêt-nam (épis. Resnais), Tante Zita (Enrico), L'écume des jours (Belmont) ; 1968, La prisonnière (Clouzot), Adieu l'ami (Herman), Z (Costa-Gavras) ; 1969, L'Américain (Bozzuffi), Trop petit mon ami (Matalon), Lady in the Car with Glasses and a Gun (La dame dans l'auto avec des lunettes et un fusil) (Litvak), Le portrait de Marianne (Goldenberg) ; 1970, Un condé (Boisset), Macédoine (La femme sandwich) (Scandelari), Max et les ferrailleurs (Sautet), Soleil O (Hondo) ; 1971, Un peu de soleil dans l'eau froide (Deray) ; 1972, Les feux de la Chandeleur (Korber), Trois milliards sans ascenseur (Pigaut), Il n'y a pas de fumée sans feu (Cayatte) ; 1973, Ursule et Grelu (Korber) ; 1974, Le futur aux trousses (Grassian) ; 1975, French Connection (Frankenheimer), Les galettes de Pont-Aven (Seria), Il pleut sur Santiago (Soto), Mords pas on t'aime (Allégret), L'ordinateur des pompes funèbres (Pirès) ; 1976, Le locataire (Polanski), Marie-Poupée (Seria), Un type comme moi ne devrait jamais mourir (Vianey), Les passagers (Leroy), A chacun son enfer (Cayatte), Mado (Sautet), L'appel de la forêt (Jameson), Cours après moi que je t'attrape (Pouret) ; 1977, Le dernier baiser (Grassian), L'amant de poche (Queysanne) ; 1978, La petite fille en velours bleu (Bridges), On efface tout (Vidal), Autopsie d'un complot (Riad) ; 1980, Le guêpiot (Pilissy) ; 1981, L'ogre de Barbarie (Hattevzi), Madame Claude 2 (Minet), Espion lève-toi (Boisset) ; 1983, Garçon ! (Sautet) ; 1984, Clash (Delpard), Rive droite, rive gauche (Labro), Réveillon chez Bob (Granier-Deferre) ; 1985, Zielscheiben (Vogeler), L'amour ou presque (Gautier) ; 1986, Sweet Lies (Delon) ; 1987, En toute innocence (Jessua) ; 1988, Street of no Return (Sans espoir de retour) (Fuller), Bonjour l'angoisse (Tchernia), Le dénommé (Dague) ; 1989, Bal perdu (Benoin), Sons (Rockwell) ; 1990, Équipe de nuit (D'Anna), Money (Money) (Stern) ; 1991, Dingo (Dingo) (De Heer) ; 1992, Germinal (Berri), L'enigma diva-giorno (Mazzucco) ; 1994, L'ombre abitata (Mazzucco) ; 1995, Mon homme (Blier) ; 1997, Le serpent a mangé la grenouille (Guesnier) ; 1998, Place Vendôme (Garcia) ; 1999, Six-Pack (Berbérian), La beauté sur la Terre (Plantevin), L'envol (Suissa) ; 2000, La fidélité (Zulawski), Le pacte des loups (Gans) ; 2002, L'adversaire (Garcia).

Sorti de HEC, il délaissa le commerce pour le théâtre. Il travailla avec les Théophiliens de la Sorbonne, fit des tournées, interpréta Shakespeare, Gorki, Pinter, Arrabal... Il s'intéressa aussi au football et à la musique. Au cinéma, il obtint rarement des rôles en vedette mais les personnages qu'il campait suscitaient généralement la sympathie, à l'image du physique de Fresson.

Frey, Sami

Acteur français, de son vrai nom Samuel Frei, né en 1937.

1956, Pardonnez nos offenses (Hossein) ; 1958, Jeux dangereux (Chenal) ; 1959, La nuit des traqués (Roland), Le travail c'est la liberté (Grospierre) ; 1960, La vérité (Clouzot) ; 1961, Gioventu di notte (Jeunesse de nuit) (Sequi), Les sept péchés capitaux (épis. L'orgueil) (Vadim) ; 1962, Cléo de 5 à 7 (Varda), Il disordine (Le désordre) (Brusati), Thérèse Desqueyroux (Franju) ; 1963, L'appartement des filles (Deville), El juego de la verdad ou Juzgado de guardia (Couple interdit) (Forque) ; 1964, Bande à part (Godard), La costanza della ragione (Avec amour et avec rage) (Festa-Campanile) ; 1965, Une balle au cœur (Pollet), Angélique et le roy (Borderie) ; 1966, Qui êtes-vous Polly Magoo ? (Klein) ; 1967, Manon 70 (Aurel), L'écume des jours (Belmont) ; 1968, Mister Freedom (Klein) ; 1969, La chasse royale (Leterrier) ; 1970, M. comme Mathieu (Adam), Les mariés de l'an II (Rappeneau) ; 1971, Jaune le soleil (Duras), Rak (Belmont) ; 1972, Le journal d'un suicide (Stanojovic), Paulina 1880 (Bertucelli), César et Rosalie (Sautet) ; 1974, Sweet Movie (Makavejev), Le jardin qui bascule (Gilles) ; 1976, Guerres civiles en France (ép. Nordon), Le jeu du solitaire (Adam) Nea (Kaplan) ; 1977, Pourquoi pas ? (Serreau) ; 1978, Écoute voir (Santiago), Une page d'amour (Rabinowicz) ; 1982, Mortelle randonnée (Miller) ; 1984, Le garde du corps (Leterrier), The Little Drummer Girl (La petite fille au tambour) (Roy Hill) ; 1985, La vie de famille (Doillon) ; 1986, L'unique (Diamant-Berger), Sauve-toi Lola (Drach) ; 1987, Laputa (Sanders), L'état de grâce (Rouffio), Black Widow (La veuve noire) (Refalson) ; 1988, L'œuvre au noir (Delvaux), De sable et de sang (Labrune) ; 1989, Les deux Fragonard (Le Guay) ; 1990, L'Africaine (Trotta) ; 1991, Contre l'oubli (collectif), La voix (Granier-Deferre) ; 1992, Hors saison (Schmid) ; 1993, En compagnie d'Antonin Artaud (Mordillat), Traps (Chan) ; 1994, La fille de d'Artagnan (Tavernier), L'amour conjugal (Barbier) ; 1995, Les menteurs (Chouraqui) ; 1999, Les acteurs (Blier) ; 2002, La repentie (Masson) ; 2005, Anthony Zimmer (Salle) ; 2006, Il registra di matrimoni (Le metteur en scène de mariages) (Bellochio) ; 2007, Danse avec lui (Guignabodet).

Beaucoup de théâtre, du *Soulier de satin* de Claudel à la *Bérénice* de Racine, mise en scène par Planchon. Sa carrière cinématographique a été en revanche sans éclats. Servi par son physique (il eut une liaison avec Brigitte Bardot), il joue tantôt les beaux ténébreux, tantôt les traîtres. Il est même ministre dans *L'état de grâce*. Mais sa filmographie, à part *La vérité* et *Thérèse Desqueyroux*, contient peu d'œuvres importantes. On sauvera toutefois son séduisant Aramis dans *La fille de d'Artagnan* et sa curieuse interprétation de *L'amour conjugal*.

Fritsch, Willy

Acteur allemand, 1901-1973.

Principaux films : 1928, Spione (Les espions) (Lang) ; 1929, Mélodie des Herzens (Schwarz), Die Frau im Mond (La femme sur la lune) (Lang) ; 1931, Der Kongress tanzt (Le congrès s'amuse) (Charell) ; 1932, Ein blonder Traum (Un rêve blond) (Martin), Ihre Hoheit befiehlt (Son Altesse commande) (Schwarz), Ich bei Tag und du bei Nacht (A moi le jour, à toi la nuit) (Berger) ; 1934, Prinzessin Turandot (Princesse Turandot) (Lamprecht) ; 1938, An seidenem Fadem (En fils de soie) (Stemmle) ; 1945, Die Fledermaus (La chauve-souris) (Bolvary) ; 1948, Film ohne Titel (Jugert) ; 1953, Wenn der weisse Flieder wieder bluth (Lilas blancs) (Deppe) ; 1956, Schwarzwaldmelodie (Bolvary) ; 1958, Zwei Herzen im Mai (Bolvary) ; 1964, Das hab ich von Papa gelernt (Ambesser).

Partenaire de Lilian Harvey et de Kathe de Nagy dans d'innombrables comédies plus ou moins musicales, ce jeune premier fantaisiste avait pourtant débuté sous la férule de Max Reinhardt. Il symbolise l'opérette de l'UFA.

Froebe, Gert

Acteur allemand, 1912-1988.

1948, Berliner Ballade (Ballade berlinoise) (Stemmle) ; 1949, Nach Regen scheinst Sonne (Kobler) ; 1952, Der Tag vor der Hochzeit (Thiele), Salto mortale (Tourjansky) ; 1953, Ein Herz spielt Falsch (Jugert), Arlette erlobert Paris (Tourjansky), Man on a Tightrope (Kazan), Les héros sont fatigués (Ciampi), They Were So Young (Esclaves pour Rio) (Neumann), Das Zweite Leben (Double destinée) (Vicas), Ewiger Walzer (Le beau Danube bleu) (Verhoeven) ; 1955, Das Forsthaus in Tirol (Kugelstadt) ; 1956, Ein Mädchen aus Flandern (Kautner), Waldwinter (Liebeneiner), Typhon sur Nagasaki (Ciampi), Celui qui doit mourir (Dassin) ; 1957, Robinson soll nicht sterben (Un petit coin de paradis) (Baky), Charmants garçons (Decoin), Échec au porteur (Grangier), El Hakim (Thiele), Der tolle Bomberg (Thiele), Das Herz von St. Pauli (York) ; 1958, Nasser Asphalt (La zone est interdite) (Wisbar), Es geschah am hellichten Tag (C'est arrivé en plein jour) (Wajda), Grabenplatz 17 (Engels), Das Mädchen Rosemarie (La fille Rose-Marie) (Thiele) ; 1959, Der Pauker (Ambesser), Das Mädchen mit den Katzenaugen (La fille aux yeux de chat) (York), Il battelire del Volga (Les bateliers de la Volga) (Tourjansky), Nick Knateertons Abenteuer (Quest), Menschen im Hotel (Grand Hôtel)

(G. Reinhardt), Alt Heidelberg (Marischka), Am Tag, als der Regen Kam (Le gang descend sur la ville) (Oswald), Der Schatz vo in Töplitza (Le trésor des SS) (Antel) ; 1960, Bis dass das Geld euch scheidet (Vohrer), La grande vie (Duvivier), Le bois des amants (Autant-Lara), Soldatensender Calais (Les chacals meurent à l'aube) (May), Douze heures d'horloge (Radvanyi), Die tausend Augen des Dr. Mabuse (Le diabolique Dr Mabuse) (Lang) ; 1961, Im Stahlnetz des Dr. Mabuse (Le retour du Dr Mabuse) (Reinl), Der grüne Bogenschütze, Es muss nicht immer Kaviar sein (Radvanyi), Via Mala (May) ; 1962, The Longest Day (Le jour le plus long) (Annakin...) ; 1963, Die Dreigroschenoper (Staudte), Peau de banane (M. Ophuls), Le meurtrier (Autant-Lara) ; 1964, Tonio Kröger (Thiele), Cent mille dollars au soleil (Verneuil), Goldfinger (Hamilton) ; 1965, A High Wind in Jamaica (Un cyclone à la Jamaïque) (Mackendrick), Those Magnificent Men in Their Flying Machines (Ces merveilleux fous volants dans leurs drôles de machines) (Annakin), Échappement libre (Becker) ; 1966, Du rififi à Paname (La Patellière), Paris brûle-t-il ? (Clément) ; 1967, Jules Verne's Rocket to the Moon, Triple Cross (Eddie Chapman) (Young), J'ai tué Raspoutine (Hossein), Caroline chérie (La Patellière) ; 1968, Chitty Chitty Bang Bang (Hughes) ; 1969, Monte Carlo or Bust (Gonflés à bloc) (Annakin) ; 1971, Dollars (Dollars) (R. Brooks) ; 1972, Ludwig (Visconti) ; 1973, Der Räuber Hotzenplotz (Ehmck), Les nuits rouges (Franju) ; 1974, And Then there Were None (Dix petits nègres) (Collinson), Les magiciens (Chabrol) ; 1975, Mein Onkel Theodor (Ehmck), Dr Justice (Christian-Jaque), Profezia per un delitto ; 1977, The Serpent's Egg (L'œuf du serpent) (Bergman), Das Gesetz des Clans, Tod oder Freiheit ; 1978, Der Tiefstapler ; 1979, Bloodine (Liés par le sang) (Young) ; 1980, Le coup de parapluie (Oury), The Falcon (La vengeance du Faucon) (Mimica).

Cet acteur allemand, trapu et jovial, a fait ses débuts après la guerre. Il fut très demandé au point de devenir une vedette internationale. Parmi ses meilleurs rôles : *Goldfinger* qui lui valut une énorme réputation. *Paris brûle-t-il ?* (où il était naturellement un officier allemand) et la série des *Mabuse*, d'après Norbert Jaques.

Fröhlich, Gustav

Acteur allemand, 1902-1987.

1927, Metropolis (Metropolis) (Lang) ; 1928, Heimkehr (Le chant du prisonnier) (May) ; 1929, Asphalt (Asphalt) (May) ; 1930, Der Unsterbliche Lump (L'immortel vagabond) (Ucicky) ; 1931, Kismet (Dieterle), Mein Leopold (Steinhoff), Voruntersuchung (Siodmak), Die verliebte Firma (Ophuls), Ein Lied, ein Kuss, ein Mädel (Bolvary), Johann Strauss (Weine) ; 1933, Was Frauen träumen (Bolvary) ; 1935, Barcarole (Lamprecht) ; 1937, Alarm in Peking (Selpin) ; 1938, Frau Sixta (Ucicky) ; 1940, Herz geht vor Anker (Lingen) ; 1941, Clarissa (Lamprecht) ; 1945, Der grosse Fall (Anton) ; 1954, Rosen aus dem Süden (Antel) ; 1956, Sag nicht Addio (König).

Journalisme, théâtre puis cinéma. Il est la plus populaire des vedettes allemandes des années 30. Il évite de se compromettre avec le nazisme mais, après 1944, sa carrière sombre dans la médiocrité.

Frot, Catherine

Actrice française née en 1956.

1980, Mon oncle d'Amérique (Resnais), Psy (Broca) ; 1981, Quand tu seras débloqué... fais-moi signe ! (Leterrier), Guy de Maupassant (Drach) ; 1983, Une pierre dans la bouche (Leconte) ; 1984, Elsa, Elsa (Haudepin), Escalier C (Tacchella) ; 1986, Le moine et la sorcière (Schiffman) ; 1989, Bienvenue à bord (Leconte), Tom et Lola (Arthuys), Chambre à part (Cukier) ; 1990, Sushi, sushi (Perrin) ; 1991, Vent d'est (Enrico), Vieille canaille (Jourd'hui), Juste avant l'orage (Herbulot) ; 1994, J'ai pas sommeil (Denis) ; 1995, Un air de famille (Klapisch) ; 1997, Le dîner de cons (Veber), Dormez, je le veux ! (Jouannet), Ça reste entre nous (Lamotte), Paparazzi (Berberian) ; 1998, La nouvelle Ève (Corsini), La dilettante (Thomas), A mort la mort ! (Goupil) ; 1999, Inséparables (Couvelard) ; 2000, Mercredi, folle journée ! (Thomas) ; 2001, Chaos (Serreau) ; 2003, Un couple épatant (Belvaux), Cavale (Belvaux), Après la vie (Belvaux), Sept ans de mariage (Bourdon) ; 2004, Éros thérapie (Dubroux), Les sœurs fâchées (Leclère), Vipère au poing (Broca) ; 2005, Boudu (Jugnot), Mon petit doigt m'a dit (Thomas) ; 2006, Le passager de l'été (Moncorgé-Gabin), La tourneuse de pages (Dercourt) ; 2007, Odette Toulemonde (Schmitt).

Il aura fallu près de quinze ans d'une carrière honorable mais sans éclat (du moins au cinéma) pour que le grand public remarque enfin Catherine Frot dans le rôle de Yoyo, l'inénarrable belle-fille écervelée d'*Un air de famille*. Un césar à la clé et une carrière qui rebondit avec vigueur. Sauvée ! Elle éclate de vitalité dans *Mon petit doigt m'a dit*, d'après Agatha Christie, et interprète une pianiste de renom victime d'une terrible vengeance dans *La tourneuse de pages*.

Fry, Stephen

Acteur et romancier anglais né en 1957.

1987, The Good Father (Newell) ; 1988, A Fish Called Wanda (Un poisson nommé Wanda) (Crichton), A Handful of Dust (Une poignée de cendre) (Sturridge) ; 1992, Peter's Friends (Peter's Friends) (Branagh) ; 1994, The Steal (Hay), I.Q. (L'amour en équation) (Schepisi) ; 1996, The Wind in the Willows (Jones) ; 1997, Spiceworld the Movie (Spiceworld le film) (Spiers), Wilde (Oscar Wilde) (Gilbert) ; 1998, The Tichborne Claimant (Yates), A Civil Action (Préjudice) (Zaillian) ; 1999, Londinium (Binder), Best (McGuckian), Whatever Happened to Harold Smith ? (Hewitt), Blackadder Back and Forth (Weiland) ; 2000, Relative Values (Styles), Sabotage ! (E. & J.M. Ibarretxe), The Discovery of Heaven (Krabbé) ; 2001, Gosford Park (Gosford Park) (Altman) ; 2003, Le divorce (Ivory) ; 2004, The Life and Death of Peter Sellers (Moi, Peter Sellers) (S. Hopkins) ; 2006, Stormbreaker (Alex Rider : Stormbreaker) (Sax), Tristram Shandy (Tournage dans un jardin anglais) (Winterbottom), V for Vendetta (V pour Vendetta) (McTeigue).

Figure gay haute en couleur de l'Angleterre « camp », essayiste, romancier, dramaturge, comique, Stephen Fry donne aussi dans le cinéma en tenant le rôle-titre du *Peter's Friends* de Kenneth Branagh, puis celui d'Oscar Wilde dans la biographie réalisée par Brian Gilbert. Un rôle pour lequel — humour, penchants littéraires et sentimentaux, et même le physique — il semblait tout naturellement prédestiné.

Frye, Dwight

Acteur américain, 1899-1943.

Principaux films : 1930, Doorway to Hell (Mayo) ; 1931, Man to Man (Dwan), The Maltese Falcon (Del Ruth), Dracula (Browning), Frankenstein (Whale) ; 1933, The Vampire Bat (Strayer), The Invisible Man (L'homme invisible) (Whale) ; 1935, The Bride of Frankenstein (La fiancée de Frankenstein) (Whale), The Crime of Dr. Crespi (Le crime du docteur Crespi) (Auer) ; 1936, Sea Devils (Stoloff) ; 1939, The Man in the Iron Mask (L'homme au masque de fer) (Whale) ; 1943, Hangmen Also Die (Les bourreaux meurent aussi) (Lang).

Spécialisé dans les rôles de dégénérés (assistants en général de docteurs fous) ou de tueurs inquiétants comme dans la première version du *Faucon maltais*.

Funès, Louis de

Acteur français, de son vrai nom de Funes de Galarza, 1914-1983.

1945, La tentation de Barbizon (Stelli) ; 1946, Six heures à perdre (Levitte), Dernier refuge (Maurette), Antoine et Antoinette (Becker) ; 1947, Croisière pour l'inconnu (Montazel) ; 1948, Du Guesclin (Latour) ; 1949, Rendez-vous avec la chance (Reinert), Je n'aime que toi (Montazel), Pas de week-end pour notre amour (Montazel), Mission à Tanger (Hunebelle), Mon ami Sainfoin (Sauvajon), Vient de paraître (Houssin), Ademaï au poteau frontière (Colline), Au revoir M. Grock (Billon), Millionnaire d'un jour (Hunebelle), Un certain monsieur (Ciampi) ; 1950, Folie douce (Paulin), L'amant de paille (Grangier), Bibi Fricotin (Blistène), Le roi du bla-bla-bla (Labro), La rue sans loi (Gibaud), La rose rouge (Pagliero), Boniface somnambule (Labro) ; 1951, Boîte à vendre (c.m., Lalande), Champions juniors (c.m., J. Blondy), Les joueurs (c.m., Barma), Les sept péchés capitaux (Dréville), Le dindon (Barma), Ma femme est formidable (Hunebelle), Pas de vacances pour monsieur le maire (Labro), Ils étaient cinq (Pinoteau), Monsieur Leguignon lampiste (Labro), Agence matrimoniale (Le Chanois), La poison (Guitry), Un amour de pluie (c.m., Laviron) ; 1952, Le huitième art et la manière (c.m., Regamey), Knock (Lefranc), La fugue de monsieur Perle (Richebé), Elle et moi (Lefranc), Au diable la vertu (Laviron), Monsieur Taxi (Hunebelle), La vie d'un honnête homme (Guitry), Je l'ai été trois fois (Guitry), L'amour n'est pas un péché (Cariven), Légère et court vêtue (Laviron), Innocents in Paris (Week-end à Paris) (Parry) ; 1953, Le rire (c.m., Regamey), Les compagnes de la nuit (Habib), Le secret d'Hélène Marimon (Calef), Le chevalier de la nuit (Darène), Les corsaires du bois de Boulogne (Carbonneaux), Capitaine Pantoufle (Lefranc), Dortoir des grandes (Decoin), Mon frangin du Sénégal (Lacourt), Le blé en herbe (Autant-Lara), Mam'zelle Nitouche (Y. Allégret), Tourments (Daniel Norman), Faites-moi confiance (Grangier), Les hommes ne pensent qu'à ça (Robert), L'étrange désir de monsieur Bard (Radvanyi) ; 1954, Napoléon (Guitry), Les intrigantes (Decoin), Huis clos (Audry), Les impures (Chevalier), Les pépées font la loi (André), Ah ! les belles bacchantes (Loubignac), Le mouton à cinq pattes (Verneuil), Poisson d'avril (Grangier), La reine Margot (Dréville), Scènes de ménage (Berthomieu),

Escalier de service (Rim), Papa, maman, la bonne et moi (Le Chanois), Frou-Frou (Genina) ; 1955, L'impossible monsieur Pipelet (Hunebelle), La bande à papa (Lefranc), Si Paris nous était conté (Guitry), Ingrid, Geschichte eines Fotomodels (Radvanyi), Les hussards (Joffé), Papa, maman, ma femme et moi (Le Chanois), Bonjour sourire (Sautet) ; 1956, Bébés à gogo (Mesnier), Courte tête (Carbonnaux), La traversée de Paris (Autant-Lara), La loi des rues (Habib) ; 1957, Comme un cheveu sur la soupe (Regamey) ; 1958, Ni vu ni connu (Robert), Taxi, roulotte et corrida (Hunebelle), La vie à deux (Duhour) ; 1959, I tartassati (Fripouillards et cie) (Steno), Mon pote le gitan (Gir), Certains l'aiment froide (Bastia), Toto, Eva e il penello proibito (Un coup fumant) (Steno) ; 1960, Candide (Carbonnaux), Le capitaine Fracasse (Gaspard-Huit), Les tortillards (Bastia), Dans l'eau qui fait des bulles (Delbez) ; 1961, La belle américaine (Dhéry), Le diable et les dix commandements (Duvivier), Le crime ne paie pas (Oury), La vendetta (Chérasse) ; 1962, Un clair de lune à Maubeuge (Chérasse), Carambolages (Bluwal), Les veinards (sketch : Le gros lot, Pinoteau), Le gentleman d'Epsom (Grangier), Nous irons à Deauville (Rigaud) ; 1963, Pouic-pouic (Girault), Faites sauter la banque (Girault), Des pissenlits par la racine (Lautner) ; 1964, Une souris chez les hommes (Poitrenaud), Le gendarme de Saint-Tropez (Girault), Fantômas (Hunebelle) ; 1965, Le corniaud (Oury), Fantômas se déchaîne (Hunebelle), Les bons vivants (Lautner) ; 1966, Le gendarme à New York (Girault), La grande vadrouille (Oury), Fantômas contre Scotland Yard (Hunebelle), Les grandes vacances (Girault), Le grand restaurant (Besnard), Oscar (Molinaro), Le petit baigneur (Girault) ; 1968, Le tatoué (La Patellière), Le gendarme se marie (Girault) ; 1969, Hibernatus (Molinaro) ; 1970, L'homme orchestre (Korber), Le gendarme en balade (Girault), Sur un arbre perché (Korber) ; 1971, Jo (Girault), La folie des grandeurs (Oury) ; 1973, Les aventures de Rabbi Jacob (Oury) ; 1976, L'aile ou la cuisse (Zidi) ; 1978, La zizanie (Zidi) ; 1979, Le gendarme et les extraterrestres (Girault), L'avare (Girault) ; 1981, La soupe aux choux (Girault) ; 1982, Le gendarme et les gendarmettes (Girault, terminé par Tony Aboyantz).

Il fut le plus populaire des acteurs comiques français dans les années 70 et 80. Mais le succès fut long à se dessiner. Malgré ses origines (Carlos Luis de Funes de Galarza appartenait à la noblesse de Séville), il mangea longtemps de la vache enragée avant de connaître la notoriété en créant un personnage de râleur et rouspéteur proche du Donald de Walt Disney. Ses colères cinématographiques, trépignements et postillons garantis, le rendirent célèbre au point de le placer en tête du box-office avec *La grande vadrouille, Le corniaud* et *Le gendarme de Saint-Tropez*. Il valait mieux que ses films, souvent médiocres. Sur le tard il en prit conscience et entreprit de tourner *L'avare* de Molière. Si la réussite ne fut pas au rendez-vous, l'ambition n'en force pas moins l'estime. L'hommage est beau et montre que Louis de Funès a su ne jamais s'enfermer dans le star-system.

Furlong, Edward

Acteur américain né en 1977.

1991, Terminator 2 : Judgment Day (Terminator 2 — Le jugement dernier) (Cameron) ; 1992, Pet Semetary II (Simetierre 2) (Lambert), American Heart (Bell) ; 1993, A Home of Our Own (Bill) ; 1994, Little Odessa (Little Odessa) (Gray), Brainscan (Flynn) ; 1995, The Grass Harp (Matthau) ; 1996, Before and After (Before and After) (Schroeder) ; 1998, American History X (American History X) (Kaye), Pecker (Pecker) (Waters) ; 1999, Detroit Rock City (Rifkin) ; 2000, Animal Factory (Animal Factory) (Buscemi), The Knights of the Quest (Avati).

Tout juste adolescent alors qu'il donnait la réplique dans *Terminator 2*, il se fait remarquer dans le polar crépusculaire *Little Odessa.* Maigre, le visage sombre, tourmenté, loin des archétypes du jeune premier, il était l'ado fugueur de *Before and After* et le jeune photographe promu star du Tout-New York dans *Pecker*.

Furneaux, Yvonne

Actrice française née en 1928.

Principaux films : 1953, Tonight at 8:30 (Pelissier), The Master of Ballantrae (Le vagabond des mers) (Keighley), The Beggar's Opera (L'opéra des gueux) (Brook) ; 1955, Le amiche (Femmes entre elles) (Antonioni), The Warriors (Levin) ; 1956, Lisbon (L'homme de Lisbonne) (Milland) ; 1959, La dolce vita (La dolce vita) (Fellini) ; 1961, Le comte de Monte-Cristo (Autant-Lara) ; 1962, Le meurtrier (Autant-Lara) ; 1965, I Lancieri neri (Les lanciers noirs) (Gentilomo), Io Semiramide (Sémiramis) (Zeglio).

Carrière internationale pour cette belle actrice qui fut la partenaire d'Errol Flynn dans *Le vagabond des mers*, la Mercédès du comte de Monte-Cristo pour Autant-Lara, qui l'appréciait, et Sémiramis dans un péplum de Zeglio.

Fusier-Gir, Jeanne

Actrice française, 1885-1973.

1930, Chérie (Mercanton) ; 1931, Grains de beauté (Caron), Un homme en habit (Guissart), Quand te tues-tu ? (Cappelani), La vagabonde (Bussi), La chance (Guissart), La couturière de Lunéville (Lachmann) ; 1932, Les as du turf (Poligny), Rien que la vérité (Guissart), Quick (Siodmak), Ce cochon de Morin (Lacombe) ; 1933, Je te confie ma femme (Guissart) ; 1934, Le roi de Camargue (Baroncelli), La cinquième empreinte (Anton), Le miroir aux alouettes (Steinhoff) ; 1935, Le roi des Champs-Élysées (Nossek), Crainquebille (Feyder), Divine (Ophuls), Et moi j'te dis qu'elle t'a fait de l'œil (Forrester), La coqueluche de ces dames (Rosca), Train de plaisir (Joannon), Un tour de cochon (Tzipine), Voyage d'agrément (Christian-Jaque) ; 1936, Œil de lynx détective (Ducis), La loupiote (Kem), Blanchette (Caron), Trois artilleurs au pensionnat (Pujol), Pantins d'amour (Kapps), Les gaietés du Palace (Kapps), A minuit le 7 (Canonge) ; 1937, Miarka la fille à l'ours (Choux), Boulot aviateur (Canonge), Cinderella (Caron) ; 1938, Les femmes collantes (Caron), Gosse de riche (Canonge), Grisou (Canonge), Mon curé chez les riches (Boyer), Place de la Concorde (Lamac), Remontons les Champs-Élysées (Guitry) ; 1939, Narcisse (d'Aguiar), Les cinq sous de Lavarède (Cammage), Tourbillon de Paris (Diamant-Berger), Gargousse (Wulschleger), Feu de paille (Benoit-Lévy), Le chemin de l'honneur (Paulin) ; 1940, L'irrésistible rebelle (Le Chanois), Ils étaient cinq permissionnaires (Caron) ; 1941, Péchés de jeunesse (Tourneur), Le prince charmant (Boyer) ; 1942, Le destin fabuleux de Désirée Clary (Guitry), Le voile bleu (Stelli), Monsieur des Lourdines (Hérain), L'ange gardien (Casembroot), La femme perdue (Choux), L'honorable Catherine (L'Herbier), Marie-Martine (Valentin) ; 1943, La cavalcade des heures (Noé), Le corbeau (Clouzot), Donne-moi tes yeux (Guitry), Vingt-cinq ans de bonheur (Jayet), Coup de tête (Le Hénaff) ; 1944, Paméla (Hérain), Falbalas (Becker) ; 1945, Madame et son flirt (Marguenat), L'insaisissable Frédéric (Pottier), Trente et quarante (Grangier) ; 1946, Nuit sans fin (Séverac) ; 1947, Quai des Orfèvres (Clouzot), Plume la poule (Kapps), Le diamant de cent sous (Daniel-Norman), Une mort sans importance (Noé), Bichon (Jayet), Mademoiselle s'amuse (Boyer) ; 1948, Le diable boiteux (Guitry), Le voleur se porte bien (Loubignac), La voix du rêve (Paulin), Ma tante d'Honfleur (Jayet), Deux amours (Pottier) ; 1949, Miquette et sa mère (Clouzot), Toâ (Guitry), Le trésor de Cantenac (Guitry), Le martyr de Bougival (Loubignac), Tête blonde (Cam), Millionnaires d'un jour (Hunebelle), Tu m'as sauvé la vie (Guitry), Deburreau (Guitry), Et moi j'te dis qu'elle t'a fait de l'œil (Gleize), Coq en pâte (Tavano), Mon phoque et elles (Billon) ; 1951, La poison (Guitry), Buridan (Couzinet), Chacun son tour (Berthomieu), Les deux « monsieur » de Madame (Bibal) ; 1952, Monsieur Taxi (Hunebelle), L'amour madame (Grangier), Le trou normand (Boyer), Les femmes sont des anges (Aboulker) ; 1953, Le curé de Saint-Amour (Couzinet), La famille Cucuroux (Couzinet), Piedalu député (Loubignac), Quand tu liras cette lettre (Melville), Si Versailles m'était conté (Guitry), Belle mentalité (Berthomieu) ; 1954, La rafle est pour ce soir (Debroka), Napoléon (Guitry), Le congrès des belles-mères (Couzinet), Les fruits de l'été (R. Bernard), Faites-moi confiance (Grangier) ; 1955, Treize à table (Hunebelle), Mannequin de Paris (Hunebelle) ; 1956, Les sorcières de Salem (Rouleau), Le septième commandement (Bernard) ; 1957, Ah ! quelle équipe (Quignon), Les carottes sont cuites (Vernay), C'est arrivé à 36 chandelles (Diamant-Berger) ; 1958, Les vignes du Seigneur (Boyer) ; 1959, Marie-Octobre (Duvivier), A rebrousse-poil (Armand) ; 1961, Cadavres en vacances (Audry) ; 1962, Du mouron pour les petits oiseaux (Carné), Au cœur de la ville (Gautherin), Césarin joue « Les Étroits Mousquetaires » (Couzinet), La chance et l'amour (ép. Schlumberger), Un clair de lune à Maubeuge (Chérasse) ; 1966, Le jardinier d'Argenteuil (Le Chanois).

Mariée au peintre Charles Gir et mère du réalisateur François Gir, elle a beaucoup joué les vieilles filles, les tantes fofolles, les pipelettes trop curieuses et trop bavardes, les commerçantes (mercières ou épicières) dans des productions indignes de son talent. Seuls Clouzot et Guitry lui offrirent des rôles dignes d'elle, mais sa meilleure composition est celle de la libraire nymphomane tournant autour de Bernard Blier dans *Marie-Martine*.

G

Gabin, Jean

Acteur français, de son vrai nom Moncorgé, 1904-1976.

1930, Chacun sa chance (Steinhoff, Pujol), Méphisto (Debain) ; 1931, Paris Béguin (Genina), Cœur de lilas (Litvak), Tout ça ne vaut pas l'amour (Tourneur), Pour un soir (Godard), Cœurs joyeux (Schwartz, de Vaucorbeil) ; 1932, Gloria (Behrendt, Noë), Les gaietés de l'escadron (Tourneur), La belle marinière (Lachman), La foule hurle (Daumery) ; 1933, L'étoile de Valencia (Poligny), Adieu les beaux jours (Meyer), Le tunnel (Bernhardt), Du haut en bas (Pabst) ; 1934, Zouzou (M. Allégret), Maria Chapdelaine (Duvivier), Golgotha (Duvivier) ; 1935, La bandera (Duvivier), Variétés (Farkas) ; 1936, La belle équipe (Duvivier), Les bas-fonds (Renoir), Pépé le Moko (Duvivier) ; 1937, La grande illusion (Renoir), Le messager (Rouleau), Gueule d'amour (Grémillon) ; 1938, Quai des brumes (Carné), La bête humaine (Renoir) ; 1939, Le récif de corail (Gleize), Le jour se lève (Carné), Remorques (Grémillon) ; 1942, Moontide (La péniche de l'amour) (Mayo) ; 1943, L'imposteur (Duvivier) ; 1946, Martin Roumagnac (Lacombe) ; 1947, Miroir (Lamy) ; 1948, Au-delà des grilles (Clément) ; 1949, La Marie du port (Carné) ; 1950, Pour l'amour du ciel (Zampa) ; 1951, Victor (Heymann), La nuit est mon royaume (Lacombe), Le plaisir (Ophuls), La vérité sur Bébé Donge (Decoin) ; 1952, La minute de vérité (Delannoy), Fille dangereuse (Brignone) ; 1953, Leur dernière nuit (Lacombe), La vierge du Rhin (Grangier), Touchez pas au grisbi (Becker) ; 1954, L'air de Paris (Carné), Napoléon (Guitry), Port du désir (Greville), French Cancan (Renoir), Razzia sur la chnouf (Decoin) ; 1955, Chiens perdus sans collier (Delannoy), Gas-oil (Grangier), Des gens sans importance (Verneuil), Voici le temps des assassins (Duvivier), Le sang à la tête (Grangier), La traversée de Paris (Autant-Lara) ; 1956, Crime et châtiment (Lampin), Le cas du docteur Laurent (Le Chanois) ; 1957, Le rouge est mis (Grangier), Maigret tend un piège (Delannoy), Les misérables (Le Chanois), Le désordre et la nuit (Grangier) ; 1958, En cas de malheur (Autant-Lara), Les grandes familles (La Patellière), Archimède le clochard (Grangier), Maigret et l'affaire Saint-Fiacre (Delannoy) ; 1959, Rue des Prairies (La Patellière) ; 1960, Le baron de l'écluse (Delannoy), Les vieux de la vieille (Grangier) ; 1961, Le président (Verneuil), Le cave se rebiffe (Grangier), Un singe en hiver (Verneuil), Le gentleman d'Epsom (Grangier) ; 1963, Mélodie en sous-sol (Verneuil), Maigret voit rouge (Grangier) ; 1964, Monsieur (Le Chanois), L'âge ingrat (Grangier) ; 1965, Le tonnerre de Dieu (La Patellière), Du rififi à Paname (La Patellière) ; 1966, Le jardinier d'Argenteuil (Le Chanois) ; 1967, Le soleil des voyous (Delannoy), Le pacha (Lautner) ; 1968, Le tatoué (La Patellière) ; 1969, Sous le signe du Taureau (Grangier), Le clan des Siciliens (Verneuil) ; 1970, La horse (Granier-Deferre) ; 1971, Le chat (Granier-Deferre), Le drapeau noir flotte sur la marmite (Audiard) ; 1972, Le tueur (La Patellière) ; 1973, L'affaire Dominici (Bernard-Aubert), Deux hommes dans la ville (Giovanni) ; 1974, Verdict (Cayatte) ; 1976, L'année sainte (Girault).

Parisien, fils d'un tenancier de café, il débute comme danseur aux Folies-Bergère. Il y rencontrera Mistinguett. Au cinéma, c'est Duvivier qui va l'imposer avec *Pépé le Moko*. Il campe un héros tragique, un homme fort, silencieux, taciturne sur lequel s'acharne le destin. Il est admirable dans *Le jour se lève*. Autres réussites : *La grande illusion* et *La bête humaine*. Il est devenu le meilleur peut-être des acteurs français. Les deux films qu'il tourne à Hollywood sont médiocres. Il combat dans les Forces libres. Le retour en France est difficile. Il doit se composer un autre personnage ; cheveux blancs, fort en gueule, autoritaire et plein d'expérience. Les origines populaires s'effacent : les héros qu'il incarne viennent plutôt des classes moyennes. Gabin devient une institution. Il fonde même, en 1963, sa maison de production avec Fernandel. Mais pour un Greville ou un Becker, deux bons *Maigret* ou *La vérité sur Bébé Donge* de Decoin, que de Le Chanois, des nullissimes *Misérables* au pitoyable *Monsieur* ! C'est en pensant aux films de Delannoy et de Le Chanois que Truffaut écrit en 1959 propos de Jean Gabin et de Gérard Philipe : « Ce sont des artistes trop dangereux qui décident du scénario ou le rectifient s'il ne leur plaît pas. Ils influencent la mise en scène, exigent des gros plans. Ils n'hésitent pas à sacrifier l'intérêt du film à ce qu'ils appellent leur standing et portent selon moi la responsabilité de nombreux échecs. »

Gable, Clark

Acteur américain, 1901-1960.

Comme figurant : 1924, Forbidden Paradise (Lubitsch) ; 1925, The Pacemakers (Ruggles), The Merry Widow (Stroheim), The Plastic Age (Ruggles) ; 1926, North Star (Powell). *Puis comme acteur : 1931,* The Painted Desert (Le désert rouge) (Higgin), The Easiest Way (Quand on est belle) (Conway), The Secret Six (G. Hill), The Finger Points (Dillon), Laughing Sinners (La pécheresse) (Beaumont), A Free Soul (Ames libres) (Brown), Night Nurse (L'ange blanc) (Wellman), Sporting Blood (Brabin), Susan Lennox, Her Fall and Rise (La courtisane) (Leonard), Possessed (Fascination) (Brown), Hell Divers (Les titans du ciel) (G. Hill) ; 1932, Polly of the Circus (Santell), Red Dust (La belle de Saigon) (Fleming), Strange Interlude (Leonard), No Man for Her Own (Un mauvais garçon) (Ruggles) ; 1933, The White Sister (La sœur blanche) (Fleming), Hold Your Man (Dans tes bras) (Wood), Night Flight (Vol de nuit) (Brown), Dancing Lady (Le tourbillon de la danse) (Leonard) ; 1934, It Happened One Night (New York Miami) (Capra), Men in White (Les hommes en blanc) (Boleslavsky), Manhattan Melodrama (Aventure à Manhattan) (Van Dyke), Chained (La passagère) (Brown), Forsaking All Others (Souvent femme varie) (Van Dyke) ; 1935, After Office Hours (Chronique mondaine) (Leonard), China Seas (La malle de Singapour) (Garnett), Mutiny of the Bounty (Les révoltés du Bounty) (Lloyd) ; 1936, San Francisco (San Francisco) (Van Dyke), Wife versus Secretary (Sa femme et sa dactylo) (Brown), Cain and Mabel (Bacon), Love on the Run (Loufoque et Cie) (Van Dyke) ; 1937, Parnell (La vie privée du tribun) (Stahl), Saratoga (Saratoga) (Conway) ; 1938, Test Pilot (Pilote d'essai) (Fleming), Too Hot to Handle (Un envoyé très spécial) (Conway) ; 1939, Idiot's Delight (La sarabande des pantins) (Brown), Gone with the Wind (Autant en emporte le vent) (Fleming) ; 1940, Strange Cargo (Le cargo maudit) (Borzage), Boom Town (La fièvre du pétrole) (Conway), Comrade X (Camarade X) (Vidor) ; 1941, They Met in Bombay (L'aventure commence à Bombay) (Brown), Honky Tonk (Franc jeu) (Conway) ; 1942, Somewhere I'll Find You (Je te retrouverai) (Ruggles) ; 1945, Adventure (L'aventure) (Fleming) ; 1947, The Hucksters (Marchands d'illusions) (Conway) ; 1948, Homecomig (Le retour) (Reinhardt), Command Decision (Tragique décision) (Wood) ; 1949, Any number Can Play (Faites vos jeux) (LeRoy) ; 1950, Key to the City (La clef sous la porte) (Sidney), To Please a Lady (Pour plaire à sa belle) (Brown) ; 1951, Across the Wide Missouri (Au-delà du Missouri) (Wellman), Callaway Went Thataway (Une vedette disparaît) (Panama, Frank), The Lone Star (V. Sherman) ; 1953, Never Let Me Go (Ne me quitte jamais) (Daves), Mogambo (Mogambo) (Ford) ; 1954, Betrayed (Voyage au-delà des vivants) (Reinhardt) ; 1955, Soldier of Fortune (Le rendez-vous de Hong Kong) (Dmytryk), The Tall Men (Les implacables) (Walsh) ; 1956, The King and Four Queens (Un roi et quatre reines) (Walsh) ; 1957, Band of Angels (L'esclave libre) (Walsh) ; 1958, Run Silent, Run Deep (L'odyssée du sous-marin Nerka) (Wise), Teacher's Pet (le chouchou du professeur) (Seaton) ; 1959, But not for Me (W. Lang) ; 1960, It Started in Naples (C'est arrivé à Naples) (Shavelson) ; 1961, The Misfits (Les désaxés) (Huston).

« The King » : ainsi l'avait-on surnommé à Hollywood. Issu d'un milieu très modeste de fermiers, il s'était découvert très tôt une vocation théâtrale. Il suivit une troupe ambulante. C'est ainsi qu'il arriva à Hollywood en 1924 et débuta au cinéma comme figurant. Un passage à Broadway puis c'est à nouveau le cinéma : un rôle de méchant dans un western, *The Painted Desert*. La MGM l'embauche ; il se révèle dans *Free Soul* où il vole la vedette à Leslie Howard. Il devient le partenaire de

Garbo dans *Susan Lennox* puis de Joan Crawford dans *Possessed*. C'est gagné. Son aspect viril – et plutôt vulgaire –, sa fine moustache et ses oreilles légèrement décollées séduisent des milliers d'admiratrices. Triomphes (*It Happened One Night*, qui lui vaut un oscar en 1934, pour la Columbia) et échecs (*Parnell*) se succèdent. En 1939, c'est l'apogée : le mariage avec Carole Lombard puis le rôle de Rhett Butler dans *Gone with the Wind*. Le déclin va suivre : en 1942, Carole Lombard périt dans un accident d'avion ; Gable s'engage dans l'Air Force mais, après la guerre, il ne retrouve plus ses triomphes d'antan. Son mariage avec lady Ashley est un désastre et, en 1954, la MGM ne renouvelle pas son contrat. Seul Walsh va lui proposer quelques personnages à sa mesure (*Tall Men, Bandel of Angels*...). Le tournage des *Misfits*, avec Marilyn Monroe et Clift, se transforme en cauchemar. Il meurt peu après des suites d'une crise cardiaque. Par rapport à Bogart ou à Flynn, il a connu une sorte de purgatoire après sa mort et le film de sa vie, *Gable et Lombard*, ne fut même pas montré en France.

Gabor, Zsa Zsa

Actrice d'origine hongroise, de son vrai prénom Sari, née en 1917.

1952, We're not Married (Cinq mariages à l'essai) (Goulding), Lovely to Look At (LeRoy), Moulin-Rouge (Huston) ; 1953, The Story of Three Loves (Histoire des trois amours) (Minnelli, Reinhardt), Lili (Walters), L'ennemi public n° 1 (Verneuil) ; 1954, Three Ring Circus (Le clown est roi) (Pevney), Sang et lumière (Rouquier), Ball der Nationen (Ritter) ; 1956, Death of a Scoundrel (Martin) ; 1957, The Girl in the Kremlin (Birdwell) ; 1958, Touch of Evil (La soif du mal) (Welles), Queen of Outer Space (Bernds), Country Music Holiday (Ganzer) ; 1959, For the First Time (Mate), La contessa azzurra (Gora) ; 1962, Boys'Night Out (Gordon) ; 1966, Picture Mommy Dead (Bert J. Gordon) ; 1967, Jack of Diamonds (Don Taylor) ; 1972, Up the Front (Kellett) ; 1975, Won Ton Ton, The Dog Who Saved Hollywood (Winner) ; 1985, Frankenstein's Great Aunt Tillie (Gold) ; 1986, Smart Alec (Wilson), Johan Strauss (Antel) ; 1987, A Nightmare on Elm Street 3 : Dream Warriors (Freddy 3, les griffes du cauchemar) (Russell) ; 1991, The Naked Gun 2 1/2 : The Smell of Fear (Y a-t-il un flic pour sauver le président ?) (Zucker), Les paradis perdus (Rival) ; 1993, The Beverly Hillbillies (Les allumés de Beverly Hills) (Spheeris) ; 1996, A Very Brady Sequel (Les nouvelles aventures de la famille Brady) (Sanford).

Miss Hongrie, cette magnifique blonde vient à Hollywood où elle alimente davantage les potins des commères que les colonnes des critiques cinématographiques. « Guest star » de deux ou trois films importants : le bilan est mince. Pour quelle raison épousa-t-elle George Sanders ?

Gabriello, André

Acteur français, de son vrai nom Galopet, 1896-1975.

1931, Calais-Douvres (Boyer) ; 1932, Mirages de Paris (Ozep) ; 1933, Une vie perdue (Rouleau), La mille et deuxième nuit (Volkoff) ; 1934, Mon cœur t'appelle (Gallone) ; 1935, Divine (Ophuls) ; 1936, Les bas-fonds (Renoir), Une partie de campagne (Renoir) ; 1937, Yoshiwara (Ophuls) ; 1938, La maison du Maltais (Chenal), La tragédie impériale (L'Herbier), L'affaire Lafarge (Chenal) ; 1939, Narcisse (Ayres d'Aguiar), Sans lendemain (Ophuls) ; 1941, Caprices (Joannon) ; 1942, L'assassin habite au 21 (Clouzot), Picpus (Pottier), La main du diable (Tourneur), La fausse maîtresse (Cayatte), Défense d'aimer (Pottier), Mariage d'amour (Decoin) ; 1943, Adrien (Fernandel), Vingt-cinq ans de bonheur (Jayet), La ferme aux loups (Pottier), Cécile est morte (Tourneur) ; 1944, Les caves du Majestic (Pottier) ; 1945, Roger la Honte (Cayatte), Le roi des resquilleurs (Devaivre) ; 1946, La revanche de Roger la Honte (Cayatte), La femme en rouge (Cuny) ; 1947, Le mannequin assassiné (Hérain) ; 1948, Métier de fous (Hunebelle), Deux amours (Pottier), Scandale aux Champs-Élysées (Blanc) ; 1949, Le 84 prend des vacances (Joannon), Ronde de nuit (Campaux), La patronne (Dhéry), Les branquignols (Dhéry), Millionnaires d'un jour (Hunebelle), Sans tambour ni trompette (Blanc) ; 1950, Folie douce (Paulin), La rue sans loi (Gibaud) ; 1951, Moumou (Jayet), Le chéri de sa concierge (Jayet), Musique en tête (Combret), Ma femme est formidable (Hunebelle) ; 1952, Les femmes sont des anges (Aboulker), Tambour battant (Combret), La pocharde (Combret), Grand gala (Campaux) ; 1954, Faites-moi confiance (Grangier), Leguignon guérisseur (Labro), La tour de Nesle (Gance) ; 1956, Le pays d'où je viens (Carné), Du sang sous le chapiteau (Peclet) ; 1957, Une nuit aux Baléares (Mesnier), C'est la faute d'Adam (Audry), L'amour descend du ciel (Cam) ; 1958, En bordée (Chevalier), Trois marins en bordée (Couzinet), Le tombeur (Delacroix), Les gaietés de l'escadrille (Peclet) ; 1959, Minute papillon (Lefèvre), A rebrousse-poil (Armand) ; 1961, Le diable et les dix commandements (Duvivier), Les filles de La Rochelle (Deflandre) ; 1962, Du mouron pour les petits oiseaux (Carné), Césarin joue « Les étroits mousquetaires » (Couzinet) ; 1965, L'or du duc (Baratier), La bourse et la vie (Mocky).

Chansonnier de talent, il fut au cinéma un délicieux acteur spécialisé dans les « rondeurs ». On n'oubliera pas le père de Sylvie Bataille dans *Une partie de campagne*, le sergent-major de *Narcisse*, l'agent Pussot de *L'assassin habite au 21*. Après la guerre, il a interprété des œuvres bien médiocres, gâchant son talent chez de mauvais réalisateurs. A son tour, sa fille Suzanne Gabriello a joué dans plusieurs films.

Gabrio, Gabriel

Acteur français, 1887-1946.

1920, La fête espagnole (Dulac) ; 1925, Les misérables (Fescourt), Un fils d'Amérique (Fescourt) ; 1926, Le juif errant (Luitz-Morat) ; 1927, Duel (Baroncelli), Antoinette Sabrier (Dulac), Capitaine Rascasse (Desfontaines), Heures d'angoisse (Righelli) ; 1929, La Bodega (Perojo), Fécondité (Étiévant), Le roi de Paris (Mittler) ; 1930, L'homme qui assassina (Bernhardt), Une belle garce (Gastyne), La lettre (Mercanton) ; 1931, Au nom de la loi (Tourneur), Cœurs joyeux (de Vaucorbeil) ; 1932, Les deux orphelines (Tourneur), Les croix de bois (Bernard), Affaire classée (Vanel) ; 1933, La rue sans nom (Chenal), Les requins du pétrole (Decoin) ; 1935, Le baron tzigane (Hartl), Le diable en bouteille (Hilpert), Lucrèce Borgia (Gance), Cavalerie légère (Vitrac) ; 1936, Gigolette (Noé), Sous les yeux d'Occident (Allégret), Pépé le Moko (Duvivier), Puits en flammes (Tourjansky) ; 1937, Regain (Giono) ; 1938, Campement 13 (Jacques Constant) ; 1939, Le roman d'un génie (Gallone), Deuxième bureau contre Kommandantur (Jayet) ; 1942, Les visiteurs du soir (Carné) ; 1943, Le val d'enfer (Tourneur).

Ce Rémois fut dans les années 30 le prototype du méchant : gangster ou brute, avant d'être concurrencé puis remplacé par Coedel et Rignault. Son meilleur rôle : César Borgia dans la célèbre *Lucrèce Borgia* de Gance. Il mériterait d'être réhabilité.

Gaël, Josseline

Actrice française, 1917-1995.

1926, Simone (Donatien) ; 1930, L'amour chante (Florey), Les amants de minuit (Genina) ; 1931, Tout ça ne vaut pas l'amour (Tourneur), Baleydier (Mamy), Cœurs joyeux (Schwarz), Le monsieur de minuit (Lachman), Pour un sou d'amour (Grémillon) ; 1932, Monsieur de Pourceaugnac (Ravel) ; 1933, L'abbé Constantin (Paulin), Les misérables (Bernard), Tambour battant (Robison) ; 1934, Le bossu (Sti), Un homme en or (Dreville), Les hommes de la côte (Pellenc), Le monde où l'on s'ennuie (Marguenat) ; 1935, L'enfant du Danube (Le Derlé), Jeunes filles à marier (Vallée), Monsieur Sans-Gêne (Anton), Pluie d'or (Rozier) ; 1936, La madone de l'Atlantique (Weill), Monsieur Personne (Christian-Jaque), Volga en flamme (Tourjansky) ; 1937, Un déjeuner au soleil (Cravenne), Les deux combinards (Houssin), La petite marquise (Péguy), Le plus beau gosse de France (Pujol), Un scandale aux galeries (Sti) ; 1938, Barnabé (Esway), Les femmes collantes (Caron), Grand-père (Péguy), Le monsieur de cinq heures (Caron), Remontons les Champs-Élysées (Guitry), Son oncle de Normandie (Dreville) ; 1939, Face au destin (Fescourt) ; 1940, L'an 40 (Rivers), Chambre 13 (Hugon), Un chapeau de paille d'Italie (Cammage) ; 1941, Une vie de chien (Cammage), La neige sur les pas (Berthomieu) ; 1942, La main du diable (Tourneur) ; 1943, Coup de tête (Le Hénaff), L'île d'amour (Cam), Le soleil de minuit (Bernard-Roland), T'amero sempre (Camerini).

Inoubliable Cosette dans la version « Raymond Bernard » des *Misérables*, elle se perd ensuite dans le vaudeville, devient la compagne de Jules Berry et finit par se compromettre avec un chef de la Gestapo sous l'Occupation. A la Libération, sa carrière, déjà malheureusement gâchée par trop de navets, s'achève brutalement.

Gainsbourg, Charlotte

Actrice française née en 1971.

1984, Paroles et musique (Chouraqui) ; 1985, L'effrontée (Miller), La tentation d'Isabelle (Doillon) ; 1986, Charlotte for Ever (Gainsbourg) ; 1987, Jane B par Agnès V (Varda) ; 1988, Kung Fu Master (Varda), La petite voleuse (Miller) ; 1990, Il sole anche di notte (Le soleil même la nuit) (Taviani) ; 1991, Merci la vie (Blier), Aux yeux du monde (Rochant), Amoureuse (Doillon), Contre l'oubli (collectif) ; 1992, The Cement Garden (Cement garden) (Birkin) ; 1993, Grosse fatigue (Blanc) ; 1995, Jane Eyre (Zeffirelli) ; 1996, Anna Oz (Rochant), Love, etc. (Vernoux) ; 1998, Passionnément (Nuytten) ; 1999, The Intruder (Suspicion) (Bailey), La bûche (Thompson) ; 2000, Félix et Lola (Leconte) ; 2001, Ma femme est une actrice (Attal) ; 2003, 21 Grams (21 grammes) (Iñárritu) ; 2004, Ils se marièrent et eurent beaucoup d'enfants (Attal) ; 2005, Lemming (Moll), L'un reste, l'autre part (Berri) ; 2006, The Science of Sleep (La science des rêves) (Gondry), Prête-moi ta main (Lartigau) ; 2007, Golden Door (Crialese).

Fille de Serge Gainsbourg et de Jane Birkin, elle se révèle dans *L'effrontée* où elle traduit parfaitement le passage difficile de l'enfance à l'adolescence. Devenue une star.

Gainsbourg, Serge

Acteur, chanteur et réalisateur français, de son vrai nom Lucien Ginzburg, 1928-1991.

1959, Voulez-vous danser avec moi ? (Boisrond) ; 1961, La rivolta degli schiavi (La révolte des esclaves) (Malasomma) ; 1962, Sansone (Samson contre Hercule) (Parolini) ; 1963, L'inconnue de Hong-Kong (Poitrenaud) ; 1966, Le jardinier d'Argenteuil (Le Chanois), Estouffade à la Caraïbe (Besnard) ; 1967, Ce sacré grand-père (Poitrenaud), Vivre la nuit (Camus), Le Pacha (Lautner), L'inconnu de Shandigor (Roy), 1968, Slogan (Grimblat), Paris n'existe pas (Benayoun), Mister Freedom (Klein), Erotissimo (Pirès) ; 1969, Les chemins de Katmandou (Cayatte), Cannabis (Koralnik) ; 1971, Romance of a Horse Thief (Le voleur de chevaux) (Polonsky), Elle court, elle court, la banlieue (Pirès) ; 1972, Corringa / Sept morts dans les yeux du chat (Les diablesses) (Dawson), Trop jolies pour être honnêtes (Balducci) ; 1974, Sérieux comme le plaisir (Benayoun) ; 1980, Je vous aime (Berri) ; 1986, Charlotte for ever (Gainsbourg) ; 1989, Stan le Flasher (Gainsbourg). *Pour le metteur en scène*, voir le *Dictionnaire du cinéma*, t. I : *Les réalisateurs*.

Excellent compositeur de musique de films (*L'eau à la bouche*) et intéressant réalisateur, il a été mal utilisé comme acteur sauf dans le péplum (il est extraordinaire en procurateur romain essayant sur lui-même les tortures destinées aux esclaves et déclarant : « C'est supportable ! » dans *La révolte des esclaves*).

Galabru, Michel

Acteur français né en 1924.

1951, Ma femme, ma vache et moi (Devaivre) ; 1953, Les lettres de mon moulin (Pagnol) ; 1955, Trois de la canebière (de Canonge) ; 1958, Du rififi chez les femmes (Joffé), L'increvable (Boyer), Suivez-moi jeune homme (Lefranc) ; 1959, L'eau à la bouche (Doniol-Valcroze), Les affreux (M. Allégret) ; 1960, Les mordus (Jolivet), Un soir sur la plage (Boisrond), La croix et la bannière (Ducrest) ; 1961, La Fayette (Dréville), La guerre des boutons (Robert), Les amours célèbres (Boisrond), Les nouveaux aristocrates (Rigaud) ; 1962, Clémentine chérie (Chevalier), Nous irons à Deauville (Rigaud), Le voyage à Biarritz (Grangier), La salamandre d'or (Régamey), Tartarin de Tarascon (Blanche) ; 1963, La cuisine au beurre (Grangier), La bande à Bobo (Saytor), Le bon roi Dagobert (Chevalier) ; 1964, La bonne occase (Drach), Les gorilles (Girault), Moi et les hommes de quarante ans (Pinoteau), Les Pieds nickelés (Chambon) ; 1965, Le gendarme de Saint-Tropez (Girault), La sentinelle endormie (Dréville), Angélique et le Roy (Borderie), Les baratineurs (Rigaud), Bon week-end (Quignon), La bourse et la vie (Mocky), Le gendarme à New York (Girault) ; 1966, Brigade anti-gang (Borderie), Le facteur s'en va-t-en guerre (Bernard-Aubert), Monsieur le Président-directeur général (Girault) ; 1967, Un drôle de colonel (Girault), Le petit baigneur (Dhéry), Ces messieurs de la famille (André), Le gendarme se marie (Girault), Le mois le plus beau (Blanc) ; 1968, L'Auvergnat et l'autobus (Lefranc), La coqueluche (Arrighi), Les gros malins (Leboursier) ; 1969, La honte de la famille (Balducci), Poussez pas grand-père dans les cactus (Dague), Aux frais de la princesse (Quignon), Et qu'ça saute ! (Lefranc) ; 1970, Un merveilleux parfum d'oseille (Bassi), Le gendarme en balade (Girault) ; 1971, La grande mafia (Clair), Jo (Girault), L'œuf (Herman) ; 1972, Les joyeux lurons (Gérard), La belle affaire (Besnard), Quelques messieurs trop tranquilles (Lautner), Le viager (Tchernia), Elle cause plus... elle flingue (Audiard) ; 1973, Le Führer en folie (Clair), Par ici la monnaie (Balducci), Le concierge (Girault), Le grand bazar (Zidi), La valise (Lautner), Les gaspards (Tchernia), Les vacanciers (M. Gérard), La dernière bourée à Paris (André) ; 1974, Deux grandes filles dans un pyjama (Girault), Le plumard en folie (Lem), Y a un os dans la moulinette (André), Un linceul n'a pas de poches (Mocky), Soldat Duroc, ça va être ta fête (Gérard), C'est jeune et ça sait tout (Mulot) ; 1975, Le grand fanfaron (Ph. Clair), L'ibis rouge (Mocky), Le juge et l'assassin (Tavernier), L'intrépide (Girault), Section spéciale (Costa-Gavras) ; 1976, Qu'il est joli garçon l'assassin de papa ! (Caputo), Mr. Balboss (Marbœuf), Le chasseur de chez Maxim's (Vital), L'amour en herbe (Andrieux), Portrait de groupe avec dame (Petrovic), Le trouble-fesses (Foulon), La grande récré (Pierson) ; 1977, La nuit de Saint-Germain (Swaim), Il gatto (Qui a tué le chat ?) (Comencini), Le pion (Gion), Le beaujolais nouveau est arrivé (Voulfow), Le maestro

(Vital), Le mille-pattes fait des claquettes (Girault), Genre masculin (Marbœuf) ; 1978, Chaussette-surprise (Davy), L'amour en question (Cayatte), La cage aux folles (Molinaro), Flic ou voyou (Lautner), Confidences pour confidences (Thomas), L'horoscope (Girault) ; 1979, Duos sur canapé (Camoletti), Ciao les mecs ! (Gobbi), Le gendarme et les extraterrestres (Girault), Le mors aux dents (Heyneman), Le guignolo (Lautner), Le gagnant (Gion), Tout dépend des filles (Fabre), La ville des silences (Marbœuf) ; 1980, L'avare (Girault), Laisse-moi rêver/Drôles de diams (Menegoz), La cage aux folles 2 (Molinaro), Sono fotogenico (Je suis photogénique) (Risi), Une merveilleuse journée (Vital), Est-ce bien raisonnable ? (Lautner), Une semaine de vacances (Tavernier), Celles qu'on n'a pas eues (Thomas), Les fourberies de Scapin (Coggio), Les sous-doués (Zidi) ; 1981, Si ma gueule vous plaît (Caputo), Signé Furax (Simenon), Le bahut va craquer (Nerval), Te marre pas, c'est pour rire (Besnard), Les bidasses aux grandes manœuvres (Delpard), Le choix des armes (Corneau), Salut j'arrive (Poteau) ; 1982, Les diplômés du dernier rang (Gion), Y a-t-il un Français dans la salle ? (Mocky), Le braconnier de Dieu (Darras), Le bourgeois gentilhomme (Coggio), Le gendarme et les gendarmettes (Girault et Aboyantz), On s'en fout, nous on s'aime (Gérard), L'été meurtrier (Becker) ; 1983, T'es heureuse ? moi toujours (Marbœuf), Sandy (Nerval), C'est facile et ça peut rapporter... vingt ans (Luret), En cas de guerre mondiale je file à l'étranger (Ardouin), On l'appelle Catastrophe (Balducci), Vous habitez chez vos parents ? (Fernaud), Papy fait de la résistance (Poiré) ; 1984, Adam et Ève (Luret), Notre histoire (Blier), Les fausses confidences (Moosman), La triche (Bellon), Réveillon chez Bob (D. Granier-Deferre), Partenaires (d'Anna) ; 1985, Le téléphone sonne toujours deux fois (Vergne), Tranches de vie (Leterrier), Subway (Besson), Monsieur de Pourceaugnac (Mitrani), Ne prend pas les poulets pour des pigeons (Benhamou), La cage aux folles 3 (Lautner), Le facteur de Saint-Tropez (Balducci) ; 1986, Grand-Guignol (Marbœuf), Les frères Pétard (Palud), Kamikaze (Grousset), Je hais les acteurs (Krawczyk), Suivez mon regard (Curtelin) ; 1987, La vie dissolue de Gérard Floque (Lautner), Poules et frites (Régo), Soigne ta droite (Godard), Corentin (Marbœuf), Sans défense (Nerval) ; 1988, Envoyez les violons (Andrieux), L'invité surprise (Lautner) ; 1989, La folle journée (Coggio), Le silence d'ailleurs (Mouyal), Le provincial (Gion), Le dénommé (Dague), La révolution française (Enrico) ; 1990, Feu sur le candidat (Delarive), Uranus (Berri) ; 1991, Room service (Lautner), Le jour des rois (Treilhou), Les eaux dormantes (Tréfouel) ; 1992, Belle epoque (Belle époque) (Trueba) ; 1994, Rainbow pour Rimbaud (Teulé) ; 1995, Mon homme (Blier) ; 1997, Hors jeu (Dridi), Que la lumière soit ! (A. Joffé) ; 1998, Astérix et Obélix contre César (Zidi) ; 1999, Les acteurs (Blier), Les infortunes de la beauté (Lvoff) ; 2003, Les clefs de la bagnole (Baffie) ; 2004, San-Antonio (Auburtin).

On oublie que Galabru, fils d'un professeur à l'École nationale des ponts et chaussées, est passé par le Conservatoire. C'est peut-être la raison pour laquelle ce premier prix de comédie, qui resta sept ans à la Comédie-Française, se retrouve au générique de *L'avare* et des *Fourberies de Scapin*. Tavernier en fit une vedette en lui donnant le rôle du meurtrier de bergères, dans son meilleur film *Le juge et l'assassin*. Il y gagne un césar, Mocky, à son tour, sut l'utiliser avec intelligence. Galabru fut aussi un Nestor Burma inattendu dans *La nuit de Saint-Germain*. Mais, en regard, que de *Gendarmes* et autres films « alimentaires » ! Il s'en explique dans ses merveilleux Mémoires : *Trois petits tours et puis s'en vont*.

Galas ou Gallas, Lucien

Acteur français, 1904-1967.

1931, Magie moderne (Buchowetzki), Marions-nous (Mercanton), Pas sur la bouche (Rimsky, Evreïnoff), La petite de Montparnasse (Schwarz, Vaucorbeil), Vacances (Boudrioz) ; 1932, Le billet de logement (Tavano) ; 1933, La fusée (Natanson), La voix du métal (Marca-Rosa) ; 1934, Aux portes de Paris (Barrois), Flofloche (Roudès) ; 1935, Golgotha (Duvivier), Promesses (Delacroix) ; 1936, La loupiote (Kemm, Bouquet), La terre qui meurt (Vallée) ; 1937, La belle de Montparnasse (Cammage), Les hommes sans nom (Vallée), Liberté (Kemm), Un soir à Marseille (Canonge) ; 1938, L'ange que j'ai vendu (Bernheim), Grisou ou les hommes sans soleil (Canonge), Frères corses (Kelber), Vacances payées (Cammage) ; 1939, Une main a frappé (Roudès), Thérèse Martin (Canonge), L'enfer des anges (Christian-Jaque), Bar du Sud (Fescourt) ; 1941, Fièvres (Delannoy), Le moussaillon (Gourguet) ; 1942, Madame et le mort (Daquin), Le chant de l'exilé (Hugon), Le bienfaiteur (Decoin) ; 1943, La cavalcade des heures (Noé), Service de nuit (Faurez), Le val d'enfer (Tourneur) ; 1951, La femme à l'orchidée (Leboursier), Les quatre sergents de Fort-Carré (Hugon) ; 1952, Prigionieri delle tenebre (Bomba) ; 1953, Giorni d'amore (Jours d'amour) (De Santis), Ai margini della matropoli (Dans les faubourgs de la ville) (Lizzani) ; 1954, Napoli terra d'amore (Mastrocinque), Fortune carrée (Borderie).

Spécialiste, avec Georges Flamant, des rôles de mauvais garçon, il fut le partenaire de Ginette Leclerc, à la scène comme à la ville, de 1936 à 1944. Inquiété pour collaboration, il reparut au début des années 50. Il devint ensuite le secrétaire privé du roi Farouk, en Italie, et le resta jusqu'à la mort du souverain.

Galiena, Anna

Actrice italienne née en 1954.

1983, Sotto il vestito niente (Où est passée Jessica ?) (Vanzina) ; 1986, Mosca addio (Bolognini), Puro cashmere (Proietti), Caramelle da uno sconosciuto (Ferrini), L'estate sta finendo (Cortini) ; 1987, Hotel colonial (Torrini), Laggiu nella giunglia (Reali), Mr. Rorret (Wetzel) ; 1988, La travestie (Boisset) ; 1989, Willy signori e vengo da lontano (Nuti), Jours tranquilles à Clichy (Chabrol) ; 1990, Le mari de la coiffeuse (Leconte), La veuve du capitaine Estrada (Cuerda) ; 1991, L'atlantide (Swaim), Jamón jamón (Jambon, jambon) (Luna) ; 1992, Vieille canaille (Jourd'hui), Il grande cocomero (Il grande cocomero) (Archibugi), L'écrivain public (Amiguet) ; 1993, Being Human (Forsythe), Senza pelle (Senza pelle) (d'Alatri) ; 1994, Mario und der Zauberer (Mario et le magicien) (Brandauer), La scuola (Luchetti), Le mani forti (Bernini) ; 1995, Les caprices d'un fleuve (Giraudeau), Trois vies et une seule mort (Ruiz), Scacco Pazzo (Zaccaro) ; 1996, The Leading Man (Duigan), Una cuestion de suerte (Moleon), Cervellini fritti impanati (Cervelles panées) (Zaccaro) ; 1997, Préférence (Delacourt), La pistola de mi hermano (Loriga) ; 1998, Come te nessuno mai (Comme toi...) (Muccino), Cadaveri eccelenti (R. Tognazzi) ; 1999, The Venice Project (Dornhelm) ; 2000, Desafinado (Gómez Pereira).

On la connaît en France depuis *Le mari de la coiffeuse* où elle jouait cette dernière. Brune au visage d'une merveilleuse douceur, très belle, elle a aussi à son actif une jolie carrière théâtrale dans son pays d'origine.

Galland, Jean

Acteur français, 1897-1967.

1932, Fantômas (Fejos), Le jugement de minuit (Esway, Charlot), Mater Dolorosa (Gance), Coup de feu à l'aube (Poligny), Les croix de bois (Bernard) ; 1933, Les requins du pétrole (Decoin), Un certain Mr. Grant (Le Bon), Le barbier de Séville (Bourlon, Kemm) ; 1934, Remous (Greville), Le scandale (L'Herbier) ; 1935, Roses noires (Martin, Boyer), Marchand d'amour (Greville), Stradivarius (Bolvary), Princesse Tam-tam (Greville) ; 1936, 27, rue de la Paix (Pottier), Le disque 413 (Pottier) ; 1937, Passeurs d'hommes (Jayet), Marthe Richard au service de la France (Bernard), Les hommes de proie (Rozier), La danseuse rouge (Paulin) ; 1938, Le roman de Werther (Ophuls), Bar du Sud (Fescourt) ; 1939, Nadia, la femme traquée (Orval), Entente cordiale (L'Herbier), Le Danube bleu (Rode, Reinert), Brazza ou l'épopée du Congo (Poirier) ; 1940, Ceux du ciel (Noé), Menaces (Greville) ; 1941, Andorra ou les hommes d'airain (Couzinet), Vie privée (Kapps) ; 1942, L'homme sans nom (Mathot), La femme perdue (Choux) ; 1951, Edouard et Caroline (Becker) ; 1952, Le plaisir (Ophuls) ; 1953, Madame de (Ophuls) ; 1954, Marianne de ma jeunesse (Duvivier) ; 1955, Lola Montès (Ophuls) ; 1957, Mademoiselle Stip-Tease (Foucaud), La peau de l'ours (Boissol), A pied, à cheval et en voiture (Delbez) ; 1958, Christine (Gaspard-Huit), La tête contre les murs (Franju) ; 1960, Les godelureaux (Chabrol) ; 1961, Snobs (Mocky), La poupée (Baratier), Le rendez-vous de minuit (Leenhardt), Une grosse tête (Givray) ; 1962, Les vierges (Mocky), L'empire de la nuit (Grimblat) ; 1963, L'honorable Stanislas, agent secret (Dudrumet), La confession de minuit (Granier-Deferre), Des frissons partout (André), Un drôle de paroissien (Mocky) ; 1964, Les gros bras (Rigaud).

Selon Chirat, il fut catalogué avant 1939 dans les rôles de traître ou d'espion. Ophuls le sortit de ces emplois stéréotypés.

Gallas, Lucien : cf. Galas ou Gallas, Lucien.

Gallo, Vincent

Acteur et réalisateur américain né en 1962.

1984, The Way it Is or Eurydice in the Avenue (The Way it Is) (Mitchell) ; 1990, A idade maior (Villaverde), Doc's Kingdom (Doc's Kingdom) (Kramer) ; 1993, Arizona Dream (Arizona Dream) (Kusturica), The House of the Spirits (La maison aux esprits) (August) ; 1995, Nénette et Boni (Denis), Angela (Miller), The Perez Family (Nair) ; 1996, Palookaville (Les amateurs) (Taylor), The Funeral (Nos funérailles) (Ferrara), Truth or Consequences, N.M. (La dernière cavale) (K. Sutherland) ; 1997, Goodbye Lover (Goodbye Lover) (Joffé), Buffalo '66 (Buffalo '66) (Gallo) ; 1998, L.A. Without a Map (I Love L.A.) (M. Kaurismäki) ; 1999, Freeway II : Confessions of a Trick Baby (Bright), Hide and Seek

(Furie) ; 2000, Trouble Everyday (Denis) ; 2003, The Brown Bunny (Gallo). *Pour le metteur en scène*, voir le *Dictionnaire du cinéma*, t. I : *Les réalisateurs*.

Natif de la ville de Buffalo, il se fait connaître par le biais du café-théâtre à New York, mais il lui faudra encore une bonne dizaine d'années pour que Kusturica révèle son incroyable gueule dans *Arizona dream*, au cours d'une scène dans laquelle il se lance dans une saisissante imitation de De Niro. « Loser » régulier du cinéma américain indépendant, dont il est un des fleurons les plus talentueux, il tient la vedette de *Nos funérailles* et des *Amateurs*, et apparaît en boulanger dans le *Nénette et Boni* de Claire Denis. Compositeur de musiques de films, il a aussi réalisé deux longs métrages, *Buffalo '66*, à la mise en scène surprenante puis *The Brown Bunny* qui fit scandale à Cannes pour une scène de fellation. Il interprète ses deux films.

Gallotte, Jean-François

Acteur et réalisateur français né en 1953.

1981, Point final à la ligne (Gallotte) ; 1983, Carbone 14, le film (Gallotte, sous le pseudonyme de David Grossexe) ; 1987, Iréna et les ombres (Robak) ; 1988, Jamais deux sans trois (Gallotte) ; 1989, Peaux de vaches (Mazuy) ; 1990, Baby blood (Robak), Adrénaline (sketch Robak) ; 1994, Parano (sketch Robak) ; 1995, Calino Maneige (Lebel), Visiblement, je vous aime (Carré) ; 1996, Les 2 papas et la maman (Smaïn, Longval) ; 1997, L'autre côté de la mer (Cabréra), Ma vie en rose (Berliner), Ça n'empêche pas les sentiments (Jackson) ; 1998, La voie est libre (Clavier), Grève party (Onteniente), Zonzon (Bouhnik), Fin août, début septembre (Assayas), Le Poulpe (Nicloux), Les parasites (Chauveron) ; 1999, Le cœur à l'ouvrage (Dussaux), La nouvelle Ève (Corsini), Chili con carne (Gilou), 1999 – Madeleine (Bouhnik), Épouse-moi (Marin) ; 2000, Les autres filles (Vignal), Jojo la frite (Cuche), De l'amour (Richet) ; 2001, 15 août (Allessandrin). *Comme réalisateur :* 1981, Point final à la ligne ; 1983, Carbone 14, le film ; 1984, Le chien ; 1988, Jamais deux sans trois.

Du militantisme, du théâtre de rue et l'animation de la radio Carbone 14 (sous le pseudonyme de David Grossexe) font de Jean-François Gallotte un ovni dans le paysage cinématographique français. Auteur de quelques films très peu diffusés, dont le scandaleux (à l'époque) *Carbone 14, le film*, il tourne énormément dans les courts métrages et se spécialise par la suite dans les seconds rôles de monsieur tout-le-monde un peu bonasses. Un personnage attachant, loin du star-system.

Gam, Rita

Actrice américaine née en 1928.

1952, The Thief (L'espion) (Rouse) ; 1953, Saadia (Lewin) ; 1954, Night People (Les gens de la nuit) (Johnson), The Sign of the Pagan (Le signe du païen) (Sirk) ; 1956, Magic Fire (Dieterle), Mohawk (L'attaque du fort Douglas) (Neumann) ; 1958, Sierra Baron (Clark) ; 1959, Hannibal (Ulmer) ; 1961, King of the Kings (Le roi des rois) (Ray) ; 1971, Klute (Klute) (Pakula), Shoot Out (Quand siffle la dernière balle) (Hathaway) ; 1972, Such Good Friends (Des amis comme les miens) (Preminger) ; 1974, Law and Disorder (La loi et la pagaille) (Passer) ; 1975, The Gardener (J. Kay) ; 1980, Seeds of Evil (Kay) ; 1987, Distorsions (A. Mastroianni) ; 1988, Midnight (Vane) ; 1996, Rowing Through (Harada).

Cette brune fort sensuelle fit ses débuts à l'écran dans un film sans paroles. Elle se rattrapa par la suite. Pas de chefs-d'œuvre dans sa filmographie, mais des œuvres solides. Elle semble avoir préféré Broadway à Hollywood.

Gamblin, Jacques

Acteur français né en 1957.

1989, Périgord noir (Ribowski) ; 1991, Il y a des jours... et des lunes (Lelouch), Pour un coin de terre rouge (Heinrich) ; 1992, La belle histoire (Lelouch), Adio princesa (Da Costa), La femme à abattre (Pinon) ; 1993, Tout ça... pour ça (Lelouch), Les braqueuses (Salomé), Fausto (Duchemin) ; 1995, Les misérables (Lelouch), Une histoire d'amour à la con (Korchia), Au petit Marguery (Bénégui), A la vie, à la mort (Guédiguian), Mon homme (Blier) ; 1996, Pédale douce (Aghion), Tenue correcte exigée (Lioret) ; 1997, Mauvais genre (Bénégui), Kanzo Sensei (Kanzo Sensei) (Imamura) ; 1998, Au cœur du mensonge (Chabrol), Les enfants du marais (Becker) ; 2000, Mademoiselle (Lioret) ; 2001, Bella ciao (Giusti), Laissez-passer (Tavernier) ; 2002, Carnages (Gleize) ; 2003, A la petite semaine (Karmann), Les clefs de la bagnole (Baffie) ; 2004, Dissonances (Cornuau), Holy Lola (Tavernier), 25° en hiver (Vuillet) ; 2005, L'enfer (Tanovic) ; 2006, Les brigades du Tigre (Cornuau), Serko (Farges), Les irréductibles (Bertrand) ; 2007, Fragile(s) (Valente).

Originaire de Granville, il fut révélé par Lelouch puis par ses compositions étonnantes dans *Tenue correcte exigée* et surtout *Pédale douce*. C'est d'ailleurs sur la foi du film de Gabriel

Aghion que Shohei Imamura lui offre le rôle d'un blessé de guerre hollandais dans *Kanzo Sensei*. Également écrivain et acteur de one-man-show, c'est un talent à suivre que le grand public découvre dans *Les enfants du marais* puis dans *Mademoiselle* où il est remarquable.

Gambon, Michael

Acteur irlandais né en 1940.

1965, Othello (Burge, Dexter) ; 1972, Nothing But the Night (Sasdy) ; 1974, The Beast Must Die (Annett) ; 1985, Turtle Diary (Irvin) ; 1988, Paris by Night (Hare) ; 1989, The Cook, the Thief, His Wife and Her Lover (Le cuisinier, le voleur, sa femme et son amant) (Greenaway), The Rachel Papers (Le dossier Rachel) (Harris), A Dry, White Season (Une saison blanche et sèche) (Palcy) ; 1991, Mobsters (Les indomptés) (Karbelnikoff) ; 1992, Toys (Toys) (Levinson) ; 1994, The Browning Version (Les leçons de la vie) (Figgis), A Man of No Importance (Un homme sans importance) (Krishnamma), Squanto : A Warrior's Tale (Koller), Clean Slate (M. Jackson) ; 1995, Two Deaths (Roeg), Nothing Personal (O'Sullivan), Midnight in St. Petersburg (D. Jackson), Bullet to Beijing (Mihalka) ; 1996, The Innocent Sleep (Michell), Mary Reilly (Mary Reilly) (Frears) ; 1997, The Wings of the Dove (Les ailes de la colombe) (Softley), The Gambler (Makk) ; 1998, Dancing at Lughnasa (O'Connor), Plunkett & Macleane (Guns 1876) (J. Scott) ; 1999, The Last September (The Last September) (Warner), The Insider (Révélations) (Mann), Sleepy Hollow (Sleepy Hollow) (Burton), Dead on Time (Larkin) ; 2000, Endgame (McPherson) ; 2001, Gosford Park (Gosford Park) (Altman) ; 2002, Ali G Indahouse (Ali G) (Mylod) ; 2004, Harry Potter and the Prisoner of Azakaban (Harry Potter et le prisonnier d'Azkaban) (Cuaron), The Omen (666 La malédiction) (J. Moore), Open Range (Costner) ; 2005, Being Julia (Adorable Julia) (Szabo), Harry Potter and the Goblet of Fire (Harry Potter et la coupe de feu) (Newell), Layer Cake (Layer Cake) (Vaughn) ; 2004, The Life Aquatic with Steve Zissou (La vie aquatique) (Anderson), Sky Captain and the World of Tomorrow (Capitaine Sky et le monde de demain) (Conran) ; 2007, Harry Potter and the Order of the Phoenix (Harry Potter et l'ordre du Phénix) (Yates), The Good Shepherd (The Good Shepherd) (De Niro).

Il étudie le théâtre sous la houlette de Laurence Olivier et joue sur scène dans de nombreuses pièces, notamment signées Alan Ayckbourn. Sa carrière connaît un nouveau départ à partir des années 80 et il devient de plus en plus actif à la télévision et au cinéma, incarnant des personnages historiques (Oscar Wilde), des nobles, des magistrats, des médecins ou des parrains de la Mafia. Son imposante stature et sa belle voix de basse méritaient bien cela.

Ganz, Bruno

Acteur suisse né en 1941.

1960, Der Herr mit der Schwarzen Maske (Suter) ; 1961, Es Dach überem Chopf (Früh), Chikita (Suter) ; 1967, Der sanfte Lauf (Senft), Rece do Gory (Haut les mains) (Skolimovski) ; 1975, Sommergäste (Les estivants) (P. Stein), La marquise d'O (Rohmer), Lumière (J. Moreau) ; 1976, Die Wildente (Le canard sauvage) (Geissendorfer) ; 1977, Der amerikanische Freund (L'ami américain) (Wenders), Die linkshändige Frau (La femme gauchère) (Handke) ; 1978, Messer im Kopf (Le couteau dans la tête) (Hauff), The Boys from Brazil (Ces garçons qui venaient du Brésil) (Schaffner), Nosferatu, Phantom der Nacht (Nosferatu, fantôme de la nuit) (Herzog) ; 1979, Schwarz und weiss wie Tage und Nächte (L'échiquier de la passion) (Petersen), Retour à la bien-aimée (Adam) ; 1980, La vera storia della signora delle camelie (La dame aux camélias) (Bolognini), Der Erfinder (Gloor), Oggetti smariti (Une femme italienne) (Giuseppe Bertolucci), 5 % de risques (Pourtalé), Polenta (Maya Simon), La provinciale (Goretta) ; 1981, Die Fälschung (Le faussaire) (Schlöndorff) ; 1982, System ohne Schatten (La main dans l'ombre) (Thome) ; 1983, Dans la ville blanche (Tanner), Killer aus Florida (Schaffhauser) ; 1985, Väter und Söhne (Sinkel), De ijssalon (Frank), Der goldene Fluss (Chavarri) ; 1986, Der Himmel über Berlin (Les ailes du désir) (Wenders), Der Pendler (Giger) ; 1987, Un amore di donna (Nelo Risi), La balena blanca (Sanches) ; 1988, L'innocenta/Bankomatt (Hermann) ; 1989, Strapless (Hare), Erfolg (Seite), Noch ein Wunsch (Koerfer) ; 1990, La domenica specialmente (Le dimanche de préférence) (Sketch G. Bertolucci), Bärn Natturunar (Les enfants de la nature) (Fridriksson) ; 1991, The Last Days of Chez Nous (Armstrong), Brandnacht (Fischer), Die Abwesenheit (L'absence) (Handke), Prague (Prague) (Sellar) ; 1992, In weiter Ferne, so nah ! (Si loin, si proche !) (Wenders) ; 1994, Heller Tag (Nitszchke) ; 1995, Lumière et compagnie (Moon), Ein Richter in Angst (Rodl) ; 1997, Saint-Ex (Tucker), Mia eoniotita ke mia mera (L'éternité et un jour) (Angelopoulos), Gegen Ende der Nacht (Storz) ; 1999, Pane e tulipani (Pain, tulipes et comédie) (Soldini), Whoafraidwolf (Klopfenstein) ; 2001, Le vicaire (Costa-Gavras) ; 2004, The Manchurian Candidate (Un crime dans la tête) (Demme) ; 2005, Der Untergang (La chute) (Hirschbiegel).

Suisse, il étudie en Allemagne et participe aux débuts de la compagnie de Peter Stein dont le prestige ne cessera de grandir. Il la quitte pour le cinéma : Wenders, Herzog, Geissendorfer... le dirigent. Mais l'acteur, malgré sa haute silhouette, demeure encore mal connu hors d'Allemagne. *Les ailes du désir* consacrent son talent auprès du public français. Il est un hallucinant Hitler dans *La chute.*

Garat, Henri

Acteur et chanteur français, de son vrai nom Émile-Henri Garassu, 1902-1959.

1930, Two Worlds (Dupont), Le chemin du paradis (Thiele), Flagrant délit (Schwarz, et Tréville pour la version française) ; 1931, Le congrès s'amuse (Charell, et Boyer pour la version française), Delphine (Capellani), Rive gauche (Korda), Princesse à vos ordres (Schwarz, et Vaucorbeil pour la version française), La fille et le garçon (Thiele, et Le Bon pour la version française), Il est charmant (Mercanton) ; 1932, Un soir de réveillon (Anton), Simone est comme ça (Anton), Une étoile disparaît (Villers), On a volé un homme (Ophuls), Un rêve blond (Martin), Une petite femme dans le train (Anton) ; 1933, Une femme au volant (Billon), Adorable (Dieterle) ; 1934, Prince de minuit (Guissart), Musique dans l'air (Joe May) ; 1935, La valse royale (Grémillon), Les dieux s'amusent (Schunzel, et Valentin pour la version française) ; 1936, Un mauvais garçon (Boyer), La souris bleue (Ducis), Les gais lurons (P. Martin et Natanson pour la version française) ; 1937, La fille de la Madelon (Pallu et Mugelli), L'amour veille (Roussel), Le fauteuil 47 (Rivers), La chaste Suzanne (Berthomieu), Au soleil de Marseille (Ducis) ; 1938, Ma sœur de lait (Boyer), La présidente (Rivers), Les femmes collantes (Caron), L'accroche-cœur (Caron), Ça c'est du sport (Pujol) ; 1939, Le chemin de l'honneur (Paulin) ; 1941, Le valet maître (Mesnier), Annette et la dame blonde (Dréville) ; 1942, Fou d'amour (Mesnier).

Fils d'un acteur de la Comédie-Française et d'une chanteuse lyrique, beau et bon chanteur, il débute au Casino de Paris où Mistinguett le remarque. Brève escapade comme figurant à Hollywood, puis l'avènement du parlant le lance sur tous les écrans : il est photogénique, parle et chante bien. *Le chemin du paradis* puis *Le congrès s'amuse* (le congrès de Vienne) ont fait de lui une vedette internationale. Il a pour partenaire Lilian Harvey qu'il épouse. Une suite d'opérettes, souvent ineptes, constituent sa filmographie jusqu'en 1942. Après cette date c'est la déchéance. L'alcool, les femmes l'ont usé. Un mariage avec une infirmière, la naissance d'un enfant, l'ouverture d'un restaurant : rien n'y fait. Après une pitoyable tournée avec le cirque Francki, il meurt dans la salle commune de l'hôpital d'Hyères.

Garbo, Greta

Actrice suédoise, de son vrai nom Greta Louisa Gustafsson, 1905-1990.

1922, Luffar Peter (Pierre le vagabond) (Petschler) ; 1924, Gösta Berlings Saga (La légende de Gösta Berling) (Stiller) ; 1925, Die Freudlose Gasse (La rue sans joie) (Pabst) ; 1926, The Torrent (Le torrent) (Bell), The Temptress (La tentatrice) (Niblo) ; 1927, Flesh and Devil (La chair et le diable) (Brown), Love (Anna Karénine) (Goulding) ; 1928, The Divine Woman (La femme divine) (Sjöström), The Mysterious Lady (La belle ténébreuse) (Niblo), A Woman of Affairs (Intrigues) (Brown) ; 1929, Wild Orchids (Terre de volupté) (Franklin), The Single Standard (Le droit d'aimer) (Robertson), The Kiss (Le baiser) (Feyder) ; 1930, Anna Christie (Anna Christie) (Brown), Romance (Romance) (Brown), Inspiration (L'inspiratrice) (Brown) ; 1931, Susan Lenox, Her Fall and Rise (Courtisane) (Leonard), Mata-Hari (Mata-Hari) (Fitzmaurice) ; 1932, Grand Hôtel (Goulding), As You Desire Me (Comme tu me veux) (Fitzmaurice) ; 1933, Queen Christina (La reine Christine) (Mamoulian) ; 1934, The Painted Veil (Le voile des illusions) (Boleslavsky) ; 1935, Anna Karenina (Anna Karénine) (Brown) ; 1937, Camille (Le roman de Marguerite Gautier) (Cukor) ; 1937, Conquest (Marie Walewska) (Brown) ; 1939, Ninotchka (Ninotchka) (Lubitsch) ; 1941, Two-Faced Woman (La femme aux deux visages) (Cukor).

La star par excellence, la « divine ». Certes son jeu paraît aujourd'hui bien outré et sa beauté quelque peu démodée : le mythe persiste. Comme pour toutes les stars : la pauvreté au début, pour mieux souligner le conte de fées. Sa beauté se remarque, elle tourne des films publicitaires pour le magasin qui l'emploie, puis une comédie. Survient le bon génie : Stiller. *Gösta Berling* lance Garbo. A

Berlin, elle tourne *La rue sans joie* : nouveau triomphe. Hollywood invite Stiller ; celui-ci exige d'être accompagné de Garbo. Stiller échouera aux États-Unis et sera remplacé sur les plateaux de Garbo ; Garbo, elle, impose sa froide beauté ; elle devient « l'inaccessible ». Pas si inaccessible d'ailleurs. Ses amours avec John Gilbert défrayent la chronique. Les films qu'elle tourne sont uniquement destinés à la mettre en valeur ; certains sont d'ailleurs excellents. En 1930, elle parle dans *Anna Christie*. Sa voix rauque séduit. Elle est la reine Christine de Suède. En 1939, « elle rit ». C'est, il est vrai, un film de Lubitsch (*Ninotchka*) ! Après 1940, elle se retire. Elle ne quittera plus qu'exceptionnellement ses retraites. Soucieuse de laisser une image intacte d'elle-même, elle préférera se cacher plutôt que de montrer les ravages des ans sur ce visage qui fit tant rêver.

Garcia, Andy

Acteur et réalisateur américain d'origine cubaine né en 1956.

1983, Blue Skies Again (Michael), A Night in Heaven (Avildsen), The Lonely Guy (Hiller) ; 1985, The Mean Season (Un été pourri) (Borsos) ; 1986, Eight Million Ways To Die (Huit millions de façons de mourir) (Ashby) ; 1987, The Untouchables (Les incorruptibles) (De Palma), Stand and Deliver (Menendoz) ; 1988, American Roulette (Hatton), Blood Money (Schatzberg) ; 1989, Black Rain (Black Rain) (Scott), Internal Affairs (Affaires privées) (Figgis) ; 1990, A Show of Force (Barreto), The Godfather, part III (Le parrain III) (Coppola) ; 1991, Dead Again (Dead Again) (Branagh) ; 1992, Hero (Héros malgré lui) (Frears), Jennifer 8 (Jennifer 8) (Robinson) ; 1993, When a Man Loves a Woman (Pour l'amour d'une femme) (Mandoki) ; 1994, Things to Do in Denver When You're Dead (Dernières heures à Denver) (Fleder) ; 1995, Steal Big, Steal Little (Faux frères, vrais jumeaux) (Davis) ; 1996, Lorca (Zurinaga), Hoodlum (Les seigneurs de Harlem) (Duke), Desperate Measures (L'enjeu) (Schroeder), Night Falls on Manhattan (Dans l'ombre de Manhattan) (Lumet) ; 1998, Just the Ticket (Gary & Linda) (Wenk) ; 2001, The Man from Elysian Fields (Hickenlooper), Ocean' Eleven (Ocean's Eleven) (Soderbergh) ; 2002, Basic (Basic) (McTiernan), The Unsaid (Sous le silence) (McLaughlin) ; 2003, Confidence (Confidence) (Foley) ; 2004, Twisted (Instincts meurtriers) (Kaufman), Modigliani (Modigliani) (Davis), Ocean's Twelve (Ocean's Twelve) (Soderbergh) ; 2007, Ocean's Thirteen (Ocean's Thirteen) (Soderbergh), Smokin'Aces (Carnahan). *Pour le réalisateur*, voir le *Dictionnaire du cinéma*, t. I : *Les réalisateurs*.

Éblouissant dans les rôles de policiers incorruptibles. De *Dead Again* à *Jennifer 8*, remarquables thrillers, il confirme son aisance dans le genre « policier ». Depuis ses débuts, on parle de lui comme le nouvel Al Pacino. Il lui faudrait encore un rôle dramatique fort pour accéder à ce statut. Il échoue en Modigliani, mais il met en scène un beau film sur son île natale : *Adieu Cuba*.

Garcia, José

Acteur français né en 1966.

1988, Romuald et Juliette (Serreau) ; 1992, Le tronc (Zéro) ; 1995, Elisa (Jean Becker), Beaumarchais l'insolent (Molinaro) ; 1996, Les démons de Jésus (Bonvoisin), Tout doit disparaître (Muyl), La vérité si je mens ! (Gilou) ; 1997, Mauvais genre (Bénégui), Que la lumière soit ! (A. Joffé), La mort du Chinois (Benoît) ; 1998, Cinq minutes de détente (T. Romero), Les frères Sœur (F. Jardin), Les grandes bouches (Bonvoisin), Comme un poisson hors de l'eau (Hadmar) ; 1999, Extension du domaine de la lutte (Harel), En face (Ledoux) ; 2000, Jet set (Onteniente), Féroce (Maistre), La vérité si je mens ! 2 (Gilou), Les morsures de l'aube (De Caunes) ; 2001, Le vélo de Ghislain Lambert (Harel) ; 2002, Le boulet (Berberian), Blanche (Bonvoisin), Quelqu'un de bien (Timsit) ; 2003, Après vous (Salvadori), Rire et châtiment (Doval) ; 2004, People (Onteniente) ; 2004, Utopia (Ripoli) ; 2005, La boîte noire (Berry), Le couperet (Costa-Gavras), El Séptimo dia (Le 7e jour) (Saura), Tu vas rire, mais je te quitte (Harel) ; 2006, Quatre étoiles (Vincent) ; 2007, Sa majesté Minor (Annaud), Pars vite et reviens tard (Wargnier).

Issu d'une famille espagnole, il suit le cours Florent et se fait remarquer à l'émission *Nulle part ailleurs* où il participe aux sketches d'Antoine de Caunes. Lancé sur grand écran grâce au succès de *La vérité si je mens !* (dont il dit la réplique fétiche : « Champion du monde ! »), Garcia impose un personnage rieur, débonnaire et extrêmement attachant.

Garcia, Nicole

Actrice et réalisatrice française née en 1948.

1967, Des garçons et des filles (Périer) ; 1968, Le gendarme se marie (Girault), Emmanuelle et ses sœurs (ép. Albicocco) ; 1974, Que la fête commence (Tavernier) ; 1975, Calmos (Blier) ; 1976, Duelle (Rivette), Le corps de mon ennemi (Verneuil) ; 1977, Les Indiens sont encore loin (P. Moraz), La question (Heynemann) ; 1978, Un papillon sur l'épaule (Deray), Le cavaleur (Broca) ; 1979, Ogro (Pontecorvo), Le mors aux dents (Heynemann) ; 1980, Mon oncle d'Amérique (Resnais), Les uns et les autres (Lelouch), Beau-père (Blier) ; 1982, L'honneur d'un capitaine (Schoendoerffer), Order of Death/ Copkiller (Faenza), Qu'est-ce qui fait courir David ? (Chouraqui) ; 1983, Stella (Heynemann), Les mots pour le dire (Pinheiro), Garçon ! (Sautet), Partenaires (d'Anna) ; 1985, Péril en la demeure (Deville), Le quatrième pouvoir (Leroy), Un homme et une femme, vingt ans déjà (Lelouch) ; 1986, A couteau tiré (Faenza), Mort un dimanche de pluie (Santoni) ; 1987, L'état de grâce (Rouffio) ; 1988, La lumière du lac (Comencini) ; 1990, Outremer (Roüan) ; 1993, Aux petits bonheurs (Deville) ; 1995, Fugueuses (N. Trintignant) ; 1999, Kennedy & moi (Karmann) ; 2001, Betty Fisher et autres histoires (Miller) ; 2003, Tristan (Harel), La petite Lili (Miller), Histoire de Marie et Julien (Rivette) ; 2004, Le dernier jour (Marconi), Ne fais pas ça ! (Bondy) ; 2007, Ma place au soleil (Montalier). *Pour la réalisatrice*, voir le *Dictionnaire du cinéma*, t. I : *Les réalisateurs*.

Venue d'Algérie, elle est remarquée par Rivette et partagera son temps entre le théâtre et le cinéma. A l'écran, elle interprète surtout des films difficiles et ambitieux. Ses meilleurs rôles sont l'épouse du capitaine dans le film de Schoendoerffer et Stella qui refuse l'amour de celui qui, pour la sauver, s'est compromis avec les Allemands. Nicole Garcia paraît moins convaincante dans un rôle érotique comme celui de *Péril en la demeure*. Elle est l'une des rares comédiennes françaises de sa génération qui puisse considérer l'avenir sans crainte. Son pouvoir d'émotion sera toujours intact. Réalisatrice (*Un week-end sur deux*, *Le fils préféré*, *Place Vendôme*, *L'adversaire* et *Selon Charlie*), elle semble privilégier désormais la mise en scène.

Garcin, Henri

Acteur belge, de son vrai nom Anton Albers, né en 1929.

1957, Mademoiselle et son gang (Boyer) ; 1962, Arsène Lupin contre Arsène Lupin (Molinaro) ; 1964, Mata Hari, agent H21 (Richard) ; 1965, La vie de château (Rappeneau), La bonne occase (Drach) ; 1966, Le Judoka, agent secret (Zimmer) ; 1967, La prisonnière (Clouzot), Fleur d'oseille (Lautner) ; 1968, Les gauloises bleues (Cournot) ; 1969, Détruire dit-elle (Duras), La nuit bulgare (Mitrani) ; 1970, Un condé (Boisset), Quelqu'un derrière la porte (Gessner) ; 1971, La cavale (Mitrani), Kill (Gary), Un cave (Grangier), Pic et pic et colegram (Weinberg) ; 1973, Ursule et Grelu (Korber), Le mouton enragé (Deville) ; 1974, Verdict (Cayatte), Dupont-Lajoie (Boisset), Les guichets du Louvre (Mitrani), Une femme, un jour (Keigel) ; 1975, Oublie-moi mandoline (Wyn), Catherine et Cie (Boisrond) ; 1976, Le juge Fayard dit « le shérif » (Boisset), Un type comme moi ne devrait jamais mourir (Vianey) ; 1977, Plus ça va, moins ça va (Coiffier), Vas-y maman (de Buron) ; 1978, Trocadéro bleu citron (Schock) ; 1979, C'est pas moi c'est lui ! (Richard), La femme flic (Boisset), Cocktail Molotov (Kurys) ; 1980, Murder Obsession (Freda, sous le pseudonyme de Robert Hampton) ; 1981, Faut s'les faire... ces légionnaires ! (Nauroy), La femme d'à côté (Truffaut) ; 1982, Qu'est-ce qu'on attend pour être heureux ? (Serreau) ; 1984, Charlots connection (Couturier), Les parents ne sont pas simples cette année (Jullian) ; 1985, Abel (Abel) (Van Warmerdam) ; 1986, Si t'as besoin de rien... fais-moi signe (Gérard) ; 1989, Un week-end sur deux (Garcia) ; 1990, Vincennes Neuilly (Dupouey) ; 1992, De Noordelingen (Les habitants) (Van Warmerdam) ; 1994, Les cent et une nuits (Varda) ; 1995, Le huitième jour (Van Dormael), De Jurk (La robe et l'effet qu'elle produit sur les femmes qui la portent et les hommes qui la regardent) (Van Warmerdam), The Proprietor (La propriétaire) (Merchant) ; 1997, Les cachetonneurs (Dercourt) ; 1998, No Planes, no Trains (Stelling) ; 2005, Aux abois (Collin), Il ne faut jurer de rien ! (Civanyan) ; 2006, Mon meilleur ami (Leconte).

Né à Anvers, formé à Paris au cours Simon, il fera beaucoup de cabaret et crée au théâtre *L'échappée belle* avec Romain Bouteille. Peu de films importants sauf le rôle du mari de Fanny Ardant dans *La femme d'à côté*.

Gardner, Ava

Actrice américaine, 1922-1990.

1942, We Were Dancing (Leonard), Joe Smith American (Thorpe), Sunday Punch (D. Miller), This Time for Keeps (Le souvenir de vos lèvres) (Reisner), Calling Dr. Gillepsie (Bucquet), Kid Glove Killer (Zinneman) ; 1943, Pilot n° 5 (Sidney), Hitler's Madman (Sirk), Ghosts on the Loose (Beaudine), Reunion in France (Dassin), Du Barry Was a Lady (La Du Barry était une dame) (Del Ruth), Young Ideas (Dassin), Lost Angel (L'ange perdu) (Rowland) ; 1944, Swing Fever (Whelan), Music For Millions (Koster),

Three Men in White (Trois hommes en blanc) (Goldbeck), Blonde Fever (La fièvre blonde) (Whorf), Maisie Goes to Reno (Beaumont), Two Girls and a Sailor (Deux jeunes filles et un marin) (Thorpe), She Went to the Races (Goldbeck), Whistle Stop (Tragique rendez-vous) (Moguy) ; 1946, The Killers (Les tueurs) (Siodmak) ; 1947, Singapore (Singapour) (Brahm), The Hucksters (Marchands d'illusions) (Conway) ; 1948, One Touch of Venus (Un caprice de Vénus) (Seiter), The Bribe (L'île au complot) (Leonard) ; 1949, The Great Sinner (Passion fatale) (Siodmak), East Side, West Side (Ville haute, ville basse) (LeRoy) ; 1951, My Forbidden Past (Mon passé défendu) (Stevenson), Show Boat (Show Boat) (Sidney), Pandora and the Flying Dutchman (Pandora) (Lewin) ; 1952, Lone Star (L'étoile du destin) (V. Sherman), The Snows of Kilimanjaro (Les neiges du Kilimandjaro) (King) ; 1953, Ride, Vaquero (Vaquero) (Farrow), The Band Wagon (Tous en scène) (Minnelli), Mogambo (Mogambo) (Ford), The Knights of the Round Table (Les chevaliers de la Table ronde) (Thorpe) ; 1954, The Barefoot Comtessa (La comtesse aux pieds nus) (Mankiewicz) ; 1956, Bhowani Junction (La croisée des destins) (Cukor) ; 1957, The Little Hut (La petite hutte) (Robson), The Sun Also Rises (Le soleil se lève aussi) (King) ; 1959, The Naked Maja (La Maja nue) (Koster), On the Beach (Le dernier rivage) (Kramer) ; 1961, The Angel Wore Red (L'ange pourpre) (Johnson) ; 1963, 55 Days at Peking (Les 55 jours de Pékin) (Ray) ; 1964, Seven Days in May (Sept jours en mai) (Frankenheimer), The Night of the Iguana (La nuit de l'iguane) (Huston) ; 1965, The Bible (La Bible) (Huston) ; 1968, Mayerling (T. Young) ; 1969, The Devil's Widow (McDowald) ; 1972, The Life and Times of Judge Roy Bean (Juge et hors-la-loi) (Huston) ; 1974, Earthquake (Tremblement de terre) (Robson) ; 1975, Permission to Kill (La trahison) (Frankel) ; 1976, The Blue Bird (L'oiseau bleu) (Cukor), The Sentinel (La sentinelle des maudits) (Winner), The Cassandra Crossing (Le pont de Cassandre) (Cosmatos) ; 1978, City on Fire (Cité en feu) (Rakoff) ; 1981, Priest of Love (Miles).

Pour la légende, l'enfance de celle que ses admirateurs considèrent comme la plus belle femme du monde fut très malheureuse. Ni argent ni affection. Elle se destine au modeste emploi de secrétaire lorsque, toujours selon la légende, une photo prise par son beau-frère attire l'attention des dénicheurs de talent de la MGM. Un contrat est passé, après un bout d'essai. Les débuts d'Ava Gardner n'ont rien de fracassant. Pour la lancer, on lui fait épouser Mickey Rooney en 1942. Ils divorcent l'année suivante. C'est seulement en 1946 qu'elle s'impose comme comédienne avec *The Killers*. Elle est à son apogée, en 1951, lorsqu'elle se marie avec Frank Sinatra dont elle divorcera en 1957. Dans *The Barefoot Contessa*, elle atteint au niveau du mythe et devient la star par excellence. Ce film lui vaudra des admirations passionnées. Par sa seule présence elle sauve de la catastrophe des films comme *The Sun Also Rises* ou *55 Days at Peking*. Dans *The Life and Times of Judge Roy Bean*, elle se parodie elle-même en tenant le rôle de la fameuse actrice Lily Langtry. Elle sera la luxure dans *The Blue Bird*. Tout un programme ! Limitée aux apparitions de « guest star », elle mène la vie de la haute société madrilène à la fin des années 70. Elle reste dans toutes les mémoires comme l'une des plus belles « étoiles » offertes aux rêves des amateurs de cinéma.

Garfield, John

Acteur américain, de son vrai nom Garfinkle, 1913-1952.

1938, Four Daughters (Rêves de jeunesse) (Curtiz) ; 1939, They Made Me a Criminal (Je suis un criminel) (Berkeley), Blackwell's Island (McGann), Juarez (Juarez) (Dieterle), Daughters Courageous (Filles courageuses) (Curtiz), Dust Be My Destiny (Jeunesses triomphantes) (Seiler) ; 1940, Castle on the Hudson (Litvak), Saturday's Children (V. Sherman), Flowing Gold (Green), East of the River (Green) ; 1941, The Sea Wolf (Le vaisseau fantôme) (Curtiz), Out of the Fog (Litvak) ; 1942, Dangerously They Live (Florey), Tortilla Flat (Fleming) ; 1943, Air Force (Air Force) (Hawks), The Fallen Sparrow (R. Wallace), Thank Your Lucky Stars (Remerciez votre bonne étoile) (Butler), Destination Tokyo (Destination Tokyo) (Daves) ; 1944, Between Two Worlds (Blatt), Hollywood Canteen (Daves) ; 1945, Pride of the Marines (L'orgueil des marines) (Daves) ; 1946, The Postman Always Rings Twice (Le facteur sonne toujours deux fois) (Garnett), Nobody Lives Forever (Negulesco), Humoresque (Negulesco) ; 1947, Body and Soul (Sang et or) (Rossen), Gentleman's Agreement (Le mur invisible) (Kazan) ; 1948, Force of Evil (L'enfer de la corruption) (Polonsky) ; 1949, We Were Strangers (Les insurgés) (Huston) ; 1950, Under My Skin (La belle de Paris) (Negulesco), The Breaking Point (Trafic en haute mer) (Curtiz) ; 1951, He Ran All the Way (Menaces dans la nuit) (Berry).

L'une des plus grandes vedettes de la Warner, il incarna les héros les plus chers à la firme, ceux qui illustraient une certaine pédagogie sociale, proche de Roosevelt. Les créations de Garfield sont à l'opposé des personnages de Bogart, Flynn ou Cooper : il se définissait lui-même comme le Gabin du Bronx, entendons le Gabin des films d'avant-guerre, celui de Renoir, de Carné, du Duvivier de *La belle équipe*. Issu lui-même d'un milieu modeste, fils d'un pauvre tailleur, échappant aux taudis de Brooklyn grâce à sa volonté et à ses dons d'acteur, Garfield jouait des individus meurtris par la société. En 1951, il fut accusé de menées subversives lors de la fameuse « chasse aux sorcières » qui secoua Hollywood. Il mourut peu après d'une crise cardiaque.

Garland, Judy

Chanteuse et actrice, de son vrai nom Frances Gumm, 1922-1969.

1936, Every Sunday (Le kiosque à musique) (Feist), Pigskin Parade (Butler) ; 1937, Broadway Melody of 38 (R. Del Ruth), Thorough Breds Don't Cry (Le jockey rouge) (Green) ; 1938, Everybody Sing (Tout le monde chante) (Marin), Listen Darling (Marin), Love Finds Andy Hardy (L'amour frappe Andy Hardy) (Seitz) ; 1939, The Wizard of Oz (Le magicien d'Oz) (Fleming), Babes in Arms (Place au rythme) (Berkeley) ; 1940, Andy Hardy Meets Debutante (Seitz), Strike up the Band (En avant la musique) (Berkeley), Little Nellie Kelly (Taurog) ; 1941, Ziegfeld Girl (La danseuse des Folies Ziegfeld) (Leonard), Life Begins for Andy Hardy (La vie commence pour Andy Hardy) (Seitz), Babes on Broadway (Débuts à Broadway) (Berkeley) ; 1942, For Me and My Gal (Pour moi et ma mie) (Berkeley) ; 1943, Presenting Lily Mars (Taurog), Thousands Cheers (Parade aux étoiles) (Sidney) ; 1944, Meet Me in Saint Louis (Le chant du Missouri) (Minnelli) ; 1945, The Clock (Minnelli) ; 1946, The Harvey Girls (Sidney), Ziegfeld Follies (Minnelli) ; 1947, Till the Clouds Roll By (La pluie qui chante) (Whorf) ; 1948, The Pirate (Le pirate) (Minnelli), Easter Parade (Parade du printemps) (Walters), Words and Music (Ma vie est une chanson) (Taurog) ; 1949, In the Good Old Summertime (Leonard) ; 1950, Summer Stock (La jolie fermière) (Walters) ; 1954, A Star is Born (Une étoile est née) (Cukor) ; 1961, Judgement at Nuremberg (Jugement à Nuremberg) (Kramer) ; 1962, A Child Is Waiting (Un enfant attend) (Cassavetes), I Could Go on Singing (L'ombre du passé) (Neame).

Fille d'artistes, elle se révèle une enfant précoce : elle se produit dans un tour de chant à cinq ans avec ses deux sœurs au Baltimore Hotel de Los Angeles ; à sept ans, elle part en tournée. C'est en 1931 qu'elle prend le pseudonyme de Garland. A l'écran, si elle se fait souvent voler la vedette par Mickey Rooney dans la série *Andy Hardy*, elle triomphe dans *The Wizard of Oz*, où elle chante « Over the Rainbow » et gagne un oscar. Mais elle se heurte à des difficultés de poids qui agissent sur son psychisme. Elle divorce d'avec le chef d'orchestre David Rose pour épouser en 1945 celui qui mettra en scène ses meilleurs films à la MGM, Minnelli. Elle lui donnera une fille, Liza. Elle divorce à nouveau, en 1951, et tente de se suicider. Son troisième mari et manager, Sid Luft, lui redonne confiance. Elle triomphe sur scène à Londres puis à New York et revient au cinéma avec *A Star Is Born*. C'est un nouvel oscar. En fait les dépressions se succèdent. Prenant sur elle-même, elle donne un mémorable concert au Carnegie Hall, en 1961, puis tourne deux films en 1961 et 1962, suivis d'un troisième. Elle est pourtant décidée à divorcer d'avec Luft et épouse en 1965 Mark Herron, acteur de second plan. Nouveau scandale et divorce rapide. Un cinquième mariage avec un directeur de discothèque, Mickey Deans, défraye la chronique. Une vie aussi agitée a des répercussions sur sa voix qui craque fréquemment et lui vaut les huées du public. On la retrouve morte en 1969 dans la salle de bains de son appartement londonien après absorption d'une trop grande quantité de somnifères. Accident ou suicide ?

Garner, James

Acteur américain, de son vrai nom Baumgarner, né en 1928.

1956, Toward the Unknown (Je reviens de l'enfer) (LeRoy), The Girl He Left Behind (Butler) ; 1957, Sayonara (Logan), Shoot-Out at Medecine Bend (Le vengeur) (Bare) ; 1958, Darby's Rangers (Les commandos passent à l'attaque) (Wellman) ; 1959, Alias Jesse James (Ne tirez pas sur le bandit) (McLeod), Cash McCall (Cet homme est un requin) (Pevney), Up Periscope (Mission secrète du sous-marin X) (Douglas) ; 1961, The Children Hour (La rumeur) (Wyler) ; 1962, Boys' Night Out (Gordon) ; 1963, The Thrill of It All (Jewison), The Great Escape (La grande évasion) (Sturges), Move over, Darling (Pousse-toi, chérie) (Gordon), The Wheeler Dealers (Lits séparés) (Hiller) ; 1964, The Americanization of Emily (Les jeux de l'amour et de la guerre) (Hiller), 36 Hours (Seaton) ; 1965, The Art of Love (Jewison), Mister Buddwing (Delbert Manna) ; 1966, Duel at Diablo (La bataille de la vallée du diable) (Nelson), Grand Prix (Grand Prix) (Frankenheimer), A Man Could Get Killed (Neame) ; 1967, Hour of the Gun (Sept secondes en enfer) (Sturges) ; 1968, The Pink Jungle (Delbert Mann), How Sweet It Is ! (Paris), Support Your Local Sheriff (Kennedy) ; 1969, Marlowe (La valse des truands) (Bogart) ; 1970, A Man Called Sledge (Gentile) ; 1971, Support Your Local Gunfighter (Kennedy), Skin Game (Bogart) ; 1972, They Only Kill Theirs Masters (Goldstone) ; 1973, One Little Indian (Un petit Indien) (McEveety) ; 1974, The Castaway Cow-boy (McEveety) ; 1979, Health (Altman) ; 1981, The Fan (Bianchi) ; 1982, Victor Victoria (Victor Victoria) (Blake Edwards) ; 1983, Tank (Tank) (Chomsky) ; 1988, Sunset (Meurtre à Hollywood) (Edwards) ; 1992, The Distinguished Gentleman (Monsieur le député) (Lynn) ; 1994, Maverick (Maverick) (Donner) ; 1996, My Fellow Americans (Segal) ; 1997, Dead Silence (Petrie, Jr.), Twilight (L'heure magique) (Benton) ; 2000, Space Cowboys (Space Cowboys) (Eastwood) ; 2002, Divine Secrets of the Ya-Ya Sisterhood (Divins secrets) (Khouri) ; 2004, The Notebook (N'oublie jamais) (N. Cassavetes).

Solide, massif, sympathique, ce beau brun fut un étonnant Marlowe, le héros de Chandler, le plus proche de l'original peut-être. Son meilleur rôle fut le « planqué » des *Jeux de l'amour et de la guerre*, mais il fit bonne figure dans certains westerns avant d'aller se perdre chez McEveety. Il a effectué une excellente rentrée dans *Victor Victoria*.

Garr, Teri

Actrice américaine née en 1949.

1963, Fun in Acapulco (L'idole d'Acapulco) (Thorpe) ; 1964, The T.A.M.I. Show (Binder), Kissin' Cousins (Salut les cousins) (Nelson), Viva Las Vegas (L'amour en 4e vitesse) (Sidney), What a Way to Go ! (Madame croque-maris) (Lee Thompson), Roustabout (L'homme à tout faire) (Rich), Pajama Party (Weis) ; 1965, John Goldfarb, Please Come Home (L'encombrant John Goldfarb) (Lee Thompson) ; 1966, For Pete's Sake (Collier) ; 1967, The Mystery of the Chinese Junk, Clambake (Nadel, Smocek...), The Cool Ones (Nelson) ; 1968, Maryjane (Dexter), Head (Rafelson) ; 1969, Changes (Bartlett) ; 1970, The Moonshine War (La guerre des bootleggers) (Quine) ; 1974, Young Frankenstein (Frankenstein junior) (Brooks), The Conversation (Conversation secrète) (Coppola) ; 1976, Won Ton Ton, the Dog Who Saved Hollywood (Winner) ; 1977, Oh God ! (C. Reiner), The Absent-Minded Waiter (Gottlieb), Close Encounters of the Third Kind (Rencontres du troisième type) (Spielberg) ; 1979, Mr. Mike's Mondo Video (O'Donoghue), The Black Stallion (L'étalon noir) (Ballard) ; 1980, Witches' Brew (Shorr) ; 1981, Honky Tonk Freeway (Schlesinger) ; 1982, Tootsie (Tootsie) (Pollack), One From the Heart (Coup de cœur) (Coppola), The Escape Artist (Deschanel), Wrong Is Right/The Man with the Deadly Lens (Meurtres en direct) (R. Brooks) ; 1983, The Sting II (Kagan), The Black Stallion Returns (Le retour de l'étalon noir) (Dalva), Mr. Mom (Mr. Mom) (Dragoti) ; 1984, Firstborn (Apted) ; 1985, After Hours (After Hours) (Scorsese) ; 1986, Miracles (Tout va trop bien) (Kouf) ; 1988, Full Moon in Blue Water (Pleine lune sur Blue Water) (Masterson) ; 1989, Out Cold (Out Cold) (Mowbray), Let It Ride (Pytka) ; 1990, Waiting for the Light (Monger), Short Time (Champion) ; 1992, Mom and Dad Save the World (Beeman), The Player (The Player) (Altman) ; 1994, Ready to Wear (Prêt-à-porter) (Altman), Dumb & Dumber (Dumb & Dumber) (Farrelly) ; 1995, Perfect Alibi (Meyer) ; 1996, Michael (Michael) (Ephron) ; 1997, The Definite Maybe (Rollins Robl), Changing Habits (L. Roth), A Simple Wish (La guerre des fées) (Ritchie) ; 1998, The Sky Is Falling (Florrie), Dick (Dick, les coulisses de la présidence) (Fleming) ; 1999, Kill the Man (Booker).

Sympathique blondinette qui se fait connaître dans des comédies où elle sert généralement de faire-valoir. Elle s'est largement reconvertie dans les séries télévisées.

Garrel, Maurice

Acteur français né en 1923.

1958, Du rififi chez les femmes (Joffé), Adieu Philippine (Rozier), Fortunat (Joffé) ; 1961, Le combat dans l'île (Cavalier), Le tracassin ou les plaisirs de la ville (Joffé) ; 1962, A cause... à cause d'une femme (Deville), Ballade pour un voyou (Bonnardot), Les culottes rouges (Joffé), Les dimanches de Ville-d'Avray (Bourguignon), Le jour et l'heure (Clément) ; 1963, La peau douce (Truffaut), Symphonie pour un massacre (Deray) ; 1964, Les gorilles (Girault) ; 1966, A belles dents (Gaspard-Huit), Le soleil noir (La Patellière), Peau d'espion (Molinaro) ; 1967, Anémone (c.m., Garrel), La mariée était en noir (Truffaut), Deux billets pour Mexico (Christian-Jaque), Le pacha (Lautner), Les jeunes loups (Carné) ; 1968, Jeff (Herman), Marie pour mémoire (Garrel) ; 1969, Le cœur fou (Albicocco), La maison des Bories (Doniol-Valcroze) ; 1970, Un aller simple (Giovanni), Drôle de jeu (Kast), La liberté en croupe (Molinaro) ; 1971, Rak (Belmont), Les soleils de l'île de Pâques (Kast) ; 1972, L'héritier (Labro) ; 1973, Nada (Chabrol) ; 1974, Un ange passe (Garrel) ; 1975, Il pleut sur Santiago (Soto) ; 1978, Merry-go-round (Rivette) ; 1980, Théâtre (Fieschi et Mabilles) ; 1981, Un matin rouge (Aublanc) ; 1982, Édith et Marcel (Lelouch) ; 1983, Liberté, la nuit (Garrel), Les maîtres du soleil (Aublanc), Rebelote (Richard) ; 1987, Poisons (Maillard) ; 1989, Les baisers de secours (Garrel) ; 1990, La discrète (Vincent), Bleu marine (Riga) ; 1991, Golem, l'esprit de l'exil (Gitaï) ; 1992, Un cœur en hiver (Sautet), Hors saison (Schmid) ; 1995, Le cœur fantôme (Garrel) ; 1997, Artemisia (Merlet), Alors voilà, (Piccoli) ; 1998, Volpone (Chalonge) ; 2000, L'origine du monde (J. Enrico) ; 2001, Sauvage innocence (P. Garrel) ; 2002, Total Khéops (Bévérini) ; 2003, Mes enfants ne sont pas comme les autres (Dercourt), Rencontre avec le dragon (Angel), Son frère (Chéreau) ; 2004, Rois et reines (Desplechin) ; 2005, Les amants réguliers (P. Garrel) ; 2006, Call me Agostino (Laurent), Le Passager (Caravaca).

Solide second rôle au physique un peu rude, sa carrière trouve un souffle nouveau dans les œuvres de son fils Philippe Garrel, très loin des polars dont il a fait les beaux jours jadis.

Garson, Greer

Actrice anglaise, 1908-1996.

1939, Goodbye Mr. Chips (Au revoir Mr. Chips) (Wood), Remember ? (McLeod) ; 1940, Pride and Prejudice (Orgueil et préjugé) (Leonard), Blossoms in the Dust (Les oubliés) (Le Roy), When Ladies Meet (Leonard) ; 1942, Mrs. Miniver (Madame Miniver) (Wyler), Random Harvest (Prisonniers du passé) (LeRoy) ; 1943, Madame Curie (Madame Curie) (LeRoy), The Youngest Profession (Buzzell) ; 1944, Mrs. Parkington (Madame Parkington) (Garnett) ; 1945, Valley of Decision (La vallée du jugement) (Garnett), Adventure (Fleming) ; 1947, Desire Me (Cukor, Saville) ; 1948, Julia Misbehaves (Conway) ; 1949, That Forsyte Woman (La dynastie des Forsyte) (Bennett) ; 1950, The Miniver Story (L'histoire des Miniver) (Potter) ; 1951, The Law and the Lady (Knopf) ; 1953, Scandal at Scourie (Vicky) (Negulesco), Julius Caesar (Jules César) (Mankiewicz) ; 1954, Her Twelve Men (Leonard) ; 1955, Strange Lady in Town (Une étrangère dans la ville) (LeRoy) ; 1960, Pepe (Sidney), Sunrise at Campobello (Donohue) ; 1966, The Singing Nun (Dominique) (Koster) ; 1967, The Happiest Millionaire (Le plus heureux des milliardaires) (Tokar).

Cette splendide rousse irlandaise a débuté sur scène en 1932. Mais c'est le cinéma qui va la faire connaître. Embauchée par la MGM en 1939, elle va former avec Walter Pidgeon l'un des couples les plus populaires de l'écran grâce à *Mrs. Miniver* qui lui vaut l'oscar de 1942. Elle s'est pratiquement retirée après 1955.

Gassman, Alessandro

Acteur italien né en 1965.

1982, Di padre un figlio (Gassman) ; 1986, La monaca di Monza (Odorisio) ; 1987, L'altra enigma (Gassman, Tuzzi) ; 1992, Quando eravamo repressi (Quartullo) ; 1993, Huevos de oro (Macho) (Bigas Luna) ; 1995, A Month by the Lake (Irvin) ; 1996, Uomini senza donne (Longoni), Lovest (Base) ; 1997, Il bagno turco (Hammam) (Ozpetek), I miei più cari amici (Benvenuti), Facciamo fiesta (Longoni), Mi fai un favore (Scharchilli) ; 1998, Toni (Esposito), La bomba (Base) ; 1999, Coconut Heads (Giordani).

Fils de Vittorio Gassman et de Juliette Mayniel, il débute au cinéma sous l'égide de son père, mais se consacre par la suite au théâtre. Il est découvert par un large public pour son rôle dans *Hammam*, celui d'un jeune architecte italien qui apprend qui il est vraiment le jour où il hérite d'un bain turc à Istanbul. Acteur international et belle gueule, sa carrière semble prometteuse.

Gassman, Vittorio

Acteur et réalisateur italien, 1922-2000.

1946, Danièle Cortis (Soldati), Preludio d'amore (La fille maudite) (Paolucci) ; 1947, Le avventure di Pinocchio (Guardone), La figlia del capitano (La fille du capitaine) (Camerini), L'ebreo errante (Le Juif errant) (Alessandrini) ; 1948, Il cavaliere misterioso (Le chevalier mystérieux) (Freda), Riso amaro (Riz amer) (De Santis) ; 1949, Il lupo della Sila (Le loup de la Sila) (Coletti), Una voce nel tuo cuore (D'Aversa), Lo sparviero del Nilo (L'épervier du Nil) (Gentilomo), Ho sognato il paradiso (J'étais une pécheresse) (Pastina), I fuorilegge (Giuliano bandit sicilien) (Vergano) ; 1950, Il leone di Amalfi (Le prince pirate) (Francisci) ; 1951, Anna (Anna) (Lattuada), Il sogno di Zorro (L'héritier de Zorro) (Soldati), Tradimento (Trahison) (Freda) ; 1952, La tratta delle bianche (La traite des Blanches) (Comencini), La corona negra (La couronne noire) (Saslavsky) ; 1953, Cry of the Hunted (Le mystère des bayous) (Lewis), The Glass Wall (Les frontières de la vie) (Maxwell Shane), Sombrero (Sombrero) (Foster) ; 1954, Rhapsody (Rhapsodie) (Vidor), Mambo (Mambo) (Rossen) ; 1955, La donna più bella del mondo (La belle des belles) (Leonard) ; 1956, Kean (Gassman), War and Peace (Guerre et paix) (King Vidor), Difendo il mio amore (Scandale à Milan) (Sherman, Macchi), Giovanni delle bande nere (Le chevalier de la violence) (Grieco) ; 1958, La ragazza del palio (La blonde enjôleuse) (Zampa), I soliti ignoti (Le pigeon) (Monicelli), La tempesta (La tempête) (Lattuada) ; 1959, La grande guerra (La Grande Guerre) (Monicelli), Audace colpo del soliti ignoti (Hold-up à la milanaise) (Loy), The Miracle (Quand la terre brûle) (Rapper), La cambiale (Mastrocinque), Le sorprese dell'amore (Comencini), Il mattatore (L'homme aux cent visages) (Risi) ; 1960, Fantasmi a Roma (Joyeux fantômes) (Pietrangeli), Crimen (Chacun son alibi) (Camerini) ; 1961, Barabbas (Fleischer), Una vita difficile (Une vie difficile) (Risi), Il giudizio universale (Les guérilleros) (Camerini) ; 1962, Anima nera (Rossellini), La marcia su Roma (La marche sur Rome) (Risi), La smania addosso (Andrei), Il sorpasso (Le fanfaron) (Risi), Il giorno più corto (S. Corbucci) ; 1963, L'amore difficile (Amours difficiles) (Lucignani, Sollima, Bonucci, Manfredi), Il successo (Morassi, Risi), I mostri (Les monstres) (Risi), Frenesia dell'estate (Zampa) ; 1964, Se permette parliamo di donne (Parlons femmes) (Scola), Il gaucho (Risi), La congiuntura (Cent millions ont disparu) (Scola) ; 1965, Una vergine per il principe (Une vierge pour le prince) (Festa Campanile), L'armata Brancaleone (Monicelli), Guerra segreta (Guerre secrète) (Lizzani, Young, Christian-Jaque), Slalom (Salce) ; 1966, L'arcidiavolo (Belfagor le magnifique) (Scola), Le piacevoli notti (Lucignani, Crispino) ; 1967, Woman Times Seven (Sept fois femme) (De Sica), Il tigre (Risi), Il profeta (Risi), Lo scatenato (Indovina), Questi fantasmi (Fantômes à l'italienne) (Castellani) ; 1968, L'alibi (Gassman, Lucignani, Celli), La pecora nera (Salce) ; 1969, L'arcangelo (Capitani), Dove vai tutta nuda ? (Festa Campanile), 12 + 1 (Gessner), Contestazione generale (Zampa) ; 1970, Il divorzio (Guerrieri), Brancaleone alle crociate (Brancaleone s'en va-t-aux croisades) (Monicelli), Scipione detto anche l'africano (Magni), L'udienza (L'audience) (Ferreri) ; 1971, In nome del popolo italiano (Au nom du peuple italien) (Risi), Senza famiglia (Gassman) ; 1972, Che c'entriamo noi con la rivoluzione ? (Mais qu'est-ce que je viens foutre dans cette révolution ?) (S. Corbucci), La Tosca (Une Tosca pas comme les autres) (Magni) ; 1974, C'eravamo tanto amati (Nous nous sommes tant aimés) (Scola), Profumo di donna (Parfum de femme) (Risi) ; 1975, A mezzanote va la ronda del piacere (Histoire d'aimer) (Fondato), Un sorriso, uno schiaffo, un bacio in bocca (Morra) ; 1976, Come una rosa al naso (Virginité) (Franco Rossi), Telefoni bianchi (La carrière d'une femme de chambre) (Risi), Signore e signori buonanotte (Mesdames et messieurs bonsoir) (Monicelli, Comencini, Loy, Scola, Magni), Anima persa (Ames perdues) (Risi), Il deserto dei Tartari (Le désert des Tartares) (Zurlini) ; 1977, I nuovi mostri (Les nouveaux monstres) (Monicelli, Risi, Scola) ; 1978, A Wedding (Un mariage) (Altman), Quintet (Altman) ; 1979, Due pezzi di pane (Deux bonnes pâtes) (Citti), Caro papa (Cher papa) (Risi), The Nude Bomb (Le plus secret des agents secrets) (Donner), 1980, La Terrazza (La terrasse) (Scola), Sono fotogenico (Je suis photogénique) (Risi), Camera d'albergo (Chambre d'hôtel) (Monicelli) ; 1981, Il turno (Cervi), Sharkey's Machine (L'antigang) (Reynolds) ; 1982, Di padre in figlio (Gassman), The Tempest (La tempête) (Mazursky), Il conte Tacchia (S. Corbucci) ; 1983, La vie est un roman (Resnais), Benvenuta (Delvaux) ; 1985, Paradigme (Le pouvoir du mal) (Zanussi) ; 1986, Isoliti ignoti vent'anni dopo (Le pigeon vingt ans après) (Todini) ; 1987, La famiglia (La famille) (Scola), I picari (I picari) (Monicelli) ; 1989, Dimenticare Palermo (Oublier Palerme) (Rosi), Io zio indegno (Brusati), Mortacci (Citti) ; 1990, Les mille et une nuits (Broca), I divertimenti della vita privata (Les amusements de la vie privée) (C. Comencini), Tolgo il disturbo (Valse d'amour) (Risi) ; 1991, Rossini ! Rossini ! (Monicelli), Cuando eravamo repressi (Cuartullo), El largo inverno (Camino) ; 1994, Tutti gli anni, una volta l'anno (Même heure l'année prochaine) (Lazzoti) ; 1996, Sleepers (Sleepers) (Levinson) ; 1998, Le dîner (Scola), La bomba (Base). *Pour le metteur en scène*, voir le *Dictionnaire du cinéma*, t. I : *Les réalisateurs*.

Fabuleux acteur italien, capable de tenir tous les rôles d'un film (cf. son numéro à transformations de *Parlons femmes* de Scola). Fils d'un Autrichien et d'une championne de basket, il abandonne ses études de droit pour le théâtre. Ses premiers films valent ce que vaut alors le cinéma italien (Gassman renie des films comme *L'épervier du Nil*). *Riz amer* lui donne une certaine réputation. Il tente sa chance à Hollywood comme « latin lover » :

c'est un désastre. En Italie le néoréalisme fait place à une comédie dont l'humour est aussi grand que la férocité. De nouveaux réalisateurs se font connaître : Scola, Monicelli, Comencini et surtout Risi. Gassman va se sentir à l'aise dans cet univers, imposant un personnage de mâle cynique et égoïste, veule et vantard, le type même du fanfaron (un de ses films porte ce titre), beau parleur mais incapable. Une interprétation en finesse, jamais vulgaire. Il faut avoir vu Gassman en chevalier partant aux croisades (*Brancaleone*) ou en cardinal intégriste reprenant en main une paroisse ouvrière (*Les nouveaux monstres*). Il s'est dirigé lui-même plusieurs fois, non sans succès. En revanche ses efforts pour échapper au cadre italien ont toujours échoué, à la scène comme à l'écran. Trop latin, malgré son nom.

Gaubert, Danielle

Actrice française, 1943-1987.

1959, Les régates de San Francisco (Autant-Lara) ; 1960, Terrain vague (Carné), Le pavé de Paris (Decoin), Vive Henri IV, vive l'amour (Autant-Lara) ; 1961, Napoléon II l'Aiglon (Boissol) ; 1961, Der Zigeunerbaron (Wilhelm) ; 1963, Das große Liebesspiel (La ronde) (Weidenmann), Begegnung in Salzberg (Deux jours à vivre) (Friedmann) ; 1964, Flight from Ashiya (Les trois soldats de l'aventure) (Anderson) ; 1967, Le grand dadais (Granier-Deferre) ; 1968, La louve solitaire (Logereau), Paris n'existe pas (Benayoun), Come, quando, perché (Quand, comment et avec qui ?) (Pietrangeli et Zurlini) ; 1969, Camille 2000 (Metzger) ; 1970, Underground (Nadel) ; 1972, Snow Job (Vingt-huit secondes pour un hold-up) (Englund).

Elle fut la charmante interprète de plusieurs films d'Autant-Lara après avoir suivi des cours de danse et avant de devenir Mme Trujillo.

Gaultier, Henry

Acteur français, 1888-1972.

1927, La passion de Jeanne d'Arc (Dreyer) ; 1944, Le voyageur sans bagage (Anouilh) ; 1946, Le diable au corps (Autant-Lara).

Hommage aux acteurs de sixième plan. A voir le maître d'hôtel accablé par les mauvaises manières de Pierre Fresnay dans *Le voyageur sans bagage*, on mesure le talent de cet obscur interprète que l'on retrouve très brièvement dans *Le diable au corps*. Qu'est-il devenu ensuite ?

Gavin, John

Acteur américain, de son vrai nom Jack Golenor, né en 1931.

Principaux films : 1956, Behind the High Wall (Biberman), Four Girls in Town (Sher) ; 1957, Quantez (Quantez, leur dernier repaire) (Keller) ; 1958, A Time to Love and a Time to Die (Le temps d'aimer et le temps de mourir) (Sirk), Imitation of Life (Mirage de la vie) (Sirk) ; 1960, Psycho (Psychose) (Hitchcock), Midnight Lace (Piège à minuit) (Miller) ; 1961, Romanoff and Juliet (Romanoff et Juliette) (Ustinov), Spartacus (Spartacus) (Kubrick), Back Street (Histoire d'un amour) (Miller) ; 1961, Tammy Tell Me True (Keller).

Un peu oublié, il fut l'une des vedettes d'Universal et notamment de deux chefs-d'œuvre de Douglas Sirk. Il est très bon dans le western méconnu d'Harry Keller, *Quantez*.

Gayet, Julie

Actrice française née en 1973.

1992, Bleu (Kieslowski) ; 1993, L'histoire du garçon qui voulait qu'on l'embrasse (Harel) ; 1994, A la belle étoile (Desrosières), Les cent et une nuits (Varda) ; 1995, Les menteurs (Chouraqui), Select Hôtel (Bouhnik), Les 2 papas et la maman (Smaïn, Longval) ; 1996, Delphine : 1 — Yvan : 0 (Farrugia) ; 1997, Ça ne se refuse pas (Woreth), Le plaisir (et ses petits tracas) (Boukhrief) ; 1998, Pourquoi pas moi ? (Giusti), Paddy (Mordillat), Les gens qui s'aiment (Tacchella) ; 1999, Nag la bombe (Milési) ; 2000, La confusion des genres (Duran Cohen) ; 2001, Vertiges de l'amour (Chouchan) ; 2002, Novo (Limosin), La turbulence des fluides (Briand) ; 2003, Lovely Rita (Clavier) ; 2004, Ce qu'ils imaginent (Théron), Clara et moi (Viard) ; 2005, Bal et web (Allouache), Camping à la ferme (Sinapi) ; 2006, De particulier à particulier (Cauvin), Le lièvre de Vatanen (M. Rivière), Mon meilleur ami (Leconte).

Élevée dans les milieux du showbiz et révélée par Agnès Varda en journaliste fleur bleue — dans la lignée d'une Micheline Presle jeune — chargée de retrouver la mémoire du cinéma. Elle casse ensuite cette image sage en incarnant une junkie prostituée dans le très complaisant *Select Hôtel* de Laurent Bouhnik. Le reste : des rôles de jeunes filles dans l'air du temps jusqu'à s'imposer dans *Mon meilleur ami*. Un charme évident.

Gaynor, Janet

Actrice américaine, de son vrai nom Laura Gainor, 1906-1984.

1926, The Johnstown Flood (Cummings), The Shamrock Handicap (Ford), The Midnight Kiss (Cummings), The Blue Eagle (Ford), The Return of Peter Grimm (Schertzinger) ; 1927, Seventh Heaven (L'heure suprême) (Borzage), Sunrise (L'aurore) (Murnau), Two Girls Wanted (Green) ; 1928, Street Angel (Borzage) ; 1929, Four Devils (Murnau), Christina (Howard), Lucky Star (L'isolé) (Borzage), Sunny Side Up (Butler) ; 1930, Happy Days (Stoloff), High Society Blues (Butler), The Man Who Came Back (Walsh) ; 1931, Daddy Long Legs (Papa longues jambes) (Santell), Merely Mary Ann (King), Delicious (Delicious) (Butler) ; 1932, The First Year (Howard), Tess of the Storm Country (Tess au pays des tempêtes) (Santell) ; 1933, State Fair (King), Adorable (Adorable) (Dieterle), Paddy, the Next Best Thing (Lachman) ; 1934, Carolina (King), Change of Heart (Blystone), Servant's Entrance (Par l'entrée de service) (Lloyd) ; 1935, One More Spring (King), The Farmer Takes a Wife (La jolie batelière) (Fleming) ; 1936, Small Town Girl (Wellman), Ladies in Love (Griffith) ; 1937, A Star Is Born (Une étoile est née) (Wellman) ; 1938, Three Loves Has Nancy (Nanette a trois amours) (Thorpe), The Young in Heart (La famille sans soucis) (Wallace) ; 1957, Bernardine (Levin).

Née à Philadelphie, elle passe sa jeunesse à Chicago avant de venir à San Francisco puis d'être embauchée à Hollywood. Prise sous contrat par la Fox, elle en sera la grande star du muet avec deux films phares : *Seventh Heaven* et *Sunrise*. Ils lui valent avec *Street Angel* un oscar décerné pour la première fois en 1927-1928. L'avènement du parlant précipitera son déclin alors qu'elle avait été, rappelle Parish dans *The Fox Girls*, la star la plus payée d'Hollywood, vers 1934, quand se termina son contrat avec la Fox.

Gaynor, Mitzi

Actrice américaine, de son vrai nom Francesca Mitzi Gerber, née en 1930.

Principaux films : 1951, Golden Girl (Une fille en or) (Bacon) ; 1954, There's No Business Like Show Business (La joyeuse parade) (Lang) ; 1957, Les Girls (Les Girls) (Cukor) ; The Joker Is Wild (Le pantin brisé) (Vidor) ; 1959, Happy Anniversary (Joyeux Anniversaire) (Miller) ; 1960, Surprise Package (Un cadeau pour le patron) (Donen) ; 1963, For Love or Money (Trois filles à marier) (Gordon).

Danseuse classique, elle se glisse avec aisance dans la comédie musicale américaine et reste pour son rôle dans *Les Girls*.

Gazzara, Ben

Acteur américain, de son vrai prénom Biaggio Anthony, né en 1930.

1957, The Strange One (Demain ce seront des hommes) (Garfein) ; 1959, Anatomy of a Murder (Autopsie d'un meurtre) (Preminger) ; 1960, Risatedi gioia (Larmes de joie) (Monicelli) ; 1961, The Young Doctors (Les blouses blanches) (Karlson) ; 1962, Convicts 4 (Reprieve) (Kaufman) ; 1965, A Rage to Live (Grauman) ; 1969, The Bridge at Remagen (Le pont de Remagen) (Guillermin) ; 1970, Husbands (Husbands) (Cassavetes) ; 1973, The Neptune Factor (Petrie), Affion oppio (Action héroïne) (Baldi) ; 1975, Capone (Carver) ; 1976, Voyage of the Damned (Le voyage des damnés) (Rosenberg), The Killing of a Chinese Bookie (Le bal des vauriens) (Cassavetes) ; 1976, High Velocity (Kramer) ; 1978, Opening Night (Cassavetes) ; 1979, Bloodline (Liés par le sang) (Young), Saint Jack (Jack le magnifique) (Bogdanovitch) ; 1981, Conte de la folie ordinaire (Ferreri) ; 1982, La ragazza di Trieste (La fille de Trieste) (Festa Campanile), Inchon (T. Young), They All Laughed... (Et tout le monde riait...) (Bogdanovitch) ; 1984, Scandalo per bene (Festa Campanile) ; 1985, Figlio mio infinitamente caro (Orsini), Donna delle meraviglie (Bevilacqua) ; 1986, Champagne amer/La mémoire tatouée (Béhi), Il camorrista (Tornatore) ; 1988, Control (Contrôle) (Montaldo), Passe-passe (Gessner), Road House (Road House) (Herrington), Don Bosco (Castellani) ; 1990, Beyond the Ocean (Gazzara) ; 1992, Néfertiti (Gilles) ; 1993, Els de Devant (Garay) ; 1994, Les hirondelles ne meurent pas à Jérusalem (Behi), Il signore delle comete (Pese) ; 1995, Farmer & Chase (Seitzman), Shadow Conspiracy (Haute trahison) (Cosmatos), Banditi (Mignucci) ; 1996, Stag (Wilding), Vicious Circles (Whitelaw) ; 1997, The Big Lebowski (The Big Lebowski) (Coen), Too Tired to Die (Chin), The Spanish Prisoner (La prisonnière espagnole) (Mamet), Illuminata (Illuminata) (Turturro), Happiness (Happiness) (Solondz), Buffalo '66 (Buffalo '66) (Gallo) ; 1998, Summer of Sam (Summer of Sam) (Lee) ; 1999, The Thomas Crown Affair (L'affaire Thomas Crown) (McTiernan), Blue Moon (Gallagher) ; 2000, Undertaker's Paradise (Oberg), Very Mean Men (Vitale) ; 2003, Dogville (Dogville) (Trier).

Fils d'un émigré sicilien, il a grandi dans les quartiers pauvres de New York. Ses études furent brèves, mais il suivit par la suite les cours de Piscator et ceux de l'Actor's Studio, d'où les outrances de son jeu. Remarqué à Broadway, il débute au cinéma dans un rôle de cadet sadique dans *The Strange One*. Par la suite, Cassavetes en fera l'un de ses interprètes favoris. On le vit aussi en Capone, un personnage qu'il pouvait comprendre et jouer de l'intérieur.

Gélin, Daniel

Acteur et réalisateur français, 1921-2002.

1939, Miquette et sa mère (Boyer) ; 1940, Soyez les bienvenus (Baroncelli) ; 1941, Premier rendez-vous (Decoin) ; 1942, Les cadets de l'Océan (Dréville), L'assassin habite au 21 (Clouzot) ; 1943, Les petites du quai aux Fleurs (M. Allégret) ; 1945, La tentation de Barbizon (Stelli), Un ami viendra ce soir (Bernard) ; 1946, La nuit de Sybille (Paulin), Martin Roumagnac (Lacombe), La femme en rouge (Cuny), Miroir (Lamy) ; 1947, Le mannequin assassiné (Hérain) ; 1948, Le paradis des pilotes perdus (Lampin) ; 1949, Rendez-vous de juillet (Becker) ; 1950, La ronde (Ophuls), Dieu a besoin des hommes (Delannoy), Édouard et Caroline (Becker), Chicago-Digest (c.m. Paviot) ; 1951, Traité de bave et d'éternité (Isou), Les mains sales (Rivers), Une histoire d'amour (Lefranc), Le plaisir (Ophuls) ; 1952, Adorables créatures (Christian-Jaque), Torticola contre Frankensberg (c.m. Paviot), La minute de vérité (Delannoy), La maison du silence (Pabst), Les dents longues (Gélin), Rue de l'Estrapade (Becker) ; 1953, La neige était sale (Saslavsky), L'esclave (Ciampi), Si Versailles m'était conté (Guitry), Sang et lumière (Rouquier), L'affaire Maurizius (Duvivier), Opinione publica (Rumeur publique) (Corgnati) ; 1954, Napoléon (Guitry), Allegro Squadrone (Les gaietés de l'escadron) (Moffi), La romana (La belle Romaine) (Zampa) ; 1955, Les amants du Tage (Verneuil), Paris coquin (Gaspard-Huit) ; 1956, The Man Who Knew Too Much (L'homme qui en savait trop) (Hitchcock), Je reviendrai à Kandara (Vicas), En effeuillant la marguerite (Allégret), Bonsoir Paris, bonjour l'amour (Baum), Mort en fraude (Camus) ; 1957, Retour de manivelle (La Patellière), Charmants garçons (Decoin), Trois jours à vivre (Grangier) ; 1958, La fille de Hambourg (Y. Allégret), Suivez-moi jeune homme (Lefranc), Ce corps tant désiré (Saslavsky) ; 1959, Cartagine in Fiamme (Carthage en flammes) (Gallone), Le tre eccetera del colonello (Les trois etc. du colonel) (Boissol), Julie la rousse (Boissol), Le testament d'Orphée (Cocteau) ; 1960, La proie pour l'ombre (Astruc), Réveille-toi chérie (Magnier), Austerlitz (Gance) ; 1961, La morte-saison des amours (Kast) ; 1962, The Longest Day (Le jour le plus long) (Annakin, Marton), Les petits matins (Audry), Règlements de comptes (Chevalier) ; 1963, Vacances portugaises (Kast), Trois filles à Paris (Axel), La bonne soupe (Thomas) ; 1964, El niño y el muro (L'enfant et le mur) (Rodriguez) ; 1965, Zwei girls von roten stern (Ces dames de l'étoile rouge) (Drechell), Die Zeugin aus der holle (Mitrovic), Paris brûle-t-il ? (Clément), Compartiment tueurs (Costa-Gavras) ; 1966, Les sultans (Delannoy), A belles dents (Gaspard-Huit), La ligne de démarcation (Chabrol), Soleil noir (La Patellière) ; 1968, Le mois le plus beau (Blanc), La trêve (Guillemot) ; 1969, Slogan (Grimblat), Hallucinations sadiques (Kormon), La servante (Bertrand), Détruire, dit-elle (Duras) ; 1970, Le souffle au cœur (Malle) ; 1972, Far from Dallas (Toledano), Christa (L'hôtesse de Copenhague) (Connell) ; 1973, La gueule de l'emploi (Roulland), La polizia e al servizio del cittadino (La police au service du citoyen) (Guerleri), Un linceul n'a pas de poches (Mocky) ; 1974, Dialogo de Exilados (Dialogue d'exilés) (Ruiz), Trop c'est trop (Kaminka) ; 1976, Qu'il est joli garçon l'assassin de papa (Caputo) ; 1977, Nous irons tous au paradis (Robert) ; 1978, L'honorable société (Weinberger) ; 1980, Signé Furax (Simenon), L'œil du maître (Kurc) ; 1981, La nuit de Varenne (Scola) ; 1982, Guy de Maupassant (Drach) ; 1984, Un delitto (Nocita), Les enfants (Duras) ; 1987, Sécurité publique (Benattar) ; 1988, Dandin (Planchon), La vie est un long fleuve tranquille (Chatiliez), Itinéraire d'un enfant gâté (Lelouch) ; 1989, Mr. Frost (Setbon) ; 1990, Les secrets professionnels du docteur Apfelglück (collectif) ; 1991, Mauvaise fille (Franc), Un type bien (Bénégui), Les eaux dormantes (Tréfouel) ; 1992, Roulez jeunesse ! (Fansten), Coup de jeune ! (X. Gélin), De force avec d'autres (Simon Reggiani) ; 1993, Des feux mal éteints (Moati), La cité de la peur (Berbérian), Les marmottes (Chouraqui), Pushing the Limits (Donard), Les ténors (de Gueltz) ; 1995, Fugueuses (N. Trintignant), Fantôme avec chauffeur (Oury), Les Bidochon (Korber) ; 1996, Hommes femmes mode d'emploi (Lelouch), Berlin-Niagara (Berlin-Niagara) (Sehr). *Pour le metteur en scène,* voir le *Dictionnaire du cinéma,* t. I : *Les réalisateurs.*

Cours Simon puis classe de Louis Jouvet au Conservatoire. Débuts comme figurant puis dans des petits rôles jusqu'au triomphe des *Rendez-vous de juillet* de Becker. Il forme alors avec Danièle Delorme l'un des couples

les plus célèbres du cinéma français. Apothéose, il est Bonaparte pour le *Napoléon* de Guitry. On le retrouve ensuite chez Hitchcock dans *L'homme qui en savait trop.* Il dirige même un film, *Les dents longues*. Par la suite il est voué aux séducteurs vieillis et aux productions italiennes de second ordre, donnant à ces rôles plus modestes la même épaisseur qu'à son apogée.

Gélin, Xavier

Acteur et réalisateur français, 1946-1999.

1967, Mise à sac (Cavalier), Les yeux de l'été (Sengicen) ; 1968, Le diable par la queue (Broca) ; 1969, Le juge (Girault), L'ours et la poupée (Deville), La maison de campagne (Girault) ; 1970, Macédoine (Scandélari), La ville bidon (Baratier) ; 1971, L'aventure c'est l'aventure (Lelouch) ; 1972, Ras le bol (Huisman), Le grand blond avec une chaussure noire (Robert) ; 1973, Salut l'artiste ! (Robert), Les aventures de Rabbi Jacob (Oury) ; 1974, S*P*Y*S* (Les S Pions) (Kershner), La gifle (Pinoteau) ; 1978, On peut le dire sans se fâcher (Coggio), Vas-y maman ! (Buron), Une histoire simple (Sautet) ; 1980, Signé Furax (Simenon) ; 1982, La boum 2 (Pinoteau) ; 1990, Promotion canapé (Kaminka) ; 1992, Roulez jeunesse (Fansten), Les amies de ma femme (Van Cauwelaert). *Comme réalisateur* : 1992, Coup de jeune ! ; 1997, L'homme idéal.

Fils de Daniel Gélin et de Danièle Delorme, il fut une silhouette binoclarde et farfelue du cinéma des années 70, généralement des comédies. Il devint producteur, puis réalisateur avec deux comédies qui n'ont pas convaincu.

Gellar, Sarah Michelle

Actrice américaine née en 1977.

1984, Over the Brooklyn Bridge (Golan) ; 1988, Funny Farm (Roy Hill) ; 1989, High Stakes (Kollek) ; 1997, I Know What You Did Last Summer (Souviens-toi... l'été dernier) (Gillespie), Scream 2 (Scream 2) (Craven) ; 1998, Cruel Intentions (Sexe intentions) (Kumble), She's All That (Elle est trop bien) (Iscove) ; 1999, Simply Irresistible (Simplement irrésistible) (Tarlov) ; 2000, Harvard Man (Toback) ; 2002, Scooby-Doo (Crosnell).

Elle débute enfant dans la publicité et à la télévision, puis devient reine des « scream queens » aux cours des années 90 en se spécialisant dans le film d'horreur. Les téléphiles la préféreront en tueuse de vampires dans « Buffy », d'autres en marquise de Merteuil new look dans le piètrement pervers *Sexe intentions.*

Gelovani, Mikhail

Acteur russe, 1893-1956.

Principaux films : 1939, Lenin vy 1918 Godu (Lénine en 1918) (Romm) ; 1946, Klyatva (Le serment) (Tchiaourelli) ; 1947, Svet nad Rossiei (Lumières sur la Russie) (Youtkevitch) ; 1949, Padenige Berlina (La chute de Berlin) (Tchiaourelli) ; 1952, Nezakyvayememyi (L'inoubliable année 1919) (Tchiaourelli).

Il reste célèbre pour avoir interprété le personnage de Staline, dans le plus pur style saint-sulpicien, à la belle époque du réalisme socialiste. Il eut un temps pour rival Alexis Diki.

Gemma, Giuliano

Acteur italien, connu aussi sous le nom de Montgomery Wood, né en 1938.

1959, Ben-Hur (Wyler) ; 1961, I Titani (Les titans) (Tessari) ; 1962, Il gattopardo (Le guépard) (Visconti), Shéhérazade (Gaspard-Huit) ; 1963, Maciste, l'eroei piu grande del mondo (Lupo), Il pianeta degli uomini spenti (Dawson) ; 1964, Angélique marquise des Anges (Borderie), I due gladiatori (Caiano) ; 1965, Una pistola per Ringo (sous le nom de M. Wood) (Tessari), Merveilleuse Angélique (Borderie), Ercole contre i figli del sole (Civirani), Il ritorno di Ringo (sous le nom de Wood) (Tessari), La rivolta dei pretoriani (Brescia), Un dollaro bucato (sous le nom de Wood) (Paget, Ferroni), Adios gringo (sous le nom de Wood) (Finley, Stefani), La ragazzola (Orlandini) ; 1966, Kiss Kiss Bang Bang (Tessari), Arizona Colt (sous le nom de Wood) (Lupo), I lunghi giorni della vendetta (Vancini), Per pocchi dollari ancora (sous le nom de Wood) (Ferroni) ; 1967, Wanted (sous le nom de Wood) (Ferroni), Il giorni dell'ira (Valerii), E per tetto un cielo di stelle (sous le nom de Wood) (Petroni) ; 1968, I bastardi (Tessari) ; 1969, Texas (Texas) (Valerii), Un estate in quattro (Violenza al sole) (Vancini), Vivi o preferibilmente morti (Tessari), Il prezzo del potere (Valerii) ; 1970, Quando le donne avevano la coda (Festa Campanile), L'arciere di fuoco (Ferroni), La bestta (De Bosio), Corbari (Orsini) ; 1971, Amico stammi lontano almeno un palmo (Lupo), L'amante dell'Orsa Maggiore (Orsini) ; 1972, Un uomo da rispettare (Lupo), Il maschio ruspante (Racioppi), Anche gli angeli mangiano fagoli (Les anges mangent aussi des fayots) (Clucher) ; 1973, Troppo rischio per un uomo solo (Ercoli) ; 1974, Delitto d'amore (Un vrai crime d'amour) (Comencini), Il bianco, il giallo, il nero (S. Corbucci), Anche gli angeli tirano di destro (Même les anges tirent à droite) (Clucher) ; 1975, Africa Express (Lupo) ; 1976, Il deserto dei Tartari (Le désert des Tartares) (Zurlini) ; 1977, Il prefetto di ferro (Squitieri), California (Lupo), Il grande attaco (Lenzi), Safari express (Les sorciers de l'île aux singes) (Tessari) ; 1978, Sella d'argento (Fulci), Corleone (Squitieri) ; 1979, Un uomo in ginocchio (Damiani), La légion saute sur Kolwezi (Coutard) ; 1980, L'avertimento (Damiani), Passioni popolari (Vancini) ; 1981, Ciao nemico (Clucher) ; 1982, Tenebrae (Argento), Le cercle des passions (d'Anna) ; 1984, Claretta (Squittieri) ; 1985, Speriamo che sia femmina (Pourvu que ce soit une fille) (Monicelli), Tex et le seigneur des Abysses (Tessari) ; 1987, Châteauroux district (Charigot), Uppercut Man (Martino), Qualcuno paghera ?/The Opponent (Martino, Petrie) ; 1990, Ya no hay hombres (Fischerman) ; 1991, Al acecho (Herrero) ; 1998, Premier de cordée (Niermans, Hiroz) ; 1999, Un uomo perbene (Zaccaro).

Ce beau garçon débuta à l'écran sous le patronage de Visconti et du péplum. Mais c'est le western spaghetti qui allait le rendre célèbre sous le pseudonyme de Montgomery Wood. On le retrouve dans le « thriller spaghetti » de Clucher : *Les anges*, et dans de nombreux films d'aventures. Puis il se souvient brusquement de ses débuts viscontiens et tourne dans *Le désert des Tartares* en 1976. Après ce chef-d'œuvre, pas ou plus d'ambition et retour aux séries Z.

Genes, Henri
Acteur français, 1919-2005.

Principaux films : 1946, Plume la poule (Kapps) ; 1949, La petite chocolatière (Berthomieu), Nous irons à Paris (Boyer) ; 1950, Pigalle-Saint-Germain-des-Prés (Berthomieu) ; 1951, Nous irons à Monte-Carlo (Boyer) ; 1952, Les détectives du dimanche (Orval) ; 1954, La reine Margot (Dreville) ; 1955, La rue des bouches peintes (Vernay), Trois de la Canebière (Canonge) ; 1956, Trois de la marine (Canonge) ; 1964, Allez France ! (Dhéry), Le corniaud (Oury) ; 1966, La grande vadrouille (Oury) ; 1967, Le petit baigneur (Dhéry) ; 1968, Le cerveau (Oury) ; 1981, La soupe aux choux (Girault) ; 1982, Mon curé chez les nudistes (Thomas) ; 1983, Vive la sociale ! (Mordillat) ; 1989, La fille des collines (Davis).

Populaire chanteur (« Le facteur de Santa Cruz »), il joua les rondeurs dans de nombreux films comiques « à la française ».

Genest, Véronique
Actrice française née en 1957.

1981, Guy de Maupassant (Drach) ; 1982, Quartetto Basileus (Carpi), Légitime violence (Leroy) ; 1983, J'ai épousé une ombre (Davis), Debout les crabes, la mer monte (Grand-Jouan) ; 1984, Tango (Kurc), Ça n'arrive qu'à moi (Perrin) ; 1985, La baston (Missiaen) ; 1986, Suivez mon regard (Curtelin) ; 1987, Association de malfaiteurs (Zidi) ; 1989, Un père et passe (Grall) ; 1990, Les secrets professionnels du docteur Apfelglück (collectif), On peut toujours rêver (Richard) ; 1991, Et demain... Hollywood (Villemer), Truck/Le grand ruban (Roussel) ; 1997, Droit dans le mur (Richard).

Venue du théâtre et de la télévision, elle a gagné ses galons de vedette avec *La baston* de Missiaen avant de retourner à la télévision avec « Julie Lescaut ».

Genevois, Simone
Actrice française, 1912-1995.

1918, Le rêve de Simone ; 1919, Travail (Pouctal), Mea culpa (Champavert), Poucette (Caillard) ; 1920, le syndicat des fessées (Caillard) ; 1921, Un million dans une main d'enfant (Caillard) ; 1922, La maison du mystère (Volkoff), Rapax (Garbagui) ; 1927, Napoléon (Gance), André Cornelis (Kemm) ; 1928, La merveilleuse vie de Jeanne d'Arc (Gastyne) ; 1930, Une belle garce (Gastyne) ; 1931, Rêves (Baroncelli) ; 1933, Le cas du docteur Brenner (Daumery) ; 1934, La marche nuptiale (Bonnard).

Elle débuta fillette au cinéma et fut probablement la seule Jeanne d'Arc à avoir l'âge du rôle. Elle se retira au début du parlant. Un prix célèbre le souvenir de cette grande actrice.

Génia, Claude
Actrice française d'origine russe, 1916-1979.

1942, L'honorable Catherine (L'Herbier) ; 1943, Monsieur des Lourdines (P. de Hérain), La vie de plaisir (Valentin) ; 1944, Le père Goriot (Vernay) ; 1945, L'enfant de l'amour (Stelli), Le Capitan (Vernay) ; 1946, La fille aux yeux gris (Faurez), Les beaux jours du roi Murat (Pathé) ; 1947, Carrefour du crime (Sacha) ; 1948, La louve (Radot) ; 1951, La ferme des sept péchés (Devaivre) ; 1951, La vérité sur Bébé Donge (Decoin) ; 1953, Le comte de Monte-Cristo (Vernay) ; 1957, Escapade (Habib) ; 1968, L'astragale (Casaril), Ballade pour un chien (Vergez) ; 1969, Manon 70 (Aurel) ; 1971, Absences répétées (Gilles) ; 1976, Dracula père et fils (Molinaro).

Star des années 40 et 50, elle se partagea entre la scène et l'écran.

Géniat, Marcelle

Actrice française, 1881-1959.

1931, Serments (Fescourt) ; 1933, La fusée (Natanson) ; 1935, Crime et châtiment (Chenal) ; 1936, Les mystères de Paris (Gandéra), La garçonne (Limur), La joueuse d'orgue (Roudès) ; 1937, La belle équipe (Duvivier), La glu (Choux) ; 1938, L'étrange M. Victor (Grémillon), Le révolté (Mathot) ; 1939, Carrefour (Bernhardt) ; 1941, Le briseur de chaînes (Daniel-Norman) ; 1942, Fromont jeune et Risler aîné (Mathot), Le voile bleu (Stelli), Les ailes blanches (Péguy), Le loup des Malveneurs (Radot) ; 1943, Jeannou (Poirier) ; 1949, La belle que voilà (Le Chanois) ; 1950, L'homme de la Jamaïque (Canonge), La passante (Calef), Dieu a besoin des hommes (Delannoy) ; 1951, Procès au Vatican (Haguet) ; 1952, Manon des sources (Pagnol) ; 1953, Le défroqué (Joannon) ; 1955, Sophie et le crime (Gaspard-Huit).

« Marcelle geignarde » : ainsi la surnommait Raymond Chirat. Elle fut tant de fois une mère douloureuse qu'on en oublie qu'elle fut aussi la chouette dans *Les mystères de Paris*, qu'elle poussa Gaby Morlay au désespoir dans *Le voile bleu* et qu'elle incarna à la scène une entremetteuse célèbre, la Célestine de Rojas. Marâtre elle l'aurait été aussi à la ville où sa direction d'une maison de redressement pour filles repenties suscita les protestations de Jacques Prévert, Georges Bataille et Léo Malet. Avec Géniat, il ne fallait pas se fier aux apparences. On le vit bien dans *Le loup des Malveneurs*.

Génin, René

Acteur français, 1890-1967.

1934, Le cavalier Lafleur (Ducis) ; 1935, Le crime de M. Lange (Renoir), Haut comme trois pommes (Ramelot) ; 1936, Les mutinés de l'Elseneur (Chenal), Jenny (Carné), Vous n'avez rien à déclarer ? (Joannon), L'homme de nulle part (Chenal), Ramuntcho (Barberis), Les jumeaux de Brighton (Heymann) ; 1937, Les bas-fonds (Renoir), L'innocent (Cammage), Drôle de drame (Carné), Gribouille (M. Allégret), La danseuse rouge (Paulin), François Ier (Christian-Jaque), Choc en retour (Monca, Keroul), Le déjeuner au soleil (Cravenne) ; 1938, Quai des brumes (Carné), La vierge folle (Diamant-Berger), Sommes-nous bien défendus ? (Coulignac), L'accroche-cœur (Caron), Orage (M. Allégret), L'entraîneuse (Valentin), Mon oncle et mon curé (Caron), Raphaël le tatoué (Christian-Jaque), Un carnet de bal (Duvivier), Les disparus de Saint-Agil (Christian-Jaque), Ernest le rebelle (Christian-Jaque) ; 1939, Pour le maillot jaune (Stelli), Fric-frac (Autant-Lara, Lehmann), Le jour se lève (Carné), La charrette fantôme (Duvivier), Sur le plancher des vaches (Ducis), Jeunes filles en détresse (Pabst), Dernière jeunesse (Musso) ; 1940, La comédie du bonheur (L'Herbier), Untel père et fils (Duvivier) ; 1941, Le moussaillon (Gourguet), Mademoiselle Swing (Pottier), Fièvres (Delannoy) ; 1942, La loi du printemps (Daniel-Norman), La chèvre d'or (Barberis), L'assassin habite au 21 (Clouzot) ; 1943, Goupi Mains-rouges (Becker), Patricia (Mesnier), Pierre et Jean (Cayatte), Mon amour est près de toi (Pottier), L'homme de Londres (Decoin), Ademaï bandit d'honneur (Grangier), Le voyageur sans bagage (Anouilh), Le colonel Chabert (Le Hénaff), Le corbeau (Clouzot) ; 1944, Paméla (de Hérain), Les caves du Majestic (Pottier) ; 1945, La cage aux rossignols (Dréville), Au pays des cigales (Cam), L'invité de la onzième heure (Cloche), Jéricho (Calef), Le roi des resquilleurs (Devaivre) ; 1946, Les gosses mènent l'enquête (Labro), La rose de la mer (Baroncelli) ; 1947, Le village perdu (Stengel), Les amants du pont Saint-Jean (Decoin) ; 1948, Les dieux du dimanche (Lucot), L'inconnu d'un soir (Bromberger) ; 1949, Les amants de Vérone (Cayatte), La ferme des sept péchés (Devaivre), Le trésor de Cantenac (Guitry), L'atomique Monsieur Placide (Hennion), Amour et cie (Grangier), Les vagabonds du rêve (Tavano) ; 1950, L'aiguille rouge (Reinert), Juliette ou la clé des songes (Carné), Le clochard milliardaire (Gomez), Sous le ciel de Paris (Duvivier), Tu m'as sauvé la vie (Guitry), Dieu a besoin des hommes (Delannoy) ; 1951, Les amants de Bras-Mort (Pagliero), Le garçon sauvage (Delannoy), Piedalu à Paris (Loubignac), La table aux crevés (Verneuil) ; 1952, Éternel espoir (Joly), La minute de vérité (Delannoy), Le boulanger de Valorgue (Verneuil) ; 1953, La route Napoléon (Delannoy) ; 1954, Casse-cou Mademoiselle (Stengel), Cadet-Rousselle (Hunebelle), Le mouton à cinq pattes (Verneuil) ; 1955, Le dossier noir (Cayatte) ; 1958, Mission diabolique (May), La loi c'est la loi (Christian-Jaque) ; 1960, Crésus (Giono), Les yeux sans visage (Franju), Classe tous risques (Sautet) ; 1961, La chambre ardente (Duvivier) ; 1962, Mon oncle du Texas (Guez), La salamandre d'or (Regamey) ; 1963, Judex (Franju) ; 1964,

Jaloux comme un tigre (Cowl), Cent briques et des tuiles (Grimblat).

Originaire d'Aix-en-Provence, il a beaucoup joué les Provençaux ; d'allure bourgeoise, on lui réservait les rôles de notable. Il fut admirable dans *L'entraîneuse* en vieux professeur, philosophe désabusé qui eût donné tout Platon et tout Goethe pour une aventure féminine. On le vit interpréter un maréchal des logis (*Le cavalier Lafleur*) et un Père éternel (*La charrette fantôme*) avec le même brio.

Genn, Leo

Acteur anglais, 1905-1978.

1935, Immortal Gentleman (Newman) ; 1936, Dream Doctor (Lotinga) ; 1937, Cavalier of the Streets (French), When Thief Meets a Thief (Deux aventuriers) (Walsh), The Rat (Raymond) ; 1938, Governor Eradford (Parry), Kate Plus Ten (Denham), The Drum (Alerte aux Indes) (Korda) ; 1939, Dangerous Medecine (Woods), Ten Days in Paris (L'aventure est commencée) (Whelan) ; 1940, Law and Disorder (MacDonald), Contraband (Espionne à bord) (Powell) ; 1944, The Way Ahead (L'héroïque parade) (Reed) ; 1945, Caesar and Cleopatra (César et Cléopâtre) (Pascal) ; 1947, Green for Danger (La couleur qui tue) (Gilliat), Mourning Becomes Electra (Le deuil sied à Électre) (Nichols) ; 1948, The Velvet Touch (Quand le rideau tombe) (Gage), The Snake Pit (La fosse aux serpents) (Litvak) ; 1949, No Place for Jennifer (Cass) ; 1950, The Wooden Horse (Le cheval de bois) (Lee), The Miniver Story (L'histoire de Miniver) (Potter) ; 1951, Quo Vadis (LeRoy), The Magic Box (La boîte magique) (Boulting) ; 1952, Twenty-four Hours of Women's Life (L'inconnu de Monaco) (Saville), The Girls of Pleasure Island (Les belles de l'île du plaisir) (Herbert, Ganzer), Plymouth Adventures (Capitaine sans loi) (Brown) ; 1953, The Red Berets (Les bérets rouges) (Young), Personal Affair (Une affaire troublante) (Pelissier) ; 1954, The Green Scarf (More O'Ferrall) ; 1955, Chantage (Lefranc), L'amant de lady Chatterley (M. Allégret) ; 1956, Moby Dick (Moby Dick) (Huston), Beyond Mombasa (Au sud de Mombasa) (Marshall) ; 1957, Steel Bayonets (Le commando sacrifié) (Carreras), I Accuse (L'affaire Dreyfus) (Ferrer), No Time to Die (Young) ; 1958, Tank Force (La brigade des bérets noirs) (Young) ; 1960, Too Hot to Handle (La blonde et les nus de Soho) (Young) ; 1961, Era notte a Roma (Les évadés de la nuit) (Rossellini) ; 1962, The Longest Day (Le jour le plus long) (Annakin, Marton, Oswald, Williams) ; 1963, 55 Days at Peking (Les 55 jours de Pékin) (Ray) ; 1965, Ten Little Indians (Dix petits Indiens) (Pollock) ; 1966, Circus of Fear (Moxey) ; 1971, Endless Night (Gilliat), Connecting Rooms (Gollings), Una lucertola con la pelle di donna (Fulci) ; 1972, Le silencieux (Pinoteau) ; 1973, The Mackintosh Man (Le piège) (Huston) ; 1974, Frightmare (Walker).

Fils d'un célèbre avocat ; études à Cambridge ; doctorat en droit, avocat. Mais le démon du théâtre le saisit et il quitte la profession, qu'il reprendra en 1946, pour jouer à l'Old Vic avec Olivier qui l'embauchera notamment pour *Henry V*. Il sera avocat dans *I Accuse* ou médecin dans *The Snake Pit*. Sa distinction y fait merveille.

Gensac, Claude

Actrice française née en 1927.

1952, La vie d'un honnête homme (Guitry) ; 1964, Comment épouser un Premier ministre (Boisrond) ; 1965, Le journal d'une femme en blanc (Autant-Lara), Les sultans (Delannoy) ; 1967, Les grandes vacances (Girault), Oscar (Molinaro) ; 1968, Le gendarme se marie (Girault) ; 1969, Le bal du comte d'Orgel (M. Allégret), Hibernatus (Molinaro) ; 1970, Le gendarme en balade (Girault) ; 1971, Jo (Girault) ; 1976, L'aile ou la cuisse (Zidi), Le chasseur de chez Maxim's (Vital) ; 1979, L'avare (Girault) ; 1981, La soupe aux choux (Girault) ; 1982, Le gendarme et les gendarmettes (Girault, Aboyantz) ; 1984, Le gaffeur (Pénard) ; 1986, Poule et frites (Régo) ; 2001, Absolument fabuleux (Aghion).

Partenaire attitrée de Louis de Funès qui l'adorait et à la folie duquel elle était le contrepoint idéal, on ne peut hélas pas dire qu'on l'ait beaucoup vue ailleurs que dans les œuvres de Jean Girault. Toujours est-il que sa classe de grande bourgeoise un peu toc et ses airs d'écervelée rigolote resteront efficaces pendant encore plusieurs générations de téléphiles.

George, Götz

Acteur allemand né en 1938.

1953, Wenn der weisse Flieder blüht (Lilas blancs) (Deppe) ; 1954, Ihre grosse Prüfung (Jugert) ; 1956, Alter Kahn und junge Liebe (Heinrich) ; 1958, Solange das Herz schlägt (Weidenmann) ; 1959, Jacqueline (Liebeneiner) ; 1960, Kirmes (Je ne voulais pas être un nazi) (Staudte) ; 1961, Die Fastnachtsbeichte (Dieterle), Der Teufel spielte Balalaika (Lahola), Mörderspiel (Le jeu de l'assassin)

(Ashley), Unser Haus in Kamerun (Vohrer) ; 1962, Ihr schönster Tag (P. Verhoeven), Das Mädchen und der Staatsanvalt (Goslar), Der Schatz in Silbersee (Le trésor du lac d'argent) (Reinl) ; 1963, Hipnosis (E. Martin), Liebe will gelernt sein (Hoffmann), Mensch und Bestie (Zbonek) ; 1964, Wartezimmer zum Jenseits (Vohrer), Herrenpartie (Staudte), Unter Geiern (Parmi les vautours) (Vohrer) ; 1965, Winnetou und das Halbblut Apanatschi (L'appât de l'or noir) (Philipp), Ferien mit Piroschka (Piroschka) (Gottlieb), Sie nannten ihn Gringo (Rowland) ; 1968, The castle of Fu Manchu (Franco), Inspektor Bloomfields (Zehetgruber), Commandos (Crispino), Ich spreng' euch alle in die Luft (Zehetgruber) ; 1969, Le vent d'est (Godard et Gorin) ; 1977, Aus einem deutschen Leben (Kotulla) ; 1984, Abwärts (En dérangement) (Schenkel), Der Schimanski Film (Gies) ; 1986, Zabou (Gies) ; 1987, Die Katze (Graf) ; 1988, Der Bruch (Beyer) ; 1989, Blauäugig (Hauff) ; 1992, Schtonk ! (Schtonk) (Dietl) ; 1993, Ich und Christine (Stripp) ; 1994, Der König von Dulsberg (Haffter) ; 1995, Der Totmacher (Karmakar), Der Sandmann (Hofmann), Die Sturzflieger (Bringmann) ; 1996, Rossini : oder die möderische Frage, wer mit wem schlief (Dietl) ; 1998, Das Trio (Huntgeburth), Solo für Klarinette (Hofmann) ; 1999, Du sollst nicht töten (Richter).

Fils du célèbre acteur allemand Heinrich George et d'une comédienne, Bertha Drews, il reprend le flambeau familial en débutant à l'âge de quinze ans dans une comédie à l'eau de rose *Lilas blancs* où Romy Schneider qui a le même âge apparaît pour la première fois. Après plusieurs films commerciaux, il trouve un rôle dramatique dans un film de qualité : *Kirmes* (*Je ne voulais pas être un nazi*) qui lui vaut le Bambi du jeune acteur le plus populaire. On le retrouve dans plusieurs films d'action dans les années 60 jusqu'à ce que la télévision l'accapare avec la longue série de films consacrés au commissaire Schimanski. Il devient ainsi l'acteur le plus célèbre du petit écran avec Horst Topper, titulaire du rôle du commissaire Derrick. Au milieu des années 80, il revient au cinéma dans des films de qualité. En 1995, *Der Totmacher* de Romuald Karmakar lui permet de remporter le prix du meilleur interprète masculin à la 52e Mostra de Venise.

George, Heinrich

Acteur et réalisateur allemand, 1893-1946.

1921, Der Roman der Christine von Herre (Berger), Kean (Biebrach) ; 1922, Lady Hamilton (Oswald), Das frankische Lied, Lukrezia Borgia (Oswald), Erdgeist ; 1923, Die Sonne von Moritz, Steuerlos ; 1924, Soll und Haben, Zwischen Morgen und Morgen ; 1926, Metropolis (Lang), Das Panzergewölbe, Uberflüssige Menschen, Die versunkene Flotte ; 1927, Bigamie, Die Ausgestossenen, Die Liebeigenen (Eichberg), Das Meer (Felner), Orient-Express (Thiele) ; 1928, Die Dame mit der Maske (La dame au masque) (Thiele), Kinder der Strasse, Das letzte Fort, Das letzte Souper, Der Mann mit dem Laubfrosch (Lamprecht), Rutschbahn (Montagnes russes) (Eichberg), Song (Ange maudit) (Eichberg) ; 1929, Manolescu (Tourjansky), Sprengbagger, Der Sträfling aus Stambul (Le forçat d'Istanbul) (Ucicky) ; 1930, Der Andere (Le procureur Hallers) (Wiene), Dreyfus (Oswald), Menschen im Käfig (Dupont), Der Mann, der den Mord beging (Bernhardt), Wir schalten um auf Hollywood (version allemande de Hollywood Revue of 1929) ; 1931, Berlin-Alexanderplatz (Berlin-Alexanderplatz/Sur le pavé de Berlin) (Jutzi) ; 1932, Goethe lebt ; 1933, Reifende Jugend (Froelich), Das Meer ruft, Schleppzug M 17 (H. George) ; 1935, Hitlerjunge Quex (Le jeune hitlérien Quex) (Steinhoff), Stützen der Gesellschaft, Das Mädchen Johanna (Ucicky), Die grosse und die kleine Welt ; 1936, Stjenka Rasin, Wenn der Hahn kräht, Hermine und die sieben Aufrechten, Nacht der Verwandlung ; 1937, Ball im Metropol (Wysbar), Der Biberpelz (Alten), Unternehmen Michael, Ein Volksfeind (L'ennemi du peuple) (Steinhoff), Frau Sylvelin versprich mir nichts (La folle imposture) (Liebeneiner) ; 1938, Heimat (Magda) (Froelich), Das unsterbliche Herz (Cœur immortel) (Harlan) ; 1939, Sensationsplozess Casilla (Une cause sensationnelle) (Borsody) ; 1940, Der Postmeister (Le maître de poste) (Ucicky), Friedrich Schiller (Maisch), Jud Süss (Le juif Süss) (Harlan) ; 1941, Pedro soll hängen (Harlan) ; 1942, Der grosse Schatten (Verhoeven), Wien 1910 (Emo), Schicksal (Le vengeur) (Bolvary), Hochzeit auf Bärenhof (Froelich), Andreas Schlüter (Maisch) ; 1944, Der Verteidiger hat das Wort (La parole est à la défense) (Klinger), Die Degenhardts ; 1945, Kolberg (Harlan). *Comme réalisateur :* 1933, Schleppzug M 17.

Acteur allemand d'un immense talent, sorte d'Harry Baur d'outre-Rhin. Il tourna avec la plupart des réalisateurs des années 20 mais sa grande période se situe à l'avènement du nazisme. Il fut éblouissant en père communiste du jeune hitlérien Quex, remarquable dans *Le juif Süss* où il était le duc de Wurtemberg et très émouvant dans *Le maître de poste*. Son dernier film fut aussi le dernier du nazisme : *Kolberg*, qui exaltait à travers la résistance à Napoléon en 1807 celle que les

Allemands opposaient à l'avancée des Alliés. George ne survécut pas à la chute du IIIe Reich et mourut dans le camp soviétique de Sachsenhausen.

George, Susan

Actrice anglaise née en 1950.

1965, Cup Fever (Bracknell) ; 1966, Davey Jone's Locker (Goode) ; 1967, The Sorcerers (Reeves), Up to the Jonction (Collinson) ; 1968, The Strange Affair (Chantage à la drogue) (D. Greene), All Neat in Black Stockings (Morahan) ; 1970, Twinky (R. Donner), Spring and Port Wine (Hammond), Die Screaming Marianne (Pete Walker), The Looking Glass of War (Pierson), Eyewitness (Les inconnus de Malte) (Hough) ; 1971, Straw Dogs (Chiens de paille) (Peckinpah), Fright (Collinson) ; 1974, Dirty Mary, Crazy Larry (Larry le dingue et Mary la garce) (Hough) ; 1975, Mandingo (Mandingo) (Fleischer), Out of Season (Bridges) ; 1976, A Small Town in Texas (Starrett) ; 1977, Tintorera (Du sang dans la mer) (Cardona Jr.) ; 1978, Tomorrow Never Comes (Collinson) ; 1981, Venom (Venin) (Haggard) ; 1984, House Where Evil Dwells (Fantômes à louer) (Connor) ; 1989, That Summer of White Roses (L'été des roses blanches) (Grlic).

Cette ravissante blonde est la sensualité incarnée. Deux compositions fracassantes : la femme d'Hoffman victime d'un viol collectif dans *Strawdogs* et la nymphomane sudiste de *Mandingo*.

Georges-Picot, Olga

Actrice française, 1944-1997.

1961, Les Parisiennes (sketch Poitrenaud) ; 1967, Je t'aime, je t'aime (Resnais) ; 1968, Adieu l'ami (Herman), Catherine, il suffit d'un amour (Borderie) ; 1969, Connecting Rooms (Goulding), Un corps, une nuit (Bontempi) ; 1970, The Man Who Haunted Himself (Dearden) ; 1971, La révélation (Lavalle) ; 1971, La cavale (Mitrani), Féminin, féminin (Calef) ; 1972, Un homme libre (R. Muller), Le feu aux lèvres (Kalfon), Les mésaventures d'un lit trop accueillant (Lemoine) ; 1973, The Day of the Jackal (Chacal) (Zinnemann) ; 1974, Love and Death (Guerre et amour) (Allen), Glissements progressifs du plaisir (Robbe-Grillet), Persecution (Chaffey) ; 1975, Children of Rage (Seidelmann) ; 1977, Good-bye Emmanuelle (Leterrier) ; 1978, Brigade mondaine (Scandelari) ; 1984, Rebelote (Richard).

Fille d'ambassadeur, modèle, élève à l'Actor's Studio, elle n'a pas trouvé au cinéma, malgré Resnais et Robbe-Grillet, de rôles marquants ; du moins nous aura-t-elle permis d'admirer sans le moindre voile un corps magnifique.

Gérald, Jim

Acteur français d'origine suisse, de son vrai nom Gérard Cuénot, 1889-1958.

1911, Belle-maman a mangé du cheval ; 1923, La légende de sœur Béatrix (Baroncelli) ; 1925, Le voyage imaginaire (Clair) ; 1926, La proie du vent (Clair), Le bouif errant (Hervil) ; 1928, Un chapeau de paille d'Italie (Clair), Le chauffeur de Mademoiselle (Chomette), Le capitaine Fracasse (Cavalcanti), Les transatlantiques (Colombier), Le perroquet vert (Milva) ; 1929, Les deux timides (Clair), Les taciturnes (Casembroot) ; 1930, La nuit est à nous (Henry Roussel), L'Arlésienne (Baroncelli), La folle aventure (Froëlich, Antoine) ; 1931, Le chanteur inconnu (Tourjansky), Ma tante d'Honfleur (Diamant-Berger), L'amour en vitesse (Heymann), Barcarolle d'amour (Henry Roussel), Le chant du marin (Gallone), Laurette ou le cachet rouge (Casembroot) ; 1932, Tessa, Les chevaliers de la montagne (Bonnard), Mon curé chez les riches (Donatien) ; 1933, Le testament du docteur Mabuse (Lang), Les rivaux de la piste (Poligny), Rocambole (Rosca), Le grillon du foyer (Boudrioz) ; 1934, Le bossu (Sti), Toto (J. Tourneur), L'auberge du Petit Dragon (Limur) ; 1935, Le roi des Champs-Élysées (Nosseck), L'homme à l'oreille cassée (Boudrioz), Monsieur Sans-Gêne (Anton) ; 1936, Mister Flow (Siodmak), La symphonie des brigands (Feher) ; 1937, Bulldog Drummond at Bay (Lee), Titin des Martigues (Pujol) ; 1938, Mon curé chez les riches, L'or dans la montagne (Haufler), Paix sur le Rhin (Choux), Légions d'honneur (Gleize), La boutique aux illusions (Séverac) ; 1939, L'or du Cristobal (Becker), Macao, l'enfer du jeu (Delannoy) ; 1941, La troisième dalle (Dulud), Une vie de chien (Cammage) ; 1945, Boule de suif (Christian-Jaque) ; 1946, L'ennemi sans visage (Cammage), Le bateau à soupe (Gleize) ; 1947, Les jeux sont faits (Delannoy) ; 1948, Aux yeux du souvenir (Delannoy), La bataille du feu (Canonge) ; 1949, Dans la vie tout s'arrange (Cravenne), Tête blonde (Cam) ; 1950, The Adventures of Captain Fabian (W. Marshall), Le gang des tractions-arrière (Loubignac) ; 1951, Le rideau cramoisi (Astruc) ; 1952, Dakota 308 (Daniel-Norman), La minute de vérité (Delannoy), L'île aux femmes nues (Lepage), Moulin-Rouge (Huston) ; 1953, La route Napoléon (Delannoy), Le guérisseur (Ciampi), La rafle est pour ce soir (Dekobra),

L'affaire Maurizius (Duvivier), C'est la vie parisienne (Rode) ; 1954, The Barefoot Contessa (La comtesse aux pieds nus) (Mankiewicz) ; 1955, Marie-Antoinette (Delannoy), Ces sacrées vacances (Vernay), Zaza (Gaveau) ; 1956, Lumières du soir (Vernay), Fernand cow-boy (Lefranc), Fric-frac en dentelles (Radot).

Suisse de Paris, il a joué dans de nombreux films les rôles les plus divers : le capitaine de *Laurette ou le cachet rouge* d'après Vigny, le chef de la police qui traque le docteur Mabuse, l'abbé Pellegrin de *Mon curé chez les riches*, le charbonnier de *La symphonie des brigands* ou le producteur de *La comtesse aux pieds nus*. Il avait été auparavant cow-boy, clown, écuyer et chanteur de « caf' conc ». Il a laissé d'intéressants souvenirs, *Du Far West au cinéma*.

Gérard, Charles

Acteur et réalisateur français né en 1926.

1957, Tous peuvent me tuer (Decoin) ; 1970, Le voyou (Lelouch) ; 1971, Smic, smac, smoc (Lelouch), L'aventure c'est l'aventure (Lelouch) ; 1972, Un homme libre (Muller), La bonne année (Lelouch), Le Far West (Brel) ; 1974, Toute une vie (Lelouch), La gifle (Pinoteau), Un jour la fête (Sisser), Mariage (Lelouch) ; 1975, L'incorrigible (Broca) ; 1976, Le corps de mon ennemi (Verneuil), Le jouet (Veber) ; 1977, Ne pleure pas (Ertaud), L'animal (Zidi) ; 1978, Les bidasses au pensionnat (Vocoret), Les ringards (Pouret), C'est dingue mais on y va (M. Gérard) ; 1979, C'est encore loin l'Amérique ? (Coggio), Le mors aux dents (Heyneman), Flic ou voyou (Lautner), Les Charlots en délire (Basnier), Les givrés (Jaspard) ; 1980, Le guignolo (Lautner) ; 1981, Qu'est-ce qui fait courir David ? (Chouraqui), Pétrole, pétrole (Gion) ; 1982, Les diplômés du dernier rang (Gion), Édith et Marcel (Lelouch) ; 1984, Viva la vie (Lelouch), Ni avec toi, ni sans toi (Maline) ; 1985, Partir, revenir (Lelouch) ; 1986, Club de rencontres (Lang), Kamikaze (Grousset), Un homme et une femme : 20 ans déjà (Lelouch) ; 1987, Attention, bandits (Lelouch) ; 1989, France, images d'une révolution (m.m., Costandinos) ; 1990, Il y a des jours... et des lunes (Lelouch) ; 1991, La belle histoire (Lelouch) ; 1992, Tout ça... pour ça ! (Lelouch) ; 1993, Le voleur et la menteuse (Boujenah) ; 1995, Lumière et compagnie (Moon) ; 1998, Hasards ou coïncidences (Lelouch). *Pour le metteur en scène*, voir le *Dictionnaire du cinéma*, t. I : *Les réalisateurs*.

Alors que les acteurs devenus metteurs en scène pullulent, voici le cas d'un réalisateur devenu acteur. Le metteur en scène, souvent coréalisateur, n'a pas laissé un souvenir impérissable ; l'acteur non plus.

Gere, Richard

Acteur américain né en 1949.

1974, Report to the Commissionner (Katselas) ; 1976, Baby Blue Marine (John Hancock) ; 1977, Looking for Mr. Goodbar (A la recherche de Mr. Goodbar) (R. Brooks) ; 1978, Days of Heaven (Les moissons du ciel) (Malick), Bloodbrothers (Les chaînes du sang) (Mulligan) ; 1979, Yanks (Yanks) (Schlesinger), American Gigolo (Schrader) ; 1981, Reporters (Depardon), An Officer and a Gentleman (Officier et gentleman) (Taylor Hackford) ; 1982, Breathless (A bout de souffle made in USA) (McBride) ; 1983, The Honorary Consul (Mackenzie) ; 1984, Cotton Club (Cotton Club) (Coppola) ; 1985, King David (Le roi David) (Beresford), Power (Les coulisses du pouvoir) (Lumet) ; 1986, No Mercy (Sans pitié) (Pearce) ; 1988, Miles from Home (Sinise) ; 1989, Internal Affairs (Affaires privées) (Figgis) ; 1990, Pretty Woman (Pretty Woman) (Marshall) ; 1991, Hachigatsu no rapusodi (Rhapsodie en août) (Kurosawa) ; 1992, Final Analysis (Sang chaud pour meurtre de sang-froid) (Joanou) ; 1993, Sommersby (Sommersby) (Amiel), And the Band Played On (Les soldats de l'espérance) (Spottiswoode), Mr. Jones (Mister Jones) (Figgis) ; 1994, Intersection (Intersection) (Rydell), First Knight (Lancelot) (J. Zucker) ; 1995, Primal Fear (Peur primale) (Hoblit) ; 1996, The Jackal (Le Chacal) (Caton-Jones) ; 1997, Red Corner (Red Corner) (Avnet) ; 1999, Runaway Bride (Just Married (ou presque), (Marshall), Autumn in New York (Un automne à New York) (Chen) ; 2000, Dr. T and the Women (Dr. T et les femmes) (Altman) ; 2001, The Mothman Prophecies (La prophétie des ombres) (Pellington) ; 2002, Unfaithful (Infidèle) (Lyne), Chicago (Chicago) (Marshall) ; 2005, Shall We Dance ? (Shall We Dance ?, La nouvelle vie de M. Clark) (Chelsom), Bee Season (Les mots retrouvés) (McGee).

Jeune premier américain des années 80. Fils d'une famille de pauvres fermiers du Massachusetts, il quitte l'exploitation familiale pour faire une licence de philosophie puis du théâtre. Il crée *Grease* à Broadway. Au cinéma il impose peu après un type de héros frondeur sinon marginal, qui peut être gigolo professionnel, officier ou tueur de flics. Il suffit toutefois de comparer la version américaine d'*A bout de souffle* à la française pour voir tout ce qui le sépare du Belmondo de Godard.

Sa carrière a été relancée par le succès de *Pretty Woman*. Après l'excellent *Sang chaud pour meurtre de sang froid*, il joue dans deux remakes, *Sommersby*, inspiré du *Retour de Martin Guerre* où il assure le rôle de Depardieu, et *Intersection*, d'après *Les choses de la vie* où il prend la succession de Piccoli. On le retrouve en Lancelot mais il ne parvient pas à se débarrasser de son côté play-boy et contribue à l'échec du film. Il se rachète en mari trompé et assassin dans *Infidèle* mais revient à ses personnages cyniques avec *Chicago*.

Géret, Georges

Acteur français, 1924-1996.

1953, Le défroqué (Joannon) ; 1956, L'homme aux clefs d'or (Joannon) ; 1957, Ces dames préfèrent le mambo (Borderie), Le désert de Pigalle (Joannon) ; 1958, Ramuntcho (Schoendoerffer) ; 1959, Le caïd (Borderie) ; 1960, Le Sahara brûle (Gast) ; 1963, Le journal d'une femme de chambre (Buñuel) ; 1964, L'insoumis (Cavalier), Week-end à Zuydcoote (Verneuil), Par un beau matin d'été (Deray), Mata Hari, agent H21 (Richard) ; 1965, Le tonnerre de Dieu (La Patellière), La métamorphose des cloportes (Granier-Deferre) ; 1966, Roger-la-Honte (Freda), Compartiment tueurs (Costa-Gavras), Paris brûle-t-il ? (Clément), Danger Grows Wild (Opération opium) (T. Young) ; 1967, Deux billets pour Mexico (Christian-Jaque), La grande sauterelle (Lautner), Lo straniero (L'étranger) (Visconti), Le mois le plus beau (Blanc), Vivre la nuit (Camus) ; 1968, Un tranquillo posto di campagna (Un coin tranquille à la campagne) (Petri), Southern Star (L'étoile du sud) (Hayers), Z (Costa-Gavras), Sudario di sabbia (Les hommes de Las Vegas) (Isasi), L'astragale (Casaril) ; 1969, Le champignon (Simenon), La fiancée du pirate (Kaplan), Le pistonné (Berri), Le bourgeois gentil mec (André) ; 1970, César Grandblaise (Dewever) ; 1971, L'insatisfaite (Pallardy), Biribi (Moosman) ; 1972, Les félines (Daert), La punition (Jolivet), Le solitaire (Brunet), L'insolent (Roy) ; 1973, Le mataf (Leroy), Par le sang des autres (Simenon), Piedone lo sbirro (Un flic hors-la-loi) (Steno), Una ragione per vivere e una per morire (Une raison pour vivre, une raison pour mourir) (Valerii) ; 1974, Le protecteur (Hanin), Le bougnoul (Moosman), L'Amour est un fleuve en Russie / Spermula (Matton) ; 1975, Le faux-cul (Hanin), La traque (Leroy) ; 1977, Et vive la liberté (Korber) ; 1978, L'amour en question (Cayatte) ; 1979, La gueule de l'autre (Tchernia) ; 1980, Téhéran 43 (Alov, Naoumov), Le guignolo (Lautner), Les uns et les autres (Lelouch) ; 1981, Signé Furax (Simenon) ; 1982, La guerillera (Kast), Salut la puce ! (Balducci), Pour cent briques, t'as plus rien (Molinaro) ; 1983, La bête noire (Chaput) ; 1984, Hôtel du Paradis (Bokova) ; 1985, Exit-Exil (Monheim), Urgence (Béhat).

On ne peut donner ici qu'un échantillonnage des films tournés par ce très bon second plan français qui, vivant à Nice, a partagé sa carrière entre la France et l'Italie. Une bonne bouille de Français moyen lui a permis de jouer un peu de tout, des mélos de Joannon aux pastiches italiens de films américains. Tantôt il avait un rôle de composition intéressant (*La punition*), tantôt il n'apparaissait que quelques instants.

Gershon, Gina

Actrice américaine née en 1962.

1986, 3:15 (Gross), Pretty in Pink (Rose bonbon) (Deutch) ; 1987, Sweet Revenge (Sobel) ; 1988, Cocktail (Cocktail) (Donaldson), Red Heat (Double détente) (Hill) ; 1989, Suffering Bastards (McWilliams) ; 1990, Voodoo Dawn (Fierberg) ; 1991, City of Hope (City of Hope) (Sayles), Out for Justice (Flynn), White Palace (La fièvre d'aimer) (Mandoki) ; 1992, The Player (The Player) (Altman) ; 1993, Joey Breaker (Starr) ; 1994, Flinch (Erschbarner) ; 1995, Best of the Best 3 : No Turning Back (Rhee), Showgirls (Showgirls) (Verhoeven) ; 1996, This World, Then the Fireworks (Liens secrets) (Oblowitz), Bound (Bound) (Wachowski) ; 1997, Prague Duet (Simon), Touch (Touch) (Schrader), Face/Off (Volte/face) (Woo), Lulu on the Bridge (Lulu on the Bridge) (Auster), Palmetto (Schlöndorff) ; 1998, Black & White (Zeltser), Legalese (G. Jordan), Guinevere (Guinevere) (Wells), One Tough Cop (Barreto), I'm Losing You (Wagner) ; 1999, The Insider (Révélations) (Mann) ; 2001, Claire's Hat (McDonald).

Sorte de Béatrice Dalle à l'américaine, formée par David Mamet, très à l'aise dans les rôles de salopes délicieusement vulgaires (danseuse dans *Showgirls* ou encore lesbienne camionneuse dans l'érotico-chic *Bound*), elle ne peut laisser indifférent.

Giachetti, Fosco

Acteur italien, 1904-1974.

1933, Il trattato Scomparso (Le masque qui tombe) (Bonnard) ; 1934, 1860 (1860) (Blasetti) ; 1936, Tredici uomini e un cannone (Forzano), Lo squadrone bianco (L'escadron blanc) (Genina) ; 1937, Sentinelle di bronzo (Sentinelles de bronze) (Marcellini), Scipione l'africano (Scipion l'Africain) (Gallone); 1938, Verdi (Le roman d'un génie) (Gallone), Napoli che non muore (Palermi), La signora di Monte-Carlo ; 1939, Il sogno di Butterfly (Gallone) ; 1940, L'assedio dell'Alcazar (Les cadets de l'Alcazar) (Genina), La peccatrice (Palermi), Senza cielo (Alerte aux Blancs) (Guarini), La figlia del corsaro verde (La fille du corsaire) (Guazzoni) ; 1941, Un colpo di pistola (Un coup de pistolet) (Castellani), Luce nelle tenebre (Lumière dans les ténèbres) (Mattoli), Nozze di sangue (Alessandrini), Fari nella nebbia (Phares dans le brouillard) (Franciolini) ; 1942, Bengasi (Genina), Noi vivi (Alessandrini) ; 1945, La vita recomencia (La vie recommence) (Mattoli), Notte di tempesta (Franciolini), Il sole di Montecassino (Scotese) ; 1946, Addio mia bella Napoli ! (Bonnard) ; 1947, Les maudits (Clément), L'altra (Bragaglia), I fratelli Karamazoff (Gentilomo), Gli uomini sono nemici (Giannini), Voragine (E. Neville) ; 1949, Una lettera all'Alba (Bianchi) ; 1950, Il Falsari (Police en alerte) (F. Rossi) ; 1951, Quattro rose rosse (Malasomma), Gli uomini non guardano il cielo (Scarpelli) ; 1953, Il terrore dell'Andalusia (Vajda) ; 1954, Casa Ricordi (La maison du souvenir) (Gallone) ; 1955, I fabari (Police en alerte) (Rossi), Carne de horca (La charge infernale) (Vajda) ; 1959, Il conquistadore d'Oriente (Boccia), Il terrore di Barbari (La terreur des Barbares) (Campogalliani) ; 1961, Il relitto (L'épave) (Cacoyannis) ; 1963, Il patriarchi (Baldi), Giacobbe e Esaü (Landi) ; 1964, Le fils de Tarass Boulba (Zaphiratos) ; 1970, Il conformista (Le conformiste) (Bertolucci) ; 1972, L'héritier (Labro).

Menton en avant, poitrine bombée, jarret tendu, il fut le héros fasciste par excellence des années 30 : *L'escadron blanc*, *Scipion l'Africain*, *Le siège de l'Alcazar* ; autant d'étapes du portrait d'un personnage idéalisé par le régime mussolinien. Giachetti franchit sans trop de dommages le changement de régime. *La vie recommence* annonce le titre de l'un de ses films en 1945 : tout un programme. En fait Giachetti tournera encore beaucoup, mais dans des œuvres secondaires.

Giannini, Giancarlo

Acteur et réalisateur italien né en 1942.

1965, Fango sulla metropoli (Wilson) ; 1966, Rita la zanzara (Wertmuller) ; 1967, Libido (Gastaldi), Non stuzzicate la zanzara (Wertmuller), Stasera mi butto (Fizzarotti), Arabella (Bolognini) ; 1968, Anzio (La bataille pour Anzio) (Dmytryk), Stasera mi butto i due bagnani (Fizzarotti), Fraülein doktor (Lattuada) ; 1969, Le sorelle (Les deux sœurs) (Malenotti), The Secret of Santa Vittoria (Le secret de Santa Vittoria) (Kramer), Una macchia rosa (La tache rose) (Muzei) ; 1970, Dramma della gelosia (Drame de la jalousie) (Scola) ; 1971, Une prostituta al servizio del pubblico e in regola con le leggi dello stato (Une prostituée au service du public et en règle avec la loi) (Zingarelli), Mio padre monsignore (Racioppi), La tarantola dal ventre nero (La tarentule au ventre noir) (Cavara), Mazzabubu... quante come stanno quaggiu ? (Laurenti), Un aller simple (Giovanni), Ettore lo fusto (Castellari) ; 1972, Mimi metallurgico ferito nell'onore (Mimi métallo blessé dans son honneur) (Wertmuller), La prime notte di quiete (Zurlini) ; 1973, Film d'amore e d'anarchia (Film d'amour et d'anarchie) (Wertmuller), Sono stato to (La grosse tête) (Lattuada), Paolo il Galdo (Le cochon de Paolo) (Vicarlo), Sesso matto (Le sexe fou) (Risi), Tutto a posto e niente in ordine (Wertmuller) ; 1974, Il bestione (Deux grandes gueules) (Corbucci), Fatti di cente per bene (La grande bourgeoise) (Bolognini), Travolti da un insolito destino nell'assurro mare d'agosto (Vers un destin insolite sur les flots bleus de l'été) (Wertmuller) ; 1975, A mezzanotte va la ronda del piacere (Histoire d'aimer) (Fondato), Pasqualino Settebeleze (Pasqualino l'obsédé) (Wertmuller) ; 1976, L'innocente (L'innocent) (Visconti) ; 1977, I nuovi mostri (Les nouveaux monstres) (Monicelli, Risi, Scola) ; 1978, La fine del mondo nel nostro solito letto in una notte piena di pioggia (Wertmuller) ; 1979, Viaggio con Anita (Voyage avec Anita) (Monicelli), Fatto di sangue fra due uomini per causa di una vedova (D'amour et de sang) (Wertmuller), Buone notizie (Petri) ; 1980, Lili Marleen (Lily Marleen) (Fassbinder) ; 1982, Bello mio bellezza mia (Corbucci), La vita e bella (Chukhrai) ; 1983, Mi manda picone (Loy) ; 1984, American Dreamer (Rosenthal) ; 1985, Fever Pitch (Brooks) ; 1986, Saving Grace (Young) ; 1987, Vado e torno/Ternosecco (Giannini), I picari (I picari) (Monicelli) ; 1988, Snack Bar Budapest (Brass) ; 1989, Blood red (Masterson), O'Re (Magni), New York Stories (New York Stories) (ép. Coppola), Io zio indegno (Brusati), Tempo di uccidere (Le raccourci) (Montaldo) ; 1990, La famiglia buonanotte (Liconti), Les amusements de la vie privée (C. Comencini) ; 1992, Toys (Toys) (Levinson), Once Upon a Crime (Levy) ; 1993, Giovanni Falcone (Ferrara), Colpo di coda (Sanchez Silva) ; 1994, Come due coccodrille (Comme deux crocodiles) (Campiotti), A Walk in the Clouds (Les vendanges de feu) (Arau) ; 1995, La Bibbia

(Hall), Celluloid (Remake Rome ville ouverte) (Lizzani), Palermo Milano solo andata (Palerme Milan aller simple) (Fragasso) ; 1996, New York Crossing (Laurenti), La frontiera (Giraldi), Lorca (Zurinaga), Mas alla del jardin (Olea), La lupa (Lavia), Mimic (Mimic) (Del Toro) ; 1997, Una vacanza all'inferno (Valerii), La stanza dello scirocco (Sciarra), Heaven Before I Die (Musallam), Dolce farniente (Dolce farniente) (Caranfil) ; 1998, Le dîner (Scola), Vuoti a perdere (Costa) ; 2000, The Whole Shebang (Zaloom), Hannibal (Hannibal) (Scott) ; 2001, CQ (R. Coppola), Una lunga, lunga, lunga notte d'amore (Une longue, longue, longue nuit d'amour) (Emmer). *Comme réalisateur :* 1987, Vado e torno/Ternosecco.

Venu du théâtre (il est diplômé de l'Académie d'art dramatique Silvio d'Amico), il a joué des rôles de jeune premier dans de nombreux films, drames ou comédies, avec une prédilection pour Wertmuller dont le *Mimi métallo* lui valut un prix d'interprétation.

Gibson, Mel

Acteur et réalisateur australien né en 1956.

1977, Summer City (Fraser) ; 1979, Mad Max (Miller), Tim (Pate) ; 1980, Attack Force Z (Burstall), The Chain Reaction (La réaction en chaîne) (Barry) ; 1981, Mad Max 2 (Miller), Gallipoli (Weir) ; 1983, The Year of Living Dangerously (L'année de tous les dangers) (Weir), The Bounty (Le Bounty) (Donaldson), The River (Rydell), Mrs. Soffel (Amstrong) ; 1985, Mad Max Beyond Thunder Dome (Mad Max au-delà du dôme du tonnerre) (Miller) ; 1987, Lethal Weapon (L'arme fatale) (Donner) ; 1988, Tequila Sunrise (Tequila Sunrise) (Towne) ; 1989, Lethal Weapon 2 (L'arme fatale 2) (Donner) ; 1990, Bird on a Wire (Comme un oiseau sur la branche) (Badham), Air America (Air America) (Spottiswoode) ; 1991, Hamlet (Hamlet) (Zeffirelli) ; 1992, Lethal Weapon 3 (L'arme fatale 3) (Donner), Forever Young (Forever Young) (Miner) ; 1993, The Man Without a Face (L'homme sans visage) (Gibson) ; 1994, Maverick (Maverick) (Donner) ; 1995, Braveheart (Braveheart) (Gibson), Casper (Casper) (Silberling), Ransom (La rançon) (Howard) ; 1997, Father's Day (Reitman), Conspiracy Theory (Complots) (Donner), Fairy Tale : A True Story (Le mystère des fées : Une histoire vraie) (Sturridge), Payback (Payback) (Helgeland) ; 1998, Lethal Weapon 4 (L'arme fatale 4) (Donner) ; 1999, The Million Dollar Hotel (The Million Dollar Hotel) (Wenders), The Patriot (The Patriot — Le chemin de la liberté) (Emmerich) ; 2000, What Women Want (Ce que les femmes veulent) (Meyers) ; 2001, Signs (Signes) (Shyamalan) ; 2002, We Were Soldiers (Nous étions soldats) (Wallace). *Pour le metteur en scène*, voir le *Dictionnaire du cinéma*, t. I : *Les réalisateurs*.

Révélé par *Mad Max* ainsi que par le cinéma australien, cet acteur vaut mieux que les rôles d'une grande brutalité qui lui ont été habituellement confiés. Brillant cascadeur, il peut aussi interpréter des films psychologiques comme l'a montré Weir. Après un étonnant *Hamlet* et une séduisante composition d'aventurier dans *Maverick*, il semble se tourner vers la mise en scène : *L'homme sans visage* puis *Braveheart* et *Apocalypso* n'ont pas connu des succès comparables à *Mad Max*, mais sa *Passion du Christ* fut un triomphe.

Gielgud, John

Acteur anglais, 1904-2000.

1924, Who Is this Man ? (Summers) ; 1929, The Clue of the New Pin (Paude) ; 1932, Insult (Lachman) ; 1933, The Good Companions (Saville) ; 1936, The Secret Agent (Quatre de l'espionnage) (Hitchcock) ; 1941, The Prime Minister (Dickinson) ; 1953, Julius Caesar (Jules César) (Mankiewicz) ; 1954, Romeo and Juliet (Roméo et Juliette) (Castellani) ; 1955, Richard III (Olivier) ; 1956, Around the World in 80 Days (Le tour du monde en quatre-vingts jours) (Anderson), The Barrets of Wimpole Street (Franklin) ; 1957, Saint Joan (Sainte Jeanne) (Preminger) ; 1964, Becket (Glenville), Hamlet (Colleran) ; 1965, Chimes at Midnight (Falstaff) (Welles), The Loved one (Le cher disparu) (Richardson) ; 1968, Sebastian (Les filles du code secret) (Greene), The Charge of the Light Brigade (La charge de la brigade légère) (Richardson), The Shoes of the Fisherman (Les souliers de saint Pierre) (Anderson), Assignment to Kill (Les tueurs sont lâchés) (Reynolds) ; 1969, Oh What a Lovely War (Ah ! Dieu que la guerre est jolie !) (Attenborough) ; 1970, Julius Caesar (Jules César) (Burge) ; 1971, Eagle in a Cage (Cook) ; 1972, The Lost Horizons (Les Horizons perdus) (Jarrott) ; 1973, Gold (Hunt) ; 1974, 11 Harrowhouse (Fric-frac rue des diams) (Avakian), Murder on the Orient-Express (Le crime de l'Orient-Express) (Lumet), Galileo (Losey) ; 1976, Aces High (Le tigre du ciel) (Gold), Joseph Andrews (Richardson), Providence (Resnais), A Portrait of the Artist As a Young Man (Strick), Caligula (Brass) ; 1978, Murder by Decree (Meurtres par décret) ; 1979, Dyrygent (Le chef d'orchestre) (Wajda), The Human Factor (Preminger), Le lion du désert (Akkad) ; 1980, Sphinx (Schaffner), The Formula (La formule) (Avildsen), Elephant Man (Elephant Man) (Lynch), Priest of Love (Miles) ; 1981, Chariots of Fire (Les chariots de feu) (Hudson), Arthur (Gordon), The Wicked Lady (Winner) ; 1983, Gandhi (Attenborough), Wagner (Palmer), Invitation to a Wedding (Joseph Brooks) ; 1984, The Shooting Party (La partie de chasse) (Bridges), Scandalous (R. Cohen) ; 1985, Plenty (Plenty) (Schepisi), Time after Time (Hays) ; 1986, Leave All Fair (Souvenirs secrets) (Reid) ; 1987, The Whistle Blower (Langton), Barbablu' Barbablu' (Carpi) ; 1988, Appointment with Death (Rendez-vous avec la mort) (Winner), Arthur II : On the Rocks (Yorkin) ; 1989, Getting it Right (Kleiser) ; 1990, Strike it Rich (J. Scott) ; 1991, Prospero's Books (Prospero's Books) (Greenaway), Shining Through (Une lueur dans la nuit) (Seltzer) ; 1992, The Power of One (La puissance de l'ange) (Avildsen) ; 1994, First Knight (Lancelot) (Zucker) ; 1995, Haunted (Gilbert), Shine (Shine) (Hicks), Looking for Richard (Looking for Richard) (Pacino), Portrait of a Lady (Portrait de femme) (Campion) ; 1996, Hamlet (Hamlet) (Branagh) ; 1997, The Tichbone Claimant (D. Yates) ; 1998, Elizabeth (Elizabeth) (Kapur).

Avant tout l'un des plus grands acteurs anglais dans le domaine shakespearien : *Hamlet*, *Lear*, *Richard III* ont été joués et mis en scène par ses soins. Mais il créa aussi des pièces de Pinter. Au cinéma, il a naturellement interprété Shakespeare : *Jules César*, *Roméo et Juliette*, *Richard III*, *Falstaff*... On le vit aussi dans des œuvres plus inattendues comme le pornographique *Caligula*. Ses meilleurs rôles contemporains : *Eagle in a Cage* (où il est Hudson Lowe), *Providence* (où il avait une manière à lui de boire du vin blanc) et *Le chef d'orchestre* (où il était particulièrement impressionnant dans sa manière de diriger Beethoven). Trop longtemps enfermé dans Shakespeare, Gielgud révéla ces dernières années les extraordinaires facettes de son talent.

Gil, Gilbert

Acteur et réalisateur français, de son vrai nom Moreau, 1913-1988.

1936, Les grands (Gandéra), Le mioche (Moguy), Le chanteur de minuit (Joannon), Le coupable (Bernard), Pépé le Moko (Duvivier), La glu (Choux), Le voleur de femmes (Gance) ; 1937, Gribouille (M. Allégret), Abus de confiance (Decoin), Une femme sans importance (Choux) ; 1938, L'entraîneuse (Valentin), Noix de coco (Boyer) ; 1939, Nuit de décembre (Bernhardt), De Mayerling à Sarajevo (Ophuls) ; 1940, L'âge d'or (Limur) ; 1941, Nous les gosses (Daquin), Histoire de rire (L'Herbier) ; 1942, Monsieur la Souris (Lacombe), La symphonie fantastique (Christian-Jaque), Haut le Vent (Baroncelli), La loi du printemps (Daniel-Norman), Secrets (Blanchar), L'assassin a peur la nuit (Delannoy) ; 1943, Pierre et Jean (Cayatte) ; 1944, Le dernier sou (Cayatte) ; 1945, On demande un ménage (Cam), Leçon de conduite (Grangier) ; 1947, Brigade criminelle (Gil), La dame d'onze heures (Devaivre), Le mannequin assassiné (Hérain) ; 1950, Né de père inconnu (Cloche) ; 1953, Si Versailles m'était conté (Guitry) ; 1954, Napoléon (Guitry) ; 1955, La Madelon (Boyer), Si Paris nous était conté (Guitry) ; 1958, Ça n'arrive qu'aux vivants (Saytor) ; 1960, Jugez-les bien (Saltel), Dans la gueule du loup (Dudrumet) ; 1962, Le glaive et la balance (Cayatte), Les bonnes causes (Christian-Jaque), Le temps des copains (Guez) ; 1963, L'assassin viendra ce soir (Maley). *Comme réalisateur :* 1947, Brigade criminelle.

Il fut un jeune premier maigrichon et pâlot dans les films d'avant-guerre. On se souvient de lui en amoureux timide et cérébral de Michèle Morgan dans *L'entraîneuse* puis, s'émancipant, en secrétaire infidèle de Clariond dans *Monsieur la Souris*. Il tenta par la suite une carrière de réalisateur qui tourna court après un film. On le revit dans les trois fresques historiques de Guitry. Il y fut tour à tour Rousseau, Louis Bonaparte et Molière.

Gilbert, Billy

Acteur américain, 1894-1971.

Très nombreux courts métrages entre 1912 et 1931 puis : 1931, One Good Turn (avec Laurel et Hardy) ; 1932, The Music Box, The Chimp, County Hospital, Their First Mistake, Pack up Your Troubles (Tous avec Laurel et Hardy), Million Dollars Legs (Cline) ; 1933, Towed in a Hole (avec Laurel et Hardy) ; 1934, Them Thar Hills (avec Laurel et Hardy), Cockeyed Cavaliers (Sandrich) ; 1935, A Night at the Opera (Une nuit à l'Opéra) (Wood) ; 1936, Sutter's Gold (L'or maudit) (Cruze) ; 1937, On the Avenue (Sur l'avenue) (Del Ruth) ; 1938, Blockheads (Têtes de pioche) (Blystone, avec Laurel et Hardy) ; 1939, Destry Rides Again (Femme ou démon) (Marshall) ; 1940, The Great Dictator (Le dictateur) (Chaplin), His Girl Friday (La dame du vendredi) (Hawks) ; 1941, Tin Pan Alley (W. Lang) ; 1943, Arabian Nights (Rawlins), Crazy House (Cline) ; 1945, Anchors Aweigh (Escale à Hollywood) (Sidney) ; 1952, Down Among the Sheltering

Palms (Goulding) ; 1962, Five Weeks in a Balloon (Cinq semaines en ballon) (Allen).

Débuts dans les Keystone Cops de Sennett. Une belle carrière au music-hall dans les années 20, puis il entre dans l'équipe de Laurel et Hardy (il est le médecin précipité par Laurel à travers une fenêtre dans *County Hospital* et l'auteur du scénario de *Music Box*). Il joua les gros moustachus par la suite dans de nombreux films.

Gilbert, John

Acteur et réalisateur, de son vrai nom Pringle, 1899-1936.

1915, The Mother Instinct (W. Lucas) ; 1916, Hell's Hinges (Barker), The Phantom, The Eye of Vengeance, Bullets and Brown Eyes, Shell 43 ; 1917, Princess of Dark Happiness, The Millionnaire, Vagrant, Hater of Men, The Devil Dodger, Doing Her Bit, Golden Rule Kate ; 1918, Sons of Men. Nancy Comes Come, Three X Gordon, More Trouble, Wedlock, The Mask, Schackled, The Dawn of Understanding ; 1919, Busher, Widow by Proxy, Should a Woman Tell ? The White Heather, The Red Viper, Heart'o'the Hills ; 1920, The White Circle, Deep Waters, The Great Redeemer, The Servant in the House ; 1921, Love's Penalty (John Gilbert), Shame (Flynn), Ladies Must Live (Tucker), The Bait (Tourneur) ; 1922, Gleam o'Dawn (Dillon), Monte Cristo (Flynn), Arabian Love (Storm), Calvert's Valley (Dillon), The Love Gambler (J. Franz), Honor First (Storm), The Yellow Stain (Dillon) ; 1923, Cameo Kirby (Ford), The Exiles (Mortimer), California Romance (Storm), St. Elmo (Storm), Truxton King (Storm), While Paris Sleeps (Tourneur, sous le nom de Jack Gilbert), Madness of Youth (Storm) ; 1924, The Wolf Man (Mortimer), Just off Broadway (Hatton), A Man's Mate (Mortimer), Romance Ranch (Mitchell), His Hour (Son heure) (Vidor), The Snob (Bell), The Lone Chance (Mitchell), Married Flirts (Vignola), The Wife of the Centaur (Vidor), He Who Gets Slapped (Sjöström) ; 1925, The Merry Widow (La veuve joyeuse) (Stroheim), The Big Parade (La grande parade) (Vidor) ; 1926, La Bohème (Vidor), Bardelys the Magnificent (Vidor) ; 1927, The Show (Browning), Flesh and the Devil (La chair et le diable) (Brown), Man, Woman and Sin (Bell), Twelve Miles Out (Conway) ; 1928, Love (Anna Karenina) (Goulding), The Cossacks (Hill), Four Walls (Nigh), Masks of the Devil (Sjöström) ; 1929, Hollywood Revue of 1929 (Reisner), Desert Nights (Nigh), A Man's Man (Cruze), His Glorious Night (L. Barrymore), A Woman of Affairs (Intrigues) (Brown) ; 1930, Redemption (Niblo), Way for a Sailor (Wood) ; 1931, Gentleman's Face (LeRoy), The Phantom of Paris (Robertson) ; 1932, West of Broadway (Beaumont), Downstairs (Bell) ; 1933, Queen Christina (La reine Christine) (Mamoulian), Fast Workers (Browning) ; 1934, The Captain Hates the Sea (Milestone). *Comme réalisateur :* 1921, Love's Penalty.

L'une des grandes figures du muet (il écrivit même des scénarios et dirigea un film). Il atteint à son apogée lorsqu'il devient le partenaire de Garbo dans *Flesh and the Devil*. Il est le séducteur par excellence. Mais déjà Stroheim s'est moqué de lui dans *La veuve joyeuse* et l'avènement du parlant lui porte un coup fatal. Il a beau prendre des leçons de diction et modifier le timbre de sa voix, rien n'y fait. *La reine Christine* montre pourtant que son cas n'est pas désespéré. Mais il ne peut s'assimiler aux nouvelles techniques. Déchu, il meurt d'une crise cardiaque.

Gillain, Marie

Actrice belge née en 1975.

1990, Mon père ce héros (Lauzier) ; 1992, Marie (Handwerker) ; 1994, L'appât (Tavernier) ; 1995, Les affinités électives (P. et V. Taviani) ; 1996, Un air si pur... (Angelo) ; 1997, Le Bossu (Broca) ; 1998, Le dîner (Scola) ; 1999, Harem Suare' (Le dernier harem) (Ozpetek) ; 2000, Laissons Lucie faire ! (Mouret), Barnie et ses petites contrariétés (Chiche) ; 2001, Laissez-passer (Tavernier), Absolument fabuleux (Aghion) ; 2003, Ni pour ni contre (bien au contraire) (Klapisch) ; 2004, Tout le plaisir est pour moi (Broué) ; 2005, L'enfer (Tanovic) ; 2007, Fragile(s) (Valente), Pars vite et reviens tard (Wargnier).

Révélée dans un rôle d'adolescente mythomane aux côtés de Gérard Depardieu, elle gagne en crédibilité dans le film de Tavernier où elle incarne l'élément féminin d'un trio de jeunes meurtriers qui défraya la chronique en 1984. Une fraîcheur et un naturel incontestables.

Gioi, Vivi

Actrice italienne, 1917-1975.

1936, Manon è una cosa seria (Camerini) ; 1939, Bionda sotto chiave (Mastrocinque) ; 1940, Rose scarlatte (Roses écarlates) (De Sica), Vento di millioni (Falconi), Mille chilometri al minuto (Mattoli), Frenesia (Bonnard), Alessandro sei grande (Bragaglia), Cento lettere d'amore (Neufeld), Dopo divorzieremo (Malasomma) ; 1941, La canzone rubata (Neufeld), Il pozzo dei miracoli (Righelli), L'amante segreta (Gallone), L'attore scomparson (Zampa), Giunglia (Perdus dans la brousse) (Malasomma), Primo amore (Gallone) ; 1942, Harlem (Knock out) (Gallone), Pizza San Sepolcro (Forzano), Sieben Jahre Glück (Marischka), Bengasi (Genina) ; 1943, La casa senza tempo (Forzano), Cortocircuito (Gentilomo), Lascia cantare il cuore / Und die Musik spielt dazu... (Savarese, Boese), Service de nuit (Faurez) ; 1944, Tutta la città canta (Freda) ; 1945, Il marito povero (Amata) ; 1947, Caccia tragica (Chasse tragique) (De Santis) ; 1948, Il grido della terra (Exodus) (Coletti) ; 1949, Donne senza nome (Femmes sans nom) (Radvanyi), Gente cosí (Gian le contrebandier) (Cerchio), La porteuse de pain (Cloche) ; 1951, Senza bandiera (De Felice) ; 1955, La risaia (La fille de la rizière) (Matarazzo) ; 1962, Il processo di Verona (Le procès de Vérone) (Lizzani) ; 1968, Dio non paga il sabato (A. Anton).

Elle débute au cinéma sous le nom de Vivien Diesca (anagramme de De Sica), grâce à Vittorio De Sica avec lequel elle a une longue idylle. Elle tourne au rythme de cinq ou six films par an pendant la guerre et se rend en France pour interpréter un personnage de premier plan dans *Service de nuit*, de Jean Faurez. En 1947, elle trouve son meilleur rôle, celui de la collaboratrice portant perruque parce que rasée par les résistants, dans *Chasse tragique*, de De Santis. Elle revient en France pour incarner Jeanne Fortier, la célèbre porteuse de pain dans le film homonyme de Maurice Cloche. A partir de 1950, elle se consacre surtout au théâtre et ne revient qu'épisodiquement au cinéma. Elle trouve son dernier grand rôle dans *Le procès de Vérone* où elle fait une admirable composition en tant que Rachel Mussolini, l'épouse du Duce.

Girardot, Annie

Actrice française née en 1931.

1955, Treize à table (Hunebelle) ; 1956, L'homme aux clés d'or (Joannon), Reproduction interdite (Grangier), Le rouge est mis (Grangier) ; 1957, Le désert de Pigalle (Joannon), Maigret tend un piège (Delannoy), L'amour est en jeu (M. Allégret) ; 1959, La corde raide (Dudrumet), Recours en grâce (Benedek) ; 1960, La proie pour l'ombre (Astruc), Rocco e i suoi fratelli (Rocco et ses frères) (Visconti), La Française et l'amour (Christian-Jaque) ; 1961, Le crime ne paie pas (Oury), Le bateau d'Émile (La Patellière), Le rendez-vous (Delannoy), Les amours célèbres (Boisrond), Smog (Rossi) ; 1963, Le vice et la vertu (Vadim) ; 1964, Guerre secrète (Christian-Jaque, Young, Lizzani), La donna scimmia (Le mari de la femme à barbe) (Ferreri), Déclic et des claques (P. Clair), Pourquoi Paris ? (La Patellière), L'autre femme (Villiers), I compagni (Les camarades) (Monicelli), I fuorilegge del matrimonio (Taviani), I giorno piu corto (Corbucci), La bonne soupe (Thomas) ; 1965, Trois chambres à Manhattan (Carné), La ragazza in prestito (Une femme prêtée) (Giannetti), Una voglia dia morire (Tessari), Un monsieur de compagnie (Broca), La belle famiglie (Ah ! les belles familles) (Gregoretti) ; 1967, Vivre pour vivre (Lelouch), Le streghe (Les sorcières) (Visconti, Pasolini) ; 1968, La bande à Bonnot (Fourastié), Les gauloises bleues (Cournot), Story of a Woman (Bercovici) ; 1969, Dillinger è morto (Dillinger est mort) (Ferreri), Érotissimo (Pirès), Un homme qui me plaît (Lelouch), Elle boit pas, elle fume pas, elle drague pas... mais elle cause (Audiard), Metti una sera a cena (Patroni Griffi), Bice skoro propast seva (Il pleut dans mon village) (Petrovic), Il seme dell'uomo (Ferreri), Clair de terre (Gilles) ; 1970, Les novices (Casaril) ; 1971, Mourir d'aimer (Cayatte), La vieille fille (Blanc) ; 1972, La mandarine (Molinaro), Les feux de la Chandeleur (Korber), Traitement de choc (Jessua), Elle cause plus... elle flingue (Audiard) ; 1973, Il n'y a pas de fumée sans feu (Cayatte), Juliette et Juliette (Forlani), Il pleut sur Santiago (Soto), Ursule et Grelu (Korber) ; 1974, La gifle (Pinoteau), Il sospetto (Le soupçon) (Maselli) ; 1975, Le gitan (Giovanni), Il faut vivre dangereusement (Makowski), D'amour et d'eau fraîche (Blanc), Cours après moi que je t'attrape (Pouret) ; 1976, Docteur Françoise Gailland (Bertucelli) ; 1977, A chacun son enfer (Cayatte), Tendre poulet (Broca), La zizanie (Zidi) ; 1978, La clé sur la porte (Boisset), Le cavaleur (Broca), Le point de mire (Tramont), Jambon d'Ardenne (Lamy), Le dernier baiser (Grassian), Vas-y maman (Buron), L'amour en question (Cayatte), L'ingorgo (Le grand embouteillage) (Comencini), Cause toujours tu m'intéresses (Molinaro) ; 1979, On a volé la cuisse de Jupiter (Broca), Bobo Jacco (Bal) ; 1980, Une robe noire pour un tueur (Giovanni), Le cœur à l'envers (Apprederis), All Night Long (La vie en mauve) (Tramont) ; 1981, La vie continue (Mizrahi), La revanche (Lary) ; 1984, Souvenirs souvenirs (Zeitoun), Liste noire (Bonnot) ; 1985, L'altra enigma (Gassman, Tuzil), Partir revenir (Lelouch), Adieu blaireau (Decout) ; 1988, Prisonnières (Silvera) ; 1989, Ruth (Aradeff), Cinq jours en juin (Legrand), Comédie d'amour (Rawson) ; 1990, Faccia di lepre (Ginanneschi), Il y a des jours et des lunes (Lelouch) ; 1991, Toujours seuls (Mordillat), Merci la vie (Blier), Alibi perfetto (Lado) ; 1993, Colpo di coda (Sanchez), Les braqueuses (Salomé) ; 1994, Les misérables (Lelouch), Portagli i miei saluti (Garbelli) ; 1995, Les Bidochon (Korber) ; 1996, Hôtel Shanghai (Patzak) ; 1997, Préféence (Delacourt), L'âge de braise (Leduc) ; 1999, Femmes enragées (Darsac), T'aime (Sébastien) ; 2001, La pianiste (Haneke) ; 2005, Caché (Haneke), Je préfère qu'on reste amis... (Toledano) ; 2006, C'est beau une ville la nuit (Bohringer), Le temps des portes-plumes (Duval).

Idole des classes moyennes. Beaucoup de naturel, une franche gaieté, de la pétulance. Mais de la Comédie-Française (où elle fut engagée après un premier prix au Conservatoire) au pire théâtre de boulevard, et de Visconti (c'est en tournant *Rocco et ses frères* qu'elle connut et épousa Renato Salvatori) à Zidi, quelle chute ! Un bon retour au théâtre cependant avec *L'avare* où elle accepte courageusement de jouer Frosine aux côtés de Michel Serrault. Puis de petits rôles. Deux césars l'ont récompensée : en 1977 pour *Docteur Françoise Gailland* et en 1996 pour *Les misérables*.

Girardot, Hippolyte

Acteur français né en 1955.

1974, La femme de Jean (Bellon) ; 1980, Inspecteur la Bavure (Zidi) ; 1981, L'amour nu (Bellon) ; 1982, Le destin de Juliette (Isserman) ; 1983, Prénom Carmen (Godard), Le bon plaisir (Girod) ; 1984, Fort Saganne (Corneau) ; 1985, L'amour ou presque (Gautier) ; 1986, L'amant magnifique (Isserman), Descente aux enfers (Girod), Suivez mon regard (Curtelin), Manon des sources (Berri) ; 1987, Les pyramides bleues (Dombasle) ; 1989, Un monde sans pitié (Rochant) ; 1990, The Man Inside (L'affaire Wallraff) (Roth) ; 1991, Hors la vie (Bagdadi), Clara e celebrita (Gaudino) ; 1992, Après l'amour (Kurys), Confessions d'un barjo (Boivin), La fille de l'air (Bagdadi) ; 1993, Toxic affair (Esposito), Les patriotes (Rochant), Quand j'avais cinq ans, je m'ai tué (Sussfeld), Le parfum d'Yvonne (Leconte) ; 1996, La cible (Courrège) ; 1997, Vive la République ! (Rochant) ; 2000, Jump Tomorrow (J. Hopkins) ; 2003, Léo en jouant « Dans la compagnie des hommes » (Desplechin), Le tango des Rashevski (Garbaski) ; 2004, Modigliani (Modigliani) (Davis), Nos amis les flics (Swaim), Je préfère qu'on reste amis... (Toledano), La moustache (Carrère), Rois et reines (Desplechin) ; 2005, Trois couples en quête d'orage (Otmezguine) ; 2006, Un an (Boulanger), Le pressentiment (Darroussin), Paris je t'aime (collectif), Incontrôlable (Shart), Lady Chatterley (Ferran), Je pense à vous (Bonitzer) ; 2007, Coupables (Masson), L'invité (Bouhnik), Ma place au soleil (Montalier).

Remarqué dans *L'amant magnifique*, il est lancé par le succès d'*Un monde sans pitié*. Il interprète Utrillo dans *Modigliani*.

Giraud, Roland

Acteur français né en 1942.

1974, Bons baisers... à lundi (Audiard) ; 1977, Vous n'aurez pas l'Alsace et la Lorraine (Coluche) ; 1978, Et la tendresse... bordel ! (Schulmann), Les héros n'ont pas froid aux oreilles (Némès), Le pion (Gion) ; 1980, Le roi des cons (Confortès) ; 1981, Elle voit des nains partout (Sussfeld), Le maître d'école (Berri) ; 1983, Attention, une femme peut en cacher une autre (Lautner), Vive les femmes ! (Confortès), Papy fait de la résistance (Poiré) ; 1984, A nous les garçons (Lang), Signes extérieurs de richesse (Monnet) ; 1985, Trois hommes et un couffin (Serreau), Tranches de vie (Leterrier), Paulette, la pauvre petite milliardaire (Confortès), Liberté égalité choucroute (Yanne) ; 1986, Le complexe du kangourou (Jolivet), Vaudeville (Marbœuf), Cross (Setbon), Tant qu'il y aura des femmes (Kaminka) ; 1987, La vie dissolue de Gérard Floque (Lautner), La petite allumeuse (Dubroux), Promis, juré (Monnet), Sans peur et sans reproche (Jugnot) ; 1988, Corentin (Marbœuf), Les cigognes n'en font qu'à leur tête (Kaminka), L'invité surprise (Lautner) ; 1989, Périgord noir (Ribowsky), Mister Frost (Setbon), Le provincial (Gion) ; 1990, Les secrets professionnels du docteur Apfelglück (collectif) ; 1991, Simple mortel (Jolivet), Sup de fric (Gion) ; 1992, Chambre 108 (Moosman) ; 1993, Je t'aime quand même (Companeez) ; 1997, Quatre garçons pleins d'avenir (Lilienfeld) ; 2000, Bon plan (Levy) ; 2003, Dix-huit ans après (Serreau).

Il impose de film en film la silhouette d'un séducteur sans grande envergure mais non dépourvu de charme. C'est à *Trois hommes et un couffin* qu'il doit sa célébrité. Malgré une tragédie familiale, il continue de jouer beaucoup au théâtre.

Giraudeau, Bernard

Acteur et réalisateur français né en 1947.

1973, Deux hommes dans la ville (Giovanni), Revolver (La poursuite implacable) (Sollima) ; 1975, Le gitan (Giovanni), Jamais plus toujours (Bellon) ; 1976, Le juge Fayard (Boisset), Bilitis (Hamilton), Moi, fleur bleue (Le Hung) ; 1979, Le toubib (Granier-Deferre), Et la tendresse... bordel ! (Schulmann) ; 1980, Viens chez moi, j'habite chez une copine (Leconte) ; 1981, La Boum (Pinoteau), Passione d'amore (Scola), Croque la vie (Tacchela), Le grand pardon (Arcady) ; 1982, Hécate (Schmid), Meurtres à domicile (Lobet) ; 1983, Le ruffian (Giovanni), Papy fait de la résistance (Poiré) ; 1984, Rue Barbare (Béhat), L'année des méduses (Frank) ; 1985, Les spécialistes (Leconte), Bras de fer (Vergez), Les longs manteaux (Béhat), Les loups entre eux (Giovanni), Moi vouloir toi (Dewolf) ; 1987, Poussière d'ange (Niermans), L'homme voilé (Bagdadi), Vent de panique (Stora) ; 1990, La reine blanche (Hubert) ; 1991, Après l'amour (Kurys), Le coup suprême (Sentier) ; 1992, Drôles d'oiseaux ! (Kassovitz) ; 1993, Une nouvelle vie (Assayas), Elles ne pensent qu'à ça (Dubreuil) ; 1994, Le fils préféré (Garcia) ; 1995, Ridicule (Leconte), Les caprices d'un fleuve (Giraudeau) ; 1996, La vie silencieuse de Marianna Ucria (Faenza) ; 1997, Marquise (Belmont), Marthe (Hubert) ; 1998, TGV (Touré), Le double de ma moitié (Amoureux) ; 1999, Une affaire de goût (Rapp), Gouttes d'eau sur pierres brûlantes (Ozon) ; 2003, Ce jour-là (Ruiz), La petite Lili (Miller), Les marins perdus (Devers) ; 2004 ; Je suis un assassin (Vincent) ; 2005, Chok Dee (Durringer). *Pour le metteur en scène*, voir le *Dictionnaire du cinéma*, t. I : *Les réalisateurs*.

Marin, il fait le tour du monde à bord de la *Jeanne-d'Arc*, puis, de retour à la vie terrienne, exerce différents métiers aux Halles, chez Simca, dans une agence de publicité. Le cinéma le découvre. Son registre préféré : la comédie. Mais il est remarquable dans *Passione d'amore* et dans *Hécate*, d'après Paul Morand. Un nouveau Gérard Philipe ? En réalité, un acteur bien supérieur à son prédécesseur. Il montre dans *Rue Barbare* qu'il peut se transformer de héros romantique en justicier solitaire du monde des loubards. Tatoué, hirsute, en maillot de corps, il n'a plus rien du jeune officier de *Passione d'amore*. C'est un autre Giraudeau, preuve d'une extraordinaire aptitude aux métamorphoses. Mais le public ne regrettera-t-il pas le premier Giraudeau ? Le film d'action paraît désormais l'inspirer : il triomphe dans *Les spécialistes* de Leconte. Mais son personnage de *L'homme voilé* est riche d'ambiguïtés et amorce peut-être une nouvelle étape de sa carrière. Il s'oriente en effet vers des œuvres qui ne cherchent pas un succès populaire (Sentier, Assayas, Dubreuil) et se tourne vers la mise en scène avec *L'autre* en 1990. Il poursuit, dans des rôles inquiétants (*Ce jour-là*) son métier de comédien, joue au théâtre (*Petits crimes conjugaux*) et revient à la mise en scène.

Girotti, Mario : cf. Hill, Terence.

Girotti, Massimo
Acteur italien, 1918-2003.

1939, Dora Nelson (Soldati) ; 1940, Una romantica avventura (Camerini), La corona di ferro (La couronne de fer) (Blasetti), Tosca (La Tosca) (Koch) ; 1941, Le due tigri (Les deux tigres) (Simonelli), I pirati della Malesia (Les pirates de Malaisie) (Guazzoni), La cena delle beffe (La farce tragique) (Blasetti) ; 1942, Un pilota ritorna (Rossellini), Ossessione (Les amants diaboliques) (Visconti) ; 1943, Apparizione (Jean de Limur), Harlem (Knock out) (Gallone), La carne e l'anima (Strichewsky) ; 1944, La porta del cielo (La porte du ciel) (De Sica) ; 1945, I dieci comandamenti (W. Chili) ; 1946, Desiderio (La proie du désir) (Pagliero), Un giorno nella vita (Un jour dans la vie) (Blasetti), Preludio d'amore (Paolucci) ; 1947, Fatalita (Le baiser fatal) (Bianchi), Caccia tragica (Chasse tragique) (De Santis), Natale al campo 119 (Noël au camp 119) (Francisci) ; 1948, Gioventu perduta (Jeunesse perdue) (Germi), Anni difficili (Les années difficiles) (Zampa), Molti sogni per le strade (Beaucoup de rêve sur les routes) (Camerini) ; 1949, Fabiola (Blasetti), In nome della legge (Au nom de la loi) (Germi) ; 1950, Cronaca di un amore (Chronique d'un amour) (Antonioni), Duello senza onore (Mastrocinque) ; 1951, Altura Real (Sequi), Persiane chiuse (Les volets clos) (Comencini), Nez de cuir (Allégret) ; 1952, Roma ore 11 (Onze heures sonnaient) (De Santis), Clandestino a Trieste (Salvini), Il tenente Giorgio (Matarazzo) ; 1953, Il segreto delle tre punte (Cour martiale) (Bragaglia), Spartaco (Spartacus) (Freda), Ai margini della metropoli (Dans les faubourgs de la ville) (Lizzani), Sul ponte dei sospiri (Sur le pont des soupirs) (Leonviola), Un marito per Anna Zaccheo (De Santis) ; 1954, Senso (Senso) (Visconti), Vortice (Matarazzo), L'amour d'une femme (Grémillon) ; 1955, I quattro del getto tonante (Cerchio) ; 1956, La tua donna (Paolucci), Disperato addio (De Felice), Marguerite de la nuit (Autant-Lara) ; 1957, Dimentica il mio passato (Zeglio), Saranno uomini (Siano), Souvenir d'Italie (Pietrangeli), La venere di Cheronea (Aphrodite déesse de l'amour) (Cerchio et Tourjansky) ; 1958, Asphalte (Bromberger), La trovatella di Pompei (Gentilomo), Erode il grande (Le roi cruel) (Genoino) ; 1959, La strada lunga un anno (De Santis), Giuditta e Oloferne (La tête d'un tyran) (Cerchio), Lupi nell'abisso (Loups dans l'abîme) (Amadio), La cento chilometri (Petroni) ; 1960, I cosacchi (Les cosaques) (Tourjansky), Cavalcata selvaggia (Pierotti), Le notti dei Teddy Boys (Schott-Schöbinger), Lettere di una novizia (La novice) (Lattuada), I giganti della Tessaglia (Le géant de Thessalie) (Freda), Romolo e Remo (Romulus et Remus) (Corbucci) ; 1962, Vénus impériale (Delannoy) ; 1963, Oro per i Cesari (Freda et De Toth) ; 1964, La fabuleuse aventure de Marco Polo (La Patellière) ; 1967, Il misterioso senor Van Eyck (Navarro), Le streghe (Les sorcières) (sketch de Visconti) ; 1968, Krasnaya Palatka (La tente rouge) (Kalatozov), Scusi, facciamo l'amore ? (Et si l'on faisait l'amour ?) (Caprioli), Teorema (Théorème) (Pasolini) ; 1969, Le sorelle (Malenotti), Medea (Médée) (Pasolini) ; 1970, Il mio corpo con rabbia (Natale), Gli orrori del castello di Norimberga (Baron Blood) (Bava) ; 1972, L'ultimo tango a Parigi (Le dernier tango à Paris) (Bertolucci), L'ultima chance (La dernière chance) (Lucidi), Les voraces (Gobbi) ; 1974, Cagliostro (Pettinari), Il bacio (Lanfranchi) ; 1976, Mon corps avec rage (Natale), Monsieur Klein (Losey), L'innocente (L'innocent) (Visconti) ; 1977, Mark, il poliziotto spara per primo (Marc la gâchette) (Massi) ; 1981, Passione d'amore (Passion d'amour) (Scola) ; 1983, Ovide ou L'art d'aimer (Borowczyk) ; 1986, The Berlin Affair (Berlin affair) (Cavani) ; 1987, La bohême (Comencini), Rebus (Rebus) (Guglielmi) ; 1989, La Révolution française (Enrico et Heffron) ; 1992, Dall'altra parte del mondo (Catinari) ; 1994, Il mostro (Le monstre) (Benigni) ; 1996, Un bel dit Vedremo (Valerii) ; 2003, La finestra di fronte (La fenêtre d'en face) (Ozpetek).

Né à Mogliano, il débute au temps du fascisme dans de petits rôles avant de devenir vedette de deux œuvres qui vont orienter le cinéma italien dans des voies radicalement opposées : *La couronne de fer*, de Blasetti, ancêtre du péplum ; *Ossessione*, de Visconti, ou la naissance du néoréalisme. Girotti va se partager entre ces deux voies. D'un côté : Freda et Cottafavi ; de l'autre : De Santis et Lattuada. On lira avec intérêt l'étude que lui a consacrée Michel Azzopardi, *Un acteur aux cent visages* (1998).

Gish, Lillian

Actrice américaine, de son vrai nom de Guiche, 1893-1993.

1912, The New York Hat (Griffith), The Musketeers of Pig Alley (Griffith), Oil and Water (Griffith), An unseen Enemy (Griffith), The Burglar's Dilemna (Griffith) ; 1913, A Cry for Help (Griffith), The Left-Handed Man (Griffith), The House of Darkness (Griffith), The Lady and the Mouse (Griffith), Just Gold (Griffith), A Modest Hero, The Madonne of the Storm, The Mothering Heart, A Woman in the Ultimate, The Battle at Elderbush Gulch (Griffith), Judith of Bethulia (Judith de Bethulie) (Griffith) ; 1914, The Battle of the Sexes (La bataille des sexes) (Griffith), Home Sweet Home (Griffith), The Sisters, Lord Chumley, Kiny Bell ; 1915, Enoch Arden (Cabanne), The Birth of a Nation (Naissance d'une nation) (Griffith), The Lost House, Captain Macklin, The Lily and the Rose ; 1916, Intolerance (Griffith), Sold for Marriage (Cabanne), Daphne and the Pirates (Cabanne), An Innocent Magdalene, Diane of the Follies (Cabanne), Pathways of Life, The Children Pay ; 1917, Souls Triumphant, The House Built Upon Sand ; 1918, Hearts of the World (Cœurs du monde) (Griffith), The Great Love (A côté du bonheur) (Griffith) ; 1919, The Greatest Thing in Life (Une fleur dans les ruines) (Griffith), Broken Blossoms (Le lys brisé) (Griffith), True Heart Susie (Le pauvre amour) (Griffith), The Greatest Question (Le cœur se trompe) (Griffith), A Romance of Happy Valley (Le roman de la vallée heureuse) (Griffith) ; 1920, Way Down East (A travers l'orage) (Griffith) ; 1922, Orphans of the Storm (Les deux orphelines) (Griffith) ; 1923, The White Sister (King) ; 1924, Romola (King) ; 1926, La Bohème (Vidor), The Scarlet Letter (La lettre rouge) (Sjöström) ; 1927, Annie Laurie (Robertson) ; 1928, The Enemy (Niblo), The Wind (Le vent) (Sjöström) ; 1930, One Romantic Night (Stein) ; 1933, His Double life ; 1943, Commandos Strike at Dawn (Les commandos frappent à l'aube) (Farrow), Top Man (Lamont) ; 1946, Miss Susie Slagle's (Le bel espoir) (Berry), Duel in the Sun (Duel au soleil) (Vidor) ; 1948, Portrait of Jennie (Le portrait de Jenny) (Dieterle) ; 1955, The Cobweb (La toile d'araignée) (Minnelli), The Night of the Hunter (La nuit du chasseur) (Laughton) ; 1958, Orders to Kill (Asquith) ; 1959, The Unforgiven (Le vent de la plaine) (Huston) ; 1967, Warning Shot (L'assassin est-il coupable ?) (Kulik), The Comedians (Les comédiens) (Glenville) ; 1978, A Wedding (Un mariage) (Altman) ; 1984, Hambone and Hillie (Watts) ; 1985, Sweet Liberty (Alda) ; 1987, The Whales of August (Les baleines du mois d'août) (Anderson).

Son nom et celui de sa sœur, Dorothy Gish (1898-1968), demeurent associés à l'œuvre de Griffith. Lillian Gish fut de tous les grands films du maître du muet, de *Naissance d'une nation* au *Lys brisé* (son rôle le plus célèbre où sa fragilité était particulièrement émouvante) en passant par de nombreux courts métrages qu'il n'est pas toujours facile de retrouver. Elle travailla aussi avec Cabanne et surtout avec Sjöström notamment pour *The Wind*. L'avènement du parlant parut lui porter un coup fatal. Elle fut entraînée dans la chute de Griffith. Elle tenta un « come-back » en 1943, après avoir fait beaucoup de théâtre (*Oncle Vania*, *Hamlet*, avec Gieguld) à Broadway. Remarquée à nouveau dans *Duel au soleil*, elle fut éblouissante dans *La nuit du chasseur* où elle recueillait les deux enfants poursuivis par Mitchum. A son tour, Altman lui rendit hommage dans *A Wedding*. On l'a retrouvée, enfin, en compagnie de Bette Davis dans *The Whales of August*. Elle a dirigé sa sœur Dorothy en 1920 dans *Remodeling Your Husband*.

Glass, Ann-Gisel

Actrice française née en 1962.

1983, Adieu foulards (Lara), Souvenirs (Lagrange), Premiers désirs (Hamilton), Rats – Notte di terrore (Les rats de Manhattan) (Dawn) ; 1984, Hanna D. (A seize ans dans l'enfer d'Amsterdam) (Mattei) ; 1985, Détective (Godard), La tentation d'Isabelle (Doillon), Conseil de famille (Costa-Gavras) ; 1986, Rue du départ (Gatlif), Désordre (Assayas), Sierra Leone (Schrader) ; 1987, Travelling avant (Tacchella) ; 1988, Sans peur et sans reproche (Jugnot), Un privé au soleil (Niang) ; 1990, L'amour nécessaire (Carpi) ; 1991, La febre d'or (Herralde), La légende (Diamant-Berger), Leise Schatten (Hormann) ; 1992, Ma sœur, mon amour (Cohen), Just friends (Wajnberg) ; 1995, Salut cousin ! (Allouache) ; 1996, Jeunesse (Alpi), Un frère... (Verheyde) ; 1997, La revanche de Lucy (Mrozowski).

Une blondeur fragile pour une carrière menée sans coup d'éclat, mais avec passion et quelques années de grâce au milieu des années 80, où elle tourne avec la crème du cinéma d'auteur français.

Gleason, Jackie

Acteur américain, 1916-1987.

1941, Navy Blues (Bacon) ; 1942, Larceny Inc. (Bacon), All Through the Night (Échec à la Gestapo) (V. Sherman), Lady Gangster, Escape from Crime, Orchestra Wives (Mayo), Springtime in the Rockies (Cummings) ; 1950, The Desert Hawk (De Cordova) ; 1961, The Hustler (L'arnaqueur) (Rossen) ; 1962, Requiem for a Heavyweight (Requiem pour un poids lourd) (Nelson), Gigot (Kelly) ; 1963, Soldier in the Rain (La dernière bagarre) (Nelson), Papa's Delicate Condition (G. Marshall) ; 1968, Skidoo (Preminger) ; 1969, Don't Drink the Water (Morris), How to Commit Marriage (Panama) ; 1970, How Do I Love Thee (M. Gordon) ; 1977, Mr. Billion (J. Kaplan) ; 1983, The Toy (Donner).

Gros, imposant, il fut extraordinaire en champion de billard ne s'en laissant pas conter par Newman dans *The Hustler*. On le revit avec plaisir en compagnie cette fois de Steve McQueen dans *Soldier in the Rain*, balade nostalgique de deux sergents. Il a peu tourné mais bien tourné.

Gleeson, Brendan

Acteur irlandais né en 1954.

1990, The Field (The Field) (Sheridan) ; 1992, Into the West (Le cheval venu de la mer) (Newell), Far and Away (Horizons lointains) (Howard) ; 1993, The Snapper (The Snapper) (Frears) ; 1995, Braveheart (Braveheart) (Gibson) ; 1996, Trojan Eddie (McKinnon), Michael Collins (Michael Collins) (Jordan), A Further Gesture (Escape) (Dornhelm), Angela Mooney (McArdle) ; 1997, Turbulence (Turbulences à 30 000 pieds) (Butler), I Went Down (Irish Crime) (Breathnach), The Butcher Boy (Butcher Boy) (Jordan) ; 1998, This is My Father (Quinn), The Tale of Sweety Barrett (Bradley), The General (Le général) (Boorman), Lake Placid (Lake Placid) (Miner), My Life so Far (Hudson) ; 1999, Saltwater (McPherson), Mission : Impossible 2 (Mission : Impossible 2) (Woo), Wild About Harry (Lowney) ; 2000, Harrison's Flowers (Harrison's Flowers) (Chouraqui), The Tailor of Panama (The Tailor of Panama) (Boorman) ; 2001, Gangs of New York (Scorsese), A.I. (Spielberg), 28 Days Later (28 jours plus tard) (Boyle) ; 2002, Dark Blue (Dark Blue) (Sheldon) ; 2003, Cold Mountain (Retour à Cold Mountain) (Minghella) ; 2004, Kingdom of Heaven (Kingdom of Heaven) (Scott), Troy (Troie) (Petersen), The Village (Le village) (Shyamalan) ; 2005, Harry Potter and the Goblet of Fire (Harry Potter et la coupe de feu) (Newell) ; 2006, Breakfast on Pluto (Jordan) ; 2007, Harry Potter and the Order of the Phoenix (Harry Potter et l'ordre du Phénix) (Yates), Sixty Six (Weiland).

Costaud rouquin irlandais qui s'illustre d'abord en son pays avant de jouer les seconds couteaux aux États-Unis, et de trouver un rôle à sa mesure dans *Le général* de Boorman.

Glenn, Scott

Acteur américain né en 1942.

1970, The Babymaker (Un bébé sur commande) (Bridges) ; 1971, Angels Hard as They Come (Viola), Hex (Garen) ; 1975, Nashville (Altman), Fighting Mad (Colère froide) (Demme) ; 1979, American Graffiti 2 (Norton), Apocalypse Now (Coppola), Cattle Annie and Little Britches (Johnson) ; 1980, She Came to the Valley (Band), The Urban Cowboy (James Bridge) ; 1981, Personal Best (Towne), The Challenge (A armes égales) (Frankenheimer) ; 1983, The Right Stuff (L'étoffe des héros) (Kaufman), The Keeps (La forteresse noire) (Michael Mann), The River (La rivière) (Rydell) ; 1985, Silverado (Kasdan) ; 1986, Saigon (Saigon l'enfer pour deux flics) (Crowe), Verne Miller (Hewitt), Wild Geese II (Rose) ; 1987, Man on fire (Chouraqui) ; 1988, Off Limits (Crowe) ; 1990, The Hunt for Red October (A la poursuite d'Octobre rouge) (McTiernan) ; 1990, The Silence of the Lambs (Le silence des agneaux) (Demme) ; 1991, The Player (The Player) (Altman), Backdraft (Backdraft) (Howard), My Heroes Have Always Been Cowboys (Rosenberg) ; 1994, Tall Tale (Chechik), Flight of the Dove (Railsback) ; 1995, Reckless (Rene) ; 1996, Edie & Pen (Irmas), Carla's Song (Carla's Song) (Loach), Courage Under Fire (A l'épreuve du feu) (Zwick), Absolute Power (Les pleins pouvoirs) (Eastwood), Firestorm (Semler) ; 1997, Lesser (Prophets (De Vizia), Larga distancia (Smith) ; 1998, The Virgin Suicides (Virgin Suicides) (S. Coppola) ; 1999, Vertical Limit (Vertical Limit) (Campbell), The Shipping News (Terre-Neuve) (Hallström) ; 2001, Training Day (Training Day) (Fuqua) ; 2005, Magnificent Desolation : Walking on the Moon 3D (Magnifique désolation : marchons sur la Lune) (Cowen) ; 2007, Freedom Winters (Écrire pour exister) (LaGravenese).

Un physique rude, un visage taillé à coups de serpe, cet ancien reporter ne s'est imposé qu'avec *L'étoffe des héros* et *Silverado* comme un nouveau type d'aventurier d'une séduction faite avant tout de virilité.

Glover, Crispin

Acteur américain né en 1964.

1981, Private Lessons (Myerson) ; 1982, My Tutor (Bowers) ; 1983, Friday the 13th – the Final Chapter (Vendredi 13 n° 4, le chapitre final) (Zito) ; 1984, Racing with the Moon (Les moissons du printemps) (Benjamin), Teachers (Ras les profs) (Hiller) ; 1985, Back to the Future (Retour vers le futur) (Zemeckis), The Orkly Kid (Harris) ; 1986, At Close Range (Comme un chien enragé) (Foley) ; 1987, River's Edge (Hunter) ; 1989, Twister (Almereyda), Back to the Future II (Retour vers le futur 2) (Zemeckis) ; 1990, Where the Heart Is (Tout pour réussir) (Boorman), Wild at Heart (Sailor et Lula) (Lynch) ; 1991, Rubin And Ed (Hitzig), Ferdydurke (Ferdydurke) (Skolimovski), The Doors (The Doors) (Stone) ; 1992, Little Noises (Spencer) ; 1993, Crime and Punishment (Golan) ; What's Eating Gilbert Grape ? (Gilbert Grape) (Hallström) ; 1994, Chasers (Hooper), Even Cowgirls Get the Blues (Even Cowgirls Get the Blues) (Van Sant) ; 1995, Dead Man (Dead Man) (Jarmusch) ; 1996, The People vs. Larry Flynt (Larry Flynt) (Forman) ; 2000, Charlie's Angels (Charlie et ses drôles de dames) (McG), Nurse Betty (Nurse Betty) (La Bute), 2003, Charlie's Angels : Full Throttle (Les anges se déchaînent) (McG), Willard (Willard) (Morgan).

Second rôle de grand talent, on a pu le voir dans des films comme *Retour vers le futur* où il joue le père jeune et imbécile de Michael J. Fox, dans *Sailor et Lula* où il est le mari de Laura Dern, ou bien encore dans *Les Doors* ou il tient le rôle d'Andy Warhol avec une faculté de mimétisme hallucinante. Acteur totalement protéiforme, il est méconnaissable dans chacun de ses films et semble avoir définitivement tiré un trait sur une quelconque gloire. Pourtant *Willard*, où il compose un personnage inquiétant qui dresse des rats pour se venger, en fait une star.

Glover, Danny

Acteur américain né en 1947.

1979, Escape from Alcatraz (L'évadé d'Alcatraz) (Siegel) ; 1981, Chu Chu and the Philly Flash (Lowell Rich) ; 1982, Out (Hollander) ; 1984, Iceman (Schepisi), Places in the Heart (Les saisons du cœur) (Benton), Witness (Witness) (Weir) ; 1985, The Color Purple (La couleur pourpre) (Spielberg), Silverado (Silverado) (Kasdan) ; 1987, Lethal Weapon (L'arme fatale) (Donner) ; 1988, Bat-21 (Air Force Bat 21) (Markle) ; 1989 Lethal Weapon 2 (L'arme fatale 2) (Donner) ; 1990, Predator 2 (Predator 2) (Hopkins), To Sleep with Anger (La rage au cœur) (Burnett) ; 1991, Flight of the Intruder (Milius), A Rage in Harlem (Rage in Harlem) (Duke), Pure Luck (Tass), Grand Canyon (Grand Canyon) (Kasdan) ; 1992, Leathal Weapon 3 (L'arme fatale 3) (Donner), The Saint of Fort Washington (Le saint de Manhattan) (Hunter), Bopha ! (Freeman) ; 1994, Angels in the Outfield (Dear), Maverick (Maverick) (Donner) ; 1995, Operation Dumbo Drop (Wincer) ;

1997, Gone Fishin' (Cain), Switchback (La piste du tueur) (Stuart), The Rainmaker (L'idéaliste) (Coppola) ; 1998, Beloved (J. Demme), Leathal Weapon 4 (L'arme fatale 4) (Donner) ; 2000, Battù (Sissoko), Boesman & Lena (Boesman et Lena) (Berry), 3 a.m. (Davis) ; 2001, The Royal Tanenbaums (La famille Tanenbaum) (Anderson) ; 2005, Manderlay (Trier), Saw (Wan) ; 2006, Bamako (Sissako), The Shaggy Dog (Raymond) (Robbin) ; 2007, Dreamgirls (Condon), Bamyard (La ferme en folie) (Oedekerk).

Cet émule de Sidney Poitier doit plus sa popularité à son tandem formé avec Mel Gibson pour la série (qui n'en finit plus) de *L'arme fatale* plutôt qu'au reste de sa filmographie, bradée dans le « thriller » sans intérêt.

Goddard, Paulette

Actrice américaine, de son vrai nom Pauline Levee, 1911-1990.

1929, The Locked Door (Fitzmaurice) ; 1931, The Girl Habit (Cline), City Streets (Les carrefours de la ville) (Mamoulian) ; 1932, The Kid from Spain (Le roi de l'arène) (McCarey), Pack Up Your Troubles (Les sans-soucis) (Marshall), The Mouthpiece (Nugent) ; 1933, Roman Scandals (Tuttle) ; 1934, Kid Millions (Del Ruth) ; 1936, The Bohemian (La bohémienne) (Horne et Rogers), Modern Times (Les temps modernes) (Chaplin) ; 1938, The Young in Heart (Wallace), Dramatic School (Sinclair) ; 1939, The Women (Femmes) (Cukor), The Cat and the Canary (Le mystère de la maison Norman) (Nugent) ; 1940, The Great Dictator (Le dictateur) (Chaplin), The Ghost Breakers (Le mystère du château maudit) (Marshall), North-west Mounted Police (Les tuniques écarlates) (DeMille) ; 1941, Second Chorus (Potter), Nothing but the Truth (Nugent), Hold Back the Dawn (Leisen), Pot'O Gold (Marshall) ; 1942, The Lady Has Plans (Lanfield), The Forest Rangers (La fille de la forêt) (Marshall), Star Splangled Rhythm (Au pays du rythme) (Marshall), Reap the Wild Wind (Les naufrageurs des mers du Sud) (DeMille) ; 1943, The Crystal Ball (Nugent), So Proudly We Hail (Sandrich) ; 1944, I Love a Soldier (Sandrich) ; Standing Room Only (Lanfield) ; 1945, Kitty (La duchesse des bas-fonds) (Leisen), Duffy's Tavern (Walker) ; 1946, The Diary of a Chambermaid (Le journal d'une femme de chambre) (Renoir) ; 1947, Unconquered (Les conquérants d'un nouveau monde) (DeMille), Variety Girl (Marshall), Suddenly It's Spring (Leisen) ; 1948, On Our Merry Way (La folle enquête) (Vidor et Fenton), Hazard (Marshall), An Ideal Husband (Korda) ; 1949, Bride of Vengeance (La vengeance des Borgia) (Leisen), Anna Lucasta (Rapper) ; 1950, The Torch (E. Fernandez), 1952, Babes in Bagdad (Les mille et une filles de Bagdad) (Ulmer) ; 1953, Vice Squad (Investigations criminelles) (Laven), Paris Model (Green), Sins of Jezebel (Le Borg) ; 1954, Charge of the Lancers (Castle), Unholy Four (Meurtre sans empreintes) (Fisher) ; 1963, Gli indifferenti (Les indifférents) (Maselli) ; 1972, The Female Instinct (Stern).

Cette ravissante brunette débuta sous les auspices de Ziegfeld dans des revues avant de s'orienter vers le cinéma. Son premier film fut un court métrage de Laurel et Hardy (*Berth Marks*) mais son titre de gloire fut d'être la partenaire et l'épouse de Chaplin : *Les temps modernes*, *Le dictateur*. Star de la Paramount, elle tourna sous la direction de Renoir, Vidor, DeMille, Leisen et Marshall dans d'excellents films où sa beauté ajoute un piment supplémentaire. Une beauté incontestable puisque, après Chaplin, elle épousa l'acteur Burgess Meredith puis l'écrivain Erich Maria Remarque.

Godet, Danielle

Actrice française née en 1927.

Principaux films : 1945, L'idiot (Lampin) ; 1947, Le silence est d'or (Clair), L'idole (Esway) ; 1948, Une femme par jour (Boyer) ; 1950, Identité judiciaire (Bromberger) ; 1951, Nous irons à Monte Carlo (Boyer) ; Quitte ou double (Vernay) ; 1953, Une nuit à Mégève (André), Boum sur Paris (Canonge) ; 1954, Votre dévoué Blake (Leviron), Chéri-Bibi (Pagliero) ; 1955, Ces sacrées vacances (Vernay) ; 1956, C'est une fille de Paname (Lepage) ; 1957, Le souffle du désir (Lepage), Arènes joyeuses (Canonge) ; 1958, Rapt au deuxième bureau (Stelli) ; 1960, Un couple (Mocky) ; 1961, Horace 62 (Versini).

Comment peut-on mieux gâcher son talent et sa beauté que chez André, Lepage ou Canonge ?

Godrèche, Judith

Actrice française née en 1972.

1984, L'été prochain (N. Trintignant) ; 1987, La méridienne (Amiguet) ; 1988, Mendiants (Jacquot), Un été d'orages (Brandström), La fille de quinze ans (Doillon), Les saisons du plaisir (Mocky) ; 1989, Sons (Rockwell) ; 1990, La désenchantée (Jacquot) ; 1991, Paris s'éveille (Assayas), Ferdydurke (Skolimovski) ; 1992, Tango (Leconte) ; 1993, Une nouvelle vie (Assayas), Grande petite

(Fillières) ; 1995, Beaumarchais l'insolent (Molinaro), Ridicule (Leconte) ; 1997, The Man in the Iron Mask (L'homme au masque de fer) (Wallace) ; 1998, Bimboland (Zeitoun), Entropy (Entropy) (Joanou) ; 2000, Quicksand (Mackenzie) ; 2001, L'auberge espagnole (Klapisch) ; 2002, Parlez-moi d'amour (Marceau) ; 2003, France Boutique (Marshall) ; 2005, Papa (Barthélémy), Tout pour plaire (Telerman), Tu vas rire, mais je te quitte (Harel) ; 2007, J'veux pas que tu t'en ailles (Jeanjean).

Très jeune, elle ne choisit pas les films faciles. C'est *La désenchantée* de Benoît Jacquot qui l'impose.

Goldberg, Whoopi

Actrice américaine, de son vrai nom Caryn Johnson, née en 1949.

1985, The Color Purple (La couleur pourpre) (Spielberg) ; 1986, Jumpin' Jack Flash (Jumpin' Jack Flash) (Marshall) ; 1987, Burglar (Pie voleuse) (Wilson), Fatal Beauty (Fatal Beauty) (Holland) ; 1988, Clara's Heart (Mulligan), The Telephone (Torn) ; 1989, Homer and Eddie (Voyageurs sans permis) (Konchalovsky) ; 1990, Ghost (Ghost) (Zucker), The Long Walk Home (Le long chemin vers la liberté) (Pearce) ; 1991, House Party II (Jackson et McHenry), Sarafina ! the Movie (Sarafina !) (Roodt), Soapdish (Hoffman), Wisecracks (Singer) ; 1992, Sister Act (Sister Act) (Ardolino), The Player (The player) (Altman), National Lampoon's Loaded Weapon 1 (Alarme fatale) (Quintano) ; 1993, Made in America (Made in America) (Benjamin), Sister Act II : Back in the Habit (Sister Act, acte II) (Duke), Corrina, Corrina (Corrina, Corrina) (Nelson), Naked in New York (Naked in New York) (Algrant) ; 1994, Boys on the Side (Avec ou sans hommes) (Ross), Star Trek : Generations (Star Trek Générations) (Carson), The Little Rascals (Les chenapans) (Spheeris), Moonlight and Valentino (Moonlight & Valentino) (Anspaugh) ; 1995, T. Rex (T. Rex) (Betuel), Bogus (Bogus) (Jewison), Eddie (Rash) ; 1996, The Associate (L'associé) (Petrie), Bordello of Blood (Adler), Ghosts from the Past (Reiner) ; 1997, In & Out (In & Out) (Oz), An Alan Smithee Film – Burn Hollywood Burn (An Alan Smithee Film) (Hiller, sous le pseudonyme de Smithee), How Stella Got Her Groove Back (Sullivan) ; 1998, The Deep End of the Ocean (Aussi profond que l'océan) (Grosbard) ; 1999, Girl, Interrupted (Une vie volée) (Mangold), More Dogs than Bones (Sac d'embrouilles) (Browning), Get Bruce (Kuehn), Monkeybone (Selick) ; 2000, Rat Race (Zucker), Star Treck Nemesis (Star Treck Nemesis) (Baird) ; 2005, Searching for Debra Winger (R. Arquette).

Comique et show-woman noire américaine dont les mimiques simiesques sont souvent exaspérantes, elle démarre sa carrière avec Spielberg dans un rôle austère et qui s'avérera à contre-emploi *a posteriori* puisqu'elle a interprété depuis une multitude de films comiques qui ne laisseront sans doute que bien peu de traces dans les annales.

Goldblum, Jeff

Acteur américain né en 1952.

1974, California Split (California Split) (Altman), Death Wish (Un justicier dans la ville) (Winner) ; 1975, Next Stop Greenwich Village (Next Stop, Greenwich Village) (Mazursky), Nashville (Nashville) (Altman) ; 1976, Special Delivery (Wendkos) ; 1977, The Sentinel (La sentinelle des maudits) (Winner), Between the Lines (Silver), Annie Hall (Annie Hall) (Allen) ; 1978, Thank God, It's Friday (Klane), Invasion of he Body Snatchers (L'invasion des profanateurs) (Kaufman) ; 1979, Remember my Name (Tu ne m'oublieras pas) (Rudolph) ; 1981, Threshold (Pearce) ; 1983, The Right Stuff (L'étoffe des héros) (Kaufman), The Big Chill (Les copains d'abord) (Kasdau) ; 1984, The Adventures of Buckaroo Banzai (Aventures de Buckaroo Benzaï dans la huitième dimension) (Richter), Into the Night (Série noire pour une nuit blanche) (Landis) ; 1985, Silverado (Silverado) (Kasdan) ; 1986, The Fly (La mouche) (Cronenberg), Beyond Therapy (Altman), Transylvania 6-5000 (Deluca) ; 1988, The Mad Monkey (Trueba), Vibes (Kwapis) ; 1989, Mister Frost (Setbon), The Tall Guy (Smith), Earth Girls Are Easy (Temple) ; 1991, The Favour, the Watch and the Very Big Fish (La montre, la croix et la manière) (Lewin), The Player (The Player) (Altman) ; 1992, Fathers and Sons (Mones), Deep Cover (Dernière limite) (Duke), Shooting Elizabeth (Taylor) ; 1993, Jurassic Park (Jurassic Park) (Spielberg) ; 1994, Hideaway (Souvenirs de l'au-delà) (Leonard) ; 1995, Nine Months (Neuf mois aussi) (Columbus), Powder (Powder) (Salva), Great White Hype (Hudlin) ; 1996, Independence Day (Independence Day) (Emmerich), Mad Dog Time (Mad dogs) (Bishop), The Lost World (Le monde perdu : Jurassic Park) (Spielberg) ; 1997, Mister G (Herek) ; 1998, Welcome to Hollywood (Markes) ; 1999, Chain of Fools (Traktor), Auggie Rose (Tabak) ; 2000, One of the Hollywood Ten (Francis), Cats and Dogs (Guterman) ; 2001, Perfume (Rymer) ; 2002, Igby Goes

Down (Steers) ; 2004, The Life Aquatic with Steve Zissou (La vie aquatique) (Anderson).

Spécialiste d'un humour pince-sans-rire, il excelle en vedette dans *Into the Night* avant de se transformer en horrible mouche dans *The Fly* et en inquiétant Mister Frost. Pas une star mais un acteur solide.

Goldsmith, Clio

Actrice britannique née en 1957.

1979, La cicala (La cigale) (Lattuada) ; 1980, La dame aux camélias (Bolognini) ; 1981, Plein sud (Béraud), Miss Right (Williams) ; 1982, Le cadeau (Lang), Le grand pardon (Arcady), La caduta delli angeli ribelli (Giordana) ; 1983, Honey (Fleur du vice) (Di Carlo) ; 1984, L'étincelle (Lang).

Quand on est la fille d'un écologiste célèbre, quand on est de surcroît jolie et que l'on n'a pas froid aux yeux, la carrière d'actrice ne fait plus problème. Lang a su parfaitement l'utiliser dans *Le cadeau.*

Golino, Valeria

Actrice italienne née en 1966.

1983, Scherzo del destino inaguato dietro all'angolo come un brigante di strada (Wertmuller) ; 1984, Sotto sotto (Wertmuller), Foglio mio, infinitamente caro (Orsini), Blind Date (Mastorakis) ; 1985, Piccoli fuocchi (Del Monte), Storia d'amore (Maselli) ; 1986, Dernier été à Tanger (Arcady), Dumb Dicks (Attention... privés) (Ottoni) ; 1987, Gli occhiali d'oro (Les lunettes d'or) (Montaldo), Paura e amore (Von Trotta) ; 1988, Rain Man (Rain Man) (Levinson), Eaux printanières (Skolimowski), Big Top Pee-Wee (Big Top Pee-Wee) (Kleiser) ; 1989, La putain du roi (Corti) ; 1990, Tracce di una vita amorosa (Del Monte), Year of the Gun (Year of the Gun — L'année de plomb) (Frankenheimer), Il y a des jours... et des lunes (Lelouch) ; 1991, The Indian Runner (The Indian Runner) (Penn), Hot Shots (Hot Shots) (Abrahams) ; 1992, Puerto escondido (Salvatores), Hot Shots 2 (Hot Shots 2) (Abrahams) ; 1993, Clean Slate (Jackson) ; 1994, Immortal Beloved (Ludwig van B.) (Rose) ; 1995, Come due coccodrille (Comme deux crocodiles) (Campiotti), Leaving Las Vegas (Leaving Las Vegas) (Figgis), Four Rooms (sketch Anders) ; 1996, An Occasional Hell (Breziner), John Carpenter's Escape to LA (Los Angeles 2013) (Carpenter), Escoriandoli (Rezza, Mastrella), I Sfagi tou Kokora (Pantzis), Le acrobate (Soldini) ; 1998, Side Streets (Gerber), L'albero delle pere (Archibugi) ; 1999, Harem Suare' (Le dernier harem) (Ozpetek), Things You Can Tell Just by Looking at Her (Ce que je sais d'elle... d'un simple regard) (Garcia), Spanish Judges (Scott) ; 2000, Controvento (Del Monte) ; 2002, Frida (Frida) (Taymor), Respiro (Respiro) (Crialese) ; 2004, Alive (Berthe), San-Antonio (Auburtin), 36 quai des Orfèvres (Marchal) ; 2005, Olé ! (Quentin) ; 2007, A casa nostra (F. Comencini), Ma place au soleil (Montalier).

Cette magnifique actrice partage sa curieuse carrière entre un cinéma européen plutôt austère et des œuvres plus commerciales aux États-Unis, voire carrément des triomphes au box-office.

Gomez, Thomas

Acteur américain, 1905-1971.

1942, Sherlock Holmes and the Voice of Terror (La voix de la terreur) (Rawlins), Arabian Nights (Rawlins), Pittsburgh (Pittsburgh) (Seiler), Who Done It (Kenton) ; 1943, Corvette K-225 (Rosson), Crazy House (Cline), White Savage (Lubin), Frontier Badmen (Beebe) ; 1944, The Phantom Lady (Les mains qui tuent) (Siodmak), Climax (Waggner), Dead Man's Eyes (Le Borg), Follow the Boys (Hollywood Parade) (Sutherland), In Society (Yarbrough), Bowery to Broadway (Lamont), Can't Help Singing (F. Ryan) ; 1945, Patrick (Ryan), Frisco Sal (Waggner), The Daltons Ride Again (R. Taylor), I'll Tell the World (Goodwins) ; 1946, The Dark Mirror (Double énigme) (Siodmak), Swell Guy, A Night in Paradise (Lubin) ; 1947, Singapore (Singapour) (Brahm), Captain from Castile (Capitaine de Castille) (King), Johnny O'Clock (L'heure du crime) (Rossen), Ride the Pink Horse (Et tournent les chevaux de bois) (Montgomery) ; 1948, Angel in Exile (Dwan), Casbah (Berry), Key Largo (Key Largo) (Huston) ; 1949, Come to the Stable (Koster), Force of Evil (Polonsky), That Midnight Kiss (Taurog), Sorrowful Jones (Lanfield), I Married a Communist (Stevenson) ; 1950, Kim (Kim) (Saville), The Eagle and the Hawk (L'aigle et le vautour) (L. Foster), The Furies (Les furies) (A. Mann), The Toast of New Orleans (Taurog), Dynamite Pass (Landers) ; 1951, Anne of the Indies (La flibustière des Antilles) (Tourneur), The Sellout (G. Mayer), The Merry Widow (La veuve joyeuse) (Bernhardt), Poney Express (La dernière flèche) (Newman) ; 1953, Sombrero (Foster) ; 1954, The Gambler from Natchez (Levin), The Adventures of Hajii Baba (Les aventures d'Hadji) (Weis) ; 1955, The

Looters (Biberman), Night Freight (Yarbrough), Las Vegas Shakedown (Salkow), The Magnificent Matador (Le brave et la belle) (Boetticher) ; 1956, Trapeze (Trapèze) (Reed), The Conqueror (Le conquérant) (Powell) ; 1959, John Paul Jones (John Paul Jones maître des mers) (Farrow), But Not For Me (La vie à belles dents) (W. Lang) ; 1961, Summer and Smoke (Été et fumées) (Glenville) ; 1970, Beneath the Planet of the Apes (Le secret de la planète des singes) (Post).

Ce solide second plan a joué dans une quantité impressionnante de films importants, « thrillers » et westerns, servant même de faire-valoir à Abbott et Costello. Remarquable dans le domaine du tragique où sa silhouette massive peut se faire menaçante, il paraît moins à l'aise dans le registre comique qu'il a parfois abordé. Beaucoup de télévision à la fin de sa carrière.

Gong Li

Actrice chinoise née en 1965.

1987, Hong goaliang (Le sorgho rouge) (Zhang Yimou) ; 1988, The Empress Dowager (Li Han-Hsiang), A Terracota Warrior (Ching Siu-Tung) ; 1989, Ju Dou (Ju Dou — Le sang du père) (Zhang Yimou) ; 1991, Raise the Red Lantern (Épouses et concubines) (Zhang Yimou) ; 1992, Da gunsi (Qiu Ju, une femme chinoise) (Zhang Yimou) ; 1993, Bawang bieji (Adieu ma concubine) (Chen Kaige) ; 1994, Huozhe (Vivre !) (Zhang Yimou), Hua hun (Pan Yuliang, artiste peintre) (Huang Shuqin) ; 1995, Yao a yao yao wai pe oiad (Shanghai Triad) (Zhang Yimou), Fengye (Chen Kaige) ; 1997, Chinese Box (Chinese Box) (Wang) ; 1999, Piao liang ma ma (Plus fort que le silence) (Sun Zhou), Jin ke ci qin wang (L'empereur et l'assassin) (Kaige) ; 2004, 2046 (2046) (Wong Kar-wai) ; 2005, Eros (collectif) ; 2006, Memoirs of a Geisha (Mémoires d'une geisha) (Marshall), Miami Vice (Miami Vice - Deux flics à Miami) (Mann) ; 2007, Hannibal Rising (Hannibal Lecter : les origines du mal) (Webber), Man cheng jin dai huang jin jia (La cité interdite) (Yimou).

Comédienne d'une très grande beauté, elle a joué dans presque tous les films de Zhang Yimou qui fut son mari et qui la rencontra alors qu'elle était encore étudiante. Elle a endossé toutes sortes de rôles : paysanne, courtisane, épouse soumise ou chanteuse de bastringue, et est devenue la comédienne chinoise la plus connue de tous les temps.

Goodman, John

Acteur américain né en 1952.

1983, Eddie Macon's Run (Un flic aux trousses) (Kanew), The Survivors (Ritchie) ; 1984, Revenge of the Nerds (Kanew), C.H.U.D. (C.H.U.D.) (Cheek) ; 1985, Maria's Lovers (Maria's lovers) (Konchalovsky), Sweet Dreams (Sweet dreams) (Reisz) ; 1986, The Big Easy (The big easy) (McBride), True Stories (True stories) (Byrne) ; 1987, Burglar (Pie voleuse) (Wilson), Raising Arizona (Arizona Junior) (Coen) ; 1988, The Wrong Guys (Bilson), Everybody's All-American (Hackford), Punchline (Punchline — Le dernier mot) (Seltzer) ; 1989, Always (Always) (Spielberg), Sea of Love (Mélodie pour un meurtre) (Becker) ; 1990, Stella (Stella) (Erman), Arachnophobia (Arachnophobie) (Marshall) ; 1991, King Ralph (Ralph super King) (Ward), Barton Fink (Barton Fink) (Coen) ; 1992, The Babe (Hiller) ; 1993, Matinee (Panic sur Florida Beach) (Dante), Born Yesterday (Mandoki) ; 1994, The Flintstones (La famille Pierrafeu) (Levant), The Hudsucker Proxy (Le grand saut) (Coen) ; 1995, Pie in the Sky (Gordon) ; 1996, Mother Night (K. Gordon) ; 1997, The Borrowers (Le petit monde des Borrowers) (Hewitt), Fallen (Le témoin du Mal) (Hoblit), The Big Lebowski (The Big Lebowski) (Coen), Blues Brothers 2000 (Blues Brothers 2000) (Landis), Dirty Work (Saget) ; 1998, The Runner (Moler), Bringing Out the Dead (A tombeau ouvert) (Scorsese) ; 1999, What Planet Are You From ? (De quelle planète viens-tu ?) (Nichols), O' Brother, Where Art Thou ? (O' Brother) (Coen) ; 2000, Coyote Ugly (Coyote Girls) (McNally), One Night at McCool's (Zwart), Hitting the Wall (Davis), My First Mother (Lahti).

Un physique généreux pour des rôles de bons vivants éventuellement ambigus. Mais c'est surtout la série télévisée « Roseanne » où il incarnait un bon gros père de famille qui l'a rendu populaire.

Gordon, Leo

Acteur américain, 1922-2001.

1953, All the Brothers Were Valiant (La perle noire) (Thorpe), Hondo (Farrow), China Venture (Siegel), Gun Fury (Bataille sans merci) (Walsh) ; 1954, Riot in Cell Block II (Les révoltés de la cellule II) (Siegel), Sign of the Pagan (Le signe du païen) (Sirk), The Yellow Mountain (Hibbs), The Bamboo Prison (Seiler) ; 1955, Ten Wanted Men (Dix hommes à abattre) (Humberstone), Seven Angry Men (Warren), Soldier of Fortune (Le rendez-vous de Hong Kong) (Dmytryk), Robber's Roost

(Salkow), The Man with the Gun (L'homme au fusil) (Wilson), Santa Fe Passage (Witney), Tennessee's Partner (Le mariage est pour demain) (Dwan) ; 1956, The Conqueror (Le conquérant) (Powell), The Steel Jungle (Doniger), Red Sundown (Crépuscule sanglant) (Arnold), Johnny Concho (Johnny Concho) (McGuire), The Man Who Knew Too Much (L'homme qui en savait trop) (Hitchcock), Seventh Cavalry (Lewis), Great Day in the Morning (L'or et l'amour) (Tourneur) ; 1957, The Restless Breed (Dwan), Black Patch (Miner), Lure of the Swamp (Le secret des eaux mortes) (Cornfield), The Tall Stranger (Carr), Baby Face Nelson (L'ennemi public) (Siegel), Man in the Shadow (Le salaire du diable) (Arnold) ; 1958, The Notorious Mr. Monks (Kane), Quantrill Raiders (Bernds), Apache Territory (Nazarro), Ride a Crooked Trail (L'étoile brisée) (Hibbs) ; 1959, The Big Operator (Le témoin doit être assassiné) (Haas), Escort West (Lyon), The Jayhawkers (Violence au Kansas) (Frank) ; 1960, Noose for a Gunman (Cahn) ; 1961, The Intruder (Corman) ; 1962, The Nun and the Sergeant (Adreon), Tarzan Goes to India (Tarzan aux Indes) (Guillermin) ; 1963, The Haunted Palace (Corman), Kings of the Sun (Les rois du soleil) (Lee-Thompson), McLintock (Le grand McLintock) (McLaglen) ; 1964, L'arme à gauche (Sautet), Kitten With a Whip (Heyes) ; 1965, Girls on the Beach (Witney) ; 1966, Tobruk (Tobrouk) (Hiller), Night of the Grizzly (La nuit du grizzly) (Pevney), Beau geste (Heyes), The Devil's Angels (Haller), The St. Valentine's Day Massacre (L'affaire Al Capone) (Corman) ; 1968, Buckskin (Moore) ; 1970, You Can't Win'em All (Collinson) ; 1972, Bonnie's Kids (Marks) ; 1973, Il mio nome e Nessuno (Mon nom est personne) (Valerii) ; 1976, Nashville Girl (Trikonis), The Shootist (Le dernier géant) (Siegel) ; 1978, Hitler's Son (Amateau), Bog (Keeslar) ; 1988, Big Top Pee-Wee (Kleiser) ; 1989, Alienator (Olen Ray) ; 1994, Maverick (Maverick) (Donner).

Ugly et *Heavy* : le méchant par excellence. En réalité un intellectuel, auteur de plusieurs des scripts des films qu'il interprète : *Black Patch*, *Escort West*, *Tobruk* et d'une dizaine d'autres. L'une des plus curieuses figures du cinéma américain. Il a été très apprécié par Corman et de nombreux metteurs en scène de série B.

Gordon, Ruth

Actrice américaine, de son vrai nom Jones, 1896-1985.

1915, Camille ; 1939, Abe Lincoln in Illinois (Cromwell), Dr. Ehrlich's Magic Bullet (Dieterle) ; 1941, The Two Faced Woman (La femme aux deux visages) (Cukor) ; 1943, Edge of Darkness (Milestone), Action in the North Atlantic (Bacon) ; 1965, The Loved One (Ce cher disparu) (Richardson) ; 1966 ; Inside Daisy Clover (Mulligan) ; 1968, Rosemary's Baby (Polanski) ; 1969, Whatever Happened to Aunt Alice ? (Katzin) ; 1970, Where's Poppa (Reiner) ; 1972, Harold and Maud (Harold et Maud) (Ashby) ; 1976, Big Bus (Le bus en folie) (Frawley) ; 1978, Every which Way but Loose (Doux, dur et dingue) (Fargo) ; 1980, Any way which you can (Ça va cogner) (Van Horn), My Bodyguard (Bill), Smokey and the Bandit Ride again (Tu fais pas le poids, shérif) (Needham) ; 1985, Maxie (Aaron).

Actrice de théâtre, elle fut mariée à Garson Kanin avec qui elle écrivit certains scénarios. C'est son interprétation de la vieille dame de *Harold et Maud* qui lui a valu une grande popularité.

Goring, Marius

Acteur anglais, 1912-1998.

Principaux films : 1936, Rembrandt (Rembrandt) (Korda) ; 1938, Consider Your Verdict (Boulting), The Spy in Black (L'espion noir) (Powell) ; 1946, A Matter of Life and Death (Une question de vie ou de mort) (Powell) ; 1948, The Red Shoes (Les chaussons rouges) (Powell) ; 1950, Odette (Odette) (Wilcox) ; 1951, The Magic Box (La boîte magique) (Boulting) ; 1952, The Man Who Watched the Trains Go By (L'homme qui regardait passer les trains) (French), Pandora and the Flying Dutchman (Pandora) (Lewin) ; 1954, The Barefoot Contessa (La comtesse aux pieds nus) (Mankiewicz) ; 1955, Quentin Durward (Quentin Durward) (Thorpe) ; 1959, The Angry Hills (Trahison à Athènes) (Aldrich) ; 1960, Exodus (Preminger).

Excellent acteur anglais qui joue dans de nombreux films de Powell. Il fut un inspecteur de police raffiné et lucide dans *L'homme qui regardait passer les trains*.

Gough, Michael

Acteur britannique né en 1917.

1947, Blanche Fury (Jusqu'à ce que mort s'ensuive) (M. Allégret) ; 1948, Anna Karénine (Duvivier), Sarabande for Dead Lovers (Sarabande) (Dearden), The Small Back Room (Powell, Pressburger) ; 1951, The Man with the White Suit (L'homme au complet blanc) (Mackendrick), No Resting Place (Rotha), Blackmailed (M. Allégret), Night Was Our Friend (Anderson) ; 1953, Twice Upon a Time (Pressburger), Rob Roy the Highland Rogue (Échec au roi) (French), The Sword and the Rose (La rose et l'épée) (Annakin) ; 1956, Richard III (Olivier), I'll Met by Moonlight (Intelligence Service) (Powell, Pressburger), Reach for the Sky (Vainqueur du ciel) (Gilbert) ; 1957, The House in the Woods (Munden) ; 1958, Horror of Dracula (Le cauchemar de Dracula) (Fisher), The Horse's Mouth (De la bouche du cheval) (Neame) ; 1959, Horrors of the Black Museum (Crimes au musée des horreurs) (Crabtree), Model for Murder (Bishop) ; 1961, What a Carve Up ! (Jackson), Konga (Lemont) ; 1962, The Phantom of the Opera (Le fantôme de l'opéra) (Fisher) ; 1963, Tamahine (Une Tahitienne au collège) (Leacock), The Black Zoo (Les fauves meurtriers) (Gordon) ; 1964, Dr. Terror's House of Horrors (Le train des épouvantes) (Francis) ; 1965, Game for Three Losers (O'Hara), The Skull (Le crâne maléfique) (Francis) ; 1966, They Came From Beyond Space (Francis) ; 1967, Berserk (Le cercle de sang) (O'Connolly) ; 1968, Un soir un train (Delvaux), Curse of the Crimson Altar (La maison ensorcelée) (Sewell) ; 1969, A Walk With Love and Death (Promenade avec l'amour et la mort) (Huston), The Corpse (Ritelis) ; 1970, Trog (Francis), Julius Caesar (Burge), Women in Love (Love) (Russell) ; 1971, The Go-Between (Le messager) (Losey), The Velvet House (Ritelis) ; 1972, Savage Messiah (Le messie sauvage) (Russell), Henry VIII and His Six Wives (Hussein) ; 1973, Horror Hospital (Balch), The Legend of Hell House (La maison des damnés) (Hough) ; 1975, Galileo (Galileo) (Losey) ; 1976, Satan's Slave (Esclave de Satan) (Warren) ; 1978, The Boys from Brazil (Les garçons qui venaient du Brésil) (Schaffner), L'amour en question (Cayatte) ; 1981, Venom (Venin) (Haggard) ; 1983, Memed my Hawk (Ustinov), The Dresser (L'habilleur) (Yates) ; 1984, Oxford Blues (Boris), Top Secret (Top Secret) (Abrahams) ; 1985, Out of Africa (Souvenirs d'Afrique) (Pollack), Caravaggio (Caravaggio) (Jarman) ; 1987, Maschenka (Goldschmidt), The Serpent and the Rainbow (L'emprise des ténèbres) (Craven) ; 1988, The Wizard of Speed and Time (Jittlov), The Fourth Protocole (Le quatrième pouvoir) (Mackenzie) ; 1989, Strapless (Hare), Blackeyes (D. Potter) ; 1990, The Garden (The Garden) (Jarman) ; 1991, Let Him Have It (L'âge de vivre) (Medak), Batman Returns (Batman – le défi) (Burton) ; 1993, Hour of the Pig (L'heure du cochon) (Megahey), The Age of Innocence (Le temps de l'innocence) (Scorsese), Wittgenstein (Wittgenstein) (Jarman) ; 1994, Nostradamus (Christian) ; 1995, Batman Forever (Batman Forever) (Schumacher) ; 1996, Batman and Robin (Batman & Robin) (Schumacher) ; 1998, St. Ives (Hook), Varya (La cerisaie) (Cacoyannis) ; 1999, Sleepy Hollow (Sleepy Hollow) (Burton).

Venu de la Old Vic School, il a mené une longue carrière de troisième couteau dans la catégorie des valets de chambre inquiétants et des solitaires maniaques. Beaucoup de films d'horreur où son visage tourmenté fait merveille.

Gould, Elliott

Acteur américain, de son vrai nom Goldstein, né en 1938.

1968, The Night They Raided Minsky's (Friedkin) ; 1969, Bob and Carol and Ted and Alice (Mazursky) ; 1970, (M.A.S.H.) (M.A.S.H.) (Altman), Getting Straight (Campus) (Rush), Move (Rosenberg), I Love my Wife (Mel Stuart) ; 1971, Little Murders (Petits meurtres sans importance) (Arkin), The Touch (Le lien) (Bergman) ; 1972, Fear is the Key (Six minutes pour mourir) (Tuchner) ; 1973, The Long Goodbye (Le privé) (Altman) ; 1974, California Split (Les flambeurs), Busting (Les casseurs de gangs) (Hyams), S.P.Y.S. (Les S pions) (Kershner) ; 1975, Nashville (Nashville) (Altman), Who ? (Gold), Whiffs (Post) ; 1976, I Will, I Will... for Now (C'est toujours oui quand elles disent non) (Panama), Harry and Walter Go to New York (Rydell), Meet Johnny Barrows (Fred Williamson) ; 1977, A Bridge Too Far (Un pont trop loin) (Attenborough) ; 1978, Capricorn One (Capricorn One) (Hyams), The Silent Partner (L'argent de la banque) (Duke), Matilda (D. Mann) ; 1979, Memories (Steven Paul), Escape to Athena (Bons baisers d'Athènes) (Cosmatos), The Lady Vanishes (Anthony Page), The Muppet Movie (Frawley), The Last Flight of Noah's Ark (Le dernier vol de l'arche de Noé) (Jarrott), Falling in Love Again (Paul) ; 1980, Dirty Trecks (Accroche-toi, j'arrive) (Rakoff), The Devil and Max Devlin (Stern) ; 1982, Gandhi (Gandhi) (Attenborough) ; 1983, Strawanzer (Patzak), Over the Brooklyn Bridge (Golan), Betrayal (Trahisons conjugales) (Jones) ; 1984, The Muppets Take Manhattan (Oz), Sleep Six (Cellan Jones) ; 1985, The Naked Face (Machination) (Forbes), Turtle Diary (Turtle) (Irvin), Harem (Harem) (Joffé) ; 1987, Der Joker (Patzak), I miei primi quarant'anni (Mes quarante premières années) (Vanzina), Inside Out (Taicher), Maurice (Maurice) (Ivory), Testimony (Palmer) ; 1988, The Telephone (Torn), Dangerous Love (Ollstein) ; 1989, Scandalo segreto (Scandale secret) (Vitti), Night Visitor (Hitzig), The Lemon Sisters (Chopra), The Big Picture (Guest) ; 1990,

Judgment (Suchs), Dead Men Don't Die (Marmorstein), Gioco al massacro (Damiani), Tolgo il disturbo (Valse d'amour) (Risi) ; 1991, Bugsy (Bugsy) (Levinson) ; 1992, The Player (The player) (Altman), Hitz (Sachs), Beyond Justice (Tessari) ; 1993, Wet and Wild Summer (Murphy), Amore ! (Doumani), Hoffman's Hunger (de Winter) ; 1994, The Feminine Touch (Janis), Let It Be Me (Bergstein), A Boy Called Hate (Marcus), Bleeding Hearts (Hines) ; 1995, Kicking and Screaming (Baumbach), Johns (Johns) (Silver) ; 1996, Hôtel Shanghai (Patzak) ; 1997, Camp Stories (Beigel), Michael Kael contre la World News Company (Smith), PCH (McCormick), The Big Hit (Big Hit) (Wong) ; 1998, American History X (American History X) (Kaye) ; 1999, Two Goldsteins on Acid (Huffman) ; 2001, The Experience Box (Sachistal, Green), Puckoon (Ryan) ; 2002, Ocean's Eleven (Ocean's Eleven) (Soderbergh) ; 2004, Ocean's Twelve (Ocean's Twelve) (Soderbergh) ; 2007, Ocean's Thirteen (Ocean's Thirteen) (Soderbergh).

Après des études de chant et de danse, il débute à Broadway en 1957 dans des comédies musicales où sa décontraction fait merveille (il joue avec Barbra Streisand et Liza Minnelli). A l'écran, il faut attendre *M.A.S.H.* pour qu'il s'impose avec un personnage de chirurgien très fantaisiste. Gould recommencera ce numéro plusieurs fois. Nouveau grand rôle : Marlowe dans *Le privé*. Est-il vraiment Marlowe ? Non. Mais sa décontraction le sert une nouvelle fois. La suite est moins brillante. Si on le remarque dans *Maurice* et *Bugsy*, il se fait discret à partir de 1992, ou, plus exactement, ce sont les films qu'il a tournés qui ont été si discrets qu'ils n'ont pas été distribués en France.

Goulet, Robert

Chanteur et acteur américain né en 1933.

1964, Honeymoon Hotel (Deux séducteurs aux Caraïbes) (Levin), I'd Rather Be Rich (Smight) ; 1966, I Deal in Danger (Grauman) ; 1970, Underground (Nadel) ; 1980, Atlantic City (Atlantic City) (Malle) ; 1988, Beetlejuice (Beetlejuice) (Burton), Scrooged (Fantômes en fête) (Donner) ; 1991, The Naked Gun 2 1/2 : The Smell of Fear (Y a-t-il un flic pour sauver le président ?) (D. Zucker) ; 1996, Mr. Wrong (Castle) ; 2000, G-Men from Hell (Ch. Coppola).

Crooner à œil de velours typique des années 60, il a fait quelques apparitions cinématographiques, dont une mémorable en Maxie Dean dans le *Beetlejuice* de Tim Burton.

Goupil, Jeanne

Actrice française née en 1950.

1970, Mais ne nous délivrez pas du mal (Séria) ; 1972, On n'arrête pas le printemps (Gilson) ; 1973, Charlie et ses deux nénettes (Séria) ; 1975, Les galettes de Pont-Aven (Séria) ; 1976, Marie-poupée (Séria) ; 1980, Un assassin qui passe (Vianey) ; 1981, San Antonio ne pense qu'à ça (Séria) ; 1982, Paradis pour tous (Jessua) ; 1994, L'appât (Tavernier).

Muse de Joël Séria pour lequel elle fut tour à tour diabolique (*Mais ne nous délivrez pas du mal*) et angélique (*Charlie et ses deux nénettes*), elle a peu tourné en dehors de lui. Semble désormais s'orienter vers la télévision et la peinture.

Gourary, Manuela

Actrice française.

1977, La nuit de Saint-Germain-des-Prés (Swaim) ; 1979, La dérobade (Duval) ; 1980, La petite sirène (Andrieux) ; 1982, Transit (Allio), L'invitation au voyage (Del Monte) ; 1983, Laisse béton (Le Péron) ; 1984, Les amants terribles (Dubroux) ; 1987, La comédie du travail (Moullet), Envoyez les violons (Andrieux) ; 1988, Prisonnières (Silvera) ; 1989, Pentimento (Marshall) ; 1990, Le jour des rois (Treilhou) ; 1991, Les années campagne (Leriche) ; 1992, Borderline (Dubroux) ; 1993, Les gens normaux n'ont rien d'exceptionnel (Ferreira-Barbosa), J'ai pas sommeil (Denis) ; 1997, Le gone du chaâba (Ruggia), Taxi (Pirès) ; 1999, Pas de scandale (Jacquot) ; 2000, Le battement d'ailes du papillon (Firode), Nationale 7 (Sinapi) ; 2001, L'art (délicat) de la séduction (Berry).

Cantonnée aux seconds rôles depuis toujours, elle balade sa voix douce et traînante et de charmantes minauderies dans un cinéma d'auteur exigeant. Mère de l'un des héros du très rentable *Taxi*, elle acquiert tout doucement une dimension populaire.

Gourmet, Olivier

Acteur belge né en 1963.

1990, Hostel Party (Lethem) ; 1996, Le huitième jour (Van Dormael), La promesse (Dardenne), 1997, J'adore le cinéma (Lannoo), Le signaleur (Mariage) ; 1998, Le bal masqué (Vrebos), Ceux qui m'aiment prendront le train (Chéreau), Cantique de la racaille (Ravalec), Je suis vivante et je vous aime (Kahane) ; 1999, L'héritier (Pierpont), Rosetta (Dardenne), Peut-être (Klapisch) ; 2000, Toreros (Barbier), Nadia et les hippopotames (Cabrera), Sauve-moi (Vincent),

Princesses (Verheyde), Nationale 7 (Sinapi) ; 2001, De l'histoire ancienne (Miret), Mercredi, folle journée ! (Thomas), Le lait de la tendresse humaine (Cabrera), Sur mes lèvres (J. Audiard) ; 2002, Laissez-passer (Tavernier), Un moment de bonheur (Santana), Une part du ciel (Liénard), Peau d'ange (Pérez), Le fils (Dardenne) ; 2003, Le mystère de la chambre jaune (Podalydès), Le temps du loup (Haneke) ; 2004, Les mains vides (Recha), Folle embellie (Cabrera), Pour le plaisir (Derrudère), Adieu (Des Pallières), Quand la mer monte (Moreau), Les fautes d'orthographe (Zilbermann), Le pont des arts (Green) ; 2005, La petite chartreuse (Denis), Le couperet (Costa-Gavras), Trouble (Cleven), Le parfum de la dame en noir (Podalydès), L'enfant (Dardenne) ; 2006, Sauf le respect que je vous dois (Godet), Les brigades du Tigre (Cornuau) ; 2007, Poison d'avril (Karel), Congorama (Falardeau), Jacquou le Croquant (Boutonnat), Pars vite et reviens tard (Wargnier), Mon fils à moi (Fougeron).

Une carrière discrète jusqu'à la rencontre avec les frères Dardenne. *Le fils* lui vaut le prix d'interprétation à Cannes. Depuis, il se partage entre films d'auteur et films grand public. Une puissance singulière, un acteur à suivre.

Gouzeeva, Larissa

Actrice russe née en 1961.

1984, Jestoki romans (Romance cruelle) (Riazanov).

Admirable actrice, la plus belle du cinéma russe, bouleversante dans *Romance cruelle* qui rencontra un énorme succès en Union soviétique. On espère voir les films qu'elle a ensuite tournés : *Les rivales* de Sadovski et *Nous nous verrons dans le métro* de Sokolov.

Goya, Mona

Actrice française, de son vrai nom Simone Marchand, 1909-1961.

1931, Chérie (Mercanton), Big House (Fejos), Quand on est belle (Robison), Hardi les gars ! (Champreux), Soyons gais (Robison), Coiffeur pour dames (Guissart), Buster se marie (Autant-Lara), Jenny Lind (Robison), La bande à Bouboule (Mathot) ; 1932, La merveilleuse journée (Mirande), L'âne de Buridan (Ryder) ; 1933, La porteuse de pain (Sti), Trois cents à l'heure (Rozier), Un tour de cochon (Tzipine), La banque Nemo (Viel) ; 1935, Cavalerie légère (Christian-Jaque), Les époux célibataires (Boyer) ; 1936, Jonny haute couture (Poligny), Josette (Christian-Jaque) ; 1937, François Ier (Christian-Jaque) ; 1938, J'étais une aventurière (Bernard), Ernest le Rebelle (Christian-Jaque), Feux de joie (Houssin), Les femmes collantes (Caron) ; 1939, Vous seule que j'aime (Fescourt) ; 1940, Vingt-quatre heures de perm' (Cloche) ; 1941, Annette et la dame blonde (Dréville) ; 1942, Défense d'aimer (Pottier) ; 1943, Mon amour est près de toi (Pottier), Le capitaine Fracasse (Gance), La Malibran (Guitry), Donne-moi tes yeux (Guitry), L'homme qui vendit son âme (Paulin) ; 1945, L'extravagante mission (Calef), Dernier métro (Canonge) ; 1946, Pas si bête (Berthomieu) ; 1947, Figure de proue (Stengel), Mandrin (Jayet), Blanc comme neige (Berthomieu) ; 1948, L'impeccable Henri (Tavano), Ma tante d'Honfleur (Jayet) ; 1949, Une nuit de noces (Jayet), Interdit au public (Pasquali) ; 1950, Les maîtres nageurs (Lepage), Les amants de Bras-Mort (Pagliero) ; 1951, Gibier de potence (Richebé) ; 1958, Les amants de demain (Blistène) ; 1960, Les vieux de la vieille (Grangier).

Dynamique blonde qui fut surtout la partenaire de Fernandel pour trois films désopilants.

Grable, Betty

Actrice américaine, 1916-1973.

1930, Lets Go Places (Strayer), New Movietone Follies of 1930 (Stoloff) ; 1931, Palmy Days (Sutherland), Happy Days (Stoloff), The Kid From Spain (Le kid d'Espagne) (Carey) ; 1933, Child of Manhattan (Buzzell), Sweetheart of Sigma Chi (Marin), Student Tour (Reisner) ; 1934, The Gay Divorcee (La gaie divorcée) (Sandrich), Hips Hips Hooray (Sandrich) ; 1935, Nitwits (Stevens), Old Man Rhythm (Ludwig) ; 1936, Collegiate (Murphy), Follow the Fleet (Suivez la flotte) (Sandrich), Pigskin Parade (Butler) ; 1937, This Way Please (Florey), Thrill of a Lifetime (Archainbaud) ; 1938, College Swing (Walsh), Give Me a Sailor (Nugent) ; 1939, Man About Town (Sandrich), Million Dollar Legs (Cline) ; 1940, Down Argentine Way (Sous le ciel d'Argentine) (Cummings), Tin Pan Alley (Lang) ; 1941, Moon Over Miami (Soirs de Miami) (Lang), A Yank in the R.A.F. (King), I Wake Up Screaming (Humberstone) ; 1942, Footlight Serenade (Ratoff), Song of the Islands (Fille des îles) (Lang), Springtime in the Rockies (Cummings) ; 1943, Coney Island (L'île aux plaisirs) (Lang), Sweet Rosie O'-Grady (Rosie l'endiablée) (Cummings), Four Jills in a Jeep (Seiter) ; 1944, Pin-Up Girl (Humberstone) ; 1945, Diamond Horseshoe (Broadway en folie) (Seaton) ; 1946, The Dolly Sisters (Les Dolly Sisters) (Cummings),

Do You Love Me (Voulez-vous m'aimer ?) (Ratoff) ; 1947, The Shocking Miss Pilgrim (Seaton), Mother Wore Tights (Maman était new-look) (Lang) ; 1948, That Lady in Ermine (La dame au manteau d'hermine) (Lubitsch) ; 1949, When My Baby Smiles at Me (Lang) ; 1950, My Blue Heaven (Koster) ; 1951, Call Me Mister (Bacon), The Beautiful Blonde From Bashful Bend (Mam'zelle Mitraillette) (Sturges), Wabash Avenue (La rue de la gaieté) (Koster), Meet Me After the Show (Sale) ; 1953, The Farmer Takes a Wife (Fleming), How To Marry a Millionaire (Comment épouser un millionnaire) (Negulesco) ; 1955, How To Be Very Very Popular (La blonde fantôme) (Johnson), Three for the Show (Tout le plaisir est pour moi) (Potter).

On l'a oubliée et pourtant cette ancienne « chorus Girl » de la Fox, devenue vedette du music-hall, anima de nombreux films chantés et dansés, et, surtout, fut la première *pin-up girl* de l'histoire : sa photo fut accrochée fréquemment aux murs de leur caserne par les G.I. américains lors de la Seconde Guerre mondiale. Ses jambes gainées de soie alimentèrent alors les fantasmes du troupier. Mais elle fut aussi une agréable comédienne, mariée à Jackie Coogan puis au chef d'orchestre James.

Grad, Geneviève

Actrice française née en 1944.

1959, Les dragueurs (Mocky) ; 1960, Un soir sur la plage (Boisrond), Le capitaine Fracasse (Gaspard-Huit) ; 1962, Il conquistatore di Corinto (La bataille de Corinthe) (Costa), I Normanni (Les Vikings attaquent) (Vari), L'empire de la nuit (Grimblat), Arsène Lupin contre Arsène Lupin (Molinaro), L'empire de la nuit (Grimblat) ; 1963, Gibraltar (Gaspard-Huit), Sandokan, la tigre di Mompracem (Sandokan, le tigre de Bornéo) (Lenzi), L'eroe di Babilonia (Marcellini), Ercole contro Molock (Hercule contre Moloch) (Ferroni) ; 1964, Le gendarme de Saint-Tropez (Girault) ; 1965, Le gendarme à New York (Girault) ; 1966, Le démoniaque (Gainville) ; 1967, Su nombre es Daphne (Lorente) ; 1968, Le gendarme se marie (Girault) ; 1969, OSS 117 prend des vacances (Kalfon) ; 1972, Flash love (Pontiac) ; 1977, Le maestro (Vital) ; 1979, Comme une femme (Dura) ; 1980, Voulez-vous un bébé Nobel ? (Pouret) ; 1982, Ça va pas être triste (Sisser).

Titres de gloire : après avoir promené sa jolie blondeur dans de nombreux péplums, cette ancienne danseuse incarne la fille de Louis de Funès dans la série des *Gendarmes*. Le reste est à peu près invisible.

Grahame, Gloria

Actrice américaine, de son vrai nom Gloria Grahame Hallward, 1925-1982.

1944, Blonde Fever (Whorf) ; 1945, Without Love (Sans amour) (Bucquet) ; 1946, It's a Wonderful Life (La vie est belle) (Capra), Merton of the Movies (Alton), Crossfire (Feux croisés) (Dmytryk), Song of the Thin Man (Meurtre en musique) (Buzzell) ; 1949, A Woman's Secret (Ray), Roughshod (Robson) ; 1950, In a Lonely Place (Le violent) (Ray) ; 1952, Macao (Macao, le paradis des mauvais garçons) (Sternberg), The Greatest Show on Earth (Sous le plus grand chapiteau du monde) (DeMille), Sudden Fear (Le masque arraché) (D. Miller), The Bad and the Beautiful (Les ensorcelés) (Minnelli) ; 1953, The Glass Wall (Shane), Man on a Tightrope (Kazan), The Big Heat (Règlement de comptes) (Lang), Prisoners of the Casbah (La princesse prisonnière) (Bare) ; 1954, Human Desire (Désirs humains) (Lang), Naked Alibi (Alibi meurtrier) (Hopper) ; 1955, The Cobweb (La toile d'araignée) (Minnelli), Not as a Stranger (Pour que vivent les hommes) (Kramer), The Good Die Young (Les bons meurent jeunes) (Gilbert), Oklahoma (Zinneman) ; 1956, The Man Who Never Was (L'homme qui n'a jamais existé) (Neame) ; 1957, Ride Out for Revenge (Girard) ; 1959, Odds Against Tomorrow (Le coup de l'escalier) (Wise) ; 1966, Ride Beyond the Vengeance (McEveety) ; 1971, Blood and Lace (Gilbert), Chandler (Magwood), The Todd Killings (Shear) ; 1972, The Loners (Roley) ; 1975, Mansion of the Doomed (Pataki) ; 1979, Head over Hells (Weston), The Nesting (Silver) ; 1980, Melvin and Howard (Demme).

Tout cinéphile se souvient de la scène où Gloria Grahame se faisait défigurer par Lee Marvin dans *Règlement de comptes*. Peu d'actrices ont eu des admirateurs aussi passionnés. Longtemps condamnée aux doublures théâtrales, elle est enfin remarquée en 1944 dans une pièce de George Abbott et embauchée à Hollywood. Sa troublante sensualité fait sensation dans *Crossfire*. Elle épouse Nicholas Ray, qui la dirige dans deux films, mais divorce peu après. Elle a pourtant deux enfants d'Anthony Ray, son beau-fils. Cette liaison fait scandale. A la ville comme à l'écran, elle semble vouée aux rôles de garces à la fois perverses et sentimentales. De même qu'elle périt de mort violente dans de nombreux films, sa carrière se trouve brisée en 1959. Elle tentera quelques « come-back » mais sans succès. On ne sait rien de ses derniers films.

Grandais, Suzanne

Actrice française, 1893-1920.

1911, Le mystère des roches de Kador (Perret), Main de fer (Perret), La dentellière (Perret), Les chrysanthèmes rouges (Perret), La rançon du bonheur (Perret), Laquelle ? (Perret) ; 1912, Fantaisie de milliardaire (Fescourt), Le nain (Feuillade), série des Léonce ; 1913, La gitane (Auchy), La demoiselle des PTT (Auchy), Le pont sur l'abîme (Perret) ; 1915-1917, série des Suzanne, 9 films (Mercanton et Hervil) ; 1918, Loréna (Tréville), Trois K. (Baroncelli) ; 1919, Mea culpa (Champavert) ; 1920, Suzanne et les brigands (Burguet), Gosse de riche (Burguet), L'essor (Burguet).

Première vedette de l'écran en France, elle fut l'héroïne de films à épisodes de Perret puis de comédies sans grand intérêt où elle était Suzanne (*Suzanne professeur de flirt, Suzanne midinette, Oh ce baiser...*). Elle fut tuée dans un accident de voiture pendant le tournage de *L'essor*.

Granger, Farley

Acteur américain, de son vrai nom Farley Earle II, né en 1925.

1943, North Star (L'étoile du Nord) (Milestone) ; 1944, The Purple Heart (Prisonniers de Satan) (Milestone) ; 1948, They Live by Night (Les amants de la nuit) (Ray), The Rope (La corde) (Hitchcock), Enchantment (Reis) ; 1949, Roseanna McCoy (Reis) ; 1950, Edge of the Doom (Robson), Side Street (Mann), Our Very Own (Miller) ; 1951, Strangers on a Train (L'inconnu du Nord-Express) (Hitchcock), I Want You (Robson), Behave Yourself (Beck) ; 1952, O'Henry's Full House (La sarabande des pantins) (Hawks, Koster...), Hans Christian Andersen and the Dancer (Hans Christian Andersen et la danseuse) (Vidor) ; 1953, Small Town Girl (Le joyeux prisonnier) (Kardos), The Story of Three Loves (Minnelli, Reinhardt...) ; 1954, Senso (Senso) (Visconti) ; 1955, The Naked Street (Le roi du racket) (Shane), The Girl in the Red Velvet Swing (La fille sur la balançoire) (Fleischer) ; 1967, Rogue's Gallery (Horn) ; 1968, The Challengers (Martinson) ; 1970, Qualcosa striscia nel buio (Colucci), Lo chiamavano Trinita (On l'appelle Trinita) (Clucher) ; 1972, Rivelazioni di un maniaco sessuale al capo della squadra mobile (Montero), Alla ricerca del piacere (Amadio), Le serpent (Verneuil), La rossa della pelle che scotta (Russo), A Man Called Noon (Colts au soleil) (Collinson) ; 1973, Il mio nome è nessuno (Mon nom est personne) (Valerii), Arnold (Fenady) ; 1974, Infamia (d'Eramo) ; 1975, La polizie chiede aiuto (La lame infernale) (Dallamano), Rosemary's Killer (Zito) ; 1984, The Deathmask (Friedman) ; 1986, The Whoopee Boys (Byrum), Very Close Quarters (Rif), The Imagemaker (Weiner) ; 1995, The Celluloid Closet (The Celluloid Closet) (Epstein, Friedman).

Fascinant jeune premier des années 40 et 50, dont la filmographie va du lyrisme désespéré des *Amants de la nuit* aux jeux criminels de *La corde*, du joueur de tennis victime du chantage d'un fou meurtrier dans *L'inconnu du Nord-Express* au déserteur autrichien de *Senso*. Après 1955, c'est la chute ; beaucoup de films en Italie : « westerns spaghetti » ou comédies libertines où la présence de Farley Granger n'est pas toujours facile à identifier ; de là d'inévitables lacunes. Ainsi certaines sources indiquent-elles sa présence dans un *Croc Blanc* qui ne peut être que celui de Fulci, mais où son nom ne figure pas au générique.

Granger, Stewart

Acteur anglais, de son vrai nom James Stewart, 1913-1993.

1934, Give Them a Ring (Woods) ; 1939, So This is London (Freeland) ; 1942, Secret Mission (Service secret) (French) ; 1943, Thursday's Child (Ackland), The Lamp Still Burns (Au service d'autrui) (Elvey), The Man in Grey (L'homme en gris) (Arliss) ; 1944, Fanny By Gaslight (L'homme fatal) (Asquith), Love Story (Romance d'amour) (Arliss), Waterloo Road (Un soir de rixe) (Gilliat) ; 1945, Caesar and Cleopatra (César et Cléopâtre) (Pascal), Madona of the Seven Moons (La madone aux deux visages) (Crabtree) ; 1946, Caravan (Caravane) (Crabtree), The Magic Bow (L'archet magique) (Knowies) ; 1947, Captain Boycott (Capitaine Boycott) (Launder), Blanche Fury (Jusqu'à ce que mort s'ensuive) (Allégret) ; 1948, Sarabande for Dead Lovers (Sarabande) (Dearden), Woman Hater (Les ennemis amoureux) (Young) ; 1949, Adam and Evelyne (Adam et Évelyne) (French) ; 1950, King Salomon Mines (Les mines du roi Salomon) (Marton, Bennett) ; 1951, Soldiers Three (Trois troupiers) (Garnett), The Light Touch (Miracle à Tunis) (Brooks) ; 1952, The Big North (Au pays de la peur) (Marton), Scaramouche (Sidney), The Prisoner of Zenda (Le prisonnier de Zenda) (Thorpe) ; 1953, Salome (Salomé) (Dieterle), Young Bess (La reine vierge) (Sidney), All the Brothers Were Valiant (La perle noire) (Thorpe) ; 1954, Beau Brummel (Bernhardt), Green Fire (L'émeraude tragique) (Marton) ; 1955, Footsteps in the Fog (Des pas dans le brouillard) (Lubin), Moonfleet (Les contrebandiers de Moonfleet) (Lang) ; 1956, Bhowani Junction (La croisée des destins) (Cukor), The Last Hunt (La dernière chasse) (Brooks) ; 1957, The Little Hut (La petite hutte) (Robson), Gun Glory (Terreur dans la vallée) (Rowland) ; 1958, The Whole Truth (Le crime était signé) (Guillermin), Harry Black and the Tiger (Harry Black et le tigre) (Fregonese) ; 1960, Lo spadaccino di Sienna (Le mercenaire) (Bandini), Sodom and Gomorrah (Sodome et Gomorrhe) (Aldrich) ; 1962, Marcia o crepa (Héros sans retour) (Wisbar), North to Alaska (Le grand Sam) (Hathaway), The Secret Partner (Scotland Yard contre X) (Dearden) ; 1963, The Secret Invasion (L'invasion secrète) (Corman) ; 1964, Guet-apens à Téhéran (Kolher), Mission à Hong Kong (Hofbauer), Old Surehand (Parmi les vautours) (Vohrer) ; 1966, Gem hab ich die Franen gerkillt (Le carnaval des barbouzes) (Reynolds), The Trygon Factor (Le signe du Trigone) (Granke), The Last Safari (Le dernier safari) (Hathaway) ; 1978, The Wild Gees (Les oies sauvages) (McLaglen).

Ce Londonien voué aux rôles de séducteur a fait des débuts modestes dans les studios britanniques. Sa grande période se situe à Hollywood dans les années 50 : il y révèle dans *Scaramouche* et dans *Le prisonnier de Zenda* des qualités exceptionnelles de duelliste, renouant avec la tradition des Power et des Flynn. On aurait pu croire que le beau Brummell se réincarnait en lui, n'eût été la mise en scène médiocre de Bernhardt. Gardons aussi le souvenir du chasseur antiraciste de *The Last Hunt* et de l'aventurier de *The Big North*. Après 1960, Granger entame une décennie nouvelle, fort décevante, puis se limite à des apparitions à la télévision dans les années 70. Que s'est-il passé ? Tout ce que l'on sait c'est qu'il vivait retiré dans son ranch de l'Arizona.

Grant, Cary

Acteur américain d'origine britannique, de son vrai nom Archibald Leach, 1904-1986.

1932, This Is the Night (Tuttle), Sinners in the Sun (Hall), Merrily We Go to Hell (D. Arzner), The Devil and the Deep (Le démon du sous-marin) (M. Gering), Blonde Venus (Blonde Vénus) (Sternberg), Hot Saturday (Seiter), Madame Butterfly (Gering) ; 1933, She Done Him Wrong (Lady Lou) (Lowell Sherman), Woman Accused (Sloane), The Eagle and the Hawk (L'aigle et le vautour) (Stuart Walker), Gambling Ship (Gasnier), I'm no Angel (Je ne suis pas un ange) (Ruggles), Alice in Wonderland (Alice au pays des merveilles) (McLeod) ; 1934, Thirty-Day Princess (Gering), Born to Be Bad (Lowell Sherman), Kiss and Make Up (H. Thompson), Ladies Should Listen (Tuttle) ; 1935, Enter Madame (Caprices de femmes) (Nugent), Wings in the Dark (Les ailes dans l'ombre) (Flood), The Last Outpost (Barton et Gasnier) ; 1936, Sylvia Scarlett (Sylvia Scarlett) (Cukor), Big Brown Eyes (Empreintes digitales) (Walsh), Suzy (Fitzmaurice), Wedding Present (Bonne blague) (Wallace), When You're in Love (Le cœur en fête) (Riskin), Riches and Romance (Zeisler) ; 1937, Topper (Le couple invisible) (McLeod), Toast of New York (Lee), The Awful Truth (Cette sacrée vérité) (McCarey) ; 1938, Bringing up Baby (L'impossible Monsieur Bébé) (Hawks), Holiday (Cukor) ; 1939, Gunga Din (Gunga Din) (Stevens), Only Angels Have Wings (Seuls les anges ont des ailes) (Hawks), In Name Only (L'autre) (Cromwell) ; 1940, His Girl Friday (La dame du vendredi) (Hawks), My Favorite Wife (Mon épouse favorite) (Kanin), The Howards of Virginia (Lloyd) ; 1941, The Philadelphia Story (Indiscrétions) (Cukor), Penny Serenade (La chanson du passé) (Stevens) ; Suspicion (Soupçons) (Hitchcock) ; 1942, The Talk of the Town (La justice des hommes) (Stevens), Once Upon a Honeymoon (Une lune de miel mouvementée) (McCarey) ; 1943, Mr. Lucky (Potter) ; 1944, Destination Tokyo (Destination Tokyo) (Daves), Once Upon a Time (Hall), None But the Lonely Heart (Rien qu'un cœur solitaire) (Odets), Arsenic and Old Lace (Arsenic et vieilles dentelles) (Capra) ; 1946, Night and Day (Curtiz), Notorious (Les enchaînés) (Hitchcock) ; 1947, The Bachelor and the Bobby Soxer (Reis), The Bishop's Wife (Honni soit qui mal y pense) (Koster) ; 1948, Mr. Blanding Builds His Dream House (Potter), Every Girl Should Be Married (Hartman) ; 1949, I Was a Male War Bride (Allez coucher ailleurs) (Hawks) ; 1950, Crisis (Crise) (Brooks) ; 1951, People Will Talk (On murmure dans la ville) (Mankiewicz) ; 1952, Room for One More (Taurog), Monkey Business (Chérie je me sens rajeunir) (Hawks) ; 1953, Dream Wife (Sheldon) ; 1955, To Catch a Thief (La main au collet) (Hitchcock) ; 1957, The Pride and the Passion (Orgueil et passion) (Kramer), An Affair to Remember (Elle et lui) (McCarey), Kiss Them for Me (Embrasse-la pour moi) (Donen) ; 1958, Indiscreet (Indiscret) (Donen), Houseboat (La péniche du bonheur) (Shavelson) ; 1959, North by Northwest (La mort aux trousses) (Hitchcock), Operation Petticoat (Opération jupons) (Blake Edwards) ; 1961, The Grass Is Greener (Ailleurs l'herbe est plus verte) (Donen) ; 1962, That Touch of Mink (Un soupçon de vison) (D. Mann) ; 1963, Charade (Donen) ; 1964, Father Goose (R. Nelson) ; 1966, Walk, Don't Run (Rien ne sert de courir) (Walters).

D'origine anglaise (Bristol), il suit une troupe de jongleurs ambulants et gagne New York en 1920. Il fait différents métiers à Coney Island, retourne en Angleterre en 1923 et joue dans des comédies musicales. Arthur Hammerstein le remarque et l'attire à New York pour *Golden Dawn*. Le voilà lancé, puis c'est Hollywood où l'attend un contrat avec Paramount. Il y sera le partenaire de Marlène Dietrich (*Blonde Venus*) et de Mae West (*Lady Lou*). Sa séduction opère. Grand, brun, au sourire enjôleur, il devient vite une star et fonde une royauté très peu contestée sur la comédie américaine. *Topper*, *The Awful Truth*, *Bringing Up Baby* sont d'énormes succès. Suivront après la guerre les films d'Alfred Hitchcock dont Grant est devenu rapidement l'acteur favori. Grant est alors au sommet de sa popularité. Il symbolise le séducteur hollywoodien aux tempes grises. Il se mariera quatre fois et recevra un prix spécial pour son œuvre en 1970. Retiré de l'écran depuis 1966, il s'occupait de parfumerie.

Grant, Hugh

Acteur anglais né en 1960.

1982, Privileged (Hoffman) ; 1987, Maurice (Maurice) (Ivory) ; 1988, White Mischief (Sur la route de Nairobi) (Radford), La nuit bengali (Klotz), The Lair of the White Worm (Le repaire du ver blanc) (Russell), The Dawning (Knights), Rowing With the Wind (Suarez) ; 1990, Impromptu (Impromptu) (Lapine) ; 1991, The Big Man (Big man) (Leland), Lunes de fiel (Polanski) ; 1993, The Remains of the Day (Les vestiges du jour) (Ivory), Sirens (Sirènes) (Duigan), Night Train to Venice (Quinterio), Four Weddings and a Funeral (4 mariages et 1 enterrement) (Newell) ; 1994, An Awfully Big Adventure (Newell), Restoration (Le don du roi) (Hoffman), The Englishman Who Went up a Hill but Came Down a Mountain (L'Anglais qui gravit une colline mais descendit une montagne) (Monger), Nine Months (Neuf mois aussi) (Columbus) ; 1995, Sense and Sensibility (Raison et sentiments) (Ang Lee) ; 1996, Extreme Measures (Mesure d'urgence) (Apted) ; 1997, Keep the Aspidistra Flying (Bierman) ; 1998, Mickey Blue-Eyes (Mickey les yeux bleus) (Makin), Notting Hill (Coup de foudre à Notting Hill) (Michell) ; 2000, Small Time Crooks (Escrocs mais pas trop) (Allen), Bridget Jones' Diary (Le journal de Bridget Jones) (Maguire), About a Boy (Pour un garçon) (Weitz) ; 2002, Two Weeks Notice (L'amour sans préavis) (Lawrence) ; 2003, Love Actually (Love Actually) (R. Curtis) ; 2004, Bridget Jones : The Edge of Reason (Bridget Jones : l'âge de raison) (Chidron) ; 2005, Travaux (Roüan) ; 2006, American Dreamz (Weitz) ; 2007, Music and Lyrics (Le come-back) (Lawrence).

Toute la classe et le flegme britanniques se retrouvent chez cet acteur formé au théâtre classique. Remarqué dans *Maurice*, il est devenu *le* sex-symbol masculin des années 90 grâce à l'énorme succès de *4 mariages et 1 enterrement*. On est cependant étonné en s'apercevant qu'il a par la suite plus ou moins interprété la plupart de ses autres rôles sur le même registre : des hommes distingués, précieux et futiles, aux prises avec des événements qui les dépassent. Son répertoire n'est-il donc pas plus étendu ?

Grant, Richard E.

Acteur originaire du Swaziland né en 1957.

1986, Withnail and I (Withnail et moi) (Robinson) ; 1987, Hidden City (Poliakoff), Suspect (Suspect dangereux) (Yates) ; 1988, How to Get Ahead in Advertising (Robinson), Warlock (Warlock) (Miner) ; 1989, Killing Dad (Austing), Henry and June (Henry et June) (Kaufman), Mountains of the Moon (Aux sources du Nil) (Rafelson) ; 1990, L.A. Story (Los Angeles story) (Jackson), Hudson Hawk (Hudson Hawk, gentleman cambrioleur) (Lehmann) ; 1991, The Player (The Player) (Altman), Bram Stoker's Dracula (Dracula) (Coppola) ; 1992, The Age of Innocence (Le temps de l'innocence) (Scorcese) ; 1994, Ready to Wear (Prêt-à-porter) (Altman), Jack & Sarah (Jack & Sarah) (Sullivan) ; 1995, The Cold Light of Day (Van Den Berg) ; 1996, Twelfth Night (La nuit des rois) (Nunn), The Serpent's Kiss (Le baiser du serpent) (Rousselot) ; 1997, Food of Love (Food of Love) (Poliakoff), Keep the Aspidistra Flying (Bierman), Spiceworld the Movie (Spiceworld le film) (Spiers) ; 1998, Cash in Hand (Baldwin), St. Ives (Hook) ; 1999, The Match (Davis) ; 2000, The Little Vampire (Le petit vampire) (Edel) ; 2001, Hildegarde (Drew) ; 2002, Monsieur N. (De Caunes).

Fils d'un ministre de l'État du Swaziland, petit pays indépendant enclavé dans l'Afrique du Sud, il « monte » en Angleterre en 1982, sans un sou, afin d'y tenter sa chance comme acteur. Et son tout premier rôle sera pour le quasi-culte *Withnail et moi*, qui le rangera pour longtemps dans la catégorie « hystérique et intellectuel ». Il faut le voir en pseudo-maître du monde dans *Hudson Hawk*, ou bien en créateur de mode surexcité dans *Prêt-à-porter* pour connaître l'étendue de sa démesure. Il fut un convaincant Hudson Lowe dans *Monsieur N.*

Granval, Charles

Acteur français, 1882-1943.

1921, Le cœur magnifique (Séverin-Mars), Mademoiselle de La Seiglière (Antoine) ; 1932, Boudu sauvé des eaux (Renoir) ; 1934, Golgotha (Duvivier) ; 1935, La Bandera (Duvivier) ; 1936, La belle équipe (Duvivier), Pépé le Moko (Duvivier), Le chemin de Rio (Siodmak), L'homme du jour (Duvivier), Les amants terribles (Allégret), Blanchette (Caron) ; 1937, L'homme de nulle part (Chenal), Une femme sans importance (Choux) ; 1938, La fin du jour (Duvivier) ; 1941, Premier bal (Christian-Jaque) ; 1942, La femme que j'ai le plus aimée (Vernay), Pontcarral (Delannoy), La duchesse de Langeais (Baroncelli), Le comte de Monte-Cristo (Vernay), Monsieur la Souris (Lacombe), Le bienfaiteur (Decoin), La nuit fantastique (L'Herbier).

Conservatoire, Comédie-Française : ce personnage bedonnant aux paupières tombantes comme son ventre a été très tôt découvert par le cinéma où il débuta sous le signe de Jules Sandeau (*Mademoiselle de La Seiglière*). Deux grands rôles par la suite (sans compter sa contribution à la saga de Duvivier) : celui du libraire Lestingois (« L'homme qui a craché dans *La physiologie du mariage* de Balzac n'est plus rien pour moi ») dans *Boudu* et celui du collectionneur de timbres-poste chef de gang dans *Monsieur la Souris*. Marié à Madeleine Renaud, il en a eu un fils, Jean-Pierre Granval, également acteur.

Gravey, Fernand

Acteur d'origine belge, de son vrai nom Mertens, 1905-1970.

1930, L'amour chante (Florey) ; 1931, Coiffeur pour dames (Guissart), Un homme en habit (Guissart), Tu seras duchesse (Guissart) ; 1932, Le fils improvisé (Guissart), Passionnément (Guissart), A moi le jour, à toi la nuit (Berger) ; 1933, La guerre des valses (Berger), Bitter Sweet (Wilcox) ; 1934, The Queen's Affair (Wilcox), Si j'étais le patron (Pottier), C'était un musicien (Zelnik), Nuit de mai (Ucicky) ; 1935, Fanfare d'amour (Pottier), Monsieur Sans-Gêne (Anton), Antonia (Neufeld), Variétés (Farkas) ; 1936, Mister Flow (Siodmak), Le grand refrain (Mirande), Touche-à-tout (Dréville) ; 1937, Sept hommes... une femme (Mirande), Le mensonge de Nina Petrovna (Tourjansky), The King and the Chorus Girl (Le roi et la figurante) (LeRoy) ; 1938, Fools for Scandal (LeRoy), The Great Waltz (Toute la ville danse) (Duvivier) ; 1939, Le dernier tournant (Chenal), Le paradis perdu (Gance) ; 1941, Histoire de rire (L'Herbier) ; 1942, Romance à trois (Richebé), La nuit fantastique (L'Herbier), Le capitaine Fracasse (Gance) ; 1943, Domino (Richebé), La rabouilleuse (Rivers) ; 1944, Paméla (Hérain) ; 1946, Il suffit d'une fois (Feix) ; 1947, Le capitaine Blomet (Feix) ; 1948, Du Guesclin (B. de La Tour) ; 1950, La ronde (Ophuls), Le traqué (Tuttle), Mademoiselle Josette ma femme (Berthomieu) ; 1951, Ma femme est formidable (Hunebelle) ; 1952, Mon mari est merveilleux (Hunebelle), Le plus heureux des hommes (Ciampi) ; 1953, Si Versailles m'était conté (Guitry) ; 1955, Treize à table (Hunebelle) ; 1956, Courte tête (Carbonnaux), Mitsou (Audry) ; 1957, Le temps des œufs durs (Carbonnaux), La garçonne (Audry) ; 1958, L'école des cocottes (Audry), Parisien malgré lui (Mastrocinque) ; 1961, Les croulants se portent bien (Boyer), Les petits matins (Audry) ; 1966, How to Steal a Million ? (Comment voler un million de dollars ?) (Wyler) ; 1967, La bataille de San Sebastian (Verneuil) ; 1969, The Madwoman of Chaillot (La folle de Chaillot) (Forbes), Les caprices de Marie (Broca), La promesse de l'aube (Dassin) ; 1970, L'explosion (M. Simenon).

L'un des plus séduisants jeunes premiers d'avant-guerre. Fils d'un directeur de théâtre, il fit ses débuts très jeune à l'écran dans des films de Machin (*La fille de Delft, Monsieur Beulmeester...*), mais sa vraie carrière ne commence qu'en 1930, devant la caméra de Guissart. Il s'agit le plus souvent de comédies sans grande prétention où Gravey joue les évaporés. Certains films musicaux ont plus d'ambition comme *Toute la ville danse*. Virage complet avec *Le paradis perdu* et *Le dernier tournant*. Gravey montre qu'il est un comédien complet, aussi à l'aise dans le drame que dans la comédie. Tout en faisant des vers, il se bat en duel avec Jean Weber dans son meilleur film, *Le capitaine Fracasse*, de Gance. On le retrouvera en Du Guesclin. Puis c'est le vieux beau, le séducteur aux tempes grises, l'escroc désabusé de *Courte tête*. Fernand Gravey fait preuve d'humour et sait se moquer de lui-même sans amertume. Jusqu'au bout il aura préservé sa dignité et son élégance.

Gravina, Carla

Actrice italienne née en 1941.

1957, Guendalina (Guendalina) (Lattuada), Amore e chiacchiere (Blasetti) ; 1958, I soliti ignoti (Le pigeon) (Lattuada), Anche l'inferno trema (Regnoli), Policarpo, ufficiale di scrittura (Soldati), Esterina (Esterina) (Lizzani) ; 1960, Five Branded Women (Cinq femmes marquées) (Ritt), Tutti a casa (La grande pagaille) (Comencini) ; 1961, Scano boa (Dall'Ara), Un giorno da leoni (Les partisans attaquent à l'aube) (Loy) ; 1966, ¿ Quien sabe ? (El Chuncho) (Damiani) ; 1968, Banditi a Milano (Bandits à Milan) (Lizzani), I sette fratelli Cervi (Puccini), La monaca di Monza (La religieuse de Monza) (E. Visconti) ; 1969, Cuore di mamma (Samperi), La donna invisibile (Spinola), Sierra Maestra (Giannarelli) ; 1971, Sans mobile apparent (Labro) ; 1972, Alfredo, Alfredo (Alfredo, Alfredo) (Germi), Il caso Pisciotta (E. Visconti), Frammenti d'amore (Antonelli) ; 1973, L'héritier (Labro), Tony Arzenta (Big guns) (Tessari), Salut l'artiste ! (Robert) ; 1974, L'anticristo (L'antéchrist) (De Martino), Il gioco della verità (Massa), Toute une vie (Lelouch) ; 1976, Comme un boomerang (Giovanni) ; 1978, Maternale (Gagliardo) ; 1979, La terrazza (La terrasse) (Scola) ; 1992, Il lungo silenzio (Trotta).

Elle débute au cinéma à l'âge de seize ans mais sa silhouette dégingandée et ses taches de rousseur l'écartent des rôles d'ingénue pour des rôles de composition. Sa liaison avec l'acteur Gian-Maria Volonte, alors marié, fait scandale et la fait mettre « en quarantaine » pendant plusieurs années. Par bonheur, la France lui ouvre les bras et elle est l'interprète de plusieurs films à succès où elle est la partenaire de Belmondo et de Delon. De retour en Italie, elle trouve peu de rôles intéressants et se tourne vers le théâtre et la télévision.

Gravone, Gabriel de

Acteur français, de son vrai nom Faggianelli, 1887-1974.

Principaux films : 1910, Les étapes de l'amour (Capellani) ; 1913, Les misérables (Capellani), Le roman d'un jeune homme pauvre (Denola) ; 1914, La rose du radjah (Roudes) ; 1919, La roue (Gance) ; 1922, L'Arlésienne (Antoine), Rouletabille chez les bohémiens (Fescourt) ; 1925, Michel Strogoff (Tourjansky), Le berceau de Dieu (Leroy-Granville) ; 1926, Paris, Cabourg, Le Caire et l'amour (Gravone).

D'origine corse, il fut élève de Sarah Bernhardt au Conservatoire. Il mena par la suite de front une carrière théâtrale et cinématographique et mit lui-même en scène en 1926 un film qui fut son dernier. Il dénonça l'invasion américaine et l'avènement du parlant, choisissant alors une autre voie : antiquaire. Dommage qu'il n'ait pas sauvé ses films de la destruction.

Gray, Nadia

Actrice d'origine roumaine, de son vrai nom Nadine Koschir, 1923-1994.

1948, L'inconnu d'un soir (Neufeld) ; 1949, Monseigneur (Richebé), The Spider and the Fly (Hamer) ; 1950, Ivan, Il figlio del Diavolo bianco (Brignone), Night Without Stars (Pelissier), Valley of Eagles (Young), Top secret (Zampi) ; 1952, Il microfono e vostro (Bennati), Moglie per una notte (Une femme pour la nuit) (Comencini) ; 1953, Puccini (Gallone), La vierge du Rhin (Grangier), Les femmes s'en balancent (Borderie) ; 1954, Crossed Swords (Le maître de don Juan) (Krims), Cento anni d'amore (De Felice), Pieta per chi cade (Pitié pour celle qui tombe) (Costa), Inganno (Amours interdites) (Brignone) ; 1955, Casta Diva (Gallone), Le avventure di Giacomo Casanova (Steno), Il Cardinale Lambertini (Pastina), Casa ricordi (La maison du souvenir) (Gallone), Le due Orfanelle (Les deux orphelines) (Gentilomo), La moglie è uguale per tutti (Simonelli) ; 1956, I falco d'oro (La vengeance du faucon d'or) (Bragaglia), Folies-Bergère (Decoin) ; 1957, Une Parisienne (Boisrond), Il diavolo nero (Le diable noir) (Grieco), Sénéchal le magnifique (Boyer), Vacanze a Ischia (Vacances à Ischia) (Camerini) ; 1960, Le mal de Paris (Decoin), La dolce vita (La dolce vita) (Fellini), Candide (Carbonnaux), Mourir d'amour (Fog) ; 1961, M. Topaze (Sellers), Le jeu de la vérité (Hossein), Les croulants se portent bien (Boyer) ; 1962, Gioventu di notte (Jeunesse de nuit) (Sequi), Maniac (Carreras) ; 1963, Rocambole (Borderie), Whisky mit Soda (Grawert), Begegnung in Salzburg (Friedmann) ; 1965, Six heures, quai 23 (Forn) ; 1966, Two For the Road (Voyage à 2) (Donen), Le plus vieux métier du monde (Broca) ; 1967, The Naked Runner (Chantage au meurtre) (Furie) ; 1968, Thunder in the Border (Tonnerre sur la frontière) (Vohrer).

Fort belle et très discrète sur ses origines, elle a mené une carrière internationale sans grand relief mais y a gagné une petite célébrité.

Grayson, Kathryn

Actrice américaine, de son vrai nom Zelma Hedrick, née en 1922.

1941, Andy Hardy's Private Secretary (Seltz) ; 1942, The Vanishing Virginian (Au temps des tulipes) (Borzage), Rio Rita (Simon), Seven Sweethearts (Les sept amoureuses) (Borzage) ; 1943, Thousands Cheer (La parade aux étoiles) (Sidney) ; 1945, Anchors Aweigh (Escale à Hollywood) (Sidney) ; 1946, Two Sisters from Boston (Du burlesque à l'opéra) (Koster), Ziegfeld Follies (Minnelli), Till the Clouds Roll By (La pluie qui chante) (Whorf) ; 1947, It Happened in Brooklyn (Tout le monde chante) (Whorf) ; 1948, The Kissing Bandit (Le brigand amoureux) (Benedek) ; 1949, Toast of New Orleans (Le chant de la Louisiane) (Taurog) ; 1950, Grounds for Marriage (J'épouse mon mari) (Leonard) ; 1951, Show Boat (Sidney) ; 1952, Lovely to Look At (Les rois de la couture) (LeRoy) ; 1953, The Desert Song (Le chant du désert) (Humberstone), So This Is Love (La route du succès) (Douglas), Kiss Me Kate (Embrasse-moi chérie) (Sidney) ; 1956, The Vagabond King (Le roi des vagabonds) (Curtiz).

Le nom de cette agréable brune est associé aux comédies musicales de la MGM où elle remplaça en soprano légère Deanna Durbin passée à l'Universal. Elle ne fera pas une grande carrière mais elle « reste l'une des meilleures adéquations entre une voix et un visage » (Lacombe et Rocle, « De Broadway à Hollywood », *Cinéma 81*).

Gréco, Juliette

Chanteuse et actrice française née en 1927.

1949, Orphée (Cocteau), Au royaume des cieux (Duvivier) ; 1950, Sans laisser d'adresse (Le Chanois) ; 1951, The Green Glove (le gantelet vert) (Maté) ; 1953, Boum sur Paris (Canonge), Quand tu liras cette lettre (Melville) ; 1955, Éléna et les hommes (Renoir) ; 1956, La châtelaine du Liban (Pottier) ; 1957, C'est arrivé à 36 chandelles (Diamant-Berger), L'homme et l'enfant (André) ; 1958, Bonjour tristesse (Preminger), The Sun Also Rises (Le soleil se lève aussi) (King), The Roots of Heaven (Les racines du ciel) (Huston), The Naked Earth (La rivière des alligators) (V. Sherman) ; 1960, Crack in the Mirror (Drame dans le miroir) (Fleischer) ; 1961, The Big Gamble (Le grand risque) (Fleischer) ; 1962, Maléfices (Decoin) ; 1965, La case de l'oncle Tom (Radvanyi) ; 1966, Le désordre à 20 ans (Baratier) ; 1967, La nuit des généraux (Litvak) ; 1973, Le Far West (Brel) ; 1974, Lily aime-moi (Dugowson) ; 1997, La fête de Jedermann (Lehner) ; 2000, Belphégor, le fantôme du Louvre (Salomé).

Muse de Saint-Germain-des-Prés (*Si tu t'imagines*, *La rue des Blancs-Manteaux...*), elle obtient des petits rôles chez Cocteau et Duvivier, un rôle plus important chez Melville et beaucoup d'apparitions dans des films commerciaux. Zanuck veut en faire une star : elle tournera plusieurs films américains, mais ce sont autant d'échecs. Elle retourne au chant, tout en jouant de temps à autre dans de médiocres productions. En 1966, elle épouse Michel Piccoli. Peu à peu elle semble se détacher du cinéma : trois films en dix ans.

Greene, Eva

Actrice française née en 1980.

2003, Dreamers (Les innocents) (Bertolucci) ; 2004, Arsène Lupin (Salomé) ; 2005, Kingdom of Heaven (Kingdom of Heaven) (Scott) ; 2006, Casino Royale (Casino Royale) (Campbell), The Golden Compass (A la croisée des mondes, les royaumes du Nord) (Weitz).

Fille de Marlène Jobert, cette brune aux yeux émeraude, révélée par Bertolucci, tous charmes découverts, dans *Les innocents*, reine de Jérusalem dans *Kingdom of Heaven*, fut choisie comme partenaire de James Bond qui lui demande sa main dans *Casino Royale*.

Greene, Richard

Acteur anglais, 1918-1985.

1938, Four Men and a Prayer (Quatre Hommes et une prière) (Ford), My Lucky Star (Le mannequin du collège) (Del Ruth), Kentucky (Kentucky) (Butler), Submarine Patrol (Patrouille en mer) (Ford) ; 1939, The Little Princess (La petite princesse) (W. Lang), The Hound of the Baskervilles (Le chien des Baskerville) (Lanfield), Stanley and Livingstone (Stanley et Livingstone) (King), Here I Am a Stranger (Del Ruth) ; 1940, Little Old New York (H. King), I was an Adventuress (J'étais une aventurière) (Ratoff) ; 1942, Flying Fortress (W. Forde), Unpublished Story (French) ; 1944, The Yellow Canary (Le canari jaune) (Wilcox) ; 1946, Gaiety George (G. King) ; 1947, Forever Amber (Ambre) (Preminger) ; 1948, Don't Take it to Heart (Dell) ; 1949, The Fighting O' Flynn (Aventure en Irlande) (Pierson), The Fan (L'éventail de Lady Windermere) (Preminger), That Dangerous Age (Cet âge dangereux) (Ratoff), Now Barabbas (Parry) ; 1950, Shadow of the Eagle (A l'ombre de l'aigle) (Salkow), The Desert Hawk (L'aigle du désert) (De Cordova), My Daughter Joy (Son grand amour) (Ratoff) ; 1951, Lorna Doone (Les maudits du château fort) (Karlson) ; 1952, The Black Castle (Le mystère du château noir) (Juran) ; 1953, Rogues March (On se bat aux Indes) (Davis), Captain Scarlett (Capitaine Scarlett) (Carr) ; 1954, Bandits of Corsica (Le retour des frères corses) (Nazarro) ; 1955, Contraband Spain (Huntington) ; 1960, Beyond the Curtain (Bennett) ; 1961, Sword of Robin Hood (Le serment de Robin des Bois) (Fisher) ; 1967, Dangerous Island ; 1968, Blood of Fu Manchu (Franco) ; 1972, Tales from the Crypt (Histoires d'outre-tombe) (Francis).

Né à Plymouth, cet excellent acteur britannique à la belle prestance et au visage romantique a mené une brillante activité théâtrale qui a débouché sur un contrat avec la Fox à Hollywood. Il a interprété Robin des Bois dans une série télévisée, qui a eu beaucoup de succès entre 1955 et 1959, dont on a même tiré un film en 1961 (*Le serment de Robin des Bois*). Mais n'est pas Errol Flynn qui veut...

Greenstreet, Sydney

Acteur américain, 1879-1954.

1941, The Maltese Falcon (Le faucon maltais) (Huston), They Died With Their Boots On (La charge fantastique) (Walsh) ; 1942, In This Our Life (Huston), Across the Pacific (Griffes jaunes) (Huston) ; 1943, Casablanca (Casablanca) (Curtiz), Background to Danger (Intrigues en Orient) (Walsh) ; 1944, Passage to Marseille (Curtiz), Between Two Worlds (Blatt), the Mask of Dimitrios (Le masque de Dimitrios) (Negulesco), The Conspirators (Les conspirateurs) (Negulesco), Hollywood Canteen (Daves) ; 1945, Conflict (La mort n'était pas au rendez-vous) (Bernhardt), Pillow to Post (V. Sherman), Christmas in Connecticut (Godfrey) ; 1946, The Verdict (Siegel), Three Strangers (Negulesco), Devotion (La vie passionnée des sœurs Brontë) (Bernhardt) ; 1947, The Hucksters (Marchands d'illusion) (Conway), That Way With Women (Cordova) ; 1948, Ruthless (L'impitoyable) (Ulmer), The Woman in White (Godfrey), The Velvet Touch (Gage) ; 1949, It's a Great Feeling (Butler), Flamingo Road (Boulevard des passions) (Curtiz), Malaya (Thorpe).

Planteur de thé à Ceylan dans sa jeunesse, il doit revenir en Angleterre sans un sou et cherche une nouvelle voie sur les planches. Deux ans plus tard c'est Broadway où il passe de Shakespeare à la comédie musicale sans la moindre difficulté. En 1941, Huston lui confie le rôle de Guttman dans *The Maltese Falcon*. Sa corpulence et la finesse de son jeu le font remarquer. Il deviendra un partenaire privilégié pour Peter Lorre qu'il écrase déjà de sa haute stature dans *The Maltese Falcon*. Il paraît intéressant de les réunir. C'est ce que fait la Warner. Leur tandem contribue au succès du *Masque de Dimitrios*, des *Conspirateurs*, de *Three Strangers* et de *Verdict*. Ils avaient figuré également ensemble au générique de *Casablanca, Passage to Marseille* et *Background to Danger*.

Greenwood, Joan

Actrice anglaise, 1921-1987.

1940, John Smith Wakes Up (J. Weiss) ; 1941, My Wife's Family (Mycroft), He Found a Star (Carstairs) ; 1943, The Gentle Sex (Femmes en mission) (Elvey) ; 1944, They Knew Mr. Knight (Walker) ; 1945, Latin Quarter (Sewell) ; 1946, Girl in a Million (Searle), The Man Within (Knowles) ; 1947, The White Unicorn (Knowles), The October Man (Roy Baker) ; 1948, The Bad Lord Byron (Macdonald), Sarabande for Dead Lovers (Sarabande) (Dearden), Whisky Galore (Whisky à gogo) (Mackendrick) ; 1949, Kind Hearts and Coronets (Noblesse oblige) (Hamer) ; 1950, Flesh and Blood (Kimmins), Garou-Garou, Le passe-muraille (Boyer) ; 1951, The Man in the White Suit (L'homme au complet blanc) (Mackendrick), Young Wives' Tale (Cass) ; 1952, The Importance of Being Earnest (Il importe d'être constant) (Asquith) ; 1953, Monsieur Ripois (Clément) ; 1954, Father Brown (Détective du bon Dieu) (Hamer) ; 1955, Moonfleet (Les contrebandiers de Moonfleet) (Lang) ; 1958, Stage Struck (Les feux du théâtre) (Lumet) ; 1961, On the Double (La doublure du général) (Shavelson), Mysterious Island (L'île mystérieuse) (Endfield) ; 1962, The Amourous Prawn (Kimmins) ; 1963, Tom Jones (Entre l'alcôve et la potence) (Richardson) ; 1964, The Moon-Spinners (La baie aux émeraudes) (Neilson) ; 1967, Barbarella (Vadim) ; 1971, The Girl Stroke Boy (Kellett) ; 1977, The Uncanny (Héroux) ; 1979, The Waterbabies (Jeffries) ; 1981, Country (Eyre) ; 1985, Past Caring (Eyre) ; 1988, Little Dorrit (Edzard).

Originaire de Chelsea, elle joue longtemps sur la scène des pièces classiques (de Shakespeare à Molière) avant d'être remarquée par Leslie Howard et d'être prise sous contrat par le producteur Sidney Box. A la fin des années 40 et dans les années 50, elle devient l'actrice fétiche de la comédie humoristique anglaise. Son meilleur rôle demeure celui de l'intrigante de *Noblesse oblige*. Sa réputation est alors telle qu'on la donne comme partenaire à Bourvil dans *Le passe-muraille* et à

Gérard Philipe dans *Monsieur Ripois*. Après 1970, elle semblait s'être retirée. Peut-être l'humour anglais ne faisait-il plus rire ?

Greer, Jane

Actrice américaine, 1924-2001.

1945, Dick Tracy (Berke), Two O'Clock Courage (A. Mann), Pan-Americana (Auer), George White's Scandals (Feist) ; 1946, The Falcon's Alibi (R. McCarey), Sunset Pass (Berke), The Bamboo Blonde (A. Mann) ; 1947, Sinbad the Sailor (Sindbad le marin) (Wallace), They Won't Believe Me (Ils ne voudront pas me croire) (Pichel), Out of the Past (La griffe du passé) (Tourneur) ; 1948, Station West (La cité de la peur) (Lanfield) ; 1949, The Big Steal (Ça commence à Vera Cruz) (Siegel) ; 1951, You're in the Navy Now (La marine est dans le lac) (Hathaway), The Company She Keeps (Cromwell) ; 1952, The Prisoner of Zenda (Le prisonnier de Zenda) (Thorpe), Ou for Me (Weis) ; 1953, Desperate Search (Lewis), The Clown (Leonard), Down Among the Sheltering Palms (Goulding) ; 1956, Run for the Sun (La course au soleil) (Boulting) ; 1957, Man of a Thousand Faces (L'homme aux mille visages) (Pevney) ; 1964, Where Love Has Gone (Rivalités) (Dmytryk) ; 1965, Billie (Weis) ; 1974, The Outfit (Échec à l'organisation (Flynn) ; 1984, Against All Odds (Contre toute attente) (Hackford) ; 1986, Just Between Friends (Burns) ; 1989, Immediate Family (Immediate Family) (J. Kaplan) ; 1996, Perfect Mate (Armstrong).

Piquante, elle n'eut pas les rôles qu'elle méritait. Sauvons toutefois *Out of the Past*.

Greggory, Pascal

Acteur français né en 1954.

1975, Docteur Françoise Gailland (Bertucelli) ; 1976, Madame Claude (Jaeckin) ; 1977, Flammes (Arieta) ; 1978, Les sœurs Brontë (Téchiné) ; 1980, Chassé-croisé (Dombasle) ; 1982, Le beau mariage (Rohmer), Le crime d'amour (Gilles) ; 1983, Pauline à la plage (Rohmer), Grenouilles (Arieta) ; 1985, La nuit porte-jarretelles (Thévenet) ; 1988, Les pyramides bleues (Dombasle), La couleur du vent (Granier-Deferre) ; 1992, L'arbre, le maire et la médiathèque (Rohmer), Villa Mauresque (Mimouni) ; 1993, La soif de l'or (Oury) ; 1994, La reine Margot (Chéreau), Comme un air de retour (Bianconi) ; 1996, Lucie Aubrac (Berri) ; 1997, Ceux qui m'aiment prendront le train (Chéreau), Anniversaires (sketch : « Les amis de Ninon ») (Rosette), Zonzon (Bouhnik) ; 1998, Pourquoi se marier le jour de la fin du monde (Cleven), Jeanne d'Arc (Besson) ; 1999, Le temps retrouvé (Ruiz), Un ange (Courtois) ; 2000, La fidélité (Zulawski), La confusion des genres (Duran Cohen) ; 2001, Nid de guêpes (Siri) ; 2003, Raja (Doillon) ; 2004, Arsène Lupin (Salomé) ; 2005, Gabrielle (Chéreau) ; 2006, La tourneuse de pages (Dercourt), Pardonnez-moi (Le Besco) ; 2007, La môme (Dahan).

Beaucoup de théâtre pour cet acteur à la blondeur efféminée qui fut remarquable en Barnwell Brontë, dans le film de Téchiné. Il compose un fascinant duc d'Anjou dans *La reine Margot* et acquiert, la maturité aidant, une véritable dimension populaire. Il est remarquable en mari trompé dans *Gabrielle*.

Grétillat, Jacques

Acteur et réalisateur français, de son vrai nom Gastillou, 1885-1950.

1900, L'homme aux gants blancs (Capellani) ; 1910, Shylock ; 1911, La main verte, Hamlet, La momie ; 1916, Géo le mystérieux (Dulac) ; 1917, La proie (Monca), Le coupable (Antoine) ; 1922, La fille des chiffonniers (Desfontaines) ; 1930, David Golder (Duvivier) ; 1931, Pas sur la bouche (Rimsky, Evreinoff) ; 1932, Danton (Roubaud) ; 1933, La porteuse de pain (Sti), La robe rouge (Marguenat) ; 1934, La flambée (Marguenat) ; 1935, Ademaï au Moyen Age (Marguenat) ; 1936, L'homme du jour (Duvivier), Gribouille (M. Allégret), Bourrasque (Billon), L'empreinte rouge (Canonge) ; 1937, Gosse de riche (Canonge) ; 1938, Le joueur d'échecs (Dréville), Café de Paris (Mirande) ; 1939, Face au destin (Fescourt) ; 1942, Coup de feu dans la nuit (Péguy), Les inconnus dans la maison (Decoin) ; 1943, Coup de tête (Le Hénaff), Les Roquevillard (Dréville) ; 1944, Paméla (Hérain) ; 1947, Quai des Orfèvres (Clouzot). *Comme réalisateur :* 1918, La marâtre ; 1920, Médard est rentré saoul, La double énigme du docteur Morart.

Venu de l'Odéon, il avait du coffre et un mufle. Il fut un superbe Danton et le méchant d'innombrables muets. Avocat, homme d'affaires, on le retrouve même en Potemkine dans *Le joueur d'échecs* ! Dans *Café de Paris*, il s'opposait à Marcel Carpentier, autre « bel homme ». Il finit en cabot au chômage dans *Quai des Orfèvres*.

Grévill, Laurent

Acteur français né en 1961.

1986, Hôtel de France (Chéreau) ; 1987, Camille Claudel (Nuytten) ; 1989, Le bal du gouverneur (Pisier) ; 1990, L'année de l'éveil (Corbiau) ; 1991, The More I See You (Aichholzer) ; 1992, Le bateau de mariage (Améris), Rupture(s) (Citti) ; 1993, J'ai pas sommeil (Denis), Oublie-moi (Lvovsky) ; 1994, Jack & Sarah (Jack & Sarah) (Sullivan) ; 1997, Flammen in Paradies (Les raisons du cœur) (Imhoof), Fantômes de Tanger (Cozarinsky).

Formé par Andreas Voutsinas, il rentre au théâtre des Amandiers, dirigé par Patrice Chéreau, où il reste de 1985 à 1987, tournant son premier film sous la direction de ce dernier. Beaucoup de théâtre par la suite pour cet acteur à la blondeur éclatante, mais aussi du cinéma : on le remarque en professeur bienveillant dans *L'année de l'éveil*, puis dans le rôle principal du romantique *Bateau de mariage*. Pas une star du fait du registre intimiste des films qu'il choisit, mais un comédien qu'on ne peut ignorer.

Grey, Denise

Actrice française, de son vrai nom Edouardine Verthuy, 1896-1996.

Plus de cent films dont : 1918, Les bleus de l'amour (Desfontaines) ; 1935, Jeunes filles à marier (Vallée) ; 1936, La dame de Vittel (Goupillières) ; 1937, Trois artilleurs au pensionnat (Pujol) ; 1938, Serge Panine (Schiller), Trois artilleurs à l'Opéra (Chotin) ; 1940, Monsieur Hector (Cammage) ; 1941, Boléro (Boyer), Montmartre sur Seine (Lacombe) ; 1942, Retour de flamme (Fescourt), Romance à trois (Richebé), L'honorable Catherine (L'Herbier), Le voile bleu (Stelli) ; 1943, Adieu Léonard (Prévert), Vingt-cinq ans de bonheur (Jayet), L'aventure est au coin de la rue (Daniel-Norman) ; 1944, Les caves du Majestic (Pottier) ; 1945, Le couple idéal (Bernard-Roland), L'extravagante mission (Calef), L'insaisissable Frédéric (Pottier), Madame et son flirt (Marguenat), Étrange destin (L. Cuny) ; 1946, Six heures à perdre (Joffé, Levitte), Le diable au corps (Autant-Lara), On demande un ménage (Cam), Coïncidences (Debecque) ; 1947, Et dix de der (Hennion), Carré de valets (Berthomieu) ; 1948, Une femme par jour (Boyer), Le bonheur en location (Wall) ; 1949, La ronde des heures (Ryder), Pas de week-end pour notre amour (Montazel), Tête blonde (Cam), Rome-Express (Stengel), Mon ami Sainfoin (Sauvajon) ; 1950, Les petites Cardinal (Grangier), Demain, nous divorçons (L. Cuny) ; 1951, Allô... je t'aime ! (Berthomieu), La tournée des grands-ducs (Pellenc) ; 1953, Le père de Mademoiselle (L'Herbier, Dagan), Dortoir des grandes (Decoin), Les corsaires du bois de Boulogne (Carbonnaux), Julietta (M. Allégret), Raspoutine (Combret) ; 1954, Escalier de service (Rim), Fantaisie d'un jour (Cardinal), Poisson d'avril (Grangier), Le mouton à cinq pattes (Verneuil) ; 1955, La villa Sans-Souci (Labro), Le printemps, l'automne et l'amour (Grangier), La rue des Bouches-Peintes (Vernay) ; 1956, L'auberge en folie (Chevalier), Une nuit aux Baléares (Mesnier), Sylvaine de mes nuits (Blistène), Mitsou (Audry) ; 1957, C'est la faute d'Adam (Audry), A pied, en cheval et en voiture (Delbez), Mimi Pinson (Darène), Le tombeur (Delacroix), La peau de l'ours (Boissol), Police judiciaire (de Canonge) ; 1958, A pied, à cheval et en spoutnik (Dréville), Le confident de ces dames (Boyer) ; 1960, La Française et l'amour (sketch Christian-Jaque), Le panier à crabes (Lisbona), Bomben aus Monte-Carlo (Ça peut toujours servir) (Jacoby) ; 1963, La bonne soupe (Thomas) ; 1965, Pas de caviar pour tante Olga (Becker) ; 1969, La maison de campagne (Girault) ; 1970, Hello, goodbye (Hello, goodbye) (Negulesco) ; 1971, Mais qui donc m'a fait ce bébé ? (Gérard) ; 1980, La boum (Pinoteau) ; 1982, En cas de guerre mondiale, je file à l'étranger (Ardouin), La boum 2 (Pinoteau), N'oublie pas ton père au vestiaire (Balducci) ; 1984, Le voleur de feuilles (Trabaud) ; 1985, Le gaffeur (Pénard) ; 1990, A Fine Romance (Tchin-Tchin) (Saks).

Un fabuleux exemple de longévité cinématographique ; une carrière théatrale qui a oscillé entre la Comédie-Française et le Palais-Royal ; une fantaisie qui ne s'est jamais démentie. Mais à peine deux ou trois films à sauver d'une filmographie consternante et qu'il a paru inutile de donner en entier : *Adieu Léonard*, *Le couple idéal*, à la rigueur *L'honorable Catherine*, et l'énorme succès des deux épisodes de *La boum*. Le bilan est mince. Denise Grey a écrit ses souvenirs en 1980 : *D'une loge à l'autre*.

Grey, Georges

Acteur français, 1911-1954.

1937, Les perles de la couronne (Guitry), Cinderella (Caron) ; 1938, Quadrille (Guitry) ; 1939, Narcisse (Aguiar), Ils étaient neuf célibataires (Guitry) ; 1940, Le collier de chanvre (Mathot), La fille du puisatier (Pagnol), Monsieur Hector (Cammage), Chambre 13 (Hugon) ; 1941, Cartacalha (Mathot), Le valet maître (Mesnier) ; 1942, Le voile bleu (Stelli), La duchesse de Langeais (Baroncelli), Ademaï bandit d'honneur (Grangier), Le destin fabuleux de Désirée Clary (Guitry), Huit hommes dans un château (Pottier), Patricia (Mesnier) ; 1945, Monsieur Grégoire s'évade (Daniel-Norman) ; 1947, Le comédien (Guitry), Tierce à cœur (Casembroot), Plume de poule (Kapps) ; 1948, Le colonel Durand (Chanas), Le diable boiteux (Guitry), La ferme des sept péchés (Devaivre).

Jeune premier d'origine lyonnaise, très apprécié par Guitry.

Grey, Jennifer

Actrice américaine née en 1960.

1984, Red Dawn (L'aube rouge) (Milius), Reckless (Reckless) (Foley), The Cotton Club (Cotton Club) (Coppola) ; 1985, American Flyers (Le prix de l'exploit) (Badham) ; 1986, Ferris Bueller's Day Off (La folle journée de Ferris Bueller) (Hughes) ; 1987, Dirty Dancing (Dirty Dancing) (Ardolino) ; 1989, Bloodhounds of Broadway (Brookner) ; 1992, Wind (Wind) (Ballard) ; 1996, Lover's Knot (Shaner), Portraits of a Killer (Corcoran) ; 1997, Red Meat (Burnett) ; 1999, Bounce (Un amour infini) (Roos).

Fille de Joel Grey, danseuse dès ses plus tendres années pour suivre l'exemple de papa, elle décroche la timbale en jouant l'héroïne de *Dirty Dancing* aux côtés de Patrick Swayze. Reine de la piste durant l'été 1988, elle ne dansera hélas qu'un seul été, le reste de sa carrière n'étant pas à la hauteur. Elle persévère néanmoins à la télévision.

Grey, Joel

Acteur américain, de son vrai nom Katz, né en 1932.

1951, About Face (Del Ruth) ; 1957, Calypso Heatwave (Calypso Boum) (Sears) ; 1961, Come September (Le rendez-vous de septembre) (Mulligan) ; 1972, Cabaret (Cabaret) (Fosse) ; 1974, Man on a Swing (Enquête dans l'impossible) (Perry) ; 1975, The Seven Per-cent Solution (Sherlock Holmes attaque l'Orient-Express) (Ross) ; 1976, Buffalo Bill and the Indians (Buffalo Bill et les Indiens) (Altman) ; 1982, The Yeomen of the Guard (Beasch, Heather) ; 1985, Remo, Unarmed and Dangerous (Rémo, sans arme et dangereux) (Hamilton) ; 1991, Kafka (Kafka) (Soderbergh), The Player (The player) (Altman) ; 1992, The Music of Chance (La musique du hasard) (Haas) ; 1994, The Dangerous (M. Dante, R. Hewitt), Venus Rising (Barish, Bravo) ; 1995, The Fantasticks (Ritchie), My Friend Joe (Bould) ; 1996, The Empty Mirror (Hershey) ; 1999, Dancer in the Dark (Dancer in the Dark) (Trier).

Acteur chanteur, il fut révélé par le rôle de maître des cérémonies de *Cabaret* où son physique inquiétant créait une atmosphère angoissante, celle que suscitait la montée du nazisme. Il retrouva un rôle voisin dans *Man on a Swing*. Lars von Trier lui rend un émouvant hommage dans *Dancer in the Dark*.

Gridoux, Lucas

Acteur français, 1890-1952.

1931, L'amour à l'américaine (Heymann) ; 1932, Criminel (Forrester) ; 1934, Cartouche (Davoy), Rapt (Kirsanoff), Un tour de cochon (Tzipine) ; 1935, Golgotha (Duvivier) ; 1936, Les mutinés de l'Elseneur (Chenal), Pépé le Moko (Duvivier), Un grand amour de Beethoven (Gance) ; 1937, La citadelle du silence (L'Herbier), Forfaiture (L'Herbier), Tamara la complaisante (Gandera), Les pirates du rail (Christian-Jaque), Yamilé sous les cèdres (Espinay), Les hommes sans nom (Vallée), Balthazar (Colombier), Franco de port (Kirsanoff) ; 1938, Le château des quatre obèses (Y. Noé), Bar du Sud (Fescourt), L'intrigante (Couzinet), Le paradis de Satan (Gandera), L'étrange nuit de Noël (Y. Noé), Feux de joie (Houssin), Tempête sur l'Asie (Oswald) ; 1939, Le chemin de l'honneur (Paulin) ; 1945, Le capitan (Vernay) ; 1946, Panique (Duvivier), Les gosses mènent l'enquête (Labro), Rouletabille (Chamborant), Nuits sans fin (Séverac), La kermesse rouge (Mesnier), L'affaire du collier de la reine (L'Herbier) ; 1947, Si jeunesse savait (Cerf), Cargaison clandestine (A. Rode), Tierce à cœur (Casembroot) ; 1948, La route inconnue (L. Poirier), Impasse des Deux-Anges (Tourneur) ; 1949, Le cas du docteur Galloy, (Téboul) ; 1950, Trafic sur les dunes (Gourguet), Bibi Fricotin (Blistène), Porte d'Orient (Daroy), Le clochard milliardaire (Gomez).

Voué aux rôles de traîtres, de métèques ou de personnages exotiques, il a su composer des personnages inoubliables comme l'inspecteur Slimane de *Pépé le Moko* ou le Judas de *Golgotha*.

Griem, Helmut

Acteur allemand, 1932-2004.

1960, Fabrik der Offiziere (Fabrique d'officiers SS) (Wisbar) ; 1961, Barbara (Wisbar), Bis zum Ende Aller Tage (Wirth), Der Traum von Lieschen Müller (Käutner) ; 1962, A cause, à cause d'une femme (Deville) ; 1969, La caduta degli Dei (Les damnés) (Visconti) ; 1970, Ludwig II (Louis II de Bavière) (Visconti), The McKenzie Break (L'évasion du capitaine Schluetter) (Lamont Johnson) ; 1972, Cabaret (Cabaret) (Fosse), Die Moral der Ruth Halbfass (Schlöndorff) ; 1975, Children of Rage (Seidelmann), Ansichten eines Clown (Jasny) ; 1976, Voyage of the Damned

(Le voyage des damnés) (Rosenberg), Il deserto dei Tartari (Le désert des Tartares) (Zurlini) ; 1978, Deutschland im Herbst (L'Allemagne en automne) (collectif), Les rendez-vous d'Anna (Akerman), Breakthrough (La percée d'Avranches) (McLaglen), Mannen i skuggan (Mattson), Die gläserne Zelle (La cellule de verre) (Geissendörffer) ; 1979, Die Hamburger Krankheit (La maladie de Hambourg) (Fleischmann) ; 1980, Berlin Alexanderplatz (Fassbinder) ; 1981, La passante du Sans-Souci (Rouffio), Stachel im Fleisch (Genée), Malou (Meerapfel), Kaltgestellt (Sinkel) ; 1986, The Second Victory (Thomas), Caspar und Friedrich – Grenzen der Zeit (Schamoni) ; 1989, Fauste – Vom Himmel durch die Welt zur Hölle (Dorn), A proposito di quella strana ragazza (Leto) ; 1993, Verlassen Sie bitte ihren Mann ! (Schwabenitsky) ; 1995, Die Grube (Fruchtmann), Brennendes Herz (Patzak).

Brillant acteur de théâtre, originaire de Hambourg, il a peu tourné pour le cinéma où il est voué, de par sa blondeur distinguée, aux rôles d'officiers SS.

Grier, Pam

Actrice américaine née en 1949.

1970, Beyond the Valley of the Dolls (Hollywood vixens) (Meyer) ; 1971, The Big Doll House (Hill) ; 1972, Women in Cages (Femmes en cage) (De Leon), Black Mama, White Mama (E. Romero), Hit Man (Le Créole de Harlem) (Armitage), The Big Bird Cage (Hill), Cool Breeze (B. Pollack) ; 1973, Twilight People (E. Romero), Scream, Blacula, Scream (Kelljan), Coffy (Coffy, la panthère noire de Harlem) (Hill) ; 1974, The Arena (Carver), Foxy Brown (Foxy Brown) (Hill) ; 1975, Sheba Baby (Sheba Baby) (Girdler), Friday Foster (La panthère est de retour) (Marks), Bucktown (Bucktown) (Marks) ; 1976, Drum (L'enfer des Mandingos) (Carver) ; 1977, La notte dell'alta marea (L'aguicheuse) (Scattini), Greased Lightning (Schultz) ; 1980, Fort Apache, the Bronx (Le policeman) (Petrie) ; 1982, Tough Enough (Fleischer) ; 1983, Something Wicked This Way Comes (La foire des ténèbres) (Clayton) ; 1984, The Vindicator (Frankenstein 2000) (Lord) ; 1985, On the Edge (Nilsson), Stand Alone (Le forcené) (Beattie) ; 1987, The All-nighter (Hoffs) ; 1988, Above the Law (Nico) (Davis) ; 1989, The Package (Opération crépuscule) (Davis) ; 1990, Class of 1999 (M. Lester) ; 1991, Bill and Ted's Bogus Journey (Hewitt) ; 1993, Posse, the Revenge of Jessie Lee (Posse, La revanche de Jessie Lee) (Van Peebles) ; 1995, Serial Killer (David), Original Gangstas (Cohen) ; 1996, John Carpenter's Escape to LA (Los Angeles 2013) (Carpenter), Woo (Von Sherler Mayer) ; 1997, Fakin' Da Funk (Chey), Strip Search (Hewitt), Jackie Brown (Jackie Brown) (Tarantino) ; 1998, Holy Smoke (Holy Smoke) (Campion), Jawbreaker (Jawbreaker) (Stein) ; 1999, Fortress 2 (Fortress 2 – Réincarnation) (Murphy), Snow Day (Jour blanc) (Koch), In Too Deep (Gangsta cop) (Rymer) ; 2000, Bones (Dickerson), Wilder (Gibbons), John Carpenter's Ghosts of Mars (Carpenter), 3 a.m. (Davis) ; 2001, Love the Hard Way (Sehr).

Sculpturale actrice noire, elle fut le pendant féminin de Jim Brown dans le courant cinématographique dit « Blaxploitation », films des années 70 originellement destinés à la population afro-américaine. Elle maniait le fusil à pompe et le jeté de petite culotte avec détermination dans la série des *Panthères*. Longtemps oubliée, c'est Quentin Tarantino qui la ressuscite et en fait une sublime *Jackie Brown*.

Griffith, Corinne

Actrice américaine, de son vrai nom Scott, 1899-1983.

1916, The Last Man, La Paloma, Bittersweet, Human Collateral ; 1918, Love Watches, Miss Ambition (H. Houry), The Girl of Today ; 1919, The Adventure Shop, Thin Ice, A Girl at Bay, The Girl Problem, The Unknown Quantity, The Climbers ; 1920, Deadline at Eleven, The Garter Girl ; 1921, Single Trak (Campbell), Moral Fibre (Campbell) ; 1922, Divorce Coupons (Campbell), Island Wives (Webster Campbell) ; 1923, The Common Law (Archainbaud), Six Days (Sous la terre meurtrie) (Brabin) ; 1924, Black Oxen (Lloyd), Lilies of the Field (Dillon), Love's Wilderness (Leonard), Single Wives (Archainbaud), Déclassée (Vignola), Infatuation (Cummings), The Marriage Whirl (Santell) ; 1926, Mademoiselle modiste (Leonard), Into Her Kingdom (Gade), Syncopating Sue (La reine du jazz) (R. Wallace) ; 1927, Lady in Ermine (Flood), Three Hours (Flood) ; 1928, Garden of Eden (Le jardin de l'Éden) (Milestone), The Divine Lady (Lloyd), Outcast (Seiter) ; 1929, Saturday's Children (La Cava), Prisoners (Seiter) ; 1930, Back Pay (Seiter), Lilies of the Field (Korda) ; 1932, Lily (Christine) (Stein).

Grande star des années 1915-1925, elle fonde sa propre maison de production et emploie pour la diriger Leonard, Lloyd, Santell. Ses meilleurs films sont probablement *Garden of Eden* où elle est dirigée par Milestone et surtout *The Divine Lady* qui lui permet de tenir le rôle de lady Hamilton. Le parlant mit fin à sa carrière, mais elle se retira immensément riche.

Griffith, Hugh

Acteur anglais, 1912-1980.

1948, So Evil My Love (Une âme perdue) (Allen) ; 1949, A Run For Your Money (De la coupe aux lèvres) (Frend) ; 1950, Gone to Earth (La renarde) (Powell) ; 1951, Laughter in Paradise (Rires au paradis (Zampi) ; 1954, The Sleeping Tiger (La bête s'éveille) (Losey) ; 1959, Ben Hur (Ben Hur) (Wyler) ; 1960, The Day They Robbed the Bank of England (Le jour où l'on dévalisa la banque d'Angleterre) (Guillermin), Exodus (Exodus) (Preminger) ; 1961, The Story on Page One (Du sang en première page) (Odets), Term of Trial (Le verdict) (Glenville), The Inspector (L'inspecteur) (Dunne) ; 1962, Mutiny on the Bounty (Les révoltés du Bounty) (Milestone) ; 1963, Tom Jones (Tom Jones, entre l'alcôve et la potence) (Richardson) ; 1965, The Amorous Adventures of Moll Flanders (Les aventures amoureuses de Moll Flanders) (T. Young) ; 1966, How to Steal a Million (Comment voler un million de dollars) (Wyler), Danger Grows Wild (Opération Opium) (T. Young), The Sailor of Gibraltar (Le marin de Gibraltar) (Richardson) ; 1968, Oliver (Oliver) (Reed) ; 1969, The Fixer (L'homme de Kiev) (Frankenheimer), Start the Revolution Without me (Commencez la révolution sans nous) (Yorkin) ; 1970, Wuthering Heights (Les Hauts de Hurlevent) (Fuest) ; 1971, The Abominable Dr. Phibes (L'abominable Dr. Phibes) (Fuest) ; 1972, What ? (Quoi ?) (Polanski), Who Slew Auntie Roo ? (Qui a tué tante Roo ?) (Harrington), Dr. Phibes Rises Again (Le retour de l'abominable Dr. Phibes) (Fuest), I Raconti di Canterbury (Les contes de Canterbury) (Pasolini) ; 1973, Cugini carnali (L'initiatrice) (Martino) ; 1975, The Final Programme (Les décimales du futur) (Fuest) ; 1977, The Last Remake of Beau Geste (Mon beau légionnaire) (Feldman).

Truculent acteur venu de Stratford-upon-Avon où il tint le rôle de Falstaff. Il joue toujours les notables libertins ou les personnages forts en gueule.

Griffith, Melanie

Actrice américaine née en 1957.

1973, The Harrad Experiment (Post) ; 1975, Smile (Ritchie), Night Moves (La fugue) (Penn), The Drowning Pool (La toile d'araignée) (Rosenberg) ; 1977, The Garden (Nord), Joyride (Ruben), One on One (Johnson) ; 1980, Roar (Marshall), Underground Aces (Butler) ; 1984, Fear City (New York deux heures du matin) (Ferrera) ; Body Double (Body Double) (De Palma) ; 1987, Something Wild (Dangereuse sous tous rapports) (Demme), Cherry 2 000 (Varnatt), The Milagro Beanfield War (Milagro) (Redford), Stormy Monday (Un lundi trouble) (Figgis) ; 1989, Working Girl (Quand les femmes s'en mêlent) (Nichols) ; 1990, In the Spirit (Seacat), Pacific Heights (Fenêtre sur Pacifique) (Schlesinger) ; 1991, The Bonfire of The Vanities (Le bûcher des vanités) (De Palma), Shining Through (Une lueur dans la nuit) (Seltzer), Paradise (Donoghue) ; 1992, A Stranger Among Us/ Close to Eden (Une étrangère parmi nous) (Lumet) ; 1993, Milk Money (La surprise) (Benjamin) ; 1994, Nobody's Fool (Un homme presque parfait) (Benton) ; 1995, Now and Then (Glatter), Two Much (Two Much) (Trueba), Mulholland Falls (Les hommes de l'ombre) (Tamahori) ; 1996, Lolita (Lolita) (Lyne) ; 1997, Shadow of Doubt (La dernière preuve) (Kleiser) ; 1998, Another Day in Paradise (Another Day in Paradise) (Clark), Celebrity (Celebrity) (Allen), Crazy in Alabama (La tête dans le carton à chapeaux) (Banderas) ; 1999, Forever Lulu (Kaye), Ljuset håller mig sällskap (C.-G. Nykvist), RKO 281 (Citizen Welles) (B. Ross) ; 2000, Cecil B. DeMented (Cecil B. DeMented) (Waters) ; 2004, Shade (Les maîtres du jeu) (Nieman) ; 2005, Searching for Debra Winger (R. Arquette).

Fille de Tippi Hedren, elle est excellente dans *Something Wild*, en blonde portant perruque noire à la Louise Brooks. Mariée à Don Johnson, puis à Antonio Banderas, celui-ci lui offre, dans *La tête dans le carton à chapeaux*, un rôle d'ingénue minaudante, à l'image de tous ceux qui ont jalonné sa carrière.

Griffith, Raymond

Acteur américain, 1895-1957.

1916, A Scoundrel's Toll ; 1921, Wedding Bells ; 1922, Crossroads of New York (Jones), Minnie (Neilan), Fool's First (Neilan) ; 1923, The White Tiger (Browning), Forty Winks (Urson), Red Lights (Badger), The Day of Faith, The Eternal Three (Neilan) ; 1924, Nellie the Beautiful Cloak Model (E. Flynn), Poisoned Paradise (Gasnier), The Yankee Consul (Horne) ; 1925, Miss Bluebeard (Miss Barbe-Bleue) (Tuttle), Path to Paradise (Badger), The Down of Tomorrow, Open All Night, Fine Clothes ; 1926, Hands Up (Badger), He's a Prince (Raymond fils de roi) (Sutherland), Wet Paint (Rosson), You'd be Surprised, Waiter from the Ritz ; 1927, Blonde or Brunette (Rosson), Time to Love (Tuttle), Wedding Bills (Raymond garçon d'honneur) (Kenton) ; 1929, Trent's Last Case (Hawks) ; 1930, All Quiet on the Western Front (A l'ouest rien de nouveau) (Milestone).

Merveilleux acteur comique injustement oublié : pourtant *Hands up* est l'un des films les plus drôles du muet et la série des *Raymond* est souvent irrésistible. A quand une réhabilitation de Raymond Griffith ?

Griffiths, Rachel

Actrice australienne née en 1968.

1994, Muriel's Wedding (Muriel) (Hogan) ; 1996, To Have and to Hold (Hillcoat), Jude (Jude) (Winterbottom), Cosi (M. Joffe), Children of the Revolution (Children of the Revolution) (Duncan) ; 1997, Welcome to Woop Woop (Elliot), Among Giants (Les géants) (Miller), My Best Friend's Wedding (Le mariage de mon meilleur ami) (Hogan), My Son the Fanatic (My Son the Fanatic) (Prasad) ; 1998, Divorcing Jack (Divorcing Jack) (Caffrey), Hilary and Jackie (Tucker), Amy (Amy) (Tass) ; 1999, Me Myself I (Me Myself I) (Karmel), Very Annie Mary (Sugarman), Blow Dry (Coup de peigne) (Breathnach) ; 2000, Blow (T. Demme).

Révélée (à un moindre degré, sans doute, que Toni Collette), par *Muriel*, elle déploie dès lors toute son énergie à tourner dans le monde entier, avec une prédilection pour l'Angleterre, et passe au premier plan avec *Hilary et Jackie*, histoire centrée autour de la violoncelliste Jacqueline Du Pré. Gouailleuse, drôle, pleine d'énergie dans le surréaliste *Me Myself I*, elle est promise à un bel avenir.

Grinberg, Anouk

Actrice française née en 1963.

1976, Mon cœur est rouge (Rosier), On ne connaît qu'elle (Champetier) ; 1979, Tapage nocturne (Breillat) ; 1986, Last song (Berry) ; 1987, Embrasse-moi (Rosier), Les matins chagrins (Gallepe), La vallée fantôme (Tanner) ; 1988, La fille du magicien (Bories) ; 1989, L'enfant de l'hiver (Assayas), L'année des treize lunes (Theubet) ; 1991, Contre l'oubli (collectif), J'entends plus la guitare (Garrel), Merci la vie (Blier), Août (Herré) ; 1993, Un, deux, trois, soleil (Blier) ; 1994, Sale gosse (Mouriéras) ; 1995, Mon homme (Blier), Un héros très discret (Audiard) ; 1997, Disparus (Bourdos) ; 2001, Les petites couleurs (Platner) ; 2004, Une vie à t'attendre (Klifa) ; 2006, Les fragments d'Antonin (Le Bomin).

Fille d'un célèbre auteur et metteur en scène de théâtre, son personnage de femme-enfant étonnait dans *Merci la vie*, mais, faute de renouvellement, finissait par lasser dans *Un, deux, trois, soleil*. Hormis ces rôles chez Blier, pour qui elle fut une interprète privilégiée, le reste de sa filmographie se compose de films d'auteurs pour la plupart restés méconnus du grand public.

Grodin, Charles

Acteur américain, de son vrai nom Grodinsky, né en 1935.

1964, Sex and the College Girl (Adler) ; 1968, Rosemary's Baby (Rosemary's Baby) (Polanski) ; 1970, Catch 22 (Catch 22) (Nichols), The Heartbreak Kid (May) ; 1974, 11 Harrowhouse (Fric-frac rue des diams) (Avakian) ; 1976, King Kong (King Kong) (Guillermin) ; 1977, Thieves (Berry) ; 1978, Heaven Can Wait (Le ciel peut attendre) (Beatty) ; 1979, Sunburn (Sunburn/Coup de soleil) (Sarafian), Real Life (Brooks) ; 1980, Seems Like Old Times (Comme au bon vieux temps) (Sandrich), It's My Turn (C'est ma chance) (Weill) ; 1981, The Great Muppet Caper (Henson), The Incredible Shrinking Woman (Schumacher) ; 1984, The Lonely Guy (Hiller), The Woman in Red (La fille en rouge) (Wilder) ; 1985, Movers and Shakers (Asher) ; 1986, Last Resort (Buzby) ; 1987, Ishtar (Ishtar) (May) ; 1988, You Can't Hurry Love (Martini), Midnight Run (Midnight Run) (Brest), The Couch Trip (Parle à mon psy, ma tête est malade) (Ritchie) ; 1989, Cranium Command, Taking Care of Business (Hiller) ; 1992, Beethoven (Beethoven) (Levant) ; 1993, So I Married an Axe Murderer (Quand Harriet découpe Charlie) (Schlamme), Heart and Souls (Underwood), Beethoven's 2nd (Beethoven II) (Daniel), Dave (Président d'un jour) (Reitman) ; 1994, Clifford (Flaherty), It Runs in the Family (Clark).

Un physique de gentil voisin bonasse, d'où une carrière au cinéma sans grand éclat, qui trouve sa conclusion (momentanée) en père de famille dans des comédies insipides (*Beethoven*). Beaucoup de théâtre cependant.

Grosso, Guy

Acteur français, de son vrai nom Sarrazin, 1933-2001.

1958, Le petit prof (Rim) ; 1961, La belle américaine (Dhéry) ; 1962, The Trial (Le procès) (Welles) ; 1963, Cherchez l'idole (Boisrond), Le magot de Josépha (Autant-Lara), Une ravissante idiote (Molinaro), Faites sauter la banque (Girault), Des pissenlits par la racine (Lautner), Bébert et l'omnibus (Robert) ; 1964, Le gendarme de Saint-Tropez

(Girault), Moi et les hommes de quarante ans (Pinoteau), Les gorilles (Girault), Le corniaud (Oury) ; 1965, Les bons vivants (sketch Lautner), Le gendarme à New York (Girault), Plein Feu sur Stanislas (Dudrumet) ; 1966, La grande vadrouille (Oury), Le grand restaurant (Besnard) ; 1967, Les grandes vacances (Girault) ; 1968, Le gendarme se marie (Girault) ; 1969, Le champignon (Simenon), La honte de la famille (Balducci) ; 1970, Le gendarme en balade (Girault) ; 1973, La grande nouba (Caza), L'histoire très bonne et très joyeuse de Colinot-trousse-chemise (Companeez) ; 1975, Opération Lady Marlène (Lamoureux), Chobiznesse (Yanne) ; 1976, Deux cloches à la neige (Guillermou) ; 1977, Le mille-pattes fait des claquettes (Girault) ; Le gendarme et les extraterrestres (Girault) ; 1979, Charles et Lucie (Kaplan), Les phallocrates (Pierson), L'avare (de Funès et Girault) ; 1982, Le gendarme et les gendarmettes (Girault), Salut j'arrive (Poteau) ; 1983, Y a-t-il un pirate sur l'antenne ? (Roy).

Indissociable de son compère de cabaret Modo – leur duo a perduré de la scène à l'écran (il y était le grand maigre) –, il l'était tout autant de Louis de Funès et de la série des *Gendarmes*. Il se retira lorsque la disparition de De Funès sonna la fin du genre franchouillard.

Guers, Paul

Acteur français, de son vrai nom Dutron, né en 1927.

1954, La tour de Nesle (Gance), Les chiffonniers d'Emmaüs (Darène) ; 1955, Sophie et le crime (Gaspard-Huit), Les collégiennes (Hunebelle) ; 1957, Les violents (Calef), C'est la faute d'Adam (Aubry) ; 1958, Marie-Octobre (Duvivier) ; 1959, L'eau à la bouche (Doniol-Valcroze), J'irai cracher sur vos tombes (Gast), Sergent X (Borderie), Une gueule comme la mienne (Dard), Die schöne Lugnerin (La belle et l'empereur) (Von Ambesser) ; 1960, La fille aux yeux d'or (Albicocco), Au voleur (Habib), Le Sahara brûle (Gast), Mourir d'amour (Fog) Le bourreau attendra (Vernay) ; 1961, Les Parisiennes (Boisrond), Le crime ne paie pas (Oury) ; 1962, Homenaje a la hora de la siesta (Hommage à l'heure de la sieste) (Torre Nilsson) ; 1963, La rimpatriata (Damiani), La baie des anges (Demy), Il mistero del tempio indiano (Le mystère du temple hindou) (Camerini), Le bluffeur (Gobbi) ; 1964, Kali Iug (Kali Yug déesse de la vengeance) (Camerini), Il magnifico cornuto (Le cocu magnifique) (Pietrangeli), La fuga (Spinola) ; 1967, Un épais manteau de sang (Bénazéraf) ; 1971, Flash Love (Pontiac) ; 1972, Le feu aux lèvres (Kalfon) ; 1975, Les noces de porcelaine (Coggio) ; 1984, Notre histoire (Blier) ; 1988, Trois places pour le 26 (Demy) ; 1993, L'affaire (Gobbi), Le parfum d'Yvonne (Leconte).

Brillant jeune premier de la scène (Compagnie Renaud-Barrault, Comédie-Française...), il a été tenté par le cinéma où sa beauté ne pouvait passer inaperçue. Hélas, à l'inverse du théâtre, il n'a pas su choisir ses films et, à quelques exceptions près, sa filmographie est décevante. Beaucoup de télévision dans les années 70.

Guertchikoff, Louba

Actrice française, 1919-1999.

1973, 1798 (Mnouchkine) ; 1975, L'affiche rouge (Cassenti), Le locataire (Polanski) ; 1976, Le corps de mon ennemi (Verneuil) ; 1977, La chanson de Roland (Cassenti), Les héros n'ont pas froid aux oreilles (Némès), Molière (Mnouchkine) ; 1978, Confidences pour confidences (Thomas) ; 1980, Coco Chanel (Chanel solitaire) (Kaczender) ; 1981, Il faut tuer Birgit Haas (Heynemann) ; 1982, Stella (Heynemann), Le jeune marié (Stora) ; 1984, Leave all Fair (Souvenirs secrets) (Reid), Marche à l'ombre (Blanc) ; 1986, Twist again à Moscou (Poiré), Club de rencontres (Lang), Levy et Goliath (Oury), Association de malfaiteurs (Zidi) ; 1987, Cross (Setbon), Bernadette (Delannoy), Les keufs (Balasko) ; 1988, La vie et rien d'autre (Tavernier) ; 1989, La femme de Rose Hill (Tanner), Ripoux contre ripoux (Zidi) ; 1990, Les secrets professionnels du docteur Apfelglück (sketch Lhermitte), On peut toujours rêver (Richard), The Favour, the Watch and the Very Big Fish (La montre, la croix et la manière) (Lewin) ; 1992, Roulez jeunesse (Fansten) ; 1993, Grosse fatigue (Blanc), La vengeance d'une blonde (Szwarc) ; 1994, Un Indien dans la ville (Palud) ; 1995, Fantôme avec chauffeur (Oury), Hercule et Sherlock (Szwarc) ; 1996, Les sœurs Soleil (Szwarc) ; 1997, Les visiteurs 2 — Les couloirs du temps (Poiré) ; 1998, Paparazzi (Berbérian).

Une actrice discrète dont la majorité de la carrière au cinéma — elle avait participé à la création du Théâtre du Soleil en 1964 — se concentre sur les dernières années de sa vie. Une multitude de rôles (cinéma et publicité) de vieilles dames gentilles, tendres et maternelles. Elle était la mère de l'actrice Marie-Anne Chazel.

Guétary, Georges

Acteur et chanteur d'origine grecque, de son vrai nom Lambros Worloou, 1915-1997.

1942, La femme perdue (Choux) ; 1944, Le cavalier noir (Grangier) ; 1945, Trente et quarante (Grangier) ; 1946, Les aventures de Casanova (Boyer) ; 1948, Jo la Romance (Grangier) ; 1949, Amour et compagnie (Grangier) ; 1951, An American in Paris (Un Américain à Paris) (Minnelli), Paris chante toujours (Montazel) ; 1952, Une fille sur la route (Stelli) ; Plume au vent (Cuny) ; 1953, La route du bonheur (Labro) ; 1954, Die Zigeunerbaron (Le baron tzigane) (Rabenalt) ; 1955, Liebe ist ja nur ein Märchen (Amour, tango et mandoline) (Rabenalt), Die Drei von der Tankstelle (Le chemin du paradis) (Forst et Wolf) ; 1957, Une nuit aux Baléares (Mesnier).

Né à Alexandrie, venu en France en 1934. Cours de chant et de comédie (René Simon). Débute comme chanteur sous le nom de Georges Lambros qu'il changera en 1939 en Georges Guétary... Le succès vient en 1944. Guétary partage son temps entre l'opérette et le cinéma, refusant les propositions d'Hollywood après le triomphe d'un *Américain à Paris*, mais acceptant de tourner en Yougoslavie (*Le baron tzigane*) et en Allemagne (un remake du *Chemin du paradis*).

Gugino, Carla

Actrice américaine née en 1971.

1989, Troop Beverly Hills (Les scouts de Beverly Hills) (Kanew) ; 1990, Welcome Home, Roxy Carmichael (Abrahams) ; 1993, Red Hot (Haggis), Son in Law (Rash), This Boy's Life (Blessures secrètes) (Caton-Jones) ; 1995, Miami Rhapsody (Miami rhapsodie) (Frankel) ; 1996, Wedding Bell Blues (Lustig), The War at Home (Estevez), Jaded (Krooth), Michael (Michael) (Ephron) ; 1997, Lovelife (Feldman) ; 1998, Snake Eyes (Snake Eyes) (De Palma), Judas Kiss (Judas Kiss) (Gutierrez) ; 2000, Center of the World (Wang), Spy Kids (Spy Kids) (Rodriguez) ; 2002, Spy Kids 2 (Spy Kids 2) (Rodriguez) ; 2004, Spy Kids 3D : Game Over (Mission 3D Spy Kids 3) (Rodriguez) ; 2005, Sin City (Sin City) (Rodriguez) ; 2007, American Gangster (Scott), Night at the Museum (La nuit au musée) (S. Levy).

Découverte dans le *Snake Eyes* de Brian De Palma en ingénue moins naïve que l'on croit, cette jolie brune piquante tient la vedette d'un polar, *Judas Kiss*, qu'elle a coproduit, mais qui est passé un peu inaperçu.

Guida, Gloria

Actrice italienne née en 1955.

1973, La ragazzina (Imperoli) ; 1974, Quella età maliziosa (La lycéenne a grandi) (Amadio), La minorenne (Les polissonnes excitées) (Amadio) ; 1975, Blue Jeans (Imperoli), Il gatto mammone (Cicero), La Novizia (La novice se dévoile) (Ferretti) ; 1976, La liceale (A nous les lycéennes) (Tarantini), Il medico... la studentessa (La lycéenne et le toubib) (Laurenti), Ragazza alla pari (Jeune fille au pair) (Guerrini), Il ginecologo della Mutua (D'Amato) ; 1977, El triangulo diabolico de las Bermudas (Le triangle des Bermudes) (Cardona Junior), Scandalo in famiglia (La lycéenne se marie), (Andrei), Thrilling Italy (Leandro Castellani), L'esclusa (Rondi) ; 1978, Infermiere di notte (Infirmière de nuit) (Laurenti), La liceale nella classe dei ripetenti (La lycéenne redouble) (Laurenti), La liceale seduce i professori (La lycéenne séduit les professeurs) (Laurenti) ; 1979, La liceale, il diavolo e l'aquasanta (La lycéenne est dans les vaps) (Cicero), Avereven't anni (Di Leo) ; 1980, Fico d'India (Le coq du village) (Steno), Bollenti spiriti (Capitani), Immagini di un convento (Images d'un couvent (D'Amato) ; 1981, La casa stregata (Corbucci) ; 1982, Sesso e volentieri (Les derniers monstres) (D. Risi), Di merlo in merlo (Capitani) ; 1988, Festa di capodanno (Schivazappa).

Véritable sex-symbol des années 70, elle devient populaire en Italie grâce au personnage de la lycéenne.

Guillemin, Sophie

Actrice française née en 1978.

1998, L'ennui (Kahn) ; 1999, On fait comme on a dit (Bérenger), Harry, un ami qui vous veut du bien (Moll) ; 2000, Du côté des filles (Decaux-Thomelet) ; 2001, A la folie... pas du tout (Colombani), Chut ! (Setbon) ; 2003, Qui a tué Bambi ? (Marchand).

Révélation rondelette et extraordinairement sensuelle en dépit d'un personnage de jeune fille quasi frigide dans *L'ennui*. En un film, on peut déjà parier sur une future grande.

Guinness, Alec

Acteur anglais, 1914-2000.

1934, Evensong (Saville) (figuration) ; 1946, Great Expectations (Les grandes espérances) (Lean) ; 1948, Oliver Twist (Lean) ; 1949, Kind Hearts and Coronets (Noblesse oblige) (Hamer), A Run For Your Money (De la coupe aux lèvres) (Frend) ; 1950, Last Holiday (Vacances sur ordonnance) (Cass), The

Mudlark (Moineau de la Tamise) (Negulesco) ; 1951, The Lavender Hill Mob (De l'or en barres) (Crichton), The Man in the White Suit (L'homme au complet blanc) (Mackendrick) ; 1952, The Card (Trois dames et un as) (Neame) ; 1953, The Captain Paradise (Capitaine Paradis) (Kimmins) ; 1954, Father Brown (Détective du bon Dieu) (Hamer), The Prisoner (L'emprisonné) (Glenville), To Paris With Love (Deux Anglais à Paris) (Hamer), Malta Story (Tonnerre sur Malte) (Desmond Hurst) ; 1955, The Ladykillers (Tueurs de dames) (Mackendrick), The Swan (Le cygne) (Vidor), All at Sea (Il était un petit navire) (Frend), The Bridge on the River Kwai (Le pont de la rivière Kwaï) (Lean) ; 1958, The Horse's Mouth (De la bouche du cheval) (Neame) ; 1959, The Scapegoat (Le bouc émissaire) (Hamer), Our Man in Havana (Notre agent à La Havane) (Reed) ; 1960, Tunes of Glory (Les fanfares de la gloire) (Neame) ; 1961, A Majority of One (LeRoy) ; 1962, Lawrence of Arabia (Lawrence d'Arabie) (Lean), H.M.S. Defiant (Les mutinés du Téméraire) (Gilbert) ; 1963, Fall of The Roman Empire (La chute de l'Empire romain) (Mann) ; 1965, Situation Hopeless... But Not Serious (Situation désespérée... mais pas sérieuse) (Reinhardt) ; 1966, Doctor Zhivago (Docteur Jivago) (Lean), Hotel Paradiso (Paradiso, hôtel du libre-échange) (Glenville), The Quiller Memorandum (Le secret du rapport Quiller) (Anderson), The Comedians (Les comédiens) (Glenville) ; 1970, Cromwell (Hugues), Scrooge (Neame) ; 1972, Brother Sun, Sister Moon (François et le chemin du soleil) (Zeffirelli), Hitler, The Last Ten Days (Les dix derniers jours d'Hitler), (Concini) ; 1976, Murder by Death (Un cadavre au dessert) (Moore) ; 1977, Star Wars (La guerre des étoiles) (Lucas) ; 1980, Empire Strikes Back (L'Empire contre-attaque) (Kershner), Raise the Titanic (La guerre des abîmes) (Jameson) ; 1981, The Little Lord Fauntleroy (Le petit lord Fauntleroy) (Gold) ; 1983, The Return of the Jedi (Le retour du Jedi) (Marquand), Lovesick (Brickman) ; 1984, A Passage to India (La route des Indes) (Lean), Future Schlock (Kiely, Peak) ; 1987, A Handful of Dust (Sturridge) ; 1988, Little Dorrit (Edzard) ; 1991, Kafka (Kafka) (Soderbergh) ; 1992, A Foreign Field (Sturridge) ; 1994, Mute Witness (Témoin muet) (Waller).

Le nom de cet ancien acteur de l'Old Vic, qui appartint à la Royal Navy pendant la guerre, est lié à l'apogée de la comédie anglaise. Il se révéla en effet avec *Noblesse oblige* où il tenait à lui seul huit rôles et fut de toutes les réussites du genre. L'humour britannique ne faisant plus recette, il se reconvertit dans les superproductions de Lean (le colonel entêté du *Pont de la rivière Kwaï* qui lui valut un oscar en 1957) et les personnages historiques (Charles I dans *Cromwell*, Hitler, Marc Aurèle dans *La chute de l'Empire romain*). Il a été anobli par la reine en 1959. Rarement distinction aura été aussi méritée. Il fut, avec Laurence Olivier, le plus grand acteur anglais.

Guiomar, Julien

Acteur français né en 1928.

1966, Le roi de cœur (Broca), Le voleur (Malle), Toutes folles de lui (Carbonnaux) ; 1967, Ballade pour un chien (Vergez), Pour un amour lointain (Séchan), La louve solitaire (Logereau) ; 1968, L'auvergnat et l'autobus (Lefranc), Z (Costa-Gavras), La voie lactée (Buñuel) ; 1969, La fiancée du pirate (Kaplan) ; 1970, Borsalino (Deray), La horse (Granier-Deferre), Les mariés de l'an II (Rappeneau), Doucement les basses (Deray), L'étrangleur (Vecchiali) ; 1971, La violenza (Vancini) ; 1973, Décembre (Lakhdar-Hamina), L'histoire très bonne et très joyeuse de Colinot Trousse-chemises (Companeez), Dites-le avec des fleurs (Grimblat), La proprieta non è piu un furto (La propriété n'est plus un vol) (Petri) ; 1974, Aloïse (de Kermadec), Section spéciale (Costa-Gavras), La moutarde me monte au nez (Zidi), Une baleine qui avait mal aux dents (Bral), Souvenirs d'en France (Téchiné) ; 1975, A cause de l'homme à la voiture blanche (Rougeul), Bons baisers, à lundi (Audiard), Tendre Dracula (Grunstein), L'incorrigible (Broca), Adieu poulet (Granier-Deferre) ; 1976, Mado (Sautet), L'aile ou la cuisse (Zidi), Barocco (Téchiné) ; 1977, L'animal (Zidi) ; 1978, Mort d'un pourri (Lautner), La zizanie (Zidi), Les ringards (Pouret) ; 1979, Milo Milo (Perakis), Je vous ferai aimer la vie (Korber), Ils sont fous ces sorciers (Lautner), Caro papa (Cher papa) (Risi) ; 1980, Le bar du téléphone (Barrois), Sono fotogenico (Je suis photogénique) (Risi), Inspecteur la bavure (Zidi), Le cheval d'orgueil (Chabrol) ; 1981, Est-ce bien raisonnable ? (Lautner) ; 1982, Un chien dans un jeu de quilles (Guillou) ; 1983, Le matou (Beaudin), Équateur (Gainsbourg), Papy fait de la résistance (Poiré), Carmen (Rosi) ; 1984, Les ripoux (Zidi), L'arbre sous la mer (Muyl) ; 1985, Le débutant (Janneau) ; 1986, Azizah de Niamkoko (Jamain), Jubiaba (Dos Santos) ; 1987, Dernier été à Tanger (Arcady), Flag (Santi), Les deux crocodiles (Séria) ; 1988, Terre sacrée (Pacull) ; 1989, African Timber (African timber) (Bringmann) ; 1990, Plein fer

(Dayan) ; 1991, Léolo (Lauzon) ; 1992, Je m'appelle Victor (Jacques) ; 1996, Violetta la reine de la moto (Jacques) ; 1997, Que la lumière soit ! (A. Joffé) ; 2000, Minoush (Muxel) ; 2003, Clandestino (Muxel).

Ce Breton débuta sur scène à Colmar. On le vit ensuite chez Fabbri puis au TNP. En 1966, le cinéma le demande : il y occupera des emplois divers, jamais vraiment en vedette mais au-dessus des seconds plans. Difficile d'oublier ses apparitions dans *La voie lactée* ou dans des polars comme *Adieu poulet* ou *Mort d'un pourri.* Il est extraordinaire en salaud : *Le bar du téléphone*, par exemple. Un talent sûr, mais qui s'égare parfois dans de médiocres comédies.

Guisol, Henri

Acteur français, 1904-1994.

1931, La chienne (Renoir) ; 1935, Le domino vert (Selpin-Decoin), Le crime de M. Lange (Renoir) ; 1936, Les amants terribles (M. Allégret), Rose (Rouleau), Les gais lurons (Martin, Natanson) ; 1937, Vous n'avez rien à déclarer ? (Joannon), Drôle de drame (Carné), Le messager (Rouleau), La dame de cœur (Valentin) ; 1938, La vierge folle (Diamant-Berger), L'entraîneuse (Valentin), Werther (Ophuls), Double crime sur la ligne Maginot (Gandera), Trois valses (Berger) ; 1939, Tempête (Bernard-Deschamps), La loi du Nord (Feyder), Le monde tremblera (Pottier), Macao l'enfer du jeu (Delannoy) ; 1940, Vénus aveugle (Gance) ; 1941, Une femme dans la nuit (Greville), Les deux timides (Y. Allégret), Six petites filles en blanc (Noé) ; 1942, Retour de flamme (Fescourt), Une femme disparaît (Feyder), Madame et le mort (Daquin), L'assassin a peur la nuit (Delannoy), Promesse à l'inconnue (Berthomieu) ; 1943, La boîte aux rêves (Y. Allégret) ; 1945, Une femme coupée en morceaux (Noé), Dorothée cherche l'amour (Greville), Christine se marie (Le Hénaff), L'extravagante mission (Calef) ; 1946, Il suffit d'une fois (Feix), Le secret du Florida (Houssin) ; 1947, Tierce à cœur (Casembroot), Troisième cheminée à gauche (Mineur) ; 1948, Ces dames au chapeau vert (Rivers), Métier de fou (Hunebelle), Ainsi finit la nuit (Reinert) ; 1949, Ballerina (Berger), Lady Paname (Jeanson), Rendez-vous avec la chance (Reinert) ; 1950, Le clochard milliardaire (Gomez) ; 1951, Parigi e sempre Parigi (Paris est toujours Paris) (Emmer) ; 1952, Le témoin de minuit (Kirsanoff) ; 1953, Theodora impératrice de Byzance (Freda), La rafle est pour ce soir (Dekobra) ; 1954, Le fil à la patte (Lefranc), Les fruits sauvages (Bromberger) ; 1955, Lola Montès (Ophuls), Les fruits de l'été (Bernard) ; 1956, Les collégiennes (Hunebelle) ; 1959, Meurtres en 45 tours (Périer) ; 1961, Le comte de Monte Cristo (Autant-Lara) ; 1975, La situation est grave, mais pas désespérée (Besnard).

Spécialisé dans les personnages lunaires, il fut le journaliste Buffington qui, dans *Drôle de drame*, résout les énigmes en rêvant ou encore le romancier fantaisiste de *Madame et le mort.* On le retrouvera sur la fin en cocher philosophe de Lola Montès-Martine Carol. Vedette manquée mais bon « second rayon ».

Guitry, Sacha

Acteur et réalisateur français, 1885-1957.

Comme simple acteur : 1918, Un roman d'amour et d'aventures (Hervil). *Comme auteur-interprète :* 1935, Pasteur, Bonne Chance ; 1936, Le Nouveau Testament, Le roman d'un tricheur, Mon père avait raison, Faisons un rêve, Le mot de Cambronne ; 1937, Les perles de la couronne, Désiré, Quadrille ; 1938, Remontons les Champs-Élysées ; 1939, Ils étaient neuf célibataires ; 1941, Le destin fabuleux de Désirée Clary ; 1943, Donne-moi tes yeux, La Malibran ; 1947, Le comédien ; 1948, Le diable boiteux ; 1949, Aux deux colombes, Toa ; 1950, Le trésor de Cantenac, Tu m'as sauvé la vie, Debureau ; 1951, La poison (apparition au générique) ; 1952, Je l'ai été trois fois ; 1953, Si Versailles m'était conté ; 1954, Napoléon ; 1955, Si Paris nous était conté. *Pour le metteur en scène,* voir le *Dictionnaire du cinéma*, t. I : *Les réalisateurs*.

L'homme se confond avec ses films. On ne sait plus si c'est l'acteur qui écrit la pièce en l'interprétant ou si c'est l'auteur qui l'interprète en l'écrivant. Qu'importe. Guitry est Guitry et réciproquement. Pour un commentaire plus long, voir le volume consacré aux réalisateurs.

Guitty, Madeleine

Actrice française, 1870-1936.

Principaux films : 1923, La souriante Madame Beudet (Dulac) ; 1928, Les deux timides (Clair) ; 1931, Un chien qui rapporte (Choux) ; 1934, La caserne en folie (Cammage), Amok (Ozep), Adémaï aviateur (Tarride) ; 1935, Train de plaisir (Joannon), Fanfare d'amour (Pottier), Un oiseau rare (Pottier), Les gaietés de la Finance (Forrester).

Une rondeur. On se souvient du couple qu'elle formait avec une autre « rondeur » oubliée, Barancey, dans *Adémaï aviateur*.

Gulager, Clu

Acteur américain, de son vrai prénom William, né en 1928.

1964, The Killers (A bout portant) (Siegel) ; 1970, Company of Killers (J. Thorpe) ; 1971, The Last Picture Show (La dernière séance) (Bogdanovich) ; 1972, Molly and Lawless John (Nelson) ; 1973, Mac Q (Un silencieux au bout du canon) (Sturges) ; 1974, Gangsterfilmen (Thelestam) ; 1977, The Other Side of Midnight (De l'autre côté de minuit) (Jarrott) ; 1979, A Force of One (Force one) (Norris), Touched by Love (Trikonis) ; 1984, Lies (Wheat), Chattanooga Choo Choo (Bilson), Into the Night (Série noire pour une nuit blanche) (Landis) ; 1985, Prime Risk (Alerte sur Washington) (Farkas), A Nightmare on Elm Street II (La revanche de Freddy) (Sholder) ; 1986, Hunter's Blood (Hughes), The Return of the Living Dead (Le retour des morts-vivants) (O'Bannon) ; 1987, Summer Heat (Gleason), The Offering (Burr) ; 1988, I'm Gonna Git You Sucka (Wayans), The Hidden (Hidden) (Sholder), Uninvited (Clark) ; 1989, Teen Vamp (Bradford), Tapeheads (Les as du clip) (Fishman) ; 1990, The Willies (Peck) ; 1991, The Killing Device (McFarlane), My Heroes Have Always Been Cowboys, (Rosenberg), The Willies (Peck) ; 1992, Eddie Presley (Burr) ; 1994, Puppet Master 5 : The Final Chapter (Burr) ; 1997, Palmer's Pick Up (Ch. Coppola) ; 1998, Gunfighter (Ch. Coppola).

En tueur glacé et élégant, il fit sensation dans *The Killers*, avant de se consacrer essentiellement à la télévision.

Gulpilil, David

Acteur australien né en 1953.

1971, Walkabout (La randonnée) (Roeg) ; 1976, Mad Dog Morgan (Mora) ; 1977, Storm Boy (Storm Boy) (Safran), The Last Wave (La dernière vague) (Weir) ; 1983, The Right Stuff (L'étoffe des héros) (Kaufman) ; 1986, Crocodile Dundee (Crocodile Dundee) (Faiman) ; 1987, Dark Age (A. Nicholson) ; 1991, Bis ans Ende der Welt (Jusqu'au bout du monde) (Wenders) ; 1996, Dead Heart (Parsons) ; 2001, Rabbit Proof Fence (Le chemin de la liberté) (Noyce).

Probablement un des seuls acteurs aborigènes d'Australie qui ait eu au cinéma une carrière digne d'intérêt. Deux films à retenir : *La randonnée*, dans lequel il escortait deux jeunes Blancs à travers le désert australien, et *La dernière vague*, où il se retrouvait au cœur d'une étrange prophétie qui pourrait voir l'arrivée, en Australie, d'un nouvel Armaguedon.

Guybet, Henri

Acteur français né en 1943.

1968, L'amour c'est gai, l'amour c'est triste (Pollet) ; 1970, Les mariés de l'an II (Rappeneau) ; 1972, Themroc (Faraldo), L'an 01 (Doillon, Gébé, Resnais) ; 1973, Les grands sentiments font les bons gueuletons (Berny), OK patron (Vital), Les aventures de Rabbi Jacob (Oury) ; 1974, Pas de problème ! (Lautner), Le retour du grand blond (Robert), Y a un os dans la moulinette (André), Les démerdards (Balducci), La moutarde me monte au nez (Zidi) ; 1975, Flic story (Deray), On a retrouvé la Septième compagnie (Lamoureux) ; 1976, On aura tout vu (Lautner) ; 1977, La Septième compagnie au clair de lune (Lamoureux), Ils sont fous ces sorciers ! (Lautner) ; 1978, Les héros n'ont pas froid aux oreilles (Nemes), Général nous voilà (Besnard), Le pion (Gion), Chaussette surprise (Davy), One Two Two, 122 rue de Provence (Gion) ; 1979, Les aventures de Guidon Futé (Durand), Les givrés (Jaspard), Le guignolo (Lautner), Le gagnant (Gion), Les Charlots en délire (Basnier) ; 1980, Pourquoi pas nous ? (Berny), Le chêne d'Allouville (Pénard) ; 1981, Est-ce bien raisonnable ? (Lautner), Pétrole ! Pétrole ! (Gion), Les matous sont romantiques (Sotha), Le jour se lève et les conneries commencent (Mulot), Le bahut va craquer (Nerval) ; 1982, Les diplômés du dernier rang (Gion), On n'est pas sorti de l'auberge (Pécas), Le corbillard de Jules (Pénard), Sandy (Nerval), Ça va faire mal (Davy) ; 1983, Canicule (Boisset) ; 1984, Le cow-boy (Lautner), A nous les garçons (Lang) ; 1986, Club de rencontres (Lang).

Tour à tour coiffeur, représentant et serveur, il trouve sa voie en entrant au TNP puis il crée Le Café de la Gare, en 1968, avec Romain Bouteille. Son physique de bonnasse rigolo lui ouvre la carrière royale de la comédie franchouillarde des années 70. Présent notamment dans la quasi-intégralité de l'« œuvre » de Christian Gion, il quitte l'écran au moment où le genre s'épuise, et retourne à la scène. Un personnage éminemment sympathique, néanmoins.

Gwenn, Edmund

Acteur anglais, de son vrai nom Kellaway, 1877-1959.

Principaux films : 1916, The Real Thing at Last (MacBean) ; 1921, The Skin Game (Doxat-Pratt) ; 1931, The Skin Game (Hitchcock) ; 1933, Waltzes from Vienna (Le chant du Danube) (Hitchcock) ; 1935, Sylvia Scarlett (Sylvia Scarlett) (Cukor), Anthony Adverse (Anthony Adverse marchand d'esclaves) (LeRoy) ; 1936, The Walking Dead (Le mort qui marche) (Curtiz) ; 1938, A Yank at Oxford (Vivent les étudiants) (Conway) ; 1940, Foreign Correspondent (Correspondant 17) (Hitchcock), Pride and Prejudice (Orgueil et préjugé) (Leonard) ; 1941, Scotland Yard (Foster), The Devil and Miss Jones (Le diable s'en mêle) (Wood) ; 1943, Lassie Come Home (Wilcox) ; 1944, The Keys of the Kingdom (Les clés du royaume) (Stahl) ; 1947, Miracle on the 34th Street (Le miracle de la 34e rue) (Seaton) ; 1951, Peking Express (Pekin Express) (Dieterle) ; 1952, Les Misérables (La vie de Jean Valjean) (Milestone), Something for the Birds (Wise) ; 1956, The Trouble with Harry (Mais qui a tué Harry ?) (Hitchcock), Calabuch (Calabuig) (Berlanga).

Une sympathique rondeur appréciée par Hitchcock. Il reçut l'oscar 1947 du meilleur second rôle pour *Miracle on the 34th Street.*

Gyllenhaal, Jake

Acteur américain né en 1980.

1991, City Slickers (La vie, l'amour et les vaches) (Underwood) ; 1999, October Sky (Ciel d'octobre) (Johnston) ; 2004, The Day after Tomorrow (Le jour d'après) (Emmerich) ; 2005, Brokeback Mountain (Le secret de Brokeback Mountain) (Ang Lee), Jarhead (Jarhead, La fin de l'innocence) (Mendes), Proof (Irréfutable) (Madden) ; 2007, Zodiac (Fincher).

Il fut l'un des deux cow-boys amoureux de *Brokeback Mountain.*

H

Haas, Lukas

Acteur américain né en 1976.

1983, Testament (Littman) ; 1985, Witness (Witness) (Weir) ; 1986, Solarbabies (Johnson) ; 1988, The Wizard of Loneliness (Riley), Lady in White (LaLoggia) ; 1989, See You in the Morning (Pakula) ; 1990, Music Box (Music Box) (Costa-Gavras), Convicts (Masterson) ; 1991, Rambling Rose (Rambling Rose) (Coolidge) ; 1992, Leap of Faith (Pearce), Alan & Naomi (Van Wageren) ; 1996, Everyone Says I Love You (Tout le monde dit I love you) (Allen), Boys (Cochran), Johns (Johns) (Silver), Mars Attacks ! (Mars Attacks !) (Burton) ; 1997, The Thin Red Line (La ligne rouge) (Malick) ; 1998, In Quiet Night (Riley), Breakfast of Champions (Breakfast of Champions) (Rudolph) ; 1999, Kiss and Tell (Alan).

Découvert enfant dans le rôle d'un témoin gênant appartenant à la communauté amish dans le célèbre *Witness* de Peter Weir, ses années d'adolescence seront un peu chaotiques, cinématographiquement parlant. Devenu adulte, il se voit offrir quelques jolis rôles, à l'instar de son personnage de prostitué gay dans le très christique *Johns*. Semble néanmoins se rallier à la bannière « cinéma indépendant ».

Hackman, Gene

Acteur américain né en 1931.

1961, Mad Dog Coll (Balaban) ; 1964, Lilith (Lilith) (Rossen) ; 1966, Hawaii (Roy Hill) ; 1967, A Covenant With Death (L. Johnson), Banning (R. Winston), First to Fight (Chef de patrouille) (Nyby), Bonnie and Clyde (Bonnie et Clyde) (Penn) ; 1968, The Split (Le crime c'est notre business) (Flemyng) ; 1969, The Riot (La mutinerie) (Kulik), The Gypsy Moths (Les parachutistes arrivent) (Frankenheimer), The Downhill Racer (La descente infernale) (Ritchie), Marooned (Les naufragés de l'espace) (Sturges) ; 1970, I Never Sang for My Father (G. Cates) ; 1971, Doctor's Wives (Femmes de médecins) (G. Schaefer), The French Connection (French Connection) (Friedkin), The Hunting Party (Les charognards) (Medfort) ; 1972, Cisco Pike (Bill L. Norton), Prime Cut (Carnage) (Ritchie), The Poseidon Adventure (L'aventure du Poséidon) (Neame) ; 1973, The Scarecrow (L'épouvantail) (Schatzberg) ; 1974, The Conversation (Conversation secrète) (Coppola), Zandy's Bride (Troell) ; 1975, Night Moves (La fugue) (Penn), Young Frankenstein (Frankenstein Junior) (M. Brooks), Bite the Bullet (La chevauchée sauvage) (R. Brooks), French Connection II (Frankenheimer), Lucky Lady (Les aventuriers du Lucky Lady) (Donen) ; 1977, The Domino Principle (La théorie des dominos) (Kramer), A Bridge Too Far (Un pont trop loin) (Attenborough), March or Die (Il était une fois la légion) (Richards), A Look at Liv (Kaplan) ; 1978, Superman (Superman) (Donner), Speed Fever (Speed Fever) (Morra, Orefici) ; 1980, Superman II (Superman II) (Lester), La vie en mauve (Tramont) ; 1981, Reds (W. Beatty) ; 1983, Eureka 83 (Roeg), Under Fire (Under Fire) (Spottiswoode), Uncommon Valor (Retour vers l'enfer) (Kotcheff) ; 1984, Misunderstood (Besoin d'amour) (Schatzberg) ; 1985, Target (Target) (Penn), Twice in a lifetime (Soleil d'automne) (Yorkin), Power (Les coulisses du pouvoir) (Lumet), Hoosiers (Le grand défi) (Anspangh) ; 1987, Superman IV (Superman IV) (Furie), No Way Out (Sens unique) (Donaldson) ; 1988, Split Decisions

(Drury), Another Woman (Une autre femme) (Allen), Bat 21 (Air Force Bat 21) (Markle), Mississippi Burning (Mississippi Burning) (Parker) ; 1989, The Package (Opération crépuscule) (Davis) ; 1990, Narrow Margin (Le seul témoin) (Hyams), Full Moon in Blue Water (Pleine lune sur Blue Water) (Masterson), Postcards from the Edge (Bons baisers d'Hollywood) (Nichols), Class Action (Class Action) (Apted), Loose Cannons (Clark) ; 1991, Company Business (Meyer) ; 1992, Unforgiven (Impitoyable) (Eastwood), The Firm (La firme) (Pollack) ; 1993, Geronimo (Geronimo) (Hill), Wyatt Earp (Wyatt Earp) (Kasdan) ; 1994, The Quick and the Dead (Mort ou vif) (Raimi), Crimson Tide (USS Alabama) (T. Scott) ; 1995, Get Shorty (Get Shorty) (Sonnenfeld), The Birdcage (The Birdcage) (Nichols) ; 1996, The Chamber (L'héritage de la haine) (Foley), Extreme Measures (Mesure d'urgence) (Apted), Absolute Power (Les pleins pouvoirs) (Eastwood) ; 1997, Twilight (L'heure magique) (Benton) ; 1998, Enemy of the State (Ennemi d'État) (T. Scott) ; 1999, The Replacements (Deutch), Under Suspicion (Suspicion) (Sommers) ; 2000, The Mexican (Le Mexicain) (Verbinski) ; 2001, Behind Enemy Lines (Moore), The Royal Tenenbaums (La famille Tenenbaum) (Anderson), Heist (Braquages) (Mamet) ; 2004, Welcome to Mooseport (Bienvenue à Mooseport) (Petrie) ; Runaway Jury (Le maître du jeu) (Fleder).

Ancien marine, il en a gardé un côté baroudeur. Libéré, il suit des cours d'art dramatique, fait de la télévision. Son physique ne lui permet guère de jouer les jeunes premiers. Il devra attendre *French Connection*, qui lui vaut un oscar en 1971, pour devenir une vedette. Il sera voué aux flics ou aux bandits. A noter un jeu plus sobre que celui d'acteurs apparus en même temps que lui : il n'a heureusement pas suivi l'enseignement de l'Actor's Studio ! De là l'émotion qu'il provoque, lorsque, vieil officier, il monte une opération pour délivrer son fils, prisonnier au Laos et qu'il apprend, à la fin, qu'il est intervenu trop tard. Hackman semble associé ces dernières années au timide renouveau du western. Il est un shérif corrompu, dans *Impitoyable* et dans *Mort ou vif*. Un président non moins corrompu dans *Absolute Power* et le héros ambigu de *Twilight*.

Haddon, Dayle

Actrice canadienne née en 1949.

1973, The World's Greatest Athlete (Nanou, fils de la jungle) (Scheerer), Paperback Hero (Pearson) ; 1974, La cugina (Lado) ; 1975, La supplente (Leoni), Sexycon (Sexycon) (Martino) ; 1976, Spermula/L'Amour est un fleuve en Russie (Matton), Madame Claude (Jaeckin), 40 gradi all'ombra del lenzuolo (Martino) ; 1978, Le dernier amant romantique (Jaeckin) ; 1979, La citta' giova da perdo (Parfum du diable) (Martino), North Dallas Forty (Kotcheff) ; 1983, La crime (Labro) ; 1984, Bedroom Eyes (Plaisirs mortels) (Fruet), Paroles et musique (Chouraqui) ; 1986, Les roses de Matmata (Pinheiro) ; 1988, Cyborg (Cyborg) (Pyun) ; 1989, Zwei Frauen (Schenkel) ; 1992, Unbecoming Age (Ringel) ; 1994, Fiesta (Boutron), Bullets over Broadway (Coups de feu sur Broadway) (Allen).

Beaucoup de classe chez cette ancienne danseuse classique et mannequin. Hélas, pas beaucoup de rôles marquants, et une certaine propension à se perdre dans l'érotisme chic et la mauvaise série B. Dommage, car dans *Fiesta* son apparition laisse à penser qu'une grande et belle actrice nous est un peu passée sous le nez...

Hagen, Jean

Actrice américaine, de son vrai nom Verhagen, 1923-1977.

1949, Adam's Rib (Madame porte la culotte) (Cukor) ; 1950, Asphalt Jungle (Quand la ville dort) (Huston), Side Street (Mann), Ambush (Wood), A life of Her Own (Ma vie à moi) (Cukor) ; 1951, Night into Morning (Markle), No Questions Asked (Kress) ; 1952, Singing' in the Rain (Chantons sous la pluie) (Donen et Kelly), Carbine Williams (L'homme à la carabine) (Thorpe), Shadow in the Sky (Wilcox) ; 1953, Arena (Fleischer), Latin Lovers (LeRoy), Half a Hero (Weis) ; 1955, The Big Knife (Le grand couteau) (Aldrich) ; 1957, Spring Reunion (Pirosh) ; 1959, The Shaggy Dog (Barton) ; 1960, Sunrise at Campobello (Donehue) ; 1962, Panic in the Year Zero (Panique année zéro) (Milland) ; 1964, Dead Ringer (Henreid).

Radio et théâtre, puis contrat à la MGM. Inoubliable en star du muet à la voix ridicule dans *Singin' in the Rain*.

Hagman, Larry

Acteur américain né en 1939.

1964, Ensign Pulver (Logan), Fail Safe (Lumet) ; 1965, In Harm's Way (Première victoire) (Preminger) ; 1966, The Group (Lumet) ; 1970, Up in the Cellar (Flicker) ; 1972, Beware the Blob (Hagman) ; 1974, Stardust (Stardust) (Apted), Harry and Tonto (Mazursky) ; 1975, Mother, Jugs and Speed (Ambulances tous risques) (Yates) ; 1976, The Big

Bus (Le bus en folie) (Frawley), The Eagle Has Landed (L'aigle s'est envolé) (Sturges) ; 1981, S.O.B. (S.O.B.) (Edwards), Jag rodnar (Sjoman) ; 1995, Nixon (Nixon) (Stone) ; 1997, Primary Colors (Primary Colors) (Nichols).

Le méchant J.R. de la série télévisée « Dallas » avait débuté à l'écran dans de petits rôles où on le remarque à peine.

Hahn, Jess

Acteur américain naturalisé français, de son vrai prénom Jesse, 1921-1998.

1952, Deux de l'escadrille (Labro), La môme vert-de-gris (Borderie) ; 1953, Les corsaires du bois de Boulogne (Carbonnaux), L'ennemi public N° 1 (Verneuil), Un acte d'amour (Litvak), Détective du Bon Dieu (Brown) ; 1954, Ça va barder (Berry) ; 1955, Ces sacrées vacances (Vernay), La meilleure part (Y. Allégret), Les hussards (Joffé), L'impossible monsieur Pipelet (Hunebelle), La Madelon (Boyer), Tant qu'il y aura des femmes (Greville), Sophie et le crime (Gaspard-Huit), Rencontre à Paris (Lampin) ; 1956, Fernand cow-boy (Lefranc), La châtelaine du Liban (Pottier), Le colonel est de la revue (Labro), Action immédiate (Labro), The Happy Road (La route joyeuse) (Kelly), The Vintage (Les vendanges) (Hayden) ; 1957, Nathalie (Christian-Jaque), Quand la femme s'en mêle (Y. Allégret), Le désert de Pigalle (Joannon), Le coin tranquille (Vernay) ; 1958, Le fauve est lâché (Labro), Y en a marre (Govar), Chéri fais-moi peur (Pinoteau), Le Sicilien (Chevalier), Le vent se lève (Ciampi), La femme et le pantin (Duvivier) ; 1959, Le signe du lion (Rohmer), La valse du gorille (Borderie), Plein soleil (Clément) ; 1960, Le Sahara brûle (Gast) ; 1961, Cartouche (Broca), Dynamite Jack (Bastia), The Big Gamble (Le grand risque) (Fleischer) ; 1962, Les veinards (sketch Girault), Mandrin (Le Chanois), Une blonde comme ça (Jabely), Mon oncle du Texas (Guez) ; 1963, Topkapi (Dassin), The Trial (Le procès) (Welles), Que personne ne sorte (Govar), Verpaung in Marienborn (Le train de Berlin s'est arrêté) (Haedrich) ; 1964, Les barbouzes (Lautner), Les gorilles (Girault), Un monsieur de compagnie (Broca), What's New, Pussycat ? (Quoi de neuf, Pussycat ?) (Donner) ; 1965, Les bons vivants (sketch Grangier), Les grandes gueules (Enrico), Les tribulations d'un Chinois en Chine (Broca), New York chiama Superdrago (New York appelle Super Dragon) (Ferroni), On a volé la Joconde (Deville) ; 1966, Le démoniaque (Gainville), Le facteur s'en va-t-en guerre (Bernard-Aubert), Le Saint prend l'affût (Christian-Jaque), Triple Cross (T. Young) ; 1967, L'homme qui valait des milliards (Boisrond), La feldmarescialla (La grosse pagaille) (Steno) ; 1969, L'ardoise (Bernard-Aubert), Svetlana uccidera il 28 settembre (Trahison à Stockholm) (Hathaway), Docteur Caraïbe (Decourt), The Night of the Following Day (La nuit du lendemain) (Cornfield) ; 1970, Les novices (Casaril), Laisse aller... c'est une valse (Lautner), Le mur de l'Atlantique (Camus), Boulevard du rhum (Enrico), Supergirl (Thome) ; 1971, L'ingénu (Carbonnaux), Les quatre mercenaires d'El Paso (Martin), Die Sonne angreifen (Lilienthal) ; 1972, Il grande duello (Le grand duel) (Santi), L'île mystérieuse (Bardem) ; 1973, Afyon oppio (Action héroïne) (Baldi), Three tough guys (Les durs) (Tessari), Dio, sei un padreterno ! (L'homme aux nerfs d'acier) (Lupo) ; 1974, Un linceul n'a pas de poches (Mocky), Qui êtes-vous inspecteur Chandler ? (Lupo) ; 1977, Le point de mire (Tramont), Johnny West (Koller) ; 1978, La raison d'État (Cayatte) ; 1979, Téhéran 43 (Alov et Naoumov), Les Borsalini (Nerval) ; 1980, Mama Dracula (Szulzinger) ; 1983, Les morfalous (Verneuil) ; 1984, Vivre pour survivre (Pallardy), Par où t'es rentré... on t'a pas vu sortir (Clair) ; 1985, La galette du roi (Ribes) ; 1990, Last Shot (Pallardy).

Une gueule révélée par *Le signe du lion* de Rohmer mais qui ne tint pas ses promesses. Trop de séries Z. Hahn a paru parfois plus intéressé par le cabaret ou le théâtre.

Hale, Alan

Acteur et réalisateur américain, de son vrai nom Rufus A. MacKahn, 1892-1950.

1911, The Cow-boy and the Lady ; 1914, Martin Chuzzlewit, Masks and Faces, Strongheart, Men and Women, Adam Bede, The Cricket of the Heart, The Power of the Press ; 1915, Dora Thorne, East Lynne, Jane Eyre, Under Two Flags ; 1916, Pudd'nhead Wilson, The Purple Lady, Rolling Stones, The Love Thief, The Scarlet Oath, The Woman in the Case ; 1917, The Price She Said, Life's Whirlpool, One Hour, The Eternal Temptress ; 1918, Moral Suicide, The Whirlpool ; 1919, Love Hunger, The Trap, The Blue Bonnet ; 1921, The Fox (Thornby), The Four Horsemen of the Apocalypse (Les quatre cavaliers de l'Apocalypse) (Ingram), A Wise Fool (Melford), The Great Impersonation (Melford), Over the Wire (Ruggles), The Barbarian (Crisp), A Voice in the Dark (Lloyd), Shirley of the Circus (Lee), One Glorious Day (Cruze), The Dictator (Cruze), Robin Hood (Robin des Bois) (Dwan), The Trap (Thornby) ; 1923, The Covered Wagon (La caravane vers l'Ouest) (Cruze), Main Street (Beaumont), Cameo Kirby (Ford), Hollywood (Cruze), Long Live the King (Schertzinger), Quicksands (Conway) ; 1924, Black Oxen (Lloyd), Code of the Wilderness (Smith), Girls Men Forget (Campbell), Troubles of a Bride (Buckingham), One Night in Rome (Badger), For Another Woman (Kikland) ; 1925, Dick Turpin (Blystone), Braveheart (A. Hale), The Scarlet Honeymoon (A. Hale), The Crimson Runner (Forman), Flattery (Forman), Rangers of the Big Nines (Van Dyke), The Wedding Song (Hale) ; 1926, Forbidden Waters (Hale), Risky Business (Hale), The Sporting Lover (Hale), Hearts and Fists (Ingraham) ; 1927, Rubber Tires (Hale), Vanity (Crisp), The Wreck of the Hesperus (Clifton) ; 1928, The Cop (Crisp), Skyscraper (Higgin), The Leopard Lady (Julian), Sal of Singapore (Higgin), Oh Kay (LeRoy) ; 1929, The Spieler (Tragédie foraine) (Garnett), Power (Higgin), Sailor's Holiday (Newmeyer), The Sap (Mayo), Red Hot Rhythm (McCarey), The Leatherneck (Higgin) ; 1930, She Got That She Wanted (Cruze) ; 1931, Aloha (Rogell), Susan Lenox (Courtisane) (Leonard), Night Angel (Goulding), The Sea Ghost (Nigh) ; 1932, Union Depot (Green), So Big (Mon grand) (Wellman), Rebecca of Sunnybrook Farm (Santel), The Match King (Bretherton) ; 1933, Destination Unknown (Garnett), The Eleventh Commandment (Melford) ; 1934, Of Human Bondage (Cromwell), The Little Minister (Wallace), Imitation of Life (Stahl), The Lost Patrol (La patrouille perdue) (Ford), It Happened One Night (New York-Miami) (Capra), Fog over Frisco (Dieterle), Little Man, What Now ? (Borzage), Great Expectations (Walker), Broadway Bill (Capra), The Scarlet Letter (Vignola), Babbitt (Keighley), There's Always Tomorrow (Sloman) ; 1935, Grand Old Girl (Robertson), The Last Days of Pompeii (Les derniers jours de Pompéi) (Schoedsack), The Crusades (Les croisades) (DeMille), The Good Fairy (Wyler), Another Face (Cabanne) ; 1936, A Message to Garcia (Un message à Garcia) (Marshall), Our Relations (C'est donc ton frère) (Lachman), Two in the Dark (Stoloff), The Country Beyond (Forde), Parole (Landers) ; 1937, Jump for Glory (Walsh), High, Wide and Handsome (La furie de l'or noir) (Mamoulian), Stella Dallas (Stella Dallas) (Vidor), The Prince and the Pauper (Le prince et le pauvre) (Keighley), Thin Ice (Prince X) (Lanfield), Music for Madame (Blystone) ; 1938, The Adventures of Robin Hood (Les aventures de Robin des Bois) (Keighley et Curtiz), Algiers (Casbah) (Cromwell), Four Men and a Prayer (Quatre hommes et une prière) (Ford), The Adventures of Marco Polo (Les aventures de Marco Polo) (Mayo), The Sisters (Litvak), Valley of the Giants (La vallée des géants) (Keighley) ; 1939, Dodge City (Les conquérants) (Curtiz), The Man in the Iron Mask (Whale), Dust Be My Destiny (Seiler), On Your Toes (Enright), The Private Lives of Elizabeth and Essex (La vie privée d'Élisabeth) (Curtiz), Pacific Liner (Landers) ; 1940, Virginia City (La caravane héroïque) (Curtiz), The Fighting 69th (Le régiment des bagarreurs) (Keighley), Santa Fe Trail (La piste de Santa Fe) (Curtiz), They Drive by Night (Une femme dangereuse) (Walsh), Three Cheers for the Irish (Bacon), The Sea Hawk (L'aigle des mers) (Curtiz), Tugboat Annie Sails Again (Seiler), Green Hell (L'enfer vert) (Whale) ; 1941, Strawberry Blonde (Walsh), Manpower (L'entraîneuse fatale) (Walsh), Thieves Fall Out (Enright), The Smiling Ghost (Seiler), The Great Mr. Nobody (Stoloff), Footsteps in the Dark (Bacon) ; 1942, Juke Girl (Bernhardt), Gentleman Jim (Gentleman Jim) (Walsh), Captains of the Clouds (Les chevaliers du ciel) (Curtiz), Desperate Journey (Sabotage à Berlin) (Walsh) ; 1943, Action in the North Atlantic (Convoi vers la Russie) (Bacon), Thank Your Lucky Stars (Butler), Destination Tokyo (Destination Tokyo) (Daves), This Is the Army (Curtiz) ; 1944, The Adventures of Mark Twain (Rapper), Hollywood Canteen (Daves), Janie (Curtiz), Make Your Own Bed (Godfrey) ; 1945, God Is my Co-Pilot (Florey), Roughly Speaking (Curtiz), Escape in the Desert (Blatt), Hotel Berlin (Godfrey) ; 1946, Pursued (La vallée de la peur) (Walsh), Night and Day (Nuit et jour) (Curtiz), Perilous Holiday (E. Griffith), The Time, the Place and the Girl (Butler), The Man I Love (Walsh) ; 1947, Cheyenne (Cheyenne) (Walsh), My Wild Irish Rose (Butler), That Way with Women (Cordova) ; 1948, The Adventures of Don Juan (Les aventures de don Juan) (Sherman), My Girl Tisa (Nugen), Whiplash (Seiler) ; 1949, South of St. Louis (Les chevaliers du Texas) (Enright), The Younger Brothers (Marin), The Inspector General (Vive monsieur le maire !) (Koster), The House Across the Street (Bare), Always Leave Them Laughing (Del Ruth) ; 1950, Colt 45 (Marin), Stars in My Crown (Tourneur), Rogues of Sherwood Forest (La révolte des gueux) (Douglas). *Pour le metteur en scène*, voir le *Dictionnaire du cinéma*, t. I : *Les réalisateurs*.

Grand, massif, on le connaît surtout comme faire-valoir de Gary Cooper (*Marco Polo*) ou d'Errol Flynn (*Robin des Bois*). Il fut en fait une vedette du muet et un réalisateur des années 20 dont on aimerait voir les films.

Hale, Georgia

Actrice américaine, 1905-1985.

1925, Gold Rush (La ruée vers l'or) (Chaplin), Salvation Hunters (Sternberg) ; 1926, The Great Gatsby (Brenon), The Rainmaker (Badger), Man of the Forest (Waters) ; 1927, Hills of Peril (Hillyer), The Wheel of Destiny (Worne) ; 1928, Rawhide Kid (Andrews), Woman against the World (Archainbaud), Gypsy of the North (Pembroke), The Floating College (Crone), A Trick of Hearts (Eason).

Révélée par Chaplin dans *La ruée vers l'or*, elle fut l'actrice d'un seul rôle. Le reste, sauf le film de Sternberg, est perdu.

Hall, Charlie

Acteur américain, 1899-1959.

1927-1933, courts métrages de Laurel et Hardy ; 1934, Cockeyed Cavaliers (Sandrich) ; 1944, The Lodger (Jack l'éventreur) (Brahm) ; 1945, Confidential Agent (Agent secret) (Shumlin) ; 1947, Forever Amber (Ambre) (Preminger).

Inoubliable partenaire de Laurel et Hardy. Il faut le voir dans *You're Darn Tootin*, en chef d'orchestre donnant un concert d'adieu que saccagent ses deux ennemis.

Hall, Jon

Acteur et réalisateur américain, de son vrai nom Charles Locher, 1913-1979.

1935, Women Must Dress, Charlie Chan in Shanghai (Tinling) ; 1936, The Lion Man, Winds of the Wasteland, The Clutching Hand, The Mysterious Avenger, Mind Your Own Business ; 1937, Girl from Scotland Yard (Vignola), The Hurricane (Ford et Heisler) ; 1940, South of Pago Pago (Green), Sailor's Lady (Dwan), Kit Carson (Seitz) ; 1941, Aloma of the South Seas (Santell) ; 1942, The Tuttles of Tahiti (Ch. Vidor), Eagle Squadron (L'escadrille des aigles) (Lubin), Invisible Agent (Marin), Arabian Nights (Rawlins) ; 1943, White Savage (La sauvagesse blanche) (Lubin), Ali Baba and the Forty Thieves (Ali Baba et les quarante voleurs) (Lubin) ; 1944, Lady in the Dark (Les nuits ensorcelées) (Leisen), Cobra Woman (Le signe du cobra) (Siodmak), Gypsy Wildcat (Neill), The Invisible Man's Revenge (Beebe), San Diego I Love You (Le Borg) ; 1945, Men in Her Diary (Barton), Sudan (Rawlins) ; 1947, Last of the Redmen (G. Sherman), The Michigan Kid (Taylor), The Vigilantes Return (Taylor) ; 1948, The Prince of Thieves (Bretherton) ; 1949, Zamba (Berke), The Mutineers (Yarbrough), Deputy Marshal (Berke) ; 1950, On the Isle of Samoa (Berke) ; 1951, China Corsair (Nazarro), When the Redskins Rode (Landers), Hurricane Island (Landers) ; 1952, Brave Warrior (Bennett), The Last Train from Bombay (Sears) ; 1955, Thunder over Sangoland (Newfield) ; 1957, Hell Ship Mutiny (Sholem) ; 1959, Forbidden Islands (Charles Griffith). *Comme réalisateur* : 1965, The Beachgirls and the Monster.

Spécialiste du film d'aventures exotiques : *Aloma* ou *Sudan* et *Ali Baba*. Il eut pour partenaire Maria Montez et fit preuve d'exploits athlétiques comparables à ceux de son rival, Johnny Weissmuller. Il fut marié à Frances Langford et Raquel Torres. Atteint d'un cancer, il se donna la mort.

Haller, Bernard

Acteur français né en 1933.

1959, Sergent X (Borderie) ; 1971, Le soldat Laforêt (Cavagnac), La vie facile (Warin), Un autre monde (Baulez) ; 1973, A nous quatre cardinal (Hunebelle), Je sais rien mais je dirai tout (Richard), Quatre Charlots mousquetaires (Hunebelle) ; 1976, Le diable dans la boîte (Lary), Qu'il est joli garçon l'assassin de papa ! (Caputo) ; 1977, La jument-vapeur (J. Buñuel) ; 1978, Chaussette surprise (Davy) ; 1979, L'associé (Gainville) ; 1980, Le roi des cons (Confortès) ; 1981, Signé Furax (Simenon) ; 1982, Le braconnier de Dieu (Darras) ; 1986, Max mon amour (Oshima) ; 1987, Sécurité publique (Benattar) ; 1988, Bonjour l'angoisse (Tchernia) ; 1992, Le bâtard de Dieu (Fechner), Coup de jeune ! (X. Gélin) ; 1993, La soif de l'or (Oury) ; 1994, Mo' (François) ; 1995, Innocent Lies (Les péchés mortels) (Dewolf) ; 2005, Les poupées russes (Klapisch) ; 2006, Le grand appartement (Thomas) ; Coup de sang (Marbœuf), Les aiguilles rouges (Davy).

Une présence et un talent mal utilisés dans de médiocres comédies.

Hallyday, Johnny

Chanteur et acteur français, de son vrai nom Jean-Philippe Smet, né en 1943.

1954, Les diaboliques (Clouzot) ; 1961, Dossier 1413 (Rode), Les Parisiennes (Boisrond) ; 1963, D'où viens-tu Johnny ? (N. Howard) ; 1964, Cherchez l'idole (Boisrond) ; 1967, A tout casser (Berry) ; 1968, Les poneyttes (J. Lemoine) ; 1969, 5 + 1 (Job), Gli specialisti (Le spécialiste) (S. Corbucci) ; 1970, Point de chute (Hossein) ; 1971, Malpertuis (Kümel) ; 1972, J'ai tout donné (Reichenbach), L'aventure c'est l'aventure (Lelouch) ; 1977, L'animal (Zidi) ; 1981, Le jour se lève et les conneries commencent (Mulot) ; 1985, Détective (Godard) ; 1986, Conseil de famille (Costa-Gavras), Terminus (Glenn) ; 1989, The Iron Triangle (Weston) ; 1991, La gamine (Palud) ; 1997, Paparazzi (Berbérian) ; 1998, Pourquoi pas moi ? (Giusti) ; 1999, Love me (Masson) ; 2001, Mishka (Stévenin) ; 2002, L'homme du train (Leconte) ; 2003, Wanted (Mirman) ; 2004, Les rivières pourpres 2 – Les anges de l'Apocalypse (Dahan) ; 2005, Quartier VIP (Firode) ; 2006, Jean-Philippe (Tuel).

Chanteur de rock, baptisé « l'idole des jeunes », marié à Sylvie Vartan dont il eut un enfant avant d'en avoir un autre de Nathalie Baye – la désormais actrice Laura Smet. Sa carrière cinématographique longtemps franchement catastrophique : quelle absurde idée que de lui faire jouer des thrillers ou des westerns comme *Le spécialiste* ! Puis, avec le goût du paradoxe qui le caractérise, Godard l'emploie dans *Détective*. A son tour, Costa-Gavras le transforme en cambrioleur dans une comédie un peu languissante. Deux films ratés mais qui marquent un changement d'orientation chez Johnny Hallyday. S'il emporte l'adhésion dans *L'homme du train* face à Jean Rochefort, il sombre dans le ridicule avec Depardieu et Renaud à propos de *Wanted*. Il se rachète dans *Jean-Philippe*, amusante comédie sur le culte dont il est l'objet.

Hamill, Mark

Acteur américain né en 1951.

1975, Eric (Printemps perdu) (Goldstone) ; 1977, Wizards (Les sorciers de la guerre) (Bakshi), Star Wars (La guerre des étoiles) (Lucas) ; 1978, Corvette Summer (M. Robbins) ; 1980, The Empire Strikes Back (L'empire contre-attaque) (Kershner), The Big Red One (Au-delà de la gloire) (Fuller) ; 1981, The Night the Lights Went Out in Georgia (Maxwell) ; 1982, Britannia Hospital (Britannia hospital) (Anderson) ; 1983, Return of the Jedi (Le retour du Jedi) (Marquand) ; 1989, Slipstream (Lisberger) ; 1990, Midnight Ride (Bralver) ; 1991, Black Magic Woman (Warren), Hetzjagd in Paris (Messiaen), The Flash II : Revenge of the Trickster (Bilson) ; 1992, The Guyver (Mutronics) (Screaming Mad George et Wang), Sleepwalkers (La nuit déchirée) (Garris) ; 1993, Time Runner (Mazo) ; 1994, The Raffle (Wilding), Silk Degrees (Garabidian) ; 1995, Village of the Damned (Le village des damnés) (Carpenter) ; 1997, Laserhawk (Pellerin), Hamilton (Zwart) ; 1998, Watchers Reborn (Buechler).

Ce fils d'un capitaine de marine à la blondeur un peu fade a démarré dans une multitude de *soap operas* avant d'être connu dans le monde entier grâce à la trilogie *Star Wars*, où il tenait le rôle du personnage central, Luke Skywalker. Depuis, plus grand-chose d'intéressant au cinéma, seulement quelques séries B de science-fiction, et beaucoup de théâtre à New York. Il est vieilli et quasi méconnaissable en pasteur dans la version de John Carpenter du *Village des damnés*.

Hamilton, George

Acteur américain né en 1939.

1959, Crime and Punishment U.S.A. (Sanders) ; 1960, Home from the Hill (Celui par qui le scandale arrive) (Minnelli), All the Fine Young Cannibals (Anderson), Angel Baby (Wendkos) ; 1961, Where The Boys Are (Levin), By Love Possessed (Par l'amour possédé) (Sturges), A Thunder of Drums (Tonnerre Apache) (Newman) ; 1962, The Light in the Piazza (Lumière sur la piazza) (G. Green), Two Weeks in Another Town (Quinze jours ailleurs) (Minnelli) ; 1963, The Victors (Les vainqueurs) (Foreman), Act One (Schary) ; 1964, Looking for Love (Don Weis), Your Cheatin'Heart (Gene Nelson) ; 1965, Viva Maria (Malle) ; 1966, L'homme de Marrakech (Deray) ; 1967, Doctor, You've Got to Be Kidding (Tewksbury), The Power (La guerre des cerveaux) (Haskin), A Time for Killing (La poursuite des tuniques bleues) (Karlson), Jack of Diamonds (D. Taylor) ; 1970, Togetherness (Marks) ; 1972, Evel Kievel (Chomsky) ; 1973, The Man Who Loved Cat Dancing (Le fantôme de Cat Dancing) (Sarafian) ; 1974, Medusa, Once Is not Enough (G. Green) ; 1975, Tracce di veleno in una coppa di champagne (Hessler) ; 1977, Sextet (Sextette) (K. Hughes), The Happy Hooker Goes to Washington (Levey) ; 1979, Love at First Bite (Le vampire de ces dames) (Dragoti), Da Dunkerque alla victoria (De l'enfer à la victoire) (Hank Milestone) ; 1981, Zorro the Gay Blade (La grande Zorro) (Medak) ; 1990, The Godfather, Part III (Le Parrain 3) (Coppola) ; 1991, Doc Hollywood (Doc Hollywood) (Caton-Jones) ; 1992, Once Upon a Crime (Levy) ; 1993, The Last Peasant / Amore ! (Doumani) ; 1994, Das Paradies am Ende der Berge (Retzer) ; 1996, 8 Heads in a Duffel Bag (8 têtes dans un sac) (Schulman) ; 1998, Bulworth (Bulworth) (Beatty) ; 2000, Desafinado (Gómez Pereira) ; 2002, Hollywood Ending (Hollywood Ending) (Allen).

L'histoire d'un déclin. Jeune premier, du type beau brun, il fait des débuts très remarqués, passant de Minnelli au western avec une parfaite élégance. En 1965, il est à son sommet : dans *Viva Maria*, il a pour partenaire Brigitte Bardot et Jeanne Moreau. Après 1970, il tourne, et pas toujours en vedette, des films qui n'ont qu'une distribution confidentielle ou des parodies de Dracula et de Zorro.

Hamilton, Linda

Actrice américaine née en 1956.

1982, TAG, the Assassination Game (TAG, le jeu de l'assassinat) (Castle) ; 1984, The Terminator (Terminator) (Cameron), The Stone Boy (Cain), Children of the Corn (Horror kid) (Kiersch) ; 1986, King Kong Lives (King Kong 2) (Guillermin), Black Moon Rising (Cokliss) ; 1990, Mr. Destiny (Orr) ; 1991, Terminator 2 : Judgment Day (Terminator 2 : le jugement dernier) (Cameron) ; 1994, Silent Fall (Silent Fall) (Beresford), Separate Lives (Madden), The Way to Dusty Death (Reeve) ; 1996, Dante's Peak (Le pic de Dante) (Donaldson) ; 1997, Shadow Conspiracy (Haute trahison) (Cosmatos) ; 1998, The Secret Life of Girls (Sloan), The Color of Courage (Rose).

Un peu de télévision, puis James Cameron, qui l'épouse, lui confie le rôle de Sarah Connor dans *Terminator* et sa suite. Un rôle de femme forte qui lui colle un peu à la peau, la confinant depuis lors aux films d'action insipides.

Hamilton, Lloyd

Acteur américain, 1891-1935.

1915, série des Ham ; 1924, A Self-Made Failure (Beaudine), His Darker Self (Noble) ; 1926, The Rain Maker (Badger) ; 1929, Tanned Legs (Neilan), The Show of the Shows (Adolfi) ; 1931, Are You there ? (McFadden).

Burlesque américain qui forma avec Bud Duncan (1886-1960) un couple comique « Bud and Ham ». Puis il joua seul dans les Fox Sunshine Comedies et fonda enfin sa propre compagnie où il se dirigeait lui-même.

Hamman, Joe

Acteur et réalisateur français, 1885-1974.

1907, Cow-boy (Hamman) ; 1908, Un cow-boy à Paris (Durand) ; 1909-1910, Buffalo Bill (Safety Co) ; 1910, Le desperado, La main coupée (Hamman) ; 1911, Dans la brousse (Feuillade) ; 1911-1912, Arizona Bill (Roudès-Hamman) ; 1914, Nick Carter (Hamman) ; 1920, Mireille (Servaès) ; 1921, Le gardian (Hamman) ; 1922, Rouletabille chez les bohémiens (Fescourt), L'étrange aventure (Hamman) ; 1923, L'enfant roi (Kemm), Tao (Ravel) ; 1924, Le fils du soleil (Le Somptier) ; 1925, Le stigmate (Feuillade) ; 1926, Le berceau de Dieu (Leroy-Grandville), La fille des pachas (Caillard) ; 1927, Le capitaine Rascasse (Desfontaines), La grande épreuve (Ryder) ; 1928, Sous le ciel d'Orient (Leroy-Granville), Lady Harrington (Leroy-Granville), Sa petite (Routier-Fabre) ; 1930, Le roi des Aulnes (Iribe), Romance à l'inconnue (Barbéris) ; 1931, Les monts en flammes (Trenker, Hamman), Je serai seule après minuit (Baroncelli) ; 1932, Danton (Roubaud) ; 1933, Mireille (Gaveau) ; 1934, Adieu les copains (Joannon) ; 1935, Le clown Bux (Natanson), Le train d'amour (Weil) ; 1936, Notre Dame d'amour (Caron) ; 1937, Tamara la complaisante (Gandera), Face au destin (Fescourt) ; 1938, Bar du Sud (Fescourt) ; 1950, Au pays des étangs (Hamman) ; 1954, Napoléon (Guitry) ; 1966, Pop'Game (Leroi). *Pour le metteur en scène*, voir le *Dictionnaire du cinéma*, t. I : *Les réalisateurs*.

D'origine hollandaise, mais né à Paris, rue d'Amsterdam (!), il a ramené d'un séjour aux États-Unis une bonne connaissance de l'Ouest qui lui permit de jouer et de diriger les premiers westerns. Il fut Arizona Bill, Buffalo Bill et bien d'autres. Il devait tourner de vrais westerns aux États-Unis lorsque éclata la guerre de 1914. Démobilisé, il ne put retrouver son ancienne veine, sauf dans *Le gardian*. Limité à des rôles secondaires, il finit en jouant celui du général Kellerman dans le *Napoléon* de Guitry ! Il a laissé de nombreux écrits dont *Sur les pistes du Far West* (1961) et *Du Far West à Montmartre* (1962). *Les cahiers de la Cinémathèque* ont reproduit un précieux entretien de Hamman avec F. Lacassin et Cl. Beylie dans les n°s 33-34.

Hampshire, Susan

Actrice anglaise née en 1941.

1947, The Woman in the Hall (Jack Lee) ; 1959, Upstairs and Downstairs (Entrée de service) (R. Thomas), Expresso Bongo (Expresso Bongo) (Guest) ; 1961, During One Night (Nuit de désir) (Furie), The Long Shadow (P. Maxwell) ; 1964, The Three Lives of Thomasina (Chaffey), Night Must Fall (La force des ténèbres) (Reisz) ; 1965, Paris au mois d'août (Granier-Deferre) ; 1966, The Fighting Prince of Donegal (O'Herlihy) ; 1967, The Trygon Factor (Frankel) ; 1969, Monte Carlo or Bust (Gonflés à bloc) (Annakin), David Copperfield (Mann) ; 1972, Living Free (Couffer), A Time for Loving (Le temps d'aimer) (Miles), Malpertuis (Kumel), Baffled (Leacock), Neither the Sea nor the Sand

(Burnley) ; 1973, Le fils (Granier-Deferre), No encontre rosas para mi madre (Roses rouges et piments verts) (Beleta) ; 1977, Bang ! (Troell).

Rendue célèbre par le feuilleton télévisé des « Forsyte », une inépuisable saga familiale, c'est Reisz qui lui donne son premier rôle en vedette à l'écran avec *Night Must Fall* et c'est Granier-Deferre qui révèle son charme acidulé en en faisant la partenaire d'Aznavour dans *Paris au mois d'août*. Mariée à Granier-Deferre, elle semble avoir pris ses distances par rapport au cinéma.

Hands, Marina

Actrice française.

2001, Sur le bout des doigts (Angelo) ; 2005, Les âmes grises (Angelo) ; 2006, Ne le dis à personne (Canet), Lady Chatterley (Ferran).

Un très beau rôle de jeune institutrice dont le fiancé est tué à la guerre dans *Les âmes grises*, puis celui de lady Chatterley où elle est très convaincante et qui lui vaut un césar. Elle rejoint la Comédie-Française en 2006, suivant les traces de sa mère, Ludmila Mikaël.

Hanin, Roger

Acteur et réalisateur français, de son vrai nom Lévy, né en 1925.

1952, La môme vert-de-gris (Borderie), Le chemin de Damas (Glass) ; 1954, Série noire (Foucaud) ; 1955, Gas-oil (Grangier), Les hussards (Joffé), Vous pigez ? (Chevalier), Les salauds vont en enfer (Hossein) ; 1956, Le feu aux poudres (Decoin) ; 1957, Celui qui doit mourir (Dassin), Escapade (Habib), Tamango (Berry) ; 1958, Le fric (Cloche), Sois belle et tais-toi (Allégret), La chatte (Decoin), Le désordre et la nuit (Grangier), Une balle dans le nanon (Gérard, Deville), Drôle de dimanche (Allégret), Ramuntcho (Schoendoerffer) ; 1959, Du rififi chez les femmes (Joffé), A bout de souffle (Godard), Le fric (Godard), La valse du gorille (Borderie), La sentence (Valère), L'affaire d'une nuit (Verneuil), L'ennemi dans l'ombre (Gérard), Rocco e i suoi fratelli (Rocco et ses frères) (Visconti) ; 1961, Vive Henri IV, vive l'amour (Autant-Lara), Le miracle des loups (Hunebelle), Les ennemis (Molinaro), Les bras de la nuit (Guymont), Carillons sans joie (Brabant), La loi des hommes (Gérard) ; 1962, Le gorille a mordu l'archevêque (Labro), Vacances portugaises (Kast), La marcia su Roma (La marche sur Rome) (Risi), Un mari à prix fixe (de Givray) ; 1964, Le tigre aime la chair fraîche (Chabrol) ; 1965, Passeport diplomatique (Vernay), Corrida pour un espion (Labro), Marie-Chantal contre le Dr Kha (Chabrol), Le tigre se parfume à la dynamite (Chabrol), Le hibou chasse la nuit (Klinger), Le feu aux poudres ; 1966, Via Macao (Leduc), Carré de dames pour un as (Poitrenaud), Le solitaire passe à l'attaque (Habib), Il gioco delle spie (Bagarre à Bagdad pour X 27) (Bianchini), Da Berlino l'apocalisse (Le tigre sort sans sa mère) (Maffei), The Brides of Fu Manchu (Les 13 fiancées de Fu Manchu) (Don Sharp) ; 1967, Le canard en fer-blanc (Poitrenaud), Le chacal traque les filles (Rankovitch), Las Vegas 500 milliones (Les hommes de Las Vegas) (Isasi) ; 1968, Bruno l'enfant du dimanche (Grospierre) ; 1969, Les deux Marseillaises (Comolli), La main (Glaeser) ; 1970, Clair de terre (Gilles), Une fille libre (Pierson), Senza via d'uscita (Sciumé) ; 1971, Les aveux les plus doux (Molinaro) ; 1972, The Revengers (La poursuite sauvage) (Mann) ; 1973, La raison du plus fou (Reichenbach), Les grands fusils (Big Guns) (Tessari), Le protecteur (Hanin), Le concierge (Girault) ; 1975, L'intrépide (Girault), Le faux-cul (Hanin) ; 1977, L'amant de poche (Queysanne) ; 1978, Le sucre (Rouffio), Le coup de sirocco (Arcady) ; 1979, Certaines nouvelles (Davila) ; 1981, Le grand pardon (Arcady) ; 1982, La baraka (Valère), Les misérables (Hossein) ; 1983, Attention, une femme peut en cacher une autre ! (Lautner), Le grand carnaval (Arcady) ; 1984, L'étincelle (Lang), Train d'enfer (Hanin) ; 1985, La galette du roi (Ribes) ; 1986, La rumba (Hanin) ; 1987, Dernier été à Tanger (Arcady) ; 1989, L'orchestre rouge (Rouffio) ; 1990, Jean Galmot aventurier (Maline) ; 1992, Le Grand Pardon 2 (Arcady), Le nombril du monde (Zeitoun) ; 1998, Soleil (Hanin). *Pour le metteur en scène*, voir le *Dictionnaire du cinéma*, t. I : *Les réalisateurs*.

Originaire d'Algérie, il tient longtemps dans le polar français des emplois de truands condamnés à disparaître à la troisième bobine (*Le désordre et la nuit*) avant de monter en grade et de devenir « Le gorille » puis « Le tigre », sans beaucoup convaincre. Il tourne en Italie et en Angleterre, cherche son second souffle en 1981 lorsqu'il devient beau-frère du président de la République, ayant épousé la productrice Gouze-Rénal. Il joue avec bonheur les juifs pieds-noirs, les gangsters, notamment dans *Le grand pardon*, plein d'allusions à une actualité chère à *Détective*. Infatigable, il a écrit également des pièces de théâtre et des livres, joue à la télévision des séries policières, et dirige des films souvent intéressants.

Hanks, Tom

Acteur et réalisateur américain, de son vrai prénom Thomas, né en 1956.

1980, He Knows You're Alone (A. Mastroianni) ; 1984, Splash (Splash) (Howard), Bachelor Party (Le palace en folie) (Israel) ; 1985, The Man With One Red Shoe (Dragoti), Volunteers (Meyer) ; 1986, Every Time We Say Goodbye (Mizrahi), The Money Pit (Une baraque à tout casser) (Benjamin), Nothing in Common (Rien en commun) (Marshall) ; 1987, Big (Big) (P. Marshall), Dragnet (Dragnet) (T. Mankiewicz) ; 1988, Punchline (Punchline) (Seltzer) ; 1989, The Burbs' (Dante), Turner and Hooch (Turner et Hooch) (Spottiswoode) ; 1990, Joe Versus the Volcano (Joe contre le volcan) (Shanley), The Bonfire of the Vanities (Le bûcher des vanités) (De Palma) ; 1992, A League of Their Own (Une équipe hors du commun) (Marshall), Radio Flyer (Donner) ; 1993, Sleepless in Seattle (Nuits blanches à Seattle) (Ephron), Philadelphia (Philadelphia) (Demme) ; 1994, Forrest Gump (Forrest Gump) (Zemeckis) ; 1995, Appolo 13 (Appolo 13) (Howard) ; 1996, That Thing You Do ! (That Thing You Do !) (Hanks) ; 1997, Saving Private Ryan (Il faut sauver le soldat Ryan) (Spielberg) ; 1998, You've Got Mail (Vous avez du courrier) (Ephron), The Green Mile (La ligne verte) (Darabont) ; 2000, Cast Away (Seul au monde) (Zemeckis) ; 2001, Catch Me You Can (Arrête-moi si tu peux) (Spielberg) ; 2002, Road to Perdition (Les sentiers de la perdition) (Mendes) ; 2004, The Ladykillers (Ladykillers) (Coen) ; The Polar Express (Le pôle Express) (Zemeckis) ; 2005, The Terminal (Le terminal) (Spielberg), Magnificent Desolation : Walking on the Moon 3D (Magnifique désolation : marchons sur la Lune) (Cowen) ; 2006, Da Vinci Code (Da Vinci Code) (Howard). *Comme réalisateur :* 1996, That Thing You Do ! (That Thing You Do !).

Il doit sa célébrité à *Philadelphia* puis à *Forest Gump* qui lui valent deux oscars consécutifs en 1993 et 1994. Acteur de composition par excellence avec lequel le public s'identifie facilement, fidèle de Spielberg, il s'adapte aussi bien à la sciencefiction qu'à la comédie, à la romance ou au drame militaire (*Il faut sauver le soldat Ryan*). Adoubé acteur le plus populaire de sa génération, il offre une étonnante prestation, quasi seul à l'écran en Robinson moderne dans *Seul au monde*. Mais son meilleur rôle est peut-être celui du tueur, flanqué de son petit garçon dans *Road to Perdition*. En revanche, il ne sauve ni *Le terminal* ni *Da Vinci Code*.

Hannah, Daryl

Actrice américaine née en 1960.

1978, The Fury (Furie) (De Palma) ; 1980, The Final Terror (Davis) ; 1981, Hard Country (Greene) ; 1982, Blade Runner (Blade runner) (Scott), Summer Lovers (Kleiser) ; 1983, Reckless (Reckless) (Foley) ; 1984, Splash (Splash) (Howard), The Pope of Greenwich Village (Le pape de Greenwich Village) (Rosenberg) ; 1985, Valley of the Horses (Chapman) ; 1986, The Clan of the Cave Bears (Le clan de la caverne des ours) (Chapman), Legal Eagles (L'affaire Chelsea Deardon) (Reitman) ; 1987, Wall Street (Wall Street) (Stone), Roxanne (Roxanne) (Schepisi) ; 1988, High Spirits (High Spirits) (Jordan) ; 1989, Steel Magnolias (Potins de femmes) (Ross) ; 1990, Crazy People (Markowitz et Bill) ; 1991, At Play in the Fields of the Lord (En liberté dans les champs du seigneur) (Babenco) ; 1992, Memoirs of an Invisible Man (Les aventures d'un homme invisible) (Carpenter) ; 1993, Attack of the 50Ft Woman (L'attaque de la femme de 50 pieds) (Guest), Grumpy Old Men (Les grincheux) (Petrie) ; 1994, The Little Rascals (Les chenapans) (Spheeris), Les cent et une nuits (Varda), The Tie That Binds (Strick) ; 1995, Two Much (Two Much) (Trueba) ; 1996, Grumpier Old Men (Deutch), The Last Days of Frankie The Fly (Markle) ; 1997, The Real Blonde (Une vraie blonde) (DiCillo), The Gingerbread Man (The Gingerbread Man) (Altman), My Favorite Martian (Petrie) ; 1998, Speedway Junky (Perry), Wild Flowers (Painter), Hi-Life (Hedden), Enemy of my Enemy (Graef-Marino) ; 1999, Hide and Seek (Furie) ; 2000, Ring of Fire (Koller), Dancing at the Blue Iguana (Radford) ; 2001, Northfork (Northfork) (Polish) ; 2003, Kill Bill vol. 1 (Kill Bill, volume 1) (Tarentino) ; 2004, Kill Bill : Volume 2 (Kill Bill ; volume 2) (Tarentino) ; 2005, Searching for Debra Winger (R. Arquette).

Athlétique et longiligne, blonde platine mannequin à l'origine, elle est parfaite en sirène dans *Splash*. La suite immédiate ne confirmera pas un talent dont beaucoup doutaient, mais *Le clan de la caverne des ours*, puis *En liberté dans les champs du seigneur* ont prouvé qu'elle était autre chose qu'une plastique impeccable.

Hannah, John

Acteur écossais né en 1962.

1990, Harbour Beat (Elfick) ; 1994, Four Weddings and a Funeral (4 mariages et 1 enterrement) (Newell) ; 1995, Madagascar Skin (Newby), The Final Cut (Christian) ; 1996,

Romance and Rejection (Smith), The Innocent Sleep (S. Michell) ; 1997, The James Gang (The James Gang) (Barker) ; 1998, Resurrection Man (Resurrection Man) (Evans), Sliding Doors (Pile & face) (Howitt), The Mummy (La momie) (Sommers) ; 1999, The Intruder (Suspicion) (Bailey), Pandaemonium (Pandemonium) (Temple), The Hurricane (Hurricane Carter) (Jewison), Circus (Circus) (R. Walker) ; 2000, Rebus : The Hanging Garden (Phillips), The Mummy Returns (Le retour de la momie) (Sommers) ; 2002, I'm with Lucy (Autour de Lucy) (Sherman) ; 2007, The Last Legion (La dernière légion) (Lefler).

Cet Écossais se destinait à un travail d'électricien quand il fut accepté par une école de théâtre à Glasgow. Révélé en gay dans *4 mariages et 1 enterrement*. Mais c'est la série « McCallum », dont il tient le rôle-titre de l'inspecteur de police, qui le rend célèbre.

Hanson, Lars

Acteur suédois, 1886-1965.

Principaux films : 1919, Fiskebyn (La vengeance de Jacobs Vindos) (Stiller) ; 1924, Gösta Berlings saga (La légende de Gösta Berling) (Stiller) ; 1926, The Torrent (Dans les remous) (Stiller), Flesh and the Devil (La chair et le diable) (Brown), The Scarlet Letter (La lettre écarlate) (Sjöström) ; 1928, The Wind (Le vent) (Sjöström).

Grand acteur suédois qui suivit Stiller à Hollywood. L'arrivée du parlant interrompit sa carrière.

Harari, Clément

Acteur français né en 1919.

1952, C'est arrivé à Paris (Lavorel) ; 1954, Ça va barder (Berry) ; 1956, Que les hommes sont bêtes (Richebé), Mon curé chez les pauvres (Diamant-Berger), La traversée de Paris (Autant-Lara) ; 1957, Les louves (Saslavsky), Marchand de filles (Cloche), Cargaison blanche (Lacombe), Tamango (Berry), Echec au porteur (Grangier), Les espions (Clouzot) ; 1958, Me and the Colonel (Moi et le colonel) (Glenville), Arrêtez le massacre ! (Hunebelle) ; 1959, Le Saint mène la danse (Nahum), La nuit des espions (Hossein) ; 1960, Une aussi longue absence (Colpi), La fête espagnole (Vierne) ; 1961, Fanny (Fanny) (Logan), Cause toujours mon lapin (Lefranc) ; 1962, The Longest Day (Le jour le plus long) (Annakin, Marton, Wicki, Zanuck, Oswald), Le scorpion (Hanin), Le couteau dans la plaie (Litvak), Le diable et les dix commandements (Duvivier), Les bricoleurs (Girault) ; 1963, Charade (Charade) (Donen), Des frissons partout (André), La confession de minuit (Granier-Deferre) ; 1964, Le train (Farrel, Frankenheimer), Sursis pour un espion (Maley), Passeport diplomatique (Vernay), Les gorilles (Girault) ; 1965, Pleins feux sur Stanislas (Dudrumet), Compartiment tueurs (Costa-Gavras) ; 1966, Roger-la-honte (Freda), Triple Cross (La fantastique histoire vraie d'Eddie Chapman) (T. Young) ; 1967, Monkeys Go Home ! (Monkeys Go Home !) (McLaglen), Sette volte donna (Sept fois femme) (De Sica) ; 1968, Faites donc plaisir aux amis (Rigaud) ; 1970, Valparaiso, Valparaiso (Aubier), Macédoine (Scandelari) ; 1973, Défense de savoir (Trintignant), Nuits rouges (Franju) ; 1974, La moutarde me monte au nez (Zidi) ; 1975, Vous ne l'emporterez pas au paradis (Dupont-Midy) ; 1977, March or Die (Il était une fois la légion) (Richards) ; 1978, La petite fille en velours bleu (Bridges), Once in Paris (Le temps d'aimer) (Miles) ; 1979, Les égouts du paradis (Giovanni), The Diabolic Plot of Dr. Fu Manchu (Le complot diabolique du Dr. Fu Manchu) (Haggard), Gros câlin (Rawson), Ils sont grands ces petits (Santoni) ; 1980, Inspecteur la bavure (Zidi) ; 1981, Dr. Jeckyll et les femmes (Borowczyk), Tais-toi quand tu parles (Clair) ; 1982, Ingenior Andrees Luftfärd (Le vol de l'aigle) (Troell), Tout le monde peut se tromper (Couturier) ; 1983, Louisiane (Broca) ; 1984, La garce (Pascal) ; 1987, Saxo (Dewolf) ; 1988, Radio corbeau (Boisset) ; 1989, J'aurais jamais dû croiser son regard (Longval) ; 1990, Milena (Milena) (Belmont), Isabelle Eberhardt (Isabelle Eberhardt) (Pringle) ; 1991, Les clés du paradis (Broca), La note bleue (Zulawski) ; 1997, Un amour de sorcière (Manzor) ; 1998, Train de vie (Mihaileanu).

Pléthore de rôles (plus de deux cents au total) pour ce comédien truculent, aux yeux en billes de loto, qui se faisait notamment étrangler par Gérard Depardieu dans *Inspecteur la bavure*. Sa composition de vieux rabbin dans *Train de vie* était particulièrement émouvante.

Harden, Marcia Gay

Actrice américaine née en 1959.

1990, Miller's Crossing (Miller's Crossing) (Coen) ; 1991, Late for Dinner (Richter) ; 1992, Used People (4 New-Yorkaises) (Kidron), Crush (Crush) (Maclean) ; 1994, Safe Passage (Safe Passage) (Ackerman) ; 1996, The Spitfire Grill (Zlotoff), The Daytrippers (En route pour Manhattan !) (Mottola), The First Wives Club (Le club des ex) (Wilson), Spy Hard (Agent zéro zéro) (Friedberg), Far

Harbor (Huddles) ; 1997, Flubber (Flubber) (Mayfield), Meet Joe Black (Rencontre avec Joe Black) (Brest), Desperate Measures (L'enjeu) (Schroeder) ; 1998, Curtain Call (Yates) ; 1999, Guilty Hearts (White), Pollock (Pollock) (Harris), Space Cowboys (Space Cowboys) (Eastwood) ; 2000, Gaudi Afternoon (Seidelman) ; 2003, Mystic River (Mystic River) (Eastwood) ; 2004, Mona Lisa Smile (Le sourire de Mona Lisa) (Newel), Welcome to Mooseport (Bienvenue à Mooseport) (Petrie) ; 2006, American Dreamz (Weitz), Bad News Bears (Bad News Bears) (Linklater) ; 2007, Into the Wild (Penn).

Une carrière sans grand relief pour cette charmante comédienne, brune pulpeuse qui se concentre surtout sur les personnages sensibles plutôt que sensuels. Elle joue la fille d'Anthony Hopkins dans *Rencontre avec Joe Black*, et trouve un rôle important (enfin !) dans *Pollock*, pour lequel elle reçoit un oscar.

Harding, Ann

Actrice américaine, de son vrai nom Dorothy Gatley, 1901-1982.

1929, Paris Bound (Griffith), Her Private Affair (Stein), Condamned (Ruggles) ; 1930, Holiday (Griffith), The Girl of the Golden West (Dillon) ; 1931, East Lynne (Lloyd), Devotion (Milton) ; 1932, The Conquerors (Les conquérants) (Wellman), Prestige (Garnett), Westward Passage (Milton), The Animal Kingdom (Griffith) ; 1933, Double Harness (Cromwell), When Ladies Meet (Beaumont), The Right to Romance (Santell), Gallant Lady (La Cava) ; 1934, The Life of Vergie Winters (Santell), The Fountain (Cromwell), Biography of a Bachelor Girl (Griffith) ; 1935, Enchanted April (Beaumont), The Flame Within (Goulding), Peter Ibbetson (Hathaway) ; 1936, The Lady Consents (Roberts), The Witness Chair (Nicholls) ; 1937, Love from a Stranger (L'étrange visiteur) (Lee) ; 1942, Eyes of the Night (Zinnemann) ; 1943, Mission to Moscow (Curtiz), The North Star (L'étoile du Nord) (Milestone) ; 1944, Nine Girls (Jason), Janie (Curtiz) ; 1945, Those Endearing Young Charms (L. Allen) ; 1946, Janie Gets Married (Shermann) ; 1947, It Happened on Fifth Avenue (Del Ruth), Christmas Eve (Marin) ; 1950, Two Weeks with Love (Heures tendres) (Rowland), The Magnificent Yankee (Sturges), The Unknown Man (Thorpe) ; 1956, Strange Intruder (Rapper), The Man in the Grey Flannel Suit (L'homme au complet gris) (Johnson), I've Loved Before (L'homme qui vécut deux fois) (Barthott).

Elle reste célèbre pour un seul film : *Peter Ibbetson*. Mais cette fille d'officier, qui s'embaucha comme employée dans Famous-Players-Lasky Company, avant de débuter à Broadway en 1921, avait à son actif de nombreux films, dès l'avènement du parlant. Elle gagna un oscar pour *Holiday*. D'abord mariée à l'acteur Harry Bannister, elle s'était retirée de l'écran en 1937 après avoir épousé un chef d'orchestre. Elle revint en 1942 et tint plutôt alors des rôles de femmes mûres et distinguées.

Hardwicke, sir Cedric

Acteur anglais, 1893-1964.

1913, Riches and Rogues (Weston) ; 1926, Nelson (Summers) ; 1931, Dreyfus (Kraemer et Rosmer) ; 1932, Rome Express (Forde) ; 1933, Orders Is Orders (Forde), The Ghoul (Hayes Hunter), The Lady Is Willing (G. Miller) ; 1934, Bella Donna (Milton), The King of Paris (Wilcox), Jew Suss (Mendes), Nell Gwyn (Wilcox) ; 1935, Peg of Old Drury (Wilcox), Les misérables (Boleslavsky), Becky Sharp (Mamoulian) ; 1936, Things to Come (La vie future) (Menzies), Tudor Rose (Stevenson), Laburnum Grove (Reed), Calling the Tune (Denham) ; 1937, King Solomon's Mines (Les mines du roi Salomon) (Stevenson), The Green Light (La lumière verte) (Borzage) ; 1939, On Borrowed Time (L'étrange sursis) (Bucquet), The Hunchback of Notre-Dame (Quasimodo) (Dieterle), Stanley and Livingstone (Stanley et Livingstone) (King) ; 1940, Tom Brown's School Days (Stevenson), The Howards of Virginia (Lloyd), Victory (Cromwell) ; 1941, Suspicion (Soupçons) (Hitchcock), Sundown (Crépuscule) (Hathaway) ; 1942, The Ghost of Frankenstein (Le spectre de Frankenstein) (Kenton), Valley of the Sun (La vallée du soleil) (Marshall), Invisible Agent (Marin), The Commandos Strike at Dawn (Les commandos frappent à l'aube) (Farrow) ; 1943, Forever and a Day (Lloyd, Clair, Hardwicke...), The Moon Is Down (Pichel), The Cross of Lorraine (Garnett) ; 1944, The Lodger (Jack l'éventreur) (Brahm), Wing and a Prayer (Porte-avions X) (Hathaway) ; 1945, Wilson (King), The Keys of the Kingdom (Les clés du royaume) (Stahl) ; 1946, Sentimental Journey (W. Lang) ; 1947, The Imperfect Lady (L. Allen), Ivy (Le crime de madame Lexton) (Wood), Lured (Des filles disparaissent) (Sirk), Nicholas Nickelby (Cavalcanti), Tycoon (Taïkoun) (Wallace) ; 1948, Song of My Heart (Glazer), A Woman's Vengeance (Z. Korda), I Remember Mama (Stevens), The Rope (La corde) (Hitchcock) ; 1949, A

Connecticut Yankee in King Arthur's Court (Garnett) ; 1950, The Winslow Boy (Asquith), The White Tower (La tour blanche) (Tetzlaff) ; 1951, Mr. Imperium (Hartman), The Desert Fox (Le renard du désert) (Hathaway) ; 1952, The Green Glove (Le gantelet vert) (Maté), The Caribbean (Le trésor des Caraïbes) (Ludwig) ; 1953, Salome (Salomé) (Dieterle), Botany Bay (Les bagnards de Botany Bay) (Farrow) ; 1954, Bait (Haas), Helen of Troy (Hélène de Troie) (Wise) ; 1955, Richard III (Richard III) (Olivier), Gaby (Bernhardt), Diane (Diane de Poitiers) (Miller), The Vagabond King (Le roi des vagabonds) (Curtiz), The Power and the Prize (Koster), Around the World in 80 Days (Le tour du monde en 80 jours) (Anderson) ; 1957, The Ten Commandments (Les dix commandements) (DeMille), The Story of Mankind (I. Allen), Baby Face Nelson (L'ennemi public) (Siegel) ; 1962, Five Weeks in a Balloon (Cinq semaines en ballon) (I. Allen) ; 1964, The Pumpkin Eater (Clayton).

Après avoir été anobli en 1934, il partagea sa carrière entre l'Angleterre (il y avait été Nelson à ses débuts) et les États-Unis. A partir de son interprétation de la Mort dans *On Borrowed Time*, qui fit sensation, il se spécialisa plutôt dans les rôles de méchants (*Hunchback of Notre-Dame*, *Victory*...), de nazis (*Invisible Agent*...), de médecins marrons (*Baby Face Nelson*...). Hitchcock qui l'appréciait le dirigea deux fois et lui donna même la vedette dans *Rope*. Laurence Olivier à son tour l'utilisa excellemment dans *Richard III*.

Hardy, Oliver

Acteur américain, 1892-1957.

1913-1916 : *figurant pour de nombreux films de la Production Lubin* ; 1916-1917 : série des Vim Comedies (Walter Stull et Bobby Burns) ; 1917-1918, Billy West Comedies et Clyde Cook Comedies ; 1920, Jimmy Aubrey Comedies ; 1921, The Sawmill (Semon) ; 1922, Golf (Semon), The Counter Jumper (Semon), The Little Wildcat, One Stolen Night, Fortune's Mask ; 1923, Three Ages (Les trois âges) (Keaton), Rex King of the Wild Horses (Sans loi) (R. Jones) ; 1924, The Girl in the Limousine (Semon), Her Boy Friend (Semon), Kid Speed (Semon) ; 1925, The Wizard of Oz (Le prince qu'on sort) (Baum), The Perfect Clown (Newmayer), In marriage The Bunk ? (McCarey), Isn't Life terrible (McCarey), Yes, Yes Nanette (Laurel), Navy Gravy (Parrott), Enough to Do (Laurel) ; 1926, Madame Mystery (Laurel), Long Life the King (McCarey), Along Came Auntie (Guiol), Crazy Like a Fox (McCarey), Thundering Fleas (McGowran), Be Your Age (McCarey), Bromo and Juliet (McCarey), Should Men Walk Home (McCarey), The Nickel Hopper (Yates), The Gentle Cyclon (Van Dyke), A Sea Dog's Tale (Del Lord), Crazy to Act (L'envers du cinéma) ; 1927, No Man's Law (Jackman), Fluttering Hearts (Parrott), The Light That Failed (Parrott), Love'em and Feed (Bruckman), Assistant Wives (Parrott), Galloping Ghosts (Parrott), Barnum and Ringling Inc. (McGowran) ; 1939, Zenobia (Douglas) ; 1949, The Fighting Kentuckian (Le bagarreur du Kentucky) (Waggner) ; 1950, The Riding High (Jour de chance) (Capra). Pour les « Laurel et Hardy » : filmographie et commentaire dans le *Dictionnaire du cinéma*, t. I : *Les réalisateurs*.

Le gros, par opposition au maigre qui était Laurel. Il faut l'avoir vu, tout en fossettes, agitant sa cravate, s'efforcer, avec des grâces pachydermiques, d'arranger les gaffes de son compère. On a dit dans le *Dictionnaire des réalisateurs* tout ce que le cinéma devait au couple « Laurel et Hardy ». On s'est contenté d'indiquer ici les films où Hardy parut *seul*. Cf. aussi Laurel.

Harlow, Jean

Actrice américaine, de son vrai nom Harlean Carpentier, 1911-1937.

1928, Moran of the Marines ; 1929, *plusieurs courts métrages avec* Laurel et Hardy (Double Whoopee, Liberty, Bacon Grabbers), The Love Parade (Parade d'amour) (Lubitsch), The Saturday Night Kid (Sutherland), Fugitives, New York Nights ; 1930, Hell's Angels (Hughes) ; 1931, City Lights (Les lumières de la ville) (Chaplin), Iron Man (Browning), Goldie (Stoloff), The Public Enemy (L'ennemi public) (Wellman), The Secret Six (Hill), Platinum Blonde (La blonde platine) (Capra) ; 1932, Three Wise Girls (Beaudine), The Beast of the City (Brabin), Red Dust (La belle de Saigon) (Fleming), Red Headed Woman (Conway) ; 1933, Dinner at Eight (Les invités de huit heures) (Cukor), Hold Your Man (Wood), Bombshell (Fleming) ; 1934, The Girl from Missouri (Conway) ; 1935, Reckless (Imprudente jeunesse) (Fleming), Riffraff (Rubin), China Seas (La malle de Singapour) (Garnett) ; 1936, Suzy (Fitzmaurice), Wife versus Secretary (Sa femme et sa dactylo) (Brown), Libeled Lady (Conway) ; 1937, Personal Property (Van Dyke), Saratoga (Conway).

Débuts fracassants (Laurel et Hardy la déshabillaient involontairement en coinçant sa robe dans la portière d'une voiture). Après une apparition chez Chaplin, lancée par le milliardaire Howard Hughes, elle devint la blonde platine, un « sex symbol » des années 30. La totalité de ses films a été tournée à partir de 1932 par la MGM. Elle mourut prématurément pendant le tournage de *Saratoga*.

Harper, Jessica

Actrice américaine née en 1949.

1974, Phantom of the Paradise (Phantom of the Paradise) (De Palma) ; 1975, Inserts (Gros plan) (Byrum), Love and Death (Guerre et amour) (Allen) ; 1977, Suspiria (Suspiria) (Argento) ; 1979, The Evictors (Pierce) ; 1980, Stardust Memories (Stardust Memories) (Allen) ; 1981, Shock Treatment (Sharman), Pennies from Heaven (Tout l'or du ciel) (Ross) ; 1982, My Favorite Year (Où est passée mon idole ?) (Benjamin) ; 1985, Dario Argento's World of Horror (Soavi) ; 1986, Once Again (Chaudhri), The Imagemaker (Weiner) ; 1988, The Blue Iguana (Lafia) ; 1989, Big Man on Campus (Kagan) ; 1993, Mr. Wonderful (Minghella) ; 1995, Safe (Safe) (Haynes) ; 1996, Boys (Cochran).

Des débuts sur les scènes de Broadway dans *Hair* avant de trouver son premier rôle dans *Phantom of the Paradise*, celui de la chanteuse Phoenix. On la retrouve chez Woody Allen, dont elle était l'une des fiancées dans *Stardust Memories*, ainsi que dans le très stylisé *Suspiria* de Dario Argento. Depuis le milieu des années 80, les apparitions de cette belle brune plutôt classe se font beaucoup plus rares.

Harper, Tess

Actrice américaine, de son vrai nom Tessie Washam, née en 1950.

1983, Tender Mercies (Tender Mercies) (Duvall), Silkwood (Le mystère Silkwood) (Nichols), Amityville 3-D (Fleisher) ; 1984, Flashpoint (Tannen) ; 1986, Crimes of the Heart (Crimes du cœur) (Beresford) ; 1987, Ishtar (Ishtar) (May) ; 1988, Far North (Shepard), Criminal Law (La loi criminelle) (Campbell) ; 1989, Her Alibi (Son alibi) (Beresford) ; 1990, Daddy's Dyin'... Who's Got the Will ? (Fisk) ; 1991, My Heroes Have Always Been Cowboys (Rosenberg), The Man on the Moon (Un été en Louisiane) (Mulligan) ; 1992, The Turning (Puopolo), My New Gun (My New Gun) (Cochran) ; 1997, Dirty Laundry (Normand, Sherwin), The Jackal (Le Chacal) (Caton-Jones) ; 1999, The In Crowd (Lambert) ; 2000, Morning (Canaan Mann), The Rising Place (Rice).

Nommée aux oscars pour *Crimes du cœur* dans le rôle de la voisine un peu trop curieuse, elle met depuis lors un physique difficile (petite, visage dur) au service de seconds rôles de femmes acariâtres. Beaucoup de télévision.

Harrelson, Woody

Acteur américain, de son vrai prénom Woodrow Tracy, né en 1961.

1978, Harper Valley P.T.A. (Bennett) ; 1986, Wildcats (Ritchie) ; 1991, L.A. Story (Los Angeles story) (Jackson), Doc Hollywood (Doc Hollywood) (Caton-Jones) ; 1992, White Men Can't Jump (Les Blancs ne savent pas sauter) (Shelton) ; 1993, Indecent Proposal (Proposition indécente) (Lyne) ; 1994, The Cowboy Way (Deux cowboys à New York) (Champion), Natural Born Killers (Tueurs-nés) (Stone) ; 1995, Money Train (Money Train) (Ruben), The Sunchaser (Sunchaser) (Cimino) ; 1996, Celtic Pride (DeCerchio), The People vs Larry Flynt (Larry Flynt) (Forman), Kingpin (Farrelly), Welcome to Sarajevo (Welcome to Sarajevo) (Winterbottom) ; 1997, Wag the Dog (Des hommes d'influence) (Levinson), The Thin Red Line (La ligne rouge) (Malick), The Hi-Lo Country (The Hi-Lo Country) (Frears), Palmetto (Schlöndorff) ; 1998, Ed TV (En direct sur Ed TV) (Howard) ; 1999, Play It to the Bone (Les adversaires) (Shelton), Austin Powers : The Spy Who Shagged Me (Austin Powers – L'espion qui m'a tirée) (Roach).

D'abord musicien, acteur de théâtre puis de télévision (la série « Cheers »), il se fait connaître par un film à succès qui se déroule dans le milieu du basket-ball, *Les Blancs ne savent pas sauter*. Dans l'hallucinogène *Tueurs-nés*, il est Mickey, violentissime *serial killer* formant couple avec Juliette Lewis.

Harris, Ed

Acteur et réalisateur américain, de son vrai prénom Edward Allen, né en 1950.

1978, Coma (Morts suspectes) (Crichton) ; 1980, Borderline (Chicanos, chasseur de têtes) (Freedman) ; 1981, Knightriders (Romero) ; 1982, Creepshow (Creepshow) (Romero) ; 1983, The Right Stuff (L'étoffe des héros) (Kaufman), Under Fire (Under fire) (Spottiswoode) ; 1984, Swing Shift (Demme), Places in the Heart (Les saisons du cœur) (Benton) ; 1985, Alamo Bay (Alamo Bay) (Malle), A Flash of Green (Nunez), Sweet Dreams (Sweet Dreams) (Reisz), Code Name : Emerald (Sanger) ; 1987, Walker (Walker) (Cox) ; 1988, To Kill a Priest (Le complot) (Holland), Jacknife (Jacknife) (Jones) ; 1989, The Abyss (Abyss) (Cameron) ;

1990, State of Grace (Les anges de la nuit) (Joanou) ; 1991, Paris Trout (Rage) (Gyllenhaal), JFK (JFK) (Stone) ; 1992, Glengarry Glen Ross (Glengarry) (Foley) ; 1993, The Firm (La firme) (Pollack), Milk Money (La surprise) (Benjamin) ; 1994, China Moon (Lune rouge) (Bailey), Just Cause (Juste cause) (Glimcher), Apollo 13 (Apollo 13) (Howard) ; 1995, Nixon (Nixon) (Stone), Eye for an Eye (Au-delà des lois) (Schlesinger) ; 1996, The Rock (Rock) (Bay), Absolute Power (Les pleins pouvoirs) (Eastwood) ; 1997, The Truman Show (The Truman Show) (Weir), Stepmom (Ma meilleure ennemie) (Columbus) ; 1999, The Third Miracle (Holland), Pollock (Harris) ; 2000, The Prime Gig (Mosher), Enemy at the Gates (Stalingrad) (Annaud) ; 2001, Buffalo Soldiers (Jordan) ; 2002, The Hours (The Hours) (Daldry) ; 2003, The Human Stain (La couleur du mensonge) (Benton) ; 2003 Radio (Radio) (Tollin) ; 2005, A History of Violence (A History of Violence) (Cronenberg) ; 2007, Breaking and Entering (Par effraction) (Minghella), My Blueberry Nights (Wong Kar-wai). *Comme réalisateur :* 1999, Pollock.

Large d'épaules, épais de cou, la machoire carrée et le cheveu ras, il a tout du rugbyman. Mais sa vie est sur scène, où il s'illustre pendant les années 70 dans le circuit semi-amateur. En 1983, il triomphe dans *Fool for love* de Sam Shepard, écrit spécialement pour lui. Au cinéma, il est devenu un second rôle inévitable, incarnant la plupart du temps des personnages droits et justes, mais aussi des méchants, froids et efficaces (*Stalingrad* et *A History of Violence*).

Harris, Julie

Actrice américaine née en 1925.

1955, East of Eden (A l'est d'Éden) (Kazan) ; 1962, Requiem for a Heavyweight (Requiem pour un champion) (Nelson) ; 1963, The Haunting (La maison du diable) (Wise) ; 1966, Harper (Détective privé) (Smight) ; 1967, Big Boy (Coppola), Reflections in a Golden Eye (Reflets dans un œil d'or) (Huston) ; 1968, The Split (Le crime, c'est notre business) (Flemyng) ; 1969, Slaves (Esclaves) (Biberman) ; 1970, The People Next Door (Greene) ; 1975, The Hiding Place (Collier) ; 1976, Voyage of the Damned (Le voyage des damnés) (Rosenberg) ; 1979, The Bell Jar (Peerce) ; 1980, Prostitute (La prostituée) (Tony Garnett) ; 1984, Brontë (D. Mann) ; 1988, Gorillas in the Mist (Gorilles dans la brume) (Apted) ; 1991, Housesitter (Fais comme chez toi) (Oz) ; 1992, The Dark Half (La part des ténèbres) (Romero) ; 1995, Carried Away (Barreto) ; 1996, Passagio per il paradiso (Passage vers le paradis) (Baiocco) ; 1997, Bad Manners (Kaufer) ; 1998, The First of May (Sirmons).

Avant tout une actrice de théâtre qui a peu tourné au cinéma mais qui fut remarquable de sensibilité dans une œuvre comme *The Haunting* qui eût été, sans elle, un banal film d'épouvante.

Harris, Richard

Acteur anglais, de son vrai nom Saint-John Garris, 1930-2002.

1958, Alive and Kicking (Frankel) ; 1959, Shake-Hands With the Devil (L'épopée dans l'ombre) (Anderson), The Wreck of the Mary Deare (Cargaison dangereuse) (Anderson) ; 1960, The Night Fighters (Les combattants de la nuit) (Garnett), The Guns of Navarone (Les canons de Navarone) (Thompson) ; 1961, The Long and the Short and the Tall (La patrouille égarée) (Norman), Mutiny on the Bounty (Les mutinés du Bounty) (Milestone) ; 1962, All Night Long (Tout au long de la nuit) (Dearden) ; 1963, This Sporting Life (Le prix d'un homme) (Anderson), Il deserto rosso (Le désert rouge) (Antonioni) ; 1964, I tre volti, épis. Amanti Celebri (Bolognini), Major Dundee (Major Dundee) (Peckinpah) ; 1965, The Heroes of Telemark (Les héros de Télémark) (Mann), The Bible (La Bible) (Huston) ; 1966, Hawai (Hawaii) (Hill), Caprice (Opération caprice) (Tashlin) ; 1967, Camelot (Camelot ou le chevalier de la reine) (Logan) ; 1969, The Molly Maguires (Traître sur commande) (Ritt), Cromwell (Hugues) ; 1970, A Man Called Horse (Un homme appelé Cheval) (Stiverstein), Man in the Wilderness (Le convoi sauvage) (Sarafian) ; 1972, Bloomfield/The Hero (Harris) ; 1973, The Deadly Trackers (Le shérif ne pardonne pas) (Shear) ; 1974, 99 And 44 % Dead (Refroidi à 99 %) (Frankenheimer), Juggernaut (Terreur sur le Britannic) (Lester) ; 1975, Echoes of the Summer (Taylor), Ransom (Un homme voit rouge) (Wrede) ; 1976, Robin and Marian (La rose et la flèche) (Lester), The Return of a Man Called Horse (La revanche d'un homme nommé Cheval) (Kershner), The Cassandra Crossing (Le pont de Cassandra) (Cosmatos) ; 1977, Orca (Orca) (Anderson), Golden Rendez-Vous (L'or était au rendez-vous) (Lazarus), Gulliver's Travels (Hunt) ; 1978, The Wild Geese (Les oies sauvages) (McLaglen), The Number (Boulting), Game for Vulture (Le putsch des mercenaires (Fargo), Ravagers (Compton) ; 1979, High Point (Carter) ; 1980, Your Ticket Is No Longer Valid (Au-delà de cette limite, votre ticket n'est plus valable) (Kaczender) ; 1981, Tarzan the Ape Man

(Tarzan l'homme-singe) (Derek) ; 1982, Triumphs of a Man Called Horse (Hough) ; 1984, Martin's Day (Gibson) ; 1989, Mack the Knife (L'opéra de quat' sous) (Golan), Strike Commando 2 (Mattei) ; 1990, The Field (The Field) (Sheridan) ; 1992, Unforgiven (Impitoyable) (Eastwood), Patriot Games (Jeux de guerre) (Noyce) ; 1993, Wrestling Ernest Hemingway (Haines), Silent Tongue (Shepard) ; 1994, Suite 16 (Deruddere), Savage Hearts (Ezra), Cry, The Beloved Country (Roodt) ; 1995, Divine Rapture (inachevé, Eberhardt) ; 1996, This Is the Sea (McGuckian), Trojan Eddie (McKinnon), Smilla's Sense of Snow (Smilla) (August) ; 1997, Sibirskij tsirylnik (Le barbier de Sibérie) (Mikhalkov) ; 1998, To Walk with Lions (Schultz) ; 1999, Grizzly Falls (Raffill), Gladiator (Gladiator) (Scott) ; 2000, The Count of Monte-Cristo (La vengeance de Monte-Cristo) (Reynolds) ; 2001, Harry Potter and the Sorcerer's Stone (Harry Potter à l'école des sorciers) (Columbus).

Formé à l'Académie d'art dramatique de Londres, metteur en scène et acteur de théâtre, auteur de poèmes (*In Membership of my Days*), il n'a pas pour autant dédaigné le cinéma. Fort, athlétique, une tête énergique, il s'apparente assez à Lancaster par un côté masochiste. On l'a vu rongé par le froid et la faim dans *Man in the Wilderness* ou soumis à d'effroyables tortures dans *A Man Called Horse*, épreuves auxquelles l'acteur semblait presque prendre du plaisir. Il fut par ailleurs un remarquable Cromwell dans le film trop méconnu de Hughes. En bref, une personnalité complexe qui sait donner à des personnages brutaux une dimension souvent ambiguë.

Harrison, Rex

Acteur anglais, 1908-1990.

1930, The Great Game (Raymond), The School for Scandal (Elvey) ; 1934, Get Hour Man (King), Leave It to Blanche (Young) ; 1935, All at sea (Kimmins) ; 1936, Men Are Not Gods (Les hommes ne sont pas des dieux) (Reish) ; 1937, Storm In a Teacup (Tempête dans une tasse de thé) (Saville), School for Husbands (L'école des maris) (Marton) ; 1938, St. Martin's Lane (Whelan), The Citadel (La citadelle) (Vidor) ; 1939, The Silent Battle (Masson), Over the Moon (Freeland), Ten Days in Paris (L'aventure est commencée) (Whelan) ; 1940, Night Train to Munich (Train de nuit pour Munich) (Reed) ; 1941, Major Barbara (Pascal, French) ; 1945, Blithe Spirit (L'esprit s'amuse) (Lean), I Live in Grosvenor Square (Wilcox), The Rake's Progress (L'honorable monsieur Sans-Gêne) (Gilliat) ; 1946, Anna and the King of Siam (Cromwell) ; 1947, The Ghost and Mrs. Muir (L'aventure de Mme Muir) (Mankiewicz) ; 1948, The Foxes of Harrow (La fièvre créole) (Stahl), Escape (Le fugitif) (Mankiewicz) ; 1949, Unfaithfully Yours (Infidèlement vôtre) (Sturges) ; 1951, The Long Dark Hall (L'assassin frappe la nuit) (Bushell) ; 1952, The Fourposter (Le ciel de lit) (Reis) ; 1954, King Richard and the Crusaders (Richard Cœur de Lion) (Butler) ; 1955, The Constant Husband (Un mari presque fidèle) (Sidney Gilliat) ; 1958, The Reluctant Debutante (Qu'est-ce que maman comprend à l'amour ?) (Minnelli) ; 1960, Midnight Lace (Piège à minuit) (Miller) ; 1962, The Happy Thieves (Les joyeux voleurs) (Marshall) ; 1963, Cleopatra (Cléopâtre) (Mankiewicz), My Fair Lady (My Fair Lady) (Cukor) ; 1964, The Yellow Rolls Royce (La Rolls-Royce jaune) (Asquith) ; 1965, The Agony and the Ecstasy (L'extase et l'agonie) (Reed) ; 1967, The Honey Pot (Guêpier pour trois abeilles) (Mankiewicz), Prudence and the Pill (Prudence et la pilule) (Cook, Neame), Dr. Dolittle (L'extravagant Dr Dolittle) (Fleischer) ; 1968, A Flea In Her Ear (La puce à l'oreille) (Charon), Staircase (L'escalier) (Donen) ; 1970, Scrooge (Neame) ; 1977, The Prince and the Pauper (Fleischer) ; 1979, Ashanti (Ashanti) (Fleischer), The 5th Musketeer (Annakin).

Le plus britannique des acteurs britanniques. Grand, mince, élégant, il a promené sa distinction très anglaise dans un nombre impressionnant de comédies : fantôme dans *The Ghost and Mrs. Muir*, il était un chef d'orchestre jaloux imaginant sa vengeance en fonction de partitions qu'il dirigeait dans *Infidèlement vôtre* ; pygmalion-philologue dans *My Fair Lady* qui lui vaut un oscar en 1964, il était le docteur Dolittle, l'ami des enfants et des animaux en 1967. Rusé Volpone de *The Honey Pot*, il devenait un homosexuel vieillissant dans *Staircase*. Il résume à lui seul une comédie anglaise à la Coward où il excelle. Rappelons que ce fils de commerçants fut un héroïque pilote de la RAF pendant la Deuxième Guerre mondiale.

Hart, William S.

Acteur et réalisateur américain, 1862-1946.

Sauf indication contraire, les films sont mis en scène par Hart lui-même : 1914, His Hour of Manhood (Chatterton), Jim Cameron's Wife (Chatterton), The Bargain (Barker), On the Night Stage (Barker), The Passing of Two-Gun Hicks, In the Sage Brush Country ; 1915, The Scourge of the Desert, Mr. Silent Haskins, The Grudge, The Sheriff's Streak of

Yellow, The Roughneck, The Taking of Luke McVane, The Man from Nowhere, Bad Buck of Santa Ynez, The Darkening Trail, The Conversion of Frosty Blake, Tools of Providence, The Ruse, Cash Parrish's Pal, Pinto Ben, Keno Bates Liar, A Knight of the Trails, The Disciple ; 1916, Between Men, Hell's Hinges (Le justicier), The Aryan (Pour sauver sa race), The Primal Lure, The Apostle of Vengeance, The Captive God (Swickard), The Dawn Maker, The Return of Draw Egan, The Patriot, The Devil's Double, Truthful Tulliver, The Gun Fighter, The Square Deal Man ; 1917, The desert Man, Wolf Lowry, The Cold Deck, The Narrow Trail (Hillyer), The Silent Man, Wolves of the Rail ; 1918, Blue Blazes Rawden (L'homme aux yeux bleus), The Tiger Man, Selfish Yates, Shark Monroe, Riddle Gawne, A Bullet for Berlin, The Border Wireless, Branding Broadway, Breed of Men ; 1919, The Poppy Girl's Flusband, The Money Corral, Square Deal Sanderson (Hillyer), Wagon Tracks (Hillyer), John Petticoats (Hillyer), Sand (Hillyer) ; 1920, The Toll Gate (Hillyer), The Cradle of Courage (Hillyer), The Testing Block (Hillyer), O'Malley of the Mounted (Hillyer) ; 1921, The Whistle (Hillyer), White Oak (Hillyer), Travelin'on (Hillyer), Three Word Brand (Hillyer) ; 1923, Wild Bill Hickok (Clifford Smith) ; 1924, Singer Jim McKees (Smith) ; 1925, Tumbleweeds (Baggot) ; 1928, Show People (Vidor). *Pour le metteur en scène*, voir le *Dictionnaire du cinéma*, t. I : *Les réalisateurs*.

Le père du western et l'un des premiers cow-boys de l'histoire du cinéma. Visage impassible, taillé dans le roc, gestes lents et précis, cavalier émérite, il annonce les futurs héros Gary Cooper ou Randolph Scott. On a dit par ailleurs toute l'importance du metteur en scène.

Harvey, Laurence

Acteur et réalisateur anglais, de son vrai nom Larushka Mischa Skikne, 1928-1973.

1948, House of Darkness (Mitchell) ; 1949, Man on the Run (Le déserteur) (Huntington), Landfall (Annakin), Man From Yesterday (Mitchell) ; 1950, Cairo Road (La route du Caire) (MacDonald), The Black Rose (Hathaway) ; 1951, There Is Another Sun (Gilbert), Scarlet Thread (Gilbert), I Believe in You (Dearden) ; 1952, A Killer Walks (Drake), Women of Twilight (Parry) ; 1953, Innocents in Paris (Week-end à Paris) (Parry), Giulietta e Romeo (Roméo et Juliette) (Castellani) ; 1954, The Good Die Young (Les bons meurent jeunes) (Gilbert), King Richard and the Crusaders (Richard Cœur de Lion) (Butler) ; 1955, I Am a Camera (Une fille comme ça) (Cornelius), Storm Over the Nile (Les quatre plumes blanches) (Korda, Young) ; 1956, Three Men in a Boat (Trois hommes dans un bateau) (Annakin) ; 1957, The Silent Enemy (L'ennemi silencieux) (Fairchild), After the Ball (Bennett) ; 1958, Room at the Top (Les chemins de la haute ville) (Clayton), The Truth About Women (Box) ; 1959, Expresso Bongo (Guest) ; 1960, Alamo (Wayne), Butterfield 8 (La vénus au vison) (Mann) ; 1961, The Long and the Short and the Tall (La patrouille égarée) (Norman), Two Loves (Anna et les Maoris) (Walters) ; 1962, Summer and Smoke (Été et fumées) (Glenville), A Walk on the Wild Side (La rue chaude) (Dmytryk), A Girl Named Damiko (Citoyen de nulle part) (Sturges), The Wonderful Word of Brothers Grimm (Les amours enchantées) (Pal, Levin), The Manchurian Candidate (Un crime dans la tête) (Frankenheimer) ; 1963, The Running Man (Le deuxième homme) (Reed), The Ceremony (Soixante minutes de sursis) (Harvey) ; 1964, Of Human Bondage (L'ange pervers) (Hughes), The Outrage (L'outrage) (Ritt) ; 1965, Darling (Schlesinger), Life at the Top (Kotcheff) ; 1966, The Spy with a Cold Nose (Petrie) ; 1967, A Dandy in Aspic (Maldonne pour un espion) (Mann) ; 1968, The Winter's Tale (Dunlop) ; 1969, L'assoluto naturale (Pietrangeli) ; 1970, Wusa (Rosenberg), The Magis Christian (McGrath) ; 1972, Niet (Golan) ; 1973, Night Watch (Terreur dans la nuit) (Hutton), Welcome to Arrow Beach (Harvey), F for Fake (Vérités et mensonges) (Welles). *Pour le metteur en scène*, voir le *Dictionnaire du cinéma*, t. I : *Les réalisateurs*.

D'origine lituanienne et naturalisé sud-africain, il fait la guerre en Libye puis en Italie. De retour à Johannesburg, il suit des cours d'art dramatique puis vient tenter sa chance à Londres. Théâtre (surtout Shakespeare) puis cinéma. Ses débuts à l'écran sont sans grand relief mais il s'impose dans *Room at the Top* où il empêche Signoret de tirer toute la couverture à elle. Il joue dans de nombreux films d'espionnage (*The Manchourian*, *Candidate*, *A Dandy in Aspic*, qu'il achève à la mort de Mann). La mise en scène l'intéresse mais un cancer met fin à sa carrière.

Harvey, Lilian

Actrice anglaise, 1906-1968.

1925, Der Fluch, Leidenschaft (Eichberg), Liebe und Trompetenblasen (Amour et sonneries de trompettes) (Eichberg), Die Kleine von Bummel (Eichberg) ; 1926, Die Keusche

Susanne (La chaste Suzanne) (Eichberg), Prinzessin Trulala (Eichberg), Vater werden ist nicht schwer ; 1927, Die Tolle Lola (Eichberg), Ein Nacht in London (Lupu-Pick), Eheferien ; 1928, Ihr dunkler Punkt ; 1929, Die Modell von Montparnasse (Adieu mascotte) (Thiele) ; 1930, Wenn du einmal dein Herz verschenkst, Liebeswalzer (Valse d'amour) (Thiele), Hokuspokus (Ucicky), Die drei von der Tankstelle (et version française, Le chemin du paradis) (Thiele), Einbrecher (Schwarz) ; 1931, Princesse à vos ordres (Schwarz), Nie wieder Liebe (et version française, Calais-Douvres) (Litvak), Der Kongress Tantz (et version française, Le congrès s'amuse) (Charell) ; 1932, Zwei Herzen und ein Schlag (et version française, La fille et le garçon) (Thiele), Quick (Siodmak), Ein blonder Traum (et version française, Un rêve blond) (P. Martin) ; 1933, Ich und die Kaiserin (Moi et l'impératrice, version française, et The Only Girl) (Hollaender), My Weakness (Butler), My Lips Betray (Blystone), I am Suzanne (Lee) ; 1935, Let's Live Tonight (Schertzinger), Schwarze Rosen (et version française Roses noires) (P. Martin), Invitation to the Waltz (Merzbach) ; 1936, Glückskinder (et version française, Les gais lurons) (P. Martin) ; 1937, Sieben Ohrfeigen, Fanny Elssler (P. Martin) ; 1938, Capriccio (Ritter) ; 1939, Ins blaue Leben, Frau am Steuer (Martin) ; 1939, Sérénade (Boyer), Miquette et sa mère (Boyer).

Père allemand et mère anglaise. C'est à Berlin qu'elle fait ses études et débute sur les planches. Eichberg la remarque après un premier film en Autriche et lui fait tourner une série d'opérettes où sa voix et son visage charment le public allemand. Elle va tourner (surtout avec Henri Garat) toute une série de films chantés, en deux ou trois versions. Les plus célèbres sont *Le chemin du paradis* et *Le congrès s'amuse*. Elle connaît un échec à la Fox puis à la Columbia entre 1933 et 1935 et reprend le chemin des studios allemands. Elle tourne en France en 1939 et mourra à Antibes en 1968.

Hasse, Otto

Acteur allemand, 1903-1978.

Petits rôles dans de nombreux films à partir de 1932, dont : 1941, Stukas (Ritter) ; 1943, Rembrandt (Steinhoff) ; *puis* : 1948, Berliner Ballade (Ballade berlinoise) (Stemmle) ; 1949, Anonyme Briefe (Rabenalt) ; 1950, The Big Lift (La ville écartelée) (Seaton), Epilog (Kautner) ; 1951, Decision Before Dawn (Le traître) (Litvak) ; 1952, Der letzte Walzer (Rabenalt), I Confess (La loi du silence) (Hitchcock) ; 1954, Canaris (L'amiral Canaris) (Weidenmann), Betrayed (Voyage au-delà des vivants) (Reinhardt) ; 1955, Alibi (Weidenmann), 08/15 in der Heimat (08/15 go home) (May), Above Us the Waves (Operation Tirpitz) (R. Thomas) ; 1956, Kitty und die grosse Welt (Kitty) (Weidenmann) ; 1957, Les aventures d'Arsène Lupin (Becker), Sait-on jamais ? (Vadim), Les espions (Clouzot), Der Gläserne Turm (Braun) ; 1958, Das Arzt von Stalingrad (Le médecin de Stalingrad) (Radvanyi), Der Maulkorb (Staudte), Solange das Herz schlägt (Weidenmann) ; 1960, Frau Warrens Gewerbe (Rathony) ; 1962, Au voleur (Habib), Die Ehe des Herrn Mississippi (Hoffmann), Das Leben beginnt um act, Lulu (Les liaisons douteuses) (Thiele), Le caporal épinglé (Renoir) ; 1963, Le vice et la vertu (Vadim) ; 1964, Die Todesstrahlen der Dr. Mabuse (Mission spéciale au deuxième bureau) (Fregonese) ; 1965, Trois chambres à Manhattan (Carné) ; 1973, État de siège (Costa-Gavras) ; 1975, L'eta della pace (Carpi).

Carrière modeste avant 1944 (beaucoup de films qu'il a tournés ont disparu et sont difficiles à identifier). Il profite ensuite de la crise du cinéma allemand pour amorcer une carrière internationale : il est un espion allemand, un officier nazi ou un simple particulier d'origine germanique au hasard des films. Il sera même le Kaiser roulé par Arsène Lupin. Un talent sûr, apprécié même par Hitchcock qui l'utilisa habilement dans *I Confess*.

Hatton, Rondo

Acteur américain, 1894-1946.

1938, In old Chicago (L'incendie de Chicago) (King) ; 1943, The Ox-Bow Incident (L'étrange incident) (Wellman) ; 1944, Pearl of Death (Neill) ; 1945, Jungle Captive (Young) ; 1946, House of Horrors (Yarbrough), The Spider Woman Strikes Back (Lubin), The Brute Man (Yarbrough).

Atteint d'acromégalie, complètement déformé, il put jouer les monstres sans maquillage.

Haudepin, Sabine

Actrice française née en 1956.

1961, Jules et Jim (Truffaut) ; 1964, La peau douce (Truffaut) ; 1966, Roger la honte (Freda) ; 1969, L'ours et la poupée (Deville) ; 1970, Le cinéma de papa (Berri) ; 1976, Le jeu du solitaire (Adam) ; 1977, Dernière sortie avant Roissy (Paul) ; 1979, Passe ton bac d'abord... (Pialat) ; 1980, Le dernier métro (Truffaut) ; 1981, Hôtel des Amériques (Téchiné) ; 1983, La bête noire (Chaput) ; 1984, Notre histoire (Blier) ; 1985, Max mon amour (Oshima) ; 1986, L'homme qui n'était pas là (Féret) ; 1987, La comédie du travail (Moullet) ; 1988, Les maris, les femmes, les amants (Thomas), Corps et biens (Jacquot) ; 1989, La campagne de Cicéron (Davila), Force majeure (Jolivet) ; 1990, La pagaille (Thomas) ; 2000, Meilleur espoir féminin (Jugnot) ; 2002, Les naufragés de la D17 (Moulet) ; 2004, Vipère au poing (de Broca) ; 2005, Peindre ou faire l'amour (Larrieu) ; 2006, De particulier à particulier (Cauvin).

Enfant de la balle, elle débute très jeune dans *Jules et Jim* puis dans des émissions de télévision. Après un bref passage en khâgne, elle partage son temps entre le théâtre (*Les trois sœurs...*) et le cinéma où elle joue les fausses ingénues. Elle a reçu en 1983 le prix Gérard-Philipe de la Ville de Paris.

Hauer, Rutger

Acteur hollandais né en 1944.

1969, Monsieur Hawarden (Kümel) ; 1973, Turkish Delights (Turkish délices) (Verhoeven), Repelstweltje (Kummel) ; 1975, Pusten Blume (Love torride/La môme au pissenlit) (Hoven), Konter bande (Vasen), The Wilby Conspiracy (Le vent de la violence) (Nelson), Das Amulet des Todes (Gregan), Cancer Rising (Curiel), La donneuse (Pallardy) ; 1976, Keetje Tippel (Verhoeven), Max Havelaar (Rademakers) ; 1977, Soldier of Orange (Verhoeven) ; 1978, Pastorale 43 (Verstappen), Mysteries (de Laussanet) ; 1979, Femme entre chien et loup (Delvaux), Jewel in the Deep (Van Erkel), Grijpstra & De Gier (Verstappen), Spetters (Spetters) (Verhoeven) ; 1980, Nighthawks (Les faucons de la nuit) (Malmuth), Chanel Solitaire (Kaczender) ; 1981, Blade Runner (Blade runner) (Scott) ; 1982, Eureka (Eureka) (Roeg), The Osterman week-end (Osterman week-end) (Peckinpah) ; 1983, A Breed Apart (Une race à part) (Mora), Ladyhawke (Ladyhawke, la femme de la nuit) (Donner) ; 1985, Flesh and Blood (La chair et le sang) (Verhoeven), Wanted : Dead or Alive (Mort ou vif) (Sherman) ; 1986, The Hitcher (Hitcher) (Harmon) ; 1988, La leggenda del Santo Bevitore (La légende du Saint Buveur) (Olmi), Bloodhounds of Broadway (Brookner) ; 1989, In una notte di chiaro di luna (Wertmuller), Ocean Point ; 1990, Salute of the Jugger (Le sang des héros) (Peoples), Blind Fury (Vengeance aveugle) (Noyce), Past Midnight (Eliasberg) ; 1991, Split Second (Maylam et Sharp), Wedlock (Teague) ; 1992, Voyage (Voyage) (Mackenzie), Blind Side (Angle mort) (Murphy), Beyond Justice (Tessari), Buffy the Vampire Slayer (Kuzui) ; 1993, Surviving the Game (Que la chasse commence !) (Dickerson), Arctic Blue (Masterson), Nostradamus (Christian) ; 1994, The Beans of Egypt, Maine (Warren), Blood of the Innocent (Misiorowski) ; 1995, Mariette in Ecstasy (Bailey), Precious Find (Mora) ; 1996, Crossworlds (Rau), Omega Doom (Pyun), The Call of the Wild (Svatek), Hemoglobin (Svatek), Blast (Pyun) ; 1997, Knockin' on Heaven's Door (Paradis Express) (Jahn), Hostile Waters (Péril en mer) (Drury) ; 1998, Bone Daddy (Azzopardi), Simon Magus (Simon le magicien) (B. Hopkins), Tactical Assault (Griffiths) ; 1999, New World Disorder (Spence), Partners in Crime (Warren) ; 2000, Wilder (Gibbons), Turbulence 3 (Montesi), Ignition (Olin) ; 2002, Confessions of a Dangerous Mind (Confessions d'un homme dangereux) (Clooney).

D'une étrange blondeur, il peut tout aussi bien être le « répliquant », adversaire d'Harrison Ford dans *Blade Runner*, que le présentateur de télévision fort ambigu d'*Osterman Week-End*. Il s'oriente de plus en plus vers le fantastique, semblant défier la mort (le reître de *La chair et le sang*, le héros maléfique de *The Hitcher*).

Hawke, Ethan

Acteur et réalisateur américain né en 1970.

1985, Explorers (Explorers) (Dante) ; 1989, Dead Poets Society (Le cercle des poètes disparus) (Weir), Dad (Mon père) (Goldberg) ; 1991, White Fang (Croc Blanc) (Kleiser), Mystery Date (Wacks), Midnight Clear (Gordon) ; 1992, Rich in Love (L'amour en trop) (Beresford), Waterland (Gyllenhaal) ; 1993, Alive (Les survivants) (Marshall) ; 1994, Reality Bites (Génération 90) (Stiller), Quiz Show (Quiz Show) (Redford), Floundering (McCarthy), White Fang II : Myth of the White Wolf (Les nouvelles aventures de Croc Blanc : Le mythe du loup) (Olin) ; 1995, Before Sunrise (Before Sunrise) (Linklater), Search and Destroy (Search & Destroy) (Salle) ; 1997, Great Expectations (De grandes espérances) (Cuaròn), Gattaca (Bienvenue à Gattaca) (Niccol), The Newton Boys (Linklater) ; 1998, The Velocity of Gary (Ireland), Snow Falling on Cedars (La neige tombait sur les cèdres) (Hicks) ; 1999, Hamlet (Hamlet) (Almereyda), Joe the King (Whaley) ; 2000, Tape (Linklater) ; 2001, Training Day (Fuqua). *Comme réalisateur :* 1994, Straight to One ; 2001, Chelsea Walls.

Découvert dans le très cartoonesque *Explorers* alors qu'il est encore adolescent, il consacre les années suivantes à une formation théâtrale qui le mène jusqu'en Angleterre. Héros de l'acclamé *Cercle des poètes disparus* et promu instantanément beau gosse de service, la suite se fait pourtant attendre. Seul face à Julie Delpy dans *Before Sunrise*, il y synthétise parfaitement les clichés du jeune Américain raffiné et romantique, sur lesquels il joue jusqu'à la nausée dans *De grandes espérances*. Il est enfin à la hauteur dans le sobre et intrigant *Bienvenue à Gattaca*, dont il épousa par ailleurs l'interprète principale, Uma Thurman. Il a été aussi l'Hamlet moderne d'Almereyda.

Hawkins, Jack

Acteur anglais, 1910-1973.

1932, Birds of Prey (Dean), The Lodger (Elvey), The Good Companions (Saville) ; 1933, The Lost Chord (Elvey), The Jewell (Denham), I Lived With You (Elvey), A Shot in the Dark (Pearson) ; 1934, Autumn Crocus (Dean), Death at Broadcasting House (Denham) ; 1935, Peg of Old Brury (Wilcox) ; 1937, The Frog (Raymond), Beauty and the Barge (Edwards) ; 1938, Who Goes Next ? (Elvey), A Royal Divorce (Raymond) ; 1939, Murder Will Out (Neill) ; 1940, The Flying Squad (L'escadre volante) (Brenon) ; 1941, Next of Kin (Le plus proche parent) (Dickinson) ; 1948, The Fallen Idol (Première désillusion) (Reed), Bonnie Prince Charlie (La grande révolte) (Kimmins) ; 1949, The Small Back Room (La mort apprivoisée) (Powell) ; 1950, The Clusive Pimpernel (Le chevalier de Londres) (Powell), The Black Rose (La rose noire) (Hathaway), State Secret (Secret d'État) (Gilliat) ; 1951, The Adventurers (McDonald), No High Way in the Sky (Le voyage fantastique) (Koster) ; 1952, Home at Seven (Richardson), Angels On Five (O'Ferrall), Mandy (Mackendrick), The Planter's Wife (La femme du planteur) (Annakin), Cruel Sea (La mer cruelle) (Frend) ; 1953, The Malta Story (Tonnerre sur Malte) (Hurst), The Intruder (Le visiteur nocturne) (Hamilton), Twice Upon a Time (Pressburger) ; 1954, Front Page Story (Parry), The Seekers (Moana fille des tropiques) (Annakin), Land of the Pharaons (La terre des pharaons) (Hawks), The Prisoner (L'emprisonné) (Glenville) ; 1955, Touch and Go (Ce que chat veut) (Truman), The Long Arm (S.O.S. Scotland Yard) (Frend) ; 1956, The Man in the Sky (Flammes dans le ciel) (Crichton) ; 1957, She Played With Fire (Le manoir du mystère) (Gilliat), The Bridge of River Kwai (Le pont de la rivière Kwaï) (Lean) ; 1958, Gideon's Day (Inspecteur de service) (Ford), The Two-Headed Spy (Chef de réseau) (Toth) ; 1959, Ben Hur (Wyler), The League of Gentlemen (Hold-up à Londres) (Dearden) ; 1960, Two Loves (Anna et les Maoris) (Walters) ; 1961, Lawrence of Arabia (Lawrence d'Arabie) (Lean) ; 1963, Rampage (Massacre pour un fauve) (Karlson), Zulu (Zoulou) (Enfield) ; 1964, The Third Secret (Crichton), Lord Jim (Brooks), Guns at Batasi (Les canons de Batasi) (Guillermin), Masquerade (Doubles masques et agents doubles) (Dearden) ; 1965, Judith (Mann), The Poppy Is also a Flower (Opération Opium) (Young) ; 1967, The Great Catherine (La grande Catherine) (Flemyng) ; 1968, Shalako (Dmytryk) ; 1969, Oh What A Lovely War ! (Ah ! Dieu que la guerre est jolie !) (Attenborough), Twinky (L'ange et le démon) (Donner), The Adventures of Gerard (Skolimowski), Monte-Carlo or Bust (Gonflés à bloc) (Annakin) ; 1970, Waterloo (Bondartchouck), Jane Eyre (Mann), The Beloved (Cosmatos) ; 1971, Kidnapped (Mann), When Eight Bells Toll (Commando pour un homme seul) (Périer), Nicholas and Alexandra (Nicolas et Alexandre) (Schaffner) ; 1972, Young Winston (Les griffes du lion) (Attenborough), Habricha el Hashemish (Évasion vers le soleil) (Golan), Theatre of Blood (Théâtre de sang) (Hickox) ; 1973, Tales That Witness Madness (Les contes de la terreur) (Francis).

Une longue carrière théâtrale. Au cinéma, peu de films importants avant 1942. Mobilisé ensuite, il ne fera sa rentrée qu'en 1948. Il tourne alors quelques succès internationaux qui lui valent une grande réputation : *Land of the Pharaons* par exemple, *Ben Hur* ou *Lawrence of Arabia*. Sa carrure massive lui assure habituellement des rôles d'homme fort : soldat ou gangster. Ses interprétations, sans génie, étaient aussi solides que sa personne.

Hawn, Goldie

Actrice américaine née en 1945.

1968, The One and Only Genuine Original Family Band (O'Herlihy) ; 1969, Cactus Flower (Fleur de cactus) (Saks) ; 1970, There's a Girl in my Soup (R. Boulting) ; 1971, Dollars (Brooks) ; 1972, Butterflies Are Free (Katselas) ; 1974, Sugarland Express (Spielberg), The Girl From Petrovka (R.E. Miller) ; 1975, Shampoo (Shampoo) (Ashby) ; 1976, The Duchess and the Dirtwater Fox (La duchesse et le truand) (Frank) ; 1978, Foul Play (Drôle d'embrouille) (Higgins) ; 1979, Viaggio con Anita (Voyage avec Anita) (Monicelli) ; 1980, Private Benjamin (Le bidasse) (Zieff), Seems Like Old

Times (Comme au bon vieux temps) (Jay Sandrich) ; 1982, Best Friends (Les meilleurs amis) (Jewison) ; 1983, Swing Shift (Demme) ; 1984, Protocol (Ross) ; 1986, Wildcats (Ritchie) ; 1987, Overboard (Marshall) ; 1990, Bird on a Wire (Comme un oiseau sur la branche) (Spottiswoode) ; 1991, Deceived (Trahie) (Harris), Crisscross (Menges) ; 1992, Housesitter (Fais comme chez toi) (Oz), Death Becomes Her (La mort vous va si bien) (Zemeckis) ; 1996, Everyone Says I Love You (Tout le monde dit « I love you ») (Allen), The First Wives Club (Le club des ex) (Wilson) ; 1998, The Out-of-Towners (Escapade à New York) (Weisman), Town and Country (Chelsom) ; 2002, The Banger Sisters (Sex fan des sixties) (Delman).

Cours de danse et d'art dramatique ; de brillantes prestations à la scène dans *Kiss Me Kate* et *Guys and Dolls*. Au cinéma, elle tient des emplois de jeune première fantaisiste sans qu'on puisse la voir vieillir entre 1968 et 1982. Mais que de mauvais films dans sa filmographie !

Hawthorne, Nigel
Acteur anglais, 1929-2001.

1972, Young Winston (Les griffes du lion) (Attenborough) ; 1975, The Hiding Place (Collier) ; 1978, Sweeney Todd (Clegg) ; 1981, Memoirs of a Survivor (Gladwell), History of the World part 1 (La folle histoire du monde) (Brooks), The Knowledge (Rosenthal) ; 1982, Gandhi (Gandhi) (Attenborough), Firefox (Firefox, l'arme absolue) (Eastwood), The World Cup : A Captain's Tale (Clegg) ; 1984, Le tartuffe (Depardieu) ; 1985, The Chain (Gold), Turtle Diary (Turtle) (Irvin), Dreamchild (Millar) ; 1989, En Handfull Tid (Anspaugh) ; 1990, King of the Wind (Duffell), Relatively Speaking (Simpson) ; 1993, Demolition Man (Demolition Man) (Brambilla) ; 1994, The Madness of King George (La folie du roi George) (Hytner) ; 1995, Richard III (Richard III) (Loncraine), Inside (Inside) (A. Penn) ; 1997, Murder in Mind (Morahan), Amistad (Amistad) (Spielberg), Madeline (Madeline) (Von Sherler Mayer), The Object of My Affection (L'objet de mon affection) (Hytner), At Satchem Farm (La ferme) (Huddles) ; 1998, The Winslow Boy (L'honneur des Winslow) (Mamet), The Big Brass Ring (Hickenlooper) ; 1999, The Clandestine Marriage (Miles), A Reasonable Man (Hood).

C'est à l'âge de soixante-six ans qu'il devient mondialement célèbre grâce à sa formidable interprétation de George III dans *La folie du roi George*, un rôle qu'il tenait initialement au théâtre. Auparavant, très peu de cinéma, mais surtout de la télévision où plusieurs séries à succès l'avaient rendu très populaire en Grande-Bretagne.

Hayakawa, Sessue
Acteur japonais, de son vrai prénom Kintaro, 1889-1973.

1914, The Typhoon (L'honneur japonais) (Ince), The Wrath of the Gods (La colère des dieux) (Ince), The Last of the Line, The Vigil, The Ambassador's Envoy ; 1915, The Cheat (Forfaiture) (DeMille), The Clue, The Secret Sin, After Five ; 1916, Honorable Friend (Ince), Alien Souls (Ames d'étrangers) (Ince), The Soul of Kura-San, Temptation (Ince) ; 1917, Hashimure Togo (Hara-kiri) (Ince), The Forbidden Paths (Ince), The Call of the East (Œil pour œil) (Ince), The Jaguar's Claw (El Jaguar) (Ince), The Debt, The Bottle Imp (La bouteille enchantée) (Ince), The Secret Game (Félonie) (Ince) ; 1918, Hidden Pearls (La blessure qui sauve) (Ince), The City of Dim Faces (La voix du sang), The Bravant Way (Le sacrifice de Tamura) (Ince), The Temple of Dusk (Le temple du crépuscule) (Wathington), His Birthright (Fils d'amiral) (Wathington) ; 1919, The Tong Man (Le lotus d'or) (Wathington), His Debt, The Dragon Painter, Courageous Coward (Le sacrifice de Soto) (Wathington), The Honor of His House, White Man's Law, The Man Beneath (Ame hindoue) (Wathington), A Heart on Pawn (Amour de geisha) ; 1920, Li-Ting-Lang (Swickard), Devil's Claim, An Arabian Knight (Prince d'Orient), The Brand of Lopez, The Beggar Prince ; 1921, The Black Roses (Campbell), Where Lights Are Low (Campbell), The Swamp (Campbell), The First Born (Campbell) ; 1922, The Vermilion Pencil (N. Dwan), Five Days to Live (N. Dwan) ; 1923, La bataille (Violet) ; 1924, J'ai tué (Lion) ; 1924, The Great Prince Shan (Coleby) ; 1931, Daughter of the Dragon (Corrigan) ; 1937, Yoshiwara (Ophuls), Die Tochter des Samurai (Franck) ; 1938, Forfaiture (L'Herbier), Tempête sur l'Asie (Oswald) ; 1939, Macao (Delannoy) ; 1941, Patrouille blanche (Chamborant) ; 1942, Malaria (Gourguet) ; 1943, Tornavara (Dréville), Le soleil de minuit (Bernard Roland) ; 1946, Le cabaret du Grand Large (Jayet), Quartier chinois (Sti) ; 1949, Tokyo Joe (Heisler) ; 1950, Les misérables (Ito), Three Game Home (Captives à Bornéo) (Negulesco) ; 1955, House of Bambou (Maison de bambou) (Fuller) ; 1957, The Bridge on the River Kwai (Le pont de la rivière Kwaï) (Lean) ; 1959, Green Mansions (Vertes demeures) (Ferer) ; 1960, The Swiss Family Robinson (Ludwig),

The Geisha Boy (Le kid en kimono) (Tashlin), Hell to Eternity (Saipan) (Karlson) ; 1962, The Big Wave (Danielewski) ; 1966, The Daydreamer (Bass).

Voué, de *The Typhoon* au *Pont de la rivière Kwaï* en passant par les deux versions de *Forfaiture*, aux États-Unis, en Angleterre, en France ou dans sa patrie, aux rôles de Japonais prisonniers d'un strict code de l'honneur avec sanction par hara-kiri. Il valait mieux que ces personnages monolithiques. Dans *Le pont de la rivière Kwaï*, il traduit bien l'évolution de l'officier japonais face à l'entêtement de Guinness.

Hayden, Sterling

Acteur américain, 1916-1986.

1941, Virginia (E. Griffith), Bahama Passage (E. Griffith) ; 1947, Variety Girl (Marshall), Blaze of Noon (Farrow) ; 1949, El Paso (Foster), Manhandled (Foster) ; 1950, The Asphalt Jungle (Quand la ville dort) (Huston) ; 1951, Journey into Light (Heisler), Flaming Feather (Flèches brûlées) (Enright) ; 1952, Hellgate (Warren), Denver and Rio Grande (Les rivaux du rail) (Haskin), Flat Top (Selander), The Golden Hawk (Salkow) ; 1953, The Star (Heisler), Kansas Pacific (Nazarro), Take Me to Town (Sirk), So Big (Wise), Fighter Attack (Selander) ; 1954, The City Is Dark (ou Crime Wave) (Chasse au gang) (De Toth), Arrow in the Dust (Le défi des flèches) (Selander), Prince Valiant (Prince Vaillant) (Hathaway), Johnny Guitar (Ray), Naked Alibi (Alibi meurtrier) (Hopper), Suddenly (Je dois tuer) (L. Allen) ; 1955, Battle Taxi (Strock), Shotgun (Amour fleur sauvage) (Selander), The Eternal Sea (Auer), Timberjack (Kane), Top Gun (Nazarro), The Last Command (Quand le clairon sonnera) (Lloyd) ; 1956, The Come On (Birdwell), The Killing (Ultime razzia) (Kubrick) ; 1957, Five Steps to Danger (Kesler), Crime of Passion (Oswald), Valerie (Oswald), The Iron Sherif (Salkow), Gun Battle at Monterey (S. Franklin Jr.), Zero Hour (A l'heure zéro) (Bartlett) ; 1958, Terror in a Texas Town (Lewis), Ten Days to Tulara (G. Sherman) ; 1964, Dr. Strangelove (Dr. Folamour) (Kubrick) ; 1969, Sweet Hunters (Doux chasseurs) (Guerra) ; 1970, Loving (Kershner) ; 1971, Le saut de l'ange (Boisset) ; 1972, The Godfather (Le parrain) (Coppola) ; 1973, The Long Goodbye (Le privé) (Altman) ; 1974, The Final Programme (Les décimales du futur) (Fuest), Deadly Strangers (Hayers) ; 1976, Novecento (1900) (Bertolucci) ; 1977, Winter Kills (Richert) ; 1978, King of the Gipsies (Le roi des gitans) (Pierson) ; 1980, The Outsider (Lurashi), 9 to 5 (Comment se débarrasser de son patron) (Higgins) ; 1981, Possession (Zulawski), Charlie Chan and the Curse of the Dragon Queen (Donner), Venom (Venin) (Haggard).

Il n'a jamais pris très au sérieux sa carrière cinématographique, cet ancien capitaine de navire qui fit la guerre dans la marine avant de reprendre le chemin d'Hollywood où il avait débuté en 1941. Dans *Wanderer*, son autobiographie, il renie la plupart de ses films. Il fut pourtant admirable dans *The Asphalt Jungle* et sa mort à la fin du film était particulièrement émouvante. On l'aime dans *The Killing*, géant meurtri et vulnérable. Et comment oublier le policier désabusé de *The City Is Dark*, mâchonnant un cure-dents, le tabac lui étant interdit, mais finalement s'accordant la récompense d'une cigarette cassée dans la dernière séquence du film ? S'il sut échapper au maccarthysme, il n'en rompit pas moins avec Hollywood en 1958, dégoûté par les producteurs, pour refaire surface en 1969 (on le vit toutefois en 1964 en général anticommuniste dans *Dr. Strangelove*) et commencer une nouvelle carrière, en Europe principalement, mais sans dédaigner les « grands » de l'Amérique : Altman et Coppola.

Haydn, Richard

Acteur et réalisateur anglais, 1905-1985.

1941, Charley's Aunt (Mayo), Ball of Fire (Boule de feu) (Hawks) ; 1942, Are Husbands Necessary ? (Taurog), Thunder Birds (Wellman) ; 1943, Forever and a Day (Lloyd, Clair...), No Time for Love (Leisen) ; 1945, Tonight and Every Night (Saville), And Then There Were None (Les dix petits Indiens) (Clair), Adventure (Fleming) ; 1946, Cluny Brown (La folle ingénue) (Lubitsch), The Green Years (Les vertes années) (Saville) ; 1947, The Late George Appley (Mankiewicz), The Beginning or the End ? (Gordon), Singapore (Singapour) (Brahm), Forever Amber (Ambre) (Preminger), The Foxes of Harrow (La fière créole) (Stahl) ; 1948, Sitting Pretty (Lang), Miss Tatlock's Millions (Haydn), The Emperor Waltz (La valse de l'empereur) (Wilder) ; 1949, Dear Wife (Haydn) ; 1950, Mr. Music (Haydn) ; 1952, The Merry Widow (La veuve joyeuse) (Bernhardt) ; 1953, Never Let Me Go (Daves), Money from Home (Marshall) ; 1954, Her Twelve Men (Leonard) ; 1955, Jupiter's Darling (La chérie de Jupiter) (Sidney) ; 1956, Toy Tiger (Hopper) ; 1958, Twilight for the Gods (Crépuscule sur l'Océan) (Pevney) ; 1960, Please Don't Eat the Daisies (Ne mangez pas les marguerites) (Walters), The Lost World (Le monde perdu) (I. Allen) ; 1962, Mutiny on the Bounty (Les révoltés du Bounty) (Milestone), Five Weeks in a Balloon (Cinq semaines en ballon) (I. Allen) ; 1964, The Sound of Music (La mélodie du bonheur) (Wise), Clarence the Cross-Eyed Lion (Marton), The Adventures of Bullwhip Griffin (Neilson) ; 1974, Young Frankenstein (Frankenstein Junior) (Brooks). *Pour le metteur en scène*, voir le *Dictionnaire du cinéma*, t. I : *Les réalisateurs*.

Maigre, grand, voûté, ce transfuge du music-hall, où il fut danseur et meneur de revues, a joué les comiques dans de nombreux films musicaux de Sidney, Walters ou Wise et parfois les chefs de la police *(Singapore)*. On connaît mal le réalisateur qui rencontra pourtant un grand succès avec *Mr. Music*.

Hayek, Salma

Actrice mexicaine née en 1966.

1993, Mi vida loca (Mi vida loca) (Anders) ; 1995, Four Rooms (Anders, Tarantino, Rockwell, Rodriguez), El callejón de los milagros (Fons), Desperado (Desperado) (Rodriguez), Fair Game (Fair Game) (Sipes) ; 1996, From Dusk Till Dawn (Une nuit en enfer) (Rodriguez), Fled (Liens d'acier) (Hooks) ; 1997, ¿ Quién diablos es Juliette ? (Cuba mon amour) (Marcovich), Fools Rush In (Coup de foudre et conséquences) (Tennant), Breaking Up (Breaking Up) (Greenwald) ; 1998, The Velocity of Gary (Ireland), The Faculty (The Faculty) (Rodriguez), 54 (Studio 54) (Christopher), Dogma (Dogma) (Smith), Wild Wild West (Wild Wild West) (Sonnenfeld) ; 1999, El coronel no tiene quien lo escriba (Pas de lettre pour le colonel) (Ripstein), Chain of Fools (Traktor) ; 2000, La gran vida (Cuadri), Traffic (Traffic) (Soderbergh), Timecode (Timecode) (Figgis) ; 2001, Hotel (Figgis), Frida (Frida) (Taymor) ; 2003, Once Upon a Time in Mexico (Desperado 2) (Rodriguez) ; 2005, Bandidas (Bandidas) (Roenning et Sandberg) ; 2006, Ask the Dust (Demande à la poussière) (Towne).

Héroïne d'une sitcom ultrapopulaire au Mexique, cette superbe créature émigre bientôt aux États-Unis où son rôle de strip-teaseuse vampiresque dans *Une nuit en enfer* lui ouvre les portes de la gloire hollywoodienne. Elle devient du coup la première actrice mexicaine à accéder à ce statut depuis Dolores Del Rio. Mais c'est le personnage de Frida Kahlo – un film qu'elle produit – qui en fait une vedette internationale.

Hayes, George Gabby

Acteur américain, 1885-1969.

1929, The Rainbow Man, Smiling Irish Eyes, Big News ; 1930, For the Defense. *À partir de 1931, plus de deux cents westerns dont :* 1932, Klondike (Rosen) ; 1933, Sagebrush Trail (Schaefer), The Ranger's Code (Bradbury), The Fighting Texans (Schaefer) ; 1934, In Old Santa Fe (Howard), Randy Rides Again (Fraser) ; 1935, Hopalong Cassidy (Bretherton) ; 1936, The Plainsman (Une aventure de Buffalo Bill) (DeMille), Texas Rangers (La légion des damnés) (Vidor), Hopalong Cassidy Returns (Watt), Mr. Deeds Goes to Town (L'extravagant M. Deeds) (Capra) ; 1937, Hopalong Rides Again (Selander) ; 1938, Bar 20 Justice (Selander) ; 1939, Let Freedom Ring (Le flambeau de la liberté) (Conway) ; 1940, Dark Command (L'escadron noir) (Walsh) ; 1941, Robin Hood of the Pecos (Kane) ; 1943, Hoppy Serves a Writ (Archainbaud) ; 1945, The Big Bonanza (Archainbaud) ; 1947, Trail Street (Du sang sur la piste) (Enright), Wyoming (Kane) ; 1948, Albuquerque (La descente infernale) (Enright), The Return of the Bad Men (Far West 89) (Enright) ; 1949, El Paso (El Paso ville sans loi) (L. Foster) ; 1950, The Cariboo Trail (Marin).

Fidèle compagnon d'Hopalong Cassidy, grommelant dans sa barbe, crachant et chiquant, il a joué les comiques dans un nombre impressionnant de westerns de série Z qu'il n'a pas paru utile de recenser complètement.

Hayward, Louis

Acteur sud-africain, 1909-1985.

1932, Self-Made Lady (G. King) ; 1933, The Thirteenth Candle (Daumery), The Man Outside (G. Cooper), I'll Stick to You (Hiscott), Chelsea Life (S. Morgan), Sorell and Son (Raymond) ; 1934, The Love Test (M. Powell) ; 1935, The Flame Within (Goulding), A Feather in Her Hat (Santell) ; 1936, Absolute Quiet (Seitz), Trouble for Two (Ruben), Anthony Adverse (Anthony Adverse) (LeRoy), The Luckiest Girl in the World (Buzzell) ; 1937, The Woman I Love (Litvak) ; 1938, Midnight Intruder (Lubin), The Rage of Paris (La coqueluche de Paris) (Koster), The Saint in New York (Ben Holmes), Condemned Women (Landers), The Duke of West Point (Le duc de West Point) (Green) ; 1939, The Man with Iron Mask (L'homme au masque de fer) (Whale) ; 1940, My Son, My Son (Ch. Vidor), Dance, Girl, Dance (Arzner), Son of Monte Cristo (Le fils de Monte-Christo) (Lee) ; 1941, Ladies in Retirement (Ch. Vidor) ; 1942, The Magnificent Ambersons (La splendeur des Ambersons) (Welles) ; 1945, And Then There

Were None (Dix petits Indiens) (Clair) ; 1946, Young Widow (Marin), The Strange Woman (Le démon de la chair) (Ulmer), The Return of Monte Cristo (Le retour de Monte Christo) (Levin) ; 1947, Repeat Performance (Werker) ; 1948, Ruthless (L'impitoyable) (Ulmer), The Black Arrow (La flèche noire) (Douglas), Walk a Crooked Mile (La grande menace) (Douglas) ; 1949, The Pirates of Capri (Ulmer), The House by the River (Lang) ; 1950, The Fortunes of Captain Blood (Les nouvelles aventures du capitaine Blood) (Douglas) ; 1951, The Lady and the Bandit (R. Murphy), Son of Doctore Jeckyll (S. Friedman) ; 1952, Lady in the Iron Mask (R. Murphy), Captain Pirate (Murphy) ; 1953, The Saint's Return (ou The Saint's Girl Friday) (Friedman), Royal African Riffles (Selander) ; 1954, Duffy of San Quentin (Doniger) ; 1956, The Search for Bridey Murphy (Langley) ; 1967, Chuka (Chuka) (Douglas), The Christmas Kid (Pink) ; 1969, The Phynx (Katzin) ; 1973, Terror in the Wax Museum (Fenady).

Né en Afrique du Sud, il débute dans les studios londoniens avant de passer à Hollywood. Il y sera avec grand succès le Saint, le héros des romans policiers de Charteris, puis semblera prendre la succession de Flynn dans plusieurs films de cape et d'épée, dont un *Capitaine Blood*, où il ferraille un peu trop mollement. Il fut le mari d'Ida Lupino entre 1939 et 1945.

Hayward, Susan

Actrice américaine, de son vrai nom Edythe Mariner, 1918-1975.

1938, Girls on Probation (McGann) ; 1939, Beau Geste (Beau Geste) (Wellman), Our Leading Citizen (Santell), 1 000 Dollars a Touchdown (Hogan) ; 1941, Adam Had Four Sons (Ratoff), Sis Hopkins (Santley), Among the Living (Heisler) ; 1942, Forest Rangers (La fille de la forêt) (Marshall), Reap the Wild Wind (Les naufrageurs des mers du Sud) (DeMille), I Married a Witch (J'ai épousé une sorcière) (Clair), Star Spangled Rhythm (Place au rythme) (Marshall) ; 1943, Hit Parade of 1943 (Rogell), Young and Willing (E. Griffith), Jack London (Santell) ; 1944, The Fighting Seabees (Les marines attaquent) (Ludwig), The Hairy Ape (Santell), And Now Tomorrow (Le bonheur est pour demain) ; 1946, Deadline at Dawn (H. Clurman), Canyon Passage (Le passage du canyon) (Tourneur) ; 1947, Smash Up (Une vie perdue) (Heisler), The Lost Moment (Gabel), They Won't Believe Me (Pichel) ; 1948, Tap Roots (Le sang de la terre) (Marshall), The Saxon Charm (Binyon) ; 1949, Tulsa (Heisler), House of Strangers (La maison des étrangers) (Mankiewicz), My Foolish Heart (Robson) ; 1951, I'd Climb the Highest Mountain (King), Rawhide (L'attaque de la malle poste) (Hathaway), I Can Get It for You Wholesale (M. Gordon), David and Bathsheba (David et Bethsabée) (King) ; 1952, With a Song in My Heart (W. Lang), The Snows of Kilimanjaro (Les neiges du Kilimandjaro) (King), The Lusty Men (Les indomptables) (Ray) ; 1953, The President's Lady (Sa seule passion) (Levin), White Witch Doctor (La sorcière blanche) (Hathaway) ; 1954, Demetrius and the Gladiators (Les gladiateurs) (Daves), Garden of Evil (Le jardin du diable) (Hathaway) ; 1955, Untamed (Quand soufflera la tempête) (King), Soldier of Fortune (Le rendez-vous de Hong Kong) (Dmytryk) ; 1956, I'll Cry Tomorrow (Une femme en enfer) (D. Mann), The Conqueror (Le conquérant) (D. Powell) ; 1957, Top Secret Affair (Potter) ; 1958, I Want to Live (Je veux vivre) (Wise) ; 1959, Thunder in the Sun (La caravane vers le soleil) (Rouse), Woman Obsessed (La ferme des hommes brûlés) (Hathaway), The Marriage-Go-Round (W. Lang) ; 1961, Ada (D. Mann), Back Street (Histoire d'un amour) (D. Miller) ; 1962, I Thank a Fool (Choc en retour) (R. Stevens) ; 1963, Stolen Hours (Petrie) ; 1964, Where Love Has Gone (Rivalité) (Dmytryk) ; 1967, The Honey Pot (Guêpier pour trois abeilles) (Mankiewicz), Valley of the Dolls (La vallée des poupées) (Robson) ; 1971, The Revengers (La poursuite sauvage) (D. Mann).

Elle arrive à Hollywood en 1937 à la demande de Selznick qui cherche une interprète pour *Autant en emporte le vent*. Après un test, elle n'est pas retenue ; mais sans se décourager elle suit des cours. Bref passage à la Warner. Elle est finalement engagée par la Paramount et se voit lancée par *Beau Geste*. Elle conquiert peu à peu ses galons de star. Dans les années 50, elle est à son apogée ; Hathaway, King (elle est admirable dans *Les neiges du Kilimandjaro*) et bien d'autres la dirigent. Elle gagne un oscar en 1958 pour *Je veux vivre*. Mais une vie sentimentale orageuse puis une tumeur au cerveau précipitent son déclin.

Hayworth, Rita

Actrice américaine, de son vrai nom Cansino, 1918-1987.

1935, Dante's Inferno (Lachman), Under the Pampas Moon (Tinling), Charlie Chan in Egypt (King), Paddy O'Day (Seiler) ; 1936, Human Cargo (Dwan), Rebellion (Shores), Meet Nero Wolfe (Biberman) ; 1937, Trouble in Texas (Bradbury), Old Louisiana (Willat), Criminal of the Air (Coleman Jr.), Girls Can Play (Hillyer), The Game that Kills (Lederman), The Shadow (Coleman Jr.), Paid to Dance (Coleman Jr.) ; 1938, Who Killed Gail Preston ? (Barsha), Juvenile Court (Lederman) ; 1939, The Lone Wolf Spy Hunt (Godfrey), The Renegade Ranger (D. Howard), Homicide Bureau (Coleman Jr.), Only Angels Have Wings (Seuls les anges ont des ailes) (Hawks), Special Inspector (Barsha) ; 1940, Music in My Heart (J. Stanley), Blondie on a Budget (Strayer), Susan and God (Cukor), Angels over Broadway (L'ange de Broadway) (Ben Hecht), The Lady in Question (Ch. Vidor) ; 1941, Strawberry Blonde (Walsh), Affectionately Yours (Bacon), Blood and Sand (Arènes sanglantes) (Mamoulian), You'll Never Get Rich (L'amour vient en dansant) (Lanfield) ; 1942, My Pal Sal (Cummings), Tales of Manhattan (Six destins) (Duvivier), You Were Never Lovelier (Oh toi, ma charmante) (Seiler) ; 1944, Cover Girl (La reine de Broadway) (Ch. Vidor) ; 1945, To Night and Every Night (Saville) ; 1946, Gilda (Ch. Vidor) ; 1947, Down to Earth (L'étoile des étoiles) (Hall), The Lady From Shanghai (La dame de Shanghai) (Welles) ; 1948, The Loves of Carmen (Les amours de Carmen) (Ch. Vidor) ; 1952, Affair in Trinidad (L'affaire de Trinidad) (V. Sherman) ; 1953, Salome (Salomé) (Dieterle), Miss Sadie Thompson (La belle du Pacifique) (Bernhardt) ; 1957, Fire Down Below (L'enfer des tropiques) (Parrish), Pal Joey (La blonde ou la rousse) (Sidney) ; 1958, Separate Tables (Tables séparées) (Mann) ; 1959, They Came to Cordura (Ceux de Cordura) (Rossen) ; 1960, The Story on Page One (Du sang en première page) (Odets) ; 1962, The Happy Thieves (Les joyeux voleurs) (Marshall) ; 1964, Circus World (Le plus grand cirque du monde) (Hathaway) ; 1966, The Money Trap (Piège au grisbi) (Kennedy), The Poppy Is Also a Flower (Opération opium) (T. Young) ; 1967, The Rover (Peyrol le boucanier) (Young) ; 1968, I bastardi (Le bâtard) (Tessari) ; 1971, La route de Salina (Lautner), The Naked 200 (Grefe) ; 1972, The Wrath of God (La colère de Dieu) (Nelson) ; 1976, Circle (A.A. Seidelman).

Symbole de la bombe atomique, cette bombe de chair, admirable rousse, d'origine espagnole qui vint au cinéma par la danse (un numéro dans *Dante's Inferno*), restera pour les cinéphiles « Gilda » (elle enlevait, dans le film de ce nom, un long gant noir en un geste profondément érotique) et la « dame de Shanghai » que Welles abandonnait, mortellement blessée, dans une galerie des glaces, à la suite d'un extraordinaire règlement de comptes. C'est en 1937 qu'elle avait pris le nom de Rita Hayworth. Sa popularité lui vint des soldats américains et de son mariage avec Orson Welles en 1943, plus que de son talent de comédienne. Mais elle chantait bien et dansait mieux encore ; sa beauté fit le reste. Une beauté qui a sombré par la suite dans l'alcool. Il ne reste aujourd'hui que le souvenir de « l'étoile des étoiles » comme la baptisait dans sa version française un film d'Alexander Hall.

Haze, Jonathan

Acteur américain né en 1929.

Principaux films : 1955, Five Guns West (Cinq fusils à l'Ouest) (Corman), The Apache Woman (Corman), The Day the World Ended (Corman) ; 1956, It Conquered the World (Corman), The Oklahoma Woman (Corman), The Gunslinger (Corman), Not of This Earth (Corman) ; 1957, Naked Paradise (Corman), Rock All Night (Corman), The Vicking Women and the Sea Serpent (Corman) ; 1958, Teenage Caveman (Corman), The Little Shop of Horrors (La petite boutique des horreurs) (Corman) ; 1978, Piranha (Piranha) (Dante) ; 1982, Vice Squad (Sherman) ; 1983, The Twilight Zone (La quatrième dimension) (Landis).

Il fut un acteur fétiche pour Corman même s'il n'obtint la vedette que pour *The Little Shop of Horrors*. Maigre, le regard halluciné, le cheveu gras, il est un peu le « John Carradine du pauvre ». Des petits rôles (il est impossible de tous les recenser) mais auxquels il donne une dimension inquiétante. Qu'il apparaisse dans un film et s'installe le cauchemar.

Heche, Anne

Actrice américaine née en 1969.

1993, An Ambush of Ghosts (Lewis), The Adventures of Huck Finn (Les aventures de Huckleberry Finn) (Sommers) ; 1994, A Simple Twist of Fate (McKinnon), Milk Money (La surprise) (Benjamin), I'll Do anything (Brooks) ; 1995, The Wild Side (Cammell), Pie in the Sky (Gordon) ; 1996, Walking and Talking (Walking and Talking) (Holofcener), The Juror (La jurée) (Gibson), Donnie Brasco (Donnie Brasco) (Newell) ; 1997, Volcano (Volcano) (Jackson), I Know What You Did Last Summer (Souviens-toi... l'été dernier) (Gillespie), Wag the Dog (Des hommes d'influence) (Levinson) ; 1998, Six Days, Seven Nights (6 jours, 7 nuits) (Reitman), Return to Paradise (Loin du paradis) (Reuben), Psycho (Psychose) (Van Sant) ; 1999, The Third Miracle (Holland), Auggie Rose (Tabak), Prozac Nation (Skjoldbjærg) ; 2001, John Q (N. Cassavetes).

Charmante blondinette découverte en épouse délaissée de Johnny Depp dans *Donnie Brasco*. Longtemps plus connue pour ses amours saphiques que pour ses talents de comédienne, elle se bat pour obtenir le rôle principal de *6 jours, 7 nuits* : le réalisateur Ivan Reitman avait peur qu'elle soit trop peu crédible dans les bras musclés d'Harrison Ford ! Sympa, Hollywood...

Hedaya, Dan

Acteur américain né en 1940.

1979, The Seduction of Joe Tynan (La vie privée d'un sénateur) (Schatzberg) ; 1980, Night of the Juggler (New York connection) (Butler) ; 1981, True Confessions (Sanglantes confessions) (Grosbard) ; 1982, I'm Dancing As Fast As I Can (Hofsiss), Endangered Species (Rudolph) ; 1983, The Hunger (Les prédateurs) (T. Scott) ; 1984, Blood Simple (Sang pour sang) (Coen), Reckless (Comme un chien enragé) (Foley), Tightrope (La corde raide) (Eastwood), The Adventures of Buckaroo Banzai Across the Eighth Dimension (Les aventures de Buckaroo Banzai dans la huitième dimension) (Richter) ; 1985, Commando (Commando) (Sharp) ; 1986, Wise Guys (De Palma), Running Scared (Deux flics à Chicago) (Hyams) ; 1990, Joe Versus the Volcano (Joe contre le volcan) (Shanley), Tune in Tomorrow.../Aunt Julia and the Scriptwriter (Tante Julia et le scribouillard) (Amiel), Pacific Heights (Fenêtre sur Pacifique) (Schlesinger) ; 1991, The Addams Family (La famille Addams) (Sonnenfeld) ; 1993, Searching for Bobby Fischer (Zaillian), Rookie of the Year (Stern), Mr. Wonderful (Minghella), Boiling Point (L'extrême limite) (Harris), Benny & Joon (Benny & Joon) (Chechik), For Love or Money/The Concierge (Le concierge du Bradbury) (Sonnenfeld) ; 1994, Maverick (Maverick) (Donner) ; 1995, To Die For (Prête à tout) (Van Sant) ; 1995, Search and Destroy (Search & Destroy) (Salle), The Usual Suspects (Usual Suspects) (Singer), Clueless (Clueless) (Heckerling), Nixon (Nixon) (Stone) ; 1996, The First Wives Club (Le club des ex) (Wilson), Freeway (Freeway) (Bright), Ransom (La rançon) (Howard), Daylight (Daylight) (Cohen), Marvin's Room (Simples secrets) (Saks) ; 1997, In & Out (In & Out) (Oz), Alien Resurrection (Alien, la résurrection) (Jeunet), The Second Civil War (The Second Civil War) (Dante), A Life Less Ordinary (Une vie moins ordinaire) (Boyle) ; 1998, The Extreme Adventures of Super Dave (McDonald), A Civil Action (Préjudice) (Zaillian), Dick (Dick, les coulisses de la présidence) (Fleming), A Night at the Roxbury (Une nuit au Roxbury) (Fortenberry) ; 1999, The Hurricane (Hurricane Carter) (Jewison), The Crew (Dinner) ; 2000, Shaft (Shaft) (Singleton).

Venu du théâtre new-yorkais, c'est l'acteur de composition par excellence. Dans le registre italo-américain bourru, harangueur et dominateur, il est absolument extraordinaire, et les meilleurs réalisateurs se l'arrachent pour des rôles de présidents, de chefs de police, de ministres, de commandants, d'avocats arrivistes, etc. Rompu à tous les genres, il est une figure incontournable du cinéma américain, même si sans doute définitivement relégué aux seconds rôles.

Hedren, Tippi

Actrice américaine, de son vrai prénom Nathalie, née en 1935.

1950, The Pretty Girl (Levin) ; 1963, The Birds (Les oiseaux) (Hitchcock) ; 1964, Marnie (Pas de printemps pour Marnie) (Hitchcock) ; 1965, Satan's Harvest (Stone) ; 1967, A Countess from Hong Kong (La comtesse de Hong Kong) (Chaplin) ; 1968, Tiger by the Tail (Springsteen) ; 1973, The Harrad Experiment (Post), Mr. Kingstreet's War (Rubens) ; 1975, Adonde (Siro) ; 1980, Roar (Roar) (Marshall) ; 1982, Foxfire Light (Baron) ; 1989, In the Cold of the Night (Mastorakis), Deadly Spygames (Sell) ; 1990, Pacific Heights (Fenêtre sur Pacifique) (Schlesinger) ; 1994, Inevitable Grace (Canawati), Teresa's Tattoo (Cypher) ; 1995, Citizen Ruth (Payne) ; 1996, Mind Lies (Michaels) ; 1998, I Woke Up Early the Day I Died (Iliopoulos), The Breakup (Marcus), Internet Love (Schmidt) ; 1999, The Storytellers (Hickox), The Hand Behind the Mouse : The Ub Iwerks Story (Iwerks).

Invention de ce farceur d'Hitchcock.

Heflin, Van

Acteur américain, de son vrai nom Emmet Evan Heflin Jr., 1910-1971.

1936, A Woman Rebels (La rebelle) (Sandrich) ; 1937, The Outcasts of Poker Flats (Cabanne), Flight from Glory (Landers), Annapolis Salute (Cabanne), Saturday's Hero (E. Killy) ; 1940, Santa Fe Trail (La piste de Santa Fe) (Curtiz) ; 1941, Johnny Eager (Johnny roi des gangsters) (LeRoy), The Feminine Touch (Van Dyke), H.M. Pulham Esq. (Vidor) ; 1942, Kid Glove Killer (Zinnemann), Grand Central Murder (Simon), Seven Sweethearts (Borzage), Tennessee Johnson (Dieterle) ; 1943, Presenting Lily Mars (Taurog) ; 1946, Till the Clouds Roll By (La pluie qui chante) (Whorf), The Strange Love of Martha Ivers (L'emprise du crime) (Milestone) ; 1947, Possessed (La possédée) (Bernhardt), Green Dolphin Street (Saville) ; 1948, B.F.'s Daughter (Leonard), Tap Roots (Le sang de la terre) (Marshall), The Three Musketeers (Les trois mousquetaires) (Sidney), Act of Violence (Acte de violence) (Zinnemann) ; 1949, Madame Bovary (Madame Bovary) (Minnelli) ; 1950, East Side, West Side (Ville haute, ville basse) (Le Roy) ; 1951, Tomahawk (Tomahawk) (G. Sherman), The Prowler (Le rôdeur) (Losey), Week-end with Father (Sirk) ; 1952, My Son John (McCarey), The Golden Mask (Steel) ; 1953, Shane (L'homme des vallées perdues) (Stevens), Wings of the Hawk (Révolte au Mexique) (Boetticher) ; 1954, Tanganyka (De Toth), The Raid (Fregonese), Woman's World (Les femmes mènent le monde) (Negulesco), The Black Widow (La veuve noire) (Johnson) ; 1955, Battle Cry (Le cri de la victoire) (Walsh), Count Three and Pray (G. Sherman) ; 1956, Patterns (F. Cook) ; 1957, 3 : 10 to Yuma (Trois heures dix pour Yuma) (Daves) ; 1958, La tempesta (La tempête) (Lattuada), Gunman's Walk (Le salaire de la violence) (Karlson) ; 1959, They Came to Cordura (Ceux de Cordura) (Rossen) ; 1960, Five Branded Women (Cinq femmes marquées) (Ritt), Sotto dieci bandiere (Sous dix drapeaux) (Coletti), Il relitto (L'épave) (Cacoyannis) ; 1963, Cry of Battle (Une femme dans la bataille) (Lerner), The Greatest Story Ever Told (La plus grande histoire jamais contée) (Stevens) ; 1965, Once a Thief (Les tueurs de San Francisco) (Nelson) ; 1966, Stagecoach (La diligence vers l'Ouest) (Douglas) ; 1967, The Man Outside (Gallu) ; 1968, Ognuno per se (Capitani) ; 1970, Airport (Seaton), The Big Bounce (A. March).

Rarement considéré comme une star parce que ses meilleurs rôles ont été ceux de fermiers un peu balourds mais pleins de bon sens (*Shane*) et héroïques (*Trois heures dix pour Yuma*). Minnelli en fit un remarquable Charles Bovary dans son adaptation du roman de Flaubert. Sobre, mais avec quelques éclats dans le regard, cet excellent acteur de théâtre reçut un oscar du meilleur second rôle pour *Johnny Eager*. Un symbole. Mais aussi une injustice. Heflin est mort sans avoir reçu l'oscar des stars.

Helm, Brigitte

Actrice allemande, de son vrai nom Gisele Schittenhelm, 1906-1996.

1926, Metropolis (Lang) ; 1927, Alraune (La mandragore) (Galeen), Am Rande der Welt (Au bout du monde) (Grune), Die Liebe der Jeanne Ney (L'amour de Jeanne Ney) (Pabst) ; 1928, Abwege (Crise) (Pabst), Die Jacht der sieben Sünden (Fleck), Skandal in Baden-Baden (Waschneck), L'argent (L'Herbier) ; 1929, Manolescu (Tourjansky), Die wunderbare Lüge der Nina Petrovna (Le mensonge de Nina Petrovna) (Schwarz) ; 1930, Die singende Stadt (La ville qui chante) (Gallone), Alraune (Mandragore) (Oswald) ; 1931, Gloria (Behrendt), Im Geheimdienst (Ucicky) ; 1932, L'Atlantide (Pabst), Die Gräfin von Monte Cristo (La comtesse de Monte Cristo) (Hartl), The Blue Danube (Wilcox), Hochzeitsreise zu Dritt (Voyage de noces) (May) ; 1933, Der Läufer von Marathon (Dupont), Die schönen Tage von Aranjuez (Adieu les beaux jours) (J. Meyer), L'étoile de Valencia (Poligny), Inge und die Millionen (Engel), Spione am Werk (Lamprecht) ; 1934, Die Insel (Vers l'abîme) (Steinhoff), Gold (L'or) (Hartl), Fürst Woronzeff (Le secret des Woronzeff) (Robison) ; 1935, Ein idealer Gatte (Le mari idéal) (Selpin) ; 1936, Savoy Hotel 217 (Ucicky).

C'est Lang qui la découvre et lui confie le rôle principal de *Metropolis* : elle devient la femme fatale la plus célèbre du monde. Excellente chez Pabst (*L'Atlantide*) et L'Herbier (*L'argent*), malgré une beauté qui paraît aujourd'hui démodée, elle sombre dans des comédies médiocres avec l'avènement du parlant et se retire.

Hemingway, Mariel

Actrice américaine née en 1961.

1976, Lipstick (Viol et châtiment) (Johnson) ; 1979, Manhattan (Manhattan) (Allen) ; 1982, Personal Best (Towne) ; 1983, Star 80 (Star 80) (Fosse) ; 1985, Creator (Passer), The Mean Season (Un été pourri) (Borsos) ; 1987, Superman IV : The Quest for Peace (Superman IV) (Furie) ; 1988, The Suicide Club (Bruce), Sunset (Meurtre à Hollywood) (Edwards) ; 1991, Delirious (T. Mankiewicz) ; 1992, Falling From Grace (Mellencamp) ; 1994, The Naked Gun 33 1/3 : The Final Insult (Y a-t-il un flic pour sauver Hollywood ?) (Segal) ; 1995, Deceptions II : Edge of Deception (Mihalka) ; 1996, Bad Moon (Red) ; 1997, Road Ends (King), Little Men (Gibbons), Deconstructing Harry (Harry dans tous ses états) (Allen) ; 1998, Kiss of a Stranger (Irvin) ; 1999, The Sex Monster (Binder), Londinium (Binder), American Reel (Archer), The Contender (Manipulations) (Lurie) ; 2001, Perfume (Rymer).

Petite-fille d'Ernest Hemingway, elle débute avec sa sœur Margaux dans le drame *Viol et châtiment*, puis enchaîne sur le nostalgique *Manhattan*, où elle incarne la petite amie de

Woody Allen. On croit sa carrière lancée, eh bien non : le reste n'est qu'une chute dans les bas-fonds de la série B. Dommage.

Hemmings, David

Acteur et réalisateur anglais, 1941-2003.

1954, The Rainbow Jacket (Dearden) ; 1957, Five Clues to Fortune (Mendoza), Saint Joan (Sainte Jeanne) (Preminger), The Heart Within (Eady) ; 1958, No Trees in the Street (Lee-Thompson) ; 1959, Men of to Morrow (Rivers), In the Wake of a Stranger (Eady) ; 1961, The Wind of Change (Sewell) ; 1962, Some People (Donner), Play It Cool (Winner) ; 1963, Two Left Feet (Baker), Live It Up (Comfort), Sing a Swing (Comfort) ; 1966, Eye of the Devil (Lee-Thompson), Blow-Up (Antonioni) ; 1967, Camelot (Logan), Barbarella (Vadim) ; 1968, The Charge of the Light Brigade (La charge de la brigade légère) (Richardson), The Long Day's Dying (Un jour parmi tant d'autres) (Collinson), Only When I Larf (Deaden) ; 1969, Alfred the Great (Alfred le Grand vainqueur des Vikings) (Donner), The Best House in London (Le club des libertins) (Saville) ; 1970, Fragment of Fear (Le tunnel de la peur) (Sarafian), The Walking Stick (Qui veut la fin) (Till) ; 1971, The Love Machine (Haley), Unman Wittering and Zigo (Mort d'un prof) (McKenzie) ; 1972, Autobiography (Best) ; 1973, Voices (Billington) ; 1974, Juggernaut (Terreur sur le « Britannic ») (Lester) ; 1975, Profondo Rosso (Les frissons de l'angoisse) (Argento), Mr. Ouilp (Tuchner), No es nada mama solo un juego (Forque) ; 1976, Islands in the Stream (L'île des adieux) (Schaffner), The Squeeze (Le piège infernal) (Apted) ; 1977, The Prince and the Pauper (Fleischer), Les liens de sang (Chabrol), Disappearance (Cooper), Squadra Antitruffa (Corbucci) ; 1978, Murder by Decree (Meurtre par décret) (Clark), Power Play (Le jeu de la puissance) (Burke) ; 1979, Thirst (Hardy), Just a Gigolo (Gigolo) (Hemmings) ; 1980, Beyond Reasonable Doubt (Laing), Harlequin (Wincer) ; 1981, Charlie Muffin (Gold) ; 1982, A Man, a Woman and a Child (Un homme, une femme et un enfant) (Richards) ; 1983, Prisoners (Werner) ; 1985, Dario Argento's World of Horror (Soavi) ; 1988, The Rainbow (Russell) ; 1999, Gladiator (Gladiator) (Scott) ; 2001, Gangs of New York (Scorsese), Mean Machine (Carton rouge) (Skolnich). *Pour le réalisateur*, voir le *Dictionnaire du cinéma*, t. I : *Les réalisateurs*.

D'abord chanteur prodige, il sera finalement acteur. Sa carrière démarre avec *Blow-up* et se confirme avec *La charge de la brigade légère* où il est un officier plein de fougue puis avec *Alfred le Grand* ; elle a depuis marqué le pas. Les deux films mis en scène par Hemmings : *Running Scared*, en 1972, et *Le survivant d'un monde parallèle*, en 1980, ont connu un relatif échec.

Henie, Sonja

Actrice norvégienne, 1912-1969.

1927, Syv Dager for Elizabeth (Sinding) ; 1936, One in a Million (Le tourbillon blanc) (Lanfield) ; 1937, Thin Ice (Le prince X) (Lanfield) ; 1938, Happy Landing (Le mannequin du collège) (Del Ruth), My Lucky Star (L'escale du bonheur) (Del Ruth) ; 1939, Second Fiddle (La fille du Nord) (Lanfield), Everything Happens at Night (Tout se passe la nuit) (Cummings) ; 1941, Sun Valley Serenade (Tu seras mon mari) (Humberstone), Iceland (Mariage sur la glace) (Humberstone) ; 1943, Wintertime (Fleur d'hiver) (Brahm) ; 1945, It's a Pleasure (Seiter) ; 1948, The Countess of Monte Cristo (De Cordova) ; 1958, Hello London (Sidney Smith).

Reine du patinage artistique, elle fut championne olympique en 1928, 1932 et 1936. Comme elle avait un physique agréable, la Fox l'embaucha pour des films où ses évolutions sur la glace étaient infiniment plus subtiles et complexes que les intrigues proposées par les scénarios, simples prétextes à des démonstrations de patinage. Elle mourut d'une leucémie.

Henreid, Paul

Acteur et réalisateur d'origine autrichienne, de son vrai nom von Hernried, 1908-1992.

1937, Victoria the Great (La reine Victoria) (Wilcox) ; 1939, Goodbye Mr. Chips (Au revoir M. Chips) (Wood), An Englishman's Home (De Courville) ; 1940, Under Your Hat (Elvey), The Night Train to Munich (Reed) ; 1941, Joan of Paris (Stevenson) ; 1942, Now Voyager (Une femme cherche son destin) (Rapper), Casablanca (Casablanca) (Curtiz) ; 1943, In Our Time (V. Sherman), Devotion (La vie passionnée des sœurs Brontë) (Bernhardt) ; 1944, Hollywood Canteen (Daves), The Conspirators (Negulesco), Between Two Worlds (Blatt) ; 1945, The Spanish Man (Pavillon noir) (Borzage) ; 1946, Of Human Bondage (Goulding), Deception (Rapper) ; 1947, Song of Love (Passion immortelle) (Brown) ; 1948, The Scar (Le balafré) (Sekely) ; 1949, Rope of Sand (La corde de sable) (Dieterle) ; 1950, Last of the Buccaneers (Jean Laffitte) (Landers), So Young, So Bad

(Vorhaus) ; 1951, Pardon My French (Vorhaus), For Men Only (Henried) ; 1952, Stolen Face, Thief of Damascus (W. Jason) ; 1953, Mantrap, Siren of Bagdad (Quine) ; 1954, Deeps in My Heart (Au fond de mon cœur) (Donen), Pirates of Tripoli (Feist) ; 1956, Meet Me in Las Vegas (Viva Las Vegas) (Rowland), A Woman's Devotion (Acapulco) ; 1957, Ten Thousands Bedrooms (Dix mille chambres à coucher) (Thorpe) ; 1959, Holiday for Lovers (Levin), Never So Few (La proie des vautours) (Sturges) ; 1962, The Four Horsemen of the Apocalypse (Les quatre cavaliers de l'Apocalypse) (Minnelli) ; 1965, Operation Crossbow (Opération Crossbow) (Anderson) ; 1968, The Madwoman of Chaillot (La folle de Chaillot) (Forbes) ; 1977, Exorcist II (L'hérétique) (Boorman). *Pour le metteur en scène*, voir le *Dictionnaire du cinéma*, t. I : *Les réalisateurs*.

Ce beau ténébreux, issu d'une famille très aisée d'Autriche, débuta comme jeune premier dans les studios viennois, passa en Angleterre puis de là à Hollywood où le sombre romantisme qui le caractérisait fit merveille dans *Casablanca*. On le revit dans plusieurs films de la Warner, notamment avec Bette Davis, puis dans des productions moins importantes. Passé à la mise en scène, il a tourné plusieurs films intéressants.

Henriksen, Lance

Acteur américain né en 1940.

1972, It Ain't Easy (Hurley) ; 1975, A Dog Day Afternoon (Un après-midi de chien) (Lumet), The Terror of Dr. Chancey (Pataki) ; 1976, The Next Man (Sarafian), Network (Network) (Lumet) ; 1977, Encounters of the Third Kind (Rencontres du troisième type) (Spielberg), Il visitatore (Paradisi) ; 1978, Damien, Omen II (Damien, la malédiction) (Taylor) ; 1981, The Dark End of the Street (Egleson), Prince of the City (Le prince de New York) (Lumet) ; 1982, Piranha 2 : Flying Killers (Piranha 2, les tueurs volants) (Cameron) ; 1983, The Right Stuff (L'étoffe des héros) (Kaufman), Nightmares (En plein cauchemar) (Sargent) ; 1984, Terminator (Terminator) (Cameron) ; 1985, Savage Dawn (Nuchtern), Jagged Edge (A double tranchant) (Marquand) ; 1986, Choke Canyon (Bail), Aliens (Aliens, le retour) (Cameron) ; 1987, Near Dark (Aux frontières de l'aube) (Bigelow) ; 1988, Deadly Intent (Dick), House 3 (House 3) (Isaac), Pumpkinhead (Winston) ; 1989, Hit List (Lustig), Survival Quest (Coscarelli), Johnny Handsome (Johnny belle gueule) (Hill) ; 1991, Alien 3 (Alien 3) (Fincher), Jennifer 8 (Jennifer 8) (Robinson), The Pit and the Pendulum (Gordon), Stone Cold (Baxley) ; 1992, Super Mario Bros (Super Mario Bros) (Morton et Jenckel), Delta Heat (Fischa), Comrades in Arms (Ingvordsen) ; 1993, Excessive Force (Excessive Force) (Hess), No Escape (Absolom 2022) (Campbell), Man's Best Friend (Max, le meilleur ami de l'homme) (Lafia), The Outfit (Ingvordsen), Hard Target (Chasse à l'homme) (Woo), Knights (Pyun) ; 1994, The Quick and the Dead (Mort ou vif) (Raimi), Color of Night (Color of Night) (Rush), Boulevard (Buitenhuis) ; 1995, Dead Man (Dead Man) (Jarmusch), Mind Ripper (Gayton), Powder (Powder) (Salva) ; 1996, The Fifth Season (Winning), Baja (Voss) ; 1999, Scream 3 (Scream 3) (Craven).

C'est après avoir quitté l'école très jeune et connu la délinquance que cet Américain au visage émacié et au corps noueux s'intéresse finalement au théâtre. Il fait un court séjour à l'Actor's Studio, puis Lumet l'engage pour un rôle de flic dans *Un après-midi de chien*. Sa carrière est lancée. Elle ne faiblira plus, même si elle le cantonne surtout dans les seconds rôles. Un personnage marquant cependant : celui de l'androïde d'*Aliens, le retour*, qui finit déchiqueté et décapité, mais qui parle toujours.

Henry, Judith

Actrice française née en 1968.

1987, Un médecin des lumières (Allio) ; 1988, Après la guerre (Hubert) ; 1989, L'amour (Faucon) ; 1990, Transit (Allio), La discrète (Vincent) ; 1992, Listopad (Novembre) (Karwowski), Adeus princesa (Paixao da Costa) ; 1993, Germinal (Berri) ; 1994, ... A la campagne (Poirier) ; 1995, Le bel été 1914 (Chalonge), Les apprentis (Salvadori) ; 1998, Restons groupés (Salomé).

Elle commence très jeune au théâtre après avoir suivi, entre autres, les cours de l'École des enfants du spectacle. Elle est remarquée par René Allio, puis par Philippe Faucon qui lui donne son premier vrai rôle de cinéma. Et un beau jour, Fabrice Luchini eut pour devoir de la séduire dans *La discrète*...

Hepburn, Audrey

Actrice d'origine britannique, de son vrai nom Edda Van Heemstra Hepburn, 1929-1993.

1951, Laughter in Paradise (Rires au paradis) (Zampi), One Wild Oat (Saunders), Young Wives' Tale (Cass), Nous irons à Monte-Carlo (Boyer), The Lavender Hill Mob (De l'or en barres) (Crichton) ; 1952,

The Secret People (Dickinson) ; 1953, Roman Holiday (Vacances romaines) (Wyler) ; 1954, Sabrina (Sabrina) (Wilder) ; 1956, War and Peace (Guerre et paix) (Vidor) ; 1957, Funny Face (Drôle de frimousse) (Donen), Love in the Afternoon (Ariane) (Wilder) ; 1959, Green Mansions (Vertes demeures) (Mel Ferrer), The Nun's Story (Au risque de se perdre) (Zinneman) ; 1960, The Unforgiven (Le vent de la plaine) (Huston) ; 1961, Breakfast at Tiffany's (Diamants sur canapé) (Edwards) ; 1962, The Children's Hour (La rumeur) (Wyler) ; 1963, Charade (Charade) (Donen) ; 1964, Paris When It Sizzles (Deux têtes folles) (Quine), My Fair Lady (My Fair Lady) (Cukor) ; 1966, How to Steal a Million (Comment voler un million de dollars) (Wyler) ; 1967, Two for the Road (Voyage à deux) (Donen), Wait Until Dark (Seule dans la nuit) (Young) ; 1976, Robin and Marian (La rose et la flèche) (Lester) ; 1979, Bloodline (Liés par le sang) (Young) ; 1981, They All Laughted (Et tout le monde riait) (Bogdanovich) ; 1989, Always (Always/Pour toujours) (Spielberg).

Cette ravissante brunette, aux yeux de biche et au charme androgyne, a connu, avant de jouer les Cendrillon et les princesses en quête du prince charmant, une jeunesse difficile. Née à Bruxelles d'un père irlandais et d'une mère hollandaise, elle a fait ses études en Angleterre puis en Hollande où elle connut l'occupation allemande. Sa famille ruinée et séparée, elle choisit le métier de cover-girl et le pseudonyme d'Audrey Hepburn. Elle fit quelques shows à Londres et débuta au cinéma en 1951. Mais sa vraie carrière commença lorsque Colette la recommanda pour jouer *Gigi* à Broadway. Elle obtint un oscar pour *Vacances romaines* et fut choisie pour être Natacha dans *Guerre et paix*. Mariée à Mel Ferrer, elle s'en sépara en 1968 et connut une éclipse de huit ans avant de faire une rentrée très remarquée dans *La rose et la flèche*. La maladie eut raison d'elle.

Hepburn, Katharine

Actrice américaine, 1907-2003.

1932, A Bill of Divorcement (Héritage) (Cukor) ; 1933, Christopher Strong (Arzner), Morning Glory (Lowell Sherman), Little Women (Les quatre filles du docteur March) (Cukor) ; 1934, Spitfire (Cromwell), The Little Minister (R. Wallace) ; 1935, Break of Hearts (Moeller), Alice Adams (Stevens), Sylvia Scarlett (Cukor) ; 1936, A Woman Rebels (La rebelle), Mary of Scotland (Mary Stuart) (Ford) ; 1937, Quality Street (Stevens), Stage Door (Pension d'artistes) (La Cava) ; 1938, Bringing up Baby (L'impossible M. Bébé) (Hawks), Holiday (Vacances) (Cukor) ; 1940, The Philadelphia Story (Indiscrétions) (Cukor) ; 1941, Woman of the Year (La femme de l'année) (Stevens) ; 1942, Keeper of the Flame (La flamme sacrée) (Cukor) ; 1943, Stage Door Canteen (Borzage) ; 1944, Dragon Seed (Les fils du dragon) (Bucquet) ; 1945, Without Love (Sans amour) (Bucquet) ; 1946, Undercurrent (Lame de fond) (Minnelli) ; 1947, Song of Love (Passion immortelle) (Brown), The Sea of Grass (Le maître de la prairie) (Kazan) ; 1948, State of the Union (L'enjeu) (Capra) ; 1949, Adam's Rib (Madame porte la culotte) (Cukor) ; 1951, The African Queen (African Queen) (Huston) ; 1952, Pat and Mike (Mademoiselle Gagnetout) (Cukor) ; 1955, Summertime (Vacances à Venise) (Lean) ; 1956, The Rainmaker (Le faiseur de pluie) (Anthony) ; 1957, The Desk Set (Une femme de tête) (W. Lang), The Iron Petticoat (Whisky, vodka et jupon de fer) (R. Thomas) ; 1959, Suddenly Last Summer (Soudain l'été dernier) (Mankiewicz) ; 1962, Long Day's Journey into Night (Lumet) ; 1967, Guess Who's Coming to Dinner (Devine qui vient dîner) (Kramer) ; 1968, The Lion in Winter (Un lion en hiver) (A. Harvey) ; 1969, The Madwoman of Chaillot (La folle de Chaillot) (Forbes) ; 1971, The Trojan Women (Les Troyennes) (Cacoyannis) ; 1974, A Delicate Balance (Richardson) ; 1975, Rooster Gogburn (Une bible et un fusil) (Millar) ; 1978, Olly, Olly Oxen Free (Colla) ; 1981, On Golden Pond (La maison du lac) (Rydell) ; 1985, Grace Quigley (Harvey) ; 1994, Love Affair (Caron).

« Éternelle enfant terrible, écrivent Coursodon et Tavernier dans *Trente ans de cinéma américain*, Katharine Hepburn n'a jamais cessé de n'en faire qu'à sa tête depuis le jour où, ayant déjà passablement ébranlé le monde du théâtre, elle déferla sur Hollywood comme un torrent. » C'est Cukor qui fut son réalisateur privilégié et Tracy son partenaire préféré. La RKO avait engagé cette fille de médecin à la suite de son triomphe à Broadway dans une adaptation de *Lysistrata*. Grande, maigre, elle incarna la femme qui souhaite, sans rien renier de son charme, s'émanciper et secouer le joug du mâle. Les réactions furent différentes, selon les genres et les partenaires (Grant plus fragile, Tracy bienveillant et ironique, Bogart trop « macho » comme Wayne...). Elle sut en fin de carrière s'adapter (*La folle de Chaillot, La maison du lac*) sans se caricaturer comme Bette Davis et sans se renier. Trois oscars ont jalonné sa carrière : *Morning Glory* en 1932-1933, *Guess who's*

Coming to Dinner en 1967 et *On Golden Pond* en 1981.

Hériat, Philippe

Romancier et acteur français, 1898-1971.

1919, Le carnaval des vérités (L'Herbier) ; 1920, L'homme du large (L'Herbier) ; 1921, Eldorado (L'Herbier) ; 1922, Don Juan et Faust (L'Herbier) ; 1923, Le marchand de plaisirs (Jaque-Catelain), L'inhumaine (L'Herbier) ; 1924, L'inondation (Delluc) ; 1925, La galerie des monstres (Jaque-Catelain), Le miracle des loups (Bernard), La chaussée des géants (Durand) ; 1926, Rien que les heures (Cavalcanti) ; 1927, Mon cœur au ralenti (Gastyne), Napoléon (Gance) ; 1928, La vie merveilleuse de Jeanne d'Arc (Gastyne), En rade (Cavalcanti) ; 1929, Napoléon à Sainte-Hélène (Lupu-Pick) ; 1931, Dans une île perdue (Cavalcanti) ; 1933, Rothschild (Gastyne), Le sexe faible (Siodmak) ; 1935, Divine (Ophuls), Lucrèce Borgia (Gance).

On le connaît comme romancier et membre de l'académie Goncourt ; on oublie qu'il fut aussi acteur et associé aux plus grandes réussites des années 20 : L'Herbier, Gance (il est Salicetti dans *Napoléon*), Gastyne, Delluc, Bernard. Sa dernière apparition fut Filippo dans *Lucrèce Borgia.* Il écrivit par la suite les dialogues du *Secret de Mayerling* de Jean Delannoy.

Herman, Pee-Wee (ou Paul Reubens)

Acteur américain, de son vrai nom Paul Reubenfeld, né en 1952.

1980, Pray TV (Friedberg), Midnight Madness (Nankin), The Blues Brothers (The Blues Brothers) (Landis), Cheech and Chong's Next Movie (Chong) ; 1981, Dream On (Harker), Cheech and Chong's Nice Dreams (Chong) ; 1982, Pandemonium (Sole) ; 1984, Meatballs Part II (Wiederhorn) ; 1985, Pee-Wee's Big Adventure (Pee-Wee Big Adventure) (Burton) ; 1987, Back to the Beach (Hobbs) ; 1988, Big Top Pee-Wee (Kleiser) ; 1992, Buffy the Vampire Slayer (Kuzui), Batman Returns (Batman – Le retour) (Burton) ; 1996, Dunston Checks In (Dunston panique au palace) (Kwapis), Matilda (Matilda) (DeVito) ; 1997, Buddy (Mon copain Buddy) (Thompson) ; 1999, Mystery Men (Mystery Men) (Usher), South of Heaven, West of Hell (Yoakam) ; 2000, Blow (T. Demme), Great Sex (Chart).

De parents commerçants, il débute au théâtre à l'âge de onze ans, pratique beaucoup l'improvisation et crée le personnage de Pee-Wee Herman, sorte de Tintin lunaire et infantile, sans âge ni sexe, habillé d'un costume gris étriqué. Héros de deux films (dont le premier long métrage de Tim Burton), Pee-Wee est extrêmement populaire aux États-Unis jusqu'en 1991, année où Paul Reubens, sans maquillage, est arrêté pour outrage à la pudeur dans un cinéma porno. Grandeur et décadence au pays de l'oncle Sam : le comédien est montré du doigt et remisé au placard des vieilles gloires. Il semble revenir au cinéma, dans des seconds rôles, depuis 1995.

Hermann, Irm

Actrice allemande née en 1942.

1965, Der Stadtstreicher (Le clochard) (Fassbinder) ; 1968, Der Bräutigam, die Komödiantin und der Zuhalter (Le fiancé, la comédienne et le maquereau) (Straub, Huillet) ; 1969, Liebe ist kalter als Tod (L'amour est plus froid que la mort) (Fassbinder), Der Katzelmacher (Le bouc) (Fassbinder), Warum laüft Herr Amok ? Pourquoi monsieur R. est-il atteint de folie ? (Fassbinder, Fengler), Götter der Pest (Les dieux de la peste) (Fassbinder) ; 1970, Mathias Kneissl (Hauff), Der Amerikanische Soldat (Fassbinder), Pionnere in Ingolstadt (Pionniers à Ingolstadt) (Fassbinder) ; 1971, Der Händler der vier Jahreszeiten (Le marchand des quatre saisons) (Fassbinder), Die bittere Tränen der Petra von Kant (Les larmes amères de Petra von Kant) (Fassbinder) ; 1972, Wildwechsel (Gibier de passage) (Fassbinder) ; 1973, Die Zartlichkeit der Wolfe (La tendresse des loups) (Lommel), Nora Helmer (Fassbinder), Angst essen Seele auf (Tous les autres s'appellent Ali) (Fassbinder) ; 1974, Fontane Effi Briest (Effi Briest) (Fassbinder), Faustrecht der Freiheit (Le droit du plus fort) (Fassbinder) ; 1975, Mutter Küsters fährt zum Himmel (Maman Küsters s'en va au ciel) (Fassbinder), Angst von der Angst (Peur de la peur) (Fassbinder) ; 1976, Sternsteinhof (Geissendörfer), Schatten der Engel (L'ombre des anges) (Schmid) ; 1978, Woyzeck (Woyzeck) (Herzog) ; 1980, Berlin-Alexanderplatz (Fassbinder), Endstation Freiheit (Hauff) ; 1981, Lili Marleen (Lili Marleen) (Fassbinder) ; 1982, Der Zauberberg (La montagne magique) (Geissendörfer), Fünf letzte Tage (Les cinq derniers jours) (Adlon), Eisenhaus (Des fruits étranges) (Dorst), Der Zappler (Deutschmann) ; 1983, Die Schaukel (La balançoire) (Adlon), Ediths Tagebuch (Le journal d'Édith) (Geissendörfer) ; 1984, Dorian Gray im Spiegel der Boulevardpresse (Ottinger) ; 1985, Marie Ward – Zwischen

Galgen und Glorie (Weber) ; 1987, Z B Otto Spalt (Monsieur Spalt par exemple) (Perraudin) ; 1988, Wallers Letzter Gang (Wagner), Der Passagier – Welcome to Germany (Le Passager) (Brasch), Johanne d'Arc of Mongolia (Ottinger) ; 1989, Der Spinnennetz (La toile d'araignée) (Wicki) ; 1991, Pappa ante Portas (Westphal-Lorenz, von Bülow) ; 1993, Grüss Gott, Genosse (Stelzer) ; 1994, Hades (Achtembusch) ; 1995, Victory (Victory) (Peploe) ; 1997, 120 Tage von Bottrop (Schliengensief), Tigerstreifenbaby wartet auf Tarzan (Thome) ; 1999, Paradiso – Sieben Tage mit Sieben Frauen (Paradiso – Sept jours avec sept femmes) (Thome).

Héroïne récurrente de Fassbinder, totalement irréelle derrière un sempiternel masque de maquillage diaphane, elle est particulièrement éblouissante dans *Les larmes amères de Petra von Kant*. Peu vue en France depuis, on se demande comment les années ont transformé cette créature venue d'ailleurs.

Hernandez, Gérard

Acteur français, né en 1933.

1955, La meilleure part (Y. Allégret) ; 1957, Montparnasse 19 (Becker) ; 1959, Le trou (Becker) ; 1961, Un nommé La Rocca (Becker) ; 1968, Le cerveau (Oury) ; 1969, Soleil O (Hondo) ; 1973, Les Gaspards (Tchernia) ; 1975, Attention les yeux (Pirès) ; 1976, Cours après moi que je t'attrape (Pouret), Le chasseur de chez Maxim's (Vital) ; 1977, La nuit tous les chats sont gris (Zingg), Bobby Deerfield (Bobby Deerfield) (Pollack) ; 1978, On peut le dire sans se fâcher (Coggio), Les ringards (Pouret), Coup de tête (Annaud) ; 1979, Certaines nouvelles (Davila), Rodriguez au pays des merguez (Clair), C'est pas moi c'est lui (Richard) ; 1980, Signé Furax (Simenon) ; 1981, Prends ta Rolls et va pointer (Balducci), San Antonio ne pense qu'à ça (Séria) ; 1982, Qu'est-ce qui fait craquer les filles ? (Vocoret), Coup de torchon (Tavernier), Le grand frère (Girod) ; 1984, Comment draguer tous les mecs ? (Feuillebois), Joyeuses Pâques (Lautner), Banana's Boulevard (Balducci) ; 1985, Gros dégueulasse (Zincone), Liberté, égalité, choucroute (Yanne) ; 1987, Corentin ou les infortunes conjugales (Marbœuf) ; 1988, Les Gauloises blondes (Jabely), L'invité surprise (Lautner), Sanguines (François) ; 1993, Je t'aime quand même (Companeez) ; 1994, Le fabuleux destin de Mme Petlet (Casabianca), Lumière noire (Hondo) ; 1997, La femme du cosmonaute (Monnet) ; 1998, La dilettante (Thomas) ; 2000, Un crime au paradis (Becker).

Avant tout un tempérament comique – avec de sempiternelles moustaches – largement utilisé à la télévision et au théâtre, pas toujours dans des productions de bonne qualité. Mais le cœur y est, et Gérard Hernandez trouve même un rôle paradoxal dans *Bobby Deerfield*, de Sydney Pollack, où il incarne un excentrique féru de montgolfières.

Herrand, Marcel

Acteur français, 1897-1953.

1932, Le jugement de minuit (Esway) ; 1935, Le domino vert (Decoin) ; 1941, Le pavillon brûle (Baroncelli) ; 1942, Le comte de Monte-Cristo (Vernay), Les visiteurs du soir (Carné) ; 1943, Les mystères de Paris (Baroncelli) ; 1944, Les enfants du paradis (Carné) ; 1945, Le père Serge (Ganier-Raymond), Étoile sans lumière (Blistène), Messieurs Ludovic (Le Chanois) ; 1946, L'homme traqué (Bibal), Les chouans (Calef), Martin Roumagnac (Lacombe) ; 1947, Fantômas (Sacha), Ruy Blas (Cocteau), Le fiacre 13 (André) ; 1948, Les derniers jours de Pompéi (L'Herbier), Le mystère de la chambre jaune (Aisner), L'impasse des Deux-Anges (Tourneur) ; 1949, On n'aime qu'une fois (Stelli), Le parfum de la dame en noir (Daquin) ; 1950, Pas de pitié pour les femmes (Stengel) ; 1951, Une histoire d'amour (Lefranc), Les loups chassent la nuit (Borderie) ; 1952, Fanfan la Tulipe (Christian-Jaque), La p... respectueuse (Pagliero).

Venu du théâtre où il dirigeait avec Jean Marchat le Rideau de Paris, ce beau ténébreux se confond dans notre mémoire avec Lacenaire, le dandy assassin du Boulevard du crime qu'il incarna superbement dans *Les enfants du paradis*. On le spécialisa dans les rôles de méchant : Fantômas, Don Salluste (*Ruy Blas*), le policier Corentin (*Les chouans*, d'après Balzac). Pour son dernier personnage à l'écran, il fut Louis XV dans *Fanfan la Tulipe*. Il émanait de lui un charme, une séduction qui sont ceux du traître élégant et raffiné de tout bon mélodrame.

Hershey, Barbara

Actrice américaine, de son vrai nom Herztein, née en 1948.

1968, With Six You Get Eggrolls (Morris) ; 1969, Heaven With a Gun (Au paradis à coups de revolver) (Katzin), Last Summer (Dernier été) (Perry) ; 1970, The Liberation of L.B. Jones (On n'achète pas le silence) (Wyler), The Baby Maker (The Baby Maker) (Bridges) ; 1971, The Pursuit of Happiness (Mulligan) ; 1972, Dealing (Williams), Boxcar

Bertha (Bertha Boxcar) (Scorsese) ; 1974, The Crazy World of Julius Vrooder (Hiller), You and Me (D. Carradine), Diamonds (Un coup de trois milliards de dollars) (Golan), Love Comes Quietly (Van Der Heyde) ; 1976, The Last Hard Men (La loi de la haine) (McLaglen), A Choice of Weapons (Connor) ; 1978, Flood (Déluge sur la ville) (Bellamy) ; 1980, The Stuntman (Le diable en boîte) (Rush) ; 1981, Take This Job and Shove It (Trikonis), Americana (D. Carradine) ; 1982, The Entity (L'emprise) (Furie) ; 1983, The Right Stuff (L'étoffe des héros) (Kaufman) ; 1984, The Natural (Le meilleur) (Levinson) ; 1986, Hannah and her Sisters (Hannah et ses sœurs) (Allen), Hoosiers (Le grand défi) (Anspaugh) ; 1987, Tin Men (Les filous) (Levinson), Shy People (Le bayou) (Konchalovsky) ; 1988, A World Apart (Un monde à part) (Menges), The Last Temptation of Christ (La dernière tentation du Christ) (Scorsese), Beaches (Au fil de la vie) (Marshall) ; 1990, Aunt Julia and the Scriptwriter/ Tune in Tomorrow... (Tante Julia et le scribouillard) (Amiel), Defenseless (Sans aucune défense) (Campbell) ; 1991, Paris Trout (Rage) (Gyllenhaal) ; 1992, The Public Eye (L'œil public) (Franklin), Falling Down (Chute libre) (Schumacher) ; 1993, Swing Kids (Swing kids) (Carter), Splitting Heirs (Grandeur et descendance) (Young), A Dangerous Woman (Gyllenhaal) ; 1994, Last of the Dogmen (T. Murphy) ; 1995, The Pallbearer (M. Reeves) ; 1996, Portrait of a Lady (Portrait de femme) (Campion) ; 1998, A Soldier's Daughter Never Cries (La fille d'un soldat ne pleure jamais) (Ivory), Breakfast of Champions (Breakfast of Champions) (Rudolph), Passion (Duncan) ; 2001, Lantana (Lawrence).

Une longue carrière, de sa découverte dans *Last Summer* au prix d'interprétation à Cannes pour *Le bayou*.

Hervé, Jean

Acteur et réalisateur français, 1884-1966.

1910, Shylock (Morlhon) ; 1912, Britannicus (Morlhon) ; 1920, Fumée noire (Delluc) ; 1921, La terre (Antoine) ; 1922, Le drame des eaux mortes (J. Faivre) ; 1924, Feu Mathias Pascal (L'Herbier) ; 1942, Le destin fabuleux de Désirée Clary (Guitry) ; 1951, Adhémar (Fernandel). *Comme réalisateur* : 1922, Le témoin dans l'ombre ; 1923, Les deux soldats ; 1924, Le pauvre village, L'étrange aventure du docteur Work. *Pour le metteur en scène*, voir le *Dictionnaire du cinéma*, t. I : *Les réalisateurs*.

La Comédie-Française du début du XXe siècle à l'écran. Un jeu plein d'emphase.

Hessling, Catherine

Actrice française, de son vrai nom Andrée Heuschling, 1900-1979.

1924, Catherine (Dieudonné), La fille de l'eau (Renoir) ; 1926, Nana (Renoir) ; 1927, Charleston (Renoir), En rade (Cavalcanti), Yvette (Cavalcanti), La p'tite Lili (Cavalcanti) ; 1928, Tire au flanc (Renoir), La petite marchande d'allumettes (Renoir) ; 1929, Le petit Chaperon rouge (Cavalcanti), Une vie sans joie (Dieudonné) ; 1933, Coralie et Cie (Cavalcanti) ; 1935, Du haut en bas (Pabst), Crime et châtiment (Chenal).

Modèle de Renoir, elle épouse son fils Jean, le metteur en scène, et tourne dans ses premiers films. Après leur séparation, elle ne fera plus que de brèves apparitions.

Heston, Charlton

Acteur et réalisateur américain né en 1924.

1941, Peer Gynt (Bradley) ; 1948, Julius Caesar (Bradley) ; 1950, Dark City (La main qui venge) (Dieterle) ; 1952, The Greatest Show on Earth (Sous le plus grand chapiteau du monde) (DeMille), The Savage (Le fils de Geronimo) (Marshall), Ruby Gentry (La furie du désir) (Vidor) ; 1953, The President's Lady (Le général invincible) (Levin), Pony Express (Le triomphe de Buffalo Bill) (Hopper), Arrowhead (Le sorcier du Rio Grande) (Warren) ; 1954, Bad for Each Other (Éternels ennemis) (Rapper), The Naked Jungle (Quand la Marabunta gronde) (Haskin), Secret of the Incas (Le secret des Incas) (Hopper) ; 1955, The Far Horizons (Horizons lointains) (Mate), The Private War of Major Benson (La guerre privée du major Benson) (Hopper), Lucy Gallant (Une femme extraordinaire) (Parrish) ; 1956, The Ten Commandments (Les dix commandements) (DeMille), Three Violent People (Terre sans pardon) (Mate) ; 1958, The Big Country (Les grands espaces) (Wyler), Touch of Evil (La soif du mal) (Welles), The Buccaneer (Les boucaniers) (Quinn) ; 1959, Ben Hur (Wyler), The Wreck of the Mary Deare (Cargaison dangereuse) (Anderson) ; 1961, El Cid (Le Cid) (Mann) ; 1962, The Pigeon That Took Rome (Le pigeon qui sauva Rome) (Shavelson), Diamond Head (Le seigneur d'Hawaii) (Green) ; 1963, Fifty Five Days at Peking (Les cinquante-cinq jours de Pékin) (Ray), *narrateur de* The Five Cities of June (Berschenson) ; 1964, The Greatest Story Ever Told (La plus grande histoire jamais contée) (Stevens),

Major Dundee (Peckinpah) ; 1965, The Agony and the Ecstasy (L'extase et l'agonie) (Reed), The War Lord (Le seigneur de la guerre) (Schaffner) ; 1966, Karthoum (Dearden) ; 1967, The Planet of the Apes (La planète des singes) (Schaffner), Counterpoint (La symphonie des héros) (Nelson), Will Penny (Will Penny le solitaire) (Gries) ; 1969, Number One (Gries), Beneath the Planet of the Apes (Le secret de la planète des singes) (Post), The Master of the Islands (Le maître des îles) (Gries) ; 1971, The Omega Man (Le survivant) (Sagal), Julius Caesar (Jules César) (Burge) ; 1972, Anthony and Cleopatra (Antoine et Cléopâtre) (Heston), Skyjacked (Alerte à la bombe) (Guillermin), Call of the Wild (L'appel de la forêt) (Annakin) ; 1973, Soylent Green (Soleil vert) (Fleischer), The Three Musketeers (Les trois mousquetaires) (Lester) ; 1974, Airport 75 (747 en péril) (Smight), Earth Quake (Tremblement de terre) (Robson) ; 1975, Won Ton Ton The Dog Who Saved Hollywood (Won Ton Ton le chien qui sauva Hollywood) (Winner), The Last Hard (La loi de la haine) (McLaglen), The Four Musketeers (On l'appelait Milady) (Lester) ; 1976, Midway (La bataille de Midway) (Smight), Two Minutes Warning (Un tueur dans la foule) (Peerce), *commentaire de* America at the Movies (Il était une fois l'Amérique) (Stevens) ; 1977, The Prince and the Pauper (Le prince et le pauvre) (Fleischer), Gray Lady Down (Sauvez le Neptune) (Greene) ; 1980, The Awakening (La malédiction de la vallée des rois) (Newell), The Mountain Men (La fureur sauvage) (R. Lang), The Fantasy Film World of George Pal (Leibovit) ; 1982, Mother Lode (La fièvre de l'or) (Heston). 1989, Call from Space (Fleischer) ; 1990, Almost an Angel (Cornell), Solar Crisis (R. Sarafian) ; 1993, Tombstone (Tombstone) (Cosmatos), Wayne's World 2 (Wayne's World 2) (Surjik) ; 1994, True Lies (True Lies) (Cameron), In the Mouth of Madness (L'antre de la folie) (Carpenter) ; 1995, Avenging Angel (Baxley), Alaska (Alaska) (Heston) ; 1996, Hamlet (Hamlet) (Branagh), Lord Protector (Carroll) ; 1998, Gideon (Hoover), Illusion Infinity (Smithee) ; 1999, Any Given Sunday (L'enfer du dimanche) (Stone) ; 2001, The Order (Lettich). *Pour le metteur en scène* : voir le *Dictionnaire du cinéma*, t. I : *Les réalisateurs*.

Servi par une remarquable prestance physique, il est avant tout homme de théâtre, passionné de Shakespeare. Il avait suivi des cours d'art dramatique à la North Western University avant de servir pendant trois ans dans les îles Aléoutiennes. A son retour il est metteur en scène de la troupe du Thomas Wolfe Memorial Theatre d'Asheville en Caroline du Nord. Il joue à Broadway *Antony and Cleopatra* qu'il filmera plus tard. Il fait de la télévision puis est engagé par Hal Wallis pour Paramount. Sa filmographie est particulièrement riche : films bibliques de DeMille (il fut un bon Moïse et son interprétation de Ben-Hur lui valut un oscar en 1959), westerns, thrillers et surtout la série de la *Planète des singes* qui lui valut sa plus grande notoriété. Il a par ailleurs réalisé deux films dont le dernier n'est pas sans qualité : il y tient un double rôle avec beaucoup d'entrain.

Hicks, Catherine

Actrice américaine née en 1951.

1982, Death Valley (La vallée de la mort) (Richards) ; 1983, Better Late than Never (Ménage à trois) (Forbes) ; 1984, The Razor's Edge (Le fil du rasoir) (Byrum), Garbo Talks (A la recherche de Garbo) (Lumet) ; 1985, Fever Pitch (Brooks) ; 1986, Peggy Sue Got Married (Peggy Sue s'est mariée) (Coppola), Star Treck IV (Star Treck IV) (Nimoy) ; 1987, Like Father Like Son (Daniel) ; 1988, Child's Play (Jeu d'enfant) (Holland), Souvenir (G. Reeve) ; 1989, She's Out Of Control (Touche pas à ma fille) (Dragoti) ; 1990, Secret Ingredient (Shijan) ; 1991, Liebestraum (Figgis) ; 1995, Dillinger and Capone (Purdy) ; 1996, Turbulence (Turbulences à 30 000 pieds) (Butler), Eight Days a Week (Davis).

Vouée aux rôles de compagne idéale, bonne mère et bonne épouse, d'une beauté lumineuse et sage. Mais peut-être vaut-elle mieux.

Hiegel, Catherine

Actrice française née en 1946.

1971, Ça n'arrive qu'aux autres (Trintignant) ; 1987, Noyade interdite (Granier-Deferre), Les keufs (Balasko) ; 1988, La vie est un long fleuve tranquille (Chatiliez) ; 1991, Méchant garçon (Gassot) ; 1993, Tout le monde n'a pas eu la chance d'avoir des parents communistes (Zilbermann), Le mangeur de lune (Dai Sijie) ; 1994, Gazon maudit (Balasko), La servante aimante (Douchet) ; 1995, Jeunesse sans dieu (Corsini) ; 1996, Fred (Jolivet), L'autre côté de la mer (Cabrera) ; 1997, L'homme est une femme comme les autres (Zilbermann) ; 1998, Hygiène de l'assassin (Ruggieri) ; 2003, Les côtelettes (Blier) ; 2005, La vie est à nous (Krawczyk) ; 2007, Michou d'Auber (Gilou).

Grande figure du théâtre français, pensionnaire de la Comédie-Française, elle y fut excellente dans le rôle-titre de *La serva amorosa* de Goldoni, porté au cinéma par Jean Douchet sous le titre *La servante aimante*. Grande actrice généreuse et entière, elle reste malheureusement sous-employée au cinéma.

Higelin, Jacques

Chanteur et acteur français né en 1940.

1959, Nathalie, agent secret (Decoin), La verte moisson (Villiers) ; 1960, Saint-Tropez blues (Moussy), Le bonheur est pour demain (Fabiani) ; 1963, Bébert et l'omnibus (Robert) ; 1964, Par un beau matin d'été (Deray) ; 1968, Erotissimo (Pirès), Les encerclés (Gion), Nous n'irons plus au bois (Dumoulin), Sept jours ailleurs (Karmitz) ; 1970, Léa, l'hiver (Monnet) ; 1972, Salut voleurs ! (Cassenti), Elle court elle court, la banlieue (Pirès) ; 1973, L'an 01 (Gébé, Doillon, Resnais, Rouch) ; 1977, Un autre homme, une autre chance (Lelouch) ; 1980, La bande du Rex (Meunier) ; 1987, Savannah (Pico) ; 1998, A mort la mort ! (Goupil).

Infatigable poète de la chanson française, homme de scène avant tout, où son charisme est étonnant, il a prêté sa voix grave et son regard inquiétant à quelques pièces du septième art. Mais on se souvient surtout de lui dans le rôle d'un jeune homme qui découvrait les joies de la vie de couple et les difficultés de l'adaptation à la vie moderne dans le délicieux *Elle court, elle court la banlieue*.

Hill, Terence

Acteur et réalisateur italien, de son vrai nom Mario Girotti, né en 1939.

Sous le nom de Mario Girotti : 1951, Vacanze col gangster (Risi) ; 1952, La voca del silenzio (La maison du silence) (Pabst) ; 1953, Villa Borghese (Les amants de la villa Borghese) (Franciolini) ; 1954, Divisione folgore (Coletti) ; 1955, La vena d'oro Gli sbandati (Maselli) (Bolognini) ; 1957, La lunga strada azzura (Un dénommé Squarcio) (Pontecorvo), Lazzarella (Bragoglia) ; 1958, Anna di Brooklyn (Lastricati), Cartagine in flamme (Carthage en flammes) (Gallone), Primo amore (Camerini), Annibale (Hannibal) (Ulmer) ; 1959, Il padrone delle ferriere (Le maître de forges) (Majano) ; 1961, Giuseppe venduto dai fratelli (Rapper, Ricci), Pecado de amor, Sir Francis Drake il dominatore dei sette mari (Le corsaire de la reine) (Zeglio), Le meravglie di Aladino (Les mille et une nuits) (Bava) ; 1962, Il gattopardo (Le guépard) (Visconti) ; 1964, Winnetou II (Reinl), Schusse in 3/4 Takt (Du suif dans l'Orient-Express) (Weidennman), Old Surehand 1 (Flaming Frontier) ; 1966, Die Nibelungen (Reinl), La feldmarescialla (La grosse pagaille) (Steno), Lo non protesto io amo (Baldi). *Sous le nom de Terence Hill :* 1967, Little Rita nel West (Baldi) ; 1968, Preparati la bara (Baldi), I quattro dell'Ave Maria (Les quatre de l'Ave Maria) (Colizzi), Barbagia la societá del malessere (Lizzani), Dio perdona... io no (Dieu pardonne... moi pas) (Colizzi), La collina degli stivali (La colline des bottes) (Colizzi) ; 1970, Lo chiamavano Trinita (On l'appelle Trinita) (Clucher), La collera del vento (Camus) ; 1971, Continuavano a chiamario Trinita (On continue à l'appeler Trinita) (Clucher), Il vero e il falso (Visconti) ; 1972, Baron Blood (Maintenant on l'appelle Plata) (Colizzi), ... e poi lo chiamaromo il Magnifico (El Magnifico) (Clucher) ; 1973, Il mio nome è Nessuno (Mon nom est personne) (Valerii), Altrimenti ci arrabbiamo (Fondato) ; 1974, Porgi l'altra guancia (Les deux missionnaires) (Rossi) ; 1975, Ruf der Waider (Le superbe étranger) (Antel), Un genio due compari, un pollo (Un génie, deux associés, une cloche) (Damiani) ; 1976, Deux super-flics (Clucher) ; 1977, M. Billion (Kaplan), March or Die (Il était une fois la légion) (Richards) ; 1978, Dove sono gli ipopotami ? (Cul et chemise) (Zingarelli) ; 1980, Supersnooper (Un drôle de flic) (S. Corbucci), Who Finds a Friend Finds a Treasure (Salut l'ami, adieu le trésor) (S. Corbucci) ; 1983, Go for It (Quand faut y aller, faut y aller) (Clucher) ; 1984, Don Camillo (Don Camillo) (Hill), Io, tu l'oro egli altri (Attention les dégâts !) (Clucher) ; 1985, Miami super cops (Les superflics de Miami) (B. Corbucci) ; 1987, Renegade (Clucher) ; 1991, Lucky Luke (Lucky Luke) (Hill) ; 1994, The N(f)ight Before Christmas (Petit papa baston) (Hill) ; 1996, Virtual Weapon (Dawson). *Pour le metteur en scène*, voir le *Dictionnaire du cinéma*, t. I : *Les réalisateurs*.

Son nom reste attaché au « western spaghetti » de tendance humoristique. Décontracté mais tireur rapide, de bonne humeur mais impitoyable, il fut Trinita, Plata, El Magnifico, Personne, formant avec le colosse Bud Spencer un redoutable et fort drôle duo. Ses meilleurs films sont les Trinita. Il est passé à la réalisation pour un curieux remake de *Don Camillo*.

Hines, Gregory

Acteur américain, 1946-2003.

1981, Wolfen (Wolfen) (Wadleigh), Eubie ! (J. Boyd), History of the World : Part 1 (La folle histoire du monde) (Mel Brooks) ; 1983, Deal of the Century (Friedkin) ; 1984, The Cotton Club (Cotton Club) (Coppola), The

Muppets Take Manhattan (Oz) ; 1985, White Nights (Soleil de nuit) (Hackford) ; 1986, Running Scared (Deux flics à Chicago) (Hyams) ; 1988, Off Limits (Crowe) ; 1989, Tap (Castle) ; 1991, Eve of Destruction (L'ange de la destruction) (Gibbins), A Rage in Harlem (A Rage in Harlem) (Duke) ; 1994, Kangaroo Court (Astin), Renaissance Man (Opération Shakespeare) (Marshall) ; 1995, Waiting to Exhale (Où sont les hommes ?) (Whitaker) ; 1996, Mad Dog Time (Mad Dogs) (Bishop), Good Luck (LaBrie), The Preacher's Wife (Marshall) ; 1998, The Tic Code (Winick) ; 1999, Things You Can Tell Just by Looking at Her (Ce que je sais d'elle... d'un simple regard) (Garcia).

Admirable danseur, il a peu été utilisé au cinéma, si ce n'est par Coppola qui lui offre un rôle à sa hauteur dans *Cotton Club*. Le reste n'est qu'anecdote.

Hines, Johnny

Acteur américain, 1895-1970.

Principaux films : 1921-1923 : série des Torchy ; 1924, The Crackerjack (Quand on conspire) (Charles Hines) ; 1925, Early Bird (Le merle blanc) (Hines) ; 1927, The Speed Spook (Le fantôme de la vitesse) (Hines) ; 1928, The Brown Derby (Le chapeau fétiche) (Hines).

Créateur du personnage comique de Torchy. Il a joué dans de nombreux films semi-burlesques, aujourd'hui oubliés, mis en scène par son frère Charles Hines.

Hirsch, Robert

Acteur français né en 1925.

1951, Le dindon (Barma) ; 1953, Si Versailles m'était conté (Guitry) ; 1954, Les intrigantes (Decoin), Votre dévoué Blake (Laviron) ; 1956, En effeuillant la marguerite (M. Allégret), Notre-Dame de Paris (Delannoy) ; 1957, La Bigorne caporal de France (Darène), Mimi-Pinson (Darène), 125, rue Montmartre (Grangier), Maigret et l'affaire Saint-Fiacre (Delannoy), 1965, Pas question le samedi (Joffé), Monnaie de singe (Robert) ; 1966, Martin soldat (Deville) ; 1967, Toutes folles de lui (Carbonnaux) ; 1968, Les cracks (Joffé) ; 1969, Appelez-moi Mathilde (Mondy) ; 1973, Traitement de choc (Jessua) ; 1975, Chobizeness (Yanne) ; 1983, La crime (Labro) ; 1989, Hiver 54 (Amar) ; 1995, Mon homme (Blier) ; 2000, Mortel transfert (Beineix).

Ce brillant acteur de théâtre (Conservatoire et Comédie-Française à la grande époque des Meyer et Charon) n'a jamais bien réussi au cinéma (sauf peut-être dans *Chobizeness*). Les films fondés sur ses vertus comiques se sont tous effondrés, à l'exemple de *Martin soldat*. Preuve qu'il n'est qu'un bon serviteur des textes et qu'il n'a de fantaisie que quand les auteurs s'appellent Feydeau et Labiche, et qu'ils ont du génie.

Hirt, Éléonore

Actrice française née en 1919.

1961, Vie privée (Malle) ; 1964, What's New, Pussycat ? (Quoi de neuf, Pussycat ?) (Donner) ; 1966, Jeu de massacre (Jessua), The Night of the Generals (La nuit des généraux) (Litvak) ; 1969, La main (Glaeser), La horse (Granier-Deferre) ; 1970, Tropic of Cancer (Strick) ; 1971, A Time for Loving (Le temps d'aimer) (Miles) ; 1976, Seven Nights in Japan (Gilbert) ; 1977, Préparez vos mouchoirs (Blier) ; 1981, La nuit de Varennes (Scola) ; 1982, Les princes (Gatlif) ; 1987, Fucking Fernand (Mordillat) ; 1991, A la vitesse d'un cheval au galop (Onteniente) ; 1997, Un amour de sorcière (Manzor), L'amour fou (Rodde).

Le prototype de la gentille Parisienne dans la lune, charmante petite bonne femme au nez en trompette qui a beaucoup joué les occasionnelles dans les productions américaines tournées en France. Beaucoup de théâtre aussi, où elle a pu davantage briller. Elle a été mariée à Michel Piccoli.

Hobson, Valerie

Actrice anglaise, 1917-1998.

1933, Eyes of Fate (Campbell) ; 1934, The Path of Glory (Bower), Two Hearts in Waltztime (Gallone), Badger's Green (Brunel) ; 1935, Oh, What a Night ! (Frank Richardson), Rendez-vous at Midnight (Cabanne), The Bride of Frankenstein (La fiancée de Frankenstein) (Whale), The Mystery of Edwin Drood (Walker), The Werewolf of London (Le monstre de Londres) (Walker) ; 1936, Chinatown Squad (Roth), The Great Impersonation (Crosland), Tugboat Princess (Selman), The Secret of Stambul (Marton), No Escape (Lee) ; 1937, When Thief Meets Thief (Les deux aventuriers) (Walsh) ; 1938, The Drum (Alerte aux Indes) (Z. Korda), This Man Is New (D. McDonald), Spy in Black (L'espion noir) (Powell) ; 1939, The Silent Battle (H. Mason), Q. Planes (Woods et Whelan), This Man in Paris (McDonald) ; 1940, Contraband (Espionne à bord) (Powell) ; 1941, Atlantic Ferry (Forde) ; 1942, Unpublished Story (French) ; 1943, Adventures of Tartu (Bucquet) ; 1946, Years Between (Bennett), Great Expectations (Les grandes espérances) (Lean) ; 1947, Blanche Fury (Jusqu'à ce que mort s'ensuive) (M. Allégret) ; 1948, The Small Voice (McDonell) ; 1949, The Interrupted Journey (Hirt), The Rocking Horse Winner (Pelissier), Kind Hearts and Coronets (Noblesse oblige) (Hamer), Train of Events (Train du destin) (Dearden, Cole et Crichton) ; 1952, The Card (Neame), Who Goes There (Kimmins), The Voice of Merril (Gilling), Meet Me Tonight (Pelissier) ; 1953, Background (Birt), Monsieur Ripois (Clément).

Une grande dame du cinéma anglais. Sa tentative hollywoodienne en 1935-1936 ne valut à cette actrice venue du théâtre que des déceptions. C'est à son retour à Londres, en 1936, qu'elle va s'imposer. Ses meilleurs rôles seront ceux de la maturité, de *Noblesse oblige* à *Monsieur Ripois*. Elle épousa en secondes noces Profumo et fut mêlée au fameux scandale. Elle s'est retirée en 1954.

Hodiak, John

Acteur américain, 1914-1955.

1943, A Stranger in the Town (Rowland), I Dood It (Mademoiselle ma femme) (Minnelli), Swing Shift Maisie (McLeod), Song of Russia (Ratoff) ; 1944, Ziegfeld Follies (Minnelli), Maisie Goes to Reno (Beaumont), Lifeboat (Hitchcock), Sunday Dinner for a Soldier (Bacon), Marriage Is a Private Affair (Leonard) ; 1945, A Bell for Adano (King) ; 1946, The Harvey Girl (Sidney), Two Smart People (Dassin), Somewhere in the Night (Quelque part dans la nuit) (Mankiewicz) ; 1947, Love from a Stranger (Whorf), Desert Fury (Allen), The Arnelo Affair (Oboler) ; 1948, Homecoming (LeRoy), Command Decision (Tragique décision) (Wood) ; 1949, The Bribe (L'île au complot) (Leonard), Malaya (Thorpe), Battleground (Bastogne) (Wellman), Ambush (Embuscade) (Wood) ; 1950, The Miniver Story (Potter), A Lady Without Passport (Lewis) ; 1951, The People Against O'Hara (Le peuple accuse O'Hara) (Sturges), Across the Wide Missouri (Au-delà du Missouri) (Wellman) ; 1952, The Sellout (G. Mayer), Battle Zone (Selander) ; 1953, Mission over Korea (Sears), Ambush at Tomahawk Gap (Sears), Conquest of Cochise (Castle) ; 1954, Dragonfly Squadron (Selander) ; 1955, Trial (Robson) ; 1956, On the Threshold of Space (Webb).

Une fine moustache et un sourire sympathique lui permirent de faire illusion à la MGM au temps des comédies musicales. Marié à Anne Baxter, il faillit devenir une star, mais finit dans les séries Z des Sears et autres Selander. Il mourut d'une maladie cardiaque.

Hoffman, Dustin

Acteur américain né en 1937.

1967, The Tiger Makes Out (A. Hiller), The Graduate (Le lauréat) (Nichols) ; 1969, Midnight Cow-boy (Macadam cow-boy) (Schlesinger), John and Mary (John et Mary) (Yates), Madigan's Millions (Prager) ; 1970, Little Big Man (Little Big Man ou les extravagantes aventures d'un visage pâle) (Penn) ; 1971, Who Is Harry Kellerman... ? (Qui est Harry Kellerman ?) (Grosbard), Straw Dogs (Les chiens de paille) (Peckinpah) ; 1972, Alfredo, Alfredo (Germi) ; 1973, Papillon (Papillon) (Schaffner) ; 1974, Lenny (Lenny) (Fosse) ; 1976, All the President's Men (Les hommes du président) (Pakula), Marathon Man (Marathon Man) (Schlesinger) ; 1978, Straight Time (Le récidiviste) (Grosbard) ; 1979, Agatha (Apted), Kramer vs. Kramer (Kramer contre Kramer) (Benton) ; 1982, Tootsie (Tootsie) (Pollack) ; 1985, Death of a Salesman (Mort d'un commis voyageur) (Schlöndorff) ; 1987, Ishtar (Ishtar) (May) ; 1989, Rain Man (Rain Man) (Levinson), Family Business (Family Business) (Lumet) ; 1990, Dick Tracy (Dick Tracy) (Beatty) ; 1991, Billy Bathgate (Billy Bathgate) (Benton), Hook (Hook-La revanche du capitaine Crochet) (Spielberg) ; 1992, Hero (Héros malgré lui) (Frears) ; 1994, Outbreak (Alerte !) (Petersen) ; 1995, American Buffalo (Corrente), Sleepers (Sleepers) (Levinson) ; 1996, Mad City (Mad City) (Costa-Gavras) ; 1997, Wag the Dog (Des hommes d'influence) (Levinson), Sphere (Sphere) (Levinson) ; 1998, Jeanne d'Arc (Besson) ; 2002, Moonlight Mile (Silberling) ; 2003, Confidence (Confidence) (Foley), Runaway Jury (Le maître du jeu) (Fleder) ; 2004, Meet the Fockers (Mon beau-père, mes parents et moi) (Roach) ; 2005, I Heart Huckabees (J'adore Huckabees) (Russell), Finding Neverland (Neverland) (Forster) ; 2006, The Holiday (The Holiday) (Meyers), The Lost City (Adieu Cuba) (A. Garcia), Das Parfum – Die Geschichte eine Mörders (Le Parfum : histoire d'un meurtrier) (Tykwer) ; 2007, Stranger than Fiction (L'incroyable destin de Harold Crick) (Forster).

Fils d'un décorateur de plateau, il a été élevé à Hollywood. Après avoir suivi les cours de Strasberg (il en porte la marque dans son jeu parfois excessif), il joue beaucoup à Broadway puis c'est *The Graduate* qui le fait connaître à l'écran. Il tient le plus souvent le rôle de victimes, d'hommes ordinaires écrasés par le destin (*Le récidiviste*) mais qui se rebellent parfois (*Straw Dogs*). Parfois aussi il interprète avec conviction un personnage réel (*All the President's Men, Lenny*). Il peut être émouvant (*Kramer contre Kramer*), drôle (*Tootsie*), voire fascinant dans son rôle de composition d'autiste (*Rain Man*), occupant dans le cinéma américain une place à part. *Kramer* et *Rain Man* lui valent d'ailleurs deux oscars, en 1979 et en 1988. Capitaine Crochet chez Spielberg, il est le singulier héros de *Héros malgré lui* de Frears, avant de devenir le très savant colonel Daniels qui découvre l'existence d'un virus mortel dans *Alerte !*

Hoffman, Philip Seymour

Acteur américain né en 1968.

1991, Triple Bogey on a Par Five Hole (Poe) ; 1992, Szuler (Drabinski), Scent of a woman (Parfum de femme) (Brest), My New Gun (My New Gun) (Cochran), Leap of Faith (Pearce) ; 1993, My Boyfriend's Back (Balaban), Money for Nothing (Menendez), Joey Breaker (Starr) ; 1994, Nobody's Fool (Un homme presque parfait) (Benton), The Getaway (Guet-apens) (Donaldson), When a Man Loves a Woman (Pour l'amour d'une femme) (Mendoki) ; 1996, Hard Eight/Sydney (P.T. Anderson), Twister (Twister) (De Bont) ; 1997, Boogie Nights (Boogie Nights) (P.T. Anderson), Next Stop Wonderland (Et plus si affinités) (B. Anderson), The Big Lebowski (The Big Lebowski) (Coen) ; 1998, Patch Adams (Docteur Patch) (Shadyac), Montana (Leitzes), Happiness (Happiness) (Solondz), The Talented Mr. Ripley (Le talentueux Mr. Ripley) (Minghella) ; 1999, Flawless (Personne n'est parfait(e)) (Schumacher), Magnolia (Magnolia) (P.T. Anderson), Almost Famous (Presque célèbre) (Crowe) ; 2000, State and Main (Séquences et conséquences) (Mamet) ; 2002, Red Dragon (Dragon rouge) (Ratner) ; 2003, The 25th Hour (La 25e heure) (Lee), Last Party 2000 (The Party's over) (Chaiklin et Leitch), Punch-drunk Love (Punch-drunk Love – Ivre d'amour) (Anderson) ; 2004, Along Came Polly (Polly et moi) (Hamburg), Cold Mountain (Retour à Cold Mountain) (Minghella) ; 2005, Truman Capote (Truman Capote) (Miller) ; 2006, M : i : III (Mission : impossible 3) (Abrams) ; 2007, Synedocque (Kaufman).

Extraordinaire frustré sexuel gay dans *Boogie Nights* puis onaniste pervers dans le très grinçant *Happiness*, il use de son physique ingrat (obèse, le cheveu roux graisseux) pour une galerie de personnages peu gratifiants. Un comédien de second plan, certes, mais un formidable talent de composition, à nouveau à l'œuvre en drag-queen exubérante face à De Niro dans *Personne n'est parfait(e)* et, surtout, dans *Truman Capote*.

Hogan, Paul

Acteur australien né en 1941.

1986, Crocodile Dundee (Crocodile Dundee) (Faiman) ; 1988, Crocodile Dundee 2 (Crocodile Dundee 2) (Cornell) ; 1991, Almost an Angel (Cornell) ; 1994, Lightning Jack (Jack l'éclair) (Wincer) ; 1995, Flipper (Flipper) (A. Shapiro) ; 1998, Floating Away (Badham) ; 2000, Crocodile Dundee in L.A. (Burr).

Chanteur et acteur australien, il est dans *Crocodile Dundee* une sorte de Tarzan entraîné à New York par une journaliste. Le rôle l'a rendu célèbre.

Holbrook, Hal

Acteur américain, de son vrai prénom Harold, né en 1925.

1966, The Group (Le groupe) (Lumet) ; 1968, Wild in the Streets (Les troupes de la colère) (Shear) ; 1970, The People Next Door (Greene), The Great White Hope (L'insurgé) (Ritt) ; 1972, They Only Kill Their Masters (Ils ne tuent que leurs maîtres) (Goldstone) ; 1973, Jonathan Livingston Seagull (Jonathan Livingston le goéland) (Bartlett), Magnum Force (Magnum Force) (Post) ; 1974, The Girl from Petrovka (R.E. Miller) ; 1976, Midway (La bataille de Midway) (Smight), All the President's Men (Les hommes du président) (Pakula) ; 1977, Julia (Julia) (Zinnemann), Rituals (Carter) ; 1978, Capricorn One (Capricorn One) (Hyams) ; 1979, Natural Enemies (Kanew) ; 1980, The Fog (Fog) (Carpenter), The Kidnapping of the President (L'enlèvement du président) (Mendeluk) ; 1982, Creepshow (Creepshow) (Romero) ; 1983, The Star Chamber (La nuit des juges) (Hyams) ; 1984, Girls Nite Out (Deubel) ; 1987, Wall Street (Wall Street) (Stone) ; 1988, The Unholy (L'ange des ténèbres) (Vila) ; 1989, Fletch Lives (Autant en emporte Fletch) (Ritchie) ; 1993, The Firm (La firme) (Pollack) ; 1996, Carried Away (Barreto) ; 1997, Rusty : A Dog's Tale (Levy), Operation Delta Force (Firstenberg), Eye of the God (Nelson), Hush (Du venin dans les veines) (Darby) ; 1998, Judas Kiss (Judas Kiss) (Gutiérrez), Walking on the Waterline (Mulhern) ; 1999, The Bachelor (Le célibataire) (Sinyor), Waking the Dead (Gordon), The Florentine (Stagliano), Men of Honor (Les chemins de la dignité) (Tillman, Jr.) ; 2001, Purpo$e (Lazar).

Une belle voix (dans *Les hommes du président*, il était Gorge profonde, celui qui donnait la piste du scandale du Watergate aux deux journalistes) mais sa prestance un peu guindée lui a surtout valu de jouer pléthore de politiciens véreux, de représentants de la loi ou de conseillers de tous bords. A tourné environ trois fois plus pour la télévision que pour le cinéma, très souvent en *guest star*.

Holden, William

Acteur américain, de son vrai nom Beedle, 1918-1981.

1938, Golden Boy (L'esclave aux mains d'or) (Mamoulian) ; 1939, Invisible Stripes (Bacon), Those Were the Days (Reed) ; 1940, Arizona (Arizona) (Ruggles), Our Town (Une petite ville sans histoire) (Wood) ; 1941, Texas (Texas) (Marshall) ; 1942, The Fleet's In (L'escadre est au port) (Schertzinger), Meet the Stewarts (Green), The Remarkable Andrew (Heisler) ; 1943, Young and Willing (Griffith) ; 1947, Variety Girl (Hollywood en folie) (Marshall), Dear Ruth (Russell), Blaze of Noon (Farrow), The Man From Colorado (La peine du talion) (Levin), Rachel and the Stranger (La femme vendue) (Foster), Apartment for Peggy (L'amour sous les toits) (Seaton) ; 1949, Miss Grant Takes Richmond (Miss grain de sel ou une secrétaire endiablée) (Bacon), Dear Wife (Le démon du logis) (Haydn), Streets of Laredo (La chevauchée de l'honneur) (Fenton) ; 1950, Father is a Bachelor (Papa était célibataire) (Foster), Sunset Boulevard (Boulevard du crépuscule) (Wilder), Union Station (Midi gare centrale) (Maté) ; 1951, Force of Arms (Les amants de l'enfer) (Curtiz), Boots Malone (Vocation secrète) (Dieterle), Submarine Command (Duel sous la mer) (Farrow), Born Yesterday (Comment l'esprit vient aux femmes) (Cukor) ; 1952, The Turning Point (Le cran d'arrêt) (Dieterle), Stalag 17 (Wilder) ; 1953, Forever Fermale (Rapper), The Moon is Blue (La lune était bleue) (Preminger), Excutive Suite (La tour des ambitieux) (Wise), Escape From Fort Bravo (Fort Bravo) (Sturges), Sabrina (Wilder) ; 1954, The Bridges at Toko-Ri (Les ponts de Toko-Ri) (Robson), The Country Girl (Une fille de province) (Seaton), 1955, Love in a Many Splendored Thing (La colline de l'adieu) (King), Picnic (Picnic) (Logan) ; 1956, Toward the Unknown (Je reviens de l'enfer) (LeRoy), The Proud and the Profane (Seaton) ; 1957, The Bridge of the River Kwai (Le pont de la rivière Kwaï) (Lean) ; 1958, The Key (La clef) (Reed) ; 1959, The Horse Soldier (Les cavaliers) (Ford) ; 1960, The World of Suzie Wong (Le monde de Suzie Wong) (Quine), The Counterfeit Traitor (Trahison sur commande) (Seaton) ; 1961, Satan Never Sleeps (Histoire de Chine) (McCarey) ; 1962, The Lion (Le lion) (Cardiff) ; 1963, Paris When It Sizzles (Deux têtes folles) (Quine) ; 1964, The seventh Dawn (La septième aube) (Gilbert) ; 1965, Alvarez Kelly (Alvarez Kelly) (Dmytryk) ; 1967, Casino Royale (Casino royal) (Huston, Hughes, Guest, Parrish, Grath), The Devil's Brigade (La brigade du diable) (McLaglen) ; 1968, The Wild Bunch (La horde sauvage) (Peckinpah) ; 1969, L'arbre de Noël (Young) ; 1971, The Wild Rovers (Deux hommes dans l'Ouest) (Edwards), The Revengers (La poursuite sauvage) (Mann) ; 1973, Open Season (Collinson), Breezy (Breezy) (Eastwood) ; 1974, The Towering Inferno (La tour infernale) (Guillermin) ; 1976, Network (Network) (Lumet), Twenty One Hours at Munich (Les 21 heures de Munich) (Graham) ; 1977, Fedora (Fedora) (Wilder) ; 1978, Ashanti (Ashanti) (Fleischer), Damien-Omen II (Damien) (Taylor) ; 1979, When Time Ran Out (Le jour de la fin du monde) (Goldstone), Escape to Athena (Bons baisers d'Athènes) (Cosmatos) ; 1980, The Earthling (Collinson) ; 1981, S.O.B. (S.O.B.) (Edwards).

Issu d'une famille très aisée, il interrompt ses études pour faire quelques apparitions dans des films comme *Prison Farm* (1938) et *Million Dollar Legs* (1939). Son premier grand rôle est celui de Joe dans *Golden Boy*. Ce bon départ est interrompu par la guerre. Au retour Holden a mûri et s'est étoffé. Du personnage de jeune Américain moyen il passe à celui de l'homme fort. Il gagne un oscar en 1953 avec *Stalag 17*. Il devient, avec *The Bridge on the River Kwai* et d'autres superproductions, une vedette internationale qui séjourne en Suisse ou en Amérique. Parfois il abandonne le western qui convient bien à son jeu monolithique (*Alvarez Kelly*, *Wild Bunch*), pour interpréter des œuvres plus élaborées où il fait preuve d'une certaine finesse (*Breezy*). Il avait épousé l'actrice Brenda Marshall dont il se sépara en 1970. On l'a retrouvé mort dans sa somptueuse villa d'Hollywood.

Holgado, Ticky

Acteur français, de son vrai prénom Joseph, 1944-2004.

1981, Putain d'histoire d'amour (Béhat), Belles, blondes et bronzées (Pécas), Mme Claude II (Mimet), Les surdoués de la première compagnie (Gérard) ; 1982, On n'est pas sortis de l'auberge (Pécas), Comment draguer toutes les filles (Vocoret), Circulez, y a rien à voir

(Leconte) ; 1983, Les planqués du régiment (Caputo), Mesrine (Genovès), On m'appelle Catastrophe (Balducci), Les branchés à Saint-Tropez (Pécas), Le fou du roi (Chiffre), Le juge (Lefèbvre) ; 1984, Brigade des mœurs (Pécas), Les ripoux (Zidi), Comment draguer tous les mecs (Feuillebois), Adieu blaireau (Decout) ; 1985, Sale destin (Madigan), Les rois du gag (Zidi), Le bonheur a encore frappé (Trotignon) ; 1986, Manon des sources (Berri), Nuit d'ivresse (Nauer), Lévy et Goliath (Oury) ; 1987, Les keufs (Balasko) ; 1988, Sans peur et sans reproche (Jugnot) ; 1990, Le château de ma mère (Robert), Le mari de la coiffeuse (Leconte), Uranus (Berri), Delicatessen (Jeunet et Caro), Les secrets professionnels du Dr. Apfelglück (collectif) ; 1991, Une époque formidable (Jugnot), Mayrig (Verneuil), 588, rue Paradis (Verneuil), Ma vie est un enfer (Balasko) ; 1992, Drôles d'oiseaux (P. Kassovitz), Tango (Leconte), Le souper (Molinaro) ; 1993, L'honneur de la tribu (Zemmouri), Le bâtard de Dieu (Fechner), Tombés du ciel (Lioret), Funny Bones (Funny Bones) (Chelsom) ; 1994, Gazon maudit (Balasko), Les misérables (Lelouch), La cité des enfants perdus (Jeunet et Caro), Les Milles (Grall) ; 1995, Pourvu que ça dure (Thibaud), Lumière et compagnie (Moon) ; 1996, Hommes, femmes, mode d'emploi (Lelouch), Amour et confusions (Braoudé), Le plus beau métier du monde (Lauzier), Rhinoceros Hunting in Budapest (La chasse au rhinocéros à Budapest) (Haussman) ; 1997, Que la lumière soit ! (A. Joffé) ; 1998, Prison à domicile (Jacrot), Le sourire du clown (Besnard), Le Schpountz (Oury) ; 1999, Les acteurs (Blier) ; 2000, Meilleur espoir féminin (Jugnot), Le fabuleux destin d'Amélie Poulain (Jeunet) ; 2002, And Now, Ladies and Gentlemen (Lelouch) ; 2003, Tais-toi ! (Veber).

Trente-six métiers dans le show business (musicien, attaché de presse) avant de démarrer au cinéma comme faire-valoir dans les comédies poussives de Max Pécas et consorts. Grâce à *Delicatessen*, il acquiert enfin une véritable épaisseur de comédien au registre assez étendu, même si son accent de Marseille et son physique de gargouille tendent à le classer parmi les comiques.

Holliday, Judy

Actrice américaine, de son vrai nom Judith Tuvin, 1923-1965.

1944, Winged Victory (Cukor), Something for the Boys (Seiler) ; 1949, Adam's Rib (Madame porte la culotte) (Cukor) ; 1950, Born Yesterday (Comment l'esprit vient aux femmes) (Cukor) ; 1951, The Marrying Kind (Je retourne chez maman) (Cukor) ; 1954, It Should Happen to You (Une femme qui s'affiche) (Cukor), Phffft (Robson) ; 1956, The Solid Gold Cadillac (Une Cadillac en or massif) (Quine), Full of Life (Pleine de vie) (Quine) ; 1960, Bells Are Ringing (Un numéro du tonnerre) (Minnelli).

En dépit de ses triomphes à Broadway, d'un oscar en 1950 pour *Born Yesterday*, et de la signature au générique des films qu'elle a tournés des grands maîtres de la comédie, elle paraît médiocrement douée pour les effets comiques. Elle est consternante dans *Full of Life* où, pleine de vie, elle doit pourtant se ménager car elle est enceinte (ou pleine de vie, bien sûr !) et menacée d'une fausse couche. Bien qu'elle en fasse trop, elle conserve de fidèles admirateurs qui s'extasient encore sur ses vertus comiques.

Holm, Ian

Acteur britannique, de son vrai nom Ian Holm Cuthbert, né en 1931.

1968, The Bofor Gun (Gold), A Midsummer's Night Dream (Hall) ; 1969, The Fixer (L'homme de Kiev) (Frankenheimer), Oh, What a Lovely War (Dieu, que la guerre est jolie !) (Attenborough) ; 1971, Mary, Queen of Scotts (Mary Stuart, reine d'Écosse) (Jarrott), Nicholas and Alexandra (Nicolas et Alexandra) (Schaffner), A Severed Head (Clement) ; 1972, Young Winston (La griffe du lion) Attenborough) ; 1973, The Homecoming (Hall) ; 1974, Juggernaut (Terreur sur le Britannic) (Lester) ; 1976, Shout at the Devil (Parole d'homme) (Hunt), Robin and Marian (La rose et la flèche) (Lester), The Man in the Iron Mask (L'homme au masque de fer) (Newell) ; 1977, March or Die (Il était une fois la légion) (Richards), Gesù di Nazareth (Jésus de Nazareth) (Zeffirelli) ; 1978, The Thief of Bagdad (Le voleur de Bagdad) (Donner), Alien (Alien) (Scott) ; 1979, SOS Titanic (SOS Titanic) (Hale) ; 1980, Chariots of Fire (Les chariots de feu) (Hudson) ; 1981 Time Bandits (Bandits, bandits) (Gilliam) ; 1982, The Return of the Soldier (Le retour du soldat) (Bridges) ; 1983, Greystoke, the Legend of Tarzan, Lord of Apes (Greystoke, la légende de Tarzan, seigneur des singes) (Hudson) ; 1984, Brazil (Brazil) (Gilliam), Dance With a Stranger (Dance With a Stranger) (Newell), Laughterhouse (Eyre) ; 1985, Dreamchild (Millar), Wetherby (Hare) ; 1988, Another Woman (Une autre femme) (Allen) ; 1990, Henry V (Henry V) (Branagh), Hamlet (Hamlet) (Zeffirelli) ; 1991, Kafka (Kafka) (Soderbergh), The Naked Lunch (Le festin nu) (Cronenberg) ; 1992, Hour of the Pig (L'heure du cochon) (Megahey), Blue Ice (Mulcahy) ; 1993, Frankenstein (Frankenstein) (Branagh) ; 1994, The Madness of King George (La folie du roi George) (Hytner) ; 1995, Loch Ness (Loch Ness) (Henderson) ; 1996, Big Night (Big Night) (Tucci, Scott), The Fifth Element (Le cinquième élément) (Besson) ; 1997, The Sweet Hereafter (De beaux lendemains) (Egoyan), Incognito (Badham), Night Falls on Manhattan (Dans l'ombre de Manhattan) (Lumet), A Life Less Ordinary (Une vie moins ordinaire) (Boyle) ; 1998, eXistenZ (eXistenZ) (Cronenberg), Shergar (Lewiston), Simon Magus (Simon le magicien) (B. Hopkins) ; 1999, The Match (Davis), Joe Gould's Secret (Tucci), Esther Kahn (Esther Kahn) (Desplechin), Beautiful Joe (Une blonde en cavale) (Metcalfe), Bless the Child (L'élue) (Russell) ; 2000, The Lord of the Rings – The Fellowship of the Ring (Le seigneur des anneaux, la communauté de l'anneau) (Jackson) ; 2001, From Hell (From Hell) (A. & A. Hughes) ; 2003, The Lord of Rings : The Return of the King (Le Seigneur des anneaux, le retour du roi) (Jackson) ; 2004, The Day after Tomorrow (Le jour d'après) (Emmerich), The Aviator (Aviator) (Scorsese) ; 2005, Garden State (Braff) ; 2006, Ô Jerusalem (Chouraqui), Chromophobia (Fiennes), Lord of War (Lord of War) (Niccol).

Après des études à la Royal Academy of Dramatic Arts, il entre, en 1954, à la Royal Shakespeare Company de Stratford. Passant de rôles secondaires au devant de la scène, il quitte finalement la compagnie en 1967, s'exile à New York et débute à Broadway l'année suivante, tournant par la même occasion son premier film. Beaucoup de films à costumes, et le grand public le repère finalement dans le rôle de l'explorateur de *Greystoke*, puis dans celui du chef tatillon de *Brazil*. Devenu célèbre la cinquantaine passée, il incarne le prêtre Cornélius dans le méga-succès *Le cinquième élément*.

Holmes, Phillips

Acteur américain, 1909-1942.

1928, Varsity (Tuttle) ; 1929, The Return of Sherlock Holmes (Dean) ; 1930, Her Man (Son homme) (Garnett) ; 1931, An American Tragedy (Une tragédie américaine) (Sternberg), The Criminal Code (Code criminel) (Hawks) ; 1932, The Man I Killed (L'homme que j'ai tué) (Lubitsch) ; 1933, Storm at Daybreak (Boleslavsky), Stage Mother (Brabin) ; 1934, Nana (Arzner), Caravan (Charrell) ; 1935, Casta Diva (Gallone).

Jeune premier sobre et émouvant dans *Une tragédie américaine* et *L'homme que j'ai tué*, il périt dans un accident d'avion.

Holoubek, Gustaw

Acteur polonais né en 1923.

Principaux films : 1958, Pozegnania (Les adieux) (Has) ; 1961, Wspolnypokoj (Chambre commune) ; 1965, Rekopis znaleziony w Saragossie (Le manuscrit trouvé à Saragosse) (Has) ; 1966, Marysia i Napoléon (Marie et Napoléon) (Buckowski) ; 1969, Gra (Le jeu) (Kawalerowicz).

Surtout connu comme acteur de théâtre (il dirigea le Dramatczny de Varsovie), il est célèbre pour avoir interprété le rôle de Napoléon.

Holt, Jany

Actrice française d'origine roumaine, de son vrai nom Ecaterina Rouxandra Vladesco-Olt, 1912-2005.

1931, Un homme en habit (Guissart, Bossis) ; 1935, Le domino vert (Decoin) ; 1936, Le Golem (Duvivier), Un grand amour de Beethoven (Gance), Les bas-fonds (Renoir), Courrier Sud (Billon) ; 1937, L'alibi (Chenal), Troïka sur la piste blanche (Dréville) ; 1938, La tragédie impériale (L'Herbier), La maison du Maltais (Chenal), Le paradis de Satan (Gandera) ; 1941, Andorra (Couzinet) ; 1942, Le baron fantôme (Poligny) ; 1943, Les anges du péché (Bresson) ; 1944, La fiancée des ténèbres (Poligny), Farandole (Zwobada) ; 1945, Le pays sans étoiles (Lacombe) ; 1946, Mission spéciale (Canonge), Contre-enquête (Faurez) ; 1947, Non coupable (Decoin), Rumeurs (Davoy) ; 1948, Dr Laënnec (Cloche), L'échafaud peut attendre (Valentin) ; 1949, Mademoiselle de La Ferté (Dallier), Le Furet (Leboursier) ; 1951, The Green Glove (Le gantelet vert) (Maté) ; 1955, Les insoumises (Gaveau), Gervaise (Clément) ; 1968, Le grabuge (Luntz) ; 1978, Die linkshändige Frau (La femme gauchère) (Handke) ; 1985, Target (Target) (Penn) ; 1987, Saxo (Zeitoun) ; 1988, La passerelle (Sussfeld) ; 1992, Roulez jeunesse (Fansten) ; 1993, Métisse (M. Kassovitz) ; 1994, Noir comme le souvenir (Mocky).

Venue de Roumanie à l'âge de quatorze ans, elle prépare HEC mais préfère finalement les cours de Dullin. Mariée à Dalio, elle tourne de nombreux films avant et pendant la guerre, après sa séparation d'avec le comédien, preuve qu'elle doit tout à son talent. Petite, maigre, brune, elle respire l'énergie et impose des héroïnes qui, en dépit de défaillances, poursuivent leur but, telle la Thérèse des *Anges du péché*.

Holt, Tim

Acteur américain, 1918-1973.

1937, History Is Made at Night (Le destin se joue la nuit) (Borzage), Stella Dallas (Stella Dallas) (K. Vidor) ; 1938, Sons of the Legion (Hogan), Gold Is Where You Find It (La bataille de l'or) (Curtiz), I Met My Love Again (Ripley), The Law West of Tombstone (Tryon) ; 1939, Spirit of Culver (Santley), Fifth Avenue Girl (La fille de la Cinquième Avenue) (La Cava), Renegade Ranger (D. Howard), The Girl and the Gambler (Landers), Stagecoach (La chevauchée fantastique) (Ford) ; 1940, Swiss Family Robinson (Ludwig), Laddie, Wagon Trail (Killy), Fargo Kid (Killy) ; 1941, Along the Rio Grande (Killy), Cyclone on Horseback (Killy), Land of the Open Range (Killy), Thundering Hoofs (Selander), Come on Danger ! (Killy), The Dude Cow boy (Howard), The Bandit Trail (Killy), Riding the Wind (Killy), Six Gun Gold (Howard), Robbers of the Range (Killy), Back Street (Stevenson) ; 1942, The Magnificent Ambersons (La splendeur des Ambersons) (Welles), Pirates of the Prairie (Bretherton), Bandit Ranger (Selander) ; 1943, Hitler's Children (Dmytryk), The Avenging Rider (Sam Nelson), Red River Robin Hood (Selander), Fighting Frontier (Hillyer) ; 1946, My Darling Clementine (La poursuite infernale) (Ford) ; 1947, Under the Tonto Rim (Landers), Wild Horse Mesa (Grissell), Thunder Mountain (Landers) ; 1948, The Treasure of the Sierra Madre (Le trésor de la Sierra Madre) (Huston), Indian Agent (Selander), Arizona Rangers (Rawlins), Guns of Hate (Selander), Western Heritage (Grissel), Gun Smugglers (MacDonald) ; 1949, The Stagecoach Kid (Landers), Brothers in the Saddle (Selander), Rustlers (Selander), Riders of the Range (Selander), Masked Raiders (Selander), The Mysterious Desperado (Selander) ; 1950, Dynamite Pass (Landers), Storm over Wyoming (Selander), Rider from Tucson (Selander), Rio Grande Patrol (Selander), Border Treasure (Archainbaud), Law of the Badlands (Selander) ; 1951, Saddle Legion (Selander), Hot Lead (Gilmore), Pistol Harvest (Selander), Gunplay (Selander), Overland Telegraph (Selander), His Kind of Woman (Fini de rire) (Farrow) ; 1952, Target (Gilmore), Trail Guide (Selander), Desert Passage (Selander), Road Agent (Selander) ; 1957, The Monster That Challenged the World (Laven) ; 1971, This Stuff'll Kill Ya' ! (H.G. Lewis).

Fils de l'acteur Jack Holt (*The Vanishing Pioneer*, 1928), il fut incontestablement le roi du western de série B. Mais à l'inverse d'un Autry ou d'un Rogers, il participa également à des films importants : *Stagecoach*, *The Magnificent Ambersons* et *The Treasure of the Sierra Madre*, preuve qu'il savait faire plus que monter à cheval.

Homeier, Skip

Acteur américain, de son vrai prénom George, né en 1930.

1944, Tomorrow the World (Fenton) ; 1946, Boys'Ranch (Rowland) ; 1948, Mickey (R. Murphy), Arthur Takes Over ; 1949, The Big Cat (Le chat sauvage) (Karlson) ; 1950, The Gunfighter (La cible humaine) (King), Halls of Montezuma (Okinawa) (Milestone) ; 1951, Fixed Bayonets (Baïonnette au canon) (Fuller), Sealed Cargo (L'équipage fantôme) (Werker), Sailor Beware (La polka des marins) (Walker) ; 1952, Has Anybody Seen My Gal ? (Qui donc a vu ma belle ?) (Sirk) ; 1953, The Last Posse (Werker) ; 1954, Ten Wanted Men (Dix hommes à abattre) (Humberstone), Beachhead (La patrouille infernale) (Heisler), Black Widow (La veuve noire) (N. Johnson), The Lone Gun (Nazarro), Dawn at Socorro (G. Sherman) ; 1955, The Road to Denver (Colorado Saloon) (Kane), Cry Vengeance (Stevens), At Gunpoint (Le doigt sur la gâchette) (Werker) ; 1956, The Burning Hills (Collines brûlantes) (Heisler), Stranger at My Door (L'inconnu du ranch) (Witney), Dakota Incident (Guet-apens chez les Sioux) (Foster), Between Heaven and Hell (Le temps de la colère) (Fleischer), Thunder over Arizona (Kane) ; 1957, The Tall T (L'homme de l'Arizona) (Boetticher), Lure of the Swamp (Le secret des eaux mortes) (Cornfield) ; 1958, Day of the Bad Men (La journée des violents) (Keller) ; 1959, The Plunderers of Painted Flats (Les pillards de la prairie) (Gannaway) ; 1960, Comanche Station (Boetticher) ; 1963, Showdown (Le collier de fer) (Springsteen) ; 1964, Bullet for a Badman (La patrouille de la violence) (Springsteen), Stark Fear (Hockman) ; 1966, Dead Heat on a Merry-Go-Round (Un truand) (Girard), The Ghost and Mr. Chicken (Rafkin) ; 1968, Tiger by The Tail (Springsteen) ; 1976, Starbird and Sweet William (Hirley) ; 1977, The Greatest (Gries).

Enfant prodige, il tenait le rôle du jeune nazi dans *Tomorrow the World*, son premier film. Par la suite, il se spécialisa dans les rôles de tueurs et y fit merveille, promenant sa sale gueule, assez semblable à celle de Lee Marvin, dans de nombreuses séries B de Boetticher, Keller, Humberstone et autres Witney. C'est lui qui tuait Gregory Peck d'une balle dans le dos à la fin du *Gunfighter*. Il fut aussi un méchant persécutant Natalie Wood dans *Collines brûlantes*. Du vrai cinéma.

Homolka, Oscar
Acteur autrichien, 1899-1978.

1926, Das Abenteuer eines Zehnmarkscheines (Viertel), 1929, Masken (La dame au masque) (Thiele) ; 1930, Dreyfus (Oswald), Hokus Pokus (Ucicky) ; 1931, Der Weg nach Rio (Noa), Im Geheimdienst Nachtkolonne (Ucicky), 1914 (L'année 1914) (Oswald), Zwischen Nacht und Morgen (Lamprecht) ; 1932, Die Nächte von Port Saïd (Mittler) ; 1933, Moral und Liebe (Jacoby), Unsichtbare Gegner (Katscher) ; 1936, Rhodes of Africa (Viertel), Sabotage (Hitchcock) ; 1937, Ebb Tibe (Hogan), Hidden Power (Collins) ; 1940, Comrade X (Camarade X) (Vidor), Seven Sinners (La maison des sept péchés) (Garnett) ; 1941, The Invisible Woman (La femme invisible) (Sutherland), Rage in Heaven (La proie du mort) (Van Dyke), Ball of Fire (Boule de feu) (Hawks) ; 1943, Mission to Moscow (Curtiz), Hostages (Tuttle) ; 1946, The Shop at Sly Corner (Légitime défense) (G. King) ; 1948, I Remember Mama (Tendresse) (Stevens) ; 1949, Anna Lucasta (Rapper) ; 1950, The White Tower (La tour blanche) (Tetzlaff) ; 1952, Top Secret (Ultrasecret) (Zampi) ; 1954, Prisoner of War (Marton) ; 1955, The Seven Year Itch (Sept ans de réflexion) (Wilder) ; 1956, War and Peace (Guerre et paix) (Vidor) ; 1957, A Farewell to Arms (L'adieu aux armes) (Ch. Vidor) ; 1958, La tempête (Lattuada), The Key (La clé) (Reed) ; 1961, Mr. Sardonicus (Castle) ; 1962, The Wonderful World of the Brothers Grimm (Les amours enchantées) (Levin), Boys'Night Out (Gordon) ; 1963, The Long Ships (Les drakkars) (Cardiff) ; 1964, Joy in the Morning (Segal) ; 1966, Funeral in Berlin (Mes funérailles à Berlin) (Hamilton) ; 1967, Billion Dollar Brain (K. Russell), Assignment to Kill (Reynolds) ; 1968, The Madwoman of Chaillot (Forbes) ; 1970, The Executioner (Wanamaker), Song of Norway (Stone) ; 1974, The Tamarind Seed (Top secret) (Edwards).

Une trogne. Cet acteur viennois aux traits lourds a débuté en Allemagne puis est passé en Angleterre d'où il a rejoint la colonie viennoise d'Hollywood aux États-Unis. Il joua avec conviction les espions nazis puis les espions russes, mettant le même talent au service de la Gestapo comme du KGB. Il fut rarement en vedette, sauf pour *Sabotage*, mais il appartint à cette galerie des troisièmes couteaux qui ont fait le charme de nombreux films d'action. Il était marié à l'actrice Joan Tetzel morte en 1977.

Hope, Bob
Acteur américain d'origine anglaise, 1903-2003.

1938, The Big Broadcast of 1938 (Leisen), College Swing (Walsh), Give Me a Sailor (Nugent) ; 1939, Never Say Die (Nugent), Some Like It Hot (Archainbaud), The Cat and the Canary (Nugent) ; 1940, The Ghost Breakers (Le mystère du château maudit) (Marshall), Road to Singapore (En route pour Singapour) (Schertzinger) ; 1941, Road to Zanzibar (En route vers Zanzibar) (Schertzinger), Caught in the Draft (Butler), Nothing But the Truth (Nugent), Louisiana Purchase (Cummings) ; 1942, Road to Morocco (En route pour le Maroc) (Butler), My Favorite Blonde (Lanfield), Star Spangled Rhythm (Au pays du rythme) (Marshall) ; 1943, They Got Me Covered (Butler), Let's Face It (Lanfield) ; 1944, The Princess and the Pirate (Butler) ; 1945, Road to Utopia (En route vers l'Alaska) (Walker), Duffy's Tavern (Walker), My Favorite Brunette (La brune de mes rêves) (Nugent) ; 1947, Monsieur Beaucaire (Le joyeux barbier) (Marshall), Variety Girl (Hollywood en folie) (Marshall), Where There's Life (A vos ordres ma générale) (Lanfield), Road to Rio (En route pour Rio) (McLeod) ; 1948, The Paleface (Le visage pâle) (McLeod) ; 1949, Sorrowful Jones (Un crack qui craque) (Lanfield), The Great Lover (Don Juan de l'Atlantique) (Hall) ; 1950, Fancy Pants (Propre à rien) (Marshall), The Lemon Drop Kid (La môme boule de gomme) (Tashlin, Lanfield), Ruggles of Red Gap (L'admirable Mister Ruggles) (McCarey) ; 1951, My Favorite Spy (Espionne de mon cœur) (Garnett) ; 1952, The Greatest Show on Earth (Sous le plus grand chapiteau du monde) (DeMille), Son of Paleface (Le fils de Visage-Pâle) (Tashlin), Road to Bali (En route pour Bali) (Walker), Off Limits (Marshall), Casanova's Big Night (McLeod) ; 1954, Here Come the Girls (Il y aura toujours des femmes) (Binyon) ; 1955, The Seven Little Foys (Mes sept petits chenapans) (Shavelson), That Certain Feeling (Si j'épousais ma femme) (Panama) ; 1956, The Iron Petticoat (Whisky, vodka et jupon de fer) (Thomas) ; 1957, Beau James (L'ingrate cité) (Shavelson) ; 1958, Paris Holiday (A Paris tous les deux) (Oswald), The Five Pennies (Millionnaire de cinq sous) (Shavelson) ; 1959, Alias Jesse James (Ne tirez pas sur le bandit) (McLeod) ; 1960, The Facts of Live (Voulez-vous pécher avec moi ?) (Frank, Panama) ; 1961, Bachelor in Paradise (L'Américaine et l'amour) (Arnold) ; 1962, Road to Hong Kong (Astronautes malgré eux) (Panama), Critic's Choice (Weiss) ; 1963, Call Me Bwana (Appelez-moi chef) (Douglas) ; 1964, A Global Affair (Papa play-boy) (Arnold) ; 1965, I'll Take Sweden (De Cordova) ; 1966, Boy Did I Get a Wrong Number (Quel numéro ce faux numéro) (Marshall) ; 1967, Eight on a Lam (Marshall) ; 1968, Private Navy of Sgt. O'Farrell (La marine en folie) (Tashlin) ; 1969, How to Commit Marriage (Panama) ; 1972, Cancel My Reservation (Bogart) ; 1980, The Muppet Movie (Les Muppets, ça c'est du cinéma !) (Frawley).

Il est né à Ettham, près de Londres, mais vient s'établir à quatre ans avec ses parents à Cleveland. Garçon de café, boxeur, figurant, il s'impose bientôt à la radio puis à Broadway. La conquête d'Hollywood suivra. Une mobilité de traits exceptionnelle le verse dans les emplois comiques grimaçants. Il connaît une grande popularité avec la série des « En route pour » où il a pour partenaires Bing Crosby et Dorothy Lamour. En solo, il est dirigé par McLeod, Tashlin ou Marshall dans des comédies qui font encore rire. Mais à partir de 1970, Bob Hope se sent dépassé et se retire. Habitué à remonter le moral du G.I., il reparaît en 1983 au Liban. Peu de temps après, comme en Indochine auparavant, les troupes américaines évacuent le pays. Pas de chance pour Bob Hope ! Il repartira pourtant dans le golfe Persique en 1990 et en Arabie Saoudite en 2002. Il a écrit une autobiographie, *The Road to Hollywood* (1977).

Hopkins, Anthony

Acteur et réalisateur anglais né en 1937.

1967, White Bus (Anderson) ; 1968, The Lion in Winter (Le lion en hiver) (Harvey) ; 1969, When Eight Bells Toll (Commando pour un homme seul) (Périer), The Looking Glass War (Le miroir aux espions) (Pierson), Hamlet (Richardson) ; 1972, Young Winston (Les griffes du lion) (Attenborough) ; 1973, Doll's House (La maison de poupée) (Losey) ; 1974, The Girl from Petrovka (La fille de la rue Petrovka) (Miller), Juggernaut (Terreur sur le Britannic) (Lester), All Creatures Great and Small (Herriot) ; 1976, Victory at Entebbe (Victoire à Entebbe) (Chomsky), A Bridge Too Far (Un pont trop loin) (Attenborough) ; 1977, Audrey Rose (Audrey Rose) (Wise), Sarah (International Velvet) (Forbes) ; 1978, Magic (Magic) (Attenborough) ; 1980, The Elephant Man (Elephant man) (Lynch), A Change of Seasons (Changement de saisons) (Lang) ; 1983, The Bounty (Le Bounty) (Donaldson) ; 1986, Blunt (Glenister) ; 1987, 84 Charing Cross Road (Jones), The Good Father (Newell) ; 1989, A Chorus of Disapproval (Winner) ; 1990, Desperate Hours (La maison des otages) (Cimino), The Silence of the Lambs (Le silence des agneaux) (Demme) ; 1991, Freejack (Freejack) (Murphy) ; 1992, Howards End (Retour à Howards end) (Ivory), Spotswood/The Efficiency Expert (M. Joffe), Chaplin (Chaplin) (Attenborough), Bram Stoker's Dracula (Dracula) (Coppola) ; 1993, The Remains of the Day (Les vestiges du jour) (Ivory), Shadowlands (Les ombres du cœur) (Attenborough), The Trial (Jones), The Innocent (Schlesinger) ; 1994, The Road to Wellville (Aux bons soins du Dr Kellogg) (Parker), Legends of the Fall (Légendes d'automne) (Zwick), August (Hopkins) ; 1995, Nixon (Nixon) (Stone) ; 1996, Surviving Picasso (Surviving Picasso) (Ivory) ; 1997, The Edge (A couteaux tirés) (Tamahori), Amistad (Amistad) (Spielberg), The Mask of Zorro (Le masque de Zorro) (Campbell), Meet Joe Black (Rencontre avec Joe Black) (Brest) ; 1998, Instinct (Instinct) (Turteltaub) ; 1999, Titus (Titus) (Taymor), Mission : Impossible 2 (Mission : impossible 2) (Woo) ; 2000, Hannibal (Hannibal) (Scott) ; 2001, Hearts in Atlantis (Cœurs perdus en Atlantide) (Hicks), The Devil and Daniel Webster (A. Baldwin), Bad Company (Bad Company) (Schumacher) ; 2002, Red Dragon (Dragon rouge) (Ratner) ; 2003, The Human Stain (La couleur du mensonge) (Benton) ; 2004, Alexander (Alexandre) (Stone) ; 2006, All the King's men (Les fous du roi) (Zaillian), The World's Fasted Indian (Burt Munro) (Donaldson), Bobby (Bobby) (Estevez) ; 2007, Fracture (Hoblit), Hannibal Rising (Hannibal Lecter : Les origines du mal) (Webber). *Comme réalisateur :* 1994, August.

Formé à la Royal Academy of Dramatic Art, il a joué avec Laurence Olivier au National Theatre et s'est produit dans de nombreuses séries à la télévision. Il semble s'orienter vers les films d'épouvante d'un certain niveau : *Audrey Rose*, *Magic*, *Elephant Man*. Puis *Le silence des agneaux* le consacre par un oscar en 1991 et Hollywood se l'arrache, quitte à le voir se perdre dans un certain cabotinage (Nixon, Picasso, Zorro...). Retour à la composition d'un personnage d'épouvante avec *Hannibal* puis le *Dragon rouge*. Il est le narrateur dans *Alexandre*.

Hopkins, Miriam

Actrice américaine, 1911-1988.

1930, Fast and Loose (Newmeyer) ; 1931, The Smiling Lieutenant (Le lieutenant souriant) (Lubitsch), Twenty Four Hours (Gering) ; 1932, Two Kinds of Women (W. DeMille), Dr. Jekyll and Mr. Hyde (Dr. Jekyll et M. Hyde) (Mamoulian), Dancers in the Dark (D. Burton), The World and the Flesh (Cromwell), Trouble in Paradise (Haute pègre) (Lubitsch) ; 1933, The Story of Temple Drake (La déchéance de Miss Drake) (Roberts), The Stranger's Return (Vidor), Design for Living (Sérénade à trois) (Lubitsch) ; 1934, All of Me (Flood), She Loves Me Not (Nugent), The Richest Girl in the World (La femme la plus riche du monde) (Seiter) ; 1935, Becky Sharp (Becky Sharp) (Mamoulian), Barbary Coast (Ville sans loi) (Hawks), Splendor (Nugent) ; 1936, These Three (Ils étaient trois) (Wyler), Men Are not Gods (Reisch) ; 1937, The Man I Love (Litvak), Woman Chases Man (Blystone), Wise Girl (S.O.S. Vertu) (Jason) ; 1939, The Old Maid (La vieille fille) (Goulding) ; 1940, Virginia City (La caravane héroïque) (Curtiz) ; 1941, The Lady with Red Hair (Bernhardt) ; 1942, A Gentleman after Dark (Marin) ; 1943, Old Acquaintance (L'impossible amour) (V. Sherman) ; 1949, The Heiress (L'héritière) (Wyler) ; 1950, The Mating Season (La mère du marié) (Leisen) ; 1951, Carrie (Un amour desespéré) (Wyler) ; 1952, The Outcasts of Poker Flat (Newman) ; 1961, The Children's Hour (La rumeur) (Wyler) ; 1964, Fanny Hill (Russ Meyer) ; 1965, The Chase (La poursuite impitoyable) (Penn).

Débuts à Broadway comme ingénue. En 1930, elle signe un contrat avec Paramount. Elle est remarquable dans la version de Mamoulian du fameux *Dr. Jekyll et Mr. Hyde*, où elle est l'infortunée Emma Krull. Elle s'intègre également très bien dans l'univers de Lubitsch avec lequel elle tourne trois films. Pourtant en 1934, elle quitte la firme. Elle travaillera pour United Artists, RKO et Warner, dirigée notamment par Hawks, Curtiz et surtout Wyler.

Hopper, Dennis

Acteur et réalisateur américain né en 1936.

1955, Rebel Without a Cause (La fureur de vivre) (Ray), I Died a Thousand Times (La peur au ventre) (Heisler) ; 1956, Giant (Géant) (Stevens), Gunfight at O.K. Corral (Règlement de comptes à O.K. Corral) (Sturges) ; 1957, The Story of Mankind (I. Allen) ; 1958, From Hell to Texas (La fureur des hommes) (Hathaway) ; 1959, The Young Land (Tetzlaff) ; 1960, Key Witness (L'homme qui a trop parlé) (Karlson) ; 1963, Night Tide (Harrington) ; 1964, Tarzan and Jane Regained... Sort Of (Warhol) ; 1965, The Sons of Katie Elder (Les fils de Katie Elder) (Hathaway) ; 1966, Queen of Blood (Harrington) ; 1967, The Glory Stompers (La guerre des anges) (Lanza), Cool Hand Luke (Luke la main froide) (Rosenberg), The Trip (Corman) ; 1968, Hang'Em High (Pendez-les haut et court) (Post), Panic in the City (Davis) ; 1969, True Grit (Cent dollars pour un shérif) (Hathaway), Easy Rider (Easy Rider) (Hopper) ; 1971, The Last Movie (Hopper), The American Dreamer (Schiller, Kit Carson), Crush Proof (de Menil) ; 1973, Kid Blue (Kid blue) (Frawley) ; 1975, James Dean, the First American Teenager (Connolly) ; 1976, Mad Dog Morgan (Mora) ; 1977, Tracks (Jaglom), Der Amerikanische Freund (L'ami américain) (Wenders), Les apprentis sorciers (Cozarinsky) ; 1978, L'ordre et la sécurité du monde (d'Anna), Couleur chair (Weyergans) ; 1979, Apocalypse Now (Apocalypse Now) (Coppola) ; 1980, Out of the Blue (Garçonne) (Hopper) ; 1981, King of the Mountain (Nosseck) ; 1982, Human Highway (Shakey et Stockwell) ; 1983, Rumble Fish (Rusty James) (Coppola), The Osterman Week-end (Osterman week-end) (Peckinpah) ; 1983, The Inside Man (L'agent double) (Clegg), Reborn (Luna) ; 1984, The Utterly Monstrous Mind Roasting Summer of O.C. and Stiggs (Altman) ; 1985, My Science Project (Les aventuriers de la quatrième dimension) (Betuel), Running Out of Luck (Temple) ; 1986, Hoosiers (Le grand défi) (Anspaugh), Blue Velvet (Blue Velvet) (Lynch), The American Way (The American Way) (Phillips), The Texas Chainsaw Massacre Part II (Massacre à la tronçonneuse 2) (Hooper) ; 1987, The Black Widow (La veuve noire) (Rafelson), The Pick-up Artist (Toback), River's Edge (Hunter), Straight to Hell (Cox) ; 1989, Blood Red (Masterson) ; 1990, Chattahoochee (Jackson), Flashback (Amurri), Backtrack (Hopper) ; 1991, Paris Trout (Rage) (Gyllenhaal), Indian Runner (Indian Runner) (Penn), Superstar, the Life and Times of Andy Warhol (Superstar) (Workman), Schneeweissrosenrot (Ritter, Langhaus) ; 1992, Eye of the Storm (Zeltser), Midnight Heat (Le feu de minuit) (Nicolella), Red Rock West (Red Rock West) (Dahl), Boiling Point (L'extrême limite) (Harris) ; 1993, Super Mario Bros (Super Mario Bros) (Morton et Jenkel), True Romance (True Romance) (Scott) ; 1994, Speed (Speed) (De Bont), Search and Destroy (Search and Destroy)

(Salle), Chasers (Hopper), Waterworld (Waterworld) (Reynolds), Carried Away (Barreto) ; 1995, Basquiat (Basquiat) (Schnable) ; 1996, The Last Days of Frankie the Fly (Markle), The Blackout (The Blackout) (Ferrara), Cannes Man (Martini, Shapiro), Road Ends (R. King), The Good Life (Mehrez) ; 1997, Top of the World (Furie), Meet the Deedles (Boyum) ; 1998, Ed TV (En direct sur Ed TV) (Howard) ; 1999, Jesus' Son (Jesus' Son) (MacLean), The Venice Project (Dornhelm), Bad City Blues (Stevens), The Spreading Ground (Vanlint) ; 2000, Ticker (Pyun) ; 2001, Knockaround Guys (Les hommes de main) (Koppelman, Levien) ; 2002, Leo (Norowzian) ; 2005, Inside Deep Throat (Inside Deep Throat) (Barley et Barbato), Land of the Dead (Land of the Dead – Le territoire des morts) (Romero) ; 2006, Sketches of Franck Gehry (Esquisses de Franck Gehry) (Pollack). *Pour le metteur en scène*, voir le *Dictionnaire du cinéma*, t. I : *Les réalisateurs*.

Débuts d'acteur avec James Dean, mais c'est *Easy Rider*, poème de l'errance, qui va l'imposer. Il promènera son beau visage et sa fébrilité dans de nombreux films : il est séduisant dans *L'ami américain*, inquiétant dans *Blue Velvet*.

Horn, Camilla
Actrice allemande, 1908-1996.

1926, Faust (Murnau), La cigale et la fourmi (Asagaroff) ; 1928, Tempest (S. Taylor) ; 1929, Eternal Love (L'abîme) (Lubitsch), 1930, Queen of the Night Clubs (Foy), Sonntag des Lebens (Mittler), Die Grosse Sehnsucht (Sekely) ; 1931, Le chant des nations (version allemande de Meinert) ; 1932, Leichtsinnige Jugend (Mittler), Les cinq gentlemen maudits (version allemande) (Duvivier) ; 1933, Rakoczy March (Sekely) ; 1934, Der Letzte Walzer (La dernière valse) (Mittler) ; 1935, Ein Walzer für Dich (Zoch), Der rote Reiter (Randolf) ; 1937, Son dernier modèle (Noss) ; 1938, Weisse Sklaven (Le croiseur Sebastopol) (Anton), Les gens du voyage (version allemande) (Feyder), In geheimet Mission (Alten) ; 1939, Roman eines Arztes (Retour à la vie) (Alten), Rote Orchideen (L'orchidée rouge) (Malasomma) ; 1940, Polterabend (Boese), Le dernier round (W. Klinger) ; 1941, Musicien errant (Müller) ; 1942, Tragödie einer Liebe (Brignone) ; 1943, Seine beste Rolle (O. Pittermann) ; 1944, Intimitäten (P. Martin) ; 1949, Gesucht wird Majora (H. Pfeiffer) ; 1952, Königin der Arena (R. Meyer) ; 1953, Vati macht Dummheiten (Haüssler) ; 1968, Heisses Spiel für harte Männer (N. Zanchin) ; 1987, Der Unsichtbäre (Miehe), Die letzte Geschichte von Schloss König Wald (Schamoni).

Révélée par le *Faust* de Murnau où elle fut une admirable Marguerite. Elle tenta sa chance sans grand succès à Hollywood puis se dispersa dans des versions allemandes de films de Julien Duvivier et de Jacques Feyder et dans le tout-venant de la production allemande.

Horne, Lena
Actrice et chanteuse américaine née en 1917.

1942, Panama Hattie (McLeod) ; 1943, I Dood It (Mademoiselle ma femme) (Minnelli), Swing Fever (Whelan), Cabin in the Sky (Un petit coin aux cieux) (Minnelli), Thousand Cheers (La parade aux étoiles) (Sidney), Stormy Weather (Symphonie magique) (Stone) ; 1944, Broadway Rhythm (Del Ruth), Two Girls and a Sailor (Deux jeunes filles et un marin) (Thorpe) ; 1946, Ziegfeld Follies (Ziegfeld Follies) (Minnelli), Till the Clouds Roll By (La pluie qui chante) (Whorf) ; 1948, Words and Music (Ma vie est une chanson) (Taurog) ; 1950, Duchess of Idaho (Jamais deux sans toi) (Leonard) ; 1956, Meet Me in Las Vegas (Vive Las Vegas) (Rowland) ; 1969, Death of a Gunfighter (Smithee) ; 1978, The Wiz (The Wiz) (Lumet) ; 1994, That's Entertainment III (That's Entertainment III) (Friedgen, Knievel).

On ne conçoit pas une comédie musicale de la MGM sans cette chanteuse noire. Mais ses performances se rattachent davantage à la chanson qu'au métier d'actrice.

Horney, Brigitte
Actrice allemande, 1911-1988.

1930, Abschied (Siodmak) ; 1931, Fra Diavolo (Bonnard) ; 1933, Heideschulmeister Uwe Karsten (Carl Wolff) ; 1934, Der ewige Traum (Le roi du Mont-Blanc) (Fanck), Liebe Tod und Teufel (Hilpert), Ein Mann will nach Deutschland (Wegener) ; 1935, Der grüne Domino (Le domino vert) (Selpin), Blütsbruder, Stadt Anatol (Tourjansky) ; 1936, Savoy-Hotel (Ucicky) ; 1937, Der Katzensteg (La passerelle aux chats) (Buch), Revolutions Hochzeit (Zerlett), Verklungene Melodie ; 1938, Zwei in den Wolken (Liebeneiner) ; 1939, Der Gouverneur (Tourjansky), Befreite Hände (Les mains libres) (Schweikart) ; 1940, Das Mädchen von Fäno (La tempête) (Schweikart), Feinde (Les frontaliers) (Tourjansky) ; 1943, Münchhausen (Les aventures fantastiques du baron de Münchhausen) (Baky) ; 1948, Die Frau am Weg (Borsody) ;

1949, Verspieltes Leben (Meisel) ; 1953, Solange Du da Bist (Tant que tu m'aimeras) (Braun) ; 1954, Gefangene der Liebe (Mon enfant vivra) (Jugert), Der letzte Sommer (Braun) ; 1957, Der gläserne Turm (Braun) ; 1960, Nacht fiel über Gotenhafen (A l'ombre de l'étoile rouge) (Wisbar) ; 1962, The Miracle of White Stallion (Le grand retour) (Hiller) ; 1965, Neues vom Hexer (Vohrer) ; 1966, Ich suche einen Mann (Weidenmann) ; 1970, The Trygon Factor (Le signe du trigone) (Frankel) ; 1981, Charlotte (Weisz) ; 1982, Die Sehnsucht der Veronika Voss (Le secret de Veronika Voss) (Fassbinder) ; 1983, Bella Donna (Keclevic).

Type de la jeune première, style coquette, révélée par *Abschied* et qui poursuivit une carrière brillante sous le régime nazi : elle est éblouissante dans *Münchhausen*. En 1944, elle disparut des écrans et ne fit une timide rentrée qu'en 1948, sans jamais retrouver de grands rôles dans un cinéma à peu près anéanti en Allemagne.

Horrocks, Jane

Actrice anglaise née en 1964.

1987, Road (Clark) ; 1988, The Wolves of Willoughby Chase (Orme), The Dressmaker (O'Brien) ; 1989, Getting It Right (Kleiser) ; 1990,The Witches (Roeg), Life Is Sweet (Life Is Sweet) (Leigh), Memphis Belle (Memphis Belle) (Caton-Jones) ; 1993, Deadly Advice (Fletcher) ; 1994, Second Best (Menges) ; 1995, Some Kind of Life (Jarrold) ; 1998, Little Voice (Little Voice) (Herman), Bring Me the Head of Mavis Davis (Henderson) ; 2000, Born Romantic (Kane).

Révélée par la télévision (elle était Bubbles, la très crétine secrétaire d'Edina dans la série culte « Absolutely Fabulous »), elle végète dans les troisièmes rôles (sauf chez Mike Leigh) puis gagne le premier plan en tenant le rôle-titre de *Little Voice*, où elle donne, d'une très belle voix, des imitations de chanteuses connues. Une révélation, mais aussi une comédienne à fleur de peau, ultrasensible, qui peut parfois surjouer ses personnages.

Horton, Edward Everett

Acteur américain, 1886-1970.

1922, Too Much Business (Robbins) ; 1923, Ruggles of Red Gap (Cruze) ; 1925, Beggar on Horseback (Cruze) ; 1927, Taxi Taxi (Brown) ; 1928, The Terror (Del Ruth) ; 1929, Sonny Boy (Mayo) ; 1930, Once a Gentleman (Cruze) ; 1931, Reaching for the Moon (Goulding), Lonely Wives (Mack), The Age for Love (Lloyd), Kiss Me Again, Smart Woman (La Cava), Six Cylinder Love (Banks), The Front Page (Milestone) ; 1932, Trouble in Paradise (Haute pègre) (Lubitsch), Roar of the Dragon (Ruggles), But the Flesh is Weak (Conway) ; 1933, The Way to Love (Taurog), Design for Living (Sérénade à trois) (Lubitsch) ; 1934, The Merry Window (La veuve joyeuse) (Lubitsch), The Gay Divorcee (La joyeuse divorcée) (Sandrich), A Bedtime Story (Taurog), The Way to Love (Taurog), Alice in Wonderland (Alice au pays des merveilles) (McLeod), Poor Rich (Sedgwick), Ladies Should Listen (Tuttle), Uncertain Lady (Freund), Easy to Love (Keighley) ; 1935, Top Hat (Le danseur du dessus) (Sandrich), The Night Is Young (Murphy), In Caliente (Bacon), Biography of a Bachelor Girl (E. Griffith), The Devil is a Woman (La femme et le pantin) (Sternberg), Your Uncle Dudley (Forde), The Private Secretary (Whitman), Little Big Shot (Curtiz), All the King's Horses (Tuttle), Going Highbrow (Florey) ; 1936, Hearts Divided (Betsy) (Borzage), Her Master's Voice (Santley), Nobody's Fool (Collins), The Singing Kid (Keighley) ; 1937, The King and the Chorus Girl (LeRoy), Shall We Dance ? (L'entreprenant M. Petrov) (Sandrich), The Great Garrick (Whale), Lost Horizon (Horizons perdus) (Capra), Hitting a New High (Walsh), Let's Make a Million (R. McCarey), Danger, Love at Work (Charmante famille) (Preminger), Oh Doctor ! (R. McCarey), Wild Money, Angel (Lubitsch) ; 1938, Holiday (Cukor), College Swing (Walsh), Bluebeard's Eight Wife (La huitième femme de Barbe-Bleue) (Lubitsch) ; 1939, Paris Honeymoon (Tuttle) ; 1940, Ziegfeld Girl (Leonard), Here Comes Mr. Jordan (Le défunt récalcitrant) (Hall), The Body Disappeard (Lederman), Week-End for Three (Reis), You're the One (Murphy), Bachelor Daddy (Young) ; 1942, I Married an Angel (Van Dyke), The Magnificent Dope (W. Lang), Springtime in the Rockies (Cummings) ; 1943, Forever and a Day (Lloyd, Clair...), The Gang's All Here (Berkeley), Thank Your Lucky Star (Butler) ; 1944, Arsenic and Old Lace (Arsenic et vieilles dentelles) (Capra), Summer Storm (L'aveu) (Sirk), Her Primitive Man (Lamont), San Diego I Love You (Le Borg), The Town Went Wild (Murphy) ; 1945, Lady on a Train (Ch. David), Steppin' in Society (Esway) ; 1946, Cinderella Jones (Berkeley), Down to Earth (L'étoile des étoiles) (Hall), Faithful in My Fashion (Salkow) ; 1947, Her Husband's Affair (Simon), The Ghost Goes Wild (Blair) ; 1948, All My Sons (Ils étaient tous mes fils) (Reis) ; 1957, The Story of Mankind (Allen) ; 1961, Pocketful of Miracles (Milliardaire d'un jour) (Capra) ; 1963, It's a Mad, Mad, Mad, Mad World (Un monde fou, fou, fou, fou) (Kramer) ; 1963, Sex and Single Girl (Une vierge sur canapé) (Quine) ; 1967, The Perils of Pauline (Leonard et Shelley) ; 1969, 2 000 Years Later (Tenzer) ; 1970, Cold Turkey (Lear).

Venu de Broadway, il demeure dans nos mémoires comme l'acteur fétiche de la comédie américaine, celle de Lubitsch, Capra, Cukor, Astaire et Rogers. Aristocrate (Achille de Loiselle dans *La huitième femme de Barbe-Bleue*), ambassadeur (*La veuve joyeuse*), ou haut fonctionnaire de la police (*La femme et le pantin*) il est le plus souvent maître d'hôtel (*Milliardaire d'un jour*). Toujours en retard sur l'action, déclenchant les catastrophes, compliquant les situations, il est accueilli dès son apparition sur l'écran par un franc éclat de rire, le plus bel hommage que l'on puisse rendre à ce grand serviteur de la comédie américaine.

Hoskins, Bob

Acteur et réalisateur anglais né en 1942.

1972, Up the Front (Kellett) ; 1975, Royal Flash (Le froussard héroïque) (R. Lester), Inserts (Gros plan) (Byrum) ; 1979, National Health (Gold), Zulu Dawn (L'ultime attaque) (Hickox) ; 1980, The Long Good Friday (Racket) (MacKenzie) ; 1982, Pink Floyd, the Wall (The Wall) (Parker) ; 1983, The Honorary Consul (Le consul honoraire) (MacKenzie) ; 1984, Lassiter (Signé Lassiter) (Young), The Cotton Club (Cotton Club) (Coppola) ; 1985, Brazil (Brazil) (Gilliam) ; 1986, Mona Lisa (Mona Lisa) (Jordan), Sweet Liberty (Alda) ; 1987, The Lonely Passion of Judith Hearne (Clayton), A Prayer for the Dying (L'Irlandais) (Hodges), The Secret Policeman's Third Ball (O'Neill) ; 1988, Who Framed Roger Rabbit ? (Qui veut la peau de Roger Rabbit ?) (Zemeckis), The Raggedy Rawney (Raggedy) (Hoskins) ; 1990, Shattered (Troubles) (Petersen), Mermaids (Les 2 sirènes) (Benjamin), Heart Condition (Un ange de trop) (Parriott) ; 1991, The Inner Circle (Le cercle des intimes) (Konchalovsky), Hook (Hook – La revanche du capitaine Crochet) (Spielberg), The Favour, the Watch and the Very Big Fish (La montre, la croix et la manière) (Lewin) ; 1992, Passed Away (Peters), Blue Ice (Mulcahy) ; 1993, Super Mario Bros (Super Mario Bros) (Morton et Jenkel), The Big Freeze (Sykes) ; 1994, Rainbow (Hoskins) ; 1995, The Secret Agent (L'agent secret) (Hampton), Nixon (Nixon) (Stone), Ding Dong (T. Hughes) ; 1996, Michael (Michael) (Ephron), Cousin Bette (McAnuff) ; 1997, Twenty Four Seven (24 heures sur 24) (Meadows), Spiceworld the Movie (Spiceworld le film) (Spiers), Captain Jack (Young), Parting Shots (Winner) ; 1998, Live Virgin (Marois), The White River Kid (Glimcher), Felicia's Journey (Le voyage de Felicia) (Egoyan), A Room for Romeo Brass (Meadows) ; 2000, Stalingrad (Annaud) ; 2003, The Spleeping Dictionary (Amour interdit) (Jenkin), Maid in Manhattan (Coup de foudre à Manhattan) (Wayne Wang) ; 2004, Danny the Dog (Danny the Dog) (Letterrier) ; 2005, Mrs. Henderson Presents (Mme Henderson présente) (Frears) ; 2006, Stay (Stay) (Forster), Vanity Fair (Vanity Fair, la foire aux vanités) (Nair), Son of the Mask (Le fils du Mask) (Guterman) ; 2006, Paris je t'aime (collectif) ; 2007, Hollywoodland (Hollywoodland) (Coulter). *Pour le metteur en scène*, voir le *Dictionnaire du cinéma*, t. I : *Les réalisateurs*.

Petit, trapu, il avait été Mussolini dans une série télévisée avant de s'imposer en gangster déchu transformé en garde du corps d'une call-girl dans le très violent *Mona Lisa*. Il fut un remarquable Beria dans *Le cercle des intimes* et un étonnant Khrouchtchev dans *Stalingrad*.

Hossein, Robert

Acteur et réalisateur français, de son vrai nom Hosseinhoff, né en 1927.

1953, Quai des blondes (Cadeac) ; 1954, Série noire (Foucaud), Du rififi chez les hommes (Dassin) ; 1955, Les salauds vont en enfer (Hossein) ; 1956, Crime et châtiment (Lampin) ; 1957, Sait-on jamais (Vadim), Méfiez-vous fillettes (Y. Allégret), Liberté surveillée (Voltchek, Aisner) ; 1958, Toi le venin (Hossein) (+ dial. adapt.) ; 1959, Des femmes disparaissent (Molinaro), Du rififi chez les femmes (Joffé), La nuit des espions (Hossein), La sentence (Valère), Les canailles (Labro) ; 1960, Les scélérats (Hossein), La menace (Oury) ; 1961, Le goût de la violence (Hossein), Madame Sans-Gêne (Christian-Jaque), Le monte-charge (Bluwal), Le jeu de la vérité (Hossein), Les petits matins (Audry) ; 1962, Le repos du guerrier (Vadim), Les grands chemins (Marquand), Pourquoi Paris ? (La Patellière), Le vice et la vertu (Vadim), Le meurtrier (Autant-Lara) ; 1963, Chair de poule (Duvivier), La mort d'un tueur (Hossein) ; 1964, Banco à Bangkok (Hunebelle), Les yeux cernés (Hossein), Angélique marquise des anges (Borderie), La fabuleuse aventure de Marco Polo (La Patellière), Le vampire de Düsseldorf (Hossein) ; 1965, Guerre secrète (Young, Christian-Jaque, Lizzani), Le tonnerre de Dieu (La Patellière), Le chevalier de Maupin (Bolognini), La longue marche (Astruc), Angélique et le roy (Borderie), La seconde vérité (Christian-Jaque) ; 1966, Brigade antigangs (Borderie), La musica (Duras), L'homme qui trahit la Mafia (Gérard) ; 1967, J'ai tué Raspoutine (Hossein), Lamiel (Aurel), Indomptable Angélique (Borderie), La petite vertu (Korber), Pas de roses pour OSS 117 (Hunebelle) ; 1968, Une corde, un colt (Hossein), Angélique et le sultan (Borderie), La leçon particulière (Valère), Le voleur de crimes (Trintignant), La battaglia di El-Alamein (La bataille d'El-Alamein) (Padget), La femme écarlate (Valère) ; 1969, Inferno nel deserto/La battaglia del deserto (Sept hommes pour Tobrouk) (Loy), L'intreccio (Les libertines) (Young), Le temps des loups (Gobbi) ; 1970, Nell'anto del signore (Les conspirateurs) (Magni), Point de chute (Hossein), Le juge (Girault) ; 1971, La part des lions (Larriaga), Le casse (Verneuil), Helle (Vadim) ; 1972, Un meurtre est un meurtre (Perier), Don Juan 73 (Vadim), Un officier de police sans importance (Larriaga) ; 1973, Prêtres interdits (La Patellière), Le protecteur (Hanin) ; 1975, Le faux-cul (Hanin) ; 1977, L'amant de poche (Queysanne) ; 1978, Démons de midi (Paureilhe) ; 1980, Les uns et les autres (Lelouch), Le professionnel (Lautner) ; 1981, Le Grand Pardon (Arcady) ; 1983, Surprise party (Vadim) ; 1985, Le caviar rouge (Hossein) ; 1986, Un homme et une femme, vingt ans déjà (Lelouch), Lévy et Goliath (Oury) ; 1989, Les enfants du désordre (Bellon) ; 1992, L'inconnu dans la maison (narrateur) (Lautner) ; 1993, L'affaire (Gobbi) ; 1994, Les misérables (Lelouch) ; 1996, Maschera di cera (Stivaletti) ; 1998, Vénus Beauté (Institut) (Marshall) ; 2004, San-Antonio (Auburtin) ; 2005, Le fantôme d'Henri Langlois (J. Richard) ; 2007, Trivial (Marceau). *Pour le metteur en scène*, voir le *Dictionnaire du cinéma*, t. I : *Les réalisateurs*.

Fils du compositeur André Hossein, il a suivi des cours d'art dramatique chez René Simon, Tania Balachova et Jean Marchat. Il partage son temps entre ses mises en scène théâtrales (du Grand-Guignol au Théâtre populaire de Reims, en passant par le Palais des sports de Paris), ses réalisations cinématographiques (avec depuis 1981 de gros budgets : *Les misérables*) et son métier d'acteur. Il a promené son visage de Slave tourmenté dans de nombreux films (évocations historiques style *Raspoutine*, *Angélique* ou *Marco Polo*, policiers et même... westerns comme *Une corde, un colt*, sans oublier le pseudo-érotisme à la Vadim).

Houdini, Harry

Magicien et acteur, de son vrai nom Erick Weiss, 1874-1926.

1919, The Master Mystery (Houdini) ; 1920, Terror Island (L'île de la terreur) (Cruze) ; 1921, The Soul of Bronze (Henry Roussell) ; 1922, The Man from Beyond (B. King) ; 1923, Maldone of the Secret Service (Houdini).

Célèbre magicien, d'origine hongroise (semble-t-il), évoqué par Tony Curtis dans une biographie filmée en 1953, il fut le héros de films semi-fantastiques qu'il produisit lui-même pour la plupart et qu'il dirigea parfois.

Houry, Henry

Acteur et réalisateur français, 1874-1972.

1920, Les tout-petits (Perret), La sandale rouge (Perret) ; 1922, L'écuyère (Perret) ; 1923, Koenigsmarck (Perret) ; 1925, Ame d'artiste (Dulac) ; 1927, Cousine de France (Roudès) ; 1928, Miss Édith duchesse (Donatien) ; 1929, Les mufles (Péguy) ; 1931, Le roi du cirage (Colombier) ; 1932, Le crime du Bouif (Berthomieu) ; 1933, Toi que j'adore (Bolvary), Le fakir du grand motel (Billon) ; 1934, Nous ne sommes plus des enfants (Genina) ; 1936, Avec le sourire (Tourneur) ; 1937, L'alibi (Chenal) ; 1939, Ils étaient neuf célibataires (Guitry) ; 1941, Le destin fabuleux de Désirée Clary (Guitry) ; 1943, Le ciel est à vous (Grémillon), La Malibran (Guitry) ; 1945, Tant que je vivrai (Baroncelli) ; 1950, Le bagnard (Rozier), Dominique (Noé) ; 1951, La vérité sur Bébé Donge (Decoin), Adhémar (Fernandel) ; 1963, La bande à Bobo (Saytor). *Comme réalisateur :* 1913, Barnet Parker détective ; 1918, Over the Top, Love Watches (L'amour veille), The Cluth of Circumstances, Miss Ambition ; 1919, Daring Hearts ; 1920, Quand on aime ; 1921, Le lys du Mont-Saint-Michel, L'infante à la rose, La maison des pendus.

D'abord réalisateur aux États-Unis (la série des Barnet Parker) puis en France, l'insuccès de ses films en fit un acteur de composition chez Perret, Dulac... Méritait ce coup de chapeau.

Houseman, John

Producteur et acteur américain, de son vrai nom Jacques Haussmann, 1902-1988.

1964, Seven Days in May (Sept jours en mai) (Frankenheimer) ; 1973, The Paper Chase (La chasse au diplôme) (Bridges) ; 1974, I'm a Stranger Here Myself (Helpern Jr.) ; 1975, Rollerball (Rollerball) (Jewison), The Three Days of the Condor (Les trois jours du Condor) (Pollack) ; 1976, Lipstick (Viol et châtiment) (Lamont Johnson), Circle (A.A. Seidelman) ; 1977, St Ives (Monsieur Saint-Ives) (Lee-Thompson) ; 1978, Old Boyfriends (Old Boyfriends) (Tewkesbury), The Cheap Detective (Le privé de ces dames) (Moore) ; 1980, Wholly Moses (Sacré Moïse) (Weis), My Bodyguard (T. Bill) ; 1981, Ghost Story (Le fantôme de Milburn) (Irvin) ; 1982, Murder by Phone (Anderson) ; 1987, Brights Lights, Big Cities (Les feux de la nuit) (Bridges) ; 1988, Another Woman (Une autre femme) (Allen), Scrooged (Fantômes en fête) (Donner) ; 1989, The Naked Gun (Y a-t-il un flic pour sauver la reine ?) (D. Zucker).

Associé avec Welles dans la création du Mercury Theatre, il fut avant tout un producteur. Ayant envie de jouer, il interpréta *The Paper Chase* et y gagna un oscar du meilleur second rôle. On l'a vu ensuite dans plusieurs films, colosse barbu au jeu non dépourvu d'humour.

Housman, Arthur

Acteur américain, 1889-1942.

1927, Sunrise (L'aurore) (Murnau) ; 1928, The Singing Fool (Le fou chantant) (Bacon) ; 1931, Caught Plastered (Seiter) ; 1932, Movie Crazy (Silence, on tourne !) (Bruckman), Any Old Port (avec Laurel et Hardy), Scram (avec Laurel et Hardy) ; 1935, The Live Ghost (avec Laurel et Hardy), Here Comes Cookie (McLeod), The Call of the Wild (L'appel de la forêt) (Wellman), The Fixe-Uppers (avec Laurel et Hardy) ; 1936, Our Relations (C'est donc ton frère) (Lachman, avec Laurel et Hardy) ; 1940, Go West (Chercheurs d'or) (Buzzell).

Spécialisé dans les silhouettes d'ivrogne.

Howard, Leslie

Acteur et réalisateur anglais, de son vrai nom Leslie Howard Stainer, 1893-1943.

1914, The Heroine of Mons (Noy) ; 1917, The Happy Warrior (Thornton) ; 1918, The Lackey and the Lady (Bentley) ; 1920, Five Pounds Reward (Brunel), Bookworms (Brunel) ; 1930, Outward Bound (Milton) ; 1931, A Free Soul (Ames libres) (Brown), Five and Ten (Leonard) ; 1932, Service for Ladies (Korda), Devotion (Milton), Smiling Through (Chagrin d'amour) (Franklin), The Animal Kingdom (E. Griffith) ; 1933, The Lady Is Willing (Ce que femme veut) (G. Miller), Secrets (Borzage), Berkeley Square (Lloyd), Captured (Capture) (Del Ruth) ; 1934, British Agent (Curtiz), Of Human Bondage (L'emprise) (Cromwell), The Scarlet Pimpernel (Le mouron rouge) (H. Young) ; 1936, Romeo and Juliet (Roméo et Juliette) (Cukor), The Petrified Forest (La forêt pétrifiée) (Mayo) ; 1937, It's Love I'm After (L'aventure de Minuit) (Mayo), Stand-In (M. Dodd part pour Hollywood) (Garnett) ; 1938, Pygmalion (Asquith, Howard) ; 1939, Gone with the Wind (Autant en emporte le vent) (Fleming), Intermezzo (Ratoff) ; 1941, Pimpernel Smith (M. Smith agent secret) (Howard), 49th Parallel (49e parallèle) (Powell) ; 1942, Spitfire / The First of the Few (Howard). *Pour le metteur en scène*, voir le *Dictionnaire du cinéma*, t. I : *Les réalisateurs*.

Débuts dans la banque puis dans l'armée. Ce Londonien tourne quelques films sans se faire remarquer puis en 1930, avec l'avènement du parlant, il démarre une nouvelle carrière à Hollywood. En 1933, il reçoit un oscar pour sa participation à *Berkeley Square*. Comment ce grand homme blond au visage maigre et fade parvint-il à s'imposer ? Il n'a rien d'un jeune premier et pourtant, à quarante-trois ans, on lui confie le rôle de Roméo. Excellent dans *Pygmalion*, qu'il codirige selon certaines sources, il est de la distribution d'*Autant en emporte le vent*. Cette fois sa célébrité est à son apogée. Pourtant il semble plus intéressé par la mise en scène. Il meurt dans un mystérieux accident d'avion en 1943.

Howard, Trevor

Acteur anglais, 1916-1988.

1944, The Way Ahead (L'héroïque parade) (Reed) ; 1945, The Way to the Stars (Le chemin des étoiles) (Asquith), Brief Encounter (Brève rencontre) (Lean) ; 1946, I See a Drak Stranger (L'étrange aventurière) (Gilliat, Launder) ; 1947, Green for Danger (La couleur qui tue) (Gilliat), They Made Me a Fugitive (Je suis un fugitif) (Cavalcanti), So Well Remembered (Dmytryk) ; 1948, The Passionate Friends (Les amants passionnés) (Lean) ; 1949, The Third Man (Le troisième homme) (Reed) ; 1950, The Golden Salamander (La salamandre d'or) (Neame), Odette (Odette agent secret S 23) (Wilcox), The Clouded Yellow (La fille aux papillons) (Thomas) ; 1951, An Outcast of the Islands (Le banni des îles) (Reed) ; 1952, The Gift-Horse (Commando sur Saint-Nazaire) (Bennett) ; 1953, The Heart of the Matter (Le fond du problème) (More O'-Ferrall) ; 1954, The Stranger's Hand (Rapt à Venise) (Soldati) ; 1955, Les amants du Tage (Verneuil), Cockleshell Heroes (Commando dans la Gironde) (Ferrer) ; 1956, A Run for the Sun (La course au soleil) (Boulting), Around the World In 80 Days (Le tour du monde en 80 jours) (Anderson), Pick-Up Alley (Police internationale) (Gilling) ; 1957, Manuela (Hamilton) ; 1958, The Key (La clé) (Reed), Roots of Heaven (Les racines du ciel) (Huston) ; 1959, Moment of Danger (Les chemins de la peur) (Benedek) ; 1960, Sons and Lovers (Amants et fils) (Cardiff) ; 1961, Mutiny on the Bounty (Les révoltés du Bounty) (Milestone) ; 1962, The Lion (Le lion) (Cardiff) ; 1963, Man in the Middle (L'affaire Winstone) (Hamilton) ; 1964, Father Goose (Grand méchant loup appelle) (Nelson) ; 1965, Morituri (Wicki), Operation Crossbow (Anderson), The Liquidator (Le liquidateur) (Cardiff), Von Ryan's Express (L'express du colonel von Ryan) (Robson) ; 1966, Triple Cross (La fantastique histoire vraie d'Eddie Chapman) (Young), Danger Grows Wild (Opération opium) (Young) ; 1967, The Long Duel (Les turbans rouges) (Annakin), Pretty Polly (Green) ; 1968, The Charge of the Light Brigade (La charge de la brigade légère) (Richardson) ; 1969, The Battle of Britain (La bataille d'Angleterre) (Hamilton), Mumsy Nanny Sonny and Girly (Francis) ; 1970, Ryan's Daughter (La fille de Ryan) (Lean), Twinky (L'ange et le démon) (Donner) ; 1971, Catch Me a Spy (Les doigts croisés) (Clément), Mary Queen of Scots (Marie Stuart, reine d'Écosse) (Jarrott), Kidnapped (Mann), Salem Comes to Supper (Benedek) ; 1972, Pope Joan (Jeanne papesse du Diable) (Anderson), The Offence (Lumet), Ludwig II (Ludwig ou le crépuscule des dieux) (Visconti) ; 1973, A Doll's House (La maison de poupée) (Losey), Craze (Francis) ; 1974, Persecution (Don Chaffey), 11 Harrowhouse (Fric-frac rue des Diams) (Avakian), Who ? (Gold) ; 1975, The Catholics (Le visiteur) (Gold), Whispering Death (Le souffle de la mort) (Goslar), Hennessy (Dieu sauve la reine) (Sharp), Conduct Unbecoming (M. Anderson), The Bawdy Adventures of Tom Jones (Owen) ; 1976, Aces High (Le tigre du ciel) (Gold), Eliza Fraser (Burstall) ; 1977, The Last Remake of Beau Geste (Mon beau légionnaire) (Feldman), Slavers (Goslar) ; 1978, Superman, the Movie (Superman) (Donner), Stevie (Enders), Flashpoint Africa (Megahy) ; 1979, Meteor (Météore) (Neame), Hurricane (L'ouragan) (Troell) ; 1980, Sea Wolves (Au service de Sa Majesté) (McLaglen), The Shillingbury Blowers (Guest), Sir Henry at Rawlinson End (Roberts), Windwalker (Merrill) ; 1981, Les années-lumière (Tanner), Sword of the Valiant (Weeks) ; 1983, The Devil Impostor (Anderson), Gandhi (Gandhi) (Attenborough) ; 1985, Dust (Hänsel), The Missionary (Drôle de missionnaire) (Loncraine), Time After Time (Hays), Sword of the Valiant (Weeks) ; 1986, The Unholy (Vila), Foreign Boy (Neame) ; 1987, The Dawning (Knights) ; 1988, White Mischief (Sur la route de Nairobi) (Radford).

Jeunesse aux Indes, au Canada et aux États-Unis. La guerre l'absorbe (il est blessé en Sicile et décoré de la Military Cross). C'est à son courage qu'il doit un rôle d'officier dans un film de Reed, *The Way Ahead*. Il ne quittera guère ce type de personnage, à l'exception du médecin de province de *Brief Encounter*, ou du curé de *Ryan's Daughter*. Il excelle dans les compositions de baroudeur (*Commando dans la Gironde*, *La charge de la brigade légère*, etc.) et de broussard (*Roots of Heaven*, où il veut protéger les éléphants) pour finir vieux sage dans *Les années-lumière* de Tanner.

Hubley, Season

Actrice américaine, de son vrai prénom Susan, née en 1951.

1973, Lolly Madonna XXX (Une fille nommée Lolly Madonna) (Sarafian), Catch My Soul (McGoohan), 1979, Dead Flight (Supersonique en péril) (Lowell Rich) ; Hardcore (Hardcore) (Schrader), Elvis, The Movie (Le roman d'Elvis) (Carpenter) ; 1981, Escape from New York (New York 1987) (Carpenter), Vice Squad (Descente aux enfers) (G. Sherman) ; 1987, Pretty Kill (Kaczender) ; 1991, Total Exposure (Quinn) ; 1998, Kiss the Sky (Young).

Peu de films mais des rôles bien choisis. Le meilleur ? Celui de Princess Karla, une prostituée qui collabore avec la police pour venger une amie dans *Vice Squad*.

Hubschmid, Paul

Acteur d'origine suisse, 1917-2002.

1938, Füsilier Wipf (Lindtberg) ; 1939, Maria Ilona (Bolvary) ; 1940, Die missbrauchten Liebesbriefe (Lettres d'amour perdues) (Lindtberg) ; 1942, Der Fall Rainer (Verhoven), Meine Freudin Josefine (Zerlett) ; 1944, Der gebieterische Ruf (Ucicky) ; 1945, Das seltsame Fräulein Sylvia (P. Martin), Das Gesetz der Liebe (Schweikart) ; 1948, Der himmlische Walzer (Valse céleste) (Cziffra), Arlberg Express (Borsody) ; 1949, Geheimnisvolle Tiefe (Pabst) ; 1950, Illadro di Venezia (Brahm) ; 1953, Maske in Blau (Le masque bleu) (Jacoby), Musik bei Nacht (Hoffmann), The Beast from 20 000 Fathoms (Le monstre des temps perdus) (Lourie), Leben (P. Martin) ; 1954, Par ordre du tsar (Haguet) ; 1955, Ingrid (Radvanyi), Die Frau des Botschafters (Deppe), Il tesoro di Rommel (Marcellini) ; 1956, Die Goldene Brücke

(Verhoeven), Die Zürcher Verlobung (Kautner) ; 1957, Scampolo (Weidenmann), Glücksritter (Rabenalt), Du bist Musik (P. Martin), Liebe, die den Kopf verliert (Engel) ; 1958, La morte viene dallo spazio (La mort vient de l'espace) (Heusch), Salzburger Geschichten (Hoffmann), Der Tiger von Eschnapur (Le tigre du Bengale) (Lang), Das indische Grabmal (Le tombeau hindou) (Lang), Scampolo (Mademoiselle Scampolo) (Weidenmann) ; 1959, Alle Tage ist kein Sonntag (Weiss) ; 1960, Die rote Hand (Meisel) ; 1961, Napoléon II l'Aiglon (Boissol) ; 1962, Ich bin auch nur eine Frau (Weidenmann) ; 1963, Elf Jahre und ein Tag (Gottfried Reinhardt), Das grosse Liebesspiel (La ronde) (Weidenmann) ; 1964, Moi et les hommes de quarante ans (Pinoteau), Die Diamentenhölle am Mekong (Kramer), Le grain de sable (Kast), Die Herren (Weidenmann) ; 1965, Le majordome (Delannoy), Dis-moi qui tuer (Perier) ; 1966, A belles dents (Gaspard-Huit), Funeral in Berlin (Mes funérailles à Berlin) (Hamilton) ; 1967, Manon 70 (Aurel), In Another Country (En pays ennemi) (Keller) ; 1970, Skullduggery (Douglas) ; 1973, Versuchung im Sommerwind (Thiele) ; 1983, Bolero (Nüchtern) ; 1989, Klassenzusammenkunft (Deuber, Stierlin).

Formation théâtrale en Autriche et en Allemagne puis débuts au cinéma grâce à Lindtberg. Surtout célèbre pour *Le tigre du Bengale*.

Hudson, Rock

Acteur américain, de son vrai nom Roy Scherer, 1925-1985.

1948, Fighter Squadron (Les géants du ciel) (Walsh) ; 1949, Undertow (Castle) ; 1950, I Was a Shoplifter (Lamont), One Way Street (L'impasse maudite) (Fregonese), Peggy (Cordova), Winchester 73 (Mann), The Desert Hawk (De Cordova), Shakedown (Pevney) ; 1951, Tomahawk (Tomahawk) (Sherman), The Fat Man (Castle), Air Cadet (Pevney), Double Crossbones (Barton), Iron Man (Pevney) ; 1952, Bright Victory (Robson), Bend of the River (Les affameurs) (Mann), Here Come the Nelsons (De Cordova), Has Anybody Seen My Gal ? (Qui donc a vu ma belle ?) (Sirk), Scarlet Angel (Salkow), Horizons West (Le traître du Texas) (Boetticher), The Lawless Breed (Victime du destin), (Walsh) ; 1953, Seminole (L'expédition du fort King) (Boetticher), The Sea Devils (La belle espionne) (Walsh), The Golden Blade (La légende de l'épée magique) (Juran), Back to God's Country (Le justicier impitoyable) (Pevney), Gun Fury (Bataille sans merci) (Walsh) ; 1954, Taza, Son of Cochise (Taza, fils de Cochise) (Sirk), The Magnificent Obsession (Le secret magnifique) (Sirk), Bengal Brigade (La révolte des cipayes) (Benedeck) ; 1955, One Desire (Hopper), Captain Lightfoot (Capitaine Mystère) (Sirk) ; 1956, All That Heaven Allows (Tout ce que le ciel permet), Written on the Wind (Écrit sur du vent) (Sirk), Never Say Goodbye (Hopper) ; 1957, Battle Hymn (Les ailes de l'espérance) (Sirk), The Tarnished Angels (La ronde de l'aube) (Sirk), Something of Value (Le carnaval des dieux) (Brooks), Giant (Géant) (Stevens), A Farewell to Arms (L'adieu aux armes) (Ch. Vidor) ; 1959, Twilight for the Gods (Crépuscule sur l'océan) (Pevney), This Earth Is Mine (Cette terre qui est mienne) (King), Pillow Talk (Confidences sur l'oreiller) (Gordon) ; 1961, The Last Sunset (El Perdido) (Aldrich), Lover come back (D. Mann), Come September (Le rendez-vous de septembre) (Mulligan) ; 1962, The Spiral Road (L'homme de Bornéo) (Mulligan) ; 1963, A Gathering of Eagles (Le téléphone rouge) (D. Mann) ; 1964, Man's Favourite Sport (Le sport favori de l'homme) (Hawks), Send Me No Flowers (Ne m'envoyez pas de fleurs) (Jewison) ; 1965, Strange Bedfellows (Frank), A Very Special Favor (Le coup de l'oreiller) (Gordon) ; 1966, Seconds (Opération diabolique) (Frankenheimer), Blindfold (Les yeux bandés) (Dunn) ; 1967, Tobruk (Tobrouk) (Hiller) ; 1968, Ice Station Zebra (Zebra station polaire) (Sturges) ; 1969, Darling Lili (Darling Lili) (Edwards), Ruba al prossimo tuo (Maselli), The Undefeated (Les géants de l'Ouest) (McLaglen) ; 1970, Hornet's Nest (L'assaut des jeunes loups) (Karlson) ; 1971, Si tu crois fillette (Vadim) ; 1973, Showdown (Duel dans la poussière) (Seaton) ; 1976, Embryo (Nelson) ; 1978, Avalanche (C. Allen) ; 1979, The Martian Chronicles (Chroniques martiennes) (Anderson) ; 1980, The Mirror crack'd (Le miroir se brisa) (Hamilton) ; 1984, The Ambassador (Lee-Thompson).

Ce bon géant aussi peu expressif qu'une bûche, d'une apathie souriante, comme dit de lui Tavernier, doit tout à Sirk qui lui fit tourner ses principaux chefs-d'œuvre. Devenu une vedette de l'Universal, il promena ses deux mètres et ses cent kilos dans des comédies d'une stupidité décourageante et d'une mise en scène inexistante (mais Gordon et Delbert Mann sont-ils des metteurs en scène ?). Bien dirigé à l'occasion par Aldrich, Brooks ou même Pevney, il est capable de sortir de sa torpeur et de nous émouvoir comme chez Sirk. Tout dépend pour lui de l'autorité du réalisateur. Mort du sida.

Hulce, Tom

Acteur américain né en 1953.

1978, September 30, 1955 (Bridges), National Lampoon's Animal House (American College) (Landis) ; 1980, Those Lips, Those Eyes (Pressman) ; 1984, Amadeus (Amadeus) (Forman) ; 1986, Echo Park (Dornhelm), Slamdance (Slamdance) (Wang) ; 1988, Dominick and Eugene (Nicky et Gino) (Young), Shadow Man (Andreyev) ; 1989, Parenthood (Portrait craché d'une famille modèle) (Howard), Black Rainbow (Black Rainbow) (Hodges) ; 1991, The Inner Circle (Le cercle des intimes), (Konchalovsky) ; 1993, Fearless (État second) (Weir) ; 1994, Mary Shelley's Frankenstein (Frankenstein) (Branagh), Wings of Courage (Les ailes du courage) (Annaud).

Il reste l'interprète d'un grand rôle, celui de Wolfgang Amadeus Mozart dans le film de Forman. Sa composition à base d'éclats de rires hystériques et de grimaces avait alors choqué les admirateurs du grand musicien mais force est de reconnaître que son interprétation était à la démesure du personnage.

Hull, Henry

Acteur américain, 1890-1977.

1917, The Volunteer ; 1922, One Exciting Night (Griffith) ; 1923, The Last Moment (Read Jr.), A Bride for a Knight ; 1924, The Hoosier School Master (Sellers), For Woman's Favor (Lund), Roulette (Taylor) ; 1925, The Wrongdoers (Dierker), Wasted Lives (Geldert) ; 1928, The Matinee Idole (Capra) ; 1931, The Man Who Came Back (Hors du gouffre) (Walsh) ; 1934, Midnight, Great Expectations (Les grandes espérances) (Stuart Walker) ; 1935, The Werewolf of London (Le monstre de Londres) (Walker), Transient Lady ; 1938, Yellow Jack, Boys' Town (Des hommes sont nés) (Taurog), Three Comrades (Trois camarades) (Borzage), Paradise for Three (Buzzell) ; 1939, The Great Waltz (Toute la ville danse) (Duvivier), Judge Hardy and Son (Seitz), Babes in Arms (Berkeley), Stanley and Livingstone (King), Spirit of Culver (Santley), Bad Little Angel (Thiele), Miracles for Sale (Browning), The Return of Cisco Kid (Leeds) ; Nick Carter Master Detective (Tourneur), Jesse James (Le brigand bien-aimé) (King) ; 1940, The Return of Frank James (Le retour de Frank James) (Lang), The Ape (Nigh), My Son, My Son (Ch. Vidor) ; 1941, High Sierra (La grande évasion) (Walsh) ; 1942, Queen of Broadway (Newfield) ; 1943, What a Man (Beaudine), The Woman of the Town (Archainbaud), The West Side Kid (Sherman) ; 1944, Lifeboat (Hitchcock), Goodnight Sweetheart (Santley), Voodoo Man (Beaudine) ; 1945, Objective Burma (Aventures en Birmanie) (Walsh) ; 1947, Mourning Becomes Electra (Le deuil sied à Electre) (Nichols), Deep Valley (Negulesco), High Barbaree (Conway) ; 1948, Scudda Hoo ! Scudda Hay ! (Herbert), Portrait of Jennie (Le portrait de Jennie) (Dieterle), The Walls of Jericho (Stahl), Bell Starr's Daughter (Selander), Fighter Squadron (Les géants du ciel) (Walsh) ; 1949, El Paso (L. Foster), The Fountainhead (Le rebelle) (Vidor), Colorado Territory (La fille du désert) (Walsh), The Great Dan Patch (Newman), The Great Gatsby (Nugent), Song of Surrender (Leisen), Rimfire (Eason) ; 1950, The Return of Jesse James (Hilton), The Hollywood Story (Castle) ; 1951, The Treasure of Lost Canyon (Tetzlaff) ; 1952, The Mad Monster ; 1953, The Last Posse (Werker), Thunder over the Plains (La trahison du capitaine Porter) (De Toth) ; 1956, The Man With the Gun (L'homme au fusil) (Wilson), Kentucky Rifle (Hittleman) ; 1957, The Buckskin Lady (Hittleman) ; 1958, The Sheriff of Fractured Jaw (La blonde et le shérif) (Walsh), The Buccaneer (Les boucaniers) (Quinn), The Proud Rebel (Le fier rebelle) (Curtiz) ; 1959, The Oregon Trail (Les Comanches passent à l'attaque) (Fowler Jr.) ; 1961, Master of the World (Maître du monde) (Witney) ; 1965, The Fool Killer (S. Gonzales), The Chase (La poursuite impitoyable) (Penn) ; 1967, A Covenant with Death (L. Johnson).

Un physique à la Henry Fonda en fit un jeune premier réputé dans les années 20. Changement complet avec *Le monstre de Londres* où il joue le rôle d'un savant qui, mordu par un loup au Tibet, se transforme à son tour en loup-garou. Par la suite, Hull interpréta surtout dans des westerns ou des thrillers des personnages rudes tantôt bons, tantôt méchants. Il fut de la saga, à la Fox, de Jesse James, et Walsh fit beaucoup appel à lui à la Warner. Tombé au niveau d'un acteur de complément, il n'en offre pas moins une filmographie brillante.

Hull, Warren

Acteur américain, 1903-1974.

1935, Personal Maid's Secret (Collins), Miss Pacific Fleet (Enright) ; 1936, The Walking Dead (Le mort qui marche) (Curtiz), Freshman Love (McGann), The Big Noise (McDonald), Love begins at 20 (McDonald), Bengal Tiger (L. King) ; 1937, Night Key (Corrigan), Her Husband's Secretary (McDonald), Rhythm in the Clouds (Auer) ; 1938, The Spider's Web (Taylor et Gorn) ; 1939, Mandrake the Magician (Nelson et Deming), Smashing the Spy Ring (Cabanne) ; 1940, The Green Hornet Strikes Again (Beebe et Rawlins), The Lone Wolf Meets a Lady (Salkow), Marked Men (Newfield), Wagons Westward (Landers) ; 1941, The Spider Returns (Horne), Bowery Blizkrieg (Fox).

Chanteur d'opérettes et animateur radiophonique, il fut à l'écran Mandrake (sans la moustache), « The Green Hornet » et « The Spider » dans des serials inspirés de bandes dessinées et malheureusement invisibles en France.

Hunnicutt, Arthur

Acteur américain, 1911-1979.

1940, Northwest Passage (Le grand passage) (Vidor) ; 1942, Wildcat (McDonald) ; 1943, Riding Through Nevada (Berke), Fall In (Neumann), Pardon My Gun (Berke), Law of the Northwest (Berke), Fighting Buckaroo (Berke), Frontier Fury (Berke), Johnny Comes Lately (Johnny le vagabond) (Howard), Hail to the Rangers (Berke), Robin Hood of the Range (Berke), Chance of a Lifetime ; 1944, Abroad With Two Yanks (Dwan), Riding West (Berke) ; 1949, Lust for Gold (Le démon de l'or) (Simon), Pinky (L'héritage de la chair) (Kazan), Border Incident (Incident de frontière) (Mann), The Great Dan Patch (Newman) ; 1950, A Ticket to Tomahawk (Sale), Stars in my Crown (Tourneur), Two Flags West (Wise), Broken Arrow (La flèche brisée) (Daves) ; 1951, Passage West (Foster), Distant Drums (Les aventures du capitaine Wyatt) (Walsh), The Red Badge of Courage (La charge victorieuse) (Huston) ; 1952, The Big Sky (La captive aux yeux clairs) (Hawks), The Lusty Men (Les indomptables) (Ray) ; 1953, Split Second (Même les assassins tremblent) (D. Powell), Devil's Canyon (Nuit sauvage) (Werker) ; 1954, She Couldn't Say No (Bacon), The French Line (Bacon) ; 1955, The Last Command (Quand le clairon sonnera) (Lloyd) ; 1956, The Kettles in the Ozarks (Lamont) ; 1957, The Tall T (L'homme de l'Arizona) (Boetticher) ; 1959, Born Reckless (Koch) ; 1963, The Cardinal (Le cardinal) (Preminger) ; 1964, A Tiger Walks (Tokar) ; 1965, Cat Ballou (Silverstein) ; 1966, Bullwhip Griffin (Neilson), El Dorado (El Dorado) (Hawks), Apache Uprising (Sur la piste des Apaches) (Springsteen) ; 1971, Million Dollar Duck, Shoot-Out (Quand siffle la dernière balle) (Hathaway) ; 1972, The Revengers (La poursuite sauvage) (Mann) ; 1974, The Spikes Gang (Fleischer), Harry and Tonto (Harry et Tonto) (Mazursky) ; 1975, Moonrunners (Waldron), Winterhawk (Pierce).

Barbu et hirsute, il joue, comme Brennan, les vieux sages dans les westerns de Walsh, Hawks ou Lloyd. Il est un vénérable trappeur dans *Big Sky* filmé par Hawks, un vétéran des rodéos dans *The Lusty Men* de Ray, Davy Crockett dans *The Last Command* de Lloyd et un shérif expérimenté dans *El Dorado* de Hawks.

Hunt, Helen

Actrice américaine née en 1963.

1977, Rollercoaster (Le toboggan de la mort) (Goldstone) ; 1985, Waiting to Act (Putch), Trancers (Future Cop) (Band), Girls Just Want to Have Fun (Metter) ; 1986, Peggy Sue Got Married (Peggy Sue s'est mariée) (Coppola) ; 1987, Project X (Kaplan) ; 1988, Stealing Home (Kampmann, Porter), Miles from Home (Rien à perdre) (Sinise), The Frog Prince (Hunsicker) ; 1989, Next of Kin (Irvin) ; 1991, Trancers II (Band), The Waterdance (Steinberg), Trancers III (Joyner), Mr. Saturday Night (Crystal), Only You (Only You) (Jewison), Bob Roberts (Bob Roberts) (Robbins) ; 1993, Sexual Healing (Cushnir) ; 1995, Kiss of Death (Kiss of Death) (Schroeder) ; 1996, Twister (Twister) (De Bont) ; 1997, As Good As It Gets (Pour le pire et pour le meilleur) (Brooks) ; 1999, Man on the Moon (Man on the Moon) (Forman) ; 2000, Cast Away (Seul au monde) (Zemeckis), Dr. T and the Women (Dr. T et les femmes) (Altman), What Women Want (Ce que veulent les femmes) (Meyers), Pay It Forward (Un monde meilleur) (Leder) ; 2001, The Curse of the Jade Scorpion (Le sortilège du scorpion de jade) (Allen) ; 2006, Bobby (Bobby) (Estevez).

Après une longue carrière à la télévision, la fille du metteur en scène Gordon Hunt se spécialise, au cinéma, dans le second rôle sans éclat jusqu'à ce que Jan de Bont, par mesure d'économie sans doute, la choisisse pour incarner l'héroïne de son film catastrophe *Twister*. Désormais dans l'œil public, elle devient vedette à part entière avec le film suivant, *Pour le pire et pour le meilleur*, où, charisme discret et naturel aidant, elle contrebalance efficacement les cabotinages effrénés de Jack Nicholson. Bien lui en prend, puisqu'elle reçoit l'oscar de la meilleure actrice pour l'occasion.

Hunt, Linda

Actrice américaine née en 1945.

1980, Popeye (Popeye) (Altman) ; 1983, The Year of Living Dangerously (L'année de tous les dangers) (Weir) ; 1984, Dune (Dune)

(Lynch), The Bostonians (Les Bostoniennes) (Lynch) ; 1985, Eleni (Eleni) (Yates), Silverado (Silverado) (Kasdan) ; 1986, Waiting for the Moon (Toklas) ; 1989, She-Devil (She-devil, la diable) (Seidelman) ; 1990, Kindergarten Cop (Un flic à la maternelle) (Reitman) ; 1991, If Looks Could Kill (Dear), Rain Without Thunder (Bennett) ; 1992, Twenty Bucks (Rosenfeld), Younger and Younger (Adlon) ; 1993, Maverick (Maverick) (Donner) ; 1994, Ready to Wear (Prêt-à-porter) (Altman) ; 1996, The Relic (Relic) (Hyams), Eat your Heart Out (F. Adlon).

Une maladie génétique (le nanisme hypopituitaire) l'empêchera de passer au-dessus du mètre quarante, mais cette petite femme à l'étrange visage androgyne arrivera à se hisser (sans mauvais jeu de mots) sur les plus belles planches américaines. Metteur en scène, comédienne, elle fut surtout à l'écran le journaliste chinois Billy Kwan de *L'année de tous les dangers*, personnage dont le caractère fascinant ressort d'autant plus qu'il s'agit d'un travestissement au niveau de l'acteur, et non du personnage.

Hunter, Holly

Actrice américaine née en 1958.

1981, The Burning (Maylam) ; 1984, Swing Shift (Demme) ; 1985, Animal Behavior (Bowen) ; 1986, A Gathering of Old Men (Colère en Louisiane) (Schlöndorff) ; 1987, Raising Arizona (Arizona junior) (Coen), Broadcast News (Broadcast news) (Brooks) ; 1988, End of the Line (Jay Russell) ; 1989, Always (Always) (Spielberg), Miss Firecracker (Schlamme) ; 1991, Once Around (Ce cher intrus) (Hallström), Crazy in Love (Coolidge) ; 1992, The Piano (La leçon de piano) (Campion) ; 1993, The Firm (La firme) (Pollack) ; 1995, Copycat (Copycat) (Amiel), Home For the Holidays (Week-end en famille) (Foster) ; 1996, Crash (Crash) (Cronenberg) ; 1997, A Life Less Ordinary (Une vie moins ordinaire) (Boyle) ; 1998, Living Out Loud (D'une vie à l'autre) (LaGranevese) ; 1999, Woman Wanted (Sutherland), Jesus' Son (Jesus' Son) (MacLean), O Brother, Where Art Thou ? (O'Brother) (Coen), Things You Can Tell Just by Looking at Her (Ce que je sais d'elle... d'un simple regard) (Garcia) ; 2000, Timecode (Timecode) (Figgis) ; 2002, Moonlight Mile (Silberling) ; 2003, Levity (Solomon), Thirteen (Thirteen) (Hardwicke) ; 2005, Searching for Debra Winger (R. Arquette).

C'était une actrice de second plan à peine remarquée chez les frères Coen et chez Spielberg, quand Jane Campion lui confia le rôle principal dans *La leçon de piano*. Bien qu'elle y fût muette, son jeu, d'une remarquable intensité, lui valut un prix d'interprétation à Cannes et un oscar en 1993. Elle transforme l'essai avec le très émouvant portrait de femme dans *D'une vie à l'autre*.

Hunter, Jeffrey

Acteur américain, de son vrai nom McKinnies, 1925-1969.

1948, A Date With Judy (Thorpe) ; 1949, Julius Caesar (Bradley) ; 1951, Call Me Mister (Bacon), Fourteen Hours (14 heures) (Hathaway), Take Care of My Little Girl (Negulesco), The Frogmen (Les hommes-grenouilles) (Bacon), Red Skies of Montana (Duel dans la forêt) (Newman) ; 1952, Belles on Their Toes (Levin), Dreamboat (Binyon), Lure of the Wilderness (Negulesco) ; 1954, Three Young Texans (Levin), Princess of the Nile (Jones) ; 1955, White Feather (Webb), Seven Angry Men (Warren), Seven Cities of Gold (Webb) ; 1956, A Kiss Before Dying (G. Oswald), The Proud Ones (Le shérif) (Webb), The Searchers (La prisonnière du désert) (Ford) ; 1957, Gun for a Coward (Une arme pour un lâche) (Biberman), The Great Locomotive Chase (L'infernale poursuite) (Lyon), Four Girls in a Town (Sher), The True Story of Jesse James (Le brigand bien-aimé) (Ray), Count Five and Die (Vicas), No Down Payment (Les sensuels) (Ritt), The Way to the Gold (Webb) ; 1958, Mardi Gras (Goulding), In Love and War (Le temps de la peur) (Dunne), The Last Hurrah (La dernière fanfare) (Ford) ; 1960, Key Witness (L'homme qui a trop parlé) (Karlson), Hell to Eternity (Saipan) (Karlson) ; Sergeant Rutledge (Le sergent noir) (Ford) ; 1961, Man Trap (O'Brien), King of Kings (Le roi des rois) (Ray) ; 1962, Gold for the Caesars (L'or des Césars) (De Toth), No Man is an Island (J. Monks Jr.), The Longest Day (Le jour le plus long) (Marton, Wicki, etc.) ; 1963, The Man from Galveston (Conrad) ; 1964, The Woman Who Wouldn't Die (Hessler) ; 1965, Murieta (Murieta) (G. Sherman), Brainstorm (Conrad) ; 1966, Dimension 5 (Adreon), Witch Without A Broom (Lacy) ; 1967, The Christmas Kid (Pink), A Guide for the Married Man (Petit guide pour un mari volage) (Kelly), Custer of the West (Custer l'homme de l'Ouest) (Siodmak), Frozen Alive (Knowles) ; 1968, The Private Navy of Sergeant O'Farrel (La marine en folie) (Tashlin).

Jeune premier de la Fox dans les années 50. Ford l'utilisa à plusieurs reprises (*The Searchers*) et il fit dans l'ensemble bonne figure dans de nombreux westerns, notamment dans le *Jesse James* de Ray où il était associé à Robert Wagner. Après son départ de la Fox, il ne joua plus que dans des films mineurs et sa popularité déclina. Il mourut d'une chute.

Hunter, Kim

Actrice américaine, de son vrai nom Janet Cole, 1922-2002.

1943, Tender Comrade (Dmytryk), The Seventh Victim (La septième victime) (Robson) ; 1944, A Canterbury Tale (Powell), When Strangers Marry (L'étrange mariage) (Castle) ; 1945, You Came Along (Farrow) ; 1946, A Matter of Life and Death (Une question de vie ou de mort) (Powell, Pressburger) ; 1951, A Streetcar Named Desire (Un tramway nommé Desire) (Kazan) ; 1952, Anything Can Happen (Tout peut arriver) (Seaton), Deadline – U.S.A. (Bas les masques) (R. Brooks) ; 1956, Storm Center (Au cœur de la tempête) (Taradash) ; 1957, The Young Stranger (Mon père, cet étranger) (Frankenheimer) ; 1958, Money, Women and Guns (L'héritage de la colère) (Bartlett), Bermuda Affair (Sutherland) ; 1964, Lilith (Lilith) (Rossen) ; 1968, Planet of the Apes (La planète des singes) (Schaffner), The Swimmer (Perry) ; 1970, Beneath the Planet of the Apes (Le secret de la planète des singes) (Post) ; 1971, Escape from the Planet of the Apes (Les évadés de la planète des singes) (Taylor) ; 1976, Dark August (Goldman) ; 1986, The Kindred (S. Carpenter, Obrow) ; 1990, Two Evil Eyes (Deux yeux maléfiques) (sketch Argento) ; 1997, Midnight in the Garden of Good and Evil (Minuit dans le jardin du Bien et du Mal) (Eastwood) ; 1998, A Price Above Rubies (Sonia Horowitz) (Yakin), Out of the Cold (Buravsky) ; 1999, Abilene (Camp), A Smaller Place (Green) ; 2000, Here's to Life (Olsen).

Issue de l'Actor's Studio, elle trouve ses premiers rôles marquants sous la direction de Michael Powell et de Elia Kazan, avant de devenir le Dr. Zira, simiesque créature et épouse de Cornelius, le personnage principal de la série de films *La planète des singes*. Un rôle dont elle ne se remettra jamais vraiment.

Hunter, Tab

Acteur américain, de son vrai nom Arthur Gelien, né en 1931.

1952, Saturday Island (Douglas) ; 1953, The Steel Lady (Dupont), Gun Belt (Nazarro) ; 1954, Track of the Cat (Wellman) ; 1955, The Sea Chase (Le renard des océans) (Farrow), Battle Cry (Le cri de la victoire) (Walsh) ; 1956, The Burning Hills (Collines brûlantes) (Heisler) ; 1957, Lafayette Escadrille (Wellman) ; 1958, Gunman's Walk (Le salaire de la violence) (Karlson), Damn Yankees (Donen) ; 1959, That Kind of Woman (Une espèce de garce) (Lumet), They Came to Cordura (Ceux de Cordura) (Rossen) ; 1961, The Pleasure of his Company (Mon séducteur de père) (Seaton) ; 1963, Operation Bikini (Carras) ; 1965, City Under the Sea (Tourneur), The Loved One (Ce cher disparu) (Richardson) ; 1966, Birds Do It (Marton) ; 1967, Hostile Guns (Springsteen) ; 1968, La vendetta e il mio perdono (La vengeance est mon pardon) (Mauri) ; 1970, Quel maledetto ponte sull'Elba (Le pont sur l'Elbe) (Klimovsky) ; 1972, The Life and Times of Judge Roy Bean (Juge et hors-la-loi) (Huston) ; 1973, The Arousers (Hanson), Timber Tramp (Garnett) ; 1975, Won Ton Ton the Dog Who Saved Hollywood (Winner) ; 1981, Pandemonium (Sole), Plyester (Polyester) (Waters) ; 1982, Grease 2 (Grease 2) (Birch) ; 1985, Lust in the Dust (Lust in the Dust) (Bartel) ; 1987, Cameron's Closet (A. Mastroianni) ; 1988, Grotesque (J. Tornatore) ; 1989, Out of the Dark (Schroeder) ; 1992, Dark Horse (Hemmings).

Beau gosse, il fut apprécié de Wellman et montrait une belle musculature, admirée par Natalie Wood dans *The Burning Hills*. Que demander de plus à cet acteur ?

Huppert, Isabelle

Actrice française née en 1953.

1971, Faustine ou le bel été (N. Companeez) ; 1972, César et Rosalie (Sautet), Le bar de la fourche (Levent) ; 1973, L'ampélopède (Weinberg), Les valseuses (B. Blier) ; 1974, Rosebud (Preminger), Aloise (Liliane de Kermadec) ; 1975, Le grand délire (Berry), Sérieux comme le plaisir (Benayoun), Dupont la joie (Boisset), Docteur Françoise Gailland (Bertucelli), Je suis Pierre Rivière (Lipinska), Le petit Marcel (Fansten), Le juge et l'assassin (Tavernier) ; 1976, La dentellière (Goretta) ; 1977, Les Indiens sont encore loin (Moraz), Des enfants gâtés (Tavernier) ; 1978, Violette Nozière (Chabrol), Retour à la bien-aimée (Adam), Les sœurs Brontë (Téchiné) ; 1979, Loulou (Pialat), Sauve qui peut (la vie) (Godard) ; 1980, Heaven's Gate (La porte du paradis) (Cimino), Les héritières (Meszaros), La dame aux camélias (Bolognini), Les ailes de la colombe (Jacquot) ; 1981, Coup de torchon (Tavernier), Eaux profondes (Deville), Passion (Godard) ; 1982, La truite (Losey) ; 1983, Coup de foudre (D. Kurys), Storia di Piera (Ferreri), La femme de mon pote (Blier) ; 1984, La garce (Pascal) ; 1985, Sac de nœuds (Balasko), Signé Charlotte (C. Huppert) ; 1986, Cactus (Cox), The Bedroom Window (Faux témoin) (Hanson) ; 1987, Le milan noir (Chammah) ; 1988, Une affaire de femmes (Chabrol), Les possédés (Wajda) ; 1989, La vengeance d'une femme (Doillon), Windprints (Wicht), Migrations (Petrovic) ; 1990, Madame Bovary (Chabrol) ; 1991, Contre l'oubli (collectif), Malina (Malina) (Schroeter), Après l'amour (Kurys) ; 1993, L'inondation (Minaiev) ; 1994, Amateur (Amateur) (Hartley), La séparation (Vincent) ; 1995, La cérémonie (Chabrol), Les affinités électives (P. et V. Taviani) ; 1996, Les palmes de M. Schutz (Pinoteau), Abfallprodukte der Liebe (Poussières d'amour) (Schroeter) ; 1997, Rien ne va plus (Chabrol) ; 1998, L'école de la chair (Jacquot) ; 1999, La fausse suivante (Jacquot), Pas de scandale (Jacquot), La vie moderne (Ferreira Barbosa), Saint-Cyr (Mazuy) ; 2000, Les destinées sentimentales (Assayas), Comédie de l'innocence (Ruiz), Merci pour le chocolat (Chabrol) ; 2001, La pianiste (Haneke) ; 2002, Huit femmes (Ozon), Two (Deux) (Schroeter) ; 2003, Le temps du loup (Haneke) ; 2004, Little Back Book (Les ex de mon mec) (Hurran), Ma mère (Honoré), Les sœurs fâchées (Leclère) ; 2005, I Heart Huckabees (J'adore Huckabees) (Russell), Gabrielle (Chéreau) ; 2006, L'ivresse du pouvoir (Chabrol) ; 2007, Nue propriété (Lafosse).

D'un milieu aisé (elle a trois autres sœurs dans le monde du spectacle), cultivée, intelligente, elle mène brillamment une carrière exemplaire. On avait remarqué cette petite jeune fille faussement sage dans *Les valseuses*, film phare pour une nouvelle génération de comédiens. *La dentellière* la fit connaître, *Violette Nozière* – son premier film avec Chabrol – la consacra vedette nationale. Elle manqua la consécration internationale avec *Heaven's Gate* par suite de l'échec du film. Mais ce n'était que partie remise. Assez convaincante en sœur Brontë, elle a trouvé dans *Eaux profondes* un rôle qui convient à sa vraie nature. *Coup de foudre* a confirmé la variété de son jeu ainsi que *Storia di Pierra*. Mais son comportement, à l'inverse de celui d'Adjani, demeure, à la ville, comme dans le choix de certains films, celui de l'antistar. Après une excellente interprétation de *Madame Bovary*, elle enchaîne des films difficiles, de *Malina* à *Amateur* pour retrouver Chabrol dans *La cérémonie*, où elle est une fort inquiétante postière. Ce rôle lui vaut un césar en 1996. Cette exigence encore perceptible dans *La pianiste* et qu'elle conserve au théâtre lui vaut un grand prestige. Elle est remarquable en épouse adultère dans *Gabrielle* ou en juge d'instruction teigneuse et sadique dans *L'ivresse du pouvoir*.

Hurley, Elizabeth

Actrice anglaise née en 1965.

1987, Rowing in the Wind (Suarez), Aria (Aria) (Altman, Godard, Beresford...) ; 1990, Der Skipper (Keglevic) ; 1991, El largo invierno (Camino) ; 1992, Passenger 57 (Passager 57) (Hooks) ; 1993, Beyond Bedlam (Jean) ; 1995, Mad Dogs and Englishmen (Cole) ; 1997, Dangerous Ground (Roodt), Austin Powers : International Man of Mystery (Austin Powers) (Roach) ; 1998, Permanent Midnight (Veloz), Edtv (En direct sur Ed TV) (Howard) ; 1999, Austin Powers : The Spy Who Shagged Me (Austin Powers : L'espion qui m'a tirée) (Roach), My Favorite Martian (Petrie) ; 2000, The Weight of Water (Bigelow), Bedazzled (Endiablé) (Ramis), Double Whammy (DiCillo) ; 2001, Dawg (Hochberg), Servicing Sara (Hudlin).

Plus connue pour ses mensurations de top-model et son mariage avec Hugh Grant que pour ses qualités intrinsèques de comédienne, mais cette charmante Anglaise n'a certainement pas dit son dernier mot, et le prouve en incarnant une très séduisante Belzébuth dans *Endiablé*.

Hurt, John

Acteur anglais né en 1940.

1962, The Wild and the Willing (R. Thomas) ; 1963, This Is My Street (Hayers) ; 1966, A Man for All Seasons (Un homme pour l'éternité) (Zinnemann) ; 1967, The Sailor from Gibraltar (Le marin de Gibraltar) (Richardson) ; 1968, In Search of Gregory (P. Wood) ; 1969, Sinful Davey (Davey des grands chemins) (Huston), Before Winter Comes (Lee-Thompson) ; 1970, 10 Rillington Place (L'étrangleur de Rillington Place) (Fleischer) ; 1971, Forbush and the Penguins (Al Viola), The Pied Piper (Le joueur de flûte de Hamelin) (Demy) ; 1974, Little Malcolm and His Struggle Against the Ennuch (Stuart Cooper), The Ghoul (Francis) ; 1976, East of Elephant Rock (Boyd), La linea del fiume (Scavarda) ; 1977, The Disappearance (Stuart Cooper) ; 1978, The Shout (Le cri du sorcier) (Skolimovski), Midnight Express (Midnight Express) (Parker) ; 1979, Alien (Alien, le 8e passager) (R. Scott) ; 1980, Heaven's Gate (La porte du paradis) (Cimino), The Elephant Man (Elephant man) (Lynch) ; 1981, History of the World, Part I (La folle histoire du monde) (Brooks) ; 1982, Night Crossing (La nuit de l'évasion) (Delbert Mann), Partners (Partners) (Burrows) ; 1983, The Osterman Week-end (Osterman week-end) (Peckinpah), Champions (Irvin), Success is the Best Revenge (Le succès à tout prix) (Skolimowski), The Hit (Le tueur était presque parfait) (Frears) ; 1984, 1984 (1984) (Radford), After Darkness (Othnin-Girard), Sunset People ; 1985, The Black Cauldron (Berman et Rich) ; 1986, Jake Speed (Lane), Rocinante (Guedes) ; 1987, Spaceballs (La folle histoire de l'espace) (Brooks), From the Hip (Clark) ; 1988, White Mischief (Sur la route de Nairobi) (Radford), Vincent, the Life and Death of Vincent Van Gogh (voix) (Cox), Aria (sketch de N. Roeg), La nuit bengali (Klotz), Little Sweetheart (Simmons) ; 1989, Scandal (Scandal) (Caton-Jones), Deadline (Palm) ; 1990, The Field (The field) (Sheridan), Frankenstein Unbound (Corman), Romeo-Juliet (Acosta), Windprints (Wicht) ; 1991, Lapse of Memory (Mémoire traquée) (Dewolf), The Plague (La peste) (Puenzo), I Dreamt I Woke Up (Boorman), King Ralph (Ralph Super King) (Ward) ; 1992, Dark at Noon (L'œil qui ment) (Ruiz), Resident Alien : Quentin Crisp in America (Nossiter) ; 1993, Great Moments in Aviation (Kidron), Trial by Jury (Gould), Monolith (Eyres), Even Cowgirls Get the Blues (Even Cowgirls Get the Blues) (Van Sant) ; 1994, Second Best (Menges), Wild Bill (Hill), Rob Roy (Rob Roy) (Caton-Jones) ; 1995, Dead Man (Dead Man) (Jarmusch), Two Nudes Bathing (m.m., Boorman), Saigon Baby (Attwood) ; 1996, Brute (Brute) (Dejczer), Tender Loving Care (Wheeler), Privateer 2 : The Darkening (Hilliker, Roberts) ; 1997, Straight Through the Heart/The Climb (Le défi) (Swaim), Contact (Contact) (Zemeckis), Love and Death on Long Island (Amour et mort à Long Island) (Kwietniowski), All the Little Animals (All the Little Animals) (Thomas), The Commissioner (Sluizer) ; 1998, Hurlyburly (Drazan), The Big Brass Ring (Hickenlooper), New Blood (New Blood) (Hurst), Night Train (J. Lynch) ; 1999, Lost Souls (Les âmes perdues) (Kominsky) ; 2000, Krapp's Last Tape (Egoyan) ; 2001, All the Little Animals (All the Little Animals) (J. Thomas), Captain Corelli's Mandolin (Capitaine Corelli) (Madden), Harry Potter and the Philosopher's Stone (Harry Potter à l'école des sorciers) (Columbus) ; 2004, Hellboy (Hellboy) (Del Toro) ; 2003, Dogville (Dogville) (Trier) ; 2005, The Skeleton Key (La porte des secrets) (Softley), Manderlay (Manderlay) (Trier), Valiant (Vaillant) (Chapman) ; 2006, Shooting Dogs (Shooting Dogs) (Caton-Jones), V for Vendetta (V for Vendetta) (McTeigue) ; 2007, The Golden Compass (A la croisée des mondes, les royaumes du Nord) (Weitz).

Ce fils de « clergyman » qui se destinait à la peinture s'oriente par la suite vers le théâtre et débute à l'écran en 1962. Son physique étrange lui permet d'interpréter des films à l'image de sa personne : *The Ghoul*, *The Shout* et surtout *The Elephant Man* où il incarne un monstre bouleversant.

Hurt, Mary Beth

Actrice américaine, de son vrai nom Supinger, née en 1948.

1978, Interiors (Intérieurs) (Allen) ; 1979, Head Over Heels (Micklin Silver) ; 1980, A Change of Seasons (Changement de saison) (Lang) ; 1982, The World According to Garp (Le monde selon Garp) (Roy Hill) ; 1985, D.A.R.Y.L. (D.A.R.Y.L.) (Wincer), Compromising Positions (Perry) ; 1989, Slaves of New York (Esclaves de New York) (Ivory), Parents (Balaban) ; 1990, Defenseless (Sans aucune défense) (Campbell) ; 1991, Light Sleeper (Light Sleeper) (Schrader) ; 1993, Six Degrees of Separation (Six degrés de séparation) (Schepisi), Shimmer (Hanson), My Boyfriend's Back (Balaban), The Age of Innocence (Le temps de l'innocence) (Scorsese) ; 1995, From the Journals of Jean Seberg (Rappaport) ; 1997, Affliction (Affliction) (Schrader), Boys Life 2 (sketch Christopher) ; 1999, Bringing Out the Dead (A tombeau ouvert) (Scorsese), The Family Man (Family Man) (Ratner) ; 2000, Autumn in New York (Un automne à New York) (Chen).

Une carrière dans l'ombre des grands acteurs dont elle a généralement servi de contrepoint.

Hurt, William

Acteur américain né en 1950.

1979, Altered States (Au-delà du réel) (Russell) ; 1980, Eye Witness (L'œil du témoin) (Yates) ; 1981, Body Heat (La fièvre au corps) (Kasdan) ; 1983, Gorky Park (Gorki Park) (Apted), The Big Chill (Les copains d'abord) (Kasdan) ; 1985, Le baiser de la femme-araignée (Babenco) ; 1986, Children of a Lesser God (Les enfants du silence) (Haines) ; 1987, Broadcast News (Broadcast News) (Brooks), Accidental Tourist (Voyageur malgré lui) (Kasdan) ; 1988, A Time of Destiny (Le temps du destin) (Nava) ; 1989, I Love You to Death (Je t'aime à te tuer) (Kasdan) ; 1990, Alice (Alice) (Allen) ; 1991, Until the End of the World (Jusqu'au bout du monde) (Wenders), The Doctor (Le docteur) (Haines) ; 1992,

Mr. Wonderful (Minghella), La Peste (Puenzo) ; 1993, Crime and Punishment (Golan), Trial by Jury (Gould), Second Best (Menges) ; 1994, Smoke (Smoke) (Wang), Confidences à un inconnu (Bardawil) ; 1995, Jane Eyre (Jane Eyre) (Zeffirelli), Un divan à New York (Akerman) ; 1996, Loved (Loved) (Dignam), Michael (Michael) (Ephron), Dark City (Dark City) (Proyas) ; 1997, The Proposition (La proposition) (Glatter), Lost in Space (Perdus dans l'espace) (Hopkins) ; 1998, One True Thing (Contre-jour) (Franklin), Sunshine (Sunshine) (Szabo), The 4th Floor (Le 4e étage) (Klausner), The Big Brass Ring (Hickenlooper) ; 1999, Do not Disturb (Issue de secours) (Maas), The Simian Line (Yellen) ; 2000, The Contaminated Man (Hickox) ; 2002, Au plus près du paradis (Marshall) ; 2004, the Village (Le Village) (Shyamalan) ; 2005, A History of Violence (A History of Violence) (Cronenberg) ; 2006, The King (The King) (Marsh), Syriana (Syriana) (Gaghan) ; 2007, Into the Wild (Penn), Vantage Point (Travis), The Good Shepherd (The Good Shepherd) (De Niro).

Théologie puis théâtre. Singulière formation pour ce jeune premier à l'inquiétante blondeur qui débuta dans un feuilleton télévisé avant de s'imposer à l'écran. Il est bouleversant dans *Le baiser de la femme-araignée* en homosexuel aimant se travestir et raconter des films imaginaires nourris de ses fantasmes. Une performance reconnue par un oscar en 1985. On le retrouve en professeur pour malentendants, se heurtant à une jeune fille dont la surdité constitue un refus du monde, dans *Les enfants du silence*. Et quelle élégance dans *Smoke* ! Il est non moins excellent en crapule dans *A History of Violence*.

Huster, Francis

Acteur et réalisateur français né en 1947.

1970, La faute de l'abbé Mouret (Franju) ; 1971, Faustine et le bel été (N. Companeez) ; 1973, Colinot trousse-chemise (N. Companeez) ; 1975, Lumière (Moreau), Je suis Pierre Rivière (Lipinska) ; 1976, Si c'était à refaire (Lelouch), Comme sur des roulettes (N. Companeez) ; 1977, Un autre homme, une autre chance (Lelouch) ; 1978, One two two, 122, rue de Provence (Gion), L'adolescente (J. Moreau) ; 1979, Les égouts du paradis (Giovanni) ; 1980, Les uns et les autres (Lelouch) ; 1982, J'ai épousé une ombre (R. Davis), Qu'est-ce qui fait courir David ? (Chouraqui), Drôle de samedi (Okan) ; 1983, Édith et Marcel (Lelouch), Équateur (Gainsbourg), Le faucon n'a jamais tué (Boujenah), La femme publique (Zulawski) ; 1985, L'amour braque (Zulawski), Parking (Demy) ; 1986, On a volé Charlie Spencer (Huster) ; 1989, Il y a des jours... et des lunes (Lelouch) ; 1992, Tout ça... pour ça ! (Lelouch) ; 1995, Dieu, l'amant de ma mère et le fils du charcutier (Issermann) ; 1997, Le dîner de cons (Veber) ; 1999, L'envol (Suissa) ; 2004, Le rôle de sa vie (Favrat), Pourquoi (pas) le Brésil (Masson) ; 2006, Comme t'y es belle ! (Azuelos). *Pour le metteur en scène*, voir le *Dictionnaire du cinéma*, t. I : *Les réalisateurs*.

De *L'abbé Mouret* à *Équateur*, son anatomie n'a plus de secrets pour ses admiratrices, fort nombreuses d'ailleurs. Conservatoire et Comédie-Française, mais très vite Huster délaisse Racine et Molière pour Nina Companeez et Lelouch. Peut-être aurait-il pu mieux choisir ? Il n'en sera pas moins l'un des jeunes premiers les plus en vue, couronné même d'un prix Gérard-Philipe par la Ville de Paris. Il se révèle sous un jour nouveau, en metteur en scène fou d'un film sur les *Possédés* de Dostoïevski, dans *La femme publique*. Il devient réalisateur lui-même en 1986.

Huston, Anjelica

Actrice et réalisatrice américaine née en 1952.

1969, A Walk With Love and Death (Promenade avec l'amour et la mort) (Huston), Hamlet (Richardson), Sinful Davey (Davey des grands chemins) (Huston) ; 1975, Swashbuckler (Le pirate des Caraïbes) (Goldstone), The Last Tycoon (Le dernier nabab) (Kazan) ; 1981, The Postman Always Rings Twice (Le facteur sonne toujours deux fois) (Rafelson) ; 1983, The Ice Pirates (Rafhill) ; 1984, This is Spinal Tap (Rob Reiner) ; 1985, Prizzi's Honor (L'honneur des Prizzi) (Huston) ; 1986, Captain Eo (c.m., Coppola) ; 1987, Gardens of Stone (Jardins de pierre) (Coppola), The Dead (Gens de Dublin) (Huston) ; 1988, A Handful of Dust (Sturridge), Mr. North (Mr. North) (D. Huston) ; 1989, Enemies (Enemies, une histoire d'amour) (Mazursky), Crimes and Misdemeanors (Crimes et délits) (Allen), Witches (Roeg) ; 1990, The Grifters (Les arnaqueurs) (Frears) ; 1991, The Player (The player) (Altman) ; 1992, The Addams Family (La famille Addams) (Sonnenfeld) ; 1993, Manhattan Murder Mystery (Meurtre mystérieux à Manhattan) (Allen), Addams Family Values (Les valeurs de la famille Addams) (Sonnenfeld), And the Band Played On (Les soldats de l'espérance) (Spottiswoode) ; 1994, The Perez Family (Nair), The Crossing Guard (Crossing Guard) (Penn) ; 1997, Phoenix (Phoenix) (Cannon), Buffalo '66 (Buffalo '66) (Gallo), Ever After (A tout jamais) (Tennant) ; 1998, Agnes Browne (Agnes Browne) (Huston) ; 1999, The Golden Bowl (La coupe d'or) (Ivory) ; 2001, The Man from Elysian Fields (Hickenlooper), The Royal Tenenbaums (La famille Tenenbaum) (Anderson) ; 2002, Blood Work (Créance de sang) (Eastwood) ; 2003, Daddy Day Care (École paternelle) (Carr) ; 2004, The Life Aquatic with Steve Zissou (La vie aquatique) (Anderson) *Pour la réalisatrice*, voir le *Dictionnaire du cinéma*, t. I : *Les réalisateurs*.

Fille de John Huston, elle n'a pas eu besoin de son père pour s'imposer comme une grande actrice.

Huston, John

Acteur, scénariste et réalisateur américain, 1906-1987.

1928, The Shakedown (L'école du courage) (Wyler) ; 1929, Hell's Heroes (Far West) (Wyler), Two Americans (Meehan) ; 1930, The Storm (La tourmente) (Wyler) ; 1963, The Cardinal (Le cardinal) (Preminger) ; 1966, The Bible (La Bible) (Huston) ; 1968, Candy (Marquand) ; 1969, De Sade (Le divin marquis) (Endfield), A Walk with Love and Death (Promenade avec l'amour et la mort) (Huston) ; 1970, Myra Beckinridge (Sarne), The Kremlin Letter (La lettre du Kremlin) (Huston) ; 1971, The Deserter (Les dynamiteros) (Kennedy), The Bridge in the Jungle (Kohner), Man in the Wilderness (Le convoi sauvage) (Sarafian) ; 1972, The Life and Time of Judge Roy Bean (Juge et hors-la-loi) (Huston) ; 1973, Battle of the Planet of the Apes (La bataille de la planète des singes) (Lee-Thompson) ; 1974, Chinatown (Chinatown) (Polanski), Breakout (L'évadé) (Gries) ; 1975, The Wind and the Lion (Le lion et le vent) (Milius) ; 1976, Tentacoli (Hellman) ; 1977, Il grande attaco (Lenzi), Angela (Sagal), Le mystère du triangle des Bermudes (Cardona Jr.) ; 1978, Il Visitatore (Paradise) ; 1979, Jaguar Lives (Pintof), Wise Blood (Le malin) (Huston), Winter Kills (Richert) ; 1980, Head On (Grant) ; 1983, Lovesick (Brickman), A Minor Miracle (Tannen). *Pour le metteur en scène*, voir le *Dictionnaire du cinéma*, t. I : *Les réalisateurs*.

Comment pourrait-on oublier l'acteur Huston, qu'il joue dans ses propres films ou dans ceux des autres : prélat oncle du marquis de Sade ou capitaine d'un navire porté sur terre par l'équipage (*Man in the Wilderness*). Son jeu est d'ailleurs, comme chez Welles, placé sous le signe de la démesure.

Huston, Walter

Acteur américain, 1884-1950.

1929, Gentleman of the Press (M. Webb), The Lady Lies (H. Henley), The Virginian (Fleming) ; 1930, The Virtuous Sin (Cukor), Abraham Lincoln (Griffith), The Bad Man (Badger) ; 1931, The Criminal Code (Code criminel) (Hawks), The Ruling Voice (Lee), Star Witness (Wellman) ; 1932, A House Divided, Law and Order (Cahn), The Wet Parade (Fleming), American Madness (Capra), Rain (Milestone), Kongo (Cowan), A Woman from Monte-Carlo, Beast of the City (Brabin), Night Court (Van Dyke) ; 1933, Hell Below (Conway), Ann Vickers (Cromwell), The Prizefighter and the Lady (Un cœur, deux poings) (Van Dyke), Gabriel over the White House (La Cava), Storm at Daybreak (Boleslavsky) ; 1934, Keep'Em Rolling ; 1935, The Tunnel (Elvey) ; 1936, Rhodes of Africa (Viertel), Dodsworth (Wyler) ; 1938, Of Human Hearts (Brown) ; 1939, The Light That Failed (La lumière qui s'éteint) (Wellman) ; 1941, The Shanghai Gesture (Shanghai) (Sternberg), All That Money Can Buy (Tous les biens de la terre) (Dieterle), The Maltese Falcon (Le faucon maltais) (J. Huston), Swamp Water (L'étang tragique) (Renoir) ; 1942, In this Our Life (J. Huston), Always in my Heart (J. Graham), Yankee Doodle Dandy (La parade de la gloire) (Curtiz) ; 1943, The Outlaw (Le banni) (Hughes), Mission to Moscow (Curtiz), Edge of Darkness (L'ange des ténèbres) (Milestone), The North Star (L'étoile du Nord) (Milestone) ; 1944, Dragon Seed (Les fils du dragon) (Bucquet et Conway) ; 1945, And then There Were None (Dix petits Indiens) (Clair) ; 1946, Dragonwyck (Le château du dragon) (Mankiewicz), Duel in the Sun (Duel au soleil) (Vidor) ; 1947, Summer Holiday (Belle jeunesse) (Mamoulian) ; 1948, The Treasure of the Sierra Madre (Le trésor de la Sierra Madre) (J. Huston) ; 1949, The Great Sinner (Passion fatale) (Siodmak), The Furies (Les Furies) (Mann).

Père du réalisateur John Huston, grand-père de l'actrice Anjelica Huston, ce Canadien d'origine irlandaise, qui avait débuté à Broadway en 1914, fut l'un des plus brillants acteurs des années 30-40 à Hollywood. On le vit, grâce à sa superbe prestance, tenir à plusieurs reprises le rôle de président des États-Unis (*Gabriel over the White House*, *The Tunnel*...). Il fut même Abraham Lincoln, sous la direction de Griffith ! Dans le western, il se transforma en Wyatt Earp (*Law and Order*) et en Doc Holliday (*The Outlaw*) ; il « prêchait » Jennifer Jones dans *Duel in the*

Sun et était le Diable dans *All That Money Can Buy*. Mais ses meilleurs rôles, il les doit à son fils : moins dans *Le faucon maltais*, où il ne fait qu'une courte mais sensationnelle apparition en capitaine, que dans *Le trésor de la Sierra Madre* où, en vieux prospecteur, il gagna un oscar.

Hutton, Betty

Actrice américaine, de son vrai nom Elizabeth June Thornburg, née en 1921.

1942, The Fleet's in (L'escadre est au port) (Schertzinger) ; 1943, Happy Go Lucky (Bernhardt), Star Spangled Rhythm (Au pays du rythme) (Marshall), Let's Face It (Lanfield) ; 1944, The Miracle of Morgan's Creek (Miracle au village) (Sturges), And the Angels Sing (Quatre flirts et un cœur) (Marshall), Here Come the Waves (Sandrich), The Storck Club (Hal Walker) ; 1946, Cross My Heart (Berry), Duffy's Tavern (Walker), Incendiary Blonde (La blonde incendiaire) (Marshall), The Perils of Pauline (Les exploits de Pearl White) (Marshall) ; 1948, Dream Girl (Leisen) ; 1949, Red Hot and Blue (L'ange endiablé) (Farrow) ; 1950, Annie Get Your Gun (Annie la reine du cirque) (Sidney), Let's Dance (Maman est à la page) (McLeod) ; 1951, Sailor Beware (La polka des marins) (Walker) ; 1952, The Greatest Show on Earth (Sous le plus grand chapiteau du monde) (DeMille), Somebody Loves Me (Brecher) ; 1957, Spring Reunion (Pirosh) ; 1994, That's Entertainment III (That's Entertainment III) (Friedgen, Knievel).

Pétulante vedette des comédies de la Paramount. Elle avait débuté dans des courts métrages musicaux où elle faisait preuve d'une belle énergie. Elle est à son apogée en 1946 : blonde incendiaire ou Pearl White, elle déploie une louable fantaisie. Mais en 1952, elle rompt son contrat avec Paramount, ce qui brise sa carrière. Mariée quatre fois, elle tente un « come-back » sur les plateaux en 1967 avec Red Tomahawk mais elle doit être remplacée.

Hutton, Lauren

Actrice américaine née en 1943.

1968, Paper Lion (A. March) ; 1970, Little Fauss and Big Halsy (L'ultime randonnée) (Furie), Pieces of Dream (Haller) ; 1971, Permette, Rocco Papaleo (Scola) ; 1974, The Gambler (Le flambeur) (Reisz) ; 1976, Gator (Reynolds) ; 1977, Welcome to L.A. (Welcome to Los Angeles) (Rudolph), Viva Knievel (Douglas) ; 1978, A Wedding (Un mariage) (Altman) ; 1980, American Gigolo (American Gigolo) (Schrader), Zorro the Gay Blade (La grande Zorro) (Medak) ; 1981, Tout feu, tout flamme (Rappeneau), Paternity (Steinberg) ; 1982, Hécate, maîtresse de la nuit (Schmid) ; 1983, William Burroughs (Brookner) ; 1984, Lassiter (Signé Lassiter) (Young) ; 1985, One Bitten (Storm) ; 1986, Flagrant désir (Faraldo) ; 1987, Malone (Cockliss), Marathon (T. Young) ; 1988, Blue Blood (R. Young) ; 1990, Fear (Rockne S. O'Bannon), Missing Pieces (Stern) ; 1991, Miliardi (Vanzina) ; 1992, Guilty as Charged (Irvin) ; 1993, My Father the Hero (Mon père ce héros) (Miner) ; 1998, 54 (Studio 54) (Christopher) ; 1999, The Venice Project (Dornhelm), Just a Little Harmless Sex (Rosenthal).

Originaire de Charleston, elle a mis beaucoup de temps avant de devenir une héroïne perverse, la vedette d'un film important : *Hécate et ses chiens*. Sa beauté blonde, du feu sous la glace, peut enfin y déployer son inquiétante séduction. On l'a revue en femme émancipée dans *Flagrant désir*.

Hutton, Timothy

Acteur et réalisateur américain né en 1960.

1965, Never Too Late (Yorkin) ; 1980 Ordinary People (Des gens comme les autres) (Redford) ; 1982, Taps (Taps) (Becker) ; 1983, Daniel (Daniel) (Lumet) ; 1984, Iceman (Schepisi) ; 1985, The Falcon and the Snowman (Le jeu du faucon) (Schlesinger), Turk 182 (Clark) ; 1987, Made in Heaven (Made in Heaven) (Rudolph) ; 1988, Everybody's All-American (Hackford), A Time of Destiny (Le temps du destin) (Nava), Betrayed (La main droite du diable) (Costa-Gavras) ; 1989, Torrents of Spring (Les eaux printanières) (Skolimowski) ; 1990, Q & A (Contre-enquête) (Lumet) ; 1993, The Temp (Holland), The Dark Half (La part des ténèbres) (Romero) ; 1994, The Last World (Spiridakis) ; 1995, French Kiss (French Kiss) (Kasdan) ; 1996, Beautiful Girls (T. Demme), The Substance of Fire (Sullivan), Mr. and Mrs. Loving (Friedenberg) ; 1997, City of Industry (City of Crime) (Irvin), Playing God (Playing God) (Wilson) ; 1998, Vig (Theakston), The General's Daughter (Le déshonneur d'Elisabeth Campbell) (West), Deterrence (Lurie), Just a Little Harmless Sex (Rosenthal) ; 2000, Just One Night (Jacobs) ; 2003, Kinsey (Dr Kinsey) (Condon) ; 2004, Secret Window (Fenêtre secrète) (Koepp) ; 2006, Last Holiday (Vacances sur ordonnance) (Wayne Wang) ; 2007, The Good

Shepherd (The Good Shepherd) (De Niro). *Comme réalisateur :* 1998, Digging to China.

Fils de l'acteur Jim Hutton et après une apparition enfant dans l'un des films de ce dernier, il reçoit à vingt ans l'oscar du meilleur second rôle pour *Des gens comme les autres*. Jeune premier en vogue, il vivra néanmoins un long passage à vide vers la fin des années 80 durant lequel il s'adonne à la mise en scène de théâtre et à la réalisation de clips vidéo. On le retrouve vieilli dans deux polars où il tient les rôles de méchants (*City of Crime* et *Playing God*).

Hyer, Martha

Actrice américaine née en 1924.

1946, The Locket (Le médaillon) (Brahm) ; 1947, Thunder Mountain (Landers) ; 1948, The Velvet Touch (Quand le rideau tombe) (Gage) ; 1949, Gun Smugglers (Mc Donald), The Judge Steps Outs (Ingster), Roughshod (Robson), Rustlers (Selander) ; 1950, The Lawless (Haines) (Losey), Outcast of Black Mesa (Nazarro), Salt Lake Raiders (Brannon), Frisco Tornado (Springsteen) ; 1952, Wild Stallion (Collins), Yukon Gold (Mc Donald), Unmei-Fate (Breakston), Geisha Girl (Breakston), Battle of Rogue River (Castle) ; 1953, Abbott and Costello go to Mars (Deux nigauds chez Venus) (Lamont), Scarlet Spear (Breakston), So Big (Mon grand) (Wise) ; 1954, Riders to the Stars (Carlson), Lucky Me (Mademoiselle Porte-Bonheur (Donahue), Cry Vengeance (La vengeance de Scarface) (Stevens), Down Three Dark Streets (L'assassin parmi eux) (Laven), Sabrina (Sabrina) (Wilder) ; 1955, Wyoming Renegades (Sears), Kiss of Fire (El Tigre) (Newman), Francis in the Navy (Lubin), Fresh from Paris (Goodwins) ; 1956, Red Sundown (Crépuscule sanglant) (Arnold), Showdown at Abilene (Les dernières heures d'un bandit) (C. Haas) ; 1957, The delicate Delinquent (Le déliquent involontaire) (Mc Guire), Mister Cory (L'extravagant M. Cory) (Edwards), Kelly and Me (Leonard), Battle Hymn (Les ailes de l'espérance) (Sirk), My Man Godfrey (Mon homme Godfrey) (Koster) ; 1958, Once Upon a Horse (Kanter), Paris Holiday (A Paris tous les deux) (Oswald), Houseboat (La péniche du bonheur) (Shavelson), Some Came Running (Comme un torrent) (Minnelli) ; 1959, The Best of Everything (Rien n'est trop beau) (Negulesco), The Big Fisherman (Simon le pêcheur) (Borzage), Mistress of the World ; 1960, Desire in the Dust (W. Claxton), Ice Palace (Les aventuriers) (Sherman) ; 1961, The Right Approach (Butler), The Last Time I Saw Archie (Webb) ; 1962, A Girl Named Tamiko (Citoyen de nulle part) (Sturges) ; 1963, Pyro (Coli), Wives and Lovers (Rich), The Man From the Diner's Club (Les pieds dans le plat) (Tashlin) ; 1964, Blood on the Arrow (1 000 dollars pour une Winchester) (C.M. Warren), The Carpetbaggers (Les ambitieux) (Dmytryck), Bikini Beach (Asher), First Men in the Moon (Les premiers hommes dans la Lune) (Juran) ; 1965, Cuernavaca en Primavera (Mexique), The Sons of Katie Elder (Les 4 fils de Katie Elder) (Hathaway) ; 1966, The Chase (La poursuite impitoyable (Penn), The Night of the Grizzly (La nuit du grizzly) (Pevney), Picture Mommy Dead (Gordon) ; 1967, The Happening (Les détraqués) (Silverstein), Some May Live (Sewell), War, Italian Style (Scattini), Lo scatenato (Indovina) ; 1968, Another Man's Wife (Gil), House of 1000 Dolls (Summers) ; 1969, Once You Kiss a Stranger (Histoire d'un meurtre) (Sparr) ; 1970, Crossplot (Rakoff) ; 1973, Day of the Wolves (Grofé Jr.).

Née à Fort Worth (Texas), cette blonde à la taille mannequin après avoir tâté du théâtre (Pasadena Playhouse) a promené sa silhouette dans bon nombre de films s'acheminant toujours avec la même aisance de Wilder à Hathaway en passant par Minnelli. On se souvient surtout de son rôle de garce dans *Les ambitieux* de Dmytryck, évocation plus ou moins douteuse de la carrière d'Howard Hughes. Elle a été mariée au producteur Hal Wallis et, depuis la disparition de ce dernier, vit au Nouveau-Mexique, ayant renoncé aux biens de ce monde pour ne plus se consacrer qu'à la foi divine. Elle a publié ses Mémoires en 1990, sous le titre de *Finding my Way*.

I

Idle, Eric

Acteur anglais né en 1943.

1971, And Now For Something Completely Different (Pataquesse/La première folie des Monty Python) (McNaughton) ; 1975, Monty Python and the Holy Grail (Monty Python – Sacré Graal !) (Gilliam et Jones) ; 1979, Monty Python's Life of Brian (La vie de Brian) (Jones) ; 1982, Monty Python Live at the Hollywood Bowl (Monty Python à Hollywood) (T. Hughes) ; 1983, Yellowbeard (Barbe d'Or et les pirates) (Damski), Monty Python's Meaning of Life (Le sens de la vie) (Jones) ; 1985, National Lampoon's European Vacation (Heckerling) ; 1988, The Adventures of Baron Munchhausen (Les aventures du baron Munchhausen) (Gilliam) ; 1989, Erik the Viking (Erik le Viking) (Jones) ; 1990, Nuns on the Run (Mettons les voiles !) (Lynn) ; 1991, Too Much Sun (Downey) ; 1992, Mom and Dad Save the World (Beeman), Missing Pieces (Stern) ; 1993, Splitting Heirs (Grandeur et descendance) (R. Young) ; 1995, Casper (Casper) (Silberling) ; 1996, The Wind in the Willows (Jones) ; 1997, An Alan Smithee Film – Burn Hollywood Burn (An Alan Smithee Film) (Hiller, sous le pseudonyme de Smithee) ; 1998, Dudley Do-Right (Wilson) ; 2003, Hollywood Homicide (Hollywood Homicide) (Shelton) ; 2004, Ella Enchanted (O'Haver) ; 2007, Bee Movie (Smith et Hickner).

Il est issu de la troupe des Monty Python, mais sa carrière cinématographique reste en deçà de celle de ses illustres ex-collègues (John Cleese, Terry Gilliam – voir leurs notices – entre autres...). Il partage néanmoins avec eux son allure et sa causticité toutes britanniques.

Inconnus (Les)

Groupe comique français (Didier Bourdon né en 1959, Bernard Campan né en 1958 et Pascal Légitimus né en 1959).

1984, Le téléphone sonne toujours deux fois (Vergne) ; 1995, Les trois frères (Bourdon, Campan) ; 1997, Le pari (Bourdon, Campan) (simple apparition pour Pascal Légitimus) ; 2000, Antilles-sur-Seine (Légitimus) ; 2001, Les rois mages (Bourdon, Campan).

Pascal Légitimus seul : 1984, Pinot simple flic (Jugnot) ; 1985, Le quatrième pouvoir (Leroy), Black mic-mac (Gilou) ; 1988, L'œil au beur(re) noir (Meynard) ; 1990, Génial, mes parents divorcent ! (Braoudé) ; 1991, Siméon (Palcy) ; 1993, Neuf mois (Braoudé) ; 1996, L'homme idéal (X. Gélin) ; 1997, L'annonce faite à Marius (Sbraire) ; 2003, Le pharmacien de garde (J. Veber), Toutes les filles sont folles (Pouzadoux), Les amateurs (Valente) ; 2005, Quartier VIP (Firode), Saint-Jacques... La Mecque (Serreau) ; 2006, Madame Irma (Bourdon et Fajnberg). *Comme réalisateur :* 2000, Antilles-sur-Seine.

Didier Bourdon seul : 1982, Le bourgeois gentilhomme (Coggio) ; 1983, Chômeurs en folie (Cachoux) ; 1991, L'œil qui ment (Ruiz) ; 1993, La machine (Dupeyron) ; 1996, Tout doit disparaître (Muyl) ; 1998, Volpone (Chalonge) ; Doggy Bag (Comtet) ; 1999, L'extraterrestre (Bourdon) ; 2003, Fanfan la Tulipe (Krawczyk), Sept ans de mariage ; 2004, Madame Édouard (Monfils) ; 2005, Vive la vie (Fajnberg) ; 2007, A Good Year (Une grande année) (Scott). *Comme réalisateur :* 1995, Les trois frères (avec Campan) ; 1997, Le pari (avec Campan) ; 1999, L'extraterrestre ; 2001, Les rois mages (avec Campan) ; 2003, Sept ans de mariage ; 2006, Mme Irma (avec Fajnberg).

Bernard Campan seul : 1998, Augustin roi du kung-fu (Fontaine), Doggy bag (Comtet) ; 1999, L'extraterrestre (Bourdon) ; 2000, Jojo la frite (Cuche) ; 2001, Se souvenir des belles choses (Breitman) ; 2003, Le cœur des hommes (Esposito) ; 2004, Poids léger (Améris) ; 2005, Combien tu m'aimes ? (Blier) ; 2006, L'homme de sa vie (Breitman). *Comme réalisateur :* 1995, Les trois frères (avec Bourdon) ; 1997, Le pari (avec Bourdon) ; 2001, Les rois mages (avec Bourdon).

Séparément ils avaient interprété de petits rôles et avaient été réunis dans *Le téléphone sonne toujours deux fois*, un film dont ils avaient écrit le scénario. L'énorme succès de leurs sketches les a conduits à écrire une véritable histoire pour le grand écran, celle de trois demi-frères venus de milieux différents puis *Les rois mages*.

Inkijinoff, Valery

Acteur d'origine russe, 1895-1973.

1928, Potomoc Tchinguiz-Khana (Tempête sur l'Asie) (Poudovkine) ; 1930, Le capitaine jaune (Sandberg) ; 1933, La bataille (Farkas), La tête d'un homme (Duvivier) ; 1934, Amok (Ozep), Volga en flammes (Tourjansky) ; 1937, Les pirates du rail (Christian-Jaque), Les bateliers de la Volga (Strijewsky) ; 1938, Le drame de Shanghai (Pabst), La rue sans joie (Hugon) ; 1947, La renégate (Séverac) ; 1949, Maya (R. Bernard) ; 1954, La fille de Mata Hari (Gallone) ; 1956, Michel Strogoff (Gallone), Verrat an Deutschland (L'espion de Tokyo) (Harlan) ; 1957, Der Arzt von Stalingrad (Le médecin de Stalingrad) (Radvany) ; 1958, Der Tiger von Eschnapur (Le tigre du Bengale) (Lang), Das indische Grabmal (Le tombeau hindou) (Lang), Maciste alla Corte del Gran Kan (Freda), Die Herrin der Welt (Les mystères d'Angkor) (Dieterle) ; 1961, Les hommes veulent vivre (Moguy), Le triomphe de Michel Strogoff (Tourjansky) ; 1962, Mon oncle du Texas (Guez) ; 1963, Nick Carter va tout casser (Decoin) ; 1965, Les tribulations d'un Chinois en Chine (Broca) ; 1966, Atout Cœur à Tokyo pour OSS 117 (Boisrond) ; 1967, Matchless (Mission top secret) (Lattuada) ; 1968, La blonde de Pékin (Gessner) ; 1971, Les pétroleuses (Christian-Jaque).

Avec son crâne rasé et ses yeux bridés, ce réfugié russe a joué les Asiatiques dans de nombreux films où il sut donner à ses personnages une dimension inquiétante, notamment dans *Le tigre du Bengale* et auparavant dans *Les pirates du rail*. Inquiétant, il l'est même dans un film drôle comme *Les tribulations d'un Chinois en Chine* où il menace la vie de Belmondo pour toucher une prime d'assurance. Il avait été lancé par le rôle de descendant de Gengis Khān dans *Tempête sur l'Asie*.

Interlenghi, Franco

Acteur italien né en 1931.

1946, Sciuscià (Sciuscià) (De Sica) ; 1947, Fabiola (Blasetti) ; 1949, Una domenica d'agosto (Un dimanche d'août) (Emmer) ; 1951, Parigi è sempre Parigi (Paris est toujours Paris) (Emmer), Le petit monde de Don Camillo (Duvivier) ; 1952, Processo alla Città (Zampa), Giovinezza (Pastina), Gli eroi della domenica (Camerin), Canzoni di mezzo secolo (Paolella), Il mondo le condanna (Franciolini) ; I vinti (Les vaincus) (Antonioni) ; 1953, I Vitelloni (Fellini), Canzoni, canzoni, canzoni (Paolella), La provinciale (La marchande d'amour) (Soldati) ; 1954, Il riscatto (Girolami), Cento anni d'amore (De Felice), Le due orfanelle (Gentilomo), Ulisse (Ulysse) (Camerini), The Barefoot Contessa (La comtesse aux pieds nus) (Mankiewicz), Rosso e nero (Paolella), Gli amori di Manon Lescaut (Costa) ; 1955, Gli innamorati (Les amoureux) (Bolognini) ; 1957, Padre e figli (Pères et fils) (Monicelli), Toto Peppino e i... fuorilege (Mastrocinque), La regina della povere gente (Ramirez), Giovani mariti (Les jeunes mariés) (Bolognini), A Farewell to Arms (L'adieu aux armes) (Ch. Vidor), El cielo brucia (Masini) ; 1958, En cas de malheur (Autant-Lara), Délit de fuite (Borderie), Polikutscha (Gallone) ; 1959, La notte brava (Les garçons) (Bolognini), Match contre la mort (Bernard-Aubert), Il generale Della Rovere (Le général Della Rovere) (Rossellini) ; 1962, Chronache del 22 (Guidi, Rossi...) ; 1967, Mise à sac (Cavalier) ; 1975, La polizia interviene : ordine di uccedere (Rosati) ; 1985, Miranda (Brass) ; 1986, Il camorrista (Tornatore) ; 1990, L'avaro (Cervi), Pummaro' (Pummaro') (Placido) ; 1992, Le roi de Paris (Maillet), Gli assassini vanno in coppia (Natoli) ; 1993, L'ours en peluche (Deray).

Il commença sa carrière en cireur de chaussures de *Sciuscià* et la poursuivit en « jeune veau » des *Vitelloni*. De De Sica à Fellini c'était déjà une évolution. On le retrouva en jeune marié de Bolognini. Il apparut alors comme le rival de Marcello Mastroianni dans le domaine de la popularité, mais il renonça brusquement à toute ambition cinématographique. Était-ce l'effet de son mariage avec Antonella Lualdi ?

Ionesco, Éva

Actrice française née en 1965.

1976, Le locataire (Polanski) ; 1977, L'amant de poche (Queysanne) ; 1979, Le journal d'une maison de correction (Cachoux) ; 1982, Meurtres à domicile (Lobet) ; 1984, Les nanas (Lanoë), La nuit porte-jarretelles (Thévenet) ; 1986, Résidence surveillée (Compain), Jeux d'artifices (Thévenet) ; 1987, L'amoureuse (Doillon) ; 1989, Monsieur (Toussaint), L'orchestre rouge (Rouffio) ; 1992, Rupture(s) (Citti), Comment font les gens (Bailly), La sévillane (Toussaint), Grand bonheur (Le Roux) ; 1993, Montparnasse-Pondichéry (Robert) ; 1994, Pullman paradis (Rosier) ; 1995, L'appartement (Mimouni), Encore (Bonitzer) ; 1996, Romaine (Obadia), Liberté chérie (épisode : Rien que des grandes personnes) (Brondolo) ; 1997, Vive la république ! (Rochant), La patinoire (Toussaint) ; 1998, Adieu, plancher des vaches ! (Iosseliani) ; 1999, Paris, mon petit corps est bien las de ce grand monde (Prenant).

Fille de la photographe Irina Ionesco (sans lien de parenté avec Eugène), elle baigne rapidement dans les milieux de la mode, posant nue pour sa mère à l'âge de huit ans. D'une filmographie d'abord très marquée par les années 80 (les films de Virginie Thévenet sont alors à l'apogée de l'air du temps), elle passe à Vitez, puis Chéreau. Second rôle régulier du cinéma d'auteur depuis lors, elle imprime à chacune de ses apparitions un relief décalé, burlesque, aux limites de l'étrange.

Ireland, Jill

Actrice anglaise, 1936-1990.

1955, Oh Rosalinda (Powell-Pressburger), A Woman for Joe (Une femme pour Joe) (O'Ferrall), Simon and Laura (M. Box) ; 1956, Three Men in a Boat (Trois hommes dans un bateau) (Annakin), There's Always Thursday (Saunders) ; 1957, Hell Drivers (Train d'enfer) (Endfield), Robbery Under Arms (A main armée) (J. Lee), In the Pocket (Carstairs) ; 1960, Carry on Nurse (Un thermomètre pour le colonel) (Thomas), Criminal Sexy (Hold-up au Gipsy Club) (Saunders), Raising the Wind (Le chef n'aime pas la musique) (G. Thomas) ; 1962, Twice Around the Daffodils (G. Thomas) ; 1967, Villa Rides (Pancho Villa) (Kulik), Karate Killers (Tueurs au karaté) (Shear) ; 1969, Le passager de la pluie (Clément) ; 1970, Città violenta (La cité de la violence) (Sollima), De la part des copains (T. Young) ; 1971, Quelqu'un derrière la porte (Gessner) ; 1972, The Mechanic (Le flingueur) (Winner), Cosa Nostra (T. Young) ; 1973, Valdez Horses (Chino) (Sturges) ; 1974, Breakout (L'évadé) (Gries), The Street-Fighter (Le bagarreur) (Hill) ; 1975, Break Heart Pass (Le solitaire de Fort Humboldt) (Gries) ; 1976, From Noon Till Three (C'est arrivé entre midi et trois heures) (Gilroy) ; 1978, Love and Bullets Charlie (Avec les compliments de Charlie) (Rosenberg) ; 1981, Death Wish 2 (Un justicier dans la ville 2) (Winner) ; 1987, Caught (Collier), Assassination (Protection rapprochée) (Hunt).

Débute très jeune comme danseuse de variétés. Le Palladium, les tournées sur le continent, le Chesterfield Repertory, bref une carrière prometteuse qu'elle interrompt pour signer un contrat avec Arthur Rank et devenir une vedette de l'écran. Hollywood l'invite. Elle y rencontre Bronson, divorce pour l'épouser en 1968, et tourne comme partenaire de son nouveau mari dans la plupart des westerns et thrillers qu'il interprète. Mais elle fait plus que lui donner la réplique : dans *From Noon Till Three*, le ravissant et fort drôle western de Gilroy, elle lui vole la vedette. Sa carrière est interrompue quelques années par un cancer. Elle revient à l'écran en 1987, aux côtés de Bronson, comme... épouse du président des États-Unis. Elle devait succomber à la maladie.

Ireland, John

Acteur et réalisateur américain, 1914-1992.

1945, A Walk in the Sun (Le commando de la mort) (Milestone) ; 1946, It Shouldn't Happen to a Dog (Leeds), My Darling Clementine (La poursuite infernale) (Ford), Wake up and Dream (Neumann) ; 1947, Railroaded (Mann), The Gangster (Un gangster pas comme les autres) (Wiles), Open Secret (Reinhardt) ; 1948, Raw Deal (Marché de brutes) (Mann), Red River (La rivière rouge) (Hawks), A Southern Yankee (Sedgwick), Joan of Arc (Jeanne d'Arc) (Fleming) ; 1949, I Shot Jesse James (J'ai tué Jesse James) (Fuller), Roughshod (Robson), The Walking Hills (Les aventuriers du désert) (Sturges), Anna Lucasta (Rapper), Mr. Soft Touch (Levin), All the King's Men (Les fous du roi) (Rossen) ; 1950, Cargo to Capetown (McEvoy), The Return of Jesse James (Hilton) ; 1951, The Scarf (Dupont), Little Big Horn (Warren), Vengeance Valley (La vallée de la vengeance) (Thorpe), The Basket-Ball Fix (Feist), The Bushwhackers (Amateau) ; 1952, Hurricane Smith (Hopper) ; 1953, Combat Squad (Roth), The 49th Man (Sears) ; 1954, Security Risk (Schuster), Southwest Passage (Nazarro), The Steel Cage (Doniger) ; 1955,

The Good Die Young (Les bons meurent jeunes) (Gilbert), Queen Bee (Une femme diabolique) (MacDougall), Hell's Horizon (Gries) ; 1957, Gunfight at the OK Corral (Règlement de comptes à OK Corral) (Sturges) ; 1958, Party Girl (Traquenard) (Ray), No Place to Land (Gannaway), Outlaw Territory (Ireland) ; 1960, Spartacus (Spartacus) (Kubrick) ; 1961, Wild in the Country (Dunne) ; 1962, Brushfire (Warner) ; 1963, 55 Days at Peking (Les 55 jours de Pékin) (Ray), The Ceremony (La cérémonie) (Harvey), The Fall of the Roman Empire (La chute de l'Empire romain) (Mann) ; 1965, I Saw What You Did (Castle) ; 1967, Fort Utah (Selander), Odio per Odio (Paolella), Dalle Ardenne all'Inferno (De Martino) ; 1968, Arizona Bushwhackers (Selander), Villa Rides (Pancho Villa) (Kulik), Corri uomo corri (Sollima), El Che Guevara (Heusch), Tutto per tutto (Lenzi) ; 1969, Una sull'altra (Fulci), La sfida di Mackenna (Klimovsky), Una pistola per cento bare (Lenzi), Vendetta per vendetta (Calloway), Quanto costa morire (Merolle), Quel caldo maledotto giorno di fuoco (Bianchini), Femmine insaziabili (De Martino) ; 1970, Le passager de la pluie (Clément), The Adventurers (Les derniers aventuriers) (Gilbert) ; 1972, Der Wurger kommt auf leisen Socken (Zurli), The Mechanic (Le flingueur) (Winner), Habricha el Hashemesh (Niet !) (Golan) ; 1973, Welcome to Arrow Beach (Harvey), The House of the Seven Corpses (Harrison) ; 1974, Dieci bianchi uccidi da un piccolo indiano (Baldanello), Go For Broke (Pirosh) ; 1975, Noi non siamo angeli (Parolini), Farewell My Lovely (Adieu ma jolie) (Richards), The Swiss Conspiracy (Arnold), La furie du désir (Pierson), Il letto in piazza (Gaburro) ; 1976, On the Air Live With Captain Midnight/Delta Fox (Sebastian) ; 1977, Quel pomeriggio maledetto (Sirko), Ransom (Un million de dollars par meurtre) (Compton), Salon Kitty (Salon Kitty) (Brass), Love and the Midnight Auto Supply (Poliakoff), Satan's Cheerleaders (Werner), Kino, the Padre on Horseback (Kennedy) ; 1978, Tomorrow Never Comes (Collinson) ; 1979, Guyana (Guyana, la secte de l'enfer) (Cardona Jr.), Bordello (Fellows), The Shape of Things to Come (McCowan), Incubus (Incubus) (Hough) ; 1981, Garden of Venus (Fellows) ; 1983, Martin's Day (Gibson), Treasure of the Amazon (Les diamants de l'Amazone) (Cardona Jr.) ; 1986, Thunder Run (Hudson) ; 1988, Messenger of Death (Le messager de la mort) (Lee-Thompson) ; 1989, Sundown (Hickox) ; 1990, Graveyard Story (Benedict) ; 1992, Waxwork II : Lost in Time (Hickox).

Pour le metteur en scène, voir le *Dictionnaire du cinéma*, t. I : *Les réalisateurs*.

« Il a l'air assez tragique pour être un homme qui a tué son meilleur ami », disait de lui Fuller qui le choisit pour être Bob Ford, l'assassin de Jesse James. Ireland fut voué aux rôles de tueur (l'un des Clanton dans *My Darling Clementine*, l'inquiétant gangster de *Party Girl*...). Une seule fois, il apparut prêt à pencher du bon côté, mais il y renonçait, c'était dans *All the King's Men*. Et si, par la suite, il tint quelques emplois de policiers (*Incubus*), ce fut sans beaucoup de conviction. Ambitieux, cet acteur de second plan a tourné deux films : un bon western (avec Garmes), *The Outlaw Territory*, et un film sur les courses automobiles (*The Fast and the Furious*).

Irons, Jeremy

Acteur anglais né en 1948.

1980, Nijinsky (Nijinsky) (Ross) ; 1981, The French Lieutenant's Woman (La maîtresse du lieutenant français) (Reisz) ; 1982, Moonlighting (Travail au noir) (Skolimovski) ; 1983, Betrayal (Trahisons conjugales) (Jones) ; 1984, Un amour de Swann (Schlöndorff) ; 1985, The Wild Duck (Safran) ; 1986, The Mission (Mission) (Joffé) ; 1988, Dead Ringers (Faux-semblants) (Cronenberg) ; 1989, Danny (Danny le champion du monde) (Millar), Australia (Andrieu), A Chorus of Disapproval (Winner) ; 1990, Reversal of Fortune (Le mystère Von Bülow) (Schroeder) ; 1991, Kafka (Kafka) (Soderbergh) ; 1992, Damage (Fatale) (Malle), Waterland (Gyllenhaal) ; 1993, M. Butterfly (M. Butterfly) (Cronenberg), The House of the Spirits (La maison aux esprits) (August) ; 1994, Die Hard With a Vengeance (Une journée en enfer) (McTiernan) ; 1995, Stealing Beauty (Beauté volée) (Bertolucci) ; 1996, Lolita (Lolita) (Lyne) ; 1997, Chinese Box (Chinese Box) (Wang), The Man in the Iron Mask (L'Homme au masque de fer) (Wallace) ; 1999, Dungeons and Dragons (Donjons et dragons) (Solomon) ; 2001, The Fourth Angel (Vengeance secrète) (Irvin), The Time Machine (La machine à explorer le temps) (Wells) ; 2002, Callas Forever (Zeffirelli), And now ladies and gentlemen (Lelouch) ; 2003, The Merchant of Venice (Le marchand de Venise) (Radford) ; 2004, Kingdom of Heaven (Kingdom of Heaven) (Scott) ; 2005, Being Julia (Adorable Julia) (Szabo), Casanova (Casanova) (Hallström) ; 2006, Eragon (Eragon) (Fangmeier) ; 2007, Inland Empire (Inland Empire) (Lynch).

Fils d'un conseiller fiscal, peu porté sur les chiffres, il choisit la voie du théâtre et débute avec Godspell avant de jouer *Wild Oats* à l'Old Vic et de travailler avec Pinter à la télévision. Il est remarqué en Swann et impose des personnages malsains (*Faux-semblants* où il joue deux jumeaux ou « M. Butterfly »). Acteur instinctif qui laisse une large place à l'improvisation, il peut passer de l'univers très britannique de Pinter à celui, tout français, de Marcel Proust. La raison de cette facilité ? A la question : « Qu'est-ce que l'humour anglais ? », il répond : « Je ne vois pas ce que vous voulez dire. » Rappelons qu'il gagna un oscar en 1990 pour *Reversal of Fortune*. Pourtant, il déçoit chez Zeffirelli et Lelouch.

Ironside, Michael

Acteur canadien né en 1950.

1977, Outrageous (Benner) ; 1978, The Last Campaign (Frank), High-Ballin' (Carter) ; 1980, Suzanne (Spry), Stone Cold Dead (Mendeluk), Scanners (Scanners) (Cronenberg), Double Negative (Bloomfield) ; 1981, Visiting Hours (Terreur à l'hôpital central) (Lord) ; 1982, Best Revenge (Trent) ; 1983, American Nightmare (McBrearty), Spacehunter : Adventures in the Forbidden Zone (Le guerrier de l'espace) (Lamont), Cross Country (P. Lynch) ; 1984, The Falcon and the Snowman (Le jeu du faucon) (Schlesinger), The Surrogate (Carmody) ; 1986, Jo Jo Dancer, Your Life Is Calling (Pryor), Top Gun (Top Gun) (T. Scott) ; 1987, Nowhere to Hide (Azzopardi), Hello Mary Lou : Prom Night II (Hello Mary Lou) (Pittman), Extreme Prejudice (Extrême préjudice) (W. Hill) ; 1988, Watchers (Watchers) (Hess), Hostile Takeover (Mihalka) ; 1989, Mindfield (Lord) ; 1990, Payback (Solberg), Destiny to Order (Purdy), Chaindance (Goldstein), Total Recall (Totall Recall) (Verhoeven) ; 1991, McBain (Mac Bain) (Glickenhaus), Highlander II : The Quickening (Highlander, le retour) (Mulcahy) ; 1992, The Vagrant (Walas), Neon City (Markham), Killer Image (Winning), Guncrazy (Davis), Cafe Romeo (Natino), Black Ice (Feranley) ; 1993, Save Me (Roberts), Red Sun Rising (Megahy), Point of Impact (Misiorowski), Night Trap (Prior), Fortunes of War (Notz), Forced to Kill (Solberg), Father Hood (Roodt), Sweet Killing (Deux doigts de meurtre) (Matalon), Free Willy (Sauvez Willy) (Wincer) ; 1994, Tokyo Cowboy (Garneau), Sleepless (Ziller), Red Scorpion 2 (Kennedy), Major Payne (Castle), The Killing Machine (Mitchell), The Glass Shield (The Glass Shield) (Burnett), The New Karate Kid (Miss Karaté Kid) (Cain) ; 1995, Too Fast Too Young (Everitt), Singapore Sling : Road to Mandalay (Laing), Kids Around the Table (Tinnell) ; 1996, Portraits of a Killer (Corcoran), One Way Out (Lynn), The Destiny of Marty Fine (Hacker) ; 1997, Starship Troopers (Starship Troopers) (Verhoeven), Slammers (Johnson), Going to Kansas City (Mandart), Chicago Cab (Cybulski, Tintori) ; 1998, Captive (Cardinal), Desert Blue (Freeman) ; 1999, Southern Cross (Becket) ; 2000, Megiddo : Omega Code 2 (B.T. Smith), Crime + Punishment in Suburbia (Crime + Punishment) (Schmidt) ; 2001, Extreme Honor (Rush), Down (L'ascenseur) (Maas).

Physique, viril, jouant d'une légère ressemblance avec Jack Nicholson, il est révélé dans un film d'horreur de son compatriote David Cronenberg, puis se cantonne avec succès dans le registre du thriller ou du film de guerre. Beaucoup de nanars, beaucoup de télévision, mais également deux prestations remarquées chez Verhoeven (méchant d'anthologie dans *Total Recall* et meneur d'hommes insubmersible dans *Starship Troopers*).

Irving, Amy

Actrice américaine née en 1953.

1976, Carrie (Carrie au bal du diable) (DePalma) ; 1978, The Fury (Furie) (DePalma) ; 1979, Voices (Silence mon amour) (Markowitz) ; 1980, Honeysuckle Rose (Show Bus) (Schatzberg), The Competition (Le concours) (Oliansky) ; 1983, Yentl (Yentl) (Streisand), The Far Pavillons (Pavillons lointains) (Duffell) ; 1984, Micki and Maude (Micki et Maud) (Edwards) ; 1987, Rumpelstiltskin (Irving) ; 1988, Crossing Delancey (Izzy et Sam) (Micklin Silver) ; 1990, A Show of Force (Barreto) ; 1992, Benefit of the Doubt (Au bénéfice du doute) (Heap) ; 1995, Acts of Love (Barreto) ; 1996, I'm Not Rappaport (Gardner) ; 1997, Deconstructing Harry (Harry dans tous ses états) (Allen) ; 1998, The Confession (Jones), The Rage : Carrie II (Carrie 2 : La haine) (Shea), One Tough Cop (Barreto) ; 1999, Bossa Nova (Bossa Nova et vice versa) (Barreto) ; 2000, Traffic (Traffic) (Soderbergh) ; 2001, 13 Conversations about One Thing (Sprecher).

Débuts prometteurs. De Palma la révéla dans *Carrie* et elle était remarquable dans *The Competition*. Mais le reste se perd dans la série B de moyen aloi.

Ivernel, Daniel

Acteur français, 1920-1999.

1946, Le beau voyage (L. Cuny) ; 1947, Brigade criminelle (Gil) ; 1948, Le sorcier du ciel

(Blistène), Aux yeux du souvenir (Delannoy) ; 1949, Plus de vacances pour le bon dieu (Vernay), La souricière (Calef) ; 1950, Dieu a besoin des hommes (Delannoy), Sous le ciel de Paris (Duvivier), La passante (Calef) ; 1951, Le banquet des fraudeurs (Storck) ; 1952, La fête à Henriette (Duvivier), La neige était sale (Saslavsky), Rayés des vivants (Cloche) ; 1953, Destinées (Pagliero, Delannoy, Christian-Jaque), Le comte de Monte-Cristo (Vernay) ; 1954, Mme du Barry (Christian-Jaque), Napoléon (Guitry), Ulisse (Ulysse) (Camerini) ; 1956, S.O.S. Noronha (Rouquier) ; 1958, La femme et le pantin (Duvivier) ; 1959, Marie-Octobre (Duvivier), Pardessus le mur (Le Chanois) ; 1960, La pendule à Salomon (V. Ivernel), Vive Henri IV, vive l'amour ! (Autant-Lara) ; 1961, La ligne droite (Gaillard) ; 1962, Les dimanches de Ville-d'Avray (Bourguignon) ; 1963, Le journal d'une femme de chambre (Buñuel), A couteaux tirés (Gérard) ; 1965, L'homme de Marrakech (Deray), Paris au mois d'août (Granier-Deferre). 1967, Mise à sac (Cavalier) ; 1969, Borsalino (Deray) ; 1971, Il était une fois un flic (Lautner) ; 1972, Docteur Popaul (Chabrol), L'attentat (Boisset) ; 1973, L'affaire Dominici (Bernard-Aubert), Les Gaspards (Tchernia) ; 1974, Borsalino and Co (Deray) ; 1975, Il faut vivre dangereusement (Makovski) ; 1976, Le corps de mon ennemi (Verneuil) ; 1977, Le juge Fayard dit « le shérif » (Boisset).

Conservatoire, Comédie-Française, beaucoup de théâtre. Sa carrure en fait le héros viril de plusieurs films : flic, gangster, résistant...

Ives, Burl

Acteur et chanteur américain, 1909-1995.

1946, Smoky (L. King) ; 1948, Green Grass of Wyoming (L. King), Station West (La cité de la peur) (Lanfield), So Dear to My Heart (Schuster) ; 1950, Sierra (Green) ; 1955, East of Eden (A l'est d'Eden) (Kazan) ; 1956, The Power and the Prize (Koster) ; 1959, Desire Under the Elms (Le désir sous les ormes) (Delbert Mann), The Big Country (Les grands espaces) (Wyler), Wind Across the Everglades (La forêt interdite) (Ray), Cat on a Hot Tin Roof (La chatte sur un toit brûlant) (Brooks) ; 1959, Day of the Outlaw (La chevauchée des bannis) (De Toth), Our Man in Havana (Notre agent à La Havane) (Reed) ; 1960, Let No Man Write My Epitaph (Leacock) ; 1962, The Spiral Road (L'homme de Bornéo) (Mulligan) ; 1963, Summer Magic (Neilson) ; 1964, The Brass Bottle (Keller), Ensign Pulver (Logan), Robin and the Seven Hoods (Les sept voleurs de Chicago) (Douglas) ; 1966, The Day dreamer (Jules Bass) ; 1970, The McMasters (Le clan des McMasters) (Kjellin) ; 1976, Baker's Havok (Dayton) ; 1978, Dans les profondeurs du triangle des Bermudes (Kotani) ; 1982, White Dog (Dressé pour tuer) (Fuller). 1991, Two Moons Junction (A fleur de peau) (Z. King).

Chanteur de folk très réputé, écrivain et compositeur, Ives a fait quelques apparitions cinématographiques d'autant plus remarquées qu'il est fort corpulent. Il gagna même un oscar du second rôle pour *The Big Country*. Mais ses meilleurs rôles sont ceux de chefs de bande dans *Day of the Outlaw*, où il dirigeait des déserteurs, et dans *Wind Across the Everglades*, où il commandait une troupe de massacreurs d'aigrettes. Beaucoup de télévision depuis 1968.

Izvitskaya, Izolda

Actrice russe, 1932-1971.

1956, Sorok pervyi (Le quarante et unième) (Tchoukrai) ; 1962, Mir vkodyalshchemu (Paix à celui qui vient au monde) (Alov et Naoumov).

Elle fut la très émouvante interprète de ce remake d'un vieux film de Protozanov, qui parut marquer un réveil du cinéma russe.

J

Jackson, Glenda

Actrice anglaise née en 1936.

1967, Marat-Sade (Brook), Benefit of the Doubt (Au bénéfice du doute) (Whitehead) ; 1968, Negatives (Medak), Tell Me Lies (Dites-moi n'importe quoi) (Brook) ; 1969, Women in Love (Love) (Russell) ; 1970, The Music Lovers (Music Lovers) (Russell) ; 1971, Sunday, Bloody Sunday (Un dimanche comme les autres) (Schlesinger), Mary Queen of Scots (Marie Stuart, reine d'Écosse) (Jarrott), A Touch of Class (Frank) ; 1972, The Boyfriend (The Boyfriend) (Russell), Bury Me in My Boots (Zetterling), The Triple Echo (Apted) ; 1973, Request to the Nation (James Jones) ; 1974, Il sorriso del grande tentatore (Damiani) ; 1975, The Maids (Les bonnes) (Miles), The Romantic Englishwoman (Une Anglaise romantique) (Losey), Hedda (Trevor Nunn) ; 1976, Nasty Habits (Drôles de manières) (Lindsay-Hogg), The Incredible Sarah (Fleischer) ; 1978, House Calls (Zieff), Stevie (R. Enders), The Class of Miss MacMichael (Narizzano) ; 1979, Lost and Found (Melvin Frank), Health (Altman) ; 1982, The Return of the Soldier (Le retour du soldat) (Bridges) Hopscotch (Jeux d'espions) (Neame) ; 1984, And Nothing But the Truth (Francis) ; 1985, Triple Echo (Apted) ; 1986, Turtle Diary (Turtle) (Irvin) ; 1987, Beyond Therapy (Beyond Therapy) (Altman) ; 1988, The Rainbow (Russell), Salome's Last Dance (Russell), Business as Usual (Lezli) ; 1990, Doombeach (Finbow), King of the Wind (Duffell).

Pharmacienne plus intéressée par les planches que par les bocaux, elle est remarquée par Peter Brook qui la fait jouer à la scène et à l'écran. Son succès dans *Marat-Sade* est prodigieux. C'est Russell qui va la consacrer grande comédienne dans *Love* (la nuit de noces dans le train et l'asile d'aliénés). Éblouissante dans *Marie Stuart* et dans *Une Anglaise romantique*, elle sauve la *Sarah Bernhardt* de Fleischer par sa seule présence. Elle ne semble pas avoir trouvé depuis 1976 de rôles à la mesure de son talent. Elle remporta tout de même deux oscars l'un en 1970 avec *Love*, l'autre en 1973 avec *A Touch of Class*.

Jackson, Samuel L.

Acteur américain né en 1949.

1972, Together for Days (Schultz) ; 1981, Ragtime (Ragtime) (Forman) ; 1987, Eddie Murphy Raw (Eddie Murphy show) (Townsend) ; 1988, School Daze (Lee), Coming to America (Un prince à New York) (Landis) ; 1989, Mystery Train (Mystery Train) (Jarmusch), Do the Right Thing (Do the Right Thing) (Lee), Sea of Love (Sea of Love/Mélodie pour un meurtre) (Becker) ; 1990, Def by Temptation (Bond III), A Shock to the System (Business oblige) (Egleson), Goodfellas (Les affranchis) (Scorsese), Return of Superfly (Shore), Betsy's Wedding (Alda), Mo' Better Blues (Mo' Better Blues) (Lee) ; 1991, The Exorcist III (L'exorciste, la suite) (Blatty), Jumpin' at the Boneyard (Stanzler), Jungle Fever (Jungle Fever) (Lee), Johnny Suede (Johnny Suede) (DiCillo), Strictly Business (Hooks) ; 1992, Juice (Dickerson), Patriot Games (Jeux de guerre) (Noyce), Fathers and Sons (Mones), White Sands (Sables mortels) (Donaldson) ; 1993, National Lampoon's Loaded Weapon 1 (Alarme fatale) (Quintano), Menace II Society (Menace II Society) (A. & A. Hughes), True Romance (True Romance) (Scott), Jurassic Park (Jurassic Park) (Spielberg), The Meteor Man (Townsend), Amos & Andrew (Frye) ; 1994, Hail Caesar (Hall), Fresh (Fresh) (Yakin), Pulp Fiction (Pulp Fiction) (Tarantino) ; The New Age (Tolkin), Losing Isaiah (Gyllenhaal), Against thc Wall (Frankenheimer), The Search for One-Eyed Jimmy (À la recherche de Jimmy-le-borgne) (Kass) ; 1995, Fluke (voix seulement) (Carlei), Kiss of Death (Kiss of Death) (Schroeder), Die Hard With a Vengeance (Une journée en enfer) (MacTiernan), Great White Hype (Hudlin), Trees Lounge (Happy Hour) (Buscemi), Sydney/Hard Eight (Anderson), Mob Justice (Markle) ; 1996, A Time to Kill (Le droit de tuer ?) (Schumacher), The Long Kiss Goodnight (Au revoir à jamais) (Harlin), Eve's Bayou (Le secret du bayou) (Lemmons), 187 (Un prof en enfer) (Reynolds), The Red Violin (Girard) ; 1997, Sphere (Sphere) (Levinson), Jackie Brown (Jackie Brown) (Tarantino), The Negociator (Négociateur) (Gray) ; 1998, Out of Sight (Hors d'atteinte) (Soderbergh), Star Wars : Episode 1 – The Phantom Menace (Star Wars Épisode 1 : La menace fantôme) (Lucas), Deep Blue Sea (Peur bleue) (Harlin) ; 1999, Rules of Engagement (L'enfer du devoir) (Friedkin), Shaft (Shaft) (Singleton) ; 2000, Unbreakable (Incassable) (Shyamalan), The Caveman's Valentine (Lemmons) ; 2001, Star Wars : Episode 2 (Lucas), 51st State (Le 51e État) (Yu), Changing Lanes (Michell) ; 2002, Basic (Basic) (McTiernan), XXX (XXX) (Cohen), S.W.A.T. (S.W.A.T.) (Johnson) ; 2005, Star Wars : Episode III – The Revenge of Sikhs (Stars Wars : épisode III – La revanche des Sikhs) (Lucas) ; Coach Carter (Coach Carter) (Carter) ; 2006, Snakes on a Plane (Des serpents dans l'avion) (Ellis), The Man (Le Boss) (Mayfield) ; 2007, Black Snake Moan (Brawer), Black Water Transit (Bayer).

Malgré une multitude de rôles chez Forman, Landis, Scorsese ou Spielberg, c'est grâce au *Jungle Fever* de Spike Lee que le public le découvre. Ce film lui permet même d'obtenir au festival de Cannes le prix d'interprétation pour un second rôle, prix jamais décerné auparavant. Suit *Pulp Fiction* (où il forme avec John Travolta un délirant duo de tueurs à gages) et c'est la consécration pour cet acteur noir au jeu extrêmement efficace. Convaincant quel que soit le rôle, du père de famille au dealer sans pitié, il est devenu indispensable à l'industrie hollywoodienne.

Jacob, Catherine

Actrice française née en 1956.

1984, Souvenirs souvenirs (Zeitoun) ; 1988, La vie est un long fleuve tranquille (Chatiliez) ; 1989, Les maris, les femmes, les amants (Thomas) ; 1990, Tatie Danielle (Chatiliez) ; 1991, Merci la vie (Blier), Mon père, ce héros (Lauzier) ; 1992, La soif de l'or (Oury), La fille de l'air (Bagdadi) ; 1993, Les braqueuses (Salomé), Neuf mois (Braoudé), Dieu que les femmes sont amoureuses (Clément) ; 1995, Pourvu que ça dure (Thibaud), Le bonheur est dans le pré (Chatiliez), Les grands ducs (Leconte) ; 1996, Oui (Jardin), Messieurs les enfants (Boutron) ; 1997, La ballade de Titus (De Brus), XXL (Zeitoun), Que la lumière soit ! (A. Joffé) ; 1999, Le cœur à l'ouvrage (Dussaux) ; 2001, J'ai faim !!! (Quentin) ; 2003, Qui a tué Bambi ? (Marchand) ; 2004, La première fois que j'ai eu 20 ans (L. Levy) ; 2005, Quartier VIP (Firode) ; 2006, Dikkenek (Van Hoofstadt), Les aristos (Turckheim).

Inoubliable Marie-Thérèse de *La vie est un long fleuve tranquille*, la bonne tombée enceinte par l'opération du Saint-Esprit. Depuis, elle apparaît dans des comédies sentimentales ou délirantes, où son physique débonnaire se prête aux rôles de bonnes copines ou de mères dépassées.

Jacob, Irène

Actrice française née en 1966.

1987, Au revoir les enfants (Malle) ; 1988, Les mannequins d'osier (de Gueltzl), La bande des quatre (Rivette), Erreur de jeunesse (Tadic), La passion Van Gogh (Pavel) ; 1989, Le secret de Sarah Tombelaine (Lacambre), La double vie de Véronique (Kieslowski) ; 1990, Claude/Trusting Béatrice (Cindy Lou Johnson) ; 1991, Le moulin de Daudet (Pavel), La prédiction (Riazanov), Enak (Idziak) ; 1993, Rouge (Kieslowski), The Secret Garden (Le jardin secret) (Holland) ; 1994, All Men Are Mortal (de Jong), Victory (Victory) (Peploe) ; 1995, Par-delà les nuages (Antonioni et Wenders), Fugueuses (N. Trintignant), Othello (Othello) (O. Parker) ; 1996, Incognito (Badham) ; 1997, World of Moss (Hudson), U.S. Marshals (U.S. Marshals) (Baird), Cuisine américaine (Pitoun) ; 1998, The Big Brass Ring (Hickenlooper) ; 1999, History Is Made at Night (Jarvilaturi), Londinium (Binder), L'affaire Marcorelle (Le Péron) ; 2002, Mille millièmes (Waterhouse).

Lumineuse, grave et profonde, elle est formidable dans *La double vie de Véronique* pour laquelle elle obtient un prix d'interprétation à Cannes. Suivent quelques rôles ingrats dans des films difficiles avant les retrouvailles avec Kieslowski, son mentor, pour la fin de sa trilogie « Trois couleurs ». Une carrière internationale s'ouvre à elle.

Jacobi, Derek

Acteur anglais né en 1938.

1965, Othello (Othello) (Burge) ; 1970, Three Sisters (Olivier, Sichel) ; 1973, The Day of the Jackal (Le jour du chacal) (Zinnemann), Blue Blood (Sinclair) ; 1974, The Odessa File (Le dossier Odessa) (Neame) ; 1978, The Medusa Touch (La grande menace) (Gold) ; 1980, The Human Factor (Preminger), Charlotte (Weisz), Der Mann der sich in Luft auflöste (Bacsò) ; 1982, Enigma (Szwarc) ; 1988, Little Dorrit (Edzard) ; 1989, Henry V (Henry V) (Branagh) ; 1990, The Fool (Edzard) ; 1991, Dead Again (Dead Again) (Branagh) ; 1996, Looking for Richard (Looking for Richard) (Pacino), Hamlet (Hamlet) (Branagh) ; 1997, Basil (Bharadwaj), Love Is the Devil (Love Is the Devil) (Maybury) ; 1998, Up at the Villa (Il suffit d'une nuit) (Haas) ; 1999, Molokai : The Story of Father Damien (Cox), Gladiator (Gladiator) (Scott) ; 2001, Revelation (Urban), Gosford Park (Gosford Park) (Altman).

Acteur shakespearien de prestige en Angleterre, il interprète Hamlet près d'une demi-douzaine de fois sur scène avant de finalement (âge oblige) se reporter sur le rôle de Claudius dans la version cinéma de Kenneth Branagh, qui lui apporte une reconnaissance plus large. Son interprétation de Francis Bacon dans le film de John Maybury (*Love Is the Devil*) est hallucinante de mimétisme et de vérité.

Jacobsson, Ulla

Actrice suédoise, 1929-1982.

Principaux films : 1951, Hön dansade en sommar (Elle n'a dansé qu'un seul été) (Mattsson) ; 1956, Sommarnattens leende (Sourires d'une nuit d'été) (Bergman), Crime et châtiment (Lampin) ; 1960, Les chiens sont lâchés (Harnack) ; 1961, Riviera Story (Scandale sur la Riviera) (Becker) ; 1962, Love Is a Ball (Le grand-duc et l'héritière) (Poll et Swift) ; 1964, Zulu (Zoulou) (Endfield) ; 1965, The Heroes of Telemark (Les héros de Télémark) (Mann) ; 1967, Adolphe ou l'âge tendre (Toublanc-Michel) ; 1969, La servante (Bertrand) ; 1975, Faustrecht der Freiheit (Le droit du plus fort) (Fassbinder).

Actrice de théâtre, elle fut révélée au cinéma par une scène alors osée d'*Elle n'a dansé qu'un seul été*, puis par Bergman dans *Sourires d'une nuit d'été*. Sa carrière suivit ensuite un cours curieux, passant de Mann à Fassbinder.

Jade, Claude

Actrice française, 1948-2006.

1968, Baisers volés (Truffaut), Sous le signe de Monte-Cristo (Hunebelle) ; 1969, Topaz (L'étau) (Hitchcock), Le témoin (Anne Walter), Mon oncle Benjamin (Molinaro) ; 1970, Domicile conjugal (Truffaut), Le bateau sur l'herbe (Brach) ; 1972, Les feux de la Chandeleur (Korber), La fête à Jules (Lamy) ; 1973, Number One (Buffardi), La ragazza delle via Condotti (Lorente), Prêtres interdits (La Patellière) ; 1974, Le malin plaisir (B. Michel) ; 1975, Trop c'est trop (Kaminka), Le choix (Faber), Le cap du nord (Kumai) ; 1977, Una spirale di nebbia (Spirale de brume) (E. Visconti) ; 1978, L'amour en fuite (Truffaut), Le pion (Gion) ; 1980, Teheran 43 (Alov et Naoumov) ; 1981, Le bahut va craquer (Nerval) ; 1982, L'honneur d'un capitaine (Schoendoerffer) ; 1986, L'homme qui n'était pas là (Feret). 1987, Le radeau de la Méduse (Azimi) ; 1992, Tableau d'honneur (Nemes), Bonsoir (Mocky) ; 1993, Tombés du ciel (Lioret) ; 1995, Belle époque (Millar) ; 1998, Le radeau de la méduse (Azimi).

Élève du conservatoire de Dijon puis du cours de Jean-Laurent Cochet, elle fait un peu de théâtre lorsqu'elle est remarquée par Truffaut. Celui-ci en fera la partenaire de Jean-Pierre Léaud dans une suite de films qui rencontrent un grand succès et rendent Claude Jade célèbre.

Jaeckel, Richard

Acteur américain, 1926-1997.

Principaux films : 1943, Guadalcanal Diary (Guadalcanal) (Seiler) ; 1944, Wing and a Prayer (Porte-avions X) (Hathaway) ; 1949, Sands of Iwo-Jima (Iwo-Jima) (Dwan), Battleground (Bastogne) (Wellman), The Gunfighter (La cible humaine) (King) ; 1953, The Big Leaguer (Aldrich) ; 1956, Attack (Attaque) (Aldrich) ; 1957, 3 : 10 to Yuma (Trois heures dix pour Yuma) (Daves) ; 1958, Cow-Boy (Cow-Boy) (Daves), The Naked and the Dead (Les nus et les morts) (Walsh) ; 1960, Flaming Star (Les rôdeurs de la plaine) (Siegel) ; 1963, Four for Texas (Quatre du Texas) (Aldrich) ; 1967, The Dirty Dozen (Les douze salopards) (Aldrich) ; 1970, Chisum (Chisum) (McLaglen) ; 1971, Sometimes a Great Notion (Le clan des irréductibles) (Newman) ; 1972, Ulzana's Raid (Fureur apache) (Aldrich), Pat Garrett and Billy the Kid (Pat Garrett et Billy le Kid) (Peckinpah). *Puis nombreux films pour la télévision.* 1985, Starman (Carpenter).

L'un des méchants du répertoire américain, *outlaw* ou soldat indiscipliné promis à une mort brutale.

Jaffe, Sam

Acteur américain, 1897-1984.

1934, We Live Again (Résurrection) (Mamoulian), The Scarlet Empress (L'impératrice rouge) (Sternberg) ; 1937, Lost Horizon (Les horizons perdus) (Capra) ; 1939, Gunga Din (Gunga Din) (Stevens) ; 1943, Stage Door Canteen (Le cabaret des étoiles) (Borzage) ; 1946, 13, rue Madeleine (13, rue Madeleine) (Hathaway) ; 1947, Gentleman's Agreement (Le mur invisible) (Kazan) ; 1948, The Accused (Dieterle) ; 1949, Rope of Sand (La corde de sable) (Dieterle) ; 1950, Under the Gun (Terzlaff), The Asphalt Jungle (Quand la ville dort) (Huston) ; 1951, I Can Get It for You Wholesale (Gordon), The Day the Earth Stood Still (Le jour où la Terre s'arrêta) (Wise) ; 1956, All Mine to Give (Reisen) ; 1957, Les espions (Clouzot) ; 1958, The Barbarian and the Geisha (Le barbare et la geisha) (Huston) ; 1959, Ben Hur (Ben Hur) (Wyler) ; 1967, A Guide for the Married Men (Petit guide pour un mari volage) (Kelly), La bataille de San Sebastian (Verneuil), The Great Bank Robbery (Le plus grand des hold-up) (Averback) ; 1971, The Dunwich Horror (Haller), The Kremlin Letter (La lettre du Kremlin) (Huston), Tarzan's Jungle Rebellion (Tarzan et la révolte de la jungle) (Witney) ; 1972, Bedknobs and Broomsticks (L'apprentie sorcière) (Stevenson) ; 1980, Battle Beyond the Stars (Murakami) ; 1983, Nothing Lasts Forever (Schiller).

Son physique étrange lui a valu de jouer les habitants du Tibet, les Hindous, les Russes, les Mexicains... à Hollywood. Ne nous y trompons pas. C'est un admirable acteur. Il fut éblouissant en tsar pervers de *L'Impératrice rouge*, en hindou fidèle de *Gunga Din*, en grand lama de *Lost Horizon* et surtout en spécialiste des coffres-forts perdu par son goût pour les nymphettes dans *Asphalt Jungle*. Clouzot ne s'y trompa pas et l'embaucha pour *Les espions* où il fut particulièrement inquiétant.

Janda, Krystyna

Actrice et réalisatrice polonaise née en 1952.

1976, Pani Bovary, to ja (Kaminski) ; 1977, Czlowiek z Marmuru (L'homme de marbre) (Wajda), Na srebrnym globie (Zulawski) ; 1978, Bez znieczulenia (Sans anesthésie) (Wajda), Granica (Rybkowski) ; 1979, Bestia (Domaradski) ; 1980, Dyrygent (Le chef d'orchestre) (Wajda), Golem (Szulkin), Der grüne Vogel (L'oiseau vert) (Szabo) ; 1981, Przesluchanie (L'interrogatoire) (Bugajski), Czlowiek z Zelaza (L'homme de fer) (Wajda), Mephisto (Mephisto) (I. Szabo), Espion lève-toi (Boisset), Wojna Swiatow – Nastepue stulecie (Szulkin), W bialy dsien (Zebrowski) ; 1982, Bella Donna (Keglevic) ; 1983, Glut (Cœur de braises) (Hubschmid) ; 1984, Der Bulle und das Mädchen (Keglevic) ; 1985, Vertiges (Laurent), O-Bi O-Ba : Koniec cywilizacji (Szulkin) ; 1986, Laputa (Laputa) (Sanders-Brahms), Kochankowie mojej mamy (Piwowarski) ; 1987, W zawieszeniu (Krystek) ; 1989, Dekalog (Le Décalogue, ép. 2) (Kieslowski), Dekalog 5 (Le décalogue 5) (Kieslowski), Stan posiadania (Zanussi) ; 1991, Kuchnia Polska (Bromski) ; 1992, Zwolnieni z zycia (Fausse sortie) (Krzystek) ; 1995, Tato (Slesicki), Petska (Janda) ; 1996, Un air si pur... (Angelo) ; 2000, Zycie jako smiertelna choroba przenoszona droga plciowa (Zanussi), Weiser (Marczewski). *Comme réalisatrice* : 1995, Petska.

Formée à l'académie du théâtre de Varsovie, elle a beaucoup joué à la télévision, avant de se révéler dans quatre films de Wajda. Carrière internationale depuis.

Janney, Allison

Actrice américaine née en 1961.

1990, Who Shot Patakango ? (Brooks) ; 1994, Wolf (Wolf) (Nichols), Dead Funny (Feldman), The Cowboy Way (Deux cowboys à New York) (Champion), Miracle on 34th Street (Miracle sur la 34e Rue) (Mayfield), Wolf (Wolf) (Nichols) ; 1995, Heading Home (Heritier) ; 1996, Big Night (Big Night) (Tucci, Campbell), Faithful (Mazursky), Walking and Talking (Walking and Talking) (Holofcener), The Associate (L'associé) (Petrie) ; 1997, The Ice Storm (Ice Storm) (Lee), Private Parts (Parties intimes) (Thomas) ; 1997, Julian Po (Wade), The Impostors (Les imposteurs) (Tucci), Primary Colors (Primary Colors) (Nichols), The Object of My Affection (L'objet de mon affection) (Hytner) ; 1998, Celebrity (Celebrity) (Allen), Six Days Seven Nights (Six jours sept nuits) (Reitman), Drop Dead Gorgeous (Belles à mourir) (Jann), 10 Things I Hate About You (10 bonnes raisons de te larguer) (Junger) ; 1999, American Beauty (American Beauty) (Mendes) ; 2000, Nurse Betty (Nurse Betty) (LaBute).

On la découvre un peu sur le tard dans le rôle d'une grande bourgeoise échangiste dans le subtil — quoique boudé par la critique — *Ice storm* de Ang Lee. Une figure haute en couleur, très drôle dans ses manières raffinées, qu'il est toujours plaisant de croiser au détour d'un second rôle, même lugubre à l'image de l'épouse soumise à un mari dictatorial dans *American Beauty*.

Jannings, Emil

Acteur allemand, de son vrai nom Janenz, 1884-1950.

1914, Im banne der Leidenschaft (Hässler), Passioneles Tagebuch (Ralph) ; 1915, Die Nacht des Grauens (Robison), Arme Eva (Wiene) ; 1916, Die Ehe der Luise Rohrbach (Biebrach) ; 1917, Fromont jeune et Risler aîné (Wiene), Wenn vier Dasselbe Machen (Lubitsch), Ein Fideles Gefangnis (Lubitsch), Die Augen der Mummie (Lubitsch), Fuhrmann Henschel (Lubitsch), Seeschlacht (Oswald) ; 1919, Madame Du Barry (Lubitsch) ; 1920, Köhlhiesels Töchter (Lubitsch), Anna Boleyn (Lubitsch), Die Gebrüger Karamasow (Les frères Karamazov) (Buchowetzki) ; 1921, Danton (Buchowetzki), Das Weib des Pharaons (La femme du pharaon) (Lubitsch), Die Tragödie der Liebe (La tragédie de l'amour) (May) ; 1922, Peter der Grosse (Buchowetzki) ; 1923, Othello (Buchowetzki), Quo Vadis ? (Jacoby) ; 1924, Das Waschsfigurenkabinett (Le cabinet des figures de cire) (Leni), Alles für Geld (Tout pour l'argent) (Jannings), Nju (A qui la faute ?) (Czinner) ; 1925, Variete (Variétés) (Dupont), Der Letzte Mann (Le dernier des hommes) (Murnau), Tartüff (Tartuffe) (Murnau) ; 1926, Faust (Murnau) ; 1927, The Way of all Flesh (Quand la chair succombe) (Fleming), The Last Command (Crépuscule de gloire) (Sternberg) ; 1928, The Patriot (Lubitsch), Street of Sin (Stiller), Sins of the Father (Berger) ; 1929, The Betrayal (Milestone) ; 1930, Der blaue Engel (L'ange bleu) (Sternberg), Liebling der Götter (Schwartz) ; 1931, Stürme der Leidenschaft (Siodmak) ; 1933, Les aventures du roi Pausole (Granowsky) ; 1934, Der Schwarze Walfisch (Wandhausen) ; 1935, Der alte und der junge König (Les deux rois) (Steinhoff) ; 1936, Traumulus (Froelich) ; 1937, Der Herrscher (Crépuscule) (Harlan), Der zerbrochene Krug (Ucicky) ; 1939, Robert Koch (La lutte héroïque) (Steinhoff) ; 1941, Ohm Krüger (Président Krüger) (Steinhoff) ; 1942, Die Entlassung (Liebeneiner) ; 1943, Altes Herz Wird Wieder Jung (Engel).

Considéré comme l'un des plus grands acteurs du cinéma muet allemand. Comme l'a établi Charles Ford dans une précieuse étude (*Anthologie du cinéma*, t. V), il était né à Rorschach, dans le canton suisse de Saint-Gall, d'un père né à Saint Louis aux États-Unis. Aide-cuisinier puis comédien ambulant, il est finalement engagé par le grand metteur en scène Max Reinhardt en 1906. Il y connut Lubitsch. La voie vers le cinéma était ouverte. Outre Lubitsch, Jannings travailla avec Leni, Murnau, Wiene, Robison... Son nom est associé aux plus grands succès de l'expressionnisme puis du Kammerspiel. Sa réputation était telle qu'il fut engagé en 1927 aux États-Unis par la Paramount. *The Last Command* — où il ne s'entendit pas avec Sternberg — connut un relatif échec. De retour en Allemagne, Jannings y trouve (une nouvelle fois sous la direction de Sternberg) son meilleur rôle, le professeur Unrath de *L'ange bleu*. Sous le régime hitlérien, il interprète, conformément à son goût des personnages historiques : le roi sergent (*Der alte und der junge König*), Koch (*Robert Koch*) et enfin le président Krüger dans un superbe film de propagande antibritannique. Il se retira après l'effondrement de l'Allemagne en 1945. On a dénoncé son jeu empreint de lourdeur, son goût pour les grands hommes, ses sympathies hitlériennes : reste qu'il est pour toujours associé à l'âge d'or du cinéma allemand. Il a laissé plusieurs écrits intéressants dont une autobiographie : *Wie ich zum Film kam* et reçu le premier oscar pour *The Way of All Flesh* et *The Last Command* (1927-1928).

Jannot, Véronique

Actrice française née en 1955.

1979, Le toubib (Granier-Deferre) ; 1980, French Postcards (French Postcards) (Huyck) ; 1982, Tir groupé (Missiaen) ; 1984, Les voleurs de la nuit (Fuller), Un été d'enfer (Schock), Le crime d'Ovide Plouffe (Arcand) ; 1986, La dernière image (Hamina) ; 1987, Doux amer (Apprederis) ; 1992, Touch and Die (Solinas).

Révélée par la télévision. Missiaen en fait la victime de loubards dans *Tir groupé*. Elle sera vengée par Lanvin. C'est le début d'une carrière cinématographique, mais elle se reconvertit bientôt à la télévision, qui en fait une star.

Janssen, Famke

Actrice néerlandaise née en 1965.

1992, Fathers and Sons (Mones) ; 1994, Relentless IV : Ashes to Ashes (Sassone) ; 1995, Lord of Illusions (Barker), GoldenEye (GoldenEye) (Campbell) ; 1996, Dead Girl (Coleman Howard) ; 1997, City of Industry (City of Crime) (Irvin), R.P.M. (Sharp) ; 1998, Snitch (T. Demme), The Gingerbread Man (The Gingerbread Man) (Altman), Deep Rising (Un cri dans l'océan) (Sommers), Celebrity (Celebrity) (Allen), The Adventures of Sebastian Cole (Williams), The Faculty (The Faculty) (Rodriguez), Rounders (Les joueurs) (Dahl) ; 1999, House on Haunted Hill (La maison de l'horreur) (Malone), Love & Sex (Love & Sex) (Breiman), X-Men (X-Men) (Singer) ; 2000, Circus (Circus) (Walker), Made (Favreau) ; 2001, Don't Say a Word (Fleder).

Née d'un père hollandais, elle débute comme mannequin aux Pays-Bas avant d'émigrer aux États-Unis, en 1984. Diplômée de l'université de Columbia, elle étudie l'art dramatique notamment sous la direction du fameux Roy London. Elle débute dans des thrillers à petits budgets avant de trouver un rôle de méchante James Bond girl dans *GoldenEye*. C'est le début d'une carrière éclatée entre films indépendants (*Love & Sex, Circus*) et grosses machines hollywoodiennes (*Un cri dans l'océan, The Faculty, X-Men*). Difficile, pour l'instant, de cerner l'étendue du registre de cette superbe brune, à situer quelque part entre Lena Olin et Linda Fiorentino.

Jaoui, Agnès

Actrice et réalisatrice française née en 1964.

1983, Le faucon (Boujenah) ; 1987, Hôtel de France (Chéreau) ; 1991, Canti (Pradal) ; 1992, Cuisine et dépendances (Muyl) ; 1995, Un air de famille (Klapisch) ; 1997, On connaît la chanson (Resnais), Le déménagement (Doran), Le cousin (Corneau) ; 1998, On the Run (On the Run) (de Almeida) ; 1999, Une femme d'extérieur (Blanc), Le goût des autres (Jaoui) ; 2003, Vingt-quatre heures de la vie d'une femme (Bouhnik) ; 2003, Comme une image (Jaoui) ; 2004, Le rôle de sa vie (Favrat). *Pour la réalisatrice*, voir le *Dictionnaire du cinéma*, t. I : *Les réalisateurs*.

Hypokhâgne puis cours de théâtre aux Amandiers, avec Chéreau. Elle suit ensuite une formation classique qui l'amène sur les planches, où elle joue Kleist, Tchekhov et Harold Pinter, par l'entremise duquel elle rencontre le comédien Jean-Pierre Bacri. Ensemble, ils écrivent les pièces *Cuisine et dépendances* puis *Un air de famille* portées au cinéma avec succès. Resnais leur confie alors les scénarios de *Smoking/No Smoking* puis de *On connaît la chanson*, dans lequel elle incarne une jeune femme dépressive. Son passage derrière la caméra avec la comédie de mœurs *Le goût des autres* se solde par un triomphe tant critique que public. C'est la consécration avec un césar du meilleur film. Après le relatif échec de *Comme une image*, elle semble se tourner vers la chanson.

Jaque-Catelain

Acteur et réalisateur français, de son vrai nom Jacques Guérin-Catelain, 1897-1965.

1918, Rose-France (L'Herbier) ; 1919, Le bercail (L'Herbier), Le carnaval des vérités (L'Herbier) ; 1920, L'homme du large (L'Herbier) ; 1921, Eldorado (L'Herbier), Prométhée banquier (L'Herbier) ; 1923, L'inhumaine (L'Herbier), Don Juan et Faust (L'Herbier), Koenigsmark (Perret), Le marchand de plaisirs (Jaque-Catelain), La galerie des monstres (Jaque-Catelain) ; 1924, Feu Mathias Pascal (L'Herbier), Le prince charmant (Tourjansky) ; 1926, Le vertige (L'Herbier), Paname n'est pas Paris (Malikoff) ; 1928, Le diable au cœur (L'Herbier), La vocation (Tinchant) ; 1929, Nuits de prince (L'Herbier), L'Occident (Fescourt), Le chevalier à la rose (Wiene) ; 1930, L'enfant de l'amour (L'Herbier) ; 1931, Le rêve (Baroncelli) ; 1932, Monsieur de Pourceaugnac (Ravel) ; 1933, Château de rêve (Bolvary) ; 1934, Le bonheur (L'Herbier) ; 1935, La route impériale (L'Herbier) ; 1936, La garçonne (Limur) ; 1937, L'escadrille de la chance (Vaucorbeil), La Marseillaise (Renoir) ; 1938, Le voleur de femmes (Gance), Adrienne Lecouvreur (L'Herbier) ; 1939, Entente cordiale (L'Herbier), La comédie du bonheur (L'Herbier) ; 1947, La révoltée (L'Herbier), The Razor's Edge (Goulding) ; 1948, Les derniers jours de Pompéi (L'Herbier) ; 1949, Amour et Cie (Grangier) ; 1959, Le testament du docteur Cordelier (Renoir). *Pour le metteur en scène*, voir le *Dictionnaire du cinéma*, t. I : *Les réalisateurs*.

Études de peinture puis Conservatoire sous la direction de Mounet. Il est découvert par Marcel L'Herbier qui en fait son acteur de prédilection, le jeune premier par excellence, et qui supervisa les deux films que son interprète s'amusa à mettre en scène. Esthète décadent, Jaque-Catelain eût fait un excellent personnage de Thomas de Quincey ou Oscar Wilde ; il dut se contenter d'être une belle plante de L'Herbier.

Jarov, Mikhaïl

Acteur soviétique, 1900-1981.

1924, Aelita (Aelita) (Protozanov) ; 1925, Chakmatnaia Goriatchka (La fièvre des échecs) (Poudovkine) ; 1926, Miss Mend (Barnet et Ozep) ; 1931, Poutievka v Jizn (Le chemin de la vie) (Ekk) ; 1937, Vozvrachtcheniye Maksima (Le retour de Maxime) (Kozintsev) ; 1939, Vyborgskaïa storana (Le faubourg de Viborg) (Kozintsev), Petr I (Pierre le Grand) (Petrov) ; 1944, Ivan Grozny (Ivan le Terrible) (Eisenstein) ; 1948, Mitchourine (La vie en fleurs) (Dovjenko) ; 1982, Vassa (Vassa) (Panfilov).

Le méchant type des films soviétiques (chef de bande dans *Le chemin de la vie*, conseiller démoniaque d'Ivan le Terrible...). Si c'est le cinéma qui l'a fait connaître, il a eu surtout une activité théâtrale.

Jason Leigh, Jennifer

Actrice et réalisatrice américaine, de son vrai nom Leigh Morrow, née en 1962.

1980, Eyes of a Stranger (Wiederhorn) ; 1982, Wrong is Right/The Man With the Deadly Lens (Meurtres en direct) (Brooks), Fast Times at Ridgemont High (Heckerling) ; 1983, Easy Money (Signorelli) ; 1984, Grandview, U.S.A. (Kleiser) ; 1985, Flesh and Blood (La chair et le sang) (Verhoeven) ; 1986, The Men's Club (Men's club) (Medak), The Hitcher (Hitcher) (Harmon) ; 1987, Undercover (Stockwell), Sister, Sister (Condon) ; 1988, Heart of Midnight (Chapman) ; 1989, Last Exit to Brooklyn (Dernière sortie pour Brooklyn) (Edel), The Big Picture (Guest) ; 1990, Miami Blues (Miami Blues) (Armitage) ; 1991, Backdraft (Backdraft) (Howard), Rush (Rush) (Zanuck), Crooked Hearts (Bortman) ; 1992, Single White Female (J.F. partagerait appartement) (Schroeder), The Prom (Shainberg) ; 1993, Short Cuts (Short Cuts) (Altman) ; 1994, The Hudsucker Proxy (Le grand saut) (Coen), Mrs. Parker and the Vicious Circle (Mrs. Parker et le cercle vicieux) (Rudolph), Dolores Claiborne (Dolores Claiborne) (Hackford) ; 1995, Georgia (Georgia) (Grosbard), Kansas City (Kansas City) (Altman) ; 1996, Bastard Out of Carolina (Huston), Washington Square (Washington Square) (Holland), A Thousand Acres (Secrets) (Moorhouse) ; 1998, eXistenZ (eXistenZ) (Cronenberg) ; 1999, Skipped Parts (Davis) ; 2000, The King Is Alive (Levring), The Anniversary Party (Jason Leigh) ; 2002, Road to Perditiōn (Road to Perditiōn) (Mendes) ; 2003, In the Cut (In the Cut) (Campion). *Comme réalisatrice :* 2000, The Anniversary Party.

Fille de l'acteur Vic Morrow, elle débute au théâtre à l'âge de quatorze ans, puis se dirige rapidement vers le cinéma. Peu médiatisée, mais très douée, c'est l'actrice de composition par excellence, la Robert De Niro au féminin. Prostituée névrosée dans *Dernière sortie pour Brooklyn*, tueuse psychopathe dans *J.F. partagerait appartement* ou encore chanteuse ratée dans *Georgia*, elle est capable de tout faire, surtout quand c'est dur. Au risque de parfois *trop* en faire.

Jet Li

Acteur et réalisateur chinois, de son vrai nom Lian Jie Li, né en 1963.

(Pour plus de compréhension, les titres chinois sont donnés dans leur traduction anglaise.) 1979, Shaolin Temple (Xinyan Zhang) ; 1983, Kids from Shaolin (Xinyan Zhang) ; 1986, Arahan/Shaolin Temple 3 (Chia-Liang Liu), Born to Defence (Jet Li) ; 1988, Dragon Fight (Hin Sing Tang), Dragons of the Orient (documentaire) ; 1989, The Master (Tsui Hark) ; 1991, Swordsman II (Siu-Tung Ching), Once Upon a Time in China (Il était une fois en Chine) (Tsui Hark) ; 1992, Once Upon a Time in China II (La secte du Lotus Blanc) (Tsui Hark) ; 1993, The Evil Cult (Jing Wong), Deadly China Hero (Jing Wong, Woo-ping Yuen), Once Upon a Time in China III (Il était une fois en Chine III – Le tournoi du lion) (Tsui Hark), The Tai-Chi Master (Woo-ping Yuen), The Legend of Fong Sai Yuk (Corey Yuen), The Legend of Fong Sai Yuk 2 (Corey Yuen) ; 1994, The Bodyguard from Beijing (Corey Yuen), Fist of Legend (Gordon Chan, Woo-ping Yuen), Legend of Future Shaolin (Jim Wong, Corey Yuen) ; 1995, High Risk (Jim Wong, Corey Yuen), My Father Is a Hero (Corey Yuen) ; 1996, Adventure King/Dr. Wei and the Scripture Without Words (Siu-Tung Ching), Black Mask (Daniel Lee) ; 1997, Once Upon a Time in China VI (Il était une fois en Chine VI – Dr. Wong en Amérique) (Sammo Hung) ; 1998, Hitman/King of Assassins (Wei Tung), Lethal Weapon 4 (L'arme fatale 4) (Donner) ; 1999, Romeo Must Die (Roméo doit mourir) (Bartkowiak) ; 2001, Kiss of the Dragon (Nahon), The One (The One) (Wong). *Comme réalisateur :* 1986, Born to Defence.

Champion de wu-shu (sorte d'agrégat de différents arts martiaux, très populaire en Chine) dès l'âge de onze ans, il enseigne ce sport à l'adolescence et débute au cinéma dès l'âge de quinze ans. Sa spécialité, évidemment : les films de combat, mais avec une rigueur telle qu'il pourrait bien être le prochain Bruce Lee, loin des facéties burlesques de Jackie Chan. Il est le méchant de *L'arme fatale 4*.

Jézéquel, Julie

Actrice française née en 1964.

1978, Flic ou voyou (Lautner) ; 1982, L'Étoile du Nord (Granier-Deferre), Le bâtard (Van Effenterre) ; 1984, Côté cœur, côté jardin (Van Effenterre) ; 1985, Code Name : Esmerald (Nom de code : Émeraude) (Sanger), Suivez mon regard (Curtelin), Le meilleur de la vie (Victor), On ne meurt que deux fois (Deray) ; 1987, L'œil au beur(re) noir (Meynard), Tandem (Leconte) ; 1988, Cher frangin (Mordillat), Coupe franche (Sauné) ; 1990, Toujours seuls (Mordillat), Tumultes (Van Effenterre) ; 1991, Un homme et deux femmes (Stroh) ; 1992, Die Schatten (Goretta) ; 1993, En compagnie d'Antonin Artaud (Mordillat) ; 1998, Paddy (Mordillat).

Elle n'a que treize ans quand Belmondo la choisit pour jouer sa fille dans *Flic ou voyou*. Si les années 80 la voient devenir un véritable espoir du cinéma français (notamment dans les films de Bertrand Van Effenterre), sa carrière s'étiole rapidement avant de trouver un nouveau souffle à la télévision à partir de 1990.

Jobert, Marlène

Actrice française née en 1943.

1966, Masculin-féminin (Godard) Martin soldat (Deville), Le voleur (Malle) ; 1967, Alexandre le bienheureux (Robert) ; 1968, Faut pas prendre les enfants du bon Dieu pour des canards sauvages (Audiard), L'astragale (Casaril) ; 1969, Le passager de la pluie (Clément), Dernier domicile connu (Giovanni) ; 1970, Les mariés de l'an II (Rappeneau) ; 1971, La poudre d'escampette (Broca), Catch me a Spy (Les doigts croisés) (Clément), La décade prodigieuse (Chabrol), Nous ne vieillirons pas ensemble (Pialat) ; 1973, Massacre in Rome (SS Représailles) (Pan Cosmatos), Juliette et Juliette (Forlani) ; 1974, Le secret (Enrico), Pas si méchant que ça (Goretta) ; 1975, Folle à tuer (Boisset), Le bon et les méchants (Lelouch) ; 1976, Julie pot de colle (Broca) ; 1977, L'imprécateur (Bertucelli), Va voir maman papa travaille (Leterrier), Grandisson (Kurtz) ; 1978, Il giocattolo (Un jouet dangereux) (Montaldo) ; 1979, La guerre des polices (Davis) ; 1981, Une sale affaire (Bonnot), L'amour nu (Bellon) ; 1983, Effraction (Duval) ; 1984, Les cavaliers de l'orage (Vergez), Souvenirs, souvenirs (Zeitoun) ; 1988, Les cigognes n'en font qu'à leur tête (Kaminka).

Elle est la preuve que les taches de rousseur peuvent être très photogéniques. Sa carrière ? Conservatoire de Dijon puis de Paris (chez Chamarat). Débuts théâtraux dans *Des clowns par milliers* puis plusieurs autres pièces. Bonne comédienne, elle est aussi à l'aise dans un film historique au rythme particulièrement enlevé du genre *Les mariés de l'An II* que dans un polar comme *La guerre des polices* où elle est une femme-flic qui manque de se faire violer par des loubards. On la retrouve également dans les mélodrames du type de *L'amour nu*, toujours convaincante.

Johansson, Scarlett

Actrice américaine née en 1984.

Principaux films : 1995, Just Cause (Juste cause) (Glimcher) ; 1998, The Horse Whisperer (L'homme qui murmurait à l'oreille des chevaux) (Redford) ; 2000, Ghost World (Zwigoff) ; 2001, American Rhapsody (Gardos) ; 2002, Arac Attack (Arac Attack) (Elkayem) ; 2003, Lost in Translation (Lost in Translation) (S. Coppola) ; 2004, The Girl with a Pearl Earring (La jeune fille à la perle) (Webber) ; 2005, In Good Company (En bonne compagnie) (Weitz), The Island (The Island) (Bay), Match Point (Match Point) (Allen), Love Song (Gabel), The Black Dalhia (Le dahlia noir) (De Palma), Scoop (Scoop) (Allen) ; 2006, The Prestige (Le prestige) (Nolan).

Débuts précoces. Elle est merveilleuse en servante de Vermeer dans *La jeune fille à la perle* et sa blondeur illumine *Le dahlia noir*, mais c'est Woody Allen qui en fait, surtout avec *Match Point*, une star.

Johns, Glynis

Actrice anglaise née en 1923.

1945, Perfect Strangers (Le verdict de l'amour) (Korda) ; 1946, This Man is Mine (Varnel) ; 1947, Frieda (Dearden), An Ideal Husband (Un mari idéal) (Korda) ; 1948, Miranda (Miranda la Sirène) (Annakin) ; 1949, Third Time Lucky (Banco) (Parry), Dear Mister Prohac (Freeland), Helter Skelter (Thomas) ; 1950, State Secret (Secret d'État) (Gilliat), Flesh and Blood (La chair et le sang) (Kimmins) ; 1951, No Highway in the Sky (Le voyage fantastique) (Koster), Appointment With Venus (Thomas), Encore (épis. French), The Magic Box (La boîte magique) (Bouting), The Card (Trois dames et un as) (Neame) ; 1952, The Sword and the Rose (La rose et l'épée) (Annakin) ; 1953, Rob Roy, The Highland Rogue (Échec au roi) (French), The Weak and the Wicked (Filles sans joie) (Thompson) ; 1954, The Seekers (Moana, fille des tropiques) (Annakin), The Beachcomber (Le vagabond des îles) (Box), Personal Affair (Une affaire troublante) (Pelissier), Mad About Men (Folle des hommes) (Thomas) ; 1955, The Court Jester (Le bouffon du roi) (Panama/Frank), Josephine and Men (Joséphine et les hommes) (Boulting) ; 1956, Loser Takes All (Qui perd gagne) (Annakin), All Mine to Give (La bourrasque) (Reisner), Around the World in 80 Days (Le tour du monde en 80 jours) (Anderson) ; 1958, Another Time Another Place (Je pleure mon amour) (Allen) ; 1959, Shake Hands With the Devil (L'épopée dans l'ombre) (Anderson) ; 1960, The Spider's Web (Grayson), The Sundowners (Les horizons sans frontières) (Zinneman) ; 1961, The Cabinet of Dr. Caligari (Le cabinet du Dr Caligari) (Kay), The Chapman Report (Les liaisons coupables) (Cukor) ; 1962, Papa's Delicate Condition (Marshall) ; 1963, Mary Poppins (Stevenson) ; 1964, Dear Brigitte (Chère Brigitte) (Koster) ; 1967, Don't Just Stand There (Le gang du dimanche) (Winston) ; 1968, Lock Up Your Daughters (Mesdames planquez vos filles) (Coe) ; 1971, Under the Milk Wood (Sinclair) ; 1973, Vault of Terror (Baker).

Fille du comédien Mervyn Johns et d'une pianiste réputée, elle a commencé très jeune une carrière cinématographique. Elle aurait pu tout aussi bien être ballerine. Sa filmographie n'est guère exaltante mais elle jouit d'un grand prestige en Angleterre.

Johnson, Ben

Acteur américain, 1918-1996.

1948, Fort Apache (Le massacre de fort Apache) (Ford), Three Godfathers (Le fils du désert) (Ford) ; 1949, She Wore a Yellow Ribbon (La charge héroïque) (Ford), Mighty Joe Young (M. Joe) (Schoedsack) ; 1950, Wagon Master (Le convoi des braves) (Ford), Rio Grande (Rio Grande) (Ford) ; 1951, Fort Defiance (Rawlins) ; 1952, Wild Stallion (Collins) ; 1953, Shane (L'homme des vallées perdues) (Stevens) ; 1956, Rebel in Town (Werker) ; 1957, War Drums (Le Borg), Slim Carter (Bartlett), Fort Bowie (Koch) ; 1960, Ten Who Dared (Beaudine) ; 1961, The Tomboy and the Champ (Lyon), One-Eyed Jacks (La vengeance aux deux visages) (Brando) ; 1965, Major Dundee (Major Dundee) (Peckinpah) ; 1966, The Rare Breed (Rancho Bravo) (McLaglen) ; 1967, Will Penny (Will Penny) (T. Gries), Hang'Em High (Pendez-les haut et court) (Post) ; 1969, The Wild Bunch (La horde sauvage) (Peckinpah), The Undefeated (Les géants de l'Ouest) (McLaglen) ; 1970, Chisum (Chisum) (McLaglen) ; 1971, The Last Picture Show (La dernière séance) (Bogdanovich), Something Big (Rio Verde) (McLaglen), Corky (Horn) ; 1972, Junior Bonner (Peckinpah), The Getaway (Le guet-apens) (Peckinpah) ; 1973, Dillinger (Dillinger) (Milius), Kid Blue (Kid Blue) (Frawley) ; 1974, Sugarland Express (Sugarland Express) (Spielberg) ; 1975, Bite the Bullet (La chevauchée sauvage) (Brooks), Hustle (La cité des dangers) (Aldrich), Breakheart Pass (Le solitaire de fort Humboldt) (Gries) ; 1977, The Savage Bees (Quand les abeilles attaqueront) (Geller), The Town That Dreaded Sundown (Pierce), The Greatest (Gries) ; 1978, The Swarm (L'inévitable catastrophe) (I. Allen) ; 1980, The Hunter (Le Chasseur) (Kulik), Terror Train (Le monstre du train) (Spottiswoode) ; 1982, Tex (Hunter), L'invincible kid du Kung-Fu (Nicart) ; 1984, Champions (Irvin), Ruckus (Destructor) (Kleven), Red Dawn (L'aube rouge) (Milius) ; 1986, Cherry 2000 (Cherry 2000) (De Jarnatt) ; 1987, Let's Get Harry (Six hommes pour sauver Harry) (Smithee) ; 1988, Dark Before Dawn (Totten) ; 1991, My Heroes Have Always Been Cowboys (Rosenberg) ; 1992, Radio Flyer (Donner) ; 1994, Angels in the Outfield (Dear), The Legend of O.B. Taggart (Hitzig) ; 1996, The Evening Star (Étoile du soir) (Harling).

Acteur de la seconde génération des films de Ford : il fut un remarquable interprète des westerns du maître avant de se brouiller avec lui si l'on en croit les souvenirs de Carey Jr. (*Cinéma 83*). Il passa tout naturellement chez l'héritier, McLaglen. De là, il dériva vers Peckinpah puis Tom Gries avant de se retrouver dans le dernier western de Brooks, résumant ainsi l'évolution du genre en Amérique après la guerre.

Johnson, Celia

Actrice anglaise, 1908-1983.

1942, In Which We Serve (Lean et Coward) ; 1943, Dear Octopus (Grench) ; 1944, This Happy Breed (Heureux mortels) (Lean) ; 1945, Brief Encounter (Brève rencontre) (Lean) ; 1949, The Astonished Heart (Fischer) ; 1951, I Believe in You (Dearden) ; 1952, The Holly and the Ivy (O'Ferrall) ; 1953, The Captain's Paradise (Capitaine Paradis) (Kimmins) ; 1955, A Kid for Two Farthings (L'enfant à la licorne) (Reed) ; 1969, The Prime of Miss Jean Brodie (Neame).

Ancienne élève de l'École royale d'art dramatique, bonne actrice de théâtre, elle a incarné à l'écran les Anglaises banales, bonnes épouses (malgré les tentations dans *Brève rencontre*) et bonnes ménagères (par contraste avec les sauvageonnes type Yvonne De Carlo dans l'amusant *The Captain's Paradise*).

Johnson, Chic

Acteur américain, 1891-1962.

1930, Oh Sailor Beware ! (Mayo) ; 1931, Fifty Million Frenchmen (Bacon), Gold Dust Gertie (Bacon) ; 1937, Country Gentlemen (R. Staub), All Over Town (Horne) ; 1941,

Hellzapoppin (Hellzapoppin) (Potter) ; 1943, Crazy House (Cline) ; 1944, Ghost Catchers (Cline) ; 1945, See My Lawyer (Cline).

D'abord pianiste, il forma dans les années 20 avec Olsen un couple comique qui passa de la scène à l'écran. Le meilleur film du *team* demeure *Hellzapoppin*.

Johnson, Don

Acteur américain né en 1950.

1970, The Magic Garden of Stanley Sweetheart (Horn), Zachariah (Englund) ; 1973, The Harrad Experiment (Post) ; 1974, A Boy and His Dog (L. Q. Jones) ; 1975, Return to Macon County (Compton) ; 1981, Melanie (Bromfield) ; 1985, Cease Fire (Nutter) ; 1988, Sweet Hearts Dance (L'amour à quatre temps) (Greenwald) ; 1989, Dead Bang (Dead Bang) (Frankenheimer) ; 1990, The Hot Spot (Hot spot) (Hopper) ; 1991, Harley Davidson and the Marlboro Man (Harley Davidson et l'homme aux santiags) (Wincer), Paradise (Donoghue) ; 1993, Born Yesterday (Mandoki), Guilty as Sin (L'avocat du diable) (Lumet) ; 1996, Tin Cup (Tin Cup) (Shelton) ; 1997, Goodbye Lover (Goodbye Lover) (Joffé).

C'est la série télé « Miami Vice » où il joue le rôle du policier Sonny Crockett, qui le lance internationalement. Peu de rôles marquants au cinéma toutefois, si ce n'est celui qu'il a tenu dans *Hot Spot*, efficace polar signé Dennis Hopper.

Johnson, Van

Acteur américain, de son vrai nom Charles Van Johnson, né en 1916.

1940, Too Many Girls (Abott) ; 1941, Murder in the Big House (Eason) ; 1942, The War Against Mrs. Hadley (Bucquet), Somewhere I'll Find You (Ruggles), Dr. Gillespie's New Assistant (Goldbeck) ; 1943, The Human Comedy (Brown), Madame Curie (LeRoy), Dr. Gillespie's Criminal Case (Goldbeck), Pilot n° 5 (Sidney) ; 1944, A Guy Named Joe (Un nommé Joe) (Fleming), Three Men in White (Goldbeck), Between Two Women (Goldbeck), White Cliffs of Dover (Brown), Two Girls and a Sailor (Deux jeunes filles et un marin) (Thorpe), Thirty Seconds over Tokyo (Trente secondes sur Tokyo) (LeRoy) ; 1945, Weekend at the Waldorf (Leonard), Thrill of a Romance (Thorpe) ; 1946, Till the Clouds Roll By (Whorf), Easy to Wed (Buzzell), No Leave, No Love (Martin) ; 1947, High Barbaree (Conway), The Romance of Rosy Ridge (Rowland) ; 1948, State of the Union (L'enjeu) (Capra), Command Decision (Tragique décision) (Wood), The Bride Goes Wild (Taurog) ; 1949, Mother Is a Freshman (Bacon), Battleground (Bastogne) (Wellman), In the Good Old Summertime (Leonard), Scene of the Crime (La scène du crime) (Rowland) ; 1950, Grounds for Marriage (Leonard), The Big Hangover (Krasna), Duchess of Idaho (Leonard) ; 1951, Too Young to Kiss (Leonard), Go for Broke (Pirosh), It's a Big Country (Wellman, Hartman, J. Sturges...), Three Guys Named Mike (Walters), Invitation (Reinhardt) ; 1952, Washington Story (Pirosh), When in Rome (Brown), Plymouth Adventure (Capitaine sans loi) (Brown) ; 1953, Confidentially Connie (Buzzell), Remains to Be Seen (Drôle de meurtre) (Weis), Easy to Love (Désir d'amour) (Walters) ; 1954, The Caine Mutiny (Ouragan sur le Caine) (Dmytryk), Men of the Fighting Lady (Marton), The Siege at the Red River (Maté), The Last Time I Saw Paris (La dernière fois que j'ai vu Paris) (R. Brooks) ; 1955, The End of the Affair (Dmytryk) ; 1956, 23 Paces to Baker Street (A 23 pas du mystère) (Hathaway), The Bottom of the Bottle (Le fond de la bouteille) (Hathaway), Slander (Rowland), Miracle in the Rain (Maté) ; 1957, Kelly and Me (Leonard), Action of the Tiger (T. Young) ; 1958, The Last Blitzkrieg (Dreifuss), Subway in the Sky (M. Box) ; 1959, Beyond This Place (Cardiff) ; 1960, The Enemy General (G. Sherman) ; 1963, Wives and Lovers (J. Rich) ; 1967, Divorce American Style (Yorkin) ; 1968, Yours, Mine and Ours (Shavelson), Where Angels Go, Trouble Follows (Neilson) ; 1969, Il prezo del potere (Valerii), La battaglia d'Inghilterra (Castellari) ; 1970, Company of Killers (Thorpe) ; 1971, L'occhio del ragno (L'œil de l'araignée) (Bianchi Montero) ; 1974, Eagle over London (Castellari) ; 1979, Concorse Affair '79 (S.O.S. Concorde) (Deodato) ; 1980, Da Corleone a Brooklyn (Lenzi), The Kidnapping of the President (Mendeluk) ; 1985, The Purple Rose of Cairo (La rose pourpre du Caire) (Allen) ; 1988, Taxi Killer (Massi) ; 1990, Fuga dal paradiso (La fuite au paradis) (Pasculli) ; 1991, Delta Force Commando II : Priority Red One (Ciriaci) ; 1992, Clowning Around (Whaley).

Ce jeune premier au visage poupin, d'ancêtres suédois, devint une vedette à la faveur de la guerre car il avait été réformé à la suite d'un accident de voiture. La MGM en fit l'une de ses stars favorites pendant quinze ans. A son apogée avec son rôle de pilote dans *Trente secondes sur Tokyo*, il eut en définitive peu d'occasions de sortir de la routine hollywoodienne.

Jolie, Angelina

Actrice américaine, de son vrai nom Angelina Jolie Voight, née en 1975.

1982, Lookin' to Get Out (Ashby) ; 1993, Cyborg 2 : Glass Shadow (M. Schroeder) ; 1995, Hackers (Softley) ; 1996, Mojave Moon (Dowling), Foxfire (Haywood-Carter), Love Is All There Is (Taylor, Bologna) ; 1997, Playing God (Playing God) (Wilson) ; 1998, Playing by Heart (La carte du cœur) (Carroll), Hell's Kitchen (Ciciripini), Pushing Tin (Les aiguilleurs) (Newell) ; 1999, The Bone Collector (Bone collector) (Noyce), Girl, Interrupted (Une vie volée) (Mangold), Gone in Sixty Seconds (60 secondes chrono) (Sena) ; 2000, Dancing in the Dark (Cristofer), Original Sin (Péché originel) (Cristofer) ; 2001, Tomb Raider (Tomb Raider) (West), Life or Something Like It (Sept jours et une vie) (Herek) ; 2003, Tomb Raider 2 (Tomb Raider 2) (De Bont) ; 2004, Taking Lives (Taking Lives, destins violés) (Caruso), Alexander (Alexandre) (Stone) ; 2005, Sky Captain and the World of Tomorrow (Capitaine Sky et le monde de demain) (Conran), Mr. et Mrs. Smith (Mr. et Mrs. Smith) (Liman) ; 2007, A Mighty Heart (Winterbottom), The Good Shepherd (The Good Shepherd) (De Niro).

Fille de Jon Voight, réputée pour son caractère instable, elle travaille comme mannequin puis démarre au cinéma dans des thrillers cybernétiques sans intérêt pour finalement imposer son visage de poupée boudeuse dans des films plus ambieux. Fliquette dans *Bone collector*, aliénée dans *Une vie volée* (avec un oscar à la clé), atteinte du sida dans *La carte du cœur*, elle est choisie pour incarner la sculpturale Lara Croft, héroïne du jeu vidéo « Tomb Raider », dans son adaptation au cinéma. Dès lors, elle est surtout une héroïne de films d'action et triomphe dans *Mr. and Mrs. Smith*, où elle incarne un agent secret efficace. Elle a été mariée au comédien et réalisateur Billy Bob Thornton avant que sa liaison avec Brad Pitt défraie la chronique.

Jolson, Al

Acteur et chanteur américain d'origine russe, de son vrai nom Asa Yoelson, 1886-1950.

1926, April Showers (court métrage) ; 1927, The Jazz Singer (Le chanteur de jazz) (Crosland) ; 1928, The Singing Fool (Le fou chantant) (Bacon) ; 1929, Say It With Songs (Bacon) ; 1930, Mammy (Curtiz), Big Boy (Crosland) ; 1933, Hallelujah I, am a Bum (Milestone) ; 1934, Wonder Bar (Le bar magnifique) (Bacon) ; 1935, Go Into Your Dance (Entrez dans la danse) (Mayo) ; 1936, The Singing Kid (Keighley) ; 1939, Rose of Washington Square (Ratoff) ; 1940, Swanee River (Lanfield) ; 1944, Rhapsody in Blue (Rhapsodie en bleu) (Rapper) ; 1946, The Jolson Story (Le roman d'Al Jolson) (Green) ; 1949, Jolson Sings Again (Je chante pour vous) (Levin).

Il fuit Saint-Pétersbourg avec ses parents pour tenter l'aventure américaine. Ses dons de chanteur lui valent quelques engagements. Puis c'est Broadway. Quand la Warner décide d'essayer le procédé du parlant, elle organise son projet autour d'Al Jolson. Ce sera *Le chanteur de jazz* où il paraît un moment le visage barbouillé de suie. Le film ne vaut rien mais restera une date dans l'histoire du cinéma et Al Jolson sera à tout jamais « le chanteur de jazz »... Il faut noter qu'Al Jolson n'apparaît pas dans *Jolson Sings Again*, mais se contente de doubler Larry Parks. Un symbole.

Jones, James Earl

Acteur américain né en 1931.

Dr. Strangelove (Docteur Folamour) (Kubrick) ; 1967, The Comedians (Les comédiens) (Glenville) ; 1970, The Great White Hope (L'insurgé) (Ritt), End of the Road (Avakian) ; 1972, The Man (Sargent) ; 1974, Claudine (Berry) ; 1976, Swashbuckler/Scarlet Buccaneer (Le pirate des Caraïbes) (Goldstone), The River Niger (Shah), Deadly Hero (Nagy), The Bingo Long Traveling All-Stars & Motor Kings (Bingo) (Badham) ; 1977, Jesus of Nazareth (Jésus de Nazareth) (Zeffirelli), Exorcist II : The Heretic (L'exorciste II) (Boorman), The Greatest (Le plus grand) (Gries), The Last Remake of Beau Geste (Mon « beau » légionnaire) (Feldman), A Piece of the Action (Poitier) ; 1979, The Bushido Blade (Kotani) ; 1982, Conan the Barbarian (Conan le Barbare) (Milius), Blood Tide (Jeffries) ; 1985, City Limits (Lipstadt) ; 1986, Soul Man (Soul Man) (Miner), My Little Girl (Kaiserman) ; 1987, Gardens of Stone (Jardins de pierre) (Coppola), Matewan (Matewan) (Sayles), Allan Quatermain and the Lost City of Gold (Allan Quatermain et la cité de l'or perdu) (Nelson) ; 1988, Coming to America (Un prince à New York) (Landis), Lone Star Kid (Williams) ; 1989, Three Fugitives (Veber), Field of Dreams (Jusqu'au bout du rêve) (Alden Robinson), Best of the Best (Best of the Best) (Radler) ; 1990, The Hunt for Red October (A la poursuite d'Octobre-Rouge) (McTiernan), The Ambulance (L'ambulance) (Cohen), Grim

Prairie Tales (Coe), Convicts (Masterson) ; 1991, True Identity (Lane), Scorchers (Beaird) ; 1992, Patriot Games (Jeux de guerre) (Noyce), Sneakers (Les experts) (Alden Robinson), Excessive Force (Hess) ; 1993, Sommersby (Sommersby) (Amiel), The Sandlot (Evans), The Meteor Man (Townsend), Dreamrider (Brown, Grass) ; 1994, The Naked Gun 33 1/3 : The Final Insult (Y a-t-il un flic pour sauver Hollywood ?) (Segal), Clear and Present Danger (Danger immédiat) (Noyce), Clean Slate (Jackson) ; 1995, Jefferson in Paris (Jefferson à Paris) (Ivory), Cry the Beloved Country (Pleure, ô mon pays bien-aimé) (Roodt) ; 1996, A Family Thing (Pearce), Looking for Richard (Looking for Richard) (Pacino) ; 1997, Good Luck (LaBrie), The Second Civil War (The Second Civil War) (Dante), Gang Related (Kouf) ; 1999, The Annihilation of Fish (Burnett), Fantasia 2000 (Fantasia 2000) (Butoy, Goldberg, Algar, Glebas, Brizzi), Undercover Angel (Stoller) ; 2000, Finder's Fee (Probst), The Papp Project (Holder).

Second rôle noir ultraprolifique au cinéma comme à la télévision ou au théâtre, il a également prêté sa célèbre voix de basse à nombre de personnages de dessins animés et surtout au personnage de Dark Vador dans la série *Star Wars*.

Jones, Jeffrey

Acteur américain né en 1947.

1970, The Revolutionary (Williams) ; 1978, A Wedding (Un mariage) (Altman) ; 1982, The Soldier (Glickenhaus) ; 1983, Easy Money (Signorelli) ; 1984, Amadeus (Amadeus) (Forman) ; 1985, Transylvannia 6-5000 (De Luca) ; 1986, Ferris Bueller's Day Off (La folle journée de Ferris Bueller) (Hughes), Howard the Duck (Howard) (Huyck) ; 1987, The Hanoi Hilton (Chetwynd) ; 1988, Without a Clue (Élémentaire, mon cher Lock Holmes) (Eberhardt), Beetlejuice (Beetlejuice) (Burton) ; 1989, Valmont (Valmont) (Forman), Who's Harry Crumb ? (Flaherty) ; 1990, Enid Is Sleeping (Phillips), The Hunt for Red-October (À la poursuite d'Octobre-Rouge) (McTiernan) ; 1992, Out on a Limb (Veber), Mom and Dad Save the World (Beeman), Stay Tuned (Hyams) ; 1994, Ed Wood (Ed Wood) (Burton) ; 1995, Houseguest (Miller) ; 1996, The Crucible (La chasse aux sorcières) (Hytner), Santa Fe (Shea) ; 1997, Flypaper (Hoch), The Pest (Miller), The Devil's Advocate (L'associé du diable) (Hackford) ; 1998, There's No Fish Food in Heaven (Gaver), Ravenous (Vorace) (Bird) ; 1999, Stuart Little (Stuart Little) (Minkoff), Sleepy Hollow (Sleepy Hollow) (Burton), Company Man (Company Man) (McGrath, Askin) ; 2000, Par 6 (Heslov) ; 2001, Dr. Dolittle 2 (Carr).

Popularisé par son rôle de proviseur tatillon de *La folle journée de Ferris Bueller*, Tim Burton le prend bientôt dans sa « famille » et il est alors de tous ses films. Un visage d'aigle, des yeux bleux saillants, il sait se faire à la fois doux et mielleux (*Ed Wood*) ou bien dur et tranchant (le capitaine d'infanterie de *Vorace*). En tout état de cause, un second rôle qu'on reconnaît du premier coup d'œil.

Jones, Jennifer

Actrice américaine, de son vrai nom Phyllis Isley, née en 1919.

1938, New Frontier (G. Sherman), Dick Tracy's G-Men (Witney) ; 1941, Texas Rangers Ride Again (Hogan) ; 1943, The Song of Bernadette (Le chant de Bernadette) (King) ; 1944, Since You Went Away (Depuis ton départ) (Cromwell) ; 1945, Love Letters (Le poids d'un mensonge) (Dieterle) ; 1946, Cluny Brown (La folle ingénue) (Lubitsch) ; 1947, Duel in the Sun (Duel au soleil) (Vidor) ; 1948, We Are Strangers (Les insurgés) (Huston), Portrait of Jennie (Le portrait de Jenny) (Dieterle), Madame Bovary (Minelli) ; 1950, Gone to Earth (La renarde) (Powell et Pressburger) ; 1952, Carrie (Un amour désespéré) (Wyler), Ruby Gentry (La furie du désir) (Vidor) ; 1953, Stazione Termini (Station Terminus) (De Sica) ; 1954, Beat the Devil (Plus fort que le diable) (Huston) ; 1955, Love Is a Many-Splendored Thing (La colline de l'adieu) (King), Good Morning Miss Dove (Bonjour miss Dove) (Koster) ; 1956, The Man in the Gray Flannel Suit (L'homme au complet gris) (Johnson) ; 1957, The Barretts of Wimpole Street (S. Franklin), A Farewell to Arms (L'adieu aux armes) (Ch. Vidor) ; 1961, Tender is the Night (Tendre est la nuit) (King) ; 1966, The Idol (Petrie) ; 1969, Angel, Angel, Down We Go (Thom) ; 1974, The Towering Inferno (La tour infernale) (Guillermin).

Qu'elle ait été l'épouse de Selznick qui l'imposa dans ses meilleurs films (*Duel in the Sun, Portrait of Jennie...*) ne change rien au fait qu'après avoir tenu le rôle de Bernadette Soubirou — qui lui valut un oscar en 1943 —, elle fut l'héroïne romantique par excellence. Comment oublier les fins d'un extraordinaire lyrisme de ces purs chefs-d'œuvre que sont *Duel in the Sun* ou *Ruby Gentry* ? Sa mort dans les bras de Gregory Peck, après que les deux amants se furent entretués lors d'un « duel au soleil », reste un grand moment du cinéma, comme la poursuite qui clôt *Gone to Earth*, où Jennifer Jones, femme-renarde, pour échapper à la meute des chiens, se jette dans un puits. Nerveuse, tendue et d'une fulgurante beauté, elle crée par sa seule présence un climat, une atmosphère de tragédie et de sensualité. Ne fut-elle que la créature de Selznick ? C'est possible. Les films suivants sont décevants. Elle aurait même tourné en 1980 *Patricia*, œuvre jamais montrée en France. Reste qu'aucune actrice n'a traduit avec autant d'intensité les sentiments de passion et de haine qui habitent ses personnages habituels.

Jones, Tommy Lee

Acteur et réalisateur américain né en 1946.

1970, Love Story (Love Story) (Hiller), Eliza's Horoscope (Sheppard) ; 1973, Life Study (Nebbia) ; 1976, Jackson County Jail (La prison du viol) (Miller) ; 1977, Rolling Thunder (Flynn) ; 1978, The Betsy (Betsy) (Petrie), The Eyes of Laura Mars (Les yeux de Laura Mars) (Kershner) ; 1980, Coal Miner's Daughter (Nashville Lady) (Apted) ; 1981, Back Roads (Ritt) ; 1983, Savage Islands (Les pirates de l'île sauvage) (Fairfax) ; 1984, The River Rat (Rickman) ; 1986, Black Moon Rising (Sans issue) (Cockliss) ; 1987, The Big Town (Bolt) ; 1988, Stormy Monday (Stormy Monday) (Figgis) ; 1989, The Package (Opération Crépuscule) (Davis) ; 1990, Fire Birds (Fire Birds) (Green) ; 1991, JFK (JFK) (Stone), Blue Sky (Blue Sky) (Richardson) ; 1992, Under Siege (Piège en haute mer) (Davis), House of Cards (Lessac) ; 1993, The Fugitive (Le fugitif) (A. Davis), Heaven and Earth (Entre terre et ciel) (Stone) ; 1994, The Client (Le client) (Schumacher), Blown Away (Blown Away) (Hopkins), Natural Born Killers (Tueurs-nés) (Stone), Cobb (Cobb) (Shelton) ; 1995, Batman Forever (Batman Forever) (Schumacher) ; 1996, Men in Black (Men in Black) (Sonnenfeld), Volcano (Volcano) (Jackson) ; 1997, U.S. Marshals (U.S. Marshals) (Baird) ; 1998, Double Jeopardy (Double jeu) (Beresford) ; 1999, Rules of Engagement (L'enfer du devoir) (Friedkin), Space Cowboys (Space Cowboys) (Eastwood) ; 2002, Men in Black 2 (Men in Black 2) (Sonnenfeld), The Hunted (Traqué) (Friedkin) ; 2004, The Missing (Les disparues) (Howard) ; 2005, The Three Burials of Melquiades Estrada (Trois enterrements) (Jones), Man of the House (Garde rapprochée) (Herek) ; 2006, A Prairie Home Companion (The Last Show) (Altman) ; 2007, No Country for Old Men (J. Coen). *Pour le réalisateur*, voir le *Dictionnaire du cinéma*, t. I : *Les réalisateurs*.

Puissant, massif, ce Texan d'origine est spécialisé dans les films d'action, sans pour autant être un « gros bras » à la Schwarzenegger. Plus cérébral dans son jeu, on lui confie souvent des rôles d'hommes de tête, de chefs qui savent faire exécuter les ordres. Il devient tête d'affiche avec *Le client* puis réalisateur avec un magnifique western moderne, *Trois enterrements*.

Jory, Victor

Acteur américain, 1902-1982.

1930, Renegades (Fleming) ; 1932, The Pride of the Legion (Beebe), Second Hand Wife (MacFadden) ; 1933, Handle with Care (Butler), Infernal Machine (Varnel), State Fair (King), Sailor's Luck (Amour de marin) (Walsh), Trick for Trick (MacFadden), Devil's in Love (Dieterle), Smoky (Forde) ; 1934, Pursued (King), Madame Du Barry (Dieterle), Murder in Trinidad (L. King), White Lies (Bulgakov) ; 1935, Mills of the Gods (Neill), Too Tough to Kill (Lederman), Escape from Devil's Island (Rogell), Streamline Express (Fields), Party Wire (Kenton), A Midsummer Night's Dream (Le songe d'une nuit d'été) (Dieterle) ; 1936, Hell Ship Morgan (Lederman), The King Steps Out (Sa Majesté est de sortie) (Sternberg), Meet Nero Wolf (Biberman), Rangle River (Badger) ; 1937, Bulldog Drummond at Bay (Lee), First Lady (Logan) ; 1938, The Adventures of Tom Sawyer (Les aventures de Tom Sawyer) (Taurog) ; 1939, Dodge City (Les conquérants) (Curtiz), Wings of The Navy (Bacon), Blackwell's Island (McGann), Man of the Conquest (Nichols Jr.), Women in the Wind (Farrow), Susannah of the Mounties (Seiter), I Stole a Million (Tuttle), Call a Messenger (Lubin), Gone with the Wind (Autant en emporte le vent) (Fleming) ; 1940, Each Dawn I Die (A chaque aube je meurs) (Keighley), The Light of Western Stars (Selander), Knights of the Range (Selander), Lone Wolf Meets a Lady (Salkow), Rivers End (Enright), Girl from Havana (Landers), Cherokee Strip (Selander), Lady With Red Hair (Bernhardt), Give Us Wings (Lamont) ; 1941, Border Vigilantes (Abrahams), Wide Open Town (Selander), Bad Men of Missouri (Enright), Charlie Chan in Rio (Lachman), Riders of Tamberline (Selander), The Storck Pays Off (Landers) ; 1942, Shut My Big Mouth (Barton), The Town Too Tough To Die (McGann) ; 1943, Hoppy Serves a Writ (Archainbaud), Buckskin Frontier (Selander), Colt Comrades (Selander), Leather Burners (Henabery), The Kansan (Archainbaud), Bar 20 (Selander), The Unknown Guest (Neumann), Power of the Press (Landers) ; 1948, The Loves of Carmen (Les amours de Carmen) (Vidor), The Gallant Blade (Le chevalier Belle Épée) (Levin) ; 1949, A Woman's Secret (Ray), South of St Louis (Les chevaliers du Texas) (Enright), Canadian Pacific (Marin), Fighting Man of the Plains (Marin) ; 1950, The Capture (Sturges), The Caribou Trail (Marin) ; 1951, The Highwayman (Selander), Cave of Outlaws (Castle), Flaming Feather (Flèches brûlées) (Enright) ; 1952, Son of Ali Baba (Le fils d'Ali Baba) (Neumann), The Toughest Man in Arizona (Springsteen) ; 1953, The Hindu (Ferrin), The Man from Alamo (Le déserteur du fort Alamo) (Boetticher) ; 1954, The Valley of the Kings (La vallée des rois) (Pirosh) ; 1956, Manfish (Wilder), Desperado (Bellamy), Death of a Scoundrel (Ch. Martin) ; 1957, The Man Who Turned to Stone (Kardos) ; 1960, The Fugitive Kind (L'homme à la peau de serpent) (Lumet), The Last Stagecoach West (Kane), The Miracle Worker (Miracle en Alabama) (Penn) ; 1964, Cheyenne Autumn (Les Cheyennes) (Ford) ; 1968, Jigsaw (Goldstone) ; 1970, Flap (Flap l'Indien) (Reed) ; 1971, A Time for Dying (Qui tire le premier ?) (Boetticher) ; 1973, Papillon (Papillon) (Schaffner) ; 1980, The Mountain Men (Fureur sauvage) (Lang).

Type même du méchant : il était impressionnant en Obéron dans *Le songe d'une nuit d'été* ou en tueur barbu dans *Les conquérants*. Il a gaspillé son talent dans la série Z et n'est redevenu ambitieux que sur la fin de sa carrière (*The Fugitive Kind*, le père d'Helen Keller dans *The Miracle Worker*).

Joselito

Acteur espagnol, de son vrai nom José Jiménez, né en 1943.

1956, El pequeño ruiseñor (Del Amo) ; 1957, Saeta del ruiseñor (Del Amo) ; 1958, El ruiseñor de las cumbres (Del Amo) ; 1959, Escucha mi cancion (Écoute ma chanson) (Del Amo) ; 1960, El pequeño colonel (Le petit colonel) (Del Amo), Los dos golfillos (Les deux gamins) (Del Amo), Aventuras de Joselito en America (Cardona) ; 1961, La chanson de l'orphelin (Del Amo), El caballo blanco (Son fidèle compagnon) (Baledan) ; 1962, Belo recuerdo (Mon ami Joselito) (Del Amo) ; 1963, El secreto de Tony (Les secrets de Joselito) (Del Amo) ; 1964, Loca juventud (Le petit gondolier) (Mur Oti) ; 1965, La vita nueva de Pedrito de Andia (Gil) ; 1966, El falso heredero (Morayta) ; 1969, Prisoniero en la ciudad (De Jaen).

Surnommé *le Rossignol* ou bien encore *l'enfant à la voix d'or*, il tient la vedette dans une douzaine de films où le personnage de fiction se confond avec l'acteur (il s'appelle Joselito dans ses films comme dans la vie), servant des scénarios prétextes à ses numéros vocaux. Il quitte le cinéma à l'âge de vingt ans et change radicalement de vie en partant s'installer en Afrique.

Josephson, Erland

Acteur et réalisateur suédois né en 1923.

1946, Det regnar pa var kärlek (Il pleut sur notre amour) (Bergman) ; 1948, Eva (Molander) ; 1949, Till glädje (Vers la joie) (Bergman) ; 1958, Nära Livet (Au seuil de la vie) (Bergman), Ansiktet (Le visage) (Bergman) ; 1967, Vargtimmen (L'heure du loup) (Bergman) ; 1968, Flickovna (Les filles) (Zetterling) ; 1969, En passion (Une passion) (Bergman) ; 1972, Viskningar och rop (Cris et chuchotements) (Bergman) ; 1973, Scener ur ett äktens cap (Scènes de la vie conjugale) (Bergman) ; 1976, Ansikte mot ansikte (Face à face) (Bergman) ; 1977, En och en (Un et un) (Josephson, Nykvist, Thulin), Al di la del bene e del male (Au-delà du bien et du mal) (Cavani), Io ho paura (Un juge en danger) (Damiani) ; 1978, Höstsonaten (Sonate d'automne) (Bergman) ; 1979, Marmeladupproret (La révolution de la confiture) (Josephson), Dimenticare Venezia (Oublier Venise) (Brusati) ; 1982, Fanny och Alexander (Fanny et Alexandre) (Bergman), Montenegro (Makavejev) ; 1983, Bella donna (Keglevic), La casa del tapetto giallo (Lizzani), Nostalghia (Nostalghia) (Tarkovsky) ; 1984, Efter repetitionen (Après la répétition) (Bergman) ; 1985, Bakom Jalusin (Bjorkman) ; 1986, Saving Grace (Young), Offret/Sacrificio (Le sacrifice) (Tarkovsky) ; 1987, Le mal d'aimer (Treves), The Unbearable Lightness of Being (L'insoutenable légèreté de l'être) (Kaufman) ; 1988, Le testament d'un poète juif assassiné (Cassenti), Control (Contrôle) (Montaldo) ; 1989, Hanussen (I. Szabo) ; 1991, Prospero's Books (Prospero's Books) (Greenaway), Meeting Venus (La tentation de Vénus) (I. Szabo) ; 1992, Sofie (Sofie) (Ullmann), Oxen (Nykvist) ; 1993, Dromspel (Straume) ; 1994, Vendetta (Hafstroem), Dansaren (Feuer), The Sunset Boys/-Pakten (Risan), Zabraneniyat plod (Krumov) ; 1995, To vlemma tou odyssea (Le regard d'Ulysse) (Angelopoulos), Kristin Lavransdatter (Ullmann) ; 1998, Larmar och gör sig till (Bergman), The Magnetist's Fifth Winter (Henriksen) ; 1999, Ljuset håller mig sällskap (C.-G. Nykvist) ; 2000, Trölosa (Infidèle) (Ullmann). *Comme réalisateur :* 1977, En och en ; 1980, Marmeladuproret (La révolution de la confiture).

De la troupe d'Ingmar Bergman. Il partage son temps entre le théâtre et le cinéma, la Suède et l'Italie, mais reste avant tout lié à Bergman qui lui donna ses meilleurs rôles. Repris par Tarkovsky, il n'a pas voulu lier pour autant son image à des films résolument austères et a mis en scène deux œuvres d'un humour très corrosif.

Jouanneau, Jacques

Acteur français né en 1926.

1952, Sans casser un œuf (court métrage) ; 1953, Capitaine Pantoufle (Lefranc) ; 1954, Bonnes à tuer (Decoin), Ah ! les belles bacchantes (Loubignac), Les intrigantes (Decoin), French Cancan (Renoir) ; 1955, En effeuillant la marguerite (M. Allégret), Élena et les hommes (Renoir), Les grandes manœuvres (Clair), On déménage le colonel (Labro), La madone des sleepings (Diamant-Berger) ; 1956, Le colonel est de la revue (Labro), Comme un cheveu sur la soupe (Regamey) ; 1957, Un cheveu sur la soupe, Le tombeur (Delacroix), Le coin tranquille (Vernay), L'amour est en jeu (M. Allégret) ; 1958, Suivez-moi jeune homme (Lefranc), Madame et son auto (Vernay), La vie à deux (Duhour), Bobosse (Perier) ; 1960, Les distractions (Dupont) ; 1961, Napoléon II l'Aiglon (Boissol), Le caporal épinglé (Renoir) ; 1962, Judex (Franju) ; 1963, Les Pieds nickelés (Chambon). *De 1963 à 1982, plus de trente films dont* : 1973, Le permis de conduire (Girault) ; 1977, René la Canne (Girod), La vie parisienne (Christian-Jaque) ; 1978, Les bidasses au pensionnat (Vocoret) ; 1979, Nous maigrirons ensemble (Vocoret) ; 1980, Celles qu'on n'a pas eues (Thomas) ; 1982, Le retour des bidasses en folie (Vocoret) ; 1984, Le cow-boy (Lautner) ; 1990, Triplex (Lautner) ; 1991, Room service (Lautner), Les clés du Paradis (Broca) ; 1996, Fallait pas !... (Jugnot).

Un comique plein de finesse, avec la bouille du bon copain faussement ahuri et parfois plein de bon sens. Les débuts se placent sous le signe de Renoir (trois films où Jouanneau renoue avec la grande tradition des acteurs de composition d'avant-guerre). Après 1963, c'est le plongeon. Il faut l'avoir vu en général de Lastra dans cet océan de gags éculés que représente *Le retour des bidasses en folie* pour mesurer le naufrage. Il n'a pas paru utile de recenser de tels films.

Joubé, Romuald

Acteur français, 1876-1949.

1911, La reine Margot (Desfontaines) ; 1912, Marie Tudor (Desfontaines) ; 1913, La mégère apprivoisée (Denola) ; 1914, Philémon et Baucis (Denola) ; 1916, Les frères corses (Antoine) ; 1917, Le coupable (Antoine) ; 1918, Les travailleurs de la mer (Antoine), Simone (Morlhon), J'accuse (Gance) ; 1919, La faute d'Odette Maréchal (Henry Roussel) ; 1920, André Cornelis (Kemm), Mademoiselle de La Seiglière (Antoine), Mathias Sandorf (Fescourt) ; 1921, L'énigme (Kemm), Sublime offrande (Demidoff) ; 1922, Rouletabille chez les Bohémiens (Fescourt), La fille sauvage (Étiévant), Le diamant noir (Hugon) ; 1923, Mandrin (Fescourt) ; 1924, Le miracle des loups (R. Bernard) ; 1925, L'homme noir (Wulschleger-Machin), La chèvre aux pieds d'or (J. Robert) ; 1927, Le manoir de la peur (Machin-Wulschleger), La princesse Masha (Leprince) ; 1937, Les perles de la couronne (Guitry) ; 1941, Andorra ou les hommes d'airain (Couzinet) ; 1942, Le brigand gentilhomme (Couzinet), Le chant de l'exilé (Hugon).

Originaire de Saint-Gaudens, acteur voué au répertoire de l'Odéon, il se fit connaître par sa belle prestance au temps du muet et fut le personnage principal du *Miracle des loups*. Sa carrière s'interrompit avec le parlant : on le retrouve inattendu Clouet dans *Les perles de la couronne* et en bandit dans *Le brigand gentilhomme*.

Jourdan, Catherine

Actrice française née en 1948.

1967, Le samouraï (Melville) ; 1968, Vivre la nuit (Camus), La motocyclette (Cardiff) ; 1969, Un merveilleux parfum d'oseille (Bassi), l'Éden et après (Robbe-Grillet) ; 1970, Le petit matin (Albicocco) ; 1973, Le mariage à la mode (Mardore), Les quatre Charlots mousquetaires (Hunebelle) ; 1974, Dehors-dedans (Fleischer) ; 1975, Blondy (Gobbi) ; 1977, Zoo zéro (Fleischer) ; 1982, Aphrodite (Fuest) ; 1985, L'araignée de satin (Baratier).

Ancienne élève d'Yves Furet, chanteuse et danseuse, elle sait se dénuder agréablement dans des films d'avant-garde comme *L'Éden et après* ou *Zoo zéro*.

Jourdan, Louis

Acteur français, de son vrai nom Gendre, né en 1919.

1940, Untel père et fils (Duvivier), Parade en sept nuits (M. Allégret), La comédie du bonheur (L'Herbier) ; 1941, Premier rendez-vous (Decoin) ; 1942, L'Arlésienne (M. Allégret), Félicie Nanteuil (M. Allégret), La belle aventure (M. Allégret), La vie de bohème (L'Herbier) ; 1943, Les petites du quai aux fleurs (M. Allégret) ; 1947, The Paradine Case (Le procès Paradine) (Hitchcock) ; 1948, Letter from an Unknown Woman (Lettre d'une inconnue) (Ophuls), No Minor Vives (Milestone) ; 1949, Madame Bovary (Minnelli) ; 1951, Bird of Paradise (L'oiseau du paradis) (Daves), Anne of the Indies (La flibustière des Antilles) (Tourneur) ; 1952, The Happy Time (Sacré printemps) (Fleischer), Decameron Nights (Fregonese) ; 1953, Rue de l'Estrapade (Becker) ; 1954, Three Coins in the Fountain (La fontaine des amours) (Negulesco) ; 1955, The Swan (Le cygne) (Ch. Vidor) ; 1956, La mariée était trop belle (Gaspard-Huit) ; 1957, Escapade (Leacock), Dangerous Exile (Desmond Hurst) ; 1958, Gigi (Minnelli) ; 1959, The Best of Everything (Negulesco), Can-Can (Can-Can) (W. Lang) ; 1960, Le vergini di Roma (Les vierges de Rome) (Cottafavi) ; 1961, Le comte de Monte-Cristo (Autant-Lara) ; 1962, Il disordine (Le désordre) (Brusati), Léviathan (Keigel), Mathias Sandorf (Lampin) ; 1963, The V.I.P.S (Hôtel international) (Asquith) ; 1965, Le sultan (Delannoy) ; 1967, Peau d'espion (Molinaro) ; 1968, Cervantes (V. Sherman), A Flea in the Ear (La puce à l'oreille) (J. Charon) ; 1976, The Man in the Iron Mask (L'homme au masque de fer) (Newell) ; 1977, Plus ça va, moins ça va (Vianey), Silver Bears (Passer) ; 1981, Double Deal (Kavanagh) ; 1982, Swamp Thing (Craven) ; 1983, Octopussy (Octopussy) (Glen) ; 1987, Counterforce (De La Loma) ; 1990, The Return of the Swamp Thing (La créature du lagon, le retour) (Wynorski) ; 1992, Year of the Comet (Yates).

Très beau, il monte de Cannes à Paris, suit le cours Simon, est remarqué par Marc Allégret, tourne beaucoup pendant la guerre puis part aux États-Unis où il représente le « french lover ». Il partage son temps entre Paris et Hollywood. Parmi ses meilleurs rôles, celui du comte de Monte-Cristo. Il joue un méchant fort impressionnant qui s'oppose à James Bond dans *Octopussy*.

Jouvet, Louis

Acteur et réalisateur français, 1887-1951.

1933, Topaze (Garnier), Knock (Jouvet, avec Goupillères) ; 1935, La kermesse héroïque (Feyder) ; 1936, Mister Flow (Siodmak), Les bas-fonds (Renoir) ; 1937, Mademoiselle Docteur (Pabst), Un carnet de bal (Duvivier), Drôle de drame (Carné), Forfaiture (L'Herbier), L'alibi (Chenal), La Marseillaise (Renoir) ; 1938, Ramuntcho (Barbéris), La maison du Maltais (Chenal), Entrée des artistes (M. Allégret), Éducation de prince (Esway), Le drame de Shanghai (Pabst), Hôtel du Nord (Carné) ; 1939, La fin du jour (Duvivier), La charrette fantôme (Duvivier), Volpone (Tourneur) ; 1940, Untel père et fils (Duvivier), Sérénade (Boyer) ; 1946, Un revenant (Christian-Jaque), Copie conforme (Dréville) ; 1947, Quai des Orfèvres (Clouzot) ; 1948, Les amoureux sont seuls au monde (Decoin), Entre onze heures et minuit (Decoin), Retour à la vie (Clouzot) ; 1949, Miquette et sa mère (Clouzot), Lady Paname (Jeanson) ; 1950, Knock (Lefranc), Une histoire d'amour (Lefranc). *Pour le metteur en scène*, voir le *Dictionnaire du cinéma*, t. I : *Les réalisateurs*.

Avant tout un homme de théâtre, mais le cinéma lui doit beaucoup. Au départ un pharmacien de première classe né à Crozon dans le Finistère où son père dirigeait des travaux. Refusé au Conservatoire, il trouva un meilleur maître en la personne de Copeau. En 1927, il fondait le cartel avec Dullin, Pitoëff et Baty. Giraudoux, Jules Romains, Achard sont, avec Molière, à son répertoire. Jusqu'à sa mort et compte tenu d'une absence entre 1940 et 1944, on peut dire qu'il a dominé la scène française. Il avait conservé à l'écran ses tics de comédien de théâtre. D'ailleurs il y joua deux fois Knock. Toutes ses apparitions furent extraordinaires, du chapelain paillard de *La kermesse héroïque* à l'inspecteur désabusé d'*Une histoire d'amour*. Comment oublier la manière dont il disait deux vers de Verlaine dans *Un carnet de bal*, sa façon de camper le personnage de l'évêque, amateur de « petites femmes », dans *Drôle de drame* ou le gangster d'*Hôtel du Nord*, ses mimiques comme professeur au Conservatoire dans *Entrée des artistes* ou son interprétation de l'intendant Mosca dans *Volpone*. Mais son meilleur rôle fut probablement celui du policier de *Quai des Orfèvres*, une sorte d'anti-Maigret auquel il donnait une humanité bouleversante dans l'évocation de ses rapports avec son petit garçon. Sublime acteur : on peut revoir inlassablement les films qu'il a tournés.

Jovovich, Milla

Actrice d'origine ukrainienne née en 1975.

1988, Two Moon Junction (A fleur de peau) (King) ; 1991, Return to Blue Lagoon (Retour au lagon bleu) (Graham) ; 1992, Chaplin (Chaplin) (Attenborough), Kuffs (Evans) ; 1993, Dazed & Confused (Linklater) ; 1996, Le cinquième élément (Besson) ; 1998, He Got Game (He Got Game) (Lee), Jeanne d'Arc (Besson) ; 1999, The Million Dollar Hotel (The Million Dollar Hotel) (Wenders) ; 2000, The Claim Redemption (Rédemption) (Winterbottom) ; 2001, Zoolander (Stiller), Resident Evil (Anderson) ; 2002, Dummy (Pritikin) ; 2002, Resident Evil (Resident Evil) (Anderson) ; 2004, Resident Evil : Apocalypse (Resident Evil : Apocalypse) (Witt) ; 2006, Ultraviolet (Wimmer) ; 2007, Resident Evil : Extinction (Resident Evil : Extinction) (Mulcahy).

Top-model reconvertie dans le cinéma de seconde zone (la calamiteuse suite du *Lagon bleu*), elle est révélée en androïde aux cheveux rouges dans *Le cinquième élément* de Besson, qui en fait aussi sa *Jeanne d'Arc*.

Joyeux, Odette

Actrice française, 1917-2000.

1931, Jean de la Lune (Choux) ; 1932, Le chien jaune (Tarride) ; 1934, Lac aux dames (M. Allégret) ; 1936, Trois artilleurs au pensionnat (Pujol), Hélène (Benoit-Lévy) ; 1937, Une femme qui se partage (Cammage) ; 1938, La glu (Choux), Entrée des artistes (M. Allégret), Altitude 3200 (Benoit-Lévy), Grisou (Canonge) ; 1939, Notre-Dame de la Mouise (Péguy) ; 1942, Le mariage de Chiffon (Autant-Lara), Le baron fantôme (Poligny), Lettres d'amour (Autant-Lara), Le lit à colonnes (Tual) ; 1943, Échec au Roy (Paulin), Douce (Autant-Lara), Les petites du quai aux fleurs (M. Allégret) ; 1945, Sylvie et le fantôme (Autant-Lara), Leçon de conduite (Grangier) ; 1946, Messieurs Ludovic (Le Chanois), Pour une nuit d'amour (Greville) ; 1948, Scandale (Le Hénaff) ; 1950, Orage d'été (Gehret), Dernière heure édition spéciale (Canonge), La ronde (Ophuls) ; 1955, Si Paris nous était conté (Guitry) ; 1957, Le naïf aux quarante enfants (Agostini).

Elle a conté avec beaucoup de grâce ses souvenirs, car elle allie au talent de la comédienne celui de l'écrivain. Elle débuta comme petit rat de l'Opéra avant de rencontrer Jean Giraudoux qui l'orienta vers le théâtre. Elle rencontre Jouvet qui la conseille et finit par l'envoyer jouer *Grisou* d'un certain Pierre Brasseur... qu'elle épouse. Elle en aura un fils, Claude Brasseur. A l'écran, elle interprète sous la direction d'Autant-Lara une série de films (*Chiffon, Douce*...), évocation nostalgique d'un temps où déjà les petites filles n'écoutaient plus leur grand-mère. Mariée par la suite au réalisateur Agostini, elle quitte le cinéma vers 1958 pour se consacrer à la littérature.

Jugnot, Gérard

Acteur et réalisateur français né en 1951.

1973, Salut l'artiste (Robert) ; 1974, Les valseuses (Blier), Les suspects (Wyn), Que la fête commence (Tavernier), Pas de problème ! (Lautner) ; 1975, Le juge et l'assassin (Tavernier), Oublie-moi Mandoline (Wyn) ; 1976, 13 femmes pour Casanova (Legrand), Dracula père et fils (Molinaro), Calmos (Blier), M. Klein (Losey), Des enfants gâtés (Tavernier), Le locataire (Polanski), Le jouet (Veber), On aura tout vu (Lautner) ; 1977, La 7e compagnie au clair de lune (Lamoureux), Pauline et l'ordinateur (Fehr), Les petits câlins (Poiré), Si vous n'aimez pas ça n'en dégoûtez pas les autres (Lewin), Vous n'aurez pas l'Alsace et la Lorraine (Coluche) ; 1978, Les bronzés (Leconte), Les héros n'ont pas froid aux oreilles (Némès), Un si joli village (Périer) ; 1979, Les bronzés font du ski (Leconte), Le coup de sirocco (Arcady), Retour en force (Poiré), Le coup du parapluie (Oury) ; 1980, Les Charlots contre Dracula (Desagnat) ; 1981, Pourquoi pas nous ? (Berny) ; 1982, Pour cent briques t'as plus rien (Molinaro), Le quart d'heure américain (Galland), Le père Noël est une ordure (Poiré) ; 1983, Papy fait de la résistance (Poiré), La fiancée qui venait du froid (Némès) ; 1984, Pinot simple flic (Jugnot), Le garde du corps (Leterrier) ; 1985, Les rois du gag (Zidi), Scout toujours (Jugnot), Tranches de vie (Leterrier) ; 1986, Le beauf (Amoureux), Nuit d'ivresse (Nauer) ; 1987, Tandem (Leconte) ; 1988, Les cigognes n'en font qu'à leur tête (Kaminka), Sans peur et sans reproche (Jugnot) ; 1989, Les mille et une nuits (Broca) ; 1990, Les secrets professionnels du docteur Apfelglück (collectif) ; 1991, Les clés du paradis (Broca) ; 1992, Une époque formidable... (Jugnot), Voyage à Rome (Lengliney) ; 1993, Grosse fatigue (Blanc), Casque bleu (Jugnot) ; 1994, Les faussaires (Blum) ; 1995, Fantôme avec chauffeur (Oury) ; 1996, Fallait pas !... (Jugnot) ; 1997, Marthe (Hubert) ; 1998, Trafic d'influence (Faruggia), L'ami du jardin (Bouchaud) ; 2000, Meilleur espoir féminin (Jugnot), Oui, mais... (Lavandier) ; 2002, Monsieur Batignole (Jugnot), Le raid (Bensalah) ; 2004, Les choristes (Barratier) ; 2004, Trois petites filles (Hubert) ; 2005, Boudu (Jugnot) ; 2006, Les bronzés 3, Amis pour la vie (Leconte), Il ne faut jurer de rien ! (Civanyan), Les brigades du Tigre (Cornuau), Un printemps à Paris (Bral) ; 2007, L'île aux trésors (Berbérian). *Pour le metteur en scène*, voir le *Dictionnaire du cinéma*, t. I : *Les réalisateurs*.

Venu du café-théâtre, ce petit bonhomme chauve et moustachu a fait un malheur dans *Le père Noël est une ordure* et surtout dans *Papy fait de la résistance* où il était un concierge passé à la Gestapo et qui se vengeait de ses anciennes humiliations. Ses satires du Français de condition modeste sont d'une férocité incroyable, mais il a su renouveler son registre pour aborder des rôles plus sensibles : le compagnon de Rochefort dans *Tandem*, le fils attentionné qui emmène sa mère à Rome dans *Voyage à Rome* ou le pion chef de chœur dans *Les choristes*.

Julia, Raul

Acteur américain d'origine portoricaine, de son vrai nom Raul Rafael Carlos Julia y Arceley, 1940-1994.

1969, Stiletto (Kowalski) ; 1971, The Panic in Needle Park (Panique à Needle Park) (Schatzberg), The Organization (L'organisation) (Medford), Been Down So Long, It Looks Like Up to Me (J. Young) ; 1976, The Gumball Rallye (Chewing-gum rallye) (Bail) ; 1978, Eyes of Laura Mars (Les yeux de Laura Mars) (Kershner) ; 1982, One From the Heart (Coup de cœur) (Coppola) The Escape Artist (Deschanel), Fast Times at Ridgemont High (Heckerling), Tempest (Tempête) (Mazursky) ; 1984, Kiss of the Spider Woman (Le baiser de la femme-araignée) (Babenco) ; 1985, Compromising Positions (Perry) ; 1986, Florida Straights (Deux millions aux Caraïbes) (Hodges), The Morning After (Le lendemain du crime) (Lumet) ; 1987, La gran fiesta (Zurinaga) ; 1988, Moon Over Parador (Mazursky), Tequila Sunrise (Tequila Sunrise) (Towne), The Penitent (Osmond) ; 1989, Tango bar (Zurinaga), Trading Hearts (Liefer), Romero (Duigan) ; 1990, Mack the Knife (L'opéra de quat'sous) (Golan), Presumed Innocent (Présumé innocent) (Pakula), A Life of Sin (Neris), Havana (Havana) (Pollack), Frankenstein Unbound (Corman), The Rookie (La relève) (Eastwood) ; 1991, The Addams Family (La famille Addams) (Sonnenfeld) ; 1992, The Plague (La peste) (Puenzo) ; 1993, Addams Family Values (Les valeurs de la famille Addams) (Sonnenfeld) ; 1994, Down Came a Blackbird (Sanger), Street Fighter (Street Fighter) (De Souza).

Cet acteur exubérant aux yeux globuleux et aux cheveux en bataille émigre à New York en 1964, après avoir acquis une solide expérience théâtrale à Porto Rico. Devenu un interprète shakespearien très demandé (Othello, Macbeth), il a également tourné beaucoup au cinéma avec une prédilection pour les personnages fantasques et hauts en couleur.

Jurado, Katy

Actrice mexicaine, de son vrai nom María J. García, 1924-2002.

Nombreux films mexicains dont : 1943, No Maturas ; 1944, La vida inútil de Pito Perez ; 1945, El museo del crimen, La sombra de Chuco el Roto, Soltera y con gemelos, Bartolo toca la flauta ; 1946, La viuda celosa, Rosa del Caribe ; 1948, Nosotros los pobres, Prisión de sueños ; 1949, Hay Lugar para dos, El seminarista, Mujer de medica noche ; 1950, Caballera blanca ; 1951, Carcel de mujeres. *Puis :* The Bullfighter and the Lady (Boetticher) ; 1952, El bruto (L'enjôleuse) (Buñuel), High Noon (Le train sifflera trois fois) (Zinneman) ; 1953, San Antone (Kane), Arrowhead (Le sorcier du Rio Grande) (Warren) ; 1954, The Broken Lance (La lance brisée) (Dmytryk) ; 1955, The Racers (Le cercle infernal) (Hathaway), Trial (Le procès) (Robson) ; 1956, Trapeze (Trapèze) (Reed), The Man from Del Rio (Horner) ; 1957, Dragon Wells Massacre (La poursuite fantastique) (Schuster) ; 1958, The Badlanders (L'or du Hollandais) (Daves) ; 1960, One Eyed Jacks (La vengeance aux deux visages) (Brando) ; 1961, I banditi Italiani (Les guerilleros) (Camerini) ; 1962, Barabbas (R. Fleischer), La bandida (Rodríguez) ; 1964, Un hombre solo (Philipp) ; 1966, Smoky (G. Sherman), A Covenant with Deat (Johnson) ; 1968, Stay Away Joe (Tewkesbury) ; 1970, A Bridge in the Jungle (Kohner) ; 1972, Fe, esperanza y caridad (Alcoriza, Bojorquez) ; 1973, Pat Garrett and Billy the Kid (Pat Garret et Billy le Kid) (Peckinpah), Once Upon a Scoundrel (Schaefer) ; 1978, Viva El Presidente (Le recours de la méthode) (Littin), The Children of Sanchez (H. Bartlett) ; 1979, La viuda del Montiel (La veuve Montiel) (Littin) ; 1980, La seducción (Ripstein) ; 1984, Under the Volcano (En dessous du volcan) (Huston) ; 1997, El evangelio de las maravillas (Divine) (Ripstein), The Hi-Lo Country (The Hi-Lo Country) (Frears).

Actrice mexicaine découverte par Hollywood en 1952. On la retrouve dans de nombreux westerns où elle joue les Mexicaines et éventuellement les Indiennes. De retour au Mexique en 1978, elle a participé au renouveau du cinéma de son pays en interprétant les films du Chilien Littin.

Jürgens, Curd

Acteur et réalisateur allemand, 1915-1982.

1935, Königwalzer (Valse royale) (Maisch), Hundert Tagen (Les cent jours) (Wenzler) ; 1936, Die Undekannte (L'inconnue), (Wisbar) Familienparade (Wendhausen) ; 1937, Liebe kann Lügen (Helbig), Zu neuen Ufern (Paramatta, bagne de femmes) (Sirk) ; 1939, Salonwagen 417 (Verhoeven) ; 1940, Herz ohne Heimat (Linnekigel), Operette (Forst), Weltrekord im Seitensprung (Zoch) ; 1942,

Stimme des Herzens (La voix du cœur) (Meyer), Wenn die Götter Lieben (Les amours de Mozart) (Hartl) ; 1943, Ein Glücklicher Mensch (Verhoeven), Frauen sind keine Engel (Forst) ; 1944, Eine Blick Zurück (Menzel), Eine kleine Sommer-melodie (Collande) ; 1945, Wiener Mädeln (Jeunes filles de Vienne) (Forst) ; 1947, Hin und her (Aller et retour) (Lingen) ; 1948, Der Himmlische Walzer (Cziffra), Leckerbissen (Malbran) ; 1949, An klingenden Ufern (Untherkircher), Das Singende Haus (La maison chantante) (Antel), Den Engel mit der Posaune (L'ange à la trompette) (Hartl), Hexen (Schott-Schobinger) ; 1950, Das Kuckucksei (Ma mère et moi) (Fiener), Herr Lambert fühlt sich bedroht (Cziffra), Prämien auf dem Tod (Jürgens), Schuss durchs Fenster (Breuer), Verlorenes Rennen (Neufeld), Küssen ist keine Sünd (Le baiser n'est pas un péché) (Marischka), Die Gestörte Hochzeitsnacht (Weiss) ; 1951, Ein Lächeln um Sturm (Chanas), Das Geheimnis einer Ehe (Secret de femme) (Weiss), Pikanterie (Braun), Der Schweignede Mund (Hartl), Lampenfieber (Hoffman), Knall und Fall als Hochstapler (Marischka), So ein Theater (Jürgens), Gangster Premiere (Jürgens) ; 1952, Hans des Lebens (Le mystère de la vie) (Hartl), Du bist die Rose vom Wörthersee (Marischka), A April 2000 (1er avril 2000) (Staudte) ; 1953, Mann nennt es Liebe (Reinhart), Musik bei Nacht (Hoffmann), Praterherzen (Verhoeven), Der letzte Walzer (La dernière valse) (Rabenalt), Alles für Papa (Hartl) ; 1954, Meines Vaters Pferde (Lamprecht), Rummelplatz der Liebe (Neumann), Eine Frau von heute (Verhoeven), Das Bekenntnis der Ina Kahr (Les Destructeurs) (Pabst), Du bist die Richtige (Toi seule) (Engel), Gefangene der Liebe (Mon enfant vivra) (Jugert), Des Teufles General (Le général du diable) (Kautner) ; 1955, Orient Express (Bragaglia), Liebe ohne illusion (Engel), Die Ratten (Les rats) (Siodmak), Du mein stilles Tal (Steckel), Les héros sont fatigués (Ciampi) ; 1956, Die Golden Brücke (Le pont d'or) (Verhoeven), Ohne dich wird es Nacht (Les drogués, sans toi) (Jürgens), Teufel im Seide (Le diable en personne) (Hansem), Londra chiama Polo Nord (Coletti), Et Dieu créa la femme (Vadim), Michel Strogoff (Gallone), Œil pour œil (Cayatte) ; 1957, Les espions (Clouzot), Bitter Victory (Amère victoire) (Ray), Tamango (Berry), The Enemy Below (Torpilles sous l'Atlantique) (Powell), This Happy Feeling (Edwards) ; 1958, Le vent se lève (Ciampi), Me and the Colonel (Moi et le colonel) (Glenville), Der Schinderhannes (Le brigand au grand cœur) (Kautner), The Inn of the Sixth Happiness (Robson) ; 1959, Ferry to Hong-Kong (Gilbert), The Blue Angel (L'ange bleu) (Dmytryk) ; 1960, Schachnovelle (La Gestapo enquête la nuit) (G. Oswald), Gustav Adolfs Page (Le page du roi Gustave Adolphe) (Hansen), I aim at the Stars (Thompson), Katia (Siodmak) ; 1961, Bankraub in der Rue Latour (Fric-frac rue Latour) (Jürgens), Le triomphe de Michel Strogoff (Tourjansky), Of Love and Desire (Le cœur et ses passions) (Rush) ; 1962, The Longest Day (Le jour le plus long) (Wicki), Il Disordine (Le désordre) (Brusati), The Miracle of the White Stallions (Arthur Hiller), I Don Giovanni della Costa Azzurra (Paradis des femmes, paradis des hommes) (Sala), Die Dreigroschenoper (L'Opéra de quat'-sous) (Staudte) ; 1963, Begegnump in Salzburg (Rencontre à Salzbourg) (Friedmann), Psyche 59 (Singer), Château en Suède (Vadim), Les parias de la gloire (Decoin) ; 1964, Hide and Seek (Au troisième coup) (Endfield), DM- Killer (Les DM- Killers) (Thiele), Lord Jim (Lord Jim) (Brooks) ; 1965, Der Kongress amusiert sich (Le Congrès s'amuse) (Radvanyi), Das Liebeskarussel (Parade d'amour) (Thiele) ; 1966, Das Geheimnis der gelben Mönche (Guet-apens à Téhéran) (Köhler), Zwei Girls vom roten Stern (Duel à la vodka) (Drechell), Le jardinier d'Argenteuil (Le Chanois) ; 1967, Pas de roses pour OSS 117 (Hunebelle), Der Lügner und die Nonne (Thiele), The Karate Killers (Tueurs au karaté) (Barry Shear), Dalle Ardenne all'inforno (La gloire des canailles) (De Martino) ; 1968, The Assassination Bureau (Assassinats en tous genres) (Dearden), The Battle of Britain, (Hamilton), Die Artisten in der Zirkuskuppel : Ratlos (Les artistes sous le chapiteau : perplexes) (Kluge), The Invincible Six (Negulesco), La Legione dei damnati (La légion des damnés) (Lenzi), Der Artz von St-Pauli (Le médecin de Hambourg) (Olsen) ; 1969, Bitka na Neretvi (La bataille de la Neretvab) (Bulajic), Auf der Reeperbahn nachts un halb eins (Nuits blanches à Hambourg) (Olsen), Ohrfeigen (La gifle) (Thiele), Cannabis (Koralnik), Hello Goodbye (Hello Goodbye) (Negulesco) ; 1970, The Mephisto Waltz (Satan mon amour) (Paul Wendkos), Das Stundenhotel von St-Pauli (Hôtel de passe à Hambourg (Olsen) ; 1971, Nicholas and Alexandra (Nicolas et Alexandra) (Franklin J. Schaffner), Der Pfarrer von St-Pauli (Et Dieu créa le mal) (Olsen), Käpt'n Rauhbein aus St-Pauli (Olsen), Kill (Gary), Due maschi per Alexa (Deux mâles pour Alexa) (Logar) ; 1972, Vault of Horror (Baker), Fieras sin jaula (Logar), A la guerre comme à la guerre (Borderie), Profession aventurier (Mulot) ; 1973, Undercovers Hero (En voiture Simone) (Boulting) ; 1974, Radiografia di una Svastika (Marlotti), Cagliostro (Pettinari), Povero Cristo (Carpi) ; 1975, In gefahr und grösster Not bringt der Mittelweg den Tod (Kluge), Der zweite Frühling (Le second printemps) (Lommel), La lunga strada senza polvere (Danubio) (Tau), Auch Mimosen wollen blühen (Mewes), Ab Morgen sind wir reich und ehrlich (Antel), Folies bourgeoises (Chabrol) ; 1977, The Spy who Loved me (L'espion qui m'aimait) (Gilbert) ; 1978, Missile X (Martinson), The Flying Dragon (C. Floyd), Just a Gigolo (Gigolo) (Hemmings) ; 1979, La gueule de l'autre (Tchernia), Break-through (La percée d'Avranches) (McLaglen) ; 1980, Die Patriotin (Kluge), Checkpoint Charly (Pohland) ; 1981, Teheran 43 (Alov, Naoumov), The Sleep of Death (Floyd). *Pour le metteur en scène*, voir le *Dictionnaire du cinéma*, t. I : *Les réalisateurs.*

Né à Munich dans un milieu aisé (son père était négociant), il a fait ses débuts sur une scène et tourné son premier film l'année suivante. Sa filmographie aligne une liste impressionnante d'œuvres de réalisateurs allemands oubliés (lorsque leurs films ont été distribués en France, on a fait figurer leur titre français) et il se met lui-même en scène à plusieurs reprises. Ce colosse blond, très populaire en Allemagne, ne connaîtra vraiment la célébrité internationale qu'avec *Le général du diable* où il jouait, en 1954, le rôle d'un officier opposant au nazisme. En France, il se fait connaître comme partenaire de Brigitte Bardot dans *Et Dieu créa la femme*. Il ne cesse de tourner – le plus souvent des personnages d'officier ou d'aventurier allemand – tout en menant une vie privée agitée (il aura cinq épouses). Parlant plusieurs langues, brillant, séduisant, il fait partie de la « jet society » dont raffolent les échotiers. Bien que souffrant d'une grave déficience cardiaque, il ne ralentit en rien ses activités. Le titre de ses Mémoires, écrits en 1976, est tout un programme : *Encore loin d'être sage*. Une crise cardiaque l'a finalement emporté.

Justice, James-Robertson

Acteur britannique, 1905-1975.

1943, Nine Men (Neuf hommes) (Watt) ; 1944, For Those in Peril (Crichton) Champagne Charlie (Cavalcanti) ; 1947, Vice versa (Ustinov) ; 1948, My Brother Jonathan (French), Against the Wind (Guerriers dans l'ombre) (Crichton), Scott of the Antarctic (L'aventure sans retour) (Frend), Whisky Galore (Whisky à gogo) (Mackendrick), Quartet (Smart) ; 1949, Christopher Colombus (Christophe Colomb) (McDonald), Stop Press Girl (Barry), Poets Pub (Wilson), Private Angelo (Anderson/Ustinov) ; 1950, Prelude to Fame (MacDonnell), My Daughter Joy (Son grand amour) (Ratoff), The Black Rose (La rose noire) (Hathaway) ; 1951, David and Bethsabee (David et Bethsabée) (King), Blackmailed (M. Allégret), Captain Horatio Hornblower (Capitaine sans peur) (Walsh), Ann of the Indies (La flibustière des Antilles) (Tourneur), Lady Says No (Ross), Pool of London (Les trafiquants du Dunbar) (Dearden), Robin Hood and His Merry Men (Robin des Bois et ses joyeux compagnons) (Annakin) ; 1952, The Voice of Merril (Gilling), Miss Robin Hood (Guillermin) ; 1953, The Sword and the Rose (La rose et l'épée) (Annakin), Rob Roy the Highland Rogue (Échec au roi) (French) ; 1954, Above Us the Waves (Opération Tirpitz) (Thomas), Doctor in the House (Toubib or not toubib) (Thomas) ; 1955, Out of the Clouds (Dearden), Doctor at Sea (Toubib en mer ou Rendez-vous à Rio) (Thomas), Storm Over the Nile (Les quatre plumes blanches) (Young/Korda), An Alligator Named Daisy (Lee-Thompson), Land of the Pharaohs (La terre des Pharaons) (Hawks) ; 1956, The Iron Petticoat (Whisky vodka et jupon de fer) (Thomas), Moby Dick (Huston), Checkpoint (A tombeau ouvert) (Thomas) ; 1957, It Happened in Rome (Souvenir d'Italie) (Pietrangeli), Campbell's Kingdom (La vallée de l'or noir) (Thomas), Doctor at Large (Toubib en liberté) (Thomas), Orders to Kill (Ordre de tuer) (Asquith) ; 1958, Thérèse Étienne (La Patellière), Seven Thunders (Les sept tonnerres) (Fregonese) ; 1959, The Living Idol (Lewin), Upstairs and Downstairs (Entrée de service) (Thomas) ; 1960, Doctor in Love (Thomas), The French Mistress (Boulting), Foxhole in Cairo (Moxey) ; 1961, Very Important Person (V.I.P. ou Le prisonnier récalcitrant) (Annakin), The Guns of Navarone (Les canons de Navarone) (Lee-Thompson) ; 1962, Dr. Crippen (Lynn), The Fast Lady (La merveilleuse Anglaise) (Annakin), Murder She Said (Le train de seize heures cinquante) (Pollock), The Guns of Darkness (Sept heures avant la frontière (Asquith), Le repos du guerrier (Vadim), A Pair of Briefs (Thomas), Crooks Anonymous (Annakin) ; 1963, Father Came Too (Thomas), Mystery Submarine (Les requins de la haute mer) (Pennington-Richards) ; 1964, Up From the Beach (Le jour d'après) (Parrish) ; 1965, The Face of Fu-Manchu (Le masque de Fu-Manchu) (Sharp), You Must Be Joking (Winner), Doctor in Clover (Thomas) ; 1967, Hell is Empty (Ainsworth, Knowles), The Trygon Factor (Le signe du Trigone) (Frankel), A cœur joie (Bourguignon), Histoires extraordinaires

(Vadim) ; 1968, Chitty Chitty Bang Bang (Hugues), Mayerling (Young) ; 1970, Zeta One (Cort), Doctor in Trouble (Thomas), Some Will Some Won't (Wood).

Ce pittoresque Écossais, d'une haute stature, barbu et hirsute, a fait tous les métiers avant de jouer les patrons (*A tombeau ouvert*) ou les forts en gueule (*Capitaine sans peur*) à l'écran où sa verve bonhomme amusa longtemps les spectateurs qui remarquaient cette fausse rondeur. Mais plus que de ses rôles, il était fier d'avoir développé une théorie sur la pollution du whisky. Il devait naturellement prendre place, rappellent Lefèvre et Lacourbe dans *Trente ans de cinéma britannique*, au générique de *Whisky à gogo*.

K

Kalfon, Jean-Pierre

Acteur français né en 1938.

1963, La drogue du vice (Bénazeraf) ; 1964, Et la femme créa l'amour (Collin), La femme-spectacle (Lelouch) ; 1965, Une fille et des fusils (Lelouch), Les grands moments (Lelouch) ; 1966, Mamaia (Varela), La longue marche (Astruc), Safari diamants (Drach) ; 1967, Mon amour, mon amour (N. Trintignant), L'amour fou (Rivette), Les oiseaux vont mourir au Pérou (Gary) ; 1968, Les idoles (Marc'O), Week-end (Godard), La bande à Bonnot (Fourastié), Les gauloises bleues (Cournot), Le lit de la vierge (Garrel) ; 1969, Paul (Madveczky) ; 1970, Le maître du temps (Pollet) ; 1971, Jupiter (Prévost) ; 1972, La vallée (Schroeder) ; 1973, Les gants blancs du diable (Szabo) ; 1974, Un ange passe (Garrel) ; 1975, Zig-zig (Szabo), Le bon et les méchants (Lelouch) ; 1976, L'apprenti-salaud (Deville), Si c'était à refaire (Lelouch) ; 1977, Les apprentis sorciers (Cozarinsky) ; 1978, Le coup du singe (Bitton et J.-P. Kalfon) ; 1979, La chanson de Roland (Cassenti), La guerre des polices (Davis) ; 1980, La femme flic (Boisset), Les uns et les autres (Lelouch), Jetzt und Alles (Vitzthum) ; 1981, Allons z'enfants (Boisset), Condorman (Condorman) (Jarrott), Une étrange affaire (Granier-Deferre), Chassé-croisé (Dombasle), Nestor Burma, détective de choc (Miesch), Dogs of War (Les chiens de guerre) (Irvin) ; 1982, Hécate (Schmid), Mille milliards de dollars (Verneuil), Liberty Belle (Kané) ; 1983, Vivement dimanche (Truffaut), Canicule (Boisset), Rue barbare (Béhat) ; 1984, Laisse béton (Le Péron), L'amour par terre (Rivette), Le jumeau (Robert), La nuit porte jaretelles (Thévenet), Le déclic (Richard) ; 1985, L'amour ou presque (Gautier) ; 1987, Le cri du hibou (Chabrol), Vent de panique (Stora), Corps z'à corps (Halimi), Funny boy (Le Hémonet), Sécurité publique (Benattar) ; 1988, Le septième ciel (Daniel) ; 1991, Et demain... Hollywood (Villemer) ; 1994, Les cent et une nuits (Varda) ; 1995, Dieu, l'amant de ma mère et le fils du charcutier (Issermann) ; 1996, Le jour et la nuit (Lévy) ; 1998, Folle d'elle (Cornuau), L.A. Without a Map (I Love L.A.) (M. Kaurismäki), La vie ne me fait pas peur (Lvovsky) ; 1999, Saint-Cyr (Mazuy) ; 2000, Total western (Rochant), Gamer (Fishman) ; 2001, Lulu (Roger) ; 2003, Les baigneuses (Candas) ; 2004, Ne fais pas ça ! (Bondy) ; 2005, Code 68 (Roger) ; 2007, La vie d'artiste (Fitoussi) Dans les cordes (Richard-Serrano), Il a suffi que maman s'en aille (Féret).

Une vie pleine de fugues et de petits métiers. Du théâtre et de la figuration chez Lelouch, Godard et Truffaut, puis New York et la musique : il joue avec Bob Marley en 1973. Retour au cinéma avec *La chanson de Roland*. Remarqué dans un rôle de chanteur de rock complètement vidé dans *Rue barbare*. Par la suite il ne semble pas prendre au sérieux sa carrière.

Kane, Carol

Actrice américaine née en 1952.

Principaux films : 1970, Is this Strip really Necessary ? (Benoît) ; 1971, Carnal Knowledge (Ce plaisir qu'on dit charnel) (Nichols), Desperate Characters (Gilroy) ; 1973, Wedding in White (Fruet), The Last Detail (La dernière corvée) (Ashby) ; 1975, Dog Day Afternoon (Un après-midi de chien) (Lumet), Hester Street (Silver) ; 1976, Harry and Walter Go to New York (Rydell) ; 1977, Valentino (Valentino) (Russell), Annie Hall (Annie

Hall) (Allen), The World's Greatest Lover (Drôle de séducteur) (G. Wilder), The Mafu Cage (Arthur) ; 1979, The Muppet Movie (Les Muppets) (Frawley), When a Stranger Calls (Terreur sur la ligne) (Walton) ; 1980, Les jeux de la comtesse Dolingen de Gratz (C. Binet) ; 1981, Thursday the Twelfth (Sole) ; 1982, Norman Loves Rose (Safran) ; 1987, The Princess Bride (Princess Bride) (Reiner) ; 1992, In the Soup (In the Soup) (Rockwell) ; 1998, Man on the Moon (Man on the Moon) (Forman), The Tic Code (Winick), Jawbreaker (Jawbreaker) (Stein) ; 1999, The Shrink Is In (Benjamin) ; 2000, My First Mother (Lahti).

Vedette de l'underground, elle adore les rôles de névrosée (*Mafu Cage*) ou de victime (le terrifiant *Terreur sur la ligne*). Elle affectionne aussi les films « difficiles » (*Les jeux de la comtesse Dolingen, Hester Street*, etc.), ce qui explique qu'elle reste, malgré son visage pâle et chiffonné et ses grands yeux, peu connue du grand public.

Kaprisky, Valérie

Actrice française, de son vrai nom Chérès, née en 1962.

1981, Une glace avec deux boules (Lara), Le jour se lève et les conneries commencent (Mulot), Les hommes préfèrent les grosses (Poiré) ; 1982, Aphrodite (Fuest), Breathless (A bout de souffle made in USA) (McBride), Légitime violence (Leroy) ; 1984, La femme publique (Zulawski), L'année des méduses (Frank) ; 1986, La gitane (Broca) ; 1988, Mon ami le traître (Giovanni) ; 1990, Milena (Belmont) ; 1992, La fine e' nota (C. Comencini) ; 1993, Mouvements du désir (Pool) ; 1994, Dis-moi oui (Arcady) ; 1997, Glam (Evans) ; 2000, Making Of (Boisliveau) ; 2003, Une place parmi les vivants (Ruiz) ; 2005, Mon petit doigt m'a dit (Thomas) ; 2006, Les Irréductibles (Bertrand) ; 2007, Le cœur des hommes 2 (Esposito).

Après deux films comme « Valérie Chérès », nom auquel elle substitua celui de sa mère, un départ sous le signe de l'érotisme (sa plastique le lui permet) et un film avec Richard Gere pour partenaire. Confrontée à l'univers de Zulawski, elle se tire parfaitement d'affaire tout en nous révélant à nouveau ses charmes. Elle sera enfin une gitane particulièrement séduisante chez Philippe de Broca. Échec pourtant pour *Milena* malgré la caution de Kafka. Mais était-elle le personnage ? La suite est sans intérêt.

Karina, Anna

Actrice et réalisatrice danoise, de son vrai nom Ann Karin Bayer, née en 1940.

1951, Charlotte et son steak (c.m. Rohmer) ; 1959, Pigin Og Skoene (La fille aux chaussures) (Smedes) ; 1960, Le petit soldat (Godard) ; 1961, Ce soir ou jamais (Deville), Une femme est une femme (Godard), Shell Have To Go (Asher), Le soleil dans l'œil (Bourdon) ; 1962, Cléo de 5 à 7 (Varda), Vivre sa vie (Godard), Schéhérazade (Gaspard-Huit), Les quatre vérités (épis. Le corbeau et le renard) (Bromberger) ; 1963, Dragées au poivre (Baratier), Un mari à un prix fixe (Givray) ; 1964, Bande à part (Godard), La ronde (Vadim), De l'amour (Aurel), Le soldatesse (Des filles pour l'armée) (Zurlini), Alphaville — une étrange aventure de Lemmy Caution (Godard), Pierrot le fou (Godard) ; 1965, Le voleur de Tibidabo (Ronet), La religieuse de Diderot (Rivette) ; 1966, Le plus vieux métier du monde (épis. Anticipation) (Godard), Made in USA (Godard), Lo straniero (L'étranger) (Visconti) ; 1967, Lamiel (Aurel) ; 1968, The Magus (Jeux pervers) (Green), Before Winter Comes (Avant que vienne l'hiver) (Lee-Thompson), Michael Kolhaas (Michael Kolhaas le rebelle) (Schlöndorff) ; 1969, Laughter in the Dark (La chambre obscure) (Richardson), Justine (Cukor) Le temps de mourir (Farwagi) ; 1970, L'alliance (Chalonge) ; 1971, Rendez-vous à Bray (Delvaux), The Salzburg Connection (Notre agent à Salzbourg) (Katzin) ; 1973, Vivre ensemble (Karina), Pane e cioccolata (Pain et chocolat) (Brusati), L'invenzione di Morel (L'invention de Morel) (Greci) ; 1974, L'assassin musicien (Jacquot) ; 1975, Les œufs brouillés (Santoni), Life (Lommel) ; 1976, Chinesisches Roulett (Roulette chinoise) (Fassbinder) ; 1977, Comme chez nous (Meszaros) ; 1978, Chaussette surprise (Davy) ; 1983, L'ami de Vincent (Granier-Deferre) ; 1984, Ave Maria (Richard) ; 1986, L'île au trésor (Ruiz) ; 1987, Dernier été à Tanger (Arcady), Cayenne Palace (Maline) ; 1988, Last Song (Berry), L'œuvre au noir (Delvaux) ; 1990, Mander der ville skyldig (L'homme qui voulait savoir) (Roos) ; 1994, Haut bas fragile (Rivette). *Comme réalisatrice :* 1973, Vivre ensemble.

Mannequin chez Cardin, cette Danoise venue à Paris à l'âge de dix-huit ans va devenir une vedette grâce à Jean-Luc Godard (six films) qui l'épouse. Marquée par l'étiquette de la Nouvelle Vague, elle sera assez intelligente pour s'en affranchir et jouer sous la direction de réalisateurs aussi divers que Cukor, Visconti ou Fassbinder. Rappelons qu'elle a dirigé elle-même un film : *Vivre ensemble*. Signe particulier : a jadis porté malheur aux films qu'elle tournait ; en effet *Le petit soldat* et *La religieuse* furent interdits.

Karl, Roger

Acteur français, de son vrai nom Trouvé, 1882-1984.

1918, Le siège des trois (Baroncelli) ; 1920, L'homme du large (L'Herbier) ; 1922, L'ombre déchirée (Poirier), Jocelyn (Poirier), La femme de nulle part (Delluc) ; 1924, L'affaire du courrier de Lyon (Poirier), La goutte de sang (Mariaud) ; 1926, Le calvaire de Dona Pia (H. Krauss), L'espionne aux yeux noirs (Desfontaines) ; 1927, Le vertige (L'Herbier), Le diable au cœur (L'Herbier) ; 1928, Le désir (Durec), Maldone (Grémillon) ; 1931, Fantômas (Fejos) ; 1932, Coups de feu à l'aube (Poligny), Stupéfiants (Gerron) ; 1933, Ein gewisser Herr Grant (Un certain Mr. Grant) (Lamprecht), L'étoile Valencia (Poligny), La bataille (Farkas) ; 1934, Le diable en bouteille (Hilpert), Les nuits moscovites (Granowsky), Le prince Jean (Marguenat), Le miroir aux alouettes (Steinhoff), Quand minuit sonnera (Joannon) ; 1935, Barcarolle (Lamprecht), Les mystères de Paris (Gandera), Lucrèce Borgia (Gance), Einer zuviel an Bord (Un homme de trop à bord) (Lamprecht) ; 1936, Le Golem (Duvivier), L'or (Poigny), Sous les yeux d'Occident (M. Allégret), Au service du tsar (Billon), La gondole aux chimères (Genina) ; 1937, Mademoiselle Docteur (Pabst), L'homme à abattre (Mathot), A Venise une nuit (Christian-Jaque), Der Tiger von Eschnapur (Le tigre du Bengale) (Eichberg), La bête aux sept manteaux (Limur) ; 1938, Le joueur (Lamprecht), La belle revanche (Mesnir), Tarakonova (Ozep) ; 1939, Fort Dolorès (Le Hénaff), Cas de conscience (Kapps) ; 1940, Après Mein Kampf, mes crimes (Ryder) ; 1941, Le valet maître (Mesnier) ; 1942, Le voyageur de la Toussaint (Daquin), Mahlia la métisse (Kapps), Le camion blanc (Joannon) ; 1943, Un seul amour (Blanchar), La vie de plaisir (Valentin) ; 1945, Boule de suif (Christian-Jaque), Mission spéciale (Cannonge), L'ennemi sans visage (Cammage) ; 1947, Rumeurs (Daroy) ; 1952, Tourbillon (Rode) ; 1961, La poupée (Baratier) ; 1964, L'amour à la chaîne (Givray).

Ce Berrichon à la noble stature et au collier bien taillé incarna pendant longtemps les grands-ducs de Russie (*Au service du tsar, Nuits moscovites...*) ou les officiers prussiens (*Boule de suif*). Il fut même le pape Alexandre VI dans *Lucrèce Borgia*. Publiant, sous le pseudonyme de Michel Balfort, *Le journal d'un homme de nulle part*, il fit preuve d'un profond désenchantement à l'égard du septième art, lui préférant le théâtre. Il avait été premier prix du Conservatoire et avait travaillé avec Copeau.

Karloff, Boris

Acteur d'origine britannique, de son vrai nom William Henry Pratt, 1887-1969.

1916, The Dum Girl of Portici (Ratinof) ; 1919, His Majesty The American) (Henabery) ; 1920, The Last of the Mohicans (Tourneur), The Courage of Marge O'Doone (Smith), The Prince and Betty (Thornby), The Deadlier Sex (Thornby) ; 1921, The Hope Diamond Mystery (Payton), Without Benefit of Clergy (Young), Cheated Harts (Henley), The Cave Girl (Franz) ; 1922, The Altar Stairs (Hillyer), The Infidel (Young), Omar the Tentmaker (Young), The Man From Downing Street (José), The Woman Conquers (Forman) ; 1923, The Prisoner (Conway) ; 1924, Dynamite Dan (Mitchell), Parisian Nights (Santell) ; 1925, Forbidden Cargo (Buckingham), Never The Twain Shall Meet (Tourneur), Prairie Wife (Ballin), Lady Robinhood (R. Ince) ; 1926, Man in the Saddle (Clifford Smith), Eagle of the Sea (Lloyd), The Greater Glory (Rehfeld), The Bells (Young), The Golden Web (W. Lang), Flames (Moomaw), Her Honor the Governor (Withey), Flaming Fury (Hogan), Old Ironsides (Cruze) ; 1927, The Meddlin' Stranger (Thorpe), The Phantom Buster (Bertram), Tarzan and the Golden Lion (MacGowan), Soft Cushions (La fleur de Bagdad) (Cline), Two Arabian Knights (Frères d'armes) (Milestone), The Love Mart (Louisiane) (Fitzmaurice), Let It Rain (Quelle averse) (Cline) ; 1928, Vultures of the Sea (Thorpe), The Little Wild Girl (Mattisson), Burning the Wind (McRae) ; 1929, The Devil Chaplain (Worne), Phantoms of the North (Webb), Two Sisters (Pembroke), Behind the Curtain (Cummings), The Fatal Warning (Thorpe), King of the Congo (Logan), The Unholy Night (L. Barrymore) ; 1930, The Utah Kid (Thorpe), The Sea Bat (Ruggles), Mothers Cry (Henley), The Bad One (Fitzmaurice) ; 1931, The Criminal Code (Hawks), King of the Wild (Eason), Cracked Nuts (Cline), Young Donovan's Kid (Niblo), Smart Money (Green), The Public Defender (Ruben), I Like Your Nerve (McGann), Five Star Final (LeRoy) ; 1931, The Mad Genius (Curtiz), Guilty Generation (Lee), The Yellow Ticket (Le passeport jaune) (Walsh), Pardon Us (Sous les verrous) (Parrott) ; 1932, Graft (Cabanne), Tonight or Never (LeRoy), Business and Pleasure (Butler), Alias the Doctor (Curtiz), Scarface (Hawks), The Cohens and Kellys in Hollywood (Dillon), The Miracle Man (McLeod), Frankenstein (Whale), Behind the Mask (Dillon), The Mummy (La Momie) (Freund), The Old Dark House (Une soirée étrange) (Whale), Night World (Henley), The Mask of Fu Manchu (Le masque d'or) (Brabin) ; 1933, The Ghoul (Hayes Hunter), The Man Who Dared (MacFadden) ; 1934, The Black Cat (Le chat noir) (Ulmer), Gift of Gab (Freund), The Lost Patrol (La patrouille perdue) (Ford), The House of Rothschild (Werker) ; 1935, The Raven (Le corbeau) (Friedlander), Bride of Frankenstein (La fiancée de Frankenstein) (Whale) ; 1935, The Black Room (Baron Gregor) (Neill) ; 1936, The Invisible Ray (Le rayon invisible) (Hillyer), Charlie Chan at the Opera (Charlie Chan à l'Opéra) (Humberstone), The Walking Dead (Le mort qui marche) (Curtiz), The Man Who Changed His Mind (Cerveaux de rechange) (Stevenson), Juggernaut (H. Edwards) ; 1937, Night Key (Alerte la nuit) (Corrigan), West of Shanghai (Farrow) ; 1938, The Invisible Menace (Farrow), Mr. Wong detective (Nigh) ; 1939, Mr. Wong in Chinatown (Nigh), The Mystery of Mr. Wong (Nigh), The Man They Couldn't Hang (Grinde), Son of Frankenstein (Le fils de Frankenstein) (Lee), Tower of London (La tour de Londres) (Lee) ; 1940, British Intelligence Service (Morse), The Fatal Hour (Nigh), Doomed to Die (Nigh), Devil's Island (L'île du diable) (Clemens), The Ape (Nigh), Black Friday (Vendredi 13) (Lubin), Before I Hang (Grinde), The Man with Nine Lives (Grinde), You'll Find Out (Butler) ; 1941, The Devil Commands (Dmytryk) ; 1942, The Boogie Man Will Get You (Landers) ; 1944, The Climax (Waggner), House of Frankenstein (La maison de Frankenstein) (Kenton) ; 1945, The Body Snatcher (Wise), Isle of the Dead (L'île des morts) (Robson) ; 1946, Bedlam (Robson) ; 1947, Lured (Des filles disparaissent) (Sirk), Unconquered (Les conquérants d'un nouveau monde) (DeMille), The Secret Life of Walter Mitty (La vie secrète de Walter Mitty) (McLeod), Dick Tracy Meets Gruesome (Dick Tracy contre le gang) (Rawlins) ; 1948, Tap Roots (Le sang de la terre) (Marshall) ; 1949, Abbott and Costello Meet the Killer (Deux nigauds chez les tueurs) (Barton) ; 1951, Strange Door (Le château de la terreur) (Pevney) ; 1952, The Black Castle (Le mystère du château noir) (Juran) ; série des Colonel March (court métrage) ; 1953, Sabaka (Ferrin), Abbott and Costello Meet Dr. Jekyll and Mr. Hyde (Deux nigauds contre Dr Jekyll et Mr. Hyde) (Lamont), Il Mostro dell'isola (Femme perdue) (Montero) ; 1956, The Juggler of Our Lady (dessin animé de Deitch, commentaire) ; 1957, Voodoo Island (LeBorg) ; 1958, Grip of the Strangler (R. Day), Frankenstein 1970 (Koch), Corridors of Blood (Day) ; 1963, The Raven (Le corbeau) (Corman), The Terror (Corman) ; 1964, A Comedy of Terrors (Tourneur), I Tre volti della paura (Les trois visages de la peur) (Bava) ; 1965, Die Monster, Die (Haller) ; 1966, The Venitian Affair (Minuit sur le grand canal) (Thorpe), Mad Monster Party (Bass, voix seulement), Girl in the Invisible Bikini (Weiss) ; 1967, The Sorcerers (Reeves) ; 1968, The Curse of the Crimson Altar (La maison ensorcelée) (Sewell), Targets (La cible) (Bogdanovitch), The Snake People (Hill), The Incredible Invasion (Hill) ; 1971, Cauldron of Blood (Hill).

Son nom reste à jamais associé à celui du monstre de Frankenstein. Et pourtant ce digne Britannique, d'une honorable famille, se destinait à la diplomatie. Contraint d'émigrer au Canada en 1909, il participe par hasard au tournage d'un film en 1916 à Los Angeles. Sa voie est trouvée. D'abord figurant puis cantonné dans de petits rôles (généralement de méchants), il se voit proposer le rôle du monstre (prévu pour Bela Lugosi) dans *Frankenstein* de Whale. Le maquillage de Pierce va le rendre célèbre. En vain refuse-t-il d'être enfermé dans ce type de personnage. Il ne pourra échapper au cinéma d'horreur. Il devra même affronter dans plusieurs films son vieux rival Lugosi-Dracula puis sera réduit au rôle de faire-valoir des pitoyables Abbott et Costello. C'est Corman qui contribue à le relancer, mais toujours dans l'épouvante. Dans son film, *Targets*, Karloff (il avait choisi ce pseudonyme en hommage à sa mère d'origine russe) joue pratiquement son propre rôle. Trois autres films produits par Corman devaient rester confidentiels. Karloff serait mort désespéré de n'avoir jamais eu de rôles autres que ceux de ces films d'horreur qu'il détestait tant.

Karmann, Sam

Acteur et réalisateur français né en 1953.

1981, Le grand pardon (Arcady) ; 1983, La balance (Swaim) ; 1984, Les voleurs de la nuit (Fuller), Réveillon chez Bob (D. Granier-Deferre) ; 1985, Train d'enfer (Hanin), Under the Cherry Moon (Under the Cherry Moon) (Prince), Suivez mon regard (Curtelin) ; 1987, La rumba (Hanin) ; 1989, Chère canaille (Kurc) ; 1990, Hiver 54 – L'abbé Pierre (Amar) ; 1992, Cuisine et dépendances (Muyl) ; 1993, La cité de la peur (Berbérian) ; 1996, Delphine : 1, Yvan : 0 (Farrugia) ; 1998, Le ciel, les oiseaux... et ta mère ! (Bensalah), Ça reste entre nous (Lamotte) ; 1999, Kennedy et moi (Karmann), Le goût des autres (Jaoui). *Pour le metteur en scène*, voir le *Dictionnaire du cinéma*, t. I : *Les réalisateurs*.

Du théâtre à la fin des années 70, puis sa haute stature dégingandée et son regard noir l'emmènent vers le néopolar dont il est un « heavy » régulier. C'est pourtant sa collaboration avec Jean-Pierre Bacri et Agnès Jaoui, sur *Cuisine et dépendances* (pièce suivie d'une adaptation cinéma) qui va le révéler au grand public. Son très drôle court métrage *Omnibus* (1993) glâne l'oscar et la palme d'or du meilleur court métrage, du jamais vu. Suivra *Kennedy et moi*, un premier film assez noir sur la crise de la quarantaine.

Karyo, Tcheky

Acteur français né en 1953.

1981, Le retour de Martin Guerre (Vigne), Toute une nuit (Akerman) ; 1982, Que les gros salaires lèvent le doigt (D. Granier-Deferre), La balance (Swaim) ; 1983, La java des ombres (Goupil), Le marginal (Deray) ; 1984, Les nuits de la pleine lune (Rohmer), Le matelot 512 (Allio), L'air du crime (Klarer) ; 1985, Contes clandestins (Crèvecœur), L'amour braque (Zulawski), L'unique (Diamant-Berger) ; 1986, Bleu comme l'enfer (Boisset), États d'âme (Fansten) ; 1987, Le moine et la sorcière (Schiffmann), Spirale (Frank) ; 1988, L'ours (Annaud) ; 1989, Nikita (Besson), Corps perdus (de Gregorio), La fille des collines (Davis), Australia (Andrien) ; 1990, Isabelle Eberhardt (Isabelle Eberhardt) (Pringle), Vincent et moi (Rubbo) ; 1991, L'affût (Bellon), L'atlantide (Swaim), A grande arte (Salles) ; 1992, 1492 – Christophe Colomb (Scott), Zadoc et le bonheur (Salfati), La villa del venerdi (Bolognini) ; 1993, And the Band Played On (Les soldats de l'espérance) (Spottiswoode), La cité de la peur (Berberian), L'ange noir (Brisseau) ; 1994, Colpo di luna (Simone), Nostradamus (Christian), Bad Boys (Bad Boys) (Bay) ; 1995, Operation Dumbo Drop (Wincer), Crying Freeman (Crying Freeman) (Gans), GoldenEye (GoldenEye) (Campbell), Habitat (Daalder), To Have and to Hold (Hillcoat), Va dove ti porta il cuore (Va où ton cœur te porte) (C. Comencini) ; 1996, Passagio per il paradiso (Passage vers le paradis) (Baiocco), Terra estrangeira (Terre étrangère) (Thomas, Salles), Albergo Roma (Chiti), Les mille merveilles de l'univers (Roux), Dobermann (Kounen), Addicted to Love (Addicted to Love) (Dunne) ; 1997, Que la lumière soit ! (A. Joffé), My Life So Far (Hudson) ; 1998, Babel (Pullicino), Wing Commander (Wing Commander) (Roberts), Comme un poisson hors de l'eau (Hadmar), Jeanne d'Arc (Besson) ; 1999, The Patriot (The Patriot – Le chemin de la liberté) (Emmerich), Saving Grace (Saving Grace) (Cole) ; 2000, Le roi danse (Corbiau) ; 2001, Kiss of the Dragon (Nahon) ; 2002, Blade 2 (Blade 2) (Del Toro) ; 2003, The Good Thief (L'homme de la riviera) (Jordan) ; 2004, Taking Lives, (Taking Lives, destins violés) (Caruso), Utopia (Ripoli) ; 2004, Blueberry (Kounen), Ne quittez pas ! (A. Joffé), Un long dimanche de fiançailles (Jeunet) ; 2007, Le mas des Alouettes (Taviani), Jacquou le Croquant (Boutonnat).

Il impose dans des films parfois déroutants son étrange personnalité. Les réalisateurs américains lui confient souvent des rôles de méchant notamment dans *GoldenEye* où il incarne bun mafieux notoire.

Kassovitz, Mathieu

Acteur et réalisateur français né en 1968.

1979, Au bout du bout du banc (Kassovitz) ; 1981, L'année prochaine si tout va bien (Hubert) ; 1990, Un été sans histoire (Harel) ; 1991, Touch and Die (Solinas) ; 1993, Métisse (Kassovitz) ; 1994, Regarde les hommes tomber (Audiard) ; 1995, La cité des enfants perdus (Jeunet, Caro), La haine (Kassovitz) ; 1996, Mon homme (Blier), Un héros très discret (Audiard), Des nouvelles du Bon Dieu (Le Pêcheur) ; 1997, The Fifth Element (Le cinquième élément) (Besson), Assassin(s) (Kassovitz), Le plaisir (et ses petits tracas) (Boukhrief) ; 1998, Jakob the Liar (Jakob le menteur) (P. Kassovitz) ; 1999, Birthday Girl (Butterworth) ; 2000, Le fabuleux destin d'Amélie Poulain (Jeunet) ; 2001, Amen (Costa-Gavras), Nadia (Butterworth) ; 2006, Munich (Munich) (Spielberg). *Pour le metteur en scène*, voir le *Dictionnaire du cinéma*, t. I : *Les réalisateurs*.

Fils du réalisateur Peter Kassovitz, c'est sa propre casquette de réalisateur qui fait de lui un chouchou des médias et du grand public. Mais l'acteur est aussi très convaincant dans les films de Jacques Audiard, où il tient la vedette. Ainsi le jeune paumé de *Regarde les hommes tomber* ou le pseudo-résistant arriviste d'*Un héros très discret*. Également acteur principal de ses propres films plus ancrés dans la réalité contemporaine, il dit vouloir se consacrer désormais uniquement à la réalisation, mais effectue régulièrement des apparitions devant la caméra.

Kasznar, Kurt

Acteur américain, 1913-1979.

1947, The Perils of Pauline (Les exploits de Pearl White) (Marshall) ; 1951, The Light Touch (Brooks) ; 1952, Anything Can Happen (Seaton), Happy Time (Sacré printemps) (Fleischer) ; 1953, Lili (Walters), Vaquero (Farrow) ; 1954, The Last Time I Saw Paris (La dernière fois que j'ai vu Paris) (Brooks) ; 1955, Flame of the Islands (La femme du hasard) (Ludwig), My Sister Eileen (Ma sœur est du tonnerre) (Quine) ; 1956, Anything Goes (Lewis) ; 1957, Legend of the Lost (La cité disparue) (Hathaway) ; 1958, Helden (Les soldats ne sont pas de bois) (Wirth) ; 1959, The Journey (Le voyage) (Litvak) ; 1962, Fifty-Five Days at Peking (Les 55 jours de Pékin) (Ray) ; 1967, Casino Royale (Casino Royale) (Huston, Parrish), The Perils of Pauline (Visa pour l'aventure) (Leonard, Shelley).

Petit, gros, le teint basané, il joue les métèques, bons en général, sauf dans *Flame of the Islands*. Son nom est associé à quelques comédies sociales. Un compromis entre Peter Lorre et Dalio.

Kaye, Danny

Acteur américain, de son vrai nom David Daniel Komonsky, 1913-1987.

1944, Up in Arms (Un fou s'en va-t-en guerre) (Nugent) ; 1945, Wonder Man (Le joyeux phénomène) (Humberstone) ; 1946, The Kid From Brooklyn (Le laitier de Brooklyn) (McLeod) ; 1947, The Secret Life of Walter Mitty (La vie secrète de Walter Mitty) (McLeod) ; 1948, A Song is Born (Si bémol et fa dièse) (Hawks) ; 1949, The Inspector General (Vive monsieur le Maire) (Koster), It's A Great Feeling (Les travailleurs du chapeau) (Butler) ; 1950, On the Riviera (Sur la Riviera) (Lang) ; 1952, Hans Christian Andersen (Hans Christian Andersen et la danseuse) (Vidor) ; 1953, Knock on Wood (Un grain de folie) (Frank/Panama) ; 1954, Assignment Children (documentaire pour l'UNICEF), White Christmas (Noël blanc) (Curtiz) ; 1955, The Court Jester (Le bouffon du roi) (Frank/-Panama) ; 1958, Merry Andrew (Le fou du cirque) (Kidd), Me and the Colonel (Moi et le colonel) (Glenville) ; 1959, The Five Pennies (Millionnaire de cinq sous) (Shavelson) ; 1963, The Man from the Diner's Club (Les pieds dans le plat) (Tashlin) ; 1968, The Madwoman of Chaillot (La folle de Chaillot) (Forbes).

Fils d'un tailleur d'origine russe, il débute très jeune dans des revues. C'est à partir de 1933 qu'il s'impose comme chanteur et danseur. Au cinéma, après quelques petits films (*Dime a Dance*, 1937 ; *Money or Your Life, Getting an Eyeful*, 1938), il fait sa véritable apparition en vedette en 1944. Il crée un personnage un peu lunaire, plein de fantaisie et de gentillesse, dont on ne saurait dire qu'il remet en cause les fondements de la société. Certaines œuvres sont franchement drôles (*Knock on Wood, The Man from the Diner's Club*), d'autres exécrables (*White Christmas*). Dany Kaye fut surtout célèbre pour sa création de Walter Mitty. Depuis quelques années il s'était consacré à des associations comme l'Unicef.

Keach, Stacy

Acteur et réalisateur américain né en 1941.

1963, Island of Love (DaCosta) ; 1968, The Heart Is a Lonely Hunter (Le cœur est un chasseur solitaire) (Miller) ; 1969, End of the Road (Avakian) ; 1970, The Travelling Executioner (La ballade du bourreau) (Smight), Brewster McCloud (Altman) ; 1971, Doc (Doc Holiday) (Perry), Fat City (La dernière chance) (Huston) ; 1972, The Repeater (Keach), The New Centurions (Les flics ne dorment pas la nuit) (Fleischer), Luther (Green), The Life and Time of Judge Roy Bean (Juge et hors-la-loi) (Huston) ; 1974, Watched (Parsons), The Gravy Train (Starrett) ; 1975, Hamburger Hamlet (Haggerty), Conduct Unbecoming (M. Anderson), The Killer Inside Me (Kennedy) ; 1977, The Squeeze (Le piège infernal) (Apted), Duellists (Les duellistes) (Scott), Gray Lady Down (Sauvez le Neptune) (Greene), Gli esecutori (L'exécuteur) (Lucidi) ; 1978, Il grande attacco (La grande bataille) (Lenzi), Two Solitudes (Chetwynd), Up in Smoke (Faut trouver le joint) (Adler), La montagna del dio cannibale (La montagne du dieu cannibale) (Martino) ; 1979, The Ninth Configuration (Blatty) ; 1980, The Long Riders (Le gang des frères James) (Hill), A Rumor of War (Heffron) ; 1981, Cheech and Chong's Nice Dreams (Chong), Road Games (Franklin) ; 1982, The Championship Season (Miller), Butterfly (Cimber) ; 1984, Lies (Wheat) ; 1990, Milena (Belmont), Class of 1999 (Lester) ; 1991, False Identity (J. Keach) ; 1993, Sunset Grill (Connor), New Crime City (Windfrey), Body Bags (Carpenter et Hooper) ; 1994, Raw Justice (Prior) ; 1995, Prey of the Jaguar (DeCoteau) ; 1996, John Carpenter's Escape to LA (Los Angeles 2013) (Carpenter) ; 1997, Future Fear (Baumander), False Identity (J. Keach) ; 1998, American

History X (American History X) (Kaye), Birds of Passage (Michel) ; 1999, Fear Runs Silent (Rodnunsky) ; 2000, Mercy Streets (Gunn), Militia (Wynorski), Unshackled (Patton). *Comme réalisateur :* 1972, The Repeater.

Fils du comédien Stacy Keach Sr. et frère de James Keach (ils seront les frères James dans le western de Walter Hill), il fait beaucoup de théâtre avant de se tourner vers le cinéma où il incarne surtout, poil brun, larges épaules et fine moustache, des héros virils. Il a dirigé en 1972 *The Repeater*.

Keaton, Buster

Acteur et réalisateur américain, 1895-1966.

Filmographie : voir le *Dictionnaire du cinéma*, t. I : *Les réalisateurs. A compléter, à partir de 1939, par les films suivants où il n'est plus qu'acteur :* 1939, Hollywood Cavalcade (Cummings), Pest from the West (Del Lord), Mooching Through Georgia (Bruckman), Nothing But Pleasure, Pardon My Berth Marks, The Spook Speaks, The Taming of the Snood ; 1940, His Ex-Marks the Spot (tous de White), The Villain Still Pursued Her (Cline), Lil' Abner (Rogell) ; 1941, She's Oil Mine (White), So You Won't Squawk (Del Lord) ; 1943, Forever and a Day (Lloyd), 1944, Bathing Beauty (Le bal des sirènes) (Sidney), San Diego I Love You (Le Borg) ; 1945, That's the Spirit (Lamont) ; 1946, El Moderno Barba Azul (Pan dans la lune) (Salvador) ; 1950, Un duel à mort (Bondy), Sunset Boulevard (Boulevard du Crépuscule) (Wilder) ; 1952, Limelight (Chaplin) ; 1956, Around the World in 80 Days (Le tour du monde en quatre-vingts jours) (Anderson) ; 1960, The Adventures of Huckleberry Finn (Les aventuriers du fleuve) (Curtiz), 1963, It's a Mad Mad Mad Mad World (Un monde fou, fou, fou, fou) (Kramer) ; 1964, Pajama Party (Don Weis) ; 1965, Reach Sergeant Deadhead (Taurog), Due marines e un generale (Scattini), Film (Beckett/Schneider), The Railrodder (L'homme du rail) (Potterton), Buster Keaton Rides Again (Spotton) ; 1966, The Scribe (Sebert), A Funny Thing Happened on the Way to the Forum (Le forum en folie) (Lester).

L'impassibilité du roc, « l'homme qui ne rit jamais ». On a dit, dans le *Dictionnaire des réalisateurs*, ce que le créateur avait apporté au septième art, il se confond avec sa légende. Après 1939, partie de sa carrière étudiée ici, c'est la chute. Vieilli, limité à des rôles insignifiants, Keaton se survit, génial dans *Limelight*.

Keaton, Diane

Actrice et réalisatrice américaine, de son vrai nom Hall, née en 1946.

1970, Lovers and Other Strangers (Lune de miel aux orties) (C. Howard) ; 1971, Play It Again, Sam (Tombe les filles et tais-toi) (H. Ross) ; 1972, The Godfather (Le parrain) (Coppola) ; 1973, Sleeper (Woody et les robots) (Allen) ; 1974, The Godfather 2 (Le parrain 2) (Coppola) ; 1975, Love and Death (Guerre et amour) (Allen) ; 1976, I Will... I Will... For Now (C'est toujours oui quand elles disent non) (Panama), Harry and Walter Go to New York (Deux farfelus à New York) (Rydell), Looking for Mister Goodbar (A la recherche de M. Goodbar) (Brooks) ; 1977, Annie Hall (Annie Hall) (Allen) ; 1978, Interiors (Intérieurs) (Allen) ; 1979, Manhattan (Manhattan) (Allen) ; 1980, Reds (Reds) (Beatty), Melvin and Howard (Demme) ; 1981, Shoot the Moon (Parker) ; 1982, Midsummernight's Sex Comedy (Comédie érotique d'une nuit d'été) (Allen) ; 1984, Little Dreamer Girl (La petite fille au tambour) (Roy Hill), Mrs Soffel (Armstrong) ; 1986, Crimes of the Heart (Crimes du cœur) (Beresford) ; 1987, Baby Boom (Shyer), Radio Days (Radio Days) (Allen) ; 1988, The Good Mother (Le prix de la passion) (Nimoy) ; 1990, The Godfather, Part III (Le parrain 3) (Coppola) ; 1990, The Lemmon Sisters (Chopra) ; 1991, Father of the Bride (Le père de la mariée) (Shyer) ; 1992, Manhattan Murder Mystery (Meurtre mystérieux à Manhattan) (Allen) ; 1993, Amelia Earhart (Simoneau) ; 1995, Father of the Bride 2 (Shyer) ; 1996, Marvin's Room (Simples secrets) (Zaks), The First Wives Club (Le club des ex) (Wilson) ; 1997, The Only Thrill (Masterson) ; 1998, The Other Sister (Marshall), All About Alfred (Canawati), Town and Country (Chelseom) ; 1999, Hanging Up (Raccroche !) (Keaton) ; 2001, Plan B (Yaitanes) ; 2003, Something's Gotta Give (Tout peut arriver) (Meyers) ; 2005, The Family Stone (Esprit de famille) (Bezucha). *Pour la réalisatrice*, voir le *Dictionnaire du cinéma*, t. I : *Les réalisateurs*.

Nièce, selon certaines sources, de Buster Keaton. Elle débuta dans des comédies musicales (*La mélodie du bonheur, Hair*) tout en étudiant l'art théâtral à l'université. A l'écran, elle devint la partenaire préférée de Woody Allen et gagna un oscar en 1977 avec *Annie Hall*. Mais elle a montré aussi de réels talents dramatiques dans les films de Brooks et de Beatty. On la retrouve avec plaisir dans un film de Woody Allen : *Meurtre mystérieux à Manhattan*, où compagne d'Allen elle l'entraîne dans une extravagante enquête. Le couple qu'elle forme avec Jack Nicholson dans *Tout peut arriver* renouvelle avec brio la comédie américaine. Elle s'est orientée vers la mise en scène avec *Heaven* en 1987.

Keaton, Michael

Acteur américain né en 1951.

1982, Night Shift (Howard) ; 1983, Mr. Mom (Mr. Mom) (Dragoti) ; 1984, Johnny Dangerously (Heckerling) ; 1986, Gung Ho (Gung Ho) (Howard), Touch and Go (Mandel) ; 1987, Clean and Sober (Retour à la vie) (Caron), The Squeeze (Manhattan Loto) (Roger Young) ; 1988, She's Having a Baby (La vie en plus) (Hughes), The Dream Team (Une journée de fous) (Zieff), Beetlejuice (Beetle juice) (Burton) ; 1989, Batman (Batman) (Burton) ; 1990, Pacific Heights (Fenêtre sur Pacifique) (Schlesinger) ; 1991, Batman Returns (Batman – le défi) (Burton), One Good Cop (Gould) ; 1992, Much Ado About Nothing (Beaucoup de bruit pour rien) (Branagh) ; 1993, The Paper (Le journal) (Howard), My Life (Rubin) ; 1994, Speechless (Underwood) ; 1996, Multiplicity (Mes doubles, ma femme et moi) (Ramis), Desperate Measures (L'enjeu) (Schroeder) ; 1997, Jackie Brown (Jackie Brown) (Tarantino) ; 1998, Out of Sight (Hors d'atteinte) (Soderbergh), Frost (Miller) ; 2000, A Shot at Glory (Corrente) ; 2001, Quicksand (Mackenzie) ; 2004, First Daughter (Des étoiles plein les yeux) (Whitaker) ; 2005, Herbie : Fully Loaded (La Coccinelle revient) (Robinson), White Noise (La voix des morts) (Sax).

Une carrière sans grand relief jusqu'à *Batman* sauf le psychopathe de *Fenêtre sur Pacifique*, un rôle à l'opposé du justicier masqué.

Kedrova, Lila

Actrice française d'origine russe, 1918-2000.

1953, Weg ohne Umkehr (Vicas, Von Mollo), Le défroqué (Joannon) ; 1954, Le grand jeu (Siodmak) ; 1955, Les impures (Chevalier), Razzia sur la chnouf (Decoin), Futures vedettes (M. Allégret), Des gens sans importance (Verneuil) ; 1956, Calle mayor (Grand'rue) (Bardem) ; 1957, Ce joli monde (Rim) ; 1958, Montparnasse 19 (Becker), La femme et le pantin (Duvivier) ; 1959, Mon pote le gitan (Gir) ; 1962, Kriss Romani (Schmidt) ; 1964, Alexis Zorbas (Zorba le Grec) (Cacoyannis) ; 1965, A High Wind in Jamaïca (Un cyclone à la Jamaïque) (Mackendrick) ; 1966, Torn Curtain (Le rideau déchiré) (Hitchcock), Penelope (Les plaisirs de Pénélope) (Hiller), Maigret à Pigalle (Landi) ; 1967, Le canard en fer-blanc (Poitrenaud) ; 1969, Tenderly (Brusati) ; 1970, The Kremlin Letter (La lettre du Kremlin) (Huston), Eliza's Horoscope (Sheppard) ; 1971, A Time for Loving (Le temps d'aimer) (Miles) ; 1972, Habricha el Hashemesh (Niet !) (Golan), Rak (Belmont) ; 1973, Soft Bed, Hard Battles (En voiture Simone !) (Boulting) ; 1974, Alla mia cara mamma nel giorno del suo compleanno (Salce) ; 1975, Il medaglione insanguinato (Perché ?) (Dallamano) ; 1976, Le locataire (Polanski) ; 1977, March or Die (Il était une fois la Légion) (Richards), Nido de viudas (Navarro), Moi, fleur bleue (Le Hung) ; 1978, Le cavaleur (Broca) ; 1979, Clair de femme (Costa-Gavras), Les égouts du paradis (Giovanni) ; 1980, Tell Me a Riddle (Grant) ; 1981, Il turno (Cervi) ; 1982, Sword of the Valiant (Weeks), Blood Tide (Jeffries) ; 1983, Testament (Littman) ; 1989, Some Girls (Hoffman) ; 1993, La prossima volta il fuoco (Et ensuite le feu) (Carpi).

D'origine russe (elle est née à Leningrad), elle suit sa mère, chanteuse d'opéra, quand elle a quatre ans. En dépit d'une stricte éducation musicale, elle s'intéresse davantage au théâtre et entame une carrière à l'âge de quinze ans. Elle débute à l'écran aux côtés de Pierre Fresnay et, multilingue, entame une carrière internationale hélas trop dispersée.

Keel, Howard

Acteur américain, de son vrai nom Harry Leek, 1919-2004.

1948, The Small Voice (Heures d'angoisse) (McDonnell) ; 1950, Annie Get Your Gun (Annie reine du cirque) (Sidney), Pagan Love Song (Chanson païenne) (Alton) ; 1951, Three Guys Named Mike (Vénus en uniforme) (Walters), Show Boat (Show Boat) (Sidney), Texas Carnival (Carnaval au Texas) (Walters), Calloway Went That Away (Une vedette disparaît) (Panama/Frank) ; 1952, Lovely to Look at (Les rois de la couture) (LeRoy), Desperate Search (Quatre jours d'angoisse) (Lewis) ; 1953, Fast Company (Sturges), Ride Vaquero (Vaquero) (Farrow), Kiss Me Kate (Embrasse-moi chérie) (Sidney), Jupiter's Darling (La chérie de Jupiter) (Sidney), Calamity Jane (La blonde du Far West) (Butler) ; 1954, Rose-Marie (LeRoy), Seven Brides for Seven Brothers (Les sept femmes de Barberousse) (Donen), Deep in my Heart (Au fond de mon cœur) (Donen) ; 1955, Kismet (L'étranger au paradis) (Minnelli) ; 1959, Floods of Fear (Froid dans le dos) (Crichton), The Big Fisherman (Simon le pêcheur) (Borzage) ; 1962, Armored Command (L'espionne des Ardennes) (Haskin) ; 1963, The Day of the Triffids (L'invasion des Triffids) (Sekely) ; 1966, Waco (La loi des hors-la-loi) (Springsteen) ; 1967, Red Tomahawk (Fort Bastion ne répond plus) (Springsteen), The War Wagon (La caravane de feu) (Kennedy) ; 1968, Arizona Bushwackers (Les rebelles de l'Arizona) (Selander) ; 1994, That's Entertainment III (That's Entertainment III) (Friedgen/Knievel).

Spécialiste de l'opérette à Broadway, il fut l'un des piliers de la comédie musicale à la MGM. A partir de 1955, il a tourné quelques films non musicaux.

Keeler, Ruby

Actrice américaine, de son vrai nom Ethel Keeler, 1909-1993.

1930, Show Girl in Hollywood (LeRoy) ; 1933, Forty-Second Street (42e rue) (Bacon), Footlight Parade (Prologues) (Bacon), Gold Diggers of 1933 (Chercheuses d'or 1933) (LeRoy) ; 1934, Dames (Enright), Flirtation Walk (Mademoiselle général) (Borzage) ; 1935, Go into Your Dance (Entrez dans la danse) (Mayo), Shipmates Forever (Borzage) ; 1936, Colleen (Green) ; 1937, Ready Willing and Able (Enright) ; 1941, Sweetheart of the Campus (Dmytryk) ; 1961, The Phynx (Katzin).

Elle fut l'interprète des grandes comédies musicales de la Warner au début du parlant et son nom est lié à celui de Berkeley. Elle fut mariée à Al Jolson.

Keitel, Harvey

Acteur américain né en 1947.

1968, Who's that Knocking at my Door ? (Scorsese) ; 1970, Street Scene (Scorsese) ; 1973, Mean Streets (Mean Streets) (Scorsese) ; 1975, Alice Doesn't Live Here Anymore (Alice n'est plus ici) (Scorsese), That's the Way of the World (Shore) ; 1976, Taxi Driver (Taxi Driver) (Scorsese), Mother, Jugs and Speed (Ambulances tous risques) (Yates), Buffalo Bill and the Indians (Buffalo Bill et les Indiens) (Altman) ; 1977, Welcome to L.A. (Welcome to Los Angeles) (A. Rudolph), The Duellists (Duellistes) (Scott) ; 1978, Fingers (Mélodie pour un tueur) (Toback), Blue Collar (Schrader) ; 1979, The Eagle's Wing (A. Harvey), Saturn 3 (Saturn 3) (Donen), La mort en direct (Tavernier) ; 1980, Bad Timing (Enquête sur une passion) (Roeg) ; 1981, La nuit de Varennes (Scola) ; 1982, The Border (Police frontière) (Richardson) ; 1983, Une pierre dans la bouche (Leconte), Exposed (Surexposé) (Toback), Order of Death (Faenza) ; 1984, Falling in Love (Grosbard), Nemo (Selignac) ; 1985, A couteau tiré (Faenza), Un complicato intrigo di donne vicoli e delitti (Camorra) (Wertmuller) ; 1986, El Caballero del Dragon (Colomo), Off Beat (Le flic était presque parfait) (Dinner), Wise Guys (DePalma), Blindside (P. Lynch) ; 1987, The Pick-up Artist (Tobak), L'inchiesta (Damiani) ; 1988, Caro Gorbaciov (Lizzani), The Last Temptation of Christ (La dernière tentation du Christ) (Scorsese), The Men's Club (Men's club) (Medak) ; 1989, Two Evil Eyes (Deux yeux maléfiques) (Romero), The January Man (Calendrier meurtrier) (O'Connor) ; 1990, The Two Jakes (The Two Jakes) (Nicholson), Grandi Cacciatori (Caminito) ; 1991, Bad Lieutenant (Bad Lieutenant) (Ferrara), Mortal Thoughts (Pensées mortelles) (Rudolph), Thelma and Louise (Thelma et Louise) (Scott), Bugsy (Bugsy) (Levinson), Reservoir Dogs (Reservoir Dogs) (Tarantino) ; 1992, Sister Act (Sister Act) (Ardolino), The Piano (La leçon de piano) (Campion), The Assassin/Point of No Return (Nom de code : Nina) (Badham) ; 1993, The Young Americans (Cannon), Snake Eyes (Snake Eyes) (Ferrara), Rising Sun (Soleil levant) (Kaufman), Monkey Trouble (Mon ami Dodger) (Amurri), Pulp Fiction (Pulp Fiction) (Tarantino) ; 1994, Imaginary Crimes (Drazan), Somebody to Love (Somebody to Love) (Rockwell), Smoke (Smoke) (Wang), Blue in The Face (Brooklyn boogie) (Wang, Auster) ; 1995, To vlemma tou odyssea (Le regard d'Ulysse) (Angelopoulos), Clockers (Clockers) (Lee), From Dusk till Dawn (Une nuit en enfer) (Rodriguez), Head Above Water (Wilson), Get Shorty (Get Shorty — Stars et truands) (Sonnenfeld) ; 1996, City of Industry (City of Crime) (Irvin), Full Tilt Boogie (Kelly), Copland (Copland) (Mangold) ; 1997, Fairy Tale — A True Story (Le mystère des fées — Une histoire vraie) (Sturridge), Shadrach (Shadrach) (Styron), Finding Graceland (Road to Graceland) (Winkler) ; 1998, Lulu on the Bridge (Lulu on the Bridge) (Auster), Three Seasons (Trois saisons) (Bui), My West (Veronesi), Holy Smoke (Holy Smoke) (Campion) ; 1999, The Prince of Central Park (Leekley), U-571 (U-571) (Mostow), Presence of Mind (Alloy) ; 2000, Little Nicky (Little Nicky) (Brill), The Grey Zone (Blake Nelson) ; 2001, Ginostra (Pradal) ; 2002, Red Dragon (Dragon rouge) (Ratner), Taking Sides (Taking Sides) (Szabo) ; 2004, National Treasure (Benjamin Gates et le trésor des Templiers) (Turteltaub) ; 2005, Be Cool (Be Cool) (Gray), The Bridge of the San Luis Rey (Le pont du roi Saint Louis) (McGuckian), Galindez (Galindez) (Herrero) ; 2006, A Crime (Un crime) (Pradal) ; 2007, National

Treasure 2 : the Book of Secrets (Benjamin Gates et le livre des secrets) (Turteltaub).

Ancien marine, ancien élève de l'Actor's Studio, il est révélé par Scorsese. Son personnage ainsi poli éclate dans *Duellists* de Scott où il est un officier issu du peuple qui poursuit avec obstination et au nom d'un code de l'honneur artificiel un adversaire en duel. Keitel y est remarquable. *Fingers* et *Blue Collar* le confirment dans ses personnages de battant aux limites de l'absurde avant que le cinéma français ne l'humanise. Mais il retrouve vite des rôles extravagants, notamment dans *Bad Lieutenant* de Ferrara (complètement fou) et le sanglant *Reservoir Dogs*, sans parler de *Snake Eyes*. Il s'humanise à nouveau dans *La leçon de piano* et *Le regard d'Ulysse*.

Keith, Brian

Acteur américain, 1921-1997.

1924, Pied Piper Malone (Green) ; 1953, Arrowhead (Le sorcier du Rio Grande) (Warren) ; 1954, Jivaro (L'appel de l'or) (Ludwig), Alaska Seas (Hopper), Bamboo Prison (Seiler) ; 1955, The Violent Men (Le souffle de la violence) (Maté), Tight Spot (Coincée) (Karlson) ; 1956, Storm Center (Taradash) ; 1957, Nightfall (Tourneur), Run of the Arrow (Le jugement des flèches) (Fuller), Dino (Carr), Chicago Confidential (Salkow), Hell Canyon Outlaws (Landres) ; 1958, Fort Dobbs (Sur la piste des Comanches) (Douglas), Hell's Highway (Koch), Desert Hell (Warren), Sierra Baron (Clark), Appointment with a Shadow (Carlson), Villa ! (Clark) ; 1959, The Young Philadelphians (Ce monde à part) (V. Sherman) ; 1960, Ten Who Dared (Beaudine) ; 1961, The Parent Trap (Swift), The Deadly Companions (Peckinpah) ; 1962, Moon Pilot (Neilson) ; 1963, Savage Sam (Tokar), The Raiders (Daugherty) ; 1964, A Tiger Walks (Tokar), Those Calloways (Tokar), The Pleasure Seekers (Negulesco) ; 1965, The Hallelujah Trail (Sur la piste de la Grande Caravane) (Sturges), The Russians Are Coming, The Russians Are Coming (Les Russes arrivent, les Russes arrivent) (Jewison) ; 1966, Nevada Smith (Hathaway), Way... Way Out (Tiens bon la rampe, Jerry) (Douglas) ; 1967, Reflections in a Golden Eye (Reflets dans un œil d'or) (Huston) ; 1968, With Six You Get Eggroll, Krakatoa (Kowalski) ; 1969, Gaily, Gaily (Jewison) ; 1970, Suppose They Gave a War and Nobody Came (Averback), The Mackenzie Break (L. Johnson) ; 1971, Scandalous John (R. Butler), Something Big (McLaglen) ; 1974, The Yakuza (Yakuza) (Pollack) ; 1975, The Wind and the Lion (Le lion et le vent) (Milius) ; 1976, Nickelodeon (Nickelodeon) (Bogdanovich), Joe Panther (Krasny) ; 1978, Hooper (Needman) ; 1979, Meteor (Météore) (Neame), Moonraker (Moonraker) (L. Gilbert) ; 1980, Mountain Men (Fureur sauvage) (Lang) ; Hammett (Hammett) (Wenders) ; 1981, Charlie Chan and the Curse of the Dragon Queen (Donner) ; 1982, Sharkey's Machine (L'antigang) (Reynolds) ; 1986, Riposte immédiate (T. Leonard) ; 1988, Young Guns (Young Guns) (Cain).

Fils de l'acteur Robert Keith, il débute très jeune dans la carrière. Ses vrais débuts se situent en fait dans des westerns à partir de 1953. A l'inverse de son père, c'est un *heavy*, un dur. Un dur parfois sensible. Dans *The Deadly Companions*, ayant tué accidentellement le fils de Maureen O'Hara, il aide la mère à transporter le cercueil à travers une contrée infestée d'Indiens. Il est aussi le partisan de la négociation avec les Indiens, contre l'avis de Ralph Meeker, dans *Run of the Arrow*. Pourtant ne nous y fions pas. On le retrouve en chef de gang, d'une froide cruauté, dans *Night-fall*.

Keith, Robert

Acteur américain, 1898-1966.

1949, My Foolish Heart (Robson) ; 1950, Edge of the Doom (Robson), The Reformer and the Redhead (Frank et Panama), Woman on the Run (Foster) ; 1951, Fourteen Hours (Quatorze heures) (Hathaway), Here Comes the Groom (Capra), I Want You (Robson) ; 1952, Just Across the Street (Pevney), Somebody Loves Me (Brecher) ; 1953, Small Town Girl (Le joyeux prisonnier) (Kardos), Devil's Canyon (Nuit sauvage) (Werker), Battle Circus (Le cirque infernal) (Brooks) ; 1954, The Wild One (L'équipée sauvage) (Benedek), Drum Boat (L'aigle solitaire) (Daves) ; 1955, Young at Heart (Douglas), Underwater (La Vénus des mers chaudes) (Sturges), Guys and Dolls (Blanches colombes et vilains messieurs) (Mankiewicz), Love Me or Leave Me (Les pièges de la passion) (Vidor) ; 1956, Ransom (Segal), Written on the Wind (Écrit sur du vent) (Sirk), Between Heaven and Hell (Le temps de la colère) (Fleischer) ; 1957, Men in War (Cote 465) (A. Mann), My Man Godfrey (Mon homme Godfrey) (Koster) ; 1958, The Lineup (Siegel) ; 1959, They Came to Cordura (Ceux de Cordura) (Rossen) ; 1960, Cimarron (La ruée sauvage) (Mann) ; 1961, Posse from Hell (Coleman), La tempesta (Lattuada) ; 1965, Orazi e Curiazi (Les Horace et les Curiace) (Baldi).

Dialoguiste de films, auteur dramatique, metteur en scène à Broadway, il n'a tenu comme acteur à Hollywood que des emplois de seconds rôles : mais il fut inoubliable en officier commotionné et qu'il fallait transporter dans *Men in War*, en chef de police dépassé par la horde des motocyclistes de *The Wild One* ou en journaliste écrasé par la ruée des chariots dans *Cimarron*.

Kellaway, Cecil

Acteur américain, 1893-1973.

Principaux films : 1942, I Married a Witch (Ma femme est une sorcière) (Clair) ; 1945, Kitty (La duchesse des bas-fonds) (Leisen) ; 1946, The Postman Always Rings Twice (Le facteur sonne toujours deux fois) (Garnett) ; 1965, Hush... Hush, Sweet Charlotte (Chut, chut, chère Charlotte) (Aldrich).

Spécialisé dans les rôles de petit vieux : le sorcier de *I Married a Witch* et le mari de Lana Turner dans *The Postman Always Rings Twice* ont fait sa célébrité.

Keller, Marthe

Actrice d'origine suisse née en 1945.

1966, Funeral in Berlin (Mes funérailles à Berlin) (Hamilton) ; 1967, Wilder Reiter (Le cavalier sauvage) (Spieker) ; 1968, Le diable par la queue (Broca) ; 1969, Les caprices de Marianne (Broca) ; 1970, Un cave (Grangier) ; 1971, La vieille fille (Blanc) ; 1972, Elle court, elle court la banlieue (Pirès), La raison du plus fou (Reichenbach) ; 1973, Toute une vie (Lelouch), La chute d'un corps (Polac) ; 1974, Seul le vent connaît la réponse (Vohrer), Per le antiche scale (Bolognini) ; 1975, Le guêpier (Pigault) ; 1976, Marathon Man (Marathon Man) (Schlesinger), Black Sunday (Frankenheimer) ; 1977, Bobby Deerfield (Bobby Deerfield) (Pollack), Fedora (Fedora) (Wilder) ; 1980, The Formula (La formule) (Avildesen) ; 1981, The Amator (L'homme de Prague) (Jarrott) ; 1984, Femmes de personne (Frank) ; 1985, Rouge baiser (Belmont) ; 1987, Les yeux noirs (Mikhalkov) ; 1991, Lapse of Memory (Mémoire traquée) (Dewolf) ; 1993, Mon amie Max (Brault) ; 1994, Sostiene Pereira (Pereira prétend) (Faenza) ; 1996, Nuits blanches (Deflandre), Elles (Galvão Teles), K (Arcady) ; 1998, L'école de la chair (Jacquot), Le derrière (Lemercier).

Danse à l'opéra de Bâle puis théâtre (Heidelberg, Berlin-Est...) et télévision (*La demoiselle d'Avignon* de Wyn, *La chartreuse de Parme* de Bolognini...). Au cinéma, pas une star, mais de nombreux rôles en vedette, notamment dans *Bobby Deerfield*.

Kellerman, Sally

Actrice américaine née en 1938.

1957, Reform School Girl (Bernds) ; 1962, Hands of a Stranger (N. Arnold) ; 1965, The Third Day (Smight) ; 1968, The Boston Strangler (L'étrangleur de Boston) (Fleischer) ; 1969, The April Fools (Folies d'avril) (Rosenberg) ; 1970, Mash (Mash) (Altman), Brewster McCloud (Brewster McCloud) (Altman) ; 1972, Last of the Red Hot Lovers (Saks) ; 1973, The Lost Horizon (Les horizons perdus) (Jarrott), Slither (Zieff), A Reflection of Fear (Fraker) ; 1975, Rafferty and the Gold Dust Twins (D. Richards) ; 1976, The Big Bus (Le bus en folie) (Frawley) ; 1977, Welcome to L.A. (Welcome to Los Angeles) (Rudolph) ; 1979, Magee and the Lady (Levitt), A Little Romance (I Love You, je t'aime) (Roy Hill), Deux affreux sur le sable (Gessner) ; 1980, Head on, Serial (Persky), Melvin and Howard (Demme), Loving Couples (Smight) ; 1986, That's Life (Edwards), Back to School (A fond la fac) (Metter) ; 1992, The Player (The Player) (Altman) ; 1994, Younger and Younger (Adlon), Ready to Wear (Prêt-à-porter) (Altman) ; 1997, PCH (McCormick), The Lay of the Land (Arrick).

Chanteuse autant qu'actrice (même si elle est passée par l'Actor's Studio), elle n'a jamais eu à l'écran la position d'une star, faute d'un rôle qui lui convienne. C'est Jean Domarchi qui attira en France l'attention sur cette « succulente » comédienne encore à la recherche d'un personnage.

Kelly, Gene

Acteur et réalisateur américain, 1912-1996.

1942, For Me and My Gal (Berkeley) ; 1943, Pilot n° 5 (Sidney) ; 1943, Dubarry Was a Lady (La Dubarry était une dame) (Del Ruth), Thousand Cheer (Parade aux étoiles) (Sidney), The Cross of Lorraine (La croix de Lorraine) (Garnett) ; 1944, Cover Girl (La reine de Broadway) (Ch. Vidor), Christmas Holiday (Siodmak) ; 1945, Anchors Aweigh (Escale à Hollywood) (Sidney) ; 1946, Ziegfeld Follies (Minnelli) ; 1947, Living in a Big Way (La Cava) ; 1948, The Pirate (Le pirate) (Minnelli), The Three Musketeers (Les trois mousquetaires) (Sidney), Words and Music (Ma vie est une chanson) (Taurog) ; 1949, Take Me Out to the Ball Game (Match d'amour) (Berkeley) ; 1950, On the Town (Un jour à New York) (Kelly et Donen), The Black Hand (La main noire) (Thorpe), Summer Stock (La jolie fermière) (Walters) ; 1951, An American in Paris (Un Américain à Paris) (Minnelli) ; 1952, It's a Big Country (Thorpe, Sturges, Wellman et Hartman), Singin'in the Rain (Chantons sous la pluie) (Kelly et Donen), The Devil Makes Three (Marton) ; 1954, Brigadoon (Minnelli), Crest of the Wave (L'île du danger) (J. et R. Boulting) ; 1955, Deep in my Heart (Au fond de mon cœur) (Donen), It's Always Fair Weather (Beau fixe sur New York) (Kelly et Donen) ; 1956, Invitation to the Dance (Invitation à la danse) (Kelly) ; 1957, The Happy Road (La route joyeuse) (Kelly), Les Girls (Cukor) ; 1958, Marjorie Morningstar (La fureur d'aimer) (Rapper), The Tunnel of Love (Père malgré lui) (Kelly) ; 1960, Inherit the Wind (Procès de singe) (Kramer), Let's Make Love (Le milliardaire) (Cukor) ; 1964, What a Way to Go (Madame Croque-maris) (Lee-Thompson) ; 1967, Les demoiselles de Rochefort (Demy) ; 1973, Forty Carats (Katselas) ; 1974, That's Entertainment (Il était une fois Hollywood) (Healey Jr.) ; 1976, That's Entertainment 2 (Hollywood... Hollywood !) (Kelly) ; 1977, Viva Knievel (Le casse-cou) (Douglas) ; 1980, Xanadu (Greenwald) ; 1981, Reporters (Depardon) ; 1994, That's Entertainment III (That's Entertainment III) (Friedgen/Knievel). *Pour le metteur en scène*, voir le *Dictionnaire du cinéma*, t. I : *Les réalisateurs*.

Acteur, chanteur, danseur, réalisateur et producteur, Kelly était un homme complet. Il avait débuté dans la danse à huit ans et, en 1931, il ouvrait sa propre école de danse. Mais ses débuts de chorégraphe se situent en 1938 à la Playhouse de Pittsburgh. Le succès l'incite à tenter sa chance à Broadway. Robert Alton l'engage pour *Leave It to Me*. D'autres pièces suivent. *Pal Joey* fait un triomphe. Ses premiers essais au cinéma ne révèlent pas sa forte personnalité. Il faut attendre *Cover Girl*. En 1944, après avoir tourné en duo avec Astaire dans *Ziegfeld Follies*, il s'engagea dans l'aéronautique. Libéré en 1946, il reprit le chemin des studios. Il passa à la mise en scène dans *Un jour à New York* dont il régla la chorégraphie. Toutefois, il fut assisté de Donen. Deux films établirent la légende de Kelly : *Un Américain à Paris* et *Chantons sous la pluie*. Ne vint-il pas en 1960, à l'Opéra de Paris, régler un ballet, *Pas de Dieux* ? Comme Astaire, il devait pourtant abandonner les rôles dansants pour des personnages comiques et se consacrer — sans toujours beaucoup de succès — à la mise en scène. On le revit danser toutefois dans *Les demoiselles de Rochefort* et esquisser quelques pas, à la Cinémathèque française, lors de la rétrospective qui lui fut consacrée.

Kelly, Grace

Actrice américaine, 1929-1982.

1951, Fourteen Hours (Quatorze heures) (Hathaway) ; 1952, High Noon (Le train sifflera trois fois) (Zinnemann) ; 1953, Mogambo (Mogambo) (Ford) ; 1954, Rear Window (Fenêtre sur cour) (Hitchcock), Dial M for Murder (Le crime était presque parfait) (Hitchcock), Green Fire (L'émeraude tragique) (Marton), The Country Girl (Une fille de la province) (Seaton), The Bridges at Toko-Ri (Les ponts de Toko-Ri) (Robson) ; 1955, To Catch a Thief (La main au collet) (Hitchcock) ; 1956, High Society (Haute société) (Walters), The Swan (Le cygne) (Ch. Vidor).

Il était une fois la fille d'un riche entrepreneur de Philadelphie qui était si belle et si distinguée qu'on la prenait pour une princesse. Elle le fut à l'écran où sa blonde beauté fut remarquée par un prince (réel celui-là) qui l'épousa en 1956 et elle régna sur Monaco et eut beaucoup d'enfants. Les contes de fées s'arrêtent toujours là. Malheureusement, dans ce cas, la princesse périt dans un accident de voiture. Rappelons que Grace Kelly était également une fort bonne comédienne, très appréciée par Hitchcock en particulier, pour lequel elle symbolisait l'héroïne idéale, et qu'elle obtint un oscar en 1954 pour *The Country Girl*.

Kendall, Kay

Actrice anglaise, de son vrai nom Justine McCarthy, 1926-1959.

1944, Fiddlers Three (Watt), Champagne Charlie (Cavalcanti), Dreaming ; 1945, Waltz Time (Stein), Caesar and Cleopatra (César et Cléopâtre) (Pascal) ; 1946, London Town (London Follies) (Ruggles) ; 1950, Dance Hall (Crichton) ; 1951, Happy Go-lovely (Humberstone), Lady Godiva Rides Again (Launder) ; 1952, Wings of Danger, Curtain up (Smart), It Started in Paradise (C. Bennett) ; 1953, Mantrap, Street of Shadows, Genevieve (Cornelius), The Square Ring (Ralph), Meet Mr. Lucifer (A. Pelissier) ; 1954, Fast and Loose, Doctor in the House (R. Thomas) ; 1955, The Constant Husband (Gilliat), Simon and Laura (Box), Quentin Durward (Thorpe) ; 1956, Abdullah's Harem (Abdullah le grand) (Ratoff) ; 1957, Les Girls (Cukor) ; 1958, The Reluctante Debutante (Qu'est ce que maman comprend à l'amour ?) (Minnelli) ; 1959, Once More With Feeling (Chérie recommençons) (Donen).

Grande, mince, rousse, elle mit du temps à connaître la célébrité. Mariée à Rex Harrison en 1957, elle prend enfin avec *Les Girls* un départ foudroyant à Hollywood et amorce une grande carrière internationale... lorsque la leucémie vient la frapper.

Kennedy, Arthur

Acteur américain, 1914-1990.

1940, City for Conquest (La ville conquise) (Litvak) ; 1941, High Sierra (La grande évasion) (Walsh), Strange Alibi (Lederman), Knockout (Clemens), Highway West (McGann), Bad Men of Missouri (Enright), They Died With Their Boots on (La charge fantastique) (Walsh) ; 1942, Desperate Journey (Sabotage à Berlin) (Walsh) ; 1943, Air Force (Air Force) (Hawks) ; 1946, Devotion (La vie passionnée des sœurs Brontë) (Bernhardt) ; 1947, Boomerang (Boomerang) (Kazan), Cheyenne (Cheyenne) (Walsh) ; 1949, Too Late for Tears (La tigresse) (Haskin), Champion (Le champion) (Robson), The Window (Une incroyable histoire) (Tetzlaff), The Walking Hills (Les aventuriers du désert) (Sturges), Chicago Deadline (Enquête à Chicago) (Allen) ; 1950, The Glass Menagerie (La ménagerie de verre) (Rapper), Bright Victory (La nouvelle aurore) (Robson), Red Mountain (La montagne rouge) (Dieterle) ; 1952, Rancho Notorious (L'ange des maudits) (Lang), The Girl in White (Sturges), The Bend of the River (Les affameurs) (Mann), The Lusty Men (Les indomptables) (Ray) ; 1955, The Man from Laramie (L'homme de la plaine) (Mann), Trial (Le procès) (Robson), The Nacked Dawn (Le bandit) (Ulmer), The Desperate Hours (La maison des otages) (Wyler), Crashout (Foster) ; 1956, The Rawhide Years (Les années sauvages) (Maté) ; 1957, Peyton Place (Robson) ; 1958, Twilight for the Gods (Crépuscule sur l'Océan) (Pevney) ; 1959, Some Came Running (Comme un torrent), A Summer Place (Ils n'ont que vingt ans) (Daves) ; 1960, Elmer Gentry (Brooks) ; 1961, Claudette Inglish (Douglas), Home Is the Hero (F. Cook) ; 1962, Murder, She Said (Le train de 16 h 50) (Pollock), Hemingway's Adventures of a Young Man (Aventures de jeunesse) (Ritt), Barabbas (Fleischer), Lawrence of Arabia (Laurence d'Arabie) (Lean) ; 1964, Italiano, Brava Gente (G. de Santis), Cheyenne Autumn (Les Cheyennes) (Ford) ; 1965, Joy in the Morning (Segal), Murieta (Murieta) (Sherman), Nevada Smith (Nevada Smith) (Hathaway) ; 1966, La chica del lunes (Torre Nilsson) ; 1967, The Fantastic Voyage (Le voyage fantastique) (Fleischer), Shark (Fuller), Anzio (Anzio) (Dmytryk), Day of the Evil Gun (Le jour des Apaches) (J. Thorpe) ; 1969, Hail Hero (Miller) ; 1974, L'anticristo (L'antéchrist) (di Cardona), The Living Dead at the Manchester Morgue (Grau) ; 1975, La polizia ha le mani legate (Les dossiers rouges de la mondaine) (Ercoli) ; 1976, The Sentinel (La sentinelle des maudits) (Winner), 9 ospiti per un delitto (Baldi), Ciclon (Cyclone) (Cardona Jr.) ; 1977, Porco mondo (Bergonzelli) ; 1978, Bermude : La fossa maledeta (Bermudes : triangle de l'enfer) (Richmond) ; 1979, Roma a mano armata (Brigade spéciale) (Lenzi), L'umanoide (Lado).

Beaucoup de théâtre avant d'être embauché par la Warner sur le conseil de Cagney. Il y joua des rôles ambigus (*They Died...* de Walsh), parfois antipathique (surtout chez A. Mann), le plus souvent déchiré (*Rancho Notorious, The Lusty Men*). Mais si les cinéphiles lui vouent un culte c'est pour sa composition très complexe du bandit dans *The Naked Dawn*. Depuis 1968, il a sombré dans des productions de dernière catégorie dont les auteurs se cachent sous des pseudonymes.

Kennedy, Edgar

Acteur américain, 1890-1948.

1915-1927, *nombreux courts métrages*. 1928, Leave'm Laughing, The Finishing Touch, Should Married Men Go Home, Two Tars (avec Laurel et Hardy), From Soup to Nuts, You're Darn Tootin' (avec Laurel et Hardy, mis en scène par Kennedy) ; 1929, Trent's Last Case (Hawks), Unaccustomed As We Are, A Perfect Day, Bacon Grabbers, Angora Love (avec Laurel et Hardy) ; 1930, Night Owls (avec Laurel et Hardy) ; 1932, Hold'em Jail (Taurog) ; 1933, Duck Soup (Soupe au canard) (McCarey), Tillie and Gus (Martin) ; 1934, Twentieth Century (Train de Luxe) (Hawks) ; 1935, Kid Millions (Del Ruth), Robin Hood of Eldorado (Robin des Bois d'Eldorado) (Wellman) ; 1936, San Francisco (Van Dyke) ; 1937, A Star Is Born (Une étoile est née) (Wellman), True Confession (Ruggles) Super-Sleuth (Stoloff) ; 1939, It's a Wonderful World (Le monde est merveilleux) (Van Dyke) ; 1943, Air Raid Wardens (Laurel et Hardy chefs d'îlots) (Sedgwick), Crazy House (Cline) Hitler's Madman (Sirk) ; 1944, It Happened Tomorrow (C'est arrivé demain) (Clair), Anchors Aweigh (Escale à Hollywood) (Sidney) ; 1947, Mad Wednesday (Quel mercredi !) (Sturges) ; 1948, Unfaithfully Yours (Infidèlement vôtre) (Sturges).

Venu des Keystone Cops de Sennett et vedette de courts métrages comiques de Stuart Erwin, il est surtout connu comme le flic qui s'oppose à Laurel et Hardy dans plusieurs de leurs films. On l'a vu aussi dans quelques Charlots en 1914 comme *Star Boarder,*

Caught in a Cabaret, The Knockout et *Tillie's Punctured Romance.*

Kennedy, George

Acteur américain né en 1925.

1961, The Little Shepherd of Kingdom Come (McLaglen) ; 1962, Lonely Are the Brave (Seuls sont les indomptés) (Miller) ; 1963, The Man from the Diner's Club (Les pieds dans le plat) (Tashlin), Charade (Charade) (Donen) ; 1964, Strait-Jacket (La meurtrière diabolique) (Castle), Island of the Blue Dolphins (J.B. Clark), McHale's Navy (Montagne) ; 1965, In Harm's Way (Première victoire) (Preminger), Shenandoah (Les prairies de l'honneur) (McLaglen), Mirage (Dmytryk), The Sons of Katie Elder (Les quatre fils de Katie Elder) (Hathaway), The Flight of the Phoenix (Le vol du Phœnix) (Aldrich) ; 1967, Hurry Sundown (Que vienne la nuit) (Preminger), The Dirty Dozen (Les douze salopards) (Aldrich), Cool Hand Luke (Luke la main froide) (Rosenberg), The Ballad of Josie (McLaglen) ; 1968, Bandolero (McLaglen), The Pink Jungle (D. Mann), The Boston Strangler (L'étrangleur de Boston) (Fleischer), The Legend of Lylah Clare (Le démon des femmes) (Aldrich), Guns of the Magnificent Seven (Les colts des sept mercenaires) (Wendkos) ; 1969, The Good Guys and the Bad Guys (Un homme fait la loi) (Kennedy) ; 1970, Tick... Tick... Tick (Et la violence explosa) (Nelson), Dirty Dingus Magee (Un beau salaud) (Kennedy), Airport (Seaton) ; 1971, Fool's Parade (McLaglen) ; 1973, Lost Horizon (Les horizons perdus) (Jarrott), Cahill (Les cordes de la potence) (McLaglen) ; 1974, Thunderbolt and Lightfoot (Le canardeur) (Cimino), Earthquake (Tremblement de terre) (Robson), Airport 1975 (747 en péril) (Smight) ; 1975, The Human Factor (Dmytryk), The Eiger Sanction (La sanction) (Eastwood) ; 1977, Airport 77 (Les naufragés du 747) (Jameson) ; 1978, Brass Target (La cible étoilée) (Hough), Death on the Nile (Mort sur le Nil) (Guillermin), Mean Dog Blues (Stuart), Search and Destroy (Fruet), The Double McGuffin (Camp) ; 1979, Steel (Carver), Airport 80 (Lowell Rich) ; 1980, The Archer and the Sorceress (L'archer et la sorcière) (Corea), Death Ship (Le bateau de la mort) (Rakoff), Virus (Virus) (Fukazaku) ; 1981, Just Before Dawn (Survivance) (Lieberman) ; 1984, Chattanooga Choo Choo (Bilson), Red Dawn (L'aube rouge) (Milius), Bolero (Boléro) (Derek) ; 1986, The Delta Force (Delta force) (Golan), Radioactive Dreams (Pyun) ; 1987, Creepshow 2 (Creepshow 2) (Garnik) ; 1988, Born to Race (Fargo) ; 1989, The Naked Gun (Y a-t-il un flic pour sauver la reine ?) (Zucker) ; 1990, Braindead (Braindead) (Jackson) ; 1991, The Naked Gun 2 1/2 : The Smell of Fear (Y a-t-il un flic pour sauver le président ?) (Zucker), Hangfire (Maris), Intensive Care (Van Rouveroy) ; 1993, The Naked Gun 33 1/3 : The Final Insult (Y a-t-il un flic pour sauver Hollywood ?) (Segal) ; 1997, Bayoun Ghost (Compton) ; 2005, Don't Come Knocking (Don't Come Knocking) (Wenders).

Son père était chef d'orchestre et sa mère danseuse. Chanteur, animateur de radio, puis militaire de carrière, il n'a débuté qu'assez tard au cinéma, avant de se tourner, à partir de 1972, vers la télévision. Grand et fort, mais avec un physique qui ne respire pas l'intelligence, il est voué aux rôles de shérif ou de notable un peu dépassé par les événements. Mais il joue aussi les méchants : l'employé de Savalas que l'on retrouvait dans un mur (*The Man from the Diner's Club*) ou l'inquiétant tueur à la main artificielle (*Charade*). De toute manière il est promis à un sort malheureux et l'on se souvient du coup que lui assenait John Wayne dans *The Sons of Katie Elder*.

Kensit, Patsy

Actrice anglaise née en 1968.

1974, The Great Gatsby (Gatsby le magnifique) (Clayton) ; 1975, Alfie Darling (K. Hughes) ; 1976, The Blue Bird (L'oiseau bleu) (Cukor) ; 1979, Hanover Street (Guerre et passion) (Hyams), Lady Oscar (Demy) ; 1986, Absolute Beginners (Absolute Beginners) (Temple) ; 1988, Don Bosco (Castellani), A Chorus of Disapproval (Winner) ; 1989, Leathal Weapon 2 (L'arme fatale 2) (Donner) ; 1990, Der Skipper (Keglevic), Chicago Joe and the Showgirl (Chicago Joe et la showgirl) (Rose) ; 1991, Twenty-One (Twenty-One) (Boyd), Does This Mean We're Married ? (K. Wiseman), Bullseye ! (Winner), Blue Tornado (Dobb), Beltenebros (Miro) ; 1992, The Turn of the Screw (Tour d'écrou) (Lemorande), Timebomb (Timebomb) (Nesher) ; 1992, Blame It on the Bellboy (Herman) ; 1993, Bitter Harvest (Clark) ; 1995, Tunnel Vision (Fleury), Kleptomania (Boyd), Dream Man (Bonnière), At the Midnight Hour (Jarrott), Angels and Insects (Des anges et des insectes) (Haas) ; 1996, Grace of My Heart (Grace of My Heart) (Anders) ; 1998, Speedway Junky (Perry), Janice Beard 45wpm (Janice l'intérimaire) (Kilner) ; 1999, Best (McGuckian) ; 2000, Things Behind the Sun (Anders).

Bébé star dans de nombreux spots publicitaires, elle fait une première apparition à l'âge de quatre ans dans *Gatsby le magnifique*, puis interprète Mytyl dans la version de *L'oiseau bleu* réalisée par George Cukor, et Lady Oscar enfant dans le film de Demy. Plus tard, elle est lancée avec son personnage de Crêpe Suzette dans la comédie musicale *Absolute Beginners*, mais les rôles intéressants ne suivent pas. Reconvertie un temps dans la chanson au sein de son groupe Eighth Wonder, elle semble aujourd'hui revenir au cinéma, et, entre deux séries B, apparaît, extraordinairement belle, dans le fascinant *Des anges et des insectes*.

Keppens, Charles

Acteur et réalisateur belge.

1914, Chéri-Bibi (Krauss) ; 1916, Les gaz mortels (Gance), Barberousse (Gance), Vieillir (Marsan) ; 1917, Les épaves (Leprieur) ; 1918, La muraille qui pleure (Leprieur) ; 1925, Madame Sans-Gêne (Perret). *Pour le metteur en scène*, voir le *Dictionnaire du cinéma*, t. I : *Les réalisateurs*.

Interprète des films de Gance pendant la guerre de 1914-1918 alors qu'il s'était réfugié en France, il devint ensuite réalisateur. Il fut, paraît-il, un très bon Chéri-Bibi dans l'une des premières adaptations du roman de Gaston Leroux.

Kerjean, Germaine

Actrice française, 1893-1975.

1930, Fra Diavolo (Bonnard) ; 1941, Une vie de chien (Cammage) ; 1942, Goupi Mains rouges (Becker), L'homme qui joue avec le feu (Limur) ; 1943, Cécile est morte (Tourneur), Les mystères de Paris (Baroncelli) ; 1944, Le mystère Saint-Val (Le Hénaff) ; 1945, Naïs (Leboursier), Tant que je vivrai (Baroncelli) ; 1946, La colère des dieux (Lamac), La kermesse rouge (Mesnier) ; 1947, Le destin exécrable de Guillemette Babin (Radot) ; 1948, L'armoire volante (Rim) ; 1950, Dieu a besoin des hommes (Delannoy), Meurtres (Pottier), Caroline chérie (Pottier) ; 1951, Messaline (Gallone) ; 1953, Femmes de Paris (Boyer) ; 1954, Nana (Christian-Jaque) ; 1955, Voici le temps des assassins (Duvivier) ; 1956, L'eau vive (Villiers) ; 1958, Prisons de femmes (Cloche) ; 1962, Kriss Romani (Schmidt), Le diable et les dix commandements (Duvivier) ; 1963, Codine (Colpi) ; 1964, Par un beau matin d'été (Deray).

Brillante actrice de théâtre, entrée à la Comédie-Française et spécialisée à l'écran dans des rôles de composition. Elle fut extraordinaire dans « La chouette » des *Mystères de Paris*.

Kern, Peter

Acteur et réalisateur autrichien né en 1949.

1972, Heute Nacht oder nie (Cette nuit ou jamais) (Schmid), Ludwig – Requiem für einen jungfräulichen König (Ludwig – Requiem pour un roi vierge) (Syberberg) ; 1974, La Paloma (La Paloma) (Schmid), Falsche Bewegung (Faux mouvement) (Wenders), Karl May (Karl May, à la recherche du paradis) (Syberberg), Faustrecht der Freiheit (Le droit du plus fort) (Fassbinder) ; 1975, Mutter Küster fährt zum Himmel (Maman Küster s'en va au ciel) (Fassbinder) ; 1976, Sternsteinhof (Geissendorfer), Gruppenbild mit Dame (Portrait de groupe avec dame) (Petrovic), Die Wildente (Le canard sauvage) (Geissendorfer) ; 1977, Despair (Despair) (Fassbinder), Flammende Herzen (Cœurs enflammés) (Bockmayer et Bührmann), Hitler. Ein Film aus Deutschland (Hitler, un film d'Allemagne) (Syberberg), Bolwieser (La femme du chef de gare) (Fassbinder) ; 1979, Neues vom Räuber Hotzenplotz (Ehmck) ; 1983, Die wilden Fünfziger (Zadek) ; 1986, Der wilde Clown (Roedl) ; 1988, Kopffeuer (Michelberger) ; Die Jungfrauenmaschine (Treut) ; 1989, Johanna d'Arc of Mongolia (Ottinger) ; 1991, Malina (Malina) (Schroeter) ; 1992, Terror 2000 (Schlingensief) ; 1993, Erotique (Borden, Law, Magalhaes, Treut) ; 1994, Burning Life (Welz) ; 1995, Die Spalte (Schlingensief) ; 1996, Weibsbilder (Boden). *Comme réalisateur :* 1980, Die Wasserlilie blüht nicht mehr, Die Bootsmänner von Paysanjan ; 1983, Die Insel der blutigen Plantage ; 1987, Crazy Boy ; 1989, Hab ich nur deine Liebe ; 1990, Solange ich flichen kann noch, da schütze ich mich, Sex, Lear and Schroeter ; 1992, Grossenkind, Ein fetter Film ; 1993, Truth and Dare-Ishmael Bernal, Domenica ; 1995, Schmetterling im Dunkeln ; 1996, Der langsame Tod des... ; 1998, Hans Eppendorfer : Suche nach Lehen, knutschen, kuscheln, jubilieren ; 2001, Fifty-fifty ; 2002, Haider lebt-1, Kern Peter, April 2021.

Gras, mou, inquiétant, il fut un prodigieux comte Isidor Palewski dans *La Paloma*, contribuant puissamment à la création d'un climat de folie.

Kerr, Deborah

Actrice anglaise née en 1921.

1941, Major Barbara (French/Pascal), Love on the Dole (Bexter), Hatter's Castle (Le chapelier et son château) (Comfort), Penn of Pennsylvania (Comfort) ; 1942, The Day Will Dawn (La revanche ou Riposte à Narvik) (French) ; 1943, The Life and Death of Colonel Blimp (Colonel Blimp) (Powell/Pressburger) ; 1945, Perfect Stranger (Le verdict de l'amour) (Korda) ; 1946, I See a Dark Stranger (L'étrange aventurière) (Gillat/Launder) ; 1947, The Black Narcissus (Le narcisse noir) (Powell/Pressburger), The Hucksters (Marchands d'illusions) (Conway) ; 1948, If Winter Comes (Quand vient l'hiver) (Saville) ; 1949, Edward My Son (Edward mon fils) (Cukor) ; 1950, Please Believe Me (Taurog), King Salomon's Mines (Les mines du roi Salomon) (Bennett/Marton) ; 1951, Quo Vadis (LeRoy) ; 1952, The Prisoner of Zenda (Le prisonnier de Zenda) (Thorpe), Thunder in the East (Tonnerre sur le temple) (Vidor) ; 1953, Dream Wife (La femme rêvée) (Sheldon), From Here to Eternity (Tant qu'il y aura des hommes) (Zinnemann), Julius Caesar (Jules César) (Mankiewicz), Young Bess (La reine vierge) (Sidney) ; 1955, The End of the Affair (Vivre un grand amour) (Dmytryk) ; 1956, The King and I (Le roi et moi) (Lang), The Proud and the Profane (Un magnifique salaud) (Seaton), Tea and Sympathy (Thé et sympathie) (Minnelli) ; 1957, Heaven Knows Mr. Allison (Dieu seul le sait) (Huston), An Affair to Remember (Elle et lui) (McCarey) ; 1958, Bonjour tristesse (Preminger), Separate Tables (Tables séparées) (Mann) ; 1959, The Journey (Le voyage) (Litvak), The Beloved Infidel (Un matin comme les autres) (King), Count Your Blessings (J'ai épousé un Français) (Negulesco) ; 1960, The Sundowners (Horizons sans frontières) (Zinnemann), The Naked Edge (La lame nue) (Anderson) ; 1961, Grass Is Greener (Ailleurs l'herbe est plus verte) (Donen), The Innocents (Les innocents) (Clayton) ; 1963, The Chalk Garden (Mystère sur la falaise) (Neame), Night of the Iguana (La nuit de l'Iguane) (Huston) ; 1965, Marriage on the Roks (Donohue) ; 1966, Eye of the Devil (Thompson) ; 1967, Casino Royale (Casino Royale) (Guest/Hugues/Huston/Parrish), Prudence and the Pill (Prudence et la pilule) (Cook/Neame) ; 1969, The Gypsy Moths (Les parachutistes arrivent) (Frankenheimer), The Arrangement (L'arrangement) (Kazan).

D'une beauté un peu froide et terriblement distinguée, cette Écossaise fit ses débuts dans des films très britanniques et très guindés, avant de devenir une star aux États-Unis. Gouvernante dans *The Innocents*, religieuse dans *Heaven Knows, Mr. Allison*, femme du monde dans *Bonjour Tristesse* ou épouse déchirée dans *The Arrangement*, elle est toujours restée fidèle à un type de personnage où son élégance et son intelligence sont constamment mises en relief. De là la séduction qu'elle exerce sur un public féminin.

Kessler, Anne

Actrice française née en 1964.

1989, Un monde sans pitié (Rochant) ; 1990, Vincennes-Neuilly (Dupouey) ; 1992, Les amies de ma femme (Van Cauwelaert) ; 1995, La servante aimante (Douchet).

Vitez et Comédie-Française. Elle est remarquée dans le rôle d'Adeline du film de Rochant. A suivre.

Keyes, Evelyn

Actrice américaine née en 1919.

1938, The Buccaneer (Les flibustiers) (DeMille) (débuts), Sons of the Legion (Hogan), Men with Wings (Les hommes volants) (Wellman), Dangerous to Know (Florey), Artists and Models Abroad (Leisen) ; 1939, Union Pacific (Pacific express) (DeMille), Gone with the Wind (Autant en emporte le vent) (Fleming), Sudden Money (Grinde), Paris Honeymoon (Tuttle) ; 1940, Before I Hang (Grinde), The Lady in Question (C. Vidor), Slightly Honorable (Le poignard mystérieux (Garnett) ; 1941, The Face Behind the Mask (Florey), Here Comes Mr. Jordan (Le défunt récalcitrant) (Hall), Ladies in Retirement (C. Vidor), Beyond the Sacramento (Hillyer) ; 1942, Flight Lieutenant (Salkow), The Adventures of Martin Eden (Les aventures de Martin Eden) (Salkow) ; 1943, The Desperadoes (Les desperados) (C. Vidor), Dangerous Blondes (Jason) ; 1944, Nine Girls (Jason), A Thousand and One Nights (Aladin et la lampe merveilleuse) (Green), There's Something About a Soldier (Green), Strange Affair (Green) ; 1946, The Thrill of Brazil (Rio, rythme d'amour) (Simon), The Jolson Story (Le roman d'Al Jolson (Green/Lewis), Renegades (Les indomptés) (G. Sherman) ; 1947, Johnny O'Clock (L'heure du crime) (Rossen) ; 1948, The Mating of Millie (Une femme sans amour) (Levin), Enchantment (Vous qui avez vingt ans) (Reis) ; 1949, Mr. Soft Touch (Levin/Douglas), Mrs. Mike (Une femme dans le Grand Nord (King) ; 1950, The Killer that Stalked New York (Mc Evoy) ; 1951, Iron Man (Pevney), Smuggler's Island (Les pirates de Macao) (Ludwig), The Prowler (Le rôdeur) (Losey) ; 1952, Shoot First (Parrish), One Big Affair (Godfrey) ; C'est arrivé à Paris (Lavorel) ; 1953, 99 River Street (L'affaire de la 99e Rue) (Karlson) ; 1954, The Seven Year Itch (Sept ans de réflexion) (Wilder), Hell's Half Acre (Les bas-fonds d'Hawaii) (Auer) ; 1955, Top of the World (Foster) ; 1956, Around the World in Eighty Days (Le Tour du monde en 80 jours) (Todd) ; 1972, Across 110th Street (Meurtres dans la 110e Rue) (Shear) ; 1987, A Return to Salem's

Lot (Les enfants de Salem) (Cohen) ; 1988, Wicked Stepmother (Ma belle-mère est une sorcière) (Cohen).

Originaire de Port Arthur (Texas), ex-danseuse de night-clubs devenue actrice, cette belle fausse blonde s'est surtout distinguée dans les années 40 où elle était sous contrat avec la Columbia et où la concurrence était plutôt âpre (Rita Hayworth). Carrière assez inégale, mais figure tout de même dans l'impérissable *Autant en emporte le vent...* A été mariée à Charles Vidor, John Huston et Artie Shaw dont elle est séparée depuis 1956.

Khanjian, Arsinée

Actrice canadienne née en 1958.

1984, Next of Kin (Egoyan) ; 1988, La boîte à soleil (Lefèbvre) ; 1989, Family Viewing (Family Viewing) (Egoyan) ; 1990, Speaking Parts (Speaking Parts) (Egoyan) ; 1991, The Adjuster (The Adjuster) (Egoyan) ; 1992, Montréal vu par... (sketch Egoyan), Chickpeas (Bezjian) ; 1993, Calendar (Calendar) (Egoyan) ; 1994, Exotica (Exotica) (Egoyan) ; 1996, Irma Vep (Assayas) ; 1997, The Sweet Hereafter (De beaux lendemains) (Egoyan), Sarabande (Egoyan) ; 1998, Last Night (Last Night) (McKellar), Fin août, début septembre (Assayas) ; 1999, Felicia's Journey (Le voyage de Felicia) (Egoyan), Code inconnu (Haneke) ; 2000, A ma sœur ! (Breillat).

Muse, épouse et actrice fétiche d'Atom Egoyan, cinéaste canadien aux films étranges et envoûtants.

Khorsand, Philippe

Acteur français né en 1948.

1976, Lâche-moi les valseuses (Nauroy) ; 1979, Le mors aux dents (Heynemann), Rien ne va plus (Ribes), Sauve-toi Lola (Drach) ; 1980, Inspecteur Labavure (Zidi) ; 1982, Édith et Marcel (Lelouch) ; 1983, Attention, une femme peut en cacher une autre (Lautner), Les compères (Veber), P'tit con (Lauzier) ; 1984, La vengeance du serpent à plumes (Oury) ; 1986, Les frères Pétard (Palud), T'empêches tout le monde de dormir (Lauzier), La galette du roi (Ribes), Si t'as besoin de rien fais-moi signe (Clair) ; 1987, Les oreilles entre les dents (Schulmann), Le septième ciel (Daniel), Les années sandwiches (Boutron), Soigne ta droite (Godard) ; 1988, Corps z'à corps (Halimi), Mes meilleurs copains (Poiré), L'aventure extraordinaire d'un papa peu ordinaire (Clair) ; 1990, La femme fardée (Pinheiro) ; 1991, Tableau d'honneur (Nemes), Le zèbre (Poiret) ; 1992, Une journée chez ma mère (Cheminal), La soif de l'or (Oury) ; 1993, La vengeance d'une blonde (Szwarc), Lou n'a pas dit non (voix seulement) (Miéville) ; 1994, Les misérables (Lelouch) ; 1996, Hommes, femmes mode d'emploi (Lelouch), Le plus beau métier du monde (Lauzier), Messieurs les enfants (Boutron) ; 1997, Don Juan (Weber), Si je t'aime... prends garde à toi (Labrune) ; 1999, L'affaire Marcorelle (Le Péron) ; 2000, Total western (Rochant) ; 2004, Victoire (Murat) ; 2006, Le temps des porte-plumes (Duval).

Acteur fétiche de l'équipe de *Merci Bernard*, il est un garde du corps maladroit et hilarant dans *La galette du roi* et devient vedette dans *Corps z'à corps*. Ses compositions sont toujours drôles et insolites.

Kiberlain, Sandrine

Actrice française née en 1968.

1986, Cours privé (Granier-Deferre), On a volé Charlie Spencer ! (Huster) ; 1989, Cyrano de Bergerac (Rappeneau) ; 1992, Comment font les gens (Bailly), Sexes faibles ! (Meynard), L'inconnu dans la maison (Lautner), L'instinct de l'ange (Dembo) ; 1993, L'irrésolu (Ronssin), Tom est tout seul (Onteniente), Les gens normaux n'ont rien d'exceptionnel (Ferreira-Barbosa), Les patriotes (Rochant) ; 1994, La haine (Kassovitz) ; 1995, En avoir (ou pas) (Masson), Un héros très discret (Audiard), Beaumarchais l'insolent (Molinaro) ; 1996, L'appartement (Mimouni), Quadrille (Lemercier) ; Le septième ciel (Jacquot), A vendre (Masson) ; 1998, Rien sur Robert (Bonitzer) ; 1999, La fausse suivante (Jacquot), Love me (Masson) ; 2000, Tout va bien, on s'en va (Mouriéras) ; 2001, Betty Fisher et autres histoires (Miller) ; 2003, Filles uniques (Jolivet), C'est le bouquet (Labrune), Après vous (Salvadori) ; 2004, Un petit jeu sans conséquence (Rapp) ; 2007, La vie d'artiste (Fitoussi), Très bien merci (Cuau).

Conservatoire puis débuts remarqués en call-girl de luxe dans *Les patriotes*. Blonde, grande, des taches de rousseur, elle était vouée aux rôles d'amoureuse malheureuse. C'était le cas surtout dans *En avoir (ou pas)*, le film qui la révèle au grand public dans un rôle de paumée en transit où elle dit d'elle-même qu'elle n'est qu'une « girafe fatiguée ». Elle apparaît plus sereine en Thérèse de Willer-Mawlas, maîtresse de *Beaumarchais, l'insolent*.

Kidder, Margot

Actrice canadienne née en 1948.

1969, Gaily Gaily (Jewison) ; 1970, Quaker Fortune Has a Cousin in the Bronx (Hussein) ; 1973, Sisters (Sœurs de sang) (De Palma) ; 1974, The Gravy Train (Starrett), A Quiet Day in Belfast (Bessada), Black Christmas (Clark) ; 1975, The Reincarnation of Peter Proud (La Réincarnation de Peter Proud) (Lee), The Great Waldo Pepper (La kermesse des aigles) (Roy Hill), 92° in the Shade (McGuane) ; 1978, Superman, the Movie (Superman) (Donner) ; 1979, Mr. Mike's Mondo Video (O'Donoghue), The Amityville Horror (Amityville, la maison du diable) (Rosenberg) ; 1980, Willie & Phil (Mazursky), Superman II (Superman 2) (Lester) ; 1981, Miss Right (Williams), Some Kind of Hero (Pressman), Shoot the Sun Down (Leeds), Heartaches (Shebib) ; 1983, Trenchcoat (Tuchner), Superman III (Superman 3) (Lester) ; 1984, Louisiane (Broca) ; 1985, Little Treasure (Sharp), Keeping Track (Spry) ; 1987, Superman IV (Superman 4) (Furie) ; 1990, White Room (Rozema), Mob Story (Markin) ; 1993, La Florida (Mihalka) ; 1994, The Pornographer (Duncan), Henry & Verlin (Ledbetter), Beanstalk (Davis), Maverick (Maverick) (Donner) ; 1995, Bloodknot (Montesi) ; 1996, Never Met Picasso (Kijak) ; 1998, The Hi-Life (Judkins) ; 1999, The Annihilation of Fish (Burnett).

Originaire du Grand Nord canadien, elle hérite, à l'orée des années 80 et après une carrière sans éclats, du rôle de Loïs Lane dans la série des *Superman*. Fatalitas ! Dorénavant cantonnée à ce personnage et à quelques apparitions ici et là, sa carrière prend rapidement l'eau. D'autant que sa vie privée n'est pas exempte de heurts : mariage éclair avec Philippe de Broca, dépression, accidents de la route, maladie nerveuse... Elle a rédigé ses mémoires, intitulés... *Calamités* !

Kidman, Nicole

Actrice australienne née en 1967.

1982, Bush Christmas (Safran) ; 1983, BMX Bandits (Le gang des BMX) (Trenchard-Smith) ; 1985, Will and Burke, the Untold Story (Weis) ; 1986, Windrider (Monton) ; 1987, The Bit Part (Maher) ; 1988, Watch the Shadows Dance (Mark Joffe) ; 1989, Emerald City (Jenkins), Flirting (Duigan), Dead Calm (Calme blanc) (Noyce) ; 1990, Days of Thunder (Jours de tonnerre) (T. Scott) ; 1991, Billy Bathgate (Billy Bathgate) (Benton) ; 1992, Far and Away (Horizons lointains) (Howard) ; 1993, Malice (Malice) (Becker) ; 1994, My Life (Rubin), To Die For (Prête à tout) (Van Sant) ; 1995, Batman Forever (Batman Forever) (Schumacher), Portrait of a Lady (Portrait de femme) (Campion) ; 1996, The Leading Man (Duigan), The Peacemaker (Le pacificateur) (Leder) ; 1997, Eyes Wide Shut (Kubrick) ; 1998, Practical Magic (Les ensorceleuses) (Dunne) ; 1999, Birthday Girl (Butterworth) ; 2000, Moulin Rouge (Moulin Rouge) (Luhrmann) ; 2001, The Others (Les autres) (Amenábar) ; 2002, The Hours (The Hours) (Daldry) ; 2003, Dogville (Dogville) (Trier), Cold Mountain (Retour à Cold Mountain) (Minghella), The Human Stain (La couleur du mensonge) (Benton) ; 2004, Birth (Birth) (Glazer), 2005, Bewitched (Ma sorcière bien-aimée) (Ephron), The Interpreter (L'interprète) (Pollack) ; 2006, Fur : An Imaginary Portrait of Diane Arbus (Fur : un portrait imaginaire de Diane Arbus) (Shainberg) ; 2007, Australian (Luhrmann), The Invasion (Hirschbiegel), The Golden Compass (A la croisée des mondes, les royaumes du Nord) (Weitz).

Issue d'une richissime famille australienne, elle débute à l'âge de seize ans au cinéma et, après quelques films inconnus du public français, devient célèbre grâce à *Calme blanc*, que tourna son compatriote Phillip Noyce. Par la suite elle prête sa candeur blonde à des personnages plus romantiques que percutants mais sa composition de journaliste ambitieuse dans *Prête à tout* la fait changer de direction. Mariée à Tom Cruise, elle tourne avec lui le dernier Kubrick avant qu'ils se séparent et que, de *The Hours* à *Dogville*, elle s'affirme comme la première des stars hollywoodiennes. Ses derniers films ont été des échecs sans que cela entame son statut.

Kiel, Richard

Acteur américain né en 1940.

1961, The Phantom Planet (W. Marshall) ; 1962, The Magic Sword (Gordon), Eegah ! (Hall, Sr.) ; 1963, House of the Damned (Dexter), The Nutty Professor (Dr Jerry et Mr Love) (Lewis), Lassie's Greatest Adventure (Beaudine) ; 1964, The Naked Rabbit (Landis), Roustabout (Rich) ; 1965, The Human Duplicators (Grimaldi) ; 1967, A Man Called Dagger (Rush) ; 1968, Skidoo (Skidoo) (Preminger) ; 1972, Now You See Him, Now You Don't (Butler) ; 1974, The Longest Yard (Plein la gueule) (Aldrich) ; 1975, Flash and the Firecat (Sebastian) ; 1976, Silver Streak (Hiller), Gus (McEveety) ; 1977, The Spy who Loved Me (L'espion qui m'aimait) (Gilbert) ; 1978, Moonraker (Moonraker) (Gilbert), Force 10 from Navarone (L'ouragan vient de Navarone) (Hamilton), They Went That-A-Way & That-A-Way (McGowan, Montagne) ; 1979, L'umanoide (L'humanoïde) (Lado) ; 1981, So Fine (Les fesses à l'air) (Edwards) ; 1983, Cannonball Run 2 (Needham), Hysterical (Beard) ; 1984, Aces Go Places III : Our Man from Bond Street (Hark) ; 1985, Pale Rider (Pale Rider) (Eastwood) ; 1990, Think Big (Turteltaub) ; 1991, The Giant of Thunder Mountain (Robertson) ; 1996, Happy Gilmore (Dugan) ; 1998, Inspector Gadget (Inspecteur Gadget) (Kellog).

D'une terrifiante carrure, il était l'homme à la mâchoire d'acier ennemi de James Bond dans le divertissant *The Spy who Loved Me* et dans *Moonraker*.

Kiepura, Jan

Acteur d'origine polonaise, 1902-1966.

1931, City of Song (Gallone) ; 1932, Das Lied einer Nacht (version française : La chanson d'une nuit) (Litvak) ; 1933, Ein Lied für dich (version française : Une chanson pour toi) (May) ; 1934, Mein Herz ruft nach dir (et version française : Mon cœur t'appelle) (Gallone) ; 1935, Ich liebe alle Frauen (version française : J'aime toutes les filles) (Lamac) ; 1936, Im Sonnenschein (Gallone), Give Us this Night (Le chanteur de Naples) (Hall) ; 1937, Zauber der Boheme (Le charme de la bohème) (Bolvary) ; 1947, Addio Mimi (Gallone) ; 1948, La valse brillante (Boyer) ; 1952, Le pays du sourire (Deppe).

Ancien élève de la faculté de droit de Varsovie, il renonce à la profession d'avocat pour celle de chanteur. Il est engagé à Vienne où il s'impose rapidement. Milan, Paris et New York le demandent. Le cinéma le découvre avec l'avènement du parlant. Les films sont ineptes mais l'on va entendre Kiepura. Celui-ci épouse Martha Eggert, sa partenaire de *Mon cœur t'appelle*. La guerre interrompt son activité cinématographique. Il reprend le chemin des studios avec des films encore plus bêtes que ceux d'avant-guerre. Il succombera à une crise cardiaque alors qu'il commence à être oublié du grand public.

Kier, Udo

Acteur et réalisateur allemand né en 1944.

1965, The Road to Saint-Tropez (c.m., Sarne) ; 1968, Schamlos (Pholmann) ; 1969, La horse (Granier-Deferre) ; 1970, La stagione dei sensi (Franciosa), Brenn, Hexe, Brenn (Armstrong), Provokation (Provocation) (Efstratiadis) ; 1971, Sexual Eroticism (L'insatiable) (Efstratiadis) ; 1972, The Salzburg Connection (Notre agent à Salzburg) (Katzin) ; 1973, Olipant (Dallmayr), Blood for Dracula (Du sang pour Dracula) (Morrissey), Flesh for Frankenstein (Chair pour Frankenstein) (Morrissey), Pan (Moorse) ; 1974, Cagliostro (Pettinari) ; 1975, Histoire d'O (Jaeckin), Der letzte Schrei (Le dernier cri) (Van Ackeren), Exposé (Kenelm Clarke) ; 1976, Spermula/L'Amour est un fleuve en Russie (Matton), Bolwieser (La femme du chef de gare) (Fassbinder), Suspiria (Suspiria) (Argento), Gold Flocken (Flocons d'or) (Schroeter) ; 1977, Belcanto (Van Ackeren), L'alba dei falsi dei (Le crépuscule des faux dieux) (Tessari) ; 1978, Victor (Bockmayer et Bührmann), Magyar rapszodia (Rhapsodie hongroise I) (Jancso), Allegro barbaro (Rhapsodie hongroise II) (Jancso), Krétakör (Bódy) ; 1979, Der dritte Generation (La troisième génération) (Fassbinder), Berlin Alexanderplatz (Fassbinder) ; 1980, Lulu (Borowczyk), Narcisc é Psyché (Body), Lili Marleen (Lili Marleen) (Fassbinder) ; 1981, Dr. Jekyll and Miss Osbourne (Dr. Jekyll et les femmes) (Borowczyk), Lola (Lola, une femme allemande) (Fassbinder) ; 1982, Die Insel der Blutigen Plantage (Raab) ; 1983, Pankow 95 (Altorjay) ; 1984, Hur und Eilig (Schlingmann) ; 1985, Die Einsteiger (Götz), Der Unbesiegbäre (Hamos), Verführung die grausame Frau (Mikesch/Treut), Am nächsten Morgen kehrte der Minister am seinen Arbeitsplatz zurück (Funke-Stern) ; 1986, Die Schlacht der Idioten (Schlingensief), Egomania — Insel ohne Hoffnung (Schlingensief) ; 1987, Epidemic (Epidemic) (Von Trier), Geirwally (Bockmayer) ; 1988, Mutters Maske (Schlingensief) ; 1989, 100 Jahre Adolf Hitler — Die letzte Stunde im Führerbunker (Schlingensief) ; 1990, Europa (Europa) (Von Trier), Das Deutsche Kettensägen Massaker (Schlingensief) ; 1991, My Own Private Idaho (My Own Private Idaho) (Van Sant) ; 1992, The Concierge (Le concierge du Bradbury) (Sonnenfeld), Terror 2000 — Intensivstation Deutschland (Schlingensief) ; 1993, Ace Ventura, Pet Detective (Ace Ventura, détective chiens et chats) (Shadyac), Josh and S.A.M. (Weber), Even Cowgirls Get the Blues (Even Cowgirls Get the Blues) (Van Sant) ; 1994, Riget (The Kingdom) (Von Trier), Rottwang muß weg ! (Blumenberg), Paradise Framed (Ruven), Johnny Mnemonic (Johnny Mnemonic) (Longo) ; 1995, Die Spalte (Schliegensief), Nur über meine Leiche (Matsutani), Breaking the Waves (Breaking the Waves) (Von Trier), Pinocchio (Barron) ; 1996, Barb Wire (Barb Wire) (Hogan), Prince Valiant (Prince Valiant) (Hickox), Lea (Fila), Die Gebruder Skladanowsky (Les « Lumière » de Berlin) (Wenders), Riget II (The Kingdom 2) (Von Trier), United Trash (Schlingensief) ; 1997, The End of Violence (The End of Violence) (Wenders), Blade (Blade) (Norrington), Betty (Murphy), Revenant (Elfman), 120 Tage von Bottrop (Schliengensief) ; 1998, Armageddon (Armageddon) (Bay), Simon Says (O'Malley), Citizens of Perpetual Indulgence (Canawati),

The Debtors (Quaid), There's No Fish Food in Heaven (Gaver), The Last Call (Kurland) ; 1999, Besat (Possessed) (Rønnow-Klarlund), Unter den Palmen (Kruishoop), End of Days (La fin des temps) (Hyams), Shadow of the Vampire (L'ombre du vampire) (Merhige), Dancer in the Dark (Dancer in the Dark) (Von Trier), The New Adventures of Pinocchio (Pinocchio et Geppetto) (Anderson), Doomsdayer (Salna) ; 2000, Just One Night (Jacobs), Red Letters (Battersby), Invincible (Herzog), Die Gottesanberetin (Harather), Final Payback (Ohkawa), Megiddo : Omega Code 2 (B.T. Smith) ; 2001, All the Queen's Men (Ruzowitzky), Broken Cookies (Kier), Revelation (Urban). *Comme réalisateur* : 2001, Broken Cookies.

Son regard étrange et son physique de dandy décadent, proche de celui d'Helmut Berger, lui ont valu un franc succès dans toute une série de films « érotiques grand public » très en vogue dans les années 70. La plupart de ses apparitions récentes se limitent malheureusement à des rôles secondaires de personnages décalés et (souvent) malsains.

Kilmer, Val

Acteur américain né en 1959.

1984, Top Secret (Top Secret) (Abrahams) ; 1985, Real Genius (Profession : génie) (Coolidge) ; 1986, Top Gun (Top Gun) (Scott) ; 1987, Willow (Willow) (Howard) ; 1989, Kill Me Again (Dahl) ; 1990, The Doors (Les Doors) (Stone) ; 1991, Thunderheart (Cœur de tonnerre) (Apted) ; 1993, True Romance (True Romance) (Scott), Tombstone (Tombstone) (Cosmatos) ; 1994, The Real McCoy (L'affaire Karen McCoy) (Mulcahy), Wings of Courage (Les ailes du courage) (Annaud) ; 1995, Batman Forever (Batman Forever) (Schumacher), Dead Girl (Coleman Howard), Heat (Heat) (Mann) ; 1996, The Island of Dr. Moreau (L'île du Dr. Moreau) (Frankenheimer) ; 1996, Ghost and the Darkness (L'ombre et la proie) (Hopkins), The Saint (Le Saint) (Noyce) ; 1998, At First Sight (Premier regard) (Winkler) ; 1999, Joe the King (Whaley), Pollock (Harris) ; 2000, Red Planet (Planète rouge) (Hoffman) ; 2002, The Salton Sea (Salton Sea) (Caruso) ; 2003, The Missing (Les disparus) (Howard), Wonderland (Cox) ; 2004, Alexander (Alexandre) (Stone) ; 2005, Kiss Kiss Bang Bang (Kiss kiss, bang bang) (Black), Midhunters (Profession profiler) (Harlin) ; 2006, Deja vu (Déjà vu) (Scott).

Peu de films mais presque toujours des succès. Il fut un Jim Morrison étonnant de ressemblance dans le film d'Oliver Stone, *Les Doors*, poussant le mimétisme jusqu'à imiter la voix du chanteur disparu lors des scènes de concert. Il prend en 1995 la relève de Michael Keaton pour le rôle-titre du troisième volet des aventures de Batman puis renoue avec le film noir qui l'a lancé.

Kingsley, Ben

Acteur anglais, de son vrai nom Krishna Banji, né en 1943.

1973, Fear is the Key (Six minutes pour mourir) (Techner) ; 1982, Gandhi (Attenborough), Betrayal (Trahisons conjugales) (David Jones) ; 1984, Turtle Diary (Irvin) ; 1985, Harem (Joffé) ; 1987, Testimony (Palmer), Maurice (Ivory), Pascali's Island (L'île de Pascali) (Dearden) ; 1989, Cellini (L'or et le sang) (Battiati), Slipstream (Lisberger), Without a Clue (Élémentaire mon cher Lock Holmes) (Eberhardt) ; 1990, The Children (Palmer), The Fifth Monkey (Rochat) ; 1991, L'amour nécessaire (Carpi), Bugsy (Bugsy) (Levinson) ; 1992, Sneakers (Les experts) (Robinson) ; 1993, Schindler's List (La liste de Schindler) (Spielberg), Searching for Bobby Fischer (Zailian), Dave (Président d'un jour) (Reitman) ; 1994, Death and the Maiden (La jeune fille et la mort) (Polanski), Species (La mutante) (Donaldson) ; 1996, Twelfth Night (La nuit des rois) (Nunn), The Assignment (Contrat sur un terroriste) (Duguay), Photographing Fairies (Forever) (Willing) ; 1997, Parting Shots (Winner) ; 1998, The Confession (Jones), Spooky House (Sachs) ; 1999, What Planet Are You From ? (De quelle planète viens-tu ?) (Nichols), Rules of Engagement (L'enfer du devoir) (Friedkin) ; 2000, Sexy Beast (Sexy Beast) (Glazer), Till the End of Time (Kanievska) ; 2001, The Triumph of Love (Le triomphe de l'amour) (Peploe) ; 2005, Suspect Zero (Suspect zéro) (Merhige) ; 2005, Oliver Twist (Polanski) ; 2006, Slevin (Slevin) (McGuigan) ; 2007, The Last Legion (La dernière légion) (Lefler).

Une interprétation hallucinante de vérité du héros de l'indépendance de l'Inde, Gandhi, valut en 1982 un oscar mérité à cet acteur venu du théâtre. Il fut moins convaincant dans le catastrophique *Harem*, mais admirable dans *L'île de Pascali* et en docteur Watson dans *Without a Clue*. Il est très remarqué dans *La liste de Schindler* avant de se transformer en tortionnaire sud-américain dans *La jeune fille et la mort*.

Kinski, Klaus

Acteur allemand, de son vrai nom Claus Nakszynski, 1926-1991.

1948, Morituri (York) ; 1951, Decision Before Dawn (Le traître) (Litvak) ; 1955, Um Thron und Liebe (Kortner), Ludwig II (Louis II de Bavière) (Kautner), Hanussen (Hanussen, l'astrologue d'Hitler) (Fischer), Kinder, Mutter und ein General (Des enfants, des mères et un général) (Benedek) ; 1956, Waldwinter (Liebeneimer), Geliebte Corinna (Borsody) ; 1957, A Time to Love, A Time to Die (Le temps d'aimer, le temps de mourir) (Sirk) ; 1960, Der Racher (Le Vengeur défie Scotland Yard) (Anton) ; 1961, Bankraub in der Rue Latour (Fric-frac rue Latour) (Jürgens), Die Toten augen von London (Les mystères de Londres) (Vohrer), The Counterfeit Traitor (Traître sur commande) (Seaton), Das Geheimnis der Gelben Narzissen (Le narcisse jaune intrigue Scotland Yard) (Rathony), Die Seltsame Grafin (Baky), Das Ratsel der Roten Orchidee (Ashley) ; 1962, Der Rote Rausch (Schleif), Das Gasthaus an der Themse (Le requin harponne Scotland Yard) (Vohrer), Die Tur mit den Sieben Schlossern (La porte aux sept serrures) (Vohrer) ; 1963, Das Geheimnis der Schwartzen Witwe (Le secret de la Veuve noire) (Gottlieb), Das Indische Tuch (L'énigme du serpent noir) (Vohrer), Piccadily null uhr Zwolf (Piccadilly, minuit 12) (Zehetgruber), Der Schwartze Abt (Le crapaud masqué) (Gottlieb), Der Schwartze Kobra (Interpol contre stupéfiants) (Zehetgruber), Scotland Yard jagt Dr. Mabuse (Mabuse attaque Scotland Yard) (May), Der Zinker (Vohrer) ; 1964, Das Geheimnis der chinesischen Nelke (FBI contre l'œillet chinois), Die Gruft mit dem Ratselschloss (La serrure aux treize secrets) (Gottlieb), Guerre secrète (Young, Lizzani, Christian-Jaque), Kali Jug, la dea della vendetta (Camerini), Il misterio del tempio indiano (Le mystère du temple hindou) (Camerini), Winnetou II (Le trésor des montagnes bleues) (Reinl), Der Letzte Ritt nach Santa Cruz (La chevauchée vers Santa Cruz) (Olsen), Die Goldpuppen (O'Hara), The Traitor's Gate (Francis), Operation Istambul (Isasmendi), Per qualche dollari in più (Et pour quelques dollars de plus) (Leone), Marrakech (Sharp) ; 1966, Circus of Fear (Moxey), Doctor Zhivago (Le docteur Jivago) (Lean), Neues vom Hexer (Vohrer), Das Geheimnis der Gelben Monche (Guet-apens à Téhéran) (Kohler) ; 1967, Das Rätzel des Silbernen Dreis (Jacobs), Die Blaue Hand (La main de l'épouvante) (Vohrer), The Million Eyes of Su-Muru (Shonteff), Ad Agni Costo (Le carnaval des truands) (Montaldo), Coplan sauve sa peau (Boisset) ; 1968, Sartana (Parolini), L'uomo, l'orgoglio, la vendetta (L'homme, l'orgueil et la vengeance) (Bazzani), Justine (Franco), Il bastardi (Le bâtard) (Tessari), Il grande silenzio (Le grand silence) (Corbucci), Ognuno per se (Chacun pour soi) (Capitani) ; 1969, Cinque per l'inferno (Parolini), Due volte giuda (Deux fois traître) (Cicero), Paroxysmus (Vénus en fourrure) (Franco), E Dio disse a Caino (Et le vent apporta la violence) (Margheriti), Wie Kommt ein so reizendes Mädchen wie sie zu diesem gewerbe ? (Tremper), Quintero, la legge dei gangsters (La loi des gangsters) (Marcellini), Sono Sartana, il vestro becchino (Le fossoyeur) (Carmineo), Signpress contra Scotland Yard (Zurli), Il litto nella piagia (Deux salopards en enfer) (Ricci), A doppa faccia (Liz et Helen) (Freda) ; 1970, El Conde Dracula (Les nuits de Dracula) (Franco), Vatican Story (Miraglia), Apputamento con il disonore (Rendez-vous avec le déshonneur) (McCahon), Giù la testa... hombre (Macho Callaghan se déchaîne) (Deem), La peau de torpedo (Delannoy), Mir Hat es immer Spass Gemacht (Tremper), I leopardi di Churchill (Les léopards de Churchill) (Pradeaux) ; 1971, Nella stretta morsa del ragno (Les fantômes de Hurlevent) (Margheriti), Prega il morto e amazza il vivo (Priez les morts et tuez les vivants) (Varri), La bestia uccide a sangue freddo (Di Leo), Per una bara piena di dollari (Nevada Kid) (Deem), Lo chiamavano King (On m'appelle King) (Reynolds), La mano nascota di dio (Palli), The Crucified Girls of San Ramon (Matassi), La belva (Le goût de la vengeance) (Costa), L'occhio del ragno (L'œil de l'araignée) (Bianchi), La vendetta è un piatto che si serve freddo (La vengeance est un plat qui se mange froid) (Squittieri) ; 1972, Ti attende une corda, Ringo (Balcazar), 10 Monaco per tre carogne e sette peccatria (Theumer), Das Schloss der Blauen Vogel, Black Killer (Croccolo), Aguirre, der Zorn Gottes (Aguirre, la colère de Dieu) (Herzog), Mezzogiorno di fuoco per Han-Hao (Shanghai Jo) (Caiano), La vengeance de Dieu (Alberto) ; 1973, La morte a sorriso all'assassino (Massacesi) ; 1974, Le amanti del mostro (Garrone), La mano che nutre la morte (Garrone), L'important c'est d'aimer (Zulawski), Lifespan (Le secret de la vie) (Whitelaw) ; 1975, Le orme (Bazzoni), Un genio, duo compari, un pollo (Un génie, deux associés, une cloche) (Damiani), La mano spietata della legge (La fureur d'un flic) (Gariazzo), Das Netz (Leitner) ; 1976, Nuit d'or (Moati), Jack the Ripper (Jack l'éventreur) (Franco), Madame Claude (Jaeckin) ; 1977, Operation

Thunderbolt (Opération Tonnerre) (Golan), Mort d'un pourri (Lautner) ; 1978, La chanson de Roland (Cassenti), Nosferatu, Phantom der Nacht (Nosferatu, fantôme de la nuit) (Herzog), Zoo-Zéro (A. Fleischer), Woyzeck (Herzog) ; 1979, Haine (Goult) ; 1980, Les fruits de la passion (Terayama), La femme enfant (Billetdoux) ; 1982, Fitzcarraldo (Fitzcarraldo) (Herzog), Venom (Venin) (Haggard), Androïde (Lipstadt), The Soldier (Le soldat) (Glickenhaus) , Love and Money (Toback); 1983, The Secret Diary of Sigmund Freud (Greene) ; 1984, The Little Drummer Girl (La petite fille au tambour) (Roy Hill) ; 1985, Creature (Malone), Nom de code : oies sauvages (Dawson) ; 1986, El caballero del Dragon (Le vol du dragon) (Colomo), Crawlspace (Fou à tuer) (Schmoeller) ; 1987, Cobra verde (Herzog), Vampires in Venice (Nosferatu à Venise) (Caminito) ; 1990, Grandi cacciatori (Caminito).

Après avoir connu la misère, seul bien que pouvait lui assurer son père, vague chanteur d'opéra établi à Zappot en Pologne, et avoir été fait prisonnier par les soldats anglais, il débute sur une scène en 1946 ; son jeu plutôt outré le fait vite remarquer. Au cinéma, il joue avec Fisher dans *Louis II* et Fisher fait appel à lui pour *Hanussen*. (« J'ai besoin de tes yeux ! ») Mais le cinéma allemand offre alors peu d'occasions de tourner des chefs-d'œuvre et Kinski promène sa tête de gargouille dans une longue suite d'adaptations laborieuses d'Edgar Wallace, puis se retrouve en Italie où il ranime par sa seule présence un certain nombre de westerns-spaghetti (il est éblouissant en chasseur de primes dans *Le grand silence*). Bouclant la boucle des films populaires, il tient le rôle du marquis de Sade pour Jesus Franco ! Son physique étrange, son allure de dément le servent énormément. Mais il paraît voué aux troisièmes couteaux. Herzog en fera une vedette internationale avec quatre rôles de démesure qui conviennent parfaitement à Kinski : le conquistador fou Aguirre, Nosferatu le vampire, le soldat Woyzeck et Fitzcarraldo l'ingénieur passionné d'opéra qui rêve de faire venir Caruso dans un coin perdu de l'Amazonie. Kinski entre dans la légende du septième art. On lui doit un livre de souvenirs où il égratigne Herzog, qui le lui rend bien avec le portrait posthume *Ennemis intimes* paru en 1999.

Kinski, Nastassja

Actrice allemande née en 1961.

1974, Falsche Bewegung (Faux mouvement) (Wenders) ; 1976, To the Devil a Daughter (Une fille pour le diable) (Sykes), Reigezeugnis (Petersen) ; 1977, Passion Flower Hotel (Farwagji) ; 1978, Cosi como sei (La fille) (Lattuada) ; 1979, Tess (Tess) (Polanski) ; 1981, One from the Heart (Coup de cœur) (Coppola) ; 1982, Cat People (La féline) (Schrader), Frühling Symphonie (Shamoni) ; 1983, La lune dans le caniveau (Beineix), Exposed (Surexposé) (Toback) ; 1984, Unfaithfully Yours (Faut pas en faire un drame) (Zieff), Paris-Texas (Wenders), Hotel New Hampshire (Richardson), Maria's Lovers (Maria's Lovers) (Konchalovsky) ; 1985, Harem (Harem) (Joffé), Revolution (Révolution) (Hudson) ; 1987, Maladie d'amour (Deray) ; 1988, Magdalena (Teuber), Torrents of Spring (Eaux printanières) (Skolimowski), Il segreto (Maselli) ; 1989, Up to Date (Wertmüller) ; 1990, Il sole anche di notte (Le soleil même la nuit) (Taviani), L'alba (Maselli), The Insulted and the Injured (Asphay) ; 1991, La bionda (Rubini), Camera mia (Martino) ; 1992, L'envers du décor (Salis), In weiter Ferne, so nah ! (Si loin, si proche !) (Wenders) ; 1993, Crackerjack (Mazo), The Browning Version (Les leçons de la vie) (Figgis) ; 1994, Terminal Velocity (Terminal Velocity) (Serafian) ; 1996, Somebody's Waiting (Donavon), Unizhenniei Oskorblennie (Eshpay), One Night Stand (Pour une nuit) (Figgis), Father's Day (Reitman), Little Boy Blue (Tibaldi) ; 1997, Savior (Savior) (Antonjevic) ; 1998, Your Friends and Neighbours (Entre amis et voisins) (LaBute), The Lost Son (The Lost Son) (Menges), Susan's Plan (Susan a un plan...) (Landis) ; 1999, The Magic of Marciano (Barbieri), Playing by Heart (La carte du cœur) (Carroll), The Intruder (Suspicion) (Bailey), A Storm in Summer (Wise), Timeshare (Von Wietersheim) ; 2000, Red Letters (Battersby), The Claim (Rédemption) (Winterbottom) ; 2001, Town and Country (Potins mondains et amnésies partielles) (Chelsom) ; 2002, An American Rhapsody (American Rhapsody) (Gardos) ; 2003, A ton image (Villiers) ; 2007, Inland Empire (Inland Empire) (Lynch).

Fille de Klaus Kinski (auquel heureusement elle ne ressemble pas !), elle a longtemps suivi ses parents de studio en studio avant, lorsqu'ils se séparent, de s'établir avec sa mère à Munich. Cours de cinéma, apparitions à la télévision puis carrière fulgurante à l'écran. *Tess*, de Polanski, en fait une star. Bien que plusieurs de ses films, comme *La féline*, *La lune dans le caniveau* ou *Surexposé*, soient des échecs, elle reste bien accrochée au firmament par la seule grâce de sa beauté.

Kirkland, Sally

Actrice américaine née en 1944.

1960, Crack in the Mirror (Drame dans le miroir) (Fleischer) ; 1964, 13 Most Beautiful Women (Warhol) ; 1968, Blue (El gringo) (Narizzano) ; 1969, Futz ! (O'Horgan), Coming Apart (Ginsberg) ; 1970, Brand X (Chamberlain) ; 1971, Going Home (Leonard), Jump (Manduke) ; 1973, The Young Nurses (Kimbrough), The Way We Were (Nos plus belles années) (Pollack), The Sting (L'arnaqueur) (Roy Hill), Cinderella Liberty (Permission d'aimer) (Rydell) ; 1974, Big Bad Mama (Super nanas) (Carver), Candy Stripe Nurses (Holleb) ; 1975, Crazy Mama (J. Demme), Bite the Bullet (La chevauchée sauvage) (R. Brooks), Breakheart Pass (Le solitaire de Fort Humboldt) (Gries) ; 1976, Tracks (Jaglom), A Star Is Born (Une étoile est née) (Pierson), Pipe Dreams (Ballew) ; 1977, Flush (Kuehn) ; 1979, Hometown USA (Baer) ; 1980, Private Benjamin (La bidasse) (Zieff) ; 1981, The Incredible Shrinking Woman (Schumacher) ; 1982, Human Highway (Stockwell, Young), Double Exposure (Byron Hillman) ; 1983, Love Letters (Holden Jones) ; 1984, Fatal Games (Elliot) ; 1987, Talking Walls (Verona), Anna (Bogayevicz) ; 1989, White Hot (Benson), Paint It Black (Hunter), High Stakes (Kollek), Cold Feet (Dornhelm), Best of the Best (Best of the Best) (Radler) ; 1990, Two Evil Eyes (Deux yeux maléfiques) (Argento, Romero), Revenge (Revenge) (T. Scott) ; 1991, Superstar : The Life and Times of Andy Warhol (Superstar) (Workman), Schneeweissrosenrot (Langhans, Ritter), Bullseye ! (Winner), JFK (JFK) (Stone) ; 1992, Stringer (DeLuise), Primary Motive (Adams), Our Hollywood Education (Beltrami), In the Heat of Passion (Flender), Hit the Dutchman (Golan), Forever (Palmer), Double Threat (Prior), Blast'em (Blasioli, coccimiglio), The Player (The Player) (Altman) ; 1993, Paper Hearts (McCall), Eye of the Stranger (Heavener) ; 1994, Gunmen (Deux doigts sur la gâchette) (Sarafian) ; 1995, Guns and Lipstick (Hodi) ; 1997, Little Ghost (Shayne), Amnesia (Voss), Excess Baggage (Excess Baggage) (Brambilla) ; 1998, Wilbur Falls (Glantz), Paranoia (Brand), It's All About You (Fauser), The Island (Nowrasteh), Edtv (En direct sur Ed TV) (Howard) ; 1999, Starry Night (Davids) ; 2000, Out of the Black (Kozak), Firecracker (Balderson).

Passage à l'Actor's Studio et à la Factory d'Andy Warhol : des débuts contrastés pour une suite dévolue aux seconds rôles. A noter qu'elle tint le rôle-titre d'*Anna*, pour lequel elle fut citée à l'oscar et primée aux Golden Globes, mais le film ne sortit pas en France. Peintre et poète à ses moments perdus, cette jolie blonde aujourd'hui un peu fânée, filleule de l'actrice Shelley Winters, a formé des milliers d'élèves en devenant un professeur de renom à l'Actor's Studio. Retour à l'envoyeur...

Kitano, Takeshi

Acteur et réalisateur japonais né en 1947.

1983, Merry Christmas, Mister Lawrence (Furyo) (Oshima) ; 1985, Yasha (Furuhata) ; 1986, Komikku zasshi nanka iranai ! (Takita) ; 1989, Sono otoko, kyobo ni tsuki (Violent cop) (Kitano) ; 1990 3-4x jugatsu (Jugatsu) (Kitano) ; 1993, Sonachine (Sonatine) (Kitano), Kyoso tanjo (Tenma) ; 1994, Minna Yatteruka (Kitano) ; 1995, Johnny Mnemonic (Johnny Mnemonic) (Longo), Gonin (Ishii) ; 1997, Hana-Bi (Hana-Bi) (Kitano), Tokyo Eyes (Limosin) ; 1999, Kikujiro no natsu (L'été de Kikujiro) (Kitano), Gohatto (Tabou) (Oshima) ; 2000, Brother (Aniki mon frère) (Kitano), Battle Royale (Fukasaku) ; 2003, Battle Regale 2 (Fukasaku), Zatôichi (Zatoichi) (Kitano). *Pour le metteur en scène*, voir le *Dictionnaire du cinéma*, t. I : *Les réalisateurs*..

Issu des quartiers pauvres de Tokyo, celui qui est connu en Occident pour ses somptueux films noirs, emprunts de gravité existentielle et de poésie romantique, est, dans son pays, le Coluche national, animant plusieurs shows comiques télévisés. Acteur de la plupart de ses films, il joue aussi dans les films de quelques compatriotes triés sur le volet (on l'a découvert en sergent dans le *Furyo* d'Oshima), Kitano est aujourd'hui considéré comme un des plus grands cinéastes contemporains, alors que son premier film, *Violent Cop*, était un pur produit de commande.

Klein, Gérard

Acteur français né en 1942.

1972, Flash Love (Pontiac) ; 1981, La passante du Sans-Souci (Ruffio) ; 1982, Le bâtard (Van Effenterre), Le général de l'armée morte (Tovoli) ; 1983, Les cavaliers de l'orage (Vergez) ; 1984, Train d'enfer (Hanin) ; 1985, Diesel (Kramer), Blanche et Marie (Renard), Parking (Demy), Mon beau-frère a tué ma sœur (Rouffio), La baston (Missiaen) ; 1986, L'inconnu de Vienne (Stora) ; 1987, Frantic (Polanski) ; 1988, Sans peur et sans reproche (Jugnot) ; 1994, Pourquoi maman est dans mon lit ? (Malakian).

Ancien animateur de radio, il s'est reconverti dans le cinéma, où il incarne des personnages énergiques comme le héros des *Cavaliers de l'orage*, champion de lutte à main nue, et, surout, dans la télévision (« L'instit »).

Klein-Rogge, Rudolf

Acteur allemand, 1888-1955.

Principaux films : 1919, Das Kabinett des Dr. Caligari (Le cabinet du docteur Caligari) (Wiene) ; 1920, Das wandernde Bild (Lang) ; 1921, Der Mude Tod (Les trois lumières) (Lang) ; 1922, Dr. Mabuse der Spieler (Dr. Mabuse le joueur) (Lang) ; 1924, Die Nibelungen (Les Niebelungen) (Lang) ; 1925, Der Mann seiner Frau (Basch) ; 1926, Metropolis (Lang) ; 1928, Spione (Les espions) (Lang) ; 1933, Das Testament des Dr. Mabuse (Le testament du Dr Mabuse) (Lang), Elisabeth und der Narr (Harbou) ; 1934, Zwischen Himmel und Erde (Steitz), Die Frauen vom Tannhof (Steitz), Der alte und der junge König (Les deux rois) (Steinhoff), Der Ammenkönig (Steinhoff) ; 1936, Das Hofkonzert (La chanson du souvenir) (Sierk), Der Kaiser von Kalifornien (L'empereur de Californie) (Trenker) ; 1937, Madame Bovary (Lamprecht), Der Herrscher (Crépuscule) (Harlan), Die gelbe Flagge (Le drapeau jaune) (Lamprecht) ; 1939, Abenteuer in Marokko (Lapaire), Parkstrasse, Robert Koch (La lutte héroïque) (Steinhoff) ; 1940, Das Herz einer Königin (Marie Stuart) (Froelich) ; 1942, Hochzeit auf Bärenhof (Froelich).

Il fut l'interprète préféré de Fritz Lang. Sa haute et inquiétante silhouette hante l'œuvre muette de Lang, du *Dr Mabuse* aux *Espions*. Il resta en Allemagne sous Hitler mais cessa d'être une vedette, se contentant de rôles de second plan le plus souvent.

Kline, Kevin

Acteur américain né en 1947.

1982, Sophie's Choice (Le choix de Sophie) (Pakula) ; 1983, The Pirates of Penzance (Leach), The Big Chill (Les copains d'abord) (Kasdan) ; 1985, Silverado (Silverado) (Kasdan) ; 1986, Violets Are Blue (Fisk) ; 1987, Cry Freedom (Cry Freedom) (Attenborough) ; 1988, A Fish Called Wanda (Un poisson nommé Wanda) (Crichton) ; 1989, The January Man (Calendrier meurtrier) (O'Connor) ; 1990, I Love You to Death (Je t'aime à te tuer) (Kasdan) ; 1991, Soapdish (Hoffman), Grand Canyon (Grand Canyon) (Kasdan) ; 1992, Consenting Adults (Jeux d'adultes) (Pakula), Chaplin (Chaplin) (Attenborough) ; 1993, Dave (Président d'un jour) (Reitman) ; 1994, Princess Caraboo (Princesse Caraboo) (Austin), French Kiss (French Kiss) (Kasdan) ; 1995, Fierce Creatures (Créatures féroces) (R. Young), Looking for Richard (Looking for Richard) (Pacino) ; 1997, The Ice Storm (Ice Storm) (Lee), In & Out (In & Out) (Oz) ; 1998, A Midsummer's Night Dream (Le songe d'une nuit d'été) (Hoffman), Wild Wild West (Wild Wild West) (Sonnenfeld) ; 2000, The Anniversary Party (Jason Leigh) ; 2001, Life as a House (Winkler) ; 2003, The Emperor's Club (Le club des empereurs) (Hoffman) ; 2004, De-Lovely (De-Lovely) (Winkler) ; 2006, A Prairie Home Companion (The Last Show) (Altman), The Pink Panther (La Panthère rose) (Levy).

Dès *Le choix de Sophie*, son premier long métrage après une longue carrière théâtrale, il tient des rôles de premier plan, plutôt dans le registre de la comédie. Élégant, fin, il n'a cependant pas atteint le rang de superstar, préférant sans doute consacrer son énergie à la poursuite de sa carrière théâtrale, où il est reconnu comme brillant acteur shakespearien.

Knef, Hildegarde

Actrice allemande, 1925-2002.

1945, Unter den Brücken (Kautner) ; 1947, Die Mörder sind unter uns (Les assassins sont parmi nous) (Staudte), Zwischen Gestern und Morgen (Entre hier et demain) (Braun), Film ohne Titel (Jugert) ; 1948, Fahrt ins Glück (Engel) ; 1950, Die Sünderin (Forst) ; 1951, Es Geschehen noch Wunder (Forst), Nachts auf den Strassen (Les amants tourmentés) (Jugert) ; 1952, Decision before Dawn (Le traître) (Litvak), Diplomatic Courier (Courrier diplomatique) (Hathaway), The Snows of Kilimanjaro (Les neiges du Kilimanjaro) (King), Night Without Sleep (Baker), Alraune (Mandragore) (Rabenalt), Illusion in Moll (Jugert), La fête à Henriette (Duvivier) ; 1953, The Man Between (L'homme de Berlin) (Reed) ; 1955, Nachts auf den Strassen (Les amants tourmentés) (Jugert) ; 1957, Madeleine und der Legionär (Staudte) ; 1958, La fille de Hambourg (J. Allégret), Subway in the Sky (Box) ; 1959, La strada dei giganti (Malatesta), Der Mann, der sich verkaufte (Baky), Lulu (Les liaisons douteuses) (Thiele), Caterina di Russia (Catherine de Russie) (Lenzi), Landru (Chabrol), Ballade pour un voyou (Bonnardot) ; 1963, Das grosse Liebesspiel (La ronde) (Weidenmann), Die Dreigroschenoper (L'opéra de quat'sous) (Staudte), Gibraltar (Spionaggio a Gibilterra/Misión en el estrecho/The Spy) (Gaspard-Huit) ; 1964, Verdammt zur Sünde (Weidenmann) ; 1968, The Lost Continent (Le peuple des abîmes)

(Carreras) ; 1975, Jeder stirbt für sich allein (Vohrer) ; 1978, Fedora (Fedora) (Wilder), L'avenir d'Émilie (Sanders-Brahms) ; 1979, Warum die UFOs unseren Salat klauen (Pohland) ; 1982, Thalia unter Trümmern (Von Zur Muhlen) ; 1989, Witchcraft (Démoniaque présence) (Newline).

Vedette allemande de l'après-guerre, elle entame dans les années 50 une carrière internationale en changeant son nom. Films en France et aux États-Unis où sa sensualité très germanique fait sensation. Elle est remarquable dans *Mandragore* où elle renoue avec la tradition expressionniste. Hélas, elle est atteinte d'un cancer qui interrompt sa carrière. Mais elle lutte farouchement et, finalement sauvée, reprend sa place. Chanteuse, écrivain (*Le verdict*), elle revient au cinéma après une éclipse en 1978, pour *Fedora* de Wilder.

Knightley, Keira

Actrice britannique née en 1985.

2002, Bend It like Beckham (Joue-la comme Beckham) (Chadha) ; 2003, Pirates of the Caribbean (Pirates des Caraïbes) (Verbinski) ; 2004, King Arthur (Le roi Arthur) (Fuqua), The Jacket (Maybury) ; 2005, Domino (Domino) (T. Scott), Pride and Prejudice (Orgeuil et préjugés) (Wright) ; 2005, Pirates of the Caribbean : Dead Man's Chest (Pirates des Caraïbes : Le secret du coffre maudit) (Verbinski) ; 2006, Pirates of the Caribbean : At Worlds End (Pirates des Caraïbes, jusqu'au bout du monde) (Verbinski), Atonement (Wright).

Elle naît au cinéma en Guenièvre guerrière dans *Le roi Arthur* et devient Domino Harvey, top model passée chasseuse de primes dans *Domino*. Elle fréquente aussi les pirates chez Verbinski. Mais c'est dans *Pride and Prejudice* que sa beauté est la plus éclatante et son talent le plus sûr.

Knox, Alexander

Acteur canadien, 1907-1995.

1938, The Gaunt Stranger (Forde) ; 1939, The Four Feathers (Les quatre plumes blanches) (Korda) ; 1941, The Sea Wolf (Le vaisseau fantôme) (Curtiz) ; 1942, This Above All (Litvak), Commandos Strike at Dawn (Les commandos frappent à l'aube) (Farrow) ; 1943, None Shall Escape (De Toth) ; 1944, Wilson (King) ; 1945, Over Twenty-One (Ch. Vidor) ; 1946, Sister Kenny (Nichols) ; 1947, The Judge Steps Out (Ingster), The Sign of the Ram (Le signe du bélier) (Sturges) ; 1948, I Wouldn't Be in Your Shoes (Night) ; 1949, Tokyo Joe (Heisler) ; 1951, I'd Climb the Highest Mountain (King), The Man in the Saddle (Le cavalier de la mort) (De Toth), Son of Dr. Jekyll (Friedman) ; 1952, Paula (Maté), Europe 51 (Rossellini) ; 1954, The Sleeping Tiger (La bête s'éveille) (Losey), The Divided Heart (Crichton) ; 1955, The Night My Number Came Up (La nuit où mon destin s'est joué) (Norman) ; 1956, Alias John Preston (McDonald), Davy (M. Relph), Reach for the Sky (Vainqueur du ciel) (L. Gilbert), High Tide at Noon (Marée haute à midi) (Leacock), Chase a Crooked Shadow (Anderson) ; 1958, Intent to Kill (Tueurs à gages) (Cardiff), The Two-Headed Spy (Chef de réseau) (De Toth), Passionate Summer (Cartier), The Vikings (Fleischer) ; 1959, Operation Amsterdam (MacCarthy), The Wreck of the Mary Deare (Cargaison dangereuse) (Anderson) ; 1960, Oscar Wilde (Ratoff), Crack in the Mirror (Drame dans le miroir) (Fleischer) ; 1961, The Damned (Les damnés) (Losey) ; 1962, The Clue of the Silver Key (Glaister), The Share Out (Glaister), The Longest Day (Le jour le plus long) (Annakin, Marton, Oswald...), 55 Days at Peking (Les 55 jours de Pékin) (Ray) ; 1963, The Man in the Middle (L'affaire Winstone) (Hamilton), In the Cool of the Day (Les chemins de la vengeance) (Robert Stevens) ; 1964, Mr. Moses (Les aventuriers du Kenya) (Neame), Woman of Straw (La femme de paille) (Dearden) ; 1965, Crack in the World (Quand la terre s'entrouvrira) (Marton) ; 1966, Khartoum (Khartoum) (Dearden), Modesty Blaise (Modesty Blaise) (Losey), The Psychopath (Poupées de cendres) (Francis) ; 1967, La vingt-cinquième heure (Verneuil), Accident (Losey), You Only Live Twice (On ne vit que deux fois) (L. Gilbert), How I Won the War (Comment j'ai gagné la guerre) (Lester) ; 1968, Fraulein Doktor (Lattuada) Villa Rides (Pancho Villa) (Kulik), Shalako (Shalako) (Dmytryk) ; 1969, Skullduggery (Douglas) ; 1971, Puppet on a Chain (Reeve), Nicholas and Alexandra (Shaffner) ; 1977, Holocaust 2000 (A. de Martino) ; 1983, Gorky Park (Gorky Park) (Apted) ; 1985, Joshua Then and Now (Kotcheff). *Comme réalisateur* : 1951, Up Front.

Carrière américaine (le prêtre des *Vikings*, le chef de bande de *The Man in the Saddle*...) puis anglaise (le savant des *Damnés*, l'universitaire d'*Accident*). Sobre, sûr, discret. Plus qu'un acteur de composition.

Koch, Marianne

Actrice allemande née en 1931.

1950, Der Mann, der zweimal leben wollte (Tourjansky) ; 1951, Czardas das Herzen

(Jacoby), Mein Freund, der Dieb (Weiss) ; 1952, Dr. Holl (Hansen) ; 1954, Schloss Hubertus (Weiss), Night People (Les gens de la nuit) (Johnson) ; 1955, Ludwig II (Louis II de Bavière) (Kautner), Des Teufels General (Le général du diable) (Kautner), Königswalzer (Valse royale) (Tourjansky), Zwei blaue Augen (Ucicky) ; 1956, Salzburger Geschichten (Hoffmann), Four Girls in Town (Sher), Interlude (Les amants de Salzburg) (Sirk), Der Fuchs von Paris (Mission impossible) (May) ; 1958, Oli Italiani sono matti (Coletti) ; 1961, Im Namen des Teufels (L'espion du diable) (Carstairs), Pleins feux sur l'assassin (Franju), Napoléon II (Boissol) ; 1962, Die Fledermaus (Cziffra), Heisser Hafen Hong Kong (Roland) ; 1963, Der letzte Ritt nach Santa Cruz (Olsen), Tierra de fuego (Balcazar) ; 1964, Frozen Alive (Knowles), Per un pugno di dollari (Pour une poignée de dollars) (Leone), Das Ungeheuer von London (Zbonek), Coast of Skeletons (Lynn) ; 1965, Mivtza Kahir/ Trunk to Cairo (La malle du Caire) (Golan), Die Hölle von Manitoba (Reynolds) ; 1966, La balada de Johnny Ringo (Merino) ; 1968, Clint il solitario (Balcazar).

Jeune première du cinéma allemand, née à Munich et dont la carrière fut soutenue par Tourjansky. Elle est surtout connue pour son apparition dans *Per un pugno di dollari*.

Korene, Vera

Actrice française, de son vrai nom Rebecca Vera Koretski, 1901-1996.

1933, La voix sans visage (Mittler), Belle de nuit (Valray), Tartuffe (Perret) ; 1936, Deuxième bureau (Billon), L'argent (Billon), Au service du tsar (Billon), Sept hommes, une femme (Mirande), Les bateliers de la Volga (Tourjansky), La danseuse rouge (Paulin) ; 1937, Tamara la complaisante (Gandera), Double crime sur la ligne Maginot (Gandera) ; 1938, Café de Paris (Mirande et Lacombe) ; 1939, La brigade sauvage (Dréville).

Conservatoire, Odéon puis Comédie-Française en 1932. Elle en deviendra sociétaire en 1936. Au cinéma, elle joue les femmes fatales, au charme slave, les belles espionnes, dans la tradition de Marlène Dietrich. Elle est devenue par la suite directrice du théâtre de la Renaissance.

Koscina, Sylva

Actrice yougoslave, 1933-1994.

1956, Il ferroviere (Germi), Michel Strogoff (Gallone) ; 1957, Guendalina (Guendalina) (Lattuada), I fidanzati della morte (Marcellini), La nonna Sabella (Risi), Femmine tre volte (Steno), Gerusalemme liberata (Bragaglia), Le naïf aux quarante enfants (Agostini) ; 1958, Le fatiche di Ercole (Francisci), Ladro lui, ladra lei (Zampa), Giovanni mariti (Bolognini), Racconti d'estate (Franciolini), Totó nella luna (Steno), Totó a Parigi (Mastrocinque), Non sono più guaglione (Paolella), Quande gli angeli piangono (Girolami) ; 1959, Poveri milionari (Risi), Ercole e la regina di Lidia (Francisci), La nipote Sabella (Bianchi), Pscicanalista per signora (Le confident de ces dames) (Boyer), Le cambiale (Mastrocinque), Tempi duri per i vampiri (Les temps sont durs pour les vampires) (Steno), Le sorprese dell'amore (Comencini) ; 1960, L'assedio di Siracusa (La charge de Syracuse) (Francisci), Genitori in blue-jeans (Mastrocinque), I piaceri del sabato notte (Petroni), Il vigile (Zampa), Femmine di lusso (Bianchi), Le pillole di Ercole (Les pilules d'Hercule) (Salce) ; 1961, Les distractions (Dupont), Jessica (Negulesco), Mani in alto (Bianchi), Il sicario (Damiani), Ravissante (Lamoureux) ; 1962, Copacabana palace (Steno), Mariti in pericolo (Morassi), Le massaggiatrici (Fulci), La congiura dei dieci (Bandini) ; 1963, Les quatre vérités (Blasetti, Clair et autres), Cyrano et d'Artagnan (Gance), Il fornaretto di Venezia (Le procès des doges) (Tessari), Le monachine (Salce), Hot Enough for June (R. Thomas), Judex (Franju), Le masque de fer (Decoin), L'appartement des filles (Deville) ; 1964, Se permette parliamo di donne (Scola), Amore in quattro dimensioni (sketch de J. Romain), Cadavere per signora (Mattoli), L'idea fissa (sketch de Puccini) ; 1965, Colpo grosso a Galata Bridge (Isasmendi), Thrilling (sketch de Lizzani), Giulietta degli spiriti (Juliette des esprits) (Fellini), L'arme à gauche (Sautet), Le grain de sable (Kast), I soldi (Puccini) ; 1966, Io, io, io e gli altri (Blasetti), Monnaie de singe (Robert), Made in Italy (Loy), Carré de dames pour un as (Poitrenaud), Agente X-77 (Bay), Una storia di notte, Il morbidone, Le lit à deux places (Delannoy) ; 1967, Das gemüsse etwas der Frauen (Salce), Deadlier than the Male (R. Thomas), Three Bites of the Apple (Ganzer), 1968, I protagonisti (Fondato), Johnny Banco (Y. Allégret), Vedo nuto (Une poule, un train et quelques monstres) (Risi), The secret War of Harry Frigg (Smight), A Lovely Way to Die (Rich), Kampf un Rom, Justine (Franco), L'assoluto naturale (Bolognini), Bikta na Neretvi (La modification) (Worms) ; 1970, Hornet's Nest (L'assaut des jeunes loups) (Karlson), La colomba non deve volare (Garrone), Vertige pour un tueur (Desagnat), Les jambes en l'air (Dewever), Nina Tirabuscio (Fondato) ; 1971, Il sesso del diavolo (O.

Brazzi), Mazzabubu (Laurenti), Uccidere in silenzio (Rolando) ; 1972, Homo eroticus (Vicario), Boccaccio (B. Corbucci), Sette scialli di seta gialla (Pastore), La mala ordina (Di Leo), Rivelazioni di un maniaco sessuale (Montero), La strana legge del Dr Menga (Merino), Lisa e il diavolo (Bava), Beati i ricchi (Samperi), Il tuo piacere e il mio (Racca) ; 1974, Delitto d'amore (Commencini) ; 1975, La casa dell' essorcismo (La maison de l'exorcisme) (Bava), Il cavaliere costante nicosia demoniaco ovvero Dracula in Brianza (Fulci), Un par de zapatos del 39, Las correrias del visconde Arnau ; 1977, Casanova and Co. (13 femmes pour Casanova) (Legrand) ; 1980, Cenerentola'80 (Castellano), Asso (Malenotti) ; 1981, Les séducteurs (sketch de Risi) ; 1983, Die Nacht der vier Monde (Eggers) ; 1987, Rimini Rimini (S. Corbucci) ; 1993, C'e Kim Novak al telefono (Roseo).

Née à Zagreb, cette fort jolie personne promena ses mines langoureuses dans de nombreuses productions italiennes avant de devenir une vedette internationale. Mélodrames historiques ou néoréalistes lui convenaient à merveille. En France, Kast, Franju et Gance, parmi d'autres, surent tirer parti de son agréable physique. Elle a dû tourner dans des films fantastiques de second plan. Hollywood en revanche la bouda. Il lui a manqué en définitive un chef-d'œuvre pour atteindre au mythe. Elle ne fut qu'une belle actrice.

Koteas, Elias

Acteur canadien né en 1961.

1985, One Magic Christmas (Borsos) ; 1987, Gardens of Stone (Jardins de pierre) (Coppola), Some Kind of Wonderful (La vie à l'envers) (Deutch) ; 1988, She's Having a Baby (La vie en plus) (Hughes), Full Moon in Blue Water (Pleine lune sur Blue Water) (Masterson), Blood Red (Masterson), Tucker : The Man and His Dream (Tucker) (Coppola) ; 1989, Malarek (Cardinal), Friends, Lovers & Lunatics (Withrow) ; 1990, Look Who's Talking Too (Allô maman c'est encore moi) (Heckerling), Desperate Hours (La maison des otages) (Cimino), Almost an Angel (Cornell) ; 1990, Teenage Mutant Ninja Turtles (Les tortues Ninja) (Barron) ; 1991, The Adjuster (The Adjuster) (Egoyan) ; 1992, Chain of Desire (López) ; 1993, Cyborg 2 : Glass Shadow (Schroeder), Teenage Mutant Ninja Turtles 2 (Les tortues ninja 2) (Gillard) ; 1994, Exotica (Exotica) (Egoyan) ; 1995, Power of Attorney (Himelstein), The Prophecy (Widen) ; 1996, Hit Me (Shainberg), Crash (Crash) (Cronenberg) ; 1997, Gattaca (Bienvenue à Gattaca) (Niccol) ; 1998, Apt Pupil (Un élève doué) (Singer), Living Out Loud (D'une vie à l'autre) (LaGravenese), The Thin Red Line (La ligne rouge) (Malick), Divorce : A Contemporary Western (Lottimer) ; 1999, Lost Souls (Les âmes perdues) (Kominski) ; 2000, Harrison's Flowers (Harrison's Flowers) (Chouraqui), Novocaine (Atkins), Dancing at the Blue Iguana (Radford) ; 2001, Collateral Damage (Dommage collatéral) (Davis).

Révélé par les films d'Atom Egoyan (il tenait le rôle-titre de *The Adjuster*), il tourne surtout aux États-Unis, dans pléthore de films d'action de série B, avant de retenir l'attention de réalisateurs plus intéressants. Apparition-fantasme pour l'héroïne du très joli *D'une vie à l'autre*, il est probablement le personnage le plus attachant de *La ligne rouge* de Malick. Un timbre de voix très doux, un physique méditerranéen (il est d'origine grecque), il reste incontestablement un acteur à suivre.

Kotto, Yaphet

Acteur américain né en 1937.

1963, 4 for Texas (Quatre du Texas) (Aldrich) ; 1964, Nothing but a Man (Roemer) ; 1968, The Thomas Crown Affair (L'affaire Thomas Crown) (Jewison), 5 Card Stud (Cinq cartes à abattre) (Hathaway) ; 1970, The Liberation of L.B. Jones (On n'achète pas le silence) (Wyler) ; 1972, Man and Boy (Swackhamer), The Limit (Kotto), Bone (Cohen), Across 110th Street (Meurtres dans la 110e Rue) (Shear) ; 1973, Live and Let Die (Vivre et laisser mourir) (Hamilton) ; 1974, Truck Turner (Kaplan) ; 1975, Friday Foster (La panthère est de retour) (Marks), Shark's Treasure (Requins) (Wilde), Report to the Commissioner (Katselas) ; 1976, Drum (L'enfer des Mandingos) (Carver) ; 1977, Monkey Hustle (Marks), Raid on Entebbe (Raid sur Entebbe) (Kershner) ; 1978, Blue Collar (Blue Collar) (Schrader) ; 1979, Alien (Alien) (Scott) ; 1980, Othello (White), Brubaker (Brubaker) (Rosenberg) ; 1982, Fighting Back (Philadelphia Security) (Teague) ; 1983, The Star Chamber (La nuit des juges) (Hyams) ; 1985, Warning Sign (Barwood) ; 1986, Terminal Entry (Kincade), Eye of the Tiger (L'œil du tigre) (Sarafian) ; 1987, Prettykill (Kaczender) ; 1987, The Running Man (Running Man) (Glaser) ; 1988, Midnight Run (Brest) ; 1988, The Jigsaw Murders (Mundhra) ; 1989, Ministry of Vengeance (Maris), A Whisper to a Scream (R. Bergman) ; 1990, Tripwire (Lemmo), Hangfire (Maris) ; 1991, Freddy's Dead : The Final Nightmare (La fin de Freddy : Le cauchemar final) (Talalay) ; 1992,

Almost Blue (Waxman) ; 1993, Intent to Kill (Kanganis), Extreme Justice (R.D. Lester) ; 1994, The Puppet Masters (Les maîtres du monde) (Orme) ; 1995, Dead Badge (D. Barr), Out-of-Sync (D. Allen) ; 1996, Two if by Sea (Bennett).

Solide second rôle noir, il se spécialise dans les rôles de militaires inflexibles ou de flics incorruptibles, avec une prestation particulièrement remarquable aux côtés d'Anthony Quinn dans *Meurtres dans la 110e Rue*.

Kouyaté, Sotigui

Acteur d'origine malienne né en 1936.

1983, Jours de tourmente (Zoumbara) ; 1985, Black micmac (Gilou) ; 1986, Descente aux enfers (Girod) ; 1987, Ya bon les Blancs (Ferreri) ; 1988, Eden Miseria (Laurent), Bac ou mariage (Rouch, Tam Sir) ; 1989, Le Mahabharata (Brook), The Sheltering Sky (Un thé au Sahara) (Bertolucci) ; 1990, L'Africaine (Von Trotta), Mamy Wata (Diop) ; 1991, Golem, l'esprit de l'exil (Gitai), IP5 (Beineix) ; 1992, Rupture (s) (Citti) ; 1993, Wendemi, l'enfant du bon dieu (Yameogo), Tombés du ciel (Lioret), La plante humaine (Hébert) ; 1994, A cran (Martin), Keita ! L'héritage du griot (D. Kouyaté) ; 1995, Le maître des éléphants (Grandperret), Rainbow pour Rimbaud (Teulé), Sale gosse (Mouriéras) ; 1996, Saraka bô (Amar) ; 1997, La genèse (Oumar Sissoko) ; 1998, Civilisées (Chahal Sabbag) ; 2000, Little Sénégal (Bouchareb), Voyage à Ouaga (Mouyéké).

Osseux, étrangement lointain, cet authentique griot africain a joué les gourous (*IP5*), les immigrés clandestins (*Tombés du ciel*) et même, sous la direction de Ferreri, un chef de tribu anthropophage. Il fut remarquable dans *Le Mahabharata* de Peter Brook, qui le dirigea en outre dans plusieurs autres productions théâtrales.

Krabbé, Jeroen

Acteur néerlandais né en 1944.

1972, The Little Ark (Clark) ; 1974, Alicia (Verstappen) ; 1979, Een pak slag (Haanstra), Soldier of Orange (Le choix du destin) (Verhoeven) ; 1980, Spetters (Spetters) (Verhoeven) ; 1982, De vierde Man (Le quatrième homme) (Verhoeven) ; 1985, Turtle Diary (Turtle) (Irvin), In de schaduw van de Overwinning (de Jong) ; 1986, Jumpin' Jack Flash (Jumpin' Jack Flash) (P. Marshall), A Flight of Rainbirds (de Jong), No Mercy (Sans pitié) (Pearce) ; 1987, The Living Daylights (Tuer n'est pas jouer) (Glen) ; 1988, Crossing Delancey (Izzy et Sam) (Micklin Silver), The Shadowman (Andreyev), Jan Cox, a Painter's Odyssey (Beyens et DeClerck), A World Apart (Un monde à part) (Menges) ; 1989, Melancholia (Engel et Rodia), The Punisher (Punisher) (Goldblatt), Scandal (Scandal) (Caton-Jones) ; 1990, Till There Was You (Seale) ; 1991, The Prince of Tides (Le prince des marées) (Streisand), Kafka (Kafka) (Soderbergh), Robin Hood (Robin des Bois) (Irvin) ; 1992, Vor een verloren Soldaat (Kerbosch) ; 1993, King of the Hill (King of the Hill) (Soderbergh), The Fugitive (Le fugitif) (Davis) ; 1994, Farinelli (Corbiau), Immortal Beloved (Ludwig van B.) (Rose) ; 1995, Going Home (Hykelma) ; 1996, Lorca (Zurinaga), Dangerous Beauty (La courtisane) (Herskovitz) ; 1997, Business for Pleasure (Eisenman), Left Luggage (Krabbé), Ever After (A tout jamais) (Tennant) ; 1998, An Ideal Husband (Un mari idéal) (Parker) ; 2000, Il cielo cade (A. & A. Frazzi), The Discovery of Heaven (Krabbé).

Issu d'une famille d'artistes, il se passionne très vite pour le théâtre. Son diplôme de l'École d'art dramatique d'Amsterdam en poche, il fonde sa propre compagnie. Révélé, tout comme Rutger Hauer, par les films de Verhoeven période hollandaise, il est l'acteur type estampillé « étranger pas net avec accent » pour la production hollywoodienne. Hiératique et convaincant dans *Farinelli*, où il interprétait Haendel, il reste avant tout un efficace second rôle dans les films d'action américains.

Krauss, Werner

Acteur allemand, 1884-1959.

1916, Hoffmanns Erzählungen (Les contes d'Hoffman) (Oswald), Die Nacht des Grauens (Robison), Zirkusblug (Oswald), Die Rache der Toten (Oswald), Die Seeschlacht (Oswald), Wenn Frauen lieben und hassen (Speyer), Es werde Licht (Oswald) ; 1918, Opium (Reinert) ; 1919, Die Frau mit den Orchideen (Rippert), Das Kabinett des Dr. Caligari (Le cabinet du docteur Caligari) (Wiene), Rose Bernd (Halm), Totentanz (Rippert) ; 1920, Die Beichte einer Toten, Die Brüder Karamasoff (Buchowetski), Der Bucklige und die Tanzerin (Murnau), Hölle und Verfall, Johannes Goth, Das lachende Grauen ; 1921, Die Beute der Erinnyen, Christian Wahnschaffe, Danton (Buchowetski), Die Frau ohne Seele, Grausige Nächte (Lupu-Pick), Der Mann ohne Namen, Das Medium, Der Roman der Christine von Herre, Scherben (Le rail) (Lupu-Pick), Sapho, Zirkus des Lebens ; 1922, Der brennende Acker (La terre qui flambe) (Murnau), Der Graf von Essex, Josef und seine Brüder, Luise Millerin (Froelich), Lady Hamilton (Oswald), Die Marquise von Pompadour, Die Nacht der Medici, Nathan der Weise, Othello (Buchowetski), Tragikomödie (Wiene), Adam und Eva ; 1923, Das alte Gesetz, Alt-Heidelberg, Fräulein Raffke, Fridericus Rex (Von Cserepy), INRI (Wiene) ; 1924, Der Kaufmann von Venedig (Felner), Der Menschenfeind, Der Puppenmacher von Kiang-Ning, Der Schatz (Le trésor) (Pabst), Das unbekannte Morgen, Zwischen Abend und Morgen, Dekameron Nächte (Wilcox), Ein Sommernachtstraum ; 1925, Das Wachsfigurenkabinett (Le cabinet des figures de cire) (Leni), Die Dame aus Berlin, Die Moral der Grasse, Eifersucht, Die freudlose Gasse (La rue sans joie) (Pabst), Tartüff (Tartuffe) (Murnau), Der Trodler von Amsterdam ; 1926, Geheimnisse einer Seele, Das graue Haus, Kreuzzug des Weibes (M. Berger), Man spielt nicht mit der Liebe, Nana (Renoir), Der Student von Prag (L'étudiant de Prague) (Galeen), Uberflüssige Menschen, Da hält die Welt den Atem an ; 1927, Die fidele Bauer, Funkzaubet, Die Hölle der Jungfrauen, Die Hose (La culotte) (Behrendt), Laster der Menschheit, Unter Ausschluss der Offentlichkeit ; 1928, Looping the Loop (Robison), Napoleon auf St. Helena (Napoléon à Sainte-Hélène) (Lupu-Pick) ; 1931, Yorck (Ucicky) ; 1932, Mench ohne Namen (Ucicky) ; 1935, Hundert Tage (Les Cent Jours) (Wenzler) ; 1936, Burgtheater (Forst), Robert Koch (La lutte héroïque) (Steinhoff) ; 1940, Jud Süss (Le Juif Süss) (Harlan) ; 1941, Annelie (Baky) ; 1942, Die Entlassung (Liebeneiner), Zwischen Himmel und Erde (Braun) ; 1943, Paracelsus (Pabst) ; 1950, Prämien auf den Tod (Jurgens), Der fallende Stern (Braun).

L'un des plus grands acteurs du cinéma muet allemand. De Caligari aux personnages historiques du *Cabinet des figures de cire*, des plus célèbres films de Murnau à ceux de Buchowetski, il a été associé aux temps forts de l'expressionnisme. Avec Pabst, il tourne le chef-d'œuvre du Kammerspiel, *La rue sans joie*. Avec la vogue du film historique, il est Frédéric II et deux fois Napoléon (*Napoléon à Sainte-Hélène* et *Les Cent Jours*). Rallié au nazisme, il participe à l'exaltation du savant allemand avec *Koch*, l'homme du bacille, et sert la propagande antisémite à travers *Le Juif Süss*. Inquiété après la guerre, il n'apparaît plus que dans quelques productions sans grand intérêt. Une carrière qui résume l'histoire du cinéma allemand des origines à 1950.

Kristel, Sylvia

Actrice néerlandaise née en 1952.

1972, Because of the Cats (Rademakers) ; 1973, Living apart Together (La Parra), Naakt over de Schutting (Wiesz), Emmanuelle (Jaeckin) ; 1974, Vous ne l'emporterez pas au paradis (Dupont-Midy), Un linceul n'a pas de poches (Mocky), Julia et les hommes (Rothemund) ; 1975, Le jeu avec le feu (Robbe-Grillet) ; 1976, Emmanuelle 2 (Giacobetti), La marge (Borowczyk), Alice ou la dernière fugue (Chabrol), René la Canne (Girod), Beyond the Iron Mask (Annakin), Une femme fidèle (Vadim) ; 1977, Goodbye Emmanuelle (Leterrier), Pastorale 1943 (Verstapen) ; 1978, Mystères (Lussanet) ; 1979, Concorde Airport 80 (Rich), Letti selvaggi (Les monstresses) (Zampa) ; 1980, L'amour en première classe (Samperi), Private Lessons (Lyerson), The Nude Bomb (Le plus secret des agents secrets) (Donner) ; 1981, L'amant de lady Chatterley (Jaeckin), Private School (Blake) ; 1983, Private School (Blake), Emmanuelle 4 (Leroi) ; 1984, (Mata Hari (Harrington), Red Heat (Chaleur rouge) (Collector) ; 1989, Dracula's Widow (Chris Coppola) ; 1992, Emmanuelle 7 (Leroi) ; 1993, Sylvia Kristel's Beauty School (Sauer) ; 1997, Gaston's War (De Hert) ; 1999, Film 1 (Wallyn).

Malgré Chabrol, Robbe-Grillet et Girod, cette charmante actrice, d'origine hollandaise, restera Emmanuelle, l'héroïne du film érotique « soft » qui a connu — sans que l'on sache pourquoi — un énorme succès dans le monde.

Kristofferson, Kris

Acteur et chanteur américain né en 1936.

1971, The Last Movie (Hopper) ; 1972, Cisco Pike (Norton) ; 1973, Pat Garrett and Billy the Kid (Pat Garrett et Billy le Kid) (Peckinpah), Blume in Love (Les choses de l'amour) (Mazursky), The Gospel Road (Elfstrom) ; 1974, Bring Me the Head of Alfredo Garcia (Apportez-moi la tête d'Alfredo Garcia) (Peckinpah) ; 1975, Alice Doesn't Live Here Anymore (Alice n'est plus ici) (Scorsese) ; 1976, The Sailor Who Fell from Grace with the Sea (Le marin qui abandonna la mer) (Carlino), Vigilante Force (Armitage), A Star Is Born (Une étoile est née) (Pierson) ; 1977, Semi-Tough (Les faux durs) (Ritchie) ; 1978, Convoy (Le convoi) (Peckinpah) ; 1979, Freedom Road (Kadar) ; 1980, Heaven's Gate (La porte du Paradis) (Cimino) ; 1981, Rollover (Une femme d'affaires) (Pakula) ; 1984, Songwriter (Rudolph), Act of Passion (Langton), Flash Point (Tannen) ; 1986, Trouble in Mind (Wanda's café) (Rudolph) ; 1988, Big

Top Pee-Wee (Kleiser) ; 1989, Millenium (Anderson), Welcome Home (Schaffner) ; 1990, No Place to Hide (Danus), Sandino (Littin) ; 1992, Original Intent (Marcarelli) ; 1993, Paper Hearts (McCall), Knights (Pyun) ; 1995, Pharaoh's Army (Henson), He Ain't Heavy (Hamilton), Lone Star (Lone Star) (Sayles), Fire Down Below (Alcala) ; 1996, Fixation (Mihalka) ; 1997, Blade (Blade) (Norrington), Girl's Night (Hurran), Dance With Me (Danse passion) (Haines), Payback (Payback) (Helgeland) ; 1998, Limbo (Limbo) (Sayles), A Soldier's Daughter Never Cries (La fille d'un soldat ne pleure jamais) (Ivory) ; 1999, The Joyriders (Battersby), Eye See You (Gillespie), Molokai : The Story of Father Damien (Cox) ; 2000, Bait (Fuqua) ; 2001, Planet of the Apes (Burton), Wooly Boys (Burzynski) ; 2001, Blade 2 (Blade 2) (Del Toro) ; 2004, Blade : Trinity (Blade : Trinity) (Goyer), The Jacket (The Jacket) (Maybury) ; 2006, Fast Food Nation (Fast Food Nation) (Linklater) ; 2007, Requiem for Billy the Kid (Feinsilber).

Il a la massive silhouette d'un joueur de tennis américain de second plan (les frères Gullikson, Dibbs ou Dupré). Chanteur réputé, il chante bien ; comédien, il reste inexpressif, se limitant à une présence physique. Peckinpah l'a sans doute apprécié pour cette raison et de même Cimino.

Kruger, Diane

Actrice d'origine allemande, de son vrai nom Heidkrueger, née en 1976.

2002, Mon idole (Canet) ; 2003, Michel Vaillant (Couvelaire), Ni pour ni contre (bien au contraire) (Klapish) ; 2004, National Treasure (Benjamin Gates et le trésor des Templiers) (Turteltaub), Narco (Aurouet et Lellouche), Troy (Troie) (Petersen) ; 2005, Joyeux Noël (Carion), Wicker Park (Rencontre à Wicker Park) (McGuigan) ; 2006, Les brigades du Tigre (Cornuau), Frankie (Berthaud) ; 2007, Goodbye Bafana (August).

Révélée par *Mon idole* où elle campe l'épouse perverse et ravissante d'un producteur de télévision, elle semble devoir entamer une brillante carrière : ne fut-elle pas la belle Hélène dans *Troie* ?

Krüger, Hardy

Acteur allemand né en 1928.

1944, Junge Adler (Weidenmann) ; 1949, Das Fräulein und der Vagabond (Belitz), Kätchen für alles (Rathony) ; 1950, Mädchen aus der Südsee (La jeune fille et le Suisse) (Muller) ; 1951, Mein Freund, der Dieb (Weiss), Ich heisse Niki (Jugert) ; 1952, Alle kann ich nicht heiraten (Wolff), Illusion in moll (Jugert) ; 1953, Die Junge Frau auf dem Dach (Preminger), Ich und du (Jugert), Muss man sich gleich scheiden lassen ? (Schweikart) ; 1954, Der letze Sommer (Braun) ; 1955, Der Himmel ist nie ausverkauft (Weidenmann), Alibi (Rendez-moi justice) (Weidenmann) ; 1956, Die Christel von der Post (Facteur en jupon) (Anton), Liane (Liane la sauvageonne) (Borsody) ; 1957, The One That Got Away (L'évadé du camp I) (Baker) ; 1958, Gestehen sie, Dr. Corda (Avouez Dr Corda) (Baky), Mission diabolique (May) ; 1959, Der Rest ist Schweigen (Kautner), Bumerang (Opération coffre-fort) (Weidenmann), Blind Date (L'enquête de l'inspecteur Morgan) (Losey), Die Gans von Sedan (Sans tambour ni trompette) (Kautner), Die Nackte und der Satan (La femme nue et Satan) (Trivas) ; 1960, Un taxi pour Tobrouk (La Patellière) ; 1961, Zwei unter millionen (Vicas) ; 1962, Les dimanches de Ville-d'Avray (Bourguignon), Hatari (Hawks), Les quatre vérités (Berlanga, Blasetti...) ; 1963, Le gros coup (Valère) ; 1964, Le chant du monde (Camus) ; 1965, The Flight of the Phoenix (Le vol du Phoenix) (Aldrich), Les pianos mécaniques (Bardem) ; 1966, La grande sauterelle (Lautner), L'espion (Lévy) ; 1967, Le franciscain de Bourges (Autant-Lara) ; 1968, Bitka na Neretvi (La bataille de Neretva) (Bulajic), La monaca di Monza (La religieuse de Monza) (E. Visconti) ; 1969, The Secret of Santa Vittoria (Le secret de San Vittoria) (Kramer), The Red Tent (La tente rouge) (Kalatozov) ; 1970, El castillo de la pureza (Ripstein) ; 1971, Le moine (Kyrou) ; 1972, Tod eines Fremden (Badiyi, Massad) ; 1973, Sutjeska (La cinquième offensive) (Delic) ; 1974, Le solitaire (Brunet) ; 1975, Barry Lindon (Barry Lindon) (Kubrick) ; 1976, A chacun son enfer (Cayatte) ; 1977, A Bridge Too Far (Un pont trop loin) (Attenborough), Horizons (Kruger) ; 1978, The Wild Geese (Les oies sauvages) (McLaglen), Blue Fin (Schultz) ; 1982, Inside Man (L'agent double) (Clegs), Wrong Is Right (Meurtres en direct) (Brooks).

Il fut comme beaucoup d'Allemands de son âge dans les Jeunesses hitlériennes et fut fait prisonnier en 1944 par les Alliés. Il s'évada trois fois mais fut chaque fois repris. Libéré, il fit du théâtre à Hambourg. Au cinéma, il tourne plusieurs comédies puis entame une carrière internationale : blond, viril, il joue les jeunes Allemands plutôt sympathiques dans de nombreux films. Il sera même le franciscain de Bourges, dans un film édifiant et pro-allemand, inattendu de la part d'Autant-Lara.

Ce sont en effet les films de guerre qui dominent dans sa carrière.

Kruger, Otto

Acteur américain, 1885-1974.

Principaux films : 1923, Under the Red Robe (Crosland) ; 1934, Treasure Island (L'île au trésor) (Fleming) ; 1936, Dracula's Daughter (La fille de Dracula) (Hillyer) ; 1940, A Dispatch from Reuter's (Une dépêche de Reuter) (Dieterle), Dr. Ehrlich's Magic Bullet (Dieterle) ; 1942, Saboteur (Hitchcock) ; 1943, Hitler's Children (Dmytryk) ; 1944, Cover Girl (Cover Girl) (C. Vidor) ; 1945, Murder My Sweet (Adieu ma belle) (Dmytryk) ; 1946, Duel in the Sun (Duel au soleil) (K. Vidor) ; 1942, High Noon (Le train sifflera trois fois) (Zinnemann) ; 1954, The Magnificent Obsession (Le secret magnifique) (Sirk) ; 1964, Sex and the Single Girl (Vierge sur canapé) (Quine).

Cet acteur d'une rare distinction a tourné un nombre impressionnant de films comme médecin, homme de loi, politicien en conservant toujours une parfaite dignité.

Kudrow, Lisa

Actrice américaine née en 1963.

1989, L.A. on $5 a Day (Hughes) ; 1991, The Unborn (Flender), Dance with Death (C.P. Moore) ; 1992, In the Heat of Passion (Flender) ; 1994, In the Heat of Passion II : Unfaithful (Cyran) ; 1995, The Crazysitter (McDonald) ; 1996, Mother (Mother) (A. Brooks), Hacks (Rosen) ; 1997, Romy and Michele's High School Reunion (Mirkin), Clockwatchers (Sprecher), Opposite of Sex (Sexe et autres complications) (Roos) ; 1998, Analyze This (Mafia blues) (Ramis) ; 1999, Hanging Up (Raccroche !) (D. Keaton) ; 2000, Lucky Numbers (Le bon numéro) (Ephron).

La Phoebe de la série télé « Friends », fille d'un physicien, n'a pas encore réussi à imposer sa verve comique au cinéma, même si son incarnation d'une belle-sœur mal dans sa peau et frustrée, dans *Sexe et autres complications,* était savoureuse.

Kumar, Dilip

Acteur indien né en 1922.

Principaux films : 1944, Jahwar Bahta (Chakarvarty) ; 1946, Milan (Bose) ; 1947, Jugnu (Rizvi) ; 1949, Andaz (Khan) ; 1951, Deedar (Bose) ; 1955, Devdas (Roy) ; 1961, Ganga Jamma (Bose), Kohinoor (Kohinoor) (Sunny) ; 1982, Shakti (Sippy).

Aurait été l'un des acteurs les plus populaires, dans le mode tragique, du cinéma indien. Marié à une actrice non moins célèbre, Sairabanu. Il est en revanche peu connu sous nos latitudes.

Kutcher, Ashton

Acteur américain né en 1978.

1999, Coming Soon (Burson) ; 2000, Reindeer Games (Piège fatal) (Frankenheimer), Down to You (In love) (Isacsson) ; 2001, Texas Rangers (Miner), Dude, Where's My Car ? (Eh mec ! elle est où ma caisse ?) (Leiner) ; 2003, Just Married (Pour le meilleur et pour le rire) (Levy), Cheaper by the Dozen (Treize à la douzaine) (Levy), My Boss's Daughter (Mon boss, sa fille et moi) (Zucker) ; 2004, The Butterfly Effect (L'effet papillon) (Bress, Gruber) ; 2005, Guess Who (Black/White) (Sullivan), A Lot Like Love (7 ans de séduction) (Cole) ; 2006, The Guardian (Coast Guards) (Davis), Bobby (Bobby) (Estevez).

Une carrière de mannequin, une série télé pour ados (*That 70s Show*), des potacheries, puis des films plus ambitieux – et un mariage avec Demi Moore.

Kyo, Machiko

Actrice japonaise, de son vrai nom Yano Motoko, née en 1924.

(Pour les films japonais on a seulement indiqué les titres français et cité les plus connus.) 1950, Rashomon (Kurosawa) ; 1952, Le grand Bouddha (Kinugasa), La belle et le voleur (Kimura) ; 1953, Frère et sœur (Naruse), Contes de la lune vague après la pluie (Mizoguchi), La porte de l'enfer (Kinugasa) ; 1955, La princesse Yang Kwei Fei (Mizoguchi) ; 1956, La rue de la honte (Mizoguchi), The Teahouse of the August Moon (La petite maison de thé) (D. Mann) ; 1959, L'étrange obsession (Ichikawa), Herbes flottantes (Ozu) ; 1961, Buddha (Misumi) ; 1966, Le visage d'un autre (Teshigahara) ; 1969, Sembazuru (Masumura) ; 1976, Otoko wa tsurai yo : Torajiro junjoshishu (Yamada).

A l'origine une très belle danseuse jouant au Shochiku et découverte par Daiei. Le cinéma l'attire. Dans ses premiers films comme *Hanakurabe Tanuki Goten*, il semble qu'on ait surtout exploité ses talents de danseuse. Avec *Rashomon*, où elle est la femme du samouraï, elle révèle ses dons d'actrice. Elle sera la princesse fantôme des *Contes de la lune vague après la pluie*, la fidèle Kesa de *La porte de l'enfer*, la prostituée de *La rue de la honte* et l'épouse dans *L'étrange obsession*.

L

Laage, Barbara

Actrice française, de son vrai nom Claire Colombat, 1920-1988.

1948, B.F.'s Daughter (Leonard) ; 1950, La rose rouge (Pagliero) ; 1952, La p... respectueuse (Pagliero) ; 1953, Traviata 53 (Fille d'amour) (Cottafavi), Zoé (Brabant), Quai des blondes (Cadeac) ; 1954, Nagana (Bromberger), Act of Love (Un acte d'amour) (Litvak) ; 1956, Gil Blas (Jolivet), Les assassins du dimanche (Joffé), Action immédiate (Labro), Elena et les hommes (Renoir) ; 1957, The Happy Road (La route joyeuse) (Kelly) ; 1958, Una Parigina a Roma (Kobler), Y'en a marre/Le gars d'Anvers (Govar), Un mondo para mi (Tentations) (La Loma) ; 1960, Le caïd (Borderie), Ça va être ta fête (Montazel), Bomben auf Monte-Carlo (Ça peut toujours servir) (Jacoby), Orientalische Nächte (Paul) ; 1961, Paris-Blues (Ritt) ; 1962, Le captif (Labro) ; 1963, Vacances portugaises (Kast) ; 1967, Drôle de jeu (Kast) ; 1968, Thérèse et Isabelle (Metzger) ; 1970, Domicile conjugal (Truffaut) ; 1973, Projection privée (Leterrier), Défense de savoir (Trintignant).

Toute une époque, celle de l'existentialisme, des caves de Saint-Germain et des cabarets, est symbolisée par cette blonde sensuelle qui sombra par la suite dans le pire cinéma.

Labourdette, Élina

Actrice française née en 1919.

1938, Le drame de Shanghai (Pabst) ; 1941, Le pavillon brûle (Baroncelli) ; 1942, Des jeunes filles dans la nuit (Le Hénaff) ; 1944, Les dames du bois de Boulogne (Bresson) ; 1947, Les trafiquants de la mer (Rozier) ; 1950, Le château de verre (Clément), Les aventuriers de l'air (Jayet), Édouard et Caroline (Becker) ; 1951, Monsieur Fabre (Diamant-Berger), Tapage nocturne (Sauvajon) ; 1952, Ouvert contre X (Pottier), Mon mari est merveilleux (Hunebelle) ; 1953, La vierge du Rhin (Grangier) ; 1954, To Paris With Love (Deux Anglais à Paris) (Hamer) ; 1955, Papa, maman, ma femme et moi (Le Chanois) ; 1956, C'est arrivé à Aden (Boisrond), Elena et les hommes (Renoir) ; 1957, La nuit des suspects (Merenda) ; 1960, Vacances en enfer (Kerchbron), Lola (Demy) ; 1961, Snobs (Mocky) ; 1962, Le glaive et la balance (Cayatte), Les Parisiennes (Boisrond) ; 1963, Le couteau dans la plaie (Litvak) ; 1969, Clair de terre (Gilles) ; 1976, L'homme pressé (Molinaro).

Elle reste dans notre mémoire comme la demoiselle du bois de Boulogne, celle qui danse dans un collant noir révélant des jambes splendides (Labourdette avait été danseuse chez Volimine). Sa pureté séduira le libertin Paul Bernard et le conduira au mariage. Par la suite quelques rôles secondaires dans des films mineurs (à une ou deux exceptions près comme *Snobs* ou *Lola*). On ne se relève pas d'avoir tourné avec Bresson. Beaucoup de théâtre, à titre de compensation, avec la compagnie Renaud-Barrault.

Labourier, Dominique

Actrice française née en 1947.

1969, Camarades (Karmitz) ; 1971, Les camisards (Allio), Ça n'arrive qu'aux autres (N. Trintignant), Les yeux fermés (Santoni), Le petit théâtre de Jean Renoir (Renoir) ; 1972, Beau masque (Paul) ; 1974, Céline et Julie vont en bateau (Rivette), Pas si méchant que ça (Goretta) ; 1975, Les conquistadores

(Pauly), Monsieur Albert (Renard), Le diable dans la boîte (Lary) ; 1976, Jonas qui aura 25 ans en l'an 2000 (Tanner) ; 1979, Chère inconnue (Mizrahi) ; 1980, Théâtre (Fieschi et Mabilles), La citta delle donne (La cité des femmes) (Fellini) ; 1981, La passante du Sans-souci (Rouffio), La revanche (Lary) ; 1982, T'es heureuse ? moi toujours (Marbœuf) ; 1986, L'état de grâce (Rouffio), Sauve-toi Lola (Drach) ; 1989, L'orchestre rouge (Rouffio) ; 1999, Le temps retrouvé (Ruiz) ; 2000, Les blessures assassines (Denis).

Un certain succès dans les années 70, où tout ce qui se fait comme cinéma d'auteur la réclame. Moins heureuse durant la décennie suivante, elle semble depuis lors s'être tournée vers la télévision.

La Brosse, Simon de

Acteur français, 1965-1998.

1983, Pauline à la plage (Rohmer), Garçon ! (Sautet) ; 1984, La vie de famille (Doillon), Glamour (Merlet) ; 1985, L'effrontée (Miller) ; 1986, 37° 2 le matin (Beineix), Buisson ardent (Perrin), Désordre (Assayas) ; 1987, Travelling avant (Tacchella), Les innocents (Téchiné) ; 1988, La petite voleuse (Miller) ; 1989, Après après-demain (Frot-Coutaz) ; 1990, Ao fim da noite (Leitao), Strike it Rich (J. Scott) ; 1991, Les arcandiers (Sanchez) ; 1993, L'ombre du doute (Isserman), Des feux mal éteints (Moati).

Symbolisant une certaine jeunesse rebelle et désaxée par les contradictions des années 80, il passe difficilement le cap des années 90. On ne le voit alors plus qu'à la télévision. Il met fin à ses jours alors que certains l'ont déjà oublié. Nous, pas.

Lachens, Catherine

Actrice française née en 1950.

1971, Mouvement et pensée (Pinok et Matho) ; 1972, What a flash ! (Barjol) ; 1973, L'histoire très bonne et très joyeuse de Colinot trousse-chemise (Companeez) ; 1975, Flic Story (Deray), Attention les yeux (Pirès), L'incorrigible (Broca) ; 1976, Silence... on tourne (Coggio), Le gang (Deray), Monsieur Albert (Renard) ; 1977, Mort d'un pourri (Lautner), Monsieur Papa (Monnier), Violette et François (Rouffio) ; 1978, Ils sont fous ces sorciers (Lautner), Je suis timide et je me soigne (Richard), Je te tiens, tu me tiens par la barbichette (Yanne) ; 1979, Flic ou voyou (Lautner), Bête mais discipliné (Zidi), La gueule de l'autre (Tchernia), Le toubib (Granier-Deferre) ; 1980, Deux lions au soleil (Faraldo) ; 1981, T'es folle ou quoi ? (Gérard) ; 1982, Ça va pas être triste (Sisser), On s'en fout, nous on s'aime (Gérard) ; 1983, Le prix du danger (Boisset), L'amour fugitif (Ortega), Flics de choc (Dessagnat) ; 1984, Le sang des autres (Chabrol), Un amour de Swann (Schlondorff), Aldo et Junior (Schulmann) ; 1986, La vie dissolue de Gérard Floque (Lautner), Rosa la rose, fille publique (Vecchiali) ; 1987, In extremis (Lorsac), Les deux crocodiles (Séria) ; 1989, Rouge Venise (Périer) ; 1990, Le sixième doigt (Duparc) ; 1991, Le cri du cochon (Guesnier) ; 1992, La belle histoire (Lelouch) ; 1995, Gazon maudit (Balasko) ; 1996, Les Bidochon (Korber) ; 2000, Les confessions d'un dragueur (Soral), Ils sont quand même bien les Parisiens (Koleva), Les morsures de l'aube (de Caunes).

Conservatoire (trois premiers prix). Sa carrière théâtrale, sous Maréchal, Rosner, Mesguich ou Périmony, est en définitive plus brillante que sa filmographie.

Ladd, Alan

Acteur américain, 1913-1964.

1932, Tom Brown of Culver (Wyler), Once in a Lifetime (Une fois dans la vie) (Mack) ; 1933, Island of Lost Souls (L'île du docteur Moreau) (Kenton), Saturday's Millions (Sedgwick) ; 1936, Pigskin Parade (Butler) ; 1937, Hold Em Navy (Neumann), All over Town (Horne), The Last Train from Madrid (Le dernier train de Madrid) (Hogan), Souls at Sea (Ames à la mer) (Hathaway) ; 1938, The Godwyn Follies (Marshall), Freshman Year (McDonald), Come on Leathernecks (Cruze) ; 1939, Rulers of the Sea (Les maîtres de la mer) (Lloyd), Hitler Beast of Berlin (Sam Newfield sous pseudonyme) ; 1940, The Green Hornet (Le frelon vert) (Beebe et Taylor), Cross Country Romance (Woodruff), Light of Western Stars (Selander), Victory (Passion sous les tropiques) (Cromwell), In Old Missouri (McDonald), Gangs of Chicago (Lubin), Brother Rat and a Baby (Enright), Captain Caution (Capitaine Casse-Cou) (Wallace), Those Were the Days (Reed), Meet the Missus (St. Clair), Her First Romance (Dmytryk), They Met in Bombay (L'aventure commence à Bombay) (Brown) ; 1941, Cadet Girl (McCarey), Great Guns (Quel pétard !) (Banks), Citizen Kane (Welles), Petticoat Politics (Kenton), Paper Bullets (La reine du gang) (Rosen), The Black Cat (Rogell) ; 1941, The Reluctant Dragon (Werker) ; 1942, Joan of Paris (Jeanne de Paris) (Stevenson), This Gun for Hire (Tueur à gages) (Tuttle), The Glass Key (La clef de verre) (Heisler), Lucky Jordan (Jordan le révolté) (Tuttle), Star Spangled Rhythm (Au pays du rythme) (Marshall) ; 1943, China (Le défilé de la mort) (Farrow) ; 1944, And Now Tomorrow (Le bonheur est pour demain) (Pichel) ; 1945, Salty O'Rourke (Sa dernière course) (Walsh) ; 1946, The Blue Dahlia (Le dahlia bleu) (Marshall), Duffy's Tavern (La taverne de la folie) (Walker), O.S.S. (Les héros dans l'ombre) (Pichel), Two Years Before the Mast (Révolte à bord) (Farrow) ; 1947, Calcutta (Meurtres à Calcutta) (Farrow), Wild Harvest (Les corsaires de la terre), Variety Girl (Hollywood en folie) (Marshall), My Favorite Brunette (La brune de mes rêves) (Nugent) ; 1948, Saigon (Trafic à Saigon) (Fenton), Beyond Glory (Retour sans espoir) (Farrow), Whispering Smith (Smith le taciturne) (Fenton) ; 1949, The Great Gatsby (Le prix du silence) (Nugent), Chicago Deadline (Enquête à Chicago) (L. Allen) ; 1950, Captain Carey, USA (Le dénonciateur) (Leisen) ; 1951, Branded (Marqué au fer) (Maté), Appointment with Danger (Échec au hold-up) (Allen) ; 1952, Red Mountain (La montagne rouge) (Dieterle), The Iron Mistress (La maîtresse de fer) (Douglas) ; 1953, Thunder in the East (Tonnerre sur le temple), The Desert Legion (La légion du Sahara) (Pevney), Shane (L'homme des vallées perdues) (Stevens), Botany Bay (Les bagnards de Botany Bay) (Farrow), The Red Beret (Les bérets rouges) (T. Young) ; 1954, Hell Below Zero (L'enfer au-dessous de zéro) (Robson), Saskatchewan (La brigade héroïque) (Walsh), The Black Knight (Le serment du chevalier noir) (Garnett), Drum Beat (L'aigle solitaire) (Daves) ; 1955, The McConnell Story (Le tigre du ciel) (Douglas), Hell On Frisco Bay (Colère noire) (Tuttle) ; 1956, Santiago (Santiago) (Douglas), A Cry in the Night (Tuttle) ; 1957, The Big Land (Les loups dans la vallée) (Douglas), Boy on a Dolphin (Ombres sous la mer) (Negulesco) ; 1958, The Deep Six (En patrouille) (Maté), The Proud Rebel (Le fier rebelle) (Curtiz), The Badlanders (L'or du Hollandais) (Daves) ; 1959, The Man in the Net (L'homme dans le filet) (Curtiz) ; 1960, Guns of the Timberland (Tonnerre sur Timberland) (Webb), All the Young Men (Les marines attaquent) (H. Bartlett), One Foot in Hell (Les hors-la-loi) (Clark) ; 1961, Duel of Champions (Les Horaces et les Curiaces) (Young) ; 1962, 13 West Street (Lutte sans merci) (Leacock), The Carpetbaggers (Les ambitieux) (Dmytryk).

Champion des États-Unis en plongeon et excellent coureur, Ladd a fait du journalisme, de la radio et de la figuration (on l'aperçoit parmi des reporters dans *Citizen Kane*) avant de devenir l'une des grandes vedettes d'Hollywood. C'est *This Gun for Hire*, adaptation d'un roman de Graham Greene, qui révèle son visage d'ange déchu et en fait le partenaire idéal de Veronica Lake. C'est *Shane*, un autre rôle de tueur, qui relance sa carrière alors à bout de souffle. Ladd a surtout tourné des films d'action (aventures exotiques, guerre, westerns, thrillers). Il est particulièrement inquiétant dans le personnage de *One Foot in Hell*, superbe western injustement oublié. Curieusement il était de petite taille et devait, selon la légende, monter sur un tabouret pour embrasser ses partenaires, ce qui contraignait à le filmer toujours en plan américain. Il mourut prématurément et la rumeur de son suicide fut alors répandue. Il semble qu'il se soit agi plutôt d'un accident (il but de l'alcool en même temps que des sédatifs).

Laffin, Dominique

Actrice française, 1952-1985.

1977, La nuit tous les chats sont gris (Zingg), Dites-lui que je l'aime (Miller), Les petits câlins (Poiré) ; 1978, La femme qui pleure (Doillon), Tapage nocturne (Breillat) ; 1979, Félicité (Pascal), L'œil du maître (Kurc), Chiedo asilo (Pipicacadodo) (Ferreri), L'empreinte des géants (Enrico) ; 1981, Instants de vie (Othnin-Girard) ; 1982, Liberty Belle (Kané), System ohne Schatten (La main dans l'ombre) (Thome) : 1983, Garçon ! (Sautet) ; 1984, Acropolis (Liechti), Un homme à l'endroit, un homme à l'envers (Laik) ; 1985, Passage secret (L. Perrin).

Elle a fait tous les métiers, de la jeune fille au pair à la pochette de disque, de l'étudiante à la dessinatrice de bandes pour enfants. De là peut-être une certaine indifférence à l'égard de sa carrière de comédienne. Des œuvres un peu « rive gauche » parfois, qui l'ont empêchée d'accéder à un statut de star qu'elle aurait mérité.

Lafont, Bernadette

Actrice française née en 1938.

1957, Les mistons (Truffaut) ; Giovani mariti (Les jeunes mariés) (Bolognini) ; 1958, le beau Serge (Chabrol) ; 1959, Bal de nuit (Cloche), A double tour (Chabrol), L'eau à la bouche (Doniol-Valcroze), Les bonnes femmes (Chabrol) ; 1960, Les mordus (Jolivet) ; 1961, Les godelureaux (Chabrol), Tire au flanc (Givray), Jusqu'à plus soif (Labro), Me faire ça à moi (Grimblat) ; 1962, Et Satan conduit le bal (Dabat), Une grosse tête (Givray) ; 1963, Un clair de lune à Maubeuge (Cherasse), Les femmes d'abord (André) ; 1964, La chasse à l'homme (Molinaro), Tous les enfants du monde (Michel), Pleins feux sur Stanislas (Dudrumet) ; 1965, Les bons vivants (Grangier), Compartiment tueurs (Costa-Gavras) ; 1966, Le voleur (Malle), Les murs (Kovacs) ; 1967, Lamiel (Aurel), Un idiot à Paris (Korber), Le révélateur (Garrel), Les idoles (Marc'o) ; 1968, Piège (Baratier) ; 1969, L'amour c'est gai, l'amour c'est triste (Pollet), Le voleur de crimes (N. Trintignant), La fiancée du pirate (N. Kaplan), Sex Power (Chapier), Paul (Medveczky) ; 1970, Élise ou la vraie vie (Drach), Caïn de nulle part (Daert) ; 1971, Les stances à Sophie (Mizrahi), Les doigts croisés (Clément), Valparaiso, Valparaiso (Aubier), L'œuf (Herman), Out one Spectre (Rivette), La famille (Lagrange), What a Flash (Barjol), Poulou le Magnifique (Berkani) ; 1972, Une belle fille comme moi (Truffaut), Trop jolies pour être honnêtes (Balducci), Les gants blancs du diable (Szabo) ; 1973, La maman et la putain (Eustache), L'histoire très bonne et très joyeuse de Colinot Trousse-Chemise (Companeez), Défense de savoir (N. Trintignant), Une baleine qui avait mal aux dents (Bral) ; 1974, Zig Zig (Szabo), Permette, Signora, che ami vostra figlia (Polidoro) ; 1975, Vincent mit l'âne dans un pré (Zucca), Un divorce heureux (Carlsen) ; 1976, Certaines nouvelles (Davila), Qu'il est joli garçon l'assassin de papa (Caputo), L'ordinateur des pompes funèbres (Pirès), La ville bidon (Baratier), Stranberg est là (Galle), Le trouble-fête (Foulon), Un type comme moi ne devrait jamais mourir (Vianey) ; 1977, La tortue sur le dos (Beraud), Noroît (Rivette) ; 1978, Violette Nozières (Chabrol), Chaussette surprise (Davy) ; 1979, Nous maigrirons ensemble (Vocoret), Il ladrone (Le larron) (Festa Campanile), Retour en force (Poiré), La gueule de l'autre (Tchernia), La frisée aux lardons (Jaspard) ; 1980, Le roi des cons (Confortes), Une merveilleuse journée (Vital), Si ma gueule vous plaît (Caputo) ; 1982, Cap Canaille (Berto), On n'est pas sorti de l'auberge (Pecas) ; 1983, La bête noire (Chaput), Un bon petit diable (Brialy) ; 1984, Gwendoline (Jaeckin), Canicule (Boisset) ; 1985, Le pactole (Mocky), L'effrontée (Miller) ; 1986, Inspecteur Lavardin (Chabrol) ; 1987, Masques (Chabrol), Waiting for the Moon (Godmilow) ; 1988, Les saisons du plaisir (Mocky), Deux minutes de soleil en plus (Vergez), Prisonnières (Silvera), Une nuit à l'Assemblée nationale (Mocky) ; 1989, L'air de rien (Jimenes) ; 1990, Sam Suffit (Thevenet), Boom Boom (Boom Boom) (Verges), Plein fer (Dayan) ; 1991, Cherokee (Ortega), Dingo (Dingo) (De Heer), Ville à vendre (Mocky) ; 1992, Sissi und der Kaiserküss (Sissi, la valse des cœurs) (Böll), Zadoc et le bonheur (Salfati) ; 1993, Personne ne m'aime (Vernoux), Le fils de Gascogne (Aubier) ; 1995, Rainbow pour Rimbaud (Teulé), Rita, Rocco et Cléopâtre (Forgeau) ; 1996, Nous sommes tous encore ici (Miéville), Généalogies d'un crime (Ruiz), Sous les pieds des femmes (Krim) ; 1998, Recto/verso (Longval), Rien sur Robert (Bonitzer), La dilettante (Thomas) ; 1999, Un possible amour (Lamotte) ; 2001, les amants du Nil (Heumann), Les petites couleurs (Plattner) ; 2003, Ripoux 3 (Zidi) ; 2006, Les aiguilles rouges (Davy), Prête-moi ta main (Lartigau) ; 2007, Les petites vacances (Peyon).

Venue de Nîmes sur le conseil de Gérard Blain, après avoir fait de la danse, cette piquante brunette est engagée par Truffaut pour le rôle principal des *Mistons*. Elle deviendra, sans l'avoir prévu, l'égérie de la Nouvelle Vague (Chabrol, Doniol-Valcroze, Givray). Elle servira ensuite des œuvres difficiles ou des jeunes auteurs (N. Kaplan, Szabo), y perdant en popularité mais permettant l'éclosion d'une relève (au demeurant décevante) de cette Nouvelle Vague. Elle sait admirablement s'adapter aux rôles nouveaux que lui réservent *L'effrontée* ou *Le pactole*. Cette belle nature fête brillamment en 2007 ses cinquante ans de cinéma avec *Les petites vacances.*

Lafont, Pauline

Actrice française, 1963-1988.

1983, Les planqués du régiment (Caputo), Vive les femmes ! (Confortès), Papy fait de la résistance (Poiré) ; 1984, L'amour braque (Zulawski) ; 1985, Bad Boy (Un printemps sous la neige) (Petrie), Poulet au vinaigre (Chabrol), Le pactole (Mocky) ; 1986, La galette du roi (Ribes), Je hais les acteurs (Krawczyk) ; 1987, Sale destin (Madigan), Made in Belgique (c.m., Desrosières), L'été en pente douce (Krawczyk), Soigne ta droite (Godard), Deux minutes de soleil en plus (Vergez).

Fille de Bernadette Lafont, elle en perpétua l'humour et la sensualité avant de disparaître tragiquement.

Laforêt, Marie

Actrice française, de son vrai nom Maïtena Doumenach, née en 1939.

1960, Plein soleil (Clément), Saint-Tropez blues (Moussy) ; 1961, La fille aux yeux d'or (Albicocco), Leviathan (Keigel), Les amours célèbres (Boisrond) ; 1962, Le rat d'Amérique (Albicocco) ; 1963, A cause, à cause d'une femme (Deville) ; 1964, Cherchez l'idole (Boisrond), La chasse à l'homme (Molinaro),

Cent briques et des tuiles (Grimblat) ; 1965, Marie-Chantal contre le docteur Kha (Chabrol) ; 1967, Jack of Diamonds (Taylor), Le treizième caprice (Boussinot) ; 1972, Le Petit Poucet (Boisrond) ; 1978, Flic ou voyou (Lautner) ; 1982, Les diplômés du dernier rang (Gion), Que les gros salaires lèvent le doigt (D. Granier-Deferre) ; 1983, Les morfalous (Verneuil) ; 1984, Joyeuses Pâques (Lautner) ; 1985, Le pactole (Mocky), Tangos (Solanas) ; 1987, Sale destin (Madigan), Fucking Fernand (Mordillat), Il est génial Papy (Drach) ; 1989, La folle journée (Coggio) ; 1990, Présumé dangereux (Lautner), L'avaro (Cervi) ; 1994, Dis-moi oui (Arcady), Ainsi soient-elles (L. et P. Alessandrin) ; 1995, Tykho Moon (Bilal) ; 1997, Héroïnes (Krawczyk), C'est la tangente que je préfère (Silvera) ; 2000, Jeux pour mourir (Romy).

Remarquée par Raymond Rouleau, cette fille d'un industriel de la Gironde sera l'actrice d'un seul film : *La fille aux yeux d'or* dont elle épousera d'ailleurs le metteur en scène. Rarement une adéquation aura été aussi réussie : les yeux étranges et la beauté troublante de Marie Laforêt collent parfaitement au personnage. Mais elle n'était pas mal non plus dans *Plein soleil*. Le reste est décevant. Elle s'est reconvertie en ouvrant une galerie d'art en Suisse, en chantant (avec un grand succès) et en écrivant (*Contes et légendes de ma vie privée* en 1981). Retour au cinéma à partir de 1982, mais on est loin de *Plein soleil*.

Lagrange, Valérie

Chanteuse et actrice française née en 1942.

1959, La jument verte (Autant-Lara) ; 1960, Morgan il pirata (Capitaine Morgan) (De Toth), La Française et l'amour (sketch Boisrond), Le gigolo (Deray) ; 1961, I fratelli corsi (Les frères corses) (Majano), Le puits aux trois vérités (Villiers), Auguste (Chevalier) ; 1962, La salamandre d'or (Régamey), Les bricoleurs (Girault) ; 1963, La ronde (Vadim), Hardi ! Pardaillan (Borderie), Dragées au poivre (Baratier) ; 1964, Un monsieur de compagnie (Broca) ; 1965, Les tribulations d'un Chinois en Chine (Broca) ; 1966, Mon amour, mon amour (N. Trintignant), Un homme et une femme (Lelouch) ; 1967, Un homme à abattre (Condroyer), Un épais manteau de sang (Bénazéraf), Les idoles (Marc'O), Week-end (Godard) ; 1968, Satyricon (Le satyricon de Fellini) (Fellini), Money-money (Varela) ; 1969, Helena y Fernanda (Week-end pour Elena) (Diamante), Le lit de la vierge (Garrel) ; 1971, Intima proibita di una giovane sposa (Brazzi), La vallée (Schroeder) ; 1975, Le bon et les méchants (Lelouch), Le chat et la souris (Lelouch) ; 1976, Si c'était à refaire (Lelouch) ; 1978, Le rose et le blanc (Pansard-Besson) ; 1988, Mes nuits sont plus belles que vos jours (Zulawski).

Une éducation stricte l'amène à participer à un casting à l'insu de ses parents, et Autant-Lara la choisit pour le rôle de la fille de Bourvil dans *La jument verte*. Elle baladera sa beauté gracile dans une filmographie très éclectique. Quelques rôles marquants : la vénéneuse Bianca Farnèse dans *Pardaillan*, un page androgyne dans *La salamandre d'or*, la première femme de Trintignant dans *Un homme et une femme*... Adepte de toutes les expériences dans la mouvance de Mai 68, elle touche aussi à la chanson et enregistre cinq albums. Elle se retire du circuit pour des raisons familiales avant de revenir à la chanson en 2003.

Lahaie, Brigitte

Actrice française née en 1955.

1976, Les plaisirs fous (Fleury), Jouissances suprêmes (Lansac), Vibrations sexuelles (Rollin, sous le pseudonyme de M. Gentil) ; 1977, Rentre c'est bon (Micky), Bordel S.S. (Bénazéraf), Les grandes jouisseuses (Tranbaree), Indécences 1930 (Kikoïne), Je suis une belle salope (Vernier), Étreintes (Micky), Cathy fille soumise (Sanders), La face cachée d'Hitler (R. Balducci), Train spécial pour S.S. (Payet), Jouir jusqu'au délire (Vernier), Entrecuisses (Reinhard), Parties fines (Kikoïne), Touchez pas aux zizis (Rohm), La rabatteuse (Tranbaree), Nuits brûlantes (Tranbaree), Je suis à prendre (Leroi), Excès pornographiques (Tranbaree) ; 1978, Viens j'aime ça (Martin), La grande mouille (Tranbaree), Ondées brûlantes (Régis), La vitrine du plaisir (Kikoïne), New generation (Lowflegoff), Auto-stoppeuses en chaleur (Tranbaree), Je brûle de partout (Franco), Couple cherche esclave sexuel (Aubin), Langues cochonnes (Pierson), Prends-moi de force (Pradley), Secrétaire sans culotte (Jean), Cuisses infernales (Tranbaree), Festival érotique (Thierry, sous le pseudonyme de Wochietowski), Blondes humides (Martin), Estivantes pour hommes seuls (Sanders), Une femme spéciale (Pradley), Veuves en chaleur (Tranbaree), Soumission (Tranbaree), Enquêtes 666/Call-girls de luxe (Kikoïne), Anna (Bénazéraf) ; 1979, Parties chaudes (Tranbaree), Body-body à Bangkok (Pradley), Cette malicieuse Martine (anonyme), Le coup du parapluie (Oury), Les enfilées (Aubin), Maîtresses pour couple (Aubin), Le retour des veuves

(Tranbaree), Pénétrations méditerranéennes (Pradley), La clinique des fantasmes/Tout pour jouir (Kikoïne), Les petites garces/L'héritière (Loubeau), L'histoire des trois petits cochons (Perrin), Fascination (Rollin) ; 1980, Secrets d'adolescentes (Loubeau), Clito' petalo del sesso (Pallardy), Les petites écolières (Lansac), Enquêtes spéciales sur couples pervers (Kikoïne), Les bidasses aux grandes manœuvres (Delpard), Journal intime d'une Thaïlandaise (Pradley), Amours adolescentes (Lansac), Parties très spéciales (Kikoïne), A couteaux tirés (Rollin), Die Nichten der Frau Obers (Les bourgeoises de l'amour) (Thomas), Les prisonnières (E.C. Dietrich), Gefangene Frauen (Le corps et le fouet) (Thomas) ; 1981, Sechs Schwedinnen von der Tankstelle (Six Suédoises à la pompe) (Thomas), Diva (Beineix), Laisse ton père aux vestiaires (Balducci), Éducation anglaise (Roy), Si ma gueule vous plaît (Caputo) ; 1982, De bouche à bouche (Parry), Pour la peau d'un flic (Delon), Te marre pas c'est pour rire (Besnard) ; 1983, ADN (Borgini), La France interdite (Garnier) ; 1984, Brigade des mœurs (Pecas) ; 1985, Joy et Joan (Saurel), L'exécutrice (Caputo), Suivez mon regard (Curtelin) ; 1986, Le couteau sous la gorge (Mulot) ; 1987, On se calme et on boit frais (Pecas), Le Diable rose (Reinhard), Dark Mission (Franco) ; 1988, Les prédateurs de la nuit (Franco) ; 1990, Henry and June (Henry et June) (Kaufman) ; 1995, Les deux orphelines vampires (Rollin) ; 2000, La fiancée de Dracula (Rollin) ; 2005, Calvaire (Du Welz).

« Star du porno », elle a montré en présentant à « Apostrophes » son livre de souvenirs *Moi la scandaleuse* qu'elle était aussi intelligente et sans complexes. Elle s'est reconvertie dans les médias.

Lajarrige, Bernard
Acteur français, 1912-1999.

Principaux films : 1936, Sous les yeux d'Occident (Allégret) ; 1937, Orage (Allégret) ; 1942, L'ange de la nuit (Berthomieu), L'auberge de l'abîme (Rozier), Patricia (Mesnier), La loi du printemps (Daniel-Norman) ; 1943, Les anges du péché (Bresson), Le ciel est à vous (Grémillon) ; 1945, Sylvie et le fantôme (Autant-Lara) ; 1946, Le silence est d'or (Clair) ; 1947, Émile l'Africain (Vernay) ; 1949, Rendez-vous de juillet (Becker), Au p'tit Zouave (Grangier), Millionnaires d'un jour (Hunebelle) ; 1950, Casimir (Pottier), Méfiez-vous des blondes (Hunebelle) ; 1951, Monsieur Leguignon lampiste (Labro), Massacre en dentelles (Hunebelle) ; 1952, Belles de nuit (Clair) ; 1953, Mam'zelle Nitouche (Y. Allégret) ; 1954, Le fils de Caroline Chérie (Devaivre) ; 1956, La traversée de Paris (Autant-Lara) ; 1957, Les espions (Clouzot) ; 1958, Archimède le clochard (Grangier) ; 1959, Meurtre en 45 tours (Périer), Pantalaskas (Paviot), Marie des Isles (Combret), Nathalie agent secret (Decoin), Le secret du chevalier d'Eon (Audry), La chatte sort ses griffes (Decoin), Une fille pour l'été (Molinaro), Quai du Point du Jour (Faurez) ; 1960, Il suffit d'aimer (Darène), Le capitaine Fracasse (Gaspard-Huit) ; 1962, Sherlock Holmes et le collier de la mort (Fisher) ; 1963, La porteuse de pain (Cloche), Le train (Frankenheimer) ; 1964, Requiem pour un caïd (Cloche), Angélique marquise des Anges (Borderie), Allez France (Dhéry) ; 1965, Les créatures (Varda), Les deux orphelines (Freda), Coplan casse tout (Freda), Pleins feux sur Stanislas (Dudrumet) ; 1966, Roger la Honte (Freda) ; 1967, Mayerling (Young) ; 1969, Les patates (Autant-Lara) ; 1972, Le droit d'aimer (Le Hung), Le bar de la Fourche (Levent), Le trèfle à cinq feuilles (Freess) ; 1973, L'affaire Crazy Capo (Jamain) ; 1974, Que la fête commence (Tavernier), A nous quatre Cardinal (Hunebelle) ; 1975, On a retrouvé la 7e compagnie (Lamoureux) ; 1977, Le crabe-tambour (Schoendoerffer) ; 1978, Violette Nozière (Chabrol) ; 1979, Bloodline (Liés par le sang) (Young) ; 1980, La puce et le privé (Kay) ; 1984, Le cow-boy (Lautner) ; 1987, Le radeau de la Méduse (Azimi) ; 1993, Le roi de Paris (Maillet).

Venu du théâtre (il fut l'un des créateurs des *J3*), il a beaucoup tourné au cinéma dans de petits rôles qu'il marquait de son empreinte. Grand et maigre, il excella surtout dans les compositions comiques.

Lake, Veronica
Actrice américaine, de son vrai nom Constance Ockelman, 1919-1973.

1939, All Women Have Secrets (Deuxième à gauche) (Neumann), Sorority House (Farrow), Wrong Room (Brock) ; 1940, Forty Little Mothers (Berkeley), Young as You Feel (St. Clair) ; 1941, I Wanted Wings (L'escadrille des jeunes) (Leisen), Hold Back the Dawn (Par la porte d'or) (Leisen) ; 1942, Sullivan's Travels (Les voyages de Sullivan) (Sturges), This Gun for Hire (Tueur à gages) (Tuttle), The Glass Key (La clé de verre) (Heisler), Star Spangled Rhythm (Au pays du rythme) (Marshall), I Married a Witch (J'ai épousé une sorcière) (Clair) ; 1943, So Proudly We Hail (Les anges de la miséricorde) (Sandrich) ; 1944, The Hour Before the Dawn (Tuttle) ; 1945, Miss Susie Slagle's (Berry),

Out of This Word (Walker), Bring on the Girls (L'or et les femmes) (Lanfield), Duffy's Tavern (Walker), Hold that Blonde (Épousez-moi chérie) (Marshall) ; 1946, The Blue Dahlia (Le dahlia bleu) (Marshall) ; 1947, Variety Girl (Hollywood en folie) (Marshall), Ramrod (Femme de feu) (De Toth) ; 1948, Saigon (Trafic à Saigon) (Fenton), The Sainted Sisters (W. Russell), Isn't It Romantic ? (Les filles du major) (McLeod) ; 1949, Slattery's Hurricane (La furie des tropiques) (De Toth) ; 1951, Stronghold (Sekely) ; 1966, Footsteps in the Snow (Green) ; 1970, Flesh Feast (Grintner).

Elle abandonne ses études médicales pour se consacrer au théâtre. Elle vient suivre des cours à Hollywood, mais ses débuts sont modestes. Brusquement en 1942, elle devient une vedette : sa mèche blonde qui lui couvre l'œil droit fait sensation dans *Tueur à gages* (où elle a Alan Ladd pour partenaire) et dans *Ma femme est une sorcière* de René Clair. Toutes les femmes l'imitent. Mais après quelques succès à la Paramount, sa carrière décline et elle se retire en 1952. On la retrouvera plus tard, dans la misère, devenue serveuse d'un modeste bar. Elle avait divorcé du metteur en scène André De Toth et mal géré ses affaires. Elle mourra peu après sa redécouverte dans ce bar et au moment où elle allait connaître un regain de popularité.

La Marr, Barbara

Actrice américaine, de son vrai nom Rheatha Watson, 1898-1926.

1920, Harriet and the Piper, Flame of Youth (Reed) ; 1921, The Three Musketeers (Les trois mousquetaires) (Niblo), The Nut (Reed), Desperate Trails (J. Ford), Cinderella of the Hills (Mitchell), The Prisoner of Zenda (Le prisonnier de Zenda) (Rex Ingram) ; 1922, The Hero (Gasnier), Arabian Love (Storm), Domestic Relations (Whitey), Trifling Women (Ingram), Quincy Adam Sawyer (Badger) ; 1923, The Brass Bottle (Tourneur), Souls for Sale (Hughes), The Eternal Struggle (Barker), The Eternal City (Fitzmaurice), St Elmo (Storm), Poor Men's Wives (Gasnier) ; 1924, The Shooting of Dan McGrew (Badger), Thy Name Is Woman (Niblo), Sandra (Sawyer), The White Moth (Tourneur) ; 1925, Heart of a Siren (Rosen) ; 1926, The Girl from Montmartre (Green).

D'abord danseuse, venue au cinéma dans des petits rôles et comme scénariste (selon certaines sources), elle s'imposa comme l'une des premières vamps de l'écran (elle était superbe en Milady, dans *Les trois mousquetaires* de Fred Niblo, l'un des rares films d'elle que l'on puisse encore revoir). Elle mourut prématurément.

Lamarr, Hedy

Actrice d'origine autrichienne, de son vrai nom Hedwig Kiesler, 1913-2000.

1930, Geld auf der Strasse (Jacoby) ; 1931, Sturm im Wasserglas (Jacoby), Wir brauchen kein Geld (Pas besoin d'argent) (Boese), Die Koffer des Herrn O.F. (Granowsky) ; 1933, Extase (Machaty) ; 1938, Algiers (Casbah) (Cromwell) ; 1939, Lady of the Tropics (La dame des tropiques) (Conway), I Take This Woman (Van Dyke) ; 1940, Comrade X (Vidor), Boom Town (La fièvre du pétrole) (Conway) ; 1941, Come Live With Me (Viens avec moi) (Brown), H.M. Pulham Esq. (Vidor), Ziegfeld Girl (La danseuse des folies Ziegfeld) (Leonard) ; 1942, Tortilla Flat (Fleming), Crossroads (Conway), White Cargo (Tondelayo) (Thorpe) ; 1943, The Heavenly Body (Le corps céleste) (Hall) ; 1944, The Conspirators (Negulesco), Experiment Perilous (Angoisse) (Tourneur) ; 1945, Her Highness and the Bellboy (Thorpe) ; 1946, The Strange Woman (Le démon de la chair) (Ulmer) ; 1947, Dishonored Lady (Stevenson) ; 1948, Let's Live a Little (Vivons un peu) (Wallace) ; 1949, Samson and Delilah (Samson et Dalila) (DeMille) ; 1950, A Lady Without Passport (La dame sans passeport) (Lewis), Copper Canyon (Terre damnée) (Farrow) ; 1951, My Favorite Spy (Espionne de mon cœur) (McLeod) ; 1954, L'Amante di Paride (M. Allégret) ; 1957, The Story of Mankind (Allen), The Female Animal (Femmes devant le désir) (Keller).

D'une fulgurante beauté, cette splendide brune débuta très jeune dans la profession cinématographique avec d'insipides comédies. C'est *Extase* où elle apparaissait entièrement nue qui la lança alors qu'elle se faisait appeler Edy Kiessler. Le scandale fut prolongé lorsque le milliardaire qu'elle venait d'épouser se mit à traquer les copies d'*Extase* pour détruire des images aussi compromettantes. Elle disparaît pendant plusieurs années puis, ayant divorcé, elle prend le chemin d'Hollywood où Mayer l'engage sans hésitation à la MGM. Pas de grands chefs-d'œuvre mais d'excellents films où sa beauté est éblouissante. Elle sera finalement Dalila pour DeMille et tournera avec Marc Allégret un film sur l'éternel féminin où elle est Hélène de Troie. Tout un programme. Mariée six fois, elle disparaît en 1957, sombre dans l'anonymat et, dit-on, dans la misère.

Lamas, Fernando

Acteur et réalisateur argentin, 1915-1982.

1942, Frontera Sur, En el último piso ; 1945, Villa rica del Espíritu Santo ; 1947, Navidad de los pobres, Evasión, El tango vuelve a Paris ; 1948, Historia de una mala mujer, La rubia mireya, La otra y yo ; 1949, Vidalita, De padre desconocido ; 1950, La historia del tango, The Avengers (Auer) ; 1951, Rich, Young and Pretty (Taurog), The Law and the Lady (Knopf) ; 1952, The Merry Widow (La veuve joyeuse) (Bernhardt) ; 1953, The Girl Who Had Everything (Thorpe), Dangerous When Wet (Walters), Jivaro (L'appel de l'or) (Ludwig), Sangaree (Ludwig), Diamond Queen (Brahm) ; 1954, Rose Marie (LeRoy) ; 1955, The Girl Rush (Pirosh) ; 1960, The Lost World (Le monde perdu) (I. Allen) ; 1961, The Magic Fountain (Lamas) ; 1962, Duello nella sila (Lenzi) ; 1963, D'Artagnan contro i tre moschettieri (Tului) ; 1967, The Violent Ones (Lamas), Valley of Mystery (Leytes), Kill a Dragon (Moore) ; 1968, 100 Rifles (Les cent fusils) (Gries) ; 1975, Won Ton Ton, the Dog Who Saved Hollywood (Winner) ; 1975, Murder on Flight 502 (Mystère sur le vol 502) (McCowan) ; 1978, The Cheap Detective (Le privé de ces dames) (Moore). *Comme réalisateur :* 1961, The Magic Fountain ; 1967, The Violent Ones.

Cet acteur argentin au regard froid et au visage émacié fut la coqueluche de son pays avant d'être embauché comme « latin lover » par la MGM. On garde un bon souvenir de ses rôles d'aventurier dans *Sangaree* et *Jivaro*. Il s'essaya dans la réalisation, tenta sa chance, aussi vainement, en Italie et se reconvertit dans la télévision.

Lambert, Christophe

Acteur français né en 1957.

1980, Le bar du téléphone (Barrois), Asphalte (Amar), Putain d'histoire d'amour (Béhat), Une sale affaire (Bonnot) ; 1981, Légitime violence (Leroy) ; 1984, Greystoke, the Legend of Tarzan, Prince of Apes (Greystoke, la légende de Tarzan, seigneur des singes) (Hudson) ; 1985, Subway (Besson), Paroles et musique (Chouraqui) ; 1986, Highlander (Highlander) (Mulcahy), I Love You (Ferreri) ; 1987, The Sicilian (Le Sicilien) (Cimino) ; 1988, To Kill a Priest (Le complot) (Holland) ; Priceless Beauty (Love dream) (Finch) ; 1989, Why Me ? (Un plan d'enfer) (Quintano) ; 1990, Highlander II, the Quickening (Highlander II, le retour) (Mulcahy) ; 1992, Max et Jérémie (Devers), Knight Moves (Face à face) (Schenkel), Fortress (Fortress) (Gordon) ; 1993, Gunmen (Deux doigts sur la gâchette) (Sarafian) ; 1994, Highlander III (Highlander III) (Morahan), The Hunted (La proie) (Lawton), Road Flower (Sarafian), Mortal Kombat (Mortal Kombat) (Anderson) ; 1995, Grand Nord (Gaup) ; 1996, Hercule et Sherlock (Szwarc), Nirvana (Nirvana) (Salvatores), Adrenalin : Fear the Rush (Pyun), Arlette (Zidi) ; 1997, Mean Guns (Pyun) ; 1998, Beowulf (Beowulf) (Barker), Gideon (Hoover), Resurrection (Résurrection) (Mulcahy), Operation Splitsville (Génial ! mes parents s'aiment) (Hamrick) ; 1999, Fortress 2 (Fortress 2 — Réincarcération) (Murphy), Vercingétorix (Dorfmann) ; 2000, Highlander : Endgame (Highlander : Endgame) (Aarniokoski), The Point Men (Glen) ; 2003, Janis et John (Benchetrit), Absolon (Barto) ; 2003, A ton image (Villiers) ; 2006, Le lièvre de Vatanen (Rivière) ; 2007, Trivial (Marceau).

Remarqué dans un petit rôle du *Bar du téléphone*, il gagna un statut de star grâce à son interprétation sensible et humoristique de Tarzan. *Subway* lui vaut un césar en 1986. Il fut convaincant en seigneur de la guerre dans *Highlander*. Critiqué par la suite (« il est meilleur en singe qu'en homme », dira-t-on avec méchanceté), il a connu un sérieux échec avec *The Sicilian*, mais sa carrière était loin d'être terminée et il s'orienta vers des rôles ayant plus d'épaisseur que le remake d'*Highlander*, par ailleurs grand succès commercial. Hélas, il a continué avec deux suites d'*Highlander*, un *Fortress* et un *Mortal Kombat* qui le situe dans la lignée de Stallone et de Van Damme, loin des ambitions qu'il aurait pu légitimement nourrir.

Lambert, Jack

Acteur américain, 1920-2002.

1943, The Cross of Lorraine (Garnett), Lost Angel (Rowland), Hostages (Tuttle) ; 1945, The Harvey Girls (Sidney), Abilene Town (Marin), The Killers (Les tueurs) (Siodmak), The Plainsman and the Lady (Kane), The Hidden Eye (Whorf), Duffy's Tavern (Walker) ; 1946, Hue and Cry (A cor et à cri) (Crichton), The Captive Heart (Cœur captif) (Dearden), O.S.S. (Pichel) ; 1947, Dick Tracy's Dilemna (Rawlins), Dick Tracy Meets Gruesome (Rawlins), The Unsuspected (Curtiz), The Vigilantes Return (Taylor) ; 1948, River Lady (Sherman), Disaster (Pine), Belle Starr's Daughter (Selander) ; 1949, Big Jack (Thorpe), Brimstone (Kane), The Great Gatsby (Nugent), Border Incident (Incident de frontière) (Mann) ; 1950, Dakota Lil (Selander), Stars in My Crown (Tourneur), West of the Great Divide (Witney), North of the Great Divide (Witney) ; 1951, The Enforcer

(La femme à abattre) (Windust), The Secret of Convict Lake (M. Gordon) ; 1952, Bend of the River (Les affameurs) (Mann), Black Beard the Pirate (Barbe-Noire le pirate) (Walsh), Montana Belle (Dwan) ; 1953, Scared Stiff (Fais-moi peur) (Marshall), The Big Frame (Macdonald), 99 River Street (L'affaire de la 99e rue) (Karlson) ; 1954, Vera Cruz (Vera Cruz) (Aldrich) ; 1955, Run for Cover (A l'ombre des potences) (Ray), Kiss Me Deadly (En quatrième vitesse) (Aldrich), The Warriors (Levin), Cross Channel (Springsteen), Storm over the Nile (Les quatre plumes blanches) (Korda, T. Young), Blacklash (Coup de fouet en retour) (Sturges) 1956, At Gunpoint (Werker), The Little Hut (La petite hutte) (Robson), Canyon River (Jones), Track the Man Down (Springsteen) ; 1957, Chicago Confidential (Salkow), Party Girl (Traquenard) (Ray) ; 1958, Hot Car Girl (Corman), Machine Gun Kelly (Mitraillette Kelly) (Corman) ; 1959, Day of the Outlaw (La chevauchée des bannis) (De Toth), Alias Jesse James (McLeod) ; 1960, Freckles (McLaglen) ; 1961, Francis of Assisi (François d'Assise) (Curtiz), The George Raft Story (Dompteur de femmes) (Newman) ; 1962, How the West Was Won (La conquête de l'Ouest) (Ford, Hathaway, Marshall) ; 1963, Four for Texas (Quatre du Texas) (Aldrich).

Il a promené sa sale gueule dans un nombre impressionnant de westerns et de thrillers, mourant vers la deuxième ou la troisième bobine, ce qui fait qu'on l'oublie souvent à la fin du film. Oubli regrettable car il demeure comme l'un des meilleurs « troisièmes couteaux » du cinéma américain. Ne pas le confondre avec le comédien écossais Jack Lambert (1899-1976), spécialisé dans les rôles de militaires et de médecins.

Lamotte, Martin

Acteur français né en 1952.

1973, Si vous n'aimez pas ça... n'en dégoûtez pas les autres (Lewin) ; 1974, L'an 01 (Doillon, Resnais...) ; 1976, Des enfants gâtés (Tavernier) ; 1977, Pauline et l'ordinateur (Fehr) ; 1978, Les bronzés (Leconte), Vous n'aurez pas l'Alsace et la Lorraine (Coluche), L'aile ou la cuisse (Zidi), Les héros n'ont pas froid aux oreilles (Nemes) ; 1979, Les bronzés font du ski (Leconte) ; 1980, Inspecteur la Bavure (Zidi) ; 1981, Elle voit des nains partout (Sussfeld), Les hommes préfèrent les grosses (Poiré), Quand tu seras débloqué, fais-moi signe (Leterrier) ; 1982, Le père Noël est une ordure (Poiré), L'été meurtrier (Becker), Circulez y'a rien à voir (Leconte) Le quart d'heure américain (Galland) ; 1983, Debout les crabes, la mer monte (Grand-Jouan), Papy fait de la résistance (Poiré) ; 1984, Viva la vie (Lelouch) ; 1985, Tranches de vie (Leterrier), La smala (Hubert), Gros Dégueulasse (Zincone), Le mariage du siècle (Galand) ; 1986, La gitane (Broca), Twist again à Moscou (Poiré) ; 1987, Sale destin (Madigan), L'œil au beurre noir (Meynard), Sans peur et sans reproche (Jugnot), Tant qu'il y aura des femmes (Kaminka), Fucking Fernand (Mordillat) ; 1988, Envoyez les violons (Andrieux), Après la guerre (Hubert), Fréquence meurtre (Rappeneau) ; 1989, L'orchestre rouge (Rouffio), Bienvenue à bord (Leconte) ; 1990, Les secrets professionnels du docteur Apfelglück (collectif), Promotion canapé (Kaminka) ; 1991, L'année de l'éveil (Corbiau), Paris s'éveille (Assayas), La thune (Galland), A quoi tu penses-tu ? (Kaminka), Une époque formidable (Jugnot) ; 1992, Coup de jeune ! (X. Gélin), Pas d'amour sans amour (Dress) ; 1993, Les ténors (de Gueltzl), Tom est tout seul (Onteniente) ; 1995, Golden boy (Vergne), Beaumarchais l'insolent (Molinaro) ; 1996, Les démons de Jésus (Bonvoisin), Fallait pas !... (Jugnot), Arlette (Zidi) ; 1997, Ça reste entre nous (Lamotte) ; 1998, C'est pas ma faute ! (Monnet), Le Schpountz (Oury) ; 2000, Adela (Minogna) ; 2002, Ma femme s'appelle Maurice (Poiré) ; 2006, Les bronzés 3, Amis pour la vie (Leconte). *Pour le metteur en scène*, voir le *Dictionnaire du cinéma*, t. I : *Les réalisateurs*.

L'un des piliers de la troupe du Splendid qui régna sur le café-théâtre. Il a des rôles voisins de ceux de Clavier et de Lhermitte. Il est passé à la mise en scène en 1997 avec un film attachant, *Ça reste entre nous*.

Lamour, Dorothy

Actrice américaine, de son vrai nom Kaumeyer, 1914-1996.

1936, The Jungle Princess (Hula fille de la brousse) (Thiele), The Stars Can't Be Wrong (c.m. de Mack) ; 1937, Swing High Swing Low (Leisen), College Holiday (Tuttle), High Wide and Handsome (La furie de l'or noir) (Mamoulian), The Last Train from Madrid (Le dernier train de Madrid) (Hogan), Thrill of a Lifetime (Archainbaud), The Hurricane (Hurricane) (Ford) ; 1938, Her Jungle Love (Archainbaud), Tropic Holiday (Reed), Spawn of the North (Les gars du large) (Hathaway), Big Broadcast of 1938 (Leisen) ; 1939, St Louis Blues (Walsh), Man About Town (Sandrich), Disputed Passage (Chirurgiens) (Borzage) ; 1940, Johny Appolo (Hathaway), Road to Singapore (En route pour Singapour) (Schertzinger), Typhoon (Typhon)

(L. King), Moon Over Burma (Nuits birmanes) (King), Chad Hanna (King) ; 1941, Road to Zanzibar (En route vers Zanzibar) (Schertzinger), Aloma of the South Seas (Aloma princesse des îles) (Santell), Caught in the Draft (Butler) ; 1942, The Fleet's In (L'escadre est au port) (Schertzinger), Beyond the Blue Horizon (Mabok l'éléphant du diable) (Santell), Road to Morroco (En route pour le Maroc) (Butler), Star Spangled Rhythm (Au pays du rythme) (Marshall) ; 1943, They Got Me Covered (Butler), Dixie (Sutherland), Riding High (Jour de chance) (Marshall) ; 1944, And the Angels Sing (Quatre flirts et un cœur) (Marshall), Rainbow Island (Lons la sauvageonne) (Murphy) ; 1945, Road to Utopia (En route vers l'Alaska) (Walker), Duffy's Tavern (Walker) ; 1946, Masquerade in Mexico (Leisen), My Favorite Brunette (La brune de mes rêves) (Nugent) ; 1947, Variety Girl (Hollywood en folie) (Marshall), Wild Harvest (Les corsaires de la terre) (Garnett), Road to Rio (En route pour Rio) (McLeod) ; 1948, Lulu Belle (Fenton), The Girl from Manhattan (Green) ; 1949, Slightly French (Sirk), Manhandled (L'homme au chewing-gum) (Foster), The Lucky Stiff (Foster) ; 1952, Road to Bali (Bal à Bali) (Walker) ; 1953, The Greatest Show on Earth (Sous le plus grand chapiteau du monde) (DeMille) ; 1962, The Road to Hong Kong (Astronautes malgré eux) (Panama) ; 1963, Donovan's Reef (La taverne de l'Irlandais) (Ford) ; 1964, Pajama Party (Weis) ; 1970, The Phynx (Katzin) ; 1976, Won Ton Ton, the Dog Who Saved Hollywood (Winner) 1987, Creepshow 2 (Creepshow 2) (Gornick).

Avec un tel nom et des formes agréablement moulées dans une peau de panthère, comment n'aurait-elle pas fait rêver toute une génération en princesse de la jungle ? Miss Nouvelle-Orléans, elle avait épousé Herbie Kay qui en fit la chanteuse de son orchestre. Le cinéma allait découvrir son charme exotique et l'exploiter à fond. Drames (*Hurricane* de Ford, *La furie de l'or noir* de Mamoulian, *Typhoon* de L. King) et comédies (la série des *En route pour* où elle est livrée aux pitoyables pitreries de Bob Hope et Bing Crosby) alternent dans sa filmographie essentiellement placée sous le sigle de la Paramount.

Lamoureux, Robert

Acteur et réalisateur français né en 1920.

1950, Au fil des ondes (P. Gautherin), Le don d'Adèle (Couzinet), Le roi des camelots (Berthomieu) ; 1951, Chacun son tour (Berthomieu) ; 1952, Femmes de Paris (Boyer), La route du bonheur (Labro, Simonelli), Allô, je t'aime (Berthomieu) ; 1953, Lettre ouverte à un mari (Joffé), Patte de velours (Gora), Virgile (Rim), Le village magique (Le Chanois), Rencontre à Paris (Lampin) ; 1954, Escalier de service (Rim), Papa, maman, la bonne et moi (Le Chanois) ; 1955, Si Paris nous était conté (Guitry), Papa, maman, ma femme et moi (Le Chanois) ; 1956, Les aventures d'Arsène Lupin (Becker) ; 1957, L'amour est en jeu (M. Allégret) ; 1958, La vie à deux (Duhour) ; 1959, Signé Arsène Lupin (Robert) ; 1960, La brune que voilà (Lamoureux), La Française et l'amour (sketch de Le Chanois), Ravissante (Lamoureux) ; 1973, Mais où est donc passée la 7e compagnie ? (Lamoureux) ; 1974, Impossible pas français (Lamoureux), Opération Lady Marlène (Lamoureux) ; 1975, On a retrouvé la 7e compagnie (Lamoureux) ; 1976, L'apprenti salaud (Deville) ; 1977, La 7e compagnie au clair de lune (Lamoureux) ; 1991, Le jour des rois (Treilhou). *Pour le metteur en scène*, voir le *Dictionnaire du cinéma*, t. I : *Les réalisateurs*.

Débuts avec des chansons et des monologues d'une irrésistible drôlerie. Le patronage de Berthomieu et de Rim à l'écran ne semblait pas augurer d'une brillante carrière. Puis ce fut Arsène Lupin où Lamoureux se révéla parfait en héros de Leblanc, plein de gouaille et d'ingéniosité. Lassé par la médiocrité des auteurs de comédies à la française, dont le pire fut Le Chanois, Lamoureux passa à la mise en scène avec un incontestable succès populaire mais c'est au théâtre qu'il devait donner sa pleine mesure, écrivant de bonnes pièces et reprenant d'anciens rôles de Jouvet ou Guitry.

Lamy, Alexandra

Actrice française née en 1975.

2005, Au suivant (Biras), Brice de Nice (Huth), Vivre la vie (Fajnberg) ; 2006, On va s'aimer (Calbérac)

Révélée par la télévision dans « Un gars, une fille », où elle avait Dujardin pour partenaire. Pas encore de grand rôle digne de son talent.

Lancaster, Burt

Acteur, réalisateur, producteur américain, 1913-1994.

1946, The Killers (Les tueurs) (Siodmak), Brute Force (Les démons de la liberté) (Dassin) ; 1947, Desert Fury (La furie du désert) (Allen), Variety Girl (Hollywood en folie) (Marshall), I Walk Alone (L'homme aux abois) (Haskin) ; 1948, All My Sons (Ils étaient tous mes fils) (Reis), Sorry, Wrong

Number (Raccrochez, c'est une erreur) (Litvak), Kiss the Blood off My Hands (Les amants traqués) (N. Foster), Criss Cross (Pour toi j'ai tué) (Siodmak) ; 1949, Rope of Sand (La corde de sable) (Dieterle) ; 1950, The Flame and the Arrow (La flèche et le flambeau) (Tourneur), Mister 880 (La bonne combine) (Goulding) ; 1951, Vengeance Valley (La vallée de la vengeance) (Thorpe), Jim Thorpe All American (Le chevalier du stade) (Curtiz), Ten Tall Men (Dix de la Légion) (Goldberg) ; 1952, The Crimson Pirate (Le corsaire rouge) (Siodmak), Come Back, Little Sheba (Reviens, petite Sheba) (Mann), South Sea Woman (Les bagarreurs du Pacifique) (Lubin), Three Sailors and a Girl (Trois marins et une fille) (Del Ruth) ; 1953, From Here to Eternity (Tant qu'il y aura des hommes) (Zinnemann), His Majesty O'Keefe (Le roi des îles) (Haskin), Apache (Bronco Apache) (Aldrich) ; 1954, Vera Cruz (Vera Cruz) (Aldrich) ; 1955, The Kentuckian (L'homme du Kentucky) (Lancaster), The Rose Tattoo (La rose tatouée) (Mann) ; 1956, Trapeze (Trapèze) (Reed), The Rainmaker (Le faiseur de pluie) (Anthony), Gunfight at the OK Corral (Règlements de comptes à OK Corral) (Sturges) ; 1957, Sweet Smell of Success (Le grand chantage) (Mackendrick) ; 1958, Run Silent, Run Deep (L'odyssée du sous-marin Nerka) (Wise), Separate Tables (Tables séparées) (Mann), The Devil's Disciple (Au fil de l'épée) (Hamilton) ; 1959, The Unforgiven (Le vent de la plaine) (Huston), Elmer Gantry (Elmer Gantry le charlatan) (Brooks) ; 1960, The Young Savages (Le temps du châtiment) (Frankenheimer) ; 1961, Judgement at Nuremberg (Jugement à Nuremberg) (Kramer), Birdman of Alcatraz (Le prisonnier d'Alcatraz) (Frankenheimer) ; 1962, A Child Is Waiting (Cassavetes) ; 1963, Il Gattopardo (Le guépard) (Visconti), The List of Adrian Messenger (Le dernier de la liste) (Huston) ; 1964, Seven Days in May (Sept jours en mai) (Frankenheimer), The Train (Frankenheimer) ; 1965, The Hallelujah Trail (Sur la piste de la grande caravane) (Sturges) ; 1966, The Professionals (Les professionnels) (Brooks) ; 1967, The Scalphunters (Les chasseurs de scalps) (Pollack), The Swimmer (Perry) ; 1968, Castle Keep (Un château en enfer) (Pollack) ; 1969, Airport (Seaton), The Gypsy Moths (Les parachutistes arrivent) (Frankenheimer) ; 1970, Valdez Is Coming (Valdez) (Sherin) ; 1971, The Lawman (L'homme de la loi) (Winner) ; 1972, Ulzana's Raid (Fureur apache) (Aldrich) ; 1973, Scorpio (Scorpio) (Winner), The Midnight Man (Le flic se rebiffe) (Kibbee-Lancaster), Executive Action (Executive Action) (Miller) ; 1974, Gruppo di famiglia in un interno (Violence et passion) (Visconti) ; 1976, Novecento (1900) (Bertolucci), Buffalo Bill and the Indians (Buffalo Bill et les Indiens) (Altman), Victory at Entebbe (Victoire à Entebbé) (Chomsky) ; 1977, The Cassandra Crossing (Le pont de Cassandra) (Pan Cosmatos), The Island of Dr. Moreau (L'île du docteur Moreau) (Taylor), Twilight's Last Gleaming (L'ultimatum des trois mercenaires) (Aldrich), Go Tell the Spartans (Le merdier) (Post) ; 1979, Zulu Dawn (Ultime attaque) (Hickox), Cattle Annie and Little Britches (Johnson) ; 1980, Atlantic City (Malle) ; 1981, La pelle (La peau) (Cavani) ; 1983, Local Hero (Local Hero) (B. Forsyth), The Osterman Weekend (Osterman Week-end) (Peckinpah) ; 1985, Little Treasure (Sharp) 1987, Tough Guys (Coup double) (Kanew) ; 1988, Control (Contrôle) (Montaldo) Rocket Gibraltar (Petrie) ; 1989, Field of Dreams (Jusqu'au bout du rêve) (Robinson) ; 1990, The Jeweller's Shop (La boutique de l'orfèvre) (Anderson), The Betrothed (Nocita). *Pour le metteur en scène*, voir le *Dictionnaire du cinéma*, t. I : *Les réalisateurs*.

Basket-ball, athlétisme, acrobaties de cirque : les débuts de Lancaster sont essentiellement sportifs. Il met au point avec Nick Cravat un numéro qu'il présente dans les cirques et les music-halls. Puis c'est la guerre, en Afrique du Nord et en Italie principalement. Démobilisé, Lancaster se tourne vers le théâtre. Remarqué par les producteurs, il apparaît au cinéma dans *The Killers* d'après Hemingway ; il ne va plus arrêter. Assez masochiste, dit-on, pour se faire appliquer réellement des coups de fouet dans *Kiss the Blood off My Hands* (tout un programme dans le titre !), il confirme qu'il est un excellent acrobate dans *La flèche et le flambeau*, *Le corsaire rouge* et, naturellement, *Trapèze*. Le personnage qu'il crée dans *Vera Cruz*, où il s'oppose à Gary Cooper, touche au mythe. Un oscar consacre sa carrière en 1960, obtenu pour *Elmer Gantry*. Complet, il se veut aussi producteur (Norma Hecht Company) et metteur en scène (*The Kentucky Man* est une réussite). C'est avec *Le guépard* qu'il confirme l'immensité de son talent : ce New-Yorkais est fabuleux dans un rôle de prince sicilien où il apparaît plus italien que nature. En 1971, il annonce que *The Lawman* sera son dernier film. Heureusement, il revient sur sa décision. Les exploits athlétiques firent alors place à des compositions plus mûries, mais le sourire était toujours là, éclatant.

Lanchester, Elsa

Actrice d'origine anglaise, de son vrai nom Elizabeth Sullivan, 1902-1987.

1927, One of the Best (Hayes-Hunter), The Constant Nymph (Brunel) ; 1929, Comets (Geneen) ; 1930, The Love Habit (Lachman) ; 1931, The Stronger Sex (Gundrey), The Potiphar's Wife (Elvey), The Officer's Mess (Haynes) ; 1933, The Private Life of Henry VIII (La vie privée d'Henri VIII) (Korda) ; 1935, David Copperfield (Cukor), The Bride of Frankenstein (La fiancée de Frankenstein) (Whale), Naughty Marietta (Van Dyke), The Ghost Goes West (Fantôme à vendre) (Clair) ; 1936, Rembrandt (Korda) ; 1938, Vessel of Wrath (Pommer) ; 1941, Ladies in Retirement (Ch. Vidor) ; 1942, Tales of Manhattan (Six destins) (Duvivier), Son of Fury (Cromwell) ; 1943, Forever and a Day (Clair, Lloyd...), Thumbs Up, Lassie Come Home (La fidèle Lassie (Wilcox) ; 1944, Passport to Adventure (Ray McCarey) ; 1945, The Spiral Staircase (Deux mains la nuit) (Siodmak) ; 1946, The Razor's Edge (Le fil du rasoir) (Goulding) ; 1947, The Bishop's Wife (Honni soit qui mal y pense) (Koster), Northwest Outpost (Dwan) ; 1948, The Big Clock (La grande horloge) (Farrow) ; 1949, The Inspector General (Vive monsieur le maire) (Koster), The Secret Garden (Wilcox), Come to the Stable (Les sœurs casse-cou) (Koster) ; 1950, Buccaneer's Girl (La fille des boucaniers) (De Cordova), Mystery Street (Le mystère de la plage perdue) (Sturges), The Pretty Girl (La scandaleuse ingénue) (Levin), Frenchie (L. King) ; 1951, Young Man With Ideas (Leisen) ; 1952, Androcles and the Lion (Androclès et le lion) (Erskine), Dreamboat (Binyon), Les Misérables (La vie de Jean Valjean) (Milestone) ; 1953, The Girls of Pleasure Island (Les belles de l'île du plaisir) (Herbert et Ganzer) ; 1954, Hell's Half Acre (Auer), Three Ring Circus (Le clown est roi) (Pevney), The Glass Sliper (La pantoufle de verre) (Walters) ; 1957, Witness for Prosecution (Témoin à charge) (Wilder) ; 1958, Bell, Book and Candle (Adorable voisine) (Quine) ; 1964, Honeymoon Hotel (Levin), Mary Poppins (Mary Poppins) (Stevenson), Pajama party (Don Weis) ; 1965, That Darn Cat (L'espion aux pattes de velours) (Stevenson), Easy Come, Easy Go (Rich) ; 1967, Blackbeard's Ghost (Le fantôme de Barbe-Bleue) (Stevenson) ; 1969, Me Natalie (Coe), Rascal (Tokar) ; 1971, Willard (Mann) ; 1973, Arnold (Fenady), Terror in the Wax Museum (Fenady) ; 1976, Murder by Death (Un cadavre au dessert) (Moore) ; 1980, Die Laughing (Werner).

Théâtre et chant depuis l'âge de seize ans. Connue pour avoir été la fiancée de Frankenstein à l'écran et l'épouse de Charles Laughton à la ville. On ne sait ce qui fut le plus dur pour elle. Spécialisée dans les rôles d'originales (la sorcière d'*Adorable voisine*, l'artiste de *La grande horloge*, etc.).

Lancret, Bernard

Acteur français, de son vrai nom Mahoudeau, 1912-1983.

1935, Valse royale (Grémillon), Jérôme Perreau (Gance), La kermesse héroïque (Feyder) ; 1936, La pocharde (Kemm/Bouquet), Le secret de Polichinelle (Berthomieu), L'homme à abattre (Mathot), Ménilmontant (Guissart), La flamme (Berthomieu), Les deux gamines (Champreux), Les loups entre eux (Mathot) ; 1937, Le plus beau gosse de France (Pujol), Maman Colibri (Dréville), La citadelle du silence (L'Herbier) ; 1938, Le joueur d'échecs (Dréville), Ultimatum (Wiene), Entente cordiale (L'Herbier), Le héros de la Marne (Hugon) ; 1939, Sérénade (Boyer), Rappel immédiat (Mathot), Quartier latin (Colombier et Chamborant) ; 1941, Histoire de rire (L'Herbier), Fromont jeune et Risler aîné (Mathot) ; 1942, La fausse maîtresse (Cayatte), Le corbeau (Clouzot), Pierre et Jean (Cayatte) ; 1946, Hyménée (Couzinet), Pas si bête (Berthomieu) ; 1947, Mademoiselle s'amuse (Boyer) ; 1949, La belle que voilà (Le Chanois), On ne triche pas avec la vie (Delacroix, Vandenberghe) ; 1950, Et moi je te dis qu'elle t'a fait d'l'œil (Gleize) ; 1953, Julietta (M. Allégret) ; 1955, Cette sacrée gamine (Boisrond).

Venu du théâtre, ce séduisant jeune premier fut très apprécié par Dréville, L'Herbier et Mathot. Il est un substitut dépassé par les événements dans *Le corbeau*.

Lanctôt, Micheline

Actrice et réalisatrice canadienne née en 1947.

1972, La vraie nature de Bernadette (Carle) ; 1973, Souris, tu m'inquiètes (Danis), Les corps célestes (Carles), Noël et Juliette (Bouchard) ; 1974, Voyage en Grande Tartarie (Tacchella), Child Under a Leaf (Bloomfield), The Apprenticeship of Duddy Kravitz (L'apprentissage de Duddy Kravitz) (Kotcheff) ; 1975, Ti-Cul Tougas (Noël) ; 1977, Les liens du sang (Chabrol) ; 1978, Blood & Guts (P. Lynch) ; 1979, Mourir à tue-tête (Poirier) ; 1980, L'affaire Coffin (Labrècque) ; 1996, L'oreille d'un sourd (Bolduc), La vengeance de la femme en noir (Cantin), J'en suis !

(Fournier) ; 1997, Le cœur au poing (Biname), Aujourd'hui ou jamais (Lefèbvre) ; 1998, Quand je serai parti, vous vivrez encore (Brault) ; 1999, Le petit ciel (Lord) ; 2000, Children of the Setting Sun (Doepner). *Comme réalisatrice :* 1980, L'homme à tout faire ; 1984, Sonatine ; 1988, Onzième spéciale ; 1993, Deux actrices ; 1994, La vie d'un héros.

Cette blonde Québécoise abandonne régulièrement et de plus en plus une carrière d'actrice chaotique en dépit de quelques beaux rôles (notamment chez Gilles Carle, qui la révèle avec *La vraie nature de Bernadette*) pour se consacrer à la réalisation. Son deuxième film, *Sonatine*, qui prend pour thème le suicide des jeunes, gagne le Lion d'argent à Venise.

Landau, Martin

Acteur américain né en 1931.

1959, Pork Chop Hill (La gloire et la peur) (Milestone), North by Northwest (La mort aux trousses) (Hitchcock), The Gazebo (Un mort récalcitrant) (Marshall) ; 1963, Cleopatra (Cléopâtre) (Mankiewicz) ; 1965, The Hallelujah Trail (Sur la piste de la grande caravane) (Sturges), The Greatest Story Ever Told (La plus grande histoire jamais contée) (Stevens) ; 1966, Nevada Smith (Nevada Smith) (Hathaway) ; 1967, Impossible Mission (Mission impossible) (Stanley) ; 1969, Roselino Paterne Soldato (Loy) ; 1970, They Call Me Mister Tibbs (Appelez-moi Monsieur Tibbs) (Douglas) ; 1971, A Town Called Hell (Les brutes dans la ville) (Parrish) ; 1972, Black Gunn (Gunn la gâchette) (Hartford-Davis) ; 1975, Una Special Magnum per Tony Saitta (De Martino) ; 1978, Meteor (Neame) 1980, Without Warning (Terreur extra-terrestre) (Clark), Easter Sunday (Kong) ; 1982, Alone in the Dark (Sholder) ; 1983, The Being (Kong) ; 1986, L'île au trésor (Ruiz) ; 1987, W.A.R. Women Against Rape (Nussbaum), Cyclon (Garson), Tucker, a Man and His Dream (Tucker) (Coppola), Empire State (Peck), Sweet Revenge (Sobel) ; 1988, Delta Fever (Webb) ; 1989, Crimes and Misdemeanors (Crimes et délits) (Allen) ; 1990, The Color of Evening (Stafford), Real Bullets (Lindsay), Paint It Black (Hunter) ; 1991, Eye of the Widow (SAS, l'œil de la veuve) (McLaglen), Mistress (Hollywood mistress) (Primus), Fireheads (Yuval) ; 1992, Eye of the Stranger (Heavener), No Place to Hide (Danus), Sliver (Sliver) (Noyce), Time is Money (Barzman) ; 1993, Intersection (Intersection) (Rydell) ; 1994, Ed Wood (Ed Wood) (Burton), The Gold Cup (L. Reiner), Finnegan's Wake (Chaudhri) ; 1995, City Hall (City Hall) (Becker), Pinocchio (Pinocchio) (Barron) ; 1996, B.A.P.S. (Townsend) ; 1997, The Elevator (Zelinski, Borman, Dick), The X-Files (The X-Files : Le film) (Bowman), Legend of the Spirit Dog (Goldman, Spence) ; 1998, All About Alfred (Canawati), Rounders (Les joueurs) (Dahl), Ed TV (En direct sur Ed TV) (Howard) ; 1999, Carlo's Wake (Valerio), The New Adventures of Pinocchio (Pinocchio et Gepetto) (Anderson), Ready to Rumble (B. Robbins) ; 2000, Shiner (Irvin), Very Mean Men (Vitale) ; 2001, The Majestic (The Majestic) (Darabont).

Surtout tourné vers la télévision *(Bonanza, Cosmos, Suspense, Hitchcock Presents...)*, il fut à l'écran l'inquiétant et ténébreux secrétaire de James Mason dans *North by Northwest.* Il faisait également partie du trio meurtrier qui subissait la vengeance de Steve Mac Queen dans *Nevada Smith*, et n'était guère plus rassurant dans *The Gazebo*. C'est à juste titre que Ian et Elisabeth Cameron le faisaient figurer dans leur galerie des méchants. Mais ce n'est pas Woody Allen qui l'a relancé sur le grand écran. Il reçoit un oscar du meilleur second rôle en 1994 pour son éblouissante résurrection du réalisateur Bela Lugosi dans *Ed Wood.*

Landgrebe, Gudrun

Actrice allemande née en 1955.

1976, Aufforderung zum Tanz (Bringmann) ; 1982, Double Trouble (Neukirchen) ; 1983, Die flambierte Frau (La femme flambée) (Van Ackeren) ; 1984, Heimat (Heimat) (Reitz), Annas Mutter (Driest), Yerma (Kabay) ; 1985, Palace (Molinaro), Tausend Augen (Les yeux du désir) (Blumenberg), Redl ezredes (Colonel Redl) (Szabo) ; 1986, The Berlin Affair (Berlin affair) (Cavani) ; 1987, Die Katze (Graf) ; 1989, High Score (Ehmck), Im Süden meiner Seele (Schuller) ; 1990, Milena (Belmont) ; 1991, Wunderjahre (Aghte), Die Schatten (Goretta) ; 1992, Ein Mann für jede Tonart (Timm), Schneewittchen und das Geheimnis der Zwerge (Raza) ; 1997, Rossini : oder die möderische Frage, wer mit wem schlief (Dietl) ; 1998, Das Merkwürdige Verhalten geschlechtstreifer Grosstädter zur Paarungszeit (Rothemund), Eine Sünde zuviel (Witte).

Remarquée par Van Ackeren, elle fait de brillants débuts en prostituée d'un Eros Center dans *La femme flambée*. La nouvelle Rose-Marie.

Lane, Diane

Actrice américaine née en 1965.

1979, A Little Romance (I Love You, je t'aime) (Hill) ; 1980, Touched by Love (Trixonis) ; 1981, Cattle Annie and Little Britches (Winchesters et longs jupons) (Johnson), National Lampoon Goes to the Movies (Giraldi et Jaglom), Ladies and Gentlemen, the Fabulous Stains (Adler) ; 1982, Six Pack (Petrie) ; 1983, Outsiders (Outsiders) (Coppola) ; 1984, Rumble Fish (Rusty James) (Coppola), The Cotton Club (Cotton Club) (Coppola) ; 1984, Streets of Fire (Les rues de feu) (Hill) ; 1987, Lady Beware (Arthur), The Big Town (Becker et Bolt) ; 1988, Priceless Beauty (Love dream) (Finch) ; 1990, Vital Sign (Silver) ; 1992, Chaplin (Chaplin) (Attenborough), Knight Movies (Face à face) (Schenkel), My New Gun (Cochran), Rakuyô (Tomono) ; 1993, Indian Summer (Binder) ; 1995, Judge Dredd (Judge Dredd) (Cannon), Will Bill (Wild Bill) (Hill) ; 1996, Jack (Jack) (Coppola), Mad Dog Time (Bishop) ; 1997, Murder at 1600 (Meurtre à la Maison-Blanche) (Little), The Only Thrill (Masterson) ; 1998, Gunshy (Celentano) ; 1999, A Walk on the Moon (Goldwyn) ; 2000, My Dog Skip (Russell), The Perfect Storm (La tempête) (Petersen) ; 2001, The Glass House (Prison de verre) (Sackheim), Unfaithful (Infidèle) (Lyne), Hard Ball (B. Robbins) ; 2003, Under the Tuscan Sun (Wells) ; 2005, Searching for Debra Winger (Arquette), Must Love Dogs (La main au collier) (Goldberg) ; 2006, Hollywoodland (Hollywoodland) (Coulter).

C'est Coppola qui la lance, mais elle est aussi appréciée par Walter Hill. Sa filmographie est un peu cahotique. Deux rôles émergent, en dehors de ceux que lui confia Coppola : Paulette Goddard dans *Chaplin* et Connie Sumner, l'épouse infidèle de Richard Gere dans *Unfaithful*.

Lane, Lupino

Acteur et réalisateur anglais, 1892-1959.

1915-1920, *courts métrages en Angleterre* ; 1922-1929, *courts métrages aux États-Unis* ; 1924, Isn't Life Wonderful ? (Griffith) ; 1929, The Love Parade (Lubitsch), The Show of the Shows (Adolfi) ; 1930, Golden Dawn (Enright) ; Bride of the Regiment (Dillon). *Pour le réalisateur*, voir le *Dictionnaire du cinéma*, t. I : *Les réalisateurs*.

L'un des premiers pionniers du cinéma burlesque. Ses courts métrages sont très drôles.

Langdon, Harry

Acteur et réalisateur américain, 1884-1944.

1923, Picking Peaches (Kenton) ; 1924, Smile Please (Del Ruth), Feet of Mud (Edwards), Shanghaied Lovers (Del Ruth), Flickering Youth (Kenton), The Luck of the Foolies (Edwards), All Night Long (Edwards), The Cat's Meow (Del Ruth), His New Mama (Del Ruth), The First Hundred Years (Jones), The Hansom Cabman (Edwards) ; 1925, Boobs in the Woods (Edwards), Plain Clothes (Edwards), Lucky Stars (Edwards), There He Goes (Edwards), The Sea Squawk (Edwards), His Marriage Vow (Edwards), Remember When ? (Edwards), Horace Greely Junior (Goulding), The White Wing's Bride (Goulding) ; 1926, Saturday Afternoon (Edwards), The Soldier Man (Edwards), Fiddlesticks (Edwards), His First Flame (Edwards), Ella Cinders (Sennett), Tramp, Tramp, Tramp (Plein les bottes) (H. Edwards), The Strong Man (L'athlète incomplet) (Capra) ; 1927, Long Pants (Sa première culotte) (Capra), Three's a Crowd (Papa d'un jour) (Langdon) ; 1928, The Chaser (Langdon), Heart Trouble (Langdon) ; 1929, Hotter Than Hot (Foster), Shy Boy (Rogers), Skirt Shy (Rogers) ; 1930, See America Thirst (Craft), A Soldier's Plaything (Curtiz), The Head Guy (Guiol), The Fighting Parson (Guiol), The Big Kick (Doane), The King (Horne), The Shrimp (Rogers) ; 1932, The Big Flash (Gillstrom) ; 1933, Hallelujah I'm a Boom (Milestone), My Weakness, Amateur Night, The Hitch Hicker, Knight Duty, Tied for Life, Hooks and Jabs, Tired Feet, Marriage Humor, The Stage Hand (tous de Gillstrom), Leave It to Dad ; 1934, No Sleep on the Deep (Lamont), On Ice, A Roaming Romeo, A Circus Hooddo, Petting Preferred (tous de Gillstrom), Council on De Fence (Ripley), Trimmed in Furs (Lamont), Shivers (Ripley) ; 1935, Atlantic Adventure (Rogers), The Leather Necker, His Marriage Mix-Up (Black), His Bridal Sweet (Goulding), I Don't Remember (White) ; 1938, A Doggone Mixup (Lamont), Sue My Lawyer (Black), There Goes My Heart (McLeod), He Loved an Actress (Brown) ; 1939, Zenobia (G. Douglas) ; 1940, Misbehaving Husbands (Beaudine), Goodness, a Ghost, Cold Turkey (Del Lord) ; 1941, Road Show (G. Douglas), All American Coed (LeRoy-Prinz), Double Troule (W. West) ; 1942, House of Errors (Ray), What Makes Lizzie Dizzy, Carry Harry (Edwards), Piano Mooners, A Blitz on the Fritz (White), Tireman Spare My Tires (White) ; 1943, Spotlight Scandal (Beaudine), Here Comes Mr. Zerk (White), Blonde and Groom (Edwards) ; 1944, Defective Detectives (Edwards), Mopey Dope (Del Lord), Block Busters (Fox), Hot Rhythm (Beaudine), To Heir is Human (Godsoe) ; 1945, Pistol Packin'Nitwits (Edwards), Snooper Service (Edwards), Swinging on a Rainbow (Beaudine). *Pour le réalisateur,* voir le *Dictionnaire du cinéma,* t. I : *Les réalisateurs.*

Pierrot lunaire, remarqué par Sennett, imposé par Capra. Endormi, puceau, blafard, il est le héros malsain d'une étrange et fascinante saga comique déjà évoquée dans le *Dictionnaire du cinéma,* t. I.

Lange, Jessica

Actrice américaine née en 1950.

1976, King Kong (King Kong) (Guillermin) ; 1979, All That Jazz (Que le spectacle commence) (Fosse) ; 1980, How to Beat the High Cost of Living (Scheerer) ; 1981, Postman Always Rings Twice (Le facteur sonne toujours deux fois) (Rafelson) ; 1983, Tootsie (Tootsie) (Pollack), Frances (Frances) (Clifford) ; 1984, Country (Les moissons de la colère (Pearce) ; 1985, Sweet Dreams (Reisz) ; 1986, Crimes of the Heart (Crimes du cœur) (Beresford) ; 1988, Everybody's All-American (Hackford), Far North (Shepard) ; 1989, Music Box (Music Box) (Costa-Gavras) ; 1989, Men Don't Leave (Brickman) ; 1991, Cape Fear (Les nerfs à vif) (Scorsese), Blue Sky (Blue Sky) (Richardson) ; 1992, Night and the City (La loi de la nuit) (Winkler) ; 1994, Losing Isaiah (Gyllenhaal), Rob Roy (Rob Roy) (Caton-Jones) ; 1996, Hush (Du venin dans les veines) (Darby), Cousin Bette (McAnuff), A Thousand Acres (Secrets) (Moorhouse) ; 1999, Titus (Titus) (Taymor) ; 2000, Prozac Nation (Skjoldbjærg) ; 2004, Big Fish (Big Fish) (Burton).

Elle étudie le mime et la danse, se fait mannequin pour vivre et, remarquée par Guillermin, devient la tendre proie de King Kong. Mais c'est avec *Le facteur sonne toujours deux fois,* où sa trouble sensualité ne peut laisser indifférent, qu'elle devient vraiment une star. Faut-il voir dans *Frances* (la vie de Frances Farmer), tableau d'une vedette qui refuse les conventions d'Hollywood, un autoportrait ? Elle accepte cependant un oscar pour *Blue Sky.*

Langella, Frank

Acteur américain né en 1940.

1970, The Twelve Chairs (Le mystère des 12 chaises) (Brooks), Diary of a Mad Housewife (Journal intime d'une femme mariée) (Perry) ; 1971, La maison sous les arbres (Clément) ; 1972, The Wrath of God (La colère de Dieu) (Nelson) ; 1979, Dracula (Badham) ; 1980, Sphinx (Schaffner) ; 1981, Those Lips Those Eyes (Pressman) ; 1986, The Men's Club (Men's Club) (Medak) ; 1987, Masters of the Univers (Goddard) ; 1988, And God Created Woman... (Vadim) ; 1989, The Men's Club (Men's Club) (Medak) ; 1990, The Magic Balloon (Neame) ; 1991, True Identity (Lane) ; 1992, 1492 – Christophe Colomb (Scott), Dave (Président d'un jour) (Reitman), Body of Evidence (Body) (Edel) ; 1994, Brainscan (Flynn), Junior (Junior) (Reitman) ; 1995, Bad Company (Harris), Cutthroat Island (L'île aux pirates) (Harlin) ; 1996, Eddie (Rash) ; 1997, Lolita (Lolita) (Lyne) ; 1998, I'm Losing You (Wagner), The Ninth Gate (La neuvième porte) (Polanski) ; 1998, Alegria (Dragone) ; 1999, Stardom (Stardom) (Arcand).

Beaucoup de théâtre, de Shakespeare à Gide. Au cinéma son physique de séducteur brun, aux yeux tourmentés, lui permit d'interpréter le personnage de Dracula incarné auparavant par Lugosi et Lee.

Lannes, Georges

Acteur et réalisateur français, 1895-1983.

1919, L'holocauste (Maudru) ; 1920, Le droit de tuer (Maudru), Le lys rouge (Maudru), Le gouffre (Maudru), Papillon (Violet), Près des cimes (Maudru), La double épouvante (Maudru) ; 1921, Le talion (Maudru), Le traquenard (Maudru), Un aventurier (Maudru), L'assommoir (Maudru), Prisca (Roudès), L'infante à la rose (Houry), Le jockey disparu (Riven) ; 1922, Les mystères de Paris (Burguet) ; 1923, Le petit Jacques (Lannes) ; 1924, L'éveil (Roudès) ; 1925, L'abbé Constantin (Duvivier), Comment j'ai tué mon enfant (Ryder) ; 1926, L'orphelin du cirque (Lannes) ; 1927, André Cornelis (Kemm) ; 1928, L'âme de Pierre (Roudès) ; 1929, Le collier de la reine (Ravel) ; 1937, Hercule (Esway), La citadelle du silence (L'Herbier), Abus de confiance (Decoin) ; 1938, L'entraîneuse (Valentin), Le ruisseau (Lehmann), SOS Sahara (Baroncelli), La belle étoile (Baroncelli), Ma sœur de lait (Boyer) ; 1939, Fric-frac (Lehmann), Circonstances atténuantes (Boyer), Narcisse (Ayres d'Aguiar), Noix de coco (Boyer), Macao l'enfer du jeu (Delannoy), L'émigrante (Joannon) ; 1940, Sans lendemain (Ophuls) ; 1941, Les hommes sans peur (Noé), Départ à zéro (Cloche), La neige sur les pas (Berthomieu), Le collier de chanvre (Mathot) ; 1942, Ne le criez pas sur les toits (Daniel-Norman), L'assassin a peur la nuit (Delannoy), La croisée des chemins (Berthomieu) ; 1943, Le mort ne reçoit plus (Tarride) ; 1944, Le bossu (Delannoy) ; 1945, Peloton d'exécution (Berthomieu), Master Love (Péguy), Tant que je vivrai (Baroncelli) ; 1946, On ne meurt pas comme ça (Boyer), La rose de la mer (Baroncelli), Le fugitif (Bibal) ; 1947, Danger de mort (Grangier), Mademoiselle s'amuse (Boyer) ; 1948, Le mystère Barton (Spaak) ; 1949, La petite chocolatière (Berthomieu), Le roi Pandore (Berthomieu), Nous irons à Paris (Boyer) ; 1950, Pigalle-Saint-Germain-des-Prés (Berthomieu), Le passe-muraille (Boyer), Mademoiselle Josette ma femme (Berthomieu) ; 1951, La nuit est mon royaume (Lacombe), Nous irons à Monte-Carlo (Boyer) ; 1952, Coiffeur pour dames (Boyer), Lucrèce Borgia (Christian-Jaque), Moulin Rouge (Huston) ; 1953, Le défroqué (Joannon), Secrets d'alcôve (Delannoy, Decoin...) ; 1954, Escale à Orly (Dréville), La Castiglione (Combret), Pas de souris dans le bizness (Lepage) ; 1955, Marie-Antoinette (Delannoy), Toute la ville accuse (Boissol), Les Duraton (Berthomieu) ; 1956, OSS 117 n'est pas mort (Sacha), L'homme et l'enfant (André) ; 1957, Le cas du docteur Laurent (Le Chanois) ; 1958, Rapt au deuxième bureau (Stelli). *Comme réalisateur* : 1923, Le petit Jacques (avec Raulet) ; 1926, L'orphelin du cirque.

L'une des figures marquantes des années 20 comme acteur et à un degré moindre comme réalisateur. Mais il est difficile de le juger aujourd'hui sur cette période, ses films ayant disparu. Le parlant semble le condamner mais il revient en force en 1938. Il n'est plus le jeune premier des débuts, mais un séducteur mûrissant à la moustache conquérante (c'est lui qui offre une chance de s'en sortir à Michèle Morgan dans *L'entraîneuse*). Il n'a le plus souvent que de petits rôles (*Le bossu*) et rarement la vedette ; même dans *Le mystère Barton*, il est éclipsé par Ledoux et Marchat.

Lanoux, Victor

Acteur français né en 1936.

1964, La vieille dame indigne (Allio), La vie normale (Charpak) ; 1968, Tu seras terriblement gentille (Sanders) ; 1972, L'affaire Dominici (Bernard-Aubert), Trois milliards sans ascenseur (Pigaut), Elle court, elle court la banlieue (Pirès) ; 1973, Deux hommes dans la ville (Giovanni) ; 1974, Dupont-Lajoie (Boisset) ; 1975, Folle à tuer (Boisset), Adieu Poulet (Granier-Deferre), Cousin, cousine (Tacchella), Mort d'un guide (Ertaud) ; 1976, Un éléphant ça trompe énormément (Robert), Une femme à sa fenêtre (Granier-Deferre), Servante et maîtresse (Gentillon) ; 1977, Le passé simple (Drach), Nous irons tous au paradis (Robert), Un moment d'égarement (Berri) ; 1978, La carapate (Oury), Les chiens (Jessua) ; 1979, Un si joli village (Perier), Au bout du bout du banc (Kassovitz) ; 1980, Retour en force (Poiré), Une sale affaire (Bonnot) ; 1981, La revanche (Lary) ; 1982, Un dimanche de flic (Vianey), Boulevard des assassins (Tioulong), Y a-t-il un Français dans la salle ? (Mocky) ; 1983, Stella (Heynemann) ; 1984, Canicule (Boisset), Les voleurs de la nuit (Fuller), La smala (Hubert), La triche (Bellon), Louisiane (Broca) ; 1985, National Lampoon's European Vacation (Heckerling) ; 1986, Le lieu du crime (Téchiné) ; 1987, Sale destin (Madigan) ; 1988, L'invité surprise (Lautner), Rouge Venise (Perier) ; 1991, Le bal des casse-pieds (Robert) ; 1996, Les démons de Jésus (Bonvoisin) ; 1997, La position de l'escargot (Saäl) ; 1998, Les grandes bouches (Bonvoisin) ; 2001, Reines d'un jour (Vernoux).

Venu du cabaret puis du théâtre, il excelle dans les rôles de salaud : flics tordus, gangsters vicieux et trafiquants divers. Sa plus belle composition : le collaborateur de *Stella*, mais il n'est pas mal non plus en policier traquant les « voleurs de la nuit » pour le compte de Samuel Fuller.

Lansbury, Angela

Actrice anglaise née en 1925.

1944, National Velvet (Le grand national) (Brown), Gaslight (Hantise) (Cukor) ; 1945, The Picture of Dorian Gray (Le portrait de Dorian Gray) (A. Lewin) ; 1946, The Harvey Girls (The Harvey Girls) (Sidney), Till the Clouds Roll By (La pluie qui chante) (Minnelli et Whorf) ; 1948, State of the Union (L'enjeu) (Capra), The Three Musketeers (Les trois mousquetaires) (Sidney), If Winter Comes (Quand vient l'hiver) (Saville) ; 1949, Samson and Delilah (Samson et Dalila) (DeMille) ; 1955, A Lawless Street (Ville sans loi) (Lewis) ; 1958, The Long Hot Summer (Les feux de l'été) (Ritt), The Reluctant Debutante (Qu'est-ce que maman comprend à l'amour ?) (Minnelli) ; 1960, A Breath of Scandal (Un scandale à la cour) (Curtiz et Russo) ; 1961, Blue Hawaii (Sous le ciel bleu d'Hawaï) (Taurog) ; 1962, The Mandchurian Candidate (Un crime dans la tête) (Frankenheimer) ; 1963, In the Cool of the Day (Stevens) ; 1964, The Amorous Adventures of Moll Flanders (Les aventures amoureuses de Moll Flanders) (T. Young), The World of Henry Orient (Deux copines... un séducteur) (G.R. Hill) ; 1965, The Greatest Story Ever Told (La plus grande histoire jamais contée) (Stevens), Harlow (Harlow, la blonde platine) (Douglas) ; 1970, Something for Everyone (Prince) ; 1971, Bedknobs and Broomsticks (L'apprentie sorcière) (Stevenson) ; 1978, Death on the Nile (Mort sur le Nil) (Guillermin) ; 1979, The Lady Vanishes (Page) ; 1980, The Mirror Crack'd (Le miroir se brisa) (Hamilton) ; 1983, The Pirates of Penzance (Leach) ; 1985, The Company of Wolves (La compagnie des loups) (Jordan) ; 1996, Mrs Arris Goes to Paris (Shaw) ; 1999, Fantasia 2000 (Fantasia 2000) (Butoy, Goldberg, Algar, Glebas, Brizzi) ; 2005, Nanny McPhee (Nanny McPhee) (K. Jones).

Fille d'un leader travailliste, elle s'impose dans *Hantise* en soubrette provocante et louche avant de terminer sa carrière dans le rôle de miss Marple.

Lanvin, Gérard

Acteur français né en 1949.

1977, Vous n'aurez pas l'Alsace et la Lorraine (Coluche) ; 1978, Bête mais discipliné (Zidi) ; 1979, Les héros n'ont pas froid aux oreilles (Nemes), Tapage nocturne (Breillat) ; 1980, Extérieur nuit (Bral), L'entourloupe (Pirès) ; 1981, Une semaine de vacances (Tavernier), Est-ce bien raisonnable ? (Lautner), Le choix des armes (Corneau), Une étrange affaire (Granier-Deferre) ; 1982, Tir groupé (Missiaen), Le prix du danger (Boisset) ; 1983, Ronde de nuit (Missiaen) ; 1984, Marche à l'ombre (Blanc) ; 1985, Les spécialistes (Leconte), Moi vouloir toi (Dewolf) ; 1986, Les frères Pétard (Palud) ; 1988, Saxo (Zeitoun) ; 1989, Mes meilleurs copains (Poiré) ; 1990, Il y a des jours et des lunes (Lelouch) ; 1991, La belle histoire (Lelouch) ; 1993, Les marmottes (Chouraqui) ; 1994, Le fils préféré (Garcia) ; 1995, Mon homme (Blier) ; 1996, Anna Oz (Rochant) ; 1997, La femme du cosmonaute (Monnet) ; 1998, En plein cœur (Jolivet), Passionnément (Nuytten) ; 1999, Le goût des autres (Jaoui) ; 2000, Les morsures de l'aube (De Caunes) ; 2001, Le boulet (Berbérian) ; 2002, 3 zéros (Onteniente) ; 2003, A la petite semaine (Karmann) ; 2004, San-Antonio (Auburtin) ; 2005, Les enfants (Vincent), Les parrains (Forestier) ; 2006, Le héros de la famille (Klifa), Camping (Onteniente) ; 2007, Le prix à payer (Leclère).

Venu du café-théâtre (*La revanche de Louis XI*, *Elle voit des nains partout...*), il a écrit des sketches avec Coluche qui le fait débuter en « chevalier blanc » dans *Vous n'aurez pas l'Alsace et la Lorraine*. Progressivement Lanvin compose un personnage, sorte de tombeur de banlieue dont Missiaen saura à deux reprises tirer le meilleur parti dans d'excellents films policiers. Lanvin a reçu le prix Jean-Gabin en 1981. Un beau patronage. Toutefois il déçoit un peu, alternant échecs commerciaux (*La belle histoire*, de Lelouch) et œuvres de qualité mais confidentielles (*Le fils préféré*, de Nicole Garcia). Son interprétation dans ce dernier film lui vaut un césar en 1995.

Lanza, Mario

Acteur américain, de son vrai nom Alfredo Cocozza, 1921-1959.

1949, That Midnight Kiss (Le baiser de minuit) (Taurog) ; 1950, The Toast of New Orleans (Le chant de la Louisiane) (Taurog) ; 1951, The Great Caruso (Le grand Caruso) (Thorpe) ; 1952, Because you're Mine (Tu es à moi) (Hall) ; 1954, The Student Prince (Le prince étudiant) (Thorpe) (prêta seulement sa voix) ; 1956, Serenade (Serenade) (A. Mann) ; 1958, The Seven Hills of Rome/Arrivederci Roma (Les 7 collines de Rome) (Rowland) ; 1958, Fort the First Time (La fille de Capri) (Maté).

Chanteur d'opéra américain dont le cinéma s'empara très vite et en fit une vedette extrêmement populaire. Des comédies musicales insipides de la MGM signées Thorpe, Taurog et consorts émerge cependant *Le grand Caruso*, biographie attachante mais ô combien romancée du grand ténor. Lanza disparut prématurément à l'âge de trente-huit ans par suite de problèmes dus à son excès de poids. Il existe une Fondation Mario Lanza à Philadelphie et une biographie détaillée a été écrite sur lui en 1991 par Derek Mannering (*Mario Lanza*).

Lapointe, Boby

Chanteur et acteur français, de son vrai prénom Robert, 1922-1972.

1960, Tirez sur le pianiste (Truffaut) ; 1969, Les choses de la vie (Sautet) ; 1970, Qu'est-ce qui fait courir les crocodiles ? (Poitrenaud) ; 1971, Max et les ferrailleurs (Sautet) ; 1972, Rendez-vous à Bray (Delvaux).

Très peu de cinéma pour le manipulateur de mots le plus doué de la chanson française. Simple interprète dans un bar d'*Avanie et framboise*, une de ses chansons les plus connues, pour le film de Truffaut, il était le chauffeur du camion que Michel Piccoli percutait dans *Les choses de la vie*.

Lapointe, Jean

Acteur canadien né en 1935.

1966, YUL 871 (Godbout) ; 1970, Deux femmes en or (Fournier) ; 1973, OK... La liberté (Carrière) ; 1974, Il était une fois dans l'Est (Brassard), Les ordres (Brault) ; 1975, Tout feu tout femme (Richer) ; 1976, Ti-mine, Bernie pis la gang... (Carrière) ; 1976, L'eau chaude, l'eau frette (Forcier) ; 1977, One Man (Spry), Angela (Sagal), J.A. Martin, photographe (Beaudin) ; 1980, Les chiens chauds (Fournier) ; 1990, Une histoire inventée (Forcier), Ding et Dong, le film (Chartrand) ; 1992, La Sarrasine (Tana) ; 1997, Never Too Late (Walker) ; 2000, La bouteille (Desrochers), Une jeune fille à la fenêtre (Leclerc).

Un comédien qui a marqué le cinéma québécois, découvert sur la scène internationale pour son interprétation d'un photographe itinérant, au début du siècle, dans *J.A. Martin, photographe.* On le retrouve, vieilli et touchant, au cœur *d'Une histoire inventée* d'André Forcier.

Larive, Léon

Acteur français, 1886-1961.

Près de cent films dont : 1925, Napoléon (Gance) ; 1928, Les deux timides (Clair) ; 1933, Madame Bovary (Renoir), Zéro de conduite (Vigo) ; 1936, Les bas-fonds (Renoir) ; 1937, La Marseillaise (Renoir) ; 1938, La bête humaine (Renoir) ; 1942, L'assassin habite au 21 (Clouzot) ; 1943, Les enfants du paradis (Carné) ; 1949, Miquette et sa mère (Clouzot), Rendez-vous de juillet (Becker) ; 1956, Elena et les hommes (Renoir).

Professeur chahuté dans *Zéro de conduite*, il fut l'un des acteurs favoris de Renoir. Confiné dans les seconds rôles, sa rondeur y fait merveille.

Laroche, Gérald

Acteur français né en 1964.

1989, Hiver 54, l'abbé Pierre (Amar) ; 1990, Faux et usage de faux (Heynemann) ; 1992, La femme à abattre (Pinon) ; 1993, La nage indienne (Durringer) ; 1995, Au Petit Marguery (Bénégui) ; 1996, Romaine (Obadia) ; 1997, J'irai au paradis car l'enfer est ici (Durringer) ; 2000, Trois huit (Le Guay), J'ai tué Clémence Acéra (Gaget) ; 2001, Les oreilles sur le dos (Durringer).

Des rôles de gentils garçons un peu naïfs chez Durringer, qui l'utilise beaucoup sur scène, et puis *J'irai au paradis car l'enfer est ici*, du même Xavier Durringer, lui permet de casser son image avec le rôle d'un tueur psychopathe sans pitié. Un étonnant talent de composition, qui explose à nouveau avec le rôle de l'ouvrier brimé de *Trois huit.*

La Rocque, Rod

Acteur américain, de son vrai nom La Rocque de La Rour, 1896-1969.

1914, The Snow Man ; 1915, The Raven, The Alster Case, The Primitive Strain ; 1916-1918, *nombreux courts ou moyens métrages* ; 1918, Ruggles of Red Gap, The Rainbow Box, The Dream Doll, The Venus Model, Money Mad, Hidden Fires, Sadie Goes to Heaven. A Perfect 36 ; 1919, The Trap, Miss Crusoe ; 1920, Stolen Kiss, The Garter Girl ; 1921, Suspicious Wives (Stahl), What's Wrong with the Women ? (R.W. Neill) ; 1922, A Woman's Woman (Giblyn), The Challenge (Terriss), Slim Shoulders (Crossland) ; 1923, The Ten Commandments (Les dix commandements) (DeMille), The French Doll (Leonard), Jazzmania (Leonard) ; 1924, Feet of Clay (DeMille), Forbidden Paradise (Le paradis défendu) (Lubitsch), Code of the Sea (Fleming), A Society Scandal (Dwan), Triumph (DeMille), Don't Call It Love (W. DeMille) ; 1925, The Golden Bed (Le lit d'or) (DeMille), Phantom Justice (Thomas), Night Life of New York (Dwan), Braveheart (A. Hale), Wild Wild Susan (Sutherland) ; 1926, Red Dice (Howard), The Cruise of the Jasper B (Horne), Gigolo (Howard) ; 1927, The Fighting Eagle (Crisp), Resurrection (Carewe) ; 1928, Captain Swagger (E. Griffith), Stand and Deliver (Crisp), Our Dancing Daughters (Beaumont) ; 1929, The Man and the Moment (Fitzmaurice), Our Modern Maidens (Conway), The Locked Door (Fitzmaurice), One Woman Ida (Viertel), The Delightful Rogue (Shores) ; 1930, One Romantic Night (Stein), Beau Bandit (Hillyer), Let Us Be Gay (Leonard) ; 1931, Yellow Ticket (Le passeport jaune) (Walsh) ; 1933, SOS Iceberg (Garnett) ; 1935, Mystery Woman (Forde), Frisco Waterfront (Lubin) ; 1936, Taming the Wild (Hill), The Dragnet (Moore), Preview Murder Mystery (L'homme sans visage) (Florey) ; 1937, The Shadow Strikes (Shores) ; 1939, The Hunchback of Notre-Dame (Quasimodo) (Dieterle) ; 1941, Meet John Doe (L'homme de la rue) (Capra).

Séducteur des années 20, il fut l'interprète de DeMille et de Lubitsch avant de sombrer avec l'avènement du parlant et de devenir producteur à la radio.

Laroque, Michèle

Actrice française née en 1960.

1989, Suivez cet avion (Amblard) ; 1990, Le mari de la coiffeuse (Leconte) ; 1991, Une époque formidable... (Jugnot), Louis enfant roi (Planchon) ; 1992, La crise (Serreau), Max et Jérémie (Devers), Tango (Leconte) ; 1993,

Chacun pour toi (Ribes), Aux petits bonheurs (Deville), Personne ne m'aime (Vernoux) ; 1994, Le fabuleux destin de Mme Petlet (Casabianca), Oui (Pérennès) ; 1995, Nelly et M. Arnaud (Sautet), Pédale douce (Aghion) ; 1996, Passage à l'acte (Girod), Les aveux de l'innocent (Améris), Fallait pas !... (Jugnot), Le plus beau métier du monde (Lauzier) ; 1997, Ma vie en rose (Berliner), Serial Lover (Huth) ; 1998, Doggy Bag (Comtet) ; 1999, Épouse-moi (Marin) ; 2000, Le placard (Veber) ; 2001, J'ai faim !!! (Quentin) ; 2004, Malabar Princess (Legrand), Confidences trop intimes (Leconte), Pédale dure (Aghion) ; 2005, L'anniversaire (Kurys) ; 2006, Comme t'y es belle ! (Azuelos), La maison du bonheur (Boon) ; 2006, L'entente cordiale (Brus).

Proche d'une Catherine Jacob par sa gouaille et son entrain communicatifs, elle joue souvent les fofolles (*Chacun pour toi*), menant de front une carrière au théâtre et au cinéma.

Larquey, Pierre
Acteur français, 1884-1962.

Quelques films muets dont : 1913, Patrie (Capellani). 1931, Prisonnier de mon cœur (Tarride) ; Tout s'arrange (Diamant-Berger), Le disparu de l'ascenseur (Del Torre), Sola (Diamant-Berger) ; 1932, Topaze (Gasnier), L'enfant du miracle (Diamant-Berger), Le chien jaune (Tarride) ; 1933, Knock (Jouvet), La rue sans nom (Chenal), Le grand jeu (Feyder), Madame Bovary (Renoir), Casanova (Barbéris), Un fil à la patte (Anton), Le greluchon délicat (Choux), Il était une fois (Perret), Mariage à responsabilité limitée (Limur), Vive la compagnie (Moulins), L'école des resquilleurs (Fried) ; 1934, Si j'étais le patron (Pottier), Zou-Zou (M. Allégret), Un homme en or (Dréville), L'école des contribuables (Guissart), Compartiment de dames seules (Christian-Jaque), Le paquebot Tenacity (Duvivier), Antonia (Neufeld), L'auberge du petit dragon (Limur), Le cavalier Lafleur (Ducis), La cinquième empreinte (Anton), Dédé (Guissart), L'hôtel du Libre-Échange (M. Allégret), Nous ne sommes plus des enfants (Genina), Poliche (Gance), Le scandale (L'Herbier) ; 1935, Justin de Marseille (Tourneur), Deuxième bureau (Billon), Un oiseau rare (Pottier), J'aime toutes les femmes (Lamac), Fanfare d'amour (Pottier), Trois de la marine (Barrois), L'or dans la rue (Bernhardt), La rosière des halles (Limur), Affaire classée (Vanel), La mariée du régiment (Cammage), Les beaux jours (M. Allégret), Le chant de l'amour (Roudes), Le clown Bux (Natanson), Gangster malgré lui (Hugon), La petite sauvage (Limur), Un soir de bombe (Cammage) ; 1936, Une poule sur un mur (Gleize), Sept hommes... une femme (Mirande), Trois artilleurs au pensionnat (Pujol), La loupiote (Kemm), Prête-moi ta femme (Cammage), Tarass Boulba (Granovsky), Le roman d'un spahi (Bernheim), La marmaille (Bernard-Deschamps), La terre qui meurt (Vallée), Le disque 413 (Pottier), Les grands (Gandera), La joueuse d'orgue (Roudes), Ménilmontant (Guissart), Romarin (Hugon) ; 1937, Ces dames aux chapeaux verts (Cloche), Scandale aux galeries (Sti), Messieurs les ronds-de-cuir (Mirande), Rendez-vous aux Champs-Élysées (Houssin), Mademoiselle ma mère (Decoin), La citadelle du silence (L'Herbier), L'habit vert (Richebé), Titin des Martigues (Pujol), La griffe du hasard (Pujol), Le club des aristocrates (Colombier), Les filles du Rhône (Paulin), Police mondaine (Bernheim), Un soir à Marseille (Cammage), Son oncle de Normandie (Dréville), Trois artilleurs à l'Opéra (Notin), Trois artilleurs en vadrouille (Pujol) ; 1938, Clodoche (Lamy), Nuits de prince (Strijewski), Monsieur Coccinelle (Bernard-Deschamps), Le monsieur de cinq heures (Caron), Adrienne Lecouvreur (L'Herbier), Ça c'est du sport (Pujol), La chaleur du sein (Boyer), La cité des lumières (Limur), Un fichu métier (Ducis), Fort Dolorès (Le Hénaff), Un gosse en or (Pallu), Le mariage de Verena (Daroy), Prince de mon cœur (Daniel-Norman) ; 1939, Les otages (Bernard), Une main a frappé (Roudès), La bâtarde (Daroy), La tradition de minuit (Richebé), L'émigrante (Joannon), Grand-père (Péguy), Sixième étage (Cloche) ; 1940, L'empreinte du Dieu (Moguy), Espoirs (Rozier), Faut ce qu'il faut (Pujol), Soyez les bienvenus (Baroncelli), Les gangsters du château d'If (Pujol), Moulin-Rouge (Hugon) ; 1941, Fromont Jeune et Risler aîné (Mathot), Nous les gosses (Daquin) ; 1942, Pension Jonas (Caron), L'assassin habite au 21 (Clouzot), Le mariage de Chiffon (Autant-Lara), Le voile bleu (Stelli), La grande marnière (Marguenat), La main du diable (Tourneur), Le lit à colonnes (Tual), Le bienfaiteur (Decoin), Une étoile au soleil (Zwobada), L'amant de Bornéo (Le Hénaff), L'ange de la nuit (Berthomieu), Le journal tombe à cinq heures (Lacombe) ; Des jeunes filles dans la nuit (Le Hénaff) ; 1943, Le corbeau (Clouzot), Le secret de Madame Clapain (Berthomieu), La rabouilleuse (Rivers), La collection Menard (Bernard-Roland), L'homme qui vendit son âme (Paulin) ; 1944, Le père Goriot (Vernay) ; 1945, Sylvie et le fantôme (Autant-Lara), Jéricho (Calef), La tentation de Barbizon (Stelli), Adieu Chérie

(Bernard), Sérénade aux nuages (Cayatte) ; 1946, La femme en rouge (Cuny), La nuit de Sybille (Paulin), La colère des dieux (Lamac), La cabane aux souvenirs (Stelli), Six heures à perdre (Joffé) ; 1947, Quai des Orfèvres (Clouzot), La renégate (Séverac), Carré de valets (Berthomieu), Fiacre 13 (André) ; 1948, Passeurs d'or (Meyst), La maternelle (Diamant-Berger), Éternel conflit (Lampin), La bataille du feu (Canonge), La femme que j'ai assassinée (Daniel-Norman), Nuit blanche (Pottier), Le secret de Monte-Cristo (Valentin) ; 1949, Le furet (Leboursier), Le grand cirque (Péclet), Plus de vacances pour le bon Dieu (Vernay), La souricière (Calef), Millionnaires d'un jour (Hunebelle), On n'aime qu'une fois (Stelli), Menace de mort (Leboursier), Ronde de nuit (Campaux), Aventure à Pigalle (Leboursier) ; 1950, La belle image (Heymann), Topaze (Pagnol), Les anciens de Saint-Loup (Lampin), Mammy (Stelli), Le mariage de mademoiselle Beulemans (Cerf), La peau d'un homme (Jolivet) ; 1951, Ce coquin d'Anatole (Couzinet), Trois vieilles filles en folie (Couzinet), Et ta sœur ? (Lepage), Leguignon lampiste (Labro), Poil de carotte (Mesnier), Le dindon (Barma) ; 1952, Le curé de Saint-Amour (Couzinet), Mon mari est merveilleux (Hunebelle), Le désir mène les hommes (Roussel) ; 1953, Le p'tit Jacques (Bibal), La famille Cucuroux (Couzinet), Si Versailles m'était conté (Guitry), Trois jours de bringue à Paris (Couzinet), L'affaire Maurizius (Duvivier), Minuit Champs-Élysées (Blanc), Le chasseur de chez Maxim's (Diamant-Berger) ; 1954, Napoléon (Guitry), Les diaboliques (Clouzot), Tabor (Péclet), Chéri-Bibi (Pagliero), Le mandat d'amener (Louis) ; 1955, La madelon (Boyer), Si Paris nous était conté (Guitry) ; 1956, Les sorcières de Salem (Rouleau), Assassins et voleurs (Guitry), Quelle équipe ! (Quignon), Mon coquin de père (Lacombe) ; 1957, Les espions (Clouzot), La loi c'est la loi (Christian-Jaque) ; C'est arrivé à 36 chandelles (Diamant-Berger) ; 1958, Soupe au lait (Chevalier), La vie à deux (Duhour), Ça n'arrive qu'aux vivants (Saytor) ; 1959, Par-dessus le mur (Le Chanois) ; 1960, Le président (Verneuil), Dossier 1413 (Rode), La fille du torrent (Herwig), La traversée de la Loire (Gourguet).

L'un des plus populaires parmi les acteurs de composition. Né à Citon-Cénac en Dordogne, il exerce de nombreux métiers avant d'entrer au Conservatoire. Bientôt il préfère le cinéma au théâtre. Il compose des personnages timides, bourrus, renfrognés mais sensibles (*Le voile bleu*), et facilement résignés (le chauffeur de taxi dans *Quai des Orfèvres*). Attention toutefois : *L'assassin habite au 21* et *Le corbeau*, ses meilleures interprétations, nous révèlent un tout autre personnage. Après Clouzot et Autant-Lara il s'est malheureusement perdu dans des films mineurs gâchant ainsi son talent.

Lass, Barbara

Actrice polonaise, de son vrai nom Kwiatkowska, 1940-1995.

1958, Ewa chce spac (Ève veut dormir) (Chmielewski) ; 1959, Pan Anatol szuka miliona (Rybkowski) ; 1960, Zezowate Szczescia (Munk), La millième fenêtre (Ménégoz), Che gioia vivere (Quelle joie de vivre !) (Clément) ; 1961, Lycanthropus (Heusch) ; 1962, Le vice et la vertu (Vadim), Du rififi à Tokyo (Deray), L'amour à vingt ans (sketch Wajda) ; 1965, Serenade für zwei Spione (Pfleghar) ; 1967, Jowita (Morgenstern) ; 1974, Effi Briest Fontane (Effi Briest) (Fassbinder) ; 1981, Stachel im Fleisch (Genée) ; 1986, Rosa Luxemburg (Rosa Luxemburg) (Trotta).

Originaire de la campagne polonaise, elle gagne un concours qui lui ouvre les portes du cinéma. Elle s'illustre alors dans le très joli *Ève veut dormir*, qui marqua le début d'une nouvelle vague polonaise. Mariée à Polanski, elle tourne en France, en Italie, en Allemagne. Divorcée, elle s'installe en Allemagne et se retire peu à peu du cinéma.

Lassie

Chien.

1943, Lassie Come Home (La fidèle Lassie) (Wilcox) ; 1945, Son of Lassie (Simon) ; 1946, Courage of Lassie (Le courage de Lassie) (Wilcox) ; 1948, Hills of Home (Le maître de Lassie) (Wilcox) ; 1949, The Sun Comes Up (Thorpe) ; 1950, Challenge to Lassie (Le défi de Lassie) (Thorpe) ; 1951, The Painted Hills (Kress) ; 1963, Lassie's Great Adventure ; 1978, The Magic of Lassie (Chaffey) ; 1994, Lassie (Petrie) ; 2006, Lassie (Lassie) (Sturridge).

Chien aux longs poils et au museau effilé, du nom de Pal, retenu parmi 300 candidats pour être Lassie, un chien fidèle et pétri de bonnes intentions, dans des films pour enfants qui firent beaucoup pleurer leurs parents. Pal eut cinq successeurs pour le rôle, tous mâles. La télévision s'empara du personnage. Quatre des épisodes donnèrent naissance à un film sur grand écran : *Lassie's Great Adventure*. Et le succès dure toujours.

Latimore, Frank

Acteur américain, 1925-1998.

1944, In the Meantime Darling (Preminger), The Dolly Sisters (Cummings) ; 1946, The Razor's Edge (Le fil du rasoir) (Goulding), Three Little Girls in Blue (Humberstone) ; 1947, 13, rue Madeleine (Hathaway) ; 1949, Black Magic (Cagliostro) (Ratoff), Yvonne la nuit (Amato) ; 1951, Il camino del Piave ; 1952, Tre Storie proibite (Histoires interdites) (Genina), Core ingrato (Brignone), A fil di spada (Bragaglia) ; 1953, Capitan Fantasma (Le capitaine fantastique) (Zeglio), Napoletani a Milano (De Filippo) ; 1954, La figlia di Mata Hari (La fille de Mata Hari) (Gallone), Sul ponte dei Sosperi (Le pont des soupirs) (Leonviola) ; 1955, Il principe dalla maschera rossa (L'aigle rouge) (Savona), Il falco d'oro (Bragaglia) ; 1956, Lo spadacino misterioso (La revanche du prince noir) (Grieco) ; 1957, Terrore sulla citta' (Terreur sur Rome) (Majano) ; 1959, I cavallieri del diavolo (Le cavalier à l'armure d'or) (Marcellini) ; 1960, Plein soleil (Clément) ; 1961, Then There Were Three (Le cri des marines) (Nicol) ; 1962, Le venganza del zorro (Zorro le vengeur) (Marchent), La conguira dei Borgia (La conjuration des Borgia) (Raccioppi), Conquerors of the Pacific (Les conquérants du Pacifique) (De Lacy) ; 1963, La furia degli Apachi (La furie des Apaches) (De Caney) ; 1964, Cuatreros ; 1965, La charge des tuniques rouges (Torrard) ; 1966, Cast a Giant Shadow (L'ombre d'un géant) (Shavelson) ; 1967, The Honey Pot (Guêpier pour trois abeilles) (Mankiewicz) ; 1968, The Sergeant (Le sergent) (Flynn) ; 1969, If It's Tuesday, This Must Be Belgium (Mardi, c'est donc la Belgique) (Stuart) ; 1970, Patton (Patton) (Shaffner) ; 1976, All the President's Men (Les hommes du président) (Pakula).

Il débute dans des rôles romantiques à la Fox où ses cheveux bouclés impressionnent les jeunes filles. Puis il passe en Italie et se spécialise dans le film de cape et d'épée : il est le Faucon d'or, l'Aigle rouge, bref toute la volière habituelle. Assagi, il reprend le chemin des États-Unis, le temps de jouer dans un Zorro espagnol.

Lauby, Chantal : cf. Nuls (Les).

Laudenbach, Philippe

Acteur français né en 1936.

1962, Muriel (Resnais) ; 1980, Mon oncle d'Amérique (Resnais) ; 1982, Vivement dimanche ! (Truffaut), La baraka (Valère) ; 1983, Contes clandestins (Crèvecœur), Viva la vie (Lelouch), Notre histoire (Blier) ; 1984, The Dream Is Alive (Ferguson), Souvenirs souvenirs (Zeitoun), Rive doite rive gauche (Labro) ; 1985, Black micmac (Gilou), 37°2 le matin (Beineix) ; 1986, 4 aventures de Reinette et Mirabelle (Rohmer), Désordre (Assayas) ; 1987, Quelques jours avec moi (Sautet) ; 1988, La salle de bains (Lvoff), Le radeau de la Méduse (Azimi) ; 1990, Opération Corned-beef (Poiré) ; 1991, L'affût (Bellon), La sentinelle (Desplechin) ; 1992, Drôles d'oiseaux ! (P. Kassovitz) ; 1995, Les caprices d'un fleuve (Giraudeau) ; 1998, Je règle mon pas sur le pas de mon père (Waterhouse), La vie ne me fait pas peur (Lvovsky) ; 1999, La Bostella (Baer), La chambre des magiciennes (Miller).

Grand acteur de théâtre dévolu, au cinéma, aux rôles de ministres et préfets de tout poil.

Laughton, Charles

Acteur et réalisateur d'origine anglaise, 1899-1962.

1928, Bluebottles (court métrage), Daydreams (court métrage) ; 1929, Piccadilly (Dupont), Comets (Geneen) ; 1930, Wolves (Wilcox) ; 1931, Down River (Godfrey) ; 1932, The Old Dark House (Une soirée étrange) (Whale), The Devil and the Deep (Gering), Payment Deferred (Mendes), The Sign of the Cross (Le signe de la Croix) (DeMille), If I Had a Million (Si j'avais un million) (sketch de Lubitsch), Island of Lost Souls (L'île du docteur Moreau) (Kenton) ; 1933, The Private Life of Henri VIII (La vie privée d'Henri VIII) (Korda), White Woman (Walker) ; 1934, The Barretts of Wimpole Street (S. Franklin) ; 1935, Ruggles of Red Gap (L'extravagant Mr. Ruggles), Les Misérables (Boleslavsky), Mutiny on the Bounty (Les révoltés du Bounty) (Lloyd), Frankie and Johnny (court métrage) ; 1936, Rembrandt (Korda) ; 1937, I Claudius (Sternberg, inachevé) ; 1938, The Beachcomber (Pommer), Sidewalks of London (Whelan) ; 1939, Jamaica Inn (L'auberge de la Jamaïque) (Hitchcock), The Hunchback of Notre-Dame (Quasimodo) (Dieterle) ; 1940, They Knew What They Wanted (Kanin) ; 1941, It Started with Eve (Koster) ; 1942, The Tuttles of Tahiti (Ch. Vidor), Tales of Manhattan (Six destins) (Duvivier), Stand by for Action (Leonard), Forever and a Day (Lloyd) ; 1943, This Land Is Mine (Vivre libre) (Renoir), The Man from Down Under (Leonard) ; 1944, The Canterville Ghost (Dassin), The Suspect (Le suspect) (Siodmak) ; 1945, Captain Kidd (Lee) ; 1946, Because of Him (Wallace) ; 1948, The Paradine Case (Le procès Paradine) (Hitchcock), The Big Clock (La grande horloge) (Farrow), Arch of Triumph (Arc de triomphe) (Milestone), The Girl from Manhattan (Green) ; 1949, The Bribe (L'île au complot) (Leonard), The Man on the Eiffel Tower (L'homme de la tour Eiffel) (Meredith) ; 1951, The Blue Veil (La femme au voile bleu) (Bernhardt), The Strange Door (Le château de la terreur) (Pevney) ; 1952, O'Henry's Full House (La sarabande des pantins) (sketch de Koster), Abbot and Costello Meet Captain Kidd (Lamont) ; 1953, Salome (Salomé) (Dieterle), Young Bess (La reine vierge) (Sidney) ; 1954, Hobson's Choice (Chaussure à son pied) (Lean) ; 1958, Witness for the Prosecution (Témoin à charge) (Wilder) ; 1960, Under Ten Flags (Sous dix drapeaux) (Coletti), Spartacus (Kubrick) ; 1962, Advise and Consent (Tempête à Washington) (Preminger). *Pour le metteur en scène*, voir le *Dictionnaire du cinéma*, t. I : *Les réalisateurs*.

Véritable monstre sacré de l'écran. Né à Scarborough en Angleterre, il étudia à la Royal Academy de Londres et fit ses débuts sur scène en 1927. C'est le cinéma qui devait pourtant l'imposer. Il joua d'abord dans les studios anglais puis partit aux États-Unis pour y tourner dans un film d'épouvante, *The Old Dark House*. Sa fabuleuse carrière commençait. Sa tête de bouledogue, ses bajoues et ses yeux globuleux, son physique trapu et ses moues dédaigneuses en firent l'interprète idéal de Néron (*Le signe de la croix*), de Henri VIII, qui lui vaut l'oscar de 1932-1933, et du capitaine Bligh de *Bounty*. Il fut aussi Quasimodo, Rembrandt, le policier Javert, le capitaine Kidd et Maigret (*L'homme de la tour Eiffel*). Il joua un sénateur romain (*Spartacus*) et un sénateur américain (*Tempête à Washington*) avec la même aisance. Voué aux rôles cyniques et cruels, il a fait passer tous ses fantasmes dans l'admirable *Nuit du chasseur* qu'il mit en scène sans l'interpréter.

Laure, Carole

Actrice et réalisatrice canadienne née en 1948.

1970, Mon enfance à Montréal (Chabot), La vraie nature de Bernadette (Carle) ; 1971, X 13 (Godbout) ; 1973, La mort d'un bûcheron (Carle), Fleur bleue (Kent) ; 1974, Les corps célestes (Carle), Sweet Movie (Makavejev), La feuille d'érable (Denis) ; 1975, Born for Hell (Heroux), Special Magnum (A. de Martino), La tête de Normande Saint-Onge (Carle) ; 1976, L'eau chaude, l'eau frette (Forcier), Mille lunes (Carle) ; 1977, L'ange et la femme (Carle), La menace (Corneau), Préparez vos mouchoirs (Blier), La jument-vapeur (J. Buñuel) ; 1978, Isabelle ni vue ni connue (Aubier), Au revoir à lundi (Dugowson) ; 1979, Fantastica (Carle) ; 1980, Asphalte (Amar), Escape to Victory (A nous la victoire) (Huston), Un assassin qui passe (Vianey) ; 1981, Croque la vie (Tacchella) ; 1984, Sudden Rage (Carmody), A mort l'arbitre (Mocky), Maria Chapdelaine (Carle), Stress (Bertucelli) ; 1985, Night Magic (Furey), Drôle de samedi (Okan), Heartbreakers (B. Roth) ; 1986, Sauve-toi Lola (Drach) ; 1987, Sweet Country (Cacoyannis), Heartbreakers (Roth) ; 1988, Thank you Satan (Farwagi) ; 1993, Elles ne pensent qu'à ça (Dubreuil) ; 1998, Rats & Rabbits (Rats & Rabbits) (Furey), Flight from Justice (Kent). *Comme réalisatrice :* 2003, Les enfants de Marie.

Révélée avec le cinéma du Québec et plus particulièrement Gilles Carle. Ravissante, bonne comédienne, excellente chanteuse (elle se produit avec Lewis Furey), elle a vite conquis une célébrité internationale.

Laure, Odette

Actrice française, 1917-2004.

1949, La Marie du port (Carné) ; 1950, Lady Paname (Jeanson) ; 1952, La pocharde (Combet), La fête à Henriette (Duvivier) ; 1953, Le grand jeu (Siodmak) ; 1956, Mitsou (Audry) ; 1957, L'école des cocottes (Audry), C'est arrivé à 36 chandelles (Diamant-Berger) ; 1958, Guinguette (Delannoy) ; 1972, Le viager (Tchernia) ; 1977, Moi, Fleur bleue (Le Hung) ; 1979, Au bout du bout du banc (P. Kassovitz) ; 1982, Le braconnier de Dieu (Darras) ; 1984, Les nanas (Lanoë) ; 1989, Périgord noir (Ribowski) ; 1990, Jalousie (Fontmarty), Daddy nostalgie (Tavernier) ; 1991, Le bal des casse-pieds (Robert), Riens du tout (Klapisch), L'inconnu dans la maison (Lautner) ; 1998, La dilettante (Thomas) ; 2000, Le prof (Jardin).

Pétillante actrice qui a nettement plus travaillé pour le théâtre que pour le grand écran. Sa consécration populaire est tardive, notamment grâce au rôle de la mère dans *Daddy nostalgie*, vieille femme résignée et amère fumant cigarette sur cigarette. Elle est formidable en mamie un peu folle qui vend ses objets de valeur sans connaître celle-ci dans *La dilettante*. Une verve et un humour certains.

Laurel, Stan

Acteur et réalisateur anglais, de son vrai nom Arthur Stanley Jefferson, 1890-1965.

1917, Nuts in May (Willamson), The Evolution of Fashion, Lucky Dog (Robbins) ; 1918,

Hickory Hiram (Frazee), Phoney Photos (Frazee), Whose Zoo (Hutchinson), Bears and Bad Men (Semon), Fraud and Frenzies (Semon), Huns and Hyphens (Semon), *Films d'une bobine pour Hal Roach* ; 1919, Scars and Stripes (Semon) ; 1921, The Rent Collector (Semon) ; 1922, When Knights Were Cold (F. Rouse), Week-End Party (Pratt), Mud and Sand (Pratt) ; 1923, The Handy Man (Architecte malgré lui) (Kerr), Under Two Jags (Jeske), Collars and Cuffs (Chez le blanchisseur) (Jeske), Pick and Shovel (Jeske), Kill or Cure (Remède infaillible) (Pembroke), Wild Bill Hiccup (Jeske), Oranges and Lemons (Oranges et citrons) (Jeske), Short Orders (Super-service), The Noon Whistle (Jeske), A Man About Town (Suivons la piste) (Jeske), Roughest Africa (Laurel chasse le fauve) (Cedar), Frozen Hearts (Howe), Save the Ship, The Soilers (Héros de l'Alaska) (Cedar), Mother's Joy (Cedar), Scorching Sands, The Whole Truth, Cow Boy Cry For It (La ferme en folie) (Bruckman) ; 1924, Smithy (Jeske), Postage Due (Drame au bureau de poste) (Jeske), Zeb versus Paprika (Jeske), Near Dublin (Le facteur incandescent) (Cedar), Short Kilts (Jeske), Brothers under the Chin (Cedar), Rupert of Cole-Slaw, Mixed Nuts, Mandarin Mix-Up (Rock), Detained (Rock), Monsieur Don't Care (Rock), West of Hot Dog (Pembroke) ; 1925, Twins (Rock), Somewhere in Wrong (Rock), Pie-Eyed (Pembroke), The Sleuth (Plus fort que Sherlock Holmes) (Pembroke), The Snow Hawk (Rock), The Navy Blue Days (Rock), Dr. Pickle and Mr. Pryde (Pembroke), Half a Man (Pembroke) ; 1926, Atta Boy (Goulding), On the Front Page (Laurel), Now I'll Tell One (Parrott), Should Tall Men Marry (Bruckman), Eve's Love Letters (McCarey), Get'em Young (Guiol).

Avec Hardy (Oliver, 1892-1957) : Lucky Dog (première rencontre mais pas en team, J. Robbins, 1920) ; 45 minutes from Hollywood (Guiol réal., 1926) ; Duck Soup (Guiol réal., 1927) ; Slipping Wives (id., 1927) ; Love'Em and Weep (id., 1927) ; Why Girls Love Sailors (Il était un petit navire, id., 1927) ; With Love and Hisses (Les gaietés de l'infanterie, id., 1927) ; Sailors Beware (A bord du Miramar, Yates, 1927) ; Do Detectives Think ? (Les deux détectives, Guiol, 1927) ; Flying Elephants (L'âge de pierre, Butler, 1927) ; Sugar Daddies (Guiol, 1927) ; Call of the Cuckoo (Bruckman, 1927) ; Second Hundred Years (Guiol, 1927) ; Hats Off (Yates, 1927) ; Putting Pants on Philip (Bruckman, 1927) ; Battle of the Century (id., 1927) ; Leave'Em Laughing (id., 1928) ; Finishing Touch (id., 1928) ; From Soup to Nuts (Kennedy, 1928) ; You're Darn Tootin' (Ton cor est à toi), id., 1928) ; Their purple moment (Parrott, 1928) ; Should Married Men Go Home (Homme à boue, id., 1928) ; Early to Bed (Flynn, 1928) ; Two Tars (Vlà la flotte, Parrott, 1928) ; Habeas Corpus (McCarey, 1928) ; We Faw Down (McCarey, 1928) ; Liberty (Liberté, id., 1929) ; Wrong again (Y a erreur, id., 1929) ; That's My Wife (French, 1929) ; Big Business (Œil pour œil, Horne, 1929) ; Double Whoopee (Son Altesse Royale, Foster, 1929) ; Berth Marks (id., 1929) ; Men O'War (La flotte est dans le lac, id., 1929) ; A Perfect Day (Joyeux pique-nique, Parrott, 1929) ; They go boom (id., 1929) ; Bacon Grabbers (Foster, 1929) ; Angora Love (Foster, 1929) ; Unaccustomed as we are (id., 1929) ; Hoosegow (Derrière les barreaux, Parrott, 1929) ; Hollywood Revue of 1929 (sketches de Reisner, 1929) ; Night Owls (Les deux cambrioleurs, Parrott, 1930) ; Blotto (Quelle bringue, id., 1930) ; Be Big (Drôles de bottes, id., 1930) ; Brats (Les bons petits diables, id., 1930) ; Below Zero (En dessous de zéro, id., 1930) ; Laurel and Hardy Murder Case (Feu mon oncle ou la maison de l'épouvante, id., 1930) ; Hog Wild (Les bricoleurs, id., 1930) ; Another Fine Mess (Drôles de locataires, id., 1930) ; The Rogue Song (Le chant du bandit, L. Barrymore, 1930) ; Chickens Come Home (Horne, 1931) ; Laughing Gravy (Les carottiers, id., 1931) ; Our Wife (id., 1931) ; Come Clean (Toute la vérité, id., 1931) ; Pardon Us (Sous les verrous, Parrott, 1931) ; One Good Turn (Une bonne action, Horne, 1931) ; Beau Hunks (Les deux légionnaires, id., 1931) ; Helpmates (Aidons-nous, Parrott, 1931) ; Any Old Port (Laurel boxeur, Horne, 1932) ; Music Box (Livreurs sachez livrer, Parrott, 1932) ; The Chimp (Prenez garde au lion, Parrott, 1932) ; County Hospital (Maison de tout repos, id., 1932) ; Scram (Les deux vagabonds, R. McCarey, 1932) ; Pack Up Your Troubles (Les sans-soucis, Marshall, 1932) ; Their First Mistake (Bonnes d'enfant, id., 1932) ; The Stolen Jools (1932) ; On the Loose (Roach, 1932) ; Towed in a Hole (Marchands de poisson, id., 1933) ; Twice Two (Les joies du mariage, Parrott, 1933) ; Me and my Pal (Les deux flemmards, Rogers, 1933) ; Devil's Brother (Fra Diavolo, Roach, 1933) ; Midnight Patrol (Deux policiers, French, 1933) ; Busy Bodies (Les menuisiers, id., 1933) ; Dirty Work (Les ramoneurs, id., 1933) ; Sons of the Desert (Les compagnons de la Nouba, Seiter, 1934) ; Private Life of Oliver the Eighth (Gai, marionsnous, French, 1934) ; Going Bye Bye (Les jambes au cou, Rogers, 1934) ; Them Thar Hills (Joyeux compères, id., 1934) ; Babes in Toyland (Un jour une bergère, id., 1934) ;

Live Ghost (Le bateau hanté, id., 1934) ; Hollywood Party of 1934 (Boleslavsky, 1934) ; Tit for Tat (Les électriciens, Rogers, 1935) ; The Fixer-Uppers (Les rois de la gaffe, id., 1935) ; Thicker Than Water (Qui dit mieux, Horne, 1935) ; Bonnie Scotland (Bons pour le service, id., 1935) ; The Bohemian Girl (La Bohémienne, Horne et Rogers, 1936) ; Our Relations (C'est donc ton frère, Lachman, 1936) ; On the Wrong Trek (Parrot, 1936) ; Way Out West (Laurel et Hardy au Far West, Horne, 1937) ; Pick a Star (On demande une étoile, Sedgwick, 1937) ; Swiss Miss (Les montagnards sont là, Blystone, 1938) ; Blockheads (Têtes de pioche, id., 1938) ; Flying Deuces (Laurel et Hardy conscrits, Sutherland, 1939) ; A Champ at Oxford (Les as d'Oxford, A. Goulding, 1940) ; Saps at Sea (En croisière, G. Douglas, 1940) ; Great Guns (Quel pétard !, Banks, 1941) ; A Haunting We Will Go (Fantômes déchaînés, Werker, 1942) ; Air Raid Wardens (Les chefs d'îlots, Sedgwick, 1943) ; Jitterbugs (St. Clair, 1943) ; Tree in a Test Tube (MacDonald, 1943) ; Dancing Masters (Maîtres de ballet, St. Clair, 1943) ; Big Noise (Le Grand Boum, id., 1944) ; Nothing But Trouble (Les cuistots de Sa Majesté, Taylor, 1945) ; Bullfighters (Les toréadors, St. Clair, 1945) ; Atoll K (Utopia, Joannon, 1951).

Le maigre dans le couple Laurel et Hardy. On a déjà parlé, dans le *Dictionnaire des réalisateurs*, des films tournés par les deux compères. Nous les mentionnons à nouveau ici. N'hésitons pas à le dire, Laurel fut l'égal de Chaplin, de Keaton et de Harold Lloyd. Avec Hardy, ils les dépassent.

Laurent, Mélanie

Actrice française née en 1983.

1998, Un pont entre deux rives (Depardieu) ; 2001, Embrassez qui vous voudrez (Blanc) ; 2004, Le dernier jour (Marconi) ; 2005, De battre mon cœur s'est arrêté (Audiard), Indigènes (Bouchareb) ; 2006, Je vais bien, ne t'en fais pas (Lioret).

Par deux émouvantes compositions, l'une chez Audiard, l'autre chez Lioret, elle s'impose comme une remarquable actrice. Elle doit ses débuts à Gérard Depardieu.

Laurie, Piper

Actrice américaine, de son vrai nom Rosetta Jacobs, née en 1932.

1950, Louisa (Louisa) (Hall), The Milkman (Barton) ; 1951, Francis Goes to the Races (Francis aux courses) (Lubin), The Prince Who Was a Thief (Le voleur de Tanger) (Maté) ; 1952, Has Anybody Seen My Gal ? (Qui donc a vu ma belle ?) (Sirk), No Room for the Groom (Sirk), Son of Ali Baba (Le fils d'Ali Baba) (Neumann) ; 1953, The Golden Blade (La légende de l'épée magique) (Juran), The Mississippi Gambler (Le gentilhomme de la Louisiane) (Maté) ; 1954, Dangerous Mission (Mission périlleuse) (L. King), Dawn at Socorro (Vengeance à l'aube) (G. Sherman), Johnny Dark (Les bolides de l'enfer) (G. Sherman), Smoke Signal (Le fleuve de la dernière chance) (J. Hopper) ; 1955, Ain't Misbehavin' (Buzzell) ; 1956, Kelly and Me (Leonard) ; 1957, Until they Sail (Femmes coupables) (Wise) ; 1961, The Hustler (L'arnaqueur) (Rossen) ; 1976, Carrie (Carrie au bal du diable) (DePalma) ; 1977, Ruby (Garrington) ; 1978, The Boss' Son (Roth) ; 1979, Tim (Pate) ; 1985, Return to Oz (Oz, un monde extraordinaire) (Murch) ; 1986, Children of a Lesser God (Les enfants du silence) (Haines) ; 1987, Distortions (A. Mastroianni) ; 1988, Appointment With Death (Rendez-vous avec la mort) (Winner), Tiger Warsaw (Chaudhri) ; 1989, Dream a Little Dream (Rocco) ; 1991, Other People's Money (Larry le liquidateur) (Jewison), Storyville (Storyville) (Frost), Rich in Love (Beresford) ; 1993, Wrestling Ernest Hemingway (Haines), Trauma (Trauma) (Argento) ; 1994, The Crossing Guard (Crossing Guard) (Penn) ; 1995, The Grass Harp (Ch. Matthau) ; 1997, St. Patrick's Day (Perello) ; 1998, The Faculty (The Faculty) (Rodriguez) ; 1999, The Mao Game (J. Miller) ; 2000, Possessed (De Souza).

Une carrière curieuse. Débuts sous le signe de l'Universal : comédies et films d'action. On la remarque à peine. En 1961, *The Hustler* l'impose. Elle est vraiment une vedette. Elle rompt alors avec le cinéma, épouse Joseph Morgenstern et ne fait sa rentrée qu'avec De Palma et Harrington qui sont loin d'être des conformistes. Depuis, beaucoup de télévision.

Lavanant, Dominique

Actrice française née en 1944.

1974, La coupe à dix francs (Condroyer), Parade (Tati) ; 1975, Les galettes de Pont-Aven (Seria), Calmos (Blier) ; 1976, Marie Poupée (Seria), Silence on tourne (Coggio) ; 1977, Comme la lune (Seria), Vous n'aurez pas l'Alsace et la Lorraine (Coluche), Rue du Vieux-Colombier (Grandjouan) ; 1978, Les bronzés (Leconte), Un papillon sur l'épaule (Deray), Vas-y maman (N. de Buron), Cause toujours tu m'intéresses (Molinaro), Diabolo menthe (Kurys) ; 1979, Les bronzés font du ski (Leconte), I Love You, je t'aime (G. Roy

Hill), Courage, fuyons (T. Robert), La gueule de l'autre (Tchernia), La tête à ça (Gilles) ; 1980, Le cheval d'orgueil (Chabrol), Le coup du parapluie (Oury), La boum (Pinoteau), Est-ce bien raisonnable ? (Lautner), Inspecteur la bavure (Zidi) ; 1981, Pourquoi pas nous ? (Berny), Les hommes préfèrent les grosses (Poiré), Hôtel des Amériques (Téchiné) ; 1982, Y a-t-il un Français dans la salle ? (Mocky), Coup de foudre (Kurys) ; 1983, Papy fait de la résistance (Poiré), Debout les crabes, la mer monte (Grandjouan), Attention une femme peut en cacher une autre (Lautner) ; 1984, Le léopard (Sussfeld), La smala (Hubert), Paroles et musique (Chouraqui) ; 1985, Les nanas (Lanoe), Rendez-vous (Téchiné), Sac de nœuds (Balasko), Trois hommes et un couffin (Serreau), Le mariage du siècle (Galand), Billy Ze Kick (Mordillat) ; 1986, Le débutant (Janneau), Mort un dimanche de pluie (Santoni), Je hais les acteurs (Krawczyk), Les frères Pétard (Palud), Kamikaze (Grousset) ; 1987, Agent trouble (Mocky), L'œil au beurre noir (Meynard), Soigne ta droite (Godard), Les années sandwiches (Bouton) ; 1988, Quelques jours avec moi (Sautet) ; 1989, Un jeu d'enfant (Kané) ; 1990, Les secrets professionnels du docteur Apfelglück (collectif) ; 1991, La fracture du myocarde (Fansten) ; 1991, Ville à vendre (Mocky) ; 1992, Les amies de ma femme (Van Cauwelaert) ; 1993, L'ombre du doute (Isserman), Grosse fatigue (Blanc) ; 1994, Il mostro (Le monstre) (Benigni) ; 1995, Désiré (Murat) ; 2001, Un crime au paradis (Becker) ; 2004, Madame Édouard (Monfils) ; 2006, Les bronzés 3, Amis pour la vie (Leconte).

D'origine bretonne, après avoir fait tous les métiers dont celui de contractuelle, elle devient un parfait produit du café-théâtre et elle transporte cet esprit au cinéma : Coluche et la bande de Poiré l'accueillent avec joie. Une certaine dérision, un humour à froid qui ne respecte rien. Elle impose des personnages agressifs ou en parfait porte-à-faux qui retiennent l'attention, même dans des films modestes (*Le débutant...*). Une présence et un talent qui font merveille jusque dans des séries télévisées.

Lavant, Denis

Acteur français né en 1961.

1982, Coup de foudre (Kurys), Les misérables (Hossein) ; 1983, Boy meets girl (Carax) ; 1984, Viva la vie (Lelouch) ; 1985, Partir, revenir (Lelouch) ; 1986, Mauvais sang (Carax) ; 1989, Un tour de manège (Pradinas), Mona et moi (Grandperret) ; 1991, Les amants du Pont-Neuf (Carax) ; 1992, De force avec d'autres (S. Reggiani) ; 1994, La partie d'échecs (Hanchar) ; 1995, Visiblement je vous aime (Carré) ; 1997, Don Juan (Weber), Cantique de la racaille (Ravalec) ; 1998, Le monde à l'envers (Colla), Yasaeng Dongmool Pohokuyeok (Ki-Duk), Tuvalu (Tuvalu) (Helmer) ; 1999, Beau travail (Denis), Promenons-nous dans les bois (Delplanque) ; 2000, La squale (Genestal).

Issu du théâtre de rue, acrobate avant d'être acteur, c'est grâce aux fichiers de l'ANPE du spectacle que Carax le découvre. Il en fera l'acteur central de son triptyque en « Alex ». Peu de rôles au cinéma pour cet acteur au visage invraisemblable, mais beaucoup de théâtre, où il excelle.

Lavi, Daliah

Actrice israélienne, de son vrai nom Levenbuch, née en 1940.

1955, Hemsöborna ; 1960, Brennender Sand (Sables brûlants) (Nussbaum), Candide (Carbonnaux) ; 1961, Un soir sur la plage (Boisrond), La fête espagnole (Vierne), Le jeu de la vérité (Hossein), Le puits aux trois vérités (Villiers) ; 1962, Cyrano et d'Artagnan (Gance), Two Weeks in Another Town (Quinze jours ailleurs) (Minnelli), Le massaggiatrici (Fulci), Ins Stahlnetz des Dr. Mabuse (Le retour du docteur Mabuse) (Reinl), Das schwarz-weiss-rote Himmelblett (Bataille de polochons) (Thiele) ; 1963, Il demonio (Rondi), La frustra e il corpo (Le corps et le fouet) (Bava) ; 1964, Old Shatterland (Fregonese), Lord Jim (Lord Jim) (Brooks), La Celestina (Lizzani) ; 1965, Ten Little Indians (Dix petits Indiens) (Pollock) ; 1966, The Silencer (Matt Helm agent très spécial) (Karlson), The Spy with a Cold Nose (Petrie), Schawe in Tak (Un « pater » au Prater pour notre agent de Vienne) (Weidenmann) ; 1967, Casino Royale (Casino Royale) (Huston, Parrish...), Rocket to the Moon (Sharp) ; 1968, Nobody Runs Forever (R. Thomas) ; 1969, Some Girls Do (R. Thomas) ; 1971, Catlow (Wanamaker).

Une carrière très (trop) internationale pour donner un relief à cette belle actrice surtout remarquée dans *Cyrano et d'Artagnan* et dans *Lord Jim*.

Law, John Phillip

Acteur américain né en 1937.

1950, The Magnificent Yankee (Sturges) ; 1962, Smog (F. Rossi) ; 1964, Alta infedelta (Haute infidélité) (Rossi), Tre notti d'amore (Trois nuits d'amour) (Comencini) ; 1967, Da uomo a uomo (La mort était au rendez-vous) (Petroni), The Russians Are Coming (Les

Russes arrivent) (Jewison), Hurry Sundown (Que vienne la nuit) (Preminger), Barbarella (Vadim) ; 1968, Diabolik (Danger, Diabolik !) (Bava), The Sergeant (Le sergent) (Flynn) ; 1969, Skidoo (Skidoo) (Preminger), Certo, certissimo et probabile (Certain, probable et même possible) (Fondato) ; 1970, The Hawaians (Le maître des îles) (Gries), Michele Strogoff (Michel Strogoff) (E. Visconti) ; 1971, The Last Movie (The Last Movie) (Hopper), Von Richthofen and Brown (Le baron rouge) (Corman), The Love Machine (Haley Jr.) ; 1973, The Golden Voyage of Sinbad (Le voyage fantastique de Sinbad (Hessler), Polvere di stelle (Poussière d'étoile) (Sordi) ; 1974, Open Season (La chasse sanglante) (Collinson) ; 1975, Docteur Justice (Christian-Jaque), The Spiral Staircase (La nuit de la peur) (Collinson) ; 1976, Un sussurro nel buio (Aliprandi), Tu Dios y mi infierno (Romero Marchent) ; 1977, Tigers Don't Cry (Un risque à courir) (Collinson), Cassandra Crossing (Le pont de Cassandra) (Cosmatos), Colpo Secco (Carriba), L'occhio detro la parete (Voyeur pervers) (Petrelli), Il mago e la svastica (Carpi) ; 1978, Der Schimmelreiter (Weitenmann), Un'ombra nell'ombra (P. Carpi) ; 1981, Tarzan the Ape Man (Tarzan l'homme singe) (Derek), Attack Force Z (Burstall) ; 1983, Tin Man (Thomas), Hitman (Le commando du triangle d'or) (Suarez) ; 1984, Night Train to Terror (Schlossberg), No Time to Die (Ashley) ; 1985, Rainy Day Friends (Kent) ; 1987, Combat Force (Stricker) (Lenzi), Johann Strauss (Antel), Moon in Scorpio (Graver), Colpo di stato (Coup de force) (De Angelis) ; 1988, A Case of Honor (E. Romero), Thunder III (Thunder III) (De Angelis), Delirio di Sangue (Bergonzelli) ; 1989, Space Mutiny (Space Mutiny) (Winters) ; 1990, Alienator (Olen Ray), Stakes (Zurli) ; 1993, Angel Eyes (Graver), The Shining Blood (Klossowski) ; 1996, Bad Rocks (Sudborough), Hindsight (Bone) ; 1997, Ghost Dog (Putch) ; 1998, Citizens of Perpetual Indulgence (Canaurati) ; 1999, Wanted (Sicheritz) ; 2001, CQ (R. Coppola).

Blond, très grand (1,93 m), il a joué dans quelques films importants en vedette, sans forcer l'intérêt du spectateur en raison d'une certaine froideur. Son affrontement avec Lee Van Cleef dans *Da uomo a uomo*, honnête « western-spaghetti », tout comme son *Michel Strogoff*, faisaient espérer mieux.

Law, Jude

Acteur anglais né en 1972.

1993, Shopping (Anderson) ; 1996, I Love You, I Love You Not (I Love You, I Love You Not) (Hopkins) ; 1997, Wilde (Oscar Wilde) (Gilbert), Bent (Mathias), Midnight in the Garden of Good and Evil (Minuit dans le jardin du Bien et du Mal) (Eastwood), Final Cut (Final Cut) (Anciano), Gattaca (Bienvenue à Gattaca) (Niccol) ; 1998, Music From Another Room (Le « cygne » du destin) (Peters), eXistenZ (eXistenZ) (Cronenberg), The Wisdom of Crocodiles (La sagesse des crocodiles) (Leong), The Talented Mr. Ripley (Le talentueux Mr. Ripley) (Minghella) ; 1999, Love, Honour and Obey (Gangsters, sexe et karaoké) (Anciano, Burdis) ; 2000, Enemy at the Gates (Stalingrad) (Annaud) ; 2001, A.I. (Spielberg) ; 2002, Road to Perdition (Les sentiers de la perdition) (Mendes) ; 2003, Cold Mountain (Retour à Cold Mountain) (Minghella) ; 2004, The Aviator (Aviator) (Scorsese), Lemony Snicket's a Series of Unfortunate Events (Les désastreuses aventures des orphelins Baudelaire) (Silberling), Alfie (Irrésistible Alfie) (Shyer), Closer (Closer, entre adultes consentants) (Nichols) ; 2005, I Heart Huckabees (J'adore Huckabees) (Russel), Sky Captain and the World of Tomorrow (Capitaine Sky et le monde de demain) (Conran) ; 2006, All the King's Men (Les fous du roi) (Zaillian), The Holiday (The Holiday) (Meyers) ; 2007, Breaking and Entering (Par effraction) (Minghella), My Blueberry Nights (Wong Kar-wai).

Beaucoup de tempérament et de présence chez ce jeune acteur anglais promis à une fructueuse carrière, depuis deux rôles marquants : un jeune prostitué violent dans *Minuit dans le jardin du Bien et du Mal* et un paraplégique dans *Bienvenue à Gattaca*. Il est excellent dans *Stalingrad* et éblouissant en tueur photographiant l'agonie de ses victimes dans *Les sentiers de la perdition*. Il passe du Western (*Retour à Cold Mountain*) à la science-fiction (*Capitaine Sky et le monde de demain*) avec la même aisance.

Lawford, Peter

Acteur anglais, 1923-1984.

1930, Poor Old Bill (Banks) ; 1931, A Gentleman of Paris (Sinclair Hill) ; 1938, Lord Jeff (Wood) ; 1942, Mrs. Minniver (Madame Minniver) (Wyler), Eagle Squadron (Lubin), Thunder Birds (Wellman), A Yank at Eton (Taurog), Junior Army, The London Blackout Murders, Random Harvest (Prisonnier du passé) (LeRoy) ; 1943, Girl Crazy (Taurog), The Purple V., Pilot n° 5 (Sidney), The Immortal Sergeant (Aventure en Libye) (Stahl), The Man from Down Under (Leonard), Someone to Remember, Above Suspicion (Thorpe), Sherlock Holmes Faces Death (Neill), The Sky's the Limit (L'aventure inoubliable) (E. Griffith), Flesh and Fantasy (Obsessions) (Duvivier), Corvette K 225 (Rossen), Assignment in Brittany (Conway), Paris after Dark (Moguy), Sahara (Korda), West Side Kid ; 1944, The Canterville Ghost (Le fantôme de Canterville) (Dassin), The White Cliffs of Dover (Brown), Mrs. Parkington (Garnett) ; 1945, The Picture of Dorian Gray (Le portrait de Dorian Gray) (Lewin), Son of Lassie (Simon) ; 1946, Cluny Brown (La folle ingénue) (Lubitsch), My Brother Talks to Horses (Zinnemann), Two Sisters from Boston (Koster) ; 1947, It Happened in Brooklyn (Whorf), Good News (Vive l'amour) (Walters) ; 1948, Easter Parad (Parade du printemps) (Walters), On an Island with You (Dans une île avec vous) (Thorpe), Julia Misbehaves (Conway) ; 1949, Little Women (Les quatre filles du docteur March) (LeRoy), The Red Danube (Sidney) ; 1950, Please Believe Me (Taurog), Royal Wedding (Mariage royal) (Donen) ; 1952, Kangaroo (La loi du fouet) (Milestone), Rogue's March (Allan Davis), Just This Once (Weis), You for Me (Weis), The Hour of 13 (H. French), It Should Happen to You (Une femme qui s'affiche) (Cukor) ; 1956, Sincerely Yours (Douglas) ; 1959, Never So Few (La proie des vautours) (Sturges) ; 1960, Ocean's Eleven (L'inconnu de Las Vegas) (Milestone), Exodus (Exodus) (Preminger), Pepe (Sidney) ; 1962, Advise and Consent (Tempête à Washington) (Preminger), Sergeants Three (Les trois sergents) (Sturges) ; 1964, Dead Ringer (La mort frappe trois fois) (Henreid) ; 1965, Sylvia (Sylvia) (Douglas) ; Harlow (Douglas) ; 1966, The Oscar (La statue en or massif) (Rouse), A Man Called Adam (Leo Penn) ; 1967, Deux billets pour Mexico (Christian-Jaque) ; 1968, Salt and Pepper (R. Donner), Buona Sera Mrs. Campbell (Frank), Skidoo (Skidoo) (Preminger) ; 1969, The April Fools (Folies d'avril) (Rosenberg), Hook, Line and Sinker (G. Marshall) ; 1970, One More Time (Lewis), Togetherness (Marks) ; 1971, The Clay Pigeon (Pigeon d'argile) (Stern) ; 1972, They Only Kill Their Masters (Goldstone) ; 1974, Rosebud (Rosebud) (Preminger) ; 1975, Won Ton Ton, The Dog Who Saved Hollywood (Winner) ; 1978, Seven from Heaven (Clark) ; 1984, Where is Parsifal ? (Où est Parsifal ?) (Helman).

D'origine britannique, il débute modestement en Angleterre avant de venir tenter sa chance à Hollywood. Il commence par des petits rôles à la MGM dans des comédies musicales où il déploie un charme certain, puis se compromet avec la bande de Sinatra. Il conserve toutefois dans la vulgarité et la niaiserie des films qu'inspire Sinatra, du style des *Trois sergents*, une certaine distance, évitant le pire. Grisonnant, il n'apparaît plus qu'épisodiquement après 1970.

Lawrence, Marc

Acteur et réalisateur américain, 1910-2005.

1933, White Woman (Walker) ; 1939, Sergent Madden (Sternberg), Homicide Bureau (Coleman Jr.), Romance of the Redwoods (Ch. Vidor), Ex-champ (Rosen), Blind Alibi (Landers), The Housekeeper's Daughter (Roach), Dust Be My Destiny (Seiler), Beware Spooks (Sedgwick) ; 1940, Invisible Strips (Bacon), Johnny Apollo (Hathaway), The Man Who Talked Too Much (V. Sherman), Charlie Chan at the Wax Museum (Shores), The Great Profile (W. Lang), Love, Honor and Oh ! Baby (Lamont) ; 1941, Tall, Dark and Handsome (Humberstone), The Monster and the Girl (Heisler), The Man Who Lost Himself (Fox), Blossoms in the Dust (Les oubliés) (LeRoy), The Shepherd of the Hills (Hathaway), Hold that Ghost (Lubin), Lady Scarface (Woodruff), Sundown (Hathaway), Public Enemies (Rogell) ; 1942, Nazi Agent (Dassin), This Gun for Hire (Tueur à gages) (Tuttle), Yokel Boy (Santley), Call of the Canyon (Santley), Neath Brooklyn Bridge (W. Fox) ; 1943, Submarine Alert (McDonald), The Ox-Bow Incident (L'étrange incident) (Wellman), Eyes of the Underworld (Neill), Calaboose (Roach Jr.), Hit the Ice (Lamont) ; 1944, Tampico (Mendes), Rainbow Island (Murphy) ; 1945, Flame of Barbary Coast (Kane), Dillinger (Nosseck), Don't Fence Me In (English) ; 1946, Life With Blondie (A. Berlin), The Virginian (Gilmore), Club Havana (Ulmer), Blonde Alibi (Jason), Cloak and Dagger (Cape et poignard) (Lang) ; 1947, Yankee Fair (Lee Wilder), Joe Palooka in the Knock-out (Le Borg), Unconquered (Les conquérants d'un nouveau monde) (DeMille), The Captain from Castile (Capitaine de Castille) (King), I Walk Alone (L'homme aux abois) (Haskin) ; 1948, Key Largo (Huston), Out of the Storm (Springsteen) ; 1949, Jigsaw (Markle), Calamity Jane and Sam Bass (La fille des prairies) (G. Sherman), Tough Assignment (Beaudine) ; 1950, Black Hand (Thorpe), The Asphalt Jungle (Quand la ville dort) (Huston), The Desert Hawk (L'aigle du désert) (De Cordova) ; 1951, Hurricane Island (Landers), My Favorite Spy (McLeod) ; 1954, La tratta delle bianche (Comencini) ; 1958, Kill Her Gently (Ch. Sanders) ; 1963, Johnny Cool (Johnny Cool) (Asher) ; 1966, Pampa Salvaje (Pampas sauvages) (Fregonese), Johnny Tiger

(Wendkos) ; 1968, Custer of the West (Custer homme de l'ouest) (Siodmak) ; 1969, Krakatoa (Krakatoa) (Kowalski) ; 1970, The Kremlin Letter (La lettre du Kremlin) (Huston) ; 1974, The Man With the Golden Gun (L'homme au pistolet d'or) (Hamilton) ; 1976, The Marathon Man (Marathon man) (Schlesinger) ; 1977, A Piece of Action (Poitier) ; 1979, Swap Meet (Mack). *Comme réalisateur :* 1965, Nightmare in the Sun.

Séduisant, élégant, soigné, cet ancien acteur de théâtre joua avec conviction les chefs de gang et les patrons de la Mafia dans de multiples séries B. A un degré supérieur il fut Ziggy dans *Key Largo* de Huston et « Cobby le bookmaker » qui subventionne « le casse » de *The Asphalt Jungle* de John Huston également. Au début des années 50, Lawrence passe en Europe, y tourne un film et tient divers emplois, généralement des méchants.

Lawrence, Martin

Acteur américain né en 1965.

1989, Do the Right Thing (Do the Right Thing) (Lee) ; 1990, House Party (House Party) (Hudlin) ; 1991, House Party 2 (McHenry et Jackson ; 1992, Boomerang (Hudlin), You So Crazy (Schlamme) ; 1995, Bad Boys (Bad Boys) (Bay) ; 1996, A Fine Line Between Love and Hate (Lawrence) ; 2000, Big Momma (Big Mamma) (Gosnell) ; 2002, National Security (Dugan) What's The Worst That Could Happen ? (Escrocs) (Weisman) ; 2003, Bad Boys 2 (Bad Boys 2) (Bay) ; 2006, Big Momma 2 (Big Mamma 2) (Whitesell).

Né en Allemagne d'un père militaire, il débute dans des cabarets puis rencontre le succès à la télévision. Nombreux films comiques dont la série – bien lourde – des *Big Mamma*.

Laydu, Claude

Acteur français né en 1927.

1950, Le journal d'un curé de campagne (Bresson) ; 1951, Le voyage en Amérique (Lavorel) ; 1952, Au cœur de la Casbah (Cardinal), Nous sommes tous des assassins (Cayatte) ; 1953, Le chemin de Damas (Glass), La guerra de Dios (Hommes en détresse) (Gil), Le bon Dieu sans confession (Autant-Lara) ; 1954, La route Napoléon (Delannoy), Raspoutine (Combret), Attila (Francisci), Interdit de séjour (Canonge) ; 1955, Sinfonia d'amore (Symphonie inachevée) (Pellegrini) ; 1956, La roue (Haguet) ; 1960, Dialogue des carmélites (Agostini).

C'est Bresson qui révéla son visage tourmenté, sa détresse physique et sa force morale dans l'admirable adaptation du roman de Bernanos, *Le journal d'un curé de campagne*. On le revit, non moins tourmenté, dans *Nous sommes tous des assassins* et dans des films d'inspirations diverses. Mais, abonné à Bernanos, il joua *Dialogue des carmélites*, retrouvant toute sa fougue religieuse. Aucun acteur n'aura autant que lui mérité le paradis.

Lazenby, George

Acteur australien né en 1939.

1969, On Her Majesty's Secret Service (Au service secret de Sa Majesté) (Hunt) ; 1972, A Man Called Stoner (Stoner se déchaîne à Hong Kong) (Feng Huang), Chi l'ha visto morire ? (Lado) ; 1975, The Man from Hong Kong (L'homme de Hong Kong) (Trenchard-Smith) ; 1977, Kentucky Fried Movie (Hamburger film sandwich) (Landis) ; 1978, Death Dimension (Dimension de la mort) (Adamson) ; 1979, Saint Jack (Jack le magnifique) (Bogdanovich) ; 1980, Le tonnerre se déchaîne à Hong Kong) (Show) ; 1981, L'ultimo harem (Garrone) ; 1986, Hell Hunters (Von Theumer), Never Too Young to Die (Bettman) ; 1992, Eye of the Beholder (Simeone) ; 1993, Gettysburg (Gettysburg) (Maxwell), Death by Misadventure (Russell) ; 1994, Twin Sitters (Paragon) ; 1996, Fox Hunt (Berns) ; 1998, Gut Feeling (Sears) ; 1999, Four Dogs Playing Poker (Rachman).

De mannequin publicitaire il devient le deuxième James Bond de l'histoire du cinéma. Plus romantique qu'athlétique dans *Au service secret de Sa Majesté*, épisode au demeurant particulièrement réussi, il refuse par la suite de continuer à incarner Bond, pensant d'une part que le personnage est promis à passer de mode, et d'autre part que sa carrière est lancée. Las ! La profession lui tourne le dos et Lazenby n'a plus que ses yeux pour pleurer... Même la série B fait la fine bouche et il se reconvertit dans les affaires et les courses automobiles.

Lazure, Gabrielle

Actrice française née en 1957.

1974, Lily, aime-moi (Dugowson) ; 1976, F. comme Fairbanks (Dugowson) ; 1978, Au revoir, à lundi (Dugowson) ; 1982, Enigma (Szwarc), Le prix du danger (Boisset), Casta e pura (Chaste et pure) (Samperi) ; 1983, La belle captive (Robbe-Grillet), Sarah (Dugowson), La crime (Labro) ; 1984, Les fauves (Daniel), Rebelote (Richard) ; Rosa (Samperi), Souvenirs, souvenirs (Zeitoun) ; 1985, Joshua Then and Now (Kotcheff) ; 1986, Le hasard mène le jeu (Chenal) ; 1987, Noyade interdite (Granier-Deferre) ; 1988, Last Song (Berry) ; 1989, Le provincial (Gion), La Révolution française (Enrico et Heffron) ; 1990, Horror Bound (Szwarc) ; 1991, Woyzeck (Marignane).

Apparue dans les années 70 au firmament des étoiles. Mais cette fort jolie blonde s'est trop spécialisée dans des films difficiles. Toutefois son apparition (au théâtre) dans *Autant en emporte le vent* ou dans *La Révolution française* montre un souci de toucher un vaste public.

Leander, Zarah

Actrice et chanteuse suédoise, de son vrai nom Hedberg, 1907-1981.

1930, Dantes Mysterier (Merzbach) ; 1931, Falska millionaren (Merzbach) ; 1937, Premiere (Bolvary), Zu neuen Ufern (Paramatta bagne de femmes) (Sierck), La Habanera (La Habanera) (Sierck) ; 1938, Der Blaufuchs (La belle Hongroise) (Tourjansky) ; 1939, Es war eine rauschende Ballnacht (Pages immortelles) (Froelich), Heimat (Magda) (Froelich), Das Lied der Wüste (Le chant du désert) (Martin) ; 1940, Das Herz einer Königin (Marie Stuart) (Froelich) ; 1941, Der Weg ins Freie (Le chemin de la liberté) (Roll Hansen) ; 1942, Die grosse Liebe (Le grand amour) (Hansen) ; 1943, Damals (Le foyer perdu) (Hansen) ; 1950, Gabriela (Cziffra) ; 1952, Cuba Cabana (Buch) ; 1953, Ave Maria (Braun) ; 1954, Bei Dir War es immer so schön (Wolff) ; 1959, Der Blaue Nachtfalter (Schleif) ; 1966, Come imparai ad amare le donne (Salce).

D'origine suédoise, elle est née à Karlstadt, et, chanteuse à ses débuts, elle devient, à partir de 1937, la grande vedette du cinéma allemand. C'est Sierck qui l'impose avec deux chefs-d'œuvre, *Paramatta* et surtout *La Habanera*. Mais alors que Sierck passe aux États-Unis (où il devient Sirk), Zarah Leander continue de tourner en Allemagne. C'est alors essentiellement Froelich qui la dirige : elle est extraordinaire dans *Marie Stuart*, œuvre par ailleurs de caractère anti-britannique. La carrière de Leander s'interrompt en 1943. Elle ne fera par la suite que des apparitions dans des films sans intérêt.

Léaud, Jean-Pierre

Acteur français né en 1944.

1957, La Tour prends garde (Lampin) ; 1959, Les quatre cents coups (Truffaut), Le testament d'Orphée (Cocteau) ; 1960, Boulevard (Duvivier) ; 1961, L'amour à vingt ans (sketch « Antoine et Colette ») (Truffaut) ; 1962, L'amour à la mer (Gilles) ; 1964, Mata-Hari, agent H21 (Richard) ; 1965, Pierrot le fou (Godard) ; 1966, Masculin, féminin (Godard), Made in USA (Godard) ; 1967, Le plus vieux métier du monde (sketch Godard), La Chinoise (Godard), Week-end (Godard) ; 1968, La concentration (Garrel), Baisers volés (Truffaut), Le gai savoir (Godard) ; 1969, Porcile (Porcherie) (Pasolini), Paul (Medveczky), Os herdeiros (Les héritiers) (Diegues) ; 1970, Der Leone have sept cabeças (Le lion à sept têtes) (G. Rocha), Domicile conjugal (Truffaut) ; 1971, Une nouvelle aventure de Billy le Kid (Moullet), Les deux Anglaises et le continent (Truffaut) ; 1972, Ultimo tango a Parigi (Le dernier tango à Paris) (Bertolucci) ; 1973, La maman et la putain (Eustache), La nuit américaine (Truffaut) ; 1974, Out 1 : spectre/Out 1 : Noli me tangere (Rivette), Les lolos de Lola (Dubois) ; 1978, L'amour en fuite (Truffaut) ; 1980, Parano (Dubois), Aiutami a sognare (Avati) ; 1982, La cassure (Munoz) ; 1983, Rebelote (Richard) ; 1984, Paris vu par... vingt ans après (sketch Garrel) ; 1985, Détective (Godard) ; 1986, Corps et biens (Jacquot), L'île au trésor (Ruiz), Boran — Zeit zum Zielen (Zuta) ; 1987, Jane B. par Agnès V. (Varda), Les keufs (Balasko) ; 1988, La couleur du vent (Granier-Deferre), 36 fillette (Breillat) ; 1989, Bunker Palace Hôtel (Bilal) ; 1990, I Hired a Contract Killer (J'ai engagé un tueur) (Kaurismäki) ; 1991, La vie de bohème (Kaurismäki) ; 1992, Paris s'éveille (Assayas) ; 1993, La naissance de l'amour (Garrel), Personne ne m'aime (Vernoux) ; 1994, Les cent et une nuits (Varda) ; 1995, Le journal du séducteur (Dubroux) ; 1996, Irma Vep (Assayas), Pour rire ! (Belvaux) ; 1997, Elizabeth (Elizabeth) (Kapur) ; 1998, Innocent (Natsis) ; 1999, Une affaire de goût (Rapp), L'affaire Marcorelle (Le Péron) ; 2000, Le pornographe (Bonello) ; 2001, La guerre à Paris (Zauberman) ; 2004, Folle embellie (Cabrera) ; 2005, J'ai vu tuer Ben Barka (Le Péron), Le fantôme d'Henri Langlois (J. Richard).

Enfance indisciplinée et malheureuse. Truffaut trouve en lui son double. Il en fait Antoine Doinel dans *Les quatre cents coups*. Succès foudroyant : Léaud est à jamais Doinel. Il aura beau tourner avec Godard, Eustache et même Rocha. En vain. Il est lié à la saga de Truffaut et ne peut plus lui échapper. Il arrive ainsi qu'un rôle colle à un acteur et qu'il ne puisse plus s'en débarrasser.

Lebeau, Madeleine

Actrice française née en 1921.

1941, Hold Back the Dawn (Par la porte d'or) (Leisen) ; 1942, Gentleman Jim (Gentleman Jim) (Walsh) ; 1943, Casablanca (Casablanca) (Curtiz) ; 1946, Les chouans (Calef) ; 1948, Le secret de Monte-Cristo (Valentin) ; 1950, Et moi j'te dis qu'elle t'a fait de l'œil (Gleize) ; 1951, Dupont-Barbès (Lepage), Paris chante toujours (Montazel) ; 1952, L'étrange amazone (Vallée) ; 1953, Mandat d'amener (Pierre-Louis) ; 1954, Quai des blondes (Cadeac), Cadet-Rousselle (Hunebelle) ; 1956, Le pays d'où je viens (Carné) ; 1958, Une Parisienne (Boisrond) ; 1959, La vie à deux (Duhour), Vous n'avez rien à déclarer (Duhour), Le chemin des écoliers (Boisrond) ; 1962, Otto e mezzo (Huit et demi) (Fellini) ; 1964, Angélique marquise des anges (Borderie) ; 1965, Duel à Rio Bravo (Demicheli).

Curieuse carrière qui commence à Hollywood pour s'achever dans la grisaille du cinéma français d'après-guerre.

Le Besco, Isild

Actrice et réalisatrice française née en 1982.

1998, La puce (Bercot) ; 1999, Adieu Babylone (Frydman), Les filles ne savent pas nager (Birot) ; 2000, Sade (Jacquot), Roberto Succo (Kahn) ; 2001, Un moment de bonheur (Santana) ; 2003, Le coût de la vie (Le Guay) ; 2004, A tout de suite (Jacquot) ; 2005, Backstage (Bercot), La ravisseuse (Santana) ; 2006, L'intouchable (Jacquot), Camping sauvage (Ali et Bonalauri) ; 2007, Pas douce (Waltz). *Comme réalisatrice :* 2003, Demi-tarif ; 2007, Charlie.

Fille de la comédienne Catherine Belkhodja, son étrange visage lunaire et son regard bleu délavé rendent inoubliable une pourtant toute jeune actrice qui, en quelques films, prouve qu'elle peut transcender le moindre rôle. Autoritaire et contradictoire en vierge effarouchée dans *La puce,* film qui la révèle, elle est tour à tour candide (*Sade*) ou violente (*Les filles ne savent pas nager*). Une force de jeu à situer du côté d'Isabelle Adjani. Elle s'est aussi lancée dans la mise en scène.

Le Bihan, Samuel

Acteur français né en 1965.

1990, Sale comme un ange (Breillat) ; 1991, Promenades d'été (Féret) ; 1992, La place d'un autre (Féret) ; 1993, Trois couleurs : Rouge (Kieslowski), Le fusil de bois (Delerive) ; 1994, Une femme française (Wargnier) ; 1996, Capitaine Conan (Tavernier) ; 1997, Le cousin (Corneau), A vendre (Masson), Los años barbaros (Les années barbares) (Colomo), Restons groupés (Salomé) ; 1998, Vénus Beauté (Institut) (Marshall), Peau neuve (Deleuze) ; 2000, Jet Set (Onteniente), Total western (Rochant), Le pacte des loups (Gans), Une affaire privée (Nicloux) ; 2001, A la folie... pas du tout (Colombani), La mentale (Boursinhac) ; 2002, 3 zéros (Otoniente) ; 2003, Fureur (Dridi) ; 2003, Les clefs de la bagnole (Baffie) ; 2004, Pour le plaisir (Deruddere) ; 2005, The Last Sign (Le dernier signe) (D. Law), The Bridge of the San Luis Rey (Le pont du roi Saint-Louis) (McGuckian) ; 2006, Exes (Cognito), Le passager de l'été (Moncorgé-Gabin).

Physique, puissant (il a fait de la boxe), il démarre paradoxalement dans le registre intimiste de René Féret avant de trouver sa pleine mesure en amant bohême de Nathalie Baye dans *Vénus Beauté (Institut)*, puis en conducteur de pelleteuses dans *Peau neuve* et surtout en scientifique chargé de combattre la bête du Gévaudan dans *Le pacte des loups*. On peut légitimement attendre beaucoup de lui.

Lebon, Yvette

Actrice française née en 1913.

1934, Zouzou (M. Allégret), Le chéri de sa concierge (Guarino-Glavany) ; 1935, Divine (Ophuls), Coup de vent (Dréville) ; 1936, Michel Strogoff (Baroncelli), Marinella (Caron), Les mariages de mademoiselle Lévy (Hugon), Romarin (Hugon), Trois artilleurs au pensionnat (Pujol) ; 1937, Abus de confiance (Decoin), Le cantinier de la Coloniale (Wulschleger), Le chanteur de minuit (Joannon), Trois artilleurs au pensionnat (Pujol) ; 1938, Gibraltar (Ozep) ; 1939, L'homme qui cherche la vérité) (Esway) ; 1941, Romance de Paris (Boyer), Le moussaillon (Gourguet), Le destin fabuleux de Désirée Clary (Guitry) ; 1942, La chèvre d'or (Barbéris) ; 1944, Paméla (Hérain) ; 1945, Monsieur Grégoire s'évade (Daniel-Norman) ; 1946, Les amours de Blanche-Neige (Wisser) ; 1952, Il boia di Lille (Milady et les mousquetaires) (Cottafavi) ; 1953, Il cavaliere di Maison Rouge (Le Prince au masque rouge) (Cottafavi) ; 1955, Sophie et le crime (Gaspard-Huit) ; 1956, Maruzzella (Maruzzella) (Capuano) ; 1957, I misteri di Parigi (Les mystères de Paris) (Cerchio) ; 1959, Les nuits de Raspoutine (Chenal) ; 1960, Il sepolcro dei rè (La vallée des pharaons) (Cerchio) ; 1961, Ulisse contro Ercole (Ulysse contre Hercule) (Caiano) ; 1963, Scaramouche (Isasi-Isasmendi) ; 1965, Baraka sur X13 (Cloche) ; 1966, Toutes folles de lui (Carbonnaux), Le vicomte règle ses comptes (Cloche) ; 1971, La cavale (Mitrani).

Le type même de l'ingénue sans grande personnalité, dont la beauté tient lieu de talent, dans les années 30. Sous l'Occupation, son personnage évolue avec bonheur et sa séduction fait merveille dans des rôles historiques (Julie Clary ou madame Tallien, sous la direction de Sacha Guitry ou de Pierre de Hérain). A la Libération, elle épouse le producteur Nat Wachsberger et reparaît à l'écran au début des années 50 transformée en vamp grâce à Cottafavi qui lui confie le rôle de la célèbre Milady imaginée par Alexandre Dumas. Son activité s'exercera surtout en Italie puis en Espagne, toujours dans des rôles à costumes. On la reverra en France dans des films d'action ou d'espionnage. Elle se retire au début des années 70. Elle a été également l'une des toutes premières actrices françaises à participer à des émissions de télévision aux États-Unis, et doit beaucoup à Guitry qui la fit débuter au théâtre.

Lebrun, Danièle

Actrice française née en 1937.

1960, Les tortillards (Bastia), Le mouton (Chevalier) ; 1972, Ça n'arrive qu'aux autres (N. Trintignant) ; 1980, Asphalte (Amar) ; 1988, Camille Claudel (Nuytten) ; 1990, Uranus (Berri) ; 1991, Céline (Brisseau), 588, rue de Paradis (Verneuil), Conte d'hiver (Rohmer) ; 1992, Drôles d'oiseaux (P. Kassovitz) ; 1993, L'argent fait le bonheur (Guédiguian), Je t'aime quand même (Companeez) ; 1996, Un héros très discret (Audiard) ; 1997, Assassin(s) (Kassovitz) ; 1998, Le plus beau pays du monde (Bluwal) ; 1999, Belle maman (Aghion), La débandade (Berri), En face (Ledoux), L'extraterrestre (Bourdon).

C'est son rôle de baronne perverse dans « Vidocq » qui la révèle au grand public, puis elle incarne la femme de Chéri-Bibi dans la série homonyme. De la télévision, donc, mais aussi beaucoup de théâtre pour cette actrice qui, sous ses airs angéliques, ne dédaigne pas de composer d'inoubliables rôles de garce. Elle est une émouvante et savoureuse mère alcoolique dans *Belle maman*.

Leclerc, Ginette

Actrice française, de son nom de jeune fille Geneviève Menut, 1912-1992.

1932, L'enfant du miracle (Diamant-Berger) ; 1933, La dame de chez Maxim's (Korda), Les surprises du sleeping (Anton), Ciboulette (Autant-Lara), Adieu les beaux jours (Beucler), Cette vieille canaille (Litvak) ; 1934, Dédé (Guissart), L'hôtel du Libre-Échange (M. Allégret), Toto (Tourneur), Le compartiment des dames seules (Christian-Jaque), Le commissaire est bon enfant (court métrage), Minuit place Pigalle (Richebé) L'étoile de Valencia (Poligny) ; 1935, Fanfare d'amour (Pottier), Roses noires (Martin), Gangster malgré lui (Hugon), L'heureuse aventure (Georgesco), Et moi j'te dis qu'elle t'a fait d'l'œil (Forrester), L'école des cocottes (Colombier), Jacques et Jacotte (Péguy), Les gaietés de la finance (Forrester), Paris-Camargue (Forrester), La peau d'un autre (Pujol) ; 1936, La loupiotte (Kem), Bach détective (Pujol), Les dégourdis de la IIe (Christian-Jaque), Passé à vendre (Pujol), L'homme de nulle part (Chenal), La pocharde (Kemm), La peur (Tourjansky), Œil de lynx, détective (Ducis) ; 1937, Choc en retour (Monca), Mon député et sa femme (Cammage), Le fraudeur (Simons) ; 1938, Le ruisseau (Lehmann), La femme du boulanger (Pagnol), Prison sans barreaux (Moguy), Tricoche et Cacolet (Colombier), Métropolitain (Cam), Louise (Gance) ; 1939, Menaces (Greville), Coups de feu (Barberis) ; 1940, L'empreinte du Dieu (Moguy), Ils étaient cinq permissionnaires (Caron) ; 1941, Le briseur de chaînes (Daniel-Norman), Fièvres (Delannoy), Ce n'est pas moi (Baroncelli) ; 1942, L'homme qui joua avec le feu (Limur), Vie privée (Kapps), Le mistral (Houssin), Le chant de l'exilé (Hugon), La grande marnière (Marguenat) ; 1943, L'appel de la vie (Neveux), Le val d'enfer (Tourneur), Le corbeau (Clouzot) ; 1944, Le dernier sou (Cayatte) ; 1946, Chemins sans loi (Radot), Nuits sans fin (Séverac) ; 1947, Fiacre 13 (André), Une belle garce (Daroy) ; 1948, Jo la Romance (Grangier), Les eaux troubles (Calef), Passeurs d'or (Meyst) ; 1949, Un homme marche dans la ville (Pagliero), Millionnaires d'un jour (Hunebelle), L'auberge du péché (Marguenat) ; 1950, Les aventuriers de l'air (Jayet) ; 1951, Le plaisir (Ophuls), La maison dans la dune (Lampin) ; 1952, Le gang des pianos à bretelles (Turenne) ; 1954, Les amants du Tage (Verneuil) ; 1955, Gas-oil (Grangier) ; 1956, Du sang sous le chapiteau (Péclet) ; 1957, Le chômeur de Clochemerle (Boyer) ; 1960, Les magiciennes (Friedman) ; 1961, Le cave se rebiffe (Grangier) ; 1965, Le chant du monde (Camus) ; 1968, Goto (Borowczyk), Le grand cérémonial (Jolivet) ; 1969, Tropic of Cancer (Strick), Joe Caligula (Bénazéraf) ; 1970, Le bal du comte d'Orgel (M. Allégret), Popsy Pop (Herman) ; 1971, Le drapeau noir flotte sur la marmite (Audiard) ; 1972, La belle affaire (Besnard), Les volets clos (Brialy), Le trèfle à cinq feuilles (Frees), Le rempart des béguines (Casaril), Elle court, elle court la banlieue (Pirès) ; 1973, Par ici la monnaie (Balducci), Les démerdards (Balducci) ; 1975, Chobizeness (Yanne), Spermula (Maton), En grandes pompes (Teisseire) ; 1977, La barricade du point du jour (Richon).

Elle personnifie à l'écran la garce, ce qui n'est pas si facile. Elle fut admirable dans *La femme du boulanger* et dans *Le corbeau*. Hélas, sa carrière fut interrompue à la Libération où elle fut, de façon absurde, accusée de collaboration. Elle reparut en 1946. On la vit en Flora Balançoire dans *Le plaisir* et dans *Les volets clos* de Brialy. Toujours en prostituée merveilleuse de sensualité, elle joua au théâtre *La putain respectueuse*, avec grand succès. On a d'elle un livre de souvenirs : *Ma vie privée*.

Le Coq, Bernard

Acteur français né en 1950.

1967, Les grandes vacances (Girault) ; 1968, La leçon particulière (Boisrond), Béru et ses dames (Lefranc), Fais donc plaisir aux amis (Rigaud) ; 1969, La honte de la famille (Balducci), Du soleil plein les yeux (Boisrond), Des vacances en or (Rigaud) ; 1970, La liberté en croupe (Molinaro) ; 1971, Les feux de la Chandeleur (Korber) ; 1972, César et Rosalie (Sautet), Le gang des otages (Molinaro) ; 1973, Les granges brûlées (Chapot), Le concierge (Girault) ; 1974, Comme un pot de fraises (Aurel), Vous ne l'emporterez pas au paradis (Dupont-Midy), Mariage (Lelouch), Allez on se téléphone (Viard) ; 1975, Opération Lady Marlène (Lamoureux), C'est dur pour tout le monde (Gion), Le mauvais œil (Rebibo), Les marches du palais (Aubert) ; 1976, Le diable dans la boîte (Lary) ; 1978, Chaussette-surprise (Davy) ; 1979, Le toubib (Granier-Deferre), A nous deux (Lelouch) ; 1980, T'inquiète pas, ça se soigne (Matalon), Trois hommes à abattre (Deray), Pile ou face (Enrico) ; 1981, Il faut tuer Birgitt Haas (Heynemann), Un pasota con corbata (Terron) ; 1982, Tout le monde peut se tromper (Couturier), Jeans Tonic (Patient) ; 1989, Thank you, Satan (Farwagi) ; 1990, Feu sur le candidat (Delarive) ; 1991, Van Gogh (Pialat) ; 1992, Amok (Farges) ; 1993, Elles ne pensent qu'à ça (Dubreuil), Les patriotes (Rochant) ; 1994, C'est jamais loin (Centonze) ; 1995, Mon homme (Blier) ; 1996, Capitaine Conan (Tavernier), Jeunesse (Alpi) ; 1997, Bouge ! (Cornuau), Restons groupés (Salomé) ; 1998, Le clone (Conversi), L'école de la chair (Jacquot), La nube (Le nuage) (Solanas), La taule (Robak) ; 1999, Un ange (Courtois) ; 2000, Féroce (Maistre) ; 2001, Se souvenir des belles choses (Breitman) ; 2002, La fleur du mal (Chabrol), Au plus près du paradis (Marshall) ; 2004, La demoiselle d'honneur (Chabrol), Pourquoi (pas) le Brésil (Masson) ; 2005, La boîte noire (Berry), Caché (Haneke) ; Joyeux Noël (Carion) ; 2007, L'année suivante (Czajka), Vent mauvais (Allagnon).

Ce sympathique acteur, qui peut passer sans difficultés du registre comique (*Comme un pot de fraises*) au tragique (*Les granges brûlées*), n'a pas eu jusqu'ici les rôles qu'il méritait, excepté à la télévision où il tient la vedette dans de nombreux téléfilms.

Ledoux, Fernand

Acteur français d'origine belge, 1897-1993.

1919, La faute d'orthographe (Feyder), Le fils de M. Ledoux (Krauss) ; 1921, L'Atlantide (Feyder) ; 1923, Villa Destin (L'Herbier) ; 1932, L'homme à la barbiche (Valray) ; 1934, Le train de huit heures quarante-sept (Wulschleger) ; 1935, Folies-Bergère (Del Ruth) ; 1936, Le vagabond bien-aimé (Bernhardt), Tarass Boulba (Granowsky), Mayerling (Litvak) ; 1938, Alerte en Méditerranée (Joannon), Altitude 3200 (Benoit-Lévy), La bête humaine (Renoir) ; 1939, Remorques (Grémillon) ; 1940, Volpone (Tourneur), Untel père et fils (Duvivier) ; 1941, Premier bal (Christian-Jaque), Premier rendez-vous (Decoin), L'assassinat du père Noël (Christian-Jaque) ; 1942, Les visiteurs du soir (Carné), Goupi Mains rouges (Becker), Le lit à colonnes (Tual), La grande marnière (Marguenat), Des jeunes filles dans la nuit (Le Hénaff) ; 1943, L'homme de Londres (Decoin), Béatrice devant le désir (Marguenat) ; 1944, Sortilèges (Christian-Jaque) ; 1945, La fille aux yeux gris (Faurez), La fille du diable (Decoin) ; 1946, La rose de la mer (Baroncelli) ; 1947, Danger de mort (Grangier), Éternel conflit (Lampin) ; 1948, Pattes blanches (Grémillon), L'ombre (Berthomieu), Le mystère Barton (Spaak) ; 1949, Monseigneur (Richebé), Histoires extraordinaires (Faurez) ; 1951, Les loups chassent la nuit (Borderie), La bergère et le ramoneur (voix, Grimault) ; 1953, Un acte d'amour (Litvak), Monsieur Scrupule gangster (Daroy) ; 1954, Papa, maman, la bonne et moi (Le Chanois), Fortune carrée (Borderie) ; 1955, Les hommes en blanc (Habib), Papa, maman ma femme et moi (Le Chanois) ; 1956, Till l'Espiègle (Ivens), La loi des rues (Habib), Celui qui doit mourir (Dassin) ; 1957, Les misérables (Le Chanois), Les violents (Calef) ; 1959, J'irai cracher sur vos tombes (Gast), Christine (Gaspard-Huit), Recours en grâce (Benedeck) ; 1960, La vérité (Clouzot) ; 1961, Le jour le plus long (Annakin...) ; 1962, The Big Gamble (Le grand risque) (Fleischer), Freud (Huston), Le glaive et la balance (Cayatte) Le procès (Welles) ; 1965, Up from the Beach (Le jour d'après) (Parrish) ; 1966, La communale (Lhote) Sous le signe du taureau (Grangier) ; 1970, Peau d'âne (Demy) ; 1973, Moi y'en a vouloir des sous (Yanne), Les granges brûlées (Chapot) ; Bel ordure (Marbœuf) ; 1974, Les Chinois à Paris (Yanne) ; 1977, A chacun son enfer (Cayatte), Alice ou la dernière fugue (Chabrol) ; 1981, Mille milliards de dollars (Verneuil) ; 1982, Les misérables (Hossein).

A la sortie du Conservatoire, il jouera dans de nombreux théâtres et à la Comédie-Française. Il a travaillé aussi avec Jouvet, Copeau et Dullin. Mais ce grand acteur de théâtre fut aussi un grand acteur de cinéma. On le trouve au générique des principaux films des années 30 et 40 : maris cocus (*Volpone* et bien d'autres), paysans (*Goupi Mains rouges*) ou hommes de la mer (*L'homme de Londres, Remorques...*), il sait toujours donner à ses personnages une épaisseur humaine bouleversante. Plus à l'aise dans le tragique que dans le comique, il n'en fut pas moins un mémorable adjudant Flick dans *Le train de huit heures quarante-sept*. Il ne parvint pourtant pas à sauver la série *Papa, maman, la bonne et moi*, où il était un père dépassé par les événements, mais retrouva ses anciennes qualités dans les films par ailleurs outranciers de Jean Yanne : *Moi y'en a vouloir des sous* ou *Les Chinois à Paris*.

Ledoyen, Virginie

Actrice française née en 1976.

1986, Les exploits d'un jeune don Juan (Mingozzi) ; 1990, Mima (Esposito) ; 1991, Le voleur d'enfants (Chalonge) ; 1992, Mouche (inachevé, Carné) ; 1993, La folie douce (Jardin), Les marmottes (Chouraqui) ; 1994, L'eau froide (Assayas), Marianne (Jacquot) ; 1995, La cérémonie (Chabrol), La fille seule (Jacquot), Majiang (Yang) ; 1996, Héroïnes (Krawczyk), Ma 6-T va crack-er (Richet) ; 1997, Jeanne et le garçon formidable (Ducastel, Martineau) ; 1998, A Soldier's Daughter Never Cries (Ivory) (La fille d'un soldat ne pleure jamais), En plein cœur (Jolivet), Fin août, début septembre (Assayas) ; 1999, The Beach (La plage) (Boyle) ; 2000, De l'amour (Richet) ; 2001, Huit femmes (Ozon) ; 2003, Bon voyage (Rappeneau), Mais qui a tué Pamela Rose ? (Lartigau).

Révélée dans *Mima* où elle incarnait avec une grande sensibilité une toute jeune immigrée italienne confrontée à l'univers de la Mafia, dans les années 50, elle poursuit depuis une carrière régulière avec des cinéastes réputés difficiles.

Lee, Belinda

Actrice anglaise, 1935-1961.

1953, The Life With the Lyons (Guest) ; 1954, The Runaway Bus (Guest), Meet Mr. Callaghan (Saunders), The Belles of St. Trinians (Launder) ; 1955, Murder by Proxy (Fisher), Footsteps in the Fog (Des pas dans le brouillard) (Lubin), Man of the Moment (Carstairs), No Smoking (Cass) ; 1956, Who Done It ? (Dearden), The Feminine Touch (Jackson), Eyewitness (M. Box), The Big Money (In the Pocket) (Carstairs) ; 1957, The Secret Place (Faux policiers) (Donner), Miracle in Soho (Miracle à Soho) (Amyes) ; 1958, Dangerous Exile (Le prisonnier du temple) (Hurst), Nor the Moon by Night (Rencontre au Kenya) (Annakin) ; 1959, La Venere di Cheronea (Aphrodite déesse de l'amour) (Cerchio), Messaline (Cottafavi), Le Notti di Lucrezia Borgia (Les nuits de Lucrèce Borgia) (Grieco), Les dragueurs (Mocky), Ce corps tant désiré (Saslavsky), Marie des Iles (Combret), I Magliari (Rosi) ; 1960, Der Satan lockt mit Liebe (Le port des illusions) (Jugert), Die Wahrheit über Rosemarie (L'amour c'est mon métier) (Jugert), Constantine il Grande (Constantin le Grand) (Felice), Giuseppe venduto dai Fratelli (Ricci et Rapper).

Splendide blonde aux yeux verts, elle fut Aphrodite, Messaline et Lucrèce Borgia, avant de périr tragiquement dans un accident de voiture.

Lee, Brandon

Acteur américain, 1965-1993.

1986, Long Zai Jiang Hu (Yu) ; 1990, Laser Mission (Davis) ; 1991, Showdown in Little Tokyo (Lester) ; 1992, Rapide Fire (Rapid Fire) (Little) ; 1994, The Crow (The Crow) (Proyas).

Il suit les traces de son père, Bruce Lee, dans le film de karaté, puis devient une star grâce à son personnage gothique de *The Crow*. Trop tard : au cours du tournage de ce film, il est victime d'un éclat de balle à blanc tirée à bout portant ; ce sont des images de synthèse qui assureront les derniers plans manquants.

Lee, Bruce

Acteur américain, de son vrai nom Lee Yeun Kam, 1940-1973.

1969, Marlowe (La valse des truands) (Bogart) ; 1971, Big Boss (Lo Wei) ; 1972, Fist of Fury (La fureur de vaincre) (Lo Wei) ; 1973, The Way of the Dragon (La fureur du dragon) (Bruce Lee) ; 1973, Enter the Dragon

(Opération Dragon) (Clouse) ; 1978, Game of Death (Le jeu de la mort) (Clouse).

Champion toutes catégories des arts martiaux, il a conquis une grande popularité avec quelques films dont l'intérêt paraît pourtant bien mince au niveau du scénario. En 1969, Marlowe-Gardner s'en était débarrassé sans problème : une esquive et Lee passait par la fenêtre. Les autres films le montrèrent sous un jour plus coriace. L'acteur mourut prématurément dans des conditions mystérieuses.

Lee, Christopher

Acteur anglais, de son vrai nom Carandini, né en 1922.

1947, Corridor of Mirrors (L'étrange rendez-vous) (Young) ; 1948, Hamlet (Olivier), One Night With You (Young), A Song For Tomorrow (Fisher), Scott of the Antarctic (L'épopée du capitaine Scott) (Frend), Saraband for Dead Lovers (Sarabande) (Dearden-/Relph) ; 1949, Prelude to Fame (Prélude à la gloire) (McDonell) ; 1950, They Were not Divided (Trois des chars d'assaut) (Young), Captain Horatio Hornblower (Capitaine sans peur) (Walsh) ; 1951, Valley of the Eagles (La vallée des aigles) (Young) ; 1952, Crimson Pirate (Le corsaire rouge) (Siodmak), Moulin Rouge (Moulin Rouge) (Huston) ; 1953, Innocents in Paris (Week-end à Paris) (Parry) ; 1954, That Lady (La princesse d'Éboli) (Young), The Dark Avenger (L'armure noire) (Levin) ; 1955, Storm Over the Nile (Les quatre plumes blanches) (Young, Korda), Port Afrique (Mate), The Cockleshell Heroes (Commando dans la Gironde) (Ferrer), Private's Progress (Ce sacré z'éros) (Boulting) ; 1956, Alias John Preston (MacDonald), The Battle of the River Plate (La bataille du Rio de la Plata (Powell, Pressburger), Moby Dick (Moby Dick) (Huston) ; 1957, Beyond Monbasa (Au sud de Monbasa) (Marshall), I'll Met By Moonlight (Intelligence Service) (Powell, Pressburger), She Played With Fire (Le manoir du mystère) (Gilliat), Curse of Frankenstein (Frankenstein s'est échappé) (Fisher), The Traitor (MacCarthy), The Truth About Women (Box), Bitter Victory (Amère victoire) (Ray) ; 1958, A Tale of Two Cities (Thomas), Horror of Dracula (Le cauchemar de Dracula) (Fisher), The Battle of the V 1 (La bataille des V 1) (Sewell), Corridors of Blood (Day), The Hound of the Baskervilles (Le chien des Baskerville) (Fisher) ; 1959, The Mummy (La malédiction des pharaons) (Fisher), The Man Who Could Cheat Death (L'homme qui trompait la mort) (Fischer), Long Distance (Lary agent secret) (Rakoff) ; 1960, Beat Girl (Greville), Too Hot To Handle (La blonde et les nus de Soho) (Young), The Two Faces of Dr. Jekyll (Les deux visages du docteur Jekyll) (Fisher), City of the Dead (Moxey), Hands of Orlac (Les mains d'Orlac) (Greville) ; 1961, Scream of Fear (Hurler de peur) (Holt), Terror of the Tongs (L'empreinte du dragon rouge) (Bushell), Tempi duri per vampiri (Les temps sont durs pour les vampires) (Steno), Ercole al centro della terra (Hercule contre les vampires) (Bava), Das Ratsel der roten Orchidee (L'orchidée rouge) (Ashley) ; 1962, Das Geheimnis der gelben Narzisson (Le narcisse jaune intrigue Scotland Yard) (Von Ráthonyi), Pirates of Blood River (L'attaque du San Cristobal) (Gilling), The Devil's Agent (Carstairs), Sherlock Holmes und das Halsband des Todes (Sherlock Holmes et le collier de la mort) (Fisher) ; 1963, The Devil-Ship Pirates (Les pirates du diable) (Don Sharp), Faust 63 (Veigh), La vergine di Norimberga (La vierge de Nuremberg) (Dawson, Margheriti), La frusta e il corpo (Le corps et le fouet) (Bava) ; 1964, Il castello dei morti vivi (Guida), La cripta e l'incubo (La crypte du vampire) (Mastrocinque), Dr. Terror's House of Horrors (Le train des épouvantes) (Francis), The Gorgon (La gorgone) (Fisher) ; 1965, She (La déesse de feu) (Day), The face of Fu Manchu (Le masque de Fu Manchu) (Sharp), The Skull (Le crâne maléfique) (Francis), Dracula Prince or Darkness (Dracula prince des ténèbres) (Fisher), Rasputin the Mad Monk (Raspoutine le moine fou) (Sharp), The Theatre of Death (Gallu) ; 1966, Brides of Fu Manchu (Les treize fiancées de Fu Manchu) (Sharp), Circus of Fear (Moxey) ; 1967, Night of the Big Heat (La nuit de la grande chaleur) (Fisher) ; Vengeance of Fu Manchu (Summers), Die Schlangengrube und das Pendel (Le vampire et le sang des vierges) (Reinl), Five Golden Dragons (Summers) ; 1968, The Devil Rides Out (Les vierges de Satan) (Fisher), The Face of Eve (Summers), The Curse of the Crimson Altar (La maison ensorcelée) (Sewell), Dracula Has Risen From the Grave (Dracula et les femmes) (Francis), The Castle of Fu Manchu (Franco) ; 1969, The Oblong Box (Le cercueil vivant) (Hessler), Taste the Blood of Dracula (Une messe pour Dracula) (Sasdy), Scream and Scream Again (Lâchez les monstres) (Hessler) ; 1970, Umbracle (Portabella), The Private Life of Sherlock Holmes (La vie privée de Sherlock Holmes) (Wilder), Vampir-Cuadeduc (Portabella), Count Dracula (Les nuits de Dracula) (Franco), The House That Dripped Blood (La maison qui tue) (Duffell), The Magic Christian (McGrath), Der heisse Tod (Les inassouvies) (Franco), The Scars of Dracula (Les cicatrices de Dracula) (Baker), One More Time (Lewis) ; 1971, Julius Caesar (Burge), I, Monster (Weeks), Hannie Caulder (Un colt pour trois salopards) (Kennedy) ; 1972, Deathline (Le métro de la mort) (Sherman) ; 1973, Nothing But the Night (Sasdy), Panico en el Transiberiano/Horror Express (Martin), The Creeping Flesh (Francis), Dracula A.D. 1972 (Dracula 73) (Gibson), The Three Musketeers (Les trois mousquetaires) (Lester), The Wicker Man (Hardy), The Satanic Rites of Dracula (Dracula vit encore à Londres) (Gibson), Dark Places (Le manoir des fantasmes) (Sharp) ; 1974, Diagnosis : Murder (Hayers), Le boucher, la star et l'orpheline (Savary), The Man With the Golden Gun (L'homme au pistolet d'or) (Hamilton) ; 1975, The Creeper (Drake et Wilson), The Four Musketeers (On l'appelait Milady) (Lester), In Search of Dracula (Floyd), The Diamond Mercenaries (Guest), Whispering Death (Goslar) ; 1976, To the Devil a Daughter (Une fille pour le diable) (Sykes), Dracula père et fils (Molinaro), End of the World (Destruction planète terre) (Hayes) ; 1977, Airport 77 (Les naufragés du 747) (Jameson), Starship Invasion (L'invasion des soucoupes volantes) (Ed Hunt) ; 1978, The Silent Flute (Le cercle de fer) (Moore), Caravans (Fargo), Return From Witch Mountain (Les visiteurs d'un autre monde) (Hough) ; 1979, 1941 (1941) (Spielberg), Arabian Adventure (Le trésor de la montagne sacrée) (Connor), Bear Island (Le secret de la banquise) (Sharp), The Passage (Passeur d'hommes) (Lee-Thompson), Jaguar Lives ! (Nom de code : Jaguar) (Pintoff), Captain America (Captain America) (Nagy), Whispering Death (Le souffle de la mort) (Goslan) ; 1980, Serial (Persky), Safari 3000 (Hurwitz), Desperate Moves (Assonitis) ; 1981, The Salamander (Zinner), An Eye For an Eye (Dent pour dent) (Carver) ; 1982, The Return of Captain Invincible (Mora), House of the Long Shadows (Walker) ; 1983, The Far Pavilions (Pavillons lointains) (Duffell) ; 1985, Howling II : Your Sister Is the Werewolf (Horror) (Mora), The Rosebud Beach Hotel (Hurwitz) ; 1986, The Girl (Mattson) ; 1987, Jocks (Carver) ; 1988, Dark Mission (Franco), Mio min mio/Land of Faraway (Grammatikov), War Song (Franco) ; 1989, Murder Story (Arno, Innocenti), La Révolution française (Enrico et Heffron), The Return of the Musketeers (Le retour des mousquetaires) (Lester), Mask of Murder (Mattson) ; 1990, Gremlins II (Gremlins II) (Dante), L'avaro (Cervi), Honeymoon Academy (Quintano), Curse III : Blood Sacrifice (Barton), Shogun Mayeda (Hessler) ; 1991, The Rainbow Thief (Le voleur d'arc-en-ciel) (Jodorowsky), Incident at Victoria Falls (Corcoran) ; 1992, Double Vision (Knights) ; 1993, Classa speziale (Orfini) ; 1994, Tom and Viv (Gilbert), Police Academy 7 : Mission to Moscow (Police Academy : mission à Moscou) (Metter), Funny Man (Sprackling) ; 1995, A Feast at Midnight (Hardy) ; 1996, The Stupids (Landis) ; 1997, Talos the Mummy (Mulcahy) ; 1998, Jinnah (Dehlavi) ; 1999, Sleepy Hollow (Sleepy Hollow) (Burton) ; 2000, The Lord of the Rings — The Brotherhood of the Ring (Le seigneur des anneaux – La communauté de l'anneau) (Jackson) ; 2001, Star Wars : Episode II – Attack of the Clones (Star Wars : épisode II – L'attaque des clones) (Lucas) ; 2004, Les rivières pourpres 2 (Dahan) ; 2005, Star Wars : Episode III – Revenge of the Sith (Star Wars : épisode III – La revanche des Sith) (Lucas), Charlie and the Chocolate Factory (Charlie et la chocolaterie) (Burton).

Longtemps confiné dans des rôles secondaires, il trouve sa vraie vocation avec son interprétation de Dracula : il est un vampire plus séduisant et plus fascinant que ne l'étaient Bela Lugosi ou John Carradine, « le plus distingué et le plus élégant », selon Lefèvre et Lacourbe. Spécialisé dans l'horreur, il a tourné un nombre impressionnant de films d'épouvante, notamment pour la Hammer où il fut, en dehors de Dracula, le monstre de Frankenstein, succédant à Karloff, la momie (encore après Karloff !), Fu Manchu (toujours après Karloff), Raspoutine et Sherlock Holmes ! Beaucoup de films étaient médiocres, mais il les sauve par sa seule présence. Consécration : il est Sanson, le bourreau dans *La Révolution française.*

Lee Kang-sheng

Acteur taïwanais.

(Pour plus de compréhension, les titres originaux en chinois sont donnés en anglais.) 1992, Rebels of the Neon God (Les rebelles du Dieu Néon) (Tsai Ming-liang) ; 1993, Vive l'amour ! (Vive l'amour !) (Tsai Ming-liang) ; 1995, A Drifting Life (Lin Cheng-sheng) ; 1996, The River (La rivière) (Tsai Ming-liang) ; 1998, The Hole (The Hole) (Tsai Ming-liang), Sweet Degeneration (Sweet Degeneration) (Lin Cheng-sheng), Ordinary Heroes (Hui).

Découvert par Tsai Ming-liang dans les lieux nocturnes de Taipeï fréquentés par la jeunesse locale, Lee Kang-sheng devient du jour au lendemain l'acteur fétiche de l'un des cinéastes les plus importants de la nouvelle vague taïwanaise (Lion d'or à Venise pour

Vive l'amour !). Son personnage, récurrent de film en film et qui porte le même nom que son interprète, est généralement muet, sexuellement frustré, et souffre parfois de maux terrifiants (un torticolis dans *La rivière*). Un personnage d'adolescent à la dérive en tout point fascinant.

Lefaur, André

Acteur français, de son vrai nom Lefaurichon, 1879-1952.

1912, L'homme qui assassina (Andréani) ; 1917, Madame Cicéron (Grill) ; 1918, La dixième symphonie (Gance) ; 1922, Monsieur Lebidois propriétaire (Colombier), Le mariage de Rosine (Colombier) ; 1925, Chouchou, poids plume (Ravel) ; 1931, Le bal (Thiele) ; 1932, Topaze (Gasnier), La dame de chez Maxim's (Korda), Son Altesse l'Amour (Péguy), La fleur d'oranger (Roussel), Sa meilleure cliente (Colombier) ; 1933, La femme idéale (Berthomieu) ; 1934, L'aristo (Berthomieu) ; 1935, L'école des cocottes (Colombier), Tovarich (Deval), Samson (Tourneur) ; 1936, La peau d'un autre (Pujol), Le roi (Colombier), Faisons un rêve (Guitry), Rigolboche (Christian-Jaque), La maison d'en face (Christian-Jaque), Avec le sourire (Tourneur) ; 1937, L'habit vert (Richebé), Les dégourdis de la IIe (Christian-Jaque), Le fauteuil 47 (Rivers), Le club des aristocrates (Colombier), La glu (Choux), Quatre heures du matin (Rivers) ; 1938, Le monsieur de cinq heures (Caron), La présidente (Rivers), Adrienne Lecouvreur (L'Herbier), L'ange que j'ai vendu (Bernheim), Terre de feu (L'Herbier), Mon oncle et mon curé (Caron), Eusèbe député (Berthomieu) ; 1939, Le veau gras (Poligny), Entente cordiale (L'Herbier), Ils étaient neuf célibataires (Guitry), Derrière la façade (Lacombe), Le bois sacré (Mathot), Le chemin de l'honneur (Paulin), Miquette (Boyer) ; 1940, Paris-New York (Mirande), Soyez les bienvenus (Baroncelli) ; 1941, Parade en sept nuits (M. Allégret) ; 1943, Le baron fantôme (Poligny) ; 1944, Les petites du quai aux Fleurs (M. Allégret).

Sorti du Conservatoire, il débute au théâtre mais c'est le cinéma qui le rendra populaire en lui confiant des rôles de généraux ou d'aristocrates aux confins du gâtisme. Les adaptations cinématographiques de Flers et Caillavet lui ont valu des personnages où il touche au sublime : le marquis de Chamarande dans *Le roi* et le duc de Maulévrier, académicien cocufié, dans *L'habit vert* (« je me porte bien »). Cet homme qui fit si souvent rire finit en père émouvant des *Petites du quai aux Fleurs*. Un très grand acteur.

Lefebvre ou Lefèvre, Jean

Acteur français, 1919-2004.

1951, Bouquet de joie (Cam), Une fille sur la route (Stelli) ; 1952, L'amour, toujours l'amour (de Canonge) ; 1954, Les diaboliques (Clouzot) ; 1955, Les aventures de Gil Blas de Santillane (Jolivet), La villa Sans-Souci (Labro), Cherchez la femme (André), Cette sacrée gamine (Boisrond), Gas-oil (Grangier), Les indiscrètes (André), La meilleure part (Y. Allégret) ; 1956, Et Dieu créa la femme (Vadim), La châtelaine du Liban (Pottier), La polka des menottes (André), Que les hommes sont bêtes (Richebé), Nous autres à Champignol (Bastia), L'homme et l'enfant (André), Le septième commandement (Bernard) ; 1957, L'ami de la famille (Pinoteau), La Bigorne, caporal de France (Darène), Quand la femme s'en mêle (M. Allégret), Tabarin (Pottier), Méfiez-vous fillettes (Y. Allégret) ; 1958, En légitime défense (Berthomieu), Un drôle de dimanche (M. Allégret), Houla-Houla (Darène), La fille de Hambourg (Y. Allégret) ; 1959, Le dos au mur (Molinaro) ; 1961, La belle américaine (Dhéry), Les ennemis (Molinaro), Konga-Yo/Terreur sur la savane (Y. Allégret) ; 1962, Les grands chemins (Marquand), Paris-Champagne (Armand), Le gentleman d'Epsom (Grangier), Le repos du guerrier (Vadim), Le roi des montagnes (W. Rozier), Gigot (Gigot, clochard de Belleville) (Kelly) ; Un clair de lune à Maubeuge (Chérasse), La vendetta (Chérasse) ; 1963, Bébert et l'omnibus (Robert), Chair de poule (Duvivier), Coup de bambou (Boyer), Faites sauter la banque (Girault), La mort d'un tueur (Hossein), Les tontons flingueurs (Lautner) ; 1964, Allez France (Dhéry), La bonne occase (Drach), Le gendarme de Saint-Tropez (Girault), Compartiment tueurs (Costa-Gavras), Les copains (Robert), Les gorilles (Girault), Monsieur (Le Chanois), Relaxe-toi chérie (Boyer), Une souris chez les hommes (Poitrenaud) ; 1965, Angélique et le Roy (Borderie), Le 17e ciel (Korber), Ne nous fâchons pas (Lautner), Les bons vivants (Grangier), On a volé la Joconde (Deville), Quand passent les faisans (Molinaro) ; 1966, Le gendarme à New York (Girault), Un idiot à Paris (Korber), Du mou dans la gâchette (Grospierre), Le solitaire passe à l'attaque (Habib), Trois enfants dans le désordre (Joannon) ; 1967, Le fou du Labo 4 (Besnard), Benjamin ou les mémoires d'un puceau (Deville) ; Un drôle de colonel (Girault) ; 1968, Le gendarme se marie (Girault) ; 1969, L'ours et la poupée (Deville), Le bourgeois gentil mec (André) ; 1970, Une drôle de bourrique (Canolle), Le gendarme en ballade (Girault) ; 1971, L'ingénu (Carbonnaux) ; 1972, Quand c'est parti c'est parti (Heroux), Bluebeard (Barbe-Bleue) (Dmytryk) ; 1973, Treasure Island (L'île au trésor) (Houghton), Quelques messieurs trop tranquilles (Lautner), Un solitaire (Brunet), Mais où est donc passée la 7e compagnie ? (Lamoureux), Plein les poches pour pas un rond (Daert), Le magnifique (Broca), La valise (Lautner) ; 1974, Le plumard en folie (Lem), Impossible pas français (Lamoureux), C'est pas parce qu'on a rien à dire qu'il faut fermer sa gueule ! (Besnard), Comme un pot de fraises (Aurel), C'est jeune et ça sait tout (Mulot), Pas de problème (Lautner) ; 1975, On a retrouvé la 7e compagnie (Lamoureux) ; 1976, 13 femmes pour Casanova (Legrand), La situation est grave mais pas désespérée (Besnard), Le chasseur de chez Maxim's (Vital), Le jour de gloire (Besnard) ; 1977, La 7e compagnie au clair de lune (Lamoureux), Le maestro (Vital) ; 1978, Ils sont fous ces sorciers (Lautner), Plein les poches pour pas un rond (Daert), Freddy (R. Thomas) ; 1979, Les Borsalini (Nerval), Le temps des vacances (Nerval), Tendrement vache (Penard) ; 1980, Duo sur canapé (Camoletti), Le chêne d'Allouville (Penard) ; 1981, Prends ta Rolls... et va pointer (Balducci) ; 1982, N'oublie pas ton père au vestiaire (Balducci), Le braconnier de Dieu (Darras), On n'est pas sortis de l'auberge (Pecas) ; 1983, Salut la puce ! (Balducci) ; 1985, Le gaffeur (Penard) ; 1986, La folle journée (Coggio) ; 1988, A deux minutes près (Le Hung) ; 1989, La folle journée ou le mariage de Figaro (Coggio) ; 2001, Fifi Martingale (Rozier).

De la pharmacie au Conservatoire (classe de chant), puis du cabaret l'Amiral à la troupe de Robert Dhéry, une carrière curieuse qui débouche inévitablement sur le cinéma. Jean Lefebvre se révèle un comique très fin égaré dans des comédies d'une consternante grossièreté : il faut le voir entretenant des rapports intimes avec un aimable bovin dans *Tendrement vache*, un des films les plus stupides jamais tournés, pour pleurer non de rire mais de rage devant un tel talent ainsi gâché. Et que dire de la série des *Gendarme* ou de *La 7e compagnie* ? Sa *vis comica* valait mieux.

Lefèvre, René

Acteur et réalisateur français, 1898-1991.

1925, Knock (Hervil) ; 1926, Le mariage de mademoiselle Beulemans ; 1927, Pas si bête (Berthomieu), Le tourbillon de Paris (Duvivier) ; 1928, L'eau du Nil (Vandal) ; 1929, Le ruisseau (Hervil), Rapacité, Ces dames aux chapeaux verts (Berthomieu) ; 1930, Mon ami Victor ! (Berthomieu), Jean de la Lune (Choux) ; 1931, Le chemin du Paradis (Thiele), Un chien qui rapporte (Choux), Les cinq gentlemen maudits (Duvivier), Le million (Clair) ; 1932, Monsieur, madame et Bibi (Boyer), Sa meilleure cliente (Colombier), Fleur d'oranger (Henry Roussel) ; 1933, Paprika (Limur), Les deux canards (Schmidt) ; 1934, Die Vertauschte Braut (L'amour en cage) (Lamac), Arlette et ses papas (Henry Roussel), La femme idéale (Berthomieu) ; 1935, Les époux scandaleux (Lacombe), Le crime de M. Lange (Renoir), Vogue mon cœur (Daroy), Le coup de trois (Limur) ; 1936, Mes tantes et moi (Noé), Feu la mère de Madame (Fried) ; 1937, Choc en retour (Monca), Gueule d'amour (Grémillon), Trois, six, neuf (Rouleau) ; 1938, Feux de joie (Houssin), Petite peste (Limur), Sommes-nous défendus ? (Loubignac), La piste du Sud (Billon), Place de la Concorde (Lamac), Nuits de prince (Strijewski) ; 1939, Les musiciens du ciel (Lacombe) ; 1941, Opéra-musette (Lefèvre, C. Renoir), Parade en sept nuits (M. Allégret) ; 1942, La femme que j'ai le plus aimée (Vernay), A la belle frégate (Valentin) ; 1943, La boîte aux rêves (Y. Allégret) ; Arlette et l'amour (Vernay) ; 1945, Son dernier rôle (Gourguet) ; 1946, Le bataillon du ciel (Esway) ; 1948, L'escadron blanc (Chanas), Le point du jour (Daquin) ; 1951, Trois femmes (Michel), Seuls au monde (Chanas) ; 1954, Un gosse de la butte (Delbez) ; 1956, Celui qui doit mourir (Dassin) ; 1957, La garçonne (Audry) ; 1958, C'est la faute d'Adam (Audry), Sois belle et tais-toi (M. Allégret), Le Gorille vous salue bien (Borderie) ; 1959, Le secret du chevalier d'Éon (Audry) ; 1961, Comme un poisson dans l'eau (Michel), Une blonde comme ça (Jabely) ; 1962, The Longest Day (Le jour le plus long) (Annakin), Le Doulos (Melville), Le glaive et la balance (Cayatte), La foire aux cancres (Daquin) ; 1965, Angélique et le roy (Borderie) ; 1966, Un homme de trop (Costa-Gavras) ; 1970, Le cinéma de papa (Berri) ; 1976, Le corps de mon ennemi (Verneuil). *Comme réalisateur :* 1941, Opéra-musette (avec Claude Renoir).

D'abord Lefebvre, il simplifia son nom pour créer un personnage typiquement français et poétique, un peu rêveur, un peu débrouillard, sentimental et avisé, au physique banal mais pourtant sympathique. De *Jean de la Lune* qui le révéla, au *Crime de M. Lange* et aux *Musiciens du ciel*, en passant par *Le million*, c'est ce type de héros qu'il a imposé. La guerre lui fut fatale. Il tenta sa chance dans la réalisation (*Opéra-musette*), écrivit des dialogues (dont ceux de *Rue des Prairies*, d'après son roman), puis s'effaça.

Le Gall, André

Acteur français, 1917-1974.

1943, Premier de cordée (Daquin) ; 1947, Le Bataillon du ciel (Esway), Fantômas (Sacha), La grande volière (Péclet) ; 1948, Passeurs d'or (De Meyst) ; 1949, Zone frontière (Gourguet), Un drame au Vel' d'Hiv (Cam), L'épave (Rogier), Prélude à la gloire (Lacombe), Je n'aime que toi (Montazel), Le cas du docteur Gallois (Boutel) ; 1950, La taverna della libertà (Cam) ; 1951, Coupable ? (Noé) ; 1952, Camicie rosse (Les chemises rouges) (Alessandrini), Opération Magali (Kisch), Le secret d'une mère (Gourguet) ; 1956, L'angelo del peccato (De Mitri), OSS 117 n'est pas mort (Sacha) ; 1971, L'albatros (Mocky) ; 1973, L'affaire Crazy Capo (Jamain).

Jeune premier sportif dont les deux plus grands succès furent *Premier de cordée* et *L'épave*. Par la suite, il s'empâte et on le retrouve grossi dans *L'albatros*, presque méconnaissable en politicien véreux. Il a été également l'auteur de chansons célèbres et on l'a vu sur les planches, notamment dans *Gueule d'ange*.

Légitimus, Pascal : cf. Inconnus (Les).

Legrand, Lucienne

Actrice française, 1900-1987.

1919, Le perroquet mystérieux (Prod. Gaulois) ; 1920, Dandy ébéniste (Rémond), Dandy navigateur (Rémond) ; 1921, La vivante épingle (J. Robert) ; 1921, Destinée (A. du Plessy, G. Mouru de Lacotte) ; 1922, Le bonheur conjugal (Saidreau), Les hommes nouveaux (Violet, Donatien) ; 1923, L'île de la mort (Donatien), La Sin ventura (La malchanceuse) (Donatien) ; 1924, Pierre et Jean (Donatien), La chevauchée blanche (Donatien), Nantas (Donatien) ; 1925, Princesse Lulu (Donatien), Mon curé chez les riches (Donatien), Mon curé chez les pauvres (Donatien) ; 1926, Le château de la mort lente (Donatien), Au revoir... et merci ! (Colombier, Donatien), Simone (Donatien), Le berceau de Dieu (Leroy-Granville) ; 1927, Florine, la fleur du Valois (Donatien), La martyre de Sainte-Maxence (Donatien) ; 1928, Miss Édith duchesse (Donatien), L'arpète (Donatien).

Surtout actrice de théâtre, elle fut la compagne de Donatien entre 1922 et 1929.

Legras, Jacques

Acteur français, 1923-2006.

1949, La patronne (Dhéry), Branquignol (Dhéry) ; 1950, Bertrand cœur-de-lion (Dhéry) ; 1951, La demoiselle et son revenant (Allégret) ; 1952, L'amour n'est pas un péché (Cariven) ; 1953, Les trois mousquetaires (Hunebelle) ; 1954, Les hommes ne pensent qu'à ça (Robert), Ah ! les belles bacchantes (Loubignac), Escalier de service (Rim) ; 1961, La belle américaine (Dhéry) ; 1964, Une souris chez les hommes (Poitrenaud), Allez France ! (Dhéry), Les gros bras (Rigaud), Lady L (Ustinov) ; 1965, Les bons vivants (sketch Grangier), La communale (L'Hote), La grosse caisse (Joffé), La tête du client (Poitrenaud), La bourse ou la vie (Mocky) ; 1966, Trois enfants dans le désordre (Joannon), Le grand restaurant (Besnard), Atout cœur à Tokyo pour OSS117 (Boisrond) ; 1967, Woman Times Seven (Sept fois femme) (De Sica), Le petit baigneur (Dhéry) ; 1968, Faites donc plaisir aux amis (Rigaud), L'Auvergnat et l'autobus (Lefranc) ; 1969, Hibernatus (Molinaro), L'étalon (Mocky), L'ardoise (Bernard-Aubert), Poussez pas grand-père dans les cactus (Dague), La dame dans l'auto avec des lunettes et un fusil (Litvak) ; 1970, Les assassins de l'ordre (Carné), On est toujours trop bon avec les femmes (Boisrond), Les mariés de l'an II (Rappeneau) ; 1972, Les Charlots font l'Espagne (Girault), Sex-shop (Berri), Elle court, elle court la banlieue (Pirès), A nous quatre cardinal (Hunebelle) ; 1973, L'événement le plus important depuis que l'homme a marché sur la lune (Demy), Le permis de conduire (Girault), Les 4 Charlots mousquetaires (Hunebelle), La gueule de l'emploi (Rouland), Les gaspards (Tchernia) ; 1974, Vos gueules les mouettes (Dhéry) ; 1975, Catherine et Cie (Boisrond), L'intrépide (Girault) ; 1976, Le roi des bricoleurs (Mocky), Drôles de zèbres (Lux), Le trouble-fesses (Foulon) ; 1977, La vie parisienne (Christian-Jaque), Le beaujolais nouveau est arrivé (Voulfow), Les héros n'ont pas froid aux oreilles (Nemès) ; 1979, Les malheurs d'Octavie (Urban), La gueule de l'autre (Tchernia), L'associé (Gainville), Le piège à cons (Mocky) ; 1980, Mais qu'est-ce que j'ai fait au bon Dieu pour avoir une femme qui boit dans les cafés avec les hommes ? (Saint-Hamont) ; 1981, Les bidasses aux grandes manœuvres (Delpard), Le jour se lève et les conneries commencent (Mulot), Te marre pas, c'est pour rire (Besnard) ; 1982, Vous habitez chez vos parents ? (Fernaud), N'oublie pas ton père au vestiaire (Balducci) ; 1983, Mon curé chez les Thaïlandaises (R. Thomas), Retenez-moi ou je fais un malheur (Gérard), L'été de nos 15 ans (Jullian) ; 1984, Vive le fric (Delpard) ; 1985, La gitane (Broca) ; 1988, Corps z'à corps (Halimi) ; 1991, Comment faire l'amour avec un nègre sans se fatiguer (Benoît) ; 1997, Robin des mers (Mocky) ; 1998, Vidange (Mocky).

Un des membres fondateurs et réguliers des Branquignols, il a été avec Dhéry de tous les succès scéniques et cinématographiques de la troupe. Il a promené sa célèbre moustache et son air de Monsieur-tout-le-monde dans une flopée de comédies dont la plupart ont bien mal vieilli. Abonné au mieux aux troisièmes rôles, il s'est vengé en devenant star à la télévision à partir des années 70.

Legris, Roger

Acteur français, 1898-1981.

Principaux films : 1933, Dans les rues (Trivas) ; 1934, Adémaï aviateur (Tarride), Les nuits moscovites (Granowsky) ; 1936, La tendre ennemie (Ophuls), Courrier Sud (Billon) ; 1937, Pépé le Moko (Duvivier), Un carnet de bal (Duvivier), La dame de pique (Ozep), Le mensonge de Nina Petrovna (Tourjansky) ; 1938, L'affaire Lafarge (Chenal), Les disparus de Saint-Agil (Christian-Jaque), L'entraîneuse (Valentin), Quai des brumes (Carné) ; 1939, Narcisse (Aguiar), Bécassine (Caron) ; 1941, Le dernier des six (Lacombe), Pension Jonas (Caron) ; 1942, L'auberge de l'abîme (Rozier) ; 1946, Le charcutier de Machonville (Ivernel) ; 1948, L'assassin est à l'écoute (André) ; 1950, Une fille à croquer (André), Le trésor de Cantenac (Guitry) ; 1951, Atoll K (Joannon) ; 1953, Le défroqué (Joannon) ; 1958, La tête contre les murs (Franju) ; 1961, Snobs (Mocky) ; 1963, Un drôle de paroissien (Mocky) ; 1964, La grande frousse (Mocky) ; 1965, La bourse et la vie (Mocky) ; 1966, Les compagnons de la marguerite (Mocky) ; 1968, La grande lessive (!) (Mocky) ; 1969, L'étalon (Mocky).

Il savait camper des silhouettes, un garçon d'hôtel dans *Quai des brumes*, Max dans *Pépé le Moko*, un mécano dans *L'entraîneuse*.

Leguizamo, John

Acteur américain né en 1964.

1989, Casualties of War (Outrages) (De Palma) ; 1990, Street Hunter (Gallagher), Die Hard 2 (58 minutes pour vivre) (Harlin), Revenge (Revenge) (T. Scott) ; 1991, Regarding Henry (A propos d'Henry) (Nichols), Out For Justice (Flynn), Hangin' with the Homeboys (Vasquez) ; 1992, Whispers in the Dark (Intimes confessions) (Crowe) ; 1993, Night Owl (Arsenault), Carlito's Way (L'impasse) (De Palma), Puerto Rican Mambo (Model), Super Mario Bros. (Super Mario Bros.) (Morton, Jenckel) ; 1995, To Wong Foo, Thanks for Everything ! Julie Newmar (Extravagances) (Kidron), A Pyromaniac's Love Story (Brand) ; 1996, Executive Decision (Ultime décision) (Baird), The Fan (Le fan) (T. Scott), Romeo + Juliet (Roméo + Juliette) (Luhrmann) ; 1997, The Pest (Miller), Spawn (Spawn) (Dippe), A Brother's Kiss (Rosenfeld) ; 1998, Frogs for Snakes (Poe), The Split/Body Count (Patton-Spruill), Summer of Sam (Summer of Sam) (Lee) ; 1999, Joe the King (Whaley), King of the Jungle (Rosenfeld), Moulin Rouge (Moulin Rouge) (Luhrmann) ; 2001, Collateral Damage (Davis).

Originaire de Colombie, il suit sa famille aux États-Unis quand il a quatre ans. Il est accepté dans le cours de Lee Strasberg la veille du décès de celui-ci, ce qui ne l'empêche pas de réussir une carrière honorable, entre action et comédie. Excellent en travesti dans *Extravagances*, il campe un très violent Tybalt dans *Roméo + Juliette* et tient le rôle de Toulouse-Lautrec dans *Moulin Rouge*. Un acteur très protéiforme, donc.

Leigh, Janet

Actrice américaine, de son vrai nom Morrison, 1927-2004.

1947, The Romance of Rosy Ridge (L'heure du pardon) (Rowland), If Winter Comes (Saville) ; 1948, Hills of Home (Wilcox), Act of Violence (Acte de violence) (Zinnemann), Words and Music (Ma vie est une chanson) (Taurog) ; 1949, Little Women (Les quatre filles du docteur March) (LeRoy), The Red Danube (Le Danube rouge) (Sidney), The Doctor and the Girl (Bernhardt), That Forsyte Woman (La dynastie des Forsyte) (C. Bennett), Holiday Affair (Hartman) ; 1951, Angels in the Outfield (Cl. Brown), Two Tickets to Broadway (Kern), It's a Big Country (Wellman, Hartman...), Strictly Dishonorable (Frank et Panama) ; 1952, Scaramouche (Scaramouche) (Sidney), Just This Once (Weis), Fearless Fagan (Donen), Houdini (Marshall), The Naked Spur (L'appât) (Mann), Confidentially Connie (Buzzell), Walking My Baby Back Home (Bacon) ; 1954, Prince Valiant (Prince Vaillant) (Hathaway), Living It Up (Taurog), Rogue Cop (Sur la trace du crime) (Rowland), The Black Shield of Fallworth (Le chevalier du roi) (Maté) ; 1955, Pete Kelly's Blues (La peau d'un autre) (Webb), My Sister Eileen (Ma sœur est du tonnerre) (Quine) ; 1956, Safari (Young) ; 1957, Jet Pilot (Les espions s'amusent) (Sternberg) ; 1958, Touch of Evil (La soif du mal) (Welles), The Vikings (Les Vikings) (Fleischer), The Perfect Furlough (Vacances à Paris) (Edwards) ; 1960, Who Was that Lady ?

(Qui était donc cette dame ?) (Sidney), Psycho (Psychose) (Hitchcock) ; 1962, The Manchurian Candidate (Un crime dans la tête) (Frankenheimer) ; 1963, Bye Bye Birdie (Sidney), Wives and Lovers (Rich) ; 1966, Kid Rodelo (Carlson), Harper (Détective privé) (Smight), An American Dream (Sursis pour une nuit) (Gist), Three on a Couch (Trois sur un sofa) (Lewis) ; 1967, Grand Slam (Montaldo) ; 1968, Hello Down There (Arnold) ; 1972, One Is a Lonely Number (La femme sans mari) (Stuart), Night of the Lepus (Claxton) ; 1979, Boardwalk (Verona) ; 1980, The Fog (Fog) (Carpenter) ; 1986, The Fantasy Film World of George Pal (Leibovit) ; 1998, Halloween : H20 (Halloween, 20 ans après) (Miner).

Qui ne se souvient de sa mort atroce sous la douche dans *Psychose* ? Auparavant elle avait été droguée dans *Touch of Evil*, menacée de viol par les Vikings... Sa fragilité la voue aux pires sévices. Fine, intelligente, elle fait des études musicales avant de devenir modèle. Remarquée par Norma Shearer qui la recommande à la MGM, elle débute à l'écran en 1947. Elle épouse en 1951 Tony Curtis dont elle fut souvent la partenaire, mais divorce en 1962. A partir de 1970, elle se tourne vers la télévision.

Leigh, Vivien

Actrice anglaise, de son vrai nom Hartley, 1913-1967.

1934, Things Are Looking Up (A. de Courville) ; 1935, Gentleman's Agreement (Pearson), The Village Squire (Penham), Look Up and Laugh (Dean) ; 1936, Fire over England (L'invincible Armada) (Howard) ; 1937, Storm in a Teacup (Saville), Dark Journey (Saville), Twenty-One Days (Dean) ; 1938, St Martin's Lane (Vedettes du pavé) (Whelan), A Yank at Oxford (Vivent les étudiants) (Conway) ; 1939, Gone With the Wind (Autant en emporte le vent) (Fleming) ; 1940, Waterloo Bridge (La valse dans l'ombre) (LeRoy) ; 1941, That Hamilton Woman (Lady Hamilton) (Korda) ; 1945, Caesar and Cleopatra (César et Cléopâtre) (Pascal) ; 1948, Anna Karenina (Anna Karenine) (Duvivier) ; 1951, A Streetcar Named Desire (Un tramway nommé désir) (Kazan) ; 1955, The Deep Blue Sea (L'autre homme) (Litvak) ; 1962, The Roman Spring of Mrs. Stone (Le visage du plaisir) (Quintero) ; 1965, Ship of Fools (La nef des fous) (Kramer).

L'une des plus grandes actrices anglaises, l'une des gloires de l'Old Vic Theater. Au cinéma, elle travailla beaucoup avec Korda mais la gloire vint lorsqu'elle fut choisie pour être Scarlett dans *Autant en emporte le vent*, rôle qui lui valut un oscar en 1939. En 1940, elle épouse Laurence Olivier. Union orageuse si l'on en croit les souvenirs de ce dernier. A l'écran, elle est Lady Hamilton (Olivier joue Nelson) puis Cléopâtre. Avec *Un tramway nommé désir* (où elle est prodigieuse) elle gagne un deuxième oscar en 1951. Elle mourra rongée par la tuberculose.

Lemaire, Philippe

Acteur français, 1927-2004.

1945, Le Capitan (Vernay) ; 1947, Éternel conflit (Lampin), Les amoureux sont seuls au monde (Decoin) ; 1948, Aux yeux du souvenir (Delannoy), Les amants de Vérone (Cayatte), Scandale (Le Hénaff), Le bonheur en location (Wall) ; 1949, Nous irons à Paris (Boyer), La porteuse de pain (Cloche) ; 1950, Mammy (Stelli), Maria Chapdelaine (M. Allégret), Ils ont vingt ans (Delacroix), Mon ami le cambrioleur (Lepage), Taxi di notte (Gallone) ; 1951, Le Christ interdit (Malparte), Mammy (Stelli), Nous irons à Monte-Carlo (Boyer), Le vrai coupable (Thevenard) ; 1952, Cent francs par seconde (Boyer), L'amour, toujours l'amour (Canonge), Minuit quai de Bercy (Stengel), La route du bonheur (Labro), Amical souvenir (Labro) ; 1953, La rage au corps (Habib), Quand tu liras cette lettre (Melville), C'est la vie parisienne (Rode) ; 1954, Marchandes d'illusions (André), Les clandestines (André), Le feu dans la peau (Blistène), Le tournant dangereux (Bibal), Bonjour la chance (Lefranc) ; 1955, Les mauvaises rencontres (Astruc), Frou-frou (Genina), M'sieur la Caille (Pergament) ; 1956, C'est une fille de Paname (Lepage), Mon coquin de père (Lacombe) ; 1957, Le désir mène les hommes (Roussel), L'étrange M. Stève (Bailly) ; 1959, Quai du point du jour (Faurez) ; 1960, Dans l'eau qui fait des bulles (Delbez) ; 1961, Cartouche (Broca), Les filles de La Rochelle (Deflandre) ; 1962, Le vice et la vertu (Vadim), Le masque de fer (Decoin), Germinal (Y. Allégret), Le chevalier de Pardaillan (Borderie) ; 1963, Hardi Pardaillan ! (Borderie), Weisse Fracht für Hong Kong (Le mystère de la jonque rouge) (Ashley), A toi de faire, mignonne (Borderie), Assassino made in Italy (Amadio) ; 1964, Die Diamantenhollen am Mekong (Les diamants du Mékong) (Kramer), Angélique marquise des Anges (Borderie) ; 1965, Die Goldsucher von Arkansas (Les chercheurs d'or de l'Arkansas) (P. Martin), Angélique et le roy (Borderie), La dame de pique (Keigel) ; 1966, Brigade anti-gangs (Borderie), Sept hommes et une garce (Borderie) ; 1967, La nuit la plus chaude (Pecas), Histoires extraordinaires

(Vadim) ; 1969, La rose écorchée (Milliot) ; 1975, Le diable au cœur (Queysanne), Le miroir obscène (Franco) ; 1977, L'amant de poche (Queysanne) ; 1978, L'ange gardien (J. Fournier) ; 1983, L'art d'aimer (Borowczyk) ; 1984, L'année des méduses (Frank) ; 1985, Liberté, égalité, choucroute (Yanne), Claretta (Squittieri) ; 1987, Oppressions (Cauchy) ; 2003, Gomez & Tavarèz (Paquet-Brenner) ; 2004, Arsène Lupin (Salomé), Mariage mixte (Arcady).

Il voulait être marin, il se retrouva figurant, mannequin puis acteur. Il joua les mauvais garçons, les jeunes gens un peu trop délurés avec une louable conviction que servait un visage beau mais un peu veule. Il valait mieux que les films qu'il a interprétés et que le bruit fait autour de son mariage avec Juliette Gréco.

Lemercier, Valérie

Actrice, humoriste et réalisatrice française née en 1964.

1989, Milou en mai (Malle) ; 1990, Après après-demain (Frot-Coutaz), Opération Corned-beef (Poiré) ; 1991, Le bal des casse-pieds (Robert) ; 1992, Sexes faibles ! (Meynard), Les visiteurs (Poiré) ; 1993, La cité de la peur (Berbarian), Casque bleu (Jugnot) ; 1995, Sabrina (Sabrina) (Pollack) ; 1996, Quadrille (Lemercier) ; 1998, Le derrière (Lemercier) ; 2002, Vendredi soir (Denis) ; 2005, Palais royal ! (Lemercier) ; 2006, Fauteuils d'orchestre (D. Thompson) ; 2006, Le héros de la famille (Klifa) ; 2007, L'invité (Bouhnik). *Pour la réalisatrice*, voir le *Dictionnaire du cinéma*, t. I : *Les réalisateurs*.

Cette excellente actrice aux airs faussement aristocratiques, et qui se fit connaître au public par une publicité (le célèbre « C'est moi qui l'ai fait ! »), possède à son actif quelques bons rôles au cinéma. Bourgeoise coincée dans *Milou en mai* et *Les visiteurs* (son plus grand succès), elle fut excellente en névrosée dans *Casque bleu*. Elle est aussi devenue réalisatrice.

Lemmon, Jack

Acteur américain, de son vrai nom John Uhler-Lemmon, 1925-2000.

1954, It Should Happen to You (Une femme qui s'affiche) (Cukor), Phffft (Robson) ; 1955, Three for the Show (Potter), Mister Roberts (Permission jusqu'à l'aube) (Ford et LeRoy), My Sister Eileen (Ma sœur est du tonnerre) (Quine) ; 1956, You Can't Run Away From It (L'extravagante héritière) (Powell), Fire Down Below (L'enfer des tropiques) (Parrish), Operation Mad Ball (Le bal des cinglés) (Quine) ; 1958, Cow-boy (Daves) ; 1959, Bell, Book and Candle (L'adorable voisine) (Quine), Some Like It Hot (Certains l'aiment chaud) (Wilder), It Happened to Jane (Train, amour et crustacés) (Quine) ; 1960, The Apartment (La garçonnière) (Wilder), The Wackiest Ship in the Army (Le rafiot héroïque) (Murphy), Pepe (Pepe) (Sidney) ; 1962, The Notorious Landlady (L'inquiétante dame en noir) (Quine) ; 1963, Days of Wine and Roses (Le jour du vin et des roses) (Edwards), Irma la Douce (Wilder), Under the Yum Yum Tree (Oui ou non avant le mariage) (Swift) ; 1964, Good Neighbor Sam (Prête-moi ton mari) (Swift), How to Murder Your Wife (Comment tuer votre femme) (Quine) ; 1965, The Great Race (La plus grande course autour du monde) (Edwards) ; 1966, The Fortune Cookie (La grande combine) (Wilder) ; 1967, Luv (Donner) ; 1968, The Odd couple (Un drôle de couple) (Saks) ; 1969, The April Fools (Folies d'avril) (Rosenberg) ; 1970, The Out-of-Towners (Miller) ; 1972, The War between Men and Women (Shavelson), Avanti (Avanti) (Wilder) ; 1973, Save the Tiger (Sauvez le tigre) (Avildsen) ; 1974, The Front Page (Spéciale première) (Wilder) ; 1975, The Prisoner of Second Avenue (Le prisonnier de la 2e avenue) (Frank) ; 1976, Alex and the Gypsy (Korty) ; 1977, Airport 77 (Les naufragés du 747) (Jameson) ; 1979, The China Syndrome (Le syndrome chinois) (Bridges) ; 1980, Tribute (Un fils pour l'été) (Bob Clark) ; 1981, Buddy Buddy (Wilder) ; 1982, Missing (Missing / Porté disparu) (Costa-Gavras), Mass Appeal (Prêchi-prêcha) (Jordan) ; 1985, Maccheroni (Macaroni) (Scola) ; 1986, That's Life (That's Life) (Edwards) ; 1989, Dad (Mon père) (Goldberg) ; 1991, JFK (JFK) (Stone), Father, Son and the Mistress (Sandrich) ; 1992, The Player (The Player) (Altman), Glengarry Glen Ross (Glengarry) (Foley), Short Cuts (Short Cuts) (Altman) ; 1993, Grumpy Old Men (Les grincheux) (Petrie) ; 1994, Getting Away With Murder (H. Miller) ; 1995, The Grass Harp (Ch. Matthau), A Week-end in the Country (M. Bergman) ; 1996, Grumpier Old Men (Deutch), Hamlet (Hamlet) (Branagh), My Fellow Americans (Segal), Out to Sea (Coolidge) ; 1997, Neil Simon's Odd Couple II (The Odd Couple II) (Deutch).

Né à Boston. Il fait partie de troupes provinciales avant de débuter à Broadway dans *Room Service*. Au cinéma, il peut passer, grâce à ses dons exceptionnels, du registre comique au plan du tragique. Comique, il est extraordinaire dans *The Great Race* en adversaire toujours malheureux de Curtis ; on le dirait sorti d'un dessin animé et ses mimiques sont irrésistibles. Tragique il l'est en père déchiré dans *Missing*. Il fut ivrogne dans *Days of Wine and Roses* et cow-boy dans le film de Daves, tout en jouant ces deux personnages avec des nuances différentes : ou comiques ou dramatiques. Il reçut un oscar mérité pour *Save the Tiger* en 1973. Sa carrière s'est poursuivie par d'autres compositions non moins réussies : l'Américain naïf de *Maccheroni* et surtout le mari égoïste et geignard de *That's Life*.

Lemoine, Michel

Acteur et réalisateur français né en 1929.

1947, Après l'amour (Tourneur) ; 1948, Le diable boiteux (Guitry) ; 1949, Julie de Carneilhan (Manuel), Le trésor de Cantenac (Guitry) ; 1950, Les aventuriers de l'air (Jayet) ; 1959, Suspense au deuxième bureau (Cloche) ; 1961, La vendetta della maschera di ferro (La vengeance du masque de fer) (Amadio), I pianeti contra di noi (Le monstre aux yeux verts) (R. Ferrara), Ercole contro Moloch (Hercule contre Moloch) (Ferroni) ; 1962, La porteuse de pain (Cloche), Le cri de la chair (Bénazéraf) ; 1963, La drogue du vice (Bénazéraf) ; 1964, I diavoli di spartivento (Le sabre de la vengeance) (Savona), La strada per Fort Alamo (Arizona Bill) (Bava) ; 1965, Una voglia de morire (Tessari), Mission spéciale à Caracas (Abdré) ; 1966, Massacro al sole (Massacre au soleil) (Sollima) ; 1967, Necronomicon (Franco), Sadisterotica (Franco), Besame monstruo (Franco) ; 1968, Une corde... un colt (Hossein) ; 1970, La débauche (Davy), L'appel (Thamar), Frustration (Bénazéraf) ; 1971, Le seuil du vide (Davy) ; 1972, Les désaxées (Lemoine) ; 1973, Les chiennes (Lemoine), Confidences érotiques d'un lit trop accueillant (Lemoine) ; 1974, Les week-ends maléfiques du comte Zaroff (Lemoine) ; 1977, A la découverte du plaisir (Lemoine). *Pour le metteur en scène*, voir le *Dictionnaire du cinéma*, t. I : *Les réalisateurs*.

Son regard inquiétant en a fait le héros de péplums, de films fantastiques ou de westerns spaghetti où il était abonné aux rôles de sadiques ou d'étrangers mystérieux. Il fut emporté par la vague du porno soft au milieu des années 60, et disparut définitivement lorsqu'il passa au hard en tant que réalisateur.

Lemonnier, Meg

Actrice française, 1908-1988.

1931, Il est charmant (Mercanton), Rive gauche (Korda), Rien que la vérité (Guissart) ; 1932, Une faible femme (Vaucorbeil), Une étoile disparaît (Villers), Camp volant (Reichmann), Une petite femme dans le train (Anton), Simone est comme ça (Anton) ; 1933, Georges et Georgette (Schunzel), Un soir de réveillon (Anton) ; 1934, Princesse Czardas (Jacoby) ; 1935, Bourachon (Guissart), Les sœurs Hortensias (Guissart) ; 1936, Trois... six... neuf (Rouleau), La bête aux sept manteaux (Limur) ; 1937, La chaste Suzanne (Berthomieu), L'habit vert (Richebé) ; 1938, Visages de femmes (Guissart), Ma sœur de lait (Boyer), Le monsieur de cinq heures (Caron), La belle étoile (Baroncelli) ; 1939, Pour le maillot jaune (Stelli) ; 1941, Boléro (Boyer) ; 1942, Ne le criez pas sur les toits (Daniel-Norman) ; 1943, La cavalcade des heures (Noé) ; 1950, Banco de prince (Dulud) ; 1951, La vérité sur Bébé Donge (Decoin), Adhémar (Fernandel) ; 1952, Je l'ai dit trois fois (Guitry) ; 1958, Maxime (Verneuil).

Charmante jeune première remarquée dans *L'habit vert*.

Lemper, Ute

Actrice allemande née en 1963.

1985, Drei gegen drei (Graf) ; 1988, Hanussen (Szabo) ; 1989, L'Autrichienne (Granier-Deferre) ; 1990, Jean Galmot aventurier (Maline) ; 1991, Prospero's Books (Prospero's Books) (Greenaway), 1992, Coupable d'innocence (Ziebinski), Prorva (Moscou-Parade) (Dikhovitchni) ; 1994, Ready to Wear (Prêt-à-porter) (Altman) ; 1996, Bogus (Bogus) (Jewison) ; 1997, Combat de fauves (Lamy), River Made to Drown In (Merendino), Appetite (Milton).

Actrice, chanteuse, danseuse, elle touche à tout mais semble ne se fixer nulle part. D'où une carrière honorable mais sans éclat.

Léotard, Philippe

Acteur français, 1940-2001.

1970, Domicile conjugal (Truffaut), Max et les ferrailleurs (Sautet) ; 1971, Rak (Belmont), Les deux Anglaises et le continent (Truffaut) ; 1972, Avoir vingt ans dans les Aurès (Vautier), Une belle fille comme moi (Truffaut), Le franc-tireur (Causse) ; 1973, Kamouraska (Jutra), The Day of the Jackal (Chacal) (Zinnemann), R.A.S. (Boisset), Le milieu du monde (Tanner), Juliette et Juliette (Forlani) ; 1974, La gueule ouverte (Pialat) ; 1975, French connection II (French connection n° 2) (Frankenheimer), Pas si méchant que ça (Goretta), La traque (Leroy), Le chat et la souris (Lelouch), Vincent mit l'âne dans un pré et s'en vint dans l'autre (Zucca), La guerre du pétrole n'aura pas lieu (Ben

Barka), Le bon et les méchants (Lelouch) ; 1976, La comédie du train des pignes (Chavannes), Les conquistadores (Pauly) ; 1977, L'ombre des châteaux (Duval), Le juge Fayard dit « le shérif » (Boisset), La communion solennelle (Féret), Va voir maman, papa travaille (Leterrier) ; 1978, Judith Therpauve (Chéreau) ; 1979, La mémoire courte (Gregorio) ; 1980, L'empreinte des géants (Enrico), Une semaine de vacances (Tavernier), La petite sirène (Andrieux) ; 1981, Mora (Desclozeaux), Quand tu seras débloqué, fais-moi signe (Leterrier), Une rébellion à Romans (Venault), La maison du peuple (Michel) ; 1982, La balance (Swaim), Paradis pour tous (Jessua), Le choc (Davis) ; 1983, Tchao pantin (Berri) ; 1984, Les fauves (Daniel), Femmes de personne (Frank), La pirate (Doillon) ; 1985, Rouge-gorge (Zucca), Ni avec toi, ni sans toi (Maline), Adieu blaireau (Decout), Tangos (Tangos, l'exil de Gardel) (Solanas) ; 1986, L'état de grâce (Rouffio), L'aube comme la nuit (Jancso), Exit-exil (Monheim), Le testament d'un poète juif assassiné (Cassenti), Le paltoquet (Deville) ; 1987, L'œuvre au noir (Delvaux), Si le soleil ne revenait pas (Goretta), Snack bar Budapest (Brass) ; 1988, Sur (Le sud) (Solanas), Jane B. par Agnès V. (Varda), La couleur du vent (Granier-Deferre), Ada dans la jungle (Zingg) ; 1989, Le dénommé (Dague), Nuits blanches (Delrieux), Truck/Le grand ruban (Roussel) ; 1990, Il y a des jours... et des lunes (Lelouch), Death of a School Boy (Patzak) ; 1991, La carne (La chair) (Ferreri), Ville à vendre (Mocky), Snake Eyes (Reid) ; 1992, La dérive (Dacuna Telles) ; 1993, Le voleur et la menteuse (Boujenah) ; 1994, Les misérables (Lelouch), Élisa (Becker) ; 1995, Black Dju (Cruchten) ; 1996, La momie à mi-mots (Granier).

Issu d'une bonne famille (un frère ex-homme politique en vue), il a été « inventé » par Truffaut. Un visage marqué, une silhouette de boxeur poids moyen en font un interprète idéal pour les films policiers. Il a gagné un césar avec *La balance*. Victime de ses excès, il a disparu trop tôt.

Le Person, Paul

Acteur français, 1931-2005.

1965, La vie de château (Rappeneau) ; 1966, Un homme et une femme (Lelouch), Le voleur (Malle), Un idiot à Paris (Korber), Safari Diamants (Drach) ; 1967, Alexandre le bienheureux (Robert), Mise à sac (Cavalier) ; 1968, Sous le signe de Monte-Cristo (Hunebelle) ; 1970, Montdragon (Valère), Le voyou (Lelouch), On est toujours trop bon avec les femmes (Boisrond) ; 1971, Smic, smac, smoc (Lelouch), Un cave (Grangier), Les malheurs d'Alfred (Richard) ; 1972, Le grand blond avec une chaussure noire (Robert) ; 1973, Le train (Granier-Deferre), Les violons du bal (Drach) ; 1974, Le retour du grand blond (Robert), Le fantôme de la liberté (Buñuel) ; 1975, Chobiznesse (Yanne) ; 1978, Coup de tête (Annaud) ; 1980, Le cheval d'orgueil (Chabrol), Les ailes de la colombe (Jacquot) ; 1981, Neige (Berto), Jamais avant le mariage (Ceccaldi) ; 1983, Le juge (Lefebvre) ; 1984, Le jumeau (Robert), Monsieur de Pourceaugnac (Mitrani) ; 1985, Douce France (Chardeaux) ; 1989, L'Autrichienne (Granier-Deferre) ; 1990, Lacenaire (Girod), La dernière saison (Beccu), Blanc d'ébène (Doukouré) ; 1995, Bernie (Dupontel) ; 1998, Le créateur (Dupontel) ; 2001, La chambre des officiers (Dupeyron) ; 2003, Les jours où je n'existe pas (Fitoussi) ; 2004, Vipère au poing (Broca).

Aperçu chez Lelouch, c'est Yves Robert qui l'impose et lui donne son rôle le plus marquant, dans *Le grand blond* (et sa suite) : l'agent Perrache, où son côté pince-sans-rire fait merveille. Massif, décalé, il excelle dans la comédie mais il a pourtant touché à tout dans sa carrière. Se tourne dans les années 80 vers des œuvres plus difficiles, d'où sa relative disparition des écrans. Il nous a quittés dans un anonymat très immérité.

Le Poulain, Jean

Acteur français, 1924-1988.

1947, Les aventures des Pieds nickelés (Aboulker) ; 1959, Le bossu (Hunebelle), Le signe du lion (Rohmer) ; 1961, Les livreurs (Girault) ; 1962, L'empire de la nuit (Grimblat), Le Gorille a mordu l'archevêque (Labro), Les mystères de Paris (Hunebelle), Arsène Lupin contre Arsène Lupin (Molinaro) ; 1964, Les gorilles (Girault) ; 1965, Le 17e ciel (Korber) ; 1968, Salut Berthe (Lefranc), Un drôle de colonel (Girault) ; 1969, Et que ça saute (Lefranc), Elle boit pas, elle fume pas, elle drague pas... Mais elle cause (Audiard) ; 1970, Sortie de secours (Kahane) ; 1973, L'histoire très bonne et très joyeuse de Colinot Trousse-Chemise (Companeez), Ursule et Grelu (Korber) ; 1975, Divine (Delouche), L'ibis rouge (Mocky) ; 1979, Je te tiens, tu me tiens par la barbichette (Yanne) ; 1981, Signé Furax (Simenon).

Essentiellement un homme de théâtre (il fut administrateur général de la Comédie-Française de 1986 à 1988), il mit sa verve comique au service de films souvent bien médiocres, même si l'on retrouve aussi son nom au générique du *Signe du lion* de Rohmer.

Leroux, Maxime
Acteur français né en 1951.

1982, Effraction (Duval) ; 1986, Levy et Goliath (Oury), Le moustachu (Chaussois) ; Cross (Setbon), Désordre (Assayas) ; 1987, Chouans ! (Broca), La maison de Jeanne (Clément), Agent trouble (Mocky), La passion Béatrice (Tavernier) ; 1988, Camille Claudel (Nuytten), Romuald et Juliette (Serreau) ; 1989, Hiver 54, l'abbé Pierre (Amar), Mister Frost (Setbon) ; 1990, Netchaiev est de retour (Deray), Jean Galmot, aventurier (Maline), La tribu (Boisset) ; 1991, Dien Bien Phu (Schoendoerffer), Aujourd'hui peut-être (Bertucelli) ; 1992, Tango (Leconte), Un crime (Deray), Le bâtard de Dieu (Fechner), Faut-il aimer Mathilde ? (Baily), Le fils du requin (Merlet) ; 1993, Le colonel Chabert (Angelo), Montparnasse-Pondichéry (Robert) ; 1995, Excentric Paradis (Lester Fischer) ; 1996, Fallait pas... ! (Jugnot) ; 2006, Sauf le respect que je vous dois (Godet), Un printemps à Paris (Bral).

Second rôle prolifique, autant à la télévision qu'au cinéma, il a imposé une silhouette et un regard tourmentés au fil de ses apparitions.

Leroy-Beaulieu, Philippine
Actrice française née en 1963.

1982, Surprise-party (Vadim) ; 1985, Trois hommes et un couffin (Serreau) ; 1986, Flag (Santi) ; 1987, Dandin (Planchon) ; 1988, Les possédés (Wajda), Camomille (Charef), Natalia (Cohn) ; 1989, Les deux Fragonards (Le Guay) ; 1990, Les clés du paradis (Broca) ; 1991, Coupable d'innocence (Ziebinski), Petits travaux tranquilles (de Mareuil) ; 1992, Un' anima divisa in due (Soldini) ; 1993, Neuf mois (Braoudé) ; 1994, Jefferson in Paris (Jefferson à Paris) (Ivory), L'année Juliette (Le Guay), Un eroe borghese (Un héros ordinaire) (Placido) ; 1995, Le nez au vent (Guerrier), La belle verte (Serreau), Je n'en ferai pas un drame (Herry) ; 1996, Hercule et Sherlock (Szwarc) ; 1997, La voie est libre (Clavier) ; 1998, TGV (Touré) ; 1999, Vatel (Vatel) (Joffé) ; 2001, Vajont (Martinelli) ; 2003, Dix-huit ans après (Serreau) ; 2004, Deux frères (Annaud) ; 2005, Trois couples en quête d'orage (Otmezguine).

Fille du comédien Philippe Leroy-Beaulieu, sa carrière a démarré du jour où elle abandonnait une petite fille devant une porte dans *Trois hommes et un couffin*. Carrière en dents de scie par la suite, mais la maternité lui réussit encore plutôt bien dans *Neuf mois*.

Le Royer, Michel
Acteur français né en 1933.

1961, La Fayette (Dréville), Les petits matins (Audry) ; 1963, Château en Suède (Vadim) ; 1964, Un soir par hasard (Govar).

Rendu populaire par le feuilleton télévisé, « Le chevalier de Maison-Rouge », il n'a eu au cinéma qu'un seul grand rôle, celui de La Fayette. Il semble s'être laissé absorber par le théâtre.

Lesaffre, Roland
Acteur français né en 1927.

1949, La Marie du port (Carné) ; 1951, Juliette ou la clef des songes (Carné), Paris est toujours Paris (Emmer), L'étrange madame X (Grémillon), Nous sommes tous des assassins (Cayatte) ; 1952, Casque d'or (Becker) ; 1953, Quand tu liras cette lettre (Melville), Thérèse Raquin (Carné), L'amour d'une femme (Grémillon) ; 1954, L'air de Paris (Carné) ; 1955, To Catch a Thief (La main au collet) (Hitchcock), Si Paris nous était conté (Guitry), Soupçons (Billon) ; 1956, Crime et Châtiment (Lampin), La loi des rues (Habib), La jeunesse aux pieds nus (Taniguchi) ; 1957, La bonne tisane (Bromberger), Méfiez-vous fillettes (Allégret) ; 1958, Les tricheurs (Carné) ; 1959, Le septième jour à Saint-Malo (Mesnier), Amour, autocar et boîtes de nuit (Kapps) ; 1960, Terrain vague (Carné), La fête espagnole (Vierne) ; 1961, Ursus e la ragazza tartara (Del Grosso), Les menteurs (Greville) ; 1962, Du mouron pour les petits oiseaux (Carné), L'accident (Greville) ; 1963, Le bluffeur (Gobbi), Les parias de la gloire (Decoin) ; 1964, Péril au paradis (Greville), L'étrange auto-stoppeuse (Darcy) ; 1965, Trois chambres à Manhattan (Carné), L'or du duc (Baratier), Pas de panique (Gobbi) ; 1966, 2 + 5 = missione Hydra (Destination planète Hydra) (Francisci) ; 1967, Les jeunes loups (Carné), Le bal des voyous (Dague) ; 1968, Traquenards (Davy) ; 1969, Le bourgeois gentil mec (André) ; 1970, Les coups pour rien (Lambert), Le mur de l'Atlantique (Camus) ; 1971, Les assassins de l'ordre (Carné) ; 1972, L'amour oui... mais (Schneider) ; 1973, La merveilleuse visite (Carné) ; 1975, Il faut vivre dangereusement (Makovski) ; 1980, Arc of Triumph (Mann) ; 1981, Salut j'arrive (Poteau) ; 1987, Bernadette (Delannoy) ; 1990, Dames galantes (Tacchella) ; 1999, Rue Oberkampf, 11e (Andrieux).

Révélé par Carné qui en fit son acteur fétiche, cet Auvergnat tint des rôles de boxeur, de titi, d'homme du peuple que l'on ne conçoit qu'en gilet de corps. Il s'en tira toujours fort bien et fut même excellent dans *Thérèse Raquin*. Il a su créer avec un talent sûr un personnage. Il est aussi l'acteur le plus décoré du cinéma français à titre militaire.

Leung Chiu-wai, Tony

Acteur chinois né en 1962.

(Pour plus de compréhension, les titres chinois sont donnés dans leur traduction anglaise.) 1983, Mad Mad 83 (Chu Yuan) ; 1986, Love Unto Waste (Stanley Kwan), The Lunatics (Tung Shing-Yee) ; 1987, My Heart Is That Eternal Rose (Patrick Tam), People's Hero (Tung Shing-Yee) ; 1988, I Love Maria/-Roboforce (David Chung) ; 1989, City of Sadness (La cité des douleurs) (Hou Hsiao-hsien), Seven Warriors (Sammo Hung, Terry Tong) ; 1990, Bullet in the Head (Une balle dans la tête) (Woo) ; 1991, Days of Being Wild (Nos années sauvages) (Wong Kai-wai), A Chinese Ghost Story III (Histoires de fantômes chinois 3) (Siu Tung-Ching), The Tigers (Eric Tsang), Great Pretenders (Ronnie Yu), Don't Fool Me (Herman Yau), Au revoir mon amour (Tony Au, Kenneth Tsang) ; 1992, Hard Boiled (A toute épreuve) (Woo), Days of Being Dumb (Sau Laung-Ko), Lucky Encounter (Johnny To), Three Summers (Laurence Ah Mon), Come Fly the Dragon (Eric Tsang), Ashes of Time (Les cendres du temps) (Wong Kar-wai) ; 1993, He Ain't Heavy, He's My Brother (Peter Chan), Butterfly Sword (Mag Dong-Kit, Michael Mak, Chi Li-Tang), The Magic Crane (Benny Chan), End of the Road (Yin-Ping Chu), The Eagle Shooting Heroes (Jeffrey Lau), Tom, Dick and Hairy (Peter Chan, Chi Ngai-Lee), Fantasy Romance (Taylor Wong), Three Summers (Laurence Ah-Mon), Hero From Beyond the Boundary of Time (Sam Leung-Ko) ; 1994, All of the Winners (Yi-Wah Pang), The Returning (Chi-Leung Cheung), Chungking Express (Chungking Express) (Wong Kar-wai) ; 1995, Cyclo (Tran Anh-Hung), Doctor Mack (Ch-Ngai Lee) ; 1996, Heaven Can't Wait (Chi Ngai-Lee), War of the Underworld (Herman Yau) ; 1997, Happy Together (Happy Together) (Wong Kar-wai), The Longest Nite (Patrick Yau) ; 1998, Flowers of Shanghai (Les fleurs de Shanghai) (Hou Hsiao-hsien), Beyond Time Space Want Love (David Lai), Chinese Midnight Express (Hin Sing Tang), Your Place or Mine (James Yuen) ; 1999, Gorgeous (Vincent Kok) ; 2000, In the Mood for Love (Wong Kar-wai).

Une prolifique filmographie (notamment chez Wong Kar-wai, dont il est l'acteur fétiche), partagée avec une triomphale carrière de crooner à Hong Kong. Fin, élégant, racé, il est le héros romantique par excellence, et décroche un prix d'interprétation à Cannes pour sa composition troublante de voisin amoureux dans *In the Mood for Love*.

Leung Kar-fai, Tony

Acteur hongkongais né en 1958.

(Pour plus de compréhension, les titres chinois sont donnés dans leur traduction anglaise.) 1983, The Burning of the Yuan Ming Yuan (Han Hsiang Li), Reign Behind the Curtain (Han Cheung Lee) ; 1984, Cherie (Patrick Tam), The Ghost Informer (Lau Hung Cheun) ; 1986, Last Emperor : Aixin Jue Luo, Puyi's Later Life (Han Hsiang Li), Fire Dragon (Qi Yue Cheung, Hing Cheung Wong) ; 1987, People's Hero (Tung-shing Yee), Prison on Fire (Ringo Lam), Lady in Black (Shung Yu) ; 1988, Gunmen (Kirk Wong) ; 1989, A Better Tomorrow III (Le syndicat du crime 3) (Tsui Hark), Sentenced to Hang (Johnny Mak), Mr. Coconut (Clifton Ko) ; 1990, Lethal Lady (Corey Yuen), The Laserman (Wang), The Burning Island (Yu-Ping Chu), She Shoots Straight (Corey Yuen), Queen's Bench III (Alfred Cheung), Farewell China (Clara Law) ; 1991, Royal Scoundrel (Johnny To), Blue Lightning (Raymond Lee), The King of Chess (Tsui Hark, Ho Yim), Contract No Easy Done/To Catch a Thief (Andy Wing-keung Chin), This Thing Called Love (Chi-ngai Lee), Au revoir mon amour (Tony Au, Kenneth Tsang), The Banquet (Clifton Ko, Tsui Hark), Red and Black (Andrew Kam Yuen Wah), The Raid (Siu-yung Ching, Tsui Hark), Her Fatal Ways (Alfred Cheung), The Lover (L'amant) (Annaud) ; 1992, The Actress/Center Stage (Center Stage) (Stanley Kwan) ; 1992, All Men Are Brothers : Blood of the Leopard (Billy Chan), Once Upon a Time a Hero in China (Lik-chi Lee), 92 Black Rose Vs. Black Rose (Jeffrey Lau) ; 1993, Boys Are Easy (Jing Wong), The Sting 2 (Jing Wong), All New Human Skin Lanterns (Wai Keung Lau), He Ain't Heavy, He's My Brother (Peter Chan), Love on the Rooftops (Tony Au), The eagle Shooting Heroes (Jeffrey Lau), Lover of the Windler (Yi Wah Pang), Rose, Rose I Love You (Eva Pang), The Black Panthers Warriors (Clarence Yiu-Leung Fok), Tom, Dick & Hairy (Peter Chan, Chi-ngai Lee) ; 1994, To Live and Die in Tsishatsui (Jing Wong, Wai Keung Lau), All of the Winners (Yi Wah Pang), Lover's Lover (Han Hsiang Li), I Will Wait for You (Clifton Ko), Long and Winding Road (Gordon Chan), Ashes of Time (Les cendres du temps) (Wong Kar-wai), God of Gamblers 2 (Jing Wong), It's a Wonderful Life (Clifton

Ko) ; 1995, Dream Lovers/1001 Nights (Bosco Lam), The Christ of Nanjing (Tony Au), A Touch of Evil (Tony Au), Lover of the Last Empress (Wai Keung Lau) ; 1996, Evening Liaison (Yi Fei Chen) ; 1997, Black Gold (Michael Mak) ; 1999, Love Will Tear Us Apart (Love Will Tear Us Apart) (Yu Lik Wai), Victim (Lam).

Il reste surtout connu en France pour son incarnation de l'amant dans l'adaptation de Jean-Jacques Annaud du célèbre roman de Marguerite Duras. Ne pas confondre avec Tony Leung Chiu-wai.

Le Vigan, Robert

Acteur français, de son vrai nom Coquillaud, 1902-1972.

1931, Les cinq gentlemen maudits (Duvivier) ; 1932, Le chien jaune (Tarride), Une jeune fille et un million (Neufeld) ; 1933, Le petit roi (Duvivier), Knock (Jouvet), Madame Bovary (Renoir), La rue sans nom (Chenal), Le tunnel (Bernhardt), La femme idéale (Berthomieu), Prince des six jours (Vernay) ; 1934, Maria Chapdelaine (Duvivier), Famille nombreuse (Hugon), L'affaire Coquelet (Gourguet) ; 1935, Golgotha (Duvivier), La ronde du brigadier Bellot (court métrage), La Bandera (Duvivier), Jérôme Perreau (Gance) ; 1936, Les mutinés de l'Elseneur (Chenal), Les bas-fonds (Renoir), Jenny (Carné), Un de la Légion (Christian-Jaque), Hélène (Benoit-Lévy), L'homme de nulle part (Chenal), Romarin (Hugon) ; 1937, Regain (Pagnol), La citadelle du silence (L'Herbier), Franco de port (Kirsanoff) ; 1938, Quai des brumes (Carné), Les disparus de Saint-Agil (Christian-Jaque), Ernest le Rebelle (Christian-Jaque), L'avion de minuit (Kirsanoff), La femme du bout du monde (Epstein), Tempête sur l'Asie (Oswald), Le petit Chose (Cloche) ; 1939, La charrette fantôme (Duvivier), Paradis perdu (Gance), Louise (Gance), Dédé la musique (Berthomieu), Le veau gras (Poligny), La révolte des vivants (Pottier), Le dernier tournant (Chenal) ; 1940, Untel père et fils (Duvivier) ; 1941, L'assassinat du père Noël (Christian-Jaque), Chambre 13 (Hugon), La romance de Paris (Boyer), Andorra (Couzinet), Patrouille blanche (Chamborant) ; 1942, Les affaires sont les affaires (Dréville), Vie privée (Kapps), Le mariage de Chiffon (Autant-Lara), La grande marnière (Marguenat), Goupi Mains rouges (Becker), Ne le criez pas sur les toits (Daniel-Norman) ; 1943, L'homme qui vendit son âme (Paulin), La collection Ménard (Bernard-Roland) ; 1944, Bifur 3 (Cam) ; 1950, Correo del Rey (Gasconi), Ley del Mar (Iglesias) ; 1951, La orquidea (Arancibia).

Conservatoire et théâtre. Mais son tempérament le portait ailleurs. A l'écran, il était capable d'être le Christ (*Golgotha*) ou Mazarin (*Jérôme Perreau*), un marin contestataire (*Les mutinés de l'Elseneur*) ou un dictateur sud-américain (*Ernest le Rebelle*). Il devait jouer, sans les événements, dans *Les enfants du paradis* où il fut remplacé par Renoir. Son meilleur rôle : Goupi Tonkin dans *Goupi Mains rouges*. Entraîné par Céline dans la collaboration, il fuit avec lui à Sigmaringen. Arrêté et incarcéré à Fresnes, il gagna ensuite l'Argentine où il devait mourir dans l'oubli. On s'accorde, les passions apaisées, à reconnaître l'immensité de son talent.

Lewis, Jerry

Acteur et réalisateur américain, de son vrai nom Joseph Levitch, né en 1926.

1949, My Friend Irma (Ma bonne amie Irma) (Marshall) ; 1950, My Friend Irma Goes West (Irma à Hollywood) (Hall Walker) ; 1951, At War With the Army (Le soldat récalcitrant) (Walker), That's My Boy (Bon sang ne peut mentir) (Walker) ; 1952, Sailor Beware (La polka des marins) (Walker), The Stoodge (Le cabotin et son complice) (Taurog), Jumping Jacks (Parachutiste malgré lui) (Taurog) ; 1953, Scared Stiff (Fais-moi peur) (Marshall), The Caddy (Amour, délices et golf) (Taurog) ; 1954, Living It Up (C'est pas une vie) (Taurog), Money from Home (Un galop du diable) (Marshall) ; 1955, Three Ring Circus (Le clown est roi) (Pevney), You're Never Too Young (Un pitre au pensionnat) (Taurog) ; 1956, Artists and Models (Artistes et modèles) (Tashlin), Pardners (Le trouillard du Far West) (Taurog), Hollywood or Bust (Un vrai cinglé du cinéma) (Tashlin) ; 1957, The Delicate Delinquent (Le délinquant involontaire) (McGuire), The Sad Sack (P'tite tête de troufion) (Marshall) ; 1958, Rock-A-Bye Baby (Trois bébés sur les bras) (Tashlin), The Geisha Boy (Le Kid en kimono) (Tashlin) ; 1960, Visit to a Small Planet (Mince de planète) (Taurog), Cinderfella (Cendrillon au grand pied) (Tashlin), The Bellboy (Le dingue du palace) (Lewis), Li'l Abner (Frank) ; 1961, The Ladies'Man (Le tombeur de ces dames) (Lewis) ; 1962, The Errand Boy (Le zinzin d'Hollywood) (Lewis), It's Only Money (L'increvable Jerry) (Tashlin) ; 1963, It's a Mad, Mad, Mad, Mad World (Un monde fou, fou, fou, fou) (Kramer), The Nutty Professor (Dr Jerry et Mr. Love) (Lewis), Who's Minding the Store (Un chef de rayon explosif) (Tashlin) ; 1964, The Disordely Ordely (Jerry chez les cinoques) (Tashlin), The Patsy (Jerry souffre-douleur) (Lewis) ; 1965, The Family Jewels (Les tontons farceurs) (Lewis), Boeing-Boeing (Rich) ; 1966, Three on a Couch (Trois sur un sofa) (Lewis), Way, Way Out ! (Tiens bon la rampe, Jerry) (Douglas) ; 1967, The Big Mouth (Jerry grande gueule) (Lewis) ; 1968, Don't Raise the Bridge, Lower the River (Te casse pas la tête, Jerry) (Paris) ; 1969, Hook, Line and Sinkers (Cramponne-toi Jerry) (Marshall) ; 1970, One More Time (Lewis), Which Way to the Front (Ya, ya mon général) (Lewis) ; 1980, Hardly Working (Au boulot Jerry) (Lewis) ; 1982, The King of Comedy (La valse des pantins) (Scorsese), Smorgasbord (T'es fou Jerry) (Lewis), Slapstick (of Another Kind) (Paul) ; 1984, Retenez-moi ou je fais un malheur (Gérard), Par où t'es rentré, on t'a pas vu sortir (P. Clair), Slapstick (Paul) ; 1988, Cookie (Cookie) (Seidelman) ; 1992, Arizona Dream (Arizona Dream) (Kusturica), Mr. Saturday Night (Crystal) ; 1994, Funny Bones (Funny Bones) (Chelsom). *Pour le metteur en scène*, voir le *Dictionnaire du cinéma*, t. I : *Les réalisateurs*.

Venu du music-hall, il s'associe à Dean Martin pour mettre au point un numéro qui leur vaut un engagement à Hollywood, par Paramount, en 1949. Sauf avec Tashlin, leurs films sont mauvais et la faute en revient à Jerry Lewis dont les grimaces sont horripilantes. On se demande pourquoi il se réclame de Laurel, infiniment plus sobre que lui. En 1957, Martin et Lewis se séparent. Lewis, après quelques films médiocres, décide de se mettre en scène lui-même. Le résultat cette fois est drôle. Certes le comédien en fait toujours trop, mais les idées sont le plus souvent géniales (cf. le *Dictionnaire du cinéma*, t. I). Hélas, de plus en plus ambitieux, Lewis entreprend un film sur un clown dans un camp de concentration. Dépression et maladie, il ne peut le terminer et se voit réduit pendant plusieurs années au silence. Un nouveau film en 1980 est un échec. Scorsese avait remis le clown en piste mais ses dernières pitreries (comme avec Philippe Clair) consacrent un irrémédiable déclin.

Lewis, Juliette

Actrice américaine née en 1973.

1988, My Stepmother Is an Alien (J'ai épousé une extra-terrestre) (Benjamin) ; 1989, Meet the Hollowheads (Burman), The Runnin' Kind (Tash), National Lampoon's Christmas Vacation (Chechik) ; 1991, Cape Fear (Les nerfs à vif) (Scorsese), Crooked Hearts (Bortman) ; 1992, Husbands and Wives (Maris et femmes) (Allen), Kalifornia (Kalifornia) (Sena) ; 1993, What's Eating Gilbert Grape (Gilbert Grape) (Hallström), Romeo Is Bleeding (Romeo Is Bleeding) (Medak), That Night (Bolotin) ; 1994, Natural Born Killers (Tueurs-nés) (Stone), Mixed Nuts (Ephron), The Basketball Diaries (Basketball Diaries) (Kalvert), Strange Days (Strange Days) (Bigelow) ; 1995, From Dusk til Dawn (Une nuit en enfer) (Rodriguez) ; 1996, The Audition (L. Lewis), The Evening Star (Étoile du soir) (Harling), Full Tilt Boogie (Full Tilt Boogie) (S. Kelly) ; 1997, Men (R. Kelly) ; 1998, The Other Sister (Marshall), The 4th Floor (Le 4e étage) (Klausner) ; 1999, The Way of the Gun (Way of the Gun) (McQuarrie) ; 2000, Gaudi Afternoon (Seidelman) ; 2001, Claire's Hat (McDonald).

Fille de l'acteur Geoffrey Lewis, elle se fait remarquer pour son rôle dans *Les nerfs à vif* où elle incarne la fille de Nick Nolte et pour lequel elle est citée aux oscars. Actrice de composition, à l'image d'une Jennifer Jason Leigh, elle incarne souvent et avec une présence stupéfiante, des filles perdues, laissées pour compte d'une société américaine qui n'accepte pas facilement les marginaux (*Kalifornia, Tueurs-nés, Gilbert Grape...*). Elle s'est aussi lancée dans la musique.

Lhermitte, Thierry

Acteur et réalisateur français né en 1952.

1972, L'an 01 (Doillon, Gébé...) ; 1973, Si vous n'aimez pas ça, n'en dégoûtez pas les autres (Lewin) ; 1974, C'est pas parce qu'on n'a rien à dire qu'il faut fermer sa gueule (Besnard), Les valseuses (Blier) ; 1975, Que la fête commence (Tavernier), Le diable dans la boîte (Lary), Oublie-moi Mandoline (Wyn), Attention les yeux ! (Pirès) ; 1976, F... comme Fairbanks (Dugowson), L'amour en herbe (Andrieux) ; 1977, Des enfants gâtés (Tavernier), Vous n'aurez pas l'Alsace et la Lorraine (Coluche) ; 1978, Les bronzés (Leconte), Le dernier amant romantique (Jaeckin), Les héros n'ont pas froid aux oreilles (Nemes) ; 1979, Les bronzés font du ski (Leconte), Alors, heureux ? (Barrois) ; 1980, Clara et les chics types (Monnet), La banquière (Girod), Tout dépend des filles (Fabre) ; 1981, Les hommes préfèrent les grosses (Poiré), L'année prochaine si tout va bien (Hubert) ; 1982, Rock and Torah/Le préféré (Grynbaum), Elle voit des nains partout (Sussfeld), Légitime violence (Leroy), Le père Noël est une ordure (Poiré) ; 1983, Stella (Heynemann), La femme de mon pote (Blier), L'indic (Leroy), La fiancée qui venait du froid (Nemes), Papy fait de la résistance (Poiré), Un homme à ma taille (Carducci) ; 1984, Les ripoux (Zidi), La smala (Hubert), Un été d'enfer (Schock) ; 1985, Les rois du gag (Zidi), Until September (French lover) (Marquand), Le mariage du siècle (Galland), Sac de nœuds (Balasko) ; 1986, Nuit d'ivresse (Nauer), Les frères Pétard (Palud) ; 1987, Dernier été à Tanger (Arcady), Fucking Fernand (Mordillat) ; 1989, Ripoux contre ripoux (Zidi), La fête des pères (Fleury) ; 1990, Un piede in paradiso/Speaking of the Devil (Ange ou démon) (Clucher), Les mille et une nuits (Broca), Promotion canapé (Kaminka), Les secrets professionnels du docteur Apfelglück (Palud, Ledoux, Capone, Clavier, Lhermitte) ; 1991, La totale (Zidi), Le zèbre (Poiret) ; 1992, Tango (Leconte), L'ombre du doute (Isserman) ; 1993, L'honneur de la tribu (Zemmouri), La vengeance d'une blonde (Szwarc), Elles n'oublient jamais (Frank), Grosse fatigue (Blanc), Fanfan (Jardin) ; 1994, Tous les jours dimanche (Tacchella), Un Indien dans la ville (Palud) ; 1995, Augustin (Fontaine), Ma femme me quitte (Kaminka) ; 1996, Fallait pas !... (Jugnot), An American Werewolf in Paris (Le loup-garou de Paris) (Waller), Les sœurs Soleil (Szwarc), Comme des rois (Velle) ; 1997, Marquise (Belmont), Quatre garçons pleins d'avenir (Lilienfeld), Le dîner de cons (Veber), Charité biz'ness (Barthes, Jamin) ; 1998, Le plus beau pays du monde (Bluwal), C'est pas ma faute ! (Monnet), Trafic d'influence (Faruggia) ; 1999, Meilleur espoir féminin (Jugnot), Le prof (Jardin) ; 2000, Deuxième vie (Braoudé), Le roman de Lulu (Scotto), Bon plan (Lévy), Le prince du pacifique (Corneau), Le placard (Veber) , 2002, Une affaire privée (Nicloux), And Now Ladies and Gentlemen (Lelouch), Effroyables jardins (Becker) ; 2003, Le divorce (Ivory), Ripoux 3 (Zidi), Cette femme-là (Nicloux), Mauvais esprit (Alessandrin), Les clefs de la bagnole (Baffie), Snowboarder (Barco) ; 2004, Au secours, j'ai 30 ans ! (Chazel), L'Américain (Timsit), Qui perd gagne ! (Bénégui) ; 2005, L'ex-femme de ma vie (Balasko), L'antidote (de Brus), Foon (Pétré), 2006, Les bronzés 3, Amis pour la vie (Leconte), incontrôlable (Shart), Comme tout le monde (Renders) ; 2007, L'invité (Bouhnik). *Pour le metteur en scène*, voir le *Dictionnaire du cinéma*, t. I : *Les réalisateurs*.

Il a appartenu à la troupe du Splendid de 1972 à 1979 et fit ses débuts à l'écran dans *Les bronzés* puis dans *Le père Noël est une ordure* où il donnait une éblouissante réplique à Anémone. Il jouait les jeunes premiers un peu ahuris. Avec *Stella*, il a changé de registre, tenant le rôle tragique d'un collaborateur par amour. Il revient au film drôle avec des œuvres comme *Les rois du gag* ou *Le mariage du siècle* qui conviennent parfaitement à son tempérament. Il est excellent dans *Les Ripoux* ou *Promotion canapé*. Il a alterné les succès (*Un Indien dans la ville, Le dîner de cons...*) et les échecs (*Les secrets professionnels du docteur Apfelglück*).

Lincoln, Elmo

Acteur américain, de son vrai nom Otto Linkenhelt, 1889-1952.

1915, Birth of a Nation (Naissance d'une nation) (Griffith) ; 1916, Intolerance (Griffith) ; 1918, Tarzan (Robert Hill) ; 1920, Elmo the Mighty, The Flaming Disk (Hill), Elmo the Fearless (MacGowan) ; 1920, Under Crimson Skies (Le bâillon) (Ingram) ; 1921, Devotion (George), The Woman God Changed (Vignola) ; 1922, Quincy Adams Sawyer (Badger), Man of Courage (Hirsh) ; 1923, Fashion Row (Princesse Nadia) (Leonard), Rupert of Hentzau (Heerman), Rendez-vous (Neilan) ; 1924, The Right of the Strongest (Lewis) ; 1927, King of the Jungle (Le maître de la jungle) (Cullison).

Resté célèbre comme le premier Tarzan. Vêtu d'une peau de bête et le muscle pâle, ce fils d'immigrés allemands semble sorti tout droit d'une toile du Douanier Rousseau. Il fut par la suite Elmo et régna sur une jungle de studio le temps de quelques films avant de sombrer dans la troupe des troisièmes couteaux hollywoodiens.

Lindblom, Gunnel

Actrice suédoise née en 1931.

1952, Karlek (Amour) (Molander) ; 1953, De var nagra man (Jute) ; 1955, Flickan i Regnet (Kjellin) ; 1956, Krut och karlek (Biemgren), Sangen om den eldroda blomman (Le chant de la fleur rouge) (Molander) ; 1957, Det sjunde inseglet (Le septième sceau) (Bergman), Smultronstallet (Les fraises sauvages) (Bergman) ; 1960, Jungfrukallan (La source) (Bergman), Goda vanner trogna grannar (Anderberg) ; 1963, Nattvardsgasterna (Les communiants) (Bergman), Tystnaden (Le silence) (Bergman), Min kara ar en ros (Ekman) ; 1964, Ar du inte riktigt klok (Gamlin), Alskande par (Les amoureux) (Zetterling) ; 1965, Rapture (La fleur de l'âge) (Guillermin) ; 1966, De dans van de reiger (Rademakers), Sult (La faim) (Henning Carlsen), Yngsjomordet (Mattsson) ; 1967, Den onda cirkeln (Le cercle vicieux) (Mattsson) ; 1968, Flickorna (Les filles) (Zetterling) ; 1969, Fadern (Le père) (Sjoberg) ; 1971, Brother Carl (Les gémeaux) (Sontag) ; 1973, Scener ur ett aktenskap (Scènes de la vie conjugale) (Bergman) ; 1977, Bomsalva (Molin) ; 1981, Sally och friheten (Lindblom) ; 1984, Bakom jalusin (Björkman) ; 1991, Capitàn Eskalaborns (Benpar) ; 1996, I rollerna tre (Olofson) ; 1997, Svenska hjältar (D. Bergman) ; 1999, Ljuset håller mig sällskap (C.-G. Nykvist).

Née à Göteborg, elle a fait partie de la troupe théâtrale de Bergman à Malmö de 1954 à 1959. Elle fut l'une de ses meilleures interprètes à l'écran. Elle est aussi la réalisatrice d'un film : *Paradistorg*.

Linder, Max

Acteur et réalisateur français, de son vrai nom Gabriel Levielle, 1883-1925.

1905-1915 : auteur-interprète de plus de cent courts métrages. *Moyens ou longs métrages :* 1919, Le petit café ; 1921, Soyez ma femme ; 1922, L'étroit mousquetaire ; 1923, Sept ans de malheur, Au secours (Gance) ; 1925, Le roi du cirque. *Pour une filmographie plus détaillée*, voir le *Dictionnaire du cinéma*, t. I : *Les réalisateurs*.

On lui redonne enfin l'importance qu'il mérite. Et il faut saluer le travail de Maud Linder qui contribua par des films de montage à révéler le talent de l'homme au chapeau de soie. Linder, dont on a dit le bien qu'il fallait en penser dans le *Dictionnaire des réalisateurs*, a créé un personnage de dandy, élégant et spirituel, bambocheur et coureur de jupons. Le trait est toujours juste, le geste précis, le comique efficace.

Lindfors, Viveca

Actrice suédoise, de son vrai nom Elsa Torstensdötter, 1920-1995.

1940, Snurriga Familjen (Joansson) ; 1942, Morgendagens Melodi (Joansson), Gula Kliniken (Joansson), Nebblie sul Mare ; 1943, Anna Lans, Brödernas Kvinna ; 1944, Appasionata, Jag är Eld och Luft ; 1945, Svarta Rosor, Den Allvarsamma Leken ; 1946, I Dödens Väntrum (Ekman) ; 1947, Night unto Night (Siegel) ; 1948, To the Victor (Ombres sur Paris) (Daves), The Adventures of Don Juan (Les aventures de Don Juan) (V. Sherman) ; 1949, Singoalla (Christian-Jaque) ; 1950, Backfire (V. Sherman), This Side of the Law (Bare), No Sad Songs for Me (La flamme qui s'éteint) (Mate), Dark City (La main qui venge) (Dieterle), Four in a Jeep (Lindtberg) ; 1952, The Raiders (L'heure de la vengeance) (Selander), No Time for Flowers (Siegel) ; 1954, Run for Cover (A l'ombre des potences) (Ray) ; 1955, Moonfleet (Les contrebandiers de Moonfleet) (Lang) ; 1956, The Halliday Brand (Lewis) ; 1958, I Accuse (L'affaire Dreyfus) (Ferrer), La tempesta (La tempête) (Lattuada), Weddings and Babies (M. Engel), The Story of Ruth (Koster), These Are the Damned (Les damnés) (Losey), King of Kings (Le roi des rois) (Ray) ; 1962, No Exit (Danielewski) ; 1965, Sylvia (Douglas), Brainstorm (Conrad) ; 1969, Coming Apart (Ginsberg) ; 1970, Puzzle of a Downfall Child (Portrait d'une enfant déchue) (Schatzberg) ; 1971, La casa sin fronteras (Olea) ; 1973, The Way We Were (Nos plus belles années) (Pollack), La campana del inferno (C.G. Hill) ; 1976, Tabu (Tabou) (Sjöman), Welcome to L.A. (Welcome to Los Angeles) (Rudolph) ; 1977, Girlfriends (Weill) ; 1978, A Wedding (Un mariage) (Altman) ; 1979, Linus (Linus) (Sjöman), Voices (Silence mon amour) (Markowitz), Natural Ennemies (Kanew) ; 1981, The Hand (O. Stone) ; 1982, Creepshow (Creepshow) (Romero) ; 1983, Die rigorosen Leben (Glowna) ; 1984, Silent Madness (Nuchtern), Going Undercover (Clarke) ; 1985, The Sure Thing (Garçon chic pour nana choc) (R. Reiner) ; 1986, Unfinished Business... (Lindfors) ; 1987, Rachel River (Smolan), Lady Beware (Arthur) ; 1989, Forced March (R. King), The Exorcist III : Legion (L'exorciste, la suite) (Blatty), Misplaced (Yansen) ; 1990, The Linguini Incident (Linguini incident) (Shepard), Exiled in America (Leder) ; 1991, Luba (Agresti), Going to Chicago (Leder), Zandalee (Love affair) (Pillsbury) ; 1992, North of Pittsburgh (R. Martin) ; 1994, Stargate (Stargate, la porte des étoiles) (Emmerich) ; 1995, Last Summer in the Hamptons (Jaglom), Looking for Richard (Looking for Richard) (Pacino).

Belle Suédoise, vedette en son pays mais attirée à Hollywood où elle débute en 1947 devant la caméra de Don Siegel qu'elle épousera en 1949 et dont elle se séparera en 1953. Ray (surtout dans *Run for Cover*) et V. Sherman l'ont également appréciée. En fait elle tourne un peu partout et n'importe quoi, ce qui nuit à son image de star. Après Lattuada et Christian-Jaque, elle tombe dans un cinéma de routine et dans les séries télé.

Lindon, Vincent

Acteur français né en 1959.

1982, Salut, j'arrive ! (Poteau) ; 1983, Le faucon (Boujenah), The Ebony Tower (Knight) ; 1984, L'addition (Amar), Notre histoire (Blier) ; 1985, Parole de flic (Pinheiro) ; 1986, Yiddish connection (Boujenah), Escort girl (Swaim), Suivez mon regard (Curtelin), Dernier été à Tanger (Arcady), 37°2, le matin (Beineix), Prunelle blues (Otmezguine) ; 1987, Quelques jours avec moi (Sautet), Un homme amoureux (Kurys), L'étudiante (Pinoteau) ; 1989, La Baule-les-Pins (Kurys) ; 1990, Gaspard et Robinson (Gatlif) ; 1991, Netchaïev est de retour (Deray), La belle histoire (Lelouch) ; 1992, La crise (Serreau), Tout ça... pour ça ! (Lelouch) ; 1994, L'irrésolu (Ronssin) ; 1995, La haine (Kassovitz), Vite strozzate (Le jour du chien) (R. Tognazzi), La belle verte (Serreau), Les victimes (Grandperret) ; 1996, Fred (Jolivet) ; 1997, Le septième ciel (Jacquot) ; 1998, Paparazzi (Berbérian), L'école de la chair (Jacquot), Belle-maman (Aghion) ; 1999, Ma petite entreprise (Jolivet), Pas de scandale (Jacquot) ; 2000, Mercredi, folle journée ! (Thomas) ; 2001, Chaos (Serreau) ; 2002, Vendredi soir (Denis), Le frère du guerrier (Jolivet) ; 2003, Filles uniques (Jolivet), Le coût de la vie (Le Guay) ; 2003, Les clefs de la bagnole (Baffie) ; 2004, La confiance régne (Chatiliez) ; 2005, L'avion (Kahn), La moustache (Carrère) ; 2006, Selon Charlie (N. Garcia) ; 2007, Je crois que je l'aime (Jolivet).

Beaucoup de comédies à la française. Il s'impose dans *Mercredi, folle journée !* et surtout dans *La moustache* où, s'étant rasé sa moustache et personne ne l'ayant remarqué, il sombre dans la folie.

Lio

Chanteuse et actrice d'origine portugaise, de son vrai nom Vanda de Vasconcelos, née en 1963.

1983, Les années 80 (Akerman) ; 1985, Golden eighties (Akerman), Elsa, Elsa (Haudepin) ; 1989, Chambre à part (Cukier) ; 1990, Jalousie (Fonmarty), Sale comme un ange (Breillat) ; 1991, Après l'amour (Kurys), Sans un cri (Labrune) ; 1993, Personne ne m'aime (Vernoux), La madre muerta (La madre muerta) (Bajo Ulloa) ; 1995, Dieu, l'amant de ma mère et le fils du charcutier (Issermann) ; 1997, Pecato (Gomez) ; 1998, La femme d'eau (Arezki) ; 2002, Carnages (Gleize) ; 2004, Mariages ! (Guignabodet) ; 2005, Les invisibles (Jousse) ; 2007, Une vieille maîtresse (Breillat).

On connaît surtout la chanteuse pop aux airs de Lolita et aux rengaines acidulées, mais l'actrice est intéressante, même si, à part avec *Personne ne m'aime*, elle n'a jamais connu de vrai succès populaire.

Lion, Margo

Actrice française, 1899-1989.

1931, L'inconstante (Berhendt), Les treize malles de Monsieur O.F. (Granowsky), Calais-Douvres (Litvak), L'opéra de quat'sous (Pabst) ; 1932, Stupéfiants (Gerron) ; 1933, Incognito (Gerron) ; 1934, Du haut en bas (Pabst), La voix sans visage (Mittler) ; 1935, La Bandera (Duvivier), Les dieux s'amusent (Schünzel) ; 1936, Jenny (Carné) ; 1937, L'homme de nulle part (Chenal), L'alibi (Chenal), La danseuse rouge (Paulin), Claudine à l'école (Poligny) ; 1938, L'affaire Lafarge (Chenal) ; 1939, Jeunes filles en détresse (Pabst), Je chante (Stengel) ; 1945, Tant que je vivrai (Baroncelli) ; 1946, La danse de mort (Cravenne), La foire aux chimères (Chenal), Martin Roumagnac (Lacombe) ; 1947, Le diable souffle (Greville), Une nuit à Tabarin (Lamac) ; 1948, La femme sans passé (Grangier) ; 1949, Le furet (Leboursier), La femme que j'ai assassinée (Daniel-Norman), Ballerina (Berger) ; 1950, Quai de Grenelle (Reinert), Les amants de Bras-Mort (Pagliero), L'aiguille rouge (Reinert) ; 1952, Les amours finissent à l'aube (Calef) ; 1953, Le grand jeu (Siodmak), Mam'zelle Nitouche (Y. Allégret) ; 1958, Le fauve est lâché (Labro) ; 1959, Katia (Siodmak), Julie la Rousse (Boissol), Le dialogue des carmélites (Agostini) ; 1960, Lola (Demy) ; 1961, Jusqu'à plus soif (Labro) ; 1963, Nick Carter va tout casser (Decoin) ; 1967, Le fou du labo 4 (Besnard) ; 1970, La rupture (Chabrol), Le petit matin (Albicocco), La faute de l'abbé Mouret (Franju) ; 1971, La vie facile (Warin), L'humeur vagabonde (Luntz) ; 1975, Docteur Françoise Gailland (Bertucelli).

Née à Constantinople, grande au grand nez, la voix chaude et le regard légèrement trouble, elle débute dans les cabarets avant d'être lancée dans le rôle de Jenny par Pabst pour *L'opéra de quat'sous*. Elle se plaît surtout dans l'univers de Chenal : la boîte d'*Alibi* ou la pension de famille de *L'homme de nulle part* ou encore le milieu familial de M. Lafarge dans *L'affaire* du même nom. La guerre interrompt sa carrière et l'après-guerre lui est moins favorable. Mais comment oublier « La fiancée du pirate » qu'elle chantait avec une fausse impassibilité dans *L'opéra de quat'sous*.

Liotard, Thérèse

Actrice française née en 1946.

1974, La jeune fille assassinée (Vadim), Section spéciale (Costa-Gavras) ; 1976, L'une chante, l'autre pas (Varda) ; 1978, La fille de Prague avec un sac très lourd (Jaeggi) ; 1980, Viens chez moi, j'habite chez une copine (Leconte), La mort en direct (Tavernier) ; 1983, Drôle de samedi (Okan) ; 1987, Quelques jours avec moi (Sautet) ; 1988, Un ragazzo di Calabria (Un enfant de Calabre) (Comencini) ; 1990, Les enfants du vent (Rogulski), La gloire de mon père (Robert), Le château de ma mère (Robert), La désenchantée (Jacquot) ; 1992, A cause d'elle (Hubert) ; 1997, Marthe (Hubert) ; 1999, Pas de scandale (Jacquot), La grande muette (Leprêtre).

Révélation des adaptations de Pagnol par Yves Robert : on la découvre fine et sensible.

Liotta, Ray

Acteur américain né en 1955.

1983, The Lonely Lady (Sasdy) ; 1986, Something Wild (Dangereuse sous tout rapport) (Demme), Arena Brains (Longo) ; 1988, Dominick and Eugene (Nicky et Gino) (R. Young) ; 1989, Field of Dreams (Jusqu'au bout du rêve) (Alden Robinson) ; 1990, Goodfellas (Les affranchis) (Scorsese) ; 1992, Unlawful Entry (Obsession fatale) (Kaplan), Article 99 (Deutch) ; 1994, No Escape/Escape from Absolom (Absolom 2022) (Campbell), Corrina Corrina (Corrina Corrina) (Nelson) ; 1995, Operation Dumbo Drop (Wincer), Unforgettable (Mémoires suspectes) (Dahl) ; 1996, Turbulence (Turbulences à 30 000 pieds) (Butler), Copland (Copland) (Mangold) ; 1997, Phoenix (Phoenix) (Cannon) ; 1999, Muppets from Space (Les Muppets dans l'espace) (Hill), Forever Mine (Les amants éternels) (Schrader), A Rumor of Angels (O'Fallon), Pilgrim (Cokliss) ; 2000, Blow (T. Demme), Hannibal (Hannibal) (Scott) ; 2001, John Q (N. Cassavetes) ; 2003, Narc (Narc) (Carnahan), Identity (Identity) (Mangold) ; 2005, Revolver (Revolver) (Ritchie) ; 2007, Smoking Aces (Carnahan).

Scorsese, en lui donnant le rôle principal des *Affranchis* aux côtés de De Niro et de Joe Pesci, lui donne aussi une véritable chance, mais la suite n'est hélas guère satisfaisante : films d'action sans relief et bluettes romantiques.

Lisi, Virna

Actrice italienne, de son vrai nom Pieralisi, née en 1936.

1953, E Napoli canta (Grottini) ; 1954, La corda d'acciaio (Borghesio), Desiderio e sole (Pastina), Lettera napoletana (Pastina), Piccola santa (Montero), Violenza sul lago (Cortese) ; 1955, Il cardinale Lambertini (Pastina), Ripudiata (Chili), Les hussards (Joffé), Luna nova ; 1956, La rossa (Apuano), Vendicata (Vari), Lo scapolo (Pietrangeli), Le diciottenni (Mattoli) ; 1957, La donna del giorno (Maselli) ; 1958, Il conte di Matera (Apuano), Caterina Sforza leonessa de Romagna (Chili), Toto peppino e le fanatiche (Mattoli), Vite perduta (Bianchi) ; 1959, Il padrone delle ferriere (Majano) ; 1960, Un militare e mezzo (Steno) ; 1961, Romolo e Remo (Romulus et Remus) (Corbucci), Cinque marine per cento ragazze (Mattoli), Sua Eccelenza si fremo a mangiare (Mattoli) ; 1962, Eva (Losey) ; 1963, Les bonnes causes (Christian-Jaque), La tulipe noire (Christian-Jaque), Coplan prend des risques (Labro) ; 1964, How to Murder Your Wife (Comment tuer votre femme) (Quine), Casanova 70 (Monicelli), I Complessi (Les complexés) (Risi), La donna del largo (Bazzoni) ; 1965, Le bambole (Risi), Oggi domani e doppo domani (sketch de De Filippo), Una vergine per il principe (Festa Campanile), Made in Italy (Loy), Signore e signori (Germi), Not With My Wife You Don't (Panama) ; 1966, La 25e heure (Verneuil), La ragazza e il generale (La fille et le général) (Festa Campanile) ; 1967, Arabella (Bolognini), Le dolci signore (Zampa) ; 1968, Tenderly (Brusati), Meglio vedova (Tessari) ; 1969, The Secret of Santa Vittoria (Le secret de Santa Vittoria) (Kramer), L'arbre de Noël (Young), Le temps des loups (Gobbi), If It's Tuesday this Must Be Belgium (Stuart) ; 1970, Un beau monstre (Gobbi), Giochi particolari (Indovina), Roma bene (Scandale à Rome) (Lizzani) ; 1972, Les galets d'Étretat (Gobbi), Bluebeard (Barbe-Bleue) (Dmytryk), Le serpent (Verneuil), Fanna bianca (Croc blanc) (Fulci) ; 1976, Al di là del bene e del male (Au-delà du bien et du mal) (Cavani) ; 1978, Ernesto (Samperi) ; 1980, La Cicala (La Cigala) (Lattuada), Bugie bianche (Rolla) ; 1981, Miss Right (Williams) ; 1984, Sapore di mare (Vanzina) ; 1988, Buon natale, buon anno (Joyeux Noël, bonne année) (Comencini), I Love N.Y. (Bozzacchi, sous le pseudonyme de Smithee) ; 1994, La reine Margot (Chéreau) ; 1996, Va dove ti porta il cuore (Va où ton cœur te porte) (C. Comencini).

Née à Ancône, elle a passé son enfance à Rome et tourné son premier film à Naples. Cette ravissante blonde a compris très tôt qu'il ne fallait pas s'enfermer dans la péninsule. Son passage à Hollywood fut un échec, mais en France elle fut la vedette des principaux films de Gobbi. Après une éclipse en 1973, elle a fait un retour remarqué en patronne de bistrot dans *La cigale* puis en Catherine de Médicis dans *La reine Margot*.

Lissenko, Nathalie

Actrice russe, 1884-1969.

De 1915 à 1917, nombreux films en Russie dont : Le péché, Le procureur, Satan triomphant, Nicolas Stavroguine, Le père Serge (tous de Protozanov) ; 1921, Tempêtes (Boudrioz) ; 1922, La fille sauvage (Étiévant), Nuit de carnaval (Tourjansky) ; 1923, Le brasier ardent (Mosjoukine), Kean (Volkoff), Calvaire d'amour (Tourjansky) ; 1924, Le lion des Mogols (Epstein), Les ombres qui passent (Volkoff) ; 1925, L'affiche (Epstein), Le double amour (Epstein) ; 1927, Die selige Exzellenz ; 1928, Rasputin (Malikoff), Fünf bange Tage, Hurra ! ich lebe (Vive la vie) (Thiele), En rade (Cavalcanti) ; 1929, Nuits de prince (L'Herbier) ; 1932, La mille et deuxième nuit (Volkoff) ; 1939, Le veau gras (Poligny).

Actrice russe qui tourna beaucoup avant de fuir son pays et de venir travailler en France sous la direction de Mosjoukine, Tourjansky et Volkoff, autres Russes « blancs ».

Lithgow, John

Acteur américain né en 1945.

1972, Dealing (Williams) ; 1976, Obsession (Obsession) (De Palma) ; 1978, The Big Fix (The Big Fix) (Kagan) ; 1979, Rich Kids (Young), All That Jazz (Que le spectacle commence) (Fosse) ; 1981, Blow Out (Blow Out) (De Palma) ; 1982, I'm Dancing as Fast as I Can (Hofsiss) ; 1983, The World According to Garp (Le monde selon Garp) (Roy Hill), Twilight Zone (La quatrième dimension) (sketch G. Miller), Terms of Endearments (Tendres passions) (Brooks), The Day After (Le jour d'après) (Meyer) ; 1984, Footloose (Footloose) (Ross), The Adventures of Buckaroo Banzai across the 8th Dimension (Les aventures de Buckaroo Banzaï dans la 8e dimension) (Richter), 2010 (2010) (Hyams) ; 1985, Santa Claus – the Movie (Santa Claus) (Szwarc) ; 1986, The Manhattan Project/The Deadly Game (Manhattan project) (Brickman), Mesmerized (Laughlin) ; 1987, Harry and the Hendersons (Bigfoot et les Henderson) (Dear) ; 1988, Distant Thunder (Rosenthal) ; 1989, Out Cold (Out Cold) (Mowbray) ; 1990, Memphis Belle (Memphis Belle) (Caton-Jones) ; 1991, At Pay in the Fields of the Lord (En liberté dans les champs du seigneur) (Babenco), Ricochet (Ricochet) (Mulcahy) ; 1992, Raising Cain (L'esprit de Caïn) (DePalma), Love, Cheat and Steal (Curran) ; 1993, Cliffhanger (Cliffhanger) (Harlin), The Wrong Man (McBride), The Pelican Brief (L'affaire Pélican) (Pakula) ; 1994, A Good Man in Africa (Un Anglais sous les tropiques) (Beresford), Princess Caraboo (Princesse Caraboo) (Austin), Silent Fall (Silent Fall) (Beresford) ; 1995, Hollow Point (Furie) ; 1996, Homegrown (Gyllenhaal) ; 1997, Johnny Skidmarks (Raffo) ; 1998, A Civil Action (Préjudice) (Zaillian) ; 2003, Kinsey (Dr Kinsey) (Condon), Orange County (Orange County) (Kasdan) ; 2004, The Life and Death of Peter Sellers (Moi, Peter Sellers) (S. Hopkins).

Inquiétant personnage qui semble se spécialiser depuis quelques années dans les rôles de malades ou de sadiques. Transsexuel rugbyman dans *Le monde selon Garp*, prêtre intégre(-iste) dans *En liberté dans les champs du seigneur*, grand paranoïaque dans *L'esprit de Caïn* (dont il tient le haut de l'affiche) ou gangster diabolique dans *Cliffhanger*, John Lithgow n'a pas pour autant acquis la reconnaissance populaire qu'il mérite.

Llewelyn, Desmond

Acteur gallois, 1914-1999.

1939, Ask a Policeman (Varnel) ; 1950, They Were not Divided (Trois des chars d'assaut) (T. Young) ; 1953, Valley of Song (Gunn) ; 1958, Further Up the Creek (Croisière en torpilleur) (Guest), A Night to Remember (Atlantique latitude 41) (Baker) ; 1960, Sword of Sherwood Forest (Le serment de Robin des bois) (Fisher) ; 1961, The Curse of the Werewolf (La nuit du loup-garou) (Fisher) ; 1962, Only Two Can Play (On n'y joue qu'à deux) (Gilliat), The Pirates of Blood River (L'attaque du San Cristóbal) (Gilling) ; 1963, Cleopatra (Cléopâtre) (Mankiewicz), From Russia with Love (Bons baisers de Russie) (Young) ; 1964, Silent Playground (Goulder) ; 1964, Goldfinger (Goldfinger) (Hamilton) ; 1965, Thunderball (Opération Tonnerre) (Young) ; 1967, You Only Live Twice (On ne vit que deux fois) (Gilbert) ; 1968, Chitty Chitty Bang Bang (Chitty Chitty Bang Bang) (Hughes) ; 1969, On Her Majesty's Secret Service (Au service secret de Sa Majesté) (Hunt) ; 1971, Diamonds Are Forever (Les diamants sont éternels) (Hamilton) ; 1974, The Man with the Golden Gun (L'homme au pistolet d'or) (Hamilton) ; 1977, The Spy Who Loved Me (L'espion qui m'aimait) (Gilbert) ; 1979, Golden Lady (Ramon Larraz), Moonraker (Moonraker) (Gilbert) ; 1981, For Your Eyes Only (Rien que pour vos yeux) (Glen) ; 1983, Octopussy (Octopussy) (Glen) ; 1985, A View to a Kill (Dangereusement vôtre) (Glen) ; 1987, The Living Daylights (Tuer n'est pas jouer) (Glen) ; 1989, Wiezien Rio (Majewski) ; 1989, License to Kill (Permis de tuer) (Glen) ; 1992, Merlin (Hunt) ; 1995, GoldenEye (GoldenEye) (Campbell) ; 1997, Tomorrow Never Dies (Demain ne meurt jamais) (Spottiswoode) ; 1999, The World Is Not Enough (Le monde ne suffit pas) (Apted).

Fils d'un mineur, il ne doit sa carrière qu'à un seul et unique personnage : Q, le spécialiste ès gadgets, généreux fournisseur de James Bond. Llewelyn a participé à tous les Bond à partir de *Bons baisers de Russie*, à l'exception de *Vivre et laisser mourir* : les producteurs Harry Saltzman et Albert Broccoli estimaient que les gadgets prenaient trop de place dans les films, et supprimèrent le personnage. Mais les fans le réclamèrent et dès l'épisode suivant, *L'homme au pistolet d'or,* il était de retour. Il décède dans un accident de voiture alors qu'il venait de passer la main à John Cleese pour *Le monde ne suffit pas*.

Lloyd, Christopher

Acteur américain né en 1938.

1975, One Flew over the Cuckoo's Nest (Vol au-dessus d'un nid de coucous) (Forman) ; 1977, Un autre homme, une autre chance (Lelouch) ; 1978, Goin' South (En route vers le sud) (Nicholson), Three Warriors (Merrill) ; 1979, Butch and Sundance : The Early Years (Les joyeux débuts de Butch Cassidy et le Kid) (Lester), The Onion Fields (Tueurs de flics) (Becker), The Lady in Red (Du rouge pour un truand) (Teague) ; 1980, The Black Marble (Becker), Schizoid (Paulsen), Pilgrim, Farewell (Roeman) ; 1981, The Postman Always Rings Twice (Le facteur sonne toujours deux fois) (Rafelson), The Legend of the Lone Ranger (Fraker), National Lampoon Goes to the Movies (Jaglom et Giraldi) ; 1983, Mister Mom (Mister Mom) (Dragoti), To Be or Not To Be (To Be or Not To Be) (Johnson), Joy of Sex (Coolidge) ; 1984, The Adventures of Buckaroo Banzai Across the Eight Dimension (Les aventures de Buckaroo Banzaï à travers la 8e dimension) (Richter), Star Trek III : The Search for Spock (Star Trek III : A la recherche de Spock) (Nimoy) ; 1985, Back to the Future (Retour vers le futur) (Zemeckis), Clue (Lynn), Legend of the White Horses (Domaradzki) ; 1986, Amazing Stories (Histoires fantastiques) (sketch Zemeckis), Miracles (Tout va trop bien) (Kouf) ; 1987, Who Framed Roger Rabbit ? (Qui veut la peau de Roger Rabbit ?) (Zemeckis) ; 1988, Track 29 (Roeg), Eight Men Out (Sayles), Walk Like a Man (Frank) ; 1989, The Dream Team (Une journée de fous) (Zieff), Why Me ? (Un plan d'enfer) (Quintano), Back to the Future II (Retour vers le futur II) (Zemeckis) ; 1990, Back to the Future III (Retour vers le futur III) (Zemeckis) ; 1991, The Addams Family (La famille Addams) (Sonnenfeld), Suburban Commando (Kennedy) ; 1992, Dennis the Menace (Dennis la malice) (Castle), The Pagemaster (Charlie au pays des livres magiques) (Hunt et Johnston), Twenty Bucks (Rosenfeld) ; 1993, Addams Family Values (Les valeurs de la famille Addams) (Sonnenfeld), Angels in the Outfield (Dear) ; 1994, Radioland Murders (Smith), Camp Nowhere (J. Prince) ; 1995, Things to Do in Denver When You're Dead (Dernières heures à Denvers) (Fleder), Liver Ain't Cheap (Merendino) ; 1996, Cadillac Ranch (Gottlieb), Changing Habits (Roth) ; 1997, The Real Blonde (Une vraie blonde) (DiCillo), Dinner at Fred's (Thompson), My Favorite Martian (Petrie), It Came from the Sky (Bender) ; 1998, Man on the Moon (Man on the Moon) (Forman), Baby Geniuses (P'tits génies) (Clark) ; 1999, Convergence (Wilding) ; 2000, Interstate 60 (Gale).

Le savant fou de la trilogie *Retour vers le futur*, c'est lui, ainsi que l'oncle idiot de la *Famille Addams*. Toujours des rôles à la démesure de son physique de fou furieux...

Lloyd, Harold

Acteur et producteur américain, 1893-1971.

1913, Samson and Delilah, His Heart, His Hand, His Sword (série), Algy on the Force ; 1914, Willie, The Wizard of Oz, Willie's Haircut, Damon and Pythias, From Italy's Shore, Curses ! They Remarked ; 1915, Willie at Sea, Once Every Ten Minutes, Soaking the Clothes, Terribly Stuck Up, Some Baby, Giving Them Fits, Tinkering with Trouble, Ragtime Snap Shots, Ruses Rhymes, Roughnecks, Social Gangster, A One Night Stand, Spit Ball Sadie, Pressing the Suit, A Mixup for Mazie, Fresh from the Farm, Bughouse Bell Hops, Great While It Lasted, A Fozzle at a Tea Party, Peculiar Patients' Pranks, Just Nuts, Lonesome Luke, Social Gangster ; 1916, Luke Rolls in Luxury, Luke Lugs Luggage, Luke Leans to the Literary, Luke Laughs Out, Luke Foils the Villain, Luke and the Rurral Roughnecks, Luke Laughs Last, Luke's Double, Luke's Pipes the Pippins, Luke and the Bomb Throwers, Luke's Late Lunches, Luke's Fatal Flivver, Luke Rides Roughshod, Luke's Washful Waiting, Luke Crystal Gazer, Luke's Lost Lamb, Luke Does the Midway, Luke and the Mermaids, Luke Joins the Navy, Luke's Society Mix-Up, Luke and the Bank-Tails, Luke's Speedy Club Life, Luke, the Chauffeur, Luke's Newsie Knockout, Luke Gladiator, Luke's Preparedness Preparation, Luke Patent Provider, Luke Locates the Loot, Luke's Fireworks Fizzle, Luke's Movie Muddle, Luke's Shattered Sleep, Luke the Candy Cut-Up, Circus King, Skylight Sleep, Them Was the Happy Days, Reckless Wrestlers, Ice, An Awful Romance, Unfriendly Fruit, A Matrimonial Mix-up, Braver than the Bravest, Caught in a Jam, Busting the Beaner, Jailed, Mariage à la Carte ; 1917, Luke's Last Liberty, Luke's Busy Days, Luke's Trolley Trouble, Luke Wins Ye Lady Fayre, Lonesome Luke, Lawyer, Lonesome Luke's Lively Rifle, Lonesome Luke on Tin Can Alley, Lonesome Luke Plumber, Lonesome Luke's Honeymoon, Stop ! Luke ! Listen, Lonesome Luke, Messenger, Lonesome Luke Mechanic, Lonesome Luke's Wild Women, Lonesome Luke Loses Patients, From London to Laramie, Drama's Dreadful Deal, Over the Fence, Pinched, By the Sad Sea Waves, Bliss, Rainbow Island, Love, Laughs and Lather, The Flirt, Clubs Are Trump, All Aboard, We Never Sleep, Move On, Bashful, The Tip, Step Lively ; 1918, The Big Idea, The Lamb, Hit Him Again, Beat It, A Gasoline Wedding, Let's Go, Look Pleasant, Please, Here Come the Girls, Follow the Crowd, On the Jump, Pipe the Whiskers, It's a Wild Life, Hey There ! Kicked Out, The Non-Stop Kid, Two-Gun Gussie, Fireman Save My Child, That's Him, The City Slicker, Sic'Em Towser, Somewhere in Turkey, Bride and Gloom, Are Crooks Dishonest, An Ozark Romance, Kicking the Germ Out of Germany, Two Scrambled, Bees in His Bonnet, Swing Your Partners, Why Pick on Me ? Nothing but Trouble, Hear'Em Rave, She Loses Me, Take a Chance, She Loves Me Not ; 1919, Wanted : $5 000 Going ! Going ! Gone ! Ask Father, On the Fire, I'm on My Way, Look Out Below, The Dutiful Dub, Next Aisle Over, A Sammy in Siberia, Young Mr. Jazz, Just Dropped In, Crack Your Heels, Si, Señor, Before Breakfast, The Marathon, The Rajah, Swat the Cook, Off the Trolley, Ring Up the Curtain, Back to the Woods, Pistols for Breakfast, Spring Fever, Billy Blazes Esquire, Just Neighbors, At the Old Stage Door, A Jazzed Honeymoon, Chop Suey and Co, Never Touched Me, Count Your Change, Heap Big Chief, Don't Shove, Be My Wife, He Leads, Others Follow, Soft Money, Count the Votes, Pay Your Dues. *Voir aussi le Dictionnaire du cinéma*, t. I : *Les réalisateurs*.

On a recensé ici les premiers films de Lloyd avant qu'il ne devienne le maître de sa production. Il y est encore à la recherche de son personnage. Le créateur viendra plus tard avec ce jeune homme tout à la fois timide et audacieux, chapeau de paille et lunettes, qui n'hésite pas, par amour, à escalader un gratte-ciel. C'est le personnage qu'évoque le *Dictionnaire du cinéma* consacré aux réalisateurs.

Lo Bianco, Tony

Acteur américain né en 1935.

1969, The Honeymoon Killers (Les tueurs de la lune de miel) (Kastle) ; 1971, The French Connection (French Connection) (Friedkin) ; 1973, The Seven-Ups (D'Antoni), Dio ! Sei proprio un padreterno (L'homme aux nerfs d'acier) (Lupo), Serpico (Serpico) (Lumet) ; 1977, The Merciless Man (Lanfranchi), God Told Me To (Meurtres sous contrôle) (L. Cohen), Gesù di Nazareth (Jésus de Nazareth) (Zeffirelli) ; 1978, F.I.S.T. (F.I.S.T.) (Jewison) ; 1979, Bloodbrothers (Les chaînes du sang) (Mulligan) ; 1981, Separate Ways (Avedis) ; 1984, City Heat (Haut les flingues !) (Benjamin) ; 1986, Il cugino americano (Battiato) ; 1991, City of Hope (City of Hope) (Sayles) ; 1993, Boiling Point (L'extrême limite) (Harris) ; 1994, La Chance (Lado), The Ascent (Shebib) ; 1995, Nixon (Nixon) (Stone) ; 1996, The Juror (La jurée) (Gibson), Sworn to Justice (Maslansky) ; 1997, Cold Night Into Dawn (Rodnunsky) ; 1998, Jane Austen's Mafia (Le prince de Sicile) (Abrahams) ; 1999, Man on the Moon (Man on the Moon) (Forman) ; 2000, The Day the Ponies Come Back (The Day the Ponies Come Back) (Schatzberg).

Découvert dans le fameux film de Leonard Kastle, *Les tueurs de la lune de miel*, en assassin formant couple avec la monstrueuse Shirley Stoler, il ne convainc pas vraiment par la suite, malgré une virilité tout italo-américaine, faisant des allers-retours entre des séries B où il tient le premier rôle (parmi lesquels l'intéressant *Meurtres sous contrôle*) et des emplois de troisième couteau dans des films plus ambitieux. Beaucoup de séries télévisées aussi.

Lochet, Bruno

Acteur français né en 1959.

1995, Les trois frères (Bourdon, Campan) ; 1996, Beaumarchais l'insolent (Molinaro), L'échappée belle (Dhaène) ; 1997, Liniya zhizni (Ligne de vie) (Lounguine), J'ai horreur de l'amour (Ferreira Barbosa) ; 1998, Le Poulpe (Nicloux), Restons groupés (Salomé) ; 1999, Doggy bag (Comtet), Une pour toutes (Lelouch) ; 2000, La faute à Voltaire (Kechiche) ; 2003, La fin du règne animal (Brisse).

Issu de la troupe des Deschiens, il assume parfaitement, et plutôt intelligemment, un faciès de parfait crétin décalé et tête à claques. Une bouille dont se délectent évidemment les auteurs de comédies, qui n'hésitent pas pour autant à donner dans la transgression, lui offrant par exemple le rôle d'un patron de boîte SM pour chiens dans *Doggy bag*.

Locke, Sondra

Actrice et réalisatrice américaine née en 1947.

1968, The Heart is a Lonely Hunter (Le cœur est un chasseur solitaire) (Miller) ; 1970, Cover Me Babe (Black) ; 1971, Willard (D. Mann) ; 1973, A Reflection of Fear (Fraker) ; 1974, The Second Coming of Suzanne (Barry) ; 1976, Josey Wales (Josey Wales hors la loi) (Eastwood) ; 1977, Gauntlet (L'épreuve de force) (Eastwood) ; 1979, Every Which Way But Loose (Doux, dur et dingue) (Fargo), Wishbone Cutter (Smith) ; 1980, Bronco Billy (Bronco Billy) (Eastwood), Any Which Way You Can (Ça va cogner) (Van Horn) ; 1983, Sudden Impact (Le retour de l'inspecteur Harry) (Eastwood) ; 1986, Ratboy (Locke) ; 1999, The Clean and the Narrow (Katt). *Pour la réalisatrice*, voir le *Dictionnaire du cinéma*, t. I : *Les réalisateurs*.

Révélée par *Willard*, elle fut imposée par Clint Eastwood qui l'épousa.

Lockwood, Margaret

Actrice anglaise, 1916-1990.

1934, Lorna Doone (Dean) ; 1935, The Case of Gabriel Perry (Courville), Some Day (Powell), Honours Easy (Brenon), Midshipman Easy (Reed) ; 1936, The Amateur Gentleman (Freeland), The Beloved Vagabond (Le vagabond bien-aimé) (Bernhardt), Irish for Luck (Woods) ; 1937, The Street Singer (Marguerat), Who's Your Lady Friend ? (Reed), Dr. Syn (R.W. Neil), Melody and Romance (Elvey) ; 1938, Owd Bob (Stevenson), Bank Holiday (Reed), The Lady Vanishes (Une femme disparaît) (Hitchcock) ; 1939, A Girl Must Live (Reed), Susannah of the Mounties (Seiter), Rulers of the Sea (Les maîtres de la mer) (Lloyd), The Stars Look Down (Sous le regard des étoiles) (Reed), Night Train to Munich (Train de nuit pour Munich) (Reed), The Girls in the News (Reed), Quiet Wedding (Asquith) ; 1942, Alibi (Hurst), The Man in Grey (Arliss), Dear Octopus (French) ; 1944, Give Us the Moon (Guest), Love Story (Arliss) ; 1945, I'll Be Your Sweethart (Guest), The Wicked Lady (Le masque aux yeux verts) (Arliss), A Place of One's Own (Le médaillon fatal) (Knowles) ; 1946, Bedelia (La perle noire) (Comfort), Hungry Hill (Hurst) ; 1947, Jassy (Le manoir tragique) (Knowles), The White Unicorn (Knowles) ; 1948, Look Before You Love (Huth) ; 1949, Madness of the Heart (Bennett), Carboard Cavalier (Le chevalier de carton) (W. Forde) ; 1950, Highly Dangerous (Roy Baker) ; 1953, Trent's Last Case (L'affaire Manderson) (Wilcox), Laughing Anne (Wilcox) ; 1954, Trouble in the Glen (Révolte dans la vallée) (Wilcox) ; 1956, Cast a Dark Shadow (L'assassin s'était trompé) (L. Gilbert) ; 1976, The Slipper and the Rose (Forbes).

Actrice très populaire du cinéma anglais d'avant-guerre, elle jouait d'un physique étrange et sensuel (cf. *The Lady Vanishes*) pour séduire son public. Difficile d'en juger aujourd'hui, ses films sont rarement projetés.

Loden, Barbara

Actrice et réalisatrice américaine, 1932-1980.

1960, Wild River (Le fleuve sauvage) (Kazan) ; 1961, Splendor in the Grass (La fièvre dans le sang) (Kazan) ; 1968, Fade-in (J. Taylor) ; 1970, Wanda (Wanda) (Loden). *Pour la réalisatrice*, voir le *Dictionnaire du cinéma*, t. I : *Les réalisateurs*.

Épouse et actrice de Kazan dans deux de ses films, elle passa à la mise en scène avec un film très admiré des milieux intellectuels.

Lodge, John

Acteur américain, 1903-1985.

1933, Woman Accused (Sloane), Murders in the Zoo (Le serpent mamba) (Sutherland), Under the Tonto Rim (Hathaway), Little Women (Les quatre filles du Dr. March) (Cukor) ; 1934, Menace (Murphy), The Scarlet Empress (L'impératrice rouge) (Von Sternberg) ; 1935, The Little Colonel (Le petit colonel) (Butler), Königsmark (M. Tourneur) ; 1936, The Tenth Man (Hurst), Sensation (Hurst), Ourselves Alone (Hurst, Summers) ; 1937, Stasera alle undici (Biancoli), Bulldog Drummond at Bay (Lee) ; 1938, Queer Cargo (Schuster), Lightning Conductor (Elvey), Bank Holiday (Week-end) (Reed) ; 1939, Just Like a Woman (Stein), L'esclave blanche (Sorkin), Batticuore (Battements de cœur) (Camerini) ; 1940, One Night in Paris (Summers), De Mayerling à Sarajevo (Ophuls) ; 1966, Out of Flight (Weinrib) ; 1967, In Like Flint (F comme Flint) (Douglas) ; 1969, The Witchmaker (Brown), Judy's Little No-No (Price).

Arrière-arrière-arrière-petit-fils du poète George Cabot, il promène, dans les années 30, son port altier dans une dizaine de films, puis s'oriente vers la politique (il devient ambassadeur, puis gouverneur du Connecticut).

Lollobrigida, Gina

Actrice italienne née en 1927.

1946, L'aquila nera (L'aigle noir) (Freda), Elisir d'amore (Élixir d'amour) (Costa), Lucia di Lammermoor (Ballerini) ; 1947, La danse de mort (Cravenne), A Man About the House (Un homme dans la maison) (Arliss/Amato), Il segretto di don Giovanni (Costa), Il delitto di Giovanni episcopo (Le crime de Giovanni Episcopo) (Lattuada), Follie per l'opera (Une nuit de folie à l'opéra) (Costa) ; 1948, I Pagliacci (Paillasse) (Costa) ; 1949, Campane a martello (Le tocsin) (Zampa), La sposa non puo attendere (La mariée ne peut attendre) (Franciollini), Alina (La fille de la nuit) (Pastina), Vita da cani (Dans les coulisses) (Monicelli/Steno) ; 1950, Miss Italia (Miss Italie) (Coletti), Cuori senza frontiere (Cœurs sans frontières) (Zampa), Racconto di cinque citta (L'inconnue des cinq cités) (Marcellini), Achtung banditi (Lizzani), Amor non ho... pero pero (Bianchi), Moglie per una notte (Une femme pour une nuit) (Camerini), Altri tempi (Heureuse époque, épis. Phryné) (Blasetti) ; 1951, La città si diffende (Traque dans la ville) (Germi), Caruso leggenda di una voce (Caruso légende d'une voix) (Gentilomo), Fanfan la Tulipe (Christian-Jaque) ; 1952, Belles de nuit (Clair), La provinciale (La marchande d'amour) (Soldati), Le infedeli (Les infidèles) (Monicelli/Steno) ; 1953, Il maestro di don Giovanni (Grossed Words), Le maître de Don Juan (Krima), Pane, amore e fantasia (Pain, amour et fantaisie) (Comencini) 1954, Beat the Devil (Plus fort que le diable) (Huston), Le grand jeu (Siodmak), La romana (La belle romaine) (Zampa), Pane, amore et gelosia (Pain, amour et jalousie) (Comencini) ; 1955, Trapeze (Reed), La donna più'bella del mondo (La belle des belles) (Leonard) ; 1956, Notre-Dame de Paris (Delannoy) ; 1957, Anna di Brooklyn (Anna de Brooklyn) (Lastricati) ; 1958, La loi (Dassin) ; 1959, Salomon and the Queen of Sheba (Salomon et la reine de Saba) (Vidor), Never so Few (La proie des vautours) (Sturges) ; 1960, Go Naked in the World (Volupté) (McDougall) ; 1961, Come September (Le rendez-vous de septembre) (Mulligan) ; 1962, La bellezza d'Ippolita (La beauté d'Hippolyte) (Zagni), Venere imperiale (Vénus impériale) (Delannoy) ; 1963, Mare matto (La mer à boire) (Castellani), Woman of Straw (La femme de paille) (Dearden) ; 1964, La Bambola (Les poupées, épis. Monseigneur Cupidon) (Bolognini), Strange Bed Fellows (Étranges compagnons de lit) (Frank) ; 1965, Io, io, io e gli altre (Moi, moi et les autres) (Blasetti), Les sultans (Delannoy) ; 1966, Hotel paradiso (Glenville) ; 1967, Cervantès (Les aventures extraordinaires de Cervantès) (Sherman), The Private Navy of sergeant Farrell (Tashlin), Le piacevoli notti (Crispini), La morte ha fatto l'uovo (La mort a pondu un œuf) (Questi) ; 1968, Buona sera signora Campbell (Frank), Bellissimo Settembre (Ce merveilleux automne) (Bolognini), Stuntman (Baldi) ; 1971, E continuavano a fregarsi il milione di dollari (Les quatre mercenaires d'El Paso) (Martin), Le avventure di Pinocchio (Comencini) ; 1972, König Dame Bube (Roi dame valet) (Skolimowski) ; 1973, No encontre rosas para mi madre (Roses rouges et piments verts) (Beleta) ; 1977, Widow's Nest (Navarro) ; 1994, Les cent et une nuits (Varda) ; 1996, XXL (Zeitoun).

Elle débuta dans le ciné-roman puis dans l'opéra filmé. C'est la France qui la consacra vedette avec *Fanfan la Tulipe* puis *Belles de nuit*. Sa poitrine fit rêver alors toute une génération de potaches et de non-potaches. *Pain, amour et fantaisie* (et la suite) la rendit célèbre dans le monde. Elle fut Esméralda, la reine de Saba et Pauline Bonaparte (*Vénus impériale*). Le cinéma américain ne la bouda pas avec Vidor et Tashlin. Bonne fille, elle prêta son concours à tous les genres, y compris le western-spaghetti avec *Les quatre mercenaires d'El Paso*. Puis, en 1977, elle décida d'arrêter pour se consacrer à la photo. Ses expositions ont rencontré un grand succès révélant un autre aspect de la personnalité de l'actrice.

Lom, Herbert

Acteur d'origine tchèque, de son vrai nom Charles Kuchacevich Ze Schluderpacheru, né en 1917.

1940, Mein Kampf, My Crimes (Lee) ; 1942, Young Mr. Pitt (Le jeune M. Pitt) (Reed), Tomorrow We Live (King), Secret Mission (Service secret) (French) ; 1943, The Dark Tower (Harlow) ; 1944, Hôtel réservé (Comfort) ; 1945, The Seventh Veil (Le septième voile) (Bennett) ; 1946, Night Boat to Dublin (Service secret contre bombe atomique) (Huntington), Appointment with Crime (Harlow) ; 1947, Dual Alibi (Travers), Snowbound (MacDonald) ; 1948, Good Time Girl (Les ailes brûlées) (MacDonald), Portrait From Life (Le mystère du camp 27) (Fisher), Lucky Mascot (Freeland) ; 1949, The Lost People (Knowles) ; 1950, The Golden Salamander (La salamandre d'or) (Neame), State Secret (Secret d'État) (Gilliat), Night and the City (Les forbans de la nuit) (Dassin), Bonnie Prince Charlie (La grande révolte) (Kimmins), The Black Rose (La rose noire) (Hathaway), Cage of Gold (La cage d'or) (Dearden) ; 1951, Hell is Sold Out (Anderson), Mr. Denning Drives North (L'assassin revient toujours) (Kimmins), Two on the Tiles (Guillermin) ; 1952, Spartacus (Spartacus) (Freda), Whispering Smith Hits London (Searle), The Ringer (L'assassin a de l'humour) (Hamilton), The Man Who Watched the Trains go By (L'homme qui regardait passer les trains) (French) ; 1953, The Net (Asquith), Rough Shoot (Coup de feu au matin) (Parrish), The Star of India (L'étoile des Indes) (Lubin) ; 1954, The Love Lottery (La loterie de l'amour) (Crichton), Beautiful Stranger (Meurtre sur la Riviera) (Miller) ; 1955, The Ladykillers (Tueurs de dames) (Mackendrick), War and Peace (Guerre et paix) (Vidor) ; 1957, Hell Drivers (Train d'enfer) (Endfield), Action of the Tiger (Au bord du volcan) (Young), Chase a Crooked Shadow (L'homme à démasquer) (Anderson), Fire Down Below (L'enfer des tropiques) (Parrish) ; 1958, I Accuse (L'affaire Dreyfus) (Ferrer), Intent to Kill (Tueurs à gages) (Cardiff), Roots of Heaven (Les racines du ciel) (Huston), No Trees in the Street (Thompson) ; 1959, Passport to Shame (Passeport pour la honte) (Rakoff), Third Man on the Mountain (Le troisième homme sur la montagne) (Annakin), North-West Frontier (Aux frontières des Indes) (Thompson), The Big Fisherman (Simon le pêcheur) (Borzage) ; 1960, I Aim at the Stars (L'homme des fusées secrètes) (Thompson) ; 1961, Topaze (Sellers), The Frightened City (L'enquête mystérieuse) (Lemont), El Cid (Le Cid) (Mann), Mysterious Island (L'île mystérieuse) (Endfield) ; 1962, Tiari Tahiti (La belle des îles) (Kotcheff), Phantom of the Opera (Le fantôme de l'Opéra) (Fisher), Der Schatz im Silbersee (Le trésor du lac d'argent) (Reinl) ; 1963, The Horse Without a Head (L'affaire du cheval sans tête) (Chaffey) ; 1964, Onkel Tome Hutte (La case de l'oncle Tom) (Radvanyl), A Shot in the Dark (Quand l'inspecteur s'emmêle) (Edwards) ; 1965, Return from the Ashes (Le démon est mauvais joueur) (Thompson) ; 1966, Our Man In Marrakech (Opération Marrakech) (Sharp), Gambit (Un hold-up extraordinaire) (Neame) ; 1967, Die Nibelungen (La vengeance de Siegfried) (Reinl) ; 1968, The Faces of Eve (Summers), Villa Rides (Pancho Villa) (Kulik) ; 1969, Mujeres (Franco), Hexen (Armstrong), Assignment to Kill (Les tueurs sont lâchés) (Reynolds), Doppelganger (Danger planète inconnue) (Parrish), Mr. Jericho (Hayers) ; 1970, Count Dracula (Les nuits de Dracula) (Franco), Das Bildnis des Dorian Gray (Dorian Gray) (Dallamano), Brenn, Hexe, Brenn (Armstrong) ; 1971, Murders in the rue Morgue (Hessler) ; 1972, Asylum (Baker)... And Now the Screaming Starts (Baker), Dark Places (Le manoir des fantasmes) (Sharp) ; 1974, Les brûlantes (Franco), And Then There Were None (Dix petits nègres) (Collinson), The Return of the Pink Panther (Le retour de la panthère rose) (Edwards) ; 1976, The Pink Panther Strikes Again (Quand la Panthère rose s'emmêle) (Edwards) ; 1978, Revenge of the Pink Panther (La revanche de la Panthère rose) (Edwards), Charleston (Fondato) ; 1979, The Lady Vanishes (Une femme disparaît) (A. Page), The Man With Bogart's Face (Détective comme Bogart) (Day) ; 1982, Trail of the Pink (A la recherche de la Panthère rose) (Edwards), Hopscotch (Jeux d'espions) (Neame) ; 1983, The Dead Zone (Dead zone) (Cronenberg), Curse of the Pink Panther (Edwards), Memed my Hawk (Ustinov) ; 1985, King Solomon's Mines (Allan Quatermain dans les mines du roi Salomon) (Lee-Thompson) ; 1986, Whoops Apocalypse (Bussman) ; 1987, My African Adventure (Davidson) ; 1988, Skeleton Coast (Cardos) ; 1989, The Crystal Eye (J. Tornatore), Ten Little Indians (Birkinshaw), River of Death (Carver) ; 1990, The Pope Must Die (Richardson), La setta (Soavi) ; 1991, The Masque of the Red Death (Birkinshaw) ; 1993, The Son of the Pink Panther (Edwards) ; 1997, Marco Polo (Erschbamer).

A l'arrivée des nazis, il fuit Prague et se réfugie en Angleterre où il anime des émissions de propagande à destination de la Tchécoslovaquie. Sa prestance, son étrange regard, son côté trouble le destinaient au cinéma. Il va y révéler des dons prodigieux : il peut être aussi bien le fantôme de l'Opéra, version Fisher, que Napoléon (*Young Mr. Pitt* et *War and Peace*), un prophète de l'Islam (*Le Cid*, où il est hallucinant) que Dreyfus le supérieur de Clouseau que les fantaisies de l'inspecteur ont rendu complètement fou dans l'hilarante série de *La Panthère rose*. Du beau travail. On peut considérer Lom comme un très grand acteur.

Lombard, Carole

Actrice américaine, de son vrai nom Jane Alice Peters, 1908-1942.

1921, A Perfect Crime (Dwan) ; 1925, Marriage in Transit (Neill), Hearts and Spurs (Van Dyke), Durand of the Ballands (Reynolds) ; 1926, The Road to Glory (Hawks) ; 1927, The Girl from Everywhere (c.m. de Cline), Run, Girl, Run (c.m. de A. Goulding), The Best Man (c.m. de Edwards), The Swim Princess (c.m. de Goulding) ; 1928, The Bicycle Flirt (Edwards), The Divine Sinner (Pembroke), Power (Higgins), Me, Gangster (Walsh), Show Folks (Stein), Ned McCobb's Daughter (Cowen) ; 1929, High Voltage (Higgins), Big News (La Cava) ; 1930, The Racketeer (Higgins), The Arizona Kid (Santell), Safety in Numbers (Schertzinger), Fast and Loose (Newmeyer) ; 1931, It Plays to Advertise (Tuttle), Man of the World (Wallace), Ladies' Man (Mendes), Up Pops the Devil (Sutherland), I Take This Woman (Gering) ; 1932, No One Man (Corrigan), Sinners in the Sun (Hall), Virtue (Buzzell), No More Orchids (Richesse perdue) (W. Lang), No Man of Her Own (Ruggles) ; 1933, From Hell to Heaven (Kenton), Supernatural (Halperin), The Eagle and the Hawk (L'aigle et le vautour) (Stuart Walker), Brief Moment (D. Burton), White Woman (Stuart Walker) ; 1934, Bolero (Ruggles), We're not Dressing (Taurog), Twentieth Century (Train de luxe) (Hawks), Now and Forever (Hathaway), Lady by Choice (Burton), The Gay Bride (La joyeuse fiancée) (Conway) ; 1935, Rumba (Gering), Hands Across the Table (Leisen) ; 1936, Love Before Breakfast (Ce que femme veut) (W. Lang), The Princess Comes Across (Howard), My Man Godfrey (La Cava) ; 1937, Swing High, Swing Low (Leisen), Nothing Sacred (La joyeuse suicidée) (Wellman), True Confession (Ruggles) ; 1938, Fools for Scandal (La peur du scandale) (LeRoy) ; 1939, Made for Each Other (Le lien sacré) (Cromwell), In Name Only (L'autre) (Cromwell) ; 1940, Vigil in the Night (Stevens), They Knew That They Wanted (Drôle de mariage) (Kanin) ; 1941, Mr. and Mrs. Smith (Hitchcock) ; 1942, To Be or Not to Be (Jeux dangereux) (Lubitsch).

Venue s'établir à Los Angeles après le divorce de ses parents, elle débute très jeune au cinéma sur le conseil d'Allan Dwan. De retour dans les studios après avoir suivi des cours d'art dramatique, cette fort jolie blonde devient l'une des stars de la Paramount. Elle épouse William Powell, en 1931, puis Clark Gable avec lequel elle forme un couple qui inspirera plus tard un livre et un film. A l'exception de *My Man Godfrey* et de *Nothing Sacred*, on ne saurait dire que les œuvres qu'elle a tournées aient beaucoup marqué le cinéma. La meilleure est la dernière : *To Be or Not to Be*. Elle périt dans un accident d'avion alors qu'elle faisait une tournée de propagande en faveur de l'effort de guerre américain.

London, Alexandra

Actrice française.

1988, Les maris, les femmes, les amants (Thomas) ; 1991, Van Gogh (Pialat) ; 1995, Le cri de la soie (Marciano), Mémoires d'un jeune con (Aurignac), Le bonheur est dans le pré (Chatiliez) ; 1997, J'ai horreur de l'amour (Ferreira-Barbosa), Solo Shuttle (Cohen) ; 1998, Pourquoi pas moi ? (Giusti), Les frères Sœur (Jardin) ; 2000, Les destinées sentimentales (Assayas).

Révélée par le rôle de la fille Gachet dans le *Van Gogh* de Pialat, elle tarde à transformer l'essai, malgré une présence et un caractère affirmés, ainsi qu'en témoignait son personnage de lesbienne assumant sa vie et son couple dans *Pourquoi pas moi ?*

London, Julie

Actrice américaine, de son vrai nom Peck, 1926-2000.

1944, Nabonga (Gorilla) (Newfield) ; 1945, On Stage Everybody (Yarbrough) ; 1946, A Night in Paradise (Lubin) ; 1947, The Red House (La maison rouge) (Daves) ; 1948, Tap Roots (Le sang de la terre) (Marshall) ; 1949, Task Force (Horizons en flammes) (Daves) ; 1950, Return of the Frontierman (Bare) ; 1951, The Fat Man (Castle) ; 1955, The Fighting Chance (Witney) ; 1956, The Girl Can't Help It (La blonde et moi) (Tashlin), The Great Man (J. Ferrer), Crime Against Joe ; 1957, Drango (Le pays de la haine) (Bartlett) ; 1958, Saddle the Wind (Libre comme le vent) (Parrish), Man of the West (L'homme de l'Ouest) (Mann), Voice in the Mirror (Keller), A Question of Adultery (Don Chaffey) ; 1959, The Third Voice (Allô, l'assassin vous parle) (Cornfield), Night of the Quarter Moon (H. Haas), The Wonderful Country (L'aventurier du Rio Grande) (Parrish) ; 1961, The George Raft Story (Dompteur de femmes) (Newman).

Elle a peu tourné mais en définitive bien tourné : ses westerns avec Mann et Parrish figurent parmi les chefs-d'œuvre du genre. Son strip-tease forcé de *Man of the West* est resté dans toutes les mémoires. La longue chevelure défaite, le nez légèrement busqué, le regard sensuel, la taille mince, telle elle apparut et telle elle resta pendant au moins une décennie. Elle rencontra un succès fabuleux comme « torch-style » chanteuse avec *Cry Me a River*, ce qui lui permit de prendre ses distances avec le cinéma. Beaucoup de télévision dans les années 70.

Lone, John

Acteur d'origine chinoise né en 1961.

1976, King-Kong (King-Kong) (Guillermin) ; 1984, Iceman (Schepisi) ; 1985, Year of the Dragon (L'année du dragon) (Cimino) ; 1986, Shadows of the Peacock (Noyce) ; 1987, L'ultimo impero (Le dernier empereur) (Bertolucci) ; 1988, The Moderns (Les modernes)

(Rudolph) ; 1990, Shadow of China (Yanagimachi) ; 1991, Shanghai 1920 (Po-Chih) ; 1993, M Butterfly (M Butterfly) (Cronenberg) ; 1994, The Shadow (The Shadow) (Mulcahy), The Hunted (La proie) (Lawton) ; 1997, Yit Huet Jui Keung (Patrick Leung).

Spécialisé dans les rôles de Chinois, il a été la vedette du *Dernier empereur* et fut très inquiétant dans le trouble *M. Butterfly*.

Lonsdale, Michael

Acteur français né en 1931.

1956, C'est arrivé à Aden (Boisrond) ; 1958, Une balle dans le canon (Deville) ; 1959, La main chaude (Oury) ; 1960, Les portes claquent (Poitrenaud) ; 1961, Adorable menteuse (Deville), Les snobs (Mocky), La dénonciation (Doniol-Valcroze) ; 1962, Nom d'une pipe (Fernaud), Bureau des mariages (Bellon), Le procès (Welles), Le rendez-vous de minuit (Leenhardt), Le crime ne paie pas (Oury) ; 1963, Behold a Pale Horse (Et vint le jour de la vengeance) (Zinneman) ; 1964, Jaloux comme un tigre (Cowl), Les copains (Robert), Le loup et le chien (Bromberger) ; 1965, Je vous salue Maffia (Levy), La bourse ou la vie (Mocky), Le mari (Sénéchal) ; 1966, Les compagnons de la marguerite (Mocky), Le judoka agent secret (Zimmer), Le fer à repasser (Dasque) ; 1967, L'homme à la Buick (Grangier), L'authentique procès de Carl Emmanuel Jung (Hanoun), La mariée était en noir (Truffaut) ; 1968, La grande lessive (Mocky), Baisers volés (Truffaut), La pince à ongles (Carrière), Le procès d'Orphée (Marchou) ; 1969, Hibernatus (Molinaro), Détruire dit-elle (Duras), L'hiver (Hanoun), L'étalon (Mocky) ; 1970, Le printemps (Hanoun), Le souffle au cœur (Malle), La rose et le revolver (Desvilles), Un troisième (Thoraval), Duo (Blanco), Station-service (Calderon), Les assassins de l'ordre (Carné), *commentaire des* Années lumière (Chapot) ; 1971, Jaune le soleil (Duras), La vieille fille (Blanc), Papa les petits bateaux (Kaplan), L'automne (Hanoun), La poule (Béraud), Boris et Pierre (Guldicelli), Les grands sentiments font les bons gueuletons (Berny), Il était une fois un flic (Lautner), Chut (Mocky) ; 1972, The Day of the Jackal (Chacal) (Zinneman), La raison du plus fou est toujours la meilleure (Reichenbach) ; 1973, La grande Paulette (Calderon), La fille au violoncelle (Butler), Un linceul n'a pas de poches (Mocky) ; 1974, Glissements progressifs du plaisir (Robbe-Grillet), Caravane to Vaccares (Le passager) (Reeve), Stavisky (Resnais), Une baleine qui avait mal aux dents (Bral), Galileo (Losey), Les suspects (Wyn), Sérieux comme le plaisir (Benayoun), La vérité sur l'imaginaire passion d'un inconnu (Hanoun), Aloïse (Kermadec), Section spéciale (Costa-Gavras), Out One : spectre (Rivette) ; 1975, Le fantôme de la liberté (Buñuel), La traque (Leroy), Folle à tuer (Boisset), Les œufs brouillés (Santoni), Le téléphone rose (Molinaro), The Romantic Englishwoman (Une Anglaise romantique) (Losey), India Song (Duras) ; 1976, L'adieu nu (Meunier), Monsieur Klein (Losey), Le diable dans la boîte (Lary), Bartleby (Ronet) ; 1977, Aurais dû faire gaffe, le choc est terrible (Meunier), Le rose et le blanc (Pansard-Besson), Né (Richard), Une sale histoire (Eustache), L'imprécateur (Bertucelli) ; 1978, The Passage (Passeur d'hommes) (Thompson), Die Linkshändige Frau (La femme gauchère) (Handke) ; 1979, Moonraker (Gilbert) ; 1981, Les jeux de la comtesse Dolingen de Gratz (Binet), Chariots of Fire (Hudson) ; 1982, Douce enquête sur la violence (Guerin) ; 1983, Une jeunesse (Mizrahi), Enigma (Szwarc), Erendira (Guerra) ; 1984, Le juge (Lefebvre), Le bon roi Dagobert (Risi) ; 1985, The Holcroft Covenant (Frankenheimer), L'éveillé du pont de l'Alma (Ruiz), Billy ze Kick (Mordillat) ; 1986, Le nom de la rose (Annaud) ; 1987, Der Madonna-Mann (Blumenberg) ; 1988, Souvenir (Reeve), Nieswykla Podroz Baltazara Kobera (Les tribulations de Balthazar Kober) (Has) ; 1991, Ma vie est un enfer (Balasko), Woyzeck (Marignane) ; 1993, The Remains of the Day (Les vestiges du jour) (Ivory), L'ordre du jour (Khleifi) ; 1994, Jefferson in Paris (Jefferson à Paris) (Ivory), Nelly et M. Arnaud (Sautet) ; 1995, Les Boulugres (voix) (Hurtado) ; 1996, Dieu sait quoi (voix) (Pollet), La plante humaine (Hébert) ; 1997, Mauvais genre (Bénégui), Que la lumière soit ! (A. Joffé), Don Juan (Weber) ; 1998, Ronin (Ronin) (Frankenheimer) ; 1999, Les acteurs (Blier), Ceux d'en face (Pollet) ; 2003, Adieu (Des Pallières), Le mystère de la chambre jaune (Podalydès), Le furet (Mocky), Una strano crimine (Andò) ; 2004, 5 × 2 (Ozon), Soto falso nome (Le prix du désir) (Andò) ; 2005, Gentille (Fillières), Les invisibles (Jousse) ; 2006, Bye bye blackbird (R. Savary), Le parfum de la dame en noir (Podalydès), Munich (Spielberg) ; 2007, Goya's Ghosts (Forman), Il sera une fois (Veysset), Une vieille maîtresse (Breillat).

Mère française et père anglais, officier de l'armée des Indes. Enfance à Londres. Débuts au théâtre sous la houlette de Rouleau. Va se spécialiser dans les films difficiles (Hanoun, Duras, sans compter de nombreux courts métrages). Acteur d'une grande souplesse à l'étonnante diction, il peut tout aussi bien tenir le rôle du ministre de l'Intérieur Pucheu dans *Section spéciale* que celui du collectionneur qui invente une vengeance atroce dans *Les jeux de la comtesse Dolingen de Gratz*. Mais les rôles se réduisent de plus en plus. Chaque apparition n'en est pas moins éblouissante comme celle du professeur farfelu dans *Le mystère de la chambre jaune*, suivi de son rôle dans *Le parfum de la dame en noir* ou encore de l'inquiétant intermédiaire français de *Munich*. On aime son livre de souvenirs et de réflexions : *Visites* (2003).

Lopert, Tanya

Actrice française née en 1943.

1961, Arrivano i Titani (Les Titans) (Tessari), Something Wild (Au bout de la nuit) (Garfein) ; 1964, La chasse à l'homme (Molinaro), Lady L (Ustinov), Le vampire de Düsseldorf (Hossein), Une souris chez les hommes (Poitrenaud) ; 1965, Un mundo nuovo (Un monde nouveau) (De Sica), Compartiment tueurs (Costa-Gavras), What's New Pussycat ? (Quoi de neuf, Pussycat ?) (Donner) ; 1966, Navajo Joe (Navajo Joe) (S. Corbucci) ; 1967, Mise à sac (Cavalier) ; 1968, Le diable par la queue (Broca), Les Gauloises bleues (Cournot) ; 1969, L'Américain (Bozzuffi), Scusi, facciamo l'amore ? (Et si on faisait l'amour ?) (Caprioli), Fellini-Satyricon (Fellini Satyricon) (Fellini), Le voleur de crimes (N. Trintignant) ; 1970, Un peu, beaucoup, passionnément (Enrico) ; 1971, L'odeur des fauves (Balducci), Boulevard du rhum (Enrico), On est toujours trop bon avec les femmes (Boisrond) ; 1973, Rude journée pour la reine (Allio) ; 1975, Attention les yeux ! (Pirès) ; 1976, Le jeu du solitaire (Adam), Providence (Resnais) ; 1979, Le mouton noir (Moscardo) ; 1980, Cherchez l'erreur (Korber) ; 1981, Conte de la folie ordinaire (Ferreri) ; 1982, T'empêches tout le monde de dormir ! (Lauzier), Qu'est-ce qu'on attend pour être heureux ? (Serreau), Storia di Piera (L'histoire de Piera) (Ferreri) ; 1983, L'ami de Vincent (Granier-Deferre), Édith et Marcel (Lelouch), P'tit con (Lauzier), Viva la vie (Lelouch), Ni avec toi, ni sans toi (Maline), L'homme aux yeux d'argent (Granier-Deferre) ; 1985, Un homme et une femme : vingt ans déjà (Lelouch) ; 1986, La petite allumeuse (Dubroux) ; 1987, Contrainte par corps (Leroy), Les innocents (Téchiné), Quelques jours avec moi (Sautet), Doux amer (Apprederis) ; 1989, Il y a des jours... et des lunes (Lelouch), Bandini (Deruddere) ; 1991, Le ciel de Paris (Béna) ; 1992, Pas d'amour sans amour (Dress).

Un excellent talent de composition pour les femmes marquées par la vie, servi par un physique sec et dur, à la limite du masculin. Ce genre de visage qu'on reconnaît immanquablement de film en film, mais dont on oublie toujours l'identité. Espérons que c'est chose réparée.

Lopez, Jennifer

Actrice et chanteuse américaine née en 1970.

1986, My Little Girl (Kaiserman) ; 1995, My Family (Nava), Money Train (Money Train) (Ruben) ; 1996, Jack (Jack) (Coppola), Blood and Wine (Blood & Wine) (Rafelson), Anaconda (Anaconda) (Llosa) ; 1997, Selena (Nava), U-Turn (U-Turn) (Stone), Out of Sight (Hors d'atteinte) (Soderbergh) ; 1998, Impostor (Fleder) ; 1999, The Cell (The Cell) (Tarsem) ; 2000, The Wedding Planner (Un mariage trop parfait) (Shankman), Angel Eyes (Mandoki) ; 2002, Enough (Plus jamais ça) (Apted), Maid in Manhattan (Coup de foudre à Manhattan) (Wang), Gigli – Tough Love (Amours troubles) (Brest) ; 2004, Jersey Girl (Père et fille) (K. Smith), Monster-in-Law (Sa mère ou moi !) (Luketic) ; 2005, Shall We Dance ? (Shall We Dance ? La nouvelle vie de M. Clark) (Chelsom), An Unfinished Life (Une vie inachevée) (Hallström) ; 2007, Bordertown (Les oubliés) (Nava).

Cette jolie Latino originaire de Porto Rico se fait remarquer en flic kidnappée par un gangster dans *Hors d'atteinte* où elle est atteinte par le syndrome de Stockholm. Jennifer Lopez, sculpturale – ce qui ne gâche rien – devient rapidement une vedette. Elle se fait aussi un nom dans la musique, avec des albums de R'n'B qui se vendent comme des petits pains. Ses derniers films sont décevants.

Lopez, Sergi

Acteur espagnol né en 1966.

1983 Clonica (Puis) ; 1988 Empresonades (Puis) ; 1991, La petite amie d'Antonio (Poirier) ; 1993,... à la campagne (Poirier) ; 1996, Marion (Poirier) ; 1997, Western (Poirier), Caricies (Caresses) (Pons) ; 1998, La nouvelle Ève (Corsini), Entre las piernas (Entre les jambes) (Gomez Pereira), Lisboa (Hernandez) ; 1999, Une liaison pornographique (Fonteyne), Arde amor (Veiga), Rien à faire (Vernoux), Harry, un ami qui vous veut du bien (Moll), Ataque verbal (Albaladejo) ; 2000, Morir (o no) (Seconde chance) (Pons), Te quiero (Poirier) ; 2001, Reines d'un jour (Vernoux), El cielo abierto (Albaladejo) ; 2002, Les femmes et les enfants d'abord (Poirier) ; 2003, Rencontre avec le dragon (Angel), Janis et John (Benchetrit), Dirty Pretty Things (Loin de chez eux) (Frears) ; 2003, Janis et John (Benchetrit) ; 2004, Chemins de traverse (Poirier) ; 2005, Les mots bleus (Corneau), Peindre ou faire l'amour (Larrieu) ; 2006, El laberinto del Fauno (Le labyrinthe de Pan) (Del Toro).

Acrobate de formation, il est l'interprète privilégié de Manuel Poirier qui fait appel à lui pour tous ses films. Bon costaud tendre et maladroit, il émeut et attendrit en maçon dans *La petite amie d'Antonio*, puis campe le VRP sans voiture de *Western*, pour lequel il est nominé aux césars. Un comédien que l'on a systématiquement plaisir à retrouver, notamment dans le saisissant contre-emploi de l'« altruiste » Harry dans *Harry, un ami qui vous veut du bien*, qui lui vaut un césar en 2001.

Loren, Sophia

Actrice italienne, de son vrai nom Scicolone, née en 1934.

1950, Quo Vadis (Quo Vadis ?) (LeRoy), Cuori sul mare (Bianchi), Il voto (Bonnard), Le sei mogli di Barbablu (Bragaglia) ; 1951, Anna (Lattuada), Era lui si si si (Quelles drôles de nuits) (Metz, Marchesi), Milano milliardaria (Metz, Marchesi, Girolami), Io sono il Capataz (Simonelli), Mago per forza (Metz, Marchesi, Girolami), Il segno di Zorro (Le signe de Zorro) (Soldati), E arrivato l'accordatore (Coletti) ; 1952, La tratta delle Bianche (La traite des Blanches) (Comencini), Africa sotti i mari (Sous les mers d'Afrique) (Roccardi) ; 1953, Aida (Fracassi), Ci troviamo in galleria (Une fille formidable) (Bolognini), La domenica della buona gente (Majano), Carosello napoletano (Le carrousel fantastique) (Giannini), Il paese dei campanelli (Ces voyous d'hommes) (Boyer), Un giorno in pretura (Les gaietés de la correctionnelle) (Steno), Attila (Attila fléau de Dieu) (Francisci), Pellegrini d'amore (Forzano), Due notti con Cleopatra (Deux nuits avec Cléopâtre) (Mattolli), Tempi nostri (Quelques pas dans la vie) (Blasetti), La favorita (Barlacchi) ; 1954, Miseria e nobilta (Misère et noblesse) (Mattolli), L'oro di Napoli (L'or de Naples) (De Sica), La donna del fiume (La fille du fleuve) (Soldati), Peccato che sia una canaglia (Dommage que tu sois une canaille) (Blasetti) ; 1955, Il segno di venere (Le signe de Vénus) (Risi), La bella mugnaia (Par-dessus les moulins) (Camerini), Pane, amore e... (Pain, amour ainsi soit-il) (Risi), La fortuna di essere donna (La chance d'être femme) (Blasetti) ; 1956, The Pride and the Passion (Orgueil et passion) (Kramer), Boy on a Dolphin (Ombres sous la mer) (Negulesco) ; 1957, Desire under the Elms (Désir sous les ormes) (Mann), Legend of the Lost (La cité disparue) (Hathaway), House Boat (La péniche du bonheur) (Shavelson) ; 1958, The Key (La clé) (Reed), The Black orchid (L'orchidée noire) (Ritt) ; 1959, That Kind of Woman (Une espèce de garce) (Lumet), Heller in Pink Tights (La diablesse en collant rose) (Cukor), A Breath of Scandal (Un scandale à la cour) (Curtiz) ; 1960, It Started in Naples (C'est arrivé à Naples) (Shavelson), The Millionnairess (Les dessous de la millionnaire) (Asquith), La Ciociara (La Ciociara) (De Sica), El Cid (Le Cid) (Mann) ; 1961, Madame Sans-Gêne (Christian-Jaque), Boccacio 70 (Boccace 70, épisode La loterie) (De Sica) ; 1962, Five Miles to Midnight (Le couteau dans la plaie) (Litvak), I sequestrati di Altona (Les séquestrés d'Altona) (De Sica) ; 1963, The Fall of the Roman Empire (La chute de l'Empire romain) (Mann), Ieri, oggi e domani (Hier, aujourd'hui et demain) (De Sica) ; 1964, Matrimonio all'italiana (Mariage à l'italienne) (De Sica), Operation Crossbow (Anderson) ; 1965, Lady L (Ustinov), Arabesque (Donen), Judith (Mann) ; 1966, A Countess from Hong-Kong (La comtesse de Hong Kong) (Chaplin), C'era una volta (La belle et le cavalier) (Rosi) ; 1967, Questi fantasmi (Fantômes à l'italienne) (Castellani) ; 1969, I girasoli (Les fleurs du soleil) (De Sica) ; 1970, La moglie del prete (La femme du prêtre) (Risi) ; 1971, Mortadella (Mortadella) (Monicelli), Bianco, rosso e... (Une bonne planque) (Lattuada) ; 1972, Man of la Mancha (L'homme de la Manche) (Hiller) ; 1973, Il viaggo (Le voyage) (De Sica) ; 1974, Verdict (Cayatte), Brief Encounter (Bridges) ; 1975, La puppa del gangster (La pépée du gangster) (Capitani), The Cassandra Crossing (Le pont de Cassandra) (Cosmatos) ; 1977, Una giornata particolare (Une journée particulière) (Scola) ; 1978, Angela (Sagal), Brass Target (La cible étoilée) (Hough), Fatto di sangue... (Wertmuller) ; 1979, Firepower (L'arme au poing) (Winner) ; 1980, Sophia Loren : Her Own Story (Sophia) (Stuart) ; 1984, Qualcosa di biondo (Aurora) (Ponzi) ; 1990, Saturday, Sunday and Monday (Wertmuller) ; 1994, Ready to Wear (Prêt-à-porter) (Altman) ; 1996, Grumpier Old Men (Deutch), Soleil (Hanin) ; 2002, Between Strangers (Ponte).

Venue de Naples tenter sa chance à Rome, elle fait de la figuration (*Quo Vadis*) et du roman-photo (sous le pseudonyme de Sophia Lazzaro). Dans le même temps elle prend des cours de diction pour se débarrasser de son accent napolitain. Participant à un concours de beauté, elle est remarquée par le producteur Carlo Ponti qui va prendre en main sa carrière et lui choisit le pseudonyme de Loren. Très vite elle devient la rivale de Gina Lollobrigida et l'Italie se divise comme au temps des coureurs cyclistes Coppi et Bartali. En 1956, Sophia Loren entame une carrière américaine (Kramer, Negulesco, Hathaway et surtout Cukor). Elle y gagne même un oscar en 1961 pour *La Ciociara*. Cette carrière semble s'achever avec *El Cid* où elle est une médiocre Chimène mais on la retrouve en 1963 dans un autre film historique de Mann puis dans *Arabesque* de Donen. Comble de la célébrité, elle est choisie par Chaplin comme partenaire de Brando dans *La comtesse de Hong Kong*. Le film se transforme en désastre mais Sophia Loren poursuit une carrière internationale, d'autant que ses relations avec l'Italie sont désormais orageuses, du fait de son mariage non reconnu avec Ponti. Elle passera même en 1982 quelques jours en prison, pour la plus grande joie des échotiers. *Une journée particulière* relance sa carrière en lui gagnant un public qui l'avait boudée, celui des intellectuels.

Lorre, Peter

Acteur et réalisateur d'origine hongroise, de son vrai nom Laszlo Lowenstein, 1904-1964.

1931, M (Lang), Bomben auf Monte Carlo (Schwarz), Die Koffer des Herrn O.F. (Les malles d'O.F.) (Granowsky), Fünf von der Jazzband (Engel) ; 1932, Schuss im Morgengrauen (Zeisler), F.P.I. Antwortet Nicht (Hartl), Der Weisse Dämon (Gerron) ; 1933, Was Frauen Träumen (Bolvary), Unsichtbare Gegner (Les requins du pétrole) (Katscher, Decoin), Du haut en bas (Pabst) ; 1934, The Man Who Knew Too Much (L'homme qui en savait trop) (Hitchcock) ; 1935, Mad Love (Les mains d'Orlac) (Freund), Crime and Punishment (Remords) (Sternberg) ; 1936, Secret Agent (Quatre de l'espionnage) (Hitchcock), Crack-up (St. Clair), Nancy Steel Is Missing (Marshall), Think Fast, Mr. Moto (L'énigmatique M. Moto) (N. Foster), Lancer Spy (Ratoff), Thank You, Mr. Moto (Le serment de M. Moto) (N. Foster), Mr. Moto's Gamble (Tinling) ; 1938, Mr. Moto Takes a Chance (M. Moto court sa chance) (N. Foster), I'll Give a Million (W. Lang), Mysterious Mr. Moto (M. Moto dans les bas-fonds) (N. Foster) ; 1939, Mr. Moto's Last Warning (N. Foster), Mr. Moto in Danger Island (Leeds), Mr. Moto Takes a Vacation (N. Foster) ; 1940, Strange Cargo (Le cargo maudit) (Borzage), I Was an Adventuress (J'étais une aventurière) (Ratoff), Island of Doomed Men (Barton), Stranger on the Third Floor (Ingster), You'll Find Out (Butler) ; 1941, The Face Behind the Mask (Florey), Mr. District Attorney (W. Morgan) ; 1941, They Met in Bombay (Brown), The Maltese Falcon (Le faucon maltais) (Huston) ; 1942, All Through the Night (Échec à la Gestapo) (V. Sherman), Invisible Agent (Marin), The Boogie Man Will Get You (Landers) ; 1943, Casablanca (Casablanca) (Curtiz), Background to Danger (Intrigues en Orient) (Walsh), The Constant Nymph (Goulding), The Cross of Lorraine (Garnett) ; 1944, Passage to Marseille (Curtiz), The Mask of Dimitrios (Le masque de Dimitrios) (Negulesco), Arsenic and Old Lace (Arsenic et vieilles dentelles) (Capra), The Conspirators (Les conspirateurs) (Negulesco), Hollywood Canteen (Daves) ; 1945, Hotel Berlin (Godfrey), Confidential Agent (Shumlin) ; 1946, Three Strangers (Negulesco), Black Angel (L'ange noir) (Neill), The Chase (Ripley), The Verdict (Siegel), The Beast With Five Fingers (La bête aux cinq doigts) (Florey) ; 1947, My Favorite Brunette (La brune de mes rêves) (Nugent) ; 1948, Casbah (J. Berry) ; 1949, Rope of Sand (La corde de sable) (Dieterle), Quicksand (Pichel) ; 1950, Double Confession (Annakin) ; 1951, Der Verlorene (L'homme perdu) (Lorre) ; 1954, Beat the Devil (Plus fort que le diable) (Huston), 20 000 Leagues Under the Sea (20 000 lieues sous les mers) (Fleischer) ; 1956, Meet Me in Las Vagas (Viva Las Vegas) (Rowland), Congo Crossing (Intrigues au Congo) (Pevney), Around the World in 80 Days (Le tour du monde en quatre-vingts jours) (Anderson) ; 1957, The Buster Keaton Story (Sheldon), Still Stockings (La belle de Moscou) (Mamoulian), The Story of Mankind (I. Allen), Hell Ship Mutiny (Sholem), The Sad Sack (P'tite tête de troufion) (Marshall) ; 1959, The Big Circus (Le cirque fantastique) (Newman) ; 1960, Scent of Mystery (Cardiff) ; 1961, Voyage to the Bottom of the Sea (Le sous-marin de l'Apocalypse) (I. Allen) ; 1962, Tales of Terror (Corman), Five Weeks in a Balloon (Cinq semaines en ballon) (I. Allen) ; 1963, The Raven (Le corbeau) (Corman), A Comedy of Terrors (Tourneur), Muscle Beach Party (Asher), The Patsy (Jerry souffre-douleur) (Lewis). *Pour le metteur en scène*, voir le *Dictionnaire du cinéma*, t. I : *Les réalisateurs*.

D'abord employé de banque, il se tourne vers le théâtre et joue en Autriche, en Suisse et en Allemagne sans grand succès. Il n'est qu'un inconnu lorsque Lang le choisit pour *M. le vampire de Düsseldorf*. Il fait sensation. L'avènement des nazis le chasse d'Allemagne. Il tourne à Paris et à Londres puis s'exile aux

États-Unis. Son crâne rasé dans *Mad Love* et son interprétation de Raskolnikov dans *Crime and Punishment*, puis la série des *Mr. Moto* en font une vedette. C'est à la Warner qu'il s'épanouit : *The Maltese Falcon*, *Casablanca*, *The Mask of Dimitrios...* lui permettent de composer des personnages fascinants. Il tente de revenir en Allemagne, mais le film qu'il y met en scène est un échec. Déchu, il se voit réduit aux seconds rôles, mais Corman lui donne une nouvelle chance. On verra une dernière fois son visage rond et blafard dans — hélas ! — une pitrerie de Jerry Lewis.

Lotti, Mariella

Actrice italienne, de son vrai nom Anna-Maria Pianotti, née en 1921.

1939, Io suo padre (Le ring enchanté) (Bonnard), Il socio invisibile (Roberti) ; 1940, Kean (Brignone), Il ponte dei sospiri (Le pont des soupirs) (Bonnard). Il signore della taverna (Palermi), L'ispettore Vargas (Franciolini), La figlia del corsaro verde (La fille du corsaire) (Guazzoni) ; 1941, Il vetturale del San Gottardo (Heinrich), Il cavaliere senza nome (Le chevalier sans nom) (Bonnard), Marco Visconti (Le chevalier noir) (Bonnard), I mariti (Mastrocinque), Zurbamento (Brignone) ; 1942, La gorgona (Brignone), Acque di primavera (Malasomma), Squadriglia bianca (Sava), Fari nella nebbia (Phares dans le brouillard) (Franciolini), Mater Dolorosa (Gentilomo), Quelli della montagna (Vergano) ; 1943, Silenzio, si gira ! (Campogalliani), Nessuno torna indietro (Blasetti), Il fiore solto gli occhi (Brignone) ; 1944, La freccia nel fianco (Lattuada) ; 1945, Canto ma sottovoce (Maria-Christine) (Brignone), I dieci comendamenti (Chili) ; 1946, Un giorno nella vita (Un jour dans la vie) (Blasetti), Malacarne (Touri, outrage à l'amour) (Mercanti), Il cavaliere del sogno (Donizetti) (Mastrocinque) ; 1947, Fumeria d'oppio (Fumerie d'opium) (Matarazzo), Il principe ribelle (Mercanti), Le avventure di Pinocchio (Guardone), I fratelli Karamazoff (Gentilomo) ; 1948, Arrivederci papà (Le choix des anges) (Mastrocinque), I pirati di Capri (Le pirate de Capri) (Scotese), Gli ultimo giorni di Pompei (Moffa) ; 1949, Guarany (Freda) ; 1950, Il diavolo in convento (Malasomma), E più facile che un cammello (Pour l'amour du ciel) (Zampa) ; 1951, Il capitano di Venezia (Puccini), Nez-de-cuir (Y. Allégret) ; 1952, Gli innocenti pagano (Capuano), La donna che inventò l'amore (La femme qui inventò l'amour) (Cerio), Solo per te, Lucia (Rossi), Il fornaretto di Venezia (Solito), Processo alla città (Les coupables) (Zampa) ; 1953, Carmen proibita (Carmen, fille d'amour) (Scotese).

Une des vedettes les plus populaires durant les dernières années du fascisme. Sa blondeur évanescente la voue à des rôles d'ingénue dans un grand nombre de films à costumes ou de cape et d'épée, où elle a souvent l'occasion de donner la réplique à Amedeo Nazzari. Bien que s'étant compromise avec de grands dignitaires du régime, elle n'est pas inquiétée à la Libération et poursuit sa carrière sans que son personnage évolue beaucoup, à l'exception d'*Un jour dans la vie*, où Blasetti l'utilise merveilleusement à contre-emploi en religieuse qui aide les partisans. Elle fait un brillant mariage en 1953 et se retire aussitôt des studios.

Louis, Pierre

Acteur et réalisateur français, de son vrai nom Amourdedieu, 1917-1987.

1930, La tragédie de la mine (Pabst) ; 1932, Don Quichotte (Pabst) ; 1933, Au bout du monde (Ucicky) ; 1936, Les grands (Gandéra) ; 1938, Double crime sur la ligne Maginot (Gandera), Le drame de Shanghai (Pabst) ; 1943, Les mystères de Paris (Baroncelli), La boîte aux rêves (Allégret) ; 1945, La femme coupée en morceaux (Noé) ; 1946, Contre-enquête (Faurez), Le bataillon du ciel (Esway) ; 1947, Bethsabée (Moguy), La dame d'onze heures (Devaivre) ; 1948, Le bal des pompiers (Berthomieu), L'inconnue n° 13 (Paulin), Cinq tulipes rouges (Stelli), L'ombre (Berthomieu) ; 1949, Rendez-vous avec la chance (Reinert), Voyage à trois (Paulin), Nous avons tous fait la même chose (Sti) ; 1950, Mon ami le cambrioleur (Lepage), Quai de Grenelle (Reinert), Boîte de nuit (Rode), Trafic sur les dunes (Gourguet), Folie douce (Paulin) ; 1951, Moumou (Jayet), Dupont-Barbès (Lepage) ; 1952, Fortuné de Marseille (Lepage) ; 1954, Razzia sur la schnouff (Decoin) ; 1956, Le feu aux poudres (Decoin) ; 1957, Maigret tend un piège (Delannoy) ; 1958, Pourquoi viens-tu si tard ? (Decoin) ; 1959, La vache et le prisonnier (Verneuil), La Française et l'amour (Decoin, Delannoy...) ; 1960, Tendre et violente Élisabeth (Decoin) ; 1961, Un martien à Paris (Daninos) ; 1965, La seconde vérité (Christian-Jaque) ; 1976, Drôles de zèbres (Lux). *Pour le metteur en scène*, voir le *Dictionnaire du cinéma*, t. I : *Les réalisateurs*.

Le metteur en scène – trois films à son actif – vaut mieux que l'acteur un peu effacé et qui joua dans trop de films secondaires, faute d'ambition.

Louise, Tina

Actrice américaine, de son vrai nom Blacker, née en 1934.

1945, Kismet (Minnelli) ; 1958, God's Little Acre (Le petit arpent du bon Dieu) (Mann) ; 1959, Day of the Outlaw (La chevauchée des bannis) (De Toth), The Hangman (Le bourreau du Nevada) (Curtiz), The Trap (Dans la souricière) (Panama) ; 1960, L'assedio di Siracusa (La charge de Syracuse) (Francisci) ; 1961, Viva l'Italia (Viva l'Italia) (Rosselini), Il mantenuto (Tognazzi), Armored Command (L'espionne des Ardennes) (Haskin) ; 1964, Saffo venere di Lesbo (Sapho) (Francisci), For Those Who Think Young (Leslie Martinson) ; 1966, Il fischio al naso (Tognazzi) ; 1968, The Wrecking Crew (Matt Helm règle son compte) (Karlson) ; 1969, The Happy Ending (Brooks), The Good Guys and The Bad Guys (Un homme fait la loi) (Kennedy), How to Commit Marriage (Panama) ; 1974, The Stepford Wives (Forbes) ; 1984, Canicule (Boisset) ; 1991, Johnny Suede (Johnny Suede) (DiCillo).

Grande, la chevelure opulente, d'une troublante sensualité, elle fut révélée par le rôle de Griselda dans l'adaptation du *Petit arpent du bon Dieu* de Caldwell par Mann. Sa beauté sculpturale en fit une héroïne de péplum, ce qui lui fit perdre un temps sa crédibilité hollywoodienne. Après une éclipse, elle a entamé une nouvelle carrière, à partir de 1970, à la télévision.

Louvigny, Jacques

Acteur français, 1884-1951.

1912, Monsieur chasse (court métrage) ; 1917, Le toutou de la danseuse (court métrage) ; 1919, Un fil à la patte (Simon) ; 1931, On purge bébé (Renoir) ; 1935, Folies-Bergère (Achard) ; 1936, Passé à vendre (Pujol), Fanfare d'amour (Pottier), L'amant de madame Vidal (Berthomieu) ; 1937, La griffe du hasard (Pujol), Titin des Martigues (Pujol), Le plus beau gosse de France (Pujol), Trois artilleurs au pensionnat (Pujol), Mollenard (Siodmak) ; 1938, Les rois de la flotte (Pujol), Hôtel du Nord (Carné) ; 1939, Tempête (Bernard-Deschamps) ; 1941, Fièvres (Delannoy), Ce n'est pas moi (Baroncelli) ; 1942, Pontcarral (Delannoy), A vos ordres, Madame (Boyer), Félicie Nanteuil (M. Allégret) ; 1943, Un seul amour (Blanchar), Je suis avec toi (Decoin), L'île d'amour (Cam) ; 1944, Le bossu (Delannoy) ; 1946, La symphonie pastorale (Delannoy) ; 1948, L'ombre (Berthomieu), Aux yeux du souvenir (Delannoy) ; 1949, Tous les chemins mènent à Rome (Boyer), La maison du printemps (Daroy) ; 1950, Et moi j'te dis qu'elle t'a fait de l'œil (Gleize).

Portant beau, il excelle à jouer les hommes importants, les maris trompés (*L'amant de madame Vidal*), les hobereaux royalistes (*Pontcarral*) ou les industriels comme ce M. Follavoine, inventeur du pot de chambre incassable dans *On purge bébé*. Il a malheureusement gâché son talent dans d'innombrables comédies de Pujol, Boyer ou Berthomieu.

Love, Bessie

Actrice américaine, de son vrai nom Juanita Horton, 1898-1986.

1916, Intolerance (Griffith), The Aryan (Pour sauver sa race) (Smith), The Flying Torpedo (J. O'Brien), A Sister of Six (La conquête de l'or) (Franklin) ; 1918, The Great Adventure (Blaché), A Little Sister of Everybody, Carolyn of the Corners, The Dawn of Understanding ; 1919-1920, *plusieurs moyens métrages* ; 1921, Penny of Top Hill Trail (Berthelet), The Sea Lion (Les chasseurs de baleines) (Lee), The Swamp (Le devin du faubourg) (Campbell), The Honor of Ramirez ; 1922, Bulldog Courage (Kull), Forget Me Not (L'enfant sacrifiée) (Van Dyke), Deserted at the Altar (Howard), The Vermilion Pencil (Norman Dwan), Night Life in Hollywood (Caldwell) ; 1923, Three Who Paid (La loi du désert) (Campbell), The Village Blacksmith (Le forgeron) (Ford), Souls for Sale (R. Hughes), St. Elmo (Storm), Mary of the Movies (McDermott), Slave Desire (La peau de chagrin) (G. Baker), The Adventures of Prince Courageous (Ross), The Ghost Patrol (Nat Ross), Purple Dawn (Seeling Gentle Julia) (Lee), Human Wreckage (Wray), The Eternal Three (Neilan) ; 1924, Those Who Dance (Hillyer), A Woman on the Jury (Hoyt), Dynamite Smith (Ince), Sundown (Trimble), The Silent Watcher (Lloyd), Tongues of Flame (Henabery) ; 1925, A Son of His Father (Fleming), Soul-Fire (Robertson), The Lost World (Le monde perdu) (Hoyt), The King of Main Street (Bell), New Brooms (W. De-Mille) ; 1926, Going Crooked (Mae la voleuse) (G. Melford), Lovely Mary (Baggot), The Song and Dance Man (Music-Hall) (Brennon), Young April (Sourire d'avril) (Crisp) ; 1927, Rubber Tires (A. Hale), Dress Parad (Son beau geste) (Crisp), A Harp in Hock (Sans ami) (R. Hoffman) ; 1928, The Matinee Idol (Bessie à Broadway) (Capra), Sally of the Scandals (Shores), Anybody Here Seen Kelly ? (Wyler), The Swell Head (Graves) ; 1929, The Broadway Melody (Beaumont), Hollywood Revue (Reisner), The Girl in the Show (Selwyn), The Idle Rich (W. De-Mille) ; 1930, See America Thirst (Craft), Good News (Grinde), Chasing Rainbows (Reisner), They Learned About Women (Conway) ; 1931, Morals for Women (Blumenstock) ; 1941, Atlantic Ferry (W. Forde) ; 1945, Journey Together (J. Boulting) ; 1951, The Magic Box (J. Boulting), No Highway in the Sky (Le voyage fantastique) (Koster) ; 1954, The Weak and the Wicked (Lee-Thompson), The Barefoot Contessa (La comtesse aux pieds nus) (Mankiewicz), Beau Brummel (Bernhardt), Touch and Go (Truman) ; 1957, The Story of Esther Costello (D. Miller) ; 1958, Nowhere to Go (Holt), Next to No Time (Cornelius) ; 1959, Too Young to Love (M. Box) ; 1961, The Greenage Summer (L. Gilbert) ; 1962, The Roman Spring of Mrs. Stone (Quintero) ; 1963, The Wild Affair (Krish), Children of the Damned (Leader) ; 1965, Promise Her Anything (Hiller) ; 1967, Battle Beneath the Earth (Tully), I'll Never Forget What's 'Is Name (Winner) ; 1969, Isadora (Reisz), On Her Majesty's Secret Service (Hunt) ; 1971, Sunday, Bloody Sunday (Un dimanche comme les autres) (Schlesinger), Catlow (Wanamaker) ; 1975, Daughters of Dracula (Vampyres) (Larraz) ; 1976, The Ritz (Lester) ; 1980, Reds (Beatty) ; 1981, Ragtime (Ragtime) (Forman) ; 1983, The Hunger (Les prédateurs) (Scott).

Un record de durée : de Griffith à 1981, elle n'a pas arrêté de tourner. Blonde au long nez et au sourire timide, elle débuta sous le signe de Griffith, puis de la Triangle et de la Vitagraph. Elle est à son zénith dans les années 20. Le parlant brise sa carrière, bien qu'elle soit la première interprète d'une comédie musicale, *Broadway Melody*, et qu'elle ait lancé dans *Hollywood Revue* le fameux *Singing in the Rain*. Elle mettra dix ans à s'adapter et part pour l'Angleterre où elle prend un nouveau départ : petits rôles, presque de la figuration, puis le nom grandit, les personnages s'étoffent (la préposée aux abonnés absents de *Sunday, Bloody Sunday*). Parallèlement elle écrit avec un certain succès.

Lovejoy, Frank

Acteur américain, 1914-1962.

1948, Black Bart (Bandits de grand chemin) (Sherman) ; 1949, Home of the Brave (Je suis un nègre) (Robson) ; 1950, South Sea Sinner (Le bistrot du péché) (Humberstone), In a Lonely Place (Le violent) (Ray), Breakthrough (Seiler), Three Secrets (Wise), The Sound of Fury (Fureur sur la ville) (Endfield) ; 1951, I Was a Communist for the FBI (Douglas), Starlift (Del Ruth), Goodbye My Fancy (V. Sherman), I'll See You in My Dreams (La femme de mes rêves) (Curtiz) ; 1952, The Winning Team (Seiler), Retreat Hell ! (Lewis) ; 1953, She's Back on Broadway (Douglas), The Hitch-Hiker (Le voyage de la peur) (Lupino), The System (Seiler), House of Wax (L'homme au masque de cire) (De Toth), The Charge at Feather River (La charge sur la rivière rouge) (Douglas) ; 1954, Beachhead (La patrouille infernale) (Heisler), Men of the Fighting Lady (Marton), The Americano (Castle) ; 1955, Mad at the World (Essex), Top of the World (Foster), Strategic Air Command (Strategic Air Command) (Mann), Finger Man (Schuster), The Crooked Web (Juran), Shack Out on 101 (Dein) ; 1956, Julie (Stone) ; 1957, Three Brave Men (Dunne) ; 1958, Cole Younger, Gunfighter (Le desperado de la plaine) (Springsteen).

Venu de la radio, il n'a jamais joué qu'en seconde place, rarement en vedette, dans des films mineurs mais bien faits ; Gordon Douglas l'a particulièrement apprécié sans lui proposer de chef-d'œuvre. Il était remarquable dans *Beachhead*, histoire d'une patrouille perdue, et dans *The Hitch-Hiker*, d'Ida Lupino, où il affrontait O'Brien. Il mourut d'une crise cardiaque.

Lo Verso, Enrico

Acteur italien né en 1964.

1989, Atto di dolore (Acte d'amour) (Squitieri) ; 1991, Hudson Hawk (Hudson Hawk, gentleman cambrioleur) (Lehmann) ; 1992, Volevamo essere gli U2 (Barzini), Le amiche del cuore (Les amies de cœur) (Placido), Il ladro di bambini (Le voleur d'enfants) (Amelio) ; 1993, La scorta (La scorta) (R. Tognazzi), Mario, Maria e Mario (Scola) ; 1994, Lamerica (Lamerica) (Amelio), Farinelli (Corbiau) ; 1995, Il cielo è siempre più blu (Grimaldi) ; 1996, Milim (Gitai), Come mi vuoi (Embrasse-moi Pasqualino) (Amoroso) ; 1997, Naja (Longoni), Méditerranées (Bérenger) ; 1998, Del perduto amore (Placido), Così ridevano (Mon frère) (Amelio) ; 1999, Briganti (Squitieri) ; 2000, Hannibal (Hannibal) (R. Scott).

A la fois macho (*La scorta*) et vulnérable (*Le voleur d'enfants*), il est de tous les films de Gianni Amelio, qui a dit ne plus pouvoir envisager de tourner sans ce Sicilien frisé et à la lippe boudeuse.

Loy, Myrna

Actrice américaine, de son vrai nom Katerina Myrna Williams, 1905-1993.

1925, Pretty Ladies (M. Bell), Satan in Sables (Flood), Sporting Life (Tourneur), Ben Hur (Ben Hur) (Niblo) ; 1926, The Cave Man (Milestone), The Love Toy (Kenton), The Gilded Highway (Blackton), Why Girls Go Back Home (Flood), The Exquisite Sinner (Sternberg), So This Is Paris (Lubitsch), Don Juan (Crosland), Across the Pacific (Del Ruth), Millionaires (Raymaker), The Third Degree (Curtiz) ; 1927, Finger Prints (Bacon), When a Man Loves (Crosland), Bitter Apples (Hoyt), The Climbers (Stein), Simple Sis (Raymaker), The Heart of Maryland (Bacon), A Sailor's Sweetheart (Bacon), The Jazz Singer (Le chanteur de jazz) (Crosland), The Girl from Chicago (Enright), If I Were Single (Del Ruth), Ham and Eggs at the Front (Del Ruth) ; 1928, Beware of Married Men (Mayo), What Price Beauty ? (Buckingham), A Girl in Every Port (Une fille dans chaque port) (Hawks), Turn Back the Hours (Bretherton), Crimson City (Mayo), Pay as You Enter (Bacon), State Street Sadie (Mayo), The Midnight Taxi (Adolfi), Noah's Ark (L'arche de Noé) (Curtiz) ; 1929, Fancy Baggage (Adolfi), The Desert Song (Del Ruth), The Black Watch (Ford), The Squall (Korda), Hardboiled Rose (Wright), Evidence (Adolfi), Show of the Shows (Adolfi) ; 1930, The Great Divide (Barker), Cameo Kirby (Cummings), Isle of Escape (Bretherton), Under a Texas Moon (Curtiz), Cock o'the Walk (Neill et W. Lang), Bride of the Regiment (Dillon), Jazz Cinderella (Pembroke), Last of the Duanes (Werker), The Truth About Youth (Seiter), Renegades (Fleming), Rogue of the Rio Grande (Bennett), The Devil to Pay (Fitzmaurice) ; 1931, The Naughty Flirt (Cline), Body and Soul (Santell), A Connecticut Yankee (Butler), Hush Money (Lanfield), Transatlantic (Howard), Rebound (Griffith), Skyline (S. Taylor), Consolation Marriage (Sloane), Arrowsmith (Ford) ; 1932, Emma (Brown), The Wet Parade (Fleming), Vanity Fair (Ch. Franklin), The Woman in Room 13 (King), New Morals for Old (Brabin), Love Me Tonight (Aimez-moi ce soir) (Mamoulian), Thirteen Women (Archainbaud), The Mask of Fu Manchu (Le masque d'or) (Brabin), The Animal Kingdom (E. Griffith) ; 1933, Topaze (Arrast), Scarlet River (Brower), The Barbarian (Wood), When Ladies Meet (Beaumont), Penthouse (Van Dyke), Night Flight (Vol de nuit) (Brown), The Prizefighter and the Lady (Un cœur, deux poings) (Van Dyke) ; 1934, Men in White (Boleslavsky), Manhattan Melodrama (L'ennemi public n° 1) (Van Dyke), The Thin Man (L'introuvable) (Van Dyke), Stamboul Quest (Wood), Evelyn Prentice (Howard), Broadway Bill (Capra) ; 1935, Wings in the Dark (Flood), Whipsaw (Wood) ; 1936, Wife vs. Secretary (Sa femme et sa dactylo) (Brown), Petticoat Fever (Fitzmaurice), The Great Ziegfeld (Le Grand Ziegfeld) (Leonard), To Mary with Love (Cromwell), Libeled Lady (Une fine mouche) (Conway), After the Thin Man (Nick gentleman detective) (Van Dyke) ; 1937, Parnell (Stahl), Double Wedding (Double mariage) (Thorpe) ; 1938, Man-Proof (Thorpe), Test Pilot (Pilote d'essai) (Fleming), Too Hot to Handle (Un envoyé très spécial) (Conway) ; 1939, Lucky Night, The Rains Came (La mousson) (Brown), Another Thin Man (Nick joue et gagne) (Van Dyke) ; 1940, I Love You Again (Van Dyke), Third Thinger, Left Hand (Leonard) ; 1941, Love Crazy (Folie douce) (Conway), Shadow of the Thin Man (L'ombre de l'Introuvable) (Van Dyke) ; 1944, The Thin Man Goes Home (L'Introuvable rentre chez lui) (Thorpe) ; 1946, So Goes My Love (Ryan), The Best Years of Our Lives (Les plus belles années de notre vie) (Wyler) ; 1947, Song of the Thin Man (Meurtre en musique) (Buzzell), The Bachelor and the Bobby-Soxer (Reis), The Senator Was Indiscreet (Kaufman) ; 1948, Mr. Blanding Builds His Dream House (Potter) ; 1949, The Red Pony (Le poney rouge) (Milestone) ; 1950, Cheaper by the Dozen (Treize à la douzaine) (W. Lang), If This Be Sin (Ratoff) ; 1952, Belles on Their Toes (Levin) ; 1956, The Ambassador's Daughter (Krasna) ; 1959, Lonelyhearts (Donehue) ; 1960, From the Terrace (Du haut de la terrasse) (Robson) ; 1960, Midnight Lace (Piège à minuit) (D. Miller) ; 1969, The April Fools (Folies d'avril) (Rosenberg) ; 1974, Airport 1975 (Smight) ; 1978, The End (Suicidez-moi, docteur) (Reynolds) ; 1980, Just Tell Me What You Want (Lumet).

Une longue carrière pour cette enfant du Montana venue s'établir à Los Angeles. Elle fut remarquée par Cecil B. DeMille qui l'aurait fait débuter en 1923, dans *Les dix commandements*. Sa filmographie ne devient à peu près fiable qu'à partir de 1925. Ses rôles se partagent alors entre compositions exotiques (deux films admirables : *The Black Watch* et surtout *The Mask of Fu Manchu*, où elle est la fille du terrifiant Chinois) et comédies. Elle forma dans les années 30 avec William Powell un couple idéal dans la série des *Thin Man* d'après Hammett : six films en tout. Piquante, drôle, indépendante, Myrna Loy fut l'une des vedettes les plus appréciées de la

MGM. Peut-être lui a-t-il manqué quelques rôles tragiques pour en faire une star ? Son physique piquant ne s'y prêtait peut-être pas non plus. Sa filmographie bien que trop abondante reste exemplaire.

Lualdi, Antonella

Actrice italienne, de son vrai nom Antoinette de Pascale, née en 1931.

1949, Signorelle (Mattoli), Canzoni per le strade (Landi) ; 1950, E piu facile che un cammello (Zampa), Abbiamo vinto (Stemmle) ; 1951, I due sergenti (Chiesa) ; 1952, Tre storie proibite (Histoires interdites) (Genina), Adorables créatures (Christian-Jaque), Il cappotto (Le manteau) (Lattuada), L'ultima sentenza (Son dernier verdict) (Bonnard), La cieca di Sorrento (Gentilomo) ; 1953, Die Tochter der Kompanie (La fille du régiment) (Bolvary), Perdonami (Pardonne-moi) (Costa), Il romanzo della mia vita (De Felice), I figli non si vendono (Les enfants ne sont pas à vendre) (Bonnard) ; 1954, Le rouge et le noir (Autant-Lara), Gli innamorati (Les amoureux) (Bolognini), Pieta per chi cade (Pitié pour celle qui tombe) (Costa), Cronache di poveri amanti (La chronique des pauvres amants) (Lizzani), Canzoni, canzoni, canzoni (Paollela), Non c'è amore più grande (Il n'y a pas de plus grand amour) (Bianchi), Avanzi di galera (Cottafavi) ; 1955, Papa pacifico (Brignone), Andrea Chenier (Le souffle de la liberté) (Fracassi) ; 1956, Altair (De Mitri), Padri e Figli (Pères et fils) (Monicelli), I nostri anni più belli (Nos plus belles années) (Mattoli) ; 1957, Une vie (Astruc), Il cielo brucia (Masini), Giovani mariti (Les jeunes mariés) (Bolognini), Méfiez-vous, fillettes (Y. Allégret), La regina della povere gente (Ramirez) ; 1958, Délit de fuite (Borderie) ; 1959, J'irai cracher sur vos tombes (Gast), La notte brava (Les garçons) (Bolognini), Match contre la mort (Bernard Aubert) ; 1960, A double tour (Chabrol), Via Margutta (Camerini), I delfini (Les dauphins) (Maselli), Appuntamento a Ischia (Mattoli) ; 1961, I Mongoli (Les Mongols) (De Toth et Freda), Arrivano I Titani (Les titans) (Tessari) ; 1962, Il figlio del circo (L'enfant du cirque) (Grieco), Il disordine (Le désordre) (Brusati) ; 1963, Hong Kong un addio (Polidoro), Il giorno più corto (S. Corbucci), Gli imbroglioni (Fulci) ; 1964, Le repas des fauves (Christian-Jaque), I cento cavalieri (Cottafavi), Se permette, parliamo di donne (Scola), Sexy Party (Josipovici) ; 1967, Il grande colpo di Surcouf (Tonnerre sur l'océan Indien) (Bergonzelli), Surcouf, l'eroe dei sette mari (Surcouf) (Bergonzelli), Cento ragazze per un play boy (Pfleghar) ; 1974, Vincent, François, Paul et les autres (Sautet) ; 1976, I giorni della chimera (Corana), La legge violenta della squadra anticrimine (Massi) ; 1980, Non sparate sui Bambini (Crea) ; 1981, Maffia una legge que non perdona (Girometti) ; 1983, Zero in condotta (Double zéro de conduite) (Carnimeo) ; 1986, Une épine dans le cœur (Lattuada) ; 1992, Néfertiti (Gilles).

Ravissante brune née à Beyrouth, elle a partagé son temps entre l'Italie où elle se maria à Franco Interlenghi mais où elle n'a tourné que très peu d'œuvres importantes (*La chronique des pauvres amants...*) et la France où, de Chabrol à Sautet, on lui confia des rôles intéressants dans des films importants (*A double tour*, *Le rouge et le noir*, *Vincent, François, Paul et les autres...*).

Lucas, Laurent

Acteur français né en 1965.

1996, J'ai horreur de l'amour (Ferreira-Barbosa) ; 1997, Quelque chose d'organique (Bonello) ; 1998, Pola X (Carax), Rien sur Robert (Bonitzer), La nouvelle Ève (Corsini), Haut les cœurs ! (Anspach) ; 1999, Harry, un ami qui vous veut du bien (Moll) ; 2000, 30 ans (Perrin) ; 2001, Le pornographe (Bonello) ; 2002, Dans ma peau (Van), Va, petite ! (Guesnier) ; 2003, Rire et châtiment (Doval), Qui a tué Bambi ? (Marchand), Tiresia (Bonello), Violence des échanges en milieu tempéré (Moutout), Adieu (Des Pallières).

Originaire du Havre, amateur de burlesque au théâtre, il campe la plupart du temps, au cinéma, des figures inquiétantes, dangereuses. Contre-emploi réussi avec la victime consentante de *Harry, un ami qui vous veut du bien*. Un second rôle à suivre.

Luchaire, Corinne

Actrice française, 1921-1950.

1935, Les beaux jours (M. Allégret) ; 1937, Le chanteur de minuit (Joannon) ; 1938, Prison sans barreaux (Moguy), Conflit (Moguy) ; 1939, Le dernier tournant (Chenal), Le déserteur (Moguy), Cavalcade d'amour (Bernard) ; 1940, Abbandono (L'intruse) (Mattoli).

D'une étrange et insolite beauté, elle aurait pu faire une belle carrière ; mais elle était la fille de Jean Luchaire, journaliste célèbre, fusillé à la Libération. Curieusement, elle avait tourné, à la fin des années 30, avec des réalisateurs qui devaient être interdits sous Vichy.

Luchini, Fabrice

Acteur français, de son vrai prénom Robert, né en 1951.

1969, Tout peut arriver (Labro) ; 1970, Le genou de Claire (Rohmer), Valparaiso, Valparaiso (Aubier) ; 1973, Contes immoraux (Borowczyk) ; 1974, Vincent mit l'âne dans le pré et s'en vint dans l'autre (Zucca) ; 1977, Né (Richard) ; 1978, Même les mômes ont du vague à l'âme (Daniel), Violette Nozière (Chabrol), Perceval le Gallois (Rohmer) ; 1980, La femme de l'aviateur (Rohmer) ; 1981, T'es folle ou quoi ? (Gérard) ; 1983, Emmanuelle 4 (Leroi), Zig-zag story/Et la tendresse ?... Bordel ! 2 (Schulmann), Les nuits de la pleine lune (Rohmer) ; 1984, Rouge-gorge (Zucca) ; 1985, Hôtel du Paradis (Bokova), Conseil de famille (Costa-Gavras), P.R.O.F.S. (Schulmann) ; 1986, Max mon amour (Oshima), Quatre aventures de Reinette et Mirabelle (Rohmer), Les oreilles entre les dents (Schulmann) ; 1987, Alouette, je te plumerai (Zucca) ; 1988, La couleur du vent (Granier-Deferre) ; 1990, La discrète (Vincent), Uranus (Berri) ; 1991, Le retour de Casanova (Niermans), Riens du tout (Klapisch) ; 1992, Tout ça... pour ça ! (Lelouch), Toxic affair (Esposito), L'arbre, le maire et la médiathèque (Rohmer) ; 1993, Le colonel Chabert (Angelo) ; 1994, L'année Juliette (Le Guay) ; 1995, Beaumarchais l'insolent (Molinaro) ; 1996, Hommes, femmes, mode d'emploi (Lelouch), Un air si pur... (Angelo) ; 1997, Le Bossu (Broca) ; 1998, Par cœur (Jacquot), Rien sur Robert (Bonitzer) ; 1999, Pas de scandale (Jacquot) ; 2000, Barnie et ses petites contrariétés (Chiche) ; 2003, Le coût de la vie (Le Guay) ; 2004, Confidences trop intimes (Leconte) ; 2005, La cloche a sonné (Herbulot) ; 2006, Jean-Philippe (Tuel) ; 2007, Molière (Tirard).

Très apprécié de Rohmer (il était éblouissant dans le rôle de l'ami fidèle, intellectuel voué à jouer les amoureux transis dans *Les nuits de la pleine lune*), il s'est parfois perdu dans des comédies plus contestables de Schulmann. Beaucoup de théâtre. Puis, c'est *La discrète* : le voilà vedette à partir de quelques répliques qui font le tour de la France : « Elle est immonde ! » par exemple. Interprète de Céline à la scène, il se transforme en touche-à-tout du septième art : il s'égare chez Lelouch (*Tout ça... pour ça*), refait *La discrète* avec *L'année Juliette*, compose un brillant Derville dans *Le colonel Chabert* puis multiplie les compositions. Il est excellent en admirateur de Johnny Hallyday dans *Jean-Philippe.*

Lugosi, Bela

Acteur d'origine hongroise, de son vrai nom Blasko, 1882-1956.

1917, Alarcosbal (Deesy), Az Elet Kiralya (Deesy), A Leopard (Deesy), A naszdal (Deesy), Tavaszi Vihar (Deesy), A Ezredes (Kertesz) ; 1918, Casanova (Hintner), Lulu (Kertesz), Kilencvenkilenc (Kertesz) ; 1919, Sklaven Fremdes Willens (Eichberg) ; 1920, Nat Pinkerton (W. Neff), Der Fluch der Menschheit (Eichberg), Der Januskopf (Murnau), Die Frau im Delphin (Kiekebusch-Brenken), Die Todeskarawane (Droop), Lederstrumf Mohikaner (Wellin), Die Teufelsanbeter (Droop), Der Tanz auf dem vulkan (Eichberg) ; 1923, The Silent Command (G. Edwards) ; 1924, The Rejected Woman (Parker) ; 1925, The Midnight Girl (Noy), Daughters Who Pay (Terwilliger) ; 1926, Punchinello (Renaldo) ; 1928, How To Handle Woman (Craft), The Veiled Woman (E. Flynn), The Last Performance (Fejos) ; 1929, Prisoners (Seiter), The Thirteenth Chair (Browning) ; 1930, Such Men Are Dangerous (K. Hawks), King of Jazz (Anderson), Wild Company (McCarey), Renegades (Fleming), Oh ! For a Man (MacFadden), Viennese Nights (Crosland) ; 1931, Dracula (Browning), Fifty Million Frenchmen (Bacon), Women of All Nations (Walsh), The Black Camel (MacFadden), Broadminded (LeRoy) ; 1932, Murders in the Rue Morgue (Meurtres dans la rue Morgue) (Florey), White Zombie (Les morts vivants) (Halperin), Chandu the Magician (Varnel) ; 1933, Island of Lost Souls (L'île du Dr. Moreau) (Kenton), The Death Kiss (Marin), The Whispering Shadow (Herman et Clark), Hollywood on Parade (Lewyn), International House (Sutherland), Night of Terror (Stoloff), The Devil's in Love (Dieterle) ; 1934, The Black Cat (Le chat noir) (Ulmer), Gift of Gab (Freund), The Return of Chandu (Taylor) ; 1935, The Best Man Wins (Kenton), The Mysterious Mr. Wong (Nigh), Mark of the Vampire (Browning), The Raven (Le corbeau) (Friedlander), Murder by Television (Sanforth), Mystery of the Mary Celeste (Clift) ; 1936, The Invisible Ray (Le rayon invisible) (Hillyer), Postal Inspector (Brower), Shadow of Chinatown (Bob Hill) ; 1937, SOS Coastguard (Witney) ; 1939, Son of Frankenstein (Lee), The Gorilla (Dwan), The Phantom Creeps (Beebe), Ninotchka (Lubitsch), Dark Eyes of London (Summers) ; 1940, Saint's Double Trouble (Hively), Black Friday (Lubin), You'll Find Out (Butler) ; 1941, The Devil Bat (Yarbrough), The Black Cat (Rogell) ; The Invisible Ghost (Lewis), Spooks Run Wild (Rosen), The Wolf-Man (Le loup-garou) (Waggner) ;

1942, Ghost of Frankenstein (Le spectre de Frankenstein) (Kenton), Black Dragons (Nigh), The Corpse Vanishes (Fox), Bowery at Midnight (Fox), Night Monster (Beebe) ; 1943, Frankenstein Meets the Wolf-Man (Frankenstein rencontre le loup-garou) (Neill), The Ape Man (Beaudine), Ghosts on the Loose (Beaudine) ; 1944, Return of the Vampire (Landers), Voodoo Man (Beaudine), Return of the Ape Man (Rosen), One Body Too Many (McDonald) ; 1945, The Bodysnatcher (Wise), Zombies on Broadway (Douglas) ; 1946, Genius at Work (Goodwins) ; 1947, Scared to Death (Cabanne) ; 1948, Abbott and Costello Meet Frankenstein (Deux nigauds contre Frankenstein) (Barton) ; 1952, Old Mother Riley Meets the Vampire (Gilling), Bela Lugosi Meets a Brooklyn Gorilla (Beaudine) ; 1953, Glen or Glenda (Wood Jr.) ; 1955, Bride of the Monster (Wood Jr.) ; 1956, The Black Sleep (LeBorg) ; 1959, Plan 9 From Outer Space (*film posthume*, Wood Jr.).

Fils d'un banquier hongrois, il préfère le théâtre et joue dans la principale salle de Budapest. On le retrouve dans plusieurs films, certains dirigés par Kertesz (le futur Curtiz). Après la chute de la monarchie, il aurait joué un rôle politique, mais la défaite des idées de gauche l'oblige à se réfugier en Allemagne où il poursuit une carrière d'acteur, tournant notamment avec Murnau. En 1921, il émigre aux États-Unis. Ses débuts sont difficiles, mais il devient mondialement célèbre grâce à sa création de Dracula le vampire. Comme Boris Karloff, son rival et ami, il est désormais condamné à jouer dans des films d'épouvante, à quelques rares exceptions près (*Ninotchka*, avec Greta Garbo). Son accent et ses mimiques lui valent, de *Chandu* à toute une suite de docteurs fous, une impressionnante filmographie dans le domaine de l'horreur. La légende voulait que tous les matins, on vînt poser des toiles d'araignée fraîches dans sa villa d'Hollywood ; il dormait d'ailleurs dans un cercueil. Ses derniers films pour Monogram et Reynolds Pictures, firmes à très petits moyens, soulignent son déclin après 1945. Lorsqu'il mourut, il fut enseveli dans son costume de Dracula. Peut-être se réveille-t-il aux périodes de pleine lune ?

Luguet, André

Comédien français, de son vrai nom Allioux, 1892-1979.

1913, La leçon d'amour (Feuillade), Les cloches de Pâques (Monca), La robe blanche (Feuillade) ; 1914, La fiancée morte ; 1920, Les cinq gentlemen maudits (Morat) ; 1921, Le paradis perdu (Luguet), Le talion (Mandru) ; 1922, L'empereur des pauvres (Leprince), L'écran brisé (Auchy) ; 1923, Métamorphoses (Lekain), Soirées mondaines (Colombier) ; 1926, Pour régner (Luguet) ; 1927, La revue des revues (Nalpas) ; 1929, Le spectre vert (Feyder), Si l'empereur savait ça (Feyder), Le père célibataire (Robinson), Monsieur le Fox (Roach, Luguet) ; 1930, The Bluffer (Le bluffeur) (Sennett), Buster se marie (Autant-Lara) (*version française de* Spite Marriage) ; 1931, Cœur de lilas (Litvak), Quand on est belle (Robinson), Jewel Robbery (Dieterle), The Man Who Played God (Adolfi), A Lady's Morals/Jenny Lind (Franklin), High Pressure (LeRoy), The Mad Genius (Curtiz), The Silent Voice, Love Is a Racket, L'amour en vitesse (Heymann) ; 1932, La poule (Guissart), Gloria (Behrendt/-Noé), Une faible femme (Vaucorbeil) ; 1933, Il était une fois (Perret), Matricule 33 (Anton) ; 1934, Le monde où l'on s'ennuie (Marguenat), Le rosaire (Ravel, Lekain) ; 1935, Jeanne (Tourjanski), Bourrachon (Guissart) ; 1936, Samson (Tourneur), L'escadrille de la chance (Vaucorbeil), Les amants terribles (M. Allégret) ; 1937, La dame de pique (Ozep), Cinderella (Caron), Trois, six, neuf (Rouleau), A nous deux madame la vie (Mirande) ; 1938, Taxi 38 (Alexis gentleman chauffeur) (Vaucorbeil), Êtes-vous jalouse ? (Chaumette), L'avion de minuit (Kirsanoff) ; 1939, Jeunes filles en détresse (Pabst), La vie des artistes (Bernard-Roland), Battement de cœur (Decoin), Tempête (Deschamps) ; 1940, Le collier de chanvre (Mathot) ; 1941, Le dernier des six (Lacombe), Le mariage de Chiffon (Autant-Lara) ; 1942, L'honorable Catherine (L'Herbier), Signé illisible (Chamborant), La femme que j'ai le plus aimée (Vernay), Boléro (Boyer), Mademoiselle Béatrice (Vaucorbeil), L'inévitable monsieur Dubois (Billon) ; 1943, Arlette et l'amour (Vernay), L'homme qui vendit son âme au diable (Paulin) ; 1944, Florence est folle (Lacombe), Farandole (Zwobada), Mademoiselle (Billon) ; 1945, Au petit bonheur (L'Herbier) ; 1946, Six heures à perdre (Joffé) ; 1947, L'aventure commence demain (Pottier), Une jeune fille savait (Lehmann) ; 1948, Bonheur en location (Wall), Tous les deux (Cuny) ; 1949, La patronne (Dhéry) ; 1952, Nous irons à Monte-Carlo (Boyer) ; 1953, Le père de Mademoiselle (L'Herbier), Les amoureux de Marianne (Stelli) ; 1954, Madame du Barry (Christian-Jaque), Le due orfanelle (Les deux orphelines) (Gentilomo) ; 1955, Les carnets du major Thompson (Sturges) ; 1956, Lorsque l'enfant paraît (Boisrond), C'est arrivé à

Aden (Boisrond), Mimi Pinson (Darène) ; 1957, Une Parisienne (Boisrond), Méfiez-vous fillettes (Y. Allégret) ; 1958, Faibles femmes (Boisrond), Sacrée jeunesse (Berthomieu), The Roots of Heaven (Les racines du ciel) (Huston) ; 1959, Suspense au deuxième bureau (St-Maurice) ; 1960, Callaghan remet ça (Rozier), Comment qu'elle est (Borderie) ; 1961, Paris-Blues (Ritt) ; 1962, Love is a Ball (Le grand-duc et l'héritière) (Swift), Comment réussir en amour (Boisrond) ; 1963, Une ravissante idiote (Molinaro) ; 1964, Comment épouser un Premier ministre (Boisrond), Un monsieur de compagnie (Broca) ; 1965, La seconde vérité (Christian-Jaque), Pleins feux sur Stanislas (Dudrumet) ; 1968, La prisonnière (Clouzot) ; 1969, La maison de campagne (Girault).

D'une famille de comédiens aisés, le futur André Luguet fera d'excellentes études en France et en Angleterre, puis au Conservatoire. Le théâtre le passionne (il jouera de nombreuses pièces, notamment à la Comédie-Française jusqu'en 1929, et en écrira une, *La patronne*, portée ensuite à l'écran). Après la guerre, où il sert dans l'aviation, il se laisse tenter par le cinéma. Il y est un frétillant jeune premier à la moustache conquérante. L'âge venant, après 1945, il joue les séducteurs mûrissants avec toujours autant de charme.

Lukas, Paul

Acteur d'origine hongroise, de son vrai nom Lukacs, 1887-1971.

1918, Udvari Lovego, Sphynx, Vorrei Morir ; 1920, Olavi, Nevtelen Var, Masamod, A szurkeruhas Hölgy, Sarga Arnyek, Szinesno ; 1921, Hetszazeves Szerelem, New York Expresz Kabel ; 1922, Lady Violetta, Samson und Delilah (Kertesz), Eine versunkene Welt ; 1923, Derumberkanute Morgen, Az Egyhuszasos Lany, Diadalmas Elet ; 1924, Egy Fiunak a Fele ; 1928, Two Lovers (Niblo), Manhattan Cocktail (Arzner), Three Sinners (Lee), Hot New (Badger), The Night Watch (Korda), Loves of an Actress (Lee) ; 1929, The Wolf of Wall Street (Lee), Half Way to Heaven (Abbott), Illusion (Mendès), The Shopworn Angel (Wallace) ; 1930, Slighty Scarlet (Gasnier), Young Eagles (Wellman), The Benson Murder Case (Tuttle), Anybody's Woman (Arzner), Grumpy (Cukor), The Devil's Holiday (Goulding), Behind the Make-Up (Milton), The Right to Love (Wallace) ; 1931, City Streets (Mamoulian), The Vice Squad (Cromwell), Strictly Dishonorable (Stahl), Working Girls (Arzner), Women Love Once (Goodman) ; 1932, Tomorrow and Tomorrow (Wallace), A Passport to Hell (Lloyd), Rockabye (Cukor) ; 1933, Grand Slam (Dieterle), Sing Sinner Sing (Christie), Secret of the Blue Room (Neumann), Nagana (Frank), Little Women (Les quatre filles du docteur March) (Cukor), The Kiss Before the Mirror (Whale), Captured (Del Ruth) ; 1934, Glamour (Wyler), Affairs of a Gentleman (Marin), The Fountain (Cromwell), The Countess of Monte Cristo (Freund), I Give My Love (Freund) ; 1935, Age of Indiscretion (Ludwig), Father Brown (Sedgwick), The Three Musketeers (Les trois mousquetaires) (Lee), I Found Stella Parish (LeRoy), The Casino Murder Case (Marin) ; 1936, Dodsworth (Wyler), Ladies in Love (Griffith) ; 1937, Espionage (Neumann), Brief Ectasy (Greville), Dinner at the Ritz (Schuster), The Mutiny of the Elsinore (Lockwood) ; 1938, The Lady Vanishes (Une femme disparaît) (Hitchcock) ; 1939, A Window in London (H. Mason), The Chinese Bungalow (G. King), Confessions of a Nazi Spy (Les aveux d'un espion nazi) (Litvak), Captain Fury (Roach) ; 1940, Strange Cargo (Le cargo maudit) (Borzage), The Ghost Breakers (Le mystère du château maudit) (Marshall) ; 1941, They Dare Not Love (Whale), The Monster and the Girl (Heisler) ; 1943, Watch on the Rhine (Shumlin), Hostages (Tuttle) ; 1944, Uncertain Glory (Saboteur sans gloire) (Walsh), Address Unknown (Menzies), Experiment Perilous (Angoisse) (Tourneur) ; 1946, Temptation (Pichel), Deadline at Dawn (Clurman) ; 1948, Berlin Express (Berlin Express) (Tourneur) ; 1950, Kim (Kim) (Saville) ; 1954, 20 000 Leagues under the Sea (20 000 lieues sous les mers) (Fleischer) ; 1958, The Roots of Heaven (Les racines du ciel) (Huston) ; 1960, Tender Is the Night (Tendre est la nuit) (King) ; 1962, The Four Horsemen of the Apocalypse (Les quatre cavaliers de l'Apocalypse) (Minnelli), 55 Days at Peking (Les 55 jours de Pékin) (Ray) ; 1963, Fun in Acapulco (L'idole d'Acapulco) (Thorpe) ; 1964, Lord Jim (Lord Jim) (Brooks).

Vedette dans les années 20 du cinéma hongrois (nous avons emprunté sa filmographie à David Quinlan), il est passé aux États-Unis puis en Angleterre entre 1937 et 1939, avant de retourner à Hollywood. Sa fine moustache, ses manières douces et polies, son élégance le qualifiaient soit pour les rôles de séducteur soit pour ceux d'espion ou de méchant (*Experiment Perilous ; Berlin Express*). Il gagna un oscar avec *Watch on the Rhine* en 1943. C'est à une crise cardiaque qu'il succomba en 1971.

Lulli, Folco

Acteur italien, 1912-1970.

1946, Il bandito (Le bandit) (Lattuada) ; 1947, La figlia del capitano (Camerini), La primula bianca (Bragaglia) ; 1948, Senza pieta (Sans pitié) (Lattuada), L'eore della strada (Borghesio), Caccia tragica (Chasse tragique) (De Santis) ; 1949, Toto cerca casa (Steno, Monicelli), Al diavolo la celebrita (Steno, Monicelli) ; 1951, Lo sparviero del Nilo (Gentilomo), Altri tempi (Blasetti), Luci del varieta (Feux du music-hall) (Lattuada, Fellini), I figli di nessuno (Le fils de personne) (Matarazzo) ; 1953, Carosello napoletano (Le carousel fantastique) (Giannini), Le salaire de la peur (Clouzot), Maddalena (Une fille nommée Madeleine) (Genina), La peccatrice dell'isola (La fille de Palerme) (Corbucci), Le comte de Monte-Cristo (Vernay), Riscatto (L'auberge tragique) (Girolami), Noi cannibali (Leonviola) ; 1954, L'air de Paris (Carné), Orient Express (Bragaglia), No vogliamo morire (Paolella), La grande speranza (Tonnerre sous l'Atlantique) (Coletti), Fortune carrée (Borderie) ; 1956, L'homme et l'enfant (André), Le schiave di Cartagine (Sous le signe de la croix) (Brignone) ; 1957, Œil pour œil (Cayatte), Londra chiama Polo Nord (Londres appelle pôle Nord) (Coletti) ; 1958, Délit de fuite (Borderie), Io Caterina (Veo), Lupi nell'abisso (Amadio), Gli Italiani sono matti (Coletti) ; 1959, La grande guerra (La grande guerre) (Monicelli), Marie des Isles (Combret) ; 1960, Les régates de San Francisco (Autant-Lara), Sotto dieci bandiere (Sous dix drapeaux) (Coletti), La regina dei Tartari (La reine des Barbares) (Grieco), Spade senza bandiera (Veo), Esther and the King (Walsh) ; 1961, La Fayette (Dréville), L'enlèvement des Sabines (Pottier), Gli invasori (La ruée des Vikings) (Bava) ; 1962, La guerra continua (Savone) ; 1963, I compagni (Monicelli), Un aero per Baalbeck (Dernier avion pour Balbeck) (Fregonese), Les parias de la gloire (Decoin) ; 1965, La fabuleuse aventure de Marco Polo (La Patellière) ; 1966, L'armata Brancaleone (Monicelli) ; 1968, Anche nel West c'era una volta Dio (Girolami) ; 1969, Une veuve en or (Audiard) ; 1971, Tre nel mille (Indovina).

Fils du baryton Gino Lulli et frère du comédien Pietro Lulli, il doit à la France, où il a beaucoup tourné, sa célébrité. Fort, moustachu, destiné à jouer les brutes sensibles, il ne fut jamais aussi bon que dans *Le salaire de la peur* (qui le lança) et dans *Œil pour œil.* En Italie, les films qu'il tourna furent le plus souvent très quelconques.

Lumley, Joanna

Actrice anglaise née en 1946.

1969, Some Girls Do (Thomas), On Her Majesty's Secret Service (Au service secret de Sa Majesté) (Hunt) ; 1970, The House that Dripped Blood (Duffell), Games that Lovers Play (Leigh) ; 1971, Tam Lin (McDowall), The Breaking of Bumbo (Sinclair) ; 1973, The Satanic Rites of Dracula (Dracula vit toujours à Londres) (Gibson), Don't Just Lie There, Say Something (Kellet) ; 1982, Trail of the Pink Panther (A la recherche de la Panthère rose) (Edwards) ; 1983, Curse of the Pink Panther (La malédiction de la Panthère rose) (Edwards) ; 1984, The Glory Boys (Ferguson) ; 1989, Shirley Valentine (Gilbert) ; 1995, Halcyon Days (Les péchés mortels) (Dewolf) ; 1996, James and the Giant Peach (James et la pêche géante) (Selick) ; 1997, Prince Valiant (Prince Valiant) (Hickox), Parting Shots (Winner) ; 1998, A Rather English Marriage (Seed) ; 1999, Mad Cows (Mad Cows) (Sugarman), Maybe Baby (Maybe Baby) (Elton) ; 2001, Absolument fabuleux (Aghion).

Quelques films à l'orée des années 70 où elle promène sa longiligne silhouette de playgirl, puis elle endosse le rôle de la blonde Purdey dans la dernière série de « Chapeau melon et bottes de cuir ». Ensuite, silence radio, ou presque, jusqu'au début des années 90, où elle devient Patsy Stone, l'une des héroïnes de la série culte « Absolutely fabulous ». Rédactrice de mode cocaïnée jusqu'à la moelle, elle jouait avec un bonheur non feint de son physique de rombière surliftée. Du coup, sa carrière cinématographique est relancée, et on la revoit entre autres en abominable harpie dans *James et la pêche géante.*

Luna, Diego

Acteur mexicain né en 1979.

Nombreux films dont : 2004, The Terminal (The Terminal) (Spielberg), Open Range (Open Range) (Costner), Criminal (Criminal) (Jacobs).

Longtemps voué aux seconds rôles, il devient une vedette avec *Crimimal.* Le départ d'une nouvelle carrière ?

Lundgren, Dolph

Acteur américain d'origine suédoise né en 1959.

1984, A View to a Kill (Dangereusement vôtre) (Glen) ; 1985, Rocky 4 (Rocky 4) (Stallone) ; 1987, Masters of the Universe (Les maîtres de l'univers) (G. Goddard) ; 1988, Red Scorpion (Le scorpion rouge) (Zito) ;

1989, The Punisher (Punisher) (Goldblatt), I Come in Peace (Dark angel) (Baxley) ; 1991, Cover Up (Envoyé spécial) (Coto), Showdown in Little Tokyo (Dans les griffes du Dragon rouge) (M. Lester) ; 1992, Universal Soldier (Universal Soldier) (Emmerich) ; 1993, Joshua Tree (Au dessus de la loi) (Armstrong) ; 1994, Men of War (L'homme de guerre) (P. Lang), Sunny Side Up (Speer) ; 1995, Johnny Mnemonic (Johnny Mnemonic) (Longo), Silent Trigger (Mulcahy), The Shooter (The Shooter) (Kotcheff) ; 1997, The Peacekeeper (Forrestier), The Minion (Piché) ; 1999, Sweepers (Waxman), Bridge of Dragons (Florentine), Storm Catcher (Hickox) ; 2000, Jill Ribs (Hickox), The Last Patrol (Lettich), Captured (Lee) ; 2001, Hidden Agenda (Grenier).

Ce colosse blond se révéla en adversaire de Stallone dans une mouture très patriotique de *Rocky*. Il devint vedette à part entière dans des films destinés à mettre en valeur sa musculature. Ses dernières productions, médiocres, ne sortent qu'en vidéo.

Lupino, Ida

Actrice et réalisatrice américaine, 1914-1995.

1932, The Love Race (Lane), Her First Affair (Dwan) ; 1934, Search for Beauty (L'école de la beauté) (Kenton), Ready for Love (Gering), Come on Marines (Hathaway) ; 1935, Paris in Spring (Milestone), Peter Ibbetson (Hathaway), Smart Girl (Scotto) ; 1936, One Rainy Afternoon (Lee), The Gay Desperado (Le joyeux bandit) (Mamoulian), Anything Goes (Milestone) ; 1937, Artists and Models (Walsh), Sea Devils (Stoloff), Fight for Your Lady (Stoloff), Let's Get Married ; 1939, The Lone Wolf Spy Hunt (Godfrey), The Adventures of Sherlock Holmes (Les aventures de Sherlock Holmes) (Werker), The Lady and the Mob (Stoloff) ; 1940, The Light That Failed (La lumière qui s'éteint) (Wellman), They Drive by Night (Une femme dangereuse) (Walsh) ; 1941, High Sierra (La grande évasion) (Walsh), The Sea Wolf (Le vaisseau fantôme) (Curtiz), Ladies in Retirement (Ch. Vidor), Out of the Fog (Litvak) ; 1942, Moontide (Péniche d'amour) (Mayo), The Hard Way (Sherman), Life Begins at Eight Thirty (Pichel) ; 1943, Forever and a Day (Clair, Lloyd...) ; 1944, In Our Time (V. Sherman) ; 1945, Pillow to Post (V. Sherman) ; 1946, Devotion (La vie passionnée des sœurs Brontë) (Bernhardt), The Man I Love (Walsh) ; 1947, Deep Valley (Negulesco), Escape Me Never (Godfrey) ; 1948, Road House (La femme aux cigarettes) (Negulesco) ; 1949, Lust for Gold (Le démon de l'or) (Simon) ; 1950, Woman in Hiding (Gordon) ; 1951, On Dangerous Ground (La maison dans l'ombre) (Ray) ; 1952, Beware My Lovely (Horner) ; 1953, Jennifer (J. Newton), The Bigamist (Lupino) ; 1954, Private Hell 36 (Ici brigade criminelle) (Siegel) ; 1955, The Big Knife (Le grand couteau) (Aldrich), Women's Prison (Seiler) ; 1956, While the City Sleeps (La cinquième victime) (Lang), Strange Intruder (Rapper) ; 1972, Junior Bonner (Junior Bonner) (Peckinpah), My Boys Are Good Boys (Buckalew) ; 1975, The Devil's Rain (La pluie du diable) (Fuest) ; 1976, The Food of the Gods (Soudain les monstres) (Gordon). *Pour la réalisatrice*, voir le *Dictionnaire du cinéma*, t. I : *Les réalisateurs*.

« Le nom d'Ida Lupino est un peu la madeleine proustienne de tous les cinéphiles qui eurent vingt ans pendant les années 50. De *They Drive by Night* à *Private Hell 36* qu'elle écrivit, produisit et essaya de distribuer directement, on la retrouve, très volontairement semble-t-il, au générique d'un nombre assez impressionnant de ces films B ou semi-B qui, universellement ignorés, semblaient faits pour l'exclusive délectation de quelques douzaines de fanatiques français » (Coursodon et Tavernier, *Trente ans de cinéma américain*). Amours malheureuses sur fond policier, tel était le lot habituel de Lupino. On trouvera soulignée dans le tome I du *Dictionnaire du cinéma* son importance comme metteur en scène.

Lynch, John

Acteur anglais né en 1961.

1984, Cal (Cal) (O'Connor) ; 1990, 1871 (1871) (McMullen), Hardware (Stanley) ; 1991, Out of the Blue, Edward II (Edward II) (Jarman) ; 1993, The Secret Garden (Le jardin secret) (Holland), In the Name of the Father (Au nom du père) (Sheridan) ; 1994, Words Upon the Windowpane (McGuckian), The Secret of Roan Inish (Le secret de Roan Inish) (Sayles), Princess Caraboo (Princesse Caraboo) (Austin) ; 1995, Nothing Personal (O'Sullivan), Angel Baby (Angel Baby) (Rymer) ; 1996, Some Mother's Son (George), Moll Flanders (Moll Flanders) (Densham) ; 1998, Sliding Doors (Pile & face) (Howitt), This Is the Sea (McGuckian) ; 1999, Best (McGuckian).

Alors élève dans un cours dramatique, il est propulsé vedette dès son premier film, *Cal*. Puis retour à l'école afin de parfaire sa formation. On le retrouve, émouvant, en frère de Daniel Day-Lewis dans *Au nom du père*, puis il tient la vedette d'un drame sentimental australien passé à tort inaperçu, *Angel Baby*. Un visage plein d'humanité rehaussé par deux grands yeux noirs très expressifs : un acteur vraiment attachant.

Lynch, Kelly

Actrice américaine née en 1959.

1985, Osa (Osa) (Egorov) ; 1988, Cocktail (Cocktail) (Donaldson), Road House (Road House) (Herrington) ; 1989, Warm Summer Rain (Gayton), Drugstore Cowboy (Drugstore cowboy) (Van Sant) ; 1990, Desperate Hours (La maison des otages) (Cimino) ; 1991, Curly Sue (La p'tite arnaqueuse) (Hughes) ; 1994, The Beans of Egypt, Maine (Warren), Imaginary Crimes (Drazan), Heaven's Prisoners (Vengeance froide) (Joanou) ; 1995, White Man's Burden (White man) (Nakano), Virtuosity (Programmé pour tuer) (Leonard) ; 1996, Cold Around the Heart (Ridley), Homegrown (Gyllenhaal) ; 1997, Talk of the Town (T. Demme), Mr. Magoo (Tong) ; 2000, Charlie's Angels (Charlie et ses drôles de dames) (McG).

Apparition fracassante dans *Desperate Hours* où elle montre les plus belles jambes du cinéma depuis Cyd Charisse.

Lynen, Robert

Acteur français, 1921-1944.

1932, Poil de carotte (Duvivier), Le petit roi (Duvivier) ; 1934, Sans famille (M. Allégret) ; 1936, L'homme du jour (Duvivier), La belle équipe (Duvivier) ; 1937, Un carnet de bal (Duvivier), Mollenard (Siodmak), Le fraudeur (Simons) ; 1938, Éducation de prince (Esway), Le Petit Chose (Cloche), La vie est magnifique (Cloche) ; 1940, Espoirs (Rozier) ; 1942, Cap au large (Paulin).

Enfant prodige, il débute à onze ans dans le rôle de Poil de carotte. Il ne cessera de tourner avec Duvivier. En 1944, il fut fusillé par les Allemands.

Lynley, Carol

Actrice américaine, de son vrai nom Lee, née en 1942.

1958, The Light in the Forest (Daugherty) ; 1959, Blue Denim (Dunne), Holiday for Lovers (Levin) ; 1960, Hound Dog Man (Siegel) ; 1961, Return to Peyton Place (Ferrer), The Last Sunset (El Perdido) (Aldrich) ; 1962, The Stripper (Les loups et l'agneau) (Schaffner) ; 1963, Under the Yum Yum Tree (Swift), The Cardinal (Le cardinal) (Preminger) ; 1964, Shock Treatment (Sanders), The Pleasure Seekers (Negulesco) ; 1965, Bunny Lake Is Missing (Bunny Lake a disparu) (Preminger) ; 1967, The Shuttered Room (La malédiction des Whateley) (D. Greene), Danger Route (Holt) ; 1969, The Maltese Bippy (Panama), Norwood (Haley Jr.) ; 1970, Once You Kiss a Stranger (Sparr) ; 1972, The Poseidon Adventure (L'aventure du Poséidon) (Neame) ; 1974, Beware the Blob (Hagman) ; 1975, The Four Deuces (Bushnell) ; 1978, The Cat and the Canary (Metzger), The Beasts Are in the Streets (Hunt) ; 1979, The Shape of Things to Come (McCowan) ; 1982, Vigilante (Lustig).

Blondinette insignifiante, mais dont la filmographie initiale fut remarquable : Aldrich, Preminger... Elle disparut ensuite au milieu des monstres de la série Z.

Lynn, Emmy

Actrice française, 1888-1978.

Nombreux films au temps du muet dont : 1917, Mater Dolorosa (Gance) ; 1918, La dixième symphonie (Gance) ; 1919, La faute d'Odette. Maréchal (Roussel). *Puis :* 1930, L'enfant de l'amour (L'Herbier) ; 1933, Les deux orphelines (Tourneur) ; 1942, Le lit à colonnes (Tual).

Belle actrice du muet célébrée par Delluc, elle ne supporta pas l'avènement du parlant.

Lyon, Sue

Actrice américaine née en 1946.

1962, Lolita (Lolita) (Kubrick) ; 1964, The Night of Iguana (La nuit de l'iguane) (Huston) ; 1966, Seven Women (Frontière chinoise) (Ford) ; 1967, The Flim Flam Man (Kershner), Tony Rome (Tony Rome est dangereux) (Douglas) ; 1969, Four Rode Out (Peyser) ; 1971, Evel Knievel (Chomsky) ; 1972, Apenas una gota de sangre para morir amando (Le bal du vaudou) (E. de la Iglesia) ; 1973, Tarots (Forqué) ; 1976, Invisible Strangler (Florea) ; 1977, End of the World (Destruction planète Terre) (Hayes), Crash (Bend) ; 1978, Towing (Maura Smith) ; 1980, Alligator (L'incroyable alligator) (Teague).

Révélée en nymphette de Nabokov dans *Lolita*, elle ne tint pas ses promesses par la suite, malgré Huston, Ford ou Gordon Douglas et reste l'éblouissante interprète d'un seul film.

M

Macario, Erminio
Acteur italien, 1902-1980.

1933, Aria di paese (Air du pays) (De Liguoro) ; 1939, Imputato alzatevi (La folle aventure de Macario) (Mattoli), Lo vedi come sei ? (Tu vois comme tu es) (Mattoli) ; 1940, No me lo dire (Ne me le dis pas) (Mattoli), Il pirata, sono io (Le pirate, c'est moi) (Mattoli) ; 1942, Il Fanciullo del West (Ferroni) ; 1943, La zia di Carlo ; 1944, Macario contro Zagomar (Macario contre Fantômas) (Ferroni) ; 1947, Come persi la guerra (Sept ans de malheur) (Borghesio) ; 1948, L'eroe della strada (Le héros de la rue) (Borghesio) ; 1949, Come scopersi l'America (Borghesio), Adamo e Eva (Mattoli) ; 1950, Il monello della strada (Borghesio) ; 1951, La famiglia Passaguai fa fortuna (Fabrizi), Ma femme, ma vache et moi (Devaivre) ; 1953, Agenzia matrimoniale (Pastina), lo Amleto (Simonelli) ; 1959, La cambiale (Mastrocinque) ; 1962, Totò di notte n° 1 (Amendola), I quattro monaci (Bragaglia), Lo smemorato di collegno (Grimaldi) ; 1963, I quattro moschettieri (Bragaglia), Totò contro i quattro (Steno), Totò sexy (Amendola).

Dans son étude sur la comédie italienne, Jean Gili rappelle l'importance de ce comique un peu oublié. Ses premiers films avaient fait sensation en raison du ton nouveau apporté par les collaborateurs du journal satirique « Marc'Aurelio » (Zavattini, Scarpelli, Mosca, Metz, Fellini...). Le succès *d'Imputato alzatevi* au dialogue inhabituel et quasi surréaliste propulse Macario au premier plan des acteurs italiens. La fin de la guerre n'interrompt pas sa carrière, bien au contraire. *Come persi la guerra*, où Macario est un pauvre Italien ballotté par les événements, connaît de fabuleuses recettes, de même que l'*Eroe della strada*. Mais Maccario était, selon Gili, trop doux, pas assez agressif pour imposer un « type » comique. Il sombra rapidement dans l'anodin.

McCambridge, Mercedes
Actrice américaine, 1916-2004.

1949, All the King's Men (Les fous du roi) (Rossen) ; 1950, Lightning Strikes Twice (Vidor) ; 1951, Inside Straight (Gerald Mayer), The Scarf (E.A. Dupont) ; 1954, Johnny Guitar (Johnny Guitar) (Ray) ; 1956, Giant (Géant) (Stevens) ; 1957, A Farewell to Arms (L'adieu aux armes) (Ch. Vidor) ; 1958, Touch of Evil (La soif du mal) (Welles) ; 1959, Suddenly Last Summer (Soudain l'été dernier) (Mankiewicz) ; 1960, Cimarron (La ruée vers l'Ouest) (Mann), Angel Baby (Wendkos) ; 1966, Run Home Slow (Sullivan) ; 1968, 99 Women (Les brûlantes) (Franco), The Counterfeit Killer (Lejtes), Justine (Les infortunes de la vertu (Franco) ; 1971, The Last Generation (Graham) ; 1973, The Exorcist (L'exorciste) (Friedkin) (voix seulement) ; 1976, Thieves (Berry) ; 1979, The Concord-Airport 79 (Airport-Concorde 80) (D. L. Rich).

Elle débute à la radio avec Orson Welles, passe à Broadway, est engagée en 1949 par Hollywood pour *All the King's Men*, et, d'emblée, gagne un oscar. Elle tourne peu par la suite, mais elle marque ses compositions de son physique dur et ingrat : Emma la fanatique poursuivant de sa haine Joan Crawford dans *Johnny Guitar* ; la sœur autoritaire dans *Giant* ; l'infirmière (fort peu douce) dans *Suddenly Last Summer*. Elle prêta sa voix à Satan dans *L'exorciste*.

Macchio, Ralph

Acteur américain né en 1961.

1980, Up the Academy (Downey) ; 1983, The Outsiders (Outsiders) (Coppola) ; 1984, Teachers (Ras les profs !) (Hiller), The Karate Kid (Karaté Kid – L'instant de vérité) (Avildsen) ; 1986, Karaté Kid Part II (Karaté Kid 2) (Avildsen), Crossroads (Hill) ; 1988, Distant Thunder (Rosenthal) ; 1989, The Karaté Kid III (Karaté Kid 3) (Avildsen) ; 1991, Too Much Sun (Downey, Sr.) ; 1992, My Cousin Vinny (Mon cousin Vinny) (Lynn) ; 1994, Naked in New York (Naked in New York) (Algrant).

Héros de la série des *Karaté Kid*, il a malheureusement (pour lui) vite sombré dans l'oubli, se reconvertissant dans les spectacles musicaux.

Maccione, Aldo

Acteur italien né en 1935.

1970, Le voyou (Lelouch), Un ufficiale non si arrende mai, nemmeno di fronte all'evidenza firmato Colonnello Buttiglione (Si, si mon colonel) (Guerrini) ; 1971, L'aventure c'est l'aventure (Lelouch), Il piatto piange (Nuzzi) ; 1973, Mais où est donc passée la 7e compagnie ? (Lamoureux) ; 1974, Soldat Duroc, ça va être ta fête (Gérard) ; 1975, On a retrouvé la 7e compagnie (Lamoureux) ; 1976, Le grand escogriffe (Broca), Frankenstein all'Italiana (Crispino), Bruciati da cocente passione (L'amour c'est quoi au juste ?) (Capitani), Le avventure e gli amore di Scaramouche (La grande débandade) (Castellari), C'est pas moi c'est lui ! (Richard), Spogliami cosi senza pudor (Martino) ; 1977, Taxi girl (La toubib se recycle) (Tarantini), L'animal (Zidi), La signora ha fatto il pieno (La classe) (Bosch) ; 1978, Je suis timide mais je me soigne (Richard), Les ringards (Pouret) ; 1979, Scusi, lei é normale (Pardon, vous êtes normal) (Lenzi) ; 1980, Sono fotogenico (Je suis photogénique) (Risi) ; 1980, Pourquoi pas nous (Berny) ; 1981, Tais-toi quand tu parles (Clair), Reste avec nous, on s'tire (Tarentini), La poliziotta à New York (Lemick) ; 1982, Le corbillard de Jules (Penard), Te marre pas, c'est pour rire (Bernard) ; 1983, Le bourreau des cœurs (Gion), Plus beau que moi tu meurs (Clair), T'es folle ou quoi ? (Gérard) ; 1984, Aldo et Junior (Schulmann), La classe (Bosch) ; 1985, Le cow-boy (Lautner), Pizzaiolo et mozzarel (Gion) ; 1987, Si tu vas à Rio, tu meurs (Clair) ; 1989, L'aventure extraordinaire d'un papa peu ordinaire (Clair) ; 1994, Perdiamoci di vista (Verdone) ; 1997, La femme de chambre du Titanic (Bigas Luna) ; 1999, I fetentoni (Di Robilant).

Venu du music-hall. Les savoureuses parodies du « macho » italien données par ce joyeux Turinois mériteraient mieux que les médiocres films où il se compromet.

McClanahan, Rue

Actrice américaine, de son vrai prénom Eddi-Rue, née en 1934.

1961, The Grass Eater (Hayes), Door-to-Door Maniac (Karn) ; 1963, Five Minutes to Love (Hayes) ; 1964, How to Succeed with Girls (Biery) ; 1968, Walk the Angry Beach (Hayes) ; 1970, The People Next Door (Greene) ; 1971, They Might Be Giants (Le rivage oublié) (Harvey), Some of My Best Friends Are (Nelson), The Pursuit of Happiness (Mulligan) ; 1990, Modern Love (Benson) ; 1994, Nunsense 2 : The Sequel (Goggin, Stern) ; 1996, Dear God (Marshall) ; 1997, Out to Sea (Coolidge), This World, then the Fireworks (Liens secrets) (Oblowitz), Starship Troopers (Starship Troopers) (Verhoeven) ; 1997, Rusty : A Dog's Tale (Levy) ; 1998, Border to Border (Whelan).

Originaire de l'Oklahoma, elle se fait davantage connaître pour ses prestations scéniques new-yorkaises durant les années 60 que pour quelques apparitions cinématographiques. Ce sont finalement les années 80 et la télévision qui lui apporteront la gloire, avec son extraordinaire rôle de vieille peau constamment en chaleur dans la cultissime série « The Golden Girls » (« Les craquantes » en VF). Depuis, elle apparaît de-ci de-là au cinéma : professeur de biologie balafrée dans *Starship Troopers*, mère indigne dans *Liens secrets*. La télé l'aura définitivement plus gâtée.

McConaughey, Matthew

Acteur américain né en 1969.

1993, Dazed and Confused (Linklater), My Boyfriend's Back (Balaban) ; 1994, Return of the Texas Chainsaw Massacre (Henkel) ; 1994, Angels in the Outfield (Dear) ; 1995, Scorpion Spring (Moffly), Boys on the Side (Avec ou sans hommes) (Ross) ; 1996, Lone Star (Lone Star) (Sayles), A Time to Kill (Le droit de tuer ?) (Schumacher), Larger than Life (Un éléphant sur les bras) (Franklin), Glory Daze (Wilkes) ; 1997, Contact (Contact) (Zemeckis), Amistad (Amistad) (Spielberg) ; 1998, The Newton Boys (Linklater), Ed TV (En direct sur Ed TV) (Howard) ; 1999, U-571 (U-571) (Mostow) ; 2000, The Wedding Planner (Un mariage trop parfait)

(Shankman) ; 2001, Frailty (Paxton), 13 Conversations About One Thing (Sprecher) ; 2002, How To Lose a Guy in Ten Days (Comment se faire larguer en dix leçons) (Petrie).

Natif du Texas, ce jeune premier se fait remarquer en jeune shérif dans le magnifique *Lone Star* de John Sayles. Monté en épingle par la presse comme la future idole, la suite, après les flops artistiques du *Droit de tuer ?*, de *Contact* et d'*Amistad*, se fait attendre.

McCormack, Catherine

Actrice anglaise née en 1972.

1994, Loaded (A. Campion) ; 1995, Grand Nord (Grand Nord) (Gaup), Braveheart (Braveheart) (Gibson) ; 1997, Dangerous Beauty/A Destiny of Her Own (La courtisane) (Herskowitz) ; 1998, The Land Girls (Trois Anglaises en campagne) (Leland), Dancing at Lughnasa (O'Connor) ; 1999, The Debtors (E. Quaid), A Rumor of Angels (O'Fallon), This Year's Love (Mariage à l'anglaise) (Kane), Shadow of the Vampire (L'ombre du vampire) (Merhige) ; 2000, The Weight of Water (Le poids de l'eau) (Bigelow).

Elle débute en fanfare en incarnant, dans *Braveheart*, la courageuse femme du héros William Wallace, hélas vouée à un destin tragique. Dès lors cataloguée actrice « british » en vogue, elle passe du drame en costumes amidonnés (*La courtisane*) à la comédie de mœurs (*Mariage à l'anglaise*), incarnant, dans *L'ombre du vampire*, l'actrice allemande du muet Greta Schröder. Dans le même registre de brune veloutée, on peut tout de même lui préférer Catherine Zeta-Jones.

McCrea, Joel

Acteur américain, 1905-1990.

1923, Penrod and Sam (Beaudine) ; 1924, A Self Made Failure (Beaudine) ; 1928, Freedom of the Press (Melford), The Jazz Age (Shores) ; 1929, So This Is College (Wood), The Five O'Clock Girl (Leonard), The Single Standard (Robertson), Dynamite (DeMille) ; 1930, The Silver Horde (Archainbaud), Lightnin (King), Once a Sinner (McClintic) ; 1931, Born to Love (Stein), Kept Husbands (Bacon), Girls about Town (Cukor), The Common Law (Stein) ; 1932, Business and Pleasure, Bird of Paradise (L'oiseau du paradis) (Vidor), Rockabye (Cukor), The Lost Squadron (Quatre de l'aviation) (Archainbaud), The Sport Parade (Murphy), The Most Dangerous Game (Les chasses du comte Zaroff) (Schoedsack et Pichel) ; 1933, The Silver Cord (Cromwell), One Man's Journey (Robertson), Bed of Roses (La Cava), Chance at Heaven (Seiter) ; 1934, Gambling Lady (Franc jeu) (Mayo), Half a Sinner (Neumann), The Richest Girl in the World (La femme la plus riche du monde) (Seiter) ; 1935, Splendor (Nugent), Women Wanted (Seitz), Barbary Coast (Ville sans loi) (Hawks) ; 1936, Adventure in Manhattan (Aventure à Manhattan) (Ludwig), Come and Get It (Le vandale) (Hawks et Wyler), Banjo on My Knee (Saint Louis Blues), These Three (Ils étaient trois) (Wyler), Two in a Crowd (Green) ; 1937, Internes Can't Take Money (Santell), Woman Chases Man (Blystone), Dead End (Rue sans issue) (Wyler), Wells Fargo (Une nation en marche) (Lloyd) ; 1938, Three Blind Mice (Trois souris aveugles) (Seiter), Youth Takes a Fling (Mayo) ; 1939, They Shall Have Music (Mayo), He Married His Wife (Del Ruth), Espionage Agent (Bacon), Union Pacific (Pacific-Express) (DeMille) ; 1940, Primrose Path (La Cava), Foreign Correspondent (Correspondant 17) (Hitchcock) ; 1941, Reaching for the Sun (Wellman), Sullivan Travels (Les voyages de Sullivan) (Sturges) ; 1942, The Palm Beach Story (Madame et ses flirts) (Sturges), The Great Man's Lady (Wellman) ; 1943, The More the Merrier (Plus on est de fous) (Stevens) ; 1944, The Great Moment (Sturges), Buffalo Bill (Wellman) ; 1945, The Unseen (L'invisible meurtrier) (Allen) ; 1946, The Virginian (Le traître du Texas) (Gilmore) ; 1947, Ramrod (Femme de feu) (De Toth) ; 1948, Four Faces West (Green) ; 1949, Colorado Territory (La fille du désert) (Walsh), South of Saint Louis (Les chevaliers du Texas) (Enright) ; 1950, Saddle Tramp (Fregonese), The Outriders (Le convoi maudit) (Rowland), Frenchie (L. King), Stars in My Crown (Tourneur) ; 1951, Cattle Drive (L'enfant du désert) (Neumann) ; 1952, The San Francisco Story (La madone du désir) (Parrish) ; 1953, Lone Hand (Sherman), Sweethearts on Parade (Dwan), Shoot First (Coups de feu au matin) (Parrish) ; 1954, Border River (Sherman), Black Horse Canyon (Hibbs) ; 1955, Wichita (Un jeu risqué) (Tourneur), Stranger on Horseback (Tourneur) ; 1956, The First Texan (Attaque à l'aube) (Haskin) ; 1957, The Oklahoman (Lyon), Trooper Hook (Warren), Gunsight Ridge (Lyon), The Tall Stranger (Carr) ; 1958, Cattle Empire (Warren), Fort Massacre (Fort Massacre) (Newman) ; 1959, The Gunfight at Dodge City (Le shérif aux mains rouges) (Newman) ; 1961, Ride the High Country (Coups de feu dans la Sierra) (Peckinpah) ; 1971, Cry Blood Apache (Starrett) ; 1976, Mustang Country (Champion).

Né à Los Angeles, comment n'aurait-il pas été attiré par Hollywood ? Certes son physique n'a rien d'extraordinaire, avec un curieux nez et une allure empruntée, il aurait dû limiter ses prétentions. Il devait pourtant s'imposer très vite : Cukor, Vidor puis ce chef-d'œuvre : *La* (ou *Les*) *Chasse(s) du comte Zaroff*. Mais c'est avec le western qu'il devait trouver son domaine de prédilection. Son palmarès est remarquable, de *Pacific Express* à *Buffalo Bill*, de *Wichita* à *Ride the High Country*, sans oublier de nombreuses séries B, signées De Toth, Newman, Haskin... Il fait penser à Randolph Scott et il est curieux que les deux acteurs aient été réunis dans ce « western crépusculaire » que fut *Coups de feu dans la Sierra*.

MacDonald, Jeanette

Actrice américaine, 1901-1965.

1929, The Love Parade (Parade d'amour) (Lubitsch) ; 1930, The Vagabond King (Le roi des vagabonds) (Berger), Monte Carlo (Lubitsch), Let's go Native (McCarey), The Lottery Bride (Stein), Oh For a Man (Mac Fadden) ; 1931, Don't Bet on Women (Howard), Annabelle's Affairs (Werker) ; 1932, One Hour With You (Une heure près de toi) (Cukor, Lubitsch), Love Me Tonight (Aimez-moi ce soir) (Mamoulian) ; 1933, The Cat and The Fiddle (Howard) ; 1934, The Merry Widow (La veuve joyeuse) (Lubitsch), Naughty Marietta (La fugue de Mariette) (Van Dyke) ; 1936, Rose-Marie (Rose-Marie) (Van Dyke), San Francisco (San Francisco) (Van Dyke) ; 1937, Maytime (Le chant du printemps) (Leonard, McDonald), The Firefly (L'espionne de Castille) (Leonard) ; 1938, The Girl of the Golden West (La belle cabaretière) (Leonard), Sweethearts (Amants) (Van Dyke) ; 1939, Broadway Serenade (Emporte mon cœur) (Leonard) ; 1940, New Moon (L'île des amours) (Leonard), Bitter Sweet (Chante mon amour) (Van Dyke), Smilin' Through (Chagrins d'amour) (Borzage) ; 1942, I Married an Angel (Van Dyke), Cairo (Van Dyke) ; 1944, Follow the Boys (Hollywood Parade) (Sutherland) ; 1948, Three Daring Daughters (F.M. Wilcox) ; 1949, The Sun Comes Up (Thorpe).

Elle a forgé sa réputation à Broadway où elle régna dans les années 20 sur le monde de l'opérette (Irene, Tip-Toes, Yes, Yes Yvette, etc.). Elle vint plus tard à l'écran où elle eut pour partenaire Maurice Chevalier et surtout Nelson Eddy. Ses films se voient encore avec agrément (avant tout c'est une chanteuse). « Une sophistication tout européenne entre la modernité et le classicisme historique. » (Lacombe et Rocle, *De Broadway à Hollywood, Cinéma 81.*) Mais sous la direction de Leonard ou de Borzage, elle se révèle également une adroite et plaisante comédienne.

McDormand, Frances

Actrice américaine née en 1957.

1984, Blood Simple (Sang pour sang) (Coen) ; 1987, Raising Arizona (Arizona junior) (Coen) ; 1988, Mississippi Burning (Mississippi Burning) (Parker) ; 1990, Chattahoochee (Jackson), Darkman (Darkman) (Raimi), Hidden Agenda (Hidden Agenda) (Loach) ; 1991, The Butcher's Wife (Hughes) ; 1992, Passed Away (Peters) ; 1993, Short Cuts (Short Cuts) (Altman) ; 1995, Beyond Rangoon (Rangoon) (Boorman) ; 1996, Talk of Angels (Hamm), Fargo (Fargo) (Coen), Primal Fear (Peur primale) (Hoblit), Lone Star (Lone Star) (Sayles), Palookaville (Les amateurs) (Taylor) ; 1997, Johnny Skidmarks (Raffo), Madeline (Madeline) (Von Sherler Mayer) ; 1999, Wonder Boys (Wonder Boys) (Hanson) ; 2000, Almost Famous (Presque célèbre) (Crowe), The Man Who wasn't There (The Barber) (Coen) ; 2001, City by the Sea (Père et flic) (Caton-Jones) ; 2003, Something's Gotta Give (Tout peut arriver) (Meyers) ; 2005, Searching for Debra Winger (R. Arquette) ; 2006, Aeon Flux (Aeon Flux) (Kusama), North Country (L'affaire Josey Aimes) (Caro), Friends With Money (Friends With Money) (Holofcener).

Originaire de l'Illinois, licenciée à l'université de Yale en art dramatique, elle se fixe à New York pour une carrière théâtrale. Ce sont les frères Coen qui la révèlent au cinéma dans *Sang pour sang* puis *Arizona Junior*. Elle épousera d'ailleurs Joel Coen, avant de travailler avec d'autres réalisateurs, pour revenir vers le fameux duo avec *Fargo*, dans lequel elle interprète Marge, policière locale plutôt atypique. Elle empoche l'oscar de la meilleure actrice pour l'occasion.

McDowall, Roddy

Acteur d'origine anglaise, de son vrai prénom Roderick, 1928-1998.

1938, Scruffy (Faye), Yellow Sands (Brenon), John Halifax (G. King), I See Ice (Kimmins), Hey ! Hey ! USA (Varnel), Murder in the Family (Parker) ; 1939, Poison Pen (Stein), Just Williams (Cutts), His Brother's Keeper (Neill), Dead Man's Shoes (Bentley), Convict 99 (Varnel) ; 1940, Saloon Bar (Forde), The Outsider (Stein) ; 1941, You Will Remember (Raymond), This England (MacDonald), Man Hunt (Chasse à l'homme) (Lang), Confirm or Deny (Mayo), How Green Was My Valley (Qu'elle était verte ma vallée) (Ford) ; 1942, Son of Fury (Le chevalier de la vengeance) (Cromwell), The Pied Piper (Pichel), On the Sunny Side (Schuster) ; 1943, My Friend Flicka (Mon amie Flicka) (Schuster), Lassie Come Home (Fidèle Lassie) (Wilcox) ; 1944, The White Cliffs of Dover (Les blanches falaises de Douvres) (Brown), The Keys of the Kingdom (Les clés du royaume) (Stahl) ; 1945, Thunderhead — Son of Flicka (Le fils de Flicka) (King), Molly and Me (Seiler) ; 1946, Holiday in Mexico (Féerie à Mexico) (Sidney) ; 1948, Rocky (Karlson), Macbeth (Macbeth) (Welles), Kidnapped (Beaudine) ; 1949, Tuna Clipper (Le pari fatal) (Beaudine), Black Midnight (Boetticher), Everybody's Dancin' (Jason), Big Timber (Yarbrough), Killer Shark (Boetticher) ; 1952, The Steel Fist (Barry) ; 1960, The Subterraneans (Les rats de cave) (MacDougall), Midnight Lace (Piège à minuit) (Miller) ; 1962, The Longest Day (Le jour le plus long) (Annakin, Marton, Oswald, Wicki) ; 1963, Cleopatra (Cléopâtre) (Mankiewicz) ; 1964, Shock Treatment (Sanders) ; 1965, That Darn Cat ! (L'espion aux pattes de velours) (Stevenson), The Loved One (Ce cher disparu) (Richardson), Inside Daisy Clover (Daisy Clover) (Mulligan), The Greatest Story Ever Told (La plus grande histoire jamais contée) (Stevens), The Third Day (Le témoin du troisième jour) (Smight) ; 1966, Lord Love a Duck (Axelrod), L'espion (Lévy) ; 1967, The Cool Ones (Nelson), The Adventures of Bullwhip Griffin (L'honorable Griffin) (Neilson), It ! (Leder) ; 1968, Planet of the Apes (La planète des singes) (Schaffner), 5 Card Stud (Cinq cartes à abattre) (Hathaway) ; 1969, Midas Run (Kjellin), Hello Down There (Arnold, R. Browning) ; 1970, Angel Angel Down We Go (Thom) ; 1971, Pretty Maids All in a Row (Si tu crois fillette) (Vadim), Escape from Planet of the Apes (Les évadés de la planète des singes) (Taylor) ; 1971, Bedknobs and Broomsticks (L'apprentie sorcière) (Stevenson) ; 1972, The Life and Times of Judge Roy Bean (Juge et hors-la-loi) (Huston), Conquest of the Planet of the Apes (La conquête de la planète des singes) (Thompson), The Poseidon Aventure (L'aventure du Poseidon) (Neame) ; 1973, Arnold (Fenady), Battle for the Planet of the Apes (La bataille de la planète des singes) (Thompson), The Legend of Hell House (La maison des damnés) (Hough) ; 1974, Back to the Planet of the Apes (Retour à la planète des singes) (Laven, Weis), Dirty Mary Crazy Larry (Larry le dingue, Mary la garce) (Hough) ; 1975, Funny Lady (Funny Lady) (Ross) ; 1976, Mean John Barrows (Williamson), Embryo (Nelson) ; 1977, Sixth and Main (Cain) ; 1978, Rabbit Test (Rivers), Laserblast (Rae), The Cat from Outer Space (Le chat qui venait de l'espace) (Tokar) ; 1979, Scavenger Hunt (Schultz), Nutcracker Fantasy (Nakamura), The Silent Flute (Le cercle de fer) (Moore), The Black Hole (Le trou noir) (voix seulement, Nelson) ; 1981, Charlie Chan and the Curse of the Dragon Queen (C. Donner) ; 1982, Evil Under the Sun (Meurtre au soleil) (Hamilton), Class of 1984 (Classe 1984) (M. Lester) ; 1985, Fright Night (Vampire, vous avez dit vampire ?) (Holland) ; 1987, Overboard (Un couple à la mer) (Marshall), Dead of Winter (Froid comme la mort) (Penn) ; 1988, Doin' Time on Planet Earth (Ch. Matthau) ; 1989, Cutting Class (Pallenberg), The Big Picture (Guest), Fright Night Part II (Wallace) ; 1990, Shakma (Logan, Parks), Going Under (Travis), Carmilla (Beaumont) ; 1991, Los gusanos no llevan bufanda (Elorietta) ; 1992, Double Trouble (Paragon) ; 1993, Angel 4 : Undercover (Schenkman) ; 1994, Mirror Mirror 2 : Raven Dance (Lifton), The Color of the Evening (Stafford) ; 1995, Last Summer in the Hamptons (Jaglom), The Grass Harp (Ch. Matthau) ; 1996, It's My Party (Kleiser) ; 1997, The Second Jungle Book : Mowgli & Baloo (Les nouvelles aventures de Mowgli) (McLachlan) ; 1998, Something to Believe In (Hough).

Né à Londres, il débute à huit ans, successivement sur scène et dans *Murder in the Family*, son premier vrai film (il a également fait beaucoup de figuration). Le succès est au rendez-vous, mais ses parents émigrent aux États-Unis à cause de la guerre. Il est finalement découvert par Zanuck à l'âge de douze ans, et se retrouve dirigé par John Ford, dans le rôle du petit Huw, dans *Qu'elle était verte ma vallée.* Il connaîtra la gloire trois ans plus tard avec les rôles principaux de *Mon amie Flicka* et de *Fidèle Lassie,* devenant instantanément le petit garçon le plus célèbre du monde. Mais comme pour la plupart des enfants stars, la suite est parsemée d'embûches, et après un creux de près de douze ans, il retrouve le chemin des studios en 1960, mais s'illustre surtout à Broadway. Au cinéma, cantonné aux seconds rôles en dehors de rôles réguliers dans des productions pour enfants des Studios Disney (*L'espion aux pattes de velours, Le chat qui venait de l'espace*), le seul titre de gloire de la fin de sa carrière sera d'incarner le Dr. Cornelius, chimpanzé récurrent à tous les épisodes de la saga de *La planète des singes.* Il est décédé d'un cancer.

MacDowell, Andie

Actrice américaine, de son vrai prénom Rosalie, née en 1958.

1984, Greystoke, the Legend of Tarzan, Lord of Apes (Greystoke, la légende de Tarzan) (Hudson) ; 1985, St. Elmo's Fire (Schumacher) ; 1989, Sex, Lies and Videotape (Sexe, mensonges et vidéo) (Soderbergh) ; 1991, The Object of Beauty (Les imposteurs) (Lindsay-Hogg), Green Card (Green Card) (Weir) ; 1992, The Player (The Player) (Altman), Hudson Hawk (Hudson Hawk, gentleman cambrioleur) (Lehmann), Groundhog Day (Un jour sans fin) (Ramis) ; 1993, Short Cuts (Short Cuts) (Altman), Ruby Cairo (Clifford), Four Weddings and a Funeral (4 mariages et 1 enterrement) (Newell) ; 1994, Bad Girls (Belles de l'Ouest) (Kaplan), Unstrung Heroes (Les liens du souvenir) (Keaton) ; 1996, Multiplicity (Mes doubles, ma femme et moi) (Ramis), Michael (Michael) (Ephron) ; 1997, The End of Violence (The End of Violence) (Wenders), Shadrach (Shadrach) (Styron) ; 1998, Just the Ticket (Gary et Linda) (Wenk), Town and Country (Chelsom), The Muse (La muse) (Brooks) ; 1999, Muppets from Space (Les Muppets dans l'espace) (Hill) ; 2000, Harrison's Flowers (Harrison's Flowers) (Chouraqui), Sad Fuckers Club (McKay) ; 2001, Ginostra (Pradal), Sad Fucker (Crush, le club des frustrées) (McKay) ; 2004, Beauty Shop (Beauty Shop) (Woodruff) ; 2005, The Last Sign (Le dernier signe) (D. Law) ; 2007, Dreamgirls (Condon), Bamyard (La ferme en folie) (Oedekerk).

Révélée grâce au personnage trouble d'Ann dans *Sexe, mensonges et vidéo*, elle est la partenaire de Depardieu dans *Green Card* avant de triompher dans *4 mariages et 1 enterrement*.

McDowell, Malcolm

Acteur anglais né en 1943.

1967, Poor Cow (Pas de larmes pour Joy) (Loach) ; 1968, If (If) (Anderson) ; 1970, Figures in a Landscape (Deux hommes en fuite) (Losey), The Raging Moon (Forbes) ; 1971, A Clockwork Orange (Orange mécanique) (Kubrick) ; 1973, O Lucky Man ! (Le meilleur des mondes possibles) (Anderson) ; 1975, Royal Flash (Le froussard héroïque) (Lester) ; 1976, Aces High (Le tigre du ciel) (Gold), Voyage of the Damned (Le voyage des damnés) (Rosenberg) ; 1978, The Passage (Passeur d'hommes) (Lee-Thompson) ; 1979, Caligula (Brass) ; Time after Time (C'était demain) (Meyer) ; 1981, Cat People (La féline) (Schrader) ; 1982, Britannia Hospital (Anderson) ; 1983, Blue Thunder (Tonnerre de feu) (Badham), Get Crazy (Arkush), Cross Creek (Marjorie) (Ritt) ; 1984, Merlin and the Sword (C. Donner) ; 1985, Gulag (Goulag) (Roger Young) ; 1987, The Caller (A. Seidelman) ; 1988, Buy and Cell (Boris), Sunset (Meurtre à Hollywood) (Edwards) ; 1989, Il maestro (Hänsel), Moon 44 (Moon 44) (Emmerich), Mortacci (Citti) ; 1990, Disturbed (Delirium) (Winkler), The Assassin of the Tsar (Shakhnazarov), Class of 1999 (Lester), Schweitzer (Hofmeyr), Jezebel's Kiss (Keith) ; 1991, The Player (The Player) (Altman), In the Eye of the Snake (Reid), Vent d'est (Enrico) ; 1993, Night Train to Venice (Quinterio), Chain of Desire (Lopez), Bopha ! (Freeman) ; 1994, Cyborg 3 (Schroeder), Milk Money (La surprise) (Benjamin), Star Trek : Generations (Star Trek Générations) (Carson), Exquisite Tenderness (Schenkel), Big Dog (Kletter), Tank Girl (Tank Girl) (Talalay), Fatal Pursuit (Louzil), Dangerous Indiscretion (Kletter) ; 1995, Kids of the Round Table (Tinnel), Fist of the North Star (Randel), Cyborg 3 : The Recycler (Schroeder) ; 1996, Yesterday's Target (Samson), Hugo Pool (Downey Sr.), Asylum (Seale) ; 1997, Mr. Magoo (Tong), World of Moss (Hudson), 2103 : The Deadly Wake (Jackson), Wing Commander (Roberts) ; 1998, The Gardener (Hickox), The First 9 1/2 Weeks (Wright), Beings (Matthews) ; 1999, Y2K (Pepin), Southern Cross (Becket), Love Lies Bleeding (Tannen), The Visitors (Les visiteurs en Amérique) (Poiré), Gangster No. 1 (McGuigan) ; 2002, Between Strangers (Ponti) ; 2003, Sad Fucker (Crush, Le club des frustrées) (McKay), The Company (Company) (Altman) ; 2005, I'll Sleep When I'm Dead (Seule la mort peut m'arrêter) (Hodges), In Good Company (En bonne compagnie) (Weitz).

Lancé par *Orange mécanique*, cet ancien membre de la Royal Shakespeare Company, qui joua à Stratford-sur-Avon, s'est spécialisé à l'écran dans les rôles de marginaux ou de fous. Il fut un hallucinant Caligula.

McGillis, Kelly

Actrice américaine née en 1957.

1983, Reuben, Reuben (Reuben Reuben ou la vie d'artiste) (Ellis Miller) ; 1985, Witness (Witness) (Weir) ; 1986, Top Gun (Top Gun) (T. Scott) ; 1987, Made in Heaven (Made in Heaven – Bienvenue au paradis) (Rudolph), Ha-Homim (Barbash) ; 1988, The House on Carroll Street (Une femme en péril) (Yates), The Accused (Les accusés) (Kaplan) ; 1989, Winter People (Kotcheff), Cat Chaser (Ferrara) ; 1991, Grand Isle (Lambert) ; 1992, The

Babe (Hiller) ; 1994, North (L'irrésistible North) (B. Reiner) ; 1998, Painted Angels (Sanders), Ground Control (Howard), At First Sight (Premier regard) (Winkler) ; 1999, Morgan's Ferry (Pillsbury), The Settlement (Steilen) ; 2000, The Monkey's Mask (Lang).

Découverte dans le rôle de la mère du petit garçon amish dans *Witness*, Kelly McGillis est ensuite la sémillante instructrice de Tom Cruise dans *Top gun*, et devient une des actrices les plus convoitées des années 80. Mais l'engouement ne sera que de courte durée pour cette jolie blonde californienne, comédienne depuis le lycée, qui traverse les années 90 sans éclat. A peine la remarque-t-on en sœur de Val Kilmer dans *Premier regard*.

McGoohan, Patrick

Acteur et réalisateur irlandais né en 1928.

1955, Passage Home (Baker), The Dam Busters (Les briseurs de barrages) (Anderson), I Am a Camera (Une fille comme ça) (Cornelius) ; 1956, Zarak (Zarak le valeureux) (T. Young), High Tide at Noon (Marée haute à midi) (Leacock) ; 1957, Hell Drivers (Train d'enfer) (Endfield) ; 1958, The Gypsy and the Gentleman (Gypsy) (Losey) ; 1959, Nor the Moon by Night (Annakin) ; 1961, All Night Long (Dearden), Two Living, One Dead (Asquith) ; 1962, The Quare Fellow (Dreifuss), Life for Ruth (Accusé, levez-vous !) (Dearden) ; 1963, The Three Lives of Thomasina (Chaffey) ; 1964, Dr Syn Alias the Scarecrow (Le justicier aux deux visages) (Neilson) ; 1967, Ice Station Zebra (Destination : Zebra, station polaire) (Sturges) ; 1969, The Moonshine War (La guerre des bootleggers) (Quine) ; 1970, Mary, Queen of Scots (Marie Stuart, reine d'Écosse) (Jarrott) ; 1975, Un genio, due compari, un pollo (Un génie, deux associés, une cloche) (Damiani) ; 1976, Silver Streak (Transamerica Express) (Hiller) ; 1978, Brass Target (La cible étoilée) (Hough) ; 1979, Escape from Alcatraz (L'Évadé d'Alcatraz) (Siegel) ; 1981, Scanners (Scanners) (Cronenberg) ; 1984, Kings and Desperate Men (Kanner) ; 1985, Baby, Secret of the Lost Legend (Baby, le secret de la légende oubliée) (Norton) ; 1995, Braveheart (Braveheart) (Gibson) ; 1996, A Time to Kill (Le droit de tuer ?) (Schumacher), The Phantom (Le fantôme du Bengale) (Wincer), Hysteria (Daalder). *Comme réalisateur :* 1974, Catch my Soul.

Ses rôles dans les séries « Destination danger » et surtout « Le prisonnier », où il tenait le rôle du malheureux n° 6 enfermé dans un village peuplé d'êtres étranges, lui valurent une célébrité qu'aucune de ses prestations cinématographiques n'avaient pu et ne pourront lui apporter. Il est également, et surtout, un homme de théâtre, avec près de 180 spectacles à son actif.

McGovern, Elizabeth

Actrice américaine née en 1961.

1980, Ordinary People (Des gens comme les autres) (Redford) ; 1981, Ragtime (Ragtime) (Forman) ; 1983, Lovesick (Brickman) ; 1984, Once Upon a Time in America (Il était une fois en Amérique) (Leone) ; 1984, Racing with the Moon (Les moissons du printemps) (Benjamin) ; 1986, Native Son (Freedman) ; 1987, The Bedroom Window (Faux témoin) (Hanson) ; 1988, She's Having a Baby (La vie en plus) (Hughes) ; 1989, Johnny Handsome (Johnny belle gueule) (Hill) ; 1990, Tune In Tomorrow.../Aunt Julia and the Scriptwriter (Tante Julia et le scribouillard) (Amiel), A Shock to the System (Business oblige) (Egleson) ; 1990, A Handmaid's Tale (La servante écarlate) (Schlöndorff) ; 1992, Me and Veronica (Scardino) ; 1993, King of the Hill (King of the Hill) (Soderbergh) ; 1994, The Favor (Petrie) ; 1995, Wings of Courage (Les ailes du courage) (Annaud) ; 1997, The Wings of the Dove (Les ailes de la colombe) (Softley) ; 1998, The Man with Rain in His Shoes (If Only...) (Ripoll), The Misadventures of Margaret (Les folies de Margaret) (Skeet) ; 1999, Manila (Karmakar), The House of Mirth (Chez les heureux du monde) (Davies).

Au début des années 80, cette fille de professeurs tourne avec les plus grands réalisateurs, débutant sous l'égide de Robert Redford. Elle est nominée aux oscars pour son rôle dans *Ragtime*, mais se fait vraiment remarquer dans le rôle de la dulcinée de Robert De Niro dans *Il était une fois en Amérique*. Attachée davantage à sa carrière théâtrale, elle ne fait que quelques apparitions au cinéma.

MacGraw, Ali

Actrice américaine née en 1938.

1968, A Lovely Way to Die (Un détective à la dynamite) (Lowell Rich) ; 1969, Goodbye Columbus (Peerce) ; 1970, Love Story (Love Story) (Hiller) ; 1972, The Getaway (Guet-apens) (Peckinpah) ; 1978, Convoy (Convoi) (Peckinpah) ; 1979, Players (Smash) (Harvey) ; 1993, Natural Causes (Becket) ; 1997, Glam (Evans).

Fille d'un couple d'artistes, elle travaille dans la photo de mode, notamment à Harper's Bazar. Un début modeste à l'écran puis un rôle vedette dans *Goodbye Colombus*.

Mais c'est *Love Story* (produit par son mari Robert Evans) qui la rend célèbre. Elle y gagne un oscar, mais divorce pour épouser Steve McQueen dont elle est la partenaire dans deux films de Peckinpah. On la revoit dans une œuvre de Anthony Harvey, *Players*, sur le monde du tennis où jouent de nombreux professionnels, de Vilas à T. Gullikson. Elle a écrit une autobiographie, *Moving Pictures*, en 1995.

McGraw, Charles

Acteur américain, 1914-1980.

1938, Angels with Dirty Faces (Les anges aux figures sales) (Curtiz) ; 1943, The Moon Is Down (Pichel), They Came to Blow Up America (Ludwig), The Mad Ghoul (Hogan) ; 1944, The Imposter (L'imposteur) (Duvivier) ; 1946, The Killers (Les Tueurs) (Siodmak), The Big Fix (Flood) ; 1947, The Long Night (Litvak), The Gangster (Un gangster pas comme les autres) (Wiles), Roses Are Red (Tinling), T-Men (La brigade du suicide) (Mann), On the Old Spanish Trail (Witney) ; 1948, Hazard (Marshall), Blood on the Moon (Ciel rouge) (Wise), Berlin Express (Tourneur) ; 1949, Reign of Terror (Le livre noir) (Mann), Border Incident (Incident de frontière) (Mann), Side Street (La rue de la mort) (Mann), The Story of Molly X (Wilbur), Once More My Darling (Montgomery), The Threat (Feist), Ma and Pa Kettle Go to the Town (Lamont) ; 1950, Armored Car Robbery (Fleischer), Double Crossbones (Barton) ; 1951, His Kind of Woman (Fini de rire) (Farrow), Road Block (Daniels) ; 1952, The Narrow Margin (L'enigme du Chicago Express) (Fleischer), One Minute to Zero (Garnett) ; 1953, War Paint (Selander) ; 1954, Loophole (Dangereuse enquête) (Schuster), Thunder over the Plains (La trahison du capitaine Porter) (De Toth), The Bridges at Toko-Ri (Les ponts du Toko-Ri) (Robson) ; 1956, Away All Boats (Brisants humains) (Pevney), Towards the Unknown (LeRoy), The Cruel Tower (Landers), 1957, Joe Dakota (Joe Dakota) (Bartlett), Joe Butterfly (Joe Butterfly) (Hibbs), Slaughter on 10th Avenue (Meurtres sur la 10e avenue) (Laven) ; 1958, Twilight for the Gods (Crépuscule sur l'Océan) (Pevney), The Defiant Ones (Kramer), Saddle the Wind (Libre comme le vent) (Parrish) ; 1959, The Wonderful Country (L'aventurier du Rio Grande) (Parrish), The Man in the Net (L'homme dans le filet) (Curtiz) ; 1960, Spartacus (Spartacus) (Kubrick), Cimarron (La ruée vers l'Ouest) (Mann) ; 1962, The Horizontal Lieutenant (Thorpe) ; 1963, It's a Mad, Mad, Mad, Mad World (Un monde fou, fou, fou, fou) (Kramer), The Birds (Les oiseaux) (Hitchcock) ; 1966, The Busy Body (Castle) ; 1967, In Cold Blood (De sang-froid) (Brooks) ; 1968, Hang'em High (Pendez-les haut et court) (Post) ; 1968, Pendulum (Schaefer) ; 1970, Tell Them Willie Boy Is Here (Willie Boy) (Polonsky), Johnny Got His Gun (Johnny s'en va-t-en guerre) (Trumbo) ; 1975, The Killer Inside Me (Kennedy) ; 1977, Twilight's Last Gleaming (L'ultimatum des trois mercenaires) (Aldrich).

Ce New-Yorkais fit beaucoup de radio avant d'avoir sa chance à l'écran. Yeux bleus et mâchoire énergique, il interpréta des personnages qui ne s'en laissent pas conter. Si les cinéphiles l'aiment bien, c'est qu'il figure au générique des thrillers en noir et blanc de Mann et de Fleischer. Il était excellent en policier chargé de convoyer un témoin dans *L'énigme du Chicago Express*. Chapeau mou et gabardine, son uniforme de prédilection, il fut toujours un flic fort convaincant.

McGregor, Ewan

Acteur écossais né en 1971.

1992, Being Human (Forsyth) ; 1993, Shallow Grave (Petits meurtres entre amis) (Boyle) ; 1995, Trainspotting (Trainspotting) (Boyle), The Pillow Book (The Pillow Book) (Greenaway) Emma (Emma l'entremetteuse) (McGrath), Blue Juice (Prechezer, Salmi) ; 1996, Nightwatch (Le veilleur de nuit) (Bornedal), Brassed Off (Les virtuoses) (Herman), The Serpent's Kiss (Le baiser du serpent) (Rousselot) ; 1997, A Life Less Ordinary (Une vie moins ordinaire) (Boyle), Velvet Goldmine (Velvet Goldmine) (Haynes), 1998, Star Wars : Episode 1 — The Phantom Menace (Star Wars Épisode I : La menace fantôme) (Lucas), Little Voice (Little Voice) (Herman), Rogue Trader (Trader) (Deardon), Eye of the Beholder (Voyeur) (Elliott) ; 1999, Nora (Murphy) ; 2000, Moulin Rouge (Moulin Rouge) (Luhrmann) ; 2001, Star Wars : Episode II – Attack of the Clones (Star Wars : épisode II – L'attaque des clones) (Lucas) ; 2003, Down with Love (Bye Bye Love) (Reed), Big Fish (Big Fish) (Burton) ; 2004, Young Adam) (MacKenzie) ; 2005, The Island (The Island) (Bay), Star Wars : Episode III – The Revenge of Sikhs (Stars Wars : épisode III – La revanche des Sikhs) (Lucas) ; 2006, Stay (Stay) (Forster), Stormbreaker (Alex Rider : Stormbreaker) (Sax) ; 2007, Miss Potter (Miss Potter) (Noonam).

Il quitte l'école à seize ans pour apprendre l'art dramatique. Devenu vedette du petit écran (la mini-série « Lipstick on Your Collar »), il rencontre son compatriote Danny Boyle, qui, alors débutant, va lui offrir les rôles principaux de tous ses films. Son interprétation du junkie de *Trainspotting* en fait une star internationale et il tourne désormais aux États-Unis. La gloire lui sourit définitivement avec le rôle d'Obi-Wan Kenobi jeune dans la trilogie *Star Wars* signée George Lucas.

McIntire, John

Acteur américain, 1907-1991.

1948, Call Northside 777 (Appelez Nord 777) (Hathaway), Black Bart (Bandits de grands chemins) (Sherman), River Lady (Le barrage de Burlington) (Sherman), An Act of Murder (M. Gordon), The Street with No Name (La dernière rafale) (Keighley), Command Decision (Wood) ; 1949, Down to the Sea in Ships (Les marins de l'Orgueilleux) (Hathaway), Red Canyon (Sherman), Scene of the Crime (Rowland), Johnny Stool Pigeon (Castle), Top o'the Morning (D. Miller), Ambush (Embuscade) (Wood), Francis (Lubin) ; 1950, Shadow on the Wall (Jackson), The Asphalt Jungle (Quand la ville dort) (Huston), No Sad Songs for Me (Mate), Winchester 73 (Mann), Saddle Tramp (Fregonese), Under the Gun (Tetzlaff) ; 1951, You're in the Navy Now (La marine est dans le lac) (Hathaway), That's My Boy (Hal Walker), The Raging Tide (Sherman), Westward the Women (Convoi de femmes) (Wellman) ; 1952, The World in His Arms (Le monde lui appartient) (Walsh), Glory Alley (La ruelle du péché) (Walsh), Sally and Saint Anne (Mate), Horizon West (Le traître du Texas) (Boetticher), The Lawless Breed (Victime du destin) (Walsh) ; 1953, The President's Lady (Levin), Mississippi Gambler (Le gentilhomme de la Louisiane) (Mate), A Lion in the Streets (Walsh) ; 1954, There's No Business Like Show Business (La joyeuse parade) (Lang), The Far Country (Je suis un aventurier) (Mann), Apache (Bronco Apache) (Aldrich) ; 1955, Stranger on Horseback (Tourneur), The Scarlet Coat (Duel d'espions) (Sturges), The Kentuckian (L'homme du Kentucky) (Lancaster), Phenix City Story (Karlson), The Spoilers (Hibbs) ; 1956, Backlash (Coup de fouet en retour) (Sturges), World in My Corner (Hibbs), Away All Boats (Brisants humains) (Pevney), I've Lived Before (Bartlett) ; 1957, The Tin Star (Du sang dans le désert) (Mann) ; 1958, Sing, Boy, Sing (Ephron), The Light in the Forest (Daugherty), The Light in the Forest (Daugherty), The Mark of the Hawk (Audley) ; 1959, Gunfight at Dodge City (Le shérif aux mains rouges) (Newman) ; 1960, Who Was That Lady ? (Qui était donc cette dame ?) (Sidney), Psycho (Hitchcock), Elmer Gantry (Brooks), Seven Ways from Sundown (Les sept chemins du Couchant) (Keller), Flaming Star (Les rôdeurs de la plaine) (Siegel) ; 1961, Two Rode Together (Les deux cavaliers) (Ford) ; Summer and Smoke (Été et fumées) (Glenville) ; 1967, Rough Night in Jericho (Violence à Jericho) (Laven) ; 1974, The Love Bug Rides Again (Le nouvel amour de Coccinelle) (Stevenson) ; 1975, Rooster Cogburn (Stuart Millar) ; 1983, Honky Tonk Man (Honky Tonk Man) (Eastwood) ; 1984, Cloak and Dagger (Franklin) ; 1989, Turner and Hooch (Turner et Hooch) (Spottiswoode).

Visage allongé et buriné, il joue les policiers (*Asphalt Jungle*), mais se retrouve aussi de l'autre côté de la loi avec la même aisance (*Stranger on Horseback*). Il est de ces bons seconds plans américains très utilisés par Walsh ou Boetticher et qui donnent un incontestable charme aux séries B.

McKellar, Don

Acteur, scénariste et réalisateur canadien né en 1963.

1989, Roadkill (McDonald) ; 1991, Highway 61 (McDonald), The Adjuster (The Adjuster) (Egoyan) ; 1992, 32 Short Films About Glenn Gould (32 Short Films About Glenn Gould) (Girard) ; 1994, Exotica (Exotica) (Egoyan), Camilla (Mehta) ; 1995, When Night Is Falling (When Night Is Falling) (Rozéma) ; 1996, Never Met Picasso (Kijak), Joe's So Mean to Josephine (Wellington) ; 1997, Vinyl (Zweig), Sarabande (Egoyan) ; 1998, The Red Violin (Le violon rouge) (Girard), Last Night (Last Night) (McKellar), The Herd (P. Lynch), eXistenZ (eXistenZ) (Cronenberg) ; 1999, The Passion of Ayn Rand (Menaul) ; 2000, Waydowntown (G. Burns). *Comme réalisateur :* 1998, Last Night (Last Night).

Chantre du néocinéma indépendant canadien, à la fois comédien, scénariste et réalisateur, il a trouvé ses premiers rôles marquants chez Bruce McDonald et chez Atom Agoyan, avec lequel il partage un même goût pour des univers tordus et oniriques. Son film, *Last Night*, étrange et fascinant ballet de personnages juste avant la fin du monde, n'a eu aucun succès. Dommage.

McKellen, Ian

Acteur anglais né en 1939.

1969, Alfred the Great (Donner), A Touch of Love (Hussein) ; 1981, Priest of Love (Miles) ; 1983, The Keep (La forteresse noire) (Mann) ; 1985, Zina (Zina) (McMullen),

Plenty (Plenty) (Schepisi) ; 1989, Scandal (Scandal) (Caton-Jones) ; 1993, Six Degrees of Separation (Six degrés de séparation) (Schepisi), Last Action Hero (Last Action Hero) (McTiernan), The Ballad of Little Jo (Greenwald), And the Band Played On (Les soldats de l'espérance) (Spottiswoode) ; 1994, Thin Ice (Cunningham-Reid), The Shadow (The Shadow) (Mulcahy), I'll Do Anything (Brooks) ; 1995, Richard III (Richard III) (Loncraine), Restoration (Le don du roi) (Hoffman), Jack and Sarah (Jack & Sarah) (Sullivan) ; 1996, Bent (Mathias), Swept from the Sea (Au cœur de la tourmente) (Kidron) ; 1997, Apt Pupil (Un élève doué) (Singer), Gods and Monsters (Condon) ; 2000, X-Men (X-Men) (Singer), The Lord of the Rings — The Fellowship of the Rings (La communauté de l'anneau) (Jackson) ; 2002, The Lord of Rings : The Two Towers (Le seigneur des anneaux : Les deux tours) (Jackson) ; 2003, The Lord of Rings : The Return of the King (Le Seigneur des anneaux, le retour du roi) (Jackson), X-Men 2 (X-Men 2) (Singer) ; 2006, X-Men : The last Stand (X-Men : L'affrontement final) (Ratner), Da Vinci Code (Da Vinci Code) (Howard) ; 2007, Stardust (Vaughn).

Du théâtre à partir des années 60, avec une prédilection pour le registre shakespearien. Partageant des traits physiques communs avec John Hurt, il gagne ses galons de star en 1969 avec ses interprétations successives de Richard II et Edward II. Interprète de Salieri dans la version musicale de l'*Amadeus* de Forman, à Broadway, il se consacre véritablement au cinéma à partir des années 80, et touche un large public avec son incroyable interprétation d'un Richard III transposé pendant la Seconde Guerre mondiale. Évidemment très à l'aise dans le registre costumé, on le voit moins dans des productions plus contemporaines. Dans *Apt Pupil*, de Bryan Singer, il incarne un ex-nazi vivant paisiblement aux États-Unis et pour lequel se prend de fascination un adolescent.

MacLachlan, Kyle

Acteur américain né en 1959.

1984, Dune (Dune) (Lynch) ; 1986, Blue Velvet (Blue Velvet) (Lynch) ; 1987, The Hidden (Hidden) (Sholder) ; 1990, Don't Tell her It's Me (Un look d'enfer) (Mowbray), The Doors (Les Doors) (Stone) ; 1992, Where the Day Takes You (Rocco), Twin Peaks, Fire Walk With Me (Twin Peaks) (Lynch) ; 1993, Rich in Love (Beresford), The Trial (Jones), The Flintstones (La famille Pierrafeu) (Levant) ; 1994, Against the Wall (Frankenheimer) ; 1995, Showgirls (Showgirls) (Verhoeven) ; 1996, Mad Dog Time (Mad Dogs) (Bishop), The Trigger Effect (Réactions en chaîne) (Koepp), One Night Stand (Pour une nuit) (Figgis) ; 1999, Hamlet (Hamlet) (Almereyda) ; 2000, Timecode (Timecode) (Figgis), X Change (Moyle) ; 2001, Perfume (Rymer), Northfork (Northfork) (Polish).

Le visage juvénile mais ténébreux, il doit l'essentiel de sa carrière à David Lynch qui le fait jouer dans chacun de ses films. Il fut aussi pour lui Dale Cooper, agent du FBI et personnage principal du feuilleton télévisé « Twin Peaks ». Mais sa carrière n'a pas encore trouvé son rythme.

McLaglen, Victor

Acteur américain, 1883-1959.

1920, The Call of the Road (Coleby) ; 1922, The Glorious Adventure (La glorieuse aventure) (Blackton) ; 1923, The Beloved Brute (Blackton) ; 1925, The Fighting Heart (Le champion) (Ford), The Hunted Woman (Conway), Percy (R.W. Neill), Winds of Chance (Terre maudite) (Lloyd), The Unholy Three (Le club des trois) (Browning) ; 1926, Beau Geste (Brenon), What Price Glory (Walsh), Men of Steel (Gueules noires) (Archainbaud), The Isle of Retribution (Hogan) ; 1927, Captain Lash (Blystone), The Loves of Carmen (Walsh) ; 1928, Hangman's House (La maison du bourreau) (Ford), Mother Machree (Ford), A Girl in Every Port (Poings de fer, cœur d'or) (Hawks), The River Pirate (Howard) ; 1929, Strong Boy (Ford), The Cock-Eyed World (Têtes brûlées) (Walsh), The Black Watch (Ford), Hot for Paris (Walsh) ; 1930, On the Level (Cummings), A Devil with Women (Cummings), Happy Days (Stoloff) ; 1931, Dishonored (X 27) (Sternberg), Women of All Nations (Walsh), Wicked (Dwan), Not Exactly Gentlemen (Stoloff) ; 1932, Guilty as Hell, While Paris Sleeps (Dwan), Devil's Lottery (Taylor), Rackety Rax (Werker) ; 1933, Dick Turpin (Hanbury), Hot Pepper (Blystone), Laughing at Life ; 1934, The Lost Patrol (La patrouille perdue) (Ford), No More Women (Rogell), Wharf Angel (Menzies), The Captain Hates the Sea (Milestone), Murder at the Vanities (Leisen) ; 1935, The Informer (Le mouchard) (Ford), Under Pressure (Walsh), The Great Hotel Murder (Forde) ; 1936, Professional Soldier (Garnett), Mary of Scotland (Mary Stuart) (Ford), Klondike Annie (Annie du Klondike) (Walsh), Under Two Flags (Sous deux drapeaux) (Lloyd) ; The Magnificent Brute (Blystone) ; 1937, This Is My Affair (Seiter),

Nancy Steele Is Missing (Marshall), Wee Willie Winkie (La mascotte du régiment) (Ford), Sea Devils (Levering) ; 1938, We're Going To Be Rich (Banks), The Devil's Party (R. McCarey), Battle of Broadway (Les deux bagarreurs) (Marshall) ; 1939, Captain Fury (Hal Roach), Let Freedom Ring (Le flambeau de la liberté (Conway), Gunga Din (Gunga Din) (Stevens), The Pacific Liner (Landers), The Big Guy (Lubin), Ex-Champ (Rosen), Full Confession (Farrow) ; 1940, Diamond Frontier (Schuster), South of Pago Pago (Green) ; 1941, Broadway Limited (G. Douglas) ; 1942, China Girl (La pagode en flammes) (Hathaway), Call Out the Marines (Hamilton), Powder Town (Lee) ; 1943, Forever and a Day (Lloyd, etc.) ; 1944, The Princess and the Pirate (La princesse et le pirate) (Butler), Tampico (Mendes), Roger Touhy Gangster (Florey) ; 1945, Love, Honor and Goodbye (Rogell), Rough, Tough and Ready (Lord) ; 1946, Whistle Stop (Tragique rendez-vous) (Moguy) ; 1947, The Michigan Kid (R. Taylor), Calendar Girl (Dwan), The Foxes of Harrow (La fière créole) (Stahl) ; 1948, Fort Apache (Le massacre de Fort Apache) (Ford) ; 1949, She Wore a Yellow Ribbon (La charge héroïque) (Ford) ; 1950, Rio Grande (Rio Grande) (Ford) ; 1952, The Quiet Man (L'homme tranquille) (Ford) ; 1953, Fair Wind to Java (Kane) ; 1954, Trouble in the Glen (Révolte dans la vallée) (Wilcox), Prince Valiant (Prince Vaillant) (Hathaway) ; 1955, Lady Godiva (Lubin), Many Rivers to Cross (L'aventure fantastique) (Rowland), Bengazi (Brahm), City of Shadows (Witney) ; 1957, The Abductors (Andrew McLaglen) ; 1958, Sea Fury (Endfield), Gli Italiani sono matti (Coletti).

Ce vigoureux Irlandais s'enfuit de chez lui à quatorze ans pour s'engager et servir en Afrique du Sud. Finalement il part aux Indes où la légende veut qu'il ait été garde du corps d'un rajah. On le retrouve ensuite boxeur puis figurant à Hollywood où Ford le remarque. Une solide amitié va lier les deux hommes, de *Fighting Heart* à *Fort Apache, Rio Grande* et *The Quiet Man*. C'est avec Ford que McLaglen gagne un oscar pour sa sensationnelle composition du *Mouchard* en 1935. Mais ce colosse fort en gueule, ivrogne et bagarreur, séduit aussi (comment s'en étonner ?) Walsh, Hathaway et Garnett. Sa filmographie est de ce fait riche en films d'action. Il incarne volontiers les sergents bourrus mais au grand cœur ou les boxeurs sentimentaux. Il mourut d'une crise cardiaque. Il était le père du réalisateur Andrew McLaglen qui le dirigea une fois, dans *The Abductors*.

MacLaine, Shirley

Actrice américaine, de son vrai nom Beatty, née en 1934.

1956, The Trouble with Harry (Mais qui a tué Harry ?) (Hitchcock), Artists and Models (Artistes et modèles) (Tashin), Around the World in 80 Days (Le tour du monde en 80 jours) (Anderson) ; 1957, The Sheerman (La vallée de la poudre) (Marshall) ; 1958, Hot Spel (Vague de chaleur) (Mann), The Matchmaker (La meneuse de jeu) (Anthony), Some Came Running (Comme un torrent) (Minnelli) ; 1959, Ask Any Girl (Une fille très avertie) (Walters), Career (En lettres de feu) (Anthony) ; 1960, The Apartment (La garçonnière) (Wilder), Can Can (Lang), Ocean's 11 (L'inconnu de Las Vegas) (Milestone), All in a Night's Work (Il suffit d'une nuit) (Anthony), The Children's Hour (La rumeur) (Wyler), Two Loves (Anna et les Maoris) (Walters) ; 1961, My Geisha (Ma Geisha) (Cardiff) ; 1962, Two for the Seasaw (Deux sur la balançoire) (Wise) ; 1963, Irma la douce (Wilder) ; 1964, What a Way to Go (Madame Croque-Maris) (Lee-Thompson), John Golfarb Please Come Home (L'encombrant Monsieur John) (Lee-Thompson), The Yellow Rolls Royce (La Rolls Royce jaune) (Asquith) ; 1966, Gambit (Un hold-up extraordinaire) (Neame) ; 1967, Woman Times Seven (Sept fois femme) (De Sica) ; 1968, Sweet Charity (Fosse) ; 1969, The Bliss of Mrs. Blossom (Un amant dans le grenier) (McGrath), Two Mules for Sister Sara (Sierra Torride) (Siegel) ; 1971, Desperate Characters (Gilroy) ; 1972, The Possession of Joe Delaney (Hussein) ; 1977, Sois belle et tais-toi (Seyrig), The Turning Point (Le tournant de la vie) (Ross) ; 1979, Being There (Bienvenue M. Chance) (Ashby) ; 1980, Loving Couples (L'amour à quatre mains) (Smight) ; 1981, A Change of Season (Changement de saison) (Lang) ; 1983, Terms of Endearment (Tendres passions) (J. Brooks), Cannonball 2 (Needham) ; 1988, Madame Sousatzka (Madame Sousatzka) (Schlesinger) ; 1989, Steel Magnolias (Potins de femmes) (Ross), Waiting for the Light (Monger) ; 1990, Postcards from the Edge (Bons baisers d'Hollywood) (Nichols) ; 1991, Defending Your Life (Brooks), Used People (4 New-Yorkaises) (Kidron) ; 1993, Guarding Tess (Un ange gardien pour Tess) (Wilson), Wrestling Ernest Hemingway (Haines) ; 1995, Mrs. Winterbourne (Mrs. Winterbourne) (Benjamin) ; 1996, The Evening Star (Étoile du soir) (Harling) ; 1998, Bruno (MacLaine) ; 1999, Get Bruce (Kuehn) ; 2005, Bewitched (Ma sorcière bien-aimée) (Ephron), In her Shoes (In her Shoes) (Hanson) ; 2006, Rumor Has It (La rumeur court…) (Reiner).

Cette trépidante actrice, fille d'un professeur d'art dramatique, Kathlyn MacLaine, et sœur de l'acteur Warren Beatty, a fait ses débuts à Broadway en 1950 dans « Oklahoma » et « Kiss Me Kate » puis « Pajama Game ». Remarquée par le producteur Hal Wallis, elle joua pour la première fois à l'écran sous la direction d'Alfred Hitchcock. Star, elle renonce au confort hollywoodien car le démon de la politique l'a vite saisie. Elle milita pour Bob Kennedy, McGovern et autres démocrates, publia deux livres (dont le récit d'un voyage en Chine) et signa plusieurs documentaires : *China Memoir, The Year of the Woman...* Mais elle n'a pas renoncé à la scène et a fait un très remarqué « one woman show » en 1976. Retour en fanfare à l'écran avec *Tendres passions* où l'inexistence du metteur en scène lui permet de donner libre cours à un cabotinage dont raffolent les Américains. Et nouvel oscar, bien sûr ! Les films qui suivent ne connaissent pas la même réussite, sauf *Madame Sousatzka* et *Potins de femmes*.

MacLane, Barton

Acteur américain, 1900-1969.

Principaux films : 1941, Western Union (Les pionniers de la Western Union) (Lang), The Maltese Falcon (Le faucon maltais) (Huston), Manpower (L'entraîneuse fatale) (Walsh) ; 1942, The Big Street (Reis) ; 1945, San Quentin (Douglas) ; 1948, The Treasure of Sierra Madre (Le trésor de la Sierra Madre) (Huston) ; 1948, Silver River (La rivière d'argent) (Walsh) ; 1955, Rails into Laramie (Seul contre tous) (Hibbs) ; 1956, Blacklash (Coup de fouet en retour) (Sturges) ; 1964, Law of Lawless (Condamné à être pendu) (Claxton).

Spécialisé dans les rôles de brute ou de personnages antipathiques (on n'a retenu dans sa filmographie que ses compositions les plus célèbres, dont l'employeur de Bogart dans *Le trésor de la Sierra Madre*), il fut un bon troisième couteau de l'âge d'or d'Hollywood.

MacMurray, Fred

Acteur américain, 1908-1991.

1929, Girls Gone Wild (Seiler), Tiger Rose (Fitzmaurice), The Glad Rag Doll (Curtiz) ; 1934, Friends of Mr. Sweeney (Ludwig) ; 1935, Grand Old Girl (Robertson), Car 99 (Barton), Men Without Names (Murphy), The Bride Comes Home (Ruggles), The Gilded Lilly (Ruggles), Hands Across the Table (Jeux de mains) (Leisen), Alice Adams (Stevens) ; 1936, The Trail of the Lonesome Pine (La fille du bois maudit) (Hathaway), The Princess Comes Across (Howard), The Texas Rangers (La légion des damnés) (Vidor), 13 Hours by Air (Treize heures dans l'air) (Leisen) ; 1937, Swing High, Swing Low (Trumpet Blues) (Leisen), True Confession (Ruggles), Maid of Salem (Le démon sur la ville) (Lloyd), Exclusive (Hall), Champagne Waltz (Sutherland) ; 1938, Men with Wings (Les hommes volants) (Wellman), Cocoanut Grove (Santell), Sing You Sinners (Ruggles) ; 1939, Cafe Society (E. Griffith), Honeymoon in Bali (E. Griffith), Invitation to Happiness (Ruggles) ; 1940, Little Old New York (King), Remember the Night (Leisen), Too Many Husbands (Ruggles), Rangers of Fortune (S. Wood) ; 1941, Virginia (E. Griffith), One Night in Lisbon (E. Griffith), New York Town (Ch. Vidor), Dive Bombers (Curtiz) ; 1942, Star Spangled Rhythm (Place au rythme) (Marshall), The Forest Rangers (Marshall), Take a Letter Darling (Leisen), The Lady Is Willing (Madame veut un bébé) (Leisen) ; 1943, Flight for Freedom (Mendes), Above Suspicion (Thorpe), No Time for Love (Leisen) ; 1944, Standing Room Only (Lanfield), And the Angels Sing (Marshall), Double Indemnity (Assurance sur la mort) (Wilder) ; 1945, Murder He Says (Marshall), Where Do We Go From Here (Ratoff), Practically Yours (Leisen), Pardon My Past (Fenton), Smoky (L. King), Captain Eddie (Bacon), 1947, Singapore (Singapour) (Brahm), The Egg and I (L'œuf et moi) (Erskine), Suddenly It's Spring (Leisen) ; 1948, On Our Merry Way (La folle enquête) (Vidor et Fenton), The Miracle of the Bells (Le miracle des cloches) (Pichel), Family Honeymoon (Binyon), Don't Trust Your Husband (ou An Innocent Affair) (Bacon) ; 1949, Father Was a Fullback (Stahl), Borderline (Seiter) ; 1950, Never a Dull Moment (Mon cow-boy adoré) (Marshall) ; 1951, Callaway Went Thataway (Frank et Panama), A Millionaire for Christie (Marshall) ; 1953, Fair Wind to Java (Kane), The Moonlighter (Rowland) ; 1954, The Caine Mutiny (Ouragan sur le Caine) (Dmytryk), Pushover (Du plomb pour l'inspecteur) (Quine), A Woman's World (Negulesco) ; 1955, The Far Horizons (Horizons lointains) (Mate), There's Always Tomorrow (Sirk), The Rains of Ranchipur (La mousson) (Negulesco), At Gunpoint (Le doigt sur la gâchette) (Werker) ; 1957, A Gun for a Coward (Une arme pour un lâche) (Biberman), Quantez (Quantez, leur dernier repaire) (Keller), Good Day for a Hanging (Juran) ; 1958, Day of the

Bad Men (La journée des violents) (Keller) ; 1959, The Shaggy Dog (Barton), Face of A Fugitive (Wendkos), The Oregon Trail (Les Comanches passent à l'attaque) (Fowler Jr) ; 1960, The Apartment (La garçonnière) (Wilder), The Absent-Minded Professor (Mont'là-dessus) (Stevenson) ; 1962, Bon Voyage ! (Neilson) ; 1963, Son of Flubber (Après lui le déluge) (Stevenson) ; 1964, Kisses for My President (Bernhardt) ; 1966, Follow Me, Boys ! (Demain des hommes) (Tokar) ; 1967, The Happiest Millionaire (Le plus heureux des millionnaires) (Tokar) ; 1973, Charley and the Angel (McEveety) ; 1978, The Swarm (L'inévitable catastrophe) (I. Allen).

Longtemps chanteur dans un orchestre (son père était violoniste), il tente sa chance à Hollywood comme figurant. Peu à peu il s'impose dans un genre qui lui va comme une brosse à dents à une poule : la comédie. Encombré par sa grande taille, balourd, inexpressif, il sert de faire-valoir à Claudette Colbert, Jean Arthur, Irene Dunne, Carole Lombard et même Marlène Dietrich (*The Lady Is Willing*). En 1944, *Double Indemnity*, où il est remarquable, semble amorcer une nouvelle étape dans sa carrière. On le retrouve avec plaisir au cours des années 50 dans de petits westerns sans prétention mais bien filmés de Werker, Keller, Maté, Biberman... et dans des bandes exotiques (*Singapour*). Hélas ! il reprend en 1960 du service dans la comédie et quelle comédie, celle de Stevenson ou Tokar ! On le retrouve toutefois encore chez Wilder dans *La garçonnière* pour un dernier coup d'éclat.

McNally, Stephen

Acteur américain, 1913-1994.

1942, For Me and My Gal (Pour moi et ma mie) (Berkeley), Eyes in the Night (Les yeux dans les ténèbres) (Zinnemann), Keeper of the Flame (La flamme sacrée) (Cukor) ; 1943, Air Raid Wardens (Chefs d'îlots) (Sedgwick), The Man from Down Under (Leonard) ; 1944, An American Romance (Romance américaine) (Vidor), Thirty Seconds over Tokyo (Trente secondes sur Tokyo) (LeRoy) ; 1945, Bewitched (Oboler), Dangerous Partners (Cahn) ; 1946, The Harvey Girls (Sidney), Magnificent Doll (Borzage) ; 1948, Johnny Belinda (Johnny Belinda) (Negulesco), Rogue's Regiment (Florey) ; 1950, Winchester 73 (Winchester 73) (Mann), Wyoming Mail (LeBorg), No way out (La porte s'ouvre) (Mankiewicz) ; 1951, Air Cadet (Pevney), Apache Drums (Quand les tambours s'arrêteront) (Fregonese), The Raging Tide (Sherman), The Lady Pays Off (Sirk) ; 1952, Diplomatic Courrier (Courrier diplomatique) (Hathaway) ; 1953, Devil's Canyon (Nuit sauvage) (Werker) ; 1954, Make Haste to Live (Seiter), A Bullet Is Waiting (Une balle vous attend) (Farrow) ; 1955, The Man from Bitter Ridge (Arnold), Violent Saturday (Les inconnus dans la ville) (Feischer) ; 1956, Tribute to a Bad Man (La loi de la Prairie) (Wise) ; 1957, Hell's Crossroads (Le carrefour de la vengeance) (Adreon) ; 1958, Hell's Five Hours (Copeland), Johnny Rocco (Johnny Rocco) (Landres), The Fiend Who Walked the West (Douglas) ; 1959, Hell Bent fot Leather (Le diable dans la peau) (G. Sherman) ; 1965, Requiem for a Gunfighter (Le glas du hors-la-loi) (Bennett).

Ce beau ténébreux a hanté quelques-uns des meilleurs westerns de l'après-guerre.

MacNee, Patrick

Acteur anglais né en 1922.

1943, The Life and Death of Colonel Blimp (Colonel Blimp) (Powell, Pressburger) ; 1948, The Fatal Night (moyen métrage : M. Zampi) ; 1950, The Elusive Pimpernel (Powell, Pressburger) ; 1951, Scrooge (Hurst) ; 1956, The Battle of the River Plate (La bataille du Rio de la Plata) (Powell, Pressburger) ; 1957, Until They Sail (Femmes coupables) (Wise), Les Girls (Les Girls) (Cukor) ; 1959, Mission of Danger (J. Tourneur) ; 1970, Incense for the Damned (Hartford-David) ; 1977, King Solomon's Treasure (Rakoff), Dead of Night (Curtis) ; 1979, The Billion Dollar Threat (La planète contre un milliard) (Shear) ; 1980, The Sea Wolves (Le commando de Sa Majesté) (McLaglen) ; 1981, Sweet 16 (Sotos), The Hot Touch (Vadim), The Creature Wasn't Nice (Kimmel), The Howling (Hurlements) (Dante) ; 1982, Young Doctors in Love (Docteurs in Love) (Marshall) ; 1984, This Is Spinal Tap (Spinal Tap) (Reiner) ; 1985, Shadey (Saville), A View to a Kill (Dangereusement vôtre) (Glen) ; 1988, Waxwork (Waxwork) (Hickox) ; 1989, Transformations (Kamen), Masque of the Red Death (Brand), Lobster Man From Mars (Sheff), Eye of the Widow (SAS, l'œil de la veuve) (McLaglen) ; 1990, Chill Factor (Stanton) ; 1991, Incident at Victoria Falls (Corcoran) ; 1992, Waxworks II : Lost in Time (Hickox).

Étudiant à Eton, il obtient une bourse pour étudier à la Webber-Douglas Drama School. Il débute sur les planches et est partenaire de Vivien Leigh avant de devoir partir au front, dans la Navy. A son retour, il enchaîne de nombreux petits rôles au cinéma, mais c'est bien évidemment celui de John Steed dans la série « Chapeau melon et bottes de cuir » qui le fait mondialement connaître. Tout de flegme, d'élégance impeccable et d'humour froid, il incarne prodigieusement l'Anglais de référence.

McQueen, Steve

Acteur américain, 1930-1980.

1956, Somebody Up There Likes Me (Marqué par la haine) (Wise), Beyond a Reasonable Doubt (L'invraisemblable vérité) (Lang) ; 1958, Never Love a Stranger (Stevens), The Blob (Danger planétaire) (Yeaworth) ; 1959, The Great St. Louis Bank Robbery (Hold-up en 120 secondes) (Guggenheim, Stix), Never so Few (La proie des vautours) (Sturges) ; 1960, The Magnificent Seven (Les sept mercenaires) (Sturges) ; 1961, The Honeymoon Machine (Branle-bas au casino) (Thorpe) ; 1962, Hell Is For Heroes (L'enfer est pour les héros) (Siegel), The War Lover (L'homme qui aimait la guerre) (Leacock), The Great Escape (La grande évasion) (Sturges) ; 1963, Soldier in the Rain (La dernière bagarre) (Nelson), Love with the Proper Stranger (Une certaine rencontre) (Mulligan) ; 1964, Baby the Rain Must Fall (Le sillage de la violence) (Mulligan) ; 1965, The Cincinnati Kid (Le Kid de Cincinnati) (Jewison), Nevada Smith (Nevada Smith) (Hathaway) ; 1966, The Sand Pebbles (La canonnière du Yang Tse) (Wise) ; 1967, The Thomas Crown Affair (L'affaire Thomas Crown) (Jewison), Bullitt (Bullitt) (Yates) ; 1968, The Reivers (Reivers) (Rydell) ; 1970, Le Mans (Le Mans) (Katzin) ; 1971, One Any Sunday (Challenge One) (Brown), Junior Bonner (Junior Bonner) (Peckinpah) ; 1972, The Getaway (Le guet-apens) (Peckinpah) ; 1973, Papillon (Papillon) (Schaffner) ; 1974, The Towering Inferno (La tour infernale) (Guillermin) ; 1976, An Enemy of the People (Schaefer) ; 1979, Tom Horn (Tom Horn... sa véritable histoire) (Wiard) ; 1980, The Hunter (Le chasseur) (Kulik).

Une jeunesse agitée (il travaille sur un pétrolier grec, devient émondeur d'arbres au Canada puis sert dans les Marines de 1948 à 1950). Il débute au théâtre en 1952 et commence à tenir quelques petits rôles au cinéma mais c'est la télévision qui le lance avec la série « Wanted Dead or Alive » (Au nom de la loi) où il est chasseur de primes. En 1960, il joue l'un des *Sept mercenaires*. Tous deviendront célèbres. Désormais il interprète en vedette des personnages de « kids » à la tête brûlée ou animés d'un désir de vengeance (*Cincinnati Kid, Nevada Smith*). Excellent conducteur, on le retrouve au volant de *Bullitt* et du *Mans*. Curieusement, son avant-dernier film est le lent récit de sa pendaison dans *Tom Horn*. Dernière apparition dans *The Hunter* où son visage est déjà marqué par la maladie.

MacReady, George

Acteur américain, 1908-1973.

1942, Commandos Strike at Dawn (Les commandos frappent à l'aube) (Farrow) ; 1944, The Seventh Cross (La septième croix) (Zinneman), The Soul of a Monster (W. Jason), The Conspirators (Les Conspirateurs) (Negulesco), Wilson (King) ; 1945, The Missing Juror (Boetticher), I Love a Mystery (Levin), Counter-Attack (Z. Korda), Don Juan Quilligan (Tuttle), A Song to Remember (La chanson du souvenir) (Ch. Vidor), My Name Is Julia Ross (Lewis), The Fighting Guardsman (Levin) ; 1946, Gilda (Gilda) (Ch. Vidor), Man Who Dared (Sturges), The Bandit of Sherwood Forest (G. Sherman), The Walls Came Tumbling Down (Mendes), Down to Earth (L'étoile des étoiles) (Hall), The Return of Monte Cristo (Levin), The Swordman (Le manoir de la haine) (Lewis) ; 1948, The Big Clock (La grande horloge) (Farrow), Coroner Creek (Ton heure a sonné) (Enright), Beyond Glory (Farrow) ; 1949, Alias Nick Beal (Un pacte avec le diable) (Farrow), Knock on Any Door (Les ruelles du malheur) (Ray), The Doolins of Oklahoma (Douglas), Fortunes of Captain Blood (Douglas) ; 1950, The Nevadan (Douglas), Lady Without a Passport (La dame sans passeport) (Lewis), The Desert Hawk (L'aigle du désert) (De Cordova) ; 1951, Tarzan's Peril (Tarzan et la reine de la jungle) (Haskin), The Desert Fox (Le renard du désert) (Hathaway), The Golden Horde (Sherman), Detective Story (Histoire de détective) (Wyler), The Stranger Wore a Gun (Les massacreurs du Kansas) (De Toth) ; 1953, Julius Caesar (Jules César) (Mankiewicz) ; 1954, Duffy of San Quentin (Doniger), Vera Cruz (Vera Cruz) (Aldrich) ; 1956, A Kiss Before Dying (Oswald), Thunder over Arizona (Kane) ; 1957, Gunfire at Indian Cap (Kane) ; 1958, The Abductors (McLaglen), Paths of Glory (Les sentiers de la gloire) (Kubrick) ; 1959, Plunderers of Painted Flats (Gannaway), Alligator People (Del Ruth) ; 1960, Jet over the Atlantic (Haskin) ; 1962, Two Weeks in Another Town (Quinze jours ailleurs) (Minnelli), Taras Bulba (Lee-Thompson) ; 1964, Dead Ringer (La mort frappe trois fois) (Henreid), Seven Days in May (Sept jours en mai) (Frankenheimer), Where Love Has Gone (Rivalités) (Dmytryk) ; 1965, The Great Race (La plus grande course autour du monde) (Edwards), The Human Duplicators (Grimaldi) ; 1970, Tora ! Tora ! Tora ! (Fleischer) ; Count Yorga Vampire (Kelljan).

L'un des plus extraordinaires méchants de l'écran. Grand, blond, distingué, une cicatrice sur la joue droite, il était fabuleux en mari – fort inquiétant – de Rita Hayworth dans *Gilda*, en officier cruel et batailleur dans *Vera Cruz* ou en Écossais perfide dans *The Swordman*. Le traître par excellence.

Macy, William H.

Acteur américain né en 1950.

1980, Somewhere in Time (Quelque part dans le temps) (Szwarc), Foolin' Around (Heffron) ; 1983, Without a Trace (Avis de recherche) (Jaffe) ; 1984, The Boy Who Loved Trolls (Laidman) ; 1985, The Last Dragon (Schultz) ; 1987, House of Games (Engrenages) (Mamet), Radio Days (Radio Days) (Allen) ; 1988, Things Change (Parrain d'un jour) (Mamet), Lip Service (Macy) ; 1991, Homicide (Homicide) (Mamet) ; 1992, Shadows and Fog (Ombres et brouillard) (Allen) ; 1993, Twenty Bucks (Rosenfeld), Searching for Bobby Fischer (Zaillian), Benny & Joon (Benny & Joon) (Chechik) ; 1994, Being Human (Forsyth), Tall Tale (Chechik), Oleanna (Mamet), The Client (Le client) (Schumacher), Dead on Sight (Preuss) ; 1995, Mr. Holland's Opus (Professeur Holland) (Herek), Murder in the First (Meurtre à Alcatraz) (Rocco), Above Suspicion (Schachter) ; 1996, Fargo (Fargo) (Coen), Down Periscope (Touche pas à mon périscope) (Ward), Ghosts of Mississippi (Reiner), Hit Me (Shainberg), Colin Fitz (Bella) ; 1997, Boogie Nights (Boogie Nights) (P.T. Anderson), Air Force One (Air Force One) (Petersen), Wag the Dog (Des hommes d'influence) (Levinson) ; 1998, Jerry and Tom (Rubinek), Pleasantville (Pleasantville) (Ross), A Civil Action (Préjudice) (Zaillian), Psycho (Psycho) (Van Sant), Happy, Texas (Happy, Texas) (Illsley) ; 1999, Mystery Men (Mystery Men) (Usher), Magnolia (Magnolia) (P.T. Anderson) ; 2000, State and Main (Séquences et conséquences) (Mamet), Panic (Bromell) ; 2001, Jurassic Park 3 (Jurassic Park 3) (Johnston) ; 2002, Stealing Sinatra (Underwood), Welcome to Collinwood (Bienvenue à Collinwood) (A. et J. Russo) ; 2003, Spartan (Mamet), Seabiscuit (Pur-sang, la légende de Seabiscuit) (Ross) ; 2004, In Enemy Hands (U-Boat : entre les mains de l'ennemi) (Giglio), The Cooler (Lady chance) (Kramer), Cellular (Cellular) (Ellis) ; 2005, Sahara (Sahara) (Eisner) ; 2006, Thank You for Smoking (Thank You for Smoking) (Reitman) ; 2007, Bobby (Bobby) (Estevez), Inland Empire (Inland Empire) (Lynch).

Acteur fétiche de David Mamet (au même titre que Joe Mantegna), sa trogne de victime idéale, très années 40 avec yeux de chien battu et moustaches tombantes, lui fait endosser par la suite de très pittoresques rôles de maris cocus, de losers patentés (*Fargo, Boogie Nights*). Il prend de l'importance et devient un super-héros à la manque dans *Mystery Men*, et un shérif gay émouvant dans *Happy, Texas*.

Madison, Guy

Acteur américain, de son vrai nom Robert Mosely, 1922-1996.

1944, Since You Went Away (Depuis ton départ) (Cromwell) ; 1946, Till the End of Time (Dmytryk) ; 1947, Honeymoon (Keighley) ; 1948, Texas, Brooklyn and Heaven (Castle) ; 1949, Massacre River (Rawlins) ; 1951, Drums in the Deep South (Menzies) ; 1952, Red Snow (Petroff), The Ghost of Crossbones Canyon (McDonald) ; 1953, The Charge at Feather River (La charge sur la rivière rouge) (Douglas) ; 1954, The Command (La poursuite dura sept jours) (Butler) ; 1955, Five Against the House (On ne joue pas avec le crime) (Karlson), The Last Frontier (La charge des tuniques bleues) (Mann) ; 1956, Reprisal ! (G. Sherman), On the Threshold of Space (Webb), Hilda Crane (Dunne), The Beast of Hollow Mountain (Nassour) ; 1957, The Hard Man (G. Sherman) ; 1958, Bullwhip (La femme au fouet) (H. Jones) ; 1959, Jet Over the Atlantic (Haskin) ; 1961, Rosamunda e Alboino (Le glaive du conquérant) (Campogalliani), La schiava di Roma (L'esclave de Rome) (Grieco), La prigionere dell'isola del diavolo (L'île aux filles perdues) (Paolella) ; 1963, I piombi di Venezia (La vengeance du Doge) (Mercanti), Il boia di Venezia (Le bourreau de Venise) (Capuano) ; 1964, Sandokan alla riscossa (Le trésor de Malaisie) (Capuano), Sandokan contro il leopardo di Sarawak (Le léopard de la jungle noire) (Capuano), I misteri delle giunglia nera (Les repaires de la jungle noire) (Capuano), Old Shatterhand (Les cavaliers rouges) (Fregonese), Das Geheimnis der Lederschlinge (Capuano) ; 1965, L'avventura della tortuga (Le flibustier des Caraïbes) (Capuano), Duel à Rio Bravo (De Micheli) ; 1966, Devilman Story (Devilman le diabolique) (Maxwell) ; I cinque della vendetta (Florio), Das Vermächtnis des Inka (Marischka) ; 1967, Sette winchester per un massacro (E. Rowland), Testa di sbarco per otto implacabili (Tête de pont pour huit implacables) (Brescia), Il ritorno di Ringo (Le retour de Ringo) (Tessari), Il figlio di Django (Civirani) ; 1968, I lunghi giorni dell'ordio (Ringo ne devait pas mourir) (Baldanello), The Bang Bang Kid (Telli) ; 1969, Sette eroiche carogne (La patrouille des sept damnés) (Merino), Un posto all'inferno (L'enfer des Philippines)

(Warren), La battaglia del ultimo Panzer (Panzer division) (Merino), I diavoli della guerra (Albertini) ; 1970, Reverendo Colt (Reverendo Colt) (Klimovsky) ; 1974, Il baco da seta (Sequi) ; 1975, Won Ton Ton, the Dog Who Saved Hollywood (Winner), The Pacific Connection (Nepomuceno).

Jeune premier de westerns de série B, ce beau garçon conquit la célébrité avec la télévision où il joua dans *Wild Bill Hickok*. Parti en Italie, il se multiplia dans des « westerns spaghettis » et des films d'aventures. Rien que du médiocre. Madison fut plus heureux en amour : il épousa Gail Russel, disparue — hélas — en 1954.

Madonna

Actrice et chanteuse américaine, de son vrai nom Louise Ciccone, née en 1959.

1985, New York Sacrifice (*video*, Lewicki), Desperately Seeking Susan (Recherche Susan désespérément) (Seidelman) ; 1986, Vision Quest/Crazy for You (Becker), Shanghai Surprise (Shanghai Surprise) (Goddard) ; 1987, Who's That Girl ? (Who's That Girl ?) (Foley) ; 1989, Dick Tracy (Dick Tracy) (Beatty) ; 1990, Bloodhounds of Broadway (Brookner). 1991, Truth or Dare (In Bed with Madonna) (Keshishian), Shadows and Fog (Ombres et brouillard) (Allen) ; 1992, A League of Their Own (Une équipe hors du commun) (Marshall) ; 1993, Body of Evidence (Body) (Edel), Snake Eyes (Snake Eyes) (Ferrara) ; 1994, Blue in the Face (Brooklyn boogie) (Wang, Auster) ; 1995, Four Rooms (Rockwell, Tarantino, Anders, Rodriguez) ; 1996, Evita (Evita) (Parker) ; 1999, The Next Big Thing (Un couple presque parfait) (Schlesinger) ; 2002, Swept Away (A la dérive) (Ritchie).

Un phénomène plagiant Marilyn Monroe. Son premier film était intéressant, mais *Shanghai Surprise*, honnête bande d'aventures, fut un échec. Succès de scandale en revanche pour *In Bed with Madonna*. Mais ses apparitions chez Allen ou Ferrara révèlent ses talents de comédienne.

Madsen, Harald

Acteur danois, 1890-1949.

Flirt of Forlovelse (Lauritzen) ; 1922, Hun, Han og Hamlet (Lauritzen) ; 1923, Darskab, Dyd og Driverter (Lauritzen) ; 1924, Professor Petersens Plejeborn (Lauritzen), Raske Riviera-Rejsende (Lauritzen), Polis Paulus Paskamall (Molander), Takt, Tone og Tosser (Lauritzen) ; 1926, Don Quixote (Don Quichotte) (Lauritzen) ; Lykkehjulet (Les joyeux lurons) (Gad) ; 1928, Cocktails (Banks), Han, Hun og Hamlet (Lauritzen) ; 1929, Kys, Klap og Kommers, Hallo, Afrika Forude ; 1930, Pas pa Pigerne ; 1932, Wiener Lun penka valiere ; 1935, Knox und die Lustigen Vagabunden ; 1937, Raske Detektiver, Pat und Patachon inn Paradies (La plupart de Lauritzen ou produits par lui).

Avec Carl Schenström, il forma l'un des premiers couples comiques fondés sur le contraste du gros (Madsen) et du maigre. En France, ils furent Doublepatte et Patachon.

Madsen, Michael

Acteur américain né en 1958.

1982, Against All Hope (McDougal) ; 1983, Wargames (Wargames) (Badham) ; 1984, Racing with the Moon (Les moissons du printemps) (Benjamin), The Natural (Le meilleur) (Benjamin) ; 1987, The Killing Time (King) ; 1988, Shadows in the Storm (Tannen), Iguana (Hellman), Blood Red (Masterson) ; 1989, Kill Me Again (Kill Me Again) (Dahl) ; 1991, Fatal Instinct (Dirlam), The End of Innocence (Cannon), The Doors (The Doors) (Stone), Thelma and Louise (Thelma & Louise) (R. Scott) ; 1992, Trouble Bound (J. Reiner), Beyond the Law (Ferguson), Almost Blue (Waxman), Straight Talk (Franc-parler) (Kellman), Reservoir Dogs (Reservoir Dogs) (Tarantino) ; 1993, Money for Nothing (Menéndez), Inside Edge (Clarke), A House on the Hills (Wiederhorn), Free Willy (Sauvez Willy) (Wincer) ; 1994, Season of Change (R. Murray), Dead Connection (Dick), Blue Tiger (Barba), The Getaway (Guet-apens) (Donaldson), Wyatt Earp (Wyatt Earp) (Kasdan) ; 1995, Species (La mutante) (Donaldson), Free Willy 2 : The Adventure Home (Sauvez Willy 2) (Little) ; 1996, The Winner (Cox), Red Line (Sjogren), Man With a Gun (Wyles), The Last Days of Frankie the Fly (Markle), Mulholland Falls (Les hommes de l'ombre) (Tamahori), Donnie Brasco (Donie Brasco) (Newell) ; 1997, Surface to Air (McDonald), The Sender (Pepin), Rough Draft (Wallace), Papertrail (D. Lee), The Girl Gets Moe (Bruce), Executive Target (Merhi), Catherine's Grove (King), The Maker (Hunter) ; 1998, The Thief and the Stripper (Sjogren), Supreme Sanction (Terlesky), The Florentine (Stagliano), Species II (La mutante II) (Medak), Fait accompli (Sekula), Detour (Joey Travolta), Ballad of the Nightingale (Greville Morris) ; 1999, The Stray (Mock), The Alternate (Firstenberg) ; 2000, Luck of the Draw (Bercovici), The Price of Air (Evans), The Confidence Game (Chilsen, Foreman) ; 2001, Extreme Honor (Rush).

Il est Jimmy dans *Thelma et Louise*, le film de Scott qui en fait une sympathique vedette.

Il devient Mr. Blonde, le tortionnaire, dans *Reservoir Dogs*. Ses autres rôles ont moins de relief.

Madsen, Virginia

Actrice américaine née en 1963.

1983, Class (Class) (Carlino), A Matter of Principle (Arner) ; 1984, Electric Dreams (Electric dreams) (Barron), Dune (Dune) (Lynch) ; 1985, Creator (Creator) (Passer) ; 1987, Slam Dance (Slam dance) (Wang) ; 1986, Fire With Fire (Gibbins), Modern Girls (Kramer) ; 1987, Zombie High (Link) ; 1988, Mr. North (Mr. North) (D. Huston), Hot to Trot (Dinner) ; 1989, Heart of Dixie (Davidson) ; 1990, Becoming Colette (Devenir Colette) (D. Huston), The Hot Spot (Hot spot) (Hopper) ; 1991, Highlander II, the Quickening (Highlander II, le retour) (Mulcahy) ; 1992, Candyman (Candyman) (Rose) ; 1993, Blue Tiger (Barba) ; 1994, The Prophecy (Widen), Caroline at Midnight (McGinnis) ; 1996, Wiskey Down (Auerback), Ghosts of Mississippi (R. Reiner), The Rainmaker (L'idéaliste) (Coppola) ; 1998, The Florentine (Stagliano), Ballad of the Nightingale (Greville Morris), Ambushed (Dickerson) ; 1999, Nobody Knows Anything (Rouse), The Haunting (Hantise) (De Bont), Full Disclosure (Bradshaw) ; 2000, Lying in Wait (Kirkpatrick), Full Disclosure (Bradshaw), After Sex (Thor), American Gun (Jacobs).

Nouvelle vamp du cinéma américain, elle s'impose par une sensualité torride (et perfide) dans *Hot Spot*. Elle est la sœur de Michael Madsen.

Magimel, Benoît

Acteur français né en 1974.

1987, La vie est un long fleuve tranquille (Chatiliez) ; 1988, Papa est parti, maman aussi (Lipinska) ; 1991, Les années campagne (Leriche), Toutes peines confondues (Deville) ; 1992, Le cahier volé (Lipinska) ; 1995, La haine (Kassovitz), La fille seule (Jacquot) ; 1996, Les voleurs (Téchiné) ; 1998, Déjà mort (Dahan), Une minute de silence (Siri) ; 1999, Elle et lui au 14e étage (Blondy), Les enfants du siècle (Kurys), Lisa (Grimblat) ; 2000, Selon Matthieu (Beauvois), Le roi danse (Corbiau) ; 2001, La pianiste (Haneke), Nid de guêpes (Siri) ; 2002, La fleur du mal (Chabrol) ; 2003, Errance (Odoul), Effroyables jardins (Becker) ; 2004, Les rivières pourpres 2 (Dahan), La demoiselle d'honneur (Chabrol) ; 2005, Les chevaliers du ciel (Pirès), Trouble (Cleven) ; 2006, Selon Charlie (Garcia), Fair Play (Bailliu) ; 2007, 24 mesures (Lespert), Truands (F. Schoendoerffer).

Découvert enfant dans le rôle de Momo, garçonnet qui passait du prolétariat à la haute bourgeoisie dans *La vie est un long fleuve tranquille*, il se transforme ensuite en un jeune premier sec et noueux, de la trempe d'un Sean Penn, capable d'alterner action et violence (*Déjà mort*) et romantisme sulfureux (il est un Musset pervers et tragique dans *Les enfants du siècle*). Chabrol l'apprécie et il est un magnifique « chevalier du ciel ». Sans doute un des grands acteurs de sa génération.

Magnani, Anna

Actrice italienne, 1907-1973.

1928, Scampolo (Genina) ; 1934, La cieca di Sorrento (Malasomma) ; 1936, Cavalleria (Alessandrini), Tempo massimo (Mattoli), Trenta secondi d'amore (Bonnard) ; 1937, Principessa Tarakanova (Ozep) ; 1940, Finalmente soli (Gentilomo), Una lampada alla finestra (Talamo) ; 1941, La fuggitiva (Ballerini), Teresa Venerdi (Sica) ; 1942, La fortuna viene dal cielo (Rathoni) ; 1943, L'ultima carrozella (Le diamant mystérieux) (Mattoli), Campo de'fiori (Place des Fleurs) (Bonnard), T'amoro sempre (Camerini), La vita e bella (Bragaglia), Abbasso la miseria (Righelli) ; 1944, Il fiore sotto gli occhi ; 1945, Roma citta aperta (Rome ville ouverte) (Rossellini), Abbasso la ricchezza (Righelli) ; 1946, Il bandito (Le bandit) (Lattuada), Davanti a lui tremava tutta Roma (Devant lui tremblait Rome) (Gallone), Un uomo ritorna (Un homme revient) (Neufeld) ; 1947, Quartetto pazzo (Salvini), L'onorevole Angelina (L'honorable Angelina) (Zampa), Lo sconosciuto di San Marino (Cottafavi) ; 1948, Assunta Spina (Mattoli), Molti sogni per le strade (Camerini), Amore (Rossellini) ; 1949, Volcano (Dieterle) ; 1951, Bellissima (Bellissima) (Visconti), 1952, Camicie rosse (Les chemises rouges) (Alessandrini), Le carrosse d'or (Renoir) ; 1953, Siamo donne (Nous les femmes) (épisode de Visconti) ; 1955, The Rose Tattoo (La rose tatouée) (Mann) ; 1956, Suor Letizia (Camerini), Wild Is the Wind (Car sauvage est le vent) (Cukor) ; 1958, Nella citta l'inferno (L'enfer dans la ville) (Castellani) ; 1959, The Fugitive Kind (L'homme à la peau de serpent) (Lumet) ; 1960, Risate di gioia (Larmes de joie) (Monicelli) ; 1962, Mamma Roma (Pasolini) ; 1963, Le magot de Josefa (Autant-Lara) ; 1964, La cripta e l'incubo (Mastrocinque) ; 1965, Made in Italy (A l'italienne) (Loy) ; 1969, The Secret of Santa Vittoria (Le secret de Santa Vittoria) (Kramer) ; 1971, Fellini Roma (Fellini Roma) (Fellini), Correva l'anno di grazia 1870 (Giannetti).

Égérie du néoréalisme, elle vient d'un quartier populaire de Rome. Elle fait des études d'art dramatique et participe à une tournée en Amérique latine. Au retour, elle se montre dans des cabarets, joue dans des comédies musicales avec Toto et participe aux derniers feux du cinéma fasciste avec quelques films plus ou moins drôles. Sa rencontre avec Rossellini marque un tournant. C'est l'après-guerre, une époque dure où les Italiens ne savent plus rire d'eux-mêmes. Le beau masque tragique de cette femme brune et frêle domine alors les écrans italiens. La rupture avec Rossellini, la réponse de *Volcano* à Stromboli (avec Bergman sous la direction de Rossellini) entraînent une nouvelle étape dans la carrière de Magnani. Lattuada et Visconti s'effacent devant les Américains Cukor et Lumet. Si la période précédente avait été dominée par le très beau *Bellissima* de Visconti (Magnani était extraordinaire en mère orgueilleuse de la beauté de sa petite fille), c'est le sublime *Carrosse d'or* de Renoir qui ouvre une époque plus gaie et plus décontractée, dans cette carrière si changeante, que clôt l'émouvant hommage de Fellini en 1971 (*Correva l'anno di grazia 1870* étant un film en coproduction avec la télévision). Rappelons qu'elle gagna un oscar en 1955 pour *The Rose Tatoo*.

Magnier, Pierre

Acteur français, 1869-1959.

1900, Le duel d'Hamlet (Maurice) ; 1912, La reine Margot (Calmettes), Le maître de forges (Calmettes) ; 1913, Serge Panine (Pouctal) ; 1918, Retour aux champs (Baroncelli) ; 1919, L'argent qui tue (Denola), L'homme bleu (Manoussi), L'ibis bleu (Morlhon) ; 1920, Papa bon cœur (Léon Bernard) ; 1921, La dette (Roudès) ; 1922, La roue (Gance) ; 1923, Le juge d'instruction (M. Dumont), Cyrano de Bergerac (Genina) ; 1924, Paris (Hervil) ; 1930, Les deux mondes (Dupont) ; 1931, Le congrès s'amuse (Charell, version française) ; 1932, Les deux orphelines (Tourneur), Fra Diavolo (Bonnard), Coup de roulis (La cour) ; 1934, Amok (Ozep), La garnison amoureuse (Vaucorbeil), Mam'zelle Spahi (Vaucorbeil), 1935, Deuxième bureau (Billon) ; 1936, Les loups entre eux (Mathot), La chanson du souvenir (Sierck), L'homme à abattre (Mathot), Les reprouvés (Séverac) ; 1937, Ignace (Colombier), Les perles de la couronne (Guitry), Double crime sur la ligne Maginot (Gandera), Le cantinier de la coloniale (Wulschleger) ; 1938, Légions d'honneur (Gleize), Les loups entre eux (Mathot), Capitaine Benoît (Canonge), Troïka sur la piste blanche (Dréville) ; 1939, La règle du jeu (Renoir), Sérénade (Boyer), La fin du jour (Duvivier), Vive la nation (Canonge) ; 1940, Untel père et fils (Duvivier) ; 1941, La symphonie fantastique (Christian-Jaque) ; 1942, Le destin fabuleux de Désirée Clary (Guitry) ; La femme que j'ai le plus aimée (Vernay), La grande marnière (Marguenat) ; 1943, La vie de plaisir (Valentin), Coup de tête (Le Hénaff) ; 1945, Peloton d'exécution (Berthomieu), Le capitan (Vernay), Leçon de conduite (Grangier) ; 1946, Hyménée (Couzinet) ; 1947, Ruy Blas (Billon), Le mannequin assassiné (Hérain) ; 1948, Tous les deux (Cuny) ; 1949, La femme nue (Berthomieu) ; 1951, Paris chante toujours (Montazel), Monsieur Fabre (Diamant-Berger), Buridan (Couzinet), Monsieur Leguignon lampiste (Labro) ; 1952, Le curé de Saint-Amour (Couzinet).

Premier Prix du Conservatoire, il débute au cinéma en 1900 avec Sarah Bernhardt. Il joue dans *La roue* de Gance le rôle du séducteur et l'année suivante il est Cyrano de Bergerac. L'avènement du parlant le relègue dans les vaudevilles militaires et les films d'espionnage à la Charles Robert Dumas ou Pierre Nord. On le retrouve aussi dans les films historiques de Guitry. Mais il fut surtout le général gâteux de *La Règle du jeu* qui tirait, entre deux coups de feu sur les lapins, la philosophie de l'histoire. Déplorons que Magnier ait fini sa carrière chez Couzinet.

Magre, Judith

Actrice française née en 1926.

1953, L'esclave (Ciampi), Le village magique, Capitaine pantoufle (Lefranc) ; 1955, Les grandes manœuvres (Clair) ; 1956, L'homme à l'imperméable (Duvivier) ; 1957, Une Parisienne (Boisrond), Pot-Bouille (Duvivier), Cargaison blanche (Lacombe), Montparnasse 19 (Becker) ; 1958, Les amants (Malle), Le Sicilien (Chevalier), Jeux dangereux (Chenal) ; 1959, Le dialogue des carmélites (Agostini), Signé Arsène Lupin (Robert), Bouche cousue (Boyer), Le travail c'est la liberté (Grospierre) ; 1966, Toutes folles de lui (Carbonnaux) ; 1968, La promesse (Feyder et Freeman) ; 1970, Aussi loin que l'amour (Rossif), Le voyou (Lelouch), Un peu de soleil dans l'eau froide (Deray) ; 1971, Papa, les petits bateaux (Kaplan), La cavale (Mitrani), Toute une vie (Lelouch), Les guichets du Louvre (Mitrani) ; 1975, Mon cœur est rouge (Rosier) ; 1976, Le chat et la souris (Lelouch) ; 1977, Genre masculin (Marbœuf) ; 1979, Rien ne va plus (Ribes), L'associé (Gainville) ; 1980, Je vais craquer (Leterrier) ; 1982, Salut j'arrive (Poteau) ; 1983, Vive la sociale (Mordillat) ; 1987, Spirale (Frank), L'enfance de l'art (Girod) ; 1988, Jésus de Montréal (Arcand) ; 1989, Les deux Fragonard (Le Guay) ; 1990, La campagne de Cicéron (Davila), Feu sur le candidat (Delarive) ; 1993, Montparnasse-Pondichéry (Robert) ; 1997, L'homme est une femme comme les autres (Zilbermann) ; 1998, Le pique-nique de Lulu Kreuz (Martiny) ; 2003, Nathalie... (Fontaine) ; 2005, L'antidote (De Brus) ; 2007, Trivial (Marceau).

Plutôt une actrice de théâtre (Renaud-Barrault, TNP). Au cinéma, elle s'est égarée dans trop de mauvais films où elle impose de son mieux sa frêle silhouette.

Maguire, Tobey

Acteur américain né en 1975.

1993, This Boy's Life (Blessures secrètes) (Caton-Jones) ; 1994, S.F.N. (Levy), Revenge of the Red Baron (Gordon) ; 1996, The Ice Storm (Ang Lee), Joyride (Peeples) ; 1997, Deconstructing Harry (Harry dans tous ses états) (Allen), Fear and Loathing in Las Vegas (Las Vegas parano) (Gilliam) ; 1998, Pleasantville (Pleasantville) (Ross) ; 1999, The Cider House Rules (L'œuvre de Dieu, la part du diable) (Hallström), Ride with the Devil (Ang Lee) ; 2000, Wonder Boys (Des garçons épatants) (Hanson) ; 2001, Spider-Man (Spider-Man) (Raimi), Don's Plum (Robb) ; 2003, Seabricuit (Ross) ; 2005, Spider-Man 2 (Spider-Man 2) (Raimi) ; 2007, The Good German (The Good German) (Soderbergh).

Remarqué chez Woody Allen et chez Hanson, il entre dans la légende du cinéma en incarnant Spider-Man, l'homme-araignée.

Mahoney, Jack

Acteur américain, de son vrai nom Jacques O'Mahoney, 1919-1989.

1946, South of the Chisholm Trail (Abrahams), The Fighting Frontiers-man (Abrahams) ; 1947, Stranger from Ponca City (Abrahams) ; 1948, Blazing Across the Pecos (Nazarro) ; 1949, The Doolins of Oklahoma (Douglas), The Bandits of Eldorado (Nazarro), Blazing Trail (Nazarro), Renegades of the Sage (Nazarro), Horsemen of the Sierras (Sears), Rim of the Canyon (English), Frontier Investigator (Brannon) ; 1950, The Nevadan (Douglas), David Harding Counterspy (Nazarro), Cow Town (English), Texas Dynamo (Nazarro), Jolson Sings Again (Levin), Pecos River (Sears), Lightening Guns (Sears), Cody of the Poney Express (Bennett), Frontier Outpost (Nazarro), Hoedown (Nazarro) ; 1951, The Kangaroo Kid (Selander), Santa Fe (Pichel), The Texas Rangers (Karlson), Rough Riders of Durango (Brannon), Roar of the Iron Horse (Bennett) ; 1952, The Rought, Tough West (Nazarro), Smoky Canyon (Sears), Junction City (Nazarro), The Kid from Broken Gun (Sears), Laramie Mountains (Nazarro), The Hawk of Wild River (Sears) ; 1953, Gunfighters of the Northwest (Bennett) ; 1954, Overland Pacific (Sears) ; 1955, A Day of Fury (Jones) ; 1956, Away All Boats (Brisants humains) (Pevney), I've Lived Before (Bartlett), Battle Hymn (Les ailes de l'espérance) (Sirk), Showdown at Abilene (Les dernières heures d'un bandit) (Haas) ; 1957, Joe Dakota (Bartlett), Slim Carter (Bartlett) ; 1958, The Last of the Fast Guns (Duel dans la Sierra (Sherman), A Time to Live and a Time to Die (Le temps d'aimer et le temps de mourir) (Sirk), Money, Women and Guns (L'héritage de la colère) (Bartlett) ; 1960, Three Blondes in His Life (Chooluck), Tarzan the Magnificent (Tarzan le magnifique) (Day) ; 1962, Tarzan Goes to India (Tarzan aux Indes) (Guillermin) ; 1963, Tarzan's Three Challenges (Le défi de Tarzan) (Day), California (Petroff) ; 1964, The Walls of Hell (De Leon) ; 1967, The Glory Strompers (Lanza) ; 1968, Bandolero (Bandolero) (McLaglen) ; 1970, Tarzan's Deadly Silence (Tarzan et le silence de la mort) (Friend et Doskin) ; 1975, The Bad Bunch (Clark) ; 1978, The End (Suicidez-moi docteur) (Reynolds).

Sous des prénoms variables (Jacques, Jock, Jack...) il a promené sa haute stature et une impassibilité à la Randolph Scott dans des westerns de série Z (souvent admirables quand signés par Bartlett) avant de supplanter un autre Scott (Gordon) dans deux *Tarzan* (*aux Indes* et *Le défi*). Il a disparu des écrans à la suite d'une attaque.

Maillan, Jacqueline

Actrice française, 1923-1992.

1954, Les intrigantes (Decoin), Les deux font la paire (Berthomieu), Ah ! les belles bacchantes (Loubignac) ; 1955, Les grandes manœuvres (Clair), Villa sans souci ; 1956, Le feu aux poudres (Decoin) ; 1957, Vive les vacances (Thibault) ; 1958, Chéri fais-moi peur, Archimède le clochard (Grangier), Les motards (Laviron), Maxime (Verneuil) ; 1959, Vous n'avez rien à déclarer ? (Duhour), Les héritiers (Laviron) ; 1960, Les portes claquent (Poitrenaud), Candide (Carbonnaux) ; 1962, Comment réussir en amour (Boisrond), Les veinards (Girault), Tartarin de Tarascon (Blanche), Les bricoleurs (Girault), Que personne ne sorte (Govar) ; 1963, Pouic-Pouic (Girault), Comment trouvez-vous ma sœur ? (Boisrond) ; 1964, La bonne occase (Drach) ; 1967, Les belles conduites, Monsieur le président-directeur général (Girault) ; 1969, Appelez-moi Mathilde (Mondy) ; 1973, L'oiseau rare (Brialy) ; 1982, Y a-t-il un Français dans la salle ? (Mocky) ; 1983, Papy fait de la résistance (Poiré) ; 1987, La vie dissolue de Gérard Floque (Lautner) ; Les saisons du plaisir (Mocky), A notre regrettable époux (Korber) ; 1988, Une nuit à l'Assemblée nationale (Mocky) ; 1990, La contre-allée (Sebastian), La femme fardée (Pincheiro) ; 1991, Ville à vendre (Mocky).

Actrice comique qui n'a fait que des apparitions au cinéma et a été généralement mal employée dans des comédies d'une consternante médiocrité. Pour juger la vraie Jacqueline Maillan, il fallait la voir au théâtre (*Ornifle, Gog et Magog* et *Madame Sans-Gêne*). Elle fit même un tour de chant à l'Olympia en mai 1968 !

Mairesse, Valérie

Actrice française née en 1955.

1975, L'agression (Pirès), Calmos (Blier), Adieu poulet (Granier-Deferre), Sept morts sur ordonnance (Rouffio) ; 1976, On aura tout vu (Lautner), Les loulous (Cabouat), René la canne (Girod) ; 1977, Haro (Béhat), L'une chante, l'autre pas (Varda), Emmenez-moi au Ritz (Grimblat), Repérages (Soutter), Dora et la lanterne magique (Kané) ; 1978, Un si joli village (Périer) ; 1979, C'est pas moi c'est lui (Richard) ; 1980, Le coup du parapluie (Oury) ; 1981, Si ma gueule vous plaît (Caputo) ; 1982, Deux heures moins le quart avant Jésus-Christ (Yanne) ; 1983, Debout les crabes, la mer monte (Grand-Jouan), Banzaï (Zidi) ; 1984, Gros dégueulasse (Zincone), La triche (Bellon), Les fauves (Duval) ; 1986, Offret/Sacrificio (Le sacrifice) (Tarkovsky), Les frères Pétard (Palud) ; 1987, Funny Boy (Le Hémonet) ; 1988, Rouge Venise (Périer) ; 1990, Amelia Lopes O'Neill (Amelia Lopes O'Neill) (Sarmiento), Les secrets professionnels du docteur Apfelglück (collectif) ; 1991, L'entraînement du champion avant la course (Favre), Sup de fric (Gion), Ville à vendre (Mocky) ; 1998, La vie ne me fait pas peur (Lvovsky) ; 1999, Confort moderne (Choisy) ; 2000, Un crime au paradis (Becker) ; 2003, Un couple épatant (Belvaux) ; 2007, Michou d'Auber (Gilou).

Venue du Splendid, elle a travaillé au théâtre avec Jérôme Savary. Au cinéma elle impose un type de personnage haut en couleur.

Maïs, Suzet

Actrice française, 1908-1989.

1930, Paris la nuit (Diamant-Berger) ; 1931, Jean de la Lune (Choux), L'amour à l'américaine (Heymann), Pour vivre heureux (Torre) ; 1932, Le martyre de l'obèse (Chenal) ; 1933, Les rivaux de la piste (Poligny) ; 1934, Aux portes de Paris (Barrois) ; 1936, Le coupable (Bernard) ; 1937, Claudine à l'école (Poligny), Chéri-Bibi (Mathot), Les hommes sans nom (Vallée) ; 1938, Le joueur (Lamprecht), Touchons du bois (Champreux) ; 1939, Noix de coco (Boyer) ; 1942, Le comte de Monte-Cristo (Vernay), Frédérica (Boyer) ; 1943, Au bonheur des dames (Cayatte), Domino (Richebé) ; 1944, Le père Goriot (Vernay) ; 1945, Boule de suif (Christian-Jaque) ; 1947, Si jeunesse savait (Cerf) ; 1950, Demain nous divorçons (Cuny), Atoll K (Joannon) ; 1956, La polka des menottes (André), La terreur de ces dames (Boyer), Era di venerdi 17 (Sous le ciel de Provence) (Soldati) ; 1957, C'est arrivé à trente-six chandelles (Diamant-Berger), Fumée blonde (Vernay) ; 1962, Le roi des montagnes (Rozier).

« La peste intégrale, la mondaine qui distille son venin, la donzelle insupportable », ainsi Chirat définit-il les rôles habituels de Suzet Maïs dont Colette dira qu'elle « a autant d'attraits qu'un danger de mort » !

Maistre, François

Acteur français né en 1925.

1959, Le bal des espions (Clément) ; 1960, Paris nous appartient (Rivette), Le farceur (Broca) ; 1961, Amours célèbres (Boisrond), A fleur de peau (Barnard-Aubert), La dénonciation (Doniol-Valcroze), Napoléon II, l'Aiglon (Boissol) ; 1963, A couteaux tirés (Ch. Gérard), Blague dans le coin (Labro) ; 1964, Angélique, marquise des Anges (Borderie), Merveilleuse Angélique (Borderie), La vieille dame indigne (Allio) ; 1965, Furia à Bahia pour O.S.S. 117 (Hunebelle) ; 1966, Carré de dames pour un as (Poitrenaud), Belle de jour (Buñuel) ; 1967, Casse-tête chinois pour le judoka ! (Labro), La louve solitaire (Logereau) ; 1969, La voie lactée (Buñuel), Le dernier saut (Luntz) ; 1970, Le distrait (Richard) ; 1972, Le charme discret de la bourgeoisie (Buñuel) ; 1973, Le serpent (Verneuil) ; 1974, Chronique des années de braise (Lakhdar-Hamina), Le fantôme de la liberté (Buñuel), Les innocents aux mains sales (Chabrol) ; 1975, Section spéciale (Costa-Gavras) ; 1976, Le trouble-fesses (Foulon), Qu'il est joli garçon l'assassin de papa (Caputo) ; 1978, Violette Nozière (Chabrol) ; 1979, Mamito (Lara) ; 1980, Fais gaffe à la gaffe (Boujenah), Vivre libre ou mourir (Lara) ; 1981, Une glace avec deux boules (Lara) ; 1988, Rouget le braconnier (Cousin), Une affaire de femmes (Chabrol) ; 1990, Madame Bovary (Chabrol).

Fils d'acteur, il est lui-même longtemps acteur à la radio puis joue avec le TNP et à la télévision. Le cinéma ne l'a guère utilisé que dans des seconds rôles (on ne les a pas tous recensés ici) et seul Buñuel a su tirer parti de son profil ténébreux.

Malavoy, Christophe

Acteur et réalisateur français né en 1952.

1978, Dossier 51 (Deville), Les héros n'ont pas froid aux oreilles (Nemes) ; 1979, Le voyage en douce (Deville) ; 1980, Eaux profondes (Deville) ; 1981, Family Rock (Pinheiro), Ma femme s'appelle Reviens (Leconte) ; 1982, L'honneur d'un capitaine (Schoendoerffer), La balance (Swaim) ; 1983, La scarlatine (Aghion), Le voyage (Andrieu), L'arbre sous la mer (Muyl) ; 1984, Souvenirs, souvenirs (Zeitoun), Péril en la demeure (Deville) ; 1985, Bras de fer (Vergez) ; 1986, La femme de ma vie (Wargnier) ; 1987, Association de malfaiteurs (Zidi), Le cri du hibou (Chabrol), De guerre lasse (Enrico) ; 1988, Deux minutes de soleil en plus (Vergez), Rebus (Guglielmi) ; 1989, La soule (Sibra) ; 1990, Jean Galmot aventurier (Maline), Les amusements de la vie privée (Comencini) ; 1991, Madame Bovary (Chabrol), Juste avant l'orage (Herbulot) ; 1993, Des feux mal éteints (Moati), Colpo di coda (Sanchez) ; 1997, C'est la tangente que je préfère (Silvera), L'homme idéal (X. Gélin) ; 1998, La nube (Le nuage) (Solanas) ; 2004, Le dernier jour (Marconi) ; 2007, Zone libre (Malavoy). *Comme réalisateur :* 2007, Zone libre.

C'est à Deville que Malavoy doit sa carrière. Il impose peu à peu l'image d'un jeune premier fragile mais qui sait se maîtriser et ne pas se laisser dominer (*Péril en la demeure*). Un césar en 1982, comme meilleur espoir.

Malden, Karl

Acteur et réalisateur américain, de son vrai nom Mladen Sekulovich, né en 1912.

1944, Winged Victory (Cukor) ; 1946, 13, rue Madeleine (13, rue Madeleine) (Hathaway) ; 1946, Boomerang (Boomerang) (Kazan), Kiss of Death (Le carrefour de la mort) (Hathaway) ; 1950, The Gunfighter (L'homme aux abois) (King), Where the Sidewalk Ends (Mark Dixon détective) (Preminger), Halls of Montezuma (Okinawa) (Milestone) ; 1952, A Streetcar Named Desire (Un tramway nommé désir) (Kazan), The Sellout (Mayer), Decision before Dawn (Le traître) (Litvak), Ruby Gentry (La furie du désir) (Vidor), Opération Secret (Seiler), Diplomatic Courier (Courrier diplomatique) (Hathaway) ; 1953, I Confess (La loi du silence) (Hitchcock), Take the High Ground (Sergent la Terreur) (Brooks) ; 1954, Phantom of the Rue Morgue (Le fantôme de la rue Morgue) (Del Ruth), On the Waterfront (Sur les quais) (Kazan) ; 1956, Baby Doll (Poupée de chair) (Kazan) ; 1957, Fear Strikes Out (Prisonnier de la peur) (Mulligan), Bombers B-52 (Douglas) ; 1958, The Hanging Tree (La colline des potences) (Daves) ; 1960, Pollyanna (Swift) ; 1961, One Eyed Jacks (La vengeance aux deux visages) (Brando), The Great Imposter (Le roi des imposteurs) (Mulligan), Parrish (La soif de jeunesse) (Daves) ; 1962, All Fall Down (L'ange de la violence) (Frankenheimer), Birdman of Alcatraz (Le prisonnier d'Alcatraz) (Frankenheimer), Gypsy (La Vénus de Broadway) (LeRoy), How the West Was Won (La conquête de l'Ouest) (Ford, Hathaway, Marshall), Come Fly with Me (Levin) ; 1964, Cheyenne Autumn (Les Cheyennes) (Ford), Dead Ringer (La mort frappe trois fois) (Henreid) ; 1965, The Cincinnati Kid (Le Kid de Cincinnati) (Jewison) ; 1966, Bullwhip Griffin (Neilson), Nevada Smith (Hathaway), Murder's Row (Bien joué, Matt Helm) (Levin) ; 1967, Hotel (Hôtel Saint Gregory) (Quine), Billion Dollar Brain (Un cerveau d'un million de dollars) (Russel) ; 1968, Blue (Narizzano), Hot Millions (Till) ; 1969, Patton (Patton) (Schaffner) ; 1970, Il gatto a nove code (Le chat à neuf queues) (Argento) ; 1971, Wild Rovers (Deux hommes dans l'Ouest) (Edwards) ; 1973, The Summertime Killer (Meurtres au soleil) (Isasi-Isasmendi) ; 1979, Meteor (Neame), Beyond the Poseidon Adventure (Le dernier secret du Poséidon) (Allen) ; 1985, Dario Argento's World of Horror (Soavi) ; 1987, Nuts (Cinglée) (Ritt). *Pour le metteur en scène*, voir le *Dictionnaire du cinéma*, t. I : *Les réalisateurs*.

Venu du théâtre, il symbolise souvent dans les films hollywoodiens la droite « bornée », pour ne pas dire « fasciste » ; il apparaît comme le contraire d'un libéral, ce qu'il fut également à la ville. Parfois en apparence excessif, son jeu est en réalité plein de finesse (*cf.* le patron du saloon dans *The Gunfighter*). Il tint tête au cabotinage de Brando dans *One Eyed Jacks*, le surclassant même sur son terrain, mais il sut donner aussi au personnage antipathique de *The Hanging Tree* une étonnante ambiguïté. L'« homme au gros nez » a un diable de métier.

Malet, Laurent

Acteur français né en 1955.

1976, Comme un boomerang (Giovanni) ; 1977, Haro (Behat) ; 1978, Les liens du sang

(Chabrol), Les routes du Sud (Losey) ; 1979, L'homme en colère (Pinoteau), Bobo Jacco (Ball), La légion saute sur Kolwezi (Coutard) ; 1980, Le cœur à l'envers (Apprederis) ; 1981, L'invitation au voyage (Del Monte) ; 1982, Querelle (Fassbinder) ; 1984, A mort l'arbitre (Mocky), Viva la vie (Lelouch), Tir à vue (Angelo) ; Cuore (Cuore) (Comencini) ; 1985, La part de l'autre (Labrune), Parking (Demy) ; 1986, La puritaine (Doillon) ; 1987, Charlie Dingo (Béhat) ; 1988, Les possédés (Wajda) ; 1998, Le plus beau pays du monde (Bluwal).

Ce jeune premier né à Saint-Jean-de-Luz, ancien élève du Conservatoire de Paris, s'est souvent orienté vers des œuvres ambitieuses et difficiles.

Malet, Pierre

Acteur français né en 1955.

1976, Comme un boomerang (Giovanni) ; 1981, Quartetto Basileus (Carpi), La nuit de Varennes (Scola) ; 1986, Ubac (Grasset).

Frère jumeau de Laurent Malet. A tenu des emplois de jeune premier romantique.

Malkovich, John

Acteur et réalisateur américain né en 1953.

1983, True West (Goldstein, Sinise) ; 1984, Places in the Heart (Les saisons du cœur) (Benton), The Killing Fields (La déchirure) (Joffé) ; 1985, Death of a Salesman (Mort d'un commis voyageur) (Schloendorff), Eleni (Eleni) (Yates) ; 1987, Empire of the Sun (Empire du soleil) (Spielberg), The Glass Menagerie (La ménagerie de verre) (Newman), Making Mr. Right (Et la femme créa l'homme parfait) (Seidelman) ; 1988, Dangerous Liaisons (Les liaisons dangereuses) (Frears), Miles From Home (Rien à perdre) (Sinise) ; 1990, Un thé au Sahara (Bertolucci) ; 1991, Object of Beauty (Les imposteurs) (Lindsay-Hogg), Shadows and Fog (Ombres et brouillard) (Allen), Queens Logic (Rash) ; 1992, Of Mice and Men (Des souris et des hommes) (Sinise), In the Line of Fire (Dans la ligne de mire) (Petersen), Jennifer 8 (Jennifer 8) (Robinson) ; 1994, Heart of Darkness (Roeg), Mary Reilly (Mary Reilly) (Frears) ; 1995, Par-delà les nuages (Antonioni/Wenders), O convento (Le couvent) (Oliveira), Mulholland Falls (Les hommes de l'ombre) (Tamahori), The Ogre (Le roi des aulnes) (Schlöndorff) ; 1996, Portrait of a Lady (Portrait de femme) (Campion), Con Air (Les ailes de l'enfer) (West), Cannes Man (Martini, Shapiro) ; 1997, The Man in the Iron Mask (L'Homme au masque de fer) (Wallace) ; 1998, Rounders (Les joueurs) (Dahl), Ladies Room (Cristiani), Jeanne d'Arc (Besson), Dans la peau de John Malkovich (Jonze) ; 1999, Le temps retrouvé (Ruiz), RKO 281 (Citizen Welles) (B. Ross) ; 2000, Shadow of the Vampire (L'ombre du vampire) (Mehrige) ; 2001, Je rentre à la maison (Oliveira), Les âmes fortes (Ruiz), Knockaround Guys (Koppelman, Levien) ; 2003, Johnny English (Johnny English) (Howitt), Un filme falado (Un film parlé) (Oliveira) ; 2005, Colour Me Kubrick (Appelez-moi Kubrick) (Cook), The Hitchhiker's Guide to the Galaxy (H2 G2 : Le guide du voyageur galactique) (Jennings) ; 2006, The Libertine (Rochester, le dernier des libertins) (Dunmore), Eragon (Eragon) (Fangmeier), Klimt (Klimt) (Ruiz). *Pour le metteur en scène*, voir le *Dictionnaire du cinéma*, t. I : *Les réalisateurs*.

Beaucoup de théâtre (son jeu s'en ressent) à la Steppenwolf Company : nombreux prix pour l'acteur et le metteur en scène. Au cinéma il est l'aveugle des *Saisons du cœur*, le reporter de *La déchirure* et surtout Valmont des *Liaisons dangereuses* auxquelles se prête la souplesse de son jeu. Il se parodie en interprétant *Dans la peau de John Malkovich*. Il fut un Talleyrand inattendu à la télévision.

Malone, Dorothy

Actrice américaine, de son vrai nom Dorothy Maloney, née en 1925.

1943, The Falcon and the Co-Eds (Clemens), Higher and Higher (Whelan), Gildersleeve on Broadway (Douglas) ; 1944, Youth Run Wild (Robson), Show Business (Marin), One Mysterious Night (Boetticher), Hollywood Canteen (Daves), Seven Days Ashore ; 1945, Too Young to Know (De Cordova) ; 1946, Janie Gets Married (Sherman), Night and Day (Nuit et jour) (Curtiz), The Big Sleep (Le grand sommeil) (Hawks) ; 1949, To the Victor (Daves), Two Guys from Texas (Butler), One Sunday Afternoon (Walsh) ; 1949, South of Saint Louis (Les chevaliers du Texas) (Enright), Flaxy Martin (Bare), Colorado Territory (La fille du désert) (Walsh) ; 1950, The Nevadan (Douglas), Convicted (La loi des bagnards) (Levin), The Killer That Stalked New York (MacEvoy) ; 1951, Saddle Legion (Selander), Mrs. O'Malley and Mr. Malone (Taurog) ; 1952, The Bushwhackers (Amateau), The Torpedo Alley (Landers) ; 1953, Law and Order (Quand la poudre parle) (Juran), Jack Slade (Jack Slade) (Schuster), Scared Stiff (Fais-moi peur) (Marshall) ; 1954, The Lone Gun (Nazarro), Pushover (Du plomb pour l'inspecteur) (Quine), Loophole (Dangereuse enquête) (Schuster), Security Risk (Schuster), Young at Heart (Douglas), Private Hell 36 (Ici brigade criminelle) (Siegle), The Fast and the Furious ; 1955, Five Guns West (Cinq fusils à l'Ouest) (Corman), Battle Cry (Le cri de la victoire) (Walsh), Sincerely Yours (Douglas), Tall Man Riding (Selander), Artists and Models (Artistes et modèles) (Tashlin), At Gunpoint (Le doigt sur la gachette) (Werker) ; 1956, Pillars of the Sky (Les piliers du ciel) (Marshall), Tension at Table Rock (Tension à Rock City) (Warren), Written on the Wind (Écrit sur du vent) (Sirk) ; 1957, Quantez (Quantez, leur dernier repaire) (Keller), Tip on a Dead Jockey (Contrebande au Caire) (Thorpe), Man of a Thousand Faces (L'homme aux mille visages) (Pevney), The Tarnished Angels (La ronde de l'aube) (Sirk) ; 1958, Too Much Too Soon (Une femme marquée) (Napoléon) ; 1959, Warlock (L'homme aux colts d'or) (Dmytryk) ; 1960, The Last Voyage (Stone) ; 1961, The Last Sunset (El Perdido) (Aldrich) ; 1963, Beach Party (Asher) ; 1964, Fate Is the Hunter (Nelson) ; 1969, Femmine insaziabili (De Martino) ; 1972, Perversion (Perversion) (De Martino) ; 1975, Patricia Black Abduction (Patricia) (Zito) ; 1976, The Man Who Would Not Die (Les aventuriers des Caraïbes) (Arkless) ; 1977, The Golden Rendez-Vous (L'or était au rendez-vous) (Lazarus) ; 1979, Winter Kills (Richert), The Day Time Ended (Cardos) ; 1980, Easter Sunday (Kong) ; 1987, Descanse en piezas (Larraz) ; 1991, Basic Instinct (Basic Instinct) (Verhoeven).

Quelle filmographie ! Remarquée en nymphomane dans *Big Sleep*, remarquable dans *Colorado Territory* et *Battle Cry* (Walsh semble avoir eu un petit faible pour elle), éblouissante à nouveau en nymphomane dans *Written on the Wind*, elle réussit à être géniale dans *Too Much Too Soon* en alcoolique, pour atteindre au lyrisme de la déchéance dans *Tarnished Angels*. Et elle a trouvé le moyen de tourner d'excellents westerns comme *Jack Slade, Quantez* ou *The Last Sunset*. Dommage qu'elle se soit consacrée à peu près uniquement à la télévision depuis 1961, ne tournant plus que quelques films inconnus sous nos latitudes.

Maltagliati, Evi

Actrice italienne, 1889-1986.

1934, La fanciulla dell'altro mondo (Righelli) ; 1935, Aldebaran (Blasetti) ; 1936, I due sergenti (Guazzoni) ; 1938, Inventiamo l'amore (Mastrocinque), Io suo padre (Le ring enchanté) (Bonnard), Jeanne Doré (Jeanne Doré) (Bonnard) ; 1939, Il socio invisibile (Roberti), Il piccolo ré (Romagnoli) ; 1940, Scandalo per bene (Pratelli) ; 1941, I promessi sposi (Les fiancés) (Camerini), Sissignora (Poggioli) ; 1942, Il nemico (Giannini) ; 1943, Monte Miracolo (Trenker) ; 1944, Quartieri alti (Soldati) ; 1947, Daniele Cortis (Soldati), Fiamme sul mare (Waszynski) ; 1948, La sepolta viva (L'enterrée vivante) (Brignone) ; 1952, La voce del sangue (Mercanti), I vinti (Les vaincus) (Antonioni) ; 1953, Ulisse (Ulysse) (Camerini), La cieca di Sorrento (Prisonnière des ténèbres) (Gentilomo) ; 1959, Sergente d'ispezione (Savarese), Il padrone delle ferriere (Le maître des forges) (Majano) ; 1960, Madri pericolose (Paolella) ; 1961, Solimare il conquistadore (Tota) ; 1962, La monaca di Monza (Gallone) ; 1963, Vénus impériale (Delannoy) ; 1964, Le scorpion (S. Hanin) ; 1965, L'incendio di Roma (Malatesta) ; 1967, Il padre difamiglia (Jeux d'adultes) (Loy), La notte pazza del amigliaccio (Angeli) ; 1969, Infanzia, vocazione e prime esperienze di Giacomo Casanova veneziano (Casanova, un adolescent à Venise) (Comencini) ; 1970, Catch-22 (Catch-22) (Nichols) ; 1971, Roma bene (Lizzani) ; 1972, Questa specie d'amore (Bevilacqua) ; 1973, L'affaire Dominici (Bernard-Aubert).

Une des grandes dames du théâtre italien. Pendant la période mussolinienne, elle mène de front une double activité, théâtrale et cinématographique. A la Libération, elle espace ses apparitions au cinéma pour se consacrer davantage à la scène. Les cinéastes font de temps à autre appel à elle pour lui confier des rôles de mère, d'aristocrates le plus souvent, notamment Comencini dans son excellent *Casanova*. Chose curieuse : cette aristocrate-type du cinéma italien apparut pour la dernière fois dans un film français où elle était méconnaissable en paysanne, elle incarnait Marie Dominici, dite « la Sardine », dans le film de Claude Bernard-Aubert.

Manès, Gina

Actrice française, de son vrai nom Blanche Moulin, 1893-1989.

1919, L'homme sans visage (Feuillade) ; 1920, Les six petites filles (Violet), La chiffa (Navarre), Le sept de trèfle (Navarre) ; 1921, Le secret d'Alta Roca (Liabel), L'homme aux trois masques (Navarre) ; 1922, La dame de Montsoreau (Le Somptier) ; 1923, Cœur fidèle (Epstein), L'auberge rouge (Epstein), La main qui a tué (Marsan, Gleize) ; 1924, La nuit rouge (Marsan, Gleize), Naples au baiser de feu (Nadejdine) ; 1925, Ame d'artistes (Dulac) ; 1926, Le train sans yeux (Cavalcanti), Le soleil de minuit (Garrick) ; 1927, Napoléon (Gance), Sables (Kirsanoff) ; 1928, Thérèse Raquin (Feyder), Synd (Le péché) (Molander), Looping the Loop (Robinson), Die Heilige und ihr Narr

(La sainte et le fou) (Dieterle) ; 1929, Nuits de prince (L'Herbier), Quartier latin (Genina) ; 1930, Le requin (Chomette) ; 1931, Grock (Boese) ; 1932, Salto mortale (Dupont), Une belle garce (Gastyne), Sous le casque de cuir (Courville), La tête d'un homme (Duvivier) ; 1933, La voix sans disque (Poirier), Le diable en bouteille (Hilpert) ; 1935, La famille Pont-Biquet (Christian-Jaque), Barcarolle (Lamprecht) ; 1936, Divine (Ophuls), Les loups entre eux (Mathot), Les réprouvés (Séverac), Mayerling (Litvak), La brigade en jupons (Limur), Maria de la nuit (Rozier), La tentation (Caron) ; 1937, Nostalgie (Tourjansky), Mollenard (Siodmak) ; 1938, SOS Sahara (Baroncelli), Gosse de riche (Canonge), Le récif de corail (Gleize), Fort-Dolorès (Le Hénaff) ; 1944, Les caves du Majestic (Pottier) ; 1949, La danseuse de Marrakech (Mathot) ; 1954, La belle Otéro (Pottier), Marchandes d'illusions (André), Crime au concert Mayol (Méré) ; 1945, Milord l'Arsouille (Haguet), Le vicomte de Bragelonne (Cerchio) ; 1956, Paris Palace Hôtel (Verneuil), La loi des rues (Habib), Les lumières du soir (Vernay) ; 1957, Un certain M. Jo (Jolivet), Rafles sur la ville (Chenal) ; 1958, Les amants de demain (Blistène), Le joueur (Autant-Lara), Mimi Pinson (Darène) ; 1960, Le bonheur est pour demain (Bastiani) ; 1965, Pas de panique (Gobbi).

D'un milieu aisé, elle se marie à seize ans puis divorce pour épouser un jeune premier, Georges Charliat. Partant du roman-photo, elle va devenir la grande vedette française des années 20, tournant avec Epstein, Gance, L'Herbier, engagée à Berlin et à Stockholm. Le parlant la relègue dans des rôles moins importants. Mais elle multiplie les excentricités pour retenir l'attention du public, entrant même dans une cage aux tigres pour un numéro. Elle sera blessée, le 13 novembre 1942. Après un long arrêt, elle continue à tourner, mais dans les œuvres médiocres de la fin des années 40 et du début des années 50.

Manfredi, Nino

Acteur et réalisateur italien, 1921-2004.

1949, Torna a Napoli (Gambino) ; 1951, Monastero di Santa Chiara (Sequi), Anema e core (Mattoli) ; 1952, La prigionera della Torre di Fuoco (La prisonnière de la Tour de feu) (Chili), Ho scelto l'amore (J'ai choisi l'amour) (Zampi), C'era una volta Angelo Musco (Chili) ; 1954, Viva il cinema (Baldaccini, Trapani) ; 1955, Lo scapolo (Le célibataire) (Pietrangeli), Gli innamorati (Les amoureux) (Bolognini) ; 1956, Guardia, guardia scelta, brigadiere e maresciallo (Bolognini), Tempo di villeggiatura (Amours de vacances) (Racioppi), Toto, Peppino et la malafemmina (Mastrocinque) ; 1957, Susanna tutta panna (Steno), Femmine tre volte (Steno), Camping (Zeffirelli), Adorabili e bugiarde (Malasomma) ; 1958, Caporale di giornata (Bragaglia), Il bacio del sole (Marcinelli), Guardia, ladro e cameriera (Steno), Pezzo, capopezzo e capitano (Staudte), Venezia, la luna e tu (Venise, la lune et toi) (Risi), Carmela e una bambola (Puccini) ; 1959, I ragazzi dei Parioli (Corbucci), Audace colpo dei soliti ignoti (Holdup à la milanaise) (Loy), L'impiegato (Puccini) ; 1960, Le pillole di Ercole (Les pilules d'Hercule) (Salce), Crimen (Chacun son alibi) (Camerini) ; 1961, Il carabiniere a cavallo (Lizzani), Il giudizio universale (Le jugement dernier) (De Sica), A cavallo della tigre (A cheval sur un tigre) (Comencini) ; 1962, Anni ruggenti (Les années rugissantes) (Zampa), I motorizzati (Mastrocinque) ; L'amore difficile (Amours difficiles) (Manfredi), La parmigiana (Pietrangelli) ; 1963, El verdugo (La ballata del boia) (Le bourreau) (Berlanga), I cuori infranti (épisode E vissero felici) (Puccini) ; 1964, Alta infedelta (Haute infidélité) (épisode Scandaloso) (Rossi), Il gaucho (Risi), Controsesso (épisode Cocaina di domenica) (Rossi), (épisode Donna d'affari) (Castellani), Le bambole (Les poupées) (épisode La telefonata) (Risi) ; 1965, Questa volta parliamo di uomini (Wertmuller), Io, io, io... E gli altri (Blasetti), I complessi (Les complexés) (épisode Una giornata decisiva) (Risi), Thrilling (épisode Il vittimista) (Scola), Io la conoscevo bene (Je la connaissais bien) (Pietrangeli), Made in Italy (A l'italienne) (Loy) (épisode Il labirinto) ; 1966, Adulterio all'italiana (Festa Campanile), Operazione San Gennaro (Operation San Gennaro) (Risi), Una rosa per tutti (Une rose pour tous) (Rossi) ; 1967, Il padre di famiglia (Jeux d'adultes) (Loy) ; 1968, Italian secret service (Les Russes ne boiront pas de Coca-Cola) (Comencini), Straziami ma di baci saziami (Fais-moi très mal mais couvre-moi de baisers) (Risi), Riusciranno i nostri eroi a ritrovare l'amico misteriosamente scomparso in Africa ? (Nos héros réussiront-ils à retrouver leur ami mystérieusement disparu en Afrique ?) (Scola), Vedo nudo (Une poule, un train... et quelques monstres) (Risi) ; 1969, Nell'anno del signore (Les conspirateurs) (Magni), Rosolino Paternò soldato (Loy) ; 1970, Contestazione generale (Zampa) (épisode Viaggo a New York), Per grazia ricevuta (Miracle à l'italienne) (Manfredi) ; 1971, La Bestia ovvero in amore per ogni gaudenza ci vuole sofferenza (De Bosio), Roma bene (Scandale à Rome) (Lizzani), Le avventure di

Pinocchio (Les aventures de Pinochio) (Comencini), Trastevere (Tozzi) ; 1972, Lo chiameremo Andrea (De Sica), Girolimoni il mostro di Roma (Damiani) ; 1973, Pane e cioccolata (Pain et chocolat) (Brusati) ; 1974, C'eravamo tanto amati (Nous nous sommes tant aimés) (Scola) ; 1975, Attenti al buffone (Bevilacqua), Un sorriso, uno schiaffo, un bacio in bocca (Morra) ; 1976, Brutti, sporchi e cattivi (Affreux, sales et méchants) (Scola), Signore e signori, buonanotte (Mesdames et Messieurs, bonsoir) (épisode) (Magni), Basta che non si sappia in giro (épisode) (Magni), Quelle strane occasioni (La fiancée de l'évêque) (épisode) (Magni) ; 1977, In nome del papa re (Au nom du pape roi) (Magni) ; 1978, La mazzetta (Le pot-de-vin) (Corbucci) ; 1979, Il giocattolo (Un jouet dangereux) (Montaldo), Gros câlin (Rawson) ; 1980, Café Express (Café Express) (Loy) ; 1981, Nudo di donna (Manfredi) ; 1982, Spaghetti House (Paradisi) ; 1983, Testa o croce (Loy) ; 1987, I Picari (I Picari) (Monicelli) ; 1989, Helsinki-Napoli (Kaurismaki) ; 1990, Alberto Express (Joffe), Mima (Esposito) ; 1991, In nomine del popolo sovrano (Au nom du peuple souverain) (Magni) ; 1992, Julianus (Koltay) ; 1994, Colpo di luna (Coup de lune) (Simone), De vliegende Hollander (Stelling). *Pour le metteur en scène*, voir le *Dictionnaire du cinéma*, t. I : *Les réalisateurs*.

Passé du droit au théâtre, cet acteur modeste est aussi un bon réalisateur. Mais il confie à Jean Gili : « Si je ne fais pas davantage de mise en scène cinématographique, c'est parce que le métier d'acteur m'excite beaucoup plus. Je pense que j'ai encore beaucoup de choses à dire comme acteur. » Ses metteurs en scène préférés : Germi, Monicelli, De Sica... Il aime coller à la réalité. Lorsqu'il conçoit un personnage, il le fait en pensant à des modèles populaires. De là le côté naturel de son jeu.

Mangano, Silvana

Actrice italienne, 1930-1989.

1946, Elisir d'amore (Élixir d'amour) (Costa) ; 1947, Gli uomini somo nemici (Le carrefour des passions) (Giannini), Il delitto di Giovanni Episcopo (Le crime de Giovanni Episcopo) (Lattuada) ; 1946, Riso amaro (Riz amer) (De Santis), Black Magic (Cagliostro) (Ratoff) ; 1949, Il lupo della sila (Le loup de la Sila) (Coletti) ; 1950, Il brigante Musolino (Maria fille sauvage) (Camerini) ; 1951, Anna (Anna) (Lattuada) ; 1954, Ulisse (Ulysse) (Camerini), L'oro di Napoli (L'or de Naples) (De Sica), Mambo (Sossen) ; 1956, Uomini e lupi (Hommes et loups) (De Santis) ; 1957, La diga sul Pacifico (Barrage contre le Pacifique) (Clément) ; 1958, La tempesta (La tempête) (Lattuada) ; 1959, La grande guerra (La grande guerre) (Monicelli) ; 1960, Five Branded Women (Cinq femmes marquées) (Ritt), Crimen (Chacun son alibi) (Camerini) ; 1961, Il giudizio universale (Le jugement dernier) (De Sica), Barabbas (Flescher) ; 1962, Il processo di Verona (Le procès de Vérone) (Lizzani) ; 1964, Il disco volante (Brass), La mia signora (Brass, Comencini, Bolognini) ; 1965, Io, io io... e gli altri (Moi, moi moi et les autres) (Blasetti) ; 1966, Le streghe (Les sorcières) (Ross, Bolognini, Visconti, De Sica), Scusi lei e favorevole o contrario ? (Sordi) ; 1967, Edipo re (Œdipe roi) (Pasolini) ; 1968, Teorema (Théorème) (Pasolini), Capriccio al italiana (épisode La bambinala) (Monicelli) ; 1970, Morte a Venezia (Mort à Venise) (Visconti), Scipione detto anche l'africano (Magni) ; 1971, Il decamerone (Le decameron) (Pasolini) ; 1972, Ludwig (Ludwig ou le crépuscule des dieux) (Visconti), Lo scopone scientifico (L'argent de la vieille) (Comencini), D'amore si muore (Griffi) ; 1974, Gruppo di famiglia in un interno (Violence et passion) (Visconti) ; 1984, Dune (Dune) (Lynch) ; 1987, Oci ciornie (Les yeux noirs) (Mikhalkov).

Mère anglaise, milieu aisé. Elle est élue Miss Rome en 1946 et débute, sur sa lancée, au cinéma. De petits rôles, puis *Riz amer*, un film néoréaliste pimenté d'érotisme où les cuisses de Silvana ne laissent indifférent aucun spectateur. En 1949, elle épouse le producteur Dino de Laurentiis. Elle joue désormais sous la direction de Pasolini, De Sica, Visconti ou Lattuada, se transformant en grande dame du cinéma italien.

Mann, Hank

Acteur américain, 1887-1971.

1914, Mabel's Married Life (Chaplin), The Face on the Bar-Room Floor (Chaplin), Tillie's Punctered Romance (Chaplin) ; 1916, série des Bilboquet ; 1930, City Lights (Les lumières de la ville) (Chaplin) ; 1935, Modern Times (Les temps modernes) (Chaplin) ; 1940, The Great Dictator (Le dictateur) (Chaplin) ; 1941, The Maltese Falcon (Le faucon maltais) (Huston) ; 1943, Thank Your Lucky Stars (Remerciez votre bonne étoile) (Butler).

Le boxeur des *Lumières de la ville* et la vedette de la série comique « Bilboquet ».

Manni, Ettore

Acteur italien, 1927-1979.

1952, La tratta delle bianche (La traite des Blanches) (Comencini), I tre corsari (Les trois corsaires) (Soldati), La lupa (La louve de Calabre) (Lattuada) ; 1953, Fratelli d'Italia (Saraceni) ; 1954, La nave delle donne maledette (Le navire des filles perdues) (Matarazzo), Cavalleria rusticana (Gallone) ; Ulisse (Ulysse) (Camerini), Due notti con Cleopatra (Mattoli) ; 1955, Attila (Attila fléau de Dieu) (Francisci), Tua per la vita (Grieco), Divisione Folgore (Coletti), Siluri umani (Leonviola), Belle non piangere ! (Carbonari), Le amiche (Femmes entre elles) (Antonioni) ; 1956, Addio sogni di gloria (Vari), Agguato sul mare (Mercanti), Donne sole (Sala), Poveri ma belli (Pauvres mais beaux) (Risi) ; 1957, Dimentica il mio passato (Zeglio), Marisa la civetta (Bolognini), Il ricatto di un padre (Vari) ; 1958, Addio per sempre (Costa), Giovane Canaglia (Vari), Il pirata dello sparviero Nero (L'épervier noir) (Grieco) ; 1960, Austerlitz (Gance), Le Legioni di Cleopatra (Les légions de Cléopâtre) (Cottafavi), Buen viaje Pablo (Iquino) ; 1961, Ercole alla conquista di Atlantide (Hercule à la conquête de l'Atlantide) (Cottafavi), A porte chiuse (Risi), Il sepolcro dei re (Cerchio), Le vergini di Roma (Les vierges de Rome) (Cottafavi) ; 1962, Ursus e la ragazza tartara (Del Grosso), The Valiant (Alerte sur le Vaillant) (Baker) ; 1963, Oro per i Cesari (L'or des Césars) (Freda), I Normanni (Vari), Lo sceicco rosso (Cerchio), La pupa (Orlandini) ; 1964, Golia e il cavaliere mascherato (Pierotti), Roma contro Roma (Vari) ; 1966, Mademoiselle (Richardson), Johnny Oro (Corbucci), L'arcidiavolo (Belfagor le magnifique) (Scola), The Battle of the Villa Fiorita (Daves) ; 1967, Un uomo, un cavallo, una pistola (Lewis), Nato per uccidere (Mulligan) ; 1968, All' ultimo sangue (Byrd), Ed ora racomanda l'anima a Dio (Deem) ; 1969, La battaglia di El Alamein (Ferroni), Sono Sartana (Ascott) ; 1970, Arrivano Django e Sartana... E la fine (Spitfire) ; 1971, Mazzabubu (Laurenti) ; 1973, Valdez (Coletti) ; 1975, A tutte le auto della polizia (Caiano) ; 1977, Sella d'argento (Fulci), In nome del papa re (Au nom du pape roi) (Magni) ; 1980, La città delle donne (La cité des femmes) (Fellini).

Ce beau Romain résume à lui seul l'évolution du cinéma populaire italien de la grande période : de Matarazzo à Cottafavi, Freda et le western-spaghetti, il fut toujours un jeune premier convaincant sinon convaincu et termina sa carrière avec Fellini.

Manojlovic, Miki

Acteur serbe né en 1950.

1974, Otpisani (Djordjevic) ; 1976, La chasse (Pavlovic) ; 1978, Poslednji podvig diverzanta Oblaka (Mimica) ; 1981, Sok od sljiva (Baletic) ; 1981, Samo jednom se ljubi (On n'aime qu'une seule fois) (Grlic) ; 1982, 13. jul (Saranovic) ; 1983, Nesto izmedju (Karanovic) ; 1984, U raljama zivota (Les dents de la vie) (Grlic) ; 1985, Za srecu je potrebno troje (Il faut être trois pour être heureux) (Grlic), Jagode u grlu (Dur à avaler) (Karanovic), Otac na sluzbenom putu (Papa est en voyage d'affaires) (Kusturica) ; 1988, Migrations (Petrovic), Dom Za Vesanje (Le temps des Gitans) (Kusturica) ; 1990, Un week-end sur deux (Garcia), Vreme cuda (Le temps des miracles) (Paskaljevic) ; 1992, Tito i ja (Tito et moi) (Markovic), Tango Argentino (Tango Argentino) (Paskaljevic), Mi nismo andjeli (Dragojevic) ; 1994, La piste du télégraphe (Kermadec) ; 1995, Someone Else's America (L'Amérique des autres) (Paskaljevic), Underground (Underground) (Kusturica) ; 1996, Portraits chinois (Dugowson), Gipsy Magic (Popov) ; 1997, Artemisia (Merlet), Rane (Dragojevic) ; 1998, Emporte-moi (Pool), Bure baruta (Baril de poudre) (Paskaljevic), Les amants criminels (Ozon), Chat noir, chat blanc (Kusturica) ; 1999, Sans plomb (Téodori), Épouse-moi (Marin), Jeu de cons (Verner) ; 2000, Mortel transfert (Beineix).

Fils de comédiens, il étudie à l'École d'art dramatique de Belgrade et poursuit une brillante carrière sur scène avant de devenir l'interprète fétiche des trois plus importants réalisateurs yougoslaves des années 70 et 80 : Rajko Grlic, Goran Paskaljevic et surtout Emir Kusturica. Sa carrière prend alors rapidement une dimension internationale.

Mansfield, Jayne

Actrice américaine, 1933-1967.

1955, Pete Kelly's Blues (La peau d'un autre) (Webb), Illegal (Le témoin à abattre) (Allen) ; 1956, Hell on Frisco Bay (Colère noire) (Tuttle), Female Jungle (De Sota), The Girl Can't Help It (La blonde et moi) (Tashlin) ; 1957, The Burglar (Le cambrioleur) (Wendkos), Will Success Spoil Rock Hunter ? (La blonde explosive) (Tashlin), The Wayward Bus (Les naufragés de l'autocar) (Vicas), Kiss Them for Me (Embrasse-la pour moi) (Donen), The Sheriff of Fractured Jaw (La blonde et le shérif) (Walsh) ; 1960, Too Hot to Handle (La blonde et les nus de Soho) (Young), Gli amore di Ercole (Les amours d'Hercule) (Bragaglia), The Challenge (Un compte à régler) (Gilling) ; 1961, The George Raft Story (Dompteur de femmes) (Newman) ; 1962, It Happened in Athens (Marton) ; 1963, Promises, Promises (Donovan), Panic Button (Sherman) ; 1964, L'amore primitivo (Squattini) ; 1966, The Fat Spy (Castes), Las Vegas Hillbillys (Pierce), A Guide for the Married Man (Petit guide pour mari volage) (Kelly), Mondo Hollywood, The Wild Wild World of Jayne Mansfield (Knight), Spree (Leisen et Green) ; 1968, Single Room Furnished (Ottaviono).

A son passage les bouchons des bouteilles de lait se crevaient tandis que le lait se répandait : tout un symbole. C'est ainsi que Tashlin voyait Jayne Mansfield et qu'il contribua à lancer cette bombe sexuelle. Peut-être valait-elle mieux : elle fut excellente dans *The Burglar*. Mais on la cantonna dans des rôles quasi caricaturaux qui mettaient en valeur sa monstrueuse poitrine et ses formes callipyges. Elle y avait comme partenaire un être tout aussi monstrueux, tout en muscles, Mickey Hargitay. Elle périt dans un accident d'auto près de La Nouvelle-Orléans.

Manson, Héléna

Actrice française, 1898-1994.

1925, La puissance du travail (Choux) ; 1929, Le mystère de la villa rose (Hervil) ; 1930, La tragédie de la mine (Pabst), Monsieur le duc (Limur) ; 1931, Le réquisitoire (Buchowetzki) ; 1932, Stupéfiants (Gerron), Les frères Karamazov (Ozep), Le cas du Dr Brenner (Daumery) ; 1933, Coralie et compagnie (Cavalcanti) ; 1934, Fedora (Gasnier), Madame Bovary (Renoir), Un train dans la nuit (Hervil) ; 1935, Pension Mimosas (Feyder) ; 1936, Hélène (Benoit-Lévy) ; 1937, Les pirates du rail (Christian-Jaque), A Venise une nuit (Christian-Jaque) ; 1938, Bar du Sud (Fescourt) ; 1939, Dernière jeunesse (Musso) ; 1941, L'assassinat du père Noël (Christian-Jaque) ; 1942, Les inconnus dans la maison (Decoin), Le journal tombe à cinq heures (Lacombe), Le bienfaiteur (Decoin), Mermoz (Cuny), Marie-Martine (Valentin), Picpus (Pottier) ; 1943, L'homme de Londres (Decoin), Le corbeau (Clouzot), L'escalier sans fin (Lacombe) ; 1945, L'assassin n'est pas coupable (Delacroix), Son dernier rôle (Gourguet) ; 1946, L'homme au chapeau rond (Billon) ; Nuits sans fin (Séverac) ; 1948, Retour à la vie (sketch de Cayatte) ; 1948, La ferme des sept péchés (Devaivre), Manon (Clouzot), La louve (Radot) ; 1949, Au revoir M. Grock (Billon), Le Furet (Leboursier) ; 1950, Né de père inconnu (Cloche) ; 1951, Adventures of Captain Fabian (La taverne de La Nouvelle-Orléans) (Marshall), Stranger on the Prowl (Un homme à détruire) (Losey), Deux sous de violettes (Anouilh) ; 1952, Le plaisir (Ophuls), Le secret d'une mère (Gourguet) ; 1953, L'envers du paradis (Greville), La fille perdue (Gourguet), Les enfants de l'amour (Moguy) ; 1955, Escalier de service (Rim), Lola Montes (Ophuls), Goubbiah (Darène), le dossier noir (Cayatte) ; 1956, Paris Palace Hôtel (Verneuil), Les truands (Rim), Je reviendrai à Kandara (Vicas) ; 1957, Œil pour œil (Cayatte), Des gens sans importance (Verneuil) ; 1958, Toi le venin (Hossein) ; Faibles femmes (Boisrond) Le grand chef (Verneuil) ; 1960, Le Président (Verneuil) ; 1961, Les amours célèbres (Boisrond) ; 1962, La chambre ardente (Duvivier) ; 1962, Le glaive et la balance (Cayatte) ; 1965, Paris au mois d'août (Granier-Deferre) ; 1970, Opération Macédoine (Scandelari) ; 1975, Le locataire (Polanski) ; 1981, Mon oncle d'Amérique (Resnais) ; 1987, Agent trouble (Mocky) ; 1989, Les maris, les femmes, les amants (Thomas).

Née à Caracas, formée au Conservatoire de Genève, elle fait partie de ces acteurs de composition souvent méconnus du public mais qui ont fait la grandeur du cinéma français : la « fille » de Jules Berry dans *Marie-Martine*, l'infirmière du *Corbeau*, la bonne de *Picpus*, la mère d'Etchika Choureau dans *L'envers du Paradis*, c'était elle. Comment oublier de telles créations ? On l'a furtivement revue dans *Mon oncle d'Amérique* où elle louait une chambre meublée à Depardieu.

Mantegna, Joe

Acteur et réalisateur américain né en 1947.

1977, Medusa Challenge (Elkins) ; 1978, Towing (Smith), Elvis (Le roman d'Elvis) (Carpenter) ; 1982, Second Thoughts (Turman) ; 1985, Compromising Positions (Perry), The Money Pit (Une baraque à tout casser) (Benjamin) ; 1986, Off Beat (Le flic était presque parfait) (Dinner), Three Amigos (« 3 amigos ») (Landis) ; 1987, Suspect (Suspect dangeureux) (Yates), Critical Condition (Toubib malgré lui) (Apted), Weeds (Hancock), House of Games (Engrenages) (Mamet) ; 1988, Things Change (Parrain d'un jour) (Mamet) ; 1989, Bandini (Deruddere) ; 1990, Alice (Alice) (Allen), The Godfather part III (Le parrain III) (Coppola) ; 1991, Homicide (Homicide) (Mamet), Bugsy (Bugsy) (Levinson), Queens Logic (Rash) ; 1992, Body of Evidence (Body) (Edel) ; 1993, Searching for Bobby Fisher (Zaillian), Family Prayers (Rosenfelt) ; 1994, Baby's Day Out (Bébé part en vadrouille) (Read Johnson), Airheads (Radio Rebels) (Lehmann) ; 1995, Forget Paris (Forget Paris) (Crystal), Up Close and Personal (Personnel et confidentiel) (Avnet), Eye for an Eye (Au-delà des lois) (Schlesinger), National Lampoon's Favorite Deadly Sins (Jablin, Leary) ; 1996, Stephen King's Thinner (Holland), Underworld (Christian), Albino Alligator (Albino Alligator) (Spacey) ; 1997, For Hire (Pellerin), Jerry and Tom (Rubinek), The Wonderful Ice Cream Suit (Gordon), Hoods (Parrain malgré lui) (Malone) ; 1998, Celebrity (Celebrity) (Allen), Boy Meets Girl (Ciccoritti), The Runner (Moler), Body and Soul ; 1999, Liberty Heights (Liberty Heights) (Levinson), More Dogs than Bones (Sac d'embrouilles) (Browning) ; 2000, The Last Producer (Reynolds), Desafinado (Gómez Pereira). *Comme réalisateur* : 2000, Lakeboat.

Interprète fétiche de David Mamet, au théâtre comme au cinéma, il n'a guère été gâté dans ses autres rôles du grand écran, sauf récemment sous la caméra de Woody Allen ou de Coppola. De comédies insipides en thrillers vite oubliés, ce grand comédien de la scène, lui-même auteur de deux pièces (*Bleacher Bums* et *Leonardo*), mérite mieux.

Manuel, Robert

Acteur français, 1916-1995.

1935, La petite sauvage (Limur) ; 1936, Salonique nid d'espions/Mademoiselle Docteur (Pabst) ; 1937, Orage (Allégret), Le drame de Shanghai (Pabst), La Marseillaise (Renoir) ; 1939, Jeunes filles en détresse (Pabst) ; 1945, Le Capitan (Vernay) ; 1949, La valse de Paris (Achard) ; 1954, Napoléon (Guitry), Du rififi chez les hommes (Dassin), Le fils de Caroline chérie (Devaivre) ; 1955, Voici le temps des assassins (Duvivier) ; 1956, C'est arrivé à Aden (Boisrond) ; 1958, Le gorille vous salue bien (Borderie), Le désordre et la nuit (Grangier), La vie à deux (Duhour) ; 1959, Croquemitoufle (Barma), Certains l'aiment froide (Bastia) ; 1960, Candide (Carbonneaux) ; 1962, Une blonde comme ça (Jabely), Les femmes d'abord (André), Un clair de lune à Maubeuge (Chérasse) ; 1964, La Tulipe noire (Christian-Jaque), Une souris chez les hommes (Poitrenaud), Vous souvenez-vous de Paco ? (Franco), Cent briques et des tuiles (Grimblat) ; 1965, Coplan FX18 casse tout (Freda) ; 1966, L'homme qui trahit la Mafia (Gérard) ; 1968, Les gros malins (Leboursier) ; 1979, Judith Therpauve (Chéreau) ; 1982, Le bourgeois gentilhomme (Coggio) ; 1983, La vie est un roman (Resnais) ; 1984, The Razor's Edge (Le fil du rasoir) (Byrum) ; 1987, Vent de panique (Stora) ; 1991, A demain (Martiny).

Avant tout un homme de théâtre qui fit la plus grande partie de sa carrière à la Comédie-Française. Au cinéma, il impose le type du méchant distingué.

Marais, Jean

Acteur français, 1913-1998.

1933, Étienne (Tarride), L'épervier (L'Herbier) ; 1934, L'aventurier (L'Herbier), Le bonheur (L'Herbier), Le scandale (L'Herbier) ; 1936, Nuits de feu (L'Herbier), Les hommes nouveaux (L'Herbier) ; 1937, Drôle de drame (Carné) ; 1941, Le pavillon brûle (Baroncelli) ; 1942, Le lit à colonnes (Tual) ; 1943, Carmen (Christian-Jaque), L'éternel retour (Delannoy) ; 1944, Voyage sans espoir (Christian-Jaque) ; 1945, La belle et la bête (Cocteau) ; 1946, Les chouans (Calef) ; 1947, Ruy Blas (Billon), L'aigle à deux têtes (Cocteau) ; 1948, Aux yeux du souvenir (Delannoy), Les parents terribles (Cocteau), Le secret de Mayerling (Delannoy) ; 1949, Orphée (Cocteau) ; 1950, Le château de verre (Clément), Les miracles n'ont lieu qu'une fois (Y. Allégret) ; 1951, Nez de cuir (Y. Allégret) ; 1952, La voce del silenzio (La maison du silence) (Pabst), Les amants de minuit (Richebé), Destinées (Delannoy), L'appel du destin (Lacombe) ; 1953, Dortoir des grandes (Decoin), Le guérisseur (Ciampi), Le comte de Monte-Cristo (Vernay), Si Versailles m'était conté (Guitry), Julietta (M. Allégret) ; 1954, Napoléon (Guitry) ; 1955, Futures vedettes (M. Allégret), Toute la ville accuse (Boissol), Si Paris nous était conté (Guitry), Éléna et les hommes (Renoir), Goubbiah (Darène) ; 1956, Typhon sur Nagasaki (Ciampi), S.O.S Noronha (Rouquier) ; 1957, Un amour de poche (Kast), La Tour, prends garde (Lampin), Le notti bianche (Nuits blanches) (Visconti) ; 1958, La vie à deux (Duhour), Chaque jour a son secret (Boissol) ; 1959, Le Bossu (Hunebelle), Austerlitz (Gance) ; 1960, Le Capitan (Hunebelle) ; Le testament d'Orphée (Cocteau) ; 1961, Le capitaine Fracasse (Gaspard-Huit), Ponce Pilate (Rapper), L'enlèvement des Sabines (Pottier), Le miracle des loups (Hunebelle), Napoléon II (Boissol), La princesse de Clèves (Delannoy) ; 1962, Le masque de fer (Decoin), Les mystères de Paris (Hunebelle) ; 1963, L'honorable Stanislas agent secret (Dudrumet) ; 1964, Le gentleman de Cocody (Christian-Jaque), Fantômas (Hunebelle), Patate (Thomas) ; 1965, Train d'enfer (Grangier), Fantômas se déchaîne (Hunebelle), Pleins feux sur Stanislas (Dudrumet) ; 1966, Fantômas contre Scotland Yard (Hunebelle), Le Saint prend l'affût (Christian-Jaque) ; 1968, Le paria (Carliez) ; 1969, La provocation (Charpak) ; 1970, Peau d'âne (Demy) ; 1983, Ombre et secrets (Delarbre) ; 1985, Parking (Demy), Le lien de parenté (Rameau) ; 1991, Les enfants du naufrageur (Foulon) ; 1994, Les misérables (Lelouch) ; 1995, Stealing Beauty (Beauté volée) (Bertolucci).

Il fut longtemps le plus populaire des jeunes premiers. C'est *L'éternel retour* qui devait le faire connaître. Mais il avait déjà joué au théâtre *Œdipe-Roi* de Cocteau qui l'avait remarqué et devait lui confier ensuite d'autres pièces dont *Les parents terribles*. Au cinéma, il est aussi l'interprète des grandes œuvres de Cocteau dont *Orphée*. Ses qualités athlétiques lui permettent dans les années 50 de jouer toute une série de films de cape et d'épée (*Le capitan, Le capitaine Fracasse*) ou d'œuvres pseudo-historiques (*Le miracle des loups*). Féval et Zévaco trouvent en lui l'acteur idéal qui sait se battre en duel ou escalader un mur sans avoir besoin d'une doublure. Marais ne quitte pas pour autant le théâtre (on le vit même dans *Britannicus* à la Comédie-Française). Il se compromet ensuite dans le cycle parodique de *Fantômas* où il est le journaliste Fandor, sans beaucoup de conviction. En 1970, après *Peau d'âne*, il choisit de se retirer pour se consacrer à la peinture, sa première vocation, et à la sculpture. Il se limitait à des apparitions.

Marceau, Sophie

Actrice et réalisatrice française, de son vrai nom Maupu, née en 1966.

1980, La Boum (Pinoteau) ; 1982, La Boum 2 (Pinoteau) ; 1984, Fort Saganne (Corneau), Joyeuses Pâques (Lautner) ; 1985, L'amour braque (Zulawski), Police (Pialat) ; 1986, Descente aux enfers (Girod) ; 1987, Chouans ! (Broca) ; 1988, L'étudiante (Pinoteau) ; 1989, Mes nuits sont plus belles que vos jours (Zulawski) ; 1990, Pacific Palisades (Schmitt) ; 1991, Pour Sacha (Arcady), La note bleue (Zulawski) ; 1993, Fanfan (A. Jardin) ; 1994, La fille de d'Artagnan (Tavernier), Brave Heart (Brave Heart) (Gibson) ; 1995, Par-delà les nuages (Antonioni et Wenders) ; 1996, Firelight (Firelight) (Nicholson), Anna Karenina (Anna Karénine) (Rose) ; 1997, Marquise (Belmont) ; 1998, A Midsummer's Night Dream (Le songe d'une nuit d'été) (Hoffman), Lost and Found (J. Pollack) ; 1999, The World Is Not Enough (Le monde ne suffit pas) (Apted) ; 2000, La fidélité (Zulawski), Belphégor, le fantôme du Louvre (Salomé) ; 2003, Je reste (Kurys) ; 2005, A ce soir (Duthilleul), Anthony Zimmer (Salle) ; 2007, Trivial (Marceau). *Pour la réalisatrice*, voir le *Dictionnaire du cinéma*, t. I : *Les réalisateurs*.

Symbole de la jeune fille française bien élevée mais émancipée à travers les deux « Boums » qui firent un triomphe commercial. Mais Sophie Marceau échappe à son personnage. Zulawski puis Pialat font éclater l'image trop lisse de la demoiselle sage, ou apparemment sage. Elle est révélée au théâtre dans *Eurydice* d'Anouilh. On salue sa performance dans *La fille de d'Artagnan*, où elle ferraille aussi bien que les trois mousquetaires réunis, ou quand elle ressuscite Belphégor, et l'on est sensible à son apport dans l'austère film d'Antonioni et Wenders. Elle éclaire de sa beauté le sombre et habile polar *Anthony Zimmer*.

March, Fredric

Acteur américain, de son vrai nom Bickel, 1897-1975.

1929, The Dummy (Milton), The Wild Party (Arzner), The Studio Murder Mystery (Tuttle), Paris Bound (Griffith), Jealousy (Limur), Footlights and Fools (Seiter), The Marriage Playground (Mendes) ; 1930, Sarah and Son (Arzner), Ladies Love Brutes (Lee), Paramount on Parade (Arzner, Goulding, Lubitsch, etc.), True to the Navy (Tuttle), Manslaughter (Abbott), Laughter (D'Abbadie d'Arrast), The Royal Family of Broadway (Cukor, Gardner) ; 1931, Honor Among Lovers (Arzner), The Night Angel (Goulding), My Sin (Abbott), Dr. Jekyll and Mr. Hyde (D[r] Jekyll et M. Hyde) (Mamoulian) ; 1932, Strangers in Love (Mendes), Merrily We Go to Hell (Arzner), Make Me a Star (Beaudine), Smilin' Through (Franklin), The Sign of the Cross (Le signe de la croix) (DeMille) ; 1933, Tonight Is Ours (Walker), The Eagle and the Hawk (L'aigle et le vautour) (Walker), Design for Living (Sérénade à trois) (Lubitsch) ; 1934, All of Me (Flood), Death Takes a Holiday (Trois jours chez les vivants) (Leisen), Good Dame (Gering), The Affairs of Cellini (Benvenuto Cellini) (La Cava), The Barretts of Wimpole Street (Franklin), We Live Again (Résurrection) (Mamoulian) ; 1935, Les Misérables (Boleslavsky), Anna Karenina (Anna Karénine) (Brown), The Dark Angel (Franklin) ; 1936, Mary of Scotland (Mary Stuart) (Ford), The Road to Glory (Hawks), Anthony Adverse (Anthony Adverse) (LeRoy) ; 1937, A Star Is Born (Une étoile est née) (Wellman), Nothing Sacred (La joyeuse suicidée) (Wellman) ; 1938, The Buccaneer (Les flibustiers) (DeMille), There Goes My Hart (McLeod) ; 1939, Trade Winds (La femme aux cigarettes blondes) (Garnett), Susan and God (Suzanne et ses idées) (Cukor) ; 1940, Victory (Cromwell) ; 1941, So Ends Our Night (Cromwell), One Foot in Heaven (Rapper) ; 1942, Bedtime Story (Hall), I Married a Witch (Ma femme est une sorcière) (Clair) ; 1944, The Adventures of Mark Twain (Rapper), Tomorrow the World (Fenton) ; 1946, The Best Years of Our Lives (Les plus belles années de notre vie) (Wyler) ; 1948, Another Part of the Forest (Gordon), Live Today for Tomorrow (Gordon) ; 1949, Christopher Columbus (Christophe Colomb) (MacDonald) ; 1951, Death of a Salesman (Mort d'un commis voyageur) (Benedek) ; 1952, It's a Big Country (Brown, Vidor, Wellman, etc.) ; 1953, Man on a Tightrope (Kazan) ; 1954, The Executive Suite (La tour des ambitieux) (Wise) ; 1955, The Bridges at Toko-Ri (Les ponts du Toko-Ri) (Robson), The Desperate Hours (La maison des otages) (Wyler) ; 1956, Alexander the Great (Alexandre le Grand) (Rossen), The Man in the Gray Flannel Suit (L'homme au complet gris) (Johnson) ; 1959, Middle of the Night (Au milieu de la nuit) (Delbert Mann) ; 1960, Inherit the Wind (Procès de singe) (Kramer) ; 1961, The Young Doctors (Les blouses blanches) (Karlson) ; 1962, I sequestrati di Altona (Les séquestrés d'Altona) (De Sica) ; 1964, Seven Days in May (Sept jours en mai) (Frankenheimer) ; 1967, Hombre (Hombre) (Ritt) ; 1970, Tick... Tick... Tick... (Et la violence explosa) (Nelson).

Soldat puis employé de banque, il se tourne vers le théâtre en 1920, prenant pour pseudonyme le nom de jeune fille de sa mère. Ses débuts sont plus tardifs à l'écran. Il gagne l'oscar de 1931-1932 avec son interprétation restée légendaire de Mr. Hyde. Dès lors il n'arrêtera plus de tourner : il sera la Mort (*Death Takes a Holiday*), Cellini, Jean Laffitte, Jean Valjean, Christophe Colomb, Philippe de Macédoine... On le verra en représentant de commerce (*Mort d'un commis voyageur*), en officier (*Les ponts du Toko-Ri*) et en président des États-Unis (*Sept jours en mai*). Il gagnera un deuxième oscar en 1946 avec *Les plus belles années de notre vie.* Toujours digne, on ne l'a jamais rencontré dans un rôle où il aurait dû se débrider quelque peu, Mr. Hyde excepté.

March, Jane

Actrice anglaise née en 1973.

1991, The Lover (L'amant) (Annaud) ; 1993, Color of Night (Color of Night) (Rush) ; 1996, Provocateur (Donovan), Never Ever (Finch) ; 1997, Tarzan and Lost City (Tarzan – La cité perdue) (Schenkel) ; 2000, Vlad the Impaler (Chappelle).

Sensuelle et provocante dans le rôle de la jeune fille de *L'amant*, d'après Marguerite Duras, choisie parmi des milliers de jeunes postulantes à travers le monde pour ce film, elle ne tient pas ses promesses par la suite, se perdant dans la série B.

Marchal, Arlette

Actrice française, 1902-1984.

Principaux films : 1923, Aux jardins de Murcie (Mercanton et Hervil) ; 1925, Madame Sans-Gêne (Perret), L'image (Feyder) ; 1933, Don Quichotte (Pabst), La poule (Guissart), Les requins du pétrole (Katscher et Decoin), Le petit roi (Duvivier) ; 1934, La marche nuptiale (Bonnard), Toboggan (Decoin), La femme idéale (Berthomieu), Aux jardins de Murcie (Joly et Gras) ; 1939, La loi du nord/La piste du nord (Feyder), Entente cordiale (L'Herbier) ; 1942, Le journal tombe à cinq heures (Lacombe) ; 1945, Le père Serge (Gasnier-Raymond) ; 1950, Sans laisser d'adresse (Le Chanois).

Spécialisée dans les rôles distingués, elle a fait une brillante carrière (sans chefs-d'œuvre, il est vrai), qui s'arrête en 1940.

Marchal, Georges

Acteur français, 1920-1997.

1940, Fausse alerte (Baroncelli) ; 1941, Premier rendez-vous (Decoin) ; 1942, L'homme qui joue avec le feu (Limur), Le lit à colonnes (Tual) ; 1943, Lumière d'été (Grémillon) ; Vautrin (Billon), Échec au roi (Paulin), Blondine (Mahé) ; 1944, Paméla (Hérain) ; 1945, Les démons de l'aube (Y. Allégret) ; 1946, La septième porte (Zwobada), Torrents (Poligny) ; 1947, La figure de proue (Stengel), Bethsabée (Moguy) ; 1948, Les derniers jours de Pompéi (L'Herbier), Dernier amour (Stelli), La passagère (Daroy) ; 1949, Au grand balcon (Decoin), La soif des hommes (Poligny), La voyageuse inattendue (Stelli) ; 1951, Gibier de potence (Richebé), Messaline (Gallone), Sette nani alla riscossa (Tamburella), Robinson Crusoe (Musso), Le plus joli péché du monde (Grangier) ; 1952, Douze heures de bonheur (Grangier), Les amours finissent à l'aube (Calef) ; 1953, Theodora impératrice de Byzance (Freda), Si Versailles m'était conté (Guitry), Les trois mousquetaires (Hunebelle) ; 1954, Dix-huit heures d'escale (Jolivet), La Castiglione (Combret), Il visconte di Bragelonne (Le vicomte de Bragelonne) (Cerchio), La soupe à la grimace (Sacha) ; 1955, Gil Blas (Jolivet), Cherchez la femme (André), Cela s'appelle l'aurore (Buñuel) ; 1956, La mort en ce jardin (Bruñuel) ; 1957, Marchands de filles (Cloche), Quand sonnera midi (Greville), Filles de nuit (Cloche) ; 1958,

La ribellione dei gladiatori (La révolte des gladiateurs) (Cottafavi), Nel segno di Roma (Sous le signe de Rome) (Brignone) ; 1959, Le legioni di Cleopatra (Les légions de Cléopâtre) (Cottafavi), Austerlitz (Gance), Prisonniers de la brousse (Rozier), Vacanze d'inverno (Brèves amours) (Mastrocinque), Apocalisse sul fiume giallo (Le dernier train de Shanghai) (Merusi) ; 1960, Costa azzura (Le miroir aux alouettes) (Sala) ; 1961, Napoléon II, l'Aiglon (Boissol), Il colosso di Rodi (Le colosse de Rhodes) (Leone), Ulisse contro Ercole (Ulysse contre Hercule) (Caiano) ; 1962, Il colpo segreto di d'Artagnan (Le secret de d'Artagnan) (Marcellini), L'étrange auto-stoppeuse ; 1965, Guerre secrète (Christian-Jaque, T. Young, Lizzani) ; 1966, Dacii (Les guerriers) (Nicolaesco) ; 1967, Belle de jour (Buñuel) ; 1968, La voie lactée (Buñuel) ; 1971, Faustine ou le bel été (Companeez) ; 1977, Les enfants du placard (Jacquot) ; 1982, L'honneur d'un capitaine (Schoendoerffer).

Très beau, il fut, entre 1940 et 1955, le jeune premier idéal, formant avec Dany Robin un couple célèbre. Athlétique, il a joué dans de nombreux péplums ou films de cape et d'épée. Ne l'y enfermons pas. Formé au cours de Maurice Escande, il interpréta de nombreuses pièces à la Comédie-Française entre 1941 et 1948, et se consacra après 1968 à la télévision. Ses apparitions dans des œuvres de Buñuel avaient paru amorcer un retour au grand écran.

Marchand, Corinne

Actrice française née en 1937.

1954, Cadet-Rousselle (Hunebelle) ; 1955, Le couteau sous la gorge (Séverac) ; 1958, Gigi (Gigi) (Minelli) ; 1959, Arrêtez le massacre (Hunebelle) ; 1961, Lola (Demy) ; 1962, Cléo de 5 à 7 (Varda), Liberté I (Ciampi) ; 1963, Nunca pasa nada (Une femme est passée) (Lupo) ; 1964, L'heure de la vérité (Calef) ; 1966, Les sultans (Delannoy) ; 1967, Le canard en fer-blanc (Poitrenaud), Du mou dans la gâchette (Grospierre), Arizona Colt (Lupo) ; 1970, Borsalino (Deray), Le passager de la pluie (Clément) ; 1972, L'ingénu (Carbonnaux), Liza (Ferreri), Travels With My Aunt (Voyages avec ma tante) (Cukor) ; 1974, L'amour aux trousses (Pallardy) ; 1978, Coup de tête (Annaud) ; 1981, Nestor Burma détective de choc (Miesch) ; 1984, Louisiane (Broca) ; 1987, Attention bandits (Lelouch) ; 1993, Le parfum d'Yvonne (Leconte) ; 1996, Les palmes de M. Schutz (Pinoteau).

Elle reste dans la mémoire de tout cinéphile comme Cléo sur laquelle plane l'ombre du cancer. Mais elle est aussi l'amie d'Anouk Aimée dans *Lola* et la Mireille élégante et glacée des *Sultans*.

Marchand, Guy

Acteur français né en 1939.

1971, Boulevard du Rhum (Enrico) ; 1972, Une belle fille comme moi (Truffaut) ; 1974, Attention les yeux (Pirès), Cousin, cousine (Tacchella) ; 1975, L'acrobate (Pollet), Le voyage de noces (N. Trintignant) ; 1976, Le grand escogriffe (Pinoteau) ; 1977, Tendre poulet (Broca), L'hôtel de la plage (Lang) ; 1978, Le maître nageur (J.L. Trintignant), Vas-y maman (Buron) ; 1980, The Big Red One (Au-delà de la gloire) (Fuller), Plein Sud (Béraud) ; Loulou (Pialat), Rends-moi la clé (Pirès) ; 1981, Garde à vue (Miller), Coup de torchon (Tavernier), Les sous-doués en vacances (Zidi) ; 1982, Nestor Burma (Miesch) ; 1983, T'es heureuse ? Moi toujours (Marbeuf), Mortelle randonnée (Miller), Coup de foudre (Kurys) ; 1984, P'tit con (Lauzier), La tête dans le sac (Lauzier), Stress (Bertucelli) ; 1985, Hold-up (Arcady) ; 1986, Conseil de famille (Costa-Gavras), Vaudeville (Marbeuf), Je hais les acteurs (Krawczyk) ; 1987, Grand Guignol (Marbeuf), La rumba (Hanin), L'été en pente douce (Krawczyk), Châteauroux District (Charigot), Charlie Dingo (Behat), Noyade interdite (Granier-Deferre), L'île aux oiseaux (Larcher) ; 1988, Bonjour l'angoisse (Tchernia), Les maris, les femmes, les amants (Thomas), Coupe franche (Sauné) ; 1989, Ripoux contre ripoux (Zidi), Un père et passe (Grall), Try this one for size (Sauf votre respect) (Hamilton) ; 1990, May Wine (Wiserman) ; 1994, Le Nouveau Monde (Corneau) ; 1995, Beaumarchais l'insolent (Molinaro) ; 1996, Le plus beau métier du monde (Lauzier) ; 2001, La boîte (Zidi), Tanghi Rubati (Tangos volés) (Gregorio) ; 2002, Ma femme s'appelle Maurice (Poiré) ; 2006, Dans Paris (Honoré).

Musicien de jazz, chanteur, interprète à la télévision de Jean-Christophe Averty, il a entamé une brillante carrière à l'écran dans des rôles de salaud ou de pauvre type. Il lui suffisait de quelques plans pour montrer en inspecteur « peau de vache » dans *Garde à vue* toute l'étendue de son talent, ce qui lui valut un césar du second rôle bien mérité. Quelques films de plus et il devient une vedette à part entière. Il a composé la musique de *T'es heureuse ? Moi toujours*. Depuis 1990 il a tourné plusieurs films publicitaires et interprété à la télévision Nestor Burma, le détective de Léo

Malet. Avec des rôles comme celui du *Maître nageur*, il a perpétué la grande tradition du cinéma français. Il a fait un « retour » remarqué avec *Dans Paris*. Il se raconte dans *Le guignol des Buttes-Chaumont* (2007).

Marchat, Jean

Acteur français, 1902-1966.

1930, Le poignard malais (Goupillières), Au nom de la loi (Tourneur) ; 1931, Partir (Tourneur), Échec et mat (Goupillières) ; 1932, Le cas du docteur Brenner (Daumery), Chair ardente (Plaissetty) ; 1935, Marche nuptiale (Bonnard), Marie des Angoisses (Bernheim) ; 1939, Remorques (Grémillon) ; 1941, Le pavillon brûle (Baroncelli) ; 1942, Pontcarral (Delannoy), L'appel du bled (Poirier), Mermoz (Cuny), Croisières sidérales (Zwobada) ; 1944, Les dames du bois de Boulogne (Bresson), Le Bossu (Delannoy), Les caves du Majestic (Pottier) ; 1946, Mensonges (Stelli), Le château de la dernière chance (Paulin), Le mystérieux Monsieur Sylvain (Stelli) ; 1948, Trois garçons, une fille (Labro), Le mystère Barton (Spaak) ; 1949, La souricière (Calef), Véronique (Vernay) ; 1950, L'aiguille rouge (Reinert), Ombre et lumière (Calef) ; La passante (Calef) ; 1951, Ils étaient cinq (Pinoteau), Les quatre sergents de Fort Carré (Hugon) ; 1953, L'ennemi public n° 1 (Verneuil), Zoé (Brabant) ; 1954, Napoléon (Guitry) ; 1955, La rue des bouches peintes (Vernay), Les indiscrètes (André), Les nuits de Montmartre (Franchi) ; 1958, L'ambitieuse (Y. Allégret) ; 1960, Le passage du Rhin (Cayatte) ; 1961, Le miracle des loups (Hunebelle), Climats (Lorenzi) ; 1963, A couteaux tirés (Ch. Gérard).

Premier prix du Conservatoire, il travaille avec Dullin puis fonde avec Marcel Herrand le Rideau de Paris au théâtre des Mathurins. C'est dire qu'il fut avant tout un acteur de théâtre et que son jeu s'en ressent à l'écran. D'abord jeune premier, il tient ensuite des emplois de notables (avocat, médecin...). Il est le régent dans *Le Bossu*, version Delannoy, et le grand maréchal Bertrand dans *Napoléon*, version Guitry.

Marian, Ferdinand

Acteur autrichien, 1902-1949.

1933, Der Tunnel (Le tunnel) (Bernhardt) ; 1937, Stimme des Herzens (Martin), La Habanera (Sierck), Madame Bovary (Lamprecht) ; 1938, Nordlicht (Fredersdorf) ; 1940, Der Fuchs von Glenarvon (Grandison le félon) (Kimmich), Jud Süss (Le Juif Süss) (Harlan) ; 1941, Ohm Krüger (Président Krüger) (Steinhoff) ; 1943, Romanze in moll (Lumière dans la nuit) (Kautner), Münchhausen (Les aventures fantastiques du baron de Münchhausen) (Baky) ; 1945, Dreimal Komödie (Tourjansky) ; 1949, Das Gesetz der Liebe (Schweikert).

Ce Viennois qui fut un remarquable acteur de théâtre a été distribué, à l'âge d'or des films nazis, dans les rôles de méchant. C'est pourquoi il fut Süss dans l'œuvre célèbre de Veit Harlan et Cécil Rhodes dans *Président Krüger*. Il mourut sur les routes d'Allemagne lors de la débâcle du IIIe Reich.

Mariano, Luis

Acteur et chanteur d'origine espagnole, de son vrai nom Mariano Eusebio González y García, 1914-1970.

1937, Ramuntcho (Barbéris) ; 1942, Le chant de l'exilé (Hugon) ; 1943, L'escalier sans fin (Lacombe) ; 1946, Histoire de chanter (Grangier) ; 1947, Cargaison clandestine (Rode) ; 1948, Fandango (Reinert) ; 1949, Je n'aime que toi (Montazel), Pas de week-end pour notre amour (Montazel) ; 1950, Andalousie (Vernay) ; 1951, Rendez-vous à Grenade (Pottier) ; 1952, Paris chante toujours (Montazel), Violettes impériales (Pottier) ; 1953, La route du bonheur (Labro), La belle de Cadix (Bernard), L'aventurier de Séville (Vajda) ; 1954, Napoléon (Guitry), Le tsarévitch (Rabenalt) ; 1955, Quatre jours à Paris (Berthomieu) ; 1956, Le chanteur de Mexico (Pottier) ; 1957, A la Jamaïque (Berthomieu) ; 1958, Sérénade au Texas (Pottier) ; 1960, Candide (Carbonnaux) ; 1964, Les pieds dans le plâtre (Lary).

Chassé d'Espagne par la guerre civile, il va révéler en France d'incontestables dons de chanteur. Il fait partie d'une chorale qui paraît dans *Ramuntcho*. Peu à peu il perfectionne sa technique, chante quelques secondes dans *L'escalier sans fin* et rencontre Francis Lopez. *La belle de Cadix*, en 1945, en fait une vedette. Désormais il partage son temps entre la scène où il chante l'opérette et l'écran où il re-chante les succès de ses opérettes. Il eut la chance d'avoir de solides metteurs en scène : Vernay, Pottier, Berthomieu... Guitry en fit le chanteur Garat dans son *Napoléon*. Même après sa mort, Luis Mariano a gardé de fidèles admiratrices.

Marielle, Jean-Pierre

Acteur français né en 1932.

1957, Tous peuvent me tuer (Decoin), Le grand bluff (Dally), Fernand clochard (Chevalier), Charmants garçons (Decoin) ; 1960, La brune que voilà (Lamoureux), Le mouton (Chevalier), Pierrot la tendresse (Villiers) ; 1961, Climats (Lorenzi) ; 1963, Dragées au poivre (Baratier), Peau de banane (Ophuls), Faites sauter la banque (Girault) ; Que personne ne sorte (Govar) ; 1964, La bonne occase (Drach), Échappement libre (Becker), Relaxe-toi chéri (Boyer), Un monsieur de compagnie (Broca), Week-end à Zuydcoote (Verneuil) ; 1968, Cent briques et des tuiles (Grimblat), Monnaie de singe (Robert) ; 1966, Roger-la-Honte (Freda), Tendre voyou (Becker) ; 1967, Toutes folles de lui (Carbonnaux), L'homme à la Buick (Grangier) ; 1968, L'amour c'est gai, l'amour c'est triste (Pollet), Le diable par la queue (Broca), 48 heures d'amour (Saint-Laurent) ; 1969, Slogan (Grimblat), Les femmes (Aurel), Les caprices de Marie (Broca) ; 1970, Le pistonné (Berri) ; 1971, On est toujours trop bon avec les femmes (Boisrond), Sans mobile apparent (Labro), Quattro mosche di veluto grigio (Quatre mouches de velours gris) (Argento) ; 1972, Sex-shop (Berri), Le petit Poucet (Boisrond) ; 1973, L'affaire Crazy Capo (Jamain), La valise (Lautner), Charlie et ses deux nénettes (Séria) ; 1974, Comment réussir quand on est con et pleurnichard (Audiard), Dis-moi que tu m'aimes (Boisrond), Un linceul n'a pas de poches (Mocky), Dupont-Lajoie (Boisset), Que la fête commence (Tavernier) ; 1975, La traque (Leroy), Les galettes de Pont-Aven (Séria), Calmos (Blier) ; 1976, Sturmtruppen (Le bataillon en folie) (Samperi), On aura tout vu (Lautner), Cours après moi que je t'attrape (Pouret) ; 1977, L'imprécateur (Bertucelli), Plus ça va moins ça va (Vianey), Comme la lune (Séria) ; 1978, Un moment d'égarement (Berri) ; 1979, Cause toujours, tu m'intéresses (Molinaro) ; 1980, Asphalte (Amar), L'entourloupe (Pirès), Voulez-vous un bébé Nobel ? (Pouret) ; 1981, Coup de torchon (Tavernier), Pétrole, pétrole (Gion) ; 1982, Jamais avant le mariage (Ceccaldi) ; 1983, Signes extérieurs de richesse (Monnet), L'indiscrétion (Lary) ; 1984, Partenaires (d'Anna) ; 1985, L'amour en douce (Molinaro), Hold-up (Arcady) ; 1986, Tenue de soirée (Blier) ; 1987, Les mois d'avril sont meurtriers (Heynemann), Les deux crocodiles (Séria) ; 1988, Quelques jours avec moi (Sautet) ; 1990, Uranus (Berri) ; 1991, Tous les matins du monde (Corneau) ; 1992, Max et Jérémie (Devers) ; 1993, Un, deux, trois, soleil (Blier), Le parfum d'Yvonne (Leconte), Le sourire (Miller) ; 1994, Les Milles (Grall) ; 1995, Les grands ducs (Leconte) ; 1996, L'élève (Schatzky) ; 1999, Une pour toutes (Lelouch), Les acteurs (Blier) ; 2003, La petite Lili (Miller) ; 2004, Demain on déménage (Akerman), Atomik Circus, le retour de James Bataille (Poiraud) ; 2005, Les âmes grises (Angelo) ; 2006, Da Vinci Code (Da Vinci Code) (Howard), L'ami de Fred Astaire (Lvovsky), Le grand Meaulnes (Verhaeghe).

On l'oublie, il eut un prix du Conservatoire et passa par la Comédie-Française qu'il quitta pour la compagnie Grenier-Hussenot puis la direction artistique du Théâtre-Antoine. Au cinéma, il renoue, comme le rappelle justement *Écran 77*, avec la tradition des acteurs d'avant guerre, imposant une image monolithique de personnage râleur, hâbleur et volontiers mufle. C'est Tavernier qui le fait connaître au grand public avec le Pontcallec de *Que la fête commence*. Grand succès aussi avec le personnage de M. de Sainte-Colombe, gentilhomme retiré à la campagne et donnant avec ses filles des concerts de viole de gambe dans *Tous les matins du monde*. Mais on aime aussi le héros si vulnérable du *Sourire*. Il est extraordinaire en avocat dépassé dans *Signes extérieurs de richesse* ou en notable douteux dans *L'amour en douce* et surclasse Rochefort et Noiret dans *Les grands ducs*. Il est un procureur inquiétant dans *Les âmes grises* et un conservateur du musée du Louvre détenteur d'un redoutable secret qui lui coûte la vie dans *Da Vinci Code*. Bref, un immense acteur.

Marin, Christian

Acteur français née en 1929.

1960, Les tortillards (Bastia) ; 1961, Une blonde comme ça (Jabely), Le tracassin ou les plaisirs de la ville (Joffé), Tout l'or du monde (Clair), Le crime ne paie pas (Oury), La belle américaine (Dhéry), La gamberge (Carbonnaux) ; 1962, L'abominable homme des douanes (M. Allégret) ; 1963, L'honorable Stanislas, agent secret (Dudrumet), La foire aux cancres (Daquin), Le commissaire mène l'enquête (Collin, Delile), Cherchez l'idole (Boisrond), Le magot de Josefa (Autant-Lara), Pouic-Pouic (Girault), Bébert et l'omnibus (Robert) ; 1964, Les copains (Robert), Allez France (Dhéry), Le gendarme de Saint-Tropez (Girault) ; 1965, Dis-moi qui tuer (Périer), Le chant du monde (Camus), L'or du duc (Baratier), Le gendarme à New York (Girault), Compartiment tueurs (Costa-Gavras), Monnaie de singe (Robert) ; 1966, Monsieur le président-directeur général (Girault) ; 1967, La permission (Van Peebles), Le mois le plus beau (Blanc) ; 1968, Fais plaisir aux amis (Rigaud), Le gendarme se marie (Girault) ; 1969, La honte de la famille (Balducci), L'Auvergnat et l'autobus (Lefranc) ; 1970, Michel Strogoff (Michael Strogoff) (E. Visconti), Le gendarme en balade (Girault) ; 1973, Le commando des chauds lapins (Pérol) ; 1974, Y a un os dans la moulinette (André) ; 1975, La grande récré (Pierson) ; 1978, Trois nouvelles de Tchekhov (Fasquel) ; 1980, Prune des bois (Lobet) ; 1998, Chômeurs mais on s'soigne (L. Thomas), 2001, Carpe diem (Aubert).

L'air ahuri et le sourcil en accent circonflexe, il a marqué de sa haute stature la comédie branquignolesque des années 60, étant par exemple membre honoraire, au côté de Grosso et Modo, de la bande du commandant Cruchot dans la série des *Gendarmes*. A la télévision, on l'a beaucoup aimé en commandant Laverdure dans « Les chevaliers du ciel ».

Marin, Jacques

Acteur français, 1919-2001.

1951, Jeux interdits (Clément) ; 1952, Quitte ou double (Vernay), Nous sommes tous des assassins (Cayatte) ; 1953, J'y suis, j'y reste (Labro), Avant le déluge (Cayatte), Faites-moi confiance (Grangier) ; 1954, Ça va barder (Berry), Papa, maman, la bonne et moi (Le Chanois), French Cancan (Renoir), Sur le banc (Vernay), Les évadés (Le Chanois), La rue des bouches peintes (Vernay) ; 1955, Marie-Antoinette (Delannoy), Le dossier noir (Cayatte), L'amant de Lady Chatterley (M. Allégret), Des gens sans importance (Verneuil), Gas-oil (Grangier), Ces sacrées vacances (Vernay), Les hommes en blanc (Habib), Papa, maman, ma femme et moi (Le Chanois) ; 1956, Mon curé chez les pauvres (Diamant-Berger), Cette sacrée gamine (Boisrond), Le sang à la tête (Grangier), Reproduction interdite (Grangier), La traversée de Paris (Autant-Lara), Paris Palace Hôtel (Verneuil) ; 1957, Le coin tranquille (Vernay), Une Parisienne (Boisrond), En cas de malheur (Autant-Lara), Les misérables (Le Chanois), Le temps des œufs durs (Carbonneaux), Le rouge est mis (Grangier), Montparnasse 19 (Becker), Trois jours à vivre (Grangier) ; 1958, Drôles de phénomènes (Vernay), Les femmes des autres (Barma), Le joueur (Autant-Lara), Le désordre et la nuit (Grangier), Les tricheurs (Carné), The Roots of Heaven (Les racines du ciel) (Huston), Madame et son auto (Vernay), Le miroir à deux faces (Cayatte), Archimède le clochard (Grangier), Guinguette (Delannoy) ; 1959, La bête à l'affût (Chenal), Pantalaskas (Paviot), Maigret et l'affaire Saint-Fiacre (Delannoy), Match contre la mort (Bernard-Aubert), Monsieur Suzuki (Vernay), Rue des Prairies (La Patellière), Vers l'extase (Wheeler) ; 1960, La Française et l'amour (sketch R. Clair), La pendule à Salomon (Ivernel), Le Président (Verneuil), Au cœur de la ville (inédit, Gautherin), Arrêtez les tambours (Lautner), Vive Henri IV, vive l'amour (Autant-Lara) ; 1961, Le cave se rebiffe (Grangier), Le Monocle noir (Lautner), Le couteau dans la plaie (Litvak) ; 1962, Le glaive et la balance (Cayatte), Le gentleman d'Epsom (Grangier), Gigot (Gigot, clochard de Belleville) (Kelly) ; 1963, Méfiez-vous mesdames (Hunebelle), Le train (Frankenheimer), Humour noir (sketch Autant-Lara) ; 1965, Les bons vivants (sketch Grangier), Fantômas se déchaîne (Hunebelle), L'or du duc (Baratier) ; 1966, La vingt-cinquième heure (Verneuil), Le plus vieux métier du monde (sketch Autant-Lara) ; 1967, L'homme à la Buick (Grangier) ; 1969, La fiancée du pirate (Kaplan), Trois hommes sur un cheval (Moussy), La honte de la famille (Balducci) ; 1970, Le cinéma de papa (Berri), Mourir d'aimer (Cayatte), Le petit matin (Albicocco), Darling Lili (Darling Lili) (Edwards) ; 1971, Le drapeau noir flotte sur la marmite (Audiard), Jo (Girault) ; 1973, Shaft in Africa (Shaft contre les trafiquants d'hommes) (Guillermin), Le commando des chauds lapins (Pérol), Mais où est donc passée la 7e compagnie ? (Lamoureux) ; 1974, Bons baisers de Hong Kong (Chiffre), Impossible pas français (Lamoureux), Vos gueules les mouettes (Dhéry), Island at the Top of the World (L'île sur le toit du monde) (Stevenson), S.P.Y.S. (Les S pions) (Kershner) ; 1975, L'année sainte (Girault), Flic story (Deray), Catherine et Cie (Boisrond), Opération Lady Marlène (Lamoureux) ; 1976, Le jour de gloire (Besnard), Marathon Man (Marathon man) (Schlesinger) ; 1977, Le mille-pattes fait des claquettes (Girault), Herbie Goes to Monte-Carlo (La coccinelle à Monte-Carlo) (McEveety) ; 1978, Général... nous voilà ! (Besnard), Who is Killing the Great Chefs of Europe ? (La grande cuisine) (Kotcheff), L'horoscope/Fais gaffe à la marche (Girault) ; 1981, Te marre pas... c'est pour rire ! (Besnard).

Petit, rondouillard, cet ancien élève du Conservatoire a symbolisé le Français moyen dans d'innombrables films des années 50 avant de se consacrer à la télévision où on a pu le voir dans des sketches de chansonniers, toujours aussi drôle.

Marken, Jane

Actrice française, de son vrai nom Krab, 1895-1976.

1915, Fioritures (Gance) ; 1919, Deux coqs vivaient en paix (Monca) ; 1932, Le cochon de Morin (Lacombe) ; 1933, La guerre des valses (Berger) ; 1934, La dame aux camélias (Rivers) ; 1935, Le chemineau (Rivers), Ferdinand le noceur (Sti), Napoléon (version sonore) (Gance) ; 1936, L'ange du foyer (Mathot), La garçonne (Limur), La marmaille (Bernard-Deschamps), Un grand amour de Beethoven (Gance), Une partie de campagne (Renoir) ; 1937, Gueule d'amour (Grémillon), L'homme à abattre (Mathot) ; 1938, Remontons les Champs-Élysées (Guitry), Paradis perdu (Gance), Hôtel du Nord (Carné), Trois valses (Berger) ; 1940, Sans lendemain (Ophuls), La nuit merveilleuse (Paulin) ; 1941, Les deux timides (Y. Allégret), Une femme dans la nuit (Greville) ; 1942, Lumière d'été (Grémillon) ; 1943, Les petites du quai aux Fleurs (M. Allégret), L'éternel retour (Delannoy), Adrien (Fernandel) ; 1944, Falbalas (Becker), Les enfants du paradis (Carné) ; 1945, Un ami viendra ce soir (Bernard), Le pays sans étoiles (Lacombe), Nuits d'alerte (Mathot) ; 1946, Le beau voyage (L. Cuny), Copie conforme (Dréville), L'homme au chapeau rond (Billon), L'idiot (Lampin), L'amour autour de la maison (Hérain), Petrus (M. Allégret), La parade du rire (Verdier), Les portes de la nuit (Carné), L'arche de Noé (Jacques) ; 1947, Route sans issue (Stelli), Clochemerle (Chenal), Dédée d'Anvers (Y. Allégret) ; 1948, Ces dames aux chapeaux verts (Rivers), Retour à la vie (sketch Cayatte), Une si jolie petite plage (Y. Allégret), Rapide de nuit (Blistène), Le secret de Mayerling (Delannoy) ; 1949, La Marie du Port (Carné), Lady Paname (Jeanson), La femme que j'ai assassinée (Daniel-Norman), Manèges (Y. Allégret) ; 1950, Knock (Lefranc), Ma pomme (Sauvajon), Chéri (Billon), Caroline chérie (Pottier), La passante (Calef), Boîte de nuit (Rode), L'inconnue de Montréal (Devaivre) ; 1951, Chacun son tour (Berthomieu), Deux sous de violettes (Anouilh), Dupont-Barbès (Lepage), Leguignon lampiste (Labro), Le dindon (Barma), Et ta sœur (Lepage) ; 1952, Le trou normand (Boyer), L'homme de ma vie (Lefranc), Le secret d'une mère, Monsieur Taxi ; 1953, Mam'zelle Nitouche (Y. Allégret), Les compagnes de la nuit (Habib), Capitaine Pantoufle (Lefranc), Maternité clandestine (Gourguet) ; 1954, Leguignon guérisseur (Labro) ; 1955, Tant qu'il y aura des femmes, Chiens perdus sans collier (Delannoy), Marie-Antoinette (Delannoy) ; 1956, Pitié pour les vamps (Josipovici), Et Dieu créa la femme (Vadim), L'inspecteur aime la bagarre (Devaivre) ; 1957, Pot-Bouille (Duvivier), Les trois font la paire (Guitry) ; 1958, Prisons de femmes (Cloche), La vie à eux (Duhour), Maxime (Verneuil), Le miroir à deux faces (Cayatte), Des femmes disparaissent (Molinaro), Ce corps tant désiré (Saslavsky) ; 1963, La bonne soupe (Thomas) ; 1964, Patate (Thomas).

Débuter au cinéma sous le patronage de Gance en 1915, c'est une référence. Avoir été dirigée par la suite par Renoir, Carné, Duvivier, Guitry et Becker confirme qu'il s'agit là d'une grande artiste. Le meilleur souvenir que l'on garde d'elle, c'est Madame Dufour, mère dodue et peu farouche qui se laisse conter fleurette pendant que son mari fait la sieste dans *Une partie de campagne*. C'est aussi la légère Madame Hermine des *Enfants du paradis*. Ou encore la concierge accorte que lutine Jouvet dans *Copie conforme* ou l'entraîneuse aux formes généreuses de *Dédée d'Anvers*. Des femmes fraîches, pas trop difficiles et au corsage prometteur. Mais attention ! elles peuvent se transformer en mégères comme la dame Josserand soucieuse de caser ses filles et prête aux pires vilenies dans *Pot-Bouille*, l'un des derniers films de Jane Marken.

Marquand, Christian

Acteur et réalisateur français, 1927-2000.

1945, La belle et la bête (Cocteau) ; 1947, Quai des Orfèvres (Clouzot) ; 1952, Lucrèce Borgia (Christian-Jaque) ; 1953, Senso (Senso) (Visconti) ; 1954, Attila (Attila fléau de Dieu) (Francisci) ; 1956, Et Dieu créa la femme (Vadim), Sait-on jamais (Vadim) ; 1957, Une vie (Astruc) ; 1959, J'irai cracher sur vos tombes (Gast) ; 1960, I dolci inganni (Les adolescentes) (Lattuada), La proie pour l'ombre (Astruc), Sergent X (Borderie), Atlas variedad (Cibles vivantes) (Belata), La récréation (Moreuil), Tendre et violente Élisabeth (Decoin) ; 1961, Les Parisiennes (sketch Boisrond), The Longest Day (Le jour le plus long) (Annakin), Le crime ne paie pas (Oury) ; 1962, Les saintes nitouches (Montazel), Un chien dans un jeu de quilles (Collin) ; 1963, Behold a Pale Horse (Et vint le jour de la vengeance) (Zinneman), La bonne soupe (Thomas) ; 1965, The Flight of the Poenix (Le vol du phénix) (Aldrich), Lord Jim (Lord Jim) (Brooks) ; 1966, Die Holle von Macao (Les corrompus) (Winterstein), Les grands chemins (Marquand) ; 1968, La route de Corinthe (Chabrol) ; 1973, Ciao ! Manhattan (Palmer, Wiesman) ; 1976, Victory et Entebbé (Victoire à Entebbé) (Chomsky) ; 1977, The Other Side of Midnight (De l'autre côté de minuit) (Jarrott), Les apprentis sorciers (Cozarinsky) ; 1978, Apocalypse Now (Apocalypse Now) (Coppola) ; 1979, Cause toujours, tu m'intéresses (Molinaro), Le maître-nageur (J.-L. Trintignant), Brigade mondaine : La secte de Marrakech (Matalon) ; 1980, Je vous aime (Berri) ; 1981, Chassé-croisé (Dombasle) ; 1982, Le choix des armes (Corneau) ; 1983, Emmanuelle 4 (Leroi) ; 1985, L'été prochain

(N. Trintignant), Adieu blaireau (Decout). *Pour le metteur en scène*, voir le *Dictionnaire du cinéma*, t. I : *Les réalisateurs*.

Fils d'un Arabe et d'une Espagnole, cet extraordinaire séducteur né à Marseille n'a pas eu, malgré ses amitiés avec Vadim et Astruc, la carrière qu'on attendait. Il tenta sa chance dans la mise en scène mais sans guère de succès. C'est avec un petit pincement au cœur qu'on le revit après une éclipse en grand prêtre d'une secte érotique dans un film de Matalon inspiré de Gérard de Villiers. Ce n'est pas le talent qui lui a fait défaut mais probablement a-t-il été desservi par une certaine indifférence d'homme comblé par les femmes à l'égard de sa carrière.

Mars, Séverin

Acteur et réalisateur français, de son vrai nom Armand-Jean de Malafayde, 1873-1921.

1918, L'habit de Béranger (Mariaud), Trois familles (Devarennes), La dixième symphonie (Gance), J'accuse (Gance) ; 1919, Haceldama (Duvivier), Jacques Landauze (Hugon) ; 1921, L'agonie des aigles (Bernard-Deschamps) ; 1923, La nuit du 11 septembre (Bernard-Deschamps), La roue (Gance). *Comme réalisateur :* 1921, Le cœur magnifique.

Toute une époque. Auteur de pièces, de romans et de scénarios, ce Bordelais avait un jeu d'une outrance aujourd'hui insupportable et qui se donna libre cours dans les films de Gance, dont *La roue*, sorti après sa mort, ou dans *L'agonie des aigles*.

Marsac, Laure

Actrice et réalisatrice française née en 1970.

1983, La pirate (Doillon) ; 1986, Les fous de Bassan (Simoneau) ; 1987, L'homme voilé (Bagdadi) ; 1990, Tumultes (Van Effenterre) ; 1991, Un vampire au paradis (Bahloul), Un bout de Challenger (Sourine) ; 1992, Taxi de nuit (Leroy) ; 1993, La reine Margot (Chéreau) ; 1994, Interview With the Vampire (Entretien avec un vampire) (Jordan) ; 1995, Jefferson in Paris (Jefferson à Paris) (Ivory), Rainbow pour Rimbaud (Teulé) ; 1996, Hit Me (Shainberg), La divine poursuite (Deville) ; 1997, Secret défense (Rivette), Anniversaires (sketch « Des goûts et des couleurs ») (Rouvillois) ; 2007, Le 4e morceau de la femme coupée en 3 (Marsac). *Comme réalisatrice :* 2007, Le 4e morceau de la femme coupée en 3.

Adolescente chez Doillon, on la retrouve adulte, embellie et grave dans *Tumultes* puis, blonde, gracile, un beau regard un peu triste, dans un petit rôle dans *Entretien avec un vampire*. Elle devient réalisatrice en 2007 avec un film bien accueilli par la presse.

Marsh, Mae

Actrice américaine, 1895-1968.

1912, The New York Hat (Griffith), Man's Genesis (Griffith) ; 1913, Judith of Bethulia (Griffith), Fate (Griffith), The Primitive Man (Griffith) ; 1914, The Battle at Elderbush Gulch (Griffith), The Escape (Griffith), The Avenging Conscience (La conscience vengeresse) (Griffith) ; 1915, The Birth of a Nation (Naissance d'une nation) (Griffith) ; 1916, Intolerance (Intolérance) (Griffith), Hoodoo Ann (Ingraham), The Wharf Rat (Chester Withy), A Child of Paris Streets (Ingraham) ; 1917, The Wild Girl of the Sierras (Belle du Sud) (Powell), Polly of the Circus (Charles T. Horan et Edwin Hollywood) ; 1918, Sunshine Alley (Noble), The Cinderella Man (Le noël de M. Cendrillon) (Tucker), The Face in the Dark (Henley) ; 1921, The Glorious Adventure (Henley), Nobody's Kid (Hickman) ; 1922, Till We Meet Again (La rencontre) (Cabanne) ; 1923, The White Rose (La rose blanche) (Griffith), Paddy the Next Best Thing (Cutts) ; 1924, Daddies (L'école des papas) (Seiter) ; 1925, A Woman's Secret (Wilcox), Arabella (Grüne), Tides of Passion (Blackton), The Rat (Le rat) (Cutts) ; 1931, Over the Hill (Maman) (King) ; 1932, Rebecca of Sunnybrook Farm (Santell) ; 1933, Alice in Wonderland (Alice au pays des merveilles) (McLeod) ; 1935, Black Fury (Furie noire) (Curtiz) ; 1936, Hollywood Boulevard (Florey) ; 1940, The Grapes of Wrath (Les raisins de la colère) (Ford) ; 1942, Tales of Manhattan (Six destins) (Duvivier) ; 1943, Jane Eyre (Jane Eyre) (Stevenson), Dixie Dugan (Sutherland) ; 1945, A Tree Grows in Brooklyn (Kazan) ; 1948, Fort Apache (Le massacre de Fort Apache) (Ford), Three Godfathers (Le fils du désert) (Ford), The Snake Pit (La fosse aux serpents) (Litvack) ; 1950, The Gunfighter (La cible humaine) (King) ; 1955, The Tall Men (Les implacables) (Walsh), Hell on Frisco Bay (Colère noire) (Tuttle), Prince of Players (Dunne), Julie (Stone) ; 1956, While the City Sleeps (La cinquième victime) (Lang) ; 1957, The Wings of Eagles (Ford) ; 1958, Cry of Terror (Stone) ; 1961, Two Rode Together (Les deux cavaliers) (Ford) ; 1963, Donovan's Reef (La taverne de l'Irlandais) (Ford) ; 1964, Cheyenne Autumn (Les Cheyennes) (Ford).

Elle fut l'interprète de Griffith dès 1912. Elle avait le visage innocent, le côté fragile qui plaisaient tant au metteur en scène. Elle fut « la petite sœur » de *Naissance d'une nation* et « la bien-aimée », épouse d'un homme injustement condamné dans *Intolérance*. Passée en 1917 chez Goldwyn, elle ne retrouva plus d'aussi beaux rôles et revint en 1923 chez Griffith pour *La rose blanche*. L'avènement du parlant lui porta un coup fatal. Elle se cantonna dans de petits rôles, notamment dans les films de Ford avec lequel elle était liée d'amitié.

Marshall, Herbert

Acteur britannique, 1890-1969.

1927, Mumsie (Wilcox) ; 1928, Dawn (Wilcox) ; 1929, The Letter (Bell) ; 1930, Murder (Hitchcock) ; 1931, Secrets of a Secretary, Michael and Mary (Saville), The Calendar (Hunter) ; 1932, The Faithful Heart (Saville), Blonde Venus (Sternberg), Trouble in Paradise (Haute pègre) (Lubitsch), Evenings for Sale ; 1933, Solitaire Man (Conway), I Was a Spy (Saville) ; 1934, Riptide (Goulding), Four Frightened People (DeMille), Outcast Lady, The Painted Veil (Le voile des illusions) (Boleslavsky) ; 1935, The Good Fairy (La bonne fée) (Wyler), The Flame Within (La femme errante) (Goulding), Accent on Youth (Ruggles), The Dark Angel (L'ange des ténèbres) (Franklin), If You could Only Cook (Seiter) ; 1936, The Lady Consents (Roberts), Forgotten Faces, Girl's Dormitory (Cummings), A Woman Rebels (La rebelle) (Sandrich), Make Way for a Lady (Burton) ; 1937, Beakfast for Two (Déjeuner pour deux) (Santell), Angel (Ange) (Lubitsch) ; 1938, Mad about Music (Taurog), Always Goodbye (Lanfield), Woman Against Woman (Sinclair) ; 1939, Zaza (Cukor) ; 1940, A Bill of Divorcement (Farrow), Foreign Correspondent (Correspondant 17) (Hitchcock), The Letter (La lettre) (Wyler) ; 1941, Adventure in Washington (Green), The Little Foxes (La vipère) (Wyler), When Ladies Meet (Les deux rivales) (Leonard), Kathleen (Bucquet) ; 1942, The Moon and Sixpence (Lewin) ; 1943, Forever and a Day (Goulding, Lloyd, Clair, etc.), Flight for Freedom (Perdue sous les tropiques) (Mendes), Young Ideas (Dassin) ; 1944, Andy Hardy's Blonde Trouble (Seitz) ; 1945, The Unseen (L'invisible meurtrier) (Allen), The Enchanted Cottage (le cottage enchanté) (Cromwell) ; 1946, The Razor's Edge (Le fil du rasoir) (Goulding), Crack Up (Reis), Duel in the Sun (Duel au soleil) (Vidor) ; 1947, Ivy (Le crime de Mme Lexton) (Wood), The High Wall (Le mur des ténèbres) (Bernhardt) ; 1949, The Secret Garden (Wilcox) ; 1950, Underworld Story (Endfield), Black Jack (Duvivier) ; 1951, Anna of the Indies (La flibustière des Antilles) (Tourneur) ; 1952, Angel Face (Un si doux visage) (Preminger) ; 1954, Riders to the Stars (Carlson), The Black Shield of Falworth (Le chevalier du roi) (Maté), Gog (Strock) ; 1955, The Virgin Queen (Le seigneur de l'aventure) (Koster) ; 1956, Wicked As They Come (Hughes), The Weapon (Guest) ; 1958, The Fly (La mouche noire) (Neumann), Stage Struck (Lumet) ; 1960, College Confidential (Zugsmith), Midnight Lace (Piège à minuit) (Miller) ; 1961, A Fever in the Blood (V. Sherman) ; 1962, Five Weeks in a Balloon (Cinq semaines en ballon) (Allen) ; 1963, The Caretakers (Bartlett) ; 1963, The List of Adrian Messenger (Le dernier de la liste) (Huston) ; 1965, The Third Day (Smight).

Issu d'une famille de comédiens, comédien lui-même, ce Londonien eut une attitude courageuse pendant la Première Guerre mondiale. Soldat au 14e régiment écossais, il fut blessé et amputé d'une jambe. Il dut apprendre à marcher avec un membre artificiel. Il poursuivit pourtant sa carrière d'acteur sans qu'il ait été possible aux spectateurs de se rendre compte de ce handicap. Il fallait beaucoup de volonté à Marshall d'autant qu'il jouait des personnages élégants, sceptiques et désinvoltes. Ses meilleurs rôles sont ceux de *Trouble in Paradise* et de *The Little Foxes*. C'est à Hollywood en effet à partir de 1932 que ce séduisant Londonien, après des débuts en Angleterre, fit l'essentiel de sa carrière. Il mourut à peu près totalement paralysé.

Marshall, Tonie

Actrice et réalisatrice française née en 1957.

1973, L'événement le plus important depuis que l'homme a marché sur la Lune (Demy) ; 1979, Tout dépend des filles (Fabre), Rien ne va plus (Ribes) ; 1980, Les sous-doués (Zidi) ; 1981, La gueule du loup (Leviant) ; 1982, L'archipel des amours (sketch Davila) ; 1984, Paris vu par... 20 ans après (sketch Mitterrand) ; 1985, Beau temps mais orageux en fin de journée (Frot-Coutaz) ; 1987, Qui trop embrasse (Davila), Cœurs croisés (de Mareuil) ; 1989, Le champignon des Carpathes (Biette), La campagne de Cicéron (Davila) ; 1992, Chasse gardée (Biette) ; 1996, Pour rire ! (Belvaux) ; 1998, A mort la mort ! (Goupil). *Pour la réalisatrice*, voir le *Dictionnaire du cinéma*, t. I : *Les réalisateurs*.

Une chevelure courte et blonde, souvent en bataille, le regard un peu triste, elle fait partie pendant plusieurs années de la bande de la série télé « Merci Bernard » (aux côtés d'Eva Darlan, Claude Piéplu ou Philippe Khorsand) tout en menant une carrière cinématographique relativement calme au sein d'une autre bande, le trio Davila/Biette/Frot-Coutaz. Devenue réalisatrice, elle tourne en 1994 un très bon film de détectives avec Anémone dans le rôle principal et remporte les césars 2000 du meilleur film et du meilleur réalisateur avec *Vénus Beauté (Institut)*. Elle est la fille de Micheline Presle.

Marshall, Tully

Acteur américain, 1864-1943.

1921, Lotus Blossom (Grandon), Silent Years (Gasnier) ; 1922, The Village Blacksmith (Ford), Penrod (Neilan) ; 1923, The Covered Wagon (La caravane vers l'ouest) (Cruze), The Hunchback of Notre Dame (Worsley), The Law of the Lawless (Fleming) ; 1925, The Merry Widow (La veuve joyeuse) (Stroheim) ; 1926, The Torrent (Bell) ; 1927, The Cat and the Canary (La volonté du mort) (Leni), The Gorilla (Santell), Jim the Conqueror (Seitz) ; 1928, Conquest (Del Ruth), Queen Kelly (Stroheim) ; 1929, The Bridge of San Luis Rey (Brabin), The Mysterious Dr. Fu Manchu (Lee), The Show of the Shows (Adolfi), Thunderbolt (L'assommeur) (Sternberg), Redskin (Schertzinger), The Trail of 98 (Brown), Tiger Rose (Fitzmaurice) ; 1930, The Big Trail (La piste des géants) (Walsh), Tom Sawyer (Cromwell), Mammy (Curtiz), Redemption (Niblo) ; 1931, The Unholy Garden (Fitzmaurice) ; 1932, Hurricane Express (Schaefer), The Hatchet Man (Wellman), The Beast of the City (La bête de la cité) (Brabin) ; 1940, Go West (Chercheurs d'or) (Buzzell) ; 1941, Ball of Fire (Boule de feu) (Hawks) ; 1942, This Gun for Hire (Tueur à gages) (Tuttle).

Plus de cent films complètement oubliés et dont il est impossible de dresser la liste complète. Ne figurent ici que ses rôles les plus significatifs. Il reste dans notre mémoire pour son hallucinante composition du pervers baron Sadoja dans *La veuve joyeuse* de Stroheim.

Marshall, William

Acteur et réalisateur américain, 1917-1994.

1940, Santa Fe Trail (La piste de Santa Fe) (Curtiz) ; 1946, That Brennan Girl (Une fille perdue) (Santell) ; 1954, Les impures (Chevalier), Demetrius and the Gladiators (Les gladiateurs) (Daves) ; 1955, Rencontre à Paris (Lampin) ; 1957, Something of Value (Le carnaval des dieux) (Brooks), La fille de feu (Rode) ; 1964, To Trap a Spy (Duo de mitraillettes) (Medford), Hush Hush, Sweet Charlotte (Chut chut, chère Charlotte) (Aldrich) ; 1968, The Hell With Heroes (Tous les héros sont morts) (Sargent), The Boston Strangler (L'étrangleur de Boston) (Fleischer) ; 1971, Tarzan's Jungle Rebellion (Tarzan et la révolte de la jungle) (Witney) ; 1972, Blacula (Blacula, le vampire noir) (Crain) ; 1975, Abby (Abby) (Girdler) ; 1977, Twilight's Last Gleaming (L'ultimatum des trois mercenaires) (Aldrich) ; 1990, The Fisher King (Fisher king) (Gilliam) ; 1991, Billy Bathgate (Billy Bathgate) (Benton) ; 1994, Maverick (Maverick) (Donner). *Comme réalisateur* : 1950, New Orleans Adventure (La taverne de La Nouvelle-Orléans).

A ses débuts chanteur dans différents orchestres, puis acteur sans grand relief venu tenter sa chance à Paris. Surtout connu pour avoir dirigé Errol Flynn dans *New Orleans Adventure* et avoir par la suite écrit un best-seller plein de calomnies sur la virilité de l'acteur.

Marthouret, François

Acteur français né en 1943.

1968, Nous n'irons plus au bois (Dumoulin) ; 1969, L'aveu (Costa-Gavras) ; 1970, Les camisards (Allio) ; 1973, Le retour d'Afrique (Tanner) ; 1975, Le voyage de noces (N. Trintignant) ; 1978, Le dossier 51 (Deville) ; 1982, Antonieta (Saura), La petite bande (Deville) ; 1983, Vive les femmes ! (Confortès) ; 1984, Liste noire (Bonnot) ; 1990, Annabelle partagée (F. Comencini) ; 1991, Blanval (Mées) ; 1993, Aux petits bonheurs (Deville) ; 1994, L'amour conjugal (Barbier) ; 1997, Sitcom (Ozon) ; 1998, La guerre dans le haut-pays (Reusser), La ciudad de los prodigios (La ville des prodiges) (Camus).

Remarquable en victime des forces obscures des réseaux d'espionnage d'État dans *Le dossier 51*, (même s'il ne dit pas un mot de tout le film), il apparaît peu sur grand écran, concentrant ses activités à la scène théâtrale.

Martin, Dean

Acteur et chanteur américain, de son vrai nom Dino Crocetti, 1917-1995.

1949, My Friend Irma (Mon amie Irma) (Marshall) ; 1950, My Friend Irma Goes West (Irma à Hollywood) (Hal Walker) ; 1951, At War with the Army (Le soldat récalcitrant) (Walker), That's My Boy (Bon sang ne peut mentir) (Walker) ; 1952, Sailor Beware (La polka des marins) (Walker), The Stoodge (Le cabotin et son complice) (Taurog), Jumping Jacks (Parachutiste malgré lui) (Taurog) ; 1953, Scared Stiff (Fais-moi peur) (Marshall),

The Caddy (Amour, délices et golf) (Taurog) ; 1954, Living It Up (C'est pas une vie) (Taurog), Money from Home (Un galop du diable) (Marshall) ; 1955, Three Ring Circus (Le clown est roi) (Pevney), You're Never Too Young (Un pitre au pensionnat) (Taurog) ; 1956, Artists and Models (Artistes et modèles) (Tashlin), The Pardners (Le trouillard du Far West) (Taurog), Hollywood or Bust (Un vrai cinglé du cinéma) (Tashlin) ; 1957, Ten Thousand Bedrooms (Dix mille chambres à coucher) (Thorpe) ; 1958, The Young Lions (Le bal des maudits) (Dmytryk) ; 1959, Some Came Running (Comme un torrent) (Minnelli), Rio Bravo (Hawks), Career (Anthony), Who Was That Lady (Qui était donc cette dame ?) (Sidney), Bells Are Ringing (Un numéro du tonnerre) (Minnelli), Ocean's Eleven (L'inconnu de Las Vegas) (Milestone) ; 1961, Ada (D. Mann), All in a Night's Work (Anthony) ; 1962, Sergeants Three (Les trois sergents) (Sturges) ; 1963, Who's Got the Action (L'inconnu du gang des jeux) (D. Mann), Toys in the Attic (Le tumulte) (G. Roy Hill), Four for Texas (Quatre du Texas) (Aldrich) ; 1964, Who's Been Sleeping in My Bed ? (D. Mann), Robin and the Seven Hoods (Les sept voleurs de Chicago) (Douglas), What a Way to Go ! (Madame Croque-Maris) (Lee-Thompson), Kiss Me Stupid (Embrasse-moi idiot) (Wilder) ; 1965, The Sons of Katie Elder (Les quatre fils de Katie Elder) (Hathaway), Mariage on the Rocks (Donohue) ; 1966, The Silencers (Matt Helm agent très spécial) (Karlson), Texas Across the River (Texas nous voilà) (Gordon), Murderer's Row (Bien joué, Matt Helm) (Levin) ; 1967, Rough Night in Jericho (Violence à Jericho) (Laven), The Ambushers (Matt Helm traqué) (Levin) ; 1968, How to Save a Marriage and Ruin Your Life (Bague au doigt, corde au cou) (F. Cook), Bandolero (McLaglen), Five Cards Stud (Cinq cartes à abattre) (Hathaway) ; 1969, Airport (Seaton), The Wrecking Crew (Matt Helm règle son compte) (Karlson) ; 1971, Something Big (Rio Verde) (McLaglen) ; 1973, Showdown (Duel dans la poussière) (Seaton) ; 1975, M. Ricco (Bogart) ; 1981, The Cannonball Run (L'équipée du Cannonball) (Needham) ; 1984, Cannonball 2 (Needham).

Fils d'immigrants italiens, il tâtera de tous les métiers (boxeur, vendeur...) avant de monter un numéro musical avec un certain Jerry Lewis. Le succès à la scène vaut aux deux partenaires un contrat cinématographique : le duo remplacera Abbott et Costello. En fait, Martin sert de faire-valoir aux pitreries de Lewis pendant seize films. Les deux hommes se séparent en 1957 et y gagneront. Dean Martin révèle alors ses talents de comédien dans *Rio Bravo*, où il est éblouissant en shérif ivrogne. Hélas, il tombe sous la coupe du clan Sinatra et se compromet dans de sinistres comédies signées pourtant par Aldrich, Milestone ou Gordon Douglas. Il retrouve son indépendance et son talent en jouant le rôle de Matt Helm agent secret dans une série bien enlevée et dans de solides westerns. Son fils Dean-Paul Martin semble avoir pris sa relève. Nick Torsches lui a consacré une biographie, *Dino*, particulièrement hostile aux Kennedy.

Martin, Rémi

Acteur français né en 1965.

1985, Le thé au harem d'Archimède (Charef) ; 1986, Conseil de famille (Costa-Gavras), Désordre (Assayas) ; 1987, Miss Mona (Charef), Les nouveaux tricheurs (Schock), Der Treue Johannes (Luther) ; 1988, Les possédés (Wajda), Camomille (Charef), Sans peur et sans reproche (Jugnot) ; 1989, Pleure pas my love (Gatlif), Comédie d'été (Vigne) ; 1990, La fête des pères (Fleury) ; 1991, Sans un cri (Lebrune) ; 1993, La légende (Diamant-Berger) ; 1998, Merci mon chien (Galland) ; 1999, Stand-by (Stéphanik) ; 2000, Les destinées sentimentales (Assayas), La mécanique des femmes (De Missolz).

Il est impressionnant de maîtrise dans les premiers films de Mehdi Charef, dont il est l'acteur fétiche. Après quelques rôles forts d'adolescent rebelle, il disparaît de la circulation suite à des problèmes personnels. Puis revient, toujours dans un registre d'auteur, baladant sa silhouette sombre et austère notamment dans *La mécanique des femmes* où il est le seul homme entouré d'une kyrielle de femmes. A l'évidence un acteur à redécouvrir.

Martin, Steve

Acteur américain né en 1947.

1978, The Sergeant Pepper's Lonely Hearts Club Band (Schultz), The Kids Are All Right (Stein), The Absent-Minded Waiter (Gottlieb) ; 1979, The Muppet Movie (Frawley), The Jerk (Un vrai schnock) (Reiner) ; 1981, Pennies from Heaven (Tout l'or du ciel) (Ross) ; 1982, Dead Men Don't Wear Plaid (Les cadavres ne portent pas de costard) (Reiner) ; 1983, The Man with Two Brains (L'homme aux deux cerveaux) (Reiner) ; 1984, All of Me (Solo pour deux) (Reiner), Lonely Guy (Hiller) ; 1985, Movers and Shakers (Asher) ; 1986, Three Amigos (Trois amigos) (Landis), Little Shop of Horrors (La petite boutique des horreurs) (Oz) ; 1987, Roxane (Roxane) (Schepisi), Plains, trains and automobiles (Un ticket pour deux) (Hugues) ; 1989, Parenthood (Portrait craché d'une famille modèle) (Howard), Dirty Rotten Scoundrels (Le plus escroc des deux) (Oz) ; 1990, My Blue Heaven (Ross), L.A. Story (Los Angeles Story) (Jackson) ; 1991, Grand Canyon (Grand Canyon) (Kasdan), Father of the Bride (Le père de la mariée) (Shyer) ; 1992, Housesitter (Fais comme chez toi) (Oz), Leap of Faith (Pearce) ; 1993, And the Band Played On (Les soldats de l'espérance) (Spottiswoode) ; 1994, A Simple Twist of Fate (MacKinnon), Mixed Nuts (Ephron) ; 1995, Father of the Bride 2 (Shyer), Sgt. Bilko (Sergent Bilko) (J. Lynn) ; 1997, The Spanish Prisoner (La prisonnière espagnole) (Mamet) ; 1998, The Out-of-Towners (Escapade à New York) (Weisman), Bowfinger (Bowfinger, roi d'Hollywood) (Oz), Ed TV (En direct sur Ed TV) (Howard) ; 1999, Fantasia 2000 (Fantasia 2000) (Butoy, Goldberg, Algar, Glebas, Brizzi), The Venice Project (Dornhelm), Joe Gould's Secret (Tucci) ; 2000, Novocaine (Atkins), Cheaper by the Dozen (13 à la douzaine) (Levy) ; 2003, Bringing Down the House (Bronx à Bel Air) (Shankman) ; 2006, Shopgirl (Shop Girl) (Tucker), The Pink Panther (La Panthère rose) (Levy).

Acteur comique révélé par Reiner. Il est excellent dans *L'homme aux deux cerveaux* et se révèle fort inquiétant en homme d'affaires douteux dans *La prisonnière espagnole*.

Martin-Laval, Pierre-François

Acteur et réalisateur français.

1998, La fille sur le pont (Leconte) ; 2001, La vérité si je mens 2 (Gilou) ; 2002, Le bison (Nanty) ; 2004, RRRrrr ! ! ! (Chabat) ; 2006, Essaye-moi (Martin-Laval). *Pour le metteur en scène*, voir le *Dictionnaire du cinéma :* t. I, *Les réalisateurs*.

Venu de la troupe des Robins des Bois, il a fait cavalier seul comme réalisateur avec une œuvre charmante et « lunaire », *Essaye-moi*.

Martinelli, Elsa

Actrice italienne née en 1932.

1955, The Indian Fighter (La rivière de nos amours) (De Toth) ; 1956, La risaia (Matarazzo), Donatella (Donatella) (Monicelli) ; 1957, Manuela (Hamilton) ; 1959, Les bateliers de la Volga (Tourjansky), Ciao, ciao, bambina (Grieco), Costa azzura (Sala), Tunisi Top Secret (Paolinelli) ; 1960, Et mourir de plaisir (Vadim), Le Capitan (Hunebelle), La notte Brava (Les garçons) (Bolognini), La menace (Oury), Un amore a Roma (Risi), I piaceri del sabato notte (d'Anza), Il carro armato dell'8 settembre (Puccini) ; 1962, Hatari (Hatari !) (Hawks), Le procès (Welles), The Pigeons That Took Rome (Le pigeon qui sauva Rome) (Shavelson) ; 1963, Rampage (Massacre pour un fauve) (Karlson), The V.I.P.'s (Asquith), Pelle viva (Fina) ; 1965, De l'amour (Aurel), La decima vittima (La dixième victime) (Petri), La fabuleuse aventure de Marco Polo (La Patelière), L'or du duc (Baratier), Un milliard dans un billard (Gessner), Je vous salue Mafia (Lévy) ; 1966, Come imparai ad amare le donne (Comment j'ai appris à aimer les femmes) (Salce) ; 1967, Le plus vieux métier du monde (Bolognini, Godard, etc.), Qualcuno ha tradito (Prosperi) ; 1968, Manon 70 (Aurel), Candy (Marquand) ; 1969, Maldonne (Gobbi), OSS 117 prend des vacances (Kalfon), If It's Tuesday, This Must Be Belgium (Mardi, c'est donc la Belgique) (Stuart), Les chemins de Katmandou (Cayatte), L'amica (Lattuada), Una sull'altra (Perversion Story) (Fulci) ; 1971, La part des lions (Arriaga) ; 1972, La Araucana (Coll) ; 1976, Il garofono rosso (Faccini) ; 1992, Once Upon a crime... (Levy).

Ravissante starlette invitée par *Life* aux États-Unis. Elle débute comme Indienne dans *La rivière de nos amours*. Les scènes où elle paraît sont dans la mémoire de tout cinéphile. La suite sera décevante. Sauvons le vampire dans *Et mourir de plaisir*, de Vadim, et *Hatari*.

Martinelli, Jean

Acteur français, 1910-1983.

1932, Les deux orphelines (Tourneur) ; 1933, Don Quichotte (Pabst), Tout pour l'amour (May), L'abbé Constantin (Paulin) ; 1935, La dernière valse (Mittler) ; 1936, Blanchette (Caron) ; 1937, La danseuse rouge (Paulin) ; 1938, La goualeuse (Rivers) ; 1949, Dernière heure, édition spéciale (Canonge), Menace de mort (Leboursier) ; 1950, La vie est un jeu (Leboursier) ; 1952, Belle mentalité (Berthomieu) ; 1953, Les trois mousquetaires (Hunebelle) ; 1954, Napoléon (Guitry), Le rouge et le noir (Autant-Lara), To Catch a Thief (La main au collet) (Hitchcock) ; 1955, La Madelon (Boyer) ; 1956, Club de femmes (Habib), Si Paris nous était conté (Guitry) ; 1957, Police judiciaire (Canonge) ; 1960, Le Président (Verneuil), Le bonheur est pour demain (Fabian) ; 1961, Le comte de Monte-Cristo (Autant-Lara) ; 1962, Le gentleman d'Epsom (Grangier) ; 1963, Humour noir (sketch Autant-Lara) ; 1972, Jeux pour couples infidèles (Fleury) ; 1977, Gloria (Autant-

Lara) ; 1979, Les héroïnes du mal (Borowczyk).

Avant tout un acteur de théâtre (premier prix du Conservatoire) que sa belle prestance a conduit à jouer des rôles d'avocat ou de cardinal à l'écran.

Martines, Alessandra

Actrice italienne née en 1963.

1987, Miss Arizona (Sàndor) ; 1988, Saremo felici (Lazotti) ; 1989, Sinbad il marinaio (Castellari), Passi d'amore (Sollima) ; 1993, Colpo di coda (Sanchez Silva), Tout ça... pour ça ! (Lelouch) ; 1995, Les misérables (Lelouch) ; 1996, Hommes, femmes, mode d'emploi (Lelouch) ; 1998, Hasards ou coïncidences (Lelouch) ; 1999, Une pour toutes (Lelouch) ; 2000, Mercredi, folle journée ! (Thomas) ; 2001, J'ai faim ! ! ! (Quentin) ; 2002, And Now Ladies and Gentlemen (Lelouch) ; 2004, Le genre humain (Lelouch) ; 2005, Le courage d'aimer (Lelouch).

Danseuse classique, elle doit à sa rencontre (et à son mariage) avec Claude Lelouch une carrière française plus intéressante que celle, surtout télévisuelle, qu'elle effectuait en Italie en tant que comédienne. Gracieuse, ravissante, bonne actrice, elle ne tourne pourtant guère avec d'autres réalisateurs que son mari.

Martinez, Olivier

Acteur français né en 1964.

1990, Plein fer (Dayan) ; 1991, IP5 (Beineix) ; 1993, Un, deux, trois, soleil (Blier) ; 1994, Le hussard sur le toit (Rappeneau) ; 1995, Mon homme (Blier) ; 1997, La femme de chambre du Titanic (Bigas Luna) ; 1998, Toreros (Barbier), La taule (Robak), La ciudad de los prodigios (La ville des prodiges) (Camus) ; 1999, Bullfighter (Bendixen), Un ange (Courtois) ; 2000, Before Night Falls (Schnabel), Semana Santa (Danquart) ; 2001, Unfaithful (Infidèle) (Lyne) ; 2003, S.W.A.T. (S.W.A.T.) (Johnson).

Une belle gueule de jeune premier romantique qui s'est fait connaître dans l'adaptation par Rappeneau du roman de Giono.

Marvin, Lee

Acteur américain, 1924-1987.

1950, You're in the Navy Now (La marine est dans le lac) (Hathaway) ; 1952, Diplomatic Courrier (Courrier diplomatique) (Hathaway), The Duel at Silver Creek (Duel sans merci) (Siegel), Hangman's Knot (Le relais de l'or maudit) (Huggins), We're not Married (Cinq mariages à l'essai) (Goulding), Seminole (L'expédition du Fort King) (Boetticher), Eight Iron Men (Dmytryk) ; 1953, The Stranger Wore a Gun (Les massacreurs du Kansas) (De Toth), The Glory Brigade (Webb), Down among the Sheltering Palms (Goulding), Gun Fury (Bataille sans merci) (Walsh), The Big Heat (Règlement de comptes) (Lang) ; 1954, The Wild One (L'équipée sauvage) (Dmytryk), Gorilla at Large (Panique sur la ville) (Jones), The Caine Mutiny (Ouragan sur le Caine) (Dmytryk), The Raid (Fregonese), Bad Day at Black Rock (Un homme est passé) (Sturges), A Life in the Balance (Horner) ; 1955, Violent Saturday (Les inconnus dans la ville) (Fleischer), Not as a Stranger (Pour que vivent les hommes) (Kramer), Pete Kelly's Blues (La peau d'un autre) (Webb), I Died a Thousand Times (La peur au ventre) (Heisler), Shack Out On 101 (Dein) ; 1956, Attack (Attaque) (Aldrich), Pillars of the Sky (Les piliers du ciel) (Marshall), The Rack (Laven), Seven Men from Now (Sept hommes à abattre) (Boetticher) ; 1958, Raintree County (L'arbre de vie) (Dmytryk) ; 1961, The Comancheros (Les Comancheros) (Curtiz) ; 1962, The Man Who Shot Liberty Valance (L'homme qui tua Liberty Valance) (Ford) ; 1963, Donovan's Reef (La taverne de l'Irlandais) (Ford), Sergeant Ryker (Kulik) ; 1964, The Killers (A bout portant) (Siegel) ; 1965, Cat Ballou (Silverstein), Ship of Fools (La nef des fous) (Kramer) ; 1966, The Professionals (Les professionnels) (Brooks) ; 1967, The Dirty Dozen (Les douze salopards) (Aldrich), Point Blank (Point de non-retour) (Boorman) ; 1969, Hell in the Pacific (Duel dans le Pacifique) (Boorman), Paint Your Wagon (La kermesse de l'Ouest) (Logan) ; 1970, Monte Walsh (Fraker) ; 1972, Pocket Money (Les indésirables) (Rosenberg), Prime Cut (Carnage) (Ritchie) ; 1973, Emperor of the North (L'empereur du Nord) (Aldrich), The Iceman Cometh (Frankenheimer) ; 1974, The Spikes Gang (Fleischer), The Klansman (L'homme du Klan) (Young) ; 1976, Shout at the Devil (Parole d'homme) (Peter Hunt), The Great Scout and Carthouse Thursday (Un cow-boy en colère) (D. Taylor) ; 1978, Avalanche Express (Robson) ; 1979, The Big Red One (Au-delà de la gloire) (Fuller) ; 1981, Death Hunt (Chasse à mort) (Hunt) ; 1984, Canicule (Boisset), Gorky Park (Gorky Park) (Apted), The Delta Force (Golan).

L'ancien marine de Saipan a fait tous les métiers avant de se lancer dans le cinéma. Ceux qui découvrirent la série B américaine dans les années 50 gardent un souvenir ébloui du gangster qui jetait à la tête de Gloria Grahame le contenu d'une cafetière bouillante (*The Big Heat*) ou promenait un tenace rhume des foins dans *Les inconnus dans la ville*. Marvin fut avec Elam et Van Cleef l'un des meilleurs troisièmes couteaux du cinéma américain, de ces troisièmes couteaux qui ont fait le charme des productions hollywoodiennes comme les troisièmes raquettes (Dupré, Dibbs, les Gullikson, Moor ou Gottfried) pimentent les tournois de tennis du Nouveau comme du Vieux Monde. Avec sa gueule impossible, ses folles colères et sa violence incontrôlée, Marvin ne pouvait passer inaperçu. Il a accédé rapidement au rang de vedette. Déplorons qu'à partir de *Cat Ballou*, qui lui vaut un oscar en 1965, il en fasse tout de même un peu trop, même en France, lorsque Boisset le dirige dans *Canicule*. Mais comment prêcher la mesure à un être aussi démesuré que Lee Marvin ? Une démesure qui le conduit à un accident cardiaque fatal. John Boorman lui a consacré un documentaire : *Lee Marvin : A Personal Portrait by John Boorman* (1998).

Marx Brothers

Groupe comique américain (Chico, 1886-1961 ; Harpo, 1888-1964 ; Groucho, 1890-1977 ; Gummo, 1893-1977 ; Zeppo, 1901-1979).

1929, Cocoanuts (Noix de coco) (Florey) ; 1930, Animal Crakers (L'explorateur en folie) (Heerman) ; 1931, Monkey Business (Monnaie de singe) (McLeod) ; 1932, Horse Feathers (Plumes de cheval) (McLeod) ; 1933, Duck Soup (Soupe au canard) (McCarey) ; 1935, A Night at the Opera (Une nuit à l'Opéra) (Wood) ; 1937, A Day at the Races (Un jour aux courses) (Wood) ; 1938, Room Service (Panique à l'hôtel) (Seiter) ; 1939, At the Circus (Un jour au cirque) (Buzzell) ; 1940, Go West (Chercheurs d'or) (Buzzell) ; 1941, Big Store (Les Marx au grand magasin) (Reisner) ; 1946, A Night in Casablanca (Une nuit à Casablanca) (Mayo) ; 1949, Love Happy (La pêche au trésor) (Miller). *Également Groucho seul dans* Copacabana (Green, 1947) ; Mr. Music (Haydn, 1950) ; Double Dynamite (Une veine de c...) (Cummings, 1951) ; A Girl in Every Port (Erskine, 1951) ; Will Success Spoil Rock Hunter ? (Tashlin, 1957) ; Skidoo (Preminger, 1968). *Harpo seul dans* Too Many Kisses (1925) ; Stage Door Canteen (Borzage, 1943). *On trouve aussi les trois frères* dans The Story of Mankind (Allen, 1957) *et dans un sketch télévisé :* The Incredible Jewel Robbery (1959).

Le non-conformisme à l'écran, un quatuor réduit bientôt au trio et dont on a analysé le comique ravageur dans le *Dictionnaire des réalisateurs*. Groucho, c'est l'intellectuel à grosses lunettes et grosse moustache ; survient Chico le débrouillard, bon pianiste de surcroît ; et voici Harpo, le lunaire, harpiste distingué, dont l'imperméable cache le bric-à-brac du parfait bricoleur. De film en film, ils restent identiques à eux-mêmes dans une véritable saga du burlesque et du non-sens.

Masina, Giulietta

Actrice italienne, 1920-1994.

1946, Paisa (Rossellini) ; 1948, Senza pieta (Sans pitié) (Lattuada) ; 1950, Luci del varieta (Les feux du music-hall) (Fellini et Lattuada), Persiane chiuse (Les volets clos) (Comencini) ; 1951, Cameriera bella presenza offresi (Pastina), Europa 51 (Europe 51) (Rossellini), Wanda la peccatrice (Coletti), Lo sceicco bianco (Courrier du cœur) (Fellini) ; 1952, Sette ore di guai (Marchesi), Il romanzo della mia vita (De Filice) ; 1953, Donne proibite (Amato), Al margini della metropoli (Lizzani), Via Padova 46 (Bianchi), Cento anni d'amore (De Felice) ; 1954, La Strada (Fellini) ; 1955, Il Bidone (Fellini) ; 1957, Le notti di Cabiria (Les nuits de Cabiria) (Fellini), Fortunella (De Filippo) ; 1958, Nella citta l'inferno (L'enfer dans la ville) (Castellani), La donne dell'altro (Vicas), La grande vie (Duvivier) ; 1962, Landru (Chabrol), Giulietta degli spiriti (Juliette des esprits) (Fellini) ; 1966, Scusi, lei è favorevole o contrario (Sordi) ; 1967, Non stuzzicate la zanzara (Wertmuller) ; 1969, The Madwoman of Chaillot (La folle de Chaillot) (Forbes) ; 1979, Anna Magnani, un film d'amour (Vermorcken) ; 1985, Frau Holle (Jakubisko) ; 1986, Ginger et Fred (Fellini) ; 1991, Aujourd'hui peut-être (Bertucelli).

Débuts dans la troupe théâtrale de l'université de Rome. Elle passe à la radio, après sa licence, et interprète une série d'émissions, « Chico et Pallina », écrites par Fellini qu'elle épouse. Elle débute pourtant sous la direction de Rossellini à l'écran, mais c'est Fellini qui en fait une vedette internationale avec *La strada*. Le rôle de Cabiria lui vaudra un peu plus tard un prix d'interprétation à Cannes. Son visage rond, ses yeux qui reflètent une immense candeur, sa silhouette fragile en font une héroïne, la plus émouvante peut-être du néo-réalisme. A l'exception d'apparitions à la télévision, elle semble avoir cessé de tourner depuis 1970. Mais elle effectue une extraordinaire rentrée dans *Ginger et Fred*, féroce satire de la télévision italienne où elle est éblouissante.

Mason, James
Acteur anglais, 1909-1984.

1935, Late Extra (Parker) ; 1936, Twice Branded (Rogers), Trouble Waters (Parker), Prison Breakers (Brunel), Blind Man's Bluff (Parker), The Secret of Stambul (Le secret d'Istanbul) (Marton), Jack of All Trades (Stevenson) ; 1937, The Mill On the Floss (Whelan), Fire Over England (L'invincible Armada) (Howard), The High Comand (Dickinson), Catch as Catch Can (Kellino), The Return of the Scarlet Pimpernel (Le chevalier de Londres) (Schwartz) ; 1939, I Met a Murderer (J'ai rencontré un assassin) (Kellino) ; 1941, This Man Is Dangerous (Huntington), Hatter's Castle (Le chapelier et son château) (Comfort) ; 1942, The Night Has Eyes (Arliss), Alibi (Hurst), Secret Mission (Service secret) (French), Thunder Rock (Boulting) ; 1943, The Bells Go Down (Dearden), The Man In Grey (L'homme en gris) (Arliss), They Met In the Dark (Contre-espionnage) (Lamac), Candlelight in Algeria (King) ; 1944, Fanny By Gaslight (L'homme fatal) (Asquith), Hotel Reserve (Comfort) ; 1945, A Place Of One's Own (Le médaillon fatal) (Knowles), They Were Sisters (Le tyran) (Crabtree), The Seventh Veil (Le septième voile) (Bennett), The Wicked Lady (Le masque aux yeux verts) (Arliss) ; 1947, The Upturned Glass (La vengeance du docteur Joyce) (Huntington), Odd Man Out (Huit heures de sursis) (Reed) ; 1949, Caught (Ophus), Madame Bovary (Minnelli), The Reckless Moment (Les désemparés) (Ophuls) ; 1950, East Side, West Side (Ville haute, ville basse) (LeRoy), One Way Street (L'impasse maudite) (Fregonese), Pandora and the Flying Dutchman (Pandora) (Lewin) ; 1951, The Desert Fox (Le renard du désert) (Hathaway), The Secret Shearer (Le compagnon secret) (Brahm, Windust) ; 1952, Five Fingers (L'affaire Ciceron) (Mankiewicz), The Prisoner of Zenda (Thorpe), A Lady Possessed (Spier) ; 1953, Botany Bay (Les bagnards de Botany Bay) (Farrow), The Desert Rats (Les rats du désert) (Wise), The Story of Three Loves (Histoire de trois amours) (Reinhardt, Minnelli), The Man Between (L'homme de Berlin) (Reed), Julius Caesar (Jules César) (Mankiewicz) ; 1954, Prince Valiant (Prince Vaillant) (Hathaway), 20 000 Leagues under the Sea (20 000 lieues sous les mers) (Fleischer), A Star Is Born (Une étoile est née) (Cukor) ; 1955, Forever Darling (Son ange gardien) (Hall) ; 1956, Bigger Than Life (Derrière le miroir) (Ray) ; 1957, Island in the Sun (Une île au soleil) (Rossen) ; 1958, The Decks Ran Red (Terreur en mer) (Stone), Cry Terror (Cri de terreur) (Stone) ; 1959, North by Northwest (La mort aux trousses) (Hitchcock), Journey to the Center of the Earth (Voyage au centre de la terre) (Levin), A Touch of Larceny (Un brin d'escroquerie) (Hamilton) ; 1960, The Trials of Oscal Wilde (Le procès d'Oscar Wilde) (Hugues) ; 1961, The Marriage Go-Round (Le manège du ménage) (Lang) ; 1962, Lolita (Kubrick), Tiari Tahiti (La belle des îles) (Kotcheff), Heroes Island (Stevens), Torpedo Bay (Défi à Gibraltar) (Frend) ; 1963, The Fall of the Roman Empire (La chute de l'Empire romain) (Mann) ; 1964, The Pumpkin Eater (Le mangeur de citrouille) (Clayton), Genghis Khan (Levin) ; 1965, Les pianos mécaniques (Bardem), Lord Jim (Brooks) ; 1966, Georgy Girl (Narrizzano), The Blues Max (Le crépuscule des aigles) (Guillermin) ; 1967, The Deadly Affair (M 15 demande protection) (Lumet), Stranger In the House (Rouve) ; 1968, Duffy (Duffy le renard de Tanger) (Parrish), Subterfuge (Scott), Mayerling (Mayerling) (Young) ; 1969, Age of Consent (Powell), The Seagull (La mouette) (Lumet) ; 1970, Spring and Port Wine (Hammond), De la part des copains (Young) ; 1971, Kill (Gary), Badman's River (Les quatre mercenaires d'El Paso) (Martin) ; 1972, Child's Play (Lumet), The Last of Sheila (Les invitations dangereuses) (Ross) ; 1973, The Mackintosch Man (Le piège) (Huston), Frankenstein the True Story (Smight) ; 1974, Marseilles Contract (Parrish), Eleven Harrow House (Avakian), Gente di rispetto (Zampa) ; 1975, Autobiography of a Princess (Ivory), The Schoolmistress and the Devil, Inside Out (Duffell), Mandingo (Fleischer) ; 1976, Voyage of the Damned (Le voyage des damnés) (Rosenberg) ; 1977, Cross of Iron (Croix de fer) (Peckinpah), Paura in citta (La peur règne sur la ville) (Rosati) ; 1978, Heaven Can Wait (Le ciel peut attendre) (Beatty), The Boys from Brazil (Ces garçons qui venaient du Brésil) (Schaffner) ; 1979, The Passage (Passeur d'hommes) (Lee-Thompson), Murder by Decret (Meurtre par décret) (Clark), Bloodline (Liés par le sang) (Young), The Waterbabies (Jeffries), North Sea Hijack (Les loups de haute mer) (McLaglen), The Verdict (Lumet) ; 1980, Salem's Lot (Les vampires de Salem) (Hooper) ; 1981, Evil Under the Sun (Meurtres au soleil) (Hamilton) ; 1983, Yellowbeard (Barbe d'or et les pirates) (Damski) ; 1984, The Shooting Party (La partie de chasse) (Bridges) ; 1985, The Assisi Underground (Ramati).

Études d'architecture à Cambridge. Une distinction très britannique. Mais le démon du théâtre fait tout basculer. C'est en définitive au cinéma qu'il s'impose : traîtres ou héros tourmentés, il campe constamment des personnages cérébraux, en apparence durs mais en définitive vulnérables. C'est avec *Odd Man*

Out, en 1947, qu'il devint célèbre. Il a beaucoup tourné ; trop, disent ses admirateurs. Il n'en reste pas moins, de l'espion de *Five Fingers* au capitaine Nemo de *20 000 Leagues under the Sea*, l'un des meilleurs acteurs du cinéma anglais.

Massari, Lea

Actrice italienne née en 1934.

1955, Proibito (Du sang dans le soleil) (Monicelli) ; 1957, I sogni nel cassetto (Rien que nous deux) (Castellani) ; 1958, Auferstehung (Résurrection) (Hansen) ; 1960, L'avventura (L'avventura) (Antonioni), La giornata balorda (Ça s'est passé à Rome) (Bolognini) ; 1961, Una vita difficile (Une vie difficile) (Risi), Il colosso di Rodi (Le colosse de Rhodes) (Leone) ; 1962, Le quattro giornate di Napoli (La bataille de Naples) (Loy), Le monte-charge (Bluwal) ; 1963, Llanto por un bandito (Les bandits) (Saura) ; 1964, Le soldatesse (Des filles pour l'armée) (Zurlini), L'insoumis (Cavalier) ; 1966, Conquered City (L'arsenal de la peur) (Anthony) ; 1968, Lo voglio morto (Clayton l'implacable) (Bianchini) ; 1969, Les choses de la vie (Sautet) ; 1970, Les mariés de l'an II (Rappeneau), Céleste (Gast) ; 1971, Le souffle au cœur (Malle), La course du lièvre à travers les champs (Clément), Senza via d'uscita (Sciuma) ; 1972, La prima notte di quiete (Le professeur) (Zurlini), La femme en bleu (Deville), Le fils (Granier-Deferre), Le silencieux (Pinoteau) ; 1973, The Impossible Object (L'impossible objet) (Frankenheimer) ; 1974, Allonsanfan (Allonsanfan) (Taviani), Peur sur la ville (Verneuil), La main à couper (Périer) ; 1975, L'ordinateur des pompes funèbres (Pirès) ; 1976, Une fille cousue de fil blanc (Lang), Violette et François (Rouffio) ; 1977, Sale rêveur (Périer), Repérages (Soutter), Antonio Gramsci (Del Fra) ; 1979, El perro (Les crocs du diable) (Isasi-Isasmendi), Cristo si è fermato a Eboli (Le Christ s'est arrêté à Eboli) (Rosi), Le divorcement (Barouh) ; 1980, La flambeuse (Weinberg) ; 1982, Sarah (Dugowson) ; 1984, La septième cible (Pinoteau) ; 1985, Segreti, segreti (Patroni-Griffi) ; 1990, Viaggio d'amore (Fabbri).

Fille d'un ingénieur, elle fait les études de toute jeune fille aisée lorsque Gherardi la remarque et l'engage. Débuts au théâtre puis le cinéma dans des œuvres mineures avant les grands rôles de l'*Avventura*, de *L'insoumis* et surtout celui de la mère incestueuse dans *Le souffle au cœur*. Sa carrière est un peu retombée par la suite.

Massey, Raymond

Acteur canadien, 1896-1983.

1932, The Old Dark House (Une soirée étrange) (Whale) ; 1934, The Scarlet Pimpernel (Le mouron rouge) (Korda) ; 1936, Things to Come (La vie future) (Menzies) ; 1937, Under the Red Robe (Sjöström), The Prisoner of Zenda (Cromwell), The Hurricane (Ford) ; 1938, The Drum (Z. Korda) ; 1939, Black Limelight (Mycroft) ; 1940, Abe Lincoln in Illinois (Cromwell), Santa Fe Trail (La piste de Santa Fe) (Curtiz), Dangerously They Live (Florey) ; 1942, Desperate Journey (Sabotage à Berlin) (Walsh), Reap the Wild Wind (Les naufrageurs des mers du Sud) (DeMille) ; 1943, Action in the North Atlantic (Bacon) ; 1944, Arsenic and Old Lace (Arsenic et vieilles dentelles) (Capra), The Woman in the Window (La femme au portrait) (Lang) ; 1945, God Is My Co-Pilot (Florey), Hotel Berlin (Godfrey) ; 1946, A Matter of Life and Death (Une question de vie ou de mort) (Powell, Pressburger) ; 1947, Mourning Becomes to Electra (Le deuil sied à Electre) (D. Nichols), Possessed (La possédée) (Bernhardt) ; 1949, The Fountainhead (Le rebelle) (Vidor), Roseanna McCoy (Reis) ; 1950, Chain Lightning (Pilote du diable) (Heisler), Barricade (Godfrey), Dallas (Dallas, ville frontière) (Heisler) ; 1951, Sugarfoot (Marin), Come Fill the Cup (Douglas), David and Bathsheba (David et Bethsabée) (King) ; 1952, Carson City (Les conquérants de Carson City) (De Toth) ; 1953, The Desert Song (Humberstone) ; 1955, Battle Cry (Le cri de la victoire) (Walsh), Seven Angry Men (Warren), Prince of Paupers (Dunne), East of Eden (A l'est d'Eden) (Kazan) ; 1957, Omar Khayyam (Dieterle) ; 1958, The Naked and the Dead (Les nus et les morts) (Walsh) ; 1960, The Great Imposter (Le roi des imposteurs) (Mulligan) ; 1961, The Fiercest Heart (Les révoltés du Cap) (G. Sherman), The Queen's Guard (Powell) ; 1962, How the West Was Won (La conquête de l'Ouest) (Marshall, Hathaway, Ford) ; 1969, Mackenna' Gold (L'or des Mackenna) (Lee-Thompson).

Il a partagé son temps entre les studios anglais et américains, voué par sa haute taille, sa maigreur et sa distinction aux personnages historiques : il fut John Brown, l'anti-esclavagiste condamné à être pendu, dans *Santa Fe Trail*, et surtout Lincoln dans *Lincoln in Illinois* (son film le plus célèbre encore que très surfait) et *How the West Was Won*. Puis il s'est beaucoup consacré à la télévision (série du « Dr. Kildare »).

Masterson, Mary Stuart

Actrice américaine née en 1966.

1975, The Stepford Wives (Forbes) ; 1985, Heaven Help Us (Tutti frutti) (Dinner) ; 1986, My Little Girl (Kaiserman), At Close Range (Comme un chien enragé) (Foley) ; 1987, Some Kind of Wonderful (La vie à l'envers) (Deutch), Gardens of Stone (Jardins de pierre) (Coppola) ; 1988, Mr. North (Mister North) (D. Huston), Chances Are (Le ciel s'est trompé) (Ardolino), Immediate Family (Immediate Family) (Kaplan) ; 1990, Funny About Love (Nimoy) ; 1991, Fried Green Tomatoes (Beignets de tomates vertes) (Avnet), Married to It (Hiller) ; 1992, Mad at the Moon (Donovan) ; 1993, The Last Party (Benjamin, Levin), Benny & Joon (Benny & Joon) (Chechik) ; 1994, Bad Girls (Belles de l'Ouest) (Kaplan), Radioland Murders (Smith) ; 1996, Bed of Roses (Pluie de roses sur Manhattan) (Goldenberg), Heaven's Prisoners (Vengeance froide) (Joanou) ; 1997, Dogtown (Hickenlooper), The Postman (Postman) (Costner) ; 1998, Digging to China (Hutton) ; 1999, The Florentine (Stagliano), The Book of Stars (M. Miner).

Fille du comédien Peter Masterson, elle apparaît, à neuf ans, dans le rôle de la fille de ce dernier, dans le cultissime *The Stepford Wives.* Adolescente, elle est la fiancée de Sean Penn dans *Comme un chien enragé*, puis se retrouve enceinte malgré elle dans *Immediate Family*. Enfin, elle trouve son rôle le plus important dans *Beignets de tomates vertes*, où elle incarne Jessica Tandy jeune, qui tombe amoureuse d'une autre femme. Le reste est sans intérêt.

Mastrantonio, Mary Elizabeth

Actrice américaine née en 1958.

1983, Scarface (Scarface) (De Palma) ; 1986, The Color of Money (La couleur de l'argent) (Scorsese) ; 1987, Slamdance (Slamdance) (Wang), January Man (Calendrier meurtrier) (O'Connor), The Abyss (Abyss) (Cameron) ; 1990, Fools of Fortune (Fools of Fortune) (O'Connor) ; 1991, Robin Hood, Price of Thieves (Robin des bois, prince des voleurs) (Reynolds) ; 1991, Class Action (Class Action) (Apted) ; 1992, Consenting Adults (Jeux d'adultes) (Pakula), White Sands (Sables mortels) (Donaldson) ; 1995, Three Wishes (Trois vœux) (Coolidge), Two Bits (Instant de bonheur) (Foley) ; 1997, My Life so Far (Hudson) ; 1999, Limbo (Limbo) (Sayles) ; 2000, The Perfect Storm (En pleine tempête) (Petersen).

Elle débute comme chanteuse de country à Nashville avant d'entamer une carrière de danseuse, puis de comédienne : elle passe alors des bras de Pacino à ceux de Tom Cruise pour ses deux premiers films. Des débuts éclatants pour cette brunette frisottée, qui est une Marianne très affranchie dans *Robin des bois, prince des voleurs*. Mais elle se retire gentiment du devant de la scène pour aller vivre à Londres avec son mari, le réalisateur Pat O'Connor. On la retrouve, mûrie, dans un rôle de chanteuse à la dérive, dans l'envoûtant *Limbo*.

Mastroianni, Chiara

Actrice italo-française née en 1972.

1992, Ma saison préférée (Téchiné) ; 1993, A la belle étoile (Desrosières) ; 1994, Ready to Wear (Prêt-à-porter) (Altman), All Men Are Mortal (De Jong) ; 1995, Le rocher d'Acapulco (Tuel), N'oublie pas que tu vas mourir (Beauvois), Comment je me suis disputé... (Desplechin), Le journal d'un séducteur (Dubroux) ; 1996, Cameleone (Cohen), Nowhere (Nowhere) (Araki), Trois vies et une seule mort (Ruiz), Les voleurs (Téchiné) ; 1997, On a très peu d'amis (Monod), A vendre (Masson) ; 1998, La lettre (Oliveira) ; 1999, Le temps retrouvé (Ruiz), Libero Burro (Libero Burro) (Castellitto), Six-Pack (Berbérian) ; 2002, Carnages (Gleize), Le parole di mio padre (F. Comencini) ; 2003, Il est plus facile pour un chameau... (Bruni-Tedeschi) ; 2005, Akoibon (Baer), Searching for Debra Winger (R. Arquette) ; 2007, Persépolis (Satrapi).

Fille de Catherine Deneuve et de Marcello Mastroianni (on peut rêver pire comme ascendance !), ses grands yeux aux airs étonnés illuminent un visage d'une grâce toute naturelle, loin de la splendeur sophistiquée de sa mère. C'est Téchiné qui la met sur orbite.

Mastroianni, Marcello

Acteur italien, 1924-1996.

1939, Marionette (Gallone) ; 1941, La corona di ferro (La couronne de fer) (Blasetti) ; 1942, Une storia d'amore (Camerini) ; 1943, I bambini ci guardano (Les enfants nous regardent) (De Sica) ; 1947, I miserabili (L'évadé du bagne) (Freda) ; 1949, Cuori sul mare (Les mousquetaires de la mer) (Bianchi), Vent'anni (Bianchi), Una domenica d'agosto (Un dimanche d'août) (Emmer) ; 1950, Atto d'accusa (Acte d'accusation) (Gentilomo), Contro la legge (Contre la loi) (Calzavara), Vita de cani (Dans les coulisses) (Monicelli) ; 1951, Sensualita (Fracassi), Parigi e sempre Parigi (Paris est toujours Paris) (Emmer), Le ragazze di piazza di Spagna (Les fiancées de

Rome) (Emmer) ; 1952, Febbre di vivere (Gora), Lulu (Cerchio), Il viale della speranza (La foire aux étoiles) (Risi), Gli eroi della domenica (Camerini), Penne nere (Biancoli), Tragico ritorno (Feraldo), L'eterna catena (L'ange du péché) (Majano) ; 1953, Non e mai troppo tardi (Ratt) ; La valiglia dei sogni (Comencini), Tempi nostri (Quelques pas dans la vie) (épisode : Il pupo) (Blassetti), Cronache di poveri amanti (Chronique des pauvres amants) (Lizzani), Giorni d'amore (Jours d'amour) (De Santis), La muta di Portici (Ansoldi) ; 1954, La schiava del peccato (L'esclave du péché) (Matarazzo), Casa ricordi (La maison du souvenir) (Gallone), Peccato che sia una canaglia (Dommage que tu sois une canaille) (Blasetti), Tam tam mayumbe (Tam tam) (Napolitano) ; 1955, La bella mugnaia (Par-dessus les moulins) (Camerini), Il bigamo (Le bigame) (Emmer), La fortuna di essere donna (La chance d'être femme) (Blasetti), Il momento piu bello (Le moment le plus beau) (Emmer) ; 1956, Padre e figli (Père et fils) (Monicelli), Manner (Hommes et femmes), La principessa delle Canarie (Princesse des Canaries) (Moffa) ; 1957, Il medico e lo stregone (Le médecin et le sorcier) (Monicelli), Le notti bianche (Nuits blanches) (Visconti), La ragazza della salina (Cap), Un ettaro di cielo (Casadio) ; 1958, I soliti ignoti (Le pigeon) (Monicelli), La legge (La loi) (Dassin), Tutti innamorati (Orlandini), Racconti d'estate (Femmes d'un été) (Franciolini) ; 1959, Il nemico di mia moglie (Puccini) ; 1960, La dolce vita (Fellini), Il bell' Antonio (Le bel Antonio) (Bolognini), Amore e guai (Dorigo), Ferdinando I, re di Napoli (Ferdinand Ier, roi de Naples) (Franciolini), La notte (La nuit) (Antonioni), Adua e le compagne (Adua et ses compagnes) (Pietrangeli), L'assassino (L'assassin) (Petri) ; 1961, Divorzio all'italiana (Divorce à l'italienne) (Germi), Vie privée (Malle) ; 1962, Otto e mezzo (Huit et demi) (Fellini), Cronaca familiare (Journal intime) (Zurlini) ; 1963, I compagni (Les camarades) (Monicelli), Ieri, oggi e domani (Hier, aujourd'hui et demain) (De Sica) ; 1964, Matrimonio all'italiana (Mariage à l'italienne) (De Sica), Casanova 70 (Monicelli) ; 1965, Io, io, io... e gli altri (Moi, moi, moi, et les autres) (Blasetti), La decima vittima (La dixième victime) (Petri), The Poppy Is Also a Flower (Opération opium) (Young), Oggi, domani e dopodomani (Break-up, érotisme et ballons rouges) (Ferrer) ; 1966, Spara forte, piu forte... non capisco (De Filippo), Lo straniero (L'étranger) (Visconti) ; 1967, Diamonds for Breakfast (Morahan) ; 1968, Amanti (Le temps des amants) (De Sica) ; 1969, Leo The Last (Léo le dernier) (Boorman), I girasoli (Les fleurs du soleil) (De Sica) ; 1970, Trigon (Le voyeur) (Indovina), Dramma della gelosia (Drame de la jalousie) (Scola), La moglie del pretre (La femme du prêtre) (Risi), Scipione detto anche l'africano (Magni) ; 1971, Correva l'anno di grazia 1870 (Gianetti), Ça n'arrive qu'aux autres (N. Trintignant), La cagna (Liza) (Ferreri), Roma (Fellini), Permette ? Rocco Papaleo (Scola) ; 1972, What ? (Quoi ?) (Polanski), Modi e fuggi (Rapt à l'italienne) (Risi), L'événement le plus important depuis que l'homme a marché sur la Lune (Demy) ; 1973, Represaglia (SS représailles) (Cosmatos), La grande bouffe (Ferreri), Salut l'artiste (Robert) ; 1974, Allonsanfan (Allonsanfan) (Taviani), C'eravamo tanto amati (Nous nous sommes tant aimés) (Scola), Per le antiche scale (Vertiges) (Bolognini), Non toccare la donna bianca (Ne touche pas à la femme blanche) (Ferreri) ; 1975, La donna della domenica (La femme du dimanche) (Comencini), La pupa del gangster (La pépé du gangster) (Capitani), Divina creatura (Patroni-Griffi), Culastrisce nobile veneziano (Mogherini) ; 1976, Todo modo (Petri), Signore e signora, buonanotte (Comencini, Scola, Monicelli, Loy, Magni) ; 1977, Una giornata particolare (Une journée particulière) (Scola), Mogliamante (La maîtresse légitime) (Vicario), Doppio delitto (Steno) ; 1978, Bye bye Monkey (Rêve de singe) (Ferreri) ; 1978, Cosi como sei (La fille) (Lattuada), Fatto di sangue... (D'amour et de sang) (Wertmuler) ; 1979, Giallo napoletano (Corbucci), L'ingorgo, una storia impossibile (Le grand embouteillage) (Comencini) ; 1980, La citta delle donne (La cité des femmes) (Fellini), Fantasma d'amore (Fantôme d'amour) (Risi) ; 1981, La pelle (La peau) (Cavani) ; 1982, Oltre la porta (Derrière la porte) (Cavani), La nuit de Varennes (Scola) ; 1983, Storia di Piera (Histoire de Pierra) (Ferreri), Le général de l'armée morte (Tovoli), Gabriela (Barreto) ; 1984, Henri IV (Bellochio) ; 1985, Le due vite di Mattia Pascal (Feu Mathias Pascal) (Monicelli), Maccheroni (Scola) ; 1986, Ginger et Fred (Fellini), I soliti ignoti vent'anni dopo (Le pigeon vingt ans après) (Todini), O melisokanos (L'apiculteur) (Angelopoulos) ; 1987, Oci ciornie (Les yeux noirs) (Mikhalkov) ; 1988, Miss Arizona (Sandor), Che ora e (Quelle heure est-il) (Scola) ; 1989, Splendor (Scola), Stanno tutti bene (Ils vont tous bien) (Tornatore) ; 1990, A Fine Romance (Tchintchin) (Saks), Verso sera (Dans la soirée) (Archibugi) ; 1991, Used People (Quatre New-Yorkaises) (Kidron), Le pas suspendu de la cigogne (Angelopoulos), Le voleur d'enfants (Chalonge) ; 1993, Un, deux, trois, soleil (Blier) ; 1994, Ready to Wear (Prêt-à-porter) (Altman), La vera vita di Antonio H. (Monteleone), De eso no se habla (De eso no se habla)

(Bemberg), Les cent et une nuits (Varda) ; 1995, Sostiene Pereira (Pereira prétend) (Faenza), Al di là delle nuvole (Par-delà les nuages) (Antonioni/Wenders) ; 1996, Trois vies et une seule mort (Ruiz), Viagem ao principo do mundo (Voyage au début du monde) (Oliveira) ; 1997, Marcello Mastroianni, mi ricordo, si mi ricordo (Marcello Mastroianni, je me souviens) (Tatò).

Symbole du séducteur italien. Fils de pauvres paysans, il est envoyé pendant la guerre par les Allemands, dans un camp de travail. Il parvint à s'échapper et à se cacher. En 1945, il vint à Rome et y travailla comme employé de bureau dans une compagnie cinématographique. En 1947, il fait de timides débuts à l'écran. Il travaille avec Visconti sur scène avant de revenir au cinéma. Sa chance ? De grands metteurs en scène, Fellini (*La dolce vita* et *Huit et demi*), Visconti (*Le notti bianche ; Lo straniero*), Antonioni (*La notte*). Les récompenses pleuvent sur lui (il triomphe à Cannes avec *Dramma della gelosia*, puis *Les yeux noirs*). Il est désormais l'acteur italien le plus populaire. Il peut jouer en vedette ou se contenter d'apparitions, il reste une star, héros typiquement italien, souvent dépassé par l'événement (*Fantôme d'amour, Le général de l'armée morte, La peau*), un peu lâche, plutôt fanfaron, mais séduisant, un personnage qui se rapprochait de plus en plus de ceux de Gassman.

Mathews, Kerwin

Acteur américain né en 1926.

1955, Five Against the House (On ne joue pas avec le crime) (Karlson) ; 1957, The Garment Jungle (Racket dans la couture) (V. Sherman) ; 1958, Tarawa Beachhead (Tarawa tête de pont) (Wendkos), The Last Blitzkrieg (Dreifuss), The Seventh Voyage of Sinbad (Le septième voyage de Sinbad) (Juran) ; 1960, The Three Worlds of Gulliver (Les voyages de Gulliver) (Sher), Man on a String (De Toth), Saffo (Sapho déesse de l'amour) (Francisci) ; 1961, Jack the Giant Killer (Jack le tueur de géants) (Juran), The Devil at Four O'Clock (Le diable à quatre heures) (LeRoy), The Pirates of Blood River (Gilling) ; 1962, Maniac (Carreras) ; 1963, OSS 117 se déchaîne (Hunebelle) ; 1964, Banco à Bangkok pour OSS 117 (Boisrond) ; 1967, Battle Beneath the Earth (Tully), Le Vicomte règle ses comptes (Cloche) ; 1969, Barquero (Douglas) ; 1971, Octaman (Essex) ; 1973, The Boy Who Cried Werewolf (Juran) ; 1978, Nightmare in Blood (Stanley).

C'est avec une trilogie de films aux merveilleux trucages (*Sinbad, Gulliver* et *Jack*) qu'il se fit connaître des cinéphiles. On le vit ensuite dans de nombreux films d'aventures : il fut OSS 117 de Bruce puis le Vicomte. Il aurait pu être le Prince de Creasy, le Loup solitaire de Vance, Edgar Pipe de Galopin, Samson Clairval de Didelot et bien d'autres grâce à sa sympathique virilité. Il revint pourtant au fantastique en 1973.

Mathis, Milly

Actrice française, 1901-1965.

1929, Méphisto (Debain) ; 1931, Marius (Korda) ; 1932, Fanny (M. Allégret), Prenez garde à la peinture (Chomette), La merveilleuse journée (Wyler), Ah ! quelle gare (Guissart), Simone est comme ça (Anton), Maquillage (Anton) ; 1933, Moune et son notaire (Bourlon), L'illustre Maurain (Hugon), Un soir à Marseille (Canonge), Du haut en bas (Pabst) ; 1934, Tartarin de Tarascon (Bernard), Justin de Marseille (Tourneur), Lac aux dames (M. Allégret), la crise est finie (Siodmak), Le scandale (L'Herbier) ; 1935, Lune de miel (Ducis), Amants et voleurs (Bernard), Bout de chou (Wulschleger), Juanita (Caron), Gaspard de Besse (Hugon), Arènes joyeuses (Anton) ; 1936, Blanchette (Caron), Gigolette (Noé), La maison d'en face (Christian-Jaque), La petite dame du wagon-lit (Cammage), L'école des journalistes (Christian-Jaque), Avec le sourire (Tourneur), Prête-moi ta femme (Cammage), Le mioche (Moguy), Prends la route (Boyer), Jacques et Jacotte (Péguy), Enfants de Paris (Roudès), Notre-Dame d'amour (Caron) ; 1937, Un meurtre a été commis (Orval), Les gangsters de l'exposition (Meyst), La fessée (Caron), Un carnet de bal (Duvivier), César (Pagnol), Nuits de prince (Strijewski), Liberté (Kemm), Trois artilleurs à l'Opéra (Chotin), Regain (Pagnol), Franco de port (Kirsanoff) ; 1938, Grand-père (Péguy), Champions de France (Rozier), J'étais une aventurière (Bernard), Légion d'honneur (Gleize), Gargousse (Wulschleger), Le moulin dans le soleil (Didier) ; 1939, Une main a frappé (Roudès), Pièges (Siodmak), Jeunes filles en détresse (Pabst), Cavalcade d'amour (Bernard), Tourbillon de Paris (Diamant-Berger) ; 1940, La nuit merveilleuse (Paulin), La fille du puisatier (Pagnol), Parade en sept nuits (M. Allégret), Un chapeau de paille d'Italie (Cammage), Chambre 13 (Hugon) ; 1941, La troisième dalle (Dulud), Mélodie pour toi (Rozier) ; 1942, Simplet (Fernandel), Cap au large (Paulin) ; 1943, Coup de tête (Le Hénaff) ; 1945, Bifur 3 (Cam) ; 1943, Le charcutier de Machonville (Ivernel) ; 1948, Toute la famille était là (Marguenat), Le voleur se porte bien (Loubignac), La vie est un rêve (Séverac) ;

1949, Le trésor de Cantenac (Guitry), Envoi de fleurs (Stelli), Ronde de nuit (Campaux) ; 1950, Bibi Fricotin (Blistène), Topaze (Pagnol), Les aventuriers de l'air (Jayet), Le bagnard (Rozier) ; 1951, Bouquet de joie (Cam), Ce coquin d'Anatole (Couzinet), Au pays du soleil (Canonge), Le passage de Vénus (Gleize) ; 1952, Manon des Sources (Pagnol), Les quintuplées au pensionnat ; 1953, Trois jours de bringue à Paris (Couzinet), Le collège en folie (Lepage), Piédalu député (Loubignac) ; 1956, Trois de la marine (Canonge), Nous autres à Champignol (Bastia) ; 1957, Arènes joyeuses (Canonge), Business (Boutel), L'eau vive (Villiers), Le désert de Pigalle (Joannon).

Ce n'est pas une femme mais un volcan. Toute l'exubérance du Midi. En rondeurs et en poumons. Il faut la voir avec Raimu, qu'elle soit sa gouvernante dans *Tartarin*, son épouse, dégoulinante de graisse et de larmes, dans *Un carnet de bal*, ou la tante Claudine dans *Fanny* : elle ne passe pas inaperçue et finirait à la longue par éclipser Raimu lui-même !

Mathot, Léon

Acteur et réalisateur d'origine belge, 1886-1968.

Comme acteur : 1913, La course à la perruque (Andréani), Les rivaux d'Harlem (Andréani), Le secret de l'acier (Andréani), Le pont fatal (Andréani), Le foulard jaune (Gasnier) ; 1916, Les écrits restent (Mariaud), Les dames de Croix-Mort (Mariaud), Barberousse (Gance), Fioritures (Gance), Les gaz mortels (Gance) ; 1917, Le droit à la vie (Gance), Son héros (Burguet), La zone de la mort (Gance), Monte-Cristo (Pouctal), Les faussaires (Paglieri) ; 1918, La maison d'argile (Ravel), La course au flambeau (Burguet), Travail (Pouctal) ; 1920, L'ami Fritz (Hervil) ; 1921, Blanchette (Hervil), L'empereur des pauvres (Leprince), L'empire du diamant (Perret), Le démon de la haine (Perret) ; 1922, Jean d'Agrève (Leprince), Être ou ne pas être (Leprince) ; 1923, Vent debout (Leprince), L'auberge rouge (Epstein), Cœur fidèle (Epstein) ; 1924, Mon oncle Benjamin (Leprince), La nuit de la revanche (Etiévant), Le diable dans la ville (Dulac) ; 1925, Le mariage de Paris (Manoussi) ; 1926, La blessure (Gastyne) ; 1927, Le puits de Jacob (José), Le berceau de Dieu (Leroy-Granville), Yasmina (Hugon), Rue de la paix (Diamant-Berger), Celle qui domine (Gallone) ; 1928, Dans l'ombre du harem (Mathot-Liabel) ; 1929, L'appassionata (Mathot-Liabel) ; 1930, La maison de la flèche (Fescourt), L'instinct (Mathot) ; 1931, Passeport 13444 (Mathot) ; 1939, Deuxième bureau contre Kommandantur (Jayet). *Pour le metteur en scène*, voir le *Dictionnaire du cinéma*, t. I : Les réalisateurs.

Né à Roubaix, il monta à Paris et s'imposa rapidement par la puissance de son physique et la qualité de son jeu comme l'un des meilleurs acteurs du muet. Gance, Pouctal et Dulac firent appel à lui. A partir de 1930, l'interprète de Monte-Cristo et de Jean d'Agrève sent venir l'âge et passe derrière la caméra, d'abord avec Liabel, puis seul. Il sera président de la Cinémathèque française.

Matlin, Marlee

Actrice américaine née en 1965.

1986, Children of a Lesser God (Les enfants du silence) (Haines) ; 1987, Walker (Walker) (Cox) ; 1990, L'homme au masque d'or (Duret) ; 1991, The Linguini Incident (Linguini incident) (R. Shepard) ; 1992, The Player (The Player) (Altman) ; 1993, Hear no Evil (Greenwald) ; 1995, It's my Party (Kleiser) ; 1996, Snitch (Markinson), Dead Silence (Petrie Jr.).

Actrice sourde et muette, elle a trouvé le rôle de sa vie dans *Les enfants du silence*, où elle interprétait précisément une jeune malentendante. Un rôle qui lui valut d'ailleurs un oscar en 1986. Le reste est moins brillant.

Mattes, Eva

Actrice allemande née en 1954.

1970, Liebe unter siebzehn (Relin), O.K. (M. Verhoeven) ; 1971, Mathias Kneissl (Hauff) ; 1972, Wildwechsel (Gibier de passage) (Fassbinder), Die bittere Tränen der Petra Von Kant (Les larmes amères de Petra Von Kant) (Fassbinder) ; 1973, Supermarkt (Khan, Klick) ; 1974, Effi Briest Fontane (Effi Briest) (Fassbinder) ; 1976, Né pour l'enfer (Héroux) ; 1977, Stroszek (La ballade de Bruno) (Herzog) ; 1978, In einem Jahr mit 13 Monden (L'année des 13 lunes) (Fassbinder) ; 1979, David (Lilienthal), Schluchtenflitzer (Nüchtern), Woyzeck (Woyzeck) (Herzog) ; 1980, Deutschland bleiche Mutter (Allemagne, mère blafarde) (Sanders-Brahms) ; 1981, Céleste (Céleste) (Adlon) ; 1983, Die Wilden Fünfziger (Zadek) ; 1984, Ein Mann wie EVA (Gabrea), Rita Ritter (Achternbusch), Auf immer und ewig (Buschmann) ; 1987, Felix (Buschmann, Sander, Sanders-Brahms, Von Trotta) ; 1988, Herbstmilch (Vilsmaier) ; 1992, Das Sommeralbum (Wessel) ; 1993, Der Kinoerzähler (Sinkel) ; 1994, Das Versprechen (Les années du mur) (Von Trotta) ; 1995, Schlafes Bruder (Vilsmaier), Kleine Zeichen (Junker) ; 1996, Jugofilm (Le jour où Sascha est revenu) (Rebic) ; 1998, Widows – Erst die Ehe, dann das Vergnügen (Horman), Mein Liebste Feind (Ennemis intimes) (Herzog) ; 1999, Otomo (Schlaich), Viehjud Levi (Danquart), Die Strausskiste (Adlon) ; 2000, Goebbels und Geduldig (Wessel), Enemy at the Gates (Stalingrad) (Annaud).

Débute très jeune au théâtre avant de travailler avec tout le nouveau cinéma allemand. Elle lui rend hommage à son tour en tenant le rôle de... Fassbinder dans *Ein Mann Wie*.

Matthau, Walter

Acteur et réalisateur américain, de son vrai nom Matuschanskayasky, 1920-2000.

1955, The Kentuckian (L'homme du Kentucky) (Lancaster), The Indian Fighter (La rivière de nos amours) (De Toth) ; 1956, Bigger Than Life (Derrière le miroir) (Ray) ; 1957, A Face in the Crowd (Un homme dans la foule) (Kazan), Slaughter on Tenth Avenue (Meurtre sur la dixième avenue) (Laven) ; 1958, King Creole (Bagarre au King Creole) (Curtiz), Voice in the Mirror (Keller), Ride a Crooked Trail (L'étoile brisée) (Hibbs), Onionhead (Cuistots en virée) (Taurog) ; 1960, Gangster Story (Matthau), Stranger When We Meet (Liaisons secrètes) (Quine) ; 1962, Lonely Are the Brave (Seuls sont les indomptés) (Miller), Who's Got the Action ? (L'inconnue du gang des jeux) (Mann) ; 1963, Island of Love (DaCosta) ; 1964, Charade (Charade) (Donen), Ensign Pulver (Logan), Fail Safe (Point limite) (Lumet), Good-Bye Charlie (Au revoir Charlie) (Minnelli) ; 1965, Mirage (Mirage) (Dmytryk) ; 1966, The Fortune Cookie (La grande combine) (Wilder) ; 1967, A Guide for the Married Man (Petit guide pour mari volage) (Kelly) ; 1968, The Old Couple (Drôle de couple) (Saks), The Secret Life of an American Wife (Axelrod), Candy (Marquand) ; 1969, Hello Dolly (Kelly), Cactus Flower (Fleur de cactus) (Saks), A New Leaf (May) ; 1971, Plaza Suite (Hiller), Kotch (Lemmon) ; 1972, Pete'n Tillie (Pete et Tillie) (Ritt), Charley Varrick (Tuez Charley Varrick) (Siegel) ; 1973, The Laughing Policeman (Le flic ricanant) (Rosenberg), Fourty Carats (Quarante carats) (Katselas) ; 1974, The Taking of Pelham 1.2.3. (Les pirates du métro) (Sargent), Earthquake (Tremblement de terre) (Robson), The Front Page (Spéciale première) (Wilder) ; 1975, The Sunshine Boys (Ennemis comme avant) (Ross), The Bad New Bears (La chouette équipe) (Ritchie) ; 1976, Casey's Shadow (Ritt) ; 1978, California Suite (Ross), House Calls (Zieff) ; 1980, Little Miss Marker (La puce et le grincheux) (Bernstein), Hopscotch (Jeux d'espion) (Neame) ; 1981, Buddy Buddy (Wilder), First Monday in October (Neame) ; 1982, I Ought to Be in Pictures (Ross) ; 1983, The Survivors (Ritchie) ; 1985, Movers and Shakers (Asher) ; 1986, Pirates (Polanski) ; 1988, The Couch Trip (Parle à mon psy ma tête est malade) (Ritchie), Il piccolo diavolo (Le petit diable) (Benigni) ; 1991, JFK (JFK) (Stone) ; 1993, Dennis the Menace (Dennis la malice) (Castle), Grumpy Old Men (Les grincheux) (Petrie) ; 1994, I.Q. (L'amour en équation) (Schepisi) ; 1995, The Grass Harp (Ch. Matthau), I'm Not Rappaport (Gardner) ; 1996, Grumpier Old Men (Deutch), Out to Sea (Coolidge) ; 1997, Neil Simon's Odd Couple II (The Odd Couple II) (Deutch) ; 1998, The Marriage Fool (Ch. Matthau) ; 1999, Hanging Up (Raccroche !) (Keaton). *Comme réalisateur :* 1960, Gangster Story.

De très solides études d'art dramatique avant d'apparaître à Broadway en 1948, dans Anne, *The Thousand Days*. Il ne cessera de triompher sur scène. A l'écran, débuts en cabaretier dans *The Kentuckian*. Son air malin va le vouer aux rôles de personnages fourbes et rusés. Il excelle par toute une série de mimiques à rendre tous les calculs de son héros qui n'est pas sans évoquer Sylvestre le chat des dessins animés. Il n'a jamais été aussi bon que dans les films de Wilder ou dans *Pirates* de Polanski.

Matthews, Jessie

Actrice anglaise, 1907-1981.

Principaux films : 1933, Waltzes from Vienna (Hitchcock) ; 1934, Evergreen (Saville) ; 1937, Head over Keels (Hale), Gangway (Hale) ; 1943, Forever and a Day (Lloyd, Clair, etc.) ; 1958, Tom Thumb (Pal).

Issue des quartiers pauvres de Soho, elle devint dans les années 20-30 une reine du music-hall puis des films dansés et chantés. Elle a écrit en 1974 sa biographie : *Over My Shoulder*.

Mature, Victor

Acteur américain, de son vrai nom Vittorio Maturi, 1915-1999.

1939, The Housekeeper's Daughter (Potter) ; 1940, One Million B.C. (Roach Sr. et Jr.) ; Captain Caution (Wallace), No No Nanette (Wilcox) ; 1941, Shanghai Gesture (Shanghai) (Sternberg), I Wake Up Screaming (Humberstone) ; 1942, Song of the Islands (W. Lang), My Gal Sal (Cummings),

Footlight Serenade (Ratoff), Seven Days'-Leave (Whelan) ; 1946, My Darling Clementine (La poursuite infernale) (Ford) ; 1947, Moss Rose (La rose du crime) (Ratoff), Kiss of Death (Le carrefour de la mort) (Hathaway) ; 1948, Fury at Furnace Creek (Massacre à Furnace Creek) (Humberstone), Cry of the City (La proie) (Siodmak) ; 1949, Red, Hot and Blue (L'ange endiablé) (Farrow), Samson and Delilah (Samson et Dalila) (DeMille), Easy Living (Tourneur) ; 1950, Stella (Binyon), Wabash Avenue (Koster), Gambling House (Tetzlaff) ; 1952, The Las Vegas Story (Scandale à Las Vegas) (Stevenson), Androcles and the Lion (Androclès et le lion) (Erskine), Something for the Birds (Wise), Million Dollar Mermaid (La première sirène) (LeRoy) ; 1953, The Robe (La tunique) (Koster), Veils of Bagdad (Le prince de Bagdad) (G. Sherman), Affair with a Stranger (Rowland), The Glory Brigade (Webb) ; 1954, Dangerous Mission (Mission périlleuse) (L. King), Demetrius an the Gladiators (Les gladiateurs) (Daves), Betrayed (Voyage au-delà des vivants) (Reinhardt), The Egyptian (L'Égyptien) (Curtiz) ; 1955, Chief Crazy Horse (Le Grand Chef) (G. Sherman), Violent Saturday (Les inconnus dans la ville) (Fleischer), The Last Frontier (La charge des tuniques bleues) (Mann) ; 1956, Safari (Young), The Sharkfighters (Hopper) ; 1957, Zarak (Young), Pickup Alley (Gilling), The Long Haul (Hughes) ; 1958, China Doll (Borzage), Tank Force (Young) ; 1959, Escort West (Lyon), The Bandit of Zhobe (Gilling), The Big Circus (Le cirque fantastique) (Newman), Timbuktu (Tourneur) ; 1960, Hannibal (Ulmer) ; 1962, The Tartars (Les Tartares) (Thorpe) ; 1966, Caccia alla volpe (Le renard s'évade à trois heures) (De Sica) ; 1968, Head (Rafelson) ; 1972, Every Little Crook and Nanny (Howard) ; 1975, Won Ton Ton, the Dog Who Saved Hollywood (Winner) ; 1979, Firepower (L'arme au poing) (Winner), Being There (Bienvenue Mister Chance) (Ashby).

Sorte de « pithécanthrope », devenu par erreur symbole de la virilité, d'après Coursodon et Tavernier, dans *Trente ans de cinéma américain*, cet acteur vaut surtout pour ses pectoraux, ce qui lui permit de jouer dans de nombreux films consacrés à l'Antiquité, où son profil grec fit merveille. Mais il compte à son actif une bonne interprétation de Doc Holliday dans *My Darling Clementine* et un rôle de séducteur fascinant, docteur des Universités de Sodome et Gomorrhe, dans *Shanghai Gesture*. A sauver aussi quelques bons films noirs, dont *Kiss of Death* et une amusante composition d'homme des bois dans *The Last Frontier*. Au total, le bilan est nettement positif.

Mauban, Maria

Actrice française née en 1924.

1945, Patrie (Daquin), Un ami viendra ce soir (Bernard) ; 1946, Le cocu magnifique (De Meyst), Le chanteur inconnu (Cayatte) ; 1948, Bal Cupidon (Sauvajon) ; 1949, Pas de week-end pour notre amour (Montazel), Fra Diavolo (Soldati) ; 1950, Quai de Grenelle (Reinert), La cage d'or (Darden) ; 1951, La passante (Calef), Cairo Road (La route du Caire) (MacDonald), La table aux crevés (Verneuil) ; 1952, Le plus heureux des hommes (Ciampi) ; 1953, Viaggio in Italia (Voyage en Italie) (Rossellini), Rumeur publique (Cognati) ; 1954, Les clandestines (André), La soupe à la grimace (Sacha) ; 1955, Dix-huit heures d'escale (Jolivet), Boulevard du crime (Gaveau) ; Le chômeur de Clochemerle (Boyer), La rivale (Majano) ; 1958, En légitime défense (Berthomieu), La vie à deux (Duhour) ; 1961, Les nouveaux aristocrates (Rigaud) ; 1964, Le Tigre aime la chair fraîche (Chabrol), L'étrange auto-stoppeuse (Darcey) ; 1965, Les démons de minuit (M. Allégret et Ch. Gérard) ; 1967, Adolphe ou l'âge tendre (Toublanc-Michel) ; 1968, Béru et ces dames (Lefranc) ; 1970, La liberté en croupe (Molinaro) ; 1971, Hellé (Vadim) ; 1973, Le concierge (Girault) ; 1976, Une fille cousue de fil blanc (M. Lang) ; 1978, Le gendarme et les extraterrestres (Girault).

Cette belle actrice brune, venue de Marseille, n'a malheureusement tourné que dans des films médiocres, ce qui lui a interdit de devenir la vedette importante que son talent lui avait fait espérer.

Maunier, Jean-Baptiste

Acteur français né en 1990.

2003, Les choristes (Barratier) ; 2006, Le grand Meaulnes (Verhaeghe), Hellphone (Huth).

Remarqué dans *Les choristes* où il était Pierre Morhange jeune, il ne pouvait que prêter sa silhouette romantique à la nouvelle version du *Grand Meaulnes*.

Maupi

Acteur français, de son vrai nom Marcel Barberin, 1881-1949.

1931, Mam'zelle Nitouche (M. Allégret), Marius (Korda) ; 1932, Roger-la-Honte (Roudès), Fanny (M. Allégret), La dame de chez Maxim's (Korda), Picador (Jaquelux), Plaisirs de Paris (Greville), La merveilleuse journée (R. Wyler), Mirages de Paris (Ozep) ; 1933, Le sexe faible (Siodmak), Le maître de forges (Rivers) ; 1934, Tartarin de Tarascon (Bernard), Mauvaise graine (Wilder), Dactylo se marie (Pujol), Le cavalier Lafleur (Ducis), Le secret d'une nuit (Gandera), Minuit place Pigalle (Richebé), Toboggan (Decoin), Le chéri de sa concierge (Guarino) ; 1935, Coup de vent (Dréville), Ferdinand le noceur (Sti), Gaspard de Besse (Hugon) ; 1936, César (Pagnol), Vous n'avez rien à déclarer (Joannon), La belle équipe (Duvivier), L'ange du foyer (Mathot), Les jumeaux de Brighton (Heymann), Course à la vertu (Gleize), Le mioche (Moguy) ; 1937, Les rois du sport (Colombier), L'étrange M. Victor (Grémillon), Les pirates du rail (Christian-Jaque), Le Schpountz (Pagnol), A Venise cette nuit (Christian-Jaque), Balthazar (Colombier), Scandale aux galeries (Sti) ; 1938, Le dompteur (Colombier), Les nouveaux riches (Berthomieu), Noix de coco (Boyer), La femme du boulanger (Pagnol) ; 1939, Angelica (Choux), Campement 13 (Constant), Dernière jeunesse (Musso), Le président Haudecœur (Dréville) ; 1940, La fille du puisatier (Pagnol), Ceux du ciel (Noé), Untel Père et Fils (Duvivier), Parade en sept nuits (M. Allégret), Le roi des galéjeurs (Rivers) ; 1941, Le dernier des six (Lacombe), Péchés de jeunesse (Tourneur), Premier rendez-vous (Decoin), Premier bal (Christian-Jaque), Caprices (Joannon), Croisières sidérales (Zwobada), La chèvre d'or (Barbéris) ; 1942, La fausse maîtresse (Cayatte), Malaria (Gourguet), Le bienfaiteur (Decoin), L'Arlésienne (M. Allégret) ; 1943, Voyage sans espoir (Christian-Jaque) ; 1944, La fiancée des ténèbres (Poligny) ; 1945, Le roi des resquilleurs (Devaivre), Au petit bonheur (L'Herbier), L'aventure de Cabassou (Grangier), Les gueux au Paradis (Le Hénaff), Le gardian (Marguenat), Une femme coupée en morceaux (Noé) ; 1946, Fausse identité (Chotin), Le mariage de Ramuntcho (Vaucorbeil), Parade du rire (Verdier), Le voleur se porte bien (Loubignac) ; 1947, Colomba (Couzinet), Une nuit à Tabarin (Lamac) ; 1948, Deux amours (Pottier), Le signal rouge (Neubach), La vie est un rêve (Séverac) ; 1949, L'école buissonnière (Le Chanois).

Petit et rondouillard, ce Toulonnais, ami inséparable de Raimu, fut engagé par Pagnol et se fit remarquer dans la fameuse trilogie puis dans la plupart des autres films de l'auteur de *Marius*. Voué aux rôles de méridionaux, il composa aussi des silhouettes de petit-bourgeois (*Mauvaise graine*). Il a trop tourné peut-être, mais on le repère toujours avec plaisir le temps de quelques répliques.

Maura, Carmen

Actrice espagnole née en 1945.

1977, Tigres de papel (Colomo), Folle... folle... folleme Tim (*long métrage en super-8*) (Almodóvar), De fresa, limón e menta (Diez) ; 1978, Que hace una chica como tu en un sitio como este ? (Colomo), Los ojos vendados (Les yeux bandés) (Saura) ; 1980, Pepi, Luci, Bom y otras chicas del montón (Pepi, Luci, Bom et autres filles du quartier) (Almodóvar) ; 1983, Entre tinieblas (Dans les ténèbres) (Almodóvar) ; 1984, ¿Que he hecho yo para merecer esto ? (Qu'est-ce que j'ai fait pour mériter ça ? (Almodóvar) ; 1985, Extramuros (Picazo), Matador (Matador) (Almodóvar), Se infiel y no mires con quien (Trueba) ; 1986, Tata mia (Borau), La ley del deseo (La loi du désir) (Almodóvar) ; 1987, Mujeres al borde de un ataque de nervios (Femmes au bord de la crise de nerfs) (Almodóvar) ; 1988, Baton rouge (Moleon) ; 1989, ¡Ay, Carmela ! (Ay, Carmela) (Saura) ; 1991, Como ser una mujer y no morir en el intento (Belén), Chatarra (Rotaeta), Sur la terre comme au ciel (Hänsel) ; 1992, La reina anónima (Suarez) ; 1993, Sombras en una batalla (Sombras en una batalla) (Camus), Louis, enfant roi (Planchon), Como ser infeliz y disfrutarlo (Urbizu) ; 1994, El rey del río (Gutiérrez Aragón) ; 1995, Le bonheur est dans le pré (Chatiliez), El palomo cojo (De Arminan) ; 1996, Amores que matan (Amores que matan) (Chumilla), Elles (Galvão Teles), Cinema y tortilla (Provost) ; 1997, Alliance cherche doigt (Mocky), Alice et Martin (Téchiné) ; 1998, Superlove (Janer), El año de la cometa (L'année de la comète) (Sistach, Buil), Lisboa (Hernández), El entusiasmo (L'enthousiasme) (Larrain) ; 1999, Le harem de Mme Osmane (Mokneche) ; 2000, La comunidad (Mes chers voisins) (De la Iglesia) ; 2003, Le pacte du silence (Guit), 800 balas (800 balles) (De la Iglesia) ; 2004, 25° en hiver (Vuillet) ; 2005, Free Zone (Gitaï) ; 2006, Reinas (Reinas) (Gomez Pereira), Volver (Volver) (Almodóvar).

Avant de devenir l'inoubliable interprète de quelques-uns des plus importants films d'Almodóvar, elle fit du café-théâtre, joua le répertoire classique au Teatro Nacional, et anima également une émission de télévision. A l'orée des années 80, le grand écran l'absorbe complètement, d'abord par le biais de la comédie, puis elle s'oriente vers un cinéma de répertoire plus difficile.

Maurey, Nicole

Actrice française née en 1925.

1943, Blondine (Mahé) ; 1944, Le cavalier noir (Grangier), Paméla (Hérain) ; 1948, Les joyeux conscrits (Canonge) ; 1950, Le journal d'un curé de campagne (Bresson) ; 1951, Le dernier Robin des Bois (Berthomieu) ; 1952, Opération Magali (Kisch), Rendez-vous à Grenade (Pottier) ; 1953, Les compagnes de la nuit (Habib), Si Versailles m'était conté (Guitry), L'ennemi public n° 1 (Verneuil), L'œil en coulisse (Berthomieu), Little Boy Lost (Seaton) ; 1954, The Secret of the Incas (Hopper) ; 1955, The Constant Husband (Gilliat) ; 1956, The Weapon (Scotland Yard appelle FBI) (Guest), The Bold and the Brave (Le brave et le téméraire) (L. Foster), Section des disparus (Chenal), Action immédiate (Labro) ; 1957, Rogue's Yarn (Sewell) ; 1958, The Scapegoat (Le bouc émissaire) (Hamer), Me and the Colonel (Moi et le colonel) (Glenville), Paris Streetwalker ; 1959, The House of the Seven Hawks (La maison des sept faucons) (Thorpe), The Jayhawkers (Violence au Kansas) (Frank), The Scapegoat (Le bouc émissaire) (Hamer) ; 1960, His and Hers (Hurst), High Time (Edwards) ; 1961, Don't Bother to Knock (Frankel) ; 1962, The Day of the Triffids (Sekely) ; 1963, The Very Edge (Frankel) ; 1965, Pleins feux sur Stanislas (Dudrumet) ; 1966, Commissaire San Antonio (Lefranc) ; 1977, Gloria (Autant-Lara).

Curieuse carrière que celle de cette actrice qui débute en 1943 dans une œuvre insolite, *Blondine*, est remarquée par Bresson et Guitry, entame une carrière américaine en co-star avec Crosby (*Little Boy Lost*), plaque la Paramount pour l'Angleterre où elle tourne plusieurs films après quelques apparitions en France, puis disparaît complètement.

Maurier, Claire

Actrice française, de son vrai nom Odette Agramon, née en 1929.

Principaux films : 1950, Les vacances finissent demain (Noé) ; 1951, Ce coquin d'Anatole (Cousinet) ; 1952, Rayé des vivants (Cloche), Un caprice de Caroline Chérie (Devaivre) ; 1953, La belle de Cadix (Bernard) ; 1955, Gil Blas de Santillane (Jolivet) ; 1956, Ce soir les jupons volent (Kirsanoff) ; 1958, Le dos au mur (Molinaro) ; 1959, Une fille pour l'été (Molinaro), Une gueule comme la mienne (Dard), Les quatre cents coups (Truffaut) ; 1960, Le bourreau attendra (Vernay) ; 1961, Les livreurs (Girault) ; 1962, Fuga desesperada (De Loma) ; 1964, Requiem pour un caïd (Cloche) ; 1965, Merveilleuse Angélique (Borderie) ; 1969, La fiancée du pirate (Kaplan) ; 1978, La cage aux folles (Molinaro) ; 1980, Un mauvais fils (Sautet) ; 2001, Le fabuleux destin d'Amélie Poulain (Jeunet).

Pas de rôle digne du charme et du talent de cette actrice.

Max, Jean

Acteur français, 1895-1970.

1921, Rose de Nice (Chaillot) ; 1931, Le cap perdu (Dupont), Le procureur Hallers (Wiene), Le chanteur inconnu (Tourjansky), Paris-Béguin (Genina) ; 1932, Suzanne (Rouleau) ; 1933, Sapho (Perret), Il était une fois (Perret) ; 1934, L'aventurier (L'Herbier), Pension Mimosas (Feyder), La cinquième empreinte (Anton) ; 1935, Koenigsmark (Tourneur), Deuxième Bureau (Billon), Les yeux noirs (Tourjansky) ; 1936, Nitchevo (Baroncelli), L'homme à abattre (Mathot), Port Arthur (Farkas) ; 1937, Le voleur de femmes (Gance), Les hommes de proie (Rozier), J'accuse (Gance), Le cap perdu (Dupont) ; 1938, J'étais une aventurière (Bernard), Paradis de Satan (Gandera) ; 1939, Face au destin (Fescourt), Deuxième bureau contre Kommandantur (Jayet) ; 1941, La dernière aventure (Péguy) ; 1943, Finance noire (Gandera) ; 1946, Le dernier refuge (Maurette) ; 1947, Brigade criminelle (Gil) ; 1949, Les nouveaux maîtres (Nivoix) ; 1950, Les aventuriers de l'air (Jayet) ; 1951, Le costaud des Batignolles (Lacourt) ; 1953, Les enfants de l'amour (Moguy) ; 1955, Plus de whisky pour Callaghan (Rozier) ; 1957, Le gorille vous salue bien (Borderie) ; 1960, Ma femme est une panthère (Bailly).

Élégant et glacé, le cheveu bien peigné et la moustache finement dessinée, il fut le méchant idéal du cinéma français : espion, traître, aventurier exotique. Un compromis entre Peter Lorre et Stroheim, « l'homme le plus haï de France et de Navarre » (Barrot et Chirat). Après la guerre, il parut démodé et ne tourna plus que quelques films insignifiants.

May, Mathilda

Actrice française née en 1962.

1984, Nemo (Selignac), Lifeforce (Lifeforce) (Hooper) ; 1985, Letter to an Unknown Lover (Duffell), Les rois du gag (Zidi) ; 1986, La vie dissolue de Gérard Floque (Lautner) ; 1987, Le cri du hibou (Chabrol) ; 1988, Trois places pour le 26 (Demy), La passerelle (Sussfeld) ; 1989, Naked Tango (L. Schrader) ; 1990, Schrei aus Stein (Cerro Torre — le cri de la roche) (Herzog), Becoming Colette

(Devenir Colette) (Huston), Isabelle Eberhardt (Pringle) ; 1991, Toutes peines confondues (Deville) ; 1993, Le voleur et la menteuse (Boujenah), Grosse fatigue (Blanc) ; 1994, La teta y la luna (La lune et le téton) (Bigas Luna) ; 1996, The Jackal (Le Chacal) (Caton-Jones), Privateer 2 : The Darkening (Hilliker, Roberts) ; 1999, Là-bas... mon pays (Arcady).

Elle se fit remarquer dans *Trois places pour le 26* où elle était la fille (!) de Montand. Sa beauté est éclatante dans *La passerelle*. Rien d'important ensuite.

Maynard, Ken

Acteur américain, 1895-1973.

1923, The Man Who Won (Wellman) ; 1924, Janice Meredith (Hopper) ; 1925, Fighting Courage (Elfelt), The Demon Rider (Hurst) ; 1926, The Haunted Ranch (Hurst), The Unknown Cavalier (Rogell), The North Star (P. Powell) ; 1927, Overland Stage (Rogell), Land Beyond the Law (Brown), The Red Raiders (Rogell), Gun Gospel (Brown), Devil's Saddle (Rogell), Somewhere in Sonora (Rogell) ; 1928, Canyon of Adventure (Rogell), The Glorious Trail (Rogell), The Wagon Show (H.J. Brown), The Code of the Scarlet (H.J. Brown) ; 1929, Cheyenne (Brown), California Mail (Rogell), Wagon Master (Brown), The Phantom City (Rogell), The Lawless Legion (Brown), The Royal Rider (Brown) ; 1930, Lucky Larkin (Brown), Parade of the West (Brown), The Fighting Legion (Brown), Mountain Justice (Brown), Sons of the Saddle (Brown) ; 1931, The Pocatello Kid (Rosen), Two Gun Man (Rosen), Branded Men (Rosen), Arizona Terror (Rosen) ; 1932, Sunset Trail (Eason), Texas Gunfighter (Rosen) ; Dynamite Ranch (Sheldon) ; 1933, Phantom Thunderbolt (A. James), Drum Taps (McGowan), The Fiddlin' Buckaroo (Maynard), The Lone Avenger (James), Tombstone Canyon (James), Fargo Express (James), Come on Tarzan (James) ; 1934, Wheels of Destiny (James), King of Arena (James), Trail Drive (James), In Old Santa Fe (Howard), Gun Justice (James), Honor of the Range (James), Smoking Guns (James) ; 1935, Western Frontier (Herman), Lawless Riders (Bennett), Northern Frontier (Newfield), Heir to Trouble (Bennett) ; 1936, The Cattle Thief (Bennett), The Fugitive Sheriff (Bennett), Heroes of the Range (Bennett), Avenging Waters (Bennett) ; 1937, Boots of Destiny (Rosson), Trailing Trouble (Rosson) ; 1938, Whirlwind Horseman (Bob Hill), Six Shootin's Sheriff (Fraser) ; 1943, Wild Horse Stampede (James), Blazing Guns (Tansey), Death Valley Rangers (Tansey), The Law Rides Again (James) ; 1944, Westward Bound (Tansey), Arizona Whirlwind (Tansey) ; 1947, White Stallion (Tansey) ; 1961, Frontier Uprising (Cahn).

Ce bel athlète, champion de rodéo et as de la voltige au cirque, fut un populaire héros de westerns dans les années 20 et 30 avant de sombrer dans l'oubli en raison de la médiocre qualité de ses films.

Mayniel, Juliette

Actrice française née en 1936.

1958, Les cousins (Chabrol) ; 1959, Pêcheurs d'Islande (Schoendoerffer), La nuit des traqués (Bernard-Roland) ; 1960, Kirmes (Je ne voulais pas être un nazi) (Staudte), Les yeux sans visage (Franju), Marche ou crève (Lautner), Un couple (Mocky), La peau et les os (Sassy) ; 1961, La guerra di Troia (La guerre de Troie) (Ferroni), Jusqu'à plus soif (Labro) ; 1962, Ophélia (Chabrol), A cause... à cause d'une femme (Deville), Landru (Chabrol) ; 1963, Asasino Made in Italy (Amadio) ; 1964, Amore pericolosi (sketch Questi) ; 1969, Scusi, facciamo l'amore (Et si on faisait l'amour ?) (Caprioli) ; 1973, Femmes au soleil (Dreyfus) ; 1975, Piedone lo sbirro (Un flic hors a loi) (Steno), Bestialita' (Mattei) ; 1976, Il vizio di famiglia (Un vice de famille) (Laureti) ; 1978, Solamente nero (Bido).

Cover-girl, puis Chabrol révéla son visage d'une étrange beauté dans *Les cousins* où Blain et Brialy se disputaient son amour. Après quelques films en France, elle alla se perdre dans le tout-venant de la production italienne.

Mayo, Virginia

Actrice américaine, de son vrai nom Jones, 1920-2005.

1943, Jack London (Santell), Sweet Rosie O'Grady (Cummings), Salute to the Marines (Simon), Dr. Gillespie's Criminal Case (Goldbeck) ; 1944, Pin-Up Girl (Humberstone) ; Seven Days Ashore (Auer), Three Men in White (Goldbeck), Up in Arms (Un fou s'en va-t-en guerre) (Nugent), The Princess and the Pirate (La princesse et le pirate) (Butler) ; 1945, Wonder Man (Le joyeux phénomène), (Humberstone) ; 1946, The Best Years of Our Lives (Les plus belles années de notre vie) (Wyler), The Kid from Brooklyn (Le laitier de Brooklyn) (McLeod) ; 1947, Out of the Blue (Jason), The Secret Life of Walter Mitty (La vie secrète de Walter Mitty), (McLeod) ;

1948, A Song Is Born (Si bémol et fa dièse) (Hawks), Smart Girls Don't Talk (Bare) ; 1949, The Girl from Jones Beach (Godfrey), Colorado Territory (La fille du désert) (Walsh), White Heat (L'enfer est à lui) (Walsh), Flaxy Martin (Bare), Red Light (Feu rouge) (Del Ruth), Always Leave Them Laughing (Del Ruth) ; 1950, The West Point Story (Del Ruth), Backfire (Sherman), The Flame and the Arrow (La flèche et le flambeau) (Tourneur) ; 1951, Along the Great Divide (Le désert de la peur) (Walsh), Captain Horatio Hornblower (Capitaine sans peur) (Walsh), Painting the Clouds with Sunshine (Butler), Starlift (Del Ruth) ; 1952, The Iron Mistress (La maîtresse de fer) (Douglas), She's Working Her Way Through College (Humberstone) ; 1953, She's Back on Broadway (Douglas), South Sea Woman (Le bagarreur du Pacifique) (Lubin) ; 1954, King Richard and the Crusaders (Richard Cœur de Lion) (Butler) ; 1955, The Silver Chalice (Le calice d'argent) (Saville), Pearl of South Pacific (Dwan) ; 1956, Great Day in the Morning (L'or et l'amour) (Tourneur), Congo Crossing (Intrigue au Congo) (Pevney), The Proud Ones (Le shérif) (Webb) ; 1957, The Big Land (Les loups dans la vallée) (Douglas), The Story of Mankind (Allen), The Tall Stranger (Carr) ; 1958, Fort Dobbs (Sur la piste des Comanches) (Douglas) ; 1959, Westbound (Le courrier de l'or) (Boetticher), Jet over the Atlantic (Bagarre au-dessus de l'Atlantique) (Haskin) ; 1960, Rivolta del Mercenari (Costa) ; 1964, Young Fury (Furie sur le Nouveau Mexique) (Nyby) ; 1966, Castle of Evil (Lyon), 1967, Fort Utah (Fort Utah) (Selander) ; 1969, The Haunted (De Gaetano) ; 1975, Won Ton Ton, the Dog Who Saved Hollywood (Winner) ; 1977, French Quarter (D. Kane).

D'origine allemande par sa mère, à seize ans, si l'on en croit Christian Dureau, elle avait déjà joué Shakespeare et chanté à l'Opéra de Saint Louis. Benny Goodman la fait engager dans les cabarets et Goldwyn la prend sous contrat à Hollywood. Elle fut surtout l'héroïne par excellence des films d'action, ce qui n'enlève rien à son talent. Walsh (son metteur en scène préféré) ne s'y trompa pas et la fit beaucoup tourner. Gordon Douglas prit la succession. Boetticher et Tourneur, après Hawks, firent appel à elle, ainsi que la plupart des petits maîtres de la série B.

Mazza, Marc

Acteur français, de son vrai nom Mazzacurati, né en 1938.

1963, OSS 117 se déchaîne (Hunebelle) ; 1964, Les félins (Clément) ; 1969, Le passager de la pluie (Clément) ; 1970, Popsy Pop (Herman) ; 1972, L'attentat (Boisset), Sans sommation (Gantillon), Il grande duello (Le grand duel) (Santi) ; 1973, Revolver (La poursuite impitoyable) (Sollima) ; 1974, Le fantôme de la liberté (Buñuel), Il mio nome è Nessuno (Mon nom est personne) (Valeri), Toute une vie (Lelouch) ; 1975, Le jeu avec le feu (Robbe-Grillet) ; 1979, Moonraker (Moonraker) (Gilbert) ; 1981, Espion lève-toi (Boisset) ; 1991, La tribu (Boisset).

Rôle-titre sinistre du *Passager de la pluie*, il traverse le cinéma de genre français des années 70, promenant sa grande silhouette de play-boy avec un certain détachement. Le genre de personnage comme on n'en fait plus, qui faisait tout le sel d'un cinéma masculin très attaché à sa virilité.

Meaney, Colm

Acteur irlandais né en 1953.

1987, Omega Syndrome (Manduke), The Dead (Les gens de Dublin) (Huston) ; 1990, Dick Tracy (Dick Tracy) (Beatty), Die Hard 2 (58 minutes pour vivre) (Harlin), Come See the Paradise (Bienvenue au paradis) (Parker) ; 1991, The Commitments (The Commitments) (Parker) ; 1992, Into the West (Le cheval qui venait de la mer) (Newell), Far and Away (Horizons lointains) (Howard), The Last of the Mohicans (Le dernier des Mohicans) (Mann), Under Siege (Piège en haute mer) (Davis) ; 1993, The Snapper (The Snapper) (Frears) ; 1994, The War of the Buttons (La guerre des boutons, ça recommence !) (Roberts), The Road to Wellville (Aux bons soins du Dr. Kellogg) (Parker) ; 1995, The Englishman Who Went Up a Hill but Came Down a Mountain (L'Anglais qui gravit une colline mais descendit une montagne) (Monger) ; 1996, The Van (The Van) (Frears), The Last of the High Kings (Keating) ; 1997, Con Air (Les ailes de l'enfer) (West), October 22 (Schenkman) ; 1998, Claire Dolan (Claire Dolan) (Kerrigan), Vig (Theakston), This Is My Father (Quinn), Mystery Alaska (Roach) ; 1999, Chapter Zero (Mendelsohn), Four Days (Wehrfritz).

L'Irlandais dans toute sa splendeur, roux flamboyant, ventre tendu à la Guinness et bonnes joues rouges. Présent dans la trilogie « Roddy Doyle » (*The Commitments, The Snapper, The Van*), il s'exile à Los Angeles et on le voit dans des films d'action fort oubliables (*Piège en haute mer*) ou dans des œuvres d'auteur plus ambitieuses (*Claire Dolan*). Il est connu chez les téléphiles pour son rôle du chef Miles O'Brien dans la série « Star Trek ».

Medeiros, Maria de

Actrice et réalisatrice d'origine portugaise née en 1965.

1980, Silvestre (Silvestre) (Monteiro) ; 1981, A estrangeira (Grilo) ; 1984, Paris vu par... 20 ans après (Sketch de Ch. Akerman), Vertiges (Laurent), Le moine et la sorcière (Schiffman) ; 1988, L'air de rien (Jimenez), La lectrice (Deville) ; 1989, 1871 (McMullen), Henry & June (Henry & June) (Kaufman) ; 1990, A idade maior (Villaverde), Retrato da familia (Galvao Teles), Divina comedia (La divine comédie) (Oliveira) ; 1991, L'homme de ma vie (Tacchella), Meeting Venus (La tentation de Vénus) (Szabo), A morte do principe (M. de Medeiros) ; 1992, Paraiso perdido (Seixas Santos) ; 1993, Des feux mal éteints (Moati), Huevos de oro (Macho) (Luna), Tres irmaos (Tres irmaos) (Villaverde), Pulp Fiction (Pulp fiction) (Tarantino) ; 1994, El detective y la muerte (Suarez), The Woman in the Moon (Kimberly) ; 1995, Des nouvelles du bon Dieu (Lepêcheur), Tiré à part (Rapp), Adao e Eva (Leitao) ; 1996, Le polygraphe (Lepage), Tempête dans un verre d'eau (Barkus), Les mille merveilles de l'univers (Roux), Airbag (Bajo Ulloa), Le comédien (Chalonge) ; 1997, Go for Gold ! (Go for Gold !) (Segura), Spanish Fly (Kastner) ; 1998, Babel (Pullicino), Les infortunes de la beauté (Lvoff) ; 1999, Capitães d'abril (Capitaines d'avril) (Medeiros) ; 2000, Deuxième vie (Braoudé), Honolulu Baby (Nichetti) ; 2001, L'homme des foules (Lvoff) ; 2002, Porto da minha infância (Porto de mon enfance) (Oliveira) ; 2003, Moi César, 10 ans 1/2, 1,39 m (Berry), My Life Without Me (Ma vie sans moi) (Coixet) ; 2006, Je m'appelle Élisabeth (Améris), The Saddest Music in the World (The Saddest Music in the World) (Maddin) ; 2007, Je t'aime, moi non plus (de Medeiros). *Comme réalisatrice :* 1990, A morte do principe ; 1999, Capitães d'abril (Capitaines d'avril) ; 2007, Je t'aime, moi non plus.

De grands yeux de petite fille étonnée, mais non dénuée de caractère, elle tourne dans le monde entier, du Portugal dont elle est originaire, aux États-Unis où elle fut la petite amie (française) de Bruce Willis dans *Pulp Fiction*, en passant par la France. Mais un seul premier rôle chez nous, dans le décevant *L'homme de ma vie*.

Meek, Donald

Acteur d'origine écossaise, 1880-1946.

1923, Six Cylinder Love (Clifton) ; 1929, The Hole in the Wall (Karger) ; 1930, The Love Kiss (Snody) ; 1931, Personal Maid (Bell), The Girl Habit (Cline) ; 1933, College Coach (Wellman), Love, Honor and Oh Baby (Buzzell) ; 1934, Bedside (Florey), Mrs Wigges of the Cabbage Patch (Taurog), Hi, Nellie ! (LeRoy), Murder at the Vanities (Rythmes d'amour) (Leisen), That Every Woman Knows (La Cava), The Captain Hates the Sea (Milestone), The Last Gentleman, The Merry Widow (La veuve joyeuse) (Lubitsch), Only Eight Hours (Seitz), The Whole Town's Talking (Toute la ville en parle) (Ford) ; 1935, Biography of a Bachelor Girl (Griffith), The Return of Peter Grimm (G. Nichols), Old Man Rhythm (Ludwig), Society Doctor (Seitz), Baby Face Harrington (Walsh), Barbary Coast (Ville sans loi) (Hawks), Captain Blood (Capitaine Blood) (Curtiz), Peter Ibbetson (Peter Ibbetson) (Hathaway), China Seas (La malle de Singapour) (Garnett), Happiness COD, Top Hat (Le danseur du dessus) (Sandrich), The Informer (Le mouchard) (Ford), The Gilded Lily (Ruggles), The Bride Comes Home (Ruggles), Mark of the Vampire (La marque du vampire) (Browning), Kind Lady (Seitz) ; 1936, Pennies from Heaven (McLeod), Three Wise Guys (Seitz), Love on the Run (Van Dyke), Two in a Crowd (Green), And So They Were Married (Nugent), Three Married Men (Buzzell) ; 1937, Artists and Models (Walsh), Maid of Salem (Le démon sur la ville) (Lloyd), Double Wedding (Thorpe), Behind the Headlines (Rosson), Make a Wish (Neumann), You're a Sweetheart (Butler), Parnell (La vie privée du tribun) (Stahl), Three Legionnaires MacFadden), The Toast of New York (Lee), Breakfast for Two (Santell) ; 1938, You Can't Take It With You (Vous ne l'emporterez pas avec vous) (Capra), Adventures of Tom Sawyer (Taurog), Double Danger (Landers), Little Miss Broadway (Cummings), Hold That CoEd (Marshall), Goodbye Broadway (R. Mac Carey), Having Wonderful Time (Santell) ; 1939, Stagecoach (La chevauchée fantastique) (Ford), Jesse James (Le brigand bien aimé) (King), Blondie Takes a Vacation (Strayer), Hollywood Cavalcade (Cummings), Young Mr. Lincoln (Vers sa destinée) (Ford), The Housekeeper's Daughter (Roach), Nick Carter Master Detective (Tourneur) ; 1940, Dr Ehrlich's Magic Bullet (Dieterle), The Man from Dakota (Fenton), The Ghost Comes Home (Thiele), Phantom Raiders (Tourneur), Third Finger, Left Hand (Leonard), Stardust (W. Lang), Hullabaloo (Marin), Sky Murder (Seitz), The Return of Frank James (Le retour de Frank James) (F. Lang), My Little Chickadee (Mon petit poussin chéri) (Cline), Oh Johnny How You Can Love (Lamont) ; 1941, A Woman's Face (Il était une fois) (Cukor), Rise and Shine (Dwan), Blonde Inspiration (Berkeley), Wild Man of Borneo (Sinclair), The Feminine Touch (Van Dyke), Barnacle Bill (Berkeley), Babes on Broadway (Berkeley), Come Live With Me (Brown) ; 1942, Keeper of the Flame (Cukor), Tortilla Flat (Fleming), The Omaha Trail (Buzzell), Maisie Gets Her Man (Del Ruth), They Got Me Covered (Butler) ; 1943, Air Raid Wardens (Laurel et Hardy chefs d'îlots) (Sedgewick), Du Barry Was a Lady (La Du Barry était une dame) (Del Ruth) ; 1944, Maisie Goes to Reno (Beaumont), Rationing (Goldbeck), Bathing Beauty (Le bal des sirènes) (Sidney), Two Girls and a Sailor (Deux jeunes filles et un marin) (Thorpe), The Thin Man Goes Home (L'Introuvable rentre chez lui) (Thorpe), Barbary Coast Gent (Del Ruth) ; 1945, State Fair (W. Lang), Colonel Effingham's Raid (Pichel) ; 1946, Janie Gets Married (V. Sherman), Affairs of Geraldine (Blair), Because of Him (R. Wallace) ; 1947, The Fabulous Joe (B. Carr), Magic Town (Wellman).

Petit, chauve, une grande bouche, le menton un peu en galoche, timide, il a joué les comiques dans de nombreux films. On le remarqua surtout en représentant de commerce dans *Stagecoach* où il était blessé d'une flèche après avoir vu ses échantillons d'alcools consommés par Thomas Mitchell. C'était un remarquable « second plan » dans les années 30.

Meeker, Ralph

Acteur américain, 1920-1988.

1951, Teresa (Teresa) (Zinnemann), Shadow in the Sky (Wilcox) ; 1952, Glory Alley (La ruelle du péché) (Walsh), Somebody Loves Me (Brecher) ; 1953, The Naked Spur (L'appât) (A. Mann), Jeopardy (La plage déserte) (Sturges), Code Two (Wilcox) ; 1955, Kiss Me Deadly (En quatrième vitesse) (Aldrich), Big House USA (Koch), Desert Sands (Selander) ; 1956, A Woman's Devotion (Acapulco) (Henreid) ; 1957, Run of the Arrow (Le jugement des flèches) (Fuller), The Fuzzy Pink Nightgown (Taurog) ; 1958, Paths of Glory (Les sentiers de la gloire) (Kubrick) ; 1961, Ada (D. Mann), Something Wild (Au bout de la nuit) (Garfein) ; 1963, Wall of Noise (Wilson) ; 1967, The Dirty Dozen (Les douze salopards) (Aldrich), The Gentle Giant (Neilson), The Saint Valentine's Day Massacre (L'affaire Al Capone) (Corman) ; 1968, The Devil's 8 (Topper), The Detective (Le détective) (Douglas) ; 1969, I Walk the Line (Le pays de la violence) (Frankenheimer) ; 1971, The Anderson Tapes (Le gang Anderson) (Lumet) ; 1972, My Boys Are Good Boys (Buckalew) ; 1973, The Happiness Cage (Girard) ; 1975, Johnny Firecloud (Castleman), Brannigan (Brannigan) (Hickox) ; 1976, The Food of the Gods (Soudain les monstres) (B.I. Gordon) ; 1977, Hi-Riders (G. Clark) ; 1979, Winter Kills (Richert) ; 1980, Without Warning (Terreur extraterrestre) (Clark).

Il appartient à la brochette des durs (*heavies*) américains. Venu du théâtre où il s'était fait remarquer dans *A Streetcar Named Desire*, il fut propulsé au rang de vedette avec sa sensationnelle interprétation de Mike Hammer dans *Kiss Me Deadly*. Jamais on n'avait cogné aussi fort sur Jack Elam et Jack Lambert, de rudes gaillards pourtant. On ne s'étonnera pas que Meeker ait figuré parmi *Les douze salopards* et dans *L'affaire Al Capone*. Une des grandes figures du film de gangsters.

Melato, Mariangela

Actrice italienne née en 1941.

1970, Il prete sposato (Un prêtre à marier) (Vicario) ; 1971, La classe operaia va in paradiso (La classe ouvrière va au paradis) (Petri), Per grazia ricevuta (Miracle à l'italienne) (Manfredi), Mimi metallurgico ferito nell'onore (Mimi métallo blessé dans son honneur) (Wertmuller) ; 1972, Film d'amore e d'anarchia (Un film d'amour et d'anarchie) (Wertmuller), La polizia ringrazia (Steno), Violenza : Quinto potere (Vancini) ; 1973, Nada (Chabrol), Par le sang des autres (Simenon), Lo chiamaremo Andrea (De Sica) ; 1974, La poliziotta (Steno), Travolti da un insolito destino nell'azzurro mare di agosto (Vers un destin tragique dans les flots bleus de l'été) (Wertmuller), Orlando furioso (Ronconi) ; 1975, Di che segno sei ? (Corbucci), Attenti al buffone (Bevilacqua), L'arbre de Guernica (Arrabal), Faccia di spia (Ferrara) ; 1976, Todo modo (Todo modo) (Petri), Caro Michele (Monicelli) ; 1977, Casotto (Citti), Il gatto (Qui a tué le chat ?) (Comencini) ; 1978, Saxofone (Pozzetto) ; 1979, Dimenticare Venezia (Oublier Venise) (Brusati), I giorni cantati (Pietrangeli) ; 1980, Ogetti smarriti (Une femme italienne) (G. Bertolucci), Flash Gordon (Flash Gordon) (Hodges), Il pap'occhio (Arbore) ; 1981, Aiutami a sognare (Avati), So Fine (Les fesses à l'air) (A. Bergman) ; 1982, Bello mio, bellezza mia (Corbucci), Domani si balla (Nichetti) ; 1984, Il petomane (Festa Campanile) ; 1985, Segreti, segreti (G. Bertolucci), Figlio mio infinitamente caro (Orsini) ; 1986, Notte d'estate con profile greco, occhi a mandorla e odore di basilico

(Wertmuller) ; 1987, Dancers (Ross) ; 1989, Mortacci (Citti) ; 1993, La fine é nota (C. Comencini) ; 1998, Panni sporchi (Monicelli) ; 1999, Un uomo perbene (Zaccaro).

Elle fait ses premiers pas dans la vie comme modéliste à l'âge de seize ans, puis débute au théâtre grâce à Luchino Visconti en 1967. Au cinéma, elle est dirigée par de grands réalisateurs comme Comencini, Chabrol, Petri, Avati et surtout Lina Wertmuller, qui en fait son actrice fétiche. Elle se spécialise très tôt dans des rôles de composition où elle excelle (la révolutionnaire de *Nada*, le vieille fille cupide de *Qui a tué le chat ?* ou la paysanne républicaine de *L'arbre de Guernica*). Récompensée par de nombreux prix d'interprétation dans son pays, elle se consacre de plus en plus à la télévision et au théâtre depuis la fin des années 80.

Mélinand, Monique

Actrice française née en 1916.

Principaux films : 1946, Rouletabille joue et gagne (Chamborant), Rouletabille contre la dame de pique (Chamborant) ; 1948, Entre onze heures et minuit (Decoin) ; 1949, Lady Paname (Jeanson), Au royaume des cieux (Duvivier) ; 1950, Les anciens de Saint-Loup (Lampin) ; 1952, La pocharde (Combet) ; 1956, Le sang à la tête (Grangier) ; 1959, Katia (Siodmak) ; 1960, La mort de Belle (Molinaro) ; 1961, Rencontres (Agostini) ; 1971, Mourir d'aimer (Cayatte) ; 1973, La gueule ouverte (Pialat) ; 1996, Trois vies et une seule mort (Ruiz) ; 1997, Généalogies d'un crime (Ruiz) ; 1999, Le temps retrouvé (Ruiz) ; 2001, Les âmes fortes (Ruiz) ; 2003, Le cou de la girafe (Nebbou) ; 2006, Avril (Hustache-Mathieu).

Membre de la compagnie de Louis Jouvet, elle fut surtout une actrice de théâtre et n'eut au cinéma que des rôles secondaires.

Melki, Claude

Acteur français, 1939-1994.

1957, Pourvu qu'on ait l'ivresse (c.m., Pollet) ; 1959, La ligne de mire (Pollet) ; 1961, Gala (c.m., Pollet) ; 1963, Paris vu par... (sketch « Rue Saint-Denis », Pollet) ; 1965, Qui êtes-vous Polly Magoo ? (Klein) ; 1966, Brigitte et Brigitte (Moullet) ; 1968, Le grand dadais (Granier-Deferre), L'amour c'est gai, l'amour c'est triste (Pollet) ; 1969, Le pistonné (Berri) ; 1970, La maison (Brach) ; 1971, Laisse aller... c'est une valse (Lautner), Le seuil du vide (Davy) ; 1972, Certaines chattes n'aiment pas le mou (Logan) ; 1973, Salut... voleurs ! (Cassenti), La jeune femme et la mort (Douchet), L'événement le plus important depuis que l'homme a marché sur la Lune (Demy), Juliette et Juliette (Forlani) ; 1974, L'agression (Pirès), Q/Au plaisir des dames (Davy) ; 1975, L'acrobate (Pollet) ; 1976, Le grand fanfaron (Clair) ; 1978, Le souverain (Arrivé) ; 1979, Girls (Jaeckin) ; 1980, Le rose et le blanc (Pansard-Besson), Mais qu'est-ce que j'ai fait au bon dieu pour avoir une femme qui boit dans les cafés avec les hommes ? (Saint-Hamon), La bande du Rex (Meunier) ; 1985, Tangos, l'exil de Gardel (Solanas), L'amour ou presque (Gautier) ; 1986, La dernière image (Lakhdar-Hamina) ; 1987, Les oreilles entre les dents (Schulmann) ; 1988, Contretemps (Pollet).

Clown triste du cinéma français, croisement entre Buster Keaton et Droopy, il reste aux yeux du cinéphile l'inoubliable interprète de *L'acrobate* où il était Léon, le garçon de bain passionné de tango. Léon, un personnage créé à la fin des années 50 par Jean-Daniel Pollet — son père spirituel —, et qui, à l'instar d'un Antoine Doinel, le suivra de film en film. Mais sa carrière se perdit par la suite dans des films décevants où il n'eut que de petits rôles. Il finit par sombrer dans l'oubli et dans la pauvreté.

Melki, Gilbert

Acteur français né en 1958.

Betty (Chabrol) ; 1997, Keo (Van Hoofstadt), Un amour de sorcière (Manzor), La vérité si je mens ! (Gilou) ; 1998, Un pavé dans la mire (Piney), Grève party (Onteniente) ; 1999, Méditerranées (Bérenger), Les petits souliers (Nakache), Parabellum (Van Hoofstadt), Vénus Beauté (Institut) (Marshall), Une journée de merde (Courtois), Monsieur Naphtali (Schatzky), Chili con carne (Gilou) ; 2000, La taule (Robak) ; 2001, On fait comme on a dit (Bérenger), La vérité si je mens ! 2 (Gilou), Les morsures de l'aube (de Caunes), Reines d'un jour (Vernoux) ; 2002, Incautos (Bardem), Au plus près du paradis (Marshall), Un couple épatant, Cavale, Après la vie (Belvaux) ; 2003, Rencontre avec le dragon (Angel), Monsieur Ibrahim et les fleurs du Coran (Dupeyron) ; 2004, Illustre inconnue (Fitoussi), Confidences trop intimes (Leconte), Les temps qui changent (Téchiné) ; 2005, Prendre femme (Elkabetz), Crustacés et coquillages (Ducastel), Palais royal ! (Lemercier), Angel-A (Besson) ; 2006, Comme tout le monde (Renders), La raison du plus faible (Belvaux), Ça brûle (Simon) ; 2007, Anna M. (Spinosa), Très bien merci (Cuau), Le deuxième souffle (Corneau), Le tueur (Anger).

Neveu de Claude Melki, ce Parisien ténébreux révélé par *La vérité si je mens !* semble privilégier depuis le cinéma d'auteur.

Meller, Raquel

Actrice espagnole, 1888-1962.

1922, Arlequinas de la sera y oro (La gitane blanche) ; 1923, Les opprimées (Roussel) ; 1924, Violettes impériales (Roussel) ; 1925, La terre promise (Roussel), La ronde de nuit (Sylver) ; 1926, Carmen (Feyder), La venenosa (Lyon) ; 1932, Violettes impériales (Roussel).

Son nom est associé à plusieurs « espagnolades » dont l'inepte *Violettes impériales*. Bonne chanteuse, elle valait mieux que ce qu'on lui fit jouer.

Melvin, Murray

Acteur anglais né en 1932.

1960, The Criminal (Les criminels) (Losey), Suspect (Boulting), Petticoat Pirates (McDonald) ; 1961, A Taste of Honey (Un goût de miel) (Richardson) ; 1962, HMS Defiant (Les mutinés du Téméraire) (Gilbert), Solo for Sparrow (Flemyng) ; 1963, Sparrows Can't Sing (Littlewood), The Ceremony (La cérémonie) (Harvey) ; 1966, Kaleidoscope (Le gentleman de Londres) (Smight), Alfie (Alfie le dragueur) (Gilbert) ; 1967, Smashing Time (Deux Anglaises en délire) (Davies) ; 1968, The Fixer (L'homme de Kiev) (Frankenheimer) ; 1969, Start the Revolution Without Me (Commencez la révolution sans moi) (Yorkin) ; 1970, A Day in the Life of Joe Egg (Medak) ; 1971, The Devils (Les diables) (Russell), The Boy Friend (Russell) ; 1973, Gawain and the Green Knight (Weeks), Ghost in the Noonday Sun (Medak) ; 1974, Ghost Story/-Madhouse Mansion (Weeks) ; 1975, Barry Lyndon (Barry Lyndon) (Kubrick), Lisztomania (Lisztomania) (Russell) ; 1976, Shout at the Devil (Parole d'homme) (Hunt), The Bawdy Adventures of Tom Jones (Owen) ; 1977, The Prince and the Pauper/Crossed Swords (Fleischer), Tales from the Flying Trunk (Edzard), Joseph Andrews (Richardson) ; 1982, Nutcracker (Kawadri) ; 1986, Sacred Hearts (Rennie) ; 1987, Comrades (Douglas), Funny boy (Le Hémonet), Slipstream (Lisberger) ; 1988, Testimony (Palmer) ; 1990, Sunday Pursuit (Zetterling), The Krays (Les frères Kray) (Medak), The Fool (Edzard) ; 1991, Let Him Have It (L'âge de vivre) (Medak) ; 1992, As You Like It (Comme il vous plaira) (Edzard) ; 1994, Princess Caraboo (Princesse Caraboo) (Austin) ; 1995, England My England (Palmer).

Prix d'interprétation à Cannes en 1962 pour *Un goût de miel*, il reste par la suite un honorable second rôle mais se distingue plus au théâtre que dans une pléthore de séries B.

Menez, Bernard

Acteur et réalisateur français né en 1944.

1969, Du côté d'Orouët (Rozier) ; 1973, La nuit américaine (Truffaut), La grande bouffe (Ferreri), Pleure pas la bouche pleine (Thomas), Les quatre Charlots mousquetaires (Hunebelle) ; 1974, La grande trouille (Grunstein), Le chaud lapin (Thomas), Trop, c'est trop (Kaminka), L'éducation amoureuse de Valentin (Lhote), Pas de problème (Lautner), Comme un pot de fraises (Aurel), Tendre Dracula (Grunstein) ; 1975, No no nenesse (*inédit*, Rozier), Opération Lady Marlène (Lamoureux), Oublie-moi Mandoline (Wyn), Dracula père et fils (Molinaro), Les lolos de Lola (Dubois) ; 1977, Un oursin dans la poche (Thomas), Ça fait tilt (Hunebelle) ; 1978, Confidences pour confidences (Thomas), Tendrement vache (Penard), La frisée aux lardons (Jaspard), Le temps des vacances (Vital) ; 1979, Duo sur canapé (Camoletti), L'avare (Girault) ; 1981, Le chêne d'Allouville (Pénard), Celles qu'on n'a pas eues (Thomas) ; 1982, Les p'tites têtes (Menez), Ça va faire mal (Davy) ; 1985, Maine-Océan (Rozier) ; 1987, Les saisons du plaisir (Mocky) ; 1990, Voir l'éléphant... (Marbœuf) ; 1992, Joséphine en tournée (Rozier) ; 2000, Les autres filles (Vignal) ; 2003, France Boutique (Marshall). *Comme réalisateur :* 1982, Les petites têtes.

Il mène de front des études scientifiques et une carrière théâtrale. C'est Truffaut qui le révèle, mais c'est dans l'univers des comédies de Pascal Thomas que ce grand jeune homme brun va le mieux s'intégrer. Sa filmographie nous offrirait une remarquable radioscopie de la France des années 70-80.

Menichelli, Pina

Actrice italienne, 1893-1984.

1913, Il romanzo ; 1914, Il segreto del castello di Monroe, Il getto d'Acqua ; 1915, Il sottomarino n° 27, Lulu (Genina), Alma mater, La casa di nessuno, Il fuoco (Pastrone) ; 1916, La colpa, Piu forte dell'odio e dell'amore, Tigre reale (Pastrone) ; 1917, La passeggera, La trilogia di Dorina (Zambuto), Una sventatella ; 1918, Noris, La moglie di Claudio, Il giardino della volutta ; 1919, Il padrone delle Ferriere (Pastrone) ; 1920, La storia di una donna, Il romanzo di un giovane povero (Palermi), La disfatta delle Erinni ;

1921, La verita nuda, Le tre illusioni ; 1922, L'eta critica (Palermi), La seconda moglie (Palermi) ; 1923, La dame de chez Maxim's (Palermi).

L'une des divas du cinéma muet italien : son interprétation de *Tigre reale* de Pastrone reste un grand moment de cinéma malgré l'outrance du jeu de la star et l'extravagance de ses toilettes. Les metteurs en scène de ses films qui appartenaient à la Cines puis à l'Itala n'ont pas tous été identifiés.

Menjou, Adolphe

Acteur américain, 1890-1963.

1916, A Parisian Romance, The Blue Envelope, The Kiss ; 1917, The Amazons, The Moth, The Valentine Girl (Metteurs en scène non identifiés) ; 1921, The Sheik (Melford), The Three Musketeers (Les trois mousquetaires) (Niblo), Through the Back Door (Green), The Faith Healer (Melford), Courage (Franklin), Queenie (Mitchell) ; 1922, The Fast Mail (Durning), Clarence (W. DeMille), Is Matrimony a Failure ? (Cruze), The Eternal Flame (Lloyd), Head over Heels (Schertzinger), Pink Gods (Stanlaws), Singed Wings (Stanlaws) ; 1923, A Woman of Paris (L'opinion publique) (Chaplin), The Spanish Dancer (Brenon), The World's Applause (W. DeMille), Rupert of Hentzau (Heerman), Bella Donna (Fitzmaurice) ; 1924, The Fast Set (W. DeMille), For Sale (Archainbaud), Broadway after Dark (M. Bell), Broken Barriers (Barker), The Marriage Circle (Lubitsch), The Marriage Cheat (Wray), Shadows of Paris (Brenon), Forbidden Paradise (Lubitsch), Sinners in Silk (Henley), Open All Night (Bern) ; 1925, Are Parents People ? (St. Clair), A Kiss in the Dark (Tuttle), The Swan (Buchowetzki), The King on Main Street (M. Bell) ; 1926, A Social Celebrity (St. Clair), The Grand Duchess and the Waiter (La grande duchesse et le garçon d'étage) (St. Clair), Fascinating Youth (Wood), The Ace of Cads (Reed), The Sorrows of Satan (Les chagrins de Satan) (Griffith) ; 1927, Service for Ladies (D'Arrast), Blonde or Brunette (La blonde ou la brune) (Rosson), Evening Clothes (Reed), A Gentleman of Paris (D'Arrast) ; 1928, A Night of Mystery (Mendes), His Private Life (Tuttle) ; 1929, The Bachelor Girl (Thorpe), Fashions in Love (Schertzinger) ; 1930, Mon gosse de père (Limur), L'énigmatique M. Parks (Gasnier), Morocco (Cœurs brûlés) (Sternberg) ; 1931, The Front Page (Milestone), Men Call It Love (Selwyn), The Easiest Way (Conway) ; 1932, Prestige (Garnett), Two White Arms (Niblo), A Farewell to Arms (L'adieu aux armes) (Borzage), Forbidden (Capra), The Man from Yesterday (Viertel) ; 1933, Morning Glory (L. Sherman), The Worst Woman in Paris (Bell), The Circus Queen Murder, Convention City (Mayo) ; 1934, Little Miss Marker (A. Hall), The Trumpet Blows (Roberts), The Mighty Barnum (W. Lang), Easy To Love (Keighley), The Human Side (Buzzell), Journal of a Crime (Keighley), The Great Flirtation (Murphy) ; 1935, Broadway Gondolier (Le gondolier de Broadway) (Bacon), Gold Diggers of 1935 (Berkeley), The Milky Way (Soupe au lait) (McCarey) ; 1936, Sing, Baby, Sing (Lanfield), One in a Million (Lanfield), Wives Never Know (Nugent) ; 1937, Café Metropole (E. Griffith), A Star Is Born (Une étoile est née) (Wellman), Stage Door (Pension d'artistes) (La Cava), 100 Men and a Girl (Deanna et ses boys) (Koster) ; 1938, The Goldwyn Follies (Marshall), Thanks for Everything (Seiter), Letter of Introduction (Stahl) ; 1939, That's Right, You are Wrong (Butler), Golden Boy (L'esclave aux mains d'or) (Mamoulian), The Housekeeper's Daughter (Roach), King of Turf ; 1940, A Bill of Divorcement (Farrow), Turnabout (Roach) ; 1941, Roadshow (Douglas), Father Takes a Wife (Hively) ; 1942, Roxie Hart (Wellman), You Were Never Lovelier (O toi ma charmante) (Seiter), Syncopation (Dieterle) ; 1943, Sweet Rosie O' Grady (Rosie l'endiablée) (Cummings), Hi Diddle Diddle (Stone) ; 1944, Step Lively (Whelan) ; 1945, Man Alive (Enright) ; 1946, Heartbeat (Un cœur à prendre) (Wood), Bachelor's Daughters (Stone) ; 1947, I'll Be Yours (Seiter), The Hucksters (Marchands d'illusions) (Conway), Mr. District Attorney (Sinclair) ; 1948, State of the Union (L'enjeu) (Capra) ; 1949, My Dream is Yours (Il y a de l'amour dans l'air) (Curtiz), Dancing in the Dark (Reis) ; 1950, To Please a Lady (Pour plaire à sa belle) (Brown) ; 1951, The Tall Target (Mann), Across the Wide Missouri (Au-delà du Missouri) (Wellman) ; 1952, The Sniper (L'homme à l'affût) (Dmytryk) ; 1953, Man on a Tightrope (Kazan) ; 1955, Timberjack (Kane) ; 1956, Bundle of Joy (Le bébé de Mademoiselle) (Taurog), The Ambassador's Daughter (La fille de l'ambassadeur) (Krasna) ; 1957, Paths of Glory (Les sentiers de la gloire) (Kubrick), The Fuzzy Pink Nightgown (Taurog) ; 1959, I Married a Woman (Kanter) ; 1960, Pollyanna (Swift).

Père français, mais sa carrière s'est déroulée uniquement, ou presque, à Hollywood. Il y symbolisa le Français, petit, moustachu, élégant et coureur de jupons. Il fut aristocrate, officier (*Les sentiers de la gloire*) et incarna même Louis XIII dans la version Fairbanks des *Trois Mousquetaires*. Lors du maccarthysme, on lui reprocha de dénoncer un peu vite les confrères communistes. Par la suite il travailla surtout avec des réalisateurs eux aussi dénonciateurs comme Dmytryk ou Kazan.

Menshikov, Oleg

Acteur russe né en 1960.

1980, J'attends et j'espère (Chakhbazian) ; 1981, Rodnya (La parentèle) (Mikhalkov) ; 1982, Polyoty vo sne i nayavu (Balaian) ; 1984, Polosa prepyatsvij (Tumanishvili), Le capitaine Fracasse (Saveliev) ; 1986, Po glavnoj ulitse s orkestrom (Todorovski), Moj lyubimyj kloun (Kouchneriov) ; 1987, Moonzund (Muratov) ; 1988 Bryzgi shampanskogo (Govorukhin) ; 1989, Zhizn po limitu (Roudakov), Lestnitsa (Sakharov) ; 1990, Yama (Ilinskaia) ; 1992, Dyuba-Dyuba (Douba-Douba) (Khvan) ; 1994, Utomlyonnye solntsem (Soleil trompeur) (Mikhalkov) ; 1996, Kavkazskij plennik (Bodrov) ; 1998, Sibirskij tsiryulnik (Le barbier de Sibérie) (Mikhalkov), Est-Ouest (Wargnier), Mama (Yevstigneev).

Diplômé du Conservatoire d'art dramatique de l'école Chtchepkine, à Moscou, il s'illustre sur les planches (notamment dans *L'idiot* et surtout dans le rôle-titre de *Caligula*) avant de trouver, au cinéma, ses meilleurs rôles chez Mikhalkov, qui en fait un membre de la police politique rentré au pays pour revoir son ancien amour dans *Soleil trompeur*. Mari de Sandrine Bonnaire de retour en Russie après l'exil dans *Est-Ouest*, il est également excellent, plein de fantaisie et de gravité à la fois, en cadet amoureux d'une belle Américaine dans *Le barbier de Sibérie*. Un acteur exigeant et intègre, a priori peu disposé à répondre aux sirènes de Hollywood.

Merad, Kad

Acteur français né en 1964.

Principaux films : 2003, Mais qui a tué Pamela Rose ? (Lartigau) ; 2004, Les Dalton (Haim), Les choristes (Barratier) ; 2005, Iznogoud (Braoudé) ; 2006, Un ticket pour l'espace (Lartigau), Essaye-moi (Martin-Laval), Je vais bien, ne t'en fais pas (Lioret) ; 2007, Je crois que je l'aime (Jolivet).

Un césar en 2007 pour *Je vais bien, ne t'en fais pas* pour cet acteur passé en quelques années du duo comique (Kad et Oliver) à des rôles plus dramatiques et consistants.

Mercadier, Marthe

Actrice française née en 1928.

1950, Le tampon du Capiston (Labro), Trois télégrammes (Decoin), Coq en pâte (Tavano), Folie douce (Paulin), Identité judiciaire (Bromberger), Souvenirs perdus (Christian-Jaque) ; 1951, Rendez-vous à Grenade (Pottier), Jamais deux sans trois (Berthomieu), Le plus joli péché du monde (Grangier), La nuit est mon royaume (Lacombe), Chacun son tour (Berthomieu), La maison Bonnadieu (Rim), Les surprises d'une nuit de noces (Vallée) ; 1952, La chasse à l'homme (Molinaro), Ouvert contre X (Pottier), Rayé des vivants (Cloche), Détectives du dimanche (Orval), Un caprice de Caroline chérie (Devaivre) ; 1953, Les compagnes de la nuit (Habib), Capitaine Pantoufle (Lefranc), Un acte d'amour (Litvak) ; 1954, Escalier de service (Rim), Les évadés (le Chanois), Scènes de ménage (Berthomieu), Casse-cou Mademoiselle (Stengel), Obsession (Delannoy) ; 1955, M'sieur la Caille (Pergament), Les aventures de Gil Blas (Jolivet), Les salauds vont en enfer (Hossein) ; 1956, La fille Élisa (Richebé), Le feu aux poudres (Decoin), Vacances explosives (Stengel) ; 1957, Le tombeur (Delacroix), Les femmes sont marrantes (Hunebelle) ; 1958, Les noces vénitiennes (Cavalcanti), Jeunes filles en uniforme (Radvanyi) ; 1960, dans l'eau qui fait des bulles (Delbez) ; 1961, Jusqu'à plus soif (Labro) ; 1963, Le bon roi Dagobert (Risi) ; 1965, Bon week-end (Quignon), Les enquiquineurs (Quignon) ; 1968, Béru et ces dames (Lefranc) ; 1969, Aux frais de la princesse (Quignon), La coqueluche (Arrighi) ; 1970, Valparaiso, Valparaiso (Aubier) ; 1976, Blue jeans (Burin des Roziers) ; 1978, Once in Paris (Bilroy) ; 1980, La puce et le privé (Kay) ; 1981, Te marre pas, c'est pour rire ! (Besnard), Belles, blondes et bronzées (Pécas), Les folies d'Élodie (Génovès) ; 1982, Le braconnier de Dieu (Darras) ; 1987, Camp de Thiaroye (Sambene) ; 1999, Les aliénés (Gauthier).

Née à Paris, elle mène une activité très variée en plus du cinéma, allant du cabaret à la télévision en passant par la radio et surtout le théâtre. A l'écran, on l'a souvent vue dans des rôles de femmes volages, provocantes, un brin sexy. Elle possède par ailleurs le profil type des personnages de Feydeau ou de Courteline, avec un zeste de piquant et de fantaisie en plus. A quelque peu délaissé l'écran au profit d'une carrière théâtrale prolifique. Ses personnages pétulants l'ont rendue populaire.

Mercanton, Jean

Acteur français, 1920-1947.

1919, Miarka, la fille à l'ourse (Louis Mercanton) ; 1924, Les deux gosses (Mercanton) ; 1928, Le passager (Baroncelli), Vénus (Mercanton) ; 1929, Le mystère de la villa rose (Mercanton) ; 1930, L'enfant de l'amour (L'Herbier), L'Arlésienne (Baroncelli), Toute sa vie (Cavalcanti) ; 1931, Princesse à vos ordres (Schwarz), Il est charmant (Mercanton) ; 1932, Les rivaux de la piste (Poligny), Passionnément (Guissart), Stupéfiants (Gerron) ; 1936, Les grands (Gandera) ; 1938, Le Petit Chose (Cloche), Le capitaine Benoit (Canonge), Trois de Saint-Cyr (Paulin) ; 1939, La charrette fantôme (Duvivier), L'homme qui cherche la vérité (Esway) ; 1940, Soyez les bienvenus (Baroncelli) ; 1941, Les petits riens (Leboursier), Départ à zéro (Cloche) ; 1943, Lucrèce (Joannon), La collection Menard (Bernard Roland), Le carrefour des enfants perdus (Joannon) ; 1945, Marie la Misère (Baroncelli), Fils de France (Blondy) ; 1946, Désarroi (Dagan).

Fils du réalisateur Louis Mercanton, il a traversé le cinéma français entre 1924 et 1944 : il est notamment le frère du Petit Chose dans le film de Maurice Cloche.

Mercey, Paul

Acteur français, 1923-1988.

1948, La carcasse et le tord-cou (Chanas) ; 1950, Sous le ciel de Paris (Duvivier) ; 1951, Pas de vacances pour M. le maire (Labro), Le cap de l'espérance (Bernard), M. Leguignon Pampiste (Labro), Le vrai coupable (Thévenard) ; 1954, French cancan (Renoir) ; 1955, On déménage le colonel (Labro) ; 1956, La roue (Delbez, Haguet), Le colonel est de la revue (Labro) ; 1957, The Happy Road (La route joyeuse) (Kelly), Le dos au mur (Molinaro), Les œufs de l'autruche (La Patellière), Méfiez-vous fillettes (Allégret), Thérèse Étienne (La Patellière), Fernand clochard (Chevalier), Le désir mène les hommes (Roussel), Montparnasse 19 (Becker) ; 1958, Le vent se lève (Ciampi), Oh qué mambo (Berry), Bobosse (Périer), Archimède le clochard (Grangier), Sénérade au Texas (Pottier) ; 1959, 125, rue Montmartre (Grangier), Le travail c'est la liberté (Grospierre), Les affreux (Allégret), Meurtres en 45 tours (Périer), Rue des Prairies (La Patellière), La bête à l'affût (Chenal), Katia, une jeune fille, un seul amour (Siodmak) ; 1960, Le caïd (Borderie), Les honneurs de la guerre (Dewever), Les vieux de la vieille (Grangier), L'ours (Séchan), le capitaine Fracasse (Gaspard-Huit), Le gigolo (Deray) ; 1961, Lemmy pour les dames (Borderie), le petit garçon de l'ascenseur (Granier-Deferre), Le tracassin ou les plaisirs de la ville (Joffé), Les filles de la Rochelle (Deflandre), Tout l'or du monde (Clair) ; 1962, les vierges (Mocky), Un singe en hiver (Verneuil), L'œil du monocle (Lautner), Le gentleman d'Epsom (Grangier), Le repos du guerrier (Vadim), Mélodie en sous-sol (Verneuil), Les culottes rouges (Joffé), Mathias Sandorf (Lampin), Les bricoleurs (Girault) ; 1963, Les tontons flingueurs (Lautner), Bébert et l'omnibus (Robert), La soupe aux poulets (Agostini) ; 1964, Les yeux cernés (Hossein), Merveilleuse Angélique (Borderie), Patate (Thomas) ; 1965, Les bons vivants (sketch Grangier), Opération Lotus bleu (Grieco) ; 1966, Un monde nouveau (De Sica), La grande vadrouille (Oury), Brigade antigang (Borderie), Tendre voyou (Becker) ; 1967, Two for the Road (Donnen) ; 1968, Le tatoué (la Patellière), Le cerveau (Oury), Catherine, il suffit d'un amour (Borderie), L'amour (Balducci) ; 1969, Trois hommes sur un cheval (Moussy) ; 1970, Amour (Axel), Le gendarme en balade (Girault) ; 1971, L'odeur des fauves (Balducci), L'ingénu (Carbonnaux) ; 1972, La raison du plus fou (Reichenbach), Moi y'en a vouloir des sous (Yanne) ; 1973, Hit ! (Furie), Mais où est donc passée la 7e compagnie ? (Lamoureux), Les aventures de Rabbi Jacob (Oury), Les 4 Charlots mousquetaires (Hunebelle), L'évasion de Hassan Terro (Badie), L'horloger de Saint-Paul (Tavernier), Les Chinois à Paris (Yanne), Gross Paris (Grangier) ; 1974, Deux grandes filles dans un pyjama (Girault), Pas de problème ! (Lautner), Au-delà de la peur (Andréi), Les murs ont des oreilles (Girault), French Connection II (French Connection II) (Frankenheimer) ; 1975, On a retrouvé la 7e compagnie (Lamoureux), Silence, on tourne (Coggio), Opération lady Marlène (Lamoureux), Jambe en l'air à Bangkok (Sala), Chobiznesse (Yanne) ; 1976, Le gang (Deray), Sexuella (Debest) ; 1977, Et vive la liberté (Korber) ; 1978, Les bidasses en vadrouille (Caza) ; 1979, Contro 4 bandière (De l'enfer à la victoire) (Lenzi) ; 1981, Le cadeau (Lang) ; 1982, Deux heures moins le quart avant Jésus-Christ (Yanne) ; 1984, Liberté, égalité, choucroute (Yanne).

Dans la lignée d'un Robert Dalban, d'un Jacques Marin et d'un Dominique Zardi, il a squatté les plateaux de cinéma des années 50 aux années 80, à la recherche du moindre petit rôle, de la moindre apparition. Beaucoup de films donc, forcément inégaux et difficiles à lister. Une silhouette ronde et un visage que l'on reconnaît sans jamais y mettre un nom. Complice à une époque de Jean Yanne, dans les films réalisés par ce dernier, et sur scène (le célèbre sketch en duo *Les routiers*).

Mercier, Michèle

Actrice française née en 1939.

1957, Retour de manivelle (La Patellière), Donnez-moi ma chance (Moguy) ; 1959, Le notti di Lucrezia (Les nuits de Lucrèce Borgia) (Grieco), La ligne de mire (Pollet), Ein Engel auf Erden (Mademoiselle Ange) (Radvanyi), Tirez sur le pianiste (Truffaut) ; 1960, La brune que voilà (Lamoureux), Le Saint mène la danse (Nahun) ; 1961, Aimez-vous Brahms ? (Litvak), Fury at Smugglers Bay (Les pirates de la nuit) (Gilling), The Wonders of Aladin (Les mille et une nuits) (Bava et Levin), I giustiziere dei mari (Le boucanier des îles) (Paolella), Le prigionere dell'isola del diavolo (L'île aux filles perdues) (Paolella) ; 1962, Anni ruggenti (Zampa) ; 1963, Symphonie pour un massacre (Deray), I tre volti della paura (Les trois visages de la peur) (Bava), L'aîné des Ferchaux (Melville), La pupa (Orlandini), Via Veneto (Lipartiti), Frenesia dell'estate (Zampa), I giovedi (Risi), I mostri (Les monstres) (Risi), Alta infedelta (F. Rosi) ; 1964, A Global Affair (Arnold), Angélique, marquise des Anges (Borderie), Amore in quattro dimensione (Puccini), Merveilleuse Angélique (Borderie) ; 1965, Casanova 70 (Monicelli), I complessi (Risi), Le tonnerre de Dieu (La Patellière), Angélique et le roy (Borderie) ; 1966, La seconde vérité (Christian-Jaque), I nostri mariti (d'Amico, Zampa, Risi), Comme imparai ad amare le donne (Salce), Soleil noir (La Patellière) ; 1967, Le plus vieux métier du monde (Godard...), Indomptable Angélique (Borderie) ; 1968, Une corde, un colt (Hossein), Angélique et le sultan (Borderie), Lady Hamilton (Christian-Jaque) ; 1969, Une veuve en or (Audiard) ; 1970, You can't Win'em All (Les baroudeurs) (Collinson), Opération Macédoine (Scandelari) ; 1971, Roma Bene (Scandale à Rome) (Lizzani), Per amore o per forza (Franciosa), Nella stretta morsa del ragno (Les fantômes de Hurlevent) (Dawson), Le viager (Tchernia) ; 1972, Call of the Wind (L'appel de la forêt) (Annakin) ; 1978, Gotz von Berlichingen (Liebeneiner) ; 1984, Jeans Tonic (Patient).

Cette ravissante Niçoise, danseuse à l'origine (elle fut des ballets de la tour Eiffel), reste dans notre souvenir comme Angélique, l'héroïne d'un feuilleton érotico-historique qui connut plusieurs épisodes à l'écran. Assurément sa beauté n'est pas celle d'une héroïne de Toulet, mais de là à l'enfermer dans un seul rôle ! et quel rôle ! Les Italiens, grands connaisseurs, l'apprécièrent beaucoup : il faut la voir tromper son mari, pendant que celui-ci reste figé devant son poste de télévision, dans *Les monstres* de Risi, pour apprécier son réel talent de comédienne.

Mercouri, Mélina

Actrice grecque, 1923-1994.

1954, Stella (Cacoyannis) ; 1956, Celui qui doit mourir (Dassin) ; 1957, The Gypsy and the Gentleman (Gypsy) (Losey) ; 1958, La loi (Dassin) ; 1960, Never on Sunday (Jamais le dimanche) (Dassin) ; 1961, Il giudizio universale (Le jugement dernier) (De Sica), Phaedra (Dassin), Vive Henri IV, Vive l'amour (Autant-Lara) ; 1963, The Victors (Les vainqueurs) (Foreman) ; 1964, Topkapi (Topkapi) (Dassin) ; 1965, Les pianos mécaniques (Bardem) ; 1966, A Man Could Get Killed (Neame), 10.30 pm Summer (Dix heures trente du soir en été) (Dassin) ; 1969, Gaili Gaily (Boyle) ; 1971, Promise at Dawn (La promesse de l'aube) (Dassin) ; 1974, Once Is Not Enough (G. Green) ; 1976, Nasty Habits (Lindsay-Hogg) ; 1977, A Dream of Passion (Cri de femme) (Dassin).

Volcanique actrice grecque qui réussit à éteindre tout talent chez le malheureux Jules Dassin après l'avoir épousé, et qui fit des ravages dans de nombreux films par l'excès de son jeu et son encombrante personnalité. Mordue par le virus de la politique, elle disparut des écrans après être entrée comme ministre de la Culture dans le gouvernement grec formé par les socialistes en 1981.

Meredith, Burgess

Acteur et réalisateur américain, 1908-1997.

1936, Winterset (Santell) ; 1937, There Goes the Groom (Santley) ; 1938, Spring Madness (Simon) ; 1939, Of Mice and Men (Des souris et des hommes) (Milestone), Idiot's Delight (Brown) ; 1940, Second Chorus (Potter), Castle on the Hudson (Litvak), San Francisco Docks (Lubin) ; 1941, That Uncertain Feeling (Lubitsch), The Forgotten Village (voix), Tom, Dick and Harry (Kanin) ; 1942, Street of Chance (Hively) ; 1943, Welcome to Britain (Meredith) ; 1944, Salute to France (Meredith), The Yank Comes Back (Meredith) ; 1945, The Story of G.I. Joe (Les forçats de la gloire) (Wellman) ; 1946, Magnificent Doll (Borzage), The Diary of a Chambermaid (Le journal d'une femme de chambre) (Renoir) ; 1947, Mine Own Executioner (Kimmins) ; 1948, On Our Merry Way (La folle enquête) (Vidor, Fenton) ; 1949, The

Man on the Eiffel Tower (L'homme de la tour Eiffel) (Meredith), The Gay Adventure (Parry), Jigsaw (Goldstone) ; 1954, Screen Snapshots n° 224 (Meredith) ; 1957, Joe Butterfly (Hibbs) ; 1961, Universe (voix) ; 1962, Advise and Consent (Tempête à Washington) (Preminger) ; 1963, The Cardinal (Le cardinal) (Preminger) ; 1965, In Harm's Way (Première victoire) (Preminger) ; 1966, Crazy Kilt (voix seulement), A Big Hand for the Little Lady (Gros coup à Dodge City) (F. Cook), Batman (Batman) (Martinson), Madame X (Madame X) (Lowell Rich) ; 1967, The Torture Garden (Le jardin des tortures) (Francis), Hurry Sundown (Que vienne la nuit) (Preminger) ; 1968, Hard Contract (Pogostin), Stay Away Joe (Tewkesbury) ; 1969, Mackenna's Gold (L'or des Mackenna) (Lee-Thompson), Skiddo (Preminger), The Reivers (Rydell, voix seulement) ; 1970, The Yin and the Yang of Dr Go (Meredith), There Was a Crooked Man (Le reptile) (Mankiewicz) ; 1971, Blind Terror (Terreur aveugle) (Fleischer), The Man (Sargent), A Fan's Note (Till) ; 1973, Clay Pigeon (Pigeon d'argile) (Stern), Such Good Friends (Des amis comme les miens) (Preminger), Hay que matar a B (Borau) ; 1974, The Day of the Locust (Le jour du fléau) (Schlesinger), Golden Needles (L'aventurière de Hong-Kong) (Clouse), Beware the Blob (Hagman) ; 1975, The Master Gunfighter (El pistolero) (voix seulement, Laughlin) ; 1976, The Sentinel (La sentinelle des maudits) (Winner), The Hindenburg (L'Odyssée du Hindenburg) (Wise), Burnt Offerings (Curtis), Rocky (Rocky) (Avildsen) ; 1977, The Manitou (Le faiseur d'épouvante) (Girdler), Golden Rendez-vous (L'or était au rendez-vous) (Lazarus) ; 1978, Dead Flight (Supersonique en péril) (Lowell Rich), The Amazing Captain Nemo (Le retour du capitaine Nemo) (March), The Great Georgia Bank Hoax (Jacoby), Magic (Magic) (Attenborough), Foul Play (Drôle d'embrouille) (Higgins) ; 1979, Rocky II (Rocky II) (Stallone), Trauma (Curtis) ; 1980, When Time Ran Out (Le jour de la fin du monde) (Goldstone), Clash of the Titans (Le choc des titans) (Davis), The Last Chase (Burke), Final Assignment (Almond) ; 1981, Rocky III (Rocky III) (Stallone), True Confessions (Sanglantes confessions) (Grosbard) ; 1985, Santa Claus, the Movie (Santa Claus) (Szwarc) ; 1988, Full Moon on Blue Water (Pleine lune sur Blue Water) (Masterson) ; 1990, Rocky V (Rocky V) (Avildsen), State of Grace (Les anges de la nuit) (Joanou) ; 1993, Grumpy Old Men (Les grincheux) (Petrie) ; 1994, Camp Nowhere (J. Prince), Across the Moon (Gottlieb) ; 1995, Grumpier Old Men (Deutch) ; 1996, Ripper (Parmet). *Pour le metteur en scène*, voir le *Dictionnaire du cinéma*, t. I : *Les réalisateurs*.

Une jeunesse pleine d'imprévus : reporter, marin, garçon de courses... Puis la découverte du théâtre et les débuts sur les planches en 1930. Six ans plus tard, le cinéma fait appel à lui. Il y fera brillante carrière, adaptant même, comme metteur en scène, un roman de Simenon. Malin, l'œil vif, il est remarquable dans *Des souris et des hommes*, où il s'efforce de tempérer la brutalité de Lon Chaney Jr. ; Preminger l'utilisa à plusieurs reprises. On le retrouve enfin en manager de Stallone dans la série des *Rocky*... après avoir affronté Batman, dans la meilleure version tirée de la célèbre bande dessinée. A travers une filmographie abondante, un personnage identique à lui-même.

Merhar, Stanislas

Acteur français né en 1971.

1997, Nettoyage à sec (Fontaine) ; 1998, Furia (Aja), Les savates du Bon Dieu (Brisseau) ; 1999, A carta (La lettre) (Oliveira), Franck Spadone (Bean), La captive (Akerman) ; 2000, Nobel (Carpi), The Knights of the Quest (Avati) ; 2001, Un moment de bonheur (Santana) ; 2002, Adolphe (Jacquot), Merci... Dr Rey ! (Livtack) ; 2005, Un fil à la patte (Deville), Code 68 (Roger) ; 2006, L'héritage (G. et T. Babluani), Müetter (Lienhard).

Pianiste confirmé, il est découvert dans la rue par un directeur de casting et décroche un premier rôle qui le révèle immédiatement : dans *Nettoyage à sec*, il met à rude épreuve, tel un *Théorème* fin de siècle, le couple de blanchisseurs chez lequel il s'installe. Blond, le visage hâve, des yeux bleus délavés, sa silhouette est inquiétante et marquante, notamment chez Brisseau pour lequel il campe un rebelle à toute autorité.

Méril, Macha

Actrice française, de son vrai nom Marie-Madeleine Gagarine, née en 1940.

1959, La main chaude (Oury) ; 1961, Adorable menteuse (Deville) ; 1962, Le repos du guerrier (Vadim), La vie conjugale (Cayatte) ; 1964, Une femme mariée (Godard) ; 1965, Rampage at Apache Wells (L'appât de l'or noir) (Philipp) ; 1966, L'espion (Lévy), Belle de jour (Buñuel) ; 1967, L'horizon (Rouffio), Ne jouez pas avec les martiens (Lanoë), Au pan coupé (Gilles) ; 1970, L'amore coniugale (Maraini) ; 1971, La notte dei fiori (Baldi) ; 1972, Nous ne vieillirons pas ensemble (Pialat) ; 1973, Les Chinois à

Paris (Yanne), Nous sommes tous en liberté provisoire (Scarpelli) ; 1975, Profondo rosso (Les frissons de l'angoisse) (Argento), L'ultimo treno de la notte (La bête tue de sang-froid (Lado) ; 1976, Delirio d'amore (Ricci), Chinesisches Roulette (Roulette chinoise) (Fassbinder) ; 1978, Rock'n Roll (Rock and Roll) (de Sisti), Tout le monde ne veut pas être blanc (Kanapa), Robert et Robert (Lelouch), Va voir maman, papa travaille (Leterrier) ; 1980, Tendres cousines (Hamilton) ; 1981, Les uns et les autres (Lelouch), Beau-père (Blier) ; 1982, Le crime d'amour (Gilles) ; 1983, Le grand carnaval (Arcady), Au nom de tous les miens (Enrico), Who's been Sleeping in my Bed ? (D. Mann), Les fauves (Daniel) ; 1984, Les rois du gag (Zidi) ; 1985, Les nanas (A. Lanoë), Sans toit ni loi (Varda), Dario Argento's World of Horror (Soavi) ; 1986, Suivez mon regard (Curtelin), Duet for One (Duo pour une soliste) (Konchalovsky) ; 1989, La vouivre (Wilson) ; 1991, Meeting Venus (La tentation de Vénus) (Szabo), Una storia semplice (Una storia semplice) (Greco) ; 1992, Zuppa de pesce (Soupe de poisson) (Infascelli) ; 1993, Délit mineur (Girod) ; 1994, Le fils de Gascogne (Aubier) ; 1998, A Soldier's Daughter Never Cries (La fille d'un soldat ne pleure jamais) (Ivory) ; 2000, La sciamane (Riitta Ciccone).

Née au Maroc, fille du prince Gagarine, elle a choisi le métier d'actrice, après de solides études. Sa carrière a oscillé entre des œuvres de faible diffusion (Gilles) et des films pour grand public (Lelouch). Elle a créé sa propre société de production, Machafilm.

Merrill, Gary

Acteur américain, 1915-1990.

Principaux films : 1944, Winged Victory (Cukor) ; 1949, Slattery's Machine (La furie des tropiques) (De Toth) ; 1950, Where the Sidewalk Ends (Mark Dixon détective) (Preminger), All About Eve (Eve) (Mankiewicz) ; 1951, Decision Before Dawn (Le traître) (Litvak) ; 1952, Another Man's Poison (Jezebel) (Rapper), Phone Call from a Stranger (Appel d'un inconnu) (Negulesco) ; 1953, The Human Jungle (Dans les bas-fonds de Chicago) (Newman) ; 1959, The Savage Eye (L'œil sauvage) (Maddow), The Wonderful Country (L'aventurier du Rio Grande) (Parrish) ; 1960, The Great Impostor (Le roi des imposteurs) (Mulligan) ; 1961, The Pleasure of his Company (Mon séducteur de père) (Seaton), Mysterious Island (L'île mystérieuse) (Endfield) ; 1965, Cast a Giant Shadow (L'ombre d'un géant) (Shavelson), Around the World Under the Sea (Le tour du monde sous les mers) (Marton), Ride Beyond Vengeance (Marqué au fer rouge) (McEveety) ; 1967, The Power (La guerre des cerveaux) (Haskin), The Last Challenge (Le pistolero de la rivière rouge) (Thorpe) ; 2004, Rien, voilà l'ordre (Baratier).

Encore un méchant fameux des années 50.

Mesguich, Daniel

Acteur français né en 1952.

1977, Molière (Mnouchkine) ; 1978, Même les mômes ont du vague à l'âme (Daniel), Le dossier 51 (Deville), L'amour en fuite (Truffaut), La fille de Prague avec un sac très lourd (Jaeggi) ; 1980, La banquière (Girod) ; 1981, Allons z'enfants (Boisset), Quartet (Quartet) (Ivory) ; 1983, La belle captive (Robbe-Grillet), Les îles (Azimi), Les mots pour le dire (Pinheiro) ; 1984, Paris vu par... vingt ans après (sketch Dubois) ; 1985, Contes clandestins (Crèvecœur) ; 1986, L'araignée de satin (Baratier) ; 1989, Le radeau de la méduse (Azimi), L'Autrichienne (Granier-Deferre) ; 1990, La femme fardée (Pinheiro), Lacenaire (Girod) ; 1994, Jefferson in Paris (Jefferson à Paris) (Ivory) ; 1995, Tiré à part (Rapp) ; 2000, D'Artagnan (Hyams) ; 2003, Le tango des Rashevski (Gabarski).

Avant tout un metteur en scène de théâtre (*Le prince travesti*) et d'opéra (*Le grand macabre, L'amour des trois oranges*). Au cinéma, il a prêté son visage tourmenté à quelques œuvres ambitieuses.

Messemer, Hannes

Acteur allemand, 1924-1991.

1957, Rose Bernd (Staudte), Der glaserne Turm (Braun), Der Arzt von Stalingrad (Le médecin de Stalingrad) (Radvanyi), Nachts wenn der Teufel kam (Siodmak) ; 1958, Douze heures d'horloge (Radvanyi) ; 1959, Menschen im Netz (Pris au piège) (Wirth), Babette s'en va-t-en guerre (Christian-Jaque), Il generale della Rovere (Rossellini) ; 1960, Era notte a Roma (Les évadés de la nuit) (Rossellini), La grande vie (Duvivier) ; 1961, Der Transport (Dernier convoi) (Roland) ; 1963, The Great Escape (La grande évasion) (Sturges), Voir Venise... et crever (Versini) ; 1966, Der Kongress amusiert sich (Le congrès s'amuse) (Radvanyi), L'espion (Levy), Paris brûle-t-il ? (Clément) ; 1975, The Odessa File (Le dossier Odessa) (Neame).

Voué de film en film au rôle de l'officier allemand, généralement policé et humain, mais inflexible dans ses missions. Excellent chez Rossellini et Sturges.

Mestral, Armand

Acteur et chanteur français, 1917-2000.

1945, L'extravagante mission (Calef) ; 1950, Au fil des ondes (Gautherin) ; 1952, Soyez les bienvenus (Louis) ; 1953, La rafle est pour ce soir (Dekobra), Tabor (Peclet) ; 1954, Pas de coup dur pour Johnny (Roussel), Le tournant dangereux (Bibal), Napoléon (Guitry) ; 1955, Gervaise (Clément) ; 1957, Paris clandestin (Kapps), L'étrange monsieur Steve (Bailly), La fille de feu (Rode) ; 1958, Amour, autocar et boîtes de nuit (Kapps), Les amants de demain (Blistène), Énigme aux Folies-Bergère (Mitry) ; 1960, Capitaine Morgan (De Toth, Zeglio), Vive Henri IV, vive l'amour ! (Autant-Lara) ; 1961, L'ammutinamento (Les révoltés de l'Albatros) (Amadio), Le tracassin ou les plaisirs de la ville (Joffé) ; 1962, Mandrin, bandit gentilhomme (Le Chanois) ; 1963, Chair de poule (Duvivier), La chaste Suzanne (Berthomieu), Begegnung in Salzbourg (La fureur d'aimer) (Friedmann) ; 1966, Le vicomte règle ses comptes (Cloche), Il grande colpo di Surcouf (Tonnerre sur l'océan Indien) (Bergonzelli), Lost Command (Les centurions) (Robson), That Riviera Touch (Owen), Surcouf, l'eroe dei sette mari (Surcouf, le tigre des sept mers) (Bergonzelli) ; 1968, La bande à Bonnot (Fourastié), Las Vegas 500 miliones (Les hommes de Las Vegas) (Isasi-Isasmendi) ; 1969, Mon oncle Benjamin (Molinaro) ; 1971, Un capitán de quince años (Franco) ; 1972, Deux hommes dans la ville (Giovanni) ; 1976, Deux imbéciles heureux (Freess) ; 1981, Le grand pardon (Arcady) ; 1982, Les misérables (Hossein) ; 1989, Suivez cet avion (Amblard) ; 1992, Le grand pardon 2 (Arcady), Les mamies (Lanoë).

Après des études aux Beaux-Arts, il devient choriste à la Gaîté-Lyrique tout en préparant le Conservatoire. Devenu une grande voix de l'opéra-comique (*Le barbier de Séville*) et du music-hall français tout en étant actif sur les planches, il entame au début des années 50 une carrière très honorable sur grand écran, notamment dans le cinéma de genre.

Meurisse, Paul

Acteur français, 1912-1979.

1940, Vingt-quatre heures de perm' (Cloche) ; 1941, Ne bougez plus (Caron), Montmartre sur Seine (Lacombe), Défense d'aimer (Pottier) ; 1942, Mariage d'amour (Decoin) ; 1943, La ferme aux loups (Pottier) ; 1945, L'insaisissable Frédéric (Pottier), Marie la misère (Baroncelli), Monsieur chasse (Rozier) ; 1946, Macadam (Blistène), Inspecteur Sergil (Daroy) ; 1947, Le dessous des cartes (Cayatte), Bethsabée (Moguy), La dame d'onze heures (Devaivre) ; 1948, Sergyl et le dictateur (Daroy), Colonel Durand (Chanas), Scandale (Le Hénaff) ; L'ange rouge (Daniel-Norman) ; 1949, Impasse des deux anges (Tourneur) ; Agnès de rien (Billon) ; Dernière heure (Canonge) ; Maria du bout du monde (Stelli) ; 1951, Ma femme est formidable (Hunebelle), Sergil chez les filles (Daroy), Sérénade au bourreau (Stelli) ; 1952, Je suis un mouchard (Chanas) ; 1953, La Castiglione (Combret) ; 1955, Les diaboliques (Clouzot) ; Fortune carrée (Borderie), L'affaire des poisons (Decoin) ; 1957, L'inspecteur aime la bagarre (Devaivre), Jusqu'au dernier (Billon), Échec au porteur (Grangier), Les violents (Calef), Le septième ciel (Bernard) ; 1958, Guinguette (Delannoy) ; 1959, Le déjeuner sur l'herbe (Renoir), La tête contre les murs (Franju), Marie-Octobre (Duvivier) ; 1960, La vérité (Clouzot), La Française et l'amour (Verneuil) ; 1961, Le Monocle noir (Lautner), Le jeu de la vérité (Hossein), Les nouveaux aristocrates (Rigaud) ; 1962, Carillons sans joie (Brabant), Du mouron pour les petits oiseaux (Carné), L'œil du Monocle (Lautner) ; 1963, Méfiez-vous, mesdames (Hunebelle), L'assassin connaît la musique (Chenal) ; 1964, Le Monocle rit jaune (Lautner), Moi et les hommes de quarante ans (Pinoteau). Le majordome (Delannoy) ; 1965, La grosse caisse (Joffé), Les tontons flingueurs (Lautner), Le congrès s'amuse (Radvanyi), Le deuxième souffle (Melville), Quand passent les faisans (Molinaro) ; 1969, L'armée des ombres (Melville) ; 1970, Le cri du cormoran... (Audiard) ; 1971, Doucement les basses ! (Deray) ; 1972, Les voraces (Gobbi) ; 1973, Piedone lo sbirro (Un flic hors la loi) (Steno) ; 1974, Les suspects (Wyn), L'éducation amoureuse de Valentin (L'hote) ; 1975, Le gitan (Giovanni).

Célèbre pour sa distinction, son humour à froid et sa séduction, ce Dunkerquois, fils d'un directeur de la Société générale, avait été clerc de notaire et boy dans les revues avant d'être lancé en 1939 par Édith Piaf avec *Le bel indifférent*. A partir de 1941, il a mené en même temps une carrière cinématographique et théâtrale (Anouilh, Guitry, etc.). Son style convenait parfaitement à l'univers de Lautner. Il fut notamment le Monocle noir dans une honorable suite de films d'espionnage. Mais c'est à Clouzot qu'il doit ses meilleurs rôles : il était terrifiant dans *Les diaboliques*. Si Paul Meurisse reste aujourd'hui dans la mémoire de tout cinéphile c'est pour son passage dans *Les tontons flingueurs* (film culte par excellence). Mais il faudrait aussi le redécouvrir dans *Du mouron pour les petits oiseaux*, un film de Carné injustement oublié.

Meyer, Jean

Acteur et réalisateur français, 1914-2003.

1941, Ne bougez plus (Caron) ; 1942, Huit hommes dans un château (Pottier) ; 1943, Je suis avec toi (Decoin), Adieu Léonard (Prévert) ; 1945, La route du bagne (Mathot) L'insaisissable Frédéric (Pottier) ; 1947, Capitaine Blomet (A. Feix) ; 1948, Entre onze heures et minuit (Decoin) ; 1950, Clara de Montargis (Decoin) ; 1951, Le plaisir (Ophuls) ; 1956, L'homme à l'imperméable (Duvivier) ; 1959, Le mariage de Figaro (Meyer) ; 1964, Le corniaud (Oury). *Comme réalisateur :* 1958, Le bourgeois gentilhomme ; 1959, Le mariage de Figaro.

L'un des plus prestigieux acteurs de la Comédie-Française. Sa contribution au cinéma s'est limitée à quelques rôles de composition et à la conservation sur pellicule de deux spectacles du Théâtre-Français.

Meylan, Gérard

Acteur français né en 1952.

1981, Dernier été (Guédiguian) ; 1984, Le matelot 512 (Allio), Rouge Midi (Guédiguian) ; 1985, Ki lo sa ? (Guédiguian) ; 1989, Dieu vomit les tièdes (Guédiguian) ; 1990, Transit (Allio) ; 1995, A la vie, à la mort (Guédiguian) ; 1996, Nénette et Boni (Denis) ; 1997, Marius et Jeannette (Guédiguian) ; 1998, A la place du cœur (Guédiguian) ; 2000, A l'attaque (Guédiguian), La ville est tranquille (Guédiguian) ; 2001, Lulu (Roger) ; 2002, Marie-Jo et ses deux amours (Guédiguian) ; 2003, Variété française (Videau) ; 2004, Mon père est ingénieur (Guédiguian) ; 2005, Alex (Alcala), Code 68 (Roger) ; 2006, Le voyage en Arménie (Guédiguian).

Une gueule et une présence forte. Ce Marseillais fait partie depuis 1981 de la troupe de Guédiguian avec Ariane Ascaride, Jacques Boudet et Jean-Pierre Darroussin. On ne le voit guère chez d'autres. Cela lui suffit et d'ailleurs, il n'a pas abandonné son métier d'infirmier, même après le succès de *Marius et Jeannette* : « C'est un bonheur quand je tourne, mais ce n'est pas un malheur quand je ne tourne pas. »

Mezzogiorno, Vittorio

Acteur italien, 1945-1994.

1974, Non ho tempo (Giannarelli) ; 1975, Milano violenta (Caiano) ; 1976, La Cecilia (Comolli), Basta che non sappia in giro (Loy, Magni...) ; 1977, La poliza è sconfitta (Paolella) ; 1978, La doppia vacanza dei signori X (Tatto) ; 1979, Il giocattolo (Un jouet dangereux) (Montaldo), Caffè espresso (Café express) (Loy) ; 1980, Car Crash (Margheriti), C'era una volta la legge (Moto massacre) (Massi), La vita interiore (Massi), Arrivano i bersaglieri (Magni), Desideria (Barcelloni) ; 1981, Tre fratelli (Trois frères) (Rosi), Noi non faremo harakiri (Longo), La caduta degli angeli ribelli (Tullio) ; 1982, L'homme blessé (Chéreau), La lune dans le caniveau (Beineix) ; 1983, Nostalghia (Nostalghia) (Tarkovsky), La casa del tapetto giallo (Lizzani), Les cavaliers de l'orage (Vergez) ; 1984, Car Crash (L'enfer en quatrième vitesse) (Margheriti), La garce (Pascal) ; 1985, Mussolini and I (Negrin) ; 1986, Jenatsch (Schmid), Fuegos (Arias) ; 1987, Contrainte par corps (Leroy) ; 1989, La révolution française (Enrico et Heffron), Le Mahabharata (Brook) ; 1990, La condanna (Autour du désir) (Bellochio), Schrei aus Stein (Cerro Torre — Le cri de la roche) (Herzog) ; 1991, Golem, l'esprit de l'exil (Gitaï) ; 1992, Hors saison (Schmid) ; 1993, Riflessi en un cielo oscuro (Maira).

Brillant étudiant à Naples, il abandonne le droit pour le théâtre et travaille avec De Filippo. Le cinéma le découvre et Chéreau l'impose dans un rôle délicat de *L'homme blessé*. Il est Marat dans *La Révolution française*.

Michael, Marion

Actrice allemande née en 1940.

1956, Liane, das Mädchen aus dem Urwald (Liane, la sauvageonne) (Borsody) ; 1957, Liane, die weisse Sklavin (Liane, l'esclave blanche) (Leitner), Der tolle Bomberg (Thiele) ; 1959, Bomben auf Monte Carlo (Ça peut toujours servir) (Jacoby).

Sorte de Brigitte Bardot teutonne qui révélait une ravissante académie dans la série des *Liane* dont l'érotisme — bien timide cependant — fit frémir toute l'Allemagne en 1956. Elle paraît bien oubliée depuis. Elle aurait tourné deux films après 1959 mais ils semblent n'avoir eu qu'une diffusion confidentielle.

Middleton, Charles

Acteur américain, 1879-1949.

1928, The Farmer's Daughter (Taurog) ; 1929, The Bellamy Trial (Bell), Welcome Danger (Quel phénomène !) (Bruckman) ; 1930, Way Out West (Niblo) ; 1931, An American Tragedy (Une tragédie américaine) (Sternberg), The Miracle Woman (La femme aux miracles) (Capra), Alexander Hamilton (Adolfi), Palmy Days (Sutherland) ; 1932, The Strange Love of Molly Louvain (L'étrange passion de Molly Louvain) (Curtiz), The Hatchet Man (Wellman), Pack Up Your Troubles (Les sans-soucis) (Marshall) ; 1933, Duck Soup (Soupe aux canards) (McCarey), White Woman (Stuart Walker), This Day and Age (DeMille) ; 1934, David Harum (Cruze), Mrs. Wiggs of the Cabbage Patch (Murphy), Murder at the Vanities (Rythmes d'amour) (Leisen) ; 1935, The Miracle Rider (Le cavalier Miracle) (Schaefer et Eason), Hopalong Cassidy (Bretherton) ; 1936, Show Boat (Whale), Flash Gordon (Stephani) ; 1938, Dick Tracy Returns, (Witney, English), Flash Gordon's Trip to Mars (Beebe), Kentucky (Butler) ; 1939, Daredevils of the Red Circle (Les trois diables rouges) (Witney et English), Jesse James (Le brigand bien-aimé) (King), The Oklahoma Kid (Terreur à l'Ouest) (Bacon), The Flying Deuces (Laurel et Hardy conscrits) (Sutherland), Captain Fury (Roach) ; 1940, Flash Gordon Conquers the Universe (Taylor et Beebe), The Grapes of Wrath (Les raisins de la colère) (Ford), Abe Lincoln in Illinois (Cromwell), Charlie Chan's Murder Cruise (E. Forde), Island of the Doomed Men (Barton) ; 1941, Western Union (Les pionniers de la Western Union) (Lang), Belle Starr (La reine des rebelles) (Cummings) ; 1942, Perils of Nyoka (Witney) ; 1943, Batman (Hillyer), Black Arrow (Landers) ; 1944, Who's Guilty (Bretherton) ; 1945, Our Vines Have Tender Grapes (Nos vignes ont encore de tendres grappes) (Rowland) ; 1947, Jack Armstrong (Fox), The Pretender (Lee Wilder) ; 1949, The Last Bandit (Kane).

S'il débute avec Harold Lloyd (*Welcome Danger*), c'est le « serial » qui sera son domaine de prédilection puisqu'il en tournera une bonne vingtaine. Il fut surtout le cruel Ming qu'affrontait Flash Gordon, Guy l'Éclair en France, dans toute une série de films à épisodes. Classé désormais parmi les « méchants », il fut voué à la mort violente dans d'innombrables bandes, thrillers, westerns... Mais mourut dans son lit en 1949.

Middleton, Robert

Acteur américain, 1911-1977.

1954, The Silver Chalice (Le calice d'argent) (Saville) ; 1955, The Big Combo (Association criminelle) (Lewis), Trial (Le procès) (Robson), The Desperate Hours (La maison des otages) (Wyler) ; 1956, The Court Jester (Le bouffon du roi) (Frank et Panama), Red Sundown (Crépuscule sanglant) (Arnold), The Proud Ones (Le shérif) (Webb), Friendly Persuasion (La loi du Seigneur) (Wyler), Love Me Tender (Le cavalier du crépuscule) (Webb) ; 1957, The Lonely Man (Jicop le proscrit) (Levin) ; 1958, The Tarnished Angels (La ronde de l'aube) (Sirk), Day of the Bad Man (La journée des violents) (Keller), The Law and Jake Wade (Le trésor du pendu) (Sturges), No Place to Land (Ganaway) ; 1959, Don't Give Up the Ship (Taurog), Career (Anthony) ; 1960, Hell Bent for Leather (Le diable dans la peau) (G. Sherman) ; 1961, Gold of the Seven Saints (Le trésor des sept collines) (G. Douglas), The Great Imposter (Le roi des imposteurs) (Mulligan) ; 1963, Cattle King (Les ranchers du Wyoming) (Garnett) ; 1964, For Those Who Think Young (Koch) ; 1966, Big Deal at Dodge City (Gros coup à Dodge City) (F. Cook) ; 1970, Company of Killers (Thorpe), Which Way to the Front ? (Lewis) ; 1973, The Harrad Experiment (Post), Anche gli angeli mangiano fagioli (Les anges mangent aussi des fayots) (Clucher) ; 1977, The Lincoln Conspiracy (Conway).

Gros, irascible, il a joué les méchants dans de nombreux et excellents films (n'oublions pas surtout le gangster de *The Desperate Hours* et le personnage fort intéressé par Dorothy Malone dans *The Tarnished Angels*). Il avait été auparavant le créateur du Cincinnati Civic Theatre et avait joué à Broadway (*Ondine...*).

Midler, Bette

Actrice et chanteuse américaine née en 1944.

1966, Hawai (Hawaï) (Roy Hill) ; 1968, The Detective (Le détective) (Douglas) ; 1969, Goodbye Columbus (Peerce) ; 1979, The Rose (The Rose) (Rydell) ; 1980, Divine Madness (Ritchie) ; 1982, Jinxed (La flambeuse de Las Vegas) (Siegel) ; 1985, Down and Out in Beverley Hills (Le clochard de Beverley Hills) (Mazursky) ; 1986, The Ruthless People (Y a-t-il quelqu'un pour tuer ma femme ?) (Abrahams, David Zucker et Jerry Zucker) ; 1987, Outrageous Fortune (Une chance pas croyable) (Hiller) ; 1988, Big Business (Abrahams) ; 1989, Beaches (Au fil de la vie) (Marshall) ; 1990, Stella (Erman), Scenes From a Mall (Scenes de ménage dans un centre commercial) (Mazursky) ; 1991, For the Boys (For the boys) (Rydell) ; 1993, Hocus Pocus (Hocus Pocus – Les trois sorcières) (Ortega) ; 1995, Get Shorty (Get Shorty) (Sonnenfeld) ; 1996, The First Wives Club (Le club des ex) (Wilson), That Old Feeling (C'est ça l'amour ?) (C. Reiner) ; 1998, Isn't She Great (Bergman) ; 1999, Fantasia 2000 (Fantasia 2000) (Butoy, Goldberg, Algar, Glebas, Brizzi), Get Bruce (Kuehn) ; 2000, What Women Want (Ce que veulent les femmes) (Meyers) ; 2001, Drowning Mona (Mais qui a tué Mona ?) (Gomez) ; 2004, The Stepford Wives (Et l'homme créa la femme) (Oz) ; 2005, Then She Found Me (Hunt) ; 2006, The Magic 7 (Holzberg).

Chanteuse réputée, elle fut remarquable dans *The Rose* où Rydell l'imposa aux producteurs. La suite – hélas – est du Barbra Streisand en pire.

Mifune, Toshiro
Acteur japonais, 1920-1997.

(Pour les films japonais, on a cité seulement les plus connus.) 1947, Yoidore tenshi (L'ange ivre) (Kurosawa) ; 1949, Shizukanaru ketto (Le duel silencieux) (Kurosawa), Nora inu (Chien enragé) (Kurosawa) ; 1950, Rashomon (Rashomon) (Kurosawa), Shubun (Scandale) (Kurosawa) ; 1951, Hakuchi (L'idiot) (Kurosawa), Pirates (Inagaki), Élegie (Yamamoto), Qui connaît le cœur d'une femme ? (Yamamoto), Au-delà de la haine et de l'amour, La vie d'un marchand de chevaux ; 1952, Saikaku ichidai onna (La vie d'Oharu, femme galante) (Mizoguchi) ; 1954, Miyamoto Musashi (La légende de Musashi) (Inagaki), Shichinin no samurai (Les sept samouraïs) (Kurosawa) ; 1955, Ichijoji no keto (Duel à Ichijoji) (Inagaki), Musashi kojiro (La voie de la lumière) (Inagaki) ; 1957, Donzoko (Les bas-fonds) (Kurosawa), Kumonosu jo (Le château de l'araignée) (Kurosawa) ; 1958, Kakushi toride no san akunin (La forteresse cachée) (Kurosawa) ; 1961, Yojimbo (Le garde du corps) (Kurosawa) ; 1962, Tsubaki Sanjuro (Sanjuro) (Kurosawa) ; 1963, Tengoku to jigoku (Entre le ciel et l'enfer) (Kurosawa) ; 1965, Akahige (Barberousse) (Kurosawa), Daitozoku (Le défi des géants) (Tanigachi) ; 1966, Grand Prix (Grand prix) (Frankenheimer) ; 1967, Rébellion (Kobayashi) ; 1968, Hell in the Pacific (Duel dans le Pacifique) (Boorman) ; 1971, Soleil rouge (T. Young), Tora ! Tora ! Tora ! (Tora ! Tora ! Tora !) (Fleischer, Masuda, Fukasaki) ; 1973, Winter Kills (Richert) ; 1975, Midway (La bataille de Midway) (Smight) ; 1979, 1941 (1941) (Spielberg) ; 1980, Inchon (T. Young), Shogun (Shogun) (London) ; 1982, The Challenge (A armes égales) (Frankenheimer) ; 1984, Le sang du dragon (Murakawa) ; 1989, Sen no rikyu (La mort d'un maître de thé) (Kumai) ; 1991, Shogun Mayeda (Hessler) ; 1992, Agaguk (Dorfmann) ; 1993, Picture Bride (Hatta) ; 1995, Fukai kawa (Kumai).

Né en Chine, il retourne au Japon pour y faire son service militaire. Il restera soldat jusqu'en 1945. Un an après, il tourne son premier film : *Shin Baka Jidai*. Il tourne ensuite beaucoup mais seuls sont connus en Occident ses films avec Kurosawa. Une suite de chefs-d'œuvre qui révèlent Kurosawa, Mifune et le cinéma japonais. Il devient désormais une vedette internationale. Boorman, Fleischer, Smight font appel à lui lorsqu'ils évoquent la guerre du Pacifique. Mais on le retrouve aussi en samouraï ou en adepte du karaté. On peut le considérer comme le plus grand acteur japonais.

Migenes-Johnson, Julia
Actrice et cantatrice américaine, d'origine grecque et portoricaine, née en 1948.

1984, Carmen (Carmen) (Rosi) ; 1985, L'unique (Diamant-Berger) ; 1988, Berlin Blues (Berlin blues) (R. Franco) ; 1989, Mack the Knife (L'opéra de quat' sous) (Golan) ; 1990, The Krays (Les frères Kray) (Medak).

Fabuleuse Carmen pleine de sensualité, cette célèbre cantatrice a été l'héroïne d'un film fantastique avant de revenir au chant dans une version bien médiocre de *L'opéra de quat'sous*.

Mikaël, Ludmila
Actrice française née en 1947.

1966, O salto (Chalonge) ; 1967, Des garçons et des filles (Périer) ; 1968, The Sergeant (Le sergent) (Flynn) ; 1969, Chasse royale (Leterrier) ; 1973, Un homme qui dort (voix off) (Queysanne) ; 1974, Vincent, François, Paul et les autres (Sautet) ; 1979, La guerre des polices (Davis) ; 1982, Le bourgeois gentilhomme (Coggio) ; 1988, Natalia (Cohn), Noce blanche (Brisseau) ; 1991, Dien Bien Phu (Schoendoerffer), Les eaux dormantes (Tréfouel), Vagabond (Le Monnier), Mauvais garçon (Bral), Aqui del rei (Vasconcelos), Vent d'est (Enrico) ; 1992, Archipel (Granier-Deferre), A cause d'elle (Hubert), Coup de jeune ! (X. Gélin) ; 1994, Le petit garçon (Granier-Deferre) ; 2000, L'art (délicat) de la séduction (Berry), 15 août (Alessandrin) ;

2002, Bord de mer (Lopes-Curval) ; 2003, Le cœur des hommes (Esposito), Le tango des Rashevski (Garbarski) ; 2004, Pourquoi (pas) le Brésil (Masson) ; 2005, Aux abois (Colin) ; 2007, Le cœur des hommes 2 (Esposito).

Une énigme : pourquoi le cinéma utilise-t-il si peu cette très belle actrice de la Comédie-Française qui atteignait au sublime sur scène dans *La villégiature* de Goldoni revu par Strehler à l'Odéon ? Lorsqu'elle quitte la Comédie-Française, en 1987, on peut espérer une grande carrière cinématographique. Violoniste dans *Dien Bien Phu*, elle est une terrifiante commissaire du peuple dans *Vent d'est*. Mais peu d'œuvres importantes à l'écran. On l'a retrouvée au théâtre, son domaine de prédilection, dans *Célimène et le cardinal*, une suite du *Misanthrope*, et dans *Gertrud*.

Miles, Sarah

Actrice anglaise née en 1941.

1961, Term of Trial (Le verdict) (Glenville) ; 1963, The Ceremony (La cérémonie/60 minutes de sursis) (L. Harvey), The Six Sided Triangle (Miles), The Servant (The Servant) (Losey) ; 1965, Those Magnificent Men in Their Flying Machines (Ces merveilleux fous volants dans leurs drôles de machines) (Annakin), I Was Happy Here (Le retour) (Davis) ; 1967, Blow-Up (Antonioni) ; 1970, Ryan's Daughter (La fille de Ryan) (Lean) ; 1972, Lady Caroline Lamb (Bolt), The Films of Robert Bolt (Hazan) ; 1973, The Hireling (La méprise) (Bridges), The Man Who Loved Cat Dancing (Le fantôme de Cat Dancing) (Sarafian) ; 1974, Bride to Be (Alba) ; 1975, Great Expectations (Hardy) ; 1976, The Sailor Who Fell from Grace With the Sea (Carlino) ; 1978, Big Sleep (Le grand sommeil) (Winner) ; 1981, Venom (Venin) (Haggard), Priest of Love (Miles) ; 1983, Steaming (Losey), Staying Alive (Staying Alive) (Stallone) ; 1984, Ordeal by Innocence (Davis) ; 1987, Hope and Glory (La guerre à sept ans) (Boorman), White Mischief (Sur la route de Nairobi) (Radford) ; 1991, The Silent Touch (Zanussi) ; 2000, Accidental Detective (Paoli).

Sœur du réalisateur Christopher Miles, elle se révéla dans *The Servant* où elle était admirable de fausse candeur détruisant peu à peu son patron à force de sensualité voilée. Elle fut excellente dans *La fille de Ryan* où elle retrouvait un rôle en vedette. Par la suite, elle a trop négligé sa carrière qui s'annonçait pourtant, après *The Servant*, extraordinaire.

Miles, Vera

Actrice américaine, de son vrai nom Ralston, née en 1930.

1953, The Charge at Feather River (La charge de la rivière rouge) (Douglas) ; 1955, Wichita (Un jeu risqué) (J. Tourneur) ; 1956, The Searchers (La prisonnière du désert) (Ford), The Wrong Man (Faux coupable) (Hitchcock), 23 paces to Baker Street (A 23 pas du mystère) (Hathaway) ; 1959, The FBI Story (La police fédérale enquête) (LeRoy), Beyond this Place (Fils de forçat) (Cardiff), A Touch of Larceny (Un brin d'escroquerie) (Hamilton) ; 1960, Five Branded Women (Cinq femmes marquées) (Ritt), Psycho (Psychose) (Hitchcock) ; 1961, Back Street (Histoire d'un amour) (Miller), The Man Who Shot Liberty Valance (L'homme qui tua Liberty Valance) (Ford) ; 1964, A Tiger Walks (Les pas du tigre) (Tokar) ; 1965, The Hanged Man (Le prix d'un meurtre) (Siegel), Those Calloways (Calloway le trappeur) (Tokar) ; 1966, Follow Me Boys (Demain des hommes) (Tokar), One of Our Spies Is Missing (Un de nos espions a disparu) (Hallenbeck), Gentle Giant (Le grand ours et l'enfant) (Neilson) ; 1969, Hellfighters (Les feux de l'enfer) (McLaglen), Mission Matangas (Dans l'enfer de Corregidor) (Larsen) ; 1970, The Wild Country (Le pays sauvage) (Totten) ; 1972, One Little Indian (McEveety) ; 1976, Fire (Horizons en flammes) (Bellamy) ; 1977, Twilight's Last Gleaming (L'ultimatum des trois mercenaires) (Aldrich) ; 1978, Run for the Roses (Cœur de champion) (H. Levin) ; 1982, Psycho 2 (Psychose 2) (Franklin) ; 1984, Into the Night (Série noire pour une nuit blanche) (Landis).

Une filmographie abondante (on n'a donné que les œuvres importantes) mais une actrice qui manque un peu de présence et qu'on oublie trop facilement.

Milian, Tomas

Acteur américain, de son vrai nom Rodriguez, né en 1937.

1959, La notte brava (Les garçons) (Bolognini) ; 1960, Il bell'Antonio (Le bel Antonio) (Bolognini), I delfini (Les dauphins) (Maselli) ; 1961, L'imprevisto (L'imprévu) (Lattuada), Giorno per giorno disperatamente (Giannetti), Laura nuda (Ferrari), Un giorno da leoni (Les partisans attaquent à l'aube) (Loy) ; 1962, Boccacio 70 (sketch Visconti), Il disordine (Le désordre) (Brusati), Gli indifferenti (Les deux rivales) (Maselli), Rogopag (Godard, Gregoretti, Pasolini, Rossellini), Il giorne più corto (S. Corbucci), La banda Casaroli (Vancini), L'uomo (Puccini) ; 1963, Mare Matto (La mer à boire) (Castellari) ; 1964, Le soldatesse (Des filles pour l'armée) (Zurlini), L'attico (Puccini) ; 1965, Mademoiselle de Maupin (Bolognini), The Agony and the Ecstasy (L'extase et l'agonie) (Reed), I soldi (Puccini), Io uccido, tu ucidi (Un doigt sur la gâchette) (Puccini) ; 1966, The Bounty Killer (Martin), El precio de un hombre (Martin) ; 1967, Resa dei conti (Colorado) (Sollima), Se sei vivo spara (Questi), Faccia a faccia (Le dernier face-à-face) (Sollima) ; 1968, Banditi a Milano (Bandits à Milan) (Lizzani), Sentenza di morte (Lanfranchi), Cronica de un atraco (Balcazar), Corri, uomo, corri (Sollima), Ruba al prossimo tuo (Maselli), Tepepa (Trois pour un massacre) (Petroni) ; 1969, O cangaceiro (Fago), Saludos Hombre (Sollima), Vamas a matar, companeros (Corbucci), Dove vai tutta nuda ? (Festa Campanile), Beatrice Cenci (Beatrice Cenci) (Fulci), Uccisione di Django maledetto bianco l'uomo (Guerrieri) ; 1970, I cannibali (Les cannibales) (Cavani), L'amore conjugale (Maraini) ; 1971, La vittima designata (Lucidi), The Last Movie (The Last Movie) (Hopper), Los hijos del dia y de la noche (S. Corbucci) ; 1972, J. et S., cronaca criminale del Far West (Corbucci), La vita, a volte, è molto, dura, vero Provvidenza ? (Petroni), Non si sevizia un paperino (La longue nuit de l'exorcisme) (Fulci) ; 1973, I consigliori (De Martino), L'uomo dalla pelle dura (Prosperi), Ci risiamo, vero Provvidenza ? (De Martino) ; 1974, Milano odia (Lenzi), L'uomo della pelle dura (Prosperi), Squadra volante (Massi) ; 1975, Folle à tuer (Boisset), Il bianco, il giallo, il nero (Corbucci), I quattro dell' Apocalisse (Fulci), Ci risiano, vero Provvidenza ? (De Martino), Il giustiziere sfida la citta' (Lenzi), La polizia accusa, il servizio segreto uccide (Police parallèle) (Martino) ; 1976, Folies bourgeoises (Chabrol), Squadra antiscippo (Flics en jeans) (Corbucci) ; Il trucido e lo sbirro (Lenzi), Leberati, armati, pericolosi (Guerrieri), Squadra antifurto (B. Corbucci), 40 gradi all'ombra del lenzuolo (Martino), Roma a mano armata (Brigade spéciale) (Lenzi) ; 1977, Il cinico, l'infame, il violento (Lenzi), La banda del trucido (Massi), La banda del gobbo (Lenzi), Squadra antitruffa (B. Corbucci) ; 1978, Winter Kills (Richert), Il figlio dello sceicco (B. Corbucci), Squadra antimafia (B. Corbucci) ; 1979, La luna (Bertolucci), Roma a mano armata (Lenzi), La banda del trucido (L'exécuteur vous salue bien) (Masse), Squadra antigangsters (B. Corbucci), Assassino sul Tevere (B. Corbucci) ; 1980, Le coucou (Massaro), Messalina Messalina (Messaline, impératrice et putain) (Corbucci), Nijinski (Nijinski) (Ross), Delitto a Porta Romana (B. Corbucci), Uno contro l'altro, praticamente amici (B. Corbucci) ; 1981, Mano lesta (Festa Campanile), Delitto al ristorante cinese (B. Corbucci) ; 1982, Identification d'une femme (Antonioni), Thieves and Robbers (Escroc, macho, gigolo) (Corbucci), Monsignor (Perry), Delitto sull'autostrada (B. Corbucci), Cane e gatto (Deux super flics) (B. Corbucci) ; 1983, Delitto in Formula Uno (B. Corbucci), Il diavolo e l'acquasanta (B. Corbucci) ; 1984, Delitto al Blue Gay (B. Corbucci) ; 1985, Salomé (D'Anna), King David (Le roi David) (Beresford) ; 1987, Luci Lontane (Chiesa) ; 1989, Cat Chaser (Ferrara), Gioco al massacro (Damiani) ; 1990, Havana (Havana) (Pollack), Money (Money) (Stern), Revenge (Revenge) (T. Scott) ; 1991, JFK (JFK) (Stone) ; 1993, The Cowboy Way (Deux cowboys à New York) (Champion) ; 1997, Fools Rush In (Coup de foudre et conséquences) (Tennant), Amistad (Amistad) (Spielberg) ; 1999, The Yards (The Yards) (Gray) ; 2000, Traffic (Traffic) (Soderbergh).

Cet Américain de Cuba, après avoir été formé à l'Actor's Studio et joué quelques pièces à Broadway, vient interpréter un spectacle Cocteau à Spolete. Bolognini le remarque. C'est le point de départ d'une carrière cinématographique en Italie plutôt féconde, où se mêlent tous les genres. Il fut surtout le tueur fou de *The Bounty Killer*, début d'une étonnante galerie de névrosés et de sadiques qu'il multiplia dans les « westerns-spaghettis ».

Milland, Ray

Acteur et réalisateur d'origine galloise, de son vrai nom Reginald Truscott-Jones, 1905-1986.

1929, The Plaything (C. Knight), Piccadilly (Dupont), The Informer (Le mouchard) (Robison), The Flying Scotsman (Knight), The Lady From the Sea (Knight) ; 1930, Way for a Sailor (Wood), Passion Flower (Brennon) ; 1931, Just a Gigolo (Conway), Bought (Mayo), Bachelor Father (Leonard), Ambassador Bill (S. Taylor), Blonde Crazy (Del Ruth) ; 1932, The Man Who Played God (Adolfi), Polly of the Circus (Santell), Payment Deferred (Mendes) ; 1933, This Is the Life (Courville), Orders Is Orders (Forde) ; 1934, Many Happy Returns, Bolero (Ruggles), Menace (Murphy), Charlie Chan in London (E. Forde), We're Not Dressing ; 1935, The Gilded Lily (Ruggles), The Glass Key (La clef de verre) (Tuttle), Four Hours to Kill, Alias Mary Dow (Neumann), One Hour Late (Murphy) ; 1936, The Return of Sophie Lang (Archainbaud), The Big Broadcast of

1937 (Leisen), The Jungle Princess (Hula fille de la brousse) (Thiele), Three Smart Girls (Trois jeunes filles à la page) (Koster) ; 1937, Wings over Honolulu (Potter), Easy Living (Leisen), Ebbs Tide (Hogan), Wise Girl (Jason), Bulldog Drumond Escapes (Hogan) ; 1938, Men With Wings (Les hommes volants) (Wellman), Her Jungle Love (Toura, déesse de la jungle) (Archainbaud), Say It in French (Stone) ; 1939, Hotel imperial (Florey), Beau Geste (Wellman), Everything Happens at Night (Cummings) ; 1940, Irene (Wilcox), French Without Tears (Asquith), The Doctor Takes a Wife (Hall), Untamed (Archainbaud), Arise, My Love (Leisen) ; 1941, I Wanted Wings (Leisen), Skylark (Sandrich) ; 1942, The Lady Has Plans (Lanfield), Are Husbands Necessary ? (Taurog), Reap the Wild Wind (Les nauvrageurs des mers du Sud) (DeMille), The Major and the Minor (Uniformes et jupons courts) (Wilder), Star Spangled Rhythm (Au pays du rythme) (Marshall) ; 1943, Forever and a Day (Lloyd...), The Crystal Ball (Nugent) ; 1944, Ministry of Fear (Espions sur la Tamise) (Lang), Till We Meet Again (Ce n'est qu'un au revoir) (Borzage), The Uninvited (La falaise mystérieuse) (Allen), Lady in the Dark (Les nuits ensorcelées) (Leisen) ; 1945, The Lost Week-End (Le poison) (Wilder), Kitty (La duchesse des bas-fonds) (Leisen) ; 1946, The Well-Groomed Bride (Lanfield), California (Californie terre promise) (Farrow) ; 1947, The Golden Earings (Les anneaux d'or) (Leisen), The Imperfect Lady (Allen), Variety Girl (Marshall), The Trouble With Women (Lanfield) ; 1948, The Big Clock (La grande horloge) (Farrow), So Evil My Love (Une âme perdue), Sealed Verdict (Verdict secret) (Allen), Miss Tatlock's Millions (Haydn) ; 1949, Alias Nick Beal (Un pacte avec le diable) (Farrow), It Happens Every Spring (Bacon) ; 1950, A Woman of Distinction (Buzzell), A Life of Her Own (Ma vie à moi) (Cukor), Cooper Canyon (Terre damnée) (Farrow) ; 1951, Circle of Danger (L'enquête est close) (Tourneur), Night into Morning (Markle), Rhubarb (Lubin), Close to My Heart (Keighley) ; 1952, Bugles in the Afternoon (Les clairons sonnent la charge) (Rowland), The Thief (L'espion) (Rouse), Something to Live For (L'ivresse et l'amour) (Stevens) ; 1953, Jamaica Run (Courrier pour la Jamaïque) (L. Foster), Let's Do It Again (Hall) ; 1954, Dial M for Murder (Le crime était presque parfait) (Hitchcock) ; 1955, A Man Alone (L'homme traqué) (Milland), The Girl in the Red Velvet Swing (La fille sur la balançoire) (Fleischer) ; 1956, Lisbon (Lisbonne) (Milland) ; 1957, The River's Edge (Dwan), Three Brave Men (Dunne) ; 1957, The Safecraker (Le perceur de coffres) (Milland), High Flight (Gilling) ; 1962, Panic in Year Zero (Panique année zéro) (Milland), The Premature Burial (L'enterré vivant) (Corman) ; 1963, X, The Man with the X-Ray Eyes (L'horrible cas du docteur X) (Corman) ; 1967, Rose rosse per il Führer (Di Leo) ; 1968, Hostile Witness (Milland) ; 1970, Love Story (Hiller), Company of Killers (Thorpe) ; 1972, Frogs (Crapauds) (McCowan), The Thing with Two Heads (Frost) ; 1973, The House in the Nightmare Park (Sykes), Terror in the Wax Museum (Fenady) ; 1974, The Student Connection (Merchent), Gold (Hunt), Escape to Witch Mountain (La montagne ensorcelée) (Hough) ; 1975, The Swiss Conspiracy (Arnold) ; 1976, The Last Tycoon (Le dernier nabab) (Kazan), Aces High (Le tigre du ciel) (Gold) ; 1977, Slavers (Gaslar) ; 1978, Oliver's Story (Korty), Battlestar Galactica (Galactica, la bataille de l'espace) (Kolla), Spree (Soleil de feu) (Spiegel) ; 1979, Game for Vultures (Le putsch des mercenaires) (Fargo), La ragazza in pigiama giallo, The Attic (Edwards) ; 1982, Dead Men Don't Wear Plaid (Les cadavres ne portent pas de costard) (C. Reiner), The Billion Dollar Five (Les aventuriers de l'or noir) (Dragan) ; 1984, Serpiente de mar (de Ossorio). *Pour le metteur en scène*, voir le *Dictionnaire du cinéma*, t. I : *Les réalisateurs*.

Spécialiste des rôles de désabusés et de cyniques, cet élégant Gallois fit de modestes débuts dans les studios londoniens avant d'être attiré par Hollywood en 1931. Retour à la mère patrie en 1933 avec deux films pour la Gaumont British. En 1934, il est pris sous contrat par la Paramount dont il devient une vedette appréciée : films de jungle (avec Dorothy Lamour), westerns (sous l'excellente direction de Farrow), comédies (les films de Leisen, l'audacieux *The Major and the Minor* de Wilder), mais c'est dans le film noir que Milland se révèle le plus à son aise au point de gagner un oscar en 1945 avec *The Lost Week-End*. Il est remarquable dans *Ministry of Fear*, brillant dans *The Big Clock* et éblouissant en mari machiavélique de *Dial M for Murder*. Puis il s'égara dans de petits films d'horreur dont les metteurs en scène ne méritent pas, pour certaines œuvres, d'être cités ici. Dépit devant le succès trop modeste des films qu'il mit lui-même en scène ?

Miller, Ann

Actrice et danseuse américaine, de son vrai nom Lucille A. Collier, 1923-2004.

1936, The Devil on Horseback (Wilbur) ; 1937, New Faces of 1937 (Jason), Life of the

Party (Seiter), Stage Door (La Cava) ; 1938, Having Wonderful Time (Santell), Radio City Revels (Stoloff), Tarnished Angel (Goodwins), You Can't Take it (Vous ne l'emporterez pas avec vous) (Capra), Room Service (Panique à l'hôtel) (Seiter) ; 1940, Melody Ranch (Santley), Too Many Girls (Abbott), Hit Parade of 1941 (Auer) ; 1941, Go West, Young Lady (Strayer), Time Out for Rhythm (Salkow) ; 1942, Priorities on Parade (Rogell), True to the Army (Rogell) ; 1943, Reveille with Beverly (Barton), What's Buzzin'Cousin ? (Barton) ; 1944, Carolina Blues (Jason), Jam Session (Barton), Hey, Rookie (Barton) ; 1945, Eadie Was a Lady (Dreifuss), Eve Knew Her Apples (Jason) ; 1946, Thrill of Brazil (Simon) ; 1948, Easter Parade (Parade du printemps) (Walters), The Kissing Bandit (Le brigand amoureux) (Benedek) ; 1949, On the Town (Un jour à New York) (Kelly et Donen) ; 1950, Watch the Birdie (Donahue) ; 1951, Texas Carnival (Carnaval au Texas) (Walters), Two Tickets to Broadway (Kern) ; 1952, Lovely to Look at (LeRoy), Small Town Girl (Le joyeux prisonnier) (Kardos), Kiss Me Kate (Embrasse-moi, chérie) (Sidney) ; 1954, Deep in My Heart (Au fond de mon cœur) (Donen) ; 1955, Hit the Deck (La fille de l'amiral) (Rowland) ; 1956, The Opposite Sex (D. Miller), American Pastime (Hoffman) ; 1975, Won Ton Ton, the Dog Who Saved Hollywood (Winner) ; 1993, That's Entertainment III (That's Entertainment III) (Friedgen et Knievel).

Prodigieuse danseuse de claquettes, d'une fulgurante beauté, ce qui ne gâte rien. Rarement en vedette et laissant ce rôle à Cyd Charisse ou Esther Williams, elle a travaillé avec Donen, Sidney, Walters... Elle fut éblouissante, dansant au milieu d'instruments de musique, dans *Small Town Girl*.

Miller, Dick

Acteur américain né en 1928.

1955, Apache Woman (Corman) ; 1956, Oklahoma Woman (Corman), Gunslinger (Corman), It Conquered the World (Corman) ; 1957, Rock all Night (Corman), Sonority Girl (Corman), The Undead (Corman), Not of this Earth (Corman), Carnival Rock (Corman) ; 1958, War of the Satellites (Corman) ; 1959, A Bucket of Blood (Un baquet de sang) (Corman) ; 1960, The Little Shop of Horrors (La petite boutique des horreurs) (Corman), The Wasp Woman (Corman) ; 1961, Capture that Capsule (Zens) ; 1962, The Premature Burial (Corman) ; 1963, X — The Man of the X-Ray Man (Corman), The Terror (Corman) ; 1965, Hush, Hush, Sweet Charlotte (Chut, chut, chère Charlotte) (Aldrich), Girls on the Beach (Witney) ; 1967, The Dirty Dozen (Les douze salopards) (Aldrich), The Trip (Corman), A Time for Killing (Karlson), St. Valentine's Day Massacre (Corman) ; 1968, The Wild Racers (Haller) ; 1972, Night Call Nurses (Kaplan), Fly Me (Santiago) ; 1973, The Student Teachers (Kaplan), The Slams (Kaplan) ; 1974, Truck Turner (Kaplan), Candy Stripe Nurses (Holleb), Big Bad Mama (Carver) ; 1975, Mister Billion (On m'appelle dollar) (Kaplan), White Line Fever (Kaplan), Summer School Teachers (Peters), Darktown Strutters (Witney), Capone (Carver) ; 1976, Cannonball ! (Cannonball !) (Bartel), Hollywood Boulevard (Dante) ; 1977, Piranha (Piranhas) (Dante), New York, New York (New York New York) (Scorsese),Game Show Models (Gottlieb) ; 1978, Starhops (Peters), Corvette Summer (M. Robbins) ; 1979, Rock'n Roll High School (Le lycée des cancres), (Arkush), The Lady in Red (Teague) ; 1980, The Howling (Hurlements) (Dante), I Wanna Hold Your Hand (Crazy Day) (Zemeckis), Used Cars (La grosse magouille) (Zemeckis), The Happy Hooker Goes Hollywood (Roberts), Dr. Heckyl and Mr. Hype (Griffith) ; 1981, White Dog (Dressé pour tuer) (Fuller), National Lampoon Goes to the Movies (Giraldi, Jaglom), Heartbeeps (Arkush) ; 1983, The Twilight Zone (La quatrième dimension) (sketch Dante), Space Raiders (Cohen), Lies (Wheat), Heart Like a Wheel (Kaplan), Flip Out (Arkush), All the Right Moves (Chapman) ; 1984, Gremlins (Gremlins) (Dante), The Terminator (Terminator) (Cameron) ; 1985, After Hours (After Hours) (Scorsese), Explorers (Explorers) (Dante) ; 1986, Night of the Creeps (Dekker), Chopping Mall (Wynorski), Armed Response (Olen Ray) ; 1987, Amazon Women on the Moon (Cheeseburger Film Sandwich) (Landis), Innerspace (L'aventure intérieure) (Dante) ; 1988, Project X (Project X) (Kaplan), The Burbs' (Dante), Angel III : The Final Chapter (DeSimone) ; 1989, Gremlins II (Gremlins II) (Dante), Far From Home (Avis), The 'Burbs (Dante), Under the Boardwalk (Kiersch) ; 1990, Evil Toons (Olen Ray) ; 1991, Fatal Obsession (Obsession fatale) (Kaplan) ; 1992, Matinee (Panic sur Florida Beach) (Dante), Motorama (Shils), Body Waves (Pesce), Amityville 2 : It's About Time (Randel), Unlawful Entry (Obsession fatale) (Kaplan) ; 1993, Quake (Morneau) ; 1994, Demon Knight (Dickerson), Shake, Rattle and Rock ! (Arkush), National Lampoon's Attack of the 5'2" Women (Wenk), Mona Must Die (Reiker) ; 1995, Number One Fan (Simpson) ; 1997, The Second Civil War (The Second Civil War) (Dante) ; 1998, Small Soldiers (Small Soldiers) (Dante) ; 2001, Route 666 (Wesley).

Acteur fétiche de Corman, son visage halluciné et son allure inquiétante en ont fait l'un des symboles du film d'épouvante.

Miller, Penelope Ann

Actrice américaine née en 1964.

1987, Adventures in Babysitting (Nuit de folie) (Columbus) ; 1988, Miles from Home (Rien à perdre) (Sinise), Big Top Pee-Wee (Kleiser), Biloxi Blues (Biloxi Blues) (Nichols) ; 1989, Dead Bang (Dead Bang) (Frankenheimer), Downtown (Deux flics à Downtown) (Benjamin) ; 1990, The Freshman (Premiers pas dans la Mafia) (A. Bergman), Flashback (Amurri), Awakenings (L'éveil) (Marshall), Kindergarten Cop (Un flic à la maternelle) (Reitman) ; 1991, Other People's Money (Larry le liquidateur) (Jewison) ; 1992, Year of the Comet (Yates), Chaplin (Chaplin) (Attenborough), The Gun in Betty Lou's Handbag (Moyle) ; 1993, Carlito's Way (L'impasse) (De Palma) ; 1994, The Shadow (The Shadow) (Mulcahy) ; 1997, The Relic (Relic) (Hyams) ; 1998, Rhapsodie in Bloom (Saavedra), Little City (Benabib), The Break Up (Marcus), Outside Ozona (Cardone) ; 1999, Chapter Zero (Mendelsohn), Forever Lulu (Kaye), Full Disclosure (Bradshaw) ; 2000, Along Came a Spider (Le masque de l'araignée) (Tamahori), Famous (Dunne).

Elle joue les utilités blondes (la maîtresse ou l'épouse du héros) dans de nombreuses grosses productions sans, jusqu'à présent, retirer vraiment son épingle du jeu.

Mills, John

Acteur et réalisateur anglais, de son vrai prénom Lewis, 1908-2005.

1932, The Midshipmaid (Courville) ; 1933, Britannia of Billingsgate (S. Hill), The Ghost Camera (Vorhaus) ; 1934, River Wolves (Pearson), A Political Party (N. Lee), Those Were the Days (Bentley), The Lash (H. Edwards), Blind Justice (Vorhaus), Doctor's Orders (Lee) ; 1935, Royal Cavalcade (Bentley), Forever England (W. Forde), Charring Cross Road (Courville), Car of Dreams (Cutts) ; 1936, First Offence (Mason), Tudor Rose (Stevenson) ; 1937, You Are in the Navy Now, The Green Cockatoo (Menzies) ; 1939, Goodbye Mr. Chips (Au revoir M. Chips) (Wood) ; 1940, Old Bill and Son (Dalrymple) ; 1941, Cottage to Let (Asquith), The Black Sheep of White-Hall (Hay, Dearden), The Big Blockade (Frend) ; 1942, The Young Mr. Pitt (Reed), In Which We Serve (Ceux qui servent en mer) (Lean, Coward) ; 1943, We Dive at Dawn (Plongée à l'aube) (Asquith) ; 1944, This Happy Breed (Heureux mortels) (Lean), Waterloo Road (Gilliat) ; 1945, The Way to the Stars (Le chemin des étoiles) (Asquith) ; 1946, Great Expectations (Les grandes espérances) (Lean) ; 1947, So, Well Remembered (Dmytryk), The October Man (Roy Baker), Johnny O' Clock (L'heure du crime) (Rossen) ; 1948, Scott of the Antarctic (L'aventure sans retour) (Frend) ; 1949, The History of Mr. Polly (Pelissier) ; 1950, Morning Departure (La nuit commence à l'aube) (Roy Baker) ; 1951, Mr. Denning Drives North (L'assassin revient toujours) (Kimmins) ; 1952, The Gentle Gunman (Un si noble tueur) (Dearden) ; 1954, Hobson's Choice (Chaussure à son pied) (Lean) ; The Long Memory (Mamer), The Colditz Story (Les indomptables de Colditz) (Hamiton), Above Us the Waves (Opération Tirpitz) (R. Thomas) ; 1955, The End of the Affair (Vivre un grand amour) (Dmytryk), Escapade (Leacock) ; 1956, It's Great to Be Young (Le collège endiablé) (Frankel), Around the World in 80 Days (Le tour du monde en 80 jours) (Anderson), War and Peace (Guerre et Paix) (Vidor), Town on Trial (Traqué par Scotland Yard) (Guillermin) ; 1957, The Baby and the Battleship (Le bébé et le cuirassé) (Jay Lewis) ; 1958, Dunkirk (Dunkerque) (Leslie Norman) ; The Vicious Circle (Scotland Yard joue et gagne) (Gerald Thomas), Ice Cold in Alex (Lee-Thompson), I Was Monty's Double (Contre-espionnage à Gibraltar) (Guillermin) ; 1959, Tiger Bay (Les yeux du témoin) (Lee-Thompson), Summer of the Seventeenth (L. Norman) ; 1960, Tunes of Glory (Les fanfares de la gloire) (R. Neame), Swiss Family Robinson (Les Robinsons des mers du Sud) (Annakin) ; 1961, The Singer not the Song (Le cavalier noir) (Roy Baker), Flame in the Streets (Baker) ; 1962, The Valiant (Alerte sur le Vaillant) (Baker), Tiari Tahiti (La belle des îles) (Kotcheff) ; 1963, The Chalk Garden (Mystère sur la falaise) (Neame) ; 1964, The Truth About Spring (Thorpe) ; 1965, Operation Crossbow (Anderson), King Rat (Un caïd) (Forbes) ; 1966, The Wrong Box (Un mort en pleine forme) (Forbes), The Family Way (Chaque chose en son temps) (R. Boulting) ; 1967, Chuka (Chuka) (G. Douglas), Africa Texas Style (Cow-Boys dans la brousse) (Marton) ; 1968, Les amours de Lady Hamilton (Christian-Jaque) ; 1969, Oh ! What a Lovely War (Dieu que la guerre est jolie) (Attenborough), Return of the Boomerang (L'homme qui sortait du bagne) (Leacock), Run Wild, Run

Free (Sarafian), Snowdown (Le tueur frappe trois fois) (Mano) ; 1970, Ryan's Daughter (La fille de Ryan) (Lean) ; 1971, Dulcima (Nesbitt) ; 1972, Young Winston (Les griffes du lion) (Attenborough), Lady Caroline Lamb (Bolt) ; 1973, Oklahoma Crude (L'or noir de l'Oklahoma) (Kramer) ; 1975 (sortie en 1980), The Human Factor (La guerre des otages) (Dmytryk) ; 1976, Dirty Knights'-Work (Connor) ; 1978, The Big Sleep (Le grand sommeil) (Winner) ; 1979, Zulu Down (Ultime attaque) (Hickox), The 39 Steps (Les 39 marches) (Sharp) ; 1980, The Human Factor (La guerre des otages) (Dmytryk) ; 1982, Gandhi (Gandhi) (Attenborough) ; 1984, Sahara (McLaglen) ; 1987, Who's That Girl ? (Who's That Girl ?) (Foley) ; 1989, Back to the Future 3 (Retour vers le futur 3) (Zemeckis) ; 1994, Maverick (Maverick) (Donner). *Comme réalisateur :* 1965, Sky West and Crooked.

Nombreux métiers avant de débuter au cinéma vers 1932, sur la recommandation de Noël Coward. Ses premiers films ne présentent qu'un intérêt restreint. Solide, les traits marqués, le regard clair, il fera un héros de guerre fort convaincant pendant les années 40. Ses meilleurs rôles se situent plus tard : le prêtre de *The Singer not the Song* ou l'idiot de *Ryan's Daughter*, cette dernière œuvre lui ayant valu un oscar.

Milo, Jean-Roger

Acteur français né en 1957.

1978, La clé sur la porte (Boisset) ; 1979, Le divorcement (Barouh), Rosy temporale (Rosy la bourrasque) (Monicelli), La femme-flic (Boisset) ; 1980, La bande du Rex (Meunier), Le jardinier (Sentier) ; 1982, Tir groupé (Messiaen), Boulevard des assassins (Tioulong), Un dimanche de flics (Vianey), L'as des as (Oury) ; 1983, La lune dans le caniveau (Beineix), Le marginal (Deray), Canicule (Boisset) ; 1984, Les enragés (Glenn), Un dimanche à la campagne (Tavernier) ; 1985, Les clowns de Dieu (Schmidt), Les loups entre eux (Giovanni) ; 1986, Sarraounia (Hondo) ; 1987, Cayenne palace (Maline) ; 1988, Radio corbeau (Boisset) ; 1989, La vie et rien d'autre (Tavernier) ; 1992, L.627 (Tavernier) ; 1993, Germinal (Berri) ; 1996, Lucie Aubrac (Berri) ; 1997, Le pari (Bourdon, Campan) ; 1998, Prison à domicile (Jacrot), Astérix et Obélix contre César (Zidi) ; 1999, Mamirolle (Coscas), Sauve-moi (Vincent) ; 2001, Bent Keltoum (Charef).

Une gueule de tueur psychopathe et une carrière de second couteau comme... tueur psychopathe ! Décidément, les réalisateurs français n'ont pas beaucoup d'imagination et sont peut-être passés à côté d'un très bon acteur de composition.

Milo, Sandra

Actrice italienne, de son vrai nom Alessandra Marino, née en 1933.

1955, Lo scapolo (Le célibataire) (Pietrangeli) ; 1956, Elena et les hommes (Renoir), Mio figlio Nerone (Les week-ends de Néron) (Steno), Moglie e buoi (De Mitri), Les aventures d'Arsène Lupin (Becker) ; 1957, La donna che viene dal mare (De Robertis) ; 1958, Le miroir à deux faces (Cayatte), Erode il grande (Le roi cruel) (Genoino) ; 1959, Totò nella luna (Steno), Vite perdute (Un seul survivre) (A. Bianchi), Un témoin dans la ville (Molinaro), Il generale Della Rovere (Le général Della Rovere) (Rossellini), La jument verte (Autant-Lara), Le chemin des écoliers (Boisrond) ; 1960, Classe tous risques (Sautet), Fantasmi a Roma (Les joyeux fantômes) (Pietrangeli), Adua e le compagne (Adua et ses compagnes) (Pietrangeli) ; 1961, Vanina Vanini (Rossellini) ; 1962, Otto e mezzo (Huit et demi) (Fellini), Il giorno più corto (S. Corbucci) ; 1963, Méfiez-vous, mesdames (Hunebelle), Frenesia dell'estate (Zampa), La visita (La visite) (Pietrangeli) ; 1964, Le voci bianche (Le sexe des anges) (Festa Campanile), La donna é una cosa meravigliosa (Bolognini), Le belle famiglie (Ah ! les belles familles) (Gregoretti), Amori pericolosi (Giannetti), Relaxe-toi, chérie (Boyer), Un monsieur de compagnie (Broca) ; 1965, Giulietta degli spiritti (Juliette des esprits) (Fellini), L'ombrellone (Risi) ; 1966, Come imparai ad amara le donne (Comment j'ai appris à aimer les femmes) (Salce) ; 1967, La notte pazza del conigliaccio (Angeli) ; 1968, Per amore... per magia (Tessari), The Bang Bang Kid (S. Praeger) ; 1969, T'ammazzo, raccomandanti a Dio (Pour un dollar je tire) (Civirani) ; 1979, Riavanti March (Salce), Tesoromio (Paradis) ; 1982, Grog (Laudadio) ; 1983, Cenerentola 80 (Malenott) ; 1995, Camerieri (Pompucci).

Issue d'un milieu modeste, elle débute comme mannequin-photo et modèle pour un sculpteur. A vingt ans, elle obtient un rôle intéressant dans *Le célibataire*, où elle donne la réplique à Alberto Sordi. Elle devient ainsi l'une des starlettes les plus demandées en Italie et en France. Elle serait complètement oubliée aujourd'hui si elle n'avait eu la chance d'être dirigée par de grands réalisateurs comme Rossellini ou Fellini. Ses meilleurs rôles restent à ce jour ceux de *Vanina Vanini* et *Huit et demi*. Après dix ans d'absence, elle fait sa rentrée au cinéma dans des rôles de moyenne importance, puis se retire quasi définitivement en 1984.

Milton, Georges

Acteur et chanteur français, de son vrai nom Michaud, 1888-1970.

1930, Le roi des resquilleurs (Colombier) ; 1931, La bande à Bouboule (Mathot), Le roi du cirage (Colombier) ; 1932, Embrassez-moi (Mathot) ; 1933, Nu comme un ver (Mathot), Bouboule Ier roi nègre (Mathot) ; 1934, Le comte Obligado (Mathot), Le billet de mille (Didier), Famille nombreuse (Hugon) ; 1935, Gangster malgré lui (Hugon), Jérôme Perreau (Gance) ; 1937, Les deux combinards (Houssin) ; 1938, Prince Bouboule (Houssin) ; 1946, Ploum, ploum, tra la la (Hennion) ; 1947, Et dix de der (Hennion).

Chanteur populaire né dans la banlieue parisienne et symbolisant le titi débrouillard et toujours de bonne humeur. Ses films ne suscitent aucune angoisse métaphysique et ne bouleversent pas les techniques cinématographiques. A noter toutefois que Gance l'engagea pour jouer le rôle d'un frondeur dans *Jérôme Perreau* qui reconstituait le soulèvement de Paris contre Mazarin.

Mimieux, Yvette

Actrice américaine née en 1939.

1960, The Time Machine (La machine à explorer le temps) (Pal), Platinum High School (Haas) ; 1961, Where the Boys Are (Levin), The Four Horsemen of the Apocalypse (Les quatre cavaliers de l'Apocalypse) (Minnelli), The Light in the Piazza (Lumière sur la piazza) (Green) ; 1962, The Wonderful World of the Brothers Grimm (Les amours enchantées) (Levin), Diamond Head (Le seigneur d'Hawaï) (Green) ; 1963, Toys in the Attic (Le tumulte) (G.R. Hill), Looking for Love (Weis) ; 1965, Joy in the Morning (Segal) ; 1966, Monkeys, Go Home (McLaglen), The Reward (La récompense) (Bourguignon) ; 1967, The Caper of the Golden Bulls (Gros coup à Pampelune) (Rouse), The Mercenaries (Le dernier train du Katanga) (Cardiff) ; 1968, Three in the Attic (Wilson) ; 1971, The Delta Factor (Opération traquenard) (Garnett) ; 1972, Skyjacked (Alerte à la bombe) (Guillermin) ; 1973, Neptune Factor (Odyssée sous la mer) (Petrie) ; 1976, Jackson County Jail (La prison du viol) (M. Miller), Journey into Fear (Le voyage de la peur) (D. Mann) ; 1980, The Black Hole (Le trou noir) (Nelson) ; 1981, Brain Wash (Le cercle du pouvoir) (B. Roth).

Pas une star, mais une vedette appréciée des cinéphiles qui se souviennent avec émotion de son apparition dans *La machine à explorer le temps*. Elle promena sa blondeur et son charme « milk and water » dans d'agréables films d'action avant de se consacrer à la télévision.

Mineo, Sal

Acteur américain, de son vrai prénom Salvatore, 1939-1976.

1955, Six Bridges to Cross (La police était au rendez-vous) (Pevney), Rebel Without a Cause (La fureur de vivre) (Ray) ; 1956, The Private War of Major Benson (La guerre privée du major Benson) (Hopper), Somebody Up There Likes Me (Marqué par la haine) (Wise), Rock Pretty Baby (Bartlett), Crime in the Streets (Face au crime) (Siegel), Giant (Géant) (Stevens) ; 1957, The Young Don't Cry (Werker), Dino (Carr) ; 1958, Tonka (Foster) ; 1959, The Gene Krupa Story (Weis), A Private's Affair (Les déchaînés) (Walsh) ; 1960, Exodus (Exodus) (Kazan) ; 1962, The Longest Day (Le jour le plus long) (Annakin, Marton, Wicki, Zanuck, Oswald), Escape from Zahrain (Les fuyards de Zahrain) (Neame) ; 1964, Cheyenne Autumn (Les Cheyennes) (Ford) ; 1965, Who Killed Teddy Bear ? (Cates), The Greatest Story Ever Told (La plus grande histoire jamais contée) (Stevens) ; 1969, 80 Steps to Jonah (Oswald), Krakatoa, East of Java (Krakatoa, à l'est de Java) (Kowalski) ; 1971, Escape from the Planet of the Apes (Les évadés de la planète des singes) (Taylor).

Une enfance agitée avant de trouver la rédemption par le théâtre à l'âge de quinze ans, puis le cinéma, où il tient son rôle le plus célèbre, Plato, jeune perturbé, fasciné par le personnage de James Dean et sacrifié dans *La fureur de vivre*. Éternel adolescent au cinéma, sa vie prend un tournant difficile pendant les années 60, en dépit d'un retour au théâtre marqué par un certain succès. Il meurt poignardé chez lui, après une vie tumultueuse aux relents de soufre.

Minnelli, Liza

Actrice et chanteuse américaine née en 1946.

1949, In the Good Old Summertime (Leonard) ; 1962, Journey Back to Oz (Sutherland) ; 1967, Charlie Bubbles (Finney) ; 1969, The Sterile Cuckoo (Pookie) (Pakula), Tell Me That You Love Me, Junie Moon (Dis-moi que tu m'aimes, Junie Moon) (Preminger) ;

1972, Cabaret (Fosse) ; 1974, séquence liaison du film de montage That's Entertainment (Il était une fois Hollywood) (Haley) ; 1975, Lucky Lady (Les aventuriers de Lucky Lady) (Donen) ; 1976, Silent Movie (La dernière folie de Mel Brooks) (Brooks), A Matter of Time (Nina) (Minnelli) ; 1977, New York-New York (New York-New York) (Scorsese) ; 1981, Arthur (Gordon) ; 1987, Rent-a-Cop (Assistance à femme en danger) (London) ; 1988, Arthur II : On the Rocks (Yorkin) ; 1990, Superstar (Superstar) (Workman) ; 1991, Stepping Out (Stepping Out) (Gilbert).

Fille de Judy Garland et de Vincente Minnelli : une hérédité redoutable. Liza fait ses vrais débuts au Palladium de Londres en 1964, aux côtés de sa mère. Entre deux tours de chant, elle tourne plusieurs films (elle avait débuté à trois ans dans un musical dont sa mère était la vedette !) A retenir, *Cabaret* où elle est remarquable et qui lui vaut un oscar.

Miou-Miou

Actrice française, de son vrai nom Sylvette Herry, née en 1950.

1971, La cavale (Mitrani) ; 1972, Themroc (Faraldo), Quelques messieurs trop tranquilles (Lautner), Les granges brûlées (Chapot), Elle court, elle court, la banlieue (Pirès) ; 1973, Rabbi Jacob (Oury), Les valseuses (Blier) ; 1974, Tendre Dracula (Grunstein), Pas de problème (Lautner), Lily, aime-moi (Dugowson) ; 1975, Un génie, deux associés, une cloche (Damiani), D'amour et d'eau fraîche (Blanc) ; 1976, Marcia trionfale (Bellochio), F comme Fairbanks (Dugowson), On aura tout vu (Lautner), Jonas qui aura vingt-cinq ans en l'an 2000 (Tanner) ; 1977, Al piacere di rivederla (Leto), Dites-lui que je l'aime (Miller) ; 1978, Les routes du Sud (Losey), ; 1979, Au revoir, à lundi (Dugowson), L'ingorgo, una storia impossibile (Le grand embouteillage) (Comencini), La dérobade (Duval), La femme-flic (Boisset) ; 1980, Josepha (Frank) ; 1981, Est-ce bien raisonnable ? (Lautner), La gueule du loup (Leviant) ; 1982, Guy de Maupassant (Drach) ; 1983, Coup de foudre (Kurys), Une femme peut en cacher une autre (Lautner) ; 1984, Le vol du sphinx (Ferrier), Canicule (Boisset) ; 1985, Blanche et Marie (Renard) ; 1986, Tenue de soirée (Blier) ; 1988, La lectrice (Deville), The Revolving Doors (Les portes tournantes) (Mankiewicz) ; 1989, Milou en mai (Malle) ; 1991, Netchaïev est de retour (Deray), La totale (Zidi), Le bal des casse-pieds (Robert) ; 1992, Patrick Dewaere (Esposito), Tango (Leconte) ; 1993, Germinal (Berri), Montparnasse-Pondichéry (Robert) ; 1994, Un Indien dans la ville (Palud) ; 1995, Le huitième jour (Van Dormael) ; 1996, Elles (Galvão Teles) ; 1997, Nettoyage à sec (Fontaine), Hors jeu (Dridi) ; 2000, Tout va bien, on s'en va (Mouriéras) ; 2004, Folle embellie (Cabrera), L'après-midi de M. Andesmas (Porte), Mariages ! (Guignabodet) ; 2005, L'un reste, l'autre part (Berri) ; 2006, Avril (Hustache-Mathieu), Le héros de la famille (Klifa), The Science of Sleep (La science des rêves) (Gondry), Riviera (Villacèque).

Elle vient du Café de la gare où elle travaillait avec Coluche, Bouteille et Dewaere dont elle fut la compagne. Elle conquiert la célébrité avec *Les valseuses* où sa décontraction fit merveille. Progressivement, elle a approfondi son jeu et se révèle excellente comédienne dans des œuvres comme *La dérobade*, qui lui vaut un césar en 1980, ou *Coup de foudre*. Mais son meilleur rôle est probablement celui de la petite amie délaissée et toujours fidèle de Depardieu dans *Dites-lui que je l'aime*. Depuis, des spots publicitaires puis *La lectrice* qui relance sa carrière. Mais ni Malle ni Deray ne lui donnent les rôles que mériterait son talent. Elle est émouvante dans *Germinal*.

Miranda, Carmen

Actrice d'origine brésilienne, 1909-1955.

1934, Alo, Alo Brasil ; 1936, Estudantes ; 1937, Alo Alo Carnaval ; 1938, Banana da terra (tournés par des réalisateurs brésiliens) ; 1940, Down Argentine Way (Sous le ciel d'Argentine) (Cummings) ; 1941, That Night in Rio (Une nuit à Rio) (Cummings), Week End in Havana (Lang) ; 1942, Springtime in the Rockies (Cummings) ; 1943, The Gang's All Here (Banana Split) (Berkeley) ; 1944, Four Jills in a Jeep (Seiter), Greenwich Village (W. Lang) ; 1945, Something for the Boys (Seiler), Doll Face (Seiler) ; 1946, If I'm Lucky (Seiler) ; 1947, Copacabana (Green) ; 1948, A Date With Judy (Ainsi sont les femmes) (Thorpe), Nancy Goes to Rio (Voyage à Rio) (Leonard) ; 1953, Scared Stiff (Fais-moi peur) (Marshall).

Née au Portugal, mais brésilienne, elle fut à Hollywood l'exotisme personnifié avec son accent épouvantable, ses coiffures faites de fruits (où la banane avait une signification précise), ses roulements de hanches et ses outrances très latines. Elle mourut subitement d'une péritonite.

Miranda, Isa

Actrice italienne, de son vrai nom Inès Sampiero, 1905-1982.

1933, Il caso Haller (Alessandro Blasetti), Creature della notte (Palermi) ; 1934, Il cardinale Lalbertini (Bassi), Tenebre (Brignone), La signora di tutti (Ophuls), Come le foglie (Camerini) ; 1935, Passaporto rosso (Le passeport rouge) (Brignone) ; 1936, Il diario di una donna amata Baschkirtseff (Kosterlitz), Du bist mein Glück (Martin), Una donna fra due mondi (Die Liebe des Maharadscha) (Alessandrini, Rabenalt) ; 1937, L'homme de nulle part (Chenal), Scipione l'africano (Scipion l'Africain) (Gallone), Le mensonge de Nina Petrovna (Tourjansky) ; 1938, Hôtel impérial (Florey), Adventure in Diamonds (La femme aux diamants) (Fitzmaurice) ; 1940, Senza cielo (La déesse blanche) (Guarini) ; 1941, E caduta una donna (Guarini) ; 1942, Documento Z 3 (Guarini) ; Malombra (Soldati), Zaza (Castellani) ; 1943, La carne et l'anima (Strichewsky) ; 1945, Lo sblaglio di essere vivo (Bragaglia) ; 1947, L'aventure commence demain (Pottier) ; 1948, Au-delà des grilles (Clément) ; 1949, Patto con diavolo (Pacte avec le Diable) (Chiarini) ; 1950, La ronde (Ophuls) ; 1951, Cameriera bella presenza offresi (Pastina), Les sept péchés capitaux (épisode « L'avarice et la colère ») (sketch De Filippo), Gli uomini non guardano al cielo (Scarpelli) ; 1953, Siamo donne (Nous les femmes) (Zampa), Avant le déluge (Cayatte), Le secret d'Hélène Marrimon (Calef) ; 1954, Summer Madness (Lean), Raspoutine (Combret) ; 1956, Il tesoro di Rommel (Marcellini), Gli sbandati (Maselli), I colpevoli (Responsabilité limitée) (Vasile), I pinguini (Leoni) ; 1957, Une manche et la belle (Verneuil), Arrivano i dollar (Costa) ; 1959, Le secret du chevalier d'Éon (Audry) ; 1963, La corruzione (Bolognini), Hardi Pardaillan (Borderie), La noia (l'ennui) (Damiani) ; 1964, The Yellow Rolls Royce (Asquith) ; 1965, Un monde nouveau (De Sica) ; 1967, La morte vestita di dollari (Nazarro), Die Gentlemen bitten zur kasse (L'affaire du train postal) (Olden), Caroline chérie (La Patellière) ; 1968, The Shoes of the Fisherman (Les souliers de saint Pierre) (Anderson) ; 1969, Colpo rovente (Maximum flic) (Zuffi), Il dio chiamato Dorian (Le dépravé Dorian Gray) (Dallmano), L'assoluto naturale (Bolognini) ; 1970, Un estate con sentimento (Scarsella), La donna a una dimensione (Baratti), Roy Colt and Winchester Jack (Bava) ; 1971, Dopo di che uccide il maschio e la divora (Martha) (Nieves Conde) ; 1972, Ecologia del delitto (Bava) ; 1973, Il portiere di notte (Portier de nuit) (Cavani) ; 1974, Le faro da padre (La bambina) (Lattuada).

Issue d'une famille pauvre de Milan, elle est couturière puis dactylo avant de chercher sa voie au théâtre. Le cinéma la découvre. Son apogée se situe au temps du fascisme avec *Scipion l'Africain* et surtout l'admirable *Malombra.* Elle se « survit » après 1945 dans des rôles de moins en moins importants.

Miranda, Soledad

Actrice espagnole, 1943-1970.

1960, La bella Mimi (Elorietta) ; 1961, Mariquita, reina de Tabarin (Franco), Ursus (La fureur d'Hercule) (Campogalliano) ; 1963, Fin de semana (Lagaza), Cuatro bodas y pico (Catalan), Eva 63 (Lagaza), The Castillian (Soto) ; 1964, Fuego (Coll), Las hijas de Helena (Ozores) ; 1965, Les évadés de Berlin (Tremper), Los gatos negros (Monter) ; 1966, Mi hombre (Gil), El sonido prehistorico (Nieves Conde), La familia y uno mas (Palacios), Sugar Colt (Sugar Colt) (Giraldi) ; 1967, Playa de formentor (Lorente), Cannon for Cordoba (Les canons de Cordoba) (Wendkos) ; 1968, 100 Rifles (Les cent fusils) (Gries), Cervantes (Les aventures extraordinaires de Cervantès) (V. Sherman) ; 1969, Estudio amueblado 2P (Forqué), Solteda y madre en la vida (Aguirre), El conde Dracula (Les nuits de Dracula) (Franco), Vampir-Cuadeduc (Portabella) ; 1970, Eugenie de Sade (Eugénie) (Franco), Las ojos de la noche (Les cauchemars naissent la nuit) (Franco), El diabolo venido d'Akasawa (Franco), Crimes dans l'extase (Franco), Sex Charade (Franco), Vampyros Lesbos (L'héritière de Dracula) (Franco).

Magnifique nymphe brune et sensuelle qui fut une lascive héroïne de série Z et l'égérie de Jess Franco pour une série de films érotiques tournés juste avant sa tragique disparition dans un accident de voiture. Elle apparaît au générique de ses films sous plusieurs noms : Soledad Miranda, Soledad, Susan (ou Susann) Korda.

Mirren, Helen

Actrice anglaise, de son vrai nom Ilynea Lydia Mironoff, née en 1945.

1967, Herostratus (Levy) ; 1968, A Midsummer Night's Dream (Hall) ; 1969, Age of Consent (Powell) ; 1972, Savage Messiah (Le messie sauvage) (Russell), Miss Julie (Glenister, Phillips) ; 1973, O Lucky Man (Le meilleur des mondes possibles) (Anderson) ; 1976, Hamlet (Coronada) ; 1980, Caligula (Caligula) (Brass), The Fiendish Plot of Dr

Fu Manchu (Le complot diabolique du docteur Fu Manchu) (Haggard), Hussy (Chapman), S.O.S. Titanic (S.O.S. Titanic) (Hale) ; 1981, Excalibur (Excalibur) (Boorman), Priest of Love (Miles), The Long Good Friday (Racket) (MacKenzie) ; 1984, 2010 (2010) (Hyams), Cal (Cal) (O'Connor) ; 1985, Coming Through (Barber Flemyng), The Gospel According to Vic (Gormley), White Nights (Soleil de nuit) (Hackford) ; 1986, The Mosquito Coast (Mosquito Coast) (Weir) ; 1988, Pascali's Island (L'île de Pascali) (Dearden) ; 1989, The Cook, the Thief, His Wife and Her Lover (Le cuisinier, le voleur, sa femme et son amant) (Greenaway), When the Whales Came (Rees) ; 1990, Dr Bethune (Docteur Norman Bethune) (Borsos) ; 1991, The Comfort of Strangers (Étrange séduction) (Schrader), Where Angels Fear to Trade (Sturridge) ; 1993, The Hawk (Hayman) ; 1994, Amled, Prinsen af Jylland (Le prince de Jutland (Axel) ; 1995, The Madness of King George (La folie du roi George) (Hytner) ; 1996, Some Mother's Son (George), Losing Chase (Bacon) ; 1997, Critical Care (Lumet) ; 1998, Sidoglio Smithee (Molina), Teaching Mrs. Tingle (Mrs. Tingle) (Williamson), The Passion of Ayn Rand (Menaul) ; 1999, Greenfingers (Jardinage à l'anglaise) (Hershman) ; 2000, The Pledge (Penn) ; 2001, No Such Thing (Hartley), Gosford Park (Gosford Park) (Altman) ; 2003, Calendar Girls (Calendar Girls) (Cole) ; 2004, The Clearing (L'enlèvement) (Brugge) ; 2005, The Hitchhiker's Guide to the Galaxy (H2 G2 : Le guide du voyageur galactique) (Jennings), Raising Helen (Fashion Maman) (Marshall) ; 2006, The Queen (The Queen) (Frears).

Elle débute au cinéma aux côtés de James Mason puis interprète des pièces classiques avant de rejoindre Peter Brook et de délaisser quelque peu le cinéma. Retrouvailles avec le grand écran à l'orée des années 80. Peu connue du très grand public du fait d'une filmographie souvent ardue, elle empoche en 1984 le Prix d'interprétation féminine à Cannes pour son rôle dans *Cal*, et fait le doublé dix ans plus tard avec son interprétation de la reine Charlotte dans *La folie du roi George*. Elle est une extraordinaire reine Élisabeth dans *The Queen* : la ressemblance y est hallucinante et lui vaut une nouvelle avalanche de prix.

Mistral, Jorge

Acteur espagnol, de son vrai nom Modesto Rosell, 1920-1972.

1948, Locura de amor (Orduña), La Duquesa de Benameji (Lucia) ; 1949, Currito de la Cruz (Urquiza) ; 1952, El derecho de nacer (Le droit de naître) (Urquiza) ; 1953, Abismos de pasión (Les hauts de Hurlevent) (Buñuel) ; 1954, La hermana San Sulpicia (La belle Andalouse) (Lucia), Expreso de Andalucia (Perojo) ; 1957, Boy on a Dolphin (Ombres sous la mer) (Negulesco), Carmen de Grenada (Carmen de Grenade) (DeMicheli) ; 1958, La venganza (La vengeance) (Bardem), Racconti d'estate (Femmes d'un été) (Franciolini), E arrivata la Parigina (La loi de l'homme) (Mastrocinque) ; 1959, El conde de Monte-Cristo (Le testament de Monte-Cristo) (Klimovsky) ; 1962, Schéhérazade (Gaspard-Huit) ; 1965, The Gunfighters of Casa Grande (Les hors-la-loi de Casa Grande) (Rowland) ; 1972, Juana Gallo (La grande révolte) (Zacarias).

Séducteur espagnol né dans la province de Valence et qui promena un physique tourmenté dans une suite de mélodrames espagnols et mexicains. Il fut retenu par Buñuel pour son adaptation des *Hauts de Hurlevent* et connut entre 1958 et 1965 une carrière internationale.

Mitchell, Cameron

Acteur américain, de son vrai nom Mizell, 1918-1994.

1945, What Next, Corporal Hargrove ? (Thorpe), They Were Expendable (Les sacrifiés) (Ford), The Hidden Eye (Whorf) ; 1946, The Mighty McGurk (Waters) ; 1947, High Barbaree (Conway), Cass Timberlane (Éternel tourment) (Sidney), Tenth Avenue Angel (Rowland) ; 1948, Homecoming (LeRoy), Adventures of a Gallant Bess (Landers), Leather Gloves (Quine), Command Decision (Tragique décision) (Wood) ; 1951, Japanese War Bride (Vidor), Death of a Salesman (Mort d'un commis voyageur) (Benedek), Man in the Saddle (Le cavalier de la mort) (De Toth), The Sell Out (G. Mayer), Flight to Mars (Selander), Smuggler's Gold (Selander) ; 1952, The Outcasts of Poker Flat (Les bannis de la sierra) (Newman), Pony Soldier (La dernière flèche) (Newman), Les misérables (La vie de Jean Valjean) (Milestone) ; 1953, Man on a Tightrope (Kazan), How to Marry a Millionnaire (Comment épouser un millionnaire) (Negulesco), Powder River (L. King), The Robe (La tunique) (Koster) ; 1954, Desiree (Desirée) (Koster), Gorilla at Large (Panique sur la ville) (Jones), Garden of Evil (Le jardin du diable) (Hathaway), Hell and High Water (Le démon des eaux troubles) (Fuller) ; 1955, Strange Lady in the Town (Une étrangère dans la ville) (LeRoy), House of Bamboo (La maison de bambou) (Fuller), Love Me or Leave Me (Les pièges de la passion) (Ch. Vidor), The Tall Men (Les implacables) (Walsh), The View from Pompey's Head (Dunne) ; 1956, Carousel (King), Tension at Table Rock (Tension à Rock City) (Warren), All Mine to Give (Raisner) ; 1957, Monkey on my Back (Quand la bête hurle) (De Toth), No Down Payment (Les sensuels) (Ritt), Escapade in Japan (Lubin) ; 1959, Pier 5 Havana (Cahn), Three Came to Kill (Cahn), Inside the Mafia (Cahn), Face of Fire (Band) ; 1960, The Unstoppable Man (Bishop), The last of the Vickings (Gentilomo) ; 1962, Gli invasori (La ruée des Vikings) (Bava), Il duca nero (César Borgia) (Mercanti), I Normanni (Vari), Giulio Cesare il conquistadore delle Gallie (Jules César) (Anton) ; 1964, Jim il primo (Le dernier pistolet) (Bergon), La môme aux dollars (Nazzaro), Minnesota Clay (S. Corbucci), Sei donne per l'assassino (Bava) ; 1965, Dulcinea (Dulcinée) (Escriva), Raffica di coltelli (Bava), The Treasure of Macuba (Lacy) ; 1966, Nightmare in Wax Museum (Townsend) La isla de la Muerte (Mel Welles) ; Hombre (Ritt), Ride the Whirlwind (L'ouragan de la vengeance) (Hellman) ; 1969, Le baron vampire (Mel Welles), Rebel Rousers (Cohen), The Taste of the Savage (Mariscal) ; 1971, Buck and the Preacher (Poitier) ; 1972, Slaughter (Massacre) (Starrett), The Big Game (Les espions meurent à l'aube) (Day) ; 1974, The Klansman (L'homme du clan) (Young), The Midnight Man (Le flic se rebiffe) (Lancaster et Kibbee) ; 1975, Tracce di veleno in una coppa di champagne (Hessler), 1977, Viva Knievel (Douglas), The Tool Box Murders (Donnelly), Haunts (Freed), Slavers (Goslar), Flood (Déluge sur la ville) (Bellamy) ; 1978, Texas Detour (Avedis), The Swarm (L'inévitable catastrophe) (Allen) ; 1979, The Supersonic Man (Piquet), The Silent Scream (Le silence qui tue) (Harris) ; 1980, Without Warning (Terreur extraterrestre) (G. Clark), Cataclysm (McGowan), The Demon (Rubens) ; 1982, My Favorite Year (Benjamin), Frankenstein Island (Warren), Prince Jack (Lovitt) ; 1984, Mission Kill (Winters), Kill Point (Harris), Go for Gold (Singh) ; 1985, Night Train to Terror (Cohen), The Tomb (F. Olen Ray), Terror on Tape (Worms) ; 1986, Band of the Hand (Le mal par le mal) (Glaser), Blood Link (De Martino), From a Whisper to a Scream (Burr), Low Blow (Harris), Ninja versus Nazi (Glenn).

Il ne fut jamais une vedette sauf dans des séries B, mais il fut davantage qu'un acteur de second plan (*Garden of Evil*). Il tenta sa chance en Italie mais y fut moins heureux que Clint Eastwood. A la télévision, il fut plus chanceux avec la série *The High Chapparal*. Il a fait une rentrée discrète sur le petit écran en 1978.

Mitchell, Eddy

Chanteur et acteur français, de son vrai nom Claude Moine, né en 1942.

1961, Les Parisiennes (Boisrond) ; 1962, Comment réussir en amour (Boisrond) 1979, Girls (Joeckin) ; 1980, Je vais craquer (Leterrier) ; 1981, Coup de torchon (Tavernier) ; 1983, Une femme peut en cacher une autre (Lautner) ; Ronde de nuit (Missiaen) ; 1984, A mort l'arbitre (Mocky), Frankenstein 90 (Jessua) ; 1986, La galette du roi (Ribes), I Love You (Ferreri), Autour de minuit (Tavernier) ; 1988, Un père et passe (Grall) ; 1990, Promotion canapé (Kaminka) ; 1991, Ville à vendre (Mocky), La totale (Zidi), Until the End of the World (Jusqu'au bout du monde) (Wenders) ; 1993, La cité de la peur (Berbérian) ; 1995, Le bonheur est dans le pré (Chatiliez) ; 1997, Cuisine américaine (Pitoun) ; 2003, Lovely Rita (Clavier) ; 2003, Les clefs de la bagnole (Baffie) ; 2006, Un printemps à Paris (Bral) ; 2007, Big City (Bensalah).

Venu de la chanson, il fait quelques incursions au cinéma avec un grand succès. Il a animé avec compétence l'excellente émission de télévision *La dernière séance*, et joue avec bonheur dans de bons films des personnages aux limites de la veulerie. Une révélation, notamment en flic cinéphile dans *Ronde de nuit*. Irrésistible en militant syndicaliste dans *Promotion canapé*, il crève l'écran en ami gastronome de Serrault dans *Le bonheur est dans le pré* et dans un bon film noir de Bral : *Un printemps à Paris*.

Mitchell, Thomas

Acteur américain, 1892-1962.

1923, Six Cylinder Love (Clifton) ; 1936, Craig's Wife (L'obsession de Mme Craig) (Arzner), Adventure in Manhattan (Ludwig), Theodora Goes Wild (Théodora devient folle) (Boleslavsky) ; 1937, Lost Horizon (Les horizons perdus) (Capra), Man of the People (Marin), When You're in Love (Riskin), I Promise to Pay (Lederman), The Hurricane (Hurricane) (Ford), Make Way for Tomorrow (Place aux jeunes) (McCarey) ; 1938, Love, Honor and Behave (Logan), Trade Winds (La femme aux cigarettes blondes) (Garnett) ; 1939, Mr. Smith Goes to Washington (M. Smith au Sénat) (Capra), The Hunchback of Notre Dame (Quasimodo) (Dieterle), Only Angels Have Wings (Seuls les anges ont des ailes) (Hawks), Gone With the Wind (Autant en emporte le vent) (Fleming), Stagecoach (La chevauchée fantastique) (Ford) ; 1940, Our Town (Notre village) (Wood), Swiss Family Robinson (Ludwig), The Long Voyage Home (Les hommes de la mer) (Ford) ; Angels over Broadway (Hecht), Three Cheers for the Irish (Bacon) ; 1941, Out of the Fog (Litvak) ; Flight from Destiny (V. Sherman) ; 1942, This Above All (Ames rebelles) (Litvak), Moontide (Péniche d'amour) (Mayo), The Black Swan (Le cygne noir) (King), Tales of Manhattan (Six destins) (Duvivier), Joan of Paris (Stevenson), Song of The Islands (Lang) ; 1943, Bataan (Bataan) (Garnett), The Outlaw (Le banni) (Hugues), The Immortal Sergeant (Aventure en Libye) (Stahl), Flesh and Fantasy (Obsessions) (Duvivier) ; 1944, Dark Waters (De Toth), The Sullivans (Bacon), Wilson (King), Buffalo Bill (Buffalo Bill) (Wellman), The Keys of the Kingdom (Les clés du royaume) (Stahl) ; 1945, Within These Walls (Humberstone), Adventure (Fleming), Captain Eddie (Bacon) ; 1946, The Dark Mirror (Double énigme) (Siodmak), Three Wise Fools (Buzzell), It's a Wonderful Life ! (La vie est belle) (Capra) ; 1947, High Barbaree (L'île enchantée) (Conway), The Romance of Rosy Ridge (Rowland), Swell Guy (Le gars épatant) (Tuttle) ; 1948, Silver River (La rivière d'argent) (Walsh) ; 1949, Alias Nick Beal (Un pacte avec le diable) (Farrow), The Big Wheel (Ludwig) ; 1951, Journey into Light (Heisler) ; 1952, High Noon (Le train sifflera trois fois) (Zinneman) ; 1953, Tumbleweed (Qui est le traître ?) (Juran) ; 1954, Secret of the Incas (Le secret des Incas) (Hopper), Destry (Le nettoyeur) (Marshall) ; 1956, While the City Sleeps (La cinquième victime) (Lang) ; 1958, Handle with Care (Friedkin) ; 1961, Pocketful of Miracles (Milliardaire pour un jour) (Capra), By Love Possessed (Par l'amour possédé) (Sturges).

Populaire second rôle d'Hollywood, il est resté célèbre pour sa composition du médecin ivrogne de *Stagecoach* qui lui valut un oscar. Type du « bon gros », il a promené sa silhouette massive et son regard franc et loyal dans nombre de westerns.

Mitchum, Robert

Acteur américain, 1917-1997.

1943, Hoppy Serves a Writ (Archainbaud), The Human Comedy (Et la vie continue) (Brown), The Leather Burners (Henabery), Border Patrol (Selander), Colt Comrades (Selander), Follow the Band (Yarbrough), Bar 20 (Selander), Beyond the Last Frontier (Bretherton), We've Never Been Licked, The Dancing Masters (Maîtres de ballet) (St. Clair), Doughboys in Ireland (Landers), Corvette K-225 (R. Rosson), Lone Star Trail (Taylor), False Colors (Archainbaud), Aerial Gunner (Pine), Cry Havoc (Thorpe), Riders of the Deadline (Selander), Gung Ho ! (Enright) ; 1944, Johnny Doesn't Live Here Any More (J. May), When Strangers Marry (Castle), The Girl Rush, Thirty Seconds over Tokyo (Trente secondes sur Tokyo) (LeRoy), Nevada (Killy) ; 1945, West of the Pecos (Killy), The Story of GI Joe (Les forçats de la gloire) (Wellman) ; 1946, Till the End of Time (Dmytryk), Undercurrent (Lame de fond) (Minnelli), The Locket (Le médaillon) (Brahm) ; 1947, Pursued (La vallée de la peur) (Walsh), Crossfire (Feux croisés) (Dmytryk), Desire Me (La femme de l'autre) (Cukor), Out of the Past (Pendez-moi haut et court) (Tourneur) ; 1948, Rachel and the Stranger (Foster), Blood on the Moon (Ciel rouge) (Wise) ; 1949, The Red Pony (Le poney rouge) (Milestone), Holiday Affair (Hartman), The Big Steal (Ça commence à Vera Cruz) (Siegel) ; 1950, Where Danger Lives (Farrow) ; 1951, My Forbidden Past (Stevenson), The Racket (Racket) (Cromwell), His Kind of Woman (Fini de rire) (Farrow) ; 1952, Macao (Macao, le paradis des mauvais garçons) (Sternberg), One Minute to Zero (Une minute avant l'heure H) (Garnett), The Lusty Men (Les indomptables) (Ray), Angel Face (Un si doux visage) (Preminger) ; 1953, White Witch Doctor (La sorcière blanche) (Hathaway), Second Chance (Passion sous les tropiques) (Maté) ; 1954, She Couldn't Say No (Bacon), River of No Return (Rivière sans retour) (Preminger), Track of the Cat (Wellman) ; 1955, Not as a Stranger (Pour que vivent les hommes) (Kramer), The Night of the Hunter (La nuit du chasseur) (Laughton), The Man With a Gun (L'homme au fusil) (Wilson) ; 1956, Foreign Intrigue (L'énigmatique M. D.) (Reynolds), Bandido (Bandido Caballero) (Fleischer) ; 1957, Heaven Knows Mr. Allison (Dieu seul le sait) (Huston), Fire Down Below (L'enfer des tropiques) (Parrish), The Enemy Below (Torpilles sous l'Atlantique) (Powell) ; 1958, Thunder Road (Ripley), The Hunters (Flammes sur l'Asie) (Powell) ; 1959, The Wonderful Country (L'aventurier du Rio Grande) (Parrish), The Angry Hills (Trahison à Athènes) (Aldrich) ; 1960, Home From the Hill (Celui par qui le scandale arrive) (Minnelli), The Night Fighters (Les combattants de la nuit) (Garnett), The Sundowners (Horizons sans frontières) (Zinneman), The Grass Is Greener (Ailleurs l'herbe est plus verte) (Donen) ; 1961, The Last Time I Saw Archie (Webb) ;

1962, Cape Fear (Les nerfs à vif) (Lee-Thompson), The Longest Day (Le jour le plus long) (Annakin), Two for the Seesaw (Deux sur la balançoire) (Wise) ; 1963, The List of Adrian Messenger (Le dernier de la liste) (Huston), Rampage (Massacre pour un fauve) (Karlson) ; 1964, Man in the Middle (L'affaire Winstone) (Hamilton), What a Way to Go (Madame Croque-Maris) (Lee-Thompson) ; 1965, Mr. Moses (Neame) ; 1967, El Dorado (El Dorado) (Hawks), The Way West (La route de l'Ouest) (McLaglen) ; 1968, Villa Rides (Pancho Villa) (Kulik), Anzio (Anzio) (Dmytryk), Five Card Stud (Cinq cartes à abattre) (Hathaway), Secret Ceremony (Cérémonie secrète) (Losey) ; 1969, Young Billy Young (La vengeance du shérif) (Kennedy), The Good Guys and the Bad Guys (Un homme fait la loi) (Kennedy) ; 1970, Ryan's Daughter (La fille de Ryan) (Lean) ; 1971, Going Home (H. Leonard) ; 1972, The Wrath of God (La colère de Dieu) (Nelson) ; 1973, The Friends of Eddie Coyle (Yates) ; 1975, The Yakuza (Yakuza) (Pollack), Farewell My Lovely (Adieu ma jolie) (Richards) ; 1976, Midway (La bataille de Midway) (Smight), The Last Tycoon (Le dernier nabab) (Kazan) ; 1977, The Amsterdam Kill (Du sang dans les tulipes) (Clouse) ; 1978, Matilda (Mann), The Big Sleep (Le grand sommeil) (Winner) ; 1979, Break Through (La percée d'Avranches) (McLaglen), Agency (Les espions dans la ville) (Kaczender) ; 1982, That Championship Season (Miller) ; 1984, Maria's Lovers (Maria's Lovers) (Konchalowski), The Ambassador (Lee-Thompson) ; 1985, Blood Hunt (A. Parks) ; 1988, Scrooged (Fantômes en fête) (Donner) ; 1989, Mr. North (Huston), Présumé dangereux (Lautner) ; 1990, Midnight Ride (Bralver) ; 1991, Les sept péchés capitaux (Le Moine), Cape Fear (Les nerfs à vif) (Scorsese) ; 1993, Woman of Desire (Ginty) ; 1994, The Sunset Boys (Risan) ; 1995, Dead Man (Dead man) (Jarmusch).

Une jeunesse orageuse, les petits métiers de la rue, le vagabondage, un séjour en pénitencier, un nez cassé à la boxe mais aussi des poèmes, des pièces pour enfants, un mariage heureux en 1940 et trois enfants dont deux (Jim et Chris) feront du cinéma : c'est une personnalité complexe qui se dessine derrière la silhouette massive de Robert Mitchum. Ses débuts à l'écran furent modestes : des westerns de série Z, signés Archainbaud ou Bretherton. C'est avec *Les forçats de la gloire* qu'il est cité pour les oscars et devient célèbre. Il va imposer de film en film un personnage d'aventurier paresseux ou fatigué, désabusé et cynique, du pistolero de *The Wonderful Country* au Philip Marlowe de *The Big Sleep*. Mais il peut devenir inquiétant : le prédicateur fou de *The Night of the Hunter* (son meilleur rôle) ou le dément de *Cape Fear*. Alcoolique, drogué, bagarreur dans les films comme dans la vie, Mitchum a manifesté une grande indifférence à l'égard de sa carrière : Coursodon et Tavernier le définissent comme le roi de « l'underplaying », des acteurs qui en font peu. Qu'importe, ajoutent-ils, il semble toujours coller au personnage qu'il doit incarner, tout paraît naturel chez lui. De là l'« aura » qui entoure toutes ses créations.

Mix, Tom

Acteur américain, 1880-1940.

Plus de deux cents films, généralement avant 1920, en une ou deux bobines dont : 1909, On the Little Big Horn ; 1910, Ranch Life in the Great South-West, The Millionaire Cow-boy ; 1911, Back to the Primitive ; 1913, Child of the Prairie ; 1914, Moving Picture Cow-boy, Cactus Jake ; 1915, Foreman of the Bar Z, On the Eagle Trail, Heart of the Sheriff, The Man from Texas, Sagebrush Tom, The Impersonation of Tom, Saved by Her Horse, The Range Girl and the Cow-boy, The Taking of Mustang Pete ; 1916, Along the Border, The Raiders, Mix Up in Movies ; 1917, Roman Cowboy, Hearts and Saddles (Cavalcade amoureuse), Six Cylinder Love (Tout arrive), Tom and Jerry Mix ; 1918, Western Blood (Les gentlemen du ranch) (Lynn Reynolds) ; 1919, The Wilderness Trail (Sur la piste sans fin), Mr. Logan U.S.A. (Toujours vainqueur), The Dare-Devil (Risque-tout) (Tom Mix), The Speed Maniac (Comme la foudre), Just Tony (Le centaure) ; 1921, The Rough Diamond (Sedgwick), A Ridin'Romeo (Marshall), Hands Off (Marshall) ; 1922, Just Tony (Reynolds), Tom Mix in Arabia (Reynolds), Chasing the Moon (Sedgwick), The Fighting Streak (Rosson), Sky High (Reynolds), Catch My Smoke (Beaudine) ; 1923, Softboiled (Blystone), The Lone Star Ranger (Hillyer) ; Three Jumps Ahead (Jack Ford), Stepping Fast (Franz), Mile-a-Minute Romeo (Hillyer) ; 1924, Ladies to Board (Blystone), Eyes of the Forest (Hillyer), The Last of the Duanes (Reynolds), The Trouble Shooter (Conway), The Heart Buster (Conway), North of Hudson Bay (Les pionniers de la baie d'Hudson) (Ford), Teeth (Blystone) ; 1926, No Man's Gold (Seiler), The Great K and a Train Robbery (Seiler), Tony Runs Wild (Buckingham), The Canyon of Light (Stoloff), Hardboiled (Blystone), The Yankee Senor (Flynn), My Own Pal (Blystone) ; 1927, The Last Trail (Flynn), Tumbling River (Seiler), The Circus Ace (Stoloff), Silver Valley (Stoloff), Outlaws of Red River (Seiler), The Bronco Twister (Dull) ; 1928, Hello Cheyenne (E. Forde), Painted Post (E. Forde), Arizona Wildcat (Neill), Daredevil's Reward (Forde), King Cow-boy (De Lacy), A Horseman of the Plains (Stoloff), Son of the Golden West (Forde) ; 1929, Outlawed (Forde), The Big Diamond Robbery (Forde), The Drifter (De Lacy) ; 1930, Under a Texas Moon (Un certain Tom Mix est crédité) (Curtiz) ; 1931, Six Cylinder Love (Remake), The Dude Ranch (Stoloff), The Galloping Ghost (Eason) ; 1932, My Pal the King (Neumann), Destry Rides Again (Stoloff), Riders of Death Valley (Rogell), Texas Bad Man (Laemmle), The Fourth Horseman (MacFadden) ; 1933, Terror Trail (Schaefer), Flaming Guns (Rosson), Hidden Gold (Rosson), Rustlers' Roundup (MacRae) ; 1935, The Miracle Rider (Le cavalier Miracle) (Schaefer et Eason).

Shérif et cavalier de rodéo, Tom Mix, venu au cinéma en 1909, a marqué avec son cheval blanc les débuts du western. Ses meilleurs films pour lesquels il toucha d'énormes cachets furent signés par Ford et Seiler. L'avènement du parlant lui fut fatal. Son dernier film était un « serial ». Il fut tué dans un accident.

Mocky, Jean-Pierre

Acteur et réalisateur français, de son vrai nom Mokiejewski, né en 1929.

1944, Vive la liberté (Musso) ; 1945, L'affaire du collier de la reine (L'Herbier) ; 1948, Les casse-pieds (Dréville), Le paradis des pilotes perdus (Lampin) ; 1949, Orphée (Cocteau), Nuit de noces (Jayet) ; 1950, Dieu a besoin des hommes (Delannoy) ; 1951, Éternel espoir (Joly), Deux sous de violettes (Anouilh) ; 1952, La neige était sale (Saslavsky), I vinti (Antonioni) ; 1953, Maternité clandestine (Gourguet), Le grand pavois (Pinoteau), Le comte de Monte-Cristo (Vernay) ; 1954, Graziella (Bianchi) ; 1955, Gli sbandati (Maselli) ; 1957, Le gorille vous salue bien (Borderie), Le rouge est mis (Grangier) ; 1958, La tête contre les murs (Franju) ; 1969, Solo (Mocky) ; 1971, L'albatros (Mocky) ; 1973, L'ombre d'une chance (Mocky) ; 1977, Un linceul n'a pas de poches (Mocky) ; 1979, Le piège à cons (Mocky) ; 1981, Litan (Mocky) ; 1983, Prénom Carmen (Godard), A mort l'arbitre (Mocky) ; 1986, La machine à découdre (Mocky) ; 1987, Agent trouble (Mocky) ; 1988, Divine enfant (Mocky) ; 1989, Il gèle en enfer (Mocky) ; 1991, Ville à vendre (Mocky) ; 1992, Le mari de Léon (Mocky) ; 1997, Robin des mers (Mocky) ; 1998, Vidange (Mocky) ; 1999, Tout est calme (Mocky), La candide Madame Duff (Mocky) ; 2000, Le glandeur (Mocky) ; 2001, La bête de miséricorde (Mocky), Les araignées de la nuit (Mocky). *Pour le metteur en scène*, voir le *Dictionnaire du cinéma*, t. I : *Les réalisateurs*.

D'origine polonaise, il fait des études de droit, suit les cours de Jouvet et devient en 1948 acteur. En 1958 il écrit son premier scénario ; *La tête contre les murs* et se partage entre le métier d'acteur (où il n'excelle guère) et celui de réalisateur (où il réussit mieux).

Modine, Matthew

Acteur américain né en 1959.

1983, Baby, It's You (Sayles), Private School (Black), Streamers (Streamers) (Altman) ; 1984, Hotel New Hampshire (Hotel New Hampshire) (Richardson), Mr. Soffel (Armstrong), Birdy (Birdy) (Parker) ; 1985, Vision Ouest (Becker) ; 1987, Full Metal Jacket (Full Metal Jacket) (Kubrick), Orphans (Enfants de l'impasse) (Pakula) ; 1988, Married to the Mob (Veuve mais pas trop) (Demme) ; 1990, Pacific Heights (Fenêtre sur Pacifique) (Schlesinger), Memphis Belle (Memphis Belle) (Caton Jones) ; 1991, Gross Anatomy (Eberhardt), La partita (Vanzina) ; 1992, Equinox (Rudolph) ; 1993, Short Cuts (Short Cuts) (Altman), And the Band Played On (Les soldats de l'espérance) (Spottiswoode), Wind (Wind) (Ballard) ; 1994, The Browning Version (Les leçons de la vie) (Figgis), Fluke (Carlei), Bye Bye, Love (Weissman) ; 1995, Cutthroat Island (L'île aux pirates) (Harlin) ; 1996, The Maker (Hunter), The Blackout (The Blackout) (Ferrara) ; 1997, The Real Blonde (Une vraie blonde) (DiCillo) ; 1998, If... Dog... Rabbit (Modine) ; 1999, Any Given Sunday (L'enfer du dimanche) (Stone) ; 2000, Bamboozled (The Very Black Show) (Lee), Very Mean Men (Vitale), Nobody's Baby (Seltzer) ; 2003, Hollywood North (O'Brian), Le divorce (Ivory) ; 2005, Mary (Mary) (Ferrara).

Jeune acteur voué aux rôles de victime, il gagne ses galons de vedette avec *Pacific Heights*.

Modo, Michel

Acteur français, de son vrai nom Goi, né en 1937.

1958, Le petit prof (Rim) ; 1961, La belle américaine (Dhéry), Tout l'or du monde (Clair) ; 1963, Bébert et l'omnibus (Robert) ; 1964, Le gendarme de Saint-Tropez (Girault), La corniaud (Oury), Les gorilles (Girault), La grosse pagaille (Steno) ; 1965, La tête du client (Poitrenaud), Plein feu sur Stanislas

(Dudrumet), Le gendarme à New York (Girault) ; 1966, La grande vadrouille (Oury), Le grand restaurant (Besnard), Un homme de trop (Costa-Gavras) ; 1968, Le gendarme se marie (Girault) ; 1970, Le cri du cormoran le soir au-dessus des jonques (Audiard), Le gendarme en balade (Girault) ; 1973, L'histoire très bonne et très joyeuse de colinot-trousse chemise (Companeez), La grande nouba (Caza) ; 1975, Opération lady Marlène (Lamoureux), On a retrouvé la 7e compagnie (Lamoureux) ; 1977, Le mille-pattes fait des claquettes (Girault) ; 1978, Les bidasses au pensionnat (Vocoret), Le gendarme et les extraterrestres (Girault) ; 1979, Nous maigrirons ensemble (Vocoret), L'avare (de Funès et Girault) ; 1980, Pétrole pétrole (Gion) ; 1981, Si ma gueule vous plaît (Caputo), Le jour se lève et les conneries commencent (Mulot), Les bidasses aux grandes manœuvres (Delpard) ; 1982, Les planqués du régiment (Caputo), Le gendarme et les gendarmettes (Girault), Le braconnier de Dieu (Darras) ; 1985, L'exécutrice (Caputo) ; 1989, La gloire de mon père (Robert), Le château de ma mère (Robert) ; 1991, Pétain (Marbœuf) ; 1997, Bimboland (Zeitoun), 2006, Poltergay (Lavaine).

Indissociable de son compère de cabaret Grosso – leur duo a perduré de la scène à l'écran (il y est le petit) –, il est tout aussi indissociable de Louis de Funès et de la série des *Gendarmes*. Mais, contrairement à son compère, Modo a plus cherché à « aller voir ailleurs », sans grande réussite.

Modot, Gaston

Acteur, scénariste et réalisateur français, 1887-1970.

1909-1911, série Zigoto-Calino (Durand) ; 1910, Cent dollars mort ou vif (Durand), Le collier vivant (Durand), Le sentier de la guerre (Durand), Cœur de tzigane (Durand), Sous la griffe (Durand), Fauves et bandits (Durand) ; 1914, Le comte de Monte-Cristo (Pouctal) ; 1917, Mater dolorosa (Gance), La zone de la mort (Gance) ; 1918, La sultane de l'amour (Le Somptier), Un ours (Burguet) ; 1919, Le chevalier de Gaby (Burguet) ; 1920, La fête espagnole (Dulac), Mathias Sandorf (Fescourt), Fièvre (Delluc) ; 1921, La terre du diable (Luitz-Morat), Le sang d'Allah (Perojo) ; 1922, Au-delà de la mort (Perojo), Les mystères de Paris (Burguet), Au seuil du harem (Luitz-Morat), La bouquetière des Innocents (Robert) ; 1923, Petit hôtel à louer (Colombier), La mendiante de Saint-Sulpice (Burguet), Nène (Baroncelli) ; 1924, Le miracle des loups (Bernard), A l'horizon du Sud (Gastyne), Le cousin Pons (Robert) ; 1925, Les élus de la mer (Roudes), Veillée d'armes (Baroncelli), Naples au baiser de feu (Nadejdine) ; 1926, La châtelaine du Liban (Gastyne), Carmen (Feyder) ; 1927, Sous le ciel d'Orient (Leroy-Grandville) ; 1928, La merveilleuse vie de Jeanne d'Arc (Gastyne), Shéhérazade (Volkoff), La ville des mille joies (Gallone) ; 1929, Monte-Cristo (Fescourt), Le navire des hommes perdus (Tourneur), Liberté enchaînée (Pavanelli), Le fantôme du bonheur (Schünzel), Le monocle vert (Meinert) ; 1930, Sous les toits de Paris (Clair), L'âge d'or (Buñuel) ; 1931, Fantômas (Fejos), L'opéra de quat'sous (Pabst), Autour d'une enquête (Siodmak), Sous le casque de cuir (Courville), L'ensorcèlement de Séville (Perojo) ; 1932, Coup de feu à l'aube (Poligny), La mille et deuxième nuit (Volkoff) ; 1933, Plein aux as (Houssin), Quatorze juillet (Clair), Colomba (Séverac), Quelqu'un a tué (Forrester) ; 1934, L'auberge du Petit Dragon (Limur), Le billet de mille (Didier) ; 1935, Les gaietés de la finance (Forrester), Le mystère Imberger (Séverac), Lucrèce Borgia (Gance), Crainquebille (Feyder), La bandéra (Duvivier), Le clown Bux (Natanson) ; 1936, Pépé le Moko (Duvivier), Les réprouvés (Séverac), Mademoiselle Docteur (Pabst) ; 1937, La Grande Illusion (Renoir), La vie est à nous (Renoir), Le temps des cerises (Le Chanois) ; 1938, La Marseillaise (Renoir), Le joueur d'échecs (Dréville) ; 1939, La règle du jeu (Renoir), La fin du jour (Duvivier) ; 1940, L'irrésistible rebelle (Dreyfus) ; 1941, Montmartre sur Seine (Lacombe), Patrouille blanche (Chamborant) ; 1942, Dernier atout (Becker) ; 1943, L'homme de Londres (Decoin) ; 1944, Les enfants du paradis (Carné), Le Bossu (Delannoy) ; 1946, Antoine et Antoinette (Becker) ; 1947, Le cavalier de Croix-Mort (Gasnier-Raymond), Le silence est d'or (Clair), Éternel conflit (Lampin) ; 1948, Le point du jour (Daquin), L'armoire volante (Rim), Le mystère de la chambre jaune (Aisner), L'école buissonnière (Le Chanois) ; 1949, La beauté du diable (Clair), Rendez-vous de juillet (Becker), Le parfum de la dame en noir (Daquin) ; 1951, Ce coquin d'Anatole (Couzinet) ; 1952, Casque d'or (Becker), La môme vert-de-gris (Borderie) ; 1954, French Cancan (Renoir) ; 1955, Cela s'appelle l'aurore (Buñuel) ; 1956, Elena et les hommes (Renoir), Les truands (Rim) ; 1958, Les amants (Malle) ; 1959, Le testament du docteur Cordelier (Renoir) ; 1961, Les menteurs (Greville) ; 1962, Le diable et les dix commandements (Duvivier), L'itinéraire marin (Rollin). *Pour le metteur en scène*, voir le *Dictionnaire du cinéma*, t. I : *Les réalisateurs*.

Né à Paris, il paraît s'orienter vers l'architecture mais préfère la vie de bohème sur la butte Montmartre. Il y rencontre Picasso et Modigliani. Mais il faut bien vivre. Il s'engage dans la troupe cinématographique des cascadeurs de Gaumont et entame une carrière exceptionnelle qui résume tout le cinéma français de Jean Durand à la Nouvelle Vague. Il a tourné avec Gance, Duvivier, Clair, Becker, Carné. Il doit à Renoir son plus beau rôle, celui de Schumacher dans *La règle du jeu*. Il a joué sous la direction de Buñuel (l'amant dans *L'âge d'or*) et sous celle de Couzinet ! Du « serial » aux *Enfants du Paradis*, on le retrouve dans tout ce qui a compté entre 1910 et 1960.

Molina, Alfred

Acteur anglais né en 1953.

1981, Raiders of the Lost Ark (Les aventuriers de l'arche perdue) (Spielberg) ; 1985, Water (Ouragan sur l'eau plate) (Clement), Letter to Brezhnev (Bernard), Ladyhawke (Ladyhawke, la femme de la nuit) (Donner) ; 1987, Prick Up Your Ears (Prick Up) (Frears) ; 1988, Manifesto (Pour une nuit d'amour) (Makavejev) ; 1989, The Accountant (Blair) ; 1991, Not Without My Daughter (Jamais sans ma fille) (Gilbert), Enchanted April (Avril enchanté) (Newell), American Friends (Powell) ; 1993, When Pigs Fly (Driver), The Trial (Jones) ; 1994, The Steal (Hay), Maverick (Maverick) (Donner), White Fang II : Myth of the White Wolf (Les nouvelles aventures de Croc Blanc : Le mythe du loup) (Olin) ; 1995, Nervous Energy (Stewart), Dead Man (Dead Man) (Jarmusch), Hideaway (Souvenirs de l'au-delà) (Leonard), The Perez Family (Nair), Species (La mutante) (Donaldson) ; 1996, A Further Gesture (Escape) (Dornhelm), Mojave Moon (Dowling), Before and After (Before and After) (Schroeder), Anna Karenina (Anna Karénine) (Rose) ; 1997, Scorpion Spring (B. Cox), Boogie Nights (Boogie Nights) (Anderson), The Man Who Knew Too Little (L'homme qui en savait trop... peu) (Amiel) ; 1998, The Treat (Gem), The Impostors (Les imposteurs) (Tucci), Celebrity (Celebrity) (Allen) ; 1999, Pete's Meteor (O'Byrne), Dudley Do-Right (Wilson), Magnolia (Magnolia) (Anderson) ; 2000, Texas Rangers (Miner), Chocolat (Le chocolat) (Hallström) ; 2001, Frida (Frida) (Taymor) ; 2003, My Life Without Me (Ma vie sans moi) (Coixet), Coffee and Cigarettes (Coffee and Cigarettes) (Jarmush) ; 2004, Plots with a View (L'amour six pieds sous terre) (Hurran), Spider-Man 2 (Spider-Man 2) (Raimi) ; 2006, Da Vinci Code (Da Vinci Code) (Howard) ; 2007, Stardust (Vaughn).

Découvert chez Frears dans *Prick Up Your Ears*, avec le rôle de Kenneth Halliwell, l'amant du romancier Joe Orton joué par Gary Oldman, Molina passe vite aux États-Unis où il enchaîne sans distinction les rôles d'Arabes, de Russes ou de Juifs, à l'instar de son personnage d'Iranien kidnappeur dans *Jamais sans ma fille*. Un second couteau très demandé, qui peut aussi jouer de son physique méditerranéen avec un certain humour, comme dans *Boogie Nights*, où il campe un effroyable dealer.

Molina, Angela

Actrice espagnole née en 1953.

1974, No matarás (Fernández Ardavin), No quiero perder la honra (Martin), Las protegidas (Lara Polop) ; 1975, La ciudad cremada (La ville brûlée) (Ribas), Las largas vacaciones de 36 (Les longues vacances de 36) (Camino) ; 1976, El hombre que supo amar (Picazo), Camada negra (Gutiérrez Aragón), ¡ Muera-Viva Don Juan ! (Aznar) ; 1977, Nunca es tarde (de Arminán), Cet obscur objet du désir (Buñuel), A un Dios desconocido (Chávarri), La portentosa historia del Padre Vicente (Mira) ; 1978, Los restos del naufragio (Ricardo Franco), El corazón del bosque (Gutiérrez Aragón), Ogro (Pontecorvo) ; 1979, Buone notizie (Petri), L'ingorgo, una storia impossibile (Le grand embouteillage) (Comencini), La Sabina (Borau) ; 1980, Kaltgestellt (Sinkel) ; 1982, Gli occhi, la bocca (Les yeux, la bouche) (Bellochio), Die rigorose Leben (Glowna), Demonios en el jardín (Démons dans le jardin) (Gutiérrez Aragón) ; 1983, Bearn o la sala de las muñecas (Bearn ou la chambre des poupées) (Chávarri) ; 1984, Fuego eterno (Rebolledo) ; 1985, Un complicato intrigo di donne, viccoli e delitti (Camorra) (Wertmuller), Il generale (Magni), Tengo algo que decirte (Timarche), Lola (Bigas-Luna), Bras de fer (Vergez), El río de oro (Chávarri) ; 1986, La mitad del cielo (La moitié du ciel) (Gutiérrez Aragón), Fuegos (Arias), La esposa es bellisima (Gabor), Streets of Gold (Roth), Laura (Herralde) ; 1987, Via Paradiso (Odorisio) ; 1988, Luces y sombras (Camino), La barbare (Darc), Barocco (Leduc), Esquilache (Le marquis d'Esquilache) (J. Molina), Las cosas del querer (Chavarri) ; 1989, Sandino (Littin), Angels (Angels) (Berger), Rio Negro (Rio Negro) (Lichy), Tambores de fuego (Ben Barka), Volevo i pantaloni (Ponzi) ; 1990, Fantaghiro (L. Bava), Las diabolicas (Koralovik), Martes de carnaval (Carvajal) ; 1991, L'homme qui a perdu son ombre (Tanner), Le voleur d'enfants (Chalonge), Una mujer bajo la lluvia (Vera) ; 1992, 1492-Christophe Colomb (Scott), Krapatchouk (Lipschutz) ; 1994, Con gli occhi chiusi (Les yeux fermés) (Archibugi), Las cosas del querer II (Chávarri) ; 1995, Oh, cielos (R. Franco), Edipo alcade (Triana) ; 1996, Gimlet (Acosta) ; 1997, Carne tremula (En chair et en os) (Almodóvar), El viento se llevo lo que (Le vent en emporte autant) (Agresti), Sin querer (Cappellari) ; 1999, El mar (El mar) (Villaronga), Annas Sommer (Meerapfel) ; 2000, L'origine du monde (J. Enrico), One of the Hollywood Ten (Francis) ; 2002, Carnages (Gleize).

Née à Madrid, d'un père danseur de flamenco, elle fut lancée par Buñuel et a imposé son extraordinaire sensualité — trop bridée par Gutiérrez Aragón — dans plusieurs films.

Moll, Giorgia

Actrice italienne née en 1938.

1955, Lo svitato (Lizzani) ; 1956, Non scherzare con le donne (Bennati), Mio figlio Nerone (Les week-ends de Néron) (Steno), Difendo il mio amore (Scandale à Milan) (Macchi), Club de femmes (Habib) ; 1957, Mariti in città (Comencini) ; 1958, Moglie pericolose (Comencini), The Quiet American (Un Américain bien tranquille) (Mankiewicz) ; 1959, Tunisi Top Secret (Paolinelli), Les trois etc. du colonel (Boissol), I Cosacchi (Les Cosaques) (Tourjansky), La cambiale (Mastrocinque), Agi Murad il diavolo bianco (La charge des Cosaques) (Freda, Savone), Costa azzura (Le miroir aux alouettes) (Sala) ; 1960, Il rossetto (Jeux précoces) (Damiani), Il ladro di Bagdad (Le voleur de Bagdad) (Lubin, Vailati), Marina (Martin), La regina delle Amazzoni (La reine des Amazones) (Sala) ; 1961, Solimano il conquistadore (Soliman le magnifique) (Tota), Il ratto delle Sabine (L'enlèvement des Sabines) (Pottier), Laura nuda (Ferrari), The Connection (Clarke), Caccia all'uomo (Chasse à la drogue) (Freda) ; 1963, Cover Girls (Bénazéraf), Le mépris (Godard), Island of Love (DaCosta) ; 1964, Dark Purpose (Meurtre par accident) (Marshall) ; 1966, Consigna : Tanger 68 (Un certain Monsieur Bingo) (Sollima), L'arcidiavolo (Belfagor le magnifique) (Scola), Incompreso (L'incompris) (Comencini), La blonde de Pékin (Gessner) ; 1967, Tom Dollar (Tom Dollar) (Ciorciolini, sous le pseudonyme de Frank Red), I barbieri di Sicilia (Deux idiots chez les Fritz) (Ciorciolini), Requiem per un agente segreto (Sollima), Capitaine Singrid (Leduc), I barbieri di Sicilia (Ciorciolini) ; 1968, Le voleur de crimes (N. Trintignant), Somersprossen (Förnbacher), Italian Secret Service (Les Russes ne boiront pas de Coca-Cola) (Comencini) ; 1970, Togetherness (Marks), Rekvijem (Damjanovic) ; 1984, Tutti dentro (Sordi).

A part le rôle de la script-girl du *Mépris*, rien à signaler dans la carrière très disparate de cette jolie brune.

Mondy, Pierre

Acteur et réalisateur français, de son vrai nom Cuq, né en 1925.

1949, Rendez-vous de juillet (Becker) ; 1950, Souvenirs perdus (Christian-Jaque), Sans laisser d'adresse (Le Chanois), Les anciens de Saint-Loup (Lampin) ; 1951, Victor (Heymann), Le costaud des Batignolles (Lacourt), Agence matrimoniale (Le Chanois), Un jour avec vous (Legrand) ; 1952, Le plus heureux des hommes (Ciampi) ; 1953, Le guérisseur (Ciampi), Capitaine pantoufle (Lefranc), Crainquebille (Habib) ; 1954, Tout chante autour de moi (Gout), Casse-cou Mademoiselle (Stengel), Les chiffonniers d'Emmaüs (Darène) ; 1955, L'affaire des poisons (Decoin), Cherchez la femme (André), Des gens sans importance (Verneuil) ; 1956, La roue (Haguet), Folies-Bergère (Decoin), Que les hommes sont bêtes (Richebé) ; 1957, Méfiez-vous fillettes (Y. Allégret), Tous peuvent me tuer (Decoin), Quand la femme s'en mêle (Y. Allégret), Le triporteur (Pinoteau), Ni vu ni connu (Robert), La vie à deux (Duhour), Toto Vittorio e la dottoressa (Dites 33) (Mastrocinque), Le temps des œufs durs (Carbonnaux), Les louves (Saslavsky) ; 1958, Le petit prof (Rim), Cigarettes, whisky et p'tites pépées (Regamey), Chéri, fais-moi peur (Pinoteau), Faibles femmes (Boisrond), Vous n'avez rien à déclarer ? (Duhour), En légitime défense (Berthomieu) ; 1959, Le chemin des écoliers (Boisrond), Les loups dans la bergerie (Bromberger), Austerlitz (Gance) ; 1960, La Française et l'amour (Delannoy), L'affaire d'une nuit (Verneuil), Dans la gueule du loup (Dudrumet), Boulevard (Duvivier) ; 1961, Le comte de Monte Cristo (Autant-Lara), Les petits matins (Audry), Le crime ne paie pas (Oury), La loi des hommes (Gérard) ; 1962, Il figlio del circo (L'enfant du cirque) (Griéco), Jusqu'au bout du monde (Villiers), Les mystères de Paris (Hunebelle), Les veinards (Girault, Broca, Pinoteau) ; 1963, Bébert et l'omnibus (Robert), A couteaux tirés (Gérard), Voir Venise et crever (Versini) ; 1964, Week-End à Zuydcoote (Verneuil), Requiem pour un caïd (Cloche), Les copains (Robert) ; 1965, Compartiment tueurs (Costa-Gavras) ; 1966, Monsieur le président-directeur général (Appelez-moi maître) (Girault), Le facteur s'en va-t-en guerre (Bernard-Aubert), The Night of the Generals (La nuit des généraux) (Litvak) ; 1968, Pierre et Paul (Allio) ; 1969, Appelez-moi Mathilde (Mondy) ; 1971, Papa les petits bateaux (Kaplan), Les malheurs d'Alfred (Richard) ; 1973, Mais où est donc passée la septième compagnie (Lamoureux), Prêtres interdits (La Patellière) ; 1974, Impossible pas français (Lamoureux), Vos gueules les mouettes (Dhéry), Vous ne l'emporterez pas au paradis (Dupont-Midy) ; 1975, Le téléphone rose (Molinaro), On a retrouvé la septième compagnie (Lamoureux) ; 1977, Dernière sortie avant Roissy (Paul), La septième compagnie au clair de lune (Lamoureux), Le beaujolais nouveau est arrivé (Voulfow) ; 1978, Vas-y maman (Buron) ; 1980, Retour en force (Poiré), Démons de midi (Paureilhe), Signé Furax (Simenon) ; 1981, Le cadeau (Lang) ; 1982, Le braconnier de Dieu (Darras) ; 1983, Le battant (Delon), Si elle dit oui, je ne dis pas non (Vital) ; 1984, Pinot simple flic (Jugnot) ; 1985, Tranches de vie (Leterrier) ; 1994, Le fils préféré (Garcia) ; 2003, Lovely Rita (Clavier). *Pour le metteur en scène*, voir le *Dictionnaire du cinéma*, t. I : *Les réalisateurs*.

Formé au cours Simon, il a travaillé avec Raymond Rouleau et mis en scène et joué de nombreuses pièces de théâtre (Bitos, Oscar, *Les rustres* de Goldoni...). Très fournie, sa filmographie ne comporte pas de titres impérissables (certains sont même franchement mauvais) malgré tout le talent qu'il déploie, imposant sa forte carrure et un esprit non dépourvu de finesse ; du moins fut-il un fort bon Napoléon dans l'*Austerlitz* de Gance. Il a mis en scène un film : *Appelez-moi Mathilde*, amusante transposition d'une comédie de Francis Veber et un remarquable téléfilm *Fantômes sur l'oreiller*. Toujours beaucoup de théâtre et de télévision.

Monod, Jacques
Acteur français, 1918-1985.

1946, Un flic (Canonge) ; 1950, Knock (Lefranc) ; 1957, Je reviendrai à Kandara (Vicas), Thérèse Étienne (La Patellière) ; 1958, Les grandes familles (La Patellière) ; 1959, La verte moisson (Villiers), Un témoin dans la ville (Molinaro) ; Rue des prairies (La Patellière), Les quatre cents coups (Truffaut) ; 1960, Le président (Verneuil), La mort de Belle (Molinaro) ; 1961, Amours célèbres (Boisrond), Le bateau d'Émile (La Patellière), Les ennemis (Molinaro), Les livreurs (Girault), Le petit garçon de l'ascenseur (Granier-Deferre), Les sept péchés capitaux (sketch Molinaro), Le septième juré (Lautner) ; 1962, Thérèse Desqueyroux (Franju), Les bonnes causes (Christian-Jaque), Pourquoi Paris ? (La Patellière), Et Satan conduit le bal (Dabat), Le glaive et la balance (Cayatte), Mort, où est ta victoire ? (Bromberger), Germinal (Y. Allégret), Le meurtrier (Autant-Lara), La loi des hommes (Gérard) ; 1963, Une ravissante idiote (Molinaro), La vie conjugale (Cayatte), Blague dans le coin (Labro), À couteaux tirés (Gérard), Le gros coup (Valère), Voir Venise et crever (Versini) ; 1964, La fabuleuse aventure de Marco Polo (La Patellière) ; Le ciel sur la tête (Ciampi), Requiem pour un caïd (Cloche), Coplan prend des risques (Labro) ; 1965, Mademoiselle (Richardson), Par un beau matin d'été (Deray) ; 1966, Roger la honte (Freda), Le chien fou (Matalon), La curée (Vadim), Le soleil noir (La Patellière) ; 1967, Dalle Ardenne all'inferno (La gloire des canailles) (De Martino), Caroline chérie (La Patellière) ; 1968, Sous le signe du Taureau (Grangier) ; 1970, Le distrait (Richard), Sapho (Farrel) ; 1972, Sans sommation (Gantillon) ; 1973, Lucky Luciano (Lucky Luciano) (Rosi), Deux hommes dans la ville (Giovanni) ; 1975, On a retrouvé la 7e compagnie (Lamoureux) ; 1976, Le locataire (Polanski) ; 1979, Le temps des vacances (Vital) ; 1980, Les malheurs d'Octavie (Urban), Cherchez l'erreur (Korber) ; 1981, Le bahut va craquer (Nerval), Le gueule du loup (Leviant).

Bon acteur de complément. Le visage et l'allure d'un notable, mais pas assez typé pour accéder au rang des « excentriques » légendaires.

Monroe, Marilyn
Actrice américaine, de son vrai nom Norma Jean Baker Mortenson, 1926-1962.

1947, The Shocking Miss Pilgrim (Seaton) ; 1948, Scudda Hay, Scudda Hoo (Herbert), Ladies of the Chorus (La reine du music-hall) (Karlson), Dangerous Years (Pierson) ; 1949, Love Happy (La pêche au trésor) (D. Miller), A Ticket to Tomahawk (Le petit train du Far West) (Sale) ; 1950, The Asphalt Jungle (Quand la ville dort) (Huston), All About Eve (Ève) (Mankiewicz), Right Cross (Sturges), The Fireball (Garnett) ; 1951, As Young as You Feel (Rendez-moi ma femme) (Jones), Let's Make It Legal (Chéri, divorçons) (Sale), Love Nest (Newman), We're Not Married (Cinq mariages à l'essai) (Goulding), Clash by Night (Le démon s'éveille la nuit) (Lang), Hometown Story (Pierson) ; 1952, Don't Bother to Knock (Troublez-moi ce soir) (Baker), O. Henry's Full House (Sketch Koster), Monkey Business (Chéri, je me sens rajeunir) (Hawks) ; 1953, Niagara (Niagara) (Hathaway), Gentlemen Prefer Blondes (Les hommes préfèrent les blondes) (Hawks) ; 1954, How to Mary a Millionnaire (Comment épouser un millionnaire) (Negulesco), River of no Return (Rivière sans retour) (Preminger), There's No Business Like Show Business (La joyeuse parade) (W. Lang) ; 1955, The Seven Year Itch (Sept ans de réflexion) (Wilder) ; 1956, Bus Stop (Arrêt d'autobus) (Logan) ; 1957, The Prince and the Show Girl (Le prince et la danseuse) (Olivier) ; 1959, Some Like It Hot (Certains l'aiment chaud) (Wilder) ; 1960, Let's Make Love (Le milliardaire) (Cukor) ; 1961, The Misfits (Les désaxés) (Huston) ; 1962, Something Got to Give (inachevé) (Cukor).

Une surabondante littérature sur son enfance malheureuse et ses amours orageuses (James Dougherty, Robert Slatzer, le sportif Joe di Maggio et l'intellectuel Arthur Miller), ses caprices de star et ses bons mots (« Est-ce que cela vous gênait de poser nue ? – Non, Pourquoi ? Le studio était bien chauffé » ; ou encore « Que mettez-vous pour dormir ? – Du Chanel 5 »), tout cela ne doit pas faire oublier que Marilyn Monroe fut avant tout une admirable comédienne. Et d'entrée de jeu : qu'il s'agisse de la petite fille de *Ève* ou de la fort sensuelle « nièce » qui perd Louis Calhern dans *Asphalt Jungle*. Qu'elle danse et chante, en commentant le bulletin de la météorologie dans *La joyeuse parade*, ou interprète un rôle dramatique (son regard traduisant une quête désespérée du bonheur) dans *Bus Stop*, elle est toujours sublime, comme si le mot avait été inventé pour elle. Pourquoi éprouvait-elle le besoin de suivre les cours de Lee Strasberg qui « déforma » tant de comédiens alors que Laurence Olivier la demandait comme partenaire pour *Le prince et la danseuse* ? C'est sans doute qu'elle se refusait à n'apparaître aux yeux de certains que comme un « sex-symbol ». En réalité, lorsque, à la suite de son différend avec la Fox, en 1962, elle se suicida (hypothèse la plus vraisemblable), c'est une partie d'Hollywood qui mourut avec elle. Le mythe de Marilyn était né. Il n'est pas encore épuisé.

Montalban, Ricardo

Acteur mexicain né en 1920.

1942, Cinco fueron escogidos, El verdugo de Sevilla, La razón de la culpa ; 1943, La fuga, Santa, Fantasia ranchera, La casa de la zorra ; 1944, Cadetes de la Naval, Nosotros ; 1945, Pepita Jiménez *(tournés au Mexique : les metteurs en scène sont difficiles à identifier)*, La hora de la verdad (Adieu toréro) (Bracho) ; 1947, Fiesta (Señorita toreador) (Thorpe) ; 1948, The Kissing Bandit (Le brigand amoureux) (Beedeck), On an Island With You (Dans une île avec vous) (Thorpe) ; 1949, Border Incident (Incident de frontière) (Mann), Battleground (Bastogne) (Wellman), Neptune's Daughter (La fille de Neptune) (Buzzell) ; 1950, Mystery Street (Le mystère de la plage perdue) (Sturges), Right Cross (Sturges), Two Weeks With Love (Rowland) ; 1951, Across the Wide Missouri (Au-delà du Missouri) (Wellman), Mark of the Renegade (Le signe des renégats) (Fregonese) ; 1952, My Man and I (Wellman) ; 1953, Sombrero (Sombrero) (N. Foster), Latin Lovers (LeRoy) ; 1954, The Saracen Blade (Castle), La cortigiana di Babilonia (Sémiramis esclave et reine) (Bragaglia) ; 1955, Sombra verde, A Life in the Balance (Horner) ; 1956, Untouched, The Son of the Sheik, Three for Jamie Dawn (Carr) ; 1957, Sayonara (Logan) ; 1960, Let No Man Write My Epitaph (Leacock) ; 1961, Gordon, il pirata nero (Costa) ; 1962, The Reluctant Saint (Miracle à Cupertino) (Dmytryk), Hemingway's Adventures of a Young Man (Aventures de jeunesse) (Ritt) ; 1963, Love Is a Ball (Swift) ; 1964, Cheyenne Autumn (Les Cheyennes) (Ford) ; 1966, The Money Trap (Piège au grisbi) (Kennedy), Madame X (D.L. Rich), The Singing Nun (Dominique) (Koster) ; 1967, They Only Kill Once (Les corrupteurs) (Hutton) ; 1969, Blue (Narizzano), Sweet Charity (Fosse), La spinale dorsale del diavolo (Fulgozi), Escape from the Planet of the Apes (Les évadés de la planète des singes) (Taylor) ; 1970, The Deserters (Les dynamiteros) (Kennedy) ; 1972, The Conquest of the Planet of the Apes (La conquête de la planète des singes) (Lee-Thompson), The Train Robbers (Les voleurs de trains) (Kennedy) ; 1975, Won Ton Ton, The Dog Who Saved Hollywood (Winner) ; 1982, Star Trek 2 : the Wrath of Khan (Star Trek 2, la colère de Khan) (Meyer) ; 1989, The Naked Gun (Y a-t-il un flic pour sauver la reine ?) (Zucker) ; 2003, Spy Kids 2 : The Island of Lost Dreams (Spy Kids 2 : Espions en herbe) (Rodriguez) ; 2004, Spy Kids 3D : Game Over (Mission 3D Spy Kids 3) (Rodriguez).

Séducteur mexicain embauché par la MGM pour servir de partenaire à Esther Williams pour *Fiesta*, *On an Island with You*... On le vit dans des westerns et des thrillers (dont certains sont signés par Mann ou Sturges). Du coup, il resta en Amérique, son talent, sur un mode mineur, étant incontestable. Quand ses tempes devinrent trop grises, il se reconvertit dans la télévision.

Montalembert, Thibault de

Acteur français né en 1962.

1986, Hôtel de France (Chéreau) ; 1987, L'amoureuse (Doillon) ; 1990, La vie des morts (Desplechin) ; 1991, La sentinelle (Desplechin), Indochine (Wargnier), Lola Zipper (Duran Cohen) ; 1992, Der Grüne Heinrich (Henri le vert) (Koerffer), La petite apocalypse (Costa-Gavras) ; 1994, Jefferson in Paris (Jefferson à Paris) (Ivory), Du fond du cœur (Doillon) ; 1996, Love, etc. (Vernoux), Comment je me suis disputé... (ma vie sexuelle) (Desplechin) ; 1998, Cuisine américaine (Pitoun), Premier de cordée (Niermans, Hiroz), Mes amis (Hazanavicius), Les infortunes de la beauté (Lvoff) ; 1999, Lovers (Barr), Vive nous ! (Casabianca), Le pont du trieur (De Meaux, Parreno), La chambre obscure (Questerbert) ; 2000, Stardom (Stardom) (Arcand), Le pornographe (Bonello) ; 2002, Dans ma peau (Van) ; 2003, Shimkent Hotel (de Meaux) ; 2006, Aurore (N. Tavernier), Indigènes (Bouchareb), Je vais bien, ne t'en fais pas (Lioret), Le pressentiment (Darroussin).

Physique de dandy précieux et raffiné, formé par Chéreau, il alterne entre le nec plus ultra du cinéma intellectuel (Desplechin) et la comédie sans prétention (*Mes amis*). Inétiquetable, il ne semble pas voué à connaître le véritable succès populaire.

Montand, Yves

Acteur et chanteur français d'origine italienne, de son vrai nom Ivo Livi, 1921-1991.

1945, Étoile sans lumière (Blistène) ; 1946, Les portes de la nuit (Carné) ; 1947, L'idole (Esway) ; 1950, Paris est toujours Paris (Emmer), Souvenirs perdus (Christian-Jaque) ; 1951, Paris chante toujours (Montazel) ; 1952, Le salaire de la peur (Clouzot) ; 1954, Tempi nostri (Quelques pas dans la vie) (Blasetti), Napoléon (Guitry) ; 1955, Les héros sont fatigués (Ciampi), Marguerite de la nuit (Autant-Lara) ; 1957, Uomini e lupi (Hommes et loups) (De Santis), Les sorcières de Salem (Rouleau), La grande strada azzurra (Un dénommé Squarcio) (Pontecorvo) ; 1958, Le père et l'enfant ou le Premier Mai (Saslavsky), La loi (Dassin) ; 1960, Let's Make Love (Le milliardaire) (Cukor), Sanctuary (Sanctuaire) (Richardson) ; 1961, Aimez-vous Brahms (Litvak), My Geisha (Ma Geisha) (Cardiff) ; 1962, Le joli mai (Marker) ; 1964, Compartiment tueurs (Costa-Gavras) ; 1966, La guerre est finie (Resnais), Paris brûle-t-il ? (Clément), Grand Prix (Frankenheimer) ; 1967, Vivre pour vivre (Lelouch) ; 1968, Un soir un train (Delvaux), Z (Costa-Gavras), Le diable par la queue (Broca), Melinda (Minnelli), Mr. Freedom (Klein) ; 1969, L'aveu (Costa-Gavras) ; 1970, Le cercle rouge (Melville) ; 1971, La folie des grandeurs (Oury) ; 1972, Tout va bien (Godard, Gorin), César et Rosalie (Sautet), État de siège (Costa-Gavras), Le fils (Granier-Deferre) ; 1973, Le hasard et la violence (Labro), Vincent, François, Paul et les autres (Sautet) ; 1974, Section spéciale (Costa-Gavras) ; La solitude du chanteur de fond (Marker) ; 1975, Le sauvage (Rappeneau), Police Python 357 (Corneau) ; 1976, Le grand escogriffe (Pinoteau) ; 1977, La menace (Corneau) ; 1978, Les routes du Sud (Losey) ; 1979, Clair de femme (Costa-Gavras), I comme Icare (Verneuil) ; 1980, Le choix des armes (Corneau) ; 1981, Tout feu tout flamme (Rappeneau) ; 1983, Garçon ! (Sautet) ; 1986, Jean de Florette et Manon des sources (Berri) ; 1988, Trois places pour le 26 (Demy) ; 1991, Netchaïev est de retour (Deray), IP 5 (Beineix).

Issu d'une famille pauvre d'immigrés italiens ayant fui le fascisme, il connaît une jeunesse difficile à Marseille mais réussit à se faire engager comme chanteur à l'Alcazar. La guerre interrompt sa carrière (chantiers de jeunesse...). C'est Édith Piaf qui lui donne un nouveau départ. Il débute à l'écran avec elle dans *Étoile sans lumière*. Désormais il va mener de front une double carrière de chanteur et d'acteur, sans oublier ses engagements politiques. Laissons ici le chanteur. Avouons que l'acteur n'emporte pas toujours l'adhésion, utilisé en dépit du bon sens (le diable dans *Marguerite de la nuit* par exemple ou *Sanctuaire* d'après Faulkner). Sa tentative américaine, en dépit d'une liaison avec Marilyn Monroe, fut décevante. En revanche, excellent dans *Le salaire de la peur*, sous la dure férule de Clouzot, il fut très à l'aise dans les œuvres engagées de Costa-Gavras. En vieillissant, il a pris de l'autorité et ses compositions de vieux gangster (*Le choix des armes*) ou d'intellectuel de gauche (*Les routes du Sud*) ne sont pas sans charme. Sincère, mais maladroit, l'homme s'est toujours voulu engagé, d'abord dans le communisme puis dans une défense des libertés tous azimuts. Sous l'influence de Reagan, il lui a été prêté des ambitions politiques relancées par le succès de *Jean de Florette*. *Trois places pour le 26* est en revanche un échec comme *Netchaïev est de retour* et traduit un essoufflement du personnage. Le temps des souvenirs est venu, recueillis par Rotman et Hamon en 1990. Il décède lors du tournage de *IP5*.

Montez, Maria

Actrice d'origine dominicaine, de son vrai nom Vidal de Santo Silas, 1918-1951.

1940, Boss of Bullion City (Taylor) ; 1941, Raiders of the Desert (Rawlins), Lucky Devils (Landers), The Invisible Woman (La femme invisible) (Sutherland), That Night in Rio (Cummings), Moonlight in Hawaii (Lamont), South of Tahiti (Au sud de Tahiti) (Waggner) ; 1942, Arabian Nights (Rawlins), The Mystery of Marie Roget (Rosen), Bombay Clipper (Rawlins) ; 1943, Cobra Woman (Le signe du Cobra) (Siodmak) ; White Savage (La sauvagesse blanche) (Lubin) ; 1944, Ali Baba and the Forty Thieves (Ali Baba et les quarante voleurs) (Lubin), Bowery to Broadway (Cavalcade musicale) (Lamont), Gypsy Wildcat (Neill), Follow the Boys (Hollywood Parade) (Sutherland) ; 1945, Sudan (Soudan) (Rawlins) ; 1946, Tangier (Tanger) (Waggner) ; 1947, Pirates of Monterey (Les pirates de Monterey) (Werker), The Exile (L'exilé) (Ophuls) ; 1948, Siren of Atlantis (L'Atlantide) (Tallas), Hans le marin (Villiers) ; 1949, Portrait d'un assassin (Bernard-Roland) ; 1951, Il ladro di Venezia (Le voleur de Venise) (Brahm), La vengeance du Corsaire (Zeglio).

Superbe beauté dominicaine, spécialisée dans les rôles exotiques : elle fut surtout une belle des mille et une nuits dans une série de bandes sans prétention. Elle fut découverte morte dans sa baignoire, victime probablement d'une crise cardiaque. Elle avait été mariée à Jean-Pierre Aumont.

Montgomery, George

Acteur et réalisateur américain, de son vrai nom G.M. Letz, 1916-2000.

1935, Singing Vagabond (Pierson) ; 1937, Conquest (Marie Walewska) (Brown), Springtime in the Rockies (Kane) ; 1938, The Lone Ranger (Les justiciers du Far West) (Witney et English), Come On Rangers (Kane), Gold Mine in the Sky (Kane), Billy the Kid Returns (Kane), Hawk of the Wilderness (Les vautours de la jungle) (Witney et English), Shine on, Harvest Moon (Kane) ; 1939, Round up (Selander), Frontier Pony Express (Kane), Wall Street Cow-boy (Kane) ; 1940, Cisco Kid and the Lady (Leeds), Young People (Dwan), Star Dust (Lang) ; 1941, The Cow-boy and the Blonde (McCarey), Riders of the Purple Sage (Tinling), Cadet Girl (R. McCarey), Accent on Love (R. McCarey) ; 1942, Orchestra Wives (Mayo), The Gentlemen from West Point (Hathaway), China Girl (Hathaway), Roxie Hart (Wellman) ; 1943, Bomber's Moon (Fuhr), Coney Island (W. Lang) ; 1946, Three Little Girls in Blue (Humberstone) ; 1947, Brasher Doubloon (Brahm) ; 1948, The Girl from Manhattan (Green), Lulu Belle (Fenton), Belle Starr's Daughter (Selander) ; 1949, Dakota Lil (Selander) ; 1950, Davy Crockett (Landers), Iroquois Trail (Karlson) ; 1951, The Sword of Monte Cristo (Geraghty), The Texas Rangers (Karlson) ; 1952, Indian Uprising (Les derniers jours de la nation apache) (Nazarro), Cripple Creek (Nazarro) ; 1953, Fort Ti (Castle), Jack McCall Desperado (Salkow), The Pathfinder (Salkow), Gun Belt (Nazarro) ; 1954, The Lone Gun (Nazzaro), Battle of Rogue River (Castle) ;1955, Masterson of Kansas (Castle), Seminole Uprising (Bellamy), Robber's Roost (Salkow) ; 1956, Huk (Barnwell), Canyon River (Jones) ; 1957, Last of the Badmen (Landres), Street of Sinners (Berke), Gun Duel in Durango (Salkow), Man from God's Country (Landres), Pawnee (Waggner) ; 1958, Black Patch (L'homme au bandeau noir) (Miner), Badman's Country (Sears), Toughest Gun in Tombstone (Bellamy) ; 1959, Watusi (Neumann), King of the Wild Stallions (Springsteen) ; 1961, The Steel Claw (Le dernier train de Santa Cruz) (Montgomery) ; 1962, Samar (Montgomery) ; 1964, From Hell to Borneo (Montgomery) ; 1965, Battle of the Bulge (La bataille des Ardennes) (Annakin), Satan's Harvest (Stone, Montgomery) ; 1967, Bomb at 10 : 10 (Damic), Hostile Guns (Springsteen), Warkill (Grofe Jr.), Django le proscrit (Dexter) ; 1968, Hallucination Generation (E. Mann), Strangers at Sunrise (Rubens) ; 1978, Ride the Tiger (Montgomery) ; 1971, The Daredevil (Stringer) ; 1986, Dikij veter (Jereghi, Petkovic). *Pour le metteur en scène*, voir le *Dictionnaire du cinéma*, t. I : *Les réalisateurs*.

Après avoir été Marlowe, le détective de Chandler, dans *Brasher Doubloon*, il alla se perdre dans les westerns de série Z. Pas un petit maître, de Salkow à Selander, qui n'ait fait appel à lui. Lassé de tant de médiocrité, il se mit en scène lui-même et y réussit fort bien.

Montgomery, Robert

Acteur et réalisateur américain, 1904-1981.

1929, College Days (Thorpe), So this is College (Wood), Untamed (Conway), The Single Standard (Robertson), Their Own Desire (M. Hopper), Three Live Ghosts (Freeland),

The Divorcee (Leonard) ; 1930, Free and Easy (Le metteur en scène) (Sedgwick), Sins of the Children (Wood), Our Blushing Brides (Beaumont), The Big House (Hill, Fejos), Love in the Rough (Reisner), War Nurse (Selwyn), Inspiration (Brown), Let Us Be Gay (Leonard), Courage (Mayo) ; 1931, The Easiest Way (Conway), Strangers May Kiss (Fitzmaurice), Shipmates (Pollard), Man in Possession (Wood) ; 1932, But the Flesh is Weak (Conway), Lovers Courageous (Leonard), Letty Lynton (Brown), Faithless (Beaumont), Blondie of the Follies (Goulding) ; 1933, Hell Below (Conway), Made on Broadway (Beaumont), When Ladies Meet (Beaumont), Another Langage (Griffith), Night Flight (Vol de nuit) (Brown) ; 1934, Private Lives (Franklin), Fugitive Lovers (Boleslavsky), The Mystery of Mr. X (Selwyn), Riptide (Quand une femme aime) (Goulding), Hide Out (Van Dyke), Forsaking All Others (Van Dyke) ; 1935, Vanessa... Her Love Story (Howard), No Move Ladies (Griffith), The Man I Made, Biographie of a Bachelor Girl (Griffith) ; 1936, Petticoat Fever (Fitzmaurice), Trouble for Two (Walta Ruben), Piccadilly Jim (Leonard) ; 1937, The Last of Mrs. Cheyney (La fin de Mme Cheyney) (Boleslavsky), Night Must Fall (La force des ténèbres) (Thorpe), Live Love and Learn (Fitzmaurice), Ever Since Eve (Thorpe) ; 1938, The First Hundred Years (Thorpe), Yellow Jack (Seitz), Three Loves has Nancy (Thorpe) ; 1939, Fast and Loose (Marin) ; 1940, The Earl of Chicago (Thorpe), Haunted Honeymoon (Woods) ; 1941, Mr. and Mrs. Smith (Hitchcock), Rage in Heaven (La proie du mort) (Van Dyke II), Unfinished Business (La Cava), Here Cames Mr. Jordan (Hall) ; 1945, They Were Expandable (Les sacrifiés) (Ford coréal. Montgomery) ; 1946, Lady in the Lake (La dame du lac) (Montgomery), Ride the Pink Horse (Et tournent les chevaux de bois) (Montgomery) ; 1948, The Saxon Charm (Binyon), Secret Land June Bride (Windust) ; 1949, Once More My Darling (Montgomery), Eye Witness (Mongtgomery) ; 1960, The Gallant Hours (Montgomery). *Pour le réalisateur*, voir le *Dictionnaire du cinéma*, t. I : *Les réalisateurs*.

D'un milieu aisé, il doit pourtant abandonner ses études à la mort de son père et exercer différents métiers. Il débute sur les planches en 1924. Cinq ans plus tard, il rejoint Hollywood où il décroche un contrat avec la MGM. Il y sera le partenaire de Greta Garbo, Joan Crawford et Myrna Loy. Mais il sait donner à ce personnage de jeune premier un tour parfois inquiétant (*Night Must Fall*) ou passer de l'extrême vulgarité à la distinction la plus raffinée (*Earl of Chicago*). Élu président du syndicat des acteurs, il s'illustre pendant la guerre comme officier de marine (il gagnera la Légion d'honneur). Démobilisé, il va s'orienter vers la carrière d'acteur-metteur en scène : il est Marlowe dans *Lady in the Lake* d'après Chandler, qu'il réalise lui-même en 1947. Conservateur convaincu, il participe à la lutte anticommuniste à Hollywood et soutiendra plus tard la candidature d'Eisenhower à la présidence des États-Unis. Après 1960, il s'intéresse surtout à la télévision.

Montiel, Sara ou Sarita

Actrice espagnole, de son vrai nom María Antonia Isidora Elpidia Abad Fernández, née en 1928.

1944, Te quiero para mí (Vajda) ; 1944, Empezó en boda (Matarazzo) : 1946, Por el gran premio (Caron) ; 1947, Don Quijote de la Mancha (Gil), Vidas confusas (Mihura), Mariona Rebull (Saenz de Heredia) ; 1948, Locura de amor (Orduña), La mies es mucha (Saenz de Heredia) ; 1951, Cárcel de mujeres (Le bagne des filles perdues) (Delgado), El fuerte, Ella, Lucifer y yo, Emigrantes, Soy gallo dondequiera ; 1952, Furia roja (version espagnole de Stronghold) (Sekely) ; 1953, Piel canela, ¿ Por qué ya no me quieres ? ; 1954, Se solicitan modelos (Ortega), Frente al pecado, Ahí viene Martín Corona, No creo en los hombres, Vera Cruz (Vera Cruz) (Aldrich) ; 1956, Serenade (Serenade) (Mann), Run of the Arrow (Le jugement des flèches) (Fuller) ; 1957, Valencia (Orduña) ; 1958, La violetera (Amadori) ; 1959, Carmen de la Ronda (Demichelli) ; 1960, El último tango (Mon dernier tango) (Amadori) ; 1961, Pecado de amor (Magdalena) (Amadori) ; 1962, La bella Lola (Balcazar), La reina de Chantecler ; 1963, Casablanca, nid d'espions (Decoin) ; 1968, Esa mujer (Camus) ; 1971, Variétés (Bardem).

Négligeons sa carrière espagnole, pour ne retenir que son fabuleux passage à Hollywood. Ce fruit d'un croisement entre un Maure et une Espagnole y a fait sensation : deux magnifiques westerns et la conquête d'Anthony Mann sur le plateau de *Serenade*. Sara Montiel sera pendant sept ans son épouse. Deux autres mariages depuis, mais aucun film marquant à l'exception des mélodrames dirigés par Amadori et où elle renoue avec les thèmes de ses débuts.

Monty Python

Groupe comique anglais (Terry Gilliam, né en 1940, Michael Palin, né en 1943, Terry Jones, né en 1942, John Cleese, né en 1939, Eric Idle né en 1943, Graham Chapman, 1941-1989).

1972, And Now for Something Completely Different (Pataquesse) ; 1974, The Monty Python and the Holy Grail (Sacré Graal) ; 1976, Jabberwocky (Jabberwocky) ; 1979, Monty Python's Life of Brian (La vie de Brian) ; 1982, Time Bandits (Bandits, Bandits) (Gilliam) ; 1983, The Meaning of Life (Le sens de la vie), Monty Python at Hollywood. *Comme metteurs en scène*, voir le *Dictionnaire du cinéma*, t. I : *Les réalisateurs*.

Venus de la télévision, ils ont imposé à la scène (*Monty Python at Hollywood* est un spectacle filmé) comme à l'écran un comique ravageur couronné à Cannes avec *The Meaning of Life*. Voir à Cleese, John, et Idle, Eric, pour leurs filmographies respectives.

Moore, Clayton

Acteur américain, de son vrai prénom Jack, 1914-1999.

1942, Perils of Nyoka (Witney et English) ; 1946, The Crimon Ghost (Witney et Brannon) ; 1947, Jesse James Rides Again (Brannon, Carr) ; 1948, Adventures of Frank and Jesse James (Brannon), G-Men Never Forget (Brannon, Canutt), Marshall of Amarillo (Ph. Ford) ; 1949, Bride of Vengeance (La vengeance des Borgia) (Leisen), Ghost of Zorro (Le fantôme de Zorro) (Brannon) ; 1952, Radar Men from the Moon (Brannon), Son of Geronimo (Bennett) ; 1953, Jungle Drums of Africa (Brannon) ; 1954, Gunfighters of the Northwest (Bennett) ; 1956, The Lone Ranger (Le justicier solitaire) (Heisler) ; 1958, The Lone Ranger and the Lost City of Gold (Selander) ; 1959, Ghost of Zorro (Brannon).

Grand spécialiste du « serial », il reprit le rôle du Lone Ranger, le justicier masqué, flanqué du fidèle Indien Tonto, créé en 1938 par Lee Powell. Il remporta un grand succès et y associa son nom.

Moore, Colleen

Actrice américaine, de son vrai nom Kathleen Morrison, 1900-1988.

1916, Intolerance (Griffith) ; 1917, Hands up, An Old-Fashioned Young Man, The Bad Boy ; 1918, A Hoosier Romance ; 1919, Little Orphan Annie, The Wilderness Trail ; 1920, So Long Letty, The Cyclone, A Roman Scandal ; 1921, The Lotus Eater (Neilan), The Sky Pilot (Le pilote) (Vidor) ; 1922, Come on over (Green), His Nibs (La Cava), Affinities (Lascelle), The Huntress (Reynolds), The Wallflower (R. Hughes), Broken Chains (Holubar) ; 1923, Flaming Youth (Dillon) ; 1924, The Perfect Flapper (Dillon), Look Your Best (R. Hughes), The Ninth Commandment (Borzage), April Showers (T. Forman), Through the Dark (G. Hill) ; 1925, So Big (Brabin), Sally (Ça, c'est l'amour) (Green), The Desert Flower (Cummings), We Moderns (Dillon) ; 1926, Ella Cinders (Green), Twinletoes (Brabin), Irene (Green), It Must Be Love (Green) ; 1927, Orchids and Ermine (Santell), Her Wild Oat (Neilan), Naughty but Nice (M. Webb) ; 1928, Synthetic Sin (Seiter), Oh Kay ! (LeRoy), Lilac Time (Fitzmaurice), Happiness Ahead (Seiter) ; 1929, Footlights and Fools (Seiter), Why Be Good ? (Seiter), Smiling Irish Eyes (Seiter) ; 1933, The Power and the Glory (Thomas Gardner) (Howard), Social Register (Neilan) ; 1934, The Scarlet Letter (Vignola).

Poitrine plate, cheveux courts, allure garçonnière, elle a symbolisé la jeune fille des années 20, dévergondée et maline : *Why Be Good ?*, tel est le titre de l'un de ses films (*Pourquoi être bon ?*) : *Naughty but Nice* (*Pas sage mais mignonne*), cet autre titre aurait pu être sa devise. Avec l'avènement du parlant, elle se retira et ne reparut que dans des rôles mineurs. Elle a écrit son autobiographie, *Silent Star*, et un manuel pour jouer en Bourse, elle qui accumula une énorme fortune grâce à de fructueux placements.

Moore, Demi

Actrice américaine, de son vrai nom Demetria Guynes, née en 1962.

1981, Choices (Narizzano) ; 1982, Parasite (Parasite) (Band), Young Doctors in Love (Docteurs in love) (Marshall) ; 1983, Blame It on Rio (C'est la faute à Rio) (Edwards) ; 1984, No Small Affair (Schatzberg), Master Ninja I (Austin, Clouse) ; 1985, Saint Elmo's Fire (Schumacher) ; 1986, One Crazy Summer (S.S. Holland), Wisdom (Estevez), About Last Night (Zwick), The Seventh Sign (La septième prophétie) (Schultz) ; 1989, We're No Angels (Nous ne sommes pas des anges) (Jordan) ; 1990, Ghost (Ghost) (Zucker), The Butcher's Wife (T. Hughes), Nothing But Trouble (Aykroyd) ; 1991, Mortal Thoughts (Pensées mortelles) (Rudolph) ; 1992, A Few Good Men (Des hommes d'honneur) (R. Reiner), Indecent Proposal (Proposition indécente) (Lyne) ; 1994, Disclosure (Harcèlement) (Levinson), Exit to Eden (Marshall),

The Scarlet Letter (Les amants du Nouveau Monde) (Joffe) ; 1995, Now and Then (Glatter), The Juror (la jurée) (Gibson) ; 1996, Striptease (Striptease) (A. Bergman), If These Walls Could Talk (Savoca, Cher) G.I. Jane (A armes égales) (Scott) ; 1997, Deconstructing Harry (Harry dans tous ses états) (Allen) ; 1998, Passion of Mind (D'un rêve à l'autre) (Berliner) ; 2003, Charlie's Angels : Full Throttle (Charlie's Angels : Les anges se déchaînent) (McG) ; 2006, Half Light (Half Light) (Rosenberg), Bobby (Bobby) (Estevez).

Véritable bombe dans le monde des stars, elle s'est imposée avec *Proposition indécente* et *Harcèlement*, rôles difficiles qu'elle a parfaitement tenus. Son duel avec Douglas dans *Harcèlement* en faisait l'une des plus extraordinaires garces du cinéma hollywoodien. Elle a longtemps été mariée avec Bruce Willis.

Moore, Dudley

Acteur britannique, 1935-2002.

1966, The Wrong Box (Un mort en pleine forme) (Forbes) ; 1967, Bedazzled (Fantasmes) (Donen) ; 1968, 30 Is a Dangerous Age, Cynthia (Mac Grath) ; 1969, The Bed Sitting Room (L'ultime garçonnière) (Lester), Monte Carlo or Bust (Gonflés à bloc) (Annakin) ; 1972, Alice's Adventures in Wonderland (Alice au Pays des Merveilles) (Sterling) ; 1978, The Hound of the Baskerville (Morissey), Foul Play (Drôle d'embrouille) (Higgins) ; 1979, Ten (Elle) (Edwards) ; 1980, Wholly Moses (Sacré Moïse !) (G. Weis), Arthur (Arthur) (Gordon) ; 1983, Romantic Comedy (La fille sur la banquette arrière) (Hiller) ; 1984, Best Defence (Une défense canon) (Huyck), Unfaithfully Yours (Faut pas en faire un drame) (Zieff) ; 1985, Micki and Maude (Micki et Maude) (Edwards), Santa Claus, the Movie (Santa Claus) (Szwarc) ; 1987, Like Father, Like Son (Mon père c'est moi) (Daniel) ; 1988, Arthur 2 : On the Rocks (Yorkin) ; 1990, Crazy People (Bill) ; 1991, Blame It on the Bellboy (Herman) ; 1995, A Weekend in the Country (M. Bergman) ; 1996, The Disappearance of Kevin Johnson (Megahy).

Musicien confirmé, il travaille dans une formation de jazz à Londres puis est appelé à Broadway. Il compose de la musique de films et, à l'occasion, devient acteur. Comique un peu rondouillard, il est notamment l'amoureux transi de Bo Derek dans *Ten* (splendide créature que seul le *Boléro* de Ravel paraissait inspirer) et l'époux de N. Kinski dans le remake d'*Unfaithfully Yours*.

Moore, Julianne

Actrice américaine, de son vrai nom Julie Smith, née en 1961.

1989, Tales from the Darkside (Darkside) (Harrison) ; 1991, The Hand That Rocks the Cradle (La main sur le berceau) (Hanson) ; 1992, The Gun in Betty Lou's Handbag (Moyle), Benny & Joon (Benny et Joon) (Chechik), Body of Evidence (Body) (Edel), Short Cuts (Short Cuts) (Altman) ; 1993, The Fugitive (Le fugitif) (Davis) ; 1994, Vanya on 42nd Street (Vanya, 42[e] rue) (Malle), Nine Months (Neuf mois aussi) (Columbus) ; 1995, Assassins (Assassins) (Donner), Safe (Safe) (Haynes), Roommates (Yates) ; 1996, Surviving Picasso (Surviving Picasso) (Ivory), The Myth of Fingerprints (Back Home) (Freundlich), The Lost World (Le monde perdu Jurassic Park) (Spielberg) ; 1997, Boogie Nights (Boogie Nights) (Anderson), The Big Lebowski (The Big Lebowski) (Coen), Chicago Cab (Cybulski, Tintori) ; 1998, Cookie's Fortune (Cookie's Fortune) (Altman), An Ideal Husband (Un mari idéal) (O. Parker), Psycho (Psycho) (Van Sant), A Map of the World (Une carte du monde) (Elliot) ; 1999, Magnolia (Magnolia) (Anderson), The End of the Affair (La fin d'une liaison) (Jordan) ; 2000, The Ladies Man (The Ladies Man) (Hudlin), Hannibal (Hannibal) (Scott) ; 2001, World Traveler (Freundlich), Evolution (Reitman), The Shipping News (Terre-Neuve) (Hallström) ; 2002, Far from Heaven (Loin du paradis) (Haynes), The Hours (The Hours) (Daldry) ; 2004, Laws of Attraction (Une affaire de cœur) (Howitt), The Forgotten (Mémoire effacée) (Ruben) ; 2005, Freedomland (La couleur du crime) (Roth) ; 2006, Children of Men (Les fils de l'homme) (Cuaron), Trust the Man (Trust the Man) (Freundlich).

Rousse, diaphane, plutôt cérébrale, sa filmographie est peu intéressante jusqu'au moment où Altman puis Malle lui donnèrent sa chance. Mais c'est dans *Safe*, où elle incarne une riche bourgeoise atteinte d'un mal étrange, qu'elle montre toute l'étendue de son répertoire. Deux films en ont fait une star : *Far from Heaven*, dans la lignée des grands mélos hollywoodiens, et *The Hours*, d'après Virginia Woolf.

Moore, Roger

Acteur anglais né en 1928.

1952, Stars and Stripes Forever (La parade de la gloire) (Koster) ; 1953, Pickup on South Street (Le port de la drogue) (Fuller) ; 1954, The Last Time I Saw Paris (La dernière fois que j'ai vu Paris) (Brooks) ; 1955, Interrupted Melody (Mélodie interrompue) (Bernhardt), The King's Thief (Le voleur du roi) (Leonard) ; 1956, Diane (Diane de Poitiers) (Miller) ; 1959, The Miracle (Quand la terre brûle) (Rapper) ; 1961, Gold of the Seven Saints (Le trésor des sept collines) (Douglas), The Sins of Rachel Cade (Au péril de sa vie) (Douglas), L'enlèvement des Sabines (Pottier) ; 1962, Un branco di vigliacchi (Bande de lâches) (Taglioni) ; 1969, Crossplot (Rakoff) ; 1970, The Man Who Haunted Himself (Dearden) ; 1973, Live and Let Die (Vivre et laisser mourir) (Hamilton) ; 1974, The Man With The Golden Gun (L'homme au pistolet d'or) (Hamilton), Gold (P. Hunt) ; 1975, Shout at the Devil (P. Hunt), That Lucky Touch (Le veinard) (Miles) ; 1976, The Spy Who Loved Me (L'espion qui m'aimait) (Gilbert) ; 1978, The Wild Geese (Les oies sauvages) (McLaglen), Naked Sun (Dawson) ; 1979, Moonraker (Moonraker) (Gilbert), Bons baisers d'Athènes (Cosmatos), North Sea Hijack (Les loups de la haute mer) (McLaglen) ; 1980, Sea Woves (Le commando de Sa Majesté) (McLaglen) ; 1981, Cannonball Pun (L'équipée du Cannonball) (Needham), Les séducteurs (sketch Forbes), For Your Eyes Only (Rien que pour vos yeux) (John Glen), 1983, Octopussy (Octopussy) (Glen) ; 1984, The Naked Face (Machination) (Forbes) ; 1985, A View to Kill (Dangereusement vôtre) (Glen) ; 1990, Fire, Ice and Dynamite (Bogner) ; 1992, Bed and Breakfast (Miller) ; 1995, The Quest (Le grand tournoi) (Van Damme) ; 1997, Spiceworld the Movie (Spiceworld le film) (Spiers) ; 2002, Boat Trip (Nathan).

Longtemps figurant, puis acteur de second plan, il doit sa célébrité à la télévision où il fut le Brett Sinclair d'*Amicalement vôtre*, le Saint de Leslie Charteris et Ivanhoé de Walter Scott. Lorsque Sean Connery se lassa de James Bond, il prit sa succession pour *Vivre et laisser mourir*, *L'homme au pistolet d'or*, *L'espion qui m'aimait*, *Moonraker*, *Rien que pour vos yeux*, *Dangereusement vôtre* et *Octopussy*, le meilleur, qui traduisait pourtant l'essoufflement de la série.

Moorehead, Agnes

Actrice américaine, 1906-1974.

1941, Citizen Kane (Citizen Kane) (Welles) ; 1942, The Magnificent Ambersons (La splendeur des Amberson) (Welles), Journey into Fear (Voyage au pays de la peur) (Foster), The Big Street (La poupée brisée) (Reis) ; 1943, The Youngest Profession (Buzzell), Government Girl (L'exubérante Smokey) (Nichols) ; 1944, Jane Eyre (Stevenson), Dragon Seed (Les fils du dragon) (Conway), Since You Went Away (Depuis ton départ) (Cromwell), The Seventh Cross (La septième croix) (Zinnemann), Mrs. Parkington (Madame Parkington) (Garnett), Tomorrow the World (Les hommes de demain) (Fenton) ; 1945, Keep Your Powder Dry (L'amour s'en va-t-en guerre) (Buzzell), Our Wines Have Tender Grapes (Nos vignes ont de tendres grappes) (Rowland), Her Highness and the Bellboy (La princesse et le groom) (Thorpe) ; 1946, The Woman in White (La femme en blanc) (Godfrey) ; 1947, Summer Holiday (Belle jeunesse) (Mamoulian), Dark Passage (Les passagers de la nuit) (Daves), The Lost Moment (Gable) ; 1948, Johnny Belinda (Negulesco), Station West (La cité de la peur) (Lanfield) ; 1949, The Stratton Story (Un homme change son destin) (Wood), The Greats Sinner (Passion fatale) (Siodmak), Without Honor (Pichel), Black Jack (Duvivier) ; 1950, Caged (Femmes en cage) (Cromwell), The Adventures of Captain Fabian (La taverne de La Nouvelle-Orléans) (Marshall) ; 1951, Show Boat (Show-Boat) (Sidney), Fourteen Hours (Quatorze heures) (Hathaway), The Blue Veil (La femme au voile bleu) (Bernhardt) ; 1952, The Blazing Forest (La forêt en feu) (Ludwig), Main Street to Broadway (Garnett), Scandall at Scourie (Vicky) (Negulesco), Story of Three Loves – The Jealous Lover (Histoire de trois amours) (Reinhardt) ; 1953, Those Redheads From Seattle (Les belles rouquines) (Foster) ; 1954, The Magnificent Obsession (Le secret magnifique) (Sirk) ; 1955, The Left Hand of God (La main gauche du seigneur) (Dmytryk), Untamed (Tant que soufflera la tempête) (King) ; 1956, All That Heaven Allows (Tout ce que le ciel permet) (Sirk), The Swan (Le cygne) (Vidor), Meet Me in Las Vegas (Rowland), The Conqueror (Le conquérant) (Powell), The Revolt of Mamie Stover (Bungalow pour femmes) (Walsh), The True Story of Jesse James (Le brigand bien-aimé) (Ray), The Pardners (Le trouillard du Far West) (Taurog), The Opposite Sex (Miller) ; 1957, Raintree Country (L'arbre de vie) (Dmytryk), Jeanne Eagles (Un seul amour) (Sidney) ; 1958, The Story of Mankind (Allen), La Tempesta (La tempête) (Lattuada) ; 1959, The Bat (Le masque) (Wilbur), Night of the Quarter Moon (Le grand damier) (Haas) ; 1960, Pollyana (Swift) ; 1961, Bachelor in Paradise (L'Américaine et l'amour) (Arnold), Twenty Plus Two (J. Newman) ; 1962, Jessica (La sage-femme, le curé et le bon Dieu) (Negulesco), How The West Was Won (La conquête de l'Ouest) (Hathaway) ; 1963, Who's Minding the Store (Un chef de rayon explosif) ; 1964, Hush, Hush, Sweet Charlotte (Chut, chut, chère Charlotte) (Aldrich) ; 1966, The Singing Nun (Dominique) (Koster) ; 1971, What's the Matter With Helen ? (Harrington) ; 1973, Dear Dead Delilah (Farris).

Membre du Mercury Radio Theatre avec Welles et Cotten, elle fait ses débuts à l'écran dans *Citizen Kane* où elle tient le rôle de la mère. On ne peut rêver mieux. Plus portée sur le théâtre que sur le cinéma (elle fit un « one woman show », *The Fabulous Redhead*, en 1954), elle a aussi beaucoup travaillé à la télévision. Elle s'est tenue le plus souvent dans des rôles de personnages féminins au physique ingrat.

Moranis, Rick

Acteur et réalisateur canadien né en 1954.

1983, Strange Brew (Moranis) ; 1984, Streets of Fire (Les rues de feu) (Hill), Ghostbusters (S.O.S. Fantômes) (Reitman), The Wild Life (Linson) ; 1985, Brewster's Millions (Comment claquer un million de dollars par jour ?) (Hill) ; 1986, Club Paradise (Ramis), Head Office (Finkielman), Little Shop of Horrors (La petite boutique des horreurs) (Oz) ; 1987, Spaceballs (La folle histoire de l'espace) (Brooks) ; 1989, Honey, I Shrunk the Kids (Chérie, j'ai rétréci les gosses) (Johnston), Ghostbusters II (S.O.S. Fantômes 2) (Reitman), Parenthood (Portrait craché d'une famille modèle) (Howard) ; 1990, My Blue Heaven (Ross) ; 1991, L.A. Story (Los Angeles story) (Ross) ; 1992, Honey, I Blew Up the Baby (Chérie j'ai agrandi le bébé) (Kleiser) ; 1993, Splitting Heirs (Grandeur et descendance) (Young) ; 1994, The Flintstones (La famille Pierrafeu) (Levant) ; 1995, Little Giants (Dunham), Big Bully (Miner) ; 1999, Home Brew (Flaherty). *Comme réalisateur :* 1983, Strange Brew.

Nabot binoclard dont le cinéma américain pour enfants et teenagers est friand, et dont les rôles les plus marquants se situent dans le registre de la comédie en dépit d'une carrière théâtrale plutôt variée. Il était le père dépassé de trois enfants réduits à la taille de fourmis dans *Chérie j'ai rétréci les gosses*, puis d'un bébé grand comme un immeuble dans sa suite *Chérie j'ai agrandi le bébé*.

Morante, Laura

Actrice italienne née en 1956.

1980, Oggetti smaritti (Une femme italienne) (G. Bertolucci) ; 1981, Sogni d'oro (Sogni d'oro) (Moretti), La tragedia di un uomo ridicolo (La tragédie d'un homme ridicule) (Bertolucci) ; 1982, Colpire al cuore (Droit au cœur) (Amelio) ; 1984, Bianca (Bianca) (Moretti), L'air du crime (Klarer) ; 1985, L'intruse (Gantillon), Le due vite di Mattia Pascal (La double vie de Mathias Pascal) (Monicelli) ; 1986, A flor do mar (A fleur de mer) (Monteiro) ; 1987, Man on fire (Chouraqui), Luci Lontane (Chiesa), La vallée fantôme (Tanner) ; 1988, Onde bate o sol (Pinto) ; 1989, Un jeu d'enfant (Kané), Corps perdus (de Gregorio), I ragazzi di Via Panisperna (Amelio) ; 1990, Turné (Strada blues) (Salvatores), Ao fim da noite (Leitao), La femme fardée (Pinheiro) ; 1991, La voix (Granier-Deferre) ; 1992, Juste avant l'orage (Herbulot) ; 1994, Faut pas rire du bonheur (Nicloux) ; 1995, Io e il re (Gaudino) ; 1996, Ferie d'agosto (Virzi), La vie silencieuse de Marianna Ucria (Faenza) ; 1997, Santo Stefano (Pasquini), La mirada del otro (Aranda), Coppia omicida (Fragasso) ; 1998, L'anniversario (Orfini) ; 1999, Liberate i pesci ! (C. Comencini), Prime luci dell'alba (Gaudino) ; 2000, La stanza del figlio (La chambre du fils) (Moretti), Film (Belli), Dancer Upstairs (Malkovich) ; 2001, Vajont (Martinelli) ; 2002, Un viaggio chiamato amore ; 2003, Ricordati di me (Souviens-toi de moi) (Muccino) ; 2005, L'empire des loups (Nahon) ; 2006, Cœurs (Resnais), Fauteuils d'orchestre (Thompson) ; 2007, Molière (Tirard).

Découverte chez Moretti, douce et féline, elle semble peu décidée à sortir du registre du film d'auteur.

More, Kenneth

Acteur britannique, 1914-1982.

1938, Windmill Revels (Hopwood), Carry on London (Hopwood) ; 1948, Scott of the Antartic (L'aventure sans retour) (Frend) ; 1949, Man on the Run (Le déserteur) (Huntington), Now Barabbas Was a Robber (G. Parry), Morning Departure (La nuit commence à l'aube) (Baker) ; 1950, Chance of a Lifetime (Miles), The Clouded Yellow (La fille aux papillons) (R. Thomas), The Franchise Affair (Huntington), No Highway in the Sky (Le voyage fantastique) (Koster), Appointment with Venus (R. Thomas) ; 1952, The Yellow Balloon (Lee-Thompson), Brandy for the Parson (Elridge), Never Let Me Go (Ne me quitte pas) (Daves) ; 1953, Our Girl Friday (Langley), Genevieve (Cornelius) ; 1954, Doctor in the House (Toubib or Not Toubib) (R. Thomas) ; 1955, Raising a Riot (Toye), The Deep Blue Sea (Litvak) ; 1956, Reach for the Sky (Gilbert) ; 1958, Next to No Time (L'heure audacieuse) (Cornelius),

A Night to Remember (Atlantique latitude 41°) (Baker), The Thirty-Nine Steps (Les 39 marches) (R. Thomas), The Sheriff of Fractured Jaw (La blonde et le shérif) (Walsh) ; 1959, North West Frontier (Aux frontières des Indes) (Lee-Thompson) ; 1960, Sink the Bismarck (Coulez le Bismarck) (Gilbert), Man in the Moon (Dearden) ; 1961, The Greenage Summer (Gilbert) ; 1962, The Longest Day (Le jour le plus long) (Annakin, Marton, etc.), Some People (Donner), We Joined the Navy (Toye) ; 1963, The Comedy Man (Rakoff) ; 1965, The Collector (L'obsédé) (Wyler) ; 1967, The Mercenaries (Le dernier train du Katanga) (Cardiff) ; 1968, Fraulein Doktor (Lattuada) ; 1969, Oh ! What a Lovely War (Dieu que la guerre est jolie !) (Attenborough), The Battle of Britain (La bataille d'Angleterre) (Hamilton) ; 1970, Scrooge (Neame) ; 1976, The Slipper and the Rose (Forbes) ; 1977, Le continent fantastique (Piquer Simon) ; 1979, The Spaceman and King Arthur (Mayberry) ; 1980, A Tale of Two Cities (Goddard).

Plus anglais que nature. Il fallait le voir, flegmatique et élégant, se promener dans le western humoristique de Walsh, *The Sheriff of Fractured Jaw*. Sa carrière avait été interrompue par la guerre qu'il fit dans la marine. A son retour, il s'imposa vite comme vedette de films d'humour (*Genevieve, Doctor in the House*...) ou de récits d'aventures (*North West Frontier*...) sans oublier un remake des *39 marches*.

Moreau, Jeanne

Actrice et réalisatrice française née en 1928.

1949, Dernier amour (Stelli) ; 1950, Meurtres (Pottier), Pigalle-Saint-Germain-des-Prés (Berthomieu) ; 1951, L'homme de ma vie (Lefranc) ; 1952, Il est minuit docteur Schweitzer (Haguet) ; 1953, Dortoir des grandes (Decoin), Julietta (M. Allégret), Touchez pas au grisbi (Becker), Secrets d'alcôve (sketch Decoin) ; 1954, Les intrigantes (Decoin), La reine Margot (Dréville) ; 1955, Les hommes en blanc (Habib), M'sieur La Caille (Pergament), Gas-oil (Grangier) ; 1956, Le salaire du péché (La Patellière), Jusqu'au dernier (Billon) ; 1957, Les louves (Saslavsky), L'étrange Monsieur Stève (Bailly), Trois jours à vivre (Grangier), Échec au porteur (Grangier), Ascenseur pour l'échafaud (Malle), Le dos au mur (Molinaro) ; 1958, Les amants (Malle) ; 1959, Les quatre cents coups (Truffaut), Les liaisons dangereuses 1960 (Vadim), Five Branded Women (Cinq femmes marquées) (Ritt), Dialogue des carmélites (Bruckberger et Agostini) ; 1960, Moderato cantabile (Brook), La notte (La nuit) (Antonioni), Une femme est une femme (Godard) ; 1961, Jules et Jim (Truffaut) ; 1962, Eva (Eva) (Losey), The Trial (Le procès) (Welles), The Victors (Les vainqueurs) (Foreman), La baie des anges (Demy) ; 1963, Peau de banane (Ophuls), Le feu follet (Malle), The Train (Le train) (Frankenheimer et Farrel) ; 1964, Le journal d'une femme de chambre (Buñuel), The Yellow Rolls-Royce (La Rolls-Royce jaune) (Asquith), Mata-Hari, agent H 21 (Richard), Chimes at Midnight (Falstaff) (Welles), Viva Maria ! (Malle) ; 1965, Mademoiselle (Richardson), The Sailor from Gibraltar (Le marin de Gibraltar) (Richardson) ; 1966, Le plus vieux métier du monde (sketch Broca), The Immortal Story (Une histoire immortelle) (Welles) ; 1967, The Great Catherine (La grande Catherine) (Flemyng), La mariée était en noir (Truffaut), The Deep (inachevé, Welles), Le corps de Diane (Richard) ; 1969, Le petit théâtre de Jean Renoir (Renoir) ; 1970, Monte Walsh (Monte Walsh) (Fraker), Alex in Wonderland (Alex au pays des merveilles) (Mazursky), Comptes à rebours (Pigaut) ; 1971, L'humeur vagabonde (Luntz), Chère Louise (Broca) ; 1972, Nathalie Granger (Duras) ; 1973, Joanna francesca (Jeanne la française) (Diegues), Je t'aime (Duceppe), Les valseuses (Blier) ; 1974, La race des seigneurs (Granier-Deferre), Human (Laperrousaz), Le jardin qui bascule (Gilles) ; 1975, Souvenirs d'en France (Techiné), Lumière (Moreau) ; 1976, Monsieur Klein (Losey), The Last Tycoon (Le dernier nabab) (Kazan) ; 1978, L'adolescente (Moreau) ; 1979, Your Ticket Is No Longer Valid, Finishing Touch (Au-delà de cette limite, votre ticket n'est plus valable) (Kaczender) ; 1980, Plein sud (Béraud) ; 1981, Les uns et les autres (Lelouch), Mille milliards de dollars (Verneuil) ; 1982, La truite (Losey), Querelle (Fassbinder) ; 1986, Sauve-toi Lola (Drach), Le paltoquet (Deville), Le miraculé (Mocky) ; 1987, La nuit de l'océan (Perset) ; 1988, Jour après jour (Attal), Calling the Shots (Cole et Dale) ; 1989, Nikita (Besson) ; 1990, La femme fardée (Pinheiro) ; Anna Karamazoff (Khamdamov) ; 1991, Until the End of the World (Jusqu'au bout du monde) (Wenders), Le pas suspendu de la cigogne (Angelopoulos), L'architecture du chaos (narratrice) (Cohen), L'amant (narratrice) (Annaud), La vieille qui marchait dans la mer (Heynemann) ; 1992, A demain (Martiny), Map of a Human Heart (Cœur de métisse) (Ward), Die Abwesenheit (L'absence) (Handke), A Foreign Field (Sturridge) ; 1993, Je m'appelle Victor (Jacques) ; 1994, Les cent et une nuits

(Varda) ; 1995, Par-delà les nuages (Antonioni et Wenders), I Love You, I Love You Not (I Love You I Love You Not) (B. Hopkins), La propriétaire (Merchant) ; 1996, Amour et confusions (Braoudé), Un amour de sorcière (Manzor) ; 1998, Ever After (A tout jamais) (Tennant) ; 1999, Lisa (Grimblat), Il manoscritto del principe (Ando) ; 2000, Cet amour-là (Dayan) ; 2005, Akoibon (Baer), Le temps qui reste (Ozon). *Pour la réalisatrice*, voir le *Dictionnaire du cinéma*, t. I : *Les réalisateurs*.

Cette grande actrice a révélé un talent aux multiples facettes. Au théâtre : elle entra au Conservatoire puis à la Comédie-Française et enfin au TNP où elle fut l'interprète du *Cid* aux côtés de Gérard Philipe. Par la suite, elle créa *L'heure éblouissante* et *La chevauchée sur le lac de Constance*. Chanteuse : elle sort plusieurs 33 tours et reçoit en 1964 le Grand Prix du disque. A l'écran, elle débute dans des œuvres très banales mais s'impose sous la direction de Louis Malle avec *Ascenseur pour l'échafaud* et *Les Amants*. Truffaut, Antonioni, Buñuel, Losey, Welles la sollicitent. Tantôt elle est le support du film, tantôt elle se contente d'une apparition de « guest star » (*Monsieur Klein*), mais elle est toujours remarquable, passant du film commercial à l'œuvre d'avant-garde. Elle reçoit un césar en 1992 pour *La vieille qui marchait dans la mer*. Elle épouse le réalisateur Jean-Louis Richard puis un autre réalisateur, Friedkin. Elle fonde une maison de production et met en scène deux bons films. Elle a été élue à l'Académie des beaux-arts.

Moreau, Yolande

Actrice et réalisatrice française née en 1953.

1984, Vivement ce soir (Van Atwepen) ; 1985, Sans toit ni loi (Varda) ; 1988, Jour de congé (Lagagnères) ; 1992, Germinal (Berri), Les amies de ma femme (Van Cauwelaert), La cavale des fous (Pico), Le fils du requin (Merlet) ; 1994, Le hussard sur le toit (Rappeneau) ; 1995, Les trois frères (Bourdon, Campan), Le bonheur est dans le pré (Chatiliez), La belle verte (Serreau) ; 1996, Tout doit disparaître (Muyl), Un air si pur... (Angelo) ; 1997, Que la lumière soit ! (A. Joffé), Vollmond (Pleine lune) (Mürer) ; 1998, Merci mon chien (Galland), L'ami du jardin (Bouchaud), Le voyage à Paris (Dufresne) ; 2000, Le fabuleux destin d'Amélie Poulain (Jeunet) ; 2001, Le lait de la tendresse humaine (Cabrera) ; 2002, Une part du ciel (Liénard) ; 2003, Bienvenue chez les Rozes (Palluau) Corps à corps (Hanss) ; 2004, Folle embellie (Cabrera), Quand la mer monte (Moreau) ; 2005, Le couperet (Costa-Gavras), Ze film (Jacques) ; 2006, Bunker Paradise (Liberski), Enfermés dehors (Dupontel) Je m'appelle Élisabeth (Améris), Paris je t'aime (collectif) ; 2007, Une vieille maîtresse (Breillat). *Comme réalisatrice :* 2004, Quand la mer monte.

Transfuge de la troupe des Deschiens, son physique de bonnasse ahurie lui a valu pléthore de seconds rôles savoureux dans des films où elle ne peut pas passer inaperçue.

Morel, François

Acteur français né en 1959.

1992, Une journée chez ma mère (Cheminal) ; 1993, Grosse fatigue (Blanc), Tombés du ciel (Lioret) ; 1994, Les anges gardiens (Poiré) ; 1995, Beaumarchais l'insolent (Molinaro), Le bonheur est dans le pré (Chatiliez), Black Dju (Cruchten) ; 1996, Fallait pas !... (Jugnot), Le gone du Chaâba (Ruggia), Violetta la reine de la moto (Jacques), Messieurs les enfants (Boutron), Alliance cherche doigt (Mocky) ; 1997, Que la lumière soit ! (A. Joffé), Ça reste entre nous (Lamotte), La mort du Chinois (Benoît) ; 1998, La guerre dans le haut-pays (Reusser), Le voyage à Paris (Dufresne), Tout baigne (Civanyan), Les migrations de Vladimir (Assaf) ; 1999, Les acteurs (Blier) ; 2002, Ah ! si j'étais riche (Munz, Bitton) ; 2003, Un couple épatant, Cavale, Après la vie (Belvaux), Une employée modèle (Otmezguine) ; 2004, Au secours, j'ai 30 ans ! (Chazel), Quand la mer monte (Moreau) ; 2005, Au sud des nuages (Amiguet), Ze film (Jacques) ; 2006, L'antidote (de Brus), L'entente cordiale (De Brus), Le grand appartement (Thomas), Le lièvre de Vatanen (Riviere).

Autre acteur de ce dictionnaire — avec Yolande Moreau — à être issu de la troupe de Jérôme Deschamps, François Morel campe régulièrement des rôles de gentil ahuri ou de benêt assermenté, passant du second plan au premier avec *Fallait pas !...* de Gérard Jugnot. On attend aujourd'hui un changement de registre.

Morel, Gaël

Acteur et réalisateur français né en 1972.

1993, Les roseaux sauvages (Téchiné) ; 1994, Le plus bel âge... (Haudepin) ; 1998, Zonzon (Bouhnik) ; 2000, Loin (Téchiné). *Comme réalisateur :* 1996, A toute vitesse ; 2002, Les chemins de l'oued.

On lui doit trois courts métrages : *L'accident, A corps perdu, La vie à rebours* et deux longs métrages.

Moreno, Dario

Acteur et chanteur français d'origine turque, de son vrai nom Davi Arugete, 1921-1968.

1951, Pas de vacances pour M. le maire (Labro) ; 1952, Rires de Paris (Lepage), Deux de l'escadrille (Labro), Le salaire de la peur (Clouzot), La môme vert-de-gris (Borderie) ; 1953, Quai des blondes (Cadéac), Les femmes s'en balancent (Borderie) ; 1954, Le mouton à cinq pattes (Verneuil) ; 1956, Pardonnez-nous nos offenses (Hossein), Le feu aux poudres (Decoin) ; 1957, Incognito (Dally), Tous peuvent me tuer (Decoin), Œil pour œil (Cayatte) ; 1958, Oh ! que mambo (Berry) ; 1959, Nathalie agent secret (Decoin), Marie des isles (Combret), La femme et le pantin (Duvivier), Voulez-vous danser avec moi ? (Boisrond) ; 1960, Le tout pour le tout (Dally), Touchez pas aux blondes (Cloche), L'affaire d'une nuit (Verneuil), Candide ou l'optimisme au XXe siècle (Carbonnaux) ; 1961, La rivolta degli schiavi (La révolte des esclaves) (Malasomma), Tintin et le mystère de la Toison d'or (Vierne) ; 1962, Die lustige Witwe (La veuve joyeuse) (Jacobs), Les femmes d'abord (André) ; 1963, Le bon roi Dagobert (Chevalier), No temas a la ley (Le cave est piégé) (Merenda) ; 1964, Dernier tiercé (Pottier) ; 1965, Dis-moi qui tuer (Périer), Hotel Paradiso (Paradiso, hôtel du libre-échange) (Glenville) ; 1966, Le Saint prend l'affût (Christian-Jaque) ; 1968, Les gros malins (Leboursier), La prisonnière (Clouzot).

Né à Smyrne, en Grèce, il grandit au Mexique, le pays d'origine de sa mère, où il étudie le droit. Il se produit en amateur dans les cabarets locaux, et est remarqué par un producteur américain qui lui propose une tournée aux États-Unis et en Europe. A Paris, il crée *Le chanteur de Mexico* au côté de Luis Mariano. Dans l'ombre de celui-ci, il devient le dauphin de l'opérette et joue dans une vingtaine de films où sa rondeur joviale est idéale dans le registre de la comédie. Il est décédé des suites d'une hémorragie cérébrale.

Moreno, Marguerite

Actrice française, de son vrai nom Monceau, 1871-1948.

1922, Vingt ans après (Diamant-Berger), Le mauvais garçon (Diamant-Berger) ; 1923, Gonzague (Diamant-Berger) ; 1924, L'emprise (Diamant-Berger) ; 1928, Le capitaine Fracasse (Cavalcanti) ; 1930, Paramount en Parade (Rochefort), Paris la nuit (Diamant-Berger), Cendrillon de Paris (Hemard), A mi-chemin du ciel (Cavalcanti) ; 1931, Sola (Diamant-Berger), Chérie (Mercanton), Un trou dans le mur (Barbéris), Dans une île perdue (Cavalcanti), Marions-nous (Mercanton) ; 1932, Le chasseur de chez Maxim's (Anton), Cognasse (Mercanton), Miche (Marguenat), Mon cœur balance (Guissart) ; 1933, Primerose (Guissart), Les misérables (Bernard), Paris-Deauville (Delannoy), Pour être aimé (Tourneur), Voilà Montmartre (Capellani) ; 1934, La reine de Biarritz (Toulout), Le sexe faible (Siodmak) ; 1935, Les dieux s'amusent (Schunzel, Valentin), Train de plaisir (Joannon), Bourrachon (Guissart), Jim la houlette (Berthomieu), La marraine de Charley (Colombier) ; 1936, Le coupable (Bernard), Mes tantes et moi (Noé), Le mot de Cambronne (Guitry), Le roman d'un tricheur (Guitry) ; 1937, Gigolette (Noé), La dame de pique (Ozep), Regain (Pagnol), La marraine de Charley (Colombier), Ces dames au chapeau vert (Cloche), La fessée (Caron), Tout va très bien, madame la marquise (Wulschleger), Les perles de la couronne (Guitry) ; 1938, Boulot aviateur (Canonge), Quatre heures du matin (Rivers), Le château des quatre obèses (Noé), La chaleur du sein (Boyer), La route enchantée (Caron), Barnabé (Esway), L'accroche-cœur (Caron), Eusèbe député (Berthomieu), Les femmes collantes (Caron), J'étais une aventurière (Bertrand) ; 1939, Ils étaient neuf célibataires (Guitry), Derrière la façade (Lacombe), Jeunes filles en détresse (Pabst), Le Danube bleu (Reinert, Rode), Ma tante dictateur (Pujol) ; 1940, Les surprises de la radio (Aboulker, Paul) ; 1941, L'étrange Suzy (Ducis), La Sévillane (Hugon) ; 1942, Le camion blanc (Joannon), Carmen (Christian-Jaque), Secrets (Blanchar) ; 1943, Donne-moi tes yeux (Guitry), Douce (Autant-Lara), La collection Menard (Bernard-Roland) ; 1945, Les malheurs de Sophie (Audry) ; 1946, L'idiot (Lampin), Rendez-vous à Paris (Grangier), Un revenant (Christian-Jaque), L'éventail (Reinert), Chemins sans loi (Radot) ; 1947, Les jeux sont faits (Delannoy) ; 1948, L'assassin est à l'écoute (André).

Cette très grande comédienne, premier prix du Conservatoire et pensionnaire de la Comédie-Française, fut admirable dans tous les genres. Sur le mode tragique, comment oublier la Thénardier des *Misérables*, version Raymond Bernard, la dame de Pique ou encore la douairière de *Douce* ? Au niveau de la comédie, il suffit de citer les plus célèbres films de Sacha Guitry, du *Roman d'un tri-*

cheur (où elle est une comtesse aventurière ruinée) aux *Neuf célibataires.* Elle était la sœur de Michel Simon dans *Eusèbe député* et y défendait l'honneur des Bombonneau ! Elle a beaucoup tourné, trop sans doute, mais par sa seule présence, elle sauve des comédies de Berthomieu ou de Caron qui, sans elle, seraient oubliées.

Moreno, Rita

Danseuse et actrice, de son vrai nom Rosita Alverio, née en 1931.

1945, A Medal for Benny (Pichel) ; 1950, So Young, So Bad (Vorhaus), Toast of New Orleans (Taurog), Pagan Love Song (Alton) ; 1952, Singin' in the Rain (Chantons sous la pluie) (Kelly, Donen), The Ring (Neumann) ; 1953, Fort Vengeance (Selander), Latin Lovers (LeRoy) ; 1954, Jivaro (L'appel de l'or) (Ludwig), Garden of Evil (Le Jardin du Diable) (Hathaway), The Yellow Tomahawk (Selander) ; 1954, Untamed (King), Seven Cities of Gold (Webb) ; 1956, The King and I (Le roi et moi) (Lang), The Vagabond King (Le roi des vagabonds) (Curtiz), The Lieutenant Wore Skirts (Chéri, ne fais pas le zouave (Tashlin) ; 1957, The Deerslayer (Neumann) ; 1961, West Side Story (Wise, Robbins), Summer and Smoke (Glenville) ; 1963, Cry of the Battle (Le cri de la victoire) (Walsh) ; 1969, Popi (Hiller), Night of the Following Day (La nuit du lendemain) (Cornfield), Marlowe (La valse des truands) (Bogart) ; 1971, Carnal Knowledge (Le plaisir qu'on dit charnel) (Nichols) ; 1976, The Ritz (Lester) ; 1978, The Boss's Son (Roth) ; 1980, Four Seasons (Alda), Happy Birthday Gemini (Bennett) ; 1991, Age Isn't Everything (Katz) ; 1993, Italian Movie (Monticello) ; 1994, I Like it Like That (I Like it Like That) (Darnell Martin) ; 1995, Angus (Angus) (Read Johnson) ; 1997, Slums of Beverly Hills (Les taudis de Beverly Hills) (Jenkis) ; 1999, Carlo's Wake (Valerio), Blue Moon (Gallagher).

Belle, brune et éblouissante danseuse, elle a enchaîné des rôles exotiques ou de danseuse dans d'excellents films avant de gagner un oscar grâce à *West Side Story*.

Moretti, Michèle

Actrice française.

1967, Les idoles (Marc'O) ; 1968, L'amour fou (Rivette) ; 1969, Paulina s'en va (Téchiné), Sept jours ailleurs (Karmitz) ; 1971, What a flash ! (Barjol), Out 1 : Spectre / Out 1 : Noli me tangere (Rivette) ; 1973, L'événement le plus important depuis que l'homme a marché sur la lune (Demy) ; 1974, Les intrigues de Sylvia Kouski (Arrieta), Souvenirs d'en France (Téchiné) ; 1976, L'exercice du pouvoir (Galland) ; 1981, Boulevard des assassins (Tioulong), Elle voit des nains partout (Süssfeld) ; 1982, Tout le monde peut se tromper (Couturier), Le démon dans l'île (Leroi), Le quart d'heure américain (Galland) ; 1984, Rendez-vous (Téchiné) ; 1985, Le mariage du siècle (Galland) ; 1991, J'embrasse pas (Téchiné) ; 1992, A demain (Martiny), Ma saison préférée (Téchiné) ; 1993, Les roseaux sauvages (Téchiné) ; 1996, Autre chose à foutre qu'aimer (Giacobbi) ; 1997, ... Comme elle respire (Salvadori) ; 1998, Superlove (Janer) ; 1999, Jacqueline dans ma vitrine (Pollet-Villard, Hadjadj), Les marchands de sable (Salvadori).

Beaucoup de théâtre, notamment, à ses débuts, dans la troupe de Marc'O, puis, au cinéma, une étrange dichotomie entre cinéma d'auteur (Rivette, Téchiné), suite logique de son parcours théâtral, et cinéma purement commercial (Süssfeld, Galland). Second rôle forte en gueule, généreuse et entière, elle a été nommée en 1995 au césar du meilleur second rôle pour sa prestation dans *Les roseaux sauvages.*

Moretti, Nanni

Acteur et réalisateur italien né en 1953.

1976, Io sono un autarchico (Je suis un autarcique) (Moretti) ; 1977, Padre padrone (Padre padrone) (P. et V. Taviani) ; 1978, Ecce bombo (Ecce bombo) (Moretti) ; 1981, Sogni d'oro (Sogni d'oro) (Moretti), La messa é finita (La messe est finie) (Moretti) ; 1984, Bianca (Bianca) (Moretti) ; 1988, Domani accadra (Domani domani) (Luchetti) ; 1989, Palombella rossa (Palombella rossa) (Moretti) ; 1991, Il portaborse (Le porteur de serviette) (Luchetti) ; 1993, Caro diario (Journal intime) (Moretti) ; 1994, La seconda volta (La seconda volta) (Calopresti) ; 1997, Aprile (Aprile) (Moretti) ; 2000, La Stanza del figlio (La chambre du fils) (Moretti) ; 2005, Te lo leggo negli occhi (Je lis dans tes yeux) (Santella) ; 2006, Il caimano (Le caïman) (Moretti). *Pour le metteur en scène,* voir le *Dictionnaire du cinéma,* t. I : *Les réalisateurs.*

Acteur principal de tous ses films, le célèbre réalisateur romain a également joué le rôle d'un soldat qui enseigne le latin au personnage principal dans *Padre Padrone* et un homme politique véreux dans *Le porteur de serviette.*

Morgan, Chesty

Actrice d'origine polonaise, de son vrai nom Lillian Wilczkowsky, née en 1928.

1972, Deadly Weapons (Mamell's Story) (Wishman) ; 1973, Double Agent 73 (Mafia contre super nichons) (Wishman) ; 1976, Il Casanova di Fellini (Casanova) (Fellini).

Atteinte d'hypertrophie mammaire, cette ex-stripteaseuse a tenu la vedette de deux films sous la direction de Doris Wishman, rare femme a avoir réalisé des « nudies » durant les années 70. Il faut voir, pour le croire, cette pitoyable « actrice » dans le rôle d'une détective privée en train soulever son pis gauche — dans *Mafia contre super nichons* — à l'intérieur duquel a été greffé un appareil photo, afin de déclencher la prise de vue. Entièrement doublée (à cause d'un accent polonais trop prononcé) pour ses rares dialogues, Chesty Morgan (créditée Zsa-Zsa au générique de *Mamell's Story*) reste une des icônes trash les plus jalousement adulées par quelques dégénérés !

Morgan, Dennis

Acteur américain, de son vrai nom Stanley Morner, 1910-1994.

Plusieurs films entre 1936 et 1939 sous son vrai nom ou celui de Richard Stanley : 1939, The Return of Dr. X (Le retour du docteur X) (Sherman), The Fighting 69th (Le régiment des bagarreurs) (Keighley), Three Cheers for the Irish (Bacon), Kitty Foyle (Wood) ; 1941, Bad Men of Missouri (Enright), Affectionately Yours (Bacon) ; 1942, In This Our Life (Huston), Captains of the Clouds (Curtiz), Wings for the Eagle (Bacon) ; 1943, Thank Your Lucky Stars (Remerciez votre bonne étoile) (Butler), The Hard Way (Sherman), The Desert Song (Florey) ; 1944, The Very Thought of You (Daves), Shine on Harvest Moon (Butler) ; 1945, God is My Co-Pilot (Florey), Christmas in Connecticut (Godfrey) ; 1946, Two Guys from Milwaukee (Butler), One More Tomorrow (Godfrey), The Time, the Place and the Girl (Butler) ; 1947, Always Together (De Cordova), Cheyenne (Cheyenne) (Walsh), My Wild Irish Rose (Butler) ; 1948, Two Guys from Milwaukee (Butler), To the Victor (Daves), One Sunday Afternoon (Walsh) ; 1949, It's a Great Feeling (Butler), The Lady Takes a Sailor (Curtiz) ; 1950, Pretty Baby (Windust), Perfect strangers (Windust) ; 1951, Painting the Clouds with Sunshine (Butler) ; 1952, Cattle Town (Smith), This Woman Is Dangerous (Feist) ; 1955, Pearl of the South Pacific (Dwan), The Gun That Won the West (Castle) ; 1956, Uranium Boom (Castle).

Ancien chanteur d'opéra, il participa aux comédies musicales de la Warner et à quelques westerns. Mais Walsh lui-même ne parvint pas à animer cet insipide blondinet.

Morgan, Michèle

Actrice française, de son vrai nom Simone Roussel, née en 1920.

1935, Mademoiselle Mozart (Noé), La vie parisienne (Siodmak) ; 1936, Une fille à papa (Guissart), Mes tantes et moi (Noé), Le mioche (Moguy), Gigolette (Noé), Mayerling (Litvak) ; 1938, L'entraîneuse (Valentin), Le récif de corail (Gleize), Gribouille (M. Allégret), Orage (M. Allégret) ; 1939, Les musiciens du ciel (Lacombe), Quai des brumes (Carné), La loi du Nord (Feyder) ; 1940, Remorques (Grémillon), Untel père et fils (Duvivier) ; 1942, Joan of Paris (Jeanne de Paris) (Stevenson) ; 1943, Two Tickets to London (Trahison en mer) (Marin), Higher and Higher (Amour et swing) (Whelan) ; 1944, Passage to Marseilles (Curtiz) ; 1946, The Chase (L'évadée) (Ripley), La symphonie pastorale (Delannoy) ; 1947, Fallen Idol (Première désillusion) (Reed), Fabiola (Blasetti) ; 1948, Aux yeux du souvenir (Delannoy) ; 1949, Maria Chapdelaine (M. Allégret), La belle que voilà (Le Chanois) ; 1950, Le château de verre (Clément), L'étrange Madame X (Grémillon) ; 1951, Les sept péchés capitaux (Autant-Lara) ; 1952, La minute de vérité (Delannoy), Destinées (Delannoy) ; 1953, Les orgueilleux (Y. Allégret) ; 1954, Obsession (Delannoy), Napoléon (S. Guitry), Oasis (Y. Allégret) ; 1955, Si Paris nous était conté (S. Guitry), Marie-Antoinette (Delannoy) ; 1956, Les grandes manœuvres (R. Clair), Marguerite de la nuit (Autant-Lara), The Vintage (Les vendanges) (Hayden) ; 1957, Retour de manivelle (La Patellière) ; 1958, Le miroir à deux faces (Cayatte), Maxime (Verneuil), Racconti d'estate (Femmes d'un été) (Franciolini) ; 1959, Vacanze d'inverno (Brèves amours) (Mastrocinque), Menschen in Hotel (Grand Hotel) (Reinhardt), Pourquoi viens-tu si tard ? (Decoin) ; 1960, Les scélérats (Hossein), Fortunat (Joffé) ; 1961, Un cœur gros comme ça (Reichenbach), Le puits aux trois vérités (Villiers), Les lions sont lâchés (Verneuil), Rencontres (Agostini), Le crime ne paie pas (Oury) ; 1962, Landru (Chabrol) ; 1963, Il fornaretto di Venezia (Le procès des Doges) (Tessari), Constance aux enfers (Villiers), Méfiez-vous, mesdames (Hunebelle) ; 1964, Les pas perdus (Robin), Les yeux cernés

(Hossein) ; 1965, Dis-moi qui tuer (Périer) ; 1966, Lost Command (Les centurions) (Robson) ; 1967, Benjamin ou les mémoires d'un puceau (Deville) ; 1975, Le chat et la souris (Lelouch) ; 1978, Robert et Robert (Lelouch) ; 1986, Un homme et une femme vingt ans déjà (Lelouch) ; 1990, Stanno tutti bene (Ils vont tous bien) (Tornatore).

Modestes débuts comme figurante dans *Mademoiselle Mozart*. C'est Marc Allégret qui lui donne sa chance avec *Gribouille* et c'est Carné qui en fait une star avec *Quai des brumes* (« T'as de beaux yeux »). Pendant la guerre, elle émigre aux États-Unis et tourne quelques films dont un avec Curtiz où elle a Bogart pour partenaire (*Passage to Marseilles*). A son retour, le triomphe de *La symphonie pastorale* montre qu'elle n'a pas été oubliée. Elle forme alors avec Henri Vidal un couple idéal (*Fabiola*). Grande dame du cinéma français, elle se consacre quelque temps aux héroïnes de l'histoire, de Marie-Antoinette à Jeanne d'Arc (*Destinées*), puis est vouée à Landru et à quelques bandes de médiocre intérêt. En 1971, elle est présidente du jury du festival de Cannes. Elle a publié son autobiographie en 1977 (*Avec ces yeux-là*) et semble délaisser le cinéma pour le théâtre.

Mori, Masakuyi

Acteur japonais, 1911-1973.

(On n'a indiqué que ses principaux films avec leur titre français.) 1945, Les hommes qui marchent sur la queue du tigre (Kurosawa) ; 1950, Rashomon (Kurosawa) ; 1951, La dame de Musashino (Mizoguchi), L'idiot (Kurosawa) ; 1953, Les contes de la lune vague après la pluie (Mizogushi) ; 1955, L'impératrice Yang-Kwei-Fei (Mizogushi).

Très important acteur japonais surtout connu pour ses compositions chez Kurosawa et Mizogushi, mais qui a tourné une soixantaine de films invisibles sous nos latitudes. Il reste dans notre mémoire comme le mari de *Rashomon*.

Morlay, Gaby

Actrice française, de son vrai nom Blanche Fumoleau, 1893-1964.

1915, Le 2 août 1914 (Linder) ; 1916, Au paradis des enfants (Burguet), Pour épouser Gaby (Burguet), Un ours (Burguet), Le chevalier de Gaby (Burguet) ; 1917, Les épaves de l'amour (Le Somptier) ; 1921, L'agonie des aigles (Bernard-Deschamps) ; 1922, Souvent femme varie (Legrand) ; 1923, La mendiante de Saint-Sulpice (Burguet) ; 1924, Faubourg Montmartre (Burguet) ; 1926, Jim la houlette, roi des voleurs (Rimsky, Colombier) ; 1928, Les nouveaux messieurs (Feyder) ; 1930, Accusée, levez-vous (Tourneur) ; 1931, Après l'amour (Perret), Maison de danse (Tourneur), Paris Méditerranée (May) ; 1932, Faubourg Montmartre (Bernard) ; 1933, Le maître de forges (Gance), Mélo (Czinner) ; 1934, Ariane jeune fille russe (Czinner), Le billet de mille (Didier), Il était une fois (Perret) ; 1934, Le scandale (L'Herbier), Le bonheur (L'Herbier), Jeanne (Maret), Nous ne sommes plus des enfants (Genina) ; 1935, Aux portes de Paris (Barrois) ; 1936, La peur (Tourjansky), Samson (Tourneur), Les amants terribles (M. Allégret), Le roi (Colombier) ; 1937, Nuits de feu (L'Herbier), Les Grands (Gandera), Le messager (Rouleau), Hercule (Esway) ; 1938, Quadrille (Guitry), Les nuits blanches de Saint-Pétersbourg, Entente cordiale (L'Herbier), Giuseppe Verdi (Gallone) ; 1939, Derrière la façade (Lacombe), Le bois sacré (Mathot), Paris-New York (Mirande) ; 1940, Le diamant noir (Delannoy), Elles étaient douze femmes (Lacombe) ; 1942, L'Arlésienne (M. Allégret), Le voile bleu (Stelli), Le destin fabuleux de Désirée Clary (Guitry), Les ailes blanches (Péguy), Mademoiselle Béatrice (Vaucorbeil), Des jeunes filles dans la nuit (Le Hénaff) ; 1943, La cavalcade des heures (Noé), Service de nuit (Faurez) ; 1944, Farandole (Zwobada), L'enfant de l'amour (Stelli) ; 1945, Lunegarde (M. Allégret), Dernier métro (Canonge), Son dernier rôle (Gourguet) ; 1946, Un revenant (Christian-Jaque), Hyménée (Couzinet), Mensonges (Stelli) ; 1947, Les amants du pont Saint-Jean (Decoin), Le village perdu (Stengel) ; 1948, Gigi (Audry), Trois garçons et une fille (Labro) ; 1949, Millionnaires d'un jour (Hunebelle), Sans tambour ni trompette (Blanc), Ève et le serpent (Tavano), Orage d'été (Gehret) ; 1950, Mammy (Stelli), Une fille à croquer (André), Né de père inconnu (Cloche), Prima comunione (Blasetti) ; 1951, Le plaisir (Ophuls), Anna (Lattuada), Foyer perdu (Loubignac) ; 1952, La fille au fouet (Dréville) ; 1953, L'amour d'une femme (Grémillon), Si Versailles m'était conté (Guitry), Les amoureux de Marianne (Stelli) ; 1954, Napoléon (Guitry), Papa, maman, la bonne et moi (Le Chanois), Les chiffonniers d'Emmaüs (Darente), Fantaisie d'un jour (Cardinal) ; 1955, Papa, maman, ma femme et moi (Le Chanois), L'impossible M. Pipelet (Hunebelle) ; 1956, Mitsou (Audry), Lorsque l'enfant paraît (Boisrond), Les collégiennes (Hunebelle), Crime et châtiment (Lampin), Les lumières du soir (Vernay), Quai des illusions (Couzinet) ; 1957, Mon coquin de père (Lacombe) ; 1958, Ramuntcho (Schoendoerffer), Le tombeur (Delacroix), Sacrée jeunesse (Berthomieu) ; 1960, Fortunat (Joffé) ; 1963, La bande à Bobo (Saytor) ; 1964, Monsieur (Le Chanois).

L'une des grandes dames du cinéma français. Belle, spirituelle, elle vient d'Angers pour débuter aux Capucines sous le nom de Gaby de Morlai. Elle jouera beaucoup au théâtre, notamment avec Sacha Guitry, lequel la demandera pour ses films. A l'écran, elle est d'abord la partenaire de Max Linder avant d'entamer une longue carrière où elle passera des rôles de vamp dans des comédies légères à des compositions émouvantes comme la postière de *Service de nuit* et surtout la nurse du *Voile bleu* qui fit verser des torrents de larmes et lui valut une énorme popularité surtout auprès du public féminin. Sa carrière faillit être interrompue en 1944 : on lui reprochait son mariage avec un ministre de Vichy. Elle retrouva des contrats, mais pour des films médiocres. Elle fut Maman dans *Papa, maman, la bonne et moi*. On la vit aussi dans des rôles de vieille dame et dans les grandes productions de Guitry.

Morley, Robert

Acteur anglais, 1908-1992.

1938, Marie-Antoinette (Van Dyke) ; 1940, You Will Remember (Raymond) ; 1941, Major Barbara (Pascal, French), The Big Blockade (Frend) ; 1942, This Was Paris (Harlow), The Foreman Went to France (Le contremaître vient en France) (Frend), The Young Mr. Pitt (Le jeune Mr. Pitt) (Reed) ; 1945, I Live In Grosvenor Square (Wilcox) ; 1948, Ghosts of Berkeley Square (Sewell), The Small Back Room (Powell, Pressburger) ; 1949, Edward, My Son (Edouard, mon fils) (Cukor) ; 1951, An Outcast of the Islands (Le banni des îles) (Reed), The African Queen (La reine africaine) (Huston) ; 1952, Curtain Up (Smart, Morley) ; 1953, The Final Test (Asquith), The Story of Gilbert and Sullivan (Gilbert et Sullivan) (Gilliat, Launder), Melba (La valse de Monte-Carlo) (Milestone) ; 1954, Beat the Devil (Plus fort que le diable) (Huston), The Goods Die Young (Les bons meurent jeunes) (Gilbert), The Rainbow Jacket (Dearden), Beau Brummel (Bernhardt) ; 1955, Quentin Durward (Thorpe) ; 1956, The Loser Takes All (Qui perd gagne) (Annakin), Around the World in 80 Days (Le tour du monde en quatre-vingts jours) (Anderson) ; 1958, The Sheriff of Fractured Jaw (La blonde et le shérif) (Walsh), Law and disorder (L'habit fait le moine) (Crichton), The Doctor's Dilemma (Asquith) ; 1959, The Battle of the Sexes (La bataille des sexes) (Crichton), The Journey (Le voyage) (Litvak), Libel (La nuit est mon ennemi) (Asquith) ; 1960, Oscar Wilde (Ratoff), Giuseppe venduto dai fratelli (L'esclave du pharaon) (Ricci, Rapper) ; 1961, The Young Ones (Les jeunes) (Furie) ; 1962, The Boys (Les garçons) (Furie), The Road to Hong-Kong (Astronautes malgré eux) (Panama), Nine Hours to Rama (A neuf heures de Rama) (Robson), Go to Blaze (Tout feu tout flamme) (Truman) ; 1963, Ladies Who Do (Penington-Richards), Hot Enough for June (X3 agent spécial) (Thomas), The Old Dark House (Castle), Murder at the Gallop (Meurtre au galop) (Pollock), Takes Her She's Mine (Si papa savait ça) (Koster) ; 1964, Topkapi (Dassin), Gengis Khan (Levin), Of Human Bondage (L'ange pervers) (Hugues) ; 1965, Those Magnificent Men in Their Flying Machines (Ces merveilleux fous volants dans leurs drôles de machines) (Annakin), The Alphabet Murders (ABC contre Poirot) (Tashlin), Life at the Top (Kotcheff), The Loved One (Ce cher disparu) (Richardson), A Study in Terror (Sherlock Holmes contre Jack l'Éventreur) (Hill) ; 1966, Finder's Keepers (Hayers), Hotel Paradiso (Paradiso Hôtel du libre-échange) (Glenville), Way Way out (Tiens bon la rampe, Jerry) (Douglas), Tendre voyou (Becker) ; 1967, The Trygon Factor (Le signe du trigone) (Frankel) ; 1968, Sinful Davey (Davey des grands chemins) (Huston), Hot Millions (Till), Some Girls Do (Thomas) ; 1969, Song of Norway (Stone) ; 1970, Cromwell (Cromwell) (Hugues), Twinky (L'ange ou le démon) (Donner), Doctor in Trouble (Thomas) ; 1971, When Eight Bells Toll (Commando pour un homme seul) (Perier) ; 1973, Theatre of Blood (Théâtre de sang) (Hickox) ; 1975, Great Expectations (Hardy), Hugo the Hippo (Feiaenbaum) ; 1976, The Blue Bird (Cukor) ; 1978, Who Is Killing the Great Chefs of Europe (La grande cuisine) (Kotcheff) ; 1979, The Human Factor (Preminger), Scavenger Hunt (Schultz) ; 1982, High Road to China (Les aventuriers du bout du monde (Hutton) ; 1987, The Wind (Mastorakis).

Humoriste, il a écrit et a mis en scène plusieurs pièces et réalisé un film (*Curtain up*) bien qu'il n'en soit pas crédité sous son nom au générique. Acteur voué aux rondeurs, il débuta à l'écran dans le rôle de Louis XVI et fut pour *Quentin Durward* Louis XI ! On le préfère en gangster dans *Beat The Devil* ou en pasteur dans *The African Queen*. Mais de toute manière, la lèvre pendante, l'accent traînant, il fut toujours excellent.

Morrow, Vic

Acteur et réalisateur américain, 1932-1982.

1955, Blackboard Jungle (Graine de violence) (Brooks) ; 1956, Tribute to a Bad Man (La loi de la prairie) (Wise) ; 1957, Men in War (Cote 465) (Mann) ; 1958, Hell's Five Hours (Copeland), God's Little Acre (Le petit arpent du Bon Dieu) (Mann), King Creole (Bagarres au King Creole) (Curtiz) ; 1960, Cimarron (La ruée vers l'Ouest) (Mann) ; 1961, Posse from Hell (Coleman), Portrait of a Mobster (Pevney) ; 1968, What's in it for Harry ? (Istambul, mission impossible) (R. Corman, sous le pseudonyme de Henry Neill) ; 1970, Travis Logan D.A. (Wendkos), A Step Out of Line (McEveety) ; 1974, The Take (Hartford-Davis), Dirty Mary, Crazy Larry (Larry le dingue) (Hough) ; 1975, La babysitter (Clément) ; 1976, The Treasure of Matecumbe (McEveety), The Bad News Bears (Ritchie) ; 1977, Message from Space (Les évadés de l'espace) (Fukasaku) ; 1979, The Evictors (Pierce) ; 1980, Humanoïds from the Deep (Peeters), I guerrieri del Bronx (Les guerriers du Bronx) (Castellari) ; 1982, L'ultimo squalo (La mort au large) (Castellari) ; 1983, The Twilight Zone (La quatrième dimension) (Landis). *Pour le metteur en scène*, voir le *Dictionnaire du cinéma*, t. I : *Les réalisateurs*.

Révélé par *Graine de violence* : il était le loubard qui provoquait Glenn Ford. Né dans le Bronx, passionné de théâtre, il faisait ainsi ses débuts dans un film. Il travailla beaucoup avec Mann puis se tourna vers la télévision. Comme réalisateur, il tourna un « western spaghetti », *Sledge*, avec Laura Antonelli et James Gardner. Il périt déchiqueté par les pales d'un hélicoptère lors du tournage d'un épisode de *The Twilight Zone*.

Mortensen, Viggo

Acteur américain né en 1958.

1985, Witness (Witness) (Weir) ; 1987, Salvation ! (Beth B.) ; 1988, Prison (Prison) (Harlin), Fresh Horses (Anspaugh) ; 1990, Tripwire (Lemmo), Leatherface : Texas Chainsaw Massacre III (Massacre à la tronçonneuse III) (Burr), Young Guns II (Young Guns II) (Murphy), The Reflecting Skin (L'enfant miroir) (Ridley) ; 1991, The Indian Runner (Indian Runner) (Penn) ; 1993, The Young Americans (Cannon), Ruby Cairo (Clifford), Ewangelia wedlug Harry'ego (Majewski), Carlito's Way (L'impasse) (De Palma), Boiling Point (L'extrême limite) (Harris) ; 1994, Floundering (McCarthy), Desert Lunch (Majewski), The Crew (Colpaert), American Yakuza (Cappello) ; 1995, The Passion of Darkly Noon (Darkly Noon) (Ridley), Gimlet (Acosta), Crimson Tide (USS Alabama) (Scott), The Prophecy (Widen) ; 1996, The Portrait of a Lady (Portrait de femme) (Campion), Albino Alligator (Albino Alligator) (Spacey), Daylight (Daylight) (Cohen) ; 1997, G.I Jane (A armes égales) (Scott), La pistola de mi hermano (Loriga) ; 1998, A Walk on The Moon (Le choix d'une vie) (Goldwyn), A Perfect Murder (Meurtre parfait) (Davis), Psycho (Psycho) (Van Sant) ; 1999, 28 Days (28 jours, en sursis) (Thomas) ; 2000, Original Sin (Péché originel) (Cristofer), The Lord of the Rings, The Fellowship of the Ring (Le seigneur des anneaux : la communauté de l'anneau) (Jackson) ; 2002, The Lord of the Rings : The Two Towers (Le seigneur des anneaux : Les deux tours) (Jackson) ; 2003, The Lord of the Rings : The Return of the King (Le Seigneur des anneaux, le retour du roi) (Jackson) ; 2004, Hidalgo (Hidalgo) (Johnston) ; 2005, A History of Violence (A History of Violence) (Cronenberg).

Père danois, mère américaine et une enfance partagée entre Venezuela, Argentine, Danemark et Manhattan. On le découvre en vétéran du Vietnam hyper-violent dans *Indian Runner*, mais il se perd par la suite dans la série B, où il se spécialise dans les rôles de méchants vicelards. Après quelques rôles secondaires dans de grosses productions (*Portrait de femme, Meurtre parfait*), il s'impose dans *Le seigneur des anneaux* et, autre genre, dans *A History of Violence*.

Mosjoukine, Ivan

Acteur et metteur en scène russe, 1889-1939.

1911, Kreitzerova sonata (Tchardynine), Jiszn na Tzaria (Gontcharov), Obrona Sevastopolja (Gontcharov) ; 1912, Koupok Jiszni (Hansen), Mirele Efros (Gaï), Bratja Razbotchinski (Gontcharov), Strasnie Pojonik (Youriev), Snotchak (Gaï), Tchelovek (Tchardynine), Bratja (Tchardynine), Krestjanskaia dolia (Bibikov), Rabotchaia Slobodka (Tchardynine), Vojna i mir (Tchardynine), Givoj Troup (Tchardynine), Dourman (Tchardynine), Falchivi Kaupon (Tchardynine) ; 1913, Tchaz Boulat (Gontcharov), Gorre Sarri (Arkatov), Obryv (Tchardynine), Domik v Kolomna (Tchardynine), Vot Mchitza troika pochtovaia (Bauer), Djadjouskina kvartira (Bauer), Straschnaia miest (Starevitch), Notch pered rozdestvom (Starevitch) ; 1914, Revnost (Tchardynine), Vroukatch bespotchadnogo roka (Tchardynine), Jemtschina Zavtrstchevo dnia (Tchardynine), Ditja Bolchogo Goroda (Bauer), Krisantemi (Tchardynine), Tainstvennie nekto (Tchardynine), Sorvanetch (Tchardynine), Ty pomnis li ? (Tchardynine), Shazka o Spiatchek (Bauer), V polnotch na kladbische (Bauer), Rosdennie polzat utat ne mozet (Bauer), Slatcha notch (Bauer), Jiszn na smerti (Bauer), Sestra miloserdja (Tchardynine), Slava nam, smert vragram (Bauer), Tajna germanskovo posolstva (Bauer), E gerotchsky podvig (Bauer) ; 1915, Rouslan i Ludmila (Starevitch), Natacha Rostova (Tchardynine), Vlast Tmy (Tchardynine), Vozrojdennie (Tchardynine), Potop (Tchardynine), Klub nravstvennosti (Bauer), Petersbourgskie Troutchkoby (Protozanov), Komedia smerti (Tchardynine), Tajna Niegorodskoi jamarki (Protozanov), Nicolai Stavroguine (Protozanov), Vot Vspynoulo outro (Sabinsky), Vsiou Jiszn pod maskoi (Sabinsky), Deti Vaniousina (Protozanov), Para Gnedych (Protozanov), Kajtchka (Protozanov), Smerti doma (Protozanov), Vo vlasti gretcha (Protozanov) ; 1916, Lioubov silna ne strastjou (Sabinsky), Jiszn mig iskoustvo vetchno (Sabinsky), A stchastie bylo tak vozmotzno (Asagarov), Otchveli ouj davno krisantemi (Arkatov), Pikovaia dama (Protozanov), Jemtchina s kintzalom (Protozanov), Chkval (Volkoff), Na vierchine slavy (Volkoff), Koulissi ekrana (Volkoff), Tanietz smerti (Protozanov), Gretch (Protozanov) ; 1917, Prokuror (Protozanov), Otitz i syn (Perestiani), Dotz izrila (Tourjansky), Andrei Kosjoukov (Protozanov), Ni nado krouvi (Volkoff), Proklatie millioni (Protozanov), Satana Licoujoutchi (Protozanov), Otietz Serguei (Protozanov) ; 1918, Tajna korolevy (Protozanov) ; 1921, L'enfant du carnaval (Mosjoukine ?), Tempêtes (Boudrioz) ; 1922, La maison du mystère (Volkoff) ; 1923, Le brasier ardent (Mosjoukine) ; 1924, Kean (Volkoff), Les ombres qui passent (Volkoff), Le lion des Mogols (Epstein) ; 1925, Feu Mathias Pascal (L'Herbier) ; 1926, Michel Strogoff (Tourjansky) ; 1927, Casanova (Volkoff), The Surrender (Sloman) ; 1928, Der Praesident (Righelli), Der Geheime Kurier (Righelli) ; 1929, Adjudant des Zaren (Striljesky), Manolescu (Tourjansky) ; 1930, Der Weisse Teufel (Volkoff) ; 1931, Sergent X (Striljevsky) ; 1932, La mille et deuxième nuit (Volkoff) ; 1933, Les amours de Casanova (Barbéris) ; 1934, L'enfant du carnaval (Volkoff) ; 1936, Nitchevo (Baroncelli). *Pour le metteur en scène*, voir le *Dictionnaire du cinéma*, t. I : *Les réalisateurs*.

Le plus grand acteur des débuts du cinéma russe. Il joua des adaptations de *Guerre et paix* (*Vojna i mir*), de *Résurrection* (*Vozrojdennie*), du *Déluge* de Sienkiewicz (*Potop*) ou des films morbides dont il écrivait, avec Ozep et Starevitch (cf. *Dictionnaire du cinéma*, t. I : *Les réalisateurs*), les scénarios. Impossible de juger de la qualité de ces œuvres (on consultera l'étude que lui a consacrée Jean Mitry dans *Anthologie du cinéma*, t. V, à laquelle nous avons emprunté la filmographie de l'acteur). Réfugié en France, il interpréta plusieurs films sous la direction de son compatriote Volkoff et se mit en scène lui-même dans *Le brasier ardent*.

Mouchet, Catherine

Actrice française née en 1959.

1986, Thérèse (Cavalier) ; 1987, Si le soleil ne revenait pas (Goretta) ; 1992, Bonsoir (Mocky) ; 1998, Fin août, début septembre (Assayas), Extension du domaine de la lutte (Harel) ; 1999, Ma petite entreprise (Jolivet) ; 2000, Du côté des filles (Decaux-Thomelet), Les destinées sentimentales (Assayas), J'ai tué Clémence Acéra (Gaget), Mortel transfert (Beineix), HS (Lilienfeld), Le pornographe (Bonello) ; 2001, La repentie (Masson) ; 2002, Rue des plaisirs (Leconte) ; 2003, Petites coupures (Benitzer), Elle est des nôtres (Alnoy) ; 2006, Madame Irma (Bourdon et Fajnberg).

Elle débute au théâtre sous l'égide de Claude Régy et incarne, pour Alain Cavalier, une Thèrèse de Lisieux lumineuse et extraordinairement humaine. Meilleur espoir féminin en 1986 pour *Thérèse*, qui est son tout premier film, elle s'éclipse alors des écrans pour retourner au théâtre. On la retrouve dix ans plus tard, mûrie et douée d'un fort potentiel comique, dans des seconds rôles où elle ne passe pas inaperçue (nomination au césar du meilleur second rôle pour celui de la secrétaire de *Ma petite entreprise*).

Mouglalis, Anna

Actrice française née en 1978.

1998, Terminale (Girod) ; 2000, Merci pour le chocolat (Chabrol), La captive (Akerman) ; 2001, De l'histoire ancienne (Miret) ; 2002, Le loup de la côte ouest (Santiago), Novo (Limosin) ; 2003, La vie nouvelle (Grandrieux), En jouant « Dans la compagnie des hommes » (Desplechin) ; 2004, le rôle de sa vie (Favrat), Sotto falso nome (le prix du désir) (Andò) ; 2005, En attendant le déluge (Odoul) ; 2006, Romanzo criminale (Romanzo criminale) (Placido).

Révélée par Chabrol dans le rôle de Jeanne, qui se croit la fille de Dutronc (*Merci pour le chocolat*). Débuts de carrière prometteurs.

Mouloudji, Marcel

Acteur et chanteur français, 1922-1994.

1936, La guerre des gosses (Daroy), Jenny (Carné) ; 1937, Ménilmontant (Guissart), Mirages (Ryder), A Venise une nuit (Christian-Jaque), Claudine à l'école (Poligny) ; 1938, Les disparus de Saint-Agil (Christian-Jaque), L'entraîneuse (Valentin) ; 1939, L'enfer des anges (Christian-Jaque), Les gaietés de l'exposition (Hajos), Le grand élan (Christian-Jaque) ; 1941, Premier bal (Christian-Jaque) ; 1942, Les cadets de l'océan (Dréville), Les inconnus dans la maison (Decoin) ; 1943, Adieu, Léonard (Prévert), Vautrin (Billon), Les Roquevillard (Dréville) ; 1945, Boule de suif (Christian-Jaque) ; 1946, Les bataillons du ciel (Esway) ; 1947, Les jeux sont faits (Delannoy) ; 1948, La maternelle (Diamant-Berger), Les eaux troubles (Calef) ; 1949, La souricière (Calef) ; 1950, Justice est faite (Cayatte), Tête blonde (Cam) ; 1952, Nous sommes tous des assassins (Cayatte) ; 1953, Secrets d'alcôve (Delannoy, Habib, Decoin), Boum sur Paris (Canonge) ; 1954, Tout chante autour de moi (Gout) ; 1956, Jusqu'au dernier (Billon) ; 1958, Rafles sur la ville (Chenal) ; 1961, La planque (André).

Il débuta très jeune dans des rôles d'enfant (dont le mémorable cancre de *L'entraîneuse*) avant de jouer les métèques plus ou moins assassins (*Les inconnus dans la maison, Nous sommes tous des assassins...*). Il s'est également orienté vers le tour de chant (« Le mal de Paris », « L'hymne à la femme », « Les merveilleux dimanches »...). Il a écrit des romans (*Enrico, La guerre buissonnière...*) et des pièces de théâtre. Et son violon d'Ingres était la peinture !

Movin, Lisbeth

Actrice danoise née en 1917.

Principaux films : 1943, Vredens Dag (Jour de colère) (Dreyer) ; 1945, De rode Enge (La terre sera rouge) (Lauritzen) ; 1987 : Babettes gaestebud (Le festin de Babette) (Axel).

Belle, secrète et démoniaque, elle fut éblouissante dans *Jour de colère*.

Moya, Antoinette

Actrice française.

1953, Adam est... Ève (Gaveau) ; 1955, Je suis un sentimental (Berry) ; 1961, Le tracassin ou les plaisirs de la ville (Joffé) ; 1967, Alexandre le bienheureux (Robert) ; 1969, Midi-Minuit (Philippe) ; 1971, L'Italien des roses (Matton) ; 1972, Un officier de police sans importance (Larriaga), Le viager (Tchernia) ; 1973, Juliette et Juliette (Forlani), L'escapade (Soutter), Bel ordure (Marbœuf) ; 1975, Gloria mundi (Papatakis), La rage aux poings (Le Hung) ; 1976, L'amour en herbe (Andrieux) ; 1977, La part du feu (Périer), Repérages (Soutter) ; 1980, La provinciale (Goretta), Mais qu'est-ce que j'ai fait au Bon Dieu pour avoir une femme qui boit dans les cafés avec les hommes ? (Saint-Hamon), Pile ou face (Enrico), Asphalte (Amar) ; 1981, L'année prochaine si tout va bien (Hubert) ; 1984, Stress (Bertucelli) ; 1989, La campagne de Cicéron (Davila) ; 1992, Pétain (Marbœuf) ; 1994, Le fils préféré (Garcia) ; 1996, Les démons de Jésus (Bonvoisin), Bernie (Dupontel) ; 1997, Portraits chinois (Dugowson), L'autre côté de la mer (Cabrera) ; 1998, Restons groupés (Salomé) ; 2000, Jet Set (Onteniente).

Sympathique comédienne révélée par Michel Soutter, souvent cantonnée dans les rôles d'épouse soumise (*Mais qu'est-ce que j'ai fait au Bon Dieu..., Restons groupés*) ou de mère aimante (*L'autre côté de la mer, Jet Set*).

Moynot, Bruno

Acteur français né en 1950.

1976, L'affiche rouge (Cassenti), Une fille unique (Nahoun), L'aile ou la cuisse (Zidi) ; 1977, Vous n'aurez pas l'Alsace et la Lorraine (Coluche), La chanson de Roland (Cassenti), La tortue sur le dos (Béraud) ; 1978, Les héros n'ont pas froid aux oreilles (Némès), Les bronzés (Leconte) ; 1979, Les bronzés font du ski (Leconte) ; 1980, Viens chez moi, j'habite chez une copine (Leconte) ; 1981, Quand tu seras débloqué, fais-moi signe (Leterrier) ; 1982, Le père Noël est une ordure (Poiré), Le quart d'heure américain (Galland) ; 1983, Papy fait de la résistance (Poiré) ; 1984, Sac de nœuds (Balasko) ; 1986, Nuit d'ivresse (Nauer), Prunelle blues (Otmezguine) ; 1987, Les keufs (Balasko) ; 1990, Les secrets professionels du Dr. Apfelglück (sketch M. Ledoux) ; 1991, Ma vie est un enfer (Balasko) ; 1993, Mauvais garçon (Gassot) ; 1994, Grosse fatigue (Blanc).

Il apportait à Thérèse et à Pierre les doubitchous, le klug et de douces mélopées d'Europe centrale dans *Le père Noël est une ordure*. Bref, il reste pour tous et à jamais Monsieur Preskovic, le réfugié bulgare aux monstrueux sourcils. En dépit d'une carrière moins riche que ses ex-collègues du Splendid, cette contribution au 7e art lui vaut largement une place dans ce dictionnaire.

Mullan, Peter

Acteur et réalisateur écossais né en 1959.

1990, Riff-Raff (Riff-Raff) (Loach), The Big Man (Big Man) (Leland) ; 1994, Shallow Grave (Petits meurtres entre amis) (Boyle), Braveheart (Braveheart) (Gibson) ; 1995, Ruffian Hearts (Kane) ; 1996, Trainspotting (Trainspotting) (Boyle) ; 1997, Fairy Tale : A True Story (Le mystère des fées – Une histoire vraie) (Sturridge) ; 1998, My Name Is Joe (My Name Is Joe) (Loach) ; 1999, Ordinary Decent Criminal (Ordinary Decent Criminal) (O'Sullivan), Mauvaise passe (Blanc), Miss Julie (Mademoiselle Julie) (Figgis) ; 2000, The Claim (Rédemption) (Winterbottom) ; 2001, Session 9 (B. Anderson) ; 2002, The Magdalene Sisters (The Magdalene Sisters) (Mullan) ; 2003, Kiss of Life (Kiss of Life) (Young) ; 2004, Criminal (Criminal) (Jacobs) ; 2005, On a Clear Day (Une belle journée) (Dellal) ; 2004, Young Adam (Young Adam) (MacKenzie) ; 2006, Children of Men (Les Fils de l'homme) (Cuaron) 2007, The Last Legion (La dernière légion) (Lefler). *Pour le metteur en scène*, voir le *Dictionnaire du cinéma*, t. I : *Les réalisateurs*.

Bien connu sur les planches écossaises pendant les années 80 où il milite pour un théâtre engagé, il débute au cinéma sous l'égide de Ken Loach, qui lui offre le rôle-titre de *My Name Is Joe*, un chômeur vivant de petites combines dans la plus pure précarité. Récompensé à Cannes (où il vient chercher son prix en kilt) pour ce personnage humainement fort, Peter Mullan revient un an plus tard avec un film qu'il a lui-même réalisé, *Orphans*, la veillée funèbre tragi-comique d'une fratrie autour du cercueil de leur père.

Müller, Paul

Acteur suisse né en 1923.

1935, Le roman d'un jeune homme pauvre (Gance) ; 1945, Den usynlige Haer (Sabotage) (Jacobsen) ; 1948, Fabiola (Blasetti) ; 1949, La sepolta viva (L'enterrée vivante) (Brignone), Vespro siciliano (Pastina), Il falco rosso (Le faucon rouge) (Bragaglia), Il capitano nero (Ansoldi, Pozzetti), Kiss of a Dead Woman (Brignone) ; 1950, Toto cerca moglie (Bragaglia) ; 1951, La citta si difende (Germi) ; 1952, Abracadabra (Neufeld), La voce del sangue (Mercanti), Viva il cinema (Baldaccini, Trapani), Il tenento Giorgio (Matarazzo), I sette dell'orsa maggiore (Panique à Gibraltar) (Coletti), Pentimento (Costa), Fratelli d'Italia (Saraceni), La cieca di Sorrento (Gentilomo) ; 1953, Il pecato di Anna (Mastrocinque), Opinione pubblica (Rumeur publique) (Corgnati), Viaggio in Italia (Voyage en Italie) (Rossellini), I misteri della jungla nera (Callegari) ; 1954, Schiavia del peccato (L'esclave du péché) (Matarazzo) ; 1955, Incatenata del destino (Di Gianni), Verrat an Deutschland (L'espion de Tokyo) (Harlan), Due notti con Cleopatra (Deux nuits avec Cléopâtre) (Mattoli), Tam Tam Mayumbe (Tam-tam) (Napolitano) ; 1956, A Strange Adventure (Witney), Checkpoint (A tombeau ouvert) (Thomas), I vampiri (Les vampires) (Freda), Le feu aux poudres (Decoin), Les aventures d'Arsène Lupin (Becker) ; 1958, Il romanzo di un giovane povero (Girolami), Il corsaro della mezzaluna (La belle et le corsaire) (Scotese), Nel segno di Roma (Sous le signe de Rome) (Freda, Brignone), The Naked Maja (La maja nue) (Koster) ; 1959, Plein soleil (Clément), Signé Arsène Lupin (Robert), Due salvaggi a corte (Baldi), Capitan Fuoco (La flèche noire de Robin des bois) (Campogalliani) ; 1960, The Enemy General (Le général ennemi) (Sherman), El Cid (Le Cid) (Mann), La venere dei pirati (La reine des pirates) (Costa) ; 1961, La grande vallata (Dorigo), Legge di guerra (La loi de la guerre) (Paolinelli), Teseo contro il Minotauro (Thésée et le Minotaure) (Amadio), Il relitto (L'épave) (Cacoyannis), Il giustiziese dei mari (Le boucanier des îles) (Paolella), Le prigionere dell'isola del Diavolo (L'île des filles perdues) (Paolella), Francesco of Assisi (François d'Assise) (Curtis) ; 1962, It Happened in Athens (Marton), Straße der Verheißung (Moskowicz), Ponzio Pilato (Ponce Pilate) (Calegari), I Normani (Les Vikings attaquent) (Vari), Barabbas (Barabbas) (Fleischer), Beta Som/Torpedo Bay (Défi à Gibraltar) (Frend) ; 1963, Maciste l'eroe più grande del mondo (Le retour des Titans) (Lupo), Kali Yug, il misterio del templo indio (Le mystère du temple hindou) (Camerini), Cover-girls (Bénazéraf) ; 1964, Il dominatore del deserto (Boccia), Uncas, el fin de una raza (Le dernier des Mohicans) (Cano), Kali Yug, dea della vendetta (Kali Yug déesse de la vengeance) (Camerini) ; 1965, Amanti d'oltre-tomba (Les amants d'outre-tombe) (Caiano), Io uccido tu uccidi (Puccini), Il compagno Don Camillo (Don Camillo en Russie) (Comencini), Mordnacht in Manhattan (Jerry Cotton et les gangs de Manhattan) (Philipp), La vendetta di Lady Morgan (Pupillo) ; 1966, Io io io... e gli altri (Moi moi moi... et les autres) (Blasetti), Thompson 1880 (Zurli), Roger la honte (Freda), Non faccio la guerra, faccio l'amore (Rossi), K.O. va e uccidi (Ferrero) ; 1967, Der Mörderclub von Brooklyn (Énigme à Central Park) (Jacobs), Indomptable Angélique (Borderie), Tre supermen a Tokio (Albertini) ;

1968, Venus in Furs (Franco), Malenka, la sobrina del vampiro (De Ossorio), Persecución hasta Valencia (Coll), Stuntman (Le cascadeur) (Baldi) ; 1969, La isla de la muerte (Franco), Cinque figli di cane (Caltabiano), Paroxismus (Franco), Uno di più all'inferno (Fago), Puro siccome un angelo papa me fece monaco... di Monza (Grimaldi) ; 1970, Sex Charade (Sex Charade) (Franco), Eugenie (Eugénie de Sade) (Franco), Sie tötete in Extase (Crimes dans l'extase) (Franco), Angeli senza paradiso (Fizzarotti), Vampyros Lesbos (Vampyros lesbos/Sexualité spéciale) (Franco), El conde Dracula (Les nuits de Dracula) (Franco), Pussycat, Pussycat I Love You (Amateau) ; 1971, Der Teufel kam aus Akasawa (Franco), Lady Frankenstein (Lady Frankenstein cette obsédée) (Von Theumer), Una vergine tra i morti viventi (Christina princesse de l'érotisme) (Franco), X312 — Flug zur Hölle (Franco), L'albatros (Mocky), Les cauchemars naissent la nuit (Franco) ; 1972, Camorra (Les tueurs à gages) (Squitieri), Robinson und seine wilden Sklavinnen (Trois filles nues dans l'île de Robinson) (Franco), La vita, a volte, è molto dura, vero Provvidenza ? (Petroni), Estratto dagli archivi segreti della polizia di una capitale europea (Freda) ; 1973, Treasure Island (L'île au trésor) (Hough), L'histoire très bonne et très joyeuse de Colinot Trousse-chemise (Companeez), The Arena (D'Amato) ; 1974, Fatevi vivi : la polizia non interverra (Fago), Convoi de femmes (Chevalier), Mose, la legge del deserto (De Bosio), Les nuits brûlantes de Linda (Franco), Un linceul n'a pas de poches (Mocky), Kiss Me Killer (Embrasse-moi) (Franco) ; 1975, Frauengefängnis (Prison de femmes) (Franco), Une vierge pour Saint-Tropez (Friedland), Downtown (Franco) ; 1976, Mark colpisce ancora (Massi), Bestialita (Skerl), Une femme à sa fenêtre (Granier-Deferre) ; 1977, L'affaire suisse (Amman), Mogliamante (La maîtresse légitime) (Vicario), Il prefetto di ferro (L'affaire Mori) (Squitieri), Mark colpisce ancorra (Massi) ; 1978, Le témoin (Mocky), Piccole labbra (Cattarinich) ; 1979, Indagine su un delitto perfetto (Rosatti, sous le pseudonyme de Leviathan), L'isola del gabbiano (Ungaro) ; 1980, Fantozzi contro tutti (Parenti), Camera d'albergo (Chambre d'hôtel) (Monicelli) ; 1982, Sogni mostruosamenti proibiti (Parenti), Nana (Nana, le désir) (Wolman) ; 1983, Mark of the Scorpion (Pirri) ; 1984, La double vie de Mathias Pascal (Monicelli), Die Praxis der Liebe (Export) ; 1985, Speriamo che sia femmina (Pourvu que ce soit une fille) (Monicelli) ; 1986, Salome (D'Anna) ; 1988, Der Kommander (Margheriti) ; 1990, Paprika (Brass), The Jeweller's Shop (La boutique de l'orfèvre) (Anderson), Un gatto nel cervello (Fulci), Fantozzi alla riscossa (Parenti) ; 1992, Fiorile (Fiorile) (Taviani) ; 1997, Roseanna's Grave (Pour l'amour de Roseanna) (Weiland).

Suisse, il débute au théâtre à Paris pendant l'Occupation, puis part pour l'Italie où son flegme et sa prestance lui valent d'être demandé par Cinecittà. A partir des années 50, il devient une figure incontournable du cinéma d'« exploitation », pour lequel il campe une multitude de rôles de traîtres et de conspirateurs. La deuxième partie de sa carrière le voit tourner au kilomètre pour Jess Franco, chez qui il incarne généralement des médecins libidineux.

Müller-Stahl, Armin

Acteur et réalisateur allemand né en 1930.

1956, Heimliche Ehe (Von Wangenheim) ; 1960, Fünf Patronenhülsen (Beyer) ; 1962, Nackt unter Wölfen (Beyer), Königskinder (Beyer), Tödlichen Irrtum (Petzold) ; 1963, Christine (Dudow) ; 1964, Preludio 11 (Maetzig), Alaskafüsche (Wallroth) ; 1967, Ein Lord am Alexanderplatz (Reisch) ; 1972, Januskopf (Maetzig), Der Dritte (Günther) ; 1973, Die Hosen des Ritters Bredow (Petzold) ; 1974, Jakob der Lügner (Jacob le menteur) (Beyer), Kit & Co (Petzold) ; 1976, Nelken in Aspik (Reisch) ; 1977, Die Flucht (Gräf) ; 1978, Geschlossene Gesellschaft (Beyer) ; 1980, Der Westen leuchtet (Schilling) ; 1981, Lola (Lola, une femme allemande) (Fassbinder), Dieu ne croit plus en nous (Corti), Die Sehnsucht der Veronika Voss (Le secret de Veronika Voss) (Fassbinder) ; 1982, Un dimanche de flic (Vianey), Flugel der Nacht (Noever) ; 1983, Eine Liebe in Deutschland (Un amour en Allemagne) (Wajda), L'homme blessé (Chéreau) ; 1984, Rita Ritter (Achternbusch), Tausend Augen (Les yeux du désir) (Blumenberg), Trauma (Kubach), Die Mitläufer (Itzenplitz, Leiser) ; 1985, Bittere Ernte (Amère récolte) (Holland), Redl ezredes (Colonel Redl) (Szabo), Vergesst Mozart (Luther), Glut (Koerffer), Der Angriff der Gegenwart auf die übrige Zeit (Kluge) ; 1986, Momo (Schaaf), Auf der Tag genau (Lähn) ; 1987, Der Joker (Patzak) ; 1988, Killing Blue (Patzak) ; 1989, Das Spinnennetz (Wicki), Schweinegeld (Kückelman), A Hecc (Gàrdos) ; 1990, Music Box (Musix Box) (Costa-Gavras), Night on Earth (Night on earth) (Jarmusch), Codename : Gorilla (Rusnak) ; 1991, Avalon (Avalon) (Levinson), Bronsteins Kinder (Kawalerowicz), Kafka (Kafka) (Soderbergh) ; 1992, The Power of One (La puissance de l'ange) (Avildsen), Far From Berlin (Loin de Berlin) (McNally) Utz (Sluizer) ; 1993, Red Hot (Haggis), Der Kinoerzähler (Sinkel), The House of the Spirits (La maison aux esprits) (August) ; 1994, The Last Good Time (Balaban), Taxandria (Servais), A Pyromaniac's Love Story (Brand), The Sunset Boys/Pakten (Risan), Holy Matrimony (Nimoy) ; 1995, T-Rex (T. Rex) (Betuel), Le roi des aulnes (Schlöndorff) ; 1996, Shine (Shine) (Hicks), Conversation with the Beast (Müller-Stahl), Telling Lies in America (Ferland) ; 1997, The Assistant (Petrie Sr), The Peacemaker (Le pacificateur) (Leder), The Game (The Game) (Fincher), The X-Files (The X-Files — Le film) (Bowman), The Commissioner (Sluizer), Tanger — Legende einer Stadt (Gödel) ; 1998, Jakob the Liar (Jakob le menteur) (P. Kassovitz), The 13th Floor (Passé virtuel) (Rusnak) ; 1999, Pilgrim (Cokliss), The Third Miracle (Holland) ; 2000, Mission to Mars (Mission to Mars) (De Palma), The Long Run (Stewart). *Comme réalisateur :* 1993, Conversation with the Beast.

Carrière allemande au service de Fassbinder. C'est Costa-Gavras qui l'impose dans le rôle très ambigu de *Music-Box*.

Mulroney, Dermot

Acteur américain né en 1963.

1987, Sunset (Meurtre à Hollywood) (Edwards) ; 1988, Young Guns (Young Guns) (Cain) ; 1989, Staying Together (Staying Together) (Grant) ; 1990, Survival Quest (Coscarelli), Longtime Companion (Un compagnon de longue date) (René) ; 1991, Career Opportunities (Une place à prendre) (Gordon), Samantha (La Rocque), Bright Angel (Fields) ; 1992, Where the Day Takes You (Rocco), Halfway House (Robinson), There Goes my Baby (Mutrux) ; 1993, Point of No Return / The Assassin (Nom de code : Nina) (Badham), The Thing Called Love (Bogdanovich), Silent Tongue (Shepard) ; 1994, Bad Girls (Belles de l'Ouest) (Kaplan), Angels in the Outfield (Dear) ; 1995, Living in Oblivion (Ça tourne à Manhattan) (DiCillo), Copycat (Copycat) (Amiel), How to Make an American Quilt (Le patchwork de la vie) (Moorhouse) ; 1996, Kansas City (Kansas City) (Altman), Box of Moonlight (Box of Moonlight) (DiCillo), The Trigger Effect (Réactions en chaîne) (Koepp), Bastard Out of Carolina (A. Huston) ; 1997, My Best Friend's Wedding (Le mariage de mon meilleur ami) (Hogan), Goodbye Lover (Goodbye Lover) (R. Joffé) ; 1998, Where the Money Is (En toute complicité) (Kanievska) ; 1999, Trixie (Trixie) (Rudolph) ; 2000, Investigating Sex (Rudolph) ; 2001, The Safety of Objects (Troche) ; 2003, About Schmidt (M. Schmidt) (Payne) ; 2005, Must Love Dogs (La main au collier) (Goldberg), The Family Stone (Esprit de famille) (Bezucha), Undertown (L'autre rive) (Green) ; 2007, Zodiac (Fincher).

Peu de charisme chez ce play-boy baraqué, qui se faisait évincer par sa promise dans *Le mariage de ma meilleure amie,* son meilleur rôle. Beaucoup de films mais une popularité qui stagne un peu.

Muni

Actrice française, de son vrai nom Marguerite Dupuy, 1929-1999.

1949, La cage aux filles (Cloche) ; 1963, Le journal d'une femme de chambre (Buñuel) ; 1965, La jeune morte (Pigaut et Faraldo) ; 1966, Belle de jour (Buñuel), La fille d'en face (Simon), Belphegor (Barma) ; 1969, La voie lactée (Buñuel) ; 1970, L'étrangleur (Vecchiali), La promesse de l'aube (Dassin) ; 1972, Le moine (Kyrou), Le charme discret de la bourgeoisie (Buñuel) ; 1974, Le fantôme de la liberté (Buñuel), Il faut vivre dangereusement (Makovsky), Crazy American Girl (La fille d'Amérique) (D. Newman) ; 1975, Calmos (Blier), Mimi Bluet (Di Palma) ; 1976, Voici la fin mon bel ami (Bouthier) ; 1977, Cet obscur objet du désir (Buñuel), Un professeur américain (Jeudi et Pividal) ; 1978, Les noces de sang (Ben Barka) ; 1983, Canicule (Boisset) ; 1989, Erreur de jeunesse (Tadic) ; 1990, Aujourd'hui peut-être (Bertucelli).

Plus une comédienne de théâtre que de cinéma, mais chacune de ses apparitions dans les films de Buñuel en rajoutait encore dans le surréalisme : une étrange voix de fausset, un physique de bonne vieille dame ayant constamment l'air en proie au malaise existentiel, malaise qu'elle s'ingénie d'ailleurs à distiller avec une innocence exemplaire.

Muni, Paul

Acteur américain, de son vrai nom Weisenfreund, 1895-1967.

1929, The Valiant (Howard), Seven Faces (Viertel) ; 1932, I am a Fugitive from a Chain Gang (Je suis un évadé) (LeRoy), Scarface : Shame of a Nation (Scarface) (Hawks) ; 1933, The World Changes (LeRoy) ; 1934, Hi Nellie (LeRoy) ; 1935, Bordertown (Ville frontière) (Mayo), Black Fury (Furie noire) (Curtiz), Dr. Socrates (Docteur Socrate) (Dieterle) ; 1936, The Story of Louis Pasteur (La vie de Louis Pasteur) (Dieterle) ; 1937, The Life of Emile Zola (La vie d'Émile Zola) (Dieterle),

The Good Earth (Visages d'Orient) (Franklin), The Woman I Love (Litvak) ; 1939, Juarez (Dieterle), We Are not Alone (Goulding) ; 1940, Hudson's Bay (Pichel) ; 1943, Commandos Strike at Dawn (Les commandos frappent à l'aube) (Farrow), Stage Door Canteen (Le cabaret des étoiles) (Borzage) ; 1945, Counter Attack (Z. Korda), A Song to Remember (La chanson du souvenir) (Vidor) ; 1946, Angel on my Shoulder (Mayo) ; 1953, Stranger on the Prowl (Un homme à détruire) (Losey) ; 1959, The Last Angry Man (La colère du juste) (D. Mann).

Né en Pologne, Juif immigré aux États-Unis, il fut l'interprète des grands films de la Warner à résonances sociales ou historiques et gagna un oscar en 1936 pour son *Pasteur*. C'est par sa création de *Scarface*, alias Al Capone, qu'il est surtout resté célèbre. Fields lui aurait déconseillé le métier d'acteur. On reconnaît là l'humour de Fields. La carrière de Muni s'estompa avec la guerre froide et la « chasse aux sorcières ».

Munson, Ona

Actrice américaine, 1906-1955.

1931, Going Wild (Seiter), The Hot Heiress (Badger), Five Star Final (LeRoy), Broad Minded (LeRoy) ; 1939, Legion of Lost Flyers (Cabanne), Gone With the Wind (Autant en emporte le vent) (Fleming), The Big Guy (Lubin) ; 1940, Wagons Westward (Landers) ; 1941, Lady from Louisiana (Vorhaus), Wild Geese Calling (Brahm) ; 1942, The Shanghai Gesture (Shanghai) (Sternberg), Drums of Congo (Cabanne) ; 1943, Idaho (Kane) ; 1945, Dakota (Kane), The Cheaters (Kane) ; 1947, The Red House (La maison rouge) (Daves).

Grande actrice de théâtre qui marqua le cinéma par deux compositions célèbres : Belle Watling dans *Gone With the Wind* et Mother Gin Iling de *The Shanghai Gesture*. Mariée au réalisateur Buzzell, elle se suicida par absorption de somnifères.

Murat, Jean

Acteur français, 1888-1968.

1920, Expiation (Niblo) ; 1922, La sirène de pierre (Lion) ; 1923, Les yeux de l'âme (Lion) ; 1924, L'autre aile (Andréani), La galerie des monstres (Catelain), Souvent femme varie (Legrand), La fontaine des amours (Lion) ; 1925, Le stigmate (Feuillade), Le roi de la pédale (Champreux) ; 1926, Les fiançailles rouges (Lion), Carmen (Feyder), La proie du vent (Clair) ; 1927, Duel (Baroncelli) ; 1928, L'eau du Nil (Vandal), Le looping de la mort (H. Paul), Expiation (Speyer), La grande épreuve (Dugès, Ryder) ; 1929, La divine croisière (Duvivier), La vie est à nous (Roussel), Nuit d'angoisse (Meinert), L'évadée (Ménessier), L'as de pique (Meinert) ; 1930, La folle aventure (Antoine), La femme d'une nuit (L'Herbier) ; 1931, I.F.I. ne répond plus (Hartl), 77, rue Chalgrin (Courville), Un trou dans le mur (Barbéris), Barcarolle d'amour (Roussel) ; 1932, Dactylo (Thiele), Mademoiselle Josette, ma femme (Berthomieu), Dernier choc (Baroncelli), Stupéfiants (Gerron), Le vainqueur (P. Martin), L'homme à l'Hispano (Epstein) ; Paris-Méditerranée (May) ; 1933, La châtelaine du Liban (Epstein), Un certain M. Grant (Lamprecht), Toi que j'adore (Von Bolvary, Valentin), Capitaine Craddok (Schwarz) ; 1934, Dactylo se marie (Pujol), Le secret des Woronzeff (Robinson) ; 1935, L'équipage (Litvak), La kermesse héroïque (Feyder), Deuxième bureau (Billon), La sonnette d'alarme (Christian-Jaque) ; 1936, Les mutinés de l'Elseneur (Chenal), La guerre des gosses (Daroy), Anne-Marie (Bernard) ; 1937, Aloha ou le chant des îles (Mathot), Troïka sur la piste blanche (Dréville), L'homme à abattre (Mathot) ; 1938, J'étais une aventurière (Bernard), Nuits de prince (Strijewski) ; 1939, Le capitaine Benoît (Canonge), Le père Lebonnard (Limur) ; 1941, Mademoiselle Swing (Pottier), Les hommes sans peur (Noé), Six petites filles en blanc (Noé) ; 1942, La femme perdue (Choux), La chèvre d'or (Barberis) ; 1943, L'éternel retour (Delannoy) ; 1945, Christine se marie (Le Hénaff) ; 1946, Chemins sans loi (Radot) ; 1947, Bethsabée (Moguy) ; 1948, Bagarres (Calef) ; 1950, Les aventuriers de l'air (Jayet), On the Riviera (W. Lang), Rich, Young and Pretty (Taurog) ; 1953, Le guérisseur (Ciampi), La nuit est à nous (Stelli), Si Versailles m'était conté (Guitry), Alerte au Sud (Devaivre), Le grand pavois (Pinoteau) ; 1954, Huis Clos (Audry), Opération Tonnerre ; 1955, L'amant de Lady Chatterley (M. Allégret) ; 1957, Les misérables (Le Chanois), Ces dames préfèrent le mambo (Borderie), A Paris tous les deux (Oswald) ; 1958, Les grandes familles (La Patellière), Auferstehung (Résurrection) (Hansen), Mission diabolique (May) ; 1961, Les sept péchés capitaux (sketch Molinaro) ; 1964, Le pont des soupirs (Pierotti).

Né à Périgueux, il fut dans les années 20 et 30 le type même du héros viril. Journaliste à Berlin, évadé en 14, aviateur, il débuta dans le cinéma aux États-Unis, à la faveur d'une mission militaire, avant de continuer en France dans cette voie et de former avec Annabella un des couples les plus célèbres de l'écran. Grand, carré, avec une fine moustache, il poursuivit sa carrière sans interruption jusqu'à sa mort.

Murino, Caterina

Actrice italienne née en 1974.

2004, L'enquête corse (Berbérian) ; 2006, Les bronzés 3, Amis pour la vie (Leconte), Casino Royale (Casino Royale) (Campbell).

C'est *L'enquête corse* qui la fait connaître mais c'est à James Bond (*Casino Royale*) qu'elle doit sa célébrité. Détail important : elle parle couramment quatre langues.

Murphy, Audie

Acteur américain, 1924-1971.

1948, Beyond Glory (Retour sans espoir) (Farrow), Texas, Brooklyn and Heaven (Castle) ; 1949, Bad Boy (Garçons en cage) (Beumann) ; 1950, The Kid from Texas (Le Kid du Texas) (Neumann), Sierra (Green), Kansas Raiders (Kansas en feu) (Enright) ; 1951, The Red Badge of Courage (La charge victorieuse) (Huston), The Cimarron Kid (A feu et à sang) (Boetticher) ; 1952, The Duel at Silver Creek (Duel sans merci) (Siegel) ; 1953, Gunsmoke (Le tueur du Montana) (Juran), Column South (L'héroïque lieutenant) (De Cordova), Tumbleweed (Qui est le traître ?) (Juran) ; 1954, Ride Clear of Diabolo (Chevauchée avec le diable) (Hibbs), Drums Across the River (La rivière sanglante) (Juran), Destry (Le nettoyeur) (Marshall) ; 1955, To Hell and Back (L'enfer des hommes) (Hibbs) ; 1956, Walk the Proud Land (L'homme de San Carlos) (Hibbs), World in My Corner (Hibbs) ; 1957, Joe Butterfly (Hibbs), Night Passage (Le survivant des monts lointains) (Neilson), The Guns of Fort Petticoat (Le fort de la dernière chance) (Marshall) ; 1958, The Gun Runners (Siegel), The Quiet Americain (Un Américain bien tranquille) (Mankiewicz), Ride a Crooked Trail (L'étoile brisée) (Hibbs) ; 1959, No Name on the Bullet (Une balle signée X) (Arnold), The Wild and the Innocent (Le bagarreur solitaire) (Sher) ; 1960, The Unforgiven (Le vent de la plaine) (Huston), Cast a Long Shadow (Cass), Hell Bent for Leather (Le diable dans la peau) (Sherman), Seven Ways from Sundown (Les sept chemins du couchant) (Keller) ; 1961, Battle at Bloody Beach (Coleman), Posse from Hell (Les cavaliers de l'enfer) (Coleman) ; 1962, Six Black Horses (Six chevaux dans la plaine) (Keller) ; 1963, Showdown (Le collier de fer) (Springsteen), Gunfight at Comanche Creek (Duel au Colorado) (McDonald) ; 1964, Bullet for A Badman (Patrouille de la violence) (Springsteen), The Quick Gun (Feu sans sommation) (Salkow), Apache Rifles (Fureur des Apaches) (Witney) ; 1965, Arizona Raiders (Witney) ; 1966, Gunpoint (Bellamy), Trunk to Cairo (Golan) ; 1967, Forty Guns to Apache Pass (Witney) ; 1969, A Time for Dying (Qui tire le premier ?) (Boetticher).

Issu d'un milieu très modeste de cueilleurs de coton, il se révèle, grâce aux leçons paternelles, un tireur remarquable. Lorsque la guerre éclate, il s'engage dans l'infanterie et combat en Europe. Il sera le soldat le plus décoré de la Seconde Guerre mondiale. Hollywood s'intéresse à lui : on le retrouve dans de nombreux westerns de série Z où il promène sans conviction son visage poupin et ses manières empruntées (il n'emporte l'adhésion que dans *The Wild and the Innocent*). Il a tourné plusieurs films de guerre, dont l'un autobiographique, *L'enfer des hommes*. Ruiné en 1967, il périt dans un accident d'avion quelques années plus tard.

Murphy, Eddie

Acteur et réalisateur américain, de son vrai prénom Edward, né en 1961.

1982, 48 Hours (Quarante-huit heures) (W. Hill) ; 1983, Trading Places (Un fauteuil pour deux) (Landis) ; 1984, Beverly Hills Cop (Le flic de Beverly Hills) (Brest) ; 1985, Best Defence (Une défense canon) (Huyck) ; 1987, The Golden Child (L'enfant sacré du Tibet) (Ritchie), Beverly Hills Cop 2 (Le flic de Beverly Hills 2) (Scott) ; 1987, Raw (Eddie Murphy Show) (Townsend) ; 1988, Coming to America (Un prince à New York) (Landis) ; 1989, Harlem Nights (Nuits de Harlem) (Murphy) ; 1990, Another 48 Hours (Quarante-huit heures de plus) (Hill) ; 1992, Boomerang (Boomerang) (Hudlin) ; 1993, The Distinguished Gentleman (Monsieur le député) (Lynn) ; 1994, Beverly Hills Cops 3 (Le flic de Beverly Hills 3) (Landis) ; 1995, Vampire in Brooklyn (Un vampire à Brooklyn) (Craven), The Nutty Professor (Professeur foldingue) (Shadyac) ; 1996, Metro (Le flic de San Francisco) (Carter) ; 1997, Dr. Dolittle (Dr. Dolittle) (Thomas), Holy Man (Mister G) (Herek) ; 1998, Life (T. Demme), Bowfinger (Bowfinger, roi d'Hollywood) (Oz) ; 2000, The Nutty Professor 2 : The Klumps (La famille Foldingue) (Segal), Pluto Nash (Underwood) ; 2001, Doctor Dolittle 2 (Carr) ; 2001, Showtime (Dey) ; 2002, I Spy (Espion et demi) (Thomas) ; 2003, Daddy Day Care (École paternelle) (Carr), The Haunted Mansion (Le manoir hanté et les 999 fantômes) (Minkoff) ; 2007, Dreamgirls (Dreamgirls) (Condon),

Norbit (Robbins). *Comme réalisateur :* 1989, Harlem Nights (Nuits de Harlem).

Il fut un temps la « coqueluche » noire d'Hollywood. Vedette de l'émission télévisée « Saturday Night Live », chanteur de tubes, il a fait sensation dans *Quarante-huit heures* par sa totale décontraction en libéré sous condition affrontant son partenaire blanc Nick Nolte. Même désinvolture dans *Trading Places*. Il explique : « Être comédien, c'est avant tout être capable de jouer. Tout le monde peut en effet suivre des cours d'art dramatique, apprendre des techniques de respiration, mais pour sortir de l'ombre, il faut savoir tenir un rôle. Vous avez ce don à la naissance ou vous ne l'avez pas. » Et d'ajouter : « La meilleure comédie est celle qui ne respecte rien. » Passé derrière la caméra pour *Harlem Nights*, il déçoit et doit s'engager dans une suite sans surprise de *48 Hours*.

Murray, Bill

Acteur américain né en 1950.

1979, Meatballs (Arrête de ramer, t'es sur le sable) (Reitman), The Jerk (Un vrai schnock) (C. Reiner) ; 1980, Where the Buffalo Roam (Linson), Caddyshack (Ramis), Loose Shoes (Ira Miller), Mr. Mike's Mondo Video (O'Donoghue) ; 1981, Stripes (Les bleus) (Reitman) ; 1982, Tootsie (Tootsie) (Pollack) ; 1983, Nothing Lasts Forever (Schiller) ; 1984, Ghostbusters (S.O.S. Fantômes) (Reitman), The Razor's Edge (Le fil du rasoir) (Byrum) ; 1986, The Little Shop of Horrors (La petite boutique des horreurs) (Oz) ; 1988, Scrooged (Fantômes en fête) (Donner), She's Having a Baby (La vie en plus) (Hughes) ; 1989, Ghostbusters II (S.O.S. Fantômes 2) (Reitman) ; 1990, Quick Change (Franklin et Murray) ; 1991, What About Bob ? (Quoi de neuf, Bob ?) (Oz) ; 1992, Groundhog Day (Un jour sans fin) (Ramis) ; 1993, Mad Dog and Glory (Mad Dog and Glory) (McNaughton) ; 1994, Ed Wood (Ed Wood) (Burton) ; 1995, Comedy (Franklin) ; 1996, Kingpin (Farrelly), Larger Than Life (Un éléphant sur les bras) (Franklin), Space Jam (Space Jam) (Pytka) ; 1997, The Man Who Knew Too Little (L'homme qui en savait trop... peu) (Amiel), Wild Things (Sexcrimes) (McNaughton), With Friends Like These... (Messina) ; 1998, Rushmore (Anderson), Cradle Will Rock (Broadway 39e Rue) (Robbins) ; 1999, Hamlet (Hamlet) (Almereyda) ; 2000, Charlie's Angels (Charlie et ses drôles de dames) (McG), Company Man (Company Man) (McGrath, Askin) ; 2001, The Royal Tenenbaums (La famille Tenenbaum) (Anderson) ; 2003, Lost in Translation (Lost in Translation) (S. Coppola) ; 2004, Coffee and Cigarettes (Coffee and Cigarettes) (Jarmusch), Garfield (Garfield) (Hewitt) ; 2005, Broken Flowers (Broken Flowers) (Jarmusch), The Life Aquatic with Steve Zissou (La vie aquatique) (Anderson) ; 2006, Garfield 2 (Garfield 2) (Hill), The Lost City (Adieu Cuba) (Garcia).

Membre de la prestigieuse (du moins outre-Atlantique) équipe du « Saturday Night Live » dès 1977, où il côtoie la bande des Lily Tomlin, Dan Ackroyd et autre Steve Martin, il se tourne progressivement, comme ces derniers, vers le cinéma et devient célèbre pour son rôle de chasseur de fantômes flegmatique dans la série des « SOS Fantômes ». Surtout à l'aise dans la comédie, il incarne des personnages rusés, nonchalants et marginaux, à l'image du producteur efféminé dans *Ed Wood*.

Murray, Charlie

Acteur et réalisateur américain, 1872-1941.

1914-1918 : *une centaine de courts métrages dont* 1914, Mabel's Married Life, Tillie's Punctured Romance (Sennett) ; 1915, La série des Hogan ; 1919, Yankee Doodle in Berlin (Jones) ; 1926-1933, série des Cohen et Kelly. *Comme réalisateur :* 1920, By Golly.

Comique grimaçant, à mèche tombant sur les yeux et à barbiche à la Lincoln. Il appartint à l'écurie Sennett et eut Chaplin, Ben Turpin et Mabel Normand comme partenaires. Dans le couple Cohen et Kelly qui inspira plusieurs films comiques réunissant un Juif et un Irlandais, il fut Kelly, l'Irlandais.

Murray, Don

Acteur et réalisateur américain né en 1929.

1956, Bus Stop (Arrêt d'autobus) (Logan) ; 1957, The Bachelor Party (La nuit des maris) (D. Mann), A Hatful of Rain (Une poignée de neige) (Zinneman) ; 1958, From Hell to Texas (La fureur des hommes) (Hathaway) ; 1959, Shake Hands with the Devil (L'épopée dans l'ombre) (Anderson), These Thousand Hills (Duel dans la boue) (Fleischer) ; 1960, One Foot in Hell (Les hors-la-loi) (Clark) ; 1961, The Hoodlum Priest (Le mal de vivre) (Kershner) ; 1962, Advise and Consent (Tempête à Washington) (Preminger), Tunnel 28 (Siodmak) ; 1964, One Man's Way (D. Sanders) ; 1965, Kid Rodelo (Carlson), Baby, the Rain Must Fall (Le sillage de la violence) (Mulligan) ; 1966, The Plainsman (Les fusils du Far West) (Lowell Rich) ; 1967, The Borgia Stick (FBI contre Borgia) (Lowell Rich), The Viking Queen (La reine des Vikings) (Chaffey), Tale of the Cock ; 1969, Childish

Things (J. Derek) ; 1971, Conquest of the Planet of the Apes (La conquête de la planète des singes) (Lee-Thompson), Happy Birthday Wanda June (Robson) ; 1973, Call Me by my Rightful Name, Battle for the Planet of the Apes (La bataille de la planète des singes) (Lee-Thompson) ; 1974, The Girl on the Late (G. Nelson) ; 1976, Deadly Hero (Nagy) ; 1981, Endless Love (Un amour infini) (Zeffirelli) ; 1986, Radioactive Dreams (Pyun), Scorpion (Riead), Peggy Sue Got Married (Peggy Sue s'est mariée) (Coppola) ; 1987, Made in Heaven (Bienvenue au Paradis) (Rudolph) ; 1990, Ghosts Can't Do It (Derek). *Comme réalisateur :* 1972, The Cross and the Switchblade ; 1976, Damien's Island ; 2001, Elvis is Alive.

Fils d'un employé de la 20th Century Fox, il fait ses débuts dans la compagnie en tant qu'acteur en 1956 comme partenaire de Marilyn Monroe. Il promènera sa sympathique nonchalance dans de solides westerns puis dans la suite de *La planète des singes*. Depuis 1970, il semble surtout s'orienter vers la télévision et il n'est pas toujours facile de distinguer dans sa filmographie les films proprement dits des œuvres télévisées.

Murray, Mae

Actrice américaine, de son vrai nom Marie Kœnig, 1889-1965.

1915, To Have and To Hold ; 1916, Sweet Kitty Bellairs, The Dream Girl ; 1917, A Mormon Maid (Leonard) ; 1919, The Delicious Little Devil (Un délicieux petit diable) (Leonard) ; 1920, Right to Love, Idols of Clay, On with the Dance ; 1921, Peacock Alley (Leonard) ; 1982, Fascination (Leonard), Broadway Rose (Leonard) ; 1923, Jazzmania (La folie du jazz) (Leonard), The French Doll (Leonard) ; 1924, Mademoiselle Midnight (Leonard), Circe (Leonard) ; 1925, The Masked Bride (Sternberg, Cabanne), The Merry Widow (La veuve joyeuse) (Stroheim) ; 1926, Valencia (Buchowetski) ; 1927, Altars of Desire (Cabanne) ; 1928, Show People (Show People/Mirages) (Vidor) ; 1930, Peacock Alley (De Sano) ; 1931, High Stakes (L. Sherman).

Sex-symbol du début des années 20 : lèvres gonflées, cheveux blonds crépus, démarche ondoyante que devait caricaturer Mae West. Son mari Leonard, qui fut aussi son metteur en scène, inventa pour elle le flou artistique en effectuant la mise au point à travers une gaze. Mae Murray ne cessa de défrayer la chronique scandaleuse d'Hollywood par ses réceptions extravagantes, ses querelles avec Stroheim lors du tournage de *La veuve joyeuse* et son deuxième mariage en 1926 avec un faux prince russe. L'avènement du parlant lui porta un coup fatal.

Musante, Tony

Acteur américain né en 1936.

1965, Once a Thief (Les tueurs de San Francisco) (Nelson) ; 1967, The Incident (L'incident) (Peerce) ; 1968, The detective (G. Douglas), Il mercenario (S. Corbucci) ; 1969, Metti una sera a cena (Patroni Griffi), L'uccello dalle piume di cristallo (L'oiseau au plumage de cristal) (Argento) ; 1971, Anonimo veneziano (Salerno), The Last Run (Les complices de la dernière chance) (Fleischer), The Grissom Gang (Pas d'orchidées pour Miss Blandish) (Aldrich) ; 1974, Alle origini della mafia (Muzii) ; 1977, Goodbye e amen (Damiani) ; 1978, Eutanasia di un amore (Salerno) ; 1980, High Ice (Jones) ; 1983, Notturno (Bontempi) ; 1984, The Pope of Greenwich Village (Le pape de Greenwich Village) (Rosenberg) ; 1985, La gabbia (L'enchaîné) (Patroni-Griffith), Dario Argento's World of Horror (Soavi) ; 1986, Il pentito (Squitieri), La gabbia (Patroni Griffi) ; 1998, The Deep End of the Ocean (Aussi profond que l'océan) (Grosbard) ; 1999, The Yards (The Yards) (Gray).

Ancien instituteur puis figurant à Broadway, il débute à l'écran en 1965 et va se spécialiser dans les rôles de dur. Très vite, il part tenter sa chance en Italie où il devient une vedette et tourne de nombreux films pas toujours faciles à recenser.

Musidora

Actrice et réalisatrice française, de son vrai nom Jeanne Roques, 1889-1957.

Entre 1911 et 1917, une cinquantaine de courts ou moyens métrages avec Louis Feuillade (dont Le calvaire, Le colonel Bontemps, Les fiancés de 14, Fifi tambour, Tu n'épouseras jamais un avocat, L'union sacrée, Bout de zan et l'espion, Severo Torelli, Le fer à cheval, Le coup du fakir, le collier de perles, la barrière, Le sosie, Les noces d'argent, Celui qui reste, L'escapade de Filoche, La peine du talion, Lagourdette gentleman-cambioleur, Si vous ne m'aimez pas, Le poète et sa folle aimante, Les fiancés d'Agénor, Les mariés d'un jour, Les fourberies de Pingouin, Débrouille-toi, Mon oncle), *une vingtaine avec Gaston Ravel (dont* Les leçons de la guerre, Sainte Odile, La petite réfugiée, La bouquetière des Catalans, Les trois rats, L'autre victoire, Le grand souffle, Le roman de la midinette, Le trophée du zouave, Triple entente), *avec*

Léonce Perret (L'autre devoir), *et avec Jacques Feyder* (Le pied qui étreint) ; 1915-1916, les vampires (10 épisodes) (Feuillade) ; 1916-1917, Judex (12 épisodes) (Feuillade) ; 1917, Chacals (Hugon), Fils de Johannes (Hugon), Mamzelle Chiffon (Hugon), Le maillot noir (Musidora) ; 1918, La vagabonde (Perrego), La flamme cachée (Musidora) ; 1919, La geôle (Ravel), Vincenta (Musidora) ; 1920, Pour Don Carlos (Lasseyne) ; 1922, La jeune fille la plus méritante de France (Dulac), Soleil et ombre (Musidora, Lasseyne) ; 1924, La terre des toros (Musidora) ; 1925, Le berceau de Dieu (Leroy-Grandville). *Pour la réalisatrice*, voir le *Dictionnaire du cinéma*, t. I : *Les réalisateurs*.

Venue du café-concert, elle connut au cinéma une grande popularité lorsqu'elle interpréta, moulée dans un fort suggestif collant noir, l'Irma Vep des *Vampires*. Elle dirigea ensuite plusieurs films sans grand succès et retourna au music-hall. Après sa retraite, elle collabora avec Henri Langlois à la Cinémathèque française.

Musson, Bernard

Acteur français né en 1925.

1951, Jeux interdits (Clément), Le vrai coupable (Thevenard), Un grand patron (Ciampi) ; 1952, Les belles de nuit (Clair), C'est arrivé à Paris (Lavorel), L'île aux femmes nues (Lepage), Nous sommes tous des assassins (Cayatte), Un caprice de Caroline chérie (Devaivre), Les dents longues (Gélin) ; 1953, L'esclave (Ciampi), Le grand jeu (Siodmak), Le guérisseur (Ciampi), La belle de Cadix (Bernard), Mam'zelle Nitouche (Y. Allégret), Les trois mousquetaires (Hunebelle), L'affaire Maurizius (Duvivier), Virgile (Rim) ; 1954, Ah ! les belles bacchantes (Loubignac), Escalier de service (Rim), Les évadés (Le Chanois), Le fils de Caroline chérie (Devaivre), Marchandes d'illusions (André), Pas de souris dans le bizness (Lepage), Série noire (Foucaud), Papa, maman, la bonne et moi (Le Chanois), Huis clos (Audry) ; 1955, Bonjour sourire (Sautet), Chantage (Lefranc), L'impossible M. Pipelet (Hunebelle), Lola Montès (Ophuls), Marguerite de la nuit (Autant-Lara), Marie-Antoinette (Delannoy), Pas de pitié pour les caves (Lepage), Les nuits de Montmartre (Franchi), Soupçons (Billon), Gueule d'ange (Blistène), Gervaise (Clément) ; 1956, Bonsoir Paris, bonsoir l'amour (Baum), C'est une fille de Paname (Lepage), Courte tête (Carbonnaux), L'homme à l'imperméable (Duvivier), Paris palace hôtel (Verneuil), Pitié pour les vamps (Josipovici), Le septième commandement (Bernard), Les truands (Rim), La vie est belle (Pierre, Thibault), Love in the Afternoon (Ariane) (Wilder) ; 1957, A pied, en cheval et en voiture (Delbez), Clara et les méchants (André), Le dos au mur (Molinaro), Les misérables (Le Chanois), Le septième ciel (Bernard), Sois belle et tais-toi (M. Allégret), Le souffle du désir (Lepage), Le temps des œufs durs (Carbonnaux) ; 1958, Archimède le clochard (Grangier), Houla Houla (Darène), Maxime (Verneuil), Oh ! que mambo (Berry), Le petit prof (Rim), Taxi, roulotte et corrida (Hunebelle), Les vignes du seigneur (Boyer), Minute papillon (Lefèbvre) ; 1959, La marraine de Charley (Chevalier), Meurtre en 45 tours (Périer), Pantalaskas (Paviot), Par-dessus le mur (Le Chanois), Rue des prairies (La Patellière), La vache et le prisonnier (Verneuil), Le baron de l'écluse (Delannoy) ; 1960, L'affaire d'une nuit (Verneuil), Le Capitan (Hunebelle), Les amours de Paris (Poitrenaud), La Française et l'amour (sketch L'adultère) (Verneuil), L'imprevisto (L'imprévu) (Lattuada), Le mouton (Chevalier), Le passage du Rhin (Cayatte), Le président (Verneuil) ; 1961, Le miracle des loups (Hunebelle), Le monte-charge (Bluwal), Le couteau dans la plaie (Litvak), Les amours célèbres (Boisrond), Les lions sont lâchés (Verneuil), Tout l'or du monde (Clair), Le comte de Monte-Cristo (Autant-Lara) ; 1962, Les bonnes causes (Christian-Jaque), Comment réussir en amour (Boisrond), Le glaive et la balance (Cayatte), Mélodie en sous-sol (Verneuil), Les mystères de Paris (Hunebelle), Les veinards (sketch Girault), Pourquoi Paris ? (La Patellière), Charade (Charade) (Donen) ; 1963, Cherchez l'idole (Boisrond), Des frissons partout (André), Le journal d'une femme de chambre (Buñuel), La porteuse de pain (Cloche) ; 1964, Les amitiés particulières (Delannoy), Comment épouser un Premier ministre (Boisrond), Fantômas (Hunebelle), Moi et les hommes de quarante ans (Pinoteau), Une souris chez les hommes (Poitrenaud), Un monsieur de compagnie (Broca), Week-end à Zuydcoote (Verneuil), Up From the Beach (Le jour d'après) (Parrish) ; 1965, Le caïd de Champignol (Bastia), Paris au mois d'août (Granier-Deferre), La seconde vérité (Christian-Jaque), Un milliard dans un billard (Gessner), Les bons vivants (Grangier), La seconde vérité (Christian-Jaque) ; 1966, Qui êtes-vous Polly Maggoo ? (Klein), Belle de jour (Buñuel), Brigade antigangs (Borderie), Le jardinier d'Argenteuil (Le Chanois), Le soleil des voyous (Delannoy), Une femme en blanc se révolte (Autant-Lara) ; 1968, Faites donc plaisir aux amis (Rigaud), Sous le signe de Monte-Cristo (Hunebelle), La voie lactée (Buñuel) ; 1969, Les caprices de Marie (Broca), Le clan des Siciliens (Verneuil), Dernier domicile connu (Giovanni), Une veuve en or (Audiard), La peau de Torpédo (Delannoy), La vampire nue (Rollin) ; 1970, Le cri du cormoran le soir au-dessus des jonques (Audiard), Macédoine (Scandélari), Max et les ferrailleurs (Sautet), Mourir d'aimer (Cayatte), On est toujours trop bon avec les femmes (Boisrond), Peau d'âne (Demy) ; 1971, Papa, les petits bateaux (Kaplan), La part des lions (Larriaga) ; 1972, Elle cause plus, elle flingue (Audiard), Le charme discret de la bourgeoisie (Buñuel), L'insolent (Roy) ; 1972, The Day of the Jackal (Chacal) (Zinnemann), Les anges (Desvilles) ; 1973, Le magnifique (Broca), La dernière bourrée à Paris (André), La merveilleuse visite (Carné), Les quatre Charlots mousquetaires (Hunebelle), A nous quatre, Cardinal ! (Hunebelle), Deux hommes dans la ville (Giovanni), Je sais rien mais je dirai tout (Richard), Les Gaspards (Tchernia), O.K. patron (Vital) ; 1974, Le fantôme de la liberté (Buñuel), Impossible... pas français (Lamoureux), Le rallye des joyeuses (Korber), Comme un pot de fraises (Aurel), La vie sentimentale de Walter Petit/Hard love/Jeunes filles perverses (Korber), La sein glin glin/Les nuits chaudes de Justine/Pour vivre heureux vivons couchés (Aubin), L'amour pas comme les autres/Les enjambées (Varoni), La donneuse/Tremblements de chair (Pallardy) ; 1975, Les amours difficiles/La grande perversion (Delpard), Cuisses en chaleur/Vous l'avez dans le dos (Aubin), C'est dur pour tout le monde (Gion), L'essayeuse (Korber), Opération Lady Marlène (Lamoureux), L'incorrigible (Broca), Catherine et Cie (Boisrond), Silence... on tourne (Coggio) ; 1976, Le chasseur de chez Maxim's (Vital) ; 1977, Cet obscur objet du désir (Buñuel), Le maestro (Vital) ; 1978, Le pion (Gion), Le temps des vacances (Vital), One Two Two — 122, rue de Provence (Gion), Grandison (Kurz) ; 1979, Monique et Julie, deux collégiennes en partouze (Payet), Retour en force (Poiré), Le gagnant (Gion) ; 1980, Cherchez l'erreur (Korber), Le journal érotique d'une Thaïlandaise (Pallardy) ; 1981, Belles, blondes et bronzées (Pécas), Pétrole ! Pétrole ! (Gion), Jamais avant le mariage (Ceccaldi) ; 1982, Ça va faire mal (Davy), Éducation anglaise (Roy), Les diplômés du dernier rang (Gion), Rebelote (Richard), Y a-t-il un pirate sur l'antenne ? (Roy) ; 1983, Le fou du roi (Chiffre) ; 1984, Neuville, ma belle (Kelly), Pirates (Polanski) ; 1985, Dressage (Reinhard) ; 1988, L'invité surprise (Lautner), Erreur de jeunesse (Tadic) ; 1990, La révolte des enfants (Poitou-Weber) ; 1991, Sup de fric (Gion), 588, rue de Paradis (Verneuil) ; 1996, Lucie Aubrac (Berri), Comme des rois (Velle).

Au milieu d'une filmographie forte de près de deux cents films, on se souvient surtout de lui pour son personnage de Pommier dans *La vache et le prisonnier*, où il affrontait Fernandel. Huissier (*Papa, maman, ma femme et moi*), majordome (*Bonjour sourire*), fétichiste des poupées gonflables (*Le cri du cormoran...*), déshabilleur de Catherine Deneuve dans *Belle de jour* ou imbécile bègue (*Pétrole ! Pétrole !*), Musson a traversé un demi-siècle de cinéma scène par scène, avec des personnages généralement antipathiques dont le regard noir vrillait ses interlocuteurs sur place.

Muti, Ornella

Actrice italienne, de son vrai nom Francesca Rivelli, née en 1955.

1970, La moglie più bella (Damiani), Il sole nella pella (Le soleil dans la peau, *ressorti en 82 sous le titre* Amour jeune, amour fou) (Stegani Casorati) ; 1971, Un posto ideale per uccidere (Lenzi) ; 1972, Un solo gran amore (Guerin Hill), Fiorina la vacca (De Sisti), Experiencia prematrional (Masò) ; 1973, Appassionata (Les passionnées) (Calderone), Paolo il caldo (Ce cochon de Paolo) (Vicario), Le monarche di San'Arcangelo (Les religieuses de Saint Archange) (Dominici), Una chica y un señor (Masò), Cebo para una adolescente (Polop) ; 1974, Romanzo popolare (Romances et confidences) (Monicelli) ; 1975, Leonor (Leonor) (J. Buñuel), La joven casada (Camus) ; 1976, L'ultima donna (La dernière femme) (Ferreri), Come una rosa al naso (Virginité) (Rossi) ; 1977, La stanza del vescovo (La chambre de l'évêque) (Risi), Rittrato di borghesia in nero (Mœurs cachées de la bourgeoisie) (Cervi), I nuovi mostri (Les nouveaux monstres) (Risi, Scola, Monicelli), Summer Affair (Stegani) ; 1978, Mort d'un pourri (Lautner), Eutanasia di un amore (Salerno), Primo amore (Dernier amour) (Risi) ; 1979, Giallo Napoletano (Mélodie meurtrière) (S. Corbucci), La vita é bella (Chukhrai) ; 1980, Flash Gordon (Flash Gordon) (Hodges), Il bisbetico domano (Le vieux garçon) (Castellano et Pipolo) ; 1981, Innamorato pazzo (Amoureux fou) (Castellano et Pipolo), Nessuno é perfetto (Personne n'est parfait) (Festa Campanile) ; 1982, Storia di ordinaria follia (Contes de la folie ordinaire) (Ferreri), La ragazza di Triesta (La fille de Trieste) (Festa Campanile), Love and Money (Toback), Bonny e Clyde all'italiana (Steno) ; 1983, Un amour de Swann (Schlöndorff) ; 1984, Il futuro è donna (Le futur est femme) (Ferreri) ; 1985, Tutta colpa del paradiso (Nuti) ;

1986, Grandi magazzini (Castellano), Cronaca di una morta annunciata (Chronique d'une mort annoncée) (Rosi) ; 1987, Stregati (Nuti), Io e mia sorella (Verdone) ; 1988, Codici privato (Maselli) ; 1989, La femme de mes amours (Mingozzi), Bandini (Deruddere), Il frullo del passero (Mingozzi), O're (Magni) ; 1990, Il viaggio di Capitan Fracassa (Le voyage du capitaine Fracasse) (Scola), La domenica specialmente (Le dimanche de préférence) (Sketch G. Bertolucci), Once Upon a Crime (Levy), Stasera in casa di Alice (Verdone) ; 1991, Max, the Count (Ch. de Sica), Vacanze di Natale 91 (Oldoini) ; 1992, Oscar (L'embrouille est dans le sac) (Landis), Non chiamarmi Omar (Staino), El amante bilingüe (Aranda) ; 1995, Mordbüro (Kopp) ; 1996, Mi fai un favore (Scarchili), Pour rire ! (Belvaux), Somewhere in the City (Niami) ; 1997, L'inconnu de Strasbourg (Sarmiento), Widows : Erst die Ehe, dann das Vergnügen (Hormann) ; 1998, Panni sporchi (Monicelli) ; 1999, Everybody Dies (Junghans, Komarnicki), Tierra del fuego (Littin) ; 2000, Jet Set (Onteniente), Una lunga, lunga, lunga notte d'amore (Une longue, longue, longue nuit d'amour) (Emmer) ; 2003, Un couple épatant, Cavale, Après la vie (Belvaux) ; 2004, People Jet set 2 (Onteniente) ; 2005, The Heart is Deceitful above All Things (Le livre de Jérémie) (Argento) ; 2006, Les bronzés 3, Amis pour la vie (Leconte), Vendredi ou un autre jour (Le Moine).

Venue du roman-photo, elle débute à l'écran dans des comédies sans prétention mais où sa pulpeuse beauté ne passe pas inaperçue. Monicelli puis Risi en font une star, tandis que J. Buñuel met en lumière le côté fantastique et étrange de sa beauté. Mais c'est Ferreri qui l'intègre le mieux dans son univers. Elle ne fut guère convaincante en personnage proustien dans *Un amour de Swan*. Mais ne la jugeons pas sur ce film. Ses apparitions dans *La dernière femme* et surtout *Conte de la folie ordinaire* ont coupé le souffle des spectateurs. Mâles, il va de soi.

Myers, Harry

Acteur américain, 1882-1938.

1908, Série des Jonesy ; 1914, The Accusation (Myers) ; 1915, The Artist and the Vengeful One (Myers), Baby (Myers) ; 1921, Why Trust Your Husband ? (Marshall), A Connecticut Yankee at King Arthur's Court (Flynn), Nobody's Fool (Baggot) ; 1922, Handle with care (Rosen), The Beautiful and Damned (Seiter), Kisses (Karger), Turn to the Right (Ingram) ; 1923, The Bad Man (Carewe), The Common Law (Archainbaud), Stephen Steps out (Henabery), The Brass Bottle (Tourneur), The Printer's Devil (Beaudine) ; 1924, The Marriage Circle (Lubitsch), Daddies (Seiter), Behold This Woman (Blackton), Reckless Romance (Sidney), Tarnish (Fitzmaurice) ; 1925, Zander the Great (Hill), She Wolves (Elvey) ; 1926, Monte-Carlo (Cabanne), The Nut Cracker (Ingraham), Up in Mabel's Room (Hopper), Exit Smiling (Taylor) ; 1927, Getting Gertie's Garter (Hopper), The First Night (Thorpe), The Bachelor's Baby (Strayer) ; 1928, The Street of Illusion (Kenton), The Dove (West), Dream of Love (Niblo) ; 1929, Wonder of Women (Brown), Montmartre Rose (McEveety) ; 1931, City Lights (Les lumières de la ville) (Chaplin) ; 1935, Mississippi (Sutherland) ; 1936, Hollywood Boulevard (Florey).

Vedette du muet, il dirigea trois films. C'est sa composition en millionnaire alcoolique des *Lumières de la ville* qui le rendit célèbre. Avec le parlant, il se cantonna dans la figuration.

Myers, Mike

Acteur canadien né en 1963.

1992, Wayne's World (Wayne's World) (Spheeris) ; 1993, So I Married an Axe Murderer (Quand Harriet découpe Charlie) (Schlamme), Wayne's World 2 (Wayne's World 2) (Surjik) ; 1997, Austin Powers : International Man of Mystery (Austin Powers) (Roach) ; 1998, 54 (Studio 54) (Christopher), Austin Powers : The Spy Who Shagged Me (Austin Powers : l'espion qui m'a tirée) (Roach), The Thin Pink Line (Dietl, Irpino), Mystery, Alaska (Roach) ; 1999, Pete's Meteor (O'Byrne), Nobody Knows Anything (Rouse) ; 2001, View from the Top (Barreto) ; 2002, Austin Powers in Goldmember (Austin Power dans Goldmember) (Roach) ; 2003, The Cat in the Hat (Le chat chapeauté) (Welch), View from the Top (Hôtesse à tout prix) (Barreto).

Vétéran de la célèbre émission comique « Saturday Night Live », il y crée, avec son acolyte Dana Carvey, le couple de « losers » adolescents Wayne et Garth qui, porté sur grand écran dans *Wayne's World* 1 et 2, fera un triomphe outre-Atlantique. Mais ce n'est rien comparé au raz de marée suscité par son personnage d'espion sixties et hypersexué d'Austin Powers, qui fait en deux films de Mike Myers un acteur culte pour toute une génération.

N

Naceri, Samy

Acteur français, de son vrai prénom Saïd, né en 1961.

1989, La révolution française (Enrico) ; 1993, Léon (Besson) ; 1994, Rai (Gilou) ; 1995, Coup de vice (Levy) ; 1996, Autre chose à foutre qu'aimer (Giacobbi), Sous les pieds des femmes (Krim), Malik le maumdit (Hamidi), Bouge ! (Cornuau), Another 9 1/2 Weeks (Love in Paris) (Goursaud) ; 1997, Taxi (Pirès), Cantique de la racaille (Ravalec) ; 1998, Un pur moment de rock'n roll (Boursinhac) ; 1999, Une pour toutes (Lelouch), Là-bas... mon pays (Arcady), Taxi 2 (Krawczyk) ; 2000, Féroce (Maistre), Le petit poucet (Dahan) ; 2001, Nid de guêpes (Siri) ; 2002, La mentale (Boursinhac) ; 2003, Taxi 3 (Krawczyk) ; 2005, Bab et Web (Allouache) ; 2006, Indigènes (Bouchareb) ; 2007, Taxi 4 (Krawczyk).

Découvert en banlieusard teigneux chez Gilou, il campe un chauffeur de taxi dévoré par le démon de la vitesse dans le film de Pirès. Héros populaire par excellence, il risque d'être victime de son personnage dans la vie courante.

Nadeau, Claire

Actrice française née en 1945.

1973, Juliette et Juliette (Forlani) ; 1975, Duelle (Rivette) ; 1978, Dossier 51 (Deville) ; 1981, Pour la peau d'un flic (Delon) ; 1983, Joy (Bergon) ; 1986, Je hais les acteurs (Krawczyk), Poule et frites (Rego), Grand Guignol (Marbœuf) ; 1989, Il y a des jours... et des lunes (Lelouch) ; 1990, Les secrets professionnels du Dr Apfelglück (Ledoux, Lhermitte...) ; 1992, Une journée chez ma mère (Cheminal) ; 1994, Nelly et M. Arnaud (Sautet) ; 1995, Ma femme me quitte (Kaminka) ; 1997, On connaît la chanson (Resnais), Restons groupés (Salomé), Les visiteurs II : Les couloirs du temps (Poiré) ; 1998, L'ami du jardin (Bouchaud) ; 2000, Fate un bel sorriso (On fait un beau sourire) (DiFrancisca).

Issue d'une bonne famille parisienne, elle décroche un diplôme au Conservatoire puis opte pour le café-théâtre et le théâtre, avec la troupe du Splendid notamment. Mais c'est à la télévision, dans les émissions de Stéphane Collaro, qu'elle acquiert la notoriété grâce à ses personnages délirants de l'hypocondriaque Mme Foldingue et de Marie-Jo, la poétesse incomprise. Atypique, naviguant entre folie furieuse et registre rigolard, et de surcroît excellente comédienne, on regrette que ses apparitions cinématographiques se cantonnent aux seconds rôles.

Nader, George

Acteur et réalisateur américain, 1921-2002.

1950, Rustlers on Horseback (Brannon) ; 1951, Overland Telegraph (Selander), Take Care of My Little Girl (Negulesco) ; 1952, Monsoon (Amateau) ; 1953, Miss Robin Crusoe (Frenke), Sins of Jezebel (Le Borg), Down Among the Sheltering Palms (Goulding) ; 1954, Robot Monster, Carnival Story (Ceux du voyage) (Neumann), Four Guns to the Border (Quatre tueurs et une fille) (Carlson) ; 1955, Six Bridges to Cross (La police était au rendez-vous) (Pevney), The Second Greatest Sex (Marshall), Lady Godiva (Lubin) ; 1956, Away All Boats (Brisants humains) (Pevney), Congo Crossing (Intrigue au Congo) (Pevney), The Unguarded Moment (L'enquête de l'inspecteur Graham) (Keller), Four Girls in Town (Sher) ; 1957, Man Afraid

(L'emprise de la peur) (Keller), Joe Butterfly (Hibbs), Flood Tide (Biberman) ; 1958, Appointment with a Shadow (Pevney), The Female Animal (Femmes devant le désir) (Keller) ; 1962, The Secret Mark of d'Artagnan (Marcellini) ; 1965, Schusse aus dem Geigenkasten (Jerry Cotton, G-Man agent FBI) (Umgelter), The Human Duplicators (Grimaldi), Die Rechnung eiskalt servient (Un cercueil de diamant) (Ashley), Mordnacht in Manhattan (Jerry Cotton et les gangs de Manhattan) (Philipp) ; Morder Club von Brooklyn (Énigme à Central Park) (Jacobs) ; 1967, Dynamit in grüner Seide (Dynamite en soie verte) (Reinl) ; 1968, Der Tod in roten Jaguar (L'homme à la Jaguar rouge) (Reinl) ; 1969, Todeschüsse am Broadway (Reinl) ; 1973, Beyond Atlantis (Romero). *Comme réalisateur :* 1963, A Walk by the Sea.

Ce grand brun au physique impersonnel passa du show-business au métier d'acteur, brillant de mille feux à l'Universal sous la direction de Pevney et de Keller. Héros viril, il fut surnommé « le dernier des beefcake-boys ». Le cours du mark aidant, il vint tenter sa chance en Allemagne dans une série policière consacrée à Jerry Cotton agent du FBI. Il s'est retiré ensuite.

Nagel, Conrad

Acteur américain, 1896-1970.

1921, Fool's Paradise (DeMille), What Every Woman Knows (W. DeMille), The Lost Romance (W. DeMille) ; 1922, Saturday Night (DeMille), Nice People (W. DeMille) ; 1923, Bella Donna (Fitzmaurice), The Eternal Three (Neilan) ; 1924, Tess of the d'Urbervilles (Neilan), Married Flirts (Vignola), Sinners in Silk (Henley), So This Is Marriage (Henley) ; 1925, Lights of Old Broadway (Bell), Pretty Ladies (Bell), Cheaper to Marry (Leonard) ; 1926, The Exquisite Sinner (Sternberg), Memory Lane (Stahl), The Waning Sex (Leonard), Dance Madness (Leonard) ; 1927, London after Midnight (Browning), Heaven on Earth (Rosen), The Girl from Chicago (Enright) ; 1928, Glorious Betsy (Crosland), The Mysterious Lady (Niblo), The Michigan Kid (Willat) ; 1929, The Idle Rich (W. DeMille), Hollywood Revue of 1929 (Reisner), Red Wine (Cannon), Dynamite (DeMille), The Sacred Flame (Mayo), Kid Gloves (Enright), The Thirteenth Chair (Browning), The Kiss (Le baiser) (Feyder) ; 1930, Du Barry (S. Taylor), One Romantic Night (Stein), Redemption (Niblo), The Divorcee (Leonard), A Lady Surrenders (J. Stahl), Ship from Shanghai (Brabin) ; 1931, Bad Sister (Bad sister) (Henley), Son of India (Feyder), Hell Drivers (Hill), Reckless Hour (Dillon), East Lynne (Lloyd), The Pagan Lady (Dillon) ; 1932, Kongo (Cowen) ; 1933, Ann Vickers (Cromwell) ; 1934, The Marines Are Coming (Howard) ; 1935, One New York Night (Conway), Death Flies East (Rosen) ; 1936, Yellow Cargo (Wilbur), The Girl From Mandalay (Bretherton) ; 1937, The Gold Racket (Gasnier) ; 1940, I Want a Divorce (Murphy) ; 1945, The Adventures of Rusty (Burnford) ; 1946, Forever Yours (L'espoir de vivre) (Nigh) ; 1947, Bank Alarm (Alerte aux banques) (Hunt) ; 1955, All That Heaven Allows (Tout ce que le ciel permet) (Sirk) ; 1956, The Swan (Le cygne) (Vidor) ; 1957, Hidden Fear (De Toth) ; 1959, Stranger in My Arms (Kautner), The Man Who Understood Women (N. Johnson).

Séducteur à l'étrange regard et au visage allongé, il fut aussi bien le partenaire de Garbo dans *The Mysterious Lady* que l'interprète de Browning dans *London After Midnight*. A son apogée en 1925, il dut tout à Cecil B. DeMille et à son frère William qui en firent une vedette. Avec le parlant, sa carrière déclina. Il a dirigé un film, *Love Takes Flight* en 1937.

Nagy, Käthe von

Actrice hongroise, de son vrai nom Ekaterina Nagy von Cziser, 1904-1973.

1926, Männer vor der Ehe (David) ; 1927, Gustav Mond (Schünzel), La petite Véronique (Land), Le bateau de verre (David et Jacqueline Milliet) ; 1928, Les fugitifs (Schwarz) ; 1929, La république des jeunes filles (David) ; 1930, Innocent (Land), Les saltimbanques (Land), Der Andere (Le procureur Hallers) (Wiene) ; 1931, Mein Frau die Hochstaplerin (Ma femme est homme d'affaires) (Gerron), Ihre Hoheit befiecht (Schwarz), Ihre Majestat die Liebe (Son altesse l'amour) (Joe May), Ronny (Schünzel), Der Sieger, Das Schöne Abenteuer (La belle aventure) (Schünzel), Bomben auf Monte Carlo (Capitaine Craddok) (Schwarz) ; 1931, Ich bei Tag und du bei Nacht (A moi le jour, à toi la nuit) (Berger), Der Sieger (Martin) ; 1933, Flüchlinge (Au bout du monde) (Ucicky), Liebe ist Liebe ; 1934, Der junge Baron Neuhaus (Nuit de mai) (Ucicky), Einmal eine grosse (Un jour viendra) (Lamprecht), Prinzessin Turandot (Lamprecht), Die Töchter ihrer Exzellenz (Jeune fille d'une nuit) (Schünzel) ; 1935, La Pompadour (Schmidt-Gentner), La route impériale (L'Herbier), Le diable en bouteille (Hilpert) ; 1936, Ave Maria (Riemann), Le chemin de Rio (Siodmak) ; 1937, La bataille silencieuse (Billon), Nuits de princes (Strijewski) ; 1938, Accord final (Rozenkranz) ; 1942, Mahlia la métisse (Kapps) ; 1947, Cargaison clandestine (Rode).

Actrice hongroise dont la carrière se déroula essentiellement en Allemagne puis en France. Elle fut la vedette inépuisable de comédies et de mélodrames (souvent en deux versions, l'une allemande, l'autre française), pour la plupart fort démodés aujourd'hui mais qui marquèrent une époque.

Nahon, Philippe

Acteur français né en 1938.

1962, Le doulos (Melville) ; 1970, Les camisards (Allio) ; 1974, Les doigts dans la tête (Doillon) ; 1976, La communion solennelle (Féret) ; 1978, Ne pleure pas (Ertaud) ; 1979, Le pull-over rouge (Drach) ; 1982, La java des ombres (Goupil) ; 1988, Ne réveillez pas un flic qui dort (Pinheiro) ; 1991, Carne (Noé), Toubab Bi (Touré) ; 1993, Faut pas rire du bonheur (Nicloux) ; 1994, Pigalle (Dridi), La haine (Kassovitz), Les anges gardiens (Poiré), Les frères Gravet (Féret) ; 1995, Un héros très discret (Audiard), Seule (moyen-métrage, Zonca) ; 1997, Cantique de la racaille (Ravalec), Les visiteurs 2 — Les couloirs du temps (Poiré), Comme une bête (Schulmann) ; 1998, Prison à domicile (Jacrot), Le Poulpe (Nicloux), Les convoyeurs attendent (Mariage), Seul contre tous (Noé) ; 1999, Les aliénés (Gauthier), Sur un air d'autoroute (Boscheron), Marie, Nonna, la Vierge et moi (Renaud), Sauve-moi (Vincent) ; 2000, Les rivières pourpres (Kassovitz), Le pacte des loups (Gans), Virilité et autres sentiments modernes (Girre) ; 2001, Le château (Peretz), Irréversible (Noé) ; 2002, La mentale (Boursinhac).

Personne, ou presque, ne remarque ce solide et massif second rôle pendant près de trente ans, et puis Gaspar Noé lui confie le rôle du boucher de *Carne* (et de son hallucinante suite, *Seul contre tous*), révélant un étonnant acteur de composition, sorte d'archétype du « beauf » qui renferme une violence intérieure ne demandant qu'à exploser.

Naish, J. Carrol

Acteur américain, 1900-1973.

1930, Good Intentions (Howard), Scotland Yard (Howard) ; 1931, Gun Smoke, Homicide Squad ; 1932, The Hatchet Man (Wellman), The Beast of the City (Brabin), Tiger Shark (Le harpon rouge) (Hawks), Kid from Spain (Le roi de l'arène) (McCarey), Cabin in the Cotton (Ombres vers le Sud) (Curtiz) ; 1933, Mystery Squadron (serial), The Mad Game (Cummings), Infernal Machine (Varnel) ; 1934, British Agent (Curtiz), Return of the Terror (Bretherton) ; 1935, The Lives of a Bengal Lancer (Les trois lanciers du Bengale) (Hathaway), Captain Blood (Capitaine Blood) (Curtiz), Front Page Woman (Curtiz), Black Fury (Furie noire) (Curtiz) ; 1936, Ramona (King), Robin Hood of Eldorado (Robin des Bois d'Eldorado) (Wellman), Anthony Adverse (LeRoy), The Charge of the Light Brigade (La charge de la brigade légère) (Curtiz) ; 1937, Think Fast Mr. Moto (L'énigmatique M. Moto) (N. Foster), Bulldog Drummond Comes Back (Le retour de Bulldog Drummond) (L. King) ; 1938, Her Jungle Love (Archainbaud), King of Alcatraz (Florey), Illegal Traffic (King) ; 1939, King of Chinatown (Grinde), Beau Geste (Wellman), Hotel Imperial (Florey), Island of Lost Men (Neumann) ; 1940, Typhoon (L. King), Down Argentine Way (Sous le ciel d'Argentine) (Cummings) ; 1941, Blood and Sand (Arènes sanglantes) (Mamoulian), The Corsican Brothers (Les frères corses) (Ratoff), Birth of the Blues (Schertzinger), That Night in Rio (Une nuit à Rio) (Cummings) ; 1942, Dr Broadway (Mann), The Pied Piper (Pichel), Dr Renault's Secret (Lachman), Tales of Manhattan (Six destins) (Duvivier) ; 1943, Batman (Hillyer), Sahara (Z. Korda), Behind the Rising Sun (Dmytryk), Gung Ho ! (Enright), Calling Dr Death (Le Borg) ; 1944, Enter Arsene Lupin (Beebe), Voice in the Wind (Ripley), The Monster Maker (Le créateur de monstres) (Newfield), The Whistler (Castle), Jungle Woman (Le Borg) ; 1945, House of Frankenstein (La maison de Frankenstein) (Kenton), The Southerner (L'homme du Sud) (Renoir), A Medal for Benny (Pichel) ; 1946, The Beast with Five Fingers (La bête aux cinq doigts) (Florey), Humoresque (Negulesco), Bad Bascombe (L'ange et le bandit) (Simon) ; 1947, The Fugitive (Dieu est mort) (Ford) ; 1948, Joan of Arc (Jeanne d'Arc) (Fleming), The Kissing Bandit (Le brigand amoureux) (Benedek) ; 1949, That Midnight Kiss (Taurog) ; 1950, Black Hand (La main noire) (Thorpe), Annie Get Your Gun (Annie, la reine du cirque) (Sidney), Rio Grande (Ford), The Toast of New Orleans (Taurog) ; 1951, Across the Wide Missouri (Au-delà du Missouri) (Wellman), Mark of the Renegade (Le signe des renégats) (Fregonese) ; 1952, Clash by Night (Le démon s'éveille la nuit) (Lang), Ride the Man Down (Kane) ; 1953, Beneath the 12 Mile Reef (Tempête sous la mer) (Webb) ; 1954, Sitting Bull (Sitting Bull) (Salkow), Saskatchewan (La brigade héroïque) (Walsh) ; 1955, New York confidential (New York confidentiel) (Rouse), Hit the Deck (La fille de l'amiral) (Rowland), Violent Saturday

(Les inconnus dans la ville) (Fleischer) ; 1955, Rage at Dawn (Les rôdeurs de l'aube) (Whelam), The Last Command (Quand le clairon sonnera) (Lloyd) ; 1956, Rebel in Town (Werker) ; 1957, The Young Don't Cry (Werker) ; 1965, The Hanged Man (Le prix d'un meurtre) (Siegel) ; 1970, Blood of Frankenstein (Adamson).

Descendant d'une très grande famille irlandaise (dont un lord chancelier), il eut une jeunesse agitée (la guerre, divers métiers) en Amérique et en Europe. Après un passage à Broadway, il débute à Hollywood en 1930. Il est cantonné dans les rôles de méchants d'origine exotique : mexicains, italiens, chinois, japonais, arabes et indiens en raison de son physique très marqué. En revanche jamais il n'interpréta le rôle d'un Irlandais ! Deux oscars (*Sahara* et *A Medal for Benny*), mais son meilleur rôle demeure celui de *Sitting Bull* qu'il tint deux fois avec grand succès. Ses ancêtres ont dû se retourner dans leur tombe !

Nakadai, Tatsuya

Acteur japonais né en 1932.

(Ne sont indiqués que les principaux films et sous leur titre français.) 1959, L'étrange obsession (Ichikawa), La condition humaine (Kobayash) ; 1961, Yojimbo (Kurosawa) ; 1962, Sanjuro (Kurosawa), Harakiri (Kobayashi) ; 1963, Entre le ciel et l'enfer (Kurosawa) ; 1964, Kwaidan (Kobayashi) ; 1967, Rébellion (Kobayashi) ; 1968, Oggi a me... domani a te (Cinq gâchettes d'or) (Cervi) ; 1971, Les Marines attaquent Okinawa (Okamoto) ; 1980, Kagemusha (Kurosawa) ; 1985, Ran (Kurosawa) ; 1988, Return from the River Kwai (Retour de la rivière Kwaï) (McLaglen) ; 1999, Kinyu fushoku retto jubaku (Harada).

Il semblait se destiner à une carrière commerciale quand la compagnie Shochiku lui fit des offres. C'est Kobayashi qui allait mettre en lumière l'intensité de son jeu en lui confiant le rôle de l'idéaliste Kaji dans *La condition humaine* puis ceux du ronin assoiffé de vengeance dans *Harakiri* et du garde-frontière dans *Rébellion*. Et n'oublions pas ses admirables compositions de *Kagemusha* et de *Ran*.

Nance, Jack

Acteur américain, de son vrai prénom Marvin John, 1943-1996.

1970, Fools (Gries) ; 1976, Eraserhead (Eraserhead) (Lynch) ; 1977, Breaker ! Breaker ! (Hulette) ; 1983, Hammett (Hammett) (Wenders) ; 1984, Johnny Dangerously (Heckerling), Dune (Dune) (Lynch), City Heat (Haut les flingues) (Benjamin) ; 1985, Ghoulies (Bercovici) ; 1986, Blue Velvet (Blue Velvet) (Lynch) ; 1987, Barfly (Barfly) (Schroeder) ; 1988, Colors (Colors) (Hopper), The Blob (Russell) ; 1990, Wild at Heart (Sailor et Lula) (Lynch), The Hot Spot (Hot Spot) (Hopper) ; 1991, Whore (La putain) (Russell) ; 1992, Motorama (Shils), Meatballs 4 (Logan) ; 1994, Love and a .45 (L'amour et un 45) (Talkington), Across the Moon (Gottlieb) ; 1995, Voodoo (Eram), The Demolitionist (Kurtzman) ; 1996, The Secret Agent Club (Murlowsky), Lost Highway (Lost Highway) (Lynch), Little Witches (Simpson), Chase Moran (Po).

Acteur fétiche de David Lynch (il était le père hirsute du monstrueux fœtus d'*Eraserhead*), Jack Nance poursuivra une carrière sans éclats parsemée de seconds rôles, pour décéder d'une crise cardiaque dans l'indifférence générale.

Nanty, Isabelle

Actrice et réalisatrice française née en 1962.

1983, Le faucon (Boujenah) ; 1985, Rouge baiser (Belmont) ; 1986, On a volé Charlie Spencer (Huster) ; 1987, La passion Béatrice (Tavernier), Preuve d'amour (Courtois) ; 1989, Les deux Fragonard (Le Guay) ; 1990, Tatie Danielle (Chatiliez), L'autrichienne (Granier-Deferre) ; 1991, La belle histoire (Lelouch) ; 1992, Sexes faibles ! (Meynard), Les visiteurs (Poiré) ; 1993, La folie douce (F. Jardin) ; 1994, Pourquoi maman est dans mon lit ? (Malakian), Les amoureux (Corsini) ; 1995, Le bonheur est dans le pré (Chatiliez) ; 1997, Ça reste entre nous (Lamotte), Serial Lover (Huth) ; 1998, Les frères Sœur (Jardin) ; 1999, La Bostella (Baer), L'envol (Suissa) ; 2000, Le fabuleux destin d'Amélie Poulain (Jeunet) ; 2002, Astérix et Obélix : mission Cléopâtre (Chabat) ; 2003, Le bison (Nanty), Pas sur la bouche (Resnais) ; 2002, 3 zéro (Onteniente) ; 2003, Toutes les filles sont folles (Pouzadoux), Zéro un (Biras) ; 2004, Casablanca Driver (Barthélemy) ; 2006, Désaccord parfait (De Caunes), Essaye-moi (Martin-Laval). *Comme réalisatrice :* 2003, Le bison.

Gouailleuse et rigolote, elle n'en fut pas moins très émouvante dans son rôle de mamie-sitter brimée de *Tatie Danielle*. Elle semble vouée aux seconds, voire aux troisièmes rôles. Elle a signé une bonne comédie comme réalisatrice.

Napier, Alan

Acteur anglais, 1903-1988.

1930, Caste (Gullan) ; 1932, In a Monastery Garden (Elvey) ; 1933, Loyalties (Dean) ; 1939, The Four Just Men (Forde) ; 1940, The Invisible Man Returns (May) ; 1941, Confirm or Deny (Mayo) ; 1942, A Yank at Eton (Taurog), Cat People (Tourneur), Random Harvest (Prisonnier du passé) (LeRoy) ; 1943, Lassie Come Home (Fidèle Lassie) (Wilcox), The Song of Bernadette (Le chant de Bernadette) (King), Lost Angel (L'ange perdu) (Rowland) ; 1944, The Uninvited (La falaise mystérieuse) (Allen), Ministry of Fear (Espions sur la Tamise) (Lang), 30 Seconds over Tokyo (Trente secondes sur Tokyo) (LeRoy) ; 1945, Isle of the Dead (L'île des morts) (Robson), Hangover Square (Brahm) ; 1946, Three Strangers (Negulesco), A Scandal in Paris (Sirk) ; 1947, Adventure Island (L'île aux serpents) (Stewart), Lured (Des filles disparaissent) (Sirk), Sinbad the Sailor (Simbad le marin) (Wallace), Forever Amber (Ambre) (Preminger), Ivy (Le crime de Mme Lexton) (Wood), Unconquered (Les conquérants du Nouveau Monde) (DeMille) ; 1948, A Connecticut Yankee in King Arthur's Court (Un Yankee à la cour du roi Arthur) (Garnett), Hills of Home (Le maître de Lassie) (Wilcox), Macbeth (Welles), Joan of Arc (Jeanne d'Arc) (Fleming), Johnny Belinda (Johnny Belinda) (Negulesco) ; 1949, Manhandled (L'homme au chewing-gum) (Foster), Tarzan's Magic Fountain (Tarzan et la fontaine magique) (Sholem), Criss Cross (Pour toi j'ai tué) (Siodmak) ; 1951, The Great Caruso (Le grand Caruso) (Thorpe), The Blue Veil (Bernhardt), Across the Wild Missouri (Au-delà du Missouri) (Wellman) ; 1952, Big Jim McLain (Ludwig) ; 1953, Julius Caesar (Jules César) (Mankiewicz) ; 1954, Désirée (Koster) ; 1955, Moonfleet (Les contrebandiers de Moonfleet) (Lang) ; 1956, The Court Jester (Le bouffon du roi) (Frank, Panama) ; 1959, Journey to the Center of Earth (Voyage au centre de la Terre) (Levin) ; 1961, Tender Is the Night (Tendre est la nuit) (King) ; 1962, Premature Burial (Enterré vivant) (Corman) ; 1964, Thirty-Six Hours (Trente-six heures avant le débarquement) (Seaton), Marnie (Pas de printemps pour Marnie) (Hitchcock), My Fair Lady (My Fair Lady) (Cukor) ; 1966, Batman (Martinson).

Traître aux manières suaves, cet acteur anglais vint à Hollywood en 1939. Il fut Cicéron dans *Julius Caesar* et Warwick dans *Joan of Arc*.

Napier, Charles

Acteur américain né en 1936.

1969, Cherry, Harry and Raquel ! (Les stimulatrices) (Meyer), The House Near the Prado (Van Hearn), The Hanging of Jake Ellis (Van Hearn) ; 1970, Moonfire (Parkhurst), Love and Kisses (Dorsey), Beyond the Valley of the Doll (Hollywood Vixens) (Meyer) ; 1971, The Seven Minutes (Meyer) ; 1975, Supervixens (Supervixens) (Meyer) ; 1977, Thunder and Lightning (Un cocktail explosif) (C. Allen), Handle with Care (Demme) ; 1979, The Last Embrace (Demme) ; 1980, Melvin and Howard (Demme), The Blues Brothers (The Blues Brothers) (Landis) ; 1981, Wacko (Clark) ; 1984, Swing Shift (Demme) ; 1985, Rambo : First Blood Part II (Rambo 2) (Cosmatos) ; 1986, Kidnapped (Avedis), Camping del terrore (Deodato), Something Wild (Dangereuse sous tous rapports) (Demme) ; 1987, The Night Stalker (Kleven), Instant Justice (Rumar), Deep Space (Olen Ray) ; 1988, Hit List (Lustig), Married to the Mob (Veuve mais pas trop) (Demme) ; 1989, One Man Force (Trevillion), Alien degli abissi (Margheriti) ; 1990, L'ultime partita (De Angelis), The Grifters (Les arnaqueurs) (Frears), Future Zone (Prior), Ernest Goes to Jail (Cherry), Dragonfight (Stevens), Cop Target (Lenzi), Maniac Cop 2 (Maniac Cop 2) (Lustig), Miami Blues (Miami Blues) (Armitage) ; 1991, Lonely Hearts (Lane), Killer Instinct (Tausik), Indio 2 – La rivolta (Margheriti), The Silence of the Lambs (Le silence des agneaux) (Demme) ; 1992, To Die, to Sleep (Murphy), Soldier's Fortune (Nele), Mean Tricks (Lenzi), Eyes of the Beholder (Simeone), Center of the Web (Prior) ; 1993, Skeeter (Brandon), Philadelphia (Philadelphia) (Demme), Frogtown II (D. G. Jackson), Body Shot (Logothetis), Loaded Weapon 1 (Alarme fatale) (Quintano) ; 1994, Silk Degrees (Garabidian), Silent Fury (Louzil), Savage Land (Hamilton), Raw Justice (Prior), Fatal Pursuit (Louzil) ; 1995, Felony (Prior), Ballistic (Bass), 3 Ninjas Knuckle Up (S.S. Sheen), Jury Duty (Fortenberry) ; 1996, Riot (Merhi), Billy Lone Bear, Original Gangstas (Cohen), The Cable Guy (Disjoncté) (Stiller), Ripper Man (Sears) ; 1997, No Small Ways (Jones), Macon County Jail (Muspratt), Austin Powers : International Man of Mystery (Austin Powers) (Roach), Steel (Johnson) ; 1998, Centurion Force (Cook), Breaking the Silence (Golan), Beloved (Beloved) (Demme), Armstrong (Golan), Second Chances (Fargo) ; 1999, Austin Powers : The Spy Who Shagged Me (Austin Powers – L'espion qui m'a tirée) (Roach), Pirates of the Plain (Cherry), The Big Tease (K. Allen), The Hunter's Moon (Weiman), Cypress Edge (Rodnunsky) ; 2000, The Nutty Professor II : The Klumps (La famille foldingue) (Segal), Very Mean Men (Vitale), Forgive Me Father (Rogers), Never Look Back (Tristano).

Colosse blond et bronzé à la mâchoire proéminente, il débuta en étalon sexy dans les polissonneries de Russ Meyer, au début des années 70. Depuis abonné aux rôles de shérifs ou de militaires, on l'a notamment vu en officier vachard dans *Rambo* ainsi que dans tous les films de Jonathan Demme, qui lui réserve toujours une participation.

Napierkowska, Stacia de

Actrice française, 1896-1939.

1909, La peau de chagrin (Capellani) ; 1911, Notre-Dame de Paris (Capellani), Roule-ta-Bosse ; 1915, Les Vampires (Feuillade) ; 1916, La fille d'Herodiade, L'étoile du génie, La danseuse de Pompéi, Vénus Vitrix (Dulac), Dans l'ouragan de la vie (Dulac) ; 1917, Sacrifice ; 1920, Mystérieuse, La fille de la Camargue ; 1921, L'Atlantide (Feyder) ; 1922, La douloureuse comédie (Bergerat), Les frères Zemganno (Bertoni) ; 1925, Le berceau de Dieu (Leroy-Granville).

Danseuse et actrice d'origine polonaise mais née à Paris. Sa beauté de brune lui permit d'être l'une des premières Esméralda et la première Antinéa de l'écran.

Naschy, Paul

Acteur et réalisateur espagnol, de son vrai nom Jacinto Molina, né en 1934.

Principaux films : 1968, La marca del hombre-lobo (Les vampires du docteur Dracula) (Molina), Las noches del hombre lobo (Govar) ; 1969, Los monstruos del Terror (Dracula contre Frankenstein) (Demichelli) ; 1970, La noche de Walpurgis (La furie des vampires) (Klimovsky) ; 1971, Dr Jekyll y el hombre-lobo (Klimovsky) ; 1972, El gran amor del conde Dracula (Aguirre), Orgia de los muertos (Klimovsky) ; 1973, El jorobado de la morgue (Le bossu de la morgue) (Aguirre), La venganza de la Momia (Aured), El retorno de Walpurgis (L'empreinte de Dracula) (Aured), El mariscal del infernio (Klimovsky) ; 1975, La maldición de la Bestia (Dans les griffes du loup-garou) (Iglesias), Muerte de un quinqui (Klimovsky), Ultimo deseo (Klimovsky) ; 1979, El Caminante (Molina), Las noches del hombre-lobo (Grovar) ; 1980, El retorno del hombre-lobo (Molina) ; El carnaval de las bestías (Naschy) ; 1982, Latidos de pánico (Molina), Buenas noches señor monstruo (Mercero) ; 1983, El ultimo kamikaze (Naschy) ; 1984, Operación Mantis (Molina) ; 1987, El aullido del diablo (Naschy). *Comme réalisateur* : 1976, Inquisición ; 1978, Madrid al desnudo ; 1979, El Caminante ; 1980, El retorno del hombre-lobo, El carnaval de las bestías, Los cántabros ; 1983, El último kamikaze, Latídos de pánico, La bestia y la espada mágica ; 1984, Operación Mantis, Mi amigo el vagabundo ; 1987, El aullido del diablo ; 1992, La noche del ejecutor.

Interprète des séries Z espagnoles fantastiques dont il écrit parfois les scénarios. Il reste fidèle à la vieille tradition de l'Universal, mais avec des moyens dérisoires. De là l'indigence de ses films dont on n'a dressé qu'une liste incomplète en raison des renseignements contradictoires et fragmentaires recueillis sur cet apôtre de l'horreur. Naschy vint à Paris lors d'une convention du fantastique mais y fit preuve d'une trop grande discrétion.

Nassiet, Henri

Acteur français, 1895-1977.

1937, La glu (Choux), La griffe du hasard (Pujol), Un carnet de bal (Duvivier) ; 1938, L'innocent (Cammage), L'entraîneuse (Valentin) ; 1939, Les cinq sous de Lavarède (Cammage), La fin du jour (Duvivier), La charrette fantôme (Duvivier), Feu de paille (Benoit-Lévy) ; 1941, Madame Sans-Gêne (Richebé) ; 1942, Les affaires sont les affaires (Dréville), La grande marnière (Marguenat), A la Belle Frégate (Valentin) ; 1945, Jéricho (Calef), Mensonges (Stelli), Le bataillon du ciel (Esway) ; 1946, Fausse identité (Chotin) ; 1947, Le cavalier de Croix-Mort (Gasnier-Raymond), Le fiacre 13 (André) ; 1949, Singoalla (Christian-Jaque), Mission à Tanger (Hunebelle), On n'aime qu'une fois (Stelli) ; 1950, La grande vie (Schneider) ; 1952, La pocharde (Combret) ; 1953, Le guérisseur (Ciampi) ; 1954, Le vicomte de Bragelonne (Cerchio) ; 1955, Chantage (Lefranc), Cela s'appelle l'aurore (Buñuel) ; 1956, Michel Strogoff (Gallone), Till l'Espiègle (Ivens) ; 1957, C'est la faute d'Adam (Audry) ; 1959, Le Saint mène la danse (Nahum) ; 1960, Le président (Verneuil), Il suffit d'aimer (Darène) ; 1961, Les trois mousquetaires (Borderie) ; 1963, La baie des anges (Demy) ; 1969, Les choses de la vie (Sautet) ; 1970, Les assassins de l'ordre (Carné) ; 1973, Le fils (Granier-Deferre).

Bon acteur de composition, qui a partagé son temps entre le théâtre, la radio, le cinéma et la télévision, il fut un excellent Vidocq dans *Le cavalier de Croix-Mort* et Monsieur Charles, gangster au bon cœur dans *La grande vie* de Schneider.

Nat, Lucien

Acteur français, de son vrai nom Natte, 1895-1972.

1932, Les gaietés de l'escadron (Tourneur) ; 1933, Les misérables (Bernard) ; 1936, La tendre ennemie (Ophuls) ; 1937, Boissière (Rivers) ; Forfaiture (L'Herbier) ; 1938, La tragédie impériale (L'Herbier), Campement 13 (Constant) ; 1940, Untel Père et Fils (Duvivier) ; 1941, Le dernier des six (Lacombe) ; 1942, Les affaires sont les affaires (Dréville), Pontcarral (Delannoy), Mermoz (Cuny), Des jeunes filles dans la nuit (Le Hénaff) ; Le capitaine Fracasse (Gance) ; 1944, Le Bossu (Delannoy), Lunegarde (M. Allégret) ; 1945, Patrie (Daquin) ; 1946, Martin Roumagnac (Lacombe), Le chanteur inconnu (Cayatte) ; 1947, Rocambole (Baroncelli), Le fort de la solitude (Vernay), Neuf garçons et un cœur (Freedland) ; 1948, Retour à la vie (Cayatte), Cartouche (Radot), Le mystère de la chambre jaune (Aisner) ; 1949, Le parfum de la dame en noir (Daquin), La valse de Paris (Achard) ; 1950, Le bagnard (Rozier) ; 1952, Nous sommes tous des assassins (Cayatte), Violettes impériales (Pottier) ; 1953, Si Versailles m'était conté (Guitry) ; 1954, Le pain vivant (Mousseli) ; 1955, Le dossier noir (Cayatte), Si Paris nous était conté (Guitry) ; 1956, Reproduction interdite (Grangier) ; 1957, Police judiciaire (Canonge) ; 1959, Sans tambour ni trompette (Kautner) ; 1961, Les amours célèbres (Boisrond), Le petit garçon de l'ascenseur (Granier-Deferre), Climats (Lorenzi) ; 1962, Thérèse Desqueyroux (Franju) ; 1964, Les amitiés particulières (Delannoy), Passeport diplomatique, agent K8 (Vernay).

Généralement une fine moustache, brun, grand, élancé, il joue avec conviction les seconds rôles dans de nombreuses productions. Il est parfois le pivot de l'action comme dans *Le dernier des six* : sa moustache est alors celle du traître. Il est Napoléon III, allongeant sa moustache, dans *La valse de Paris* ; il descend la même moustache vers un impressionnant collier de barbe pour tenir l'emploi du duc d'Albe dans *Patrie*. Guitry en fait un inattendu Montesquieu pour *Si Versailles m'était conté*. Toujours sérieux, un peu condescendant, Lucien Nat *est* tous ces personnages sans difficulté.

Nat, Marie-José

Actrice française, de son vrai nom Benhalassa, née en 1940.

1956, Crime et châtiment (Lampin), Club de femmes (Habib) ; 1957, Donnez-moi ma chance (Moguy), Arènes joyeuses (Canonge) ; 1959, Secret professionnel (André), Vous n'avez rien à déclarer ? (Duhour), Rue des prairies (La Patellière), Vive le duc ! (Landier) ; 1960, La Française et l'amour (R. Clair), La vérité (Clouzot) ; 1961, La menace (Oury), Amélie ou le temps d'aimer (Drach) ; 1962, Les sept péchés capitaux (plusieurs réalisateurs), L'éducation sentimentale (Astruc) ; 1964, La vie conjugale (Cayatte) ; 1965, Le journal d'une femme en blanc (Autant-Lara), La bonne occase (Drach) ; 1966, Safari diamants (Drach) ; 1967, Les guerriers (Nicolaesco) ; 1968, Le paria (Carliez) ; 1970, Élise ou la vraie vie (Drach), L'opium et le bâton (Rachedi) ; 1972, Embassy (Baraka à Beyrouth) (Hessler) ; 1974, Les violons du bal (Drach), Dis-moi que tu m'aimes (Boisrond) ; 1977, Le passé simple (Drach) ; 1980, La désobéissance (Lado), Une mère, une fille (Meszaros) ; 1981, Litan (Mocky) ; 1989, Rio Negro (Rio Negro) (Lichy) ; 1992, Le nombril du monde (Zeitoun) ; 1997, La nuit du destin (Bahloul), Train de vie (Mihaileanu) ; 2004, Le cadeau d'Elena (Graziani).

D'où vient son prestige ? Sa filmographie est exécrable : Moguy, André, un mauvais Autant-Lara, sans oublier Habib. Et ne disons rien des films de Michel Drach, dont l'un, *Les violons du bal*, lui valut un prix d'interprétation (de circonstance) à Cannes. On ne peut sauver qu'un Astruc et un Clouzot. Mais Marie-José Nat a de la présence et surtout elle a su tourner des téléfilms d'une autre qualité que les œuvres auxquelles elle a collaboré sur le grand écran. Là est peut-être le secret de sa popularité.

Nattier, Nathalie

Actrice française, de son vrai nom Bielareff, née en 1925.

1943, Un seul amour (Blanchar) ; 1945, Seul dans la nuit (Stengel), Étrange destin (Cuny), Mission spéciale (Canonge), Nuits d'alerte (Mathot), Patrie (Daquin) ; 1946, Les portes de la nuit (Carné), L'idiot (Lampin), Le château de la dernière chance (Paulin) ; 1948, Le mystère Barton (Spaak) ; 1950, Fusillé à l'aube (Haguet), Rue sans loi (Gibaud), Mon ami le cambrioleur (Lepage), Porte d'Orient (Daroy), Brelan d'as (Verneuil) ; 1951, Moumou (Jayet), Piédalu à Paris (Loubignac) ; 1953, La famille Cucuroux (Couzinet), Monsieur Taxi (Hunebelle) ; 1959, Détournement de mineures (Kapps).

Charmante jeune première qui gagna ses galons de vedette avec *Les portes de la nuit*, mais s'égara chez Couzinet et Lepage.

Navarre, René

Acteur et réalisateur français, 1883-1968.

1910, Le pont sur l'abîme, La gardienne du feu ; 1911, Préméditation ; 1912, Le destin des mères, L'oubliette, L'homme de proie, La vie ou la mort, La course aux millions, L'intruse ; 1913, Le secret du forçat, Le revenant, Les yeux ouverts, L'écrin du rajah, Le browning, La robe blanche, Un drame au Pays basque ; 1913-1914, Fantômas (*tous ces films sous la direction de Feuillade*) ; 1914, Le grand souffle (Ravel), Manon de Montmartre (Feuillade), L'enfant de la roulotte (Feuillade) ; 1917, L'homme qui revient de loin (Ravel), Du rire aux larmes (Ravel) ; 1919, La nouvelle Aurore (Violet) ; 1921, La geôle (Ravel), L'aiglonne (Keppens) ; 1923, Vidocq (Kemm), Ferragus (Ravel) ; 1924, Le gardien du feu (Ravel), Mon oncle (Mariaud) ; 1925, Les murailles du silence (Carbonnat), La justicière (Gleize) ; 1926, Le chouan (Luitz-Morat), Belphégor (Desfontaines) ; 1928, Le chemin de la nuit (Dinesen) ; 1929, Poker d'as (Desfontaines) ; 1930, Mephisto (Debain) ; 1931, Fantômas (Fejos) ; 1933, Judex 34 (Champreux) ; 1934, Mlle Spahi (Vaucorbeil), Le prince Jean (Marguenat) ; 1935, Le train d'amour (Weill), L'école des vierges (Weill) ; 1937, Chéri-Bibi (Mathot), Arsène Lupin détective (Diamant-Berger) ; 1938, La route enchantée (Caron), Monsieur Coccinelle (Deschamps), Belle revanche (Mesnier), Mon oncle et mon curé (Caron) ; 1939, Brazza (Poirier), Trois tambours (Canonge), Bécassine (Caron), Son oncle de Normandie (Dréville) ; 1940, Les surprises de la radio (Paul). *Pour le metteur en scène*, voir le *Dictionnaire du cinéma*, t. I : *Les réalisateurs*.

C'est Feuillade qui lança cet acteur du Théâtre Michel en 1910. Il aurait auparavant travaillé pour le Film d'art. *Fantômas* en fait l'une des plus grandes vedettes du muet. En 1916, il fonde sa propre firme et dirige lui-même quelques films, sans grand succès, malgré des œuvres de Ravel, Gleize et Keppens. Il se contentera par la suite de seconds rôles dans le cinéma parlant.

Nazimova, Alla

Actrice d'origine russe, de son vrai nom Nazimoff, 1879-1945.

1916, The Revelation (Baker), War Brides (Brenon) ; 1918, Toys of Fate (Baker) ; 1919, Out of the Frog (Hors de la brume) (Capellani), The Red Lantern (La lanterne rouge) (Capellani), The Brat (La fin d'un roman) (Herbert Blanche) ; 1920, Madame Peacock, Heart of a Child (La danseuse étoile) (Smallwood) ; 1921, Camille (La dame aux camélias) (Smallwood) ; 1922, A Doll's House (Maison de poupée) (Bryant) ; 1923, Salomé (Bryant) ; 1924, Madonna of the Streets (L'heure du danger) (Carewe) ; 1925, My Son (Carewe), The Redeeming Sin (Rédemption) (Blackton) ; 1940, Escape (LeRoy), Blood and Sand (Arènes sanglantes) (Mamoulian) ; 1944, The Bridge of San Luis Rey (Lee), In Our Time (V. Sherman), Since You Went Away (Depuis ton départ) (Cromwell).

Née à Yalta, elle gagna les États-Unis en 1905 et y débuta comme actrice de théâtre (elle avait été élève de Stanislavski). Elle passa à Hollywood où elle imposa des scénarios d'un niveau plus élevé que la moyenne. Elle engloutit en définitive tous ses gains dans une somptueuse et baroque *Salomé* qui fut un échec financier. Ruinée et éclipsée par Greta Garbo, elle abandonna le cinéma. Elle tenta un impossible retour dans les années 40. Elle appartient à la mythologie d'Hollywood en raison de ses toilettes extravagantes, de ses réceptions fastueuses et de sa luxueuse résidence, le jardin d'Allah.

Nazzari, Amedeo

Acteur italien, de son vrai nom Buffa, 1907-1979.

1935, Ginevra degli almieri (Brignone), La fossa degli angeli (Bragaglia), I fratelli Castiglioni (d'Errico), Cavalleria (Alessandrini) ; 1938, Luciano Serra, Pilota (Alessandrini), Il conte di Brechard (Bonnard), La casa del peccato (Neufeld), Fuochi d'artificio (Righelli), Montevergine (Campogagliani) ; 1939, Assenza ingiustificata (Neufeld), E'sbaccato un marinaio (Ballerini), Centomila dollari (Camerini), Cose dell'altro mondo (Malasomma), Notte del beffe (Campogagliani), Dopo divorzieremo (Malasomma) ; 1940, Oltre l'amore (Plus fort que l'amour) (Gallone), Scarpe grosse (Falconi), L'uomo del romanzo (Bonnard), Il cavaliere senza nome (Le cavalier sans nom) (Cario), Caravaggio il pittoro maladetto (Le peintre maudit) (Alessandrini) ; 1941, La cena delle beffe (La farce tragique) (Blasetti), Sancta Maria (Faraldo), I mariti (Mastrocinque), Scampolo (Mastrocinque) ; 1942, La bisbetica domata (Poggioli), Fedora (Mastrocinque), Bengasi (Genina), Redenzione (Albani), La bella addormentata (Chiarini), Quelli della montagna (Vergano), Giorni felici (Franciolini), Romanzo di un giovane povero (Le roman d'un jeune homme pauvre) (Brignone), Knock out (Harlem) (Gallone) ; 1943, Apparizione (Limur), La donna della montagna (La femme de la montagne) (Castellani), Grazia (Pratelli), L'invasore (Grannini) ; 1945, I Dieci comandamenti (Chili) ; 1946, Il bandito (Le bandit) (Lattuada), Un giorno nella vita (Un jour dans la vie) (Blasetti), Malacarne (Touri, outrage à l'amour) (Mercanti/Zucca), Fatalita (Le baiser fatal) (Bianchi), Il cavaliere del sogno (Donizetti) (Mastrocinque) ; 1947, Legge di sangue (Capuano), Quando gli angeli dormono (Ferraioli), La figlia del capitano (La fille du capitaine) (Camerini) ; 1948, Calle arriba (Borcosque) ; 1949, Amori e veleni (Les mousquetaires de la reine) (Simonelli), Barriera a settentrione (Trenker), Catene (Le mensonge d'une mère) (Matarazzo), Il lupo della sila (Le loup de la Sila) (Coletti), Alina (La fille de la nuit) (Pastina) ; 1950, Lebbra bianca (La cité des stupéfiants) (Trapano), Donne e bricanti (Fra diavolo) (Soldati), Il brigante musolino (Maria, fille sauvage) (Camerini), Tormento (Bannie du foyer) (Matarazzo), Il vedovo allegro (Mattoli), Romanticismo (Fracassi) ; 1951, Altri tempi – La morza (Heureuse époque, épisode L'étau) (Blasetti), Sensualita (Sensualité) (Fracassi), Il brigante di tacca del lupo (La tanière des brigands) (Germi), Figli di nessuno (Le fils de personne) (Matarazzo), Volver a la vida (Borcosque), Il tradimento (Trahison) (Freda), Ultimo incontro (Dernier rendez-vous) (Franciolini) ; 1952, Il mondo le condanna (Les anges déchus) (Franciolini), Processo alla citta (Les coupables) (Zampa), La fiammata (Blasetti), Chi e senza peccato ? (Qui est sans péché ?) (Matarazzo) ; 1953, Les révoltés de Lomanach (Pottier), Nous sommes tous des assassins (Cayatte), Pieta per chi cade (Pitié pour celles qui tombent) (Costa), Ti ho sempre amato (Marqué par le destin) (Costa), Torna (Larmes d'amour) (Matarazzo), Un marito per Anna Zaccheo (La fille sans homme) (De Santis) ; 1954, Appassionatamente (L'amour viendra) (Gentilomo), Proibito (Du sang dans le soleil) (Monicelli) ; 1955, Angelo Bianco (La femme aux deux visages) (Matarazzo), L'ultimo amante (Mattoli), L'intrusa (Matarazzo) ; 1956, Sta sera niente di nuovo (Ce soir rien de nouveau) (Mattoli), Le notti di Cabiria (Les nuits de Cabiria) (Fellini), L'ultima notte d'amore (Fatal rendez-vous) (Ardavin) ; 1957, La morte ha viaggiato con me (De La Loma), Il cielo brucia (Le ciel brûlé) (Masmi), Anna di Brooklyn (Anna de Brooklyn) (Lastricati) ; 1958, Malinconico autunno (Matarazzo), Il cafe del puerto (Matarazzo), The Naked Maja (La maja nue) (Koster), Carmen la de ronda (Carmen de Grenade) (Michell) ; 1959, Il raccomandato di ferro (Baldi), La contessa azzurra (Gora), Il mondo del miracoli (Capuano), Labyrinth (A bout de nerfs) (Thiele) ; 1960, Nefertite, regina del nilo (Nefertiti, reine du Nil) (Cerchio) ; 1961, Antinea, l'amante della cita sepolta (L'Atlantide) (Ulmer), I fratelli corsi (Les frères corses) (Majano), The Best of Enemies (Le meilleur ennemi) (Hamilton) ; 1962, La leggenda di fra Diavolo (Légions impériales) (Savona), Odio mortale (Montemurro) ; 1963, Un amore e un addio (Lorrente), La monachine (Salce), Frenesia dell'estate (Zampa) ; 1964, Il gaucho (Le gaucho) (Risi) ; 1966, Muori lentamente... te la godi di piu (Gottlich), The Poppy Is Also a Flower (Opération opium) (Young) ; 1969, Le clan des Siciliens (Verneuil) ; 1972, Cosa nostra (Young) ; 1976, A Matter of Time (Nina) (Minnelli) ; 1977, Melodrammore (Costanzo).

Il fut le jeune premier romantique à la mode dans la péninsule à l'époque du fascisme. Les films qu'il tourna se voient encore avec plaisir. L'avènement du néoréalisme ne mit pas fin – heureusement – à la carrière de cet Errol Flynn transalpin, au demeurant fort sympathique. Brun de poil, fine moustache, il demeura l'acteur favori de Matarazzo, le spécialiste du mélodrame. Il fit verser bien des larmes en compagnie d'Yvonne Sanson. Longtemps célibataire (on le comprend), il se maria très tard à Irena Genna.

Neagle, Anna

Actrice anglaise, de son vrai nom Marjorie Robson, 1904-1986.

1932, Goodnight Vienna (Wilcox) ; 1933, Bitter Sweet (Wilcox) ; 1934, The Queen's Affair (Wilcox), Nell Gwynn (Wilcox) ; 1937, Victoria the Great (La reine Victoria) (Wilcox) ; 1940, No No Nanette (Wilcox) ; 1941, Sunny (Wilcox) ; 1942, Irene (Wilcox) ; 1950, Odette (Odette agent secret) (Wilcox) ; 1951, The Lady with the Lamp (Wilcox) ; 1953, Trent's Last Case (L'affaire Manderson) (Wilcox) ; 1954, Lilacs in the Spring (Voyage en Birmanie) (Wilcox).

Deux originalités chez cette populaire actrice : elle resta fidèle dans sa filmographie à un seul réalisateur, Wilcox, qu'elle épousa en 1943 ; elle fut remarquable en reine Victoria, ce qui lui valut de devenir « dame de l'Empire ».

Neal, Patricia

Actrice américaine née en 1926.

1949, John Loves Mary (Butler), The Fountainhead (Le rebelle) (Vidor), It's a Great Feeling (Les travailleurs du chapeau) (Butler), The Hasty Heart (V. Sherman) ; 1950,

Bright Leaf (Le roi du tabac) (Curtiz), The Breaking Point (Trafic en haute mer) (Curtiz), Raton Pass (Marin), Three Secrets (Secrets de femmes) (Wise) ; 1951, Operation Pacific (Waggner), The Day the Earth Stood Still (Le jour où la terre s'arrêta) (Wise), Week-End with Father (Sirk) ; 1952, Diplomatic Courier (Courrier diplomatique), Washington Story (Pirosh), Something for the Birds (Roger Wise) ; 1954, La tua donna (Paolucci) ; 1957, A Face in the Crowd (Un homme dans la foule) (Kazan) ; 1961, Breakfast at Tiffany's (Diamants sur canapé) (Edwards) ; 1963, Hud (Le plus sauvage d'entre tous) (Ritt) ; 1964, Psyche 59 (Singer) ; 1965, In Harm's Way (Première victoire) (Preminger) ; 1968, The Subject Was Roses (Grosbard) ; 1972, Baxter (Jeffries) ; 1973, B Must Die/Hay que matar B. (Borau) ; 1975, Eric (Printemps perdu) (Goldstone) ; 1978, The Passage (Passeur d'hommes) (Thompson) ; 1981, Ghost Story (Le fantôme de Milburn) (Irvin) ; 1989, An Unremarkable Life (Chaudhri) ; 1998, Cookie's Fortune (Cookie's Fortune) (Altman).

Un visage tendu, un regard anxieux. Peu de films ; une carrière qui tourne court en 1965. Quelques beaux rôles, notamment avec Cooper dans *The Fountainhead*. Un oscar pour *Hud* en 1963.

Nebout, Claire

Actrice française née en 1964.

1985, Le lieu du crime (Téchiné) ; 1986, La femme secrète (Grall), Association de malfaiteurs (Zidi), Nuit docile (Gilles) ; 1987, Spirale (Frank), Una notte, un sogno (Manuelli) ; 1989, Moody beach (Roy) ; 1990, La condanna (Autour du désir) (Bellochio) ; 1991, Archipel (Granier-Deferre), Au pays des Juliets (Charef) ; 1995, Beaumarchais l'insolent (Molinaro), Ponette (Doillon) ; 1997, Le Bossu (Broca) ; 1998, Cantique de la racaille (Ravalec), Peau neuve (Deleuze), Vénus Beauté (Institut) (Marshall) ; 1999, Regarde-moi (Sojcher) ; 2004, Éros thérapie (Dubroux) ; 2005, Douches froides (Cordier), Trois couples en quête d'orage (Otmezguine) ; 2006, On va s'aimer (Calbérac), Président (Delplanque).

Remarquée par Téchiné et à part un premier rôle dans le méconnu *Autour du désir* de Marco Bellochio, ainsi qu'une très jolie composition dans *Au pays des Juliets* où, aux côtés de Laure Duthilleul et Maria Schneider, elle campait une prisonnière en permission, on ne peut pas dire que le cinéma ait beaucoup fait les yeux doux à Claire Nebout, sans doute trop belle pour être prise au sérieux...

Nedell, Bernard

Acteur américain, 1893-1972.

1916, The Serpent ; 1929, The Silver King (Hunter) ; The Return of the Rat (Cutts) ; 1931, Shadows (Esway) ; 1931, Man from Chicago (Summers) ; 1935, Lazybones (Powell) ; 1936, The Man Who Could Work Miracles (L'homme qui faisait des miracles) (Mendes) ; 1938, Mr. Moto's Gamble (Mr. Moto sur le ring) (Tinling), Exposed (Schuster) ; 1939, Secret Service of the Air (N. Smith), Some Like It Hot (Archainbaud), They All Come Out (Tourneur), Angels Wash their Faces (Enright), Fast and Furious (Mon mari court encore) (Berkeley), Those High Grey Walls (C. Vidor), Lucky Night (Taurog) ; 1940, Strange Cargo (Le cargo maudit) (Borzage), Slightly Honorable (Le poignard mystérieux) (Garnett), Rangers of Fortune (Le mystère de Santa Maria) (Wood), So You Won't Talk (Sedgwick) ; 1942, Ship Ahoy (Croisière mouvementée) (Buzzell) ; 1943, The Desperadoes (Les desperados) (C. Vidor), Northern Pursuit (Du sang sur la neige) (Walsh) ; 1944, Maisie Goes to Reno (Beaumont), One Body Too Many (Mc Donald) ; 1945, Allotment Wives (L'aventure de San Francisco) (Nigh) ; 1946, Behind Green Lights (Brower) ; 1947, Monsieur Verdoux (Monsieur Verdoux) (Chaplin) ; 1948, Albuquerque (La descente tragique) (Enright), The Loves of Carmen (Les amours de Carmen) (C. Vidor) ; 1960, Heller in Pink Tights (La diablesse en collant rose) (Cukor) ; 1972, Hickey and Boggs (Culp).

Acteur de second plan, natif de New York City, spécialisé dans les rôles de méchants et dont on oublie difficilement la silhouette lorsqu'on l'a vu en bandit ganté de noir dans *Les desperados*. Après quelques films en Grande-Bretagne, il entame une carrière prolifique à Hollywood : il a tout de même eu le privilège de figurer dans un film de Chaplin (*Monsieur Verdoux*). L'un de ses westerns (*Albuquerque*) est devenu quasi invisible, même aux États-Unis, pour une histoire de droits...

Neeson, Liam

Acteur d'origine irlandaise, de son vrai prénom William né en 1952.

1981, Excalibur (Excalibur) (Boorman) ; 1983, Krull (Krull) (Yates) ; 1984, The Bounty (Le Bounty) (Donaldson), The Innocent (McKenzie) ; 1985, Lamb (Gregg) ; 1986, The Mission (Mission) (Joffe), Duet for One (Duo pour un soliste) (Konchalovsky) ; 1987, A Prayer for the Dying (L'Irlandais) (Hodges), Suspect (Suspect dangereux) (Yates) ; 1988, Satisfaction (Freeman), The Dead Pool (La dernière cible) (Van Horn), The Good Mother (Le prix de la passion) (Nimoy), High Spirits (High spirits) (Jordan) ; 1989, Next of Kin (Irvin) ; 1990, Darkman (Darkman) (Raimi), The Big Man (Big man) (Leland) ; 1991, Under Suspicion (Faute de preuves) (Moore), Shining Through (Une lueur dans la nuit) (Seltzer) ; 1992, Ruby Cairo (Clifford), Husbands and Wives (Maris et femmes) (Allen), Leap of Faith (Pearce) ; 1993, Schindler's List (La liste de Schindler) (Spielberg), Ethan Frome (Madden) ; 1994, Out of Ireland (Wagner), Nell (Nell) (Apted), Rob Roy (Rob Roy) (Caton-Jones) ; 1995, Before and After (Before and After) (Schroeder) ; 1996, Michael Collins (Michael Collins) (Jordan) ; 1997, Les misérables (August) ; 1998, Star Wars Episode I : The Phantom Menace (Star Wars Episode I : La menace fantôme) (Lucas) ; 1999, Gun Shy (La peur au ventre) (Blakeney), The Haunting (Hantise) (De Bont) ; 2001, Gangs of New York (Gangs of New York) (Scorsese) ; 2003, Love Actually (Love Actually) (Curtis).

C'est Spielberg, qui, en lui confiant l'interprétation d'Oskar Schindler, un Allemand qui sauva des milliers de juifs lors de la Seconde Guerre mondiale, offrit à cet immense (du moins par la taille !) acteur son rôle le plus marquant auprès du grand public. Néanmoins, il possédait déjà une solide expérience théâtrale dans son pays d'origine.

Negoda, Natalia

Actrice russe née en 1964.

1987, Zavtra byla voïna (Demain c'était la guerre) (Kara) ; 1988, Malenkaïa Vera (La petite Vera) (Pitchoul) ; 1990, V gorode sochi temnye nochi (Oh ! qu'elles sont noires les nuits sur la mer Noire) (Pitchoul) ; 1991, Back in the USSR (Sarafian) ; 1997, Death Before Sunrise (Lommel).

La star de la perestroïka : en petite Vera elle introduit un ton nouveau, celui notamment de la liberté sexuelle, dans le cinéma soviétique.

Négret, François

Acteur français né en 1966.

1985, Conseil de famille (Costa-Gavras) ; 1986, Mauvais sang (Carax) ; 1987, Au revoir les enfants (Malle), Camomille (Charef), Snack bar Budapest (Brass) ; 1988, De bruit et de fureur (Brisseau) ; 1989, Noce blanche (Brisseau), Mister Frost (Setbon) ; 1990, Plein fer (Dayan) ; 1991, Nuit et jour (Akerman), Dien Bien Phu (Schoendoerffer) ; 1992, La légende (Diamant-Berger), Néfertiti (Gilles) ; 1993, Des feux mal éteints (Moati), Nuits de cristal (Marketaki) ; 1996, Hantises (Ferry).

Bon acteur de composition, surtout connu pour son rôle d'adolescent hyper-violent dans *De bruit et de fureur*. Il semble s'orienter vers la télévision.

Negri, Pola

Actrice d'origine polonaise, de son vrai nom Barbara Chapulec, 1901-1987.

Plusieurs films sous la direction d'Aleksander Hertz : 1914, Niewolnica Zmyslow ; 1915, Czarna ksiazeczka o zolty paszport, Zona ; 1916, Studenci, Bestia ; 1917, Tajemnica Alei Ujazdowskich, Arabella, Pokoj NR 13, Jego Ostatni Czyn, Rosen, die der Sturm entblätten, Die toten Augen, Nicht lange täuschte mich das Glück, Zügelloses Blut, Küsse, Die Man stiehlt im Dunkeln ; 1918, Wenn das Herz in Hass erglüht, Mania, Der Gelbe Schein, Die Augen der Mumie Ma (Les yeux de la momie) (Lubitsch), Carmen (Lubitsch) ; 1919, Karussell des Lebens, Vendetta, Kreuziget Sie !, Madame Du Barry (Lubitsch) ; 1920, Comtesse Doddy (Jacoby), Die Marchesa d'Arminiani Sumurun (Lubitsch) ; 1922, Die Flamme (Montmartre) (Lubitsch) ; 1923, Bella Donna (Fitzmaurice), The Cheat (Fitzmaurice), Hollywood (Cruze), The Spanish Dancer (La danseuse espagnole) (Brenon) ; 1924, Shadows of Paris (Brenon), Men (Buchowetzki), Lily of the Dust (Buchowetzki), Forbidden Paradise (Lubitsch), East of Suez (Walsh) ; 1925, The Charmer (Olcott), Flower of Night (Bern) ; 1926, A Woman of the World (St. Clair), The Crown of Lies (Buchowetzki), Good and Naughty (St. Clair), Hotel Imperial (Stiller) ; 1927, Barbed Wire (Lee), The Woman on Trial (Stiller) ; 1928, The Secret Hour (Lee), Three Sinners (Lee), Lives of an Actress, The Woman from Moscow (Berger) ; 1929, Die Strasse der Verlorenen Seelen ; 1932, A Woman Commands (Stein) ; 1934, Fanatisme (Ravel) ; 1935, Mazurka (Forst) ; 1936, Moskau-Shanghai (Wegener) ; 1937, Madame Bovary (Lamprecht), Tango Notturno (Kirchoff) ; 1938, Die Fromme Lüge (Malasoma), Die Nacht der Entscheidung (Malasoma) ; 1943, Hi Diddle Diddle (Stone) ; 1965, The Moon Spinners (La baie aux émeraudes) (Neilson).

D'origine polonaise, elle est restée mystérieuse sur ses origines sociales, probablement modestes, malgré les légendes dont elle s'entoura. Danseuse, elle fut protégée par le comte Domski qui la lança dans le cinéma. Elle prit le pseudonyme de Pola Negri en hommage à une poétesse italienne. Ce seront ensuite Berlin (où Lubitsch la dirige et en fait une star), puis Hollywood (où elle forme avec Valentino un couple qui alimente la chronique du cinéma). Ruinée en 1929, elle vient tenter sa chance en Europe mais le parlant la condamne. En 1940, elle est de retour aux États-Unis où elle ne tournera que dans quelques films secondaires. Son dernier film est une production de Walt Disney.

Neill, Sam

Acteur néo-zélandais né en 1947.

1975, Landfall (Maunder), Ashes (Maunder) ; 1977, Sleeping Dogs (R. Donaldson) ; 1978, My brilliant Career (Ma brillante carrière) (Armstrong) ; 1979, The Journalist (Thornhill) ; 1980, The Z Men (Force de frappe) (Burstall), Just Out of Reach (Blagg) ; 1981, Possession (Zulawki), The Final Conflict (La malédiction finale) (Baker) ; 1983, Enigma (Szwarc), The Country Girls (Davis) ; 1984, Le sang des autres (Chabrol), Robbery Under Aarms (Hannam et Crombie) ; 1985, Plenty (Plenty) (Schepisi), For Love Alone (Wallace) ; 1986, The Good Wife (K. Cameron) ; 1988, A Cry in the Dark (Un cri dans la nuit) (Schepisi) ; 1989, Dead Calm (Calme blanc) (Noyce), La révolution française (Enrico), Death in Brunswick (Ruane) ; 1990, The Hunt for Red October (A la poursuite d'Octobre Rouge) (MacTiernan) ; 1991, Until the End of the World (Jusqu'au bout du monde) (Wenders) ; 1992, Memoirs of an Invisible Man (Les aventures d'un homme invisible) (Carpenter), Hostage (Young) ; 1993, The Piano (La leçon de piano) (Campion), Jurassic Park (Jurassic Park) (Spielberg), Sirens (Sirènes) (Duigan), In the Mouth of Madness (L'antre de la folie) (Carpenter) ; 1994, Rainbow Warrior (Tuchner), Country Life (Blakemore), Rudyard Kipling's The Jungle Book (Le livre de la jungle) (Sommers) ; 1995, Cinema of Unease (Neill), Lumière et compagnie (Moon), Children of the Revolution (Children of the Revolution) (Duncan), Restoration (Le don du roi) (Hoffmann), Forgotten Silver (Jackson, Botes), Victory (Victory) (Peploe) ; 1996, Snow White in the Black Forest (Cohn) ; The Revenger's Comedies (Amour, vengeance et trahison) (Mowbray) ; 1997, Event Horizon (Event Horizon : le vaisseau de l'au-delà) (Anderson), The Horse Whisperer (L'homme qui murmurait à l'oreille des chevaux) (Redford) ; 1999, Father Damien (Cox), My Mother Frank (Lamprell), The Bicentennial Man (L'homme bicentenaire) (Columbus) ; 2000, The Zookeeper (Ziman), The Dish (Sitch) ; 2001, Jurassic Park 3 (Jurassic Park 3) (Johnston) ; 2003, Perfect Strangers (Preston), Yes (Potter).

Il commença par des études de cinéma et réalisa plusieurs documentaires. Puis il passa de l'autre côté de la caméra et devint cet acteur à l'allure classique d'homme d'affaires aux rôles oscillant entre le physique et le cérébral. Il tient la vedette dans *Sleeping Dogs*, premier film néo-zélandais à connaître un franc succès dans le monde entier. Révélé au grand public grâce à *La leçon de piano* et *Jurassic Park*, sa carrière est maintenant essentiellement américaine.

Nell, Nathalie

Actrice française, de son vrai nom Palle, née en 1950.

1967, Les risques du métier (Cayatte) ; 1970, Mourir d'aimer (Cayatte) ; 1977, L'amour violé (Bellon) ; 1978, Tout est à nous (Daniel) ; 1980, Echoes (Seidelman), Rends-moi la clé (Pirès) ; 1981, Qu'est-ce qui fait courir David ? (Chouraqui) ; 1982, Les îles (Azimi), Malamore (E. Visconti) ; 1984, Notre histoire (Blier) ; 1985, L'amour propre (Veyron) ; 1986, États d'âme (Fansten) ; 1987, Châteauroux District (Charigot) ; 1988, Rio Negro (Lichy) ; 1989, Les mannequins d'osier (Gueltzl) ; 1999, La vie moderne (Ferreira Barbosa).

Danse classique, théâtre avec Mesguich, télévision. Elle est surtout connue pour son rôle de victime d'un viol collectif dans *L'amour violé* de Bellon.

Neri, Francesca

Actrice italienne née en 1964.

1987, Il grande Blek (Piccioni) ; 1989, Bankomatt (Hermann) ; 1990, Las edades de Lulu (Les vies de Loulou) (Bigas Luna) ; 1992, Sabato italiano (Mannuzzi), Pensavo fosse amore invece era un calesse (Troisi), La corsa dell'innocente (La course de l'innocent) (Carlei), Captain America (Pyun) ; 1993, Sud (Salvatores), Al lupo ! al lupo ! (Verdone), ¡ Dispara ! (Saura) ; 1995, Ivo il tardivo (Benvenuti), Il cielo è siempre più blu (Grimaldi) ; 1996, La mia generazione (Labate) ; 1997, Le mani forti (Mains fortes) (Bernini), Carne tremula (En chair et en os) (Almodóvar), Matrimoni (Matrimoni) (C. Comencini) ; 1999, Io amo Andrea (Nuti), Il dolce rumore della vita G. Bertolucci) ; 2000, Hannibal (Hannibal) (R. Scott) ; 2001, Collateral Damage (Davis), Ginostra (Pradal) ; 2003, La felicità non costa niente (Le bonheur ne coûte rien) (Calopresti), Per sempre (Di Robilant).

Belle brune qui se fait remarquer chez Bigas Luna, dans le très sulfureux *Les vies de Loulou.* Dix ans plus tard, on la retrouve en France, dans *Mains fortes*, avec le rôle d'une psychanalyste embarquée dans un sombre complot politique. Elle semble aujourd'hui se tourner vers une carrière américaine.

Nero, Franco

Acteur italien, de son vrai nom Spartanero, né en 1941.

1964, La Celestina (Lizzani) ; 1965, I criminali della Galassia (Margheriti), Il terzo occhio (J. Warren), Texas Addio (Baldi), Io la conoscevo bene (Je la connaissais bien) (Pietrangeli) ; 1966, The Bible (La Bible) (Huston), Django (S. Corbucci), I diafonoidi vengono da Marte (Margheriti), Le colt cantarono la morte (Fulci), Uomini dal passo pesante, Tecnica di un omicidio (Prosperi) ; 1967, Il giorno della civetta (La mafia fait la loi) (Damiani), Camelot (Logan), L'uomo, l'orgoglio, la vendetta (Bazzoni), La morte viene dal planeta Aytin (Margheriti) ; 1968, Executions (Guerrieri), Il mercenario (S. Corbucci), Sequestro di persona (Mengozzi), Un tranquillo posto di campagna (Petri), La bataille de la Neretva (Bulajic), Mit Django kam der Tod (Bazzoni) ; 1969, Detective Belli (Guerini) ; 1970, The Virgin and the Gipsy (La vierge et le gitan) (Miles), Vamos a matar, compañeros (Compañeros) (S. Corbucci), Tristana (Tristana) (Buñuel) ; 1971, Confessione di un commissario di polizia al procuratore della repubblica (Confession d'un commissaire de police au procureur de la République) (Damiani), Giornata nera per l'ariete (Journée noire pour le bélier) (Bazzoni), L'istruttoria e chiusa : dimentchi (Nous sommes tous en liberté provisoire) (Damiani), Dropout (Brass), Viva la muerte... tua (Et viva la révolution) (Tessari) ; 1972, Senza ragione (Narizzano), Le moine (Kyrou), Pope Joan (La papesse Jeanne) (Anderson), La vacanza (Brass) ; 1973, Los amigos (Cavara), La polizia incrima, la legge assolva (Le témoin à abattre) (Castellari), Il delitto Mateotti (Giacomo Mateotti) (Vancini) ; 1974, I guapi (Lucia et les gouapes) (Squitieri), Il cittadino si rebella (Castellari), Perche si uccide un magistrato (Damiani), Corruzione al Palazio di giustizia (Aliprandi), Mussolini : ultimo atto (Les derniers jours de Mussolini) (Lizzani), Les magiciens (Chabrol), Zanna bianca (Croc-Blanc) (Fulci) ; 1975, Gente di rispetto (Zampa), I quattro dell'Apocalisse (Les quatre de l'Apocalypse) (Fulci), Il cipollaro (Castellari) ; 1976, Marcia trionfale (La marche triomphale) (Bellochio), Scandalo (Scandalo) (Samperi), Autostop rosso sangue (Festa Campanile), Keoma (Mon nom est Keoma) (Castellari) ; 1977, Sahara Cross (Les requins du désert) (Valerii) ; 1978, Force 10 from Navarone (L'ouragan vient de Navarone) (Hamilton), Il visitatore (Paradisi) ; 1979, Un dramma borghese (Vancini), Le rose di Danzica (Bevilacqua), Il cacciatore di squali (Le chasseur de monstres) (Castellari) ; 1980, Enter the Ninja (L'implacable Ninja) (Golan), Il bandito degli occhi azzuri (Giannetti), The Man with Bogart's Face (Détective comme Bogart) (Day), Il giorno del cobra (Cobra) (Castellari) ; 1981, The Salamander (Zinner) ; 1982, Querelle (Fassbinder), Banovic Strahinja (La vengeance du faucon) (Mimica), Krasnye kolokola (Bondartchouk) ; 1983, Grog (Laudadio), Wagner (Palmer) ; 1985, Il pentito (Squitieri), Die Forstenbuben (Patzak) ; 1986, The Girl (Mattson), Garibaldi (Magni) ; 1987, Sweet Country (Cacoyannis), Un altare per la madre (Bruck), Il grande ritorno di Django (Rossati) ; 1988, Magdalena (Teuber), Django Strikes Again (Archer), Young Toscanini (Toscanini) (Zeffirelli) ; 1990, Di Ceria dell'untore (Cino), The Betrothed (Nocita), Amelia Lopes O'Neill (Amelia Lopes O'Neill) (Sarmiento), Die Hard 2 (Cinquante-huit minutes pour vivre) (Harlin) ; 1991, Fratelli e sorelle (Avati), Julianus (Koltay) ; 1992, Prova di memoria (Aliprandi), Touch and Die (Solinas) ; 1993, Jonathan of the Bears (Castellari) ; 1994, Talk of Angels (Hamm) ; 1995, The Innocent Sleep (Michell) ; 1996, Honfoglalas (Koltay), Rack Up (Coletti) ; 1997, La medaglia (Rossi) ; 1998, Uninvited (C. G. Nero) ; 1999, Mirka (Benhadj).

Il a hanté un nombre impressionnant de « westerns-spaghettis », dont certains parfois difficiles à identifier (les titres ayant changé) et de solides « thrillers » à la Damiani. Brun aux yeux bleus, il n'a pas connu la consécration américaine, en dépit de ses efforts, à cause de son accent. En définitive, il n'a tourné hors d'Italie qu'en France (Chabrol notamment) et en Allemagne (quelques westerns et le rôle du lieutenant Seblon de *Querelle* sous la direction de Fassbinder). A vécu avec Vanessa Redgrave.

Neuwirth, Chantal

Actrice française.

1980, Rendez-moi ma peau (Schulmann) ; 1981, Les hommes préfèrent les grosses (Poiré) ; 1983, Aldo et junior (Schulmann) ; 1985, P.R.O.F.S. (Schulmann), Le pactole (Mocky), Le voyage à Paimpol (Berry) ; 1986, Les oreilles entre les dents (Schulmann), Rue du Départ (Gatlif) ; 1988, La petite voleuse (Miller) ; 1990, La double vie de Véronique

(Kieslowski) ; 1994, Une trop bruyante solitude (Cais) ; 1997, Alors voilà (Piccoli), Violetta, la reine de la moto (Jacques) ; 1998, Ceux qui m'aiment prendront le train (Chéreau), Madeline (Madeline) (Von Sherler Mayer) ; 1999, André le magnifique (Silvestre, Staib), La voleuse de Saint-Lubin (Devers) ; 2000, Nationale 7 (Sinapi).

Une gouaille tout en rondeur qui ose les rôles ingrats : sorcière hystérique dans *Rendez-moi ma peau*, « boudin » zozotante coiffée à la Bo Derek dans *Les hommes préfèrent les grosses*, sa vraie nature généreuse est enfin exploitée à partir du milieu des années 90, notamment par Guy Jacques et Patrice Chéreau. Beaucoup de théâtre également.

Newman, Paul

Acteur, réalisateur et producteur américain né en 1925.

1955, The Silver Chalice (Le calice d'argent) (Saville) ; 1956, Somebody up There Likes Me (Marqué par la haine) (Wise), The Rack (Laven) ; 1957, Until They Sail (Femmes coupables) (Wise), The Helen Morgan Story (Pour elle un seul homme) (Curtiz) ; 1958, The Long Hot Summer (Les feux de l'été) (Ritt), The Left-Handed Gun (Le gaucher) (Penn), Cat on a Hot Tin Roof (La chatte sur un toit brûlant) (Brooks) ; 1959, Rally Round the Flag, Boys (La brune brûlante) (McCarey), The Young Philadelphians (Ce monde à part) (V. Sherman) ; 1960, From the Terrace (Du haut de la terrasse) (Robson), Exodus (Exodus) (Preminger) ; 1961, The Hustler (L'arnaqueur) (Rossen), Paris Blues (Ritt) ; 1962, Sweet Bird of Youth (Doux oiseau de jeunesse) (Brooks), Hemingway's Adventure of a Young Man (Aventures de jeunesse) (Ritt) ; 1963, Hud (Le plus sauvage d'entre tous) (Ritt), A New Kind of Love (La fille à la casquette) (Shavelson), The Prize (Pas de lauriers pour les tueurs) (Robson) ; 1964, The Outrage (L'outrage) (Ritt), What a Way to Go (Madame Croque-Maris) (Lee-Thompson) ; 1965, Lady L (Ustinov) ; 1966, Harper (Détective privé) (Smight), Torn Curtain (Le rideau déchiré) (Hitchcock) ; 1967, Hombre (Hombre) (Ritt), Cool Hand Luke (Luke la main froide) (Rosenberg) ; 1968, The Secret War of Harry Frigg (Évasion sur commande) (Smight) ; 1969, Winning (Virages) (Goldstone), Butch Cassidy and the Sundance Kid (Butch Cassidy et le Kid) (Roy Hill) ; 1970, WUSA (Wusa) (Rosenberg), King, A Filmed Record... (Lumet-Mankiewicz) ; 1971, Sometimes a Great Notion (Le clan des irréductibles) (Newman) ; 1972, Pocket Money (Les indésirables) (Rosenberg), The Life and Times of Judge Roy Bean (Juge et hors-la-loi) (Huston) ; 1973, The Mackintosh Man (Le piège) (Huston), The Sting (L'arnaque) (G. Hill) ; 1974, The Towering Inferno (La tour infernale) (Guillermin) ; 1975, The Drowning Pool (La toile d'araignée) (Rosenberg) ; 1976, Buffalo Bill and the Indians (Buffalo Bill et les Indiens) (Altman), Silent Movie (La dernière folie de Mel Brooks) (Brooks) ; 1977, Slap Shot (La castagne) (G. Hill) ; 1979, Quintet (Quintet) (Altman), When Time Ran Out... (Le jour de la fin du monde) (Goldstone) ; 1981, Fort Apache, the Bronx (Le policeman) (Petrie), Absence of Malice (Absence de malice) (Pollack) ; 1982, The Verdict (Lumet) ; 1983, Harry and Son (L'affrontement) (Newman) ; 1986, Color of Money (La couleur de l'argent) (Scorsese) ; 1989, Blaze (Blaze) (Shelton), Shadow Makers (Les maîtres de l'ombre) (Joffé) ; 1990, Mr. and Mrs. Bridges (M. et Mme Bridges) (Ivory) ; 1993, The Hudsucker Proxy (Le grand saut) (Coen) ; 1994, Nobody's Fool (Un homme presque parfait) (Benton) ; 1997, Twilight (L'heure magique) (Benton) ; 1998, Message in a Bottle (Un message à la mer) (Mandoki), Where the Money Is (En toute complicité) (Kanievska) ; 2002, Road to Perdition (Les sentiers de la perdition) (Mendes) ; 2005, Magnificent Desolation : Walking on the Moon 3D (Magnifique désolation : marchons sur la Lune) (Cowen). *Pour le metteur en scène*, voir le *Dictionnaire du cinéma*, t. I : *Les réalisateurs*.

Il débute dès l'âge de douze ans dans les Cleveland Players. Il travaille avec des compagnies itinérantes puis suit (hélas !) les cours de l'Actor's Studio. Beaucoup de séries télévisées puis le cinéma. Il y fait sensation dans ses interprétations de Rocky Graziano le boxeur ou de Billy the Kid le tueur. Un jeu outré, mais un physique fascinant. Comme le notent Tavernier et Coursodon : « C'est un défi vivant à l'"underplaying". Il adore composer, fignoler, mettre au point un effet, démarrer une scène dans un style, l'interrompre, morceler son interprétation de subites digressions. Il faut bien dire qu'il fait tout cela avec un certain génie. Même lorsque les procédés se sentent, le brio de l'exécution convainc toujours. » « Outlaw » ou policier du Bronx, avocat ou prix Nobel de littérature, il nous offre à travers ses plus de cinquante ans de carrière une image d'une certaine Amérique. En 1986 il obtient un oscar pour *Color of Money*. Il en eût mérité un autre pour son rôle de gangster vieillissant dans *Road to Perdition*.

Newton, Robert
Acteur anglais, 1905-1956.

1932, Reunion (Camppell) ; 1937, Dark Journey (Le mystère de la section 8) (Saville), Fire Over England (L'invincible Armada) (Howard), Farewell Again (Six heures à terre) (Whelan), The Squeaker (Le receleur) (Howard), 21 Days (Dean), The Green Cockatoo (Cameron Menzies), I Claudius (Von Sternberg) ; 1938, Vessel of Wrath (L'excentrique) (Ted, Pommer), Yellow Sand (Brennon) ; 1939, Dead Men Are Dangerous (French), Poison Pen (Stein), Jamaica Inn (La taverne de la Jamaïque) (Hitchcock), Hell's Cargo (Huth) ; 1940, Gaslight (Dickinson) ; 1941, Major Barbara (French, Pascal), Channel Incident (Asquith), Hatter's Castle (Le chapelier et son château) (Comfort) ; 1942, They Flew Alone (Wilcox) ; 1944, Henry V (Olivier), This Happy Breed (Heureux mortels) (Lean) ; 1946, Night Boat to Dublin (Service secret contre bombe atomique) (Huntington) ; 1947, Temptation Harbour (Le port de la tentation) (Comfort), Odd Man Out (Huit heures de sursis) (Reed) ; 1948, Oliver Twist (Lean), Snowbound (McDonald), Kiss the Blood Off My Hands (Les amants traqués) (Foster) ; 1949, Obsession (L'obsédé) (Dmytryk) ; 1950, Water-front (Anderson), Treasure Island (L'île au trésor) (Haskin) ; 1951, Soldiers Three (Trois troupiers) (Garnett), Tom Brown's Schooldays (Mes belles années) (Parry) ; 1952, Androcles and the Lion (Androclès et le lion) (Erskine), The Desert Rats (Les rats du désert) (Wise), Blackbeard the Pirate (Barbe-Noire le pirate) (Walsh), The Miserables (La vie de Jean Valjean) (Milestone) ; 1954, The Beachcomber (Le vagabond des îles) (Box), Long John Silver (Le pirate des mers du Sud) (Haskin), The High and the Mighty (Écrit dans le ciel) (Wellman) ; 1956, Around the World in 80 Days (Le tour du monde en quatre-vingts jours) (Anderson).

Truculent acteur venu du théâtre, il s'illustra par de pittoresques compositions comme le Pistol d'*Henry V*, l'abominable Bill Sykes d'*Oliver Twist* ou surtout le mémorable Barbe-Noire, le pirate de Walsh. Il savait passer d'un côté faussement bonhomme (*Treasure Island*) à un aspect terriblement inquiétant (*Obsession*), grâce à son immense talent.

Newton-John, Olivia
Actrice britannique née en 1951.

1978, Grease (Grease) (Kleiser) ; 1980, Xanadu (Greenwald) ; 1983, Two of a Kind (Seconde chance) (Herzfeld) ; 1988, She's Having a Baby (La vie en plus) (Hughes) ; 1995, It's My Party (Kleiser) ; 1999, Sordid Lives (Del Shores).

Petite-fille du prix Nobel de physique Max Born, elle est surtout connue comme chanteuse (plusieurs prix) et comme partenaire de Travolta dans *Grease*, couple reformé pour *Two for a Kind*.

Nicaud, Philippe
Acteur français né en 1926.

1947, Les amoureux sont seuls au monde (Decoin) ; 1949, Aux yeux du souvenir (Delannoy), Ballerina (Berger), Miquette et sa mère (Clouzot) ; 1950, Meurtres (Pottier), Les amants de Bras-Mort (Pagliero) ; 1952, Adieu Paris (Heyman) ; 1954, Fantaisie d'un jour (Cardinal) ; 1955, La môme Pigalle (Rode), Le printemps, l'automne et l'amour (Grangier) ; 1956, Ce soir les jupons volent (Kirsanov), Mademoiselle et son gang (Boyer), Printemps à Paris (Roy), Miss Catastrophe (Kirsanov), Les trois font la paire (Guitry) ; 1957, Mademoiselle Strip-Tease (Foucaud), Le dos au mur (Molinaro) ; 1958, En légitime défense (Berthomieu), La prima notte (Les noces vénitiennes) (Cavalcanti) ; 1959, Voulez-vous danser avec moi ? (Boisrond) ; 1960, Le gigolo (Deray) ; 1962, Les veinards (Girault), Les vierges (Mocky) ; 1963, L'inconnue de Hong-Kong (Poitrenaud), Pouic-Pouic (Girault), Que personne ne sorte (Govar) ; 1964, Il magnifico cornuto (Le cocu magnifique) (Pietrangeli) ; 1969, Desirella/ Les chattes (Dague) ; 1971, L'araignée (Grumbach), La dame dans l'auto avec des lunettes et un fusil (Litvak) ; 1973, L'île mystérieuse (Bardem et Colpi) ; 1974, Deux grandes filles dans un pyjama (Girault) ; 1979, Comme une femme (Dura) ; 1980, Signé Furax (Simenon), Le chêne d'Allouville (Pénard), Chanel Solitaire (Kaczender) ; 1981, Tais-toi quand tu parles (Clair) ; 1982, Mon curé chez les nudistes (R. Thomas), Le corbillard de Jules (Pénard), Plus beau que moi, tu meurs (Clair) ; 1986, Johann Strauss, der König ohne Krone (Johann Strauss, le roi sans couronne) (Antel).

Ce solide acteur, ancien du cours Simon, partage son temps entre le théâtre de boulevard, la télévision (il y fut l'inspecteur Leclerc), son foyer (il est marié à Christine Carère) et, de temps à autre, le cinéma où il n'a pas fait la carrière que semblait lui promettre son premier film avec Jouvet comme partenaire.

Nichetti, Maurizio

Réalisateur et acteur italien né en 1948.

1976, Allegro non troppo (Bozzetto) ; 1979, Ratataplan (Ratataplan) (Nichetti) ; 1980, Ho fatto splash (Nichetti) ; 1982, Domani si balla (Nichetti) ; 1983, I paladini (Le choix des seigneurs) (Battiato) ; 1984, Bertoldo, Bertoldino e Cacaseno (Monicelli) ; 1985, Il Be e il Ba (Nichetti) ; 1989, Ladri di saponette (Le voleur de savonnettes) (Nichetti) ; 1991, Volere volare (L'amour avec des gants) (Nichetti) ; 1993, Stefano quantestorie (Nichetti) ; 1994, Tous les jours dimanche (Tacchella) ; 1996, L'una e l'altra (L'una e l'altra) (Nichetti) ; 2000, Honolulu Baby (Nichetti). *Pour le metteur en scène*, voir le *Dictionnaire du cinéma*, t. I : *Les réalisateurs*.

Moins connu que Benigni auquel il est pourtant nettement supérieur, tant comme acteur que comme réalisateur, on connaît surtout de lui *Le voleur de savonnettes*, où une créature de rêve issue d'une pub télévisée débarquait dans une famille italienne, et *L'amour avec des gants* qui mêle animation et prises de vue réelles. Nichetti a d'ailleurs beaucoup travaillé dans l'animation durant les années 70. Acteur de ses propres films, plus rarement ailleurs, petit et nerveux, il est souvent drôle et émouvant.

Nichols, Barbara

Actrice américaine, 1929-1976.

1956, Miracle in the Rain (Maté), Beyond a Reasonable Doubt (L'invraisemblable vérité) (Lang), The King and Four Queens (Un roi et quatre reines) (Walsh) ; 1957, Sweet Smell of Success (Le grand chantage) (Mackendrick), The Pajama Game (Pique-nique en pyjama) (Donen), Pal Joey (La blonde ou la rousse) (Sidney) ; 1958, Ten North Frederick (10, rue Frederick) (Dunne), The Naked and the Dead (Les nus et les morts) (Walsh) ; 1959, Woman Obsessed (La ferme des hommes brûlés) (Hathaway), That Kind of Woman (Une espèce de garce) (Lumet) ; 1960, Who Was That Lady ? (Qui était donc cette dame ?) (Sidney), The Scarface Mob (Le tueur de Chicago) (Karlson), Where the Boys Are (Levin) ; 1961, The George Raft Story (Dompteur de femmes) (Newman) ; 1962, House of Women (Doniger) ; 1964, Looking for Love (D. Weis), Dear Heart (D. Mann), The Disorderly Orderly (Jerry chez les cinoques) (Tashlin) ; 1965, The Human Duplicators (Grimaldi), The Loved One (Ce cher disparu) (Richardson) ; 1966, The Swinger (Sidney) ; 1968, The Power (La guerre des cerveaux) (Haskin) ; 1973, Charley and the Angel (McEveety) ; 1975, Won Ton Ton, the Dog Who Saved Hollywood (Winner).

Blonde aux formes plus que généreuses et à la cervelle plus que réduite. Ce personnage d'idiote, entraîneuse ou danseuse de boîtes minables le plus souvent, Barbara Nichols l'a promené dans des comédies (*Who Was That Lady ?, Pajama Game*) ou dans des films noirs (*Le grand chantage*). Elle doit ses meilleurs rôles à Walsh.

Nicholson, Jack

Acteur et réalisateur américain, de son vrai prénom John, né en 1937.

1958, The Crybaby Killer (Jud Addiss) ; 1960, The Little Shop of Horrors (La petite boutique des horreurs) (Corman), Too Soon to Love (Rush), Studs Lonigan (Lerner), The Wild Ride (Harvey Berman) ; 1962, The Broken Land (Bushelman) ; 1963, The Raven (Le corbeau) (Corman), The Terror (Corman), Thunder Island (Leewood) ; 1964, Ensign Pulver (Logan), Back Door to Hell (Hellman) ; 1966, The St. Valentine's Day Massacre (L'affaire Al Capone) (Corman), The Shooting (Hellman) ; 1967, The Trip (Corman), Ride in the Whirlwind (L'ouragan de la vengeance) (Hellman), Hell's Angels on Wheels (Le retour des anges de l'Enfer) (Rush) ; 1968, Flight to Fury (Hellman), Psych-Out (Rush), Head (Rafelson) ; 1969, Easy Rider (Hopper) ; 1970, On a Clear Day You Can See Forever (Melinda) (Minnelli), Five Easy Pieces (Cinq pièces faciles) (Rafelson), Rebels Rousers (Moto Riders) (Martin Cohen), Drive He Said ! (Vas-y fonce !) (Nicholson) ; 1971, Carnal Knowledge (Ce plaisir qu'on dit charnel) (Nichols), A Safe Place (Un coin tranquille) (Jaglom) ; 1972, The King of Marvin Gardens (Rafelson) ; 1973, The Last Detail (La dernière corvée) (Ashby) ; 1974, Chinatown (Polanski), Professione : reporter (Profession : reporter) (Antonioni), Tommy (Tommy) (Russel) ; 1975, The Fortune (La bonne fortune) (Nichols), One Flew over the Cuckoo's Nest (Vol au-dessus d'un nid de coucou) (Foreman) ; 1976, The Missouri Breaks (Penn), The Last Tycoon (Le dernier nabab) (Kazan) ; 1978, Goin' South (En route vers le sud) (Nicholson) ; 1980, The Shining (Shining) (Kubrick), Reds (Beatty) ; 1981, The Postman Always Rings Twice (Le facteur sonne toujours deux fois) (Rafelson) ; 1982, The Border (Police frontière) (Richardson) ; 1983, Terms of Endearment (Tendres passions) (J. Brooks) ; 1985, Prizzi's Honor (L'honneur des Prizzi) (Huston), Heartburn (La brûlure) (Nichols) 1987, The Witches of Eastwick (Les sorcières d'Eastwick) (Miller), Broadcast News (Broadcast News) (Brooks) ; 1988, Ironweed (Ironweed) (Babenco), Batman (Batman) (Burton) ; 1990, The Two Jakes (The Two Jakes) (Nicholson) ; 1992, A Few Good Men (Des hommes d'honneur) (Reiner), Man Trouble (Man Trouble) (Rafelson), Hoffa (Hoffa) (DeVito) ; 1993, Wolf (Wolf) (Nichols) ; 1994, The Crossing Guard (Crossing Guard) (Penn) ; 1996, Blood and Wine (Blood and Wine) (Rafelson), Mars Attacks ! (Mars Attacks !) (Burton), The Evening Star (Étoile du soir) (Harling) ; 1997, As Good as It Gets (Pour le pire et pour le meilleur) (J. Brooks) ; 2000, The Pledge (Penn) ; 2002, About Schmidt (M. Schmidt) (Payne) ; 2003, Anger Management (Self Control) (Segal), Something's Gotta Give (Tout peut arriver) (Meyers) ; 2004, Something's Gotta Give (Tout peut arriver) (Meyers), Stuck on You (Deux en un) (B. et P. Farelly) ; 2006, The Departed (Les infiltrés) (Scorcese). *Pour le metteur en scène*, voir le *Dictionnaire du cinéma*, t. I : *Les réalisateurs.*

Il débute comme assistant au département des dessins animés de la MGM, passe à la télévision, puis entre dans la Corman Connection. C'est Corman qui lui donne en effet sa chance : Rush, Hellman, Corman lui-même le dirigent. Il est lancé par *Easy Rider* qui en fait une vedette au même titre que Newman, Redford, Hoffman... « Il sourit trop », disait de lui Domarchi. Il en fait trop de toute manière. Mais, bien dirigé par un Kubrick ou un Kazan, il peut être excellent. Si la sobriété n'est pas son fort, il réussit parfaitement dans les rôles de fous (*Vol au-dessus d'un nid de coucou* pour lequel il obtient l'oscar en 1975) ou de marginaux (*Missouri Breaks*). Il peut se contenter d'un second rôle (*Terms of Endearment*) mais ne peut se retenir de cabotiner. Il reste avant tout un marginal, le vagabond assassin par amour du *Facteur sonne toujours deux fois*, où il est remarquable. Il est fabuleux en chef de syndicat des camionneurs dans *Hoffa* et en loup-garou dans *Wolf*. Dans *The Crossing Guard*, il donne une composition hallucinante d'un homme qui veut venger sa fille tuée par accident. Il a rêvé de jouer Napoléon. Qu'en aurait-il fait ? On peut rêver. Il est en tout cas un formidable chef de la Mafia dans les *Les infiltrés* de Scorcese. Il a su également être un excellent metteur en scène.

Nico

Chanteuse et actrice allemande, de son vrai nom Christa Päffgen, 1938-1988.

1960, La dolce vita (La douceur de vivre) (Fellini) ; 1961, Strip-tease (*sous le nom de Krista Nico*, Poitrenaud) ; 1965, The Closet (Warhlol) ; 1966, The Velvet Underground and Nico (Warhol), The Chelsea Girls (Warhol) ; 1967, **** (*Segments* « Imitation of Christ », « Sausalito », « High Ashbury », « Nico-Katarina ») (Warhol), I, a Man (Warhol) ; 1972, La cicatrice intérieure (Garrel) ; 1973, Athanor (c.m., Garrel) ; 1974, Les hautes solitudes (Garrel) ; 1975, Un ange passe (Garrel) ; 1976, Le berceau de cristal (Garrel) ; 1977, Voyage au pays des morts (Garrel) ; 1978, Le bleu des origines (Garrel) ; 1979, La vraie histoire de Gérard Lechômeur (Lledo) ; 1988, Ballhaus Barmbek : Let's Kiss and Say Goodbye (Buschmann).

Incroyable carrière que la sienne : mannequin vedette dans le Paris des années 50, c'est le cinéaste Nico Papatakis, dont elle est la maîtresse, qui lui inspire son pseudonyme. Déçue par le milieu de la mode, elle devient chanteuse et actrice à part entière dans la bande de Andy Warhol qui en fait son égérie. Elle croise Bob Dylan, Jim Morrison et Iggy Pop. Chanteuse occasionnelle du Velvet Underground (le groupe de Lou Reed et John Cale), elle entame une carière en solo (10 albums en tout). En 1969, c'est la rencontre avec Philippe Garrel qui la fera tourner dans ses œuvres les plus austères. Elle meurt à Ibiza d'un accident de vélo. Autodestructrice et rebelle, elle s'est toujours sentie prisonnière d'une beauté qu'elle détestait et qu'elle s'ingéniera toute sa vie à anéantir. Sa voix grave et sépulcrale, et ses grands yeux qui de splendides devinrent effrayants auront marqué quiconque a pu la voir dans les quelques films — foncièrement underground — qu'elle a tournés. Un très beau documentaire, *Nico Icon*, réalisé par Susanne Ofteringer (1995), lui est consacré.

Nicol, Alex

Acteur et réalisateur américain, 1916-2001.

1950, Tomahawk (Tomahawk) (Sherman), The Sleeping City (G. Sherman) ; 1951, Air Cadet (Pevney), Target Unknown (G. Sherman), The Raging Tide (G. Sherman) ; 1952, Meet Dany Wilson (Pevney), Red Ball Express (Les conducteurs du diable) (Boetticher), Because of You (Pevney), The Redhead from Wyoming (Sholem) ; 1953, Law and Order (Quand la poudre parle) (Juran), Lone Hand (G. Sherman), Champ for a Day (Seiter) ; 1954, About Mrs. Leslie (D. Mann), Dawn at Socorro (Vengeance à l'aube) (G. Sherman) ; 1955, Strategic Air Command (Mann), The Man from Laramie (L'homme de la plaine) (Mann), Sincerely Yours (Douglas) ; 1956, Great Day in the Morning (L'or et l'amour) (Tourneur) ; 1958, Screaming Skull (Nicol) ; 1959, Five Branded Women (Cinq femmes marquées) (Ritt) ; 1960, Then There Were Three (Nicol), Under Ten Flags (Sous dix drapeaux) (Coletti), Via Margutta (Camerini), Il Gobbo (Lizzani), Tutti a casa (Comencini) ; 1961, Look in any Window (Alland) ; 1962, A Matter of Who (Chaffey), The Savage Guns (La chevauchée des outlaws) (Carreras) ; 1964, Cavalca e iccidi (Borau) ; 1965, Gunfighters of Casa Grande (Les hors-la-loi de Casa Grande) (Rowland) ; 1970, Bloody Mama (Corman), Homer (Trent) ; 1971, The Night God Scream (Madden) ; 1972, Clones (Card et Hunt) ; 1977, Ape (King-Kong revient) (Yeung/Leder) ; 1978, Woman in the Rain (Hunt) ; 1986, Manila open City (E. Romero). *Pour le metteur en scène*, voir le *Dictionnaire du cinéma*, t. I : *Les réalisateurs*.

L'acteur a tourné dans beaucoup de séries B. Il est surtout resté célèbre pour son apparition tout en noir vêtu, dans *The Man from Laramie*, où il était le fils sadique du grand propriétaire Donald Crisp.

Nicolas, Roger

Acteur et fantaisiste français, 1919-1977.

1948, Ma tante d'Honfleur (Jayet) ; 1950, Le roi du bla-bla-bla (Labro) ; 1951, Jamais deux sans trois (Berthomieu) ; 1952, Le dernier Robin des Bois (Berthomieu) ; 1953, Mourez, nous ferons le reste (Stengel) ; 1955, Quatre jours à Paris (Berthomieu) ; 1956, Baratin (Stelli) ; 1969, Aux frais de la princesse (Quignon).

Fantaisiste de music-hall (« Écoute, écoute »... ainsi ponctuait-il ses histoires drôles), il tenta une carrière cinématographique dans les emplois comiques, mais sans plus de succès que Fernand Raynaud. N'est pas Bourvil qui veut.

Nicolodi, Daria

Actrice italienne née en 1950.

1973, La proprietà non è più un furto (La propriété c'est plus le vol) (Petri) ; 1975, Profondo rosso (Les frissons de l'angoisse) (Argento) ; 1977, Shock (Shock, les démons de la nuit) (Bava) ; 1980, Inferno (Inferno) (Argento) ; 1981, Il minestrone (Citti) ; 1982, Tenebrae (Ténèbres) (Argento) ; 1984, Phenomena (Phenomena) (Argento) ; 1985, Dario Argento's World of Horror (Soavi) ; 1985, Maccheroni (Macaroni) (Scola) ; 1987, Opera (Argento), Le foto di Gioia (L. Bava) ; 1988, Paganini Horror (Cozzi) ; 1993, La fine è nota (C. Comencini) ; 1997, Viola bacia tutti (Veronesi) ; 1998, La parola amore esiste (Mots d'amour) (Calopresti) ; 1999, Rosa e Cornelia (Treves) ; 2000, Scarlet diva (Scarlet diva) (A. Argento).

Longtemps associée à Dario Argento dont elle fut la compagne et l'égérie, cette évanescente beauté fut une « scream queen » de rêve (notamment à la fin de *Ténèbres*) pour le maître du film d'horreur italien. Le reste de sa filmographie n'a pas grand intérêt. Elle apparaît néanmoins dans *Scarlet diva*, le film de sa fille Asia Argento.

Nielsen, Asta

Actrice danoise, 1883-1972.

1910, Afgrunden (L'abîme) (Gad) ; 1911, Balletdanserinden (Gad), Den sorte Dröm (Gad), Nachtfalter (Papillon de nuit) (Gad), Der Fremde Vogel (Gad), In dem Grossen Augenblick (Gad), Die Verräterin, Zigeunerblut (Gad) ; 1912, Die arme Jenny (La pauvre Jenny) (Gad), Zu Tode gehetz (Gad), Wenn die Maske falt (Gad), Jugend und Tollheit (Gad), Komödianten (Gad), Die Macht des Goldes (Gad) ; 1913, Die Suffragette (La suffragette) (Gad), Det Tod in Sevilla (Carmen) (Gad), Vordertreppe-Hintertreppe (Gad) ; 1914, Das Kind ruft, Aschenbrödel (Gad), Zapatas Bande (Gad), Das Feuer (Gad) ; 1916, Das Liebes A-B-C (L'alphabet de l'amour) (Stifter), Dora Brandes (Stifter) ; 1917, Die Rose der Wildnis (La rose du désert) (Schmidthaessler), Die Börsen-Königin (La reine de la bourse) (Edel), Das Waisen Hauskind (La petite orpheline) (Schmidthaessler) ; 1919, Kurfürstendamm (Oswald), Graf Sylvains Rache (La vengeance du comte Sylvain) (W. Grunwald), Rausch (Ivresse) (Lubitsch), Die Büchse der Pandora ; 1920, Hamlet (Svend Gade), Brigantenrache (Vengeance de brigand) (Bruck), Der Reigen (Oswald) ; 1921, Fräulein Julie (Jessner), Mata-Hari (Wolff) ; 1922, Vanina Vanini (Gerlach) ; 1923, Der Erdgeist (Loulou) (Jessner) ; 1924, INRI (Wiene), Hedda Gabler (Eckstein), Lebender Buddha (Wegener) ; 1925, Athleten (Les athlètes) (Zelnick), Die Freudlose Gasse (La rue sans joie) (Pabst) ; 1927, Dirnentragödie (La tragédie de la rue) (Rahn) ; 1932, Unmögliche Liebe (Amour impossible) (Waschneck).

La star danoise du muet. Débuts avec Urban Gad, son mari, à Copenhague puis dans les studios allemands. Elle jouera sous la direction de Lubitsch, Oswald, Svend Gade (elle sera avec lui Hamlet, en donnant une explication inattendue du personnage : c'était une femme !) pour atteindre à son zénith avec *La rue sans joie*. L'avènement du cinéma parlant la condamne. Elle ne tourne qu'un film sonore avant de se retirer en 1936 à Copenhague.

Nielsen, Brigitte

Actrice suédoise, de son vrai prénom Gitte, née en 1963.

1985, Red Sonja (Kalidor) (Fleischer), Rocky IV (Rocky 4) (Stallone) ; 1986, Cobra (Cobra) (Cosmatos) ; 1987, Beverly Hills Cop II (Le flic de Beverly Hills 2) (T. Scott) ; 1988, Bye Bye Baby (Oldoini) ; 1989, Domino (Masetti) ; 1991, 976-EVIL 2 : The Astral Factor (Wynorski) ; 1992, Mission of Justice (Barnett) ; 1993, The Double O Kid (McLachlan), Chained Heat II (Simandl) ; 1994, Pentathlon (Malmuth) ; 1995, Galaxis (Mesa), Compelling Evidence (Farmer) ; 1996, Codename : Silencer (Hsu), Snowboard Academy (Shepphird) ; 1998, She's Too Tall (Mahaffey), Paparazzi (Parenti), Hostile Environment (Prior) ; 1999, Doomsdayer (Sarna).

Sculpturale beauté nordique, qui fut plus célèbre, durant sa brève heure de gloire dans la fin des années 80, pour son mariage avec Sylvester Stallone que pour ses frasques cinématographiques dans quelques nanars d'héroïc-fantasy. Après une pathétique carrière dans le cinéma bis, elle s'est depuis reconvertie dans la télévision, où elle présente une émission en Suède.

Nielsen, Connie

Actrice d'origine danoise née en 1965.

1997, The Devil's Advocate (L'associé du diable) (Hackford) ; 2000, Gladiator (Gladiator) (R. Scott), Mission to Mars (Mission to Mars) (De Palma), One Hour Photo (Photo Obsession) (Romanek) ; 2002, Demon Lover (Assayas) ; 2003, Basic (Basic) (McTiernan), The Hunted (Traqué) (Friedkin) ; 2005, The Ice Harvest (Faux amis) (Ramis), Brothers (Brothers) (Bier).

De ses débuts au Danemark, on ne connaît pas les films. Sa carrière démarre aux États-Unis en 1997. Elle est aussi à l'aise dans la comédie que dans le film noir.

Nielsen, Leslie

Acteur canadien né en 1926.

1956, Ransom (La rançon) (Segal), Forbidden Planet (Planète interdite) (Wilcox), The Vagabond King (Le roi des vagabonds), (Curtiz), The Opposite Sex (David Miller) ; 1957, Hot Summer Night (D. Friedkin), Tammy and the Bachelor (Pevney) ; 1958, The Sheepman (La vallée de la poudre) (Marshall) ; 1964, Night Tain to Paris (Douglas) ; 1965, Dark Intruder (Hart), Harlow (Harlow, la blonde platine) (Douglas) ; 1966, Beau Geste (Beau Geste, le baroudeur) (Heyes), The Plainsman (Les fusils du Far West) (Lowell Rich) ; 1967, Gunfight in Abilene (Le shérif aux poings nus) (Hale), The Reluctant Astronaut (Montagne), Rosie ! (Lowell Rich) ; 1968, Counterpoint (La symphonie des héros) (Nelson), Dayton's Devils (Shea), How to Steal the World (Roley) ; 1969, Change of Mind (Stevens), How to Commit Marriage (Panama), Four Rode Out (Peyser) ; 1971, The Resurrection of Zachary Wheeler (Wynn) ; 1972, The Poseidon Adventure (L'aventure du Poseidon) (Neame) ; 1973, And Millions Will Die (Martinson) ; 1976, Project : Kill (Girdler) ; 1977, Day of the Animals (Girdler), Viva Knievel ! (Le casse-cou) (Douglas), Sixth and Main (Cain), Grand Jury (Cain) ; 1978, The Amsterdam Kill (De la neige sur les tulipes) (Clouse) ; 1979, City on Fire (La cité en feu) (Rakoff), Riel (Bloomfield) ; 1980, Airplane ! (Y a-t-il un pilote dans l'avion ?) (Abrahams, D. Zucker et J. Zucker), Prom Night (Le bal de l'horreur) (P. Lynch) ; 1981, The Creature Wasn't Nice/Starship (Kimmel) ; 1982, Wrong Is Right/The Man With the Deadly Lens (Meurtres en direct) (Brooks), Creepshow (Creepshow) (Romero), Foxfire Light (Baron) ; 1985, The Bradbury Trilogy (Thomas, P. Lynch et Fruet) ; 1986, Soulman (Soulman) (Miner), The Canadian Conspiracy (Boyd), The Patriot (Harris) ; 1987, Home Is Where the Heart Is (Bromfield), Nightstick (Scanlan), Nuts (Cinglée !) (Ritt) ; 1988, Dangerous Wives (Lewis), The Naked Gun (Y a-t-il un flic pour sauver la reine ?) (D. Zucker) ; 1990, Repossessed (L'exorciste en folie) (Logan) ; 1991, The Naked Gun 2 1/2 : the Smell of Fear (Y a-t-il un flic pour sauver le président ?) (D. Zucker), All I Want for Christmas (Liebermann) ; 1993, Surf Ninjas (Surf Ninjas) (Israel) ; 1994, The Naked Gun 33 1/3 : the Final Insult (Y a-t-il un flic pour sauver Hollywood ?) (Segal), Digger (Turner), S.P.Q.R. – 2 000 E 1/2 anni fa (Vanzina) ; 1995, Dracula, Dead and Loving It (Dracula, mort et heureux de l'être) (Mel Brooks), Rent-a-Kid (Gerber) ; 1996, Spy Hard (Agent zéro zéro) (Friedberg) ; 1997, Family Plan (Gerber), Wrongfully Accused (Le détonateur) (Proft), Mr. Magoo (Tong) ; 1998, Titanic Too : It Missed the Iceberg (Proft) ; 1999, Camouflage (Keach) ; 2000, 2001 : A Space Travesty (Y a-t-il un flic pour sauver l'humanité ?) (Goldstein).

Beaucoup de télévision (séries dramatiques en direct durant les années 50) avant d'aborder le cinéma, où il joue dans nombre de films pour la plupart inédits en France. C'est grâce au trio

Z.A.Z. (Jim Abrahams et les frères Zucker) et à leur *Y a-t-il un pilote dans l'avion ?* qu'il connaît le succès, dans un genre qu'il n'avait d'ailleurs jamais abordé auparavant, la comédie parodique. Le triomphe des trois *Naked Gun* lui apporte enfin la consécration.

Ninchi, Carlo

Acteur italien, 1897-1974.

Principaux films : 1930, Corte d'assise (Brignone), Terra madre (Blasetti) : 1935, Passaporto rosso (Brignone) ; 1937, Scipione l'Africano (Scipion l'Africain) (Gallone) ; 1939, Dora Nelson (Dora Nelson) (Soldati) ; 1941, I promessi sposi (Les fiancés) (Camerini) ; 1942, La morte civile (Son enfant) (Poggioli), Stasera, niente di nuovo (Ce soir, rien de nouveau) (Mattoli) ; 1945, Due lettere anonime (Deux lettres anonymes) (Camerini) ; 1946, Amanti in fuga (Amants en fuite) (Gentilomo), Circo equestre (Zabum) (Mattoli), Desiderio (La proie du désir) (Pagliero et Rossellini), Le vie del peccato (Le chemin du péché) (Pastina) ; 1947, Il passatore (Le passeur) (Coletti), La primula bianca (Armand le mystérieux) (Bragaglia) ; 1949, Il figlio di d'Artagnan (Le fils de d'Artagnan) (Freda), Il grido della terra (Exodus) (Coletti), Toto le Moko (Toto le Moko) (Bragaglia) ; 1950, La beauté du diable (Clair), Napoli milionaria (Naples millionnaire) (De Filippo) ; 1954, L'ennemi public n° 1 (Verneuil) ; 1958, Il marito (Loy et Puccini) ; 1960, La cociara (La cociara) (De Sica), Constantino il grande (Constantin le grand) (Felice) ; 1962, I moschetteri del mare (Il était trois mousquetaires) (Steno) ; 1963, La tigre dei sette mari (Le tigre des sept mers) (Capuano).

Frère d'Annibale Ninchi (qui fut Scipion l'Africain dans le film de Gallone et joua dans *La dolce vita* et *Huit et demi*), il n'a pas privilégié, à l'inverse de son frère, la scène à l'écran. Sa filmographie est éloquente et a traversé tous les régimes.

Niven, David

Acteur anglais, 1909-1983.

1935, Mutiny on the Bounty (Les révoltés du Bounty) (Lloyd), Barbary Coast (La ville sans loi) (Hawks), Without Regret (Sans regrets) (Young), A Feather in Her Hat (Santell), Splendor (Splendeur) (Nugent) ; 1936, Rose Marie (Van Dyke), Palm Springs Affair (Scott), Thank you Jeeves (Les aventures de Jeeves) (Greville Collins), Dodsworth (Wyler), The Charge of the Light Brigade (La charge de la brigade légère) (Curtiz), Beloved Enemy (L'ennemie bien-aimée) (Potter) ; 1937, We have Our Moments (On a volé 100 000 dollars) (Werker), The Prisoner of Zenda (Le prisonnier de Zenda) (Cromwell), Dinner at the Ritz (Dîner au Ritz) (Schuster) ; 1938, Bluebeard's Eight Wife (La huitième femme de Barbe-Bleue) (Lubitsch), Four Men And a Prayer (Quatre hommes et une prière) (Ford), Three Blind Mice (Trois souris aveugles) (A. Seiter), Dawn Patrol (La patrouille de l'aube) (Goulding) ; 1939, Wuthering Heights (Les hauts de Hurlevent) (Wyler), Bachelor Mother (Mademoiselle et son bébé) (Kanin), The Real Glory (La glorieuse aventure) (Hathaway), Eternally Yours (Divorcé malgré lui) (Garnett) ; 1940, Raffles (Wood) ; 1942, The First of the Few (Spitfire) (Leslie Howard) ; 1944, The Way Ahead (Héroïque parade) (Reed) ; 1946, A Matter of Life and Death (Une question de vie ou de mort) (Powell, Pressburger), Magnificent Doll (L'inspiratrice magnifique) (Borzage) ; 1947, The Perfect Marriage (Mariage parfait) (Allen), The Other Love (L'orchidée blanche) (De Toth), The Bishop's Wife (Honni soit qui mal y pense) (Koster) ; 1948, Bonnie Prince Charlie (La grande révolte) (Kimmins), Enchantment (Vous qui avez vingt ans) (Reis) ; 1949, A Kiss in the Dark (L'extravagant M. Philips) (Daves) ; 1950, The Elusive Pimpernel (Le chevalier de Londres) (Powell, Pressburger), A Kiss for Corliss (L'amour a toujours raison) (Wallace), The Toast of New Orleans (Le chant de la Louisiane) (Taurog) ; 1951, Soldiers Three (Trois troupiers) (Garnett), Happy Go Lovely (L'amour mène la danse) (Humberstone), Appointment with Venus (Thomas) ; 1952, The Lady Says No (Ross) ; 1953, The Moon Is Blue (La lune était bleue) (Preminger) ; 1954, The Love Lottery (La loterie de l'amour), Happy Ever After (Héritage et vieux fantômes) (Zampi) ; 1955, Carrington V.C. (Cour martiale) (Asquith), The King's Thief (Le voleur du roi) (Z. Leonard) ; 1956, The Birds and the Bees (Millionnaires de mon cœur) (Taurog), Around the World in 80 Days (Le tour du monde en quatre-vingts jours) (Anderson) ; 1957, Oh Men ! Oh Women ! (Ma femme a des complexes) (Johnson), The Little Hut (La petite hutte) (Robson), My Man Godfrey (Mon homme Godfrey) (Koster), The Silken Affair (Le gentleman et la Parisienne) (Kellino) ; 1958, Bonjour tristesse (Preminger), Separate Tables (Tables séparées) (Mann) ; 1959, Ask Any Girl (Une fille très avertie) (Charles Walters), Happy Anniversary (Joyeux anniversaire) (Miller) ; 1960, Please Don't Eat the Daisies (Ne mangez pas les marguerites) (Walters) ; 1961, The Guns of Navarone (Les Canons de Navarone) (Lee-

Thompson), The Best of Enemies (Le meilleur ennemi) (Guy Hamilton) ; 1962, The Road to Hong Kong (Astronautes malgré eux) (Panama), Guns of Darkness (Sept heures avant la frontière) (Asquith), Conquered City (L'arsenal de la peur) (Anthony) ; 1963, 55 Days at Peking (Les cinquante-cinq jours de Pékin) (Ray) ; 1964, The Pink Panther (La panthère rose) (Edwards), Bedtime Story (Les séducteurs) (Levy) ; 1965, Lady L. (Ustinov) ; 1966, Where the Spies Are (Passport pour l'oubli) (Guest) ; 1967, Casino Royale (Huston, Hughes, Guest, Parrish, McGrath, Talmage, Squire), Eye of the Devil (Le mystère des treize) (Lee-Thompson) ; 1968, Prudence and the Pill (Prudence et la pilule) (Cook, Neame), The Impossible Years (Les années fantastiques) (Gordon) ; 1969, Extraordinary Seaman (Frankenheimer), Before Winter Comes (Avant que vienne l'hiver) (Lee-Thompson), Le cerveau (Oury) ; 1971, The Statue (La statue ou le plaisir de ces dames) (Amateau) ; 1972, King, Queen, Knave (Roi, dame, valet) (Skolimovski) ; 1974, Vampira (Les temps sont durs pour Dracula) (Donner) ; 1975, Paper Tiger (Annakin) ; 1976, No Deposit, no Return (La folle escapade) (Tokar), Murder by Death (Un cadavre au dessert) (Moore) ; 1978, Candleshoe (Tokar), Death on the Nile (Mort sur le Nil) (Guillermin) ; 1979, A Man Called Intrepid (Un homme nommé Intrépide) (Carter), Escape to Athena (Sabotages à Athènes) (Cosmatos), A Nightingale Song in Berkeley Square (Thomas) ; 1980, The Sea Wolves (Le commando de Sa Majesté) (V. McLaglen), Rough Cut (Le Lion sort ses griffes) (Siegel) ; 1981, Whose Little Girl Are You ? (Ménage à trois) (Forbes) ; 1982, The Trail of the Pink Panther (A la recherche de la Panthère rose) (Edwards), Curse of the Pink Panther (Edwards).

Cet Écossais était fils et petit-fils de soldat, et lui-même fréquenta Sandhurst. Il n'en sera que plus à l'aise plus tard dans ses rôles d'officier. En fait, trop bohème pour une carrière militaire, il exerce un peu tous les métiers et voyage à Cuba et aux États-Unis. Il se retrouve figurant à Hollywood où sa distinction très britannique retient vite l'attention. Il joue dans de nombreux films d'aventures puis dans d'aimables comédies. Il sera même Raffles, le gentleman-cambrioleur anglais inventé par Hornung et repris par Perowne. Après la guerre, il se partage entre Hollywood et les studios londoniens. En 1958, il obtient l'oscar pour *Separate Tables*. Nouveau coup de pouce avec *La panthère rose* : il est « le fantôme », voleur international, mais il se fait voler la vedette par le policier lancé à ses trousses, l'inspecteur Clouseau que joue de façon géniale Peter Sellers. Mais Niven prend sa revanche avec *Rough Cut*. Il joue aussi un amusant Dracula et compose une savoureuse parodie de Nick gentleman-détective dans *Un cadavre au dessert*. Élégant, désinvolte, flegmatique : tel est le personnage qu'il imposa de film en film.

Noël, Magali

Actrice et chanteuse française, de son vrai nom Guiffray, née en 1932.

1950, Demain nous divorçons (L. Cuny) ; 1951, Seul dans Paris (Bromberger) ; 1953, Mourez, nous ferons le reste (Stengel) ; 1954, Razzia sur la chnouf (Decoin), Le fils de Caroline chérie (Devaivre), Du rififi chez les hommes (Dassin) ; 1955, Elena et les hommes (Renoir), Les grandes manœuvres (Clair), Chantage (Lefranc), Les possédées (Brabant) ; 1956, Si le roi savait ça (Canaille), C'est arrivé à Aden (Boisrond), Assassins et voleurs (Guitry), OSS 117 n'est pas mort (Sacha) ; 1958, Ça n'arrive qu'aux vivants (Saytor), E arrivata la parigina (La loi de l'homme) (Mastrocinque), L'île du bout du monde (Greville), Le piège (Brabant), Des femmes disparaissent (Molinaro), Oh ! Qué mambo ; 1959, Marie des îles (Combret) ; 1960, Boulevard (Duvivier), La dolce vita (La douceur de vivre) (Fellini), Le Sahara brûle (Gast), La ragazza in vetrina (La fille dans la vitrine) (Emmer), Dans la gueule du loup (Dudrumet) ; 1961, Gioventu di notte (Sequi), Legge di guerre (Paolelli) ; 1962, L'accident (Greville), Il colpo segreto di d'Artagnan (Le secret de d'Artagnan) (Marcellini) ; 1963, Toto e Cleopatra (Cerchio) ; 1964, La corde au cou (Lisbona), Dernier tiercé (Pottier), Requiem pour un caïd (Cloche), Tempesto su Ceylan (Tempête sur Ceylan) (Oswald) ; 1965, La traite des Blanches (Combret) ; 1968, L'astragale (Casaril) ; 1969, Z (Costa-Gavras), Fellini Satyricon (Fellini Satyricon) (Fellini) ; 1970, Tropic of Cancer (Strick), The Man Who Had Power over Women (Krish), Les brebis du révérend (Wickman) ; 1971, Il prete sposato (Vicario) ; 1973, Amarcord (Amarcord) (Fellini) ; 1976, Il tempo degli assassini (Andrei) ; 1978, Les rendez-vous d'Anna (Akerman) ; 1980, Le chemin perdu (Moraz) ; 1982, Qu'est-ce qui fait courir David ? (Chouraqui), La mort de Mario Ricci (Goretta) ; 1983, Les années 80 (Akerman) ; 1984, Vertiges (Laurent) ; 1985, Exit exil (Monheim), Diesel (Kramer) ; 1989, Pentimento (Marshall) ; 2000 La fidélité (Zulawski).

Un sacré tempérament. Née à Smyrne mais élevée en France. Chanteuse, actrice de cinéma, s'imposant peu à peu à l'écran pour devenir à travers trois films le symbole des fantasmes sexuels de Fellini. Elle connaît ensuite une éclipse à l'écran et revient dans des films difficiles à partir de 1980.

Noël-Noël

Acteur et réalisateur français, de son vrai nom Lucien Noël, 1897-1989.

Nombreux courts métrages : 1930, La prison en folie (Wulschleger) ; 1931, Quand te tues-tu ? (Capellani), Adémaï à l'office météorologique (court métrage) ; 1932, Pour vivre heureux (Della Torre), Mistigri (Lachman), Mon cœur balance (Guissart), Papa sans le savoir (R. Wyler), Adémaï Joseph (court métrage), Monsieur Albert (Anton) ; 1933, Vive la compagnie (Moulins), Mannequins (Hervie), Une fois dans la vie (Vaucorbeil) ; 1934, Adémaï aviateur (Tarride), Mam'zelle Spahi (Vaucorbeil) ; 1935, Adémaï au Moyen Age (Marguenat), Le centenaire (court métrage) ; 1936, Moutonnet (Sti), Tout va très bien, madame la marquise (Wulschleger) ; 1937, L'innocent (Cammage) ; 1939, La famille Duraton (Stengel), Sur le plancher des vaches (Ducis) ; 1942, La femme que j'ai le plus aimée (Vernay), Adémaï bandit d'honneur (Grangier) ; 1944, La cage aux rossignols (Dréville) ; 1946, Le père tranquille (Clément) ; 1948, Les casse-pieds (Dréville) ; 1949, Retour à la vie (Dréville) ; 1950, La vie chantée (Noël-Noël) ; 1951, Les sept péchés capitaux (Rim) ; 1952, La fugue de M. Perle (Richebé) ; 1954, Un fil à la patte (Lefranc) ; 1955, Les carnets du major Thompson (P. Sturges) ; 1956, Les truands (Rim), La terreur des dames (Boyer), Bonjour Toubib (Cuny) ; 1957, A pied, à cheval et en voiture (Delbez), Le septième ciel (Bernard) ; 1958, A pied, à cheval et en spoutnik (Dréville) ; 1959, Messieurs les ronds-de-cuir (Diamant-Berger) ; 1960, Les vieux de la vieille (Grangier) ; 1961, Les petits matins (Audry) ; 1962, Jessica (La sage-femme, le curé et le bon Dieu) (Negulesco) ; 1965, La sentinelle endormie (Dréville). *Pour le metteur en scène,* voir le *Dictionnaire du cinéma,* t. I : *Les réalisateurs.*

Dessinateur humoristique, chansonnier, auteur de plusieurs scénarios de films, il a créé le populaire personnage d'Adémaï, mélange de naïveté et de bon sens populaire. Type du Français moyen, on en fit un résistant, après la guerre, dans *Le père tranquille,* mais il fut plus convaincant dans *Les casse-pieds.* La série des films qu'il a tournés formerait une excellente chronique de « la France profonde » de 1930 à 1960.

Noiret, Philippe

Acteur français, 1930-2006.

1956, La pointe courte (Varda) ; 1960, Zazie dans le métro (Malle), Ravissante (Lamoureux), Le capitaine Fracasse (Gaspard-Huit) ; 1961, Les amours célèbres (Lauzun) (Boisrond), Le rendez-vous (Delannoy), Comme un poisson dans l'eau (Michel), Tout l'or du monde (Clair) ; 1962, Le crime ne paie pas (sketch l'Affaire Hugues) (Oury), Cyrano et d'Artagnan (Gance), Thérèse Desqueyroux (Franju), Balade pour un voyou (Bonnardot), Le massaggiatrici (Fulci) ; 1963, Clémentine chérie (Chevalier), La porteuse de pain (Cloche), Monsieur (Le Chanois), Mort, où est ta victoire ? (Bromberger) ; 1964, Les copains (Robert) ; 1965, Lady L (Ustinov), La vie de château (Rappeneau), Qui êtes-vous Polly Magoo ? (Klein), Paris brûle-t-il ? (Clément) ; 1966, Les sultans (Delannoy), Tendre voyou (Becker), Le voyage du père (La Patellière), La nuit des généraux (Litvak), Sept fois femme (De Sica) ; 1967, L'une et l'autre (Allio), Alexandre le bienheureux (Robert), Adolphe ou l'âge tendre (Michel) ; 1968, Mr. Freedom (Klein), Justine (Cukor), Assassinats en tout genre (The Assassination Bureau) (Dearden) ; 1969, Topaz, L'étau (Hitchcock), Clérambard (Robert), Les caprices de Marie (Broca) ; 1970, Murphy's War (La guerre de Murphy) (Yates) ; 1971, Time for Loving (Miles), Les aveux les plus doux (Molinaro), La vieille fille (Blanc), Le trèfle à cinq feuilles (Frees), Siamo tutti in liberta provisoria (Scarpelli) ; 1972, La mandarine (Molinaro), L'attentat (Boisset), Le serpent (Verneuil) ; 1973, La grande bouffe (Ferreri), Touche pas à la femme blanche (Ferreri), Poil de carotte (Graziani), L'horloger de Saint-Paul (Tavernier), Un nuage entre les dents (Pico) ; 1974, Les Gaspards (Tchernia), Le secret (Enrico), Le jeu avec le feu (Robbe-Grillet), Que la fête commence (Tavernier), La mano spietata della legge (Gariazzo) ; 1975, Le vieux fusil (Enrico), Mes chers amis (Monicelli), Monsieur Albert (Renard), Le juge et l'assassin (Tavernier) ; 1976, Une femme à sa fenêtre (Granier-Deferre), Le désert des Tartares (Zurlini), Il commune senso del pudore (Sordi) ; 1977, Un taxi mauve (Boisset), Tendre poulet (Broca), La barricade du point du jour (Richon), Someone Is Killing the Great Chiefs of Europe (La grande cuisine) (Kotcheff), Le témoin (Mocky) ; 1979, Due pezzi di pane (Deux bonnes pâtes) (Citti), Rue du pied de grue (Grand-Jouan), On a volé la cuisse de Jupiter (Broca) ; 1980, Une semaine de vacances (Tavernier), Pile ou face (Enrico) ; 1981, Trois frères (Rosi), Il faut tuer Birgitt Haas (Heynemann), Coup de torchon (Tavernier), L'étoile du Nord (Granier-Deferre) ; 1982, L'Africain (Broca) ; 1983, Mes chers amis II (Monicelli), L'ami de Vincent (Granier-Deferre), Le grand carnaval (Arcady) ; 1984, Fort Saganne (Corneau), Souvenirs, Souvenirs (Zeitoun), Les ripoux (Zidi), Qualcosa di Biondo (Aurora) (Ponzi) ; 1985, L'été prochain (N. Trintignant), Le quatrième pouvoir (Leroy), Les rois du gag (Zidi) ; 1986, Autour de minuit (Tavernier), Speriamo que sia femina (Pourvu que ce soit une fille) (Monicelli), Twist again à Moscou (Poiré), La femme secrète (Grall), Laughter in the Dark (Papas) ; 1987, Masques (Chabrol), La famiglia (La famille) (Scola), Les lunettes d'or (Montaldo), Noyade interdite (Granier-Deferre) ; 1988, Chouans ! (Broca), Toscanini (Zeffirelli), The Return of the Musketeers (Le retour des mousquetaires) (Lester), La femme de mes amours (Mingozzi), Nuevo Cinema Paradiso (Cinéma Paradiso) (Tornatore) ; 1989, La vie et rien d'autre (Tavernier), Ripoux contre ripoux (Zidi) ; 1990, Dimenticare Palermo (Oublier Palerme) (Rosi), Faux et usage de faux (Heynemann), Uranus (Berri), La domenica specialmente (Le dimanche de préférence) (sk. Tornatore) ; 1991, Contre l'oubli (collectif), J'embrasse pas (Téchiné), Rossini, Rossini (Monicelli), Nous deux (Graziani) ; 1992, Max et Jeremie (Devers), Zuppa de pesce (Soupe de poisson) (Infascelli), Tango (Leconte) ; 1993, Le roi de Paris (Maillet), Grosse fatigue (Blanc) ; 1994, La fille de d'Artagnan (Tavernier), Il postino (Le facteur) (Troisi et Radford), Les Milles (Grall), Une trop bruyante solitude (Cais) ; 1995, La bicicletta (Cabiddu), Les grands-ducs (Leconte), Fantôme avec chauffeur (Oury), Facciamo paradiso (Monicelli) ; 1996, Soleil (Hanin), La vie silencieuse de Marianna Ucria (Faenza), Les palmes de M. Schutz (Pinoteau) ; 1997, Le Bossu (Broca) ; 1998, Le pique-nique de Lulu Kreuz (Martiny) ; 2003, Les côtelettes (Blier), Père et fils (M. Boujenah), Ripoux 3 (Zidi) ; 2005, Edy (Guérin-Tillié).

Ce Lillois aurait été encouragé à faire du théâtre par Montherlant. En 1953, il entre au TNP après avoir joué dans divers endroits. Avec un autre comédien, Jean-Pierre Darras, il se produit dans des cabarets et leur numéro rencontre un grand succès de rire. C'est Agnès Varda qui le fait débuter au cinéma avec *La pointe courte*. Une extraordinaire composition dans *Zazie* passe inaperçue. Il lui faut attendre Boisset, Ferreri et surtout Tavernier pour prendre rang parmi les grandes vedettes. Année faste : 1975, grâce au *Vieux fusil* (pour lequel il reçoit un césar en 1976) et à l'admirable film de Tavernier, *Le juge et l'assassin*, où Noiret crève l'écran (il faut le voir jeter dans la rivière le pot de confitures de sa vieille maman). Sa filmographie peut paraître hétérogène. Il le reconnaît dans un entretien avec *Cinéma 83* : « Cela fait partie de mon plaisir de jouer... Je ne me vois pas jouer trois Tavernier, trois Broca à la suite. Il me faut absolument passer d'un univers à l'autre. » Il tourne trop certaines années, mais sa voix, son allure faussement débonnaire, qu'il soit clochard ou colonel, la finesse de son jeu en font l'un de nos meilleurs comédiens, dans la grande lignée de la génération d'avant 40. On savoure son interprétation de *Rossini Rossini* de Monicelli. En 1990, il obtient un nouveau césar pour *La vie et rien d'autre*. Deux rôles relancent sa carrière : Max, gangster cossu et bourgeois songeant à la retraite dans *Max et Jérémie*, et d'Artagnan, un mousquetaire vieilli et fatigué mais toujours vaillant dans *La fille de d'Artagnan*. On l'aime aussi en juge des assises, cynique et misogyne, dans *Tango*. Il déçoit en *roi de Paris*, ogre théâtral dont la vie est une pièce permanente. La maladie ralentit peu à peu son activité mais il monte encore sur les planches peu avant de mourir. Il laisse un livre de souvenirs, paru quelques mois après sa mort, *Mémoire cavalière*.

Nolan, Lloyd

Acteur américain, 1902-1985.

1935, Stolen Harmony (Werker), Atlantic Adventure (Rogell), One-Way Ticket (Biberman), She couldn't Take It (Garnett), G-Men (Hors-la-loi) (Keighley) ; 1936, You May Be Next (Rogell), Lady of Secrets (Gering), Counterfeit (Kenton), 15 Maiden Lane (Dwan), Big Brown Eyes (Empreintes digitales) (Walsh), The Texas Rangers (La légion des damnés) (Vidor), The Devil's Squadron (Kenton) ; 1937, Exclusive (Hall), Internes Can't Take Money (Santell), Wells Fargo (Une nation en marche) (Lloyd), King of Gamblers (Florey), Ebb Tide (Hogan), Every Day's a Holiday (Sutherland) ; 1938, Hunted Men (King), Dangerous to Know (Florey), King of Alcatraz (L'évadé d'Alcatraz) (Florey), Tip Off Girls (L. King) ; 1939, Undercover Doctor (L. King), St. Louis Blues (Walsh), The Magnificent Fraud (Florey), Ambush (Neumann) ; 1940, Johnny Apollo (Hathaway), The Man Who Wouldn't Talk (D. Burton), The Man I Married (Pichel), Golden Fleecing (Fenton), Michael Shayne Private Detective (E. Forde), The House

Across the Bay (Mayo), Gangs of Chicago (Lubin), Pier 13 (E. Forde), Behind the News (Santley) ; 1941, Dressed to Kill (E. Forde), Steel against the Sky (Sutherland), Mr. Dynamite (Rawlins), Buy Me That Town (E. Forde) ; 1942, Just Off Broadway (Leeds), Time to Kill, (Leeds), Apache Trail (Thorpe), Manila Calling (Leeds), The Man Who Wouldn't Die (Leeds) ; 1943, Bataan (Bataan) (Garnett), Guadalcanal Diary (Guadalcanal) (Seiler) ; 1944, A Tree Grows in Brooklyn (Le lys de Brooklyn) (Kazan) ; 1945, The House on the 92nd Street (La maison de la 92e rue) (Hathaway), Captain Eddie (Bacon), Circumstantial Evidence (Larkin) ; 1946, Le mystérieux M. Sylvain (Stelli), The Lady in the Lake (La dame du lac) (Montgomery), Two Smart People (Dassin), Somewhere in the Night (Quelque part dans la nuit) (Mankiewicz) ; 1947, Wild Harvest (Les corsaires de la terre) (Garnett) ; 1948, The Street With No Name (La dernière rafale) (Keighley), Green Grass of Wyoming (L. King) ; 1949, The Sun Comes Up (Thorpe), Easy Living (Tourneur), Bad Boy (Neumann) ; 1951, The Lemon Drop Kid (Lanfield) ; 1953, Crazylegs (Lyon) ; 1956, Santiago (Santiago) (Douglas), The Last Hunt (La dernière chasse) (Brooks), Toward the Unknown (Je reviens de l'enfer) (LeRoy), Abandon Ship (Pour que les autres vivent) (Sale) ; 1957, Peyton Place (Les plaisirs de l'enfer) (Robson), A Hatful of Rain (Une poignée de neige) (Zinnemann) ; 1960, Portrait in Black (Meurtre sans faire-part) (Gordon) ; 1961, Susan Slade (Daves) ; 1962, We Joined the Navy (W. Toye) ; 1963, The Girl Hunters (Solo pour une blonde) (Rowland) ; 1964, Circus World (Le plus grand cirque du monde) (Hathaway) ; 1965, Never Too Late (Yorkin) ; 1966, American Dream (Gist) ; 1967, The Double Man (La griffe) (Schaffner), Wings of Fire (Lowell Rich) ; 1969, Sergeant Rycker (Kulik), Ice Station Zebra (Destination Zebra, station polaire) (Sturges) ; 1970, Airport (Seaton) ; 1972, My Boys Are Good Boys (Buckalew) ; 1974, Earth Cracking (Tremblement de terre) (Robson) ; 1976, The Private Files of Edgar Hoover (Cohen) ; 1977, Fire (Bellamy) ; 1985, Hannah and Her Sisters (Hannah et ses sœurs) (Allen).

Blond, distingué, il fut presque une vedette entre 1935 et 1949 (*cf.* par exemple son rôle dans *Saint Louis Blues*) et resta associé dans la mémoire des cinéphiles à un nombre impressionnant de films policiers de Keighley, Florey, Hathaway, Montgomery, Rowland... ainsi qu'à quelques films de guerre comme *Bataan* ou *Guadalcanal*.

Nollier, Claude

Actrice française née en 1923.

1943, La vie de plaisir (Valentin) ; 1946, Mensonges (Stelli) ; 1947, Les trafiquants de la mer (Rozier), Le mystérieux M. Sylvain (Stelli) ; 1950, Justice est faite (Cayatte), Pigalle-Saint-Germain-des-Prés (Berthomieu) ; 1951, Les mains sales (Rivers) ; 1952, Moulin-Rouge (Huston), Le fruit défendu (Verneuil) ; 1953, Si Versailles m'était conté (Guitry) ; 1954, Le printemps, l'automne et l'amour (Grangier) ; 1957, Pot-Bouille (Duvivier) ; 1961, Rencontres (Agostini) ; 1962, Le Diable et les 10 commandements (Duvivier).

Cours Simon, Conservatoire, Comédie-Française. Un physique un peu sec ; rien de la pin-up. Elle fut lancée par *Justice est faite* au cinéma.

Nolot, Jacques

Acteur, scénariste et réalisateur français né en 1943.

1978, Molière (Mnouchkine) ; 1981, Hôtel des Amériques (Téchiné), 1982, La matiouette (Téchiné), L'été meurtrier (Becker), Le bâtard (Van Effenterre) ; 1983, Viva la vie (Lelouch), L'addition (Amar), Un jour ou l'autre (Nolin) ; 1984, Rendez-vous (Téchiné), Les spécialistes (Leconte), Train d'enfer (Hanin) ; 1985, Douce France (Chardeaux), Le lieu du crime (Téchiné), Rosa la rose, fille publique (Vecchiali), Zone rouge (Enrico) ; 1986, Résidence surveillée (Compain) ; 1987, Vent de panique (Stora), Les innocents (Téchiné), Savannah (Pico), La comédie du travail (Moullet) ; 1988, Trois places pour le 26 (Demy), Le café des Jules (Vecchiali) ; 1989, Pentimento (Marshall), Hiver 54, l'abbé Pierre (Amar) ; 1990, Borderline (Dubroux), On peut toujours rêver (Richard), Après-après demain (Frot-Coutaz) ; 1992, Ma saison préférée (Téchiné) ; 1993, Les roseaux sauvages (Téchiné), Oublie-moi (Lvovsky) ; 1995, Le journal du séducteur (Dubroux), Les grands ducs (Leconte) ; 1996, Nénette et Boni (Denis), Artemisia (Merlet) ; 1997, Mauvais genre (Bénégui), L'arrière-pays (Nolot) ; 2000, Sous le sable (Ozon) ; 2001, Le café de la plage (Graffin) ; 2002, La chatte à deux têtes (Nolot). *Pour le metteur en scène*, voir le *Dictionnaire du cinéma*, t. I : *Les réalisateurs*.

Scénariste et acteur chez Téchiné, Nolot promène sa silhouette moustachue et son accent méridional dans de nombreux films sans connaître autre chose que les seconds rôles. Son premier film en tant que réalisateur, *L'arrière-pays*, d'une grande sensibilité, raconte l'histoire d'un homme dont la mère vit ses derniers jours.

Nolte, Nick

Acteur américain né en 1940.

1975, Return to Macon County (Compton) ; 1977, The Deep (Les grands fonds) (Yates), Who'll Stop the Rain ? (Les guerriers de l'enfer) (Reisz) ; 1979, North Dallas Forty (Kotcheff), Heartbeat (Les premiers beatniks) (Byrum) ; 1981, Cannery Row (Ward) ; 1982, 48 hours (Quarante-huit heures) (W. Hill) ; 1983, Under Fire (Under Fire) (Spottiswoode) ; 1984, Grace Quigley (Harvey), Teachers (Ras les profs) (Hiller) ; 1986, Down and Out in Beverly Hills (Le clochard de Beverly Hills) (Mazurski) ; 1987, Extreme Prejudice (Extrême préjudice) (W. Hill), Weeds (Hancock) ; 1988, Farewell to the King (L'adieu au roi) (Milius) ; 1989, Three Fugitives (Veber), Q and A (Contre-enquête) (Lumet), Everybody Wins (Chacun sa chance) (Reisz), Another 48 Hours (Quarante-huit heures de plus) (Hill) ; 1991, The Prince of Tides (Le prince des marées) (Streisand), The Player (The Player) (Altman) ; 1992, Cape Fear (Les nerfs à vif) (Scorsese), Lorenzo's Oil (Lorenzo) (Miller) ; 1993, Blue Chips (Blue Chips) (Friedkin), I'll Do Anything (Brooks) ; 1994, I Love Trouble (Les complices) (Shyer), Jefferson in Paris (Jefferson à Paris) (Ivory) ; 1995, Mulholland Falls (Les hommes de l'ombre) (Tamahori), Mother Night (Gordon) ; 1996, Nightwatch (Le veilleur de nuit) (Bornedal), Afterglow (L'amour... et après) (Rudolph) ; 1997, U-Turn (U-Turn) (Stone), Affliction (Affliction) (Schrader), The Thin Red Line (La ligne rouge) (Malick) ; 1998, Breakfast of Champions (Breakfast of Champions) (Rudolph) ; 1999, Simpatico (Simpatico) (Warchus), Trixie (Trixie) (Rudolph) ; 2000, The Golden Bowl (La coupe d'or) (Ivory) ; 2001, Northfork (Northfork) (Polish) ; 2002, Hulk (Hulk) (Ang Lee), The Good Thief (L'homme de la Riviera) (Jordan) ; 2004, Clean (Assayas) ; 2005, Hotel Rwanda (Hôtel Rwanda) (George) ; 2006, Paris je t'aime (collectif), Quelques jours en septembre (Amigorena), Over the Hedge (Nos voisins les hommes) (Johnson et Kirkpatrick).

Rendu célèbre par des feuilletons télévisés, il a vite imposé sur le grand écran sa silhouette massive et son regard tendre : soldat désabusé du Viêt-nam (*Les guerriers de l'enfer*) ou policier aux limites de la révocation (*Quarante-huit heures*), il promène toujours un air désabusé, celui de l'aventurier sur le retour, mais il glisse vite dans la violence, ainsi *Contre-enquête*, où il se retrouve dans un rôle de « méchant »... Par l'un de ces changements de registre que ménage seul le septième art, voilà Nolte transformé en Jefferson dans le chatoyant *Jefferson in Paris* de James Ivory. Consécration d'une carrière ?

Noriega, Eduardo

Acteur espagnol né en 1973.

1994, Historias del Kronen (Historias del Kronen) (Armendáriz) ; 1996, Cita (López Varona), Cuestión de suerte (Moleón), Tesis (Tesis) (Amenábar) ; 1997, Más allá del jardín (Olea), Abre los ojos (Ouvre les yeux) (Amenábar) ; 1998, Cha-cha-chá (Del Real) ; 1999, La fuente amarilla (La source jaune) (Santesmases), Nadie conoce a nadie (Personne ne connaît personne) (Gil) ; 2000, Carretera y manta (Arandia), Plata quemada (Vies brûlées) (Piñeyro), El invierno de las anjanas (Telechea) ; 2001, El espinazo del diablo (Del Toro), Visionarios (Aragón) ; 2002, Guerreros (Calparsoro), Novo (Limosin).

Une nouvelle génération de réalisateurs alliant fantastique et thriller dans leurs œuvres (*Tesis, Ouvre les yeux, Personne ne connaît personne*) semble tout miser sur ce jeune comédien, forcément à suivre. Il est excellent en tueur homosexuel dans le drame argentin *Vies brûlées*.

Noris, Assia

Actrice italienne, de son vrai nom Anastasia Noris von Gerzfeld, 1912-1998.

1932, Tre uomini in frak (Trois hommes en habit) (Bonnard) ; 1933, Ève cherche son père (Bonnard), Giallo (Camerini) ; 1934, Marcia nuziale (Bonnard) ; 1935, Una donna fra due mondi (Alessandrini), Darò un milione (Je donnerai un million) (Camerini) ; 1936, Ma non è una cosa seria (Mais ce n'est pas une chose sérieuse) (Camerini) ; 1937, Voglio vivere con Letizia ! (Mastrocinque), Nina, non far la stupida (Malasomma), Il signor Max (Camerini), Allegri masnadieri ; 1938, Batticuore (Battement de cœur) (Camerini) ; 1939, Grandi magazzini (Grands magasins) (Camerini), Dora Nelson (Dora Nelson) (Soldati), Centomila dollari (Camerini) ; 1940, Una romantica avventura (Camerini) ; 1941, Margherita fra i tre (Perilli), Un colpo di pistola (Un coup de pistolet) (Castellani) ; 1942, Una storia d'amore (Camerini), Le voyageur de la Toussaint (Daquin) ; 1943, Le capitaine Fracasse (Gance) ; 1945, I dieci commandamenti (Chili) ; 1965, La Celestina (Lizzani).

Star italienne des années 30 qui fit quelques incursions en France. C'est Bonnard qui la lança dans des drames mondains et des comédies. Camerini en fit l'une des actrices les plus populaires de la Péninsule et son épouse, mais l'année 44 lui fut fatale. Elle avait tourné en France deux films pendant l'Occupation.

Norman, Véra

Actrice française née en 1927.

1946, La rose de la mer (Baroncelli) ; 1949, Monsieur Vincent (Cloche), Lady Paname (Jeanson), Le grand rendez-vous (Dréville), Mission à Tanger (Hunebelle) ; 1950, L'homme de la Jamaïque (Canonge), Les petites Cardinal (Grangier), Ma pomme (Sauvajon), Le tampon du capiston (Labro) ; 1951, Au pays du soleil (Canonge), Sérénade au bourreau (Stelli) ; 1952, Un caprice de Caroline chérie (Devaivre), La neige était sale (Saslavsky), Violettes impériales (Pottier) ; 1953, Cet homme est dangereux (Sacha), Une balle suffit (Sacha), Un jour avec vous (Legrand), Les corsaires du bois de Boulogne (Carbonnaux) ; 1965, Parodie parade (Paviot).

En 1949, Henri Jeanson réalise *Lady Paname*, et c'est sa gracieuse composition, dans le rôle d'« Oseille », où elle séduit Louis Jouvet, qui fait connaître Véra Norman du grand public. Remarquable dans *Le grand rendez-vous*, elle eut son heure de gloire avec *L'homme de la Jamaïque* aux côtés de Pierre Brasseur, et avec *Au pays du soleil* dans lequel Tino Rossi ne chantait — que pour elle — quelques-unes des mélodies écrites par Vincent Scotto.

Normand, Mabel

Actrice américaine, de son vrai nom Fortescue, 1894-1930.

1911-1918 *: une centaine de courts métrages dirigés par* Sennett, Chaplin (Mabel at the Wheel, Caught in a Cabaret, Mabel's Nerve, The Fatal Mallet, Mabel's Strange Predicament, Mabel on the Wheel, Mabel's Busy Day, Mabel's Married Life *et le long métrage* Tillie's Punctered Romance entre 1913 et 1914), Fatty (Mabel and Fatty's Washing Day, Mabel, Fatty and the Law, Fatty and Mabel at the San Diego Exposition, Fatty and Mabel's Married Life... en 1915) ou par elle-même.

Longs métrages le plus souvent dirigés par Sennett : 1918, Mickey, The Floor Below, Joan of Plattsburgh, Dodging a Million, The Venus Model, A Perfect 36, Peck's Bad Girl ; 1919, Sis Hopkins, The Rest, Upstairs, Jinx, Pinto ; 1920, What Happened to Rosa (Schertzinger) ; 1921, The Last Chance (Selig), Molly O' (Sennett), Arabella Flynn ; 1922, Head Over Heels (Schertzinger) ; 1923, Suzanna (Sennett) ; 1924, The Extra Girl (Jones).

Grande star du burlesque, elle fut la partenaire de Chaplin (auquel elle volait la vedette) et de Fatty. Personnage hors série (elle passe pour avoir dirigé certains de ses courts métrages), elle fut impliquée dans le meurtre d'un directeur de la Paramount, ce qui brisa sa carrière. Elle mourut de tuberculose.

Noro, Line

Actrice française, 1900-1985.

1928, La divine croisière (Duvivier) ; 1932, La tête d'un homme (Duvivier), Mater dolorosa (Gance), Faubourg Montmartre (Bernard) ; 1933, L'assommoir (Roudès) ; 1934, La terre qui meurt (Vallée), Au bout du monde (Ucicky),Le petit Jacques (Roudès) ; 1935, Cavalerie légère (Hochbaum), Justin de Marseille (Tourneur) ; 1936, La flamme (Berthomieu), Pépé le Moko (Duvivier), Dernière heure (Bernard-Desrosne), L'île des veuves (Heymann), L'or (Hartl), La terre qui meurt (Vallée) ; 1937, J'accuse (Gance), Une femme sans importance (Choux) ; 1938, La rue sans joie (Hugon), Ramuntcho (Barberis) ; 1939, Dédé de Montmartre (Berthomieu) ; 1940, La fille du puisatier (Pagnol) ; 1941, La neige sur les pas (Berthomieu) ; 1942, Goupi Mains-Rouges (Becker), Le comte de Monte-Cristo (Vernay) ; 1943, Vautrin (Billon), Le secret de madame Clapain (Berthomieu), Ceux du rivage (Séverac) ; 1944, La fiancée des ténèbres (Poligny) ; 1945, La fille aux yeux gris (Faurez), Jéricho (Calef), La part de l'ombre (Delannoy) ; 1946, La symphonie pastorale (Delannoy) ; 1947, Le village perdu (Stengel), La grande volière (Péclet), Éternel conflit (Lampin) ; 1949, On ne triche pas avec la vie (Delacroix) ; 1950, Meurtres (Pottier), Les amants de Bras-Mort (Pagliero) ; 1952, Nous sommes tous des assassins (Cayatte), Le chemin de Damas (Glass) ; 1953, Dortoir des grandes (Decoin), Avant le déluge (Cayatte) ; 1956, Les truands (Rim).

Premier prix du Conservatoire et Comédie-Française. Brune, visage ingrat, elle fut Inès dans *Pépé le Moko*, la Carconte dans *Le comte de Monte-Cristo* et Mme Clapain (son rôle le plus émouvant) dans *Le secret de madame Clapain* d'après Estaunié. Pas une star, mais une excellente actrice de composition.

Norris, Chuck

Acteur américain, de son vrai nom Carlos Ray, né en 1940.

1968, The Wrecking Crew (Matt Helm règle son compte) (Karlson) ; 1973, The Way of the Dragon (La fureur du dragon) (Bruce Lee) ; 1977, Breaker ! Breaker ! (Les casseurs) (Hulette), Black Tigers (Post) ; 1979, A Force of One (Force one) (A. Norris), Good Guys Wear Black (Le commando des tigres noirs) (Post), Game of Death (Le jeu de la mort) (Clouse) ; 1980, The Octagon (La fureur du juste) (Karson) ; 1981, An Eye for an Eye (Dent pour dent) (Carver), Slaughter in San Francisco (L) ; 1982, Silent Rage (Horreur dans la ville) (M. Miller), Forced Vengeance (L'exécuteur de Hong Kong) (Fargo) ; 1983, Lone Wolf McQuade (Œil pour œil) (Carver) ; 1984, Missing in Action (Portés disparus) (Zito), Missing in Action 2, the Beginning (Portés disparus 2) (Hool) ; 1985, Invasion USA (Zito), Code of Silence (Sale temps pour un flic) (Davis), The Delta Force (Delta force) (Golan) ; 1986, Firewalker (Le temple d'or) (Neame et Lee-Thompson) ; 1987, Braddock : Missing in Action 3 (Braddock-Portés disparus 3) (A. Norris) ; 1988, Hero and the Terror (Héros) (Tannen) ; 1989, Delta Force 2 (Delta Force 2) (A. Norris) ; 1991, The Hitman (A. Norris) ; 1992, Sidekicks (Sidekicks) (A. Norris) ; 1993, Hellbound (A. Norris) ; 1994, Top Dog (Top Dog) (A. Norris).

Ancien champion du monde de karaté, ce Cherokee matiné d'Irlandais s'est imposé dans des films de violence grâce à sa technique du combat rapproché. *Missing in Action*, où il défie le Viêt-nam, en a fait une star, sorte de Rambo du pauvre.

Northam, Jeremy

Acteur anglais né en 1961.

1992, Wuthering Heights (Kominsky), Soft Top Hard Shoulder (Schwartz) ; 1994, A Village Affair (M. Armstrong) ; 1995, Voices from a Locked Room (Clarke), Carrington (Carrington) (Hampton), The Net (Traque sur Internet) (Winkler) ; 1996, Emma (Emma l'entremetteuse) (McGrath) ; 1997, Amistad (Amistad) (Spielberg), Mimic (Mimic) (Del Toro), The Misadventures of Margaret (Les folies de Margaret) (Skeet) ; 1998, Gloria (Gloria) (Pollack), Happy, Texas (Happy, Texas) (Illsley) ; 1999, The Winslow Boy (L'honneur des Winslow) (Mamet), An Ideal Husband (Un mari idéal) (O. Parker) ; 2000, The Golden Bowl (La coupe d'or) (Ivory) ; 2001, Possession (LaBute) ; 2002, Gosford Park (Gosford Park) (Altman).

Prototype de l'Anglais distingué, foncièrement à l'aise dans les films à costumes amidonnés qui jalonnent sa carrière naissante. D'où le plaisir de le retrouver en bagnard américain propulsé au cœur de l'Amérique profonde dans *Happy, Texas*.

Norton, Edward

Acteur et réalisateur américain né en 1969.

1996, Primal Fear (Peur primale) (Hoblit), Everyone Says I Love You (Tout le monde dit I love you) (Allen), The People vs. Larry Flynt (Larry Flynt) (Forman) ; 1998, Rounders (Les joueurs) (Dahl), American History X (American History X) (Kaye), Fight Club (Fight Club) (Fincher) ; 1999, Keeping the Faith (Au nom d'Anna) (Norton) ; 2000, The Score (Oz) ; 2001, Death to Smoochie (DeVito) ; 2002, Frida (Frida) (Taymor), Red Dragon (Dragon rouge) (Ratner), The 25th Hour (La vingt-cinquième heure) (S. Lee) ; 2003, Italian Job (Braquage à l'italienne (Gray) ; 2004, Kingdom of Heaven (Kingdom of Heaven) (Scott), Down in the Valley (Down in the Valley) (Jacobson) ; 2007, The Illusionist (L'illusionniste) (Burger), The Painted Veil (Le voile des illusions) (Curran). *Comme réalisateur :* 1999, Keeping the Faith (Au nom d'Anna).

En quelques films, il devient la nouvelle coqueluche américaine. Enfant de chœur accusé du meurtre d'un prêtre dans *Peur primale*, avocat avorton dans *Larry Flynt*, schizophrène masochiste dans *Fight Club*, joueur de poker invétéré dans *Les joueurs* ou encore néonazi repenti dans *American History X* : chacune de ses prestations est bluffante de pénétration, d'empathie avec le personnage. Pour couronner le tout, il réalise un premier film drôle et rafraîchissant, *Au nom d'Anna*, sur la cohabitation pacifique des religions, tournée comme un hommage à la grande comédie new-yorkaise.

Noureev, Rudolf

Danseur d'origine russe, 1938-1993.

1966, Romeo and Juliet (Roméo et Juliette) (Czinner) ; 1977, Valentino (Valentino) (Russell) ; 1983, Exposed (Surexposé) (Toback).

Comment, avec un physique comme le sien, cet admirable danseur n'aurait-il pas été exploité par le cinéma ? Russell en fit un inattendu Valentino et on le retrouva avec un peu plus d'étonnement dans un thriller de Toback.

Novak, Kim

Actrice américaine, de son vrai prénom Marylin Pauline, née en 1933.

1953, Veils of Bagdad (Le prince de Bagdad) (G. Sherman) ; 1954, Pushover (Du plomb pour l'inspecteur) (Quine), Phffft (Robson), The French Line (Bacon), Son of

Sinbad (Tetzlaff) ; 1955, Five Against the House (On ne joue pas avec le crime) (Karlson), Pic-Nic (Pic-Nic) (Logan) ; 1956, The Eddy Duchin Story (Tu seras un homme, mon fils) (Sidney), The Man with the Golden Arm (L'homme au bras d'or) (Preminger) ; 1957, Jeanne Eagels (Un seul amour) (Sidney) ; 1958, Pal Joey (La blonde ou la rousse) (Sidney), Bell, Book and Candle (Adorable voisine) (Quine), Vertigo (Sueurs froides) (Hitchcock) ; 1959, Middle of the Night (Au milieu de la nuit) (D. Mann) ; 1960, Strangers When We Meet (Liaisons secrètes) (Quine), Pepe (Sidney) ; 1962, Boy's Night Out (Garçonnière pour quatre) (D. Mann), The Notorious Landlady (L'inquiétante dame en noir) (Quine) ; 1964, Kiss Me, Stupid (Embrasse-moi, idiot) (Wilder), Of Human Bondage (L'ange pervers) (K. Hughes) ; 1965, The Amourous Adventures of Moll Flanders (Les aventures amoureuses de Moll Flanders) (Young) ; 1968, The Legend of Lylah Clare (Le démon des femmes) (Aldrich) ; 1969, The Great Bank Robbery (Le plus grand des hold-up) (Averback) ; 1973, Tales That Witness Madness (Francis) ; 1976, The White Buffalo (Le bison blanc) (Lee-Thompson) ; 1979, Just a Gigolo (Hemmings) ; 1980, The Mirror Crack'd (Le miroir se brisa) (Hamilton) ; 1990, The Children (Palmer) ; 1991, Liebestraum (Figgis).

Mannequin puis figurante, elle fit ses vrais débuts dans *Pushover*. Après Quine, Sidney fut l'un des metteurs en scène à l'apprécier, tournant quatre films avec elle, puis Hitchcock ne resta pas insensible à sa froide beauté et lui confia un rôle devenu légendaire dans *Vertigo*. Les critiques s'acharnèrent pourtant contre elle, dénonçant son manque de chaleur et son air absent. « Un glaçon manqué », écrivent Coursodon et Tavernier. Mais elle était une bien charmante sorcière dans *Bell, Book and Candle* et ne manquait pas de fantaisie dans *Kiss Me, Stupid*. Elle n'a plus fait, après 1970, que de brèves apparitions, à la télévision ou au cinéma. Toutefois son personnage de *White Buffalo* permettait d'évoquer encore avec quelque émotion l'époque de *Five Against the House* où sa blonde beauté entraînait un groupe d'étudiants à sa perte.

Novarro, Ramon

Acteur et réalisateur américain, de son vrai nom Samaniegos, 1899-1968.

1916, Joan the Woman (DeMille) ; 1917, The Little American (DeMille), The Hostage ; 1919, The Goat ; 1921, A Small Town Idol (Kenton), The Four Horsemen of the Apocalypse (Les quatre cavaliers de l'Apocalypse) (Ingram) ; 1922, Mr. Barnes of New York (Schertzinger), The Prisoner of Zenda (Le prisonnier de Zenda) (Ingram), Trifling Women (Ingram) ; 1923, Where the Pavement Ends (Ingram), Scaramouche (Ingram) ; 1924, The Red Lily (Niblo), Thy Name Is Woman (Niblo), The Arab (Ingram) ; 1925, A Lover's Oath (Earle), The Midshipman (Cabanne) ; 1926, Ben Hur (Niblo) ; 1927, The Student Prince (Le prince étudiant) (Lubitsch), Lovers ? (Stahl), The Road to Romance (Robertson) ; 1928, Forbidden Hours (Beaumont), Across to Singapore (Nigh), A Certain Young Man (Henley) ; 1929, Devil May Care (Franklin), The Flying Fleet (Hill), The Pagan (Van Dyke) ; 1930, Le chanteur de Séville (Noé et Novarro), In Gay Madrid (Leonard), Call of the Flesh (Brabin) ; 1931, Son of India (Le fils du rajah) (Feyder), Daybreak (Aube) (Feyder) ; 1932, Mata Hari (Fitzmaurice), Huddle (Wood), The Son-Daughter (Dans la nuit des pagodes) (Brown), The Barbarian (L'Arabe) (Wood) ; 1933, The Cat and the Fiddle (Howard), Laughing Boy (Van Dyke) ; 1935, The Night Is Young (D. Murphy) ; 1937, The Sheik Steps Out (La fiancée du cheik) (Pichel) ; 1938, A Desperate Adventure ; 1940, La comédie du bonheur (L'Herbier) ; 1949, We Were Strangers (Les insurgés) (Huston), The Big Steal (Ça commence à Vera Cruz) (Siegel) ; 1950, Crisis (Cas de conscience) (Brooks), The Outriders (Le convoi maudit) (Rowland) ; 1960, Heller in Pink Tights (La diablesse en collant rose) (Cukor). *Comme réalisateur :* 1930, Sevilla de mis amores, Le chanteur de Séville ; 1936, Contra la corriente.

D'origine mexicaine, il vient tenter sa chance aux États-Unis. Il sera épicier, garçon de café puis figurant. Il tient de petits rôles jusqu'au jour où Rex Ingram, lassé des caprices de Valentino, le substitue à sa vedette alors à son apogée, pour *Le prisonnier de Zenda*. La beauté de Novarro lui vaut un surabondant courrier d'admiratrices. Il est lancé. *Ben Hur* en fait une star. Avec le parlant, il connaît un déclin irrémédiable. Après 1935, la MGM ne lui renouvelle pas son contrat. Il ne fera plus que quelques apparitions. En 1968, il est trouvé nu dans sa villa, assassiné par des inconnus. Il aurait réalisé trois films.

Novembre, Tom

Acteur français né en 1959.

1984, Signé Renart (Soutter) ; 1985, Elsa, Elsa (Haudepin), Mon beau-frère a tué ma sœur (Rouffio) ; 1986, Un homme et une femme — Vingt ans déjà (Lelouch), Suivez mon regard (Curtelin) ; 1987, Agent trouble (Mocky) ; 1989, La salle de bains (Lvoff), Le crime d'Antoine (Rivière) ; 1990, Monsieur (Toussaint), The Sheltering Sky (Un thé au Sahara) (Bertolucci) ; 1991, Blanc d'ébène (Doukouré) ; 1992, Ville à vendre (Mocky), Une journée chez ma mère (Cheminal), La sévillane (Toussaint) ; 1994, Ready to Wear (Prêt-à-porter) (Altman) ; 1995, Jeunes gens (Rajot) ; 1997, La revanche de Lucy (Mrozowski), An American Werewolf in Paris (Le loup-garou de Paris) (Waller) ; 1998, La patinoire (Toussaint), Les infortunes de la beauté (Lvoff) ; 2000, Azzuro (Rabaglia) ; 2003, Le ventre de Juliette (Provost), Après la pluie le beau temps (Schmidt) ; 2004, Casablanca Driver (Barthélemy) ; 2005, Ma vie en l'air (Bezançon), Un fil à la patte (Deville) ; 2006, A la recherche de Kafka (Amat), Exes (Cognito).

Acteur et chanteur dans les mêmes mesures, frère de CharlÉlie Couture, il promène sa haute silhouette et son regard de cocker dans une filmographie un peu disparate d'où émergent néanmoins les films de Jean-Philippe Toussaint dont il est le comédien fétiche.

Nuls (Les)

Groupe comique français (Alain Chabat, né en 1958, Chantal Lauby, née en 1957, Dominique Farrugia, né en 1961, Bruno Carette, 1956-1989).

Sous la dénomination des Nuls : 1994, La cité de la peur — Une comédie familiale (Berbérian).

Alain Chabat seul : 1989, Baby Blood (Robak) ; 1990, Les secrets professionnels du Dr Apfelglück (Ledoux, Lhermitte...) ; 1992, Parano (Piquer, Robak...) ; 1993, A la folie (Kurys) ; 1994, Gazon maudit (Balasko) ; 1995, Beaumarchais l'insolent (Molinaro), Delphine : 1 — Yvan : 0 (Faruggia) ; 1996, Didier (Chabat) ; 1997, Le cousin (Corneau) ; 1998, Mes amis (Hazanavicius), Trafic d'influence (Farrugia) ; 1999, La débandade (Berri), Le goût des autres (Jaoui) ; 2001, Astérix et Obélix : mission Cléopâtre (Chabat), L'art (délicat) de la séduction (Berry) ; 2003, Chouchou (Allouache), RRRrrrr ! ! ! (Chabat), Mais qui a tué Pamela Rose (Lartigau) ; 2003, Les clefs de la bagnole (Baffie) ; 2004, Ils marièrent et eurent beaucoup d'enfants (Attal) ; 2005, Papa (Barthélemy) ; 2006, The Science of Sleep (La science des rêves) (Gondry), Prête-moi ta main (Lartigau). *Pour le metteur en scène*, voir le *Dictionnaire du cinéma*, t. I : *Les réalisateurs.*

Dominique Faruggia seul : 1996, Didier (Chabat) ; 1997, Que la lumière soit ! (A. Joffé), Paparazzi (Berbérian) ; 1998, Le clone (Conversi). *Pour le metteur en scène*, voir le *Dictionnaire du cinéma*, t. I : *Les réalisateurs.*

Chantal Lauby seule : 1995, XY (Lilienfeld) ; 1996, Didier (Chabat) ; 2000, Meilleur espoir féminin (Jugnot), Antilles sur Seine (Légitimus) ; 2001, Astérix et Obélix : mission Cléopâtre (Chabat) ; 2003, Laisse tes mains sur mes hanches (Lauby), Les clefs de la bagnole (Baffie) ; 2004, Casablanca Driver (Barthélemy) ; 2006, Comme tout le monde (Renders), Toi et moi (Lopes-Curval). *Pour la réalisatrice*, voir le *Dictionnaire du cinéma*, t. I : *Les réalisateurs.*

Bruno Carette seul : 1988, Sans peur et sans reproche (Jugnot) ; 1989, Milou en mai (Malle).

Célèbres par leurs sketches au vitriol et souvent scatologiques, les Nuls ont tourné un film comique sur le festival de Cannes qui a connu un vif succès. Alain Chabat, Chantal Lauby et Dominique Faruggia se sont tournés avec des réussites diverses vers la mise en scène. C'est Chabat qui s'est surtout imposé comme acteur : un air étonné derrière ses lunettes en a fait une sorte de séducteur naïf et maladroit qui est vite devenu populaire.

O

Oakie, Jack

Acteur américain, de son vrai nom Lewis Offield, 1903-1978.

1928, Finders Keepers (Ruggles), The Fleet's in (St. Clair), Sin Town (Cooper), Road House (Rosson) ; 1929, Sweetie (Tuttle), Fast Company (Sutherland), Close Harmony (Cromwell), The Street Girl (Ruggles), The Man I Love (Wellman) ; 1930, Hit the Deck (Reed), Let's Go Native (McCarey), Paramount on Parade (Azner, Goulding, Lee, etc.), The Sap from Syracuse (Sutherland) ; 1932, Million Dollar Legs (Clive), If I Had a Million (Lubitsch, etc.), Make Me a Star (Beaudine) ; 1933, College Humor (Ruggles), Sitting Pretty (Harry J. Brown), Too Much Harmony (Sutherland), Alice in Wonderland (McLeod), The Eagle and the Hawk (Walker) ; 1934, Murder at the Vanities (Leisen), College Rhythm (Ruggles), Shoot the Works (Ruggles) ; 1935, King of Burlesque (Lanfield), Big Broadcast of 1936 (Taurog), Call of the Wind (Wellman) ; 1936, Collegiate (Murphy), Colleen (Green), That Girl from Paris (Jason), Texas Rangers (Vidor) ; 1937, The Champagne Waltz (Sutherland), Hitting a New High (Walsh) ; 1938, Radio City Revels (Stoloff), Thanks for Everything (Monsieur Tout-le-Monde) (Seiter) ; 1940, Young People (Dwan), Tin Pan Alley (W. Lang), The Great Dictator (Chaplin), Little Men (McLeod) ; 1941, The Great American Broadcast (Mayo), Rise and Shine (Dwan), Navy Blues (Bacon) ; 1942, Song of the Islands (Fille des îles) (W. Lang), Iceland (Humberstone) ; 1943, Hello Frisco, Hello (Humberstone), Wintertime (Brahm), Something to Shoot About (Ratoff) ; 1944, Sweet and Low Down (Mayo), It Happened Tomorrow (C'est arrivé demain) (R. Clair), The Merry Monahans (Lamont), Bowery to Broadway (Lamont) ; 1945, That's the Spirit (L'esprit fait du swing) (Lamont), On Stage Everybody (Yarbrough) ; 1948, When My Baby Smiles At Me (W. Lang), Northwest Stampede (Rogell) ; 1949, Thieves' Highway (Les bas-fonds de Frisco) (Dassin) ; 1950, Last of the Buccaneers (Jean Laffitte) (Landers), Tomahawk (Sherman) ; 1956, Around the World in 80 Days (Anderson) ; 1959, The Wonderfull Country (Parrish) ; 1960, The Rat Race (Les pièges de Broadway) (Mulligan).

Il figure parmi les « rondeurs » célèbres d'Hollywood. « Une carrière très complète qui, du théâtre au cinéma, fera de Jack Oakie l'infatigable animateur de films de série B » (*De Broadway à Hollywood*, numéro spécial de *Cinéma*). Mais n'oublions pas ses participations à *Million Dollar Legs* et *The Great Dictator*.

Oates, Warren

Acteur américain, 1928-1982.

1958, Up Periscope ! (Douglas) ; 1959, Yellowstone Kelly (Le géant du Grand Nord) (Douglas), The Rise and Fall of Legs Diamond (La chute d'un caïd) (Boetticher), Private Property (Propriété privée) (Stevens) ; 1961, Hero's Island (Stevens), Ride the High Country (Coups de feu dans la Sierra) (Peckinpah) ; 1963, West of Montana (Kennedy) ; 1964, The Rounders (Kennedy), Major Dundee (Major Dundee) (Peckinpah) ; 1965, Shenandoah (Les prairies de l'honneur) (McLaglen) ; 1966, Return of the Seven (Le retour des sept mercenaires) (Kennedy), The Shooting (Hellman), Welcome to Hard Times (Kennedy) ; 1967, In the Heat of the Night (Dans la chaleur de la nuit) (Jewison) ; 1968,

The Split (Le crime c'est notre business) (Flemyng) ; 1969, The Wild Bunch (La horde sauvage) (Peckinpah), Smith (O'Herhily), Crooks and Coronets (O'Connolly) ; 1970, Barquero (Barquero) (Douglas), There Was a Crooked Man (Le reptile) (Mankiewicz) ; 1971, Two-Lane Blacktop (Hellman), The Hired Hand (Fonda), Chandler (Magwood) ; 1973, The Thief Who Came to Dinner (Yorkin), Tom Sawyer (Taylor), Kid Blue (Frawley), Dillinger (Dillinger) (Milius), Badlands (La balade sauvage) (Malick) ; 1974, The White Dawn (Kaufman), Bring Me the Head of Alfredo Garcia (Apportez-moi la tête d'Alfredo Garcia) (Peckinpah), The Cockfighter (Hellman) ; 1975, Race with the Devil (La course contre l'enfer) (Starrett), 92 in the Shade (McGuane), Rancho Deluxe (Perry) ; 1976, Dixie Dynamite (Frost), Drum (Carver) ; 1977, Sleeping Dogs (Donaldson), Prime Time (Swirnoff) ; 1978, China 9, Liberty 37 (Hellman), The Brink's Job (Têtes vides cherchent coffres pleins) (Friedkin) ; 1979, 1941 (1941) (Spielberg) ; 1981, Stripes (Les bleus) (Reitman), The Border (Police frontière) (Richardson) ; 1982, Tough Enough (Fleischer), Blue Thunder (Badham).

Pas vraiment une vedette, plus qu'un troisième couteau. Ancien marine, étudiant à l'université de Louisville puis dans un cours d'art dramatique de New York, il s'est partagé entre la télévision et le cinéma où il joua de préférence dans des westerns de style nouveau (Hellman, Peckinpah, Kennedy, Peter Fonda).

Oberon, Merle

Actrice anglaise, de son vrai nom Estelle O'Brien Thompson, 1911-1979.

1930, Alf's Button (Kellinoo) ; 1931, Service for Ladies (Korda), Never Trouble Trouble (Lane), Fascination (Mander) ; 1932, Ebbtide (Rosson), For the Love of Mike (Banks), Arent We All (Lachman), Strange Evidence (Milton), Men of Tomorrow (Sagan), Wedding Rehearsal (Korda) ; 1933, The Private Life of Henry VIII (La vie privée d'Henri VIII) (Korda) ; 1934, The Battle (La bataille) (Farkas), The Private Life of Don Juan (Korda), The Broken Melody (Vorhaus), The Scarlet Pimpernel (Le mouron rouge) (Young) ; 1935, The Dark Angel (Franklin), Folies-Bergère (Del Ruth) ; 1936, These Three (Ils étaient trois) (Wyler), Beloved Enemy (Potter) ; 1937, I Claudius (Sternberg, inachevé), The Divorce of Lady X (Whelan), Over the Moon (Freeland) ; 1938, The Cowboy and the Lady (Madame et son cow-boy) (Potter) ; 1939, Wuthering Heights (Les hauts de Hurlevent) (Wyler), The Lion Has Wings (Le lion a des ailes) (Korda) ; 1940, Till We Meet Again (Voyage sans retour) (Goulding) ; 1941, Lydia (Duvivier), That Uncertain Feeling (Illusions perdues) (Lubitsch), Affectionately Yours (Bacon) ; 1943, Forever and a Day (Lloyd et autres), First Comes Courage (Arzner), Stage Door Canteen (Borzage) ; 1944, The Lodger (L'éventreur) (Brahm), Dark Waters (De Toth) ; 1945, A Song to Remember (La chanson du souvenir) (Ch. Vidor), This Love of Ours (Dieterle) ; 1946, A Night in Paradise (Lubin), Temptation (Pichel) ; 1947, Night Song (Romance d'une nuit) (Cromwell) ; 1948, Berlin Express (Berlin Express) (Tourneur) ; 1949, Dans la vie tout s'arrange (Vorhaus) ; 1951, Pardon My French (Vorhaus) ; 1952, 24 Hours of a Woman's Life (Saville) ; 1954, Desiree (Désirée) (Koster), Deep in My Heart (Au fond de mon cœur) (Donen) ; 1956, The Price of Fear (Biberman) ; 1963, Of Love and Desire (Rush) ; 1966, The Oscar (La statue en or massif) (Rouse), Hotel (Hôtel Saint-Gregory) (Quine) ; 1973, Interval (D. Mann).

Naissance en Tasmanie, enfance aux Indes. A Londres, café-concert puis théâtre. Elle fait de la figuration au cinéma et n'est pas toujours créditée à l'écran. Mais le puissant producteur Korda la remarque et en fera sa femme. A partir d'*Henri VIII*, elle devient l'une des principales vedettes du cinéma britannique. A partir de 1935, c'est Hollywood où Goldwyn l'a appelée. Un triomphe en 1939, *Les hauts de Hurlevent*, et quelques beaux rôles dont celui de George Sand dans *La chanson du souvenir*. Après 1956, elle ne fait que des apparitions épisodiques. Elle meurt d'une attaque.

O'Brady, Frederic

Acteur américain, de son vrai nom Abel, 1903-1973.

1936, La vie est à nous (collectif) ; 1937, Drôle de drame (Carné) ; 1938, La maison du Maltais (Chenal), Ultimatum (Wiene) ; 1939, La charrette fantôme (Duvivier), Les cinq sous de Lavarède (Cammage) ; 1940, Les surprises de la radio (Paul) ; 1947, Mademoiselle s'amuse (Boyer), Blanc comme neige (Berthomieu), Et dix de der (Hennion) ; 1948, Le bal des pompiers (Berthomieu), Hans le marin (Villiers), L'armoire volante (Rim), Les amants de Vérone (Cayatte) ; 1949, Le parfum de la dame en noir (Daquin), Le roi Pandore (Berthomieu) ; 1950, Garou-Garou le passe-muraille (Boyer) ; 1951, Paris chante toujours (Montazel) ; 1955, Confidential

Report (Mr. Arkadin) (Welles) ; 1956, Foreign Intrigue (L'énigmatique M.D.) (Reynolds) ; 1958, La fille de Hambourg (Y. Allégret) ; 1959, On n'enterre pas le dimanche (Drach), Le déjeuner sur l'herbe (Renoir), Les liaisons dangereuses (Vadim), Interpol contre X (Boutel), Julie la rousse (Boissol), Suspense au deuxième bureau (Saint-Maurice) ; 1960, Le mouton (Chevalier).

On ne sait à peu près rien de cet acteur qui ne fait que passer dans quelques films, dont deux aux États-Unis, mais qui a marqué ses rôles de son étrangeté née de son accent et de sa calvitie (sauf pour *Le déjeuner sur l'herbe* où il est chevelu lorsqu'il vient à Cagnes chercher Paul Meurisse pour le ramener au monde civilisé). Welles l'appréciait beaucoup.

O'Brien, Edmond

Acteur et réalisateur américain, 1915-1985.

1939, The Hunchback of Notre-Dame (Quasimodo) (Dieterle) ; 1941, A Girl and a Cob (Wallace), Parachute Battalion (Goodwins), Obliging Young Lady (Wallace) ; 1942, Powder Town (Lee) ; 1943, The Amazing Mrs. Holloway (Manning) ; 1944, Winged Victory (Cukor) ; 1946, The Killers (Les tueurs) (Siodmak) ; 1947, The Web (Gordon) ; 1948, Another Past of the Forest (Gordon), A Double Life (Othello) (Cukor), An Act of Murder (Gordon), For the Love of Mary (De Cordova), Fighter Squadron (Les géants du ciel) (Walsh) ; 1949, White Heat (L'enfer est à lui) (Walsh), D.O.A. (Maté) ; 1950, Backfire (V. Sherman), The Admiral Was a Lady (Rogell), 711 Ocean Drive (Newman), Between Midnight and Dawn (Entre minuit et l'aube) (Douglas), The Redhead and the Cowboy (Tête d'or et tête de bois) (Fenton) ; 1951, Warpath (Le sentier de l'enfer) (Haskin), Silver City (Ville d'argent) (Haskin), Two of a Kind (Levin) ; 1952, The Denver and Rio Grande (Les rivaux du rail) (Haskin), The Turning Point (Cran d'arrêt) (Dieterle) ; 1953, The Hitch-Hiker (Le voyage de la peur) (Lupino), Man in the Dark (Landers), Julius Caesar (Jules César) (Mankiewicz), Cow Country (Selander), China Venture (Siegel), The Bigamist (Lupino) ; 1954, The Barefoot Contessa (La comtesse aux pieds nus) (Mankiewicz), Shanghai Story (Terreur à Shanghai) (Lloyd) ; 1955, Pet Kelly's Blues (La peau d'un autre) (Webb) ; 1956, The Rack (Laven), D-Day the Sixth of June (Koster) ; 1956, Anderson, A Cry in the Night (Tuttle), The Girl Can't Help It (Tashlin) ; 1957, The Big Land (Les loups dans la vallée) (Douglas), Stopover Tokyo (Breen) ; 1958, Sing, Boy, Sing (Ephron), The World Was His Jury (Sears) ; 1959, Up Periscope (Douglas) ; 1960, The Last Voyage (Stone), The Third Voice (Allô, l'assassin vous parle) (Cornfield), The Great Imposter (Le roi des imposteurs) (Mulligan) ; 1962, Moon Pilot (Neilson), The Man Who Shot Liberty Valance (L'homme qui tua Liberty Valance) (Ford), Birdman of Alcatraz (Le prisonnier d'Alcatraz) (Frankenheimer), The Longest Day (Le jour le plus long) (Annakin) ; 1964, Seven Days in May (Sept jours en mai) (Frankenheimer), Rio Conchos (Rio Conchos) (Douglas) ; 1965, Sylvia (Douglas), Synanon (Quine) ; 1966, Fantastic Voyage (Le voyage fantastique) (Fleischer) ; 1967, Le vicomte règle ses comptes (Cloche) ; 1969, The Wild Bunch (La horde sauvage) (Peckinpah) ; 1973, Lucky Luciano (Rosi) ; 1974, 99 and 44 % Dead (Frankenheimer). *Comme réalisateur :* 1954, Shield for Murder (avec Koch).

« Dur » typique du cinéma américain, génial en général sudiste dans *Rio Conchos* et excellent dans bien des séries B. La tentative de Byron Haskin d'en faire la vedette de trois westerns Paramount tourna court : O'Brien n'est guère enthousiasmant en jeune premier. Il fut en revanche un honnête directeur dans *Shield for Murder*, qu'il mit en scène avec Koch, et surtout dans *Man Trap*, qu'il produisit. Un oscar pour *La comtesse aux pieds nus*.

O'Brien, George

Acteur américain, 1900-1985.

1922, White Hands (Hillyer), Moran of the Lady Letty (Melford) ; 1923, Shadows of Paris (Brenon) ; 1924, Painted Lady (Chester Bennett), The Iron Horse (Le cheval de fer) (Ford), The Man Who Came Back (Flynn) ; 1925, Fighting Heart (Ford), Thank You (Ford), The Dancers (Flynn) ; 1926, Fig Leaves (Hawks), Havoc (Lee), Three Bad Men (Ford), The Blue Eagle (Ford), The Johnston Flood (Cummings), Silver Treasure (Lee) ; 1927, Paid to Love (Prince sans amour) (Hawks), Is Zat So ? (A. Green), Sunrise (L'aurore) (Murnau), The Romantic Age (Florey), East Side West Side (Dwan) ; 1928, Sharpshooters (Blystone), Blindfold (Klein), True Heaven (Tinling) ; 1929, Noah's Ark (L'arche de Noé) (Curtiz), Masked Emotion (Butler), Salute (Ford) ; 1930, The Lone Star Ranger (Erickson), Rough Romance (Erickson) ; 1931, The Man Who Came Back (Hors du gouffre) (Walsh), The Seas Beneath (Ford), Riders of the Purple Sage (Mac Fadden) ; 1932, Gay Caballero (Werker), The Golden West (Howard), The Rainbow Trail (Howard) ; 1933, Smoke Lightning (Howard),

The Last Trail (Tinling), Robber's Roost (L. King), Life in the Raw (L. King) ; 1934, Frontier Marshal (Seiler), Dude Ranger (Cline) ; 1935, Thunder Mountain (Howard), The Cowboy Millionaire (Cline), Whispering Smith Speaks (Howard) ; 1936, Daniel Boone (Howard), O'Malley of the Mounted (Howard), Border Patrolman (Howard) ; 1937, Hollywood Cowboy (E. Scott) ; 1938, The Painted Desert (Howard), Lawless Valley (Howard), Gun Law (Howard), Border G-Man (Howard) ; 1939, The Renegade Ranger (Howard), Arizona Legion (Howard), Racketeers of the Range (Lederman), Trouble in Sundown (Howard), The Fighting Gringo (Howard) ; 1940, Stage to Chino (Killy), Marshal of Mesa City (Howard), Legion of the Lawless (Howard) ; 1948, Fort Apache (Le massacre de fort Apache) (Ford) ; 1949, She Wore a Yellow Ribbon (La charge héroïque) (Ford) ; 1951, Gold Raiders (Bernds) ; 1964, Cheyenne Autumn (Les Cheyennes) (Ford).

Figure de proue du clan irlandais à Hollywood. Après de petits rôles, il est imposé par Ford dans *Iron Horse*. Walsh et Hawks le dirigent également. Son meilleur rôle du temps du muet demeure celui de *L'aurore*. Avec le parlant, il se cantonne dans le western de série Z avec le même scénariste, Bert Gilroy, et le même metteur en scène, David Howard. Il retrouve Ford pour trois films après la guerre.

O'Brien, Pat

Acteur américain, 1899-1983.

1919, Married in Haste ; 1921, Shadows of the West (Hurst) ; 1922, Determination (Levering) ; 1929, Fury of the Wild (D'Usseau), Freckled Rascal (L. King) ; 1931, The Front Page (Milestone), Flying High (Riesner), Consolation Marriage (Sloane), Honor Among Lovers (Arzner), Personal Maid (Bell) ; 1932, The Strange Case of Clara Deane (Gasnier), The Final Edition (Higgin), American Madness (Capra), Virtue, Laughter in Hell, Scandal for Sale (Macke), Air Mail (Tête brûlée) (Ford) ; 1933, Bomshell (Fleming), Destination Unknown (Garnett), Bureau of Missing Persons (Del Ruth), College Coach (Wellman) ; 1934, Gambling Lady (Mayo), Here Comes the Navy (Bacon), I Sell Anything (Florey), Twenty Million Sweethearts (Enright), The Personality Kid (Crosland), Flirtation Walk (Borzage) ; 1935, Oil for the Lamps of China (LeRoy), Devil Dogs of the Air (Bacon), Ceiling Zero (Brumes) (Hawks), In Caliente (Bacon), Page Miss Glory (LeRoy), Stars over Broadway (Keighley) ; 1936, China Clipper (Enright), I Married a Doctor (Mayo), Public Enemy's Wife (Grinde) ; 1937, San Quentin (Bacon), The Great O'Malley (Dieterle), Submarine DI (Bacon), Slim (Enright), Back in Circulation (Enright) ; 1938, Boy Meets Girl (Bacon), Women Are Like That (Logan), Angels With Dirty Faces (Les anges aux figures sales) (Curtiz), The Cowboy from Brooklyn (Bacon) ; 1939, The Kid from Komomo (Seiler), Indianapolis Speedway (Bacon), Off the Record (Flood) ; 1940, Castle on the Hudson (Litvak), Knute Rockne (Bacon), The Fighting 69th (Le régiment des bagarreurs) (Keighley), Torrid Zone (Keighley), Slighty Honorable (Le poignard mystérieux) (Garnett), 'Til We Meet Again (Goulding), Flowing Gold (Green) ; 1941, Submarine Zone ; 1942, Two Yanks in Trinidad (Ratoff), The Navy Comes Through (Sutherland), Flight Lieutenant (Salkow) ; 1943, The Iron Major (Enright), Bombardier (Wallace), His Butler's Sister (La sœur de mon valet) (Borzage) ; 1944, Marine Raiders (Schuster), Secret Command (Sutherland) ; 1945, Man Alive (Enright), Having Wonderful Crime (Sutherland) ; 1946, Crack Up (Reis), Perilous Holiday (E. Griffith) ; 1947, Riffraff (Tetzlaff) ; 1948, The Boy With Green Hair (L'enfant aux cheveux verts) (Losey), Fighting Father Dunne (Tetzlaff) ; 1949, A Dangerous Profession (Tetzlaff) ; 1950, The Fireball (Garnett), Johnny One-Eye (Florey) ; 1951, The People Against O'Hara (Le peuple accuse O'Hara) (Sturges), Criminal Lawyer (Friedman) ; 1952, Okinawa (G. Brooks) ; 1954, Jubilee Trail (Kane), Ring of Fear (Grant) ; 1955, Inside Detroit (Sears) ; 1957, Kill Me Tomorrow (Fisher) ; 1958, The Last Hurrah (La dernière fanfare) (Ford) ; 1959, Some Like It Hot (Certains l'aiment chaud) (Wilder) ; 1970, The Phynx (Katzin) ; 1977, Billy Jack Goes to Washington (Laughlin), The End (Suicidez-moi docteur) (Reynolds) ; 1981, Ragtime (Ragtime) (Forman).

Sa bonne bouille d'Irlandais en fit un anti-méchant. Vedette de la Warner dans les années 30-40, il fut un bon prêtre (conduisant à la mort Cagney dans *Les anges aux figures sales*), un bon policier ou un bon père de famille. Il ruisselait de bonnes intentions par opposition au vilain Bogart. Après son départ de la Warner, il eut des rôles plus médiocres dans les années 50 mais toujours en vedette. Il était ami d'enfance de Spencer Tracy.

O'Connell, Arthur

Acteur américain, 1908-1981.

1938, Murder in Soho (N. Lee), Freshman Year (McDonald) ; 1940, And One Was Beautiful (Sinclair), Doctor Kildare Goes

Home (Bucquet), Two Girls on Broadway (Simon), The Leather Pushers (Rawlins) ; 1942, Man from Headquarters (Yarbrough), Fingers at the Window (Lederer), Canal Zone (Landers), Shepherd of the Ozarks (McDonald), Law of the Jungle (Yarbrough) ; 1944, It Happened Tomorrow (C'est arrivé demain) (Clair) ; 1948, The Naked City (La cité sans voiles) (Dassin), State of the Union (L'enjeu) (Capra), One Touch of Venus (Seiter), Force of Evil (Polonsky), Home-Coming (LeRoy), Open Secret (Reinhardt) ; 1951, The Whistle at Eaton Falls (Siodmak) ; 1955, Picnic (Picnic) (Logan) ; 1956, The Proud Ones (Le shérif) (Webb), The Solid Gold Cadillac (Une Cadillac en or massif) (Quine), Bus Stop (Arrêt d'autobus) (Logan), The Man in the Gray Flannel Suit (L'homme au complet gris) (Johnson) ; 1957, The Monte Carlo Story (S. Taylor), Operation Mad Ball (Le bal des cinglés) (Quine), April Love (Levin), The Violators ; 1958, Man of the West (L'homme de l'Ouest) (Mann), Voice in the Mirror (Keller) ; 1959, Hound Dog Man (Siegel), Gidget (Wendkos), Anatomy of a Murder (Autopsie d'un meurtre) (Preminger), Operation Petticoat (Opération jupons) (Edwards) ; 1960, Cimarron (La ruée vers l'Ouest) (Mann), The Great Impostor (Le roi des imposteurs) (Mulligan) ; 1961, Pocket Full of Miracles (Milliardaire d'un jour) (Capra), A Thunder of Drums (Tonnerre Apache) (Newman) ; 1962, Follow That Dream (Le shérif de ces dames) (Douglas) ; 1963, Nightmare in the Sun (Lawrence) ; 1964, The Third Secret (Crichton), Kissin' Cousins (Nelson), The Seven Faces of Dr. Lao (Pal), Your Cheatin' Heart (Nelson), The Great Race (La plus grande course autour du monde) (Edwards), The Third Day (Smight), The Monkey's Uncle (Stevenson) ; 1966, Ride Beyond Vengeance (McEveety), Birds Do It (Marton), The Silencers (Matt Helm agent très spécial) (Karlson), The Fantastic Voyage (Le voyage fantastique) (Fleischer), A Covenant with Death (Lamont Johnson) ; 1967, The Reluctant Astronaut (Montagne) ; 1968, The Power (La guerre des cerveaux) (Haskin), If He Hollers, Let Him Go ! (C. Martin) ; 1970, There Was a Crooked Man (Le reptile) (Mankiewicz), Suppose They Gave a War and Nobody Came (Trois réservistes en java) (Averback) ; 1972, Ben (Ben) (Karlson), The Poseidon Adventure (L'aventure du Poséidon) (Neame), They Only Kill Their Masters (Goldstone) ; 1973, Wicked, Wicked (Bare).

Ce grand diable de cow-boy, sans manières et sans complexes, fut révélé par Logan à travers deux films où il volait presque la vedette à Kim Novak dans le premier (*Picnic*) et à Marilyn Monroe dans le second (*Bus Stop*). Il n'avait jusque-là tourné que dans de petites bandes anglaises ou américaines et aurait fait une apparition dans *Citizen Kane*. Par la suite, il tourna un peu n'importe quoi, toujours aussi exubérant, aussi gaffeur, aussi encombrant. Il mourut d'une congestion cérébrale.

O'Connor, Donald

Acteur américain, 1925-2003.

1938, Sing Your Sinners (Ruggles), Sons of the Legion (Hogan), Men With Wings (Les hommes volants) (Wellman), Tom Sawyer Detective (L. King) ; 1939, Million Dollar Legs (Grinde), Beau Geste (Wellman), Unmarried (Neumann), On Your Toes (Sur les pointes) (Enright), Death of a Champion (Florey), Boy Trouble (Archainbaud), Night Work (Archainbaud) ; 1942, Private Buckaroo (Cline), What's Cookin (Cline), When Johnny Comes Marching Home (Lamont) ; 1943, It Comes Up Love (Lamont), Mister Big (Lamont), Top Man (Place aux jeunes) (Lamont), Strictly in the Groves (Kays) ; 1944, Bowery to Broadway (Lamont), Chip off the Old Block (Le flirt des Corrigan) (Lamont), This Is the Life (Et voilà la vie) (Feist), The Merry Monahans (Lamont), Patrick the Great (Ryon) ; 1947, Something in the Wind (Chanson dans le vent) (Pichel) ; 1948, Are You with It ? (Faisons les fous) (Hively), Feudin', Fussin' and A-Fightin' (Sherman) ; 1949, Yes, Sir, That's My Baby (Nous les hommes) (Sherman), Francis (Lubin) ; 1950, Curtain Call at Cactus Creek (L'homme à tout faire) (Lamont), The Milkman (Le laitier sonne une fois) (Barton), Double Crossbones (Le joyeux corsaire) (Barton) ; 1951, Francis Goes to the Races (Francis aux courses) (Lubin) ; 1952, Singin' in the Rain (Chantons sous la pluie) (Donen, Kelly), Francis Goes to West Point (Francis chez les cadets) (Lubin) ; 1953, Call Me Madam (Appelez-moi madame) (W. Lang), I Love Melvin (Cupidon photographe) (Weis), Francis Covers the Big Town (Francis journaliste) (Lubin), Walking My Baby Back Home (Les yeux de ma mie) (Bacon) ; 1954, Francis Joins the Wacs (Francis chez les Wacs) (Lubin), There's No Business Like Show Business (La joyeuse parade (W. Lang) ; 1955, Francis in the Navy (Francis dans les marines) (Lubin) ; 1956, Anything Goes (Quadrille d'amour) (R. Lewis) ; 1957, The Buster Keaton Story (L'homme qui n'a jamais ri) (Sheldon) ; 1961, Cry for Happy (Opération Geisha) (G. Marshall), Le meraviglie di Aladino (Les mille et une nuits) (Levin, Bava) ; 1974,

That's Entertainment (Il était une fois Hollywood) (Haley Jr.).

Ses parents étaient déjà dans le music-hall et il débuta à treize ans dans le métier. Son principal titre de gloire ? Voler presque la vedette à Gene Kelly dans *Chantons sous la pluie*. Il est étourdissant dans la chanson « Make'em Laugh », où il danse avec un mannequin, et non moins brillant en trio dans « Good Morning ». Il fut le partenaire de Marilyn Monroe dans *La joyeuse parade*. Mais qu'est-il allé faire dans la sinistre série des *Francis* ?

O'Donnell, Chris

Acteur américain né en 1970.

1990, Men Don't Leave (Brickman), Blue Sky (Blue Sky) (Richardson) ; 1991, Fried Green Tomatoes at the Whistle Stop Café (Beignets de tomates vertes) (Avnet) ; 1992, School Ties (La différence) (Mandel), Scent of a Woman (Le temps d'un week-end) (Brest) ; 1993, The Three Musketeers (Les trois mousquetaires) (Herek) ; 1995, Circle of Friends (Le cercle des amies) (O'Connor), Mad Love (Bird), Batman Forever (Batman Forever) (Schumacher) ; 1996, The Chamber (L'héritage de la haine) (Foley), In Love and War (Le temps d'aimer) (Attenborough) ; 1997, Batman and Robin (Batman & Robin) (Schumacher) ; 1998, Cookie's Fortune (Cookie's Fortune) (Altman) ; 1999, The Bachelor (Le célibataire) (Sinyor) ; 2000, Vertical Limit (Vertical Limit) (Campbell).

Choisi pour incarner le tout jeune guide d'Al Pacino dans le remake de *Parfum de femme* réalisé par Martin Brest, il est ensuite Ernest Hemingway adolescent dans *Le temps d'aimer*, mais se fait surtout connaître pour son rôle de Robin, complice de Batman dans les deux épisodes réalisés par Joel Schumacher. Un jeune premier dont on n'est pas encore convaincu de l'immense talent...

Ogier, Bulle

Actrice française, de son vrai nom Marie-France Thielland, née en 1939.

1967, Pop'Game (Leroi), Les idoles (Marc'O), L'amour fou (Rivette) ; 1968, Quarante-huit heures d'amour (Saint-Laurent), Pierre et Paul (Allio), Piège (Baratier) ; 1969, Paulina s'en va (Téchiné), Et crac... (c.m., Douchet) ; 1970, M comme Mathieu (Adam), Out 1 : spectre/Out 1 : noli me tangere (Rivette), Les stances à Sophie (Mizrahi), La salamandre (Tanner) ; 1971, Rendez-vous à Bray (Delvaux), La vallée (Schroeder) ; 1972, George qui ? (Rosier), Le charme discret de la bourgeoisie (Buñuel), Le gang des otages (Molinaro), Aussi loin que mon enfance (m.m., Parolini) ; 1973, Bel ordure (Marbœuf), Io e lui (Salce), Projection privée (Leterrier), Un ange au paradis (Blanc), Céline et Julie vont en bateau (Rivette) ; 1974, La Paloma (Schmid), Gold Flocken (Flocons d'or) (Schroeter), Mariage (Lelouch), Jamais plus toujours (Bellon) ; 1975, Duelle (Rivette), Maîtresse (Schroeder), Un divorce heureux (Carlsen), Sérail (Gregorio) ; 1976, Des journées entières dans les arbres (Duras) ; 1978, Navire night (Duras), Der dritte Generation (La troisième génération) (Fassbinder), La mémoire courte (Gregorio) ; 1979, Le blanc et le rose (Pansard-Besson) ; 1980, Seuls (Reusser) ; 1981, L'homme de la nuit (J. Buñuel), Notre-Dame de la Croisette (Schmid), Le pont du Nord (Rivette), Aspern (Gregorio), Agatha et les lectures illimitées (Duras) ; 1983, La derelitta (Igoux) ; 1984, Tricheurs (Schroeder) ; 1986, O meu caso (Mon cas) (Oliveira), Terre étrangère (Bondy), Candy Mountain (Candy mountain) (Frank) ; 1987, La bande des quatre (Rivette) ; 1990, Jacques Rivette, le veilleur (Denis et Daney) ; 1991, Nord (Beauvois) ; 1993, Personne ne m'aime (Vernoux), Circuit Carole (Cuau) ; 1994, Regarde les hommes tomber (Audiard), Le fils de Gascogne (Aubier), N'oublie pas que tu vas mourir (Beauvois) ; 1996, Irma Vep (Assayas), Somewhere in the City (Niami) ; 1997, Shattered Image (Jessie) (Ruiz), Voleur de vie (Angelo) ; 1998, Vénus Beauté (Institut) (Marshall), Au cœur du mensonge (Chabrol) ; 2000, La confusion des genres (Duran Cohen) ; 2002, Bord de mer (Lopes-Curval), Two (Deux) (Schroeter), Merci... Dr Rey ! (Litvack) ; 2005, Gentille (Fillières) ; 2007, Belle toujours (de Oliveira), L'ami de Fred Astaire (Lvovsky), Ne touchez pas la hache (Rivette).

Créatrice de l'un des premiers cafés-théâtres de Paris, elle travaille dans les années 60 avec Pierre Clémenti et Jean-Pierre Kalfon. A l'écran, elle se spécialise dans les films difficiles : Duras, Rivette, Schroeder, Schmid, Tanner, elle demeure donc encore peu connue du grand public. Un rôle brillant, celui de *Maîtresse*, la prostituée travaillant avec une clientèle masochiste qu'elle fouettait et torturait avec la tendresse d'un médecin pour ses patients. Elle fait beaucoup de théâtre.

Ogier, Pascale

Actrice française, 1958-1984.

1979, Perceval le Gallois (Rohmer), La vie comme ça (Brisseau) ; 1980, La dame aux camélias (Bolognini), Quartet (Quartet) (Ivory) ; 1981, Le pont du Nord (Rivette) ; 1982, Le destin de Juliette (Isserman) ; 1983, Ghost

Dance (Ghost Dance) (McMullen), Signes extérieurs de richesse (Monnet) ; 1984, Les nuits de la pleine lune (Rohmer), Ave Maria (Richard).

Fille de Bulle Ogier, elle est remarquée dans *Le pont du Nord* et remporte le prix d'interprétation à Venise pour *Les nuits de la pleine lune*. Elle meurt brusquement peu après.

O'Hara, Maureen

Actrice irlandaise, de son vrai nom Fitzsimmons, née en 1920.

1938, My Irish Molly (Bryce) ; 1939, Jamaica Inn (L'auberge de la Jamaïque) (Hitchcock), The Hunchback of Notre-Dame (Quasimodo) (Dieterle) ; 1940, A Bill of Divorcement (Farrow), Dance, Girl, Dance (Arzner) ; 1941, How Green Was My Valley (Qu'elle était verte ma vallée) (Ford), They Met in Argentina (Goodwins) ; 1942, To the Shores of Tripoli (Humberstone), Ten Gentlemen from West Point (Hathaway), The Black Swan (Le cygne noir) (King), The Immortal Sergeant (Aventure en Libye) (Stahl) ; 1943, This Land Is Mine (Vivre libre) (Renoir), Fallen Sparrow (Wallace) ; 1944, Buffalo Bill (Buffalo Bill) (Wellman) ; 1945, The Spanish Main (Pavillon noir) (Borzage) ; 1946, Sentimental Journey (W. Lang), Do You Love Me (Ratoff) ; 1947, Sinbad the Sailor (Sinbad le marin) (Wallace), The Foxes of Harrow (La fière créole) (Stahl), The Homestretch (Humberstone), Miracle on 34th Street (Le miracle de la 34e avenue) (Seaton) ; 1948, Sitting Pretty (W. Lang) ; 1949, A Woman's Secret (Ray), Forbidden Street (Negulesco), Bagdad (Lamont), Father Was a Fullback (Stahl) ; 1950, Comanche Territory (G. Sherman), Tripoli (Price), Rio Grande (Rio Grande) (Ford) ; 1952, The Quiet Man (L'homme tranquille) (Ford), Kangaroo (La loi du fouet) (Milestone), Flame of Araby (Lamont), Against All Flags (A l'abordage) (G. Sherman), At Sword's Point (Les fils des mousquetaires) (Allen) ; 1953, Redhead from Wyoming (Sholem) ; 1954, War Arrow (A l'assaut du fort Clark) (Sherman), Fire over Africa (Sale), The Magnificent Matador (Le brave et la belle) (Boetticher) ; 1955, Lady Godiva (Lubin), The Long Gray Line (Ce n'est qu'un au revoir) (Ford) ; 1956, Lisbon (L'homme de Lisbonne) (Milland), Everything But the Truth (Hopper) ; 1957, The Wings of Eagles (L'aigle vole au soleil) (Ford) ; 1959, Our Man in Havana (Notre agent à La Havane) (Reed) ; 1961, The Parent Trap (Swift), The Deadly Companions (New Mexico) (Peckinpah) ; 1962, Mr. Hobbs Takes a Vacation (M. Hobbs prend des vacances) (Koster) ; 1963, Spencer's Mountain (La montagne des neuf Spencer) (Daves), McLintock (Le grand McLintock) (McLaglen) ; 1965, The Battle of the Villa Fiorita (Daves) ; 1966, The Rare Breed (Rancho Bravo) (McLaglen) ; 1969, How to Commit Marriage (Panama) ; 1970, How Do I Love Thee ? (Gordon) ; 1971, Big Jake (Sherman) ; 1991, Only the Lonely (Ta mère ou moi) (Columbus).

Cette pétulante Irlandaise rousse, fille d'une chanteuse, entrait à l'Abbey Theatre dès l'âge de quinze ans. Remarquée par Laughton, elle fut sa partenaire dans *L'auberge de la Jamaïque* et *Quasimodo* qui en firent une star. C'est pourtant dans l'univers de Ford qu'elle s'intégra le mieux : affinités irlandaises obligent. Elle est à son apogée en 1952 : sa composition volcanique dans *L'homme tranquille* où elle s'affronte à John Wayne lui vaut une énorme popularité. McLaglen, fidèle disciple de Ford, ne manqua pas de l'utiliser dans des rôles du même genre.

O'Keefe, Dennis

Acteur et réalisateur américain, de son vrai nom Edward « Bud » Flanagan, 1908-1968.

1931, Cimarron (Ruggles), Reaching for the Moon (Emerson) ; 1932-1938, *plus de cent films en rôles de second plan sous le nom de* Bud Flanagan, *dont :* 1932, I Am a Fugitive from a Chain Gang (LeRoy) ; 1933, Duck Soup (McCarey) ; 1934, Wonder Bar (Bacon) ; 1935, Dante's Inferno (Lachman) ; 1936, The Plainsman (DeMille) ; 1937, A Star Is Born (Wellman). *A partir de 1938, sous le nom d'*O'Keefe *:* Bad Man of Brimstone (Ruben), The Chaser (Marin), Hold That Kiss (Marin) ; 1939, The Kid from Texas (Simon), Unexpected Father (Lamont), That's Right, You're Wrong (Butler) ; 1940, La Conga Nights (Landers), I'm Nobody's Sweetheart Now (Lubin), Girl from Havana (Landers), Arise My Love (Leisen) ; 1941, Bowery Boy (Morgan), Lady Scarface (Woodruff), Topper Returns (Del Ruth), Mr. District Attorney (Morgan), Week-End for Three (Reis) ; 1942, Moonlight Masquerade, The Affairs of Jimmy Valentine ; 1943, Hangmen Also Die (Les bourreaux meurent aussi) (Lang), Good Morning, Judge (Howard), The Leopard Man (Tourneur), Tahiti Honey, Hi Diddle Diddle (Stone) ; 1944, Abroad With Two Yanks (Dwan), The Fighting Seabees (Les marines attaquent) (Ludwig), The Story of Dr. Wassel (L'odyssée du Dr Wassel) (DeMille), Up in Mabel's Room (Dwan), Sensations (Stone) ; 1945, Earl Carroll Vanities (Santley), The Affairs of Susan (Seiter), Brewster's Millions (Dwan), Getting Gertie's Garter (Dwan) ; 1946, Doll Face (Seiler), Her Adventurous Night (Rawlins) ; 1947, Mr. District Attorney (Remake), T-Men (Mann), Dishonored Lady (Stevenson) ; 1948, Raw Deal (Marché de brutes) (Mann), Siren of Atlantis (L'Atlantide) (Tallas), Walk a Crooked Mile (Douglas) ; 1949, Cover Up (Green), Abandoned (Newman), The Great Dan Patch (Newman) ; 1950, Woman on the Run (Foster), The Company She Keeps (Cromwell), The Eagle and the Hawk (L'aigle et le vautour) (L. Foster) ; 1951, Follow the Sun (Lanfield), Passage West (L. Foster) ; 1952, One Big Affair (Godfrey), Everything I Have Is Yours (Leonard) ; 1953, The Lady Wants Mike (Seiter), The Fake (Grayson) ; 1954, The Diamond (O'Keefe), Drums of Tahiti (Castle), Angela (O'Keefe) ; 1955, Chicago Syndicate (Sears), Las Vegas Shakedown (Salkow) ; 1956, Inside Detroit (Sears) ; 1957, Dragoon Wells Massacre (La poursuite fantastique) (Schuster), Sail into Danger (Hume), Lady of Vengeance (Balaban) ; 1961, All Hands on Deck (Taurog). *Comme réalisateur :* 1954, The Diamond, Angela.

Son physique un peu impersonnel l'a empêché d'être une vedette et l'a cantonné en star de la série B, de Mann à Sears, ce qui n'est déjà pas si mal. Il était d'ailleurs excellent, rude à souhait et sentimental quand il le fallait dans *T-Men* et *Raw Deal*. Il se tira bien des westerns de Foster et de Schuster. Une énigme : que valait le metteur en scène ?

Oland, Warner

Acteur américain d'origine suédoise, de son vrai nom Werner Ohlund, 1880-1938.

1912-1920, nombreux serials dont The Fatal Ring, The Yellow Raider, The Third Eye, The Phantom Foe... 1922, East Is West (Franklin), The Pride of Palomar (Borzage) ; 1924, Curlytop (Elvey), The Fighting American (Forman), So This Is Marriage (Henley) ; 1925, Don Q, son of Zorro (Crisp), Riders of the Purple Sage (Reynolds), Flower of Night (Bern) ; 1926, Infatuation (Cummings), Twinkletoes (Brabin), The Mystery Club (Blache), The Marriage Clause (Loïs Weber), Don Juan (Crosland) ; 1927, A Million Bid (Dillon), Good Time Charley (Curtiz), The Jazz Singer (Le chanteur de jazz) (Crosland), Old San Francisco (Crosland) ; 1928, The Scarlet Lady (Crosland), Wheel of Chance (Santell) ; 1929, Chinatown Nights (Wellman), The Mysterious Dr. Fu Manchu (Lee), The Mighty (Cromwell), The Studio Murder Mystery (Tuttle) ; 1930, The Vagabond King (Berger), Dangerous Paradise (Wellman), The Return of Dr. Fu Manchu (Lee) ; 1931, Dishonored (X 27) (Sternberg), Charlie Chan Carries On (MacFadden), The Black Camel (MacFadden), Daughter of the Dragon (Corrigan) ; 1932, Shanghai Express (Shanghai Express) (Sternberg), A Passport to Hell (Lloyd), Charlie Chan's Chance (Blystone) ; 1933, Charlie Chan's Greatest Case (MacFadden) ; 1934, Bulldog Drummond Strikes Back (Roy del Ruth), Mandalay (Curtiz), Charlie Chan's Courage (Hadden), Charlie Chan in London (MacDonald), The Painted Veil (Le voile des illusions) (Boleslavsky) ; 1935, Shanghai (Flood), Werewolf of London (Le monstre de Londres) (Walker), Charlie Chan in Egypte (Charlie Chan en Égypte) (Seiler), Charlie Chan in Shanghai (Tinling), Charlie Chan's Secret (Wiles) ; 1936, Charlie Chan at the Circus (Charlie Chan au cirque) (Lachman), Charlie Chan at the Race Track (Charlie Chan aux courses) (Humberstone), Charlie Chan at the Opera (Charlie Chan à l'Opéra) (Humberstone) ; 1937, Charlie Chan at the Olympics (Charlie Chan aux jeux Olympiques) (Humberstone), Charlie Chan on Broadway (E. Forde), Charlie Chan at Monte Carlo (Charlie Chan à Monte-Carlo) (E. Forde).

Ce Suédois spécialiste de Strindberg se vit confier à Hollywood des rôles de... Chinois. Il fut Fu Manchu, puis, après Sojin et Kuwa, Charlie Chan. Ce dernier rôle finit par le dévorer et il ne joua bientôt plus que ce personnage, jusqu'à sa mort où Sidney Toler prit le relais.

Olbrychski, Daniel

Acteur polonais né en 1945.

1964, Ranny w lesie (Le blessé) (Nasfeter) ; 1965, Popioly (Cendres) (Wajda) ; 1966, Potem nastapi cisza (La suite est silence) (Morgenstern) ; 1967, Jowita (Morgenstern), Skok (Le coup) (Kutz), Malzenstwo z rozsadku (Bareja), Bitwa za Berline (La bataille de Berlin) (Ozekov) ; 1968, Struktura krystalu (la structure de cristal) (Zanussi), Hrabina Cosel (La comtesse Cosel) (Antczak) ; 1969, Wszystko na sprzedaz (Tout est à vendre) (Wajda), Pan Wolodyjowski (Messire Wolodyjowski) (Hoffman), Polowanie na muchy (La chasse aux mouches) (Wajda), Sol ziemi czarnej (Le sel de la terre noire) (Kutz), Krajobraz po Bitwie (Paysage après la bataille) (Wajda), Rozaniec z granatow (Le chapelet de grenats) (Rutkiewicz), Egy Barany (Agnus Dei) (Jancso) ; 1970, Brzezina (Le bois de bouleaux) (Wajda) ; 1971, La pacifista (Jancso), Zycie rodzinne (La vie de famille) (Zanussi), Osvobojdienie (Le dernier assaut)

(Ozerov) ; 1973, Wesele (Les noces) (Wajda), Roma rivuole Cesare (Jancso) ; 1974, Potop (Le déluge) (Hoffman), Ziemia obiecana (La terre de la grande promesse) (Wajda) ; 1976, Dagny (Sandoy), Zdjecia probne (L'audition) (Holland et Kedzierski) ; 1979, Panny z wilka (Les demoiselles de Wilko) (Wajda), Le tambour (Schlöndorff) ; 1980, Les uns et les autres (Lelouch), Kung-fu (Kijowski) ; 1981, Wizja lo kalna 1901 (Bajon) ; 1982, La truite (Losey) ; 1983, Un jour ou l'autre (Nolin), La derelitta (Igoux), Si j'avais mille ans (Enckell) ; 1984, La diagonale du fou (Dembo) ; 1985, Lieber Karl (Knili), Ga, Ga, Glory the Heroes (Szulkin), Rosa Luxembourg (von Trotta) ; 1986, White Visiting Card (Bajon) ; 1987, Mosca addio (Bolognini), The Unbearable Lightness of Being (L'insoutenable légèreté de l'être) (Kaufman), Zoo (Zoo, l'appel de la nuit) (C. Comencini) ; 1988, Love Has Lied - Franz Schubert (Notturno) (Lehner), La boutique de l'orfèvre (Anderson) ; 1989, Dekalog (Le décalogue, ép. 3) (Kieslowski), L'orchestre rouge (Rouffio), Le silence d'ailleurs (Mouyal), Passi d'amore (Sollima) ; 1992, Moi Ivan, toi Abraham (Zauberman) ; 1994, Transatlantis (Wagner), A torvenytelen (Andras) ; 1995, Pestka (Janda) ; 1996, Hommes, femmes, mode d'emploi (Lelouch), Szokes (Gyarmathy) ; 1998, Sibirskij tsirylnik (Le barbier de Sibérie) (Mikhalkov) ; 1999, Pan Tadeusz (Pan Tadeusz) (Wajda).

L'un des meilleurs acteurs polonais de sa génération. Né à Lowicz, il a fait des études à l'École de théâtre. Au cinéma, il fut l'interprète favori de Wajda : on n'oubliera pas le jeune arriviste de *La terre de la grande promesse* ou le jeune homme au charme ravageur des *Demoiselles de Wilko*. Il semble amorcer une grande carrière internationale. On l'a vu sur scène à Paris dans... *Autant en emporte le vent* ! On ne peut être plus cosmopolite !

Oldman, Gary

Acteur et réalisateur anglais né en 1958.

1981, Remembrance (Gregg) ; 1983, Meantime (t.v., Leigh) ; 1985, Honest, Decent and True (Blair) ; 1986, Sid and Nancy (Sid et Nancy) (Cox) ; 1987, Prick Up Your Ears (Prick up) (Frears) ; 1988, Track 29 (Roeg), We Think the World of You (Gregg) ; 1989, Criminal Law (La loi criminelle) (Campbell), Heading Home (McCallum) ; 1990, Rosencrantz and Guildenstern Are Dead (Rosencrantz et Guildenstern sont morts) (Stoppard), Chattahoochee (Jackson), Dylan (inachevé, Drury) ; 1991, State of Grace (Les anges de la nuit) (Joanou), JFK (JFK) (Stone) ; 1992, Bram Stoker's Dracula (Dracula) (Coppola) ; 1993, True Romance (True Romance) (Scott), Romeo Is Bleeding (Romeo Is Bleeding) (Medak), Léon (Besson) ; 1994, Immortal Beloved (Ludwig van B.) (Rose), Murder in the First (Meurtre à Alcatraz) (Rocco), The Scarlet Letter (Les amants du Nouveau Monde) (Joffé) ; 1995, Basquiat (Basquiat) (Schnabel) ; 1996, The Fifth Element (Le cinquième élément) (Besson), Air Force One (Air Force One) (Petersen) ; 1997, Lost in Space (Perdus dans l'espace) (Hopkins) ; 1999, The Contender (Manipulations) (Lurie) ; 2000, Nobody's Baby (Seltzer), Hannibal (Hannibal) (Scott) ; 2001, Interstate 60 (Gale) ; 2004, Harry Potter and the Prisoner of Azakaban (Harry Potter et le prisonnier d'Azkaban) (Cuaron) ; 2005, Batman Begins (Batman Begins) (Nolan) ; 2005, Harry Potter and the Goblet of Fire (Harry Potter et la coupe de feu) (Newell) ; 2007, Harry Potter and the Order of the Phoenix (Harry Potter et l'ordre du Phénix) (Yates), Sixty Six (Weiland), Zodiac (Fincher). *Pour le metteur en scène*, voir le *Dictionnaire du cinéma*, t. I : *Les réalisateurs*.

Élevé dans un faubourg très dur au sud de Londres, il étudie la musique puis le théâtre, et rejoint vite le Royal Court Theatre où il travaille autant le répertoire classique que les pièces contemporaines. Quelques rôles à la télévision, puis Alex Cox lui offre le rôle de Sid Vicious, chanteur des Sex Pistols, dans *Sid and Nancy*. Sa carrière est lancée dans un registre de personnages extrêmes, violents et ombrageux. Ce n'est pas pour rien que ses premiers rôles aux États-Unis seront ceux de Lee Harvey Oswald, le meurtrier de John Kennedy dans *JFK* et le comte Dracula dans le film de Coppola. Qu'il interprète un tueur psychopathe ou Ludwig van Beethoven, son jeu est empreint d'une intensité peu commune chez les acteurs de sa génération.

Olin, Lena

Actrice d'origine suédoise née en 1955.

1976, Ansikte mot ansikte (Face-à-face) (Bergman) ; 1977, Tabu (Tabou) (Sjöman) ; 1978, Picassos aventyr (Les folles aventures de Picasso) (Danielson) ; 1980, Kärleken (Kallifatides) ; 1982, Gräsänklingar (Iveberg) ; 1983, Fanny och Alexander (Fanny et Alexandre) (Bergman) ; 1984, Efter repetitionen (Après la répétition) (Bergman) ; 1985, Flucht in dem Norden (Engström) ; 1986, På liv och död (Ahrne) ; 1987, The Unbearable Lightness of Being (L'insoutenable légèreté de l'être) (Kaufman) ; 1988, S/Y Glädjen (Du Rées), Friends (Andersson) ; 1989, Enemies, a Love Story (Ennemies) (Mazursky) ; 1990,

Havana (Havana) (Pollack) ; 1993, Romeo Is Bleeding (Romeo Is Bleeding) (Medak), Mr. Jones (Mister Jones) (Figgis) ; 1994, La nuit et le moment (Tato) ; 1995, Lumière et compagnie (Moon) ; 1996, Polish Wedding (Connelly), Night Falls on Manhattan (Dans l'ombre de Manhattan) (Lumet) ; 1997, Hamilton (Zwart) ; 1998, The Ninth Gate (La neuvième porte) (Polanski) ; 1999, Mystery Men (Mystery Men) (Usher) ; 2000, Chocolat (Le chocolat) (Hallström), Ignition (Olin) ; 2001, Queen of the Damned (Rymer) ; 2003, Hollywood Homicide (Hollywood Homicide) (Shelton).

Elle dévoilait généreusement ses charmes dans *L'insoutenable légèreté de l'être*. Elle est la partenaire plus habillée de Robert Redford dans *Havana* et ne passe pas davantage inaperçue.

Olivier, Laurence

Acteur et réalisateur anglais, 1907-1989.

1930, The Temporary Widow (Ucicky), Too Many Crooks (King), Potiphar's Wife (Elvey) ; 1931, Friends and Lovers (Schertzinger), The Yellow Ticket (Le passeport jaune) (Walsh) ; 1932, Westward Passage (Milton) ; 1933, Perfect Understanding (Le parfait accord) (Gardner), No Funny Business (Hanbury) ; 1936, Moscow Nights (Les nuits moscovites) (Asquith) As You Like It (Comme il vous plaira) (Czinner) ; 1937, Twenty One Days (Dean), Fire Over England (L'invincible Armada) (Howard) ; 1938, The Divorce of Lady X (Le divorce de Lady X) (Whelan) ; 1939, Q-Planes (Woods, Whelan), Wuthering Heights (Les hauts de Hurlevent) (Wyler) ; 1940, Rebecca (Hitchcock), Pride and Prejudice (Orgueil et préjugés) (Leonard), The Conquest of the Air (La conquête de l'air) (Zoltan, Korda) ; 1941, Lady Hamilton (Korda), 49th Parallel (49e parallèle) (Powell) ; 1943, The Demi-Paradise (L'étranger) (Asquith) ; 1944, Henry V (Olivier) ; 1948, Hamlet (Olivier) ; 1951, The Magic Box (La boîte magique) (Boulting) ; 1952, Carrie (Un amour désespéré) (Wyler) ; 1953, The Beggars Opera (L'opéra des gueux) (Brook) ; 1956, Richard III (Richard III) (Olivier) ; 1957, The Prince and the Showgirl (Le prince et la danseuse) (Olivier) ; 1959, The Devil's Disciple (Au fil de l'épée) (Hamilton) ; 1960, Spartacus (Kubrick), The Entertainer (Le cabotin) (Richardson) ; 1961, Therm of Trial (Le verdict) (Glenville) ; 1962, The Power and the Glory (Daniels) ; 1965, Bunny Lake is Missing (Bunny Lake a disparu) (Preminger) ; 1966, Othello (Burge, Dexter), Karthum (Karthoum) (Dearden) ; 1968, The Shoes of the Fisherman (Les souliers de saint Pierre) (Anderson) ; 1969, Oh ! What a Lovely War (Dieu que la guerre est jolie) (Attenborough), The Battle of Britain (La bataille d'Angleterre) (Hamilton), The Dance of Death (Giles), David Copperfield (Mann) ; 1970, Three Sisters (Olivier) ; 1971, Nicholas and Alexandra (Nicolas et Alexandra) (Schaffner) ; 1972, The Sleuth (Le limier) (Mankiewicz), Lady Caroline Lamb (Bolt) ; 1976, Marathon Man (Marathon Man) (Schlesinger), The Seven-Percent Solution (Sherlock Holmes attaque l'Orient-Express) (Ross), Jésus de Nazareth (Zeffirelli) ; 1977, The Betsy (Betsy) (Petrie), A Bridge Too Far (Un pont trop loin) (Attenborough) ; 1978, The Boys from Brazil (Ces garçons venus du Brésil) (Schaffner) ; 1979, A Little Romance (I Love You, Je t'aime) (Hill), Dracula (Dracula) (Bradham) ; 1980, Inchon (Young) ; 1981, The Jazz Singer (The Jazz Singer) (Fleischer), The Clash of the Titans (Le choc des Titans) (Davis) ; 1983, Wagner (Palmer) ; 1984, The Jigsaw Man (Young), The Bounty (Donaldson) ; 1985, Wild Geese II (Rose). *Pour le metteur en scène*, voir le *Dictionnaire du cinéma*, t. I : *Les réalisateurs*.

Né à Dorking dans le Surrey, d'un père pasteur, il découvre le théâtre grâce à l'actrice Sybil Thorndike. A dix-sept ans, il quitte Oxford pour les planches. On le retrouve à Stratford-on-Avon (évidemment la patrie de Shakespeare !), puis à Londres au Old Vic. Il va devenir un prestigieux interprète du grand Will. Curieusement ses débuts au cinéma en font un jeune premier romantique et nullement un héros shakespearien. C'est ainsi qu'il est Heathcliff dans *Wuthering Heights* et qu'on le retrouve dans une suite d'œuvres romanesques : *Rebecca, Pride and Prejudice...* Il est Nelson dans *Lady Hamilton*, avec son épouse Vivien Leigh comme partenaire. Il divorcera en 1960 pour se remarier avec Joan Plowright. Pendant la guerre, il sert dans l'aéronavale. Passé à la mise en scène, il signe trois admirables adaptations de Shakespeare qui lui valent une renommée mondiale (en 1948, il obtient l'oscar du meilleur acteur pour *Hamlet*) ainsi que ses prestations théâtrales (*Titus Andronicus* fera un malheur au Théâtre des Nations à Paris). Il est fait lord en 1960. Il ne délaisse pas pour autant le cinéma, jouant dans les films les plus divers : il est chasseur de vampires (*Dracula*), ancien nazi (*Marathon Man*) ou Jupiter lui-même (*Le choc des Titans*). On lira avec intérêt ses souvenirs, *Confessions d'un acteur* (1984) préfacés par Jean-Louis Barrault.

Ollivier, Paul

Acteur français, 1876-1948.

1922, Le témoin dans l'ombre (Hervé), Nuit de carnaval (Tourjansky) ; 1924, Félianna l'espionne (Roudès), Le chiffonnier de Paris (Nadejdine) ; 1925, Le fantôme du Moulin-Rouge (Clair) ; 1926, Le voyage imaginaire (Clair), Oiseaux de passage (Roudès), La maternelle (Roudès), Les petits (Roudès) ; 1927, Sans famille (Monca, Kéroul) ; 1928, Un chapeau de paille d'Italie (Clair), Le chauffeur de Mademoiselle (Chomette), La duchesse des Folies-Bergère (Wiene), Chantage (Debain), Dolly (Colombier) ; 1929, Le danseur inconnu (Barbéris), Le capitaine Fracasse (Cavalcanti) ; 1930, Cendrillon de Paris (Hémard), Sous les toits de Paris (Clair) ; 1931, Le million (Clair) ; 1932, A nous la liberté (Clair), La belle aventure (Schünzel), Le congrès s'amuse (Charell-Boyer), Capitaine Craddock (Schwarz-Vaucorbeil), Autour d'une enquête (Siodmak-Chomette), Ce cochon de Morin (Lacombe), Le triangle de feu (Greville), Prenez garde à la peinture (Chomette) ; 1933, Quatorze juillet (Clair), La guerre des valses (Berger), Le dernier milliardaire (Clair), Tartarin de Tarascon (Bernard) ; 1934, Justin de Marseille (Tourneur) ; 1935, Joli monde (Le Hénaff), Bout de chou (Wulschleger), Marchand d'amour (Greville), Debout là-dedans (Wulschleger) ; 1936, Les gais lurons (Natanson) ; 1937, Le mensonge de Nina Petrovna (Tourjansky), Gargousse (Wulschleger) ; 1941, Boléro (Boyer) ; 1942, A la belle frégate (Valentin), Croisières sidérales (Zwobada), Fou d'amour (Mesnier), Le mistral (Houssin), L'inévitable monsieur Dubois (Billon) ; 1943, Coup de tête (Le Hénaff) ; 1944, Le merle blanc (Houssin) ; 1945, Marie la misère (Baroncelli), Christine se marie (Le Hénaff) ; 1946, Parade du rire (Verdier), Destins (Pottier), Le beau voyage (Cuny) ; 1947, Le silence est d'or (Clair), Croisière pour l'inconnu (Montazel) ; 1948, Le voleur se porte bien (Loubignac).

Acteur préféré de René Clair, venu du music-hall, il a promené de film en film sa silhouette de vieux comptable dépassé par les événements, pour notre plus grande joie.

Olmos, Edward James

Acteur et réalisateur américain né en 1947.

1975, Aloha, Bobby and Rose (Mutrux) ; 1977, Alambrista ! (Young) ; 1980, Fukkatsu no hi (Virus) (Fukasaku) ; 1981, Zoot Suit (Valdez), Wolfen (Wolfen) (Wadleigh) ; 1982, Blade Runner (Blade Runner) (Scott), The Ballad of Gregorio Cortez (La ballade de Gregorio Cortez) (Young) ; 1986, Saving Grace (Young) ; 1987, Stand and Deliver (Menendez) ; 1989, Triumph of the Spirit (Young) ; 1991, Talent for the Game (Young) ; 1992, American Me (Sans rémission) (Olmos) ; 1993, Roosters (Young) ; 1994, A Million to Juan (P. Rodriguez) ; 1995, Slave of Dreams (B. Young), My Family (Nava), Mirage (Williams) ; 1996, Caught (Young), Lorca (Zurinaga) ; 1997, Selena (Nava) ; 1998, The Wonderful Ice Cream Suit (Gordon), The Wall (Sargent) ; 2000, Gossip (Fausses rumeurs...) (Guggenheim). *Comme réalisateur :* 1992, American Me (Sans rémission).

Connu pour son personnage du lieutenant Martin Castillo dans la série *Deux flics à Miami*, cet ancien musicien reconverti dans l'art dramatique, très impliqué dans l'intégration des Chicanos aux États-Unis (il a d'ailleurs réalisé un film sur le sujet, *Sans rémission*), a quelques rôles cinématographiques à son actif, mais aucun qui ne l'ait vraiment fait connaître d'un large public.

Olsen, Ole

Acteur américain, 1892-1963.

Pour sa filmographie : *cf.* Johnson (Chic).

Venu du théâtre, il forma avec Johnson un couple comique vanté par L. Maltin dans *Moovie Comedy Teams* et dont le grand moment demeure *Helzapoppin*.

Ondra, Anny

Actrice tchécoslovaque, de son vrai nom Ondrakova, 1903-1987.

1919, Dama s malou nozkou (Kolar) ; 1920, Dratenicek (Simek), Gilly y praze (Lamac) ; 1927, Pratermizzi (Lamac), Seine Hoheit, der Eintänzer ; 1928, Evas Töchter (Lamac), Saxophon-Susi (Suzy saxophone) (Lamac), Die Kaviarprinzessin (Lamac) ; 1929, Das Mäde mit der Peitsche (Lamac), Sündig und Süss, God's Clay (Cutts), Glorious Youth (Cutts), The Manxman (Hitchcock), Blackmail (Hitchcock) ; 1930, Das Mäde aus U.S.A. (Lamac), Die grosse Sehnsucht (Lamac), Eine Freundin so goldig wie du (Lamac) ; 1931, Mamsell Nitouche (Lamac), Die Fledermaus (La chauve-souris) (Lamac) ; 1932, Baby (Lamac), Kiki (Lamac), Die grausame Freundin (Faut-il les marier ?) (Lamac), Eine Nacht im Paradies (Une nuit au Paradis) (Lamac) ; 1933, Die Tochter des Regiment (La fille du régiment) (Lamac), Betragen ungenügend (Fric), Das verliebte Hotel (Lamac), Fräulein Hoffmanns Erzählungen (Lamac) ; 1934, Klein Dorrit (Lamac), Polen Blut (Sang polonais) (Lamac), Die vertauschte Braut (L'amour en cage) (Lamac) ; 1935, Grossreinemachen (Lamac), Der junge Graf (Lamac) ; 1937, Ein Mädel vom Ballett (Lamac), Donogoo Tonka (Schünzel). *Six films entre 1938 et 1943* ; 1951, Schön muss man sein (La beauté mène la danse) (Rathony).

Tchécoslovaque, née à Tarnow en Pologne, elle joua les ingénues dans les années 20, puis les jeunes premières fantaisistes dans des films musicaux (assez médiocres) sous la direction de Lamac et dont les versions françaises étaient supervisées par Billon. On la vit même en Angleterre dans deux films d'Hitchcock. Mariée au réalisateur Lamac, elle en divorça en 1933 pour épouser le boxeur Max Schmeling.

O'Neal, Patrick

Acteur américain, 1927-1994.

1954, The Mad Magician (Brahm), The Black Shield of Falworth (Le chevalier du roi) (Maté) ; 1960, From the Terrace (Du haut de la terrasse) (Robson) ; 1961, A Matter of Morals (Cromwell) ; 1963, The Cardinal (Le cardinal) (Preminger) ; 1965, In Harm's Way (Première victoire) (Preminger), King Rate (Un caïd) (Forbes) ; 1966, Chamber of Horrors (Averback), A Fine Madness (Kershner), Alvarez Kelly (Alvarez Kelly) (Dmytryk), Matchless (Lattuada) ; 1967, The Assignment (Reynolds), Big Deal at Dodge City (Gros coup à Dodge City) (F. Cook) ; 1968, Where Were You When the Lights Went Out (Averback), The Secret Life of an American Wife (Axelrod) ; 1969, Stiletto (Kowalski), Castle Keep (Un château en enfer) (Pollack), The Kremlin Letter (La lettre du Kremlin) (Huston) ; 1971, Corky (Horn) ; 1973, The Way We Were (Nos plus belles années) (Pollack), Silent Night, Bloody Night (Gershuny) ; 1975, The Stepford Wives (Forbes).

Son aspect cruel en faisait un personnage idéal de méchant. Il était à son aise dans *Chamber of Horrors* mais s'est parfois égaré dans d'insipides comédies.

O'Neal, Ryan

Acteur américain né en 1941.

1968, Games (Winner) ; 1969, The Big Bounce (Une si belle garce) (March) ; 1970, Love Story (Love Story) (Hiller) ; 1971, Wild Rovers (Deux hommes dans l'Ouest) (Edwards) ; 1972, What's Up, Doc ? (On s'fait la valise, Docteur ?) (Bogdanovich) ; 1973, The Thief Who Came to Dinner (Le voleur qui vient dîner) (Yorkin), Paper Moon (La barbe à Papa) (Bogdanovich) ; 1975, Barry Lindon (Kubrick) ; 1976, Nickelodeon (Nickelodeon) (Bogdanovich) ; 1977, A Bridge Too Far (Un pont trop loin) (Attenborough) ; 1978, Driver (Driver) (Hill), Oliver's Story (Korty) ; 1979, The Main Event (Tendre combat) (Zieff) ; 1980, Green Ice (E. Day) ; 1981, Partners (Burrows), So Fine (A. Bergman) ; 1984, Irreconciliable Difference (Divorce à Hollywood) (Shyer) ; 1985, Fever Pitch (Brooks) ; 1986, Tough Guys Don't Dance (Les vrais durs ne dansent pas) (Mailer) ; 1989, Chances Are (Le ciel s'est trompé) (Ardolino) ; 1994, Faithful (Mazursky) ; 1997, Hacks (Rosen), An Alan Smithee Film – Burn Hollywood Burn (An Alan Smithee Film) (Hiller, sous le pseudonyme de Smithee), Zero Effect (La méthode Zéro) (J. Kasdan) ; 1999, Coming Soon (Burson) ; 2003, People I Know (Influences) (Algrent).

Fils d'un scénariste et d'une comédienne, il a débuté comme cascadeur puis participé à plusieurs séries télévisées (*Persy Mason, Les incorruptibles...*). Deux grands films vont le rendre célèbre : *Love Story* et surtout *Barry Lyndon*. Hélas, il ira ensuite se perdre dans les comédies de Bogdanovich ! Réapparition inattendue dans une parodie des films noirs signée du romancier Norman Mailer.

O'Neill, Jennifer

Actrice américaine née en 1949.

1968, For Love of Yvy (D. Mann) ; 1970, Rio Lobo (Rio Lobo) (Hawks) ; 1971, Summer of '42 (Un été 42) (Mulligan), Such Good Friends (Des amis comme les miens) (Preminger) ; 1972, The Carey Treatment (Opération clandestine) (Edwards), Glass Houses (Singer) ; 1973, Lady Ice (Gries) ; 1975, The Reincarnation of Peter Proud (La réincarnation de Peter Proud) (Lee-Thompson), Whiffs (Post), Gente di rispetto (Zampa) ; 1976, L'innocente (L'innocent) (Visconti) ; 1977, Sette note in nero (L'emmurée vivante) (Fulci) ; 1978, Caravans (Fargo) ; 1979, Cloud Dancer (Brown), Steel (Des nerfs d'acier) (Carver), The Black Hole (Le trou noir) (G. Nelson), A Force of One (Aaron), Scanners (Scanners) (Cronenberg) ; 1988, I Love N.Y. (Bozzacchi, sous le pseudonyme de Smithee), Committed (Levey) ; 1992, Love Is Like That (Goldman) ; 1993, Discretion Assured (Mendes) ; 1996, The Corporate Ladder (Vallelonga) ; 1997, The Ride (Sajbel).

Dans *Actualité du cinéma américain*, Jean Domarchi, après avoir salué sa beauté type de « cover-girl » et l'avoir jugée excellente dans *L'innocent* et dans *Summer of '42*, médiocre dans *Rio Lobo*, écrivait : « Si les accidents d'automobile ne mettent pas prématurément fin à sa carrière, elle peut aller très loin. » A défaut d'accident, il semble qu'une panne l'ait obligée à marquer un temps d'arrêt pendant lequel elle s'est presque exclusivement consacrée à la télévision.

Orbal, Gaston

Acteur français, de son vrai nom Gustave Labro, 1898-1983.

1931, Monsieur le maréchal (Lamac) ; 1932, Léon... tout court (Francis) ; 1935, L'heureuse aventure (Georgesco) ; 1938, Tricoche et Cacolet (Colombier) ; 1939, Ma tante dictateur (Pujol), Ils étaient neuf célibataires (Guitry) ; 1941, Après l'orage (Ducis), Les petits riens (Leboursier), Une vie de chien (Cammage), Une femme dans la nuit (Greville), Feu sacré (Cloche), Les deux timides (Y. Allégret), Le club des soupirants (Gleize) ; 1942, La vie de bohème (L'Herbier), Félicie Nanteuil (M. Allégret) ; 1943, La boîte aux rêves (Y. Allégret) ; 1945, Les gueux au Paradis (Le Hénaff), Dorothée cherche l'amour (Greville), Clochemerle (Chenal), Blanc comme neige (Berthomieu) ; 1946, Voyage surprise (Prévert), La petite chocolatière (Berthomieu), Le roi Pandore (Berthomieu) ; 1947, Cargaison clandestine (Rode), Le diamant de cent sous (Daniel-Norman), Une nuit à Tabarin (Lamac) ; 1948, Cité de l'espérance (Stelli) ; 1949, L'héroïque Monsieur Boniface (Labro), Je n'aime que toi (Montazel) ; 1950, Boîte de nuit (Rode), Casimir (Pottier), Le roi des camelots (Berthomieu), Pigalle-Saint-Germain-des-Prés (Berthomieu) ; 1951, Ma femme est formidable (Hunebelle) ; 1952, Monsieur Taxi (Hunebelle) ; 1953, Les trois mousquetaires (Hunebelle) ; 1954, Cadet-Rousselle (Hunebelle) ; 1955, Ali Baba et les quarante voleurs (Becker), Le port du désir (Greville), L'impossible Monsieur Pipelet (Hunebelle) ; 1957, Les carnets du Major Thompson (P. Sturges) ; 1962, Tartarin de Tarascon (Blanche).

L'un de ces petits, de ces sans-grade, tirés de l'ombre par Barrot et Chirat dans leurs *Excentriques du cinéma français*. On garde surtout le souvenir du maître d'hôtel stylé qui appelle les invités au clairon dans l'extravagant *Club des soupirants* et de l'auteur dramatique qui s'enfle de vanité à l'audition de sa pièce dans *Félicie Nanteuil*. Un tempérament comique mal utilisé par la suite.

Orlova, Lioubov

Actrice russe, 1902-1975.

1934, Veslvolve Rebyata (Les joyeux garçons) (Alexandrov), Peterburgskaya Nacht (Les nuits de Saint-Pétersbourg) (Rochal) ; 1936, Le cirque (Alexandrov) ; 1938, Volga-Volga (Alexandrov) ; 1940, Svetlyi put' (La route lumineuse) (Alexandrov) ; 1947, Vesnoi (Le printemps) (Alexandrov) ; 1950, Moussorgsky (Rochal) ; 1952, Glinka (Alexandrov).

Comédienne et chanteuse russe, passée des comédies d'Alexandrov aux biographies de grands musiciens de l'ère du réalisme socialiste.

Ormond, Julia

Actrice anglaise née en 1965.

1993, The Baby of Mâcon (The Baby of Mâcon) (Greenaway) ; 1994, Legends of the Fall (Légendes d'automne) (Zwick), Captives (Pope), Nostradamus (Christian) ; 1995, First Knight (Lancelot) (Zwick), Sabrina (Sabrina) (Pollack) ; 1997, Smilla's Sense of Snow (Smilla) (August) ; 1998, Sibirskij tsiryulnik (Le barbier de Sibérie) (Mikhalkov) ; 2000, The Prime Gig (Mosher).

Beauté classique pour cette Anglaise de bonne famille qui débute dans le film à costumes avant de se faire vraiment remarquer en scientifique traquée au fin fond du Groenland dans *Smilla*, puis en aventurière américaine dans *Le barbier de Sibérie*.

Oscarsson, Per

Acteur et réalisateur suédois né en 1927.

Principaux films : 1950, Gatan (La rue) (Werner) ; 1953, Barabbas (Sjoberg) ; 1954, Karin Mansdotter (Sjoberg) ; 1955, Vidfaglar (Les oiseaux sauvages) (Sjoberg) ; 1962, Vaxdöckan (Le mannequin de cire) (Mattsson) ; 1966, Syskonbadd (Ma sœur, mon amour) (Sjoman), Sult (La faim) (Carlsen) ; 1968, Ole Dole Dorff (Troell) ; 1969, La madriguera (La madriguera) (Saura) ; 1970, The Lost Valley (La vallée perdue) (Clavell) ; 1972, Secrets (Jeux intimes) (Saville) ; 1973, Nybyggarna (Le nouveau monde) (Troell) ; 1974, Gangsterfilmen (Thelestam) ; 1978, Picassos Aventyr (Les folles aventures de Picasso) (Danielsson) ; 1979, Montenegro (Les fantasmes de Mme Jordan) (Makavejev). *Comme réalisateur :* Elton Lundin (1973), Sverige at svenskarna (1980).

Venu du théâtre de Stockholm, il fut couronné à Cannes pour *La faim*.

O'Sullivan, Maureen

Actrice américaine, 1911-1998.

1930, Song O'My Heart (Borzage), Just Imagine (Butler), So This Is London (Blystone), The Princess and the Plumber (Korda) ; 1931, Skyline (R. Brown), A Connecticut

Yankee (Butler), The Big Shot (Killy) ; 1932, The Silver Lining (Crosland), Tarzan the Ape-Man (Tarzan l'homme singe) (Van Dyke), Information Kid, Okay America (Garnett), Strange Interlude (Leonard), Fast Companions (Neumann), Payment Deferred (Mendes) ; 1933, Tugboat Annie (LeRoy), Stage Mother (Danseuse étoile) (Brabin), Robbers' Roost (L. King), The Cohens and Kellys in Trouble (Stevens) ; 1934, Hideout (Jours heureux) (Van Dyke), The Thin Man (L'introuvable) (Van Dyke), Tarzan and His Mate (Tarzan et sa compagne) (Gibbons), The Barretts of Wimpole Street (Miss Barrett) (Franklin) ; 1935, Cardinal Richelieu (Lee), West Point of the Air (Rosson), Anna Karenina (Brown), Woman Wanted (Seitz), The Flame Within (Goulding), David Copperfield (Cukor), The Bishop Misbehaves (Dupont) ; 1936, Tarzan Escapes (Tarzan s'évade) (Thorpe), The Voice of Bugle Ann (Thorpe), The Devil Doll (Les poupées du diable) (Browning) ; 1937, The Emperor's Candlesticks (Fitzmaurice), A Day at the Races (Un jour aux courses) (Wood), Between Two Women (Seitz), My Dear Miss Aldrich (Seitz) ; 1938, Port of Seven Seas (Whale), A Yank at Oxford (Vivent les étudiants) (Conway), Hold That Kiss (Marin), The Crowd Roars (La foule en délire) (Thorpe) ; 1939, Let Us Live (Brahm), Tarzan Finds a Son (Tarzan trouve un fils) (Thorpe) ; 1940, Sporting Blood (Simon), Pride and Prejudice (Orgueil et préjugé) (Leonard) ; 1941, Tarzan's Secret Treasure (Le trésor de Tarzan) (Thorpe), Maisie Was a Lady (Marin) ; 1942, Tarzan's New York Adventure (Tarzan à New York) (Thorpe) ; 1948, The Big Clock (La grande horloge) (Farrow) ; 1950, Where Danger Lives (Farrow) ; 1952, Bonzo Goes to College (De Cordova) ; 1953, All I Desire (Désir de femme) (Sirk), Mission over Korea (Sears) ; 1954, Duffy of San Quentin (Doniger), The Steel Cage (Doniger) ; 1957, The Tall T (L'homme de l'Arizona) (Boetticher) ; 1958, Wild Heritage (Hans) ; 1965, Never Too Late (Jamais trop tard) (Yorkin), The Phynx (Katzin) ; 1977, Un taxi mauve (Boisset) ; 1985, Too Scared to Scream (Lo Bianco) ; 1986, Peggy Sue Got Married (Peggy Sue s'est mariée) (Coppola), Hannah and Her Sisters (Hannah et ses sœurs) (Allen) ; 1987, Stranded (Les passagers de l'angoisse) (Fuller).

Née à Dublin et remarquée par un producteur américain, au cours d'un bal, elle part tenter sa chance à Hollywood. Sa chance sera triple. 1. Elle sera Jane, la compagne de Tarzan (et quelle splendide compagne qui fit rêver plusieurs générations !) dans six films de la MGM. 2. Elle épousera l'excellent réalisateur John Farrow. 3. Elle sera la mère de Mia et Tisa Farrow qui feront, surtout la première, de belles carrières de comédiennes.

O'Toole, Peter

Acteur d'origine irlandaise né en 1932.

1959, Kidnapped (Stevenson) ; 1960, The Savage Innocents (Les dents du diable) (Ray), The Day They Robbed the Bank of England (Le jour où l'on dévalisa la Banque d'Angleterre) (Guillermin) ; 1962, Lawrence of Arabia (Lawrence d'Arabie) (Lean) ; 1964, Becket (Becket) (Glenville) ; 1965, Lord Jim (Lord Jim) (Brooks), The Bible... in the Beginning (La Bible... au commencement des temps) (Huston), What's New, Pussycat ? (Quoi de neuf, Pussycat ?) (Donner), How to Steal a Million (Comment voler un million de dollars) (Wyler) ; 1966, Night of the Generals (La nuit des généraux) (Litvak) ; 1967, Casino Royale (Casino Royale) (Huston, Hughes, Guest, Parrish) ; 1968, The Great Catherine (La Grande Catherine) (Flemyng), The Lion in Winter (Le lion en hiver) (Harvey) ; 1969, Goodbye, Mr. Chips (Goodbye, Mr. Chips) (Ross) ; 1970, Country Dance (Lee-Thompson) ; 1971, Murphy's War (La guerre de Murphy) (Yates), Under Milk Wood (Sinclair), The Ruling Class (Dieu et mon droit) (Medak) ; 1972, Man of La Mancha (L'homme de La Mancha) (Hiller) ; 1975, Rosebud (Rosebud) (Preminger), Man Friday (Gold), Foxtrot (Ripstein), The Stuntman (Le diable en boîte) (Rush) ; 1978, Powerplay (Le jeu de la puissance) (Burke) ; 1979, Caligula (Caligula) (Brass), Zulu Dawn (L'ultime attaque) (Hickox) ; 1982, My Favorite Year (Où est passée mon idole ?) (Benjamin) ; 1984, Supergirl (Supergirl) (Szwarc), Buried Alive (Hodges) ; 1986, Creator (Creator) (Passer), Club Paradise (Ramis) ; 1987, The Last Emperor (Le dernier empereur) (Bertolucci) ; 1988, High Spirits (High Spirits) (Jordan) ; 1989, In una notte di chiaro di luna (Wertmuller) ; 1990, Wings of Fame (Les ailes de la renommée) (Votocek), Isabelle Eberhardt (Isabelle Eberhardt) (Pringle), King Ralph (Ralph Super King) (Ward), Worlds Apart (Zoref) ; 1991, The Rainbow Thief (Le voleur d'arc-en-ciel) (Jodorowsky) ; 1992, Rebecca's Daughter (Francis) ; 1993, The Seventh Coin (Soref) ; 1994, Szach Cesarzowi (Kostenko) ; 1997, Phantoms (Chappelle), Fairy Tale : A True Story (Le mystère des fées : une histoire vraie) (Sturridge) ; 1998, The Manor (Berris) ; 1999, Molokai : The Story of Father Damien (Cox) ; 2000, The Final Curtain (Harkins) ; 2001, Global Heresy (Furie) ; 2004, Troy (Troie) (Petersen) ; 2006, Lassie (Lassie) (Sturridge).

Ses yeux bleus et son regard halluciné, sa haute taille et sa maigreur le désignaient pour jouer les prophètes et les idéalistes. Venu du théâtre et notamment de l'Old Vic de Bristol, il se fit connaître à l'écran grâce à sa fabuleuse composition de Lawrence d'Arabie. Il fut un non moins saisissant lord Jim avant d'être Don Quichotte, l'homme de la Manche. Une brillante filmographie montre qu'il a toujours su choisir ses films, même s'il fut un inattendu Tibère dans *Caligula*. Il n'hésite pas à se parodier lui-même dans *Où est passée mon idole ?*

Otto, Paul

Acteur et réalisateur allemand, 1878-1943.

1921, Scherben (Le rail) (Lupu-Pick) ; 1931, Elisabeth d'Autriche (Trotz) ; 1932, Kinder vor Gericht (Klaren), Das Geheimnis um Johann Orth (Wolff) ; 1933, Une histoire d'amour (Ophuls), Raspoutine (Trotz), Kiki (Lamac), Es wird schon wieder besser (Garron), Der Choral von Leuthen (Froelich) ; 1934, Der Polizeibericht Melder (Jacoby), Fräulein Hoffmanns Erzählungen (Lamac), Sonnenstrahl (Fejos) ; 1937, Unternehmen Michael (Ritter). *Comme réalisateur :* 1921, Der Tod und der Liebe ; 1927, Das Mädchen von Nebenan.

Acteur de composition typique d'un certain cinéma allemand des années 30 aujourd'hui invisible.

Oudart, Félix

Acteur français, 1881-1956.

1922, Crainquebille (Feyder) ; 1929, Tire-au-flanc (Renoir), Le ruisseau (Hervil) ; 1932, Théodore et compagnie (Colombier), Tambour battant (Robison), Enlevez-moi (Perret), Allô, Mademoiselle (Champreux) ; 1933, La voix du métal (Marca-Rosa), Tire-au-flanc (Wulschleger), Son Altesse Impériale (Janson), Georges et Georgette (Schünzel) ; Debout là-dedans (Wulschleger) ; 1934, La jeune fille d'une nuit (Schünzel), Un jour viendra (Lamprecht), Toto (Tourneur), Princesse Czardas (Beucler), Liliom (Lang), Mam'zelle Spahi (Vaucorbeil), Bibi la purée (Joannon), J'ai une idée (Richebé), Maternité (Choux) ; 1935, Lune de miel (Ducis), Les époux célibataires (Robison), Marchand d'amour (Greville), Ferdinand le noceur (Sti), Train de plaisir (Joannon) ; 1936, La souris bleue (Ducis), Mais n'te promène donc pas toute nue (Joannon), Sept hommes... une femme (Mirande), La brigade en jupons (Limur), Le cœur dispose (Lacombe), Arènes joyeuses (Anton), La chanson du souvenir (Poligny), J'arrose mes galons (Pujol), Les gaietés du palace (Kapps), Tout va très bien, madame la marquise (Wulschleger) ; 1937, Le plus beau gosse de France (Pujol), Un scandale aux galeries (Sti), Rendez-vous aux Champs-Élysées (Houssin), Miarka (Choux) ; 1938, Je chante (Stengel), Les gaietés de l'exposition (Hajos), J'étais une aventurière (Bernard), Les cinq sous de Lavarède (Cammage), Le monde en armes (Oser), Lumières de Paris (Pottier) ; 1939, Le paradis des voleurs (Marsoudet), Bach en correctionnelle (Wulschleger), Le chasseur de chez Maxim's (Cammage), Un de la cavalerie (Cammage), Sérénade (Boyer), Le Danube bleu (Rode) ; 1941, Une femme dans la nuit (Greville) ; 1942, La chèvre d'or (Barbéris), La vie de bohème (L'Herbier) ; 1943, Le mort ne reçoit plus (Tarride), La boîte aux rêves (Allégret), La cavalcade des heures (Noé) ; 1945, Les gueux au Paradis (Le Hénaff), Trente et quarante (Grangier), Dorothée cherche l'amour (Greville) ; 1946, Macadam (Blistène), Monsieur chasse (Rozier), Le voleur se porte bien (Loubignac), Tombé du ciel (Reinert), Le charcutier de Machonville (Ivernel), Le café du cadran (Gehret) ; 1947, Émile l'Africain (Vernay), Clochemerle (Chenal), Une nuit à Tabarin (Lamac) ; 1948, L'impeccable Henri (Tavano), Jo la Romance (Grangier) ; 1949, Nuit de noces (Jayet), Ève et le serpent (Tavano), Au grand balcon (Decoin), On demande un assassin (Neubach) ; 1950, Les mémoires de la vache Yolande (Neubach), Le gang des tractions arrière (Loubignac), La vie est un jeu (Leboursier), Atoll K (Joannon), L'homme de la Jamaïque (Canonge), Ils ont vingt ans (Delacroix), L'amant de paille (Grangier) ; 1951, Piédalu à Paris (Loubignac), Passage de Vénus (Gleize) ; 1952, La demoiselle et son revenant (Allégret), Drôle de noce (Joannon), L'île aux femmes nues (Lepage), Au diable la vertu (Laviron) ; 1953, Les trois mousquetaires (Hunebelle), Trois jours de bringue à Paris (Couzinet).

Venu du théâtre (il fut d'*Intermezzo* avec Jouvet), après s'être formé au conservatoire de Lille, il a joué avec talent dans d'innombrables films les rondeurs, les hommes importants mais un peu ridicules, les capitaines et même les curés (*Clochemerle*). Il est dommage que sa filmographie reste, dans l'ensemble, si médiocre.

Outinen, Kati

Actrice finlandaise née en 1961.

1980, Täältä tullaan, elämä ! (Suominen) ; 1981, Prinsessa joka nukkui 100 vuotta (Strandberg) ; 1984, Aikalainen (Linnasalo) ;

1986, Varjoja paratiisissa (Shadows in paradise) (Kaurismäki), Kuningas lähtee Ranskaan (Mänttäri) ; 1987, Hamlet liikemaailmassa (Hamlet goes business) (Kaurismäki) ; 1989, Tulitikkutehantaan tyttö (La fille aux allumettes) (Kaurismäki) ; 1994, Pidä huivista kiinni, Tatjana (Tiens ton foulard, Tatiana) (Kaurismäki), Kaikki pelissä (Kassila) ; 1996, Kauas pilvet karkaavat (Au loin s'en vont les nuages) (Kaurismäki) ; 1997, Sairaan kaunis maailma (Lampela) ; 1998, Zugvögel... einmal nach Inari (Lichtefeld), Eros ja Psykhe (Linnasalo), Säädyllinen murhenäytelmä (Rastimo), Juha (Juha) (Kaurismäki) ; 1999, History Is Made at Night (Jarvilaturi) ; 2002, Mies vailla menneisyyttä (L'homme sans passé) (Kaurismäki) ; 2004, Mélyen örzött titkoh (Båszörményi), Populärmusik frän Vittula (Bagher) ; 2006, Laitakaupungin valot (Les lumières du faubourg) (Kaurismäki).

Actrice fétiche d'Aki Kaurismäki, elle est le visage du cinéma finlandais contemporain : impassible toujours, sinistre souvent, elle était pourtant totalement inoubliable en ouvrière meurtrière dans *La fille aux allumettes* et en propriétaire de restaurant dévouée à son commerce dans *Au loin s'en vont les nuages*. Sa prestation dans *L'homme sans passé* lui a valu le prix d'interprétation féminine lors de l'édition 2002 du festival de Cannes.

Owen, Clive

Acteur britannique né en 1964.

2000, Greenfingers (Jardinage à l'anglaise) (Hershman) ; 2002, The Bourne Identity (La mémoire dans la peau) (Liman) ; 2004, King Arthur (Le roi Arthur) (Fuqua), Closer (Closer) (Nichols), I'll Sleep When I'm Dead (Seule la mort peut m'arrêter) (Hodges) ; 2005, Sin City (Sin City) (Rodriguez) ; 2006, Derailed (Dérapage) (Hallström), Inside Man (Inside Man – L'homme de l'intérieur) (Lee), Children of Men (Les fils de l'homme) (Cuaron).

Voué aux rôles de dur, il fut pressenti pour être le nouveau James Bond en 2006 : on lui préféra Craig.

Ozenne, Jean

Acteur français, 1898-1969.

1944, Pamela (Herain) ; 1945, Le capitan (Vernay) ; 1946, Les chouans (Calef) ; 1948, Le secret de Mayerling (Delannoy), Scandale (Le Hénaff) ; 1949, La belle que voilà (Le Chanois), Le grand cirque (Peclet), Manèges (Y. Allégret), Pas de week-end pour notre amour (Montazel) ; 1950, La ronde (Ophuls), Sous le ciel de Paris (Duvivier), Souvenirs perdus (Christian-Jaque), Mon ami le cambrioleur (Lepage) ; 1952, Belles de nuit (Clair), Rue de l'Estrapade (Becker) ; 1953, Si Versailles m'était conté (Guitry), Les corsaires du bois de Boulogne (Carbonnaux) ; 1954, Napoléon (Guitry), Pas de souris dans le bisness (Lepage) ; 1955, Elena et les hommes (Renoir), La bande à papa (Lefranc) ; 1956, Lorsque l'enfant paraît (Boisrond), L'irrésistible Catherine (Pergament) ; 1957, Le triporteur (Pinoteau) ; 1958, Les grandes familles (La Patellière), La tête contre les murs (Franju), Un drôle de dimanche (M. Allégret), Chéri, fais-moi peur (Pinoteau) ; 1959, Les héritiers (Laviron) ; 1960, Aimez-vous Brahms (Litvak), Le président (Verneuil), Pleins feux sur l'assassin (Franju) ; 1961, Amours célèbres (Boisrond), Le couteau dans la plaie (Litvak), Les nouveaux aristocrates (Rigaud), Les lions sont lâchés (Verneuil) ; 1962, Germinal (Y. Allégret), Le glaive et la balance (Cayatte), Les veinards (Girault) ; 1963, Gibraltar (Gaspard-Huit), L'honorable Stanislas, agent secret (Dudrumet), La ronde (Ophuls), Le journal d'une femme de chambre (Buñuel), Carambolages (Bluwal) ; 1964, Les espions meurent à Beyrouth (Combret), Angélique, marquise des anges (Borderie), La bonne occase (Drach), Thomas l'imposteur (Franju) ; 1965, Nick Carter et le trèfle rouge (Savignac), La sentinelle endormie (Dréville) ; 1966, Triple Cross (La fantastique histoire vraie d'Eddie Chapman) (T. Young), The Night of the Generals (La nuit des généraux) (Litvak), Fantômas contre Scotland Yard (Hunebelle), Monsieur le président-directeur général (Girault), Le grand restaurant (Besnard), Tendre voyou (Becker) ; 1967, Le fou du labo 4 (Besnard), La prisonnière (Clouzot), Ne jouez pas avec les Martiens... (Lanoé) ; 1968, Le gendarme se marie (Girault).

Débuts dans la mode dont il gardera un côté léger et papillonnant. Il est resté dans les mémoires pour sa composition de vieux fétichiste de la bottine dans *Le journal d'une femme de chambre*.

Ozeray, Madeleine

Actrice française, 1908-1989.

1932, Scampolo (Un peu d'amour) (Steinhoff), Une jeune fille et un million (Neufeld) ; 1933, Dans les rues (Trivas), Knock (Jouvet, Goupillières), La dame de chez Maxim's (A. Korda) ; Casanova (Barberis), La guerre des valses (Berger), La maison dans la dune (Billon) ; 1934, Liliom (Lang), Le secret des Woronzeff (Robison) ; 1935, Crime et châtiment (Chenal), Les mystères de Paris (Gandera), Sous la griffe (Christian-Jaque) ; 1936, Le coupable (Bernard) ; 1937, La dame de pique (Ozep) ; 1938, Ramuntcho (Barberis) ; 1939, La fin du jour (Duvivier) ; 1943, Mon oncle du Canada (?) ; 1944, Le moulin des Andes (Rémy), The Music Master (Le père Chopin) (Ozep) ; 1972, Les anges (Desvilles) ; 1974, La race des Seigneurs (Granier-Deferre) ; 1975, Le vieux fusil (Enrico) ; 1980, Chère inconnue (Mizrahi).

Son nom est associé aux triomphes de Jouvet à la scène. Sortie avec un premier prix du conservatoire de Bruxelles (elle est née à Bouillon-sur-Semois en Belgique), elle fut remarquée par Raymond Rouleau, mais c'est Jouvet qui l'imposa. A l'écran, elle tint la vedette dans les années 30 : elle est Julia dans *Liliom* de Lang, et Sonia dans la version de Pierre Chenal de *Crime et châtiment.* Mais sa carrière est interrompue par la guerre. Elle suit Jouvet dans sa tournée en Amérique latine et pendant plusieurs années reste absente de France. Elle ne retrouvera plus de grands personnages à l'écran. Notons toutefois un nouveau « départ » en 1972, mais dans des rôles de composition.

P

Pacino, Al

Acteur et réalisateur américain, de son vrai prénom Alfredo James, né en 1940.

1969, Me Nathalie (Coe) ; 1971, The Panic in Needle Park (Panique à Needle Park) (Schatzberg) ; 1972, The Godfather (Le parrain) (Coppola) ; 1973, The Scarecrow (L'épouvantail) (Schatzberg), Serpico (Serpico) (Lumet) ; 1974, The Godfather, part II (Le parrain II) (Coppola) ; 1975, Dog Day's Afternoon (Un après-midi de chien) (Lumet) ; 1977, Bobby Deerfield (Bobby Deerfield) (Pollack) ; 1979, And Justice for All (Justice pour tous) (Jewison) ; 1980, Cruising (La chasse) (Friedkin) ; 1982, Author ! Author ! (Avec les compliments de l'auteur) (Hiller) ; 1983, Scarface (Scarface) (De Palma) ; 1985, Revolution (Revolution) (Hudson) ; 1988, Sea of Love (Mélodie pour un meurtre) (Becker) ; 1990, Dick Tracy (Dick Tracy) (Beatty), The Godfather, Part III (Le parrain 3) (Coppola) ; 1990, The Local Stigmatic (Pacino) ; 1991, Frankie and Johnny (Frankie et Johnnie) (Marshall) ; 1992, Glengarry Glen Ross (Glengarry) (Foley), Scent of a Woman (Le temps d'un week-end) (Brest) ; 1993, Carlito's Way (L'impasse) (De Palma) ; 1994, Two Bits (Instant de bonheur) (Foley) ; 1995, Looking for Richard (Looking for Richard) (Pacino) City Hall (City Hall) (Becker), Heat (Heat) (Mann) ; 1996, Donnie Brasco (Donnie Brasco) (Newell) ; 1997, The Devil's Advocate (L'associé du diable) (Hackford) ; 1999, The Insider (Révélations) (Mann), Any Given Sunday (L'enfer du dimanche) (Stone), Chinese Coffee (Pacino) ; 2001, Simone (Niccol), People I Know (Algrant) ; 2002, Insomnia (Insomnia) (Nolan) ; The Recruit (La recrue) (Donaldson), Gigli — Tough Love (Amours troubles) (Brest), The Merchant of Venice (Le marchand de Venise) (Radford) ; 2003, People I know (Influences) (Algrant) ; 2005, Two for the Money (Two for the Money) (Caruso) ; 2007, Ocean's Thirteen (Ocean's Thirteen) (Soderbergh). *Pour le metteur en scène*, voir le *Dictionnaire du cinéma*, t. I : *Les réalisateurs*.

D'origine italienne, il a été élevé par sa mère (divorcée) dans le Bronx et formé à l'école de la rue. Fasciné par le théâtre, il parvient, en se faisant de l'argent comme ouvreur, à suivre les cours de l'Actor's Studio et à jouer sur scène, notamment Shakespeare avec la Theatre Company of Boston. Il débute en 1969 au cinéma mais tournera peu, choisissant avec soin ses metteurs en scène. C'est un acteur qui veille sur sa carrière et n'entend interpréter que des films dirigés par des réalisateurs confirmés. Du *Parrain* à *Scarface*, il semble nourrir une affection pour le film de gangster. Peut-être n'a-t-il jamais joué aussi bien que dans *L'impasse* où, sous la direction de Brian De Palma, il est une petite gouape qui, au sortir de cinq ans de prison, souhaiterait renoncer au trafic de drogue. Il s'est amusé à reprendre le rôle de Gassman dans un remake de *Parfum de femme* et la comparaison est instructive. *Scent of a Woman* lui vaut un oscar en 1992. Il est un éblouissant Richard III. Mais ensuite, il promène sa silhouette de héros fatigué dans des films estimables mais sans relief.

Pacôme, Maria

Actrice française née en 1923.

1959, Voulez-vous danser avec moi ? (Boisrond), Les jeux de l'amour (Broca) ; 1961, Le tracassin ou les plaisirs de la ville (Joffé) ; 1962, Un clair de lune à Maubeuge (Chérasse) ; 1963, Constance aux enfers (Villiers), Que personne ne sorte (Govar), Rien ne va plus (Bacqué) ; 1964, Les combinards (Roy), Le gendarme de Saint-Tropez (Girault), Les gorilles (Girault), Une souris chez les hommes (Poitrenaud) ; 1965, Les tribulations d'un Chinois en Chine (Broca) ; 1966, Tendre voyou (J. Becker) ; 1968, Un drôle de colonel (Girault) ; 1969, La maison de campagne (Girault) ; 1970, Le distrait (Richard) ; 1974, Bons baisers... à lundi (Audiard), Pas de problème ! (Lautner) ; 1975, La situation est grave... mais pas désespérée (Besnard) ; 1976, Silence... on tourne (Coggio) ; 1977, Le dernier baiser (Grassian) ; 1980, Les sous-doués (Zidi) ; 1992, La crise (Serreau) ; 1995, Le bel été 1914 (Chalonge) ; 1996, Une femme très très très amoureuse (Zeitoun) ; 2003, Mauvais esprit (Alessandrin).

Vivacité, élégance et humour. L'une des plus séduisantes actrices françaises, mais sa filmographie laisse à désirer.

Padovani, Lea

Actrice italienne, 1923-1991.

1945, L'innocente Casimiro (Campogalliani) ; 1946, Il sole sorge ancora (Le soleil se lèvera encore) (Vergano), Il richiamo del sangue (Vajda) ; 1947, Il diavolo bianco (Le diable blanc) (Malasomma), Che tempi ! (Bianchi), I cavalieri dalla maschera nera (Mercanti) ; 1949, Una lettera all'alba (Cocaïne) (Bianchi), Give Us This Day (Donnez-nous aujourd'hui) (Dmytryk), Due mogli sono troppe (Camerini) ; 1950, Atto di accusa (Gentilomo), Fiamme sulla laguna (Scotese) ; 1951, Three Steps North (Lee Wilder), Suor Teresa (Vergano), I due derelitti (Les deux gosses) (Calzavara), Roma ore 11 (Onze heures sonnaient) (De Santis), Una di quelle (Fabrizi) ; 1952, Totò e le donne (Steno, Monicelli), I figli non si vendono (Les enfants ne sont pas à vendre) (Bonnard), Don Lorenzo (Bragaglia), Papà, ti ricordo (Volpe) ; 1953, Donne proibite (Femmes damnées) (Amato), Cinema d'altri tempi (Drôles de bobines) (Steno) ; 1954, La barriera della legge (P. Costa), Tempi nostri (Quelques pas dans la vie) (Blasetti), Gran varietà (Paolella), La Castiglione (Combret), Amori di mezzo secolo (Pietrangeli), Il seduttore (Rossi), Napoli é sempre Napoli (Fizzarotti), Chéri-Bibi (Pagliero) ; 1955, Divisione Folgore (Coletti), Guai ai vinti ! (Matarazzo), L'intrusa (Matarazzo), Dossier noir (Cayatte), Pane, amore e... (Pain, amour ainsi soit-il) (Risi), La moglie é uguale per tutti (Simonelli) ; 1956, La tua donna (Paolucci), Solo Dio mi fermerà (Polselli) ; 1957, Œil pour œil (Cayatte), Montparnasse 19 (Becker) ; 1958, Pane, amore e Andalusia (Setò), The Naked Maja (La Maja nue) (Koster) ; 1960, La princesse de Clèves (Delannoy) ; 1962, The Reluctant Saint (Miracle à Cupertino) (Dmytryk) ; 1963, La noia (L'ennui) (Damiani), Germinal (Y. Allégret), Frenesia dell'estate (Zampa) ; 1966, Un uomo a metà (Un homme à moitié) (De Seta), Il gioco delle spie (Bagarre à Bagdad pour X-27) (Bianchini) ; 1967, Gli altri, gli altri... e moi (Arena) ; 1968, Candy (Marquand), Cuore di mamma (Benelli) ; 1970, Ciao Gulliver (Tuzii) ; 1971, Equinozio (Ponzi) ; 1981, Ehrengard (Greco) ; 1990, La putain du roi (Corti).

Excellente actrice de composition très active durant les années 50. Un riche mariage en 1970 avec un industriel ralentit considérablement sa carrière. Très à l'aise dans des rôles à costumes, elle fut une princesse Mathilde Bonaparte convaincante dans *La Castiglione* et une mémorable Catherine de Médicis dans *La princesse de Clèves*.

Pagano, Bartolome, dit Maciste

Acteur italien, 1878-1947.

1914, Cabiria (Pastrone) ; 1915, Maciste (Pastrone) ; 1916, Maciste alpino (Pastrone), Maciste bersagliere (Pastrone) ; 1917, Maciste atleta (Pastrone), *puis courts ou moyens métrages dont les réalisateurs ne sont pas toujours connus* : Maciste poliziotto, Maciste Medium ; 1918, Maciste somnambulo ; 1919, Maciste Ier, La rivincita di Maciste, La trilogia di Maciste, Il viaggio di Maciste, Il testamento di Maciste, Maciste imnamorato ; 1920, Maciste in vacanza, Maciste salvato dalle acque ; 1922, Maciste e la figlia de re della Plato ; 1923, Maciste und die chinesische Truhe (Maciste et l'armoire chinoise) (Boese), Maciste contro Maciste ; 1924, Maciste e il nipote d'America, Maciste imperatore ; 1925, Maciste contro lo sceicco (Camerini) ; 1926, Maciste all'inferno (Maciste aux enfers) (Brignone), Il gigante delle Dolomiti (Le géant des Dolomites) (Brignone), Maciste nella gabbia dei leoni (Maciste dans la vallée des lions) (Campogalliani), Il vetturale del Moncenisio (Le postillon du Mont-Cenis) (Negroni) ; 1928, Gli ultimi zar (Negroni), Giuditta e Oloferne (Negroni).

Prédécesseur de Tarzan et de James Bond, il fut le premier athlète du cinéma. Docker à Gênes, il avait été choisi par Pastrone pour interpréter un esclave d'une force colossale dans *Cabiria*. Le personnage de Maciste devint si populaire qu'il donna naissance à une série qui assura la fortune du docker. On y voyait le bon géant affronter fauves et bandits et les terrasser grâce à la puissance de ses muscles.

Page, Geneviève

Actrice française, de son vrai nom Bonjean, née en 1927.

1950, Ce siècle a cinquante ans (Tual), Pas de pitié pour les femmes (Stengel) ; 1951, Fanfan la Tulipe (Christian-Jaque) ; 1952, Lettre ouverte à un mari (Joffé) ; 1953, L'étrange désir de M. Bard (Radvanyi), Nuits andalouses (Cloche) ; 1956, Foreign Intrigue (L'énigmatique M.D.) (Sheldon Reynolds), The Silken Affair (Kelino), Michel Strogoff (Gallone) ; 1957, Un amour de poche (Kast), Agguato a Tangeri (Freda) ; 1959, Song Without End (Le bal des adieux) (Ch. Vidor) ; 1961, Cherchez la femme (André), El Cid (A. Mann) ; 1962, Le jour et l'heure (Clément) ; 1968, L'honorable Stanislas, agent secret (Dudrumet) ; 1964, Youngblood Hawks (Daves) ; 1965, Trois chambres à Manhattan (Carné), Le majordome (Delannoy), L'or et le plomb (Cuniot) ; 1966, Tendre voyou (Becker), Belle de jour (Buñuel), Grand Prix (Frankenheimer) ; 1968, Mayerling (T. Young), Decline and Fall of a Bird Watcher (L'amateur) (Krish), A Talent for Loving (Quine) ; 1970, The Private Life of Sherlock Holmes (La vie privée de Sherlock Holmes) (Wilder) ; 1971, La cavale (Mitrani), Broder Carl (Sontag) ; 1973, Décembre (Lakhdar-Hamina) ; 1974, L'embryon (Bell) ; 1977, Nasty Habits (Drôles de manières) (Lindsay-Hogg) ; 1979, Buffet froid (Blier) ; 1982, Mortelle randonnée (Miller) ; 1986, Aria (ép. Altman) ; 1987, Beyond Therapy (Beyond Therapy) (Altman) ; 1989, Les bois noirs (Deray) ; 1992, L'inconnu dans la maison (Lautner) ; 1999, Lovers (Barr).

Fortes études théâtrales : Sorbonne, cours Simon, Conservatoire. Elle joue à la Comédie-Française, au TNP, chez Barrault. Nombreuses apparitions à l'écran où sa blondeur fait merveille, de *Michel Strogoff* au *Cid* où elle est la princesse rivale de Chimène. Ayant joué à Broadway, elle a même tourné des films aux États-Unis. Mais sa préférence va à la scène, du *Soulier de satin* au *Canard à l'orange*. Excellente néanmoins dans un rôle équivoque comme celui de l'entremetteuse de *Belle de jour*.

Page, Geraldine

Actrice américaine, de son vrai prénom Sue, 1924-1987.

1952, Taxi (Ratoff) ; 1953, Hondo (Hondo) (Farrow) ; 1961, Summer and Smoke (Été et fumées) (Glenville) ; 1962, Sweet Bird of Youth (Doux oiseau de jeunesse) (Brooks) ; 1963, Toys in the Attic (Le tumulte) (Roy Hill) ; 1964, Dear Heart (D. Mann) ; 1966, You're a Big Boy Now (Big boy) (Coppola), The Three Sisters (Bogart) ; 1967, Monday's Child (Torre Nilsson), The Happiest Millionaire (Tokar) ; 1969, What Ever Happened to Aunt Alice ? (Qu'est-il arrivé à Tante Alice ?) (Katzin), Truman Capote's Trilogy (Perry) ; 1971, The Beguiled (Les proies) (Siegel) ; 1972, Pete'n'Tillie (Pete et Tillie) (Ritt), J.W. Coop (Robertson) ; 1973, Happy as the Green Was Green (Davis) ; 1974, The Day of the Locust (Le jour du fléau) (Schlesinger) ; 1976, Nasty Habits (Lindsay-Hogg) ; 1978, Interiors (Intérieurs) (W. Allen), The Three Sisters (Bogart) ; 1981, Honky Tonk Freeway (Schlesinger) ; 1982, I'm Dancing as Fast as I Can (Hoffsing) ; 1984, The Pope of Greenwich Village (Le pape de Greenwich Village) (Rosenberg) ; 1985, The Bride (Roddam), White Nights (Soleil de nuit) (Hackford), Flanagan (Goldstein) ; 1986, Beate Klarsfeld (Lindsay-Hogg), The Trip to Bountiful (Mémoires du Texas) (Masterson), Walls of Glass (Les murs de verre) (Goldstein), My Little Girl (Kaiserman) ; 1987, Native Son (Native Son) (Freeman).

Avant tout une actrice dramatique (elle a fait beaucoup de théâtre filmé, notamment plusieurs versions des *Trois sœurs*), elle sut à l'écran être émouvante dans *Hondo* et fut plusieurs fois nommée pour des oscars. Elle a été mariée au violoniste Alfred Schneider. Redécouverte dans *Mémoires du Texas* pour lequel elle obtient enfin un oscar en 1985.

Pager, Antal

Acteur hongrois, 1899-1986.

1957, Dani (Szemes) ; 1959, Tegnap (Keleti) ; 1960, Zapor (Kovacs) ; 1964, Hattyudal (Keleti), Pacsirta (Alouette) (Radony) ; 1967, Utoszezon (Fabri) ; 1968, Kartyavar (Hintsch).

En fait plus de 130 films hongrois sont à mettre au compte de cet acteur qui débuta en 1919 au Szeged Theatre avant de s'orienter vers le cinéma à l'avènement du parlant. Parti en Argentine, il y vécut douze ans avant de regagner sa patrie en 1956. Revu en 1980 dans *Deux histoires d'un passé tout récent* de Makk.

Paget, Debra

Actrice américaine, de son vrai nom Debralee Griffin, née en 1933.

1948, Cry of the City (La proie) (Siodmak) ; 1949, House of Strangers (La maison des étrangers) (Mankiewicz) ; 1950, Broken Arrow (La flèche brisée) (Daves) ; 1951, Fourteen Hours (Quatorze heures) (Hathaway),

Anne of the Indies (La flibustière des Antilles) (Tourneur), Bird of Paradise (L'oiseau du Paradis) (Daves) ; 1952, Belles on Their Toes (Levin), Les misérables (Milestone), Stars and Strips for Ever (Koster) ; 1954, Prince Valiant (Prince Vaillant) (Hathaway), Demetrius and the Gladiators (Les gladiateurs) (Daves), Princess of the Nile (Jones) ; 1955, White Feather (Webb), Seven Angry Men (Warren) ; 1966, The Ten Commandments (Les 10 commandements) (DeMille), The Last Hunt (La dernière chasse) (Brooks), Love Me Tender (Le cavalier du crépuscule) (Webb) ; 1957, Omar Khayyam (Les amours d'Omar Khayyam) (Dieterle), The River's Edge (Dwan) ; 1958, From the Earth to the Moon (De la Terre à la Lune) (Haskin) ; 1959, Der Tiger von Eschnapur (Le tigre du Bengale) et Das Indische Grabmal (Le tombeau hindou) (F. Lang) ; 1960, Why Must I Die ? (Del Ruth) ; 1961, Cleopatra's Daughter/Il sepolcro dei Re (Cerchio), The Most Dangerous Man Alive (Dwan) ; 1962, Tales of Terror (L'empire de la terreur) (Corman) ; 1963, The Haunted Palace (La malédiction d'Arkham) (Corman).

Deux raisons pour le cinéphile d'aimer cette splendide créature spécialisée dans les emplois exotiques : elle fut mariée vingt-deux jours au réalisateur Boetticher et elle dansait de façon inoubliable pour charmer un serpent venimeux dans *Le tombeau hindou* de l'ami Fritz.

Pagliero, Marcello

Acteur et réalisateur italien, 1907-1980.

1945, Roma citta aperta (Rome ville ouverte) (Rossellini) ; 1947, Les jeux sont faits (Delannoy), Dédée d'Anvers (Y. Allégret) ; 1948, La voix du rêve (Paulin), L'altra (Bragaglia) ; 1952, Tourbillon (Rode) ; 1957, The Seven Thunders (Les sept tonnerres) (Fregonese) ; 1959, Le bel âge (Kast) ; 1960, Les mauvais coups (Leterrier) ; 1965, Nick Carter et le trèfle rouge (Savignac), Je vous salue Mafia (Lévy). *Pour le metteur en scène*, voir le *Dictionnaire du cinéma*, t. I : *Les réalisateurs*.

Le réalisateur n'a pas éclipsé l'acteur révélé par Rossellini et qui fut le marin qui séduisait Simone Signoret avant d'être abattu par Dalio dans *Dédée d'Anvers*, sans oublier le militant ouvrier qui tombait amoureux de la riche bourgeoise... au royaume des ombres, dans *Les jeux sont faits*.

Pagnol, Jacqueline

Actrice française, de son nom de jeune fille Bouvier, née en 1926.

1942, Les ailes blanches (Péguy), La maison des sept jeunes filles (Valentin) ; 1943, Adieu Léonard (Prévert), Service de nuit (Faurez) ; 1945, Naïs (Leboursier) ; 1948, La belle meunière (Pagnol) ; 1950, Le rosier de madame Husson (Boyer), Topaze (Pagnol) ; 1951, Adhémar (Fernandel) ; 1952, Manon des sources (Pagnol) ; 1953, Carnaval (Pagnol) ; 1956, La terreur des dames (Boyer).

Avant de devenir l'épouse de Marcel Pagnol, elle avait été actrice au sortir du cours de Dullin dans des films mineurs. Elle fut Cricri dans *Les ailes blanches*, et Coco dans *La maison des sept jeunes filles*. Mais elle ne dut, bien que déjà vedette, la célébrité qu'aux derniers films (peu enthousiasmants) de Marcel Pagnol.

Pailhas, Géraldine

Actrice française née en 1971.

1991, Les arcandiers (Sanchez), La neige et le feu (Pinoteau) ; 1992, IP5 (Beineix) ; 1992, Comment font les gens (Bailly) ; 1993, La folie douce (F. Jardin) ; 1994, Tom est tout seul (Onteniente), Suite 16 (Deruddere), Don Juan DeMarco (Don Juan DeMarco) (Leven) ; 1995, Le garçu (Pialat), Lumière et compagnie (Moon) ; 1996, Les randonneurs (Harel) ; 1999, Peut-être (Klapisch), La parenthèse enchantée (Spinosa) ; 2000, La chambre des officiers (Dupeyron) ; 2002, L'adversaire (Garcia) ; 2003, Le coût de la vie (Le Guay) ; 2004, Une vie à t'attendre (Klifa), 5 × 2 (Ozon), Les revenants (Campillo) ; 2005, Les chevaliers du ciel (Pirès) ; 2006, Le héros de la famille (Klifa), Je pense à vous (Bonitzer) ; 2007, Le prix à payer (Leclère).

Brunette piquante révélée (comme Sophie Marceau) par Pinoteau, elle est l'objet de tous les rêves de Johnny Depp dans *Don Juan DeMarco*. Joli parcours !

Pain, Didier

Acteur français.

1980, Le bar du téléphone (Barrois), Clara et les chics types (Monnet) ; 1982, Prends ton passe-montagne, on va à la plage (Matalon) ; 1984, Marche à l'ombre (Blanc) ; 1985, le thé au harem d'Archimède (Charef), European Vacation (Bonjour les vacances 2) (Heckerling), Jean de Florette (Berri), Manon des sources (Berri) ; 1986, Nuit d'ivresse (Nauer), Les fugitifs (Veber), Lévy et Goliath (Oury) ; 1987, Le bonheur se porte large (Métayer), Les keufs (Balasko) ; 1988, La vouivre (Wilson), Mes meilleurs copains (Poiré) ; 1989, La gloire de mon père (Robert), Le château de ma mère (Robert) ; 1990, Veraz (Castano), Mohamed Bertrand Duval (Métayer), Triplex (Lautner) ; 1991, Le bal des casse-pieds (Robert) ; 1992, Les visiteurs (Poiré), Le bâtard de Dieu (Fechner) ; 1997, Le bossu (Broca).

Une courte carrière pour ce sympathique second couteau à la truculence bien méridionale, remarqué en oncle Jules dans *La gloire de mon père* et sa suite, puis en seigneur moyenâgeux dans *Les visiteurs*. Accessoirement oncle de Vanessa Paradis.

Palance, Jack

Acteur américain, de son vrai nom Vladimir Palanuik, 1919-2006.

1950, Panic in the Streets (Panique dans la rue) (Kazan) ; 1951, Halls of Montezuma (Okinawa) (Milestone) ; 1952, Sudden Fear (Le masque arraché) (Miller) ; 1953, Second Chance (Passion sous les tropiques) (Mate), Shane (L'homme des vallées perdues) (Stevens), Arrowhead (Le sorcier du Rio Grande) (Warren), Flight to Tanger (Vol sur Tanger) (Warren), Man in the Attic (Le tueur de Londres) ; 1954, The Silver Chalice (Le calice d'argent) (Saville), Sign of the Pagan (Le signe du païen) (Sirk) ; 1955, Kiss of Fire (El tigre) (Newman), I Died a Thousand Times (La peur au ventre) (Heisler), The Big Knife (Le grand couteau) (Aldrich) ; 1956, Attack (Attaque) (Aldrich) ; 1957, The Lonely Man (Jicop le proscrit) (Levin), House of Numbers (La cage aux hommes) (Rouse) ; 1958, The Man Inside (Signe particulier : néant) (Gilling), Ten Seconds to Hell (Tout près de Satan) (Aldrich) ; 1959, Flor de Mayo (Le tumulte des sentiments) (Gavaldon), Austerlitz (Gance), The Barbarians (Rewak le rebelle) (Mate) ; 1961, Il giudizio universale (Le jugement dernier) (de Sica), I Mongoli (Les Mongols) (De Toth), Rosmundo e Alboino (Le glaive du conquérant) (Campogaliani), La guerra continua (La dernière attaque) (Savona), Barabbas (Fleischer) ; 1963, Il criminale (Baldi) ; 1964, Le mépris (Godard) ; 1965, Once a Thief (Les tueurs de San Francisco) (Nelson) ; 1966, The Professionals (Les professionnels) (Brooks), The Spy in the Green Hat (L'espion au chapeau vert) (Sargent) ; 1967, Torture Garden (Le jardin des tortures) (Francis), Kill a Dragon (Trafic dans la terreur) (Moore) ; 1968, Che (Che) (Fleischer), Sudario di Sabbia – Las Vegas 500 milliones (Les hommes de Las Vegas) (Isasi), The Desperados (La haine des desperados) (Levin) ; 1969, Il mercenario (Le mercenaire) (Corbucci), Justine ovvero le disaventure della virtu (Justine, les infortunes de la vertu) (Franco), La legione dei dannati (La légion des damnés) (Lenzi), Urio dei giganti (Pas de pitié pour les héros) (Mankiewicz) ; 1970, Monte Walsh (Fraker), The Horsemen (Les cavaliers) (Frankenheimer), Vamos a matar compañeros (Les compañeros) (Corbucci) ; 1971, The Mac Masters (Le clan des Mac Masters) (Kjellin), Chato's Land (Les collines de la terreur) (Winner) ; 1972, Te Deum (Castellari), Si puo fare amigo (Amigo, mon colt a deux mots à te dire) (Lucidi), Oklahoma Crude (L'or noir de l'Oklahoma) (Kramer) ; 1973, Craze (Francis), Dracula (Curtis) ; 1974, Blue gang e vissero per sempre felici e ammazzati (Le gang des frères Blue) (Meyer) ; 1975, Africa Express (Lupo), L'infirmiera (Défense de toucher) (Rossati), Il richiamo del Lupo (Baldanello), The Four Deuces (Bushnell Jr.) ; 1976, God's Gun (Les impitoyables) (Kramer), Squadra antiscippo (Flics en jeans) (Corbucci), Sangue di sbirro (Pour un dollar d'argent) (Al Bradley), Attenti amici, c'e uno tranello (Lannut), Eva nera (D'Amato), Safari Express (Les sorciers de l'île aux singes) (Tessari) ; 1977, Il padron della citta (Di Leo), Welcome to Blood City (Sasdy) ; 1978, Seven from Heaven (Sept filles en or) (Clark), Un-known Powers (Como) ; 1979, The Shape of Things to Come (McCowan), Cocaine Cow-Boys (Lommel), The Ivory Tape (Kotani) ; 1980, Hell's Brigade (H. Mankiewicz), Hawk the Slayer (Terry Marcel), One Man Jury (Flic, juge et bourreau) (Martin), Whithout Warning (Terreur extraterrestre) (Clark) ; 1982, Alone in The Dark (Sholder) ; 1983, Paura in citta' (La peur règne sur la ville) (Rosati) ; 1984, Portrait of a Hitman (The Last Contract) (Buckhantz) ; 1987, Gor (Kiersh), Bagdad Cafe (Adlon) ; 1988, Young Guns (Young Guns) (Cain) ; 1989, Tango and Cash (Tango et Cash) (Konchalovsky), Batman (Batman) (Burton), Outlaw of Gor (Cardos) ; 1990, Solar Crisis (Sarafian) ; 1991, City Slickers (La vie, l'amour, les vaches) (Underwood) ; 1993, Cyborg II : Glass Shadows (Schroeder) ; 1994, Cops and Robbersons (Ritchie), City Slickers 2 : the Legend of Curly's Gold (L'or de Curly) (Weiland) ; 1997, Marco Polo (Erschbamer), Treasure Island (Rowe).

Pas tout à fait une vedette, mais déjà plus qu'un troisième couteau. Son visage rugueux et asiatique (il est fils d'immigrants russes), refait après des blessures de guerre, sa force physique, son jeu volontairement excessif en ont fait l'interprète idéal de personnages de tueurs (*Shane*), d'Indiens (*Arrowhead*), de têtes brûlées (*Attack*) ou de Mongols (*I Mongoli*). Mais son immense talent lui permit aussi de jouer dans un film de Godard ou dans une œuvre d'Abel Gance, d'être le Che puis Dracula. Dommage qu'il se soit égaré, après des débuts éblouissants, dans des productions de second ordre, dont les metteurs en scène sont dépourvus de toute notoriété. *Nostalgia* lui a consacré un numéro spécial. En 1991, il obtient un oscar pour *City Slickers*.

Palau, Pierre

Comédien français, de son vrai nom Palau del Vidri, 1883-1966.

1912, Le duel de Max (Linder) ; 1922, Triplepatte (Bernard) ; 1931, Coiffeur pour dames (Guissart), Côte d'Azur (Capellani), La chance (Guissart), Quand te tues-tu ? (Capellani), Rien que la vérité (Guissart) ; 1932, Les deux « monsieur » de Madame (Gandera), La dame de chez Maxim's (Korda), Le truc du Brésilien (Cavalcanti) ; 1933, Knock (Jouvet), Faut réparer Sophie (Ryder), Les bleus du ciel (Decoin) ; 1934, Zou-Zou (Allégret), L'hôtel du libre-échange (Allégret), Si j'étais le patron (Pottier), Prince de minuit (Guissart), Dactylo se marie (Pujol et May) ; 1935, Tovaritch (Deval), Fanfare d'amour (Pottier), Jeunes filles à marier (Vallée), Touche à tout (Dréville) ; 1936, Jeunes filles de Paris (Vermorel), La reine des resquilleuses (Glass et Gastyne) ; 1937, L'habit vert (Richebé), L'homme de nulle part (Chenal), La dame de pique (Ozep), La belle de Montparnasse (Cammage) ; 1938, Trois artilleurs à l'Opéra (Chotin), Tragédie impériale (L'Herbier), L'affaire Lafarge (Chenal), Carrefour (Bernhardt), Le paradis des voleurs (Marsoudet), Vacances payées (Cammage) ; 1939, La famille Duraton (Stengel), La charrette fantôme (Duvivier) ; 1941, Ce n'est pas moi (Baroncelli), Annette et la dame blonde (Dréville) ; 1942, Picpus (Pottier), Le comte de Monte-Cristo (Vernay), La main du diable (Tourneur), Madame et le mort (Daquin), Huit hommes dans un château (Pottier) ; 1943, Je suis avec toi (Decoin), Le corbeau (Clouzot), La ferme aux loups (Pottier), La boîte aux rêves (Allégret), L'aventure est au coin de la rue (Daniel-Norman) ; 1944, Les enfants du Paradis (Carné), La fiancée des ténèbres (Poligny), Florence est folle (Lacombe), Mademoiselle X (Billon) ; 1945, Jéricho (Calef), L'impasse (Dard), L'affaire du Grand Hôtel (Hugon), Boule de suif (Christian-Jaque), L'insaisissable Frédéric (Pottier) ; 1946, Le diable au corps (Autant-Lara), Les chouans (Calef), Messieurs Ludovic (Le Chanois), La danse de mort (Cravenne), L'affaire du collier de la reine (L'Herbier), La rose de la mer (Baroncelli) ; 1947, Rumeurs (Daroy), La dame d'onze heures (Devaivre), Le carrefour du crime (Sacha) ; 1948, La ferme des sept péchés (Devaivre), La louve (Radot), Cartouche (Radot) ; 1949, Un trou dans le mur (Couzinet), Le jugement de Dieu (Bernard), Mademoiselle de La Ferté (Dallier), Amour et compagnie (Grangier) ; 1950, Dakota 308 (Daniel-Norman) ; 1951, Trois femmes (Michel), Le plaisir (Ophuls), Gibier de potence (Richebé) ; 1952, Agence matrimoniale (Le Chanois), Belles de nuit (Clair), Le chemin de Damas (Glass) ; 1953, L'affaire Maurizius (Duvivier) ; 1954, Nana (Christian-Jaque) ; 1955, Les grandes manœuvres (Clair), Marguerite de la nuit (Autant-Lara) ; 1956, Mitsou (Audry) ; 1960, Le farceur (Broca) ; 1961, Auguste (Chevallier), Les amours célèbres (Boisrond) ; 1962, Les vierges (Mocky) ; 1965, La communale (L'Hôte) ; 1966, Le roi de cœur (Broca).

Une petite silhouette effacée de vieillard, clerc de notaire ou fonctionnaire retraité, tel était le personnage que composait habituellement ce Parisien qui fut premier prix du Conservatoire en 1905. Mais que l'on y prenne garde : c'est peut-être le diable avec qui l'on vient de pactiser !

Palin, Michael

Acteur anglais né en 1943.

1971, And Now for Something Completely Different (Pataquesse/La première folie des Monty Python) (McNaughton) ; 1975, Monty Python and the Holy Grail (Monty Python : Sacré Graal !) (Gilliam, Jones) ; 1977, Monty Python Meets Beyond the Fringe (Miller), Jabberwocky (Jabberwocky) (Gilliam) ; 1979, Life of Brian (Monty Python : La vie de Brian) (Jones) ; 1981, Time Bandits (Bandits, bandits) (Gilliam), The Secret Policeman's Ball (Graef), The Secret Policeman's Other Ball (Graef, Temple) ; 1982, The Missionary (Loncraine), Monty Python Live at the Hollywood Bowl (Monty Python à Hollywood) (T. Hughes) ; 1983, Monty Python's The Meaning of Life (Monty Python : Le sens de la vie) (Jones) ; 1985, A Private Function (Porc royal) (Mowbray), Brazil (Brazil) (Gilliam) ; 1988, A Fish Called Wanda (Un poisson nommé Wanda) (Crichton) ; 1991, American Friends (Powell) ; 1996, The Wind in the Willows (Jones) ; 1997, Fierce Creatures (Créatures féroces) (R. Young).

Il rencontre Terry Jones alors qu'il est étudiant à Oxford et, quelques années plus tard, le duo devient quintet et prend le nom des Monty Python. Racé et élégant comme John Cleese, Palin est pourtant moins connu que ce dernier, ses rares apparitions cinématographiques, en dehors des films estampillés Monty Python, se limitant surtout aux farces *Un poisson nommé Wanda* et *Créatures féroces*, néanmoins tournées avec la complicité de certains de ses partenaires habituels.

Pallette, Eugene

Acteur américain, 1889-1954.

1913, The Tattooed Arm, When Jim Returned, Broken Nose Bailey, Monroe ; 1914, The Peach Brand, The Sheriff's Prisoner, The Horse Wranglers, The Burden, On the Border ; 1915, The Birth of a Nation (Naissance d'une nation) (Griffith), The Story of a Story, After Twenty Years, The Highbinders, The Death Doll, The Penalty, When Love Is Mocked, Isle of Content, How Hazel Got Even, Spell of the Poppy, The Emerald Brooch, The Ever-Living Isles, The Scarlet Lady ; 1916, Hell to Pay Austin, Intolerance (Griffith), Gretchen the Greenhorn, Children in the House, Whispering Smith, His Guardian Angel, Going Straight, Sunshine Dad, Runaway Freight, Diamond in the Rough ; 1917, The Purple Scar, Lonesome Chap, The Winning of Sally Temple, The Victim, Heir of the Ages, Ghost House, The Bond Between, The Marcellini Millions, World Apart, A Man's Man, Each of His Kind ; 1918, His Robe of Honor, Madame Who, Tarzan of the Apes (Tarzan chez les singes) (Sidney), Vivette, The Turn of a Card, Breakers Ahead, No Man's Land ; 1919, Be a Little Sport, The Amateur Adventuress, Fair and Warmer, Words and Music by... ; 1920, Terror Island, Alias Jimmy Valentine, Parlor, Bedroom and Bath ; 1921, The Three Musketeers (Niblo), Fine Feathers (Sittenham) ; 1922, Two Kinds of Women (Campbell), Without Compromise (Flynn) ; 1923, The Ten Commandments (Les dix commandements) (DeMille), A Man's Man (Apfel), Hell's Hole (Flynn), To the Last Man (Fleming), North of the Hudson Bay (Ford) ; 1924, The Wolf Man (Mortimer), The Cyclone Rider (Buckingham), The Galloping Fish (Andrews), Wandering Husbands (Beaudine) ; 1925, The Light of Western Stars (Howard), Ranger of the Big Pines (Van Dyke), Without Mercy (Melford), Wild Horse Mesa (Seitz) ; 1926, Mantrap (Fleming), Desert Valley (Dunlap), Rocking Moon (Melford), Whispering Smith (Melford), Yankee Senor (Flynn), The Fighting Edge (Lehrman), Whispering Canyon (Forman) ; 1927, Chicago (Urson), Moulders of Men (Ince), The Second Hundred Years (Guiol), Battle of the Century (Bruckman), Out of the Ruins (Dillon), Lights of New York (Foy), The Red Mark (Cruze), His Private Life (Tuttle) ; 1929, The Canary Murder Case (St. Clair), The Green Murder Case (Tuttle), The Studio Murder Mystery (Tuttle), The Dummy (Milton), Pointed Heels (Sutherland), The Virginian (Fleming), The Love Parade (Parade d'amour) (Lubitsch) ; 1930, Follow Thru (Schwab et Corrigan), The Kibitzer (Sloman), Slighty Scarlet (Gasnier), The Border Legion (Howard), Sea Legs (Heerman), The Benson Murder Case (Tuttle), Santa Fe Trail (Brower et Knopf), The Sea God (Abbott), Let's Go Native (McCarey), Men Are Like That (Tuttle), Paramount on Parade (Lubitsch, Arzner, etc.), Play-Boy of Paris (Berger) ; 1931, Fighting Caravans (Brower), Dude Ranch (Tuttle), Gun Smoke (Sloman), Girls about Town (Cukor) ; 1932, Tom Brown of Culver (Wyler), Shanghai Express (Sternberg), Wild Girl (Walsh), Strangers of the Evening (Humberstone), Dancers in the Dark (Burton), The Night Mayor, Thunder Below (Wallace), The Half-Naked Truth (La Cava) ; 1933, Storm at Daybreak (Boleslavsky), Made on Broadway (Beaumont), Hell Below (Conway), The Shanghai Madness (Blystone), The Kennel Murder Case (Curtiz) ; 1934, Caravan (Charell), The Dragon Murder Case (Humberstone), Cross Country Cruise (Buzzell), Strictly Dynamite (Nugent) ; 1935, Baby Face Harrington (Walsh), Steamboat 'round the Bend (Ford), Bordertown (Ville frontière) (Mayo), Black Sheep (Dwan), All the King's Horses (Tuttle), The Ghost Goes West (Fantôme à vendre) (Clair) ; 1936, The Golden Arrow (Green), My Man Godfrey (La Cava), The Luckiest Girl in the World (Buzzell) ; 1937, Song of the City (Taggert), Topper (Le couple invisible) (McLeod), Clarence, One Hundred Men and a Girl (Deanna et ses boys) (Koster), She Had to Eat (St. Clair), The Crime Nobody Saw (Barton) ; 1938, The Adventures of Robin Hood (Les aventures de Robin des Bois) (Curtiz, Keighley), There Goes My Heart (McLeod) ; 1939, First Love (Koster), Wife, Husband and Friend (Ratoff), Mr Smith Goes to Washington (M. Smith au Sénat) (Capra) ; 1940, Sandy Is a Lady (Lamont), Young Tom Edison (Taurog), He Stayed for Breakfast (Hall), It's a Date (Seiter), A Little Bit of Heaven (Marton), The Mark of Zorro (Le signe de Zorro) (Mamoulian) ; 1941, Unfinished Business (La Cava) ; Ride, Kelly, Ride (Foster), World Premiere (Tetzlaff), The Bride Came COD (Keighley), The Lady Eve (Un cœur pris au piège) (Sturges), Swamp Water (L'étang tragique) (Renoir), Appointment for Love (Seiter) ; 1942, Almost Married (Lamont), The Male Animal (Nugent), Are Husbands Necessary ? (Taurog), Tales of Manhattan (Six destins) (Duvivier), The Big Street (Reis), Lady in a Jam (La Cava) ; The Forest Rangers (La fille de la forêt) (Marshall), Silver Queen (Bacon) ; 1943, It Ain't Hay (Kenton), The Gang's All Here (Banana Split) (Berkeley), The Kansan (Archainbaud), Slightly Dangerous (Ruggles), Heaven Can Wait (Le ciel peut attendre) (Lubitsch) ; 1944, Pin-Up Girl (Humberstone), In the Meantime, Darling (Preminger), Heavenly Days (Estabrook), Step Lively (Whelan), Sensations of 1945 (Stone), The Laramie Trail (English), Lake Placid Serenade (Sekely) ; 1945, The Cheaters (Kane) ; 1946, Suspense (Tuttle), In Old Sacramento (Jack l'Espagnol) (Kane).

Il a joué les rondeurs depuis le muet (mais en devenant toujours plus rond). Sa filmographie est abondante, trop sans doute, mais il fut excellent à la Columbia, chez Capra et Hall, et comment oublier le joyeux moine, frère Tuck, compagnon de Robin des Bois, dans le fameux film de Curtiz ?

Palma, Rossy de

Actrice espagnole, de son vrai nom Rosa Elena García, née en 1964.

1986, La ley del deseo (La loi du désir) (Almodóvar) ; 1987, Mujeres al borde de un ataque de nervios (Femmes au bord de la crise de nerfs) (Almodóvar), Prima de natale (Martino) ; 1988, Atame ! (Attache-moi !) (Almodóvar), Alguna signora per bene (Mercero) ; 1989, Mi querido fantasma (Mercero) ; 1990, Sam suffit (Thevenet), Los gusanos no llevan bufanda (Elorrieta) ; 1991, Don Juan my love (Mercero) ; 1992, Acción mutante (Action mutante) (De La Iglesia), Aqui, el que no corre… vuela (Fernández) ; 1993, Kika (Kika) (Almodóvar) ; 1994, Ready to Wear (Prêt-à-porter) (Altman), Peggio di cosi si muore (Le cri de la lavande dans le champ de sauterelles) (Cesena), El perque de tot plegat (Le comment et le pourquoi) (Pons) ; 1995, Talk of Angels (Hamm), La flor de mi secreto (La fleur de mon secret) (Almodóvar) ; 1997, Franchesca Page (Sane), Cuerpo en el bosque (Jorda), La femme du cosmonaute (Monnet), Hors jeu (Dridi), Spanish Fly (Spanish Fly) (Kastner) ; 1998, The Loss of Sexual Innocence (La fin de l'innocence sexuelle) (Figgis) ; 1999, Nag la bombe (Milési) ; 2000, L'origine du monde (J. Enrico) ; 2002, Le boulet (Berbérian) ; 2003, Laisse tes mains sur mes hanches (Lauby) ; 2004, People Jet Set 2 (Onteniente) ; 2005, Double zéro (Pirès), 20 centrimétros (20 centimètres) (Salazar) ; 2006, Les aristos (Turckheim), Mes copines (Ayme), Separate Lies (Fellowes).

Figure importante de la Movida espagnole, elle a souvent joué dans les films d'Almodóvar, son rôle le plus important étant celui de la bonne nymphomane de Kika. Un des visages les plus tordus de l'histoire du cinéma, qui lui a valu de devenir une égérie de Jean-Paul Gaultier.

Palmer, Lilli

Actrice d'origine allemande, de son vrai nom Peiser, 1914-1986.

1932, Rivaux de la piste (Poligny) ; 1935, Crime Unlimited (Ince) ; 1936, First Offence (Mason), Wolf's Clothing (Marton), The Secret Agent (Quatre de l'espionnage) (Hitchcock) ; 1937, Good Morning, Boys (Varnel), The Great Barrier (Rosmer), Sunset Vienna (N. Walker), Command Performance (Royston) ; 1938, Crackerjack (Courville) ; 1939, A Girl Must Live (Reed), Blind Folly (Denham) ; 1940, The Door with Seven Locks (Lee), Thunder Rock (Boulting) ; 1943, The Gentle Sex (Howard, Elvey) ; 1944, English without Tears (French) ; 1945, The Rake's Progress (Gilliat) ; 1946, Beware Pity (Elvey), Cloak and Dagger (Cape et poignard) (Lang) ; 1947, Body and Soul (Sang et or) (Rossen), My Girl Tisa (Nugent) ; 1948, No Minor Vices (Milestone) ; 1949, Hans le marin (Villiers) ; 1951, The Long Dark Hall (Bushell) ; 1952, The Four Poster (Le ciel de lit) (Reis) ; 1953, Main Street to Broadway (Garnett) ; 1954, Feuerwerk (Feu d'artifice) (Hoffmann) ; 1956, Anastasia (Litvak), Swischen Zeit und Ewigkeit (La dernière escale) (Rabenalt) ; 1957, La vie à deux (Duhour) ; 1958, Mädchen in Uniform (Jeunes filles en uniforme) (Radvanyi), Montparnasse 19 (Becker) ; 1959, But Not for Me (La vie à belles dents) (W. Lang) ; 1960, Gewerbe (La profession de Mme Warren) (Rathony) ; 1961, Frau Cheney's Ende (Wild), The Pleasure of His Company (Seaton), Leviathan (Keigel), Le rendez-vous de minuit (Leenhardt) ; 1962, The Miracle of the White Stallion (Le grand retour) (Hiller), L'amore dificile (Amours difficiles) (Sollima, Lucignani...), Adorable Julia (Weidenmann) ; 1963, Das Grosse Liebesspiel (La ronde) (Weidenman), Beta Som (Défi à Gibraltar) (Frend) ; 1964, Le grain de sable (Kast) ; 1965, The Amorous Adventures of Moll Flanders (Moll Flanders) (T. Young), Operation Crossbow (Anderson), Le tonnerre de Dieu (La Patellière) ; 1966, Zwei Girls vom roten Stern (Drechsel), Der Kongress amüsiert sich (Le congrès s'amuse) (Radvanyi), Le voyage du père (La Patellière) ; 1967, Jack of Diamonds (D. Taylor), Sebastian (D. Greene), Œdipus the King (Saville) ; 1968, Nobody Runs Forever (Mandat d'arrêt) (Thomas) ; 1969, Hard Contract (Pogostin), De Sade (Endfield), La peau de torpédo (Delannoy), La residencia (La résidence) (Senador) ; 1972, Murders in the Rue Morgue (Hessler) ; 1975,

Lotte in Weimar (Gunther) ; 1978, The Boys from Brazil (Ces garçons qui venaient du Brésil) (Schaffner) ; 1985, The Holcroft Covenann (Frankenheimer).

D'origine allemande (elle est née à Posen), c'est en Angleterre qu'elle fait ses débuts à l'écran après avoir été chassée de Berlin où elle avait commencé à jouer sur scène. A Londres, elle interprète plusieurs films importants dont un Hitchcock. En 1945, elle part pour Hollywood avec son premier mari Rex Harrison. Elle revient en Europe vers 1954 et tourne un peu n'importe où. Elle a épousé en 1958 l'acteur Carlos Thompson.

Palminteri, Chazz

Acteur américain, de son vrai prénom Calogero, né en 1951.

1986, Wise Guys (De Palma) ; 1989, An Even Break (Kant) ; 1991, Oscar (L'embrouille est dans le sac) (Landis) ; 1992, There Goes the Neighborhood (Phillips), Innocent Blood (Innocent Blood) (Landis) ; 1993, A Bronx Tale (Il était une fois le Bronx) (De Niro) ; 1994, Bullets Over Broadway (Coups de feu sur Broadway) (Allen), The Usual Suspects (Usual suspects) (Singer), The Perez Family (Nair) ; 1995, Jade (Jade) (Friedkin), Mulholland Falls (Les hommes de l'ombre) (Tamahori), Diabolique (Diabolique) (Chechik) ; 1997, Scarred City (Sanzel) ; 1998, Hurlyburly (Drazan), A Night at the Roxbury (Une nuit au Roxbury) (Fortenberry), Cadaveri eccellenti (R. Tognazzi), Analyze This (Mafia Blues) (Ramis), Company Man (Company Man) (McGrath et Askin) ; 2000, I Was Made to Love Her (C. & P. Weitz) ; 2001, One Eyed King (Moresco).

D'abord spécialisé dans les rôles de gangsters italo-américains dans des feuilletons télé (il a le physique de l'emploi), il écrit et monte par la suite une pièce intitulée *A Bronx Tale*, dans laquelle il interprète tous les personnages (35 au total). Succès critique et public immédiat, ce qui le pousse à adapter sa pièce pour le cinéma, avec lui-même dans le premier rôle, et Robert De Niro derrière la caméra. A nouveau, le succès. A quarante ans, Palminteri est lancé.

Paltrow, Gwyneth

Actrice américaine née en 1972.

1991, Shout (Hornaday), Hook (Hook, la revanche du capitaine Crochet) (Spielberg) ; 1993, Malice (Malice) (Becker), Flesh and Bone (Flesh and Bone) (Kloves) ; 1994, Mrs. Parker and the Vicious Circle (Mrs. Parker et le cercle vicieux) (Rudolph) ; 1995, Seven (Seven) (Fincher), Moonlight and Valentino (Moonlight and Valentino) (Anspaugh), Jefferson in Paris (Jefferson à Paris) (Ivory) ; 1996, The Pallbearer (Reeves), Sydney/Hard Eight (Anderson), Emma (Emma l'entremetteuse) (McGrath), Hush (Du venin dans les veines) (Darby) ; 1997, Sliding Doors (Pile & face) (Howitt), Great Expectations (De grandes espérances) (Cuaròn), A Perfect Murder (Meurtre parfait) (Davis) ; 1998, Shakespeare in Love (Shakespeare in Love) (Madden), The Talented Mr. Ripley (Le talentueux Mr. Ripley) (Mingella) ; 1999, Duets (Duos d'un jour) (Paltrow) ; 2000, Bounce (Un amour infini) (Roos), The Anniversary Party (Jason Leigh) ; 2001, Possession (LaBute), View from the Top (Hôtesse à tout prix) (Barretto), Shallow Hal (L'amour extralarge) (Farrelly), The Royal Tenenbaums (La famille Tenenbaum) (Anderson) ; 2005, Sky Captain and the World of Tomorrow (Capitaine Sky et le monde de demain) (Conran), Searching for Debra Winger (Arquette) ; 2007, Running with Scissors (Courir avec des ciseaux) (R. Murphy), Infamous (Scandaleusement célèbre) (McGrath), Seven Days Itch (Farrelly)

Fille du producteur de télévision Bruce Paltrow et de la comédienne Blythe Danner, elle débute au théâtre (contre l'avis de son père) et enchaîne sur le cinéma, gagnant ses galons de comédienne en vogue grâce à de grosses productions d'époque et de prestige (*Mrs. Parker, Jefferson à Paris, Emma l'entremetteuse...*), où son visage de porcelaine et son minois félin inspirent à l'évidence les chefs opérateurs. Accessoirement plus connue pour avoir été un temps la promise de Brad Pitt, elle a d'ailleurs interprété la femme de celuici dans le macabre *Seven*. Elle est remarquable dans le romanesque *Possession*.

Pampanini, Silvana

Actrice italienne née en 1927.

1946, L'apocalisse (L'apocalypse) (Scotese) ; 1947, Il segreto di don Giovanni (Le secret de Don Juan) (Costa), Arrivederci papa (Le choix des anges) (Mastrocinque) ; 1948, Il barone Carlo Mazza (Brignone) ; 1949, Marechiaro (Ferroni), Biancaneve e i sette ladri (Gentilomo), Antonio di Padova (Antoine de Padoue) (Francisci), Lo sparviero del Nilo (L'épervier du Nil) (Gentilomo) ; 1950, L'inafferabile 12 (Mon frère a peur des femmes) (Mattoli), La bisarca (Simonelli), Io sono il capataz (Le retour de Pancho Villa) (Simonelli), Una bruna indiavolata (Bragaglia), E arrivato il cavaliere (Steno, Monicelli), 47 morto che parla (Bragaglia), Bellezze in bicicletta (Campogagliani) ; 1951, Miracolo a viggiu (Glachino), La paura fa novanta (Le mousquetaire fantôme) (Simonelli), O.K. Nerone (O.K. Néron) (Soldati), Era lui si... si (Quelles drôles de nuits) (Metz, Girolami, Marchesi), Le avventure di Mandrin (Le chevalier sans loi) (Soldati) ; 1952, Canzoni di mezzo secolo (Paoletta), Viva il cinema (Baladaccini, Trapan), La donna che invento l'amore (La femme qui inventa l'amour) (Cerio), La tratta delle bianche (La traite des Blanches) (Comencini), Processa alla citta (Les coupables) (Zampa), Koenigsmark (Terac), La presidentessa (Mademoiselle la présidente) (Germi), Bufere (Fille dangereuse) (Brignone), La peccatrice dell'isola (La fille de Palerme) (Corbucci) ; 1953, Un marito per Anna Zaccheo (La fille sans homme) (De Santis), Amori di mezzo secolo (Chiar), Canzoni, canzoni (Paolella), Un giorno in pretura (Les gaietés de la correctionnelle) (Steno), Vortice (L'angoisse d'une mère) (Matarazzo), L'incantevole nemica (Pattes de velours) (Gora), Noi, cannibali (Nous, les brutes) (Leonviola), Il matrimonio (Le mariage) (Petrucci) ; 1954, Napoléon (Guitry), Orient-Express (Bragaglia), La schiava del peccato (Matarazzo), La principessa delle canarie (La conquête héroïque) (Moffa), L'allegro squadrone (Les gaietés de l'escadron) (Moffa) ; 1955, La tour de Nesle (Gance), La bella di Roma (La belle de Rome) (Comencini), Racconti romani (Cette folle jeunesse) (Franciolini), Canzoni di tutta Italia (Paolella) ; 1956, Saranno uomini (Siano) ; 1959, La strada lunga un anno (La longue route d'une année) (De Santis), Sedde amor (Soif d'amour) (Blake) ; 1961, Il terrore dei mari (La terreur des mers) (Paolella), La loi des rues (Habib), Mariti a congresso (D'Amico) ; 1964, Il gaucho (Le gaucho) (Risi) ; 1971, Mazzabubu... quante corna stanno quaggiu ? (Laurenti).

Miss Italie 1946, comment cette splendide brune n'aurait-elle pas fait du cinéma ? Comme le remarque *Écran 1979*, elle fut vouée dès le début de sa carrière à des emplois de vamps, demi-mondaines ou filles galantes. On devait donc la retrouver inévitablement dans *La tour de Nesle*, son meilleur film, mis en scène par Abel Gance.

Pangborn, Franklin

Acteur américain, 1893-1958.

1926, Exit Smiling (Taylor) ; 1927, Getting Gertie's Garter (Hopper), The Cradle Snatchers (Hawks), My Friend from India (Hopper), The Night Bride (Hopper), The Girl in the Pullman (Kenton), Fingerprints (Bacon) ; 1928, Blonde for a Night (Hopper), On Trial (Mayo), The Rush Hour (Hopper) ; 1929, The Sap (Mayo), Lady of the Pavements (Griffith) ; 1931-1933, *nombreux courts métrages* ; 1933, International House (Sutherland), Flying down to Rio (Freeland), Design for Living (Sérénade à trois) (Lubitsch) ; 1934, Strictly Dynamite (Nugent), Manhattan Love Song (Fields), Imitation of Life (Images de la vie) (Stahl), College Rhythm (Taurog), Cockeyed Cavaliers (Sandrich) ; 1935, Headline Woman (Nigh) ; 1936, Three Smart Girls (Trois jeunes filles à la page) (Koster), Mr Deeds Goes to Town (L'extravagant M. Deeds) (Capra), The Luckiest Girl in the World (Buzzell), My Man Godfrey (La Cava), The Mandarin Mystery (Staub) ; 1937, They Wanted to Marry (Landers), It Happened in Hollywood (Lachman), Danger ! Love at Work (Charmante famille) (Preminger), A Star Is Born (Une étoile est née) (Wellman) ; 1938, Rebecca of Sunnybrook (Mam'zelle Vedette) (Dwan), Vivacious Lady (Mariage incognito) (Stevens), Just Around the Corner (Cummings), Bluebeard's Eighth Wife (La huitième femme de Barbe-Bleue) (Lubitsch), Topper Takes a Tripe (Fantômes en croisière) (McLeod), She Married an Artist (Gering), Carefree (Amanda) (Sandrich), Joy of Living (Quelle joie de vivre !) (Garnett), Four's a Crowd (Curtiz), Mad About Music (Taurog) ; 1939, Broadway Serenade (Leonard), Fifth Avenue Girl (La fille de la 5e Avenue) (La Cava) ; 1940, Public Deb. N° 1 (Ratoff), The Banck Dick (Mines de rien) (Cline), Christmas in July (Sturges), Spring Parade (Koster) ; 1941, Flame of New Orleans (La belle ensorceleuse) (Clair), Never Give a Sugar an Even Break (Passez muscade) (Cline), A Girl, a Guy and a Gob (Jones), Sullivan's Travels (Les voyages de Sullivan) (P. Sturges) ; 1942, Moonlight Masquerade (Auer), George Washington Slept Here (Keighley), Now, Voyager (Une femme cherche son destin) (Rapper), The Palm Beach Story (Madame et ses flirts) (Sturges) ; 1943, His Butler's Sister (La sœur de mon valet) (Borzage), Stage Door Canteen (Le cabaret des étoiles) (Borzage), Crazy House (Cline), Reveille with Beverly (Barton) ; 1944, The Great Moment (Sturges), Hail the Conquering Hero (Héros d'occasion) (Sturges), The Reckless Age (Feist) ; 1945, The Horn Blows at Midnight (Walsh), See My Lawyer (Cline), Tell it to a Star (McDonald) ; 1946, Two Guys from Milwaukee (Butler), Mad Wednesday (Quel mercredi !) (Sturges) ; 1947, Calendar Girl (Dwan), I'll Be Yours (Seiter) ; 1949, Down Memory Lane (Karlson), My Dream Is Yours (Curtiz) ; 1957, The Story of Mankind (I. Allen), Oh ! Men ! Oh ! Women ! (Johnson).

Élégant et ahuri, courtois et gaffeur, il fut l'acteur de complément de nombreux films drôles. Ni Lubitsch, ni Sturges, ni Capra, ni La Cava ne l'ont sous-estimé et, face au couple Astaire-Rogers, à Fields ou à Lloyd, il n'en faudrait pas beaucoup pour qu'il leur vole la vedette.

Papas, Irène

Actrice grecque, de son vrai nom Lelekou, née en 1926.

1951, Cité morte (Illiades) ; 1953, Le infideli (Steno, Monicelli), Dramma nella kasbah (Anton) ; 1954, Teodora (Théodora, impératrice de Byzance) (Frèda), Attila (Francisci) ; 1956, Tribute to a Bad Man (La loi de la prairie) (Wise), The Power and the Prize (Koster) ; 1961, The Guns of Navarone (Les canons de Navarone) (Lee-Thompson), Antigone (Tzavellas) ; 1962, Electre (Cacoyannis) ; 1964, The Moonspinners (Neilson), Zorba the Greek (Zorba le Grec) (Cacoyannis), Die Zeugin aus der Holle (Mitrovic) ; 1966, Roger la honte (Freda), A ciascuno il suo (A chacun son dû) (Petri) ; 1968, The Brotherhood (Les frères siciliens) (Ritt), Ecce homo (Gaburro) ; 1969, Z (Costa-Gavras), Anne of the Thousand Days (Anne des mille jours) (Jarrott), The Madwoman of Chaillot (Forbes), Dream of Kings (Mann) ; 1971, Les Troyennes (Cacoyannis), Roma bene (Lizzani), Un posto ideale per uccidere (Lenzi), N.P. il segreto (Agosti), Non si sevizia un paperino (Fulci), Piazza pulita (Lewis), Sutjeska (Vanzi) ; 1974, La bambina (Lattuada) ; 1976, Rissaia (Le message) (Akkad) ; 1977, Iphigenie (Cacoyannis), Bodas de sangre (Ben Barka) ; 1978, Un'ombra nell'ombra (P. Carpi), Cristo si e fermato a Eboli (Le Christ s'est arrêté à Eboli) (Rosi) ; 1979, Bloodline (Liés par le sang) (Young), Omar Muktar, le lion du désert (Akkad) ; 1983, Erendira (Guerra) ; 1984, Into the Night (Série noire pour une nuit blanche) (Landis) ; 1986, Chronique d'une mort annoncée (Rosi), Sweet Country (Cacoyannis) ; 1986, High Season (Soleil grec) (Peploe) ; 1991, Lettera di Parigi (Giordani) ; 1993, Pano kato kai plaghios (Cacoyannis) ; 1996, Party (Party) (Oliveira) ; 1998, Inquiétude (Oliveira) ; 1999, Yerma (Yerma) (Tavora) ; 2001, Je rentre à la maison (Oliveira) ; 2003, Un filme falado (Un film parlé) (Oliveira).

Née à Corinthe, d'une famille d'intellectuels, elle se tourne très jeune vers le théâtre. Elle tourne également quelques films qui la font remarquer. L'Italie l'attire : elle y interprète d'honorables péplums. Les États-Unis la tentent un moment : elle s'égare chez Wise. Mais c'est avec *Zorba le Grec* qu'elle trouve sa vraie carrière que confirme Cacoyannis : elle sera avant tout une tragédienne grecque, ce qui n'exclut pas des rôles méditerranéens dans des productions essentiellement italiennes.

Paqui, Jean

Acteur français, de son vrai nom Jean-François de Thunel, chevalier d'Orgeix, 1921-2006.

1933, L'assommoir (Roudès), Ame de clown (Didier) ; 1935, La maison du mystère (Roudès) ; 1936, Un grand amour de Beethoven (Gance) ; 1937, Maman Colibri (Dréville) ; 1938, La chaleur du sein (Boyer) ; 1939, Les otages (Bernard) ; 1942, Les cadets de l'océan (Dréville), Les affaires sont les affaires (Dréville), La maison des sept jeunes filles (Valentin) ; 1943, Les Roquevillard (Dréville), La vie de plaisir (Valentin) ; 1945, La fille aux yeux gris (Faurez) ; 1946, Le capitan (Vernay) ; 1949, La belle que voilà (Le Chanois), Vendetta en Camargue (Devaivre) ; 1950, Dakota 308 (Daniel-Norman), L'enfant des neiges (Guyot) ; 1952, Un caprice de Caroline (Devaivre) ; 1953, Les révoltés du Lomanach (Pottier) ; 1954, Napoléon (Guitry), La belle Otéro (Pottier) ; 1958, Sérénade au Texas (Pottier).

Ce brillant cavalier qui remporta de nombreuses compétitions fut aussi un jeune premier réputé à l'écran. Il avait commencé très jeune, mais c'est le rôle de Capestang dans *Le capitan*, d'après Zévaco, où il se battait en duel et chevauchait avec l'aisance du chevalier d'Orgeix, son véritable nom, qui le rendit célèbre. Guitry en fit tout naturellement un général Flahaut dans son *Napoléon*.

Paradis, Vanessa

Chanteuse et actrice française née en 1972.

1989, Noce blanche (Brisseau) ; 1994, Élisa (Becker) ; 1996, Un amour de sorcière (Manzor) ; 1997, 1 chance sur 2 (Leconte) ; 1998, La fille sur le pont (Leconte) ; 2001, The Man Who Killed Don Quixote (Gilliam, inachevé) ; 2003, Lost in La Mancha (Fulton et Pepe) ; 2004, Atomik Circus, le retour de James Bataille (Poiraud), Mon ange (Frydman).

Popularisée par la chanson *Joe le taxi* à l'âge de quatorze ans, et consacrée vedette de la chanson à part entière par la suite, elle fut choisie par Brisseau pour une histoire d'amour entre un professeur et son élève. Fallait-il imputer le succès de *Noce blanche* à la curiosité d'un public avide d'une Lolita controversée, ou bien au seul talent de l'interprète (qui obtint pour ce film le césar du meilleur espoir féminin) ? Jean Becker confirmera cette deuxième hypothèse cinq ans plus tard en lui confiant le rôle principal d'*Élisa*, mélo qui remportera lui aussi un vif succès. Elle est la compagne de Johnny Depp depuis plusieurs années.

Parédès, Jean

Acteur français, 1914-1998.

1938, Trois de Saint-Cyr (Paulin), Le veau gras (Poligny), Les musiciens du ciel (Lacombe), La nuit de décembre (Bernhardt) ; 1941, L'assassinat du père Noël (Christian-Jaque), Premier rendez-vous (Decoin), Caprices (Joannon) ; 1942, La nuit fantastique (L'Herbier), Lettres d'amour (Autant-Lara), Le camion blanc (Joannon), Signé illisible (Chamborant) ; 1943, Bonsoir mesdames, bonsoir messieurs (Tual), La vie de bohème (L'Herbier), L'aventure est au coin de la rue (Daniel-Norman) ; 1945, L'extravagante mission (Calef), 120, rue de la Gare (Daniel-Norman), Trente et quarante (Grangier) ; 1946, Coïncidences (Debecque), Le village de la colère (André) ; 1947, Le diamant de cent sous (Daniel-Norman), Une nuit à Tabarin (Lamac) ; 1948, Cité de l'espérance (Stelli), Ma tante d'Honfleur (Jayet), Toute la famille était là (Marguenat), Scandale aux Champs-Élysées (Blanc) ; 1949, Le trésor des Pieds nickelés (Aboulker), Nuit de noces (Jayet), Mademoiselle de La Ferté (Dallier), Sans tambour ni trompette (Blanc), L'auberge du péché (Marguenat) ; 1950, Et moi j'te dis qu'elle t'a fait d'l'œil (Gleize), Une fille à croquer (André) ; 1951, Fanfan la Tulipe (Christian-Jaque), Le gang des tractions arrière (Loubignac), Le chéri de sa concierge (Jayet), Les deux « Monsieur » de Madame (Bibal) ; 1952, Les femmes sont des anges (Aboulker), Légère et court vêtue (Laviron), Belles de nuit (Clair), Plaisirs de Paris (Baum), Adorables créatures (Christian-Jaque), Le plus heureux des hommes (Ciampi) ; 1953, La dame aux camélias (Bernard), Après vous, duchesse (de Nesle) ; 1954, Les trois mousquetaires (Hunebelle), Cadet-Rousselle (Hunebelle), Madame Du Barry (Christian-Jaque), French Cancan (Renoir), L'air de Paris (Carné) ; 1956, Michel Strogoff (Gallone), Si Paris nous était conté (Guitry) ; 1957, L'amour est en jeu (M. Allégret), Filous et compagnie (Saytor), La garçonne (Audry) ; 1958, La Tour prends garde (Lampin), Oh que Mambo ! (Berry) ; 1959, Messieurs les ronds-de-cuir (Diamant-Berger) ; 1960, Les moutons de Panurge (Girault), Le panier à crabes (Lisbona) ; 1961, Du mouron pour les petits oiseaux (Carné), Les petits matins (Audry) ; 1962, Love Is a Ball (Le grand duc et l'héritière) (Poll et Swift) ; 1963, La ronde (Vadim) ; 1965, Angélique et le Roy (Borderie), What's New, Pussycat ? (Quoi de neuf, Pussycat ?) (Donner), Le lit à deux places (Delannoy) ; 1966, Johnny Banco (Y. Allégret) ; 1969, La fiancée du pirate (Kaplan) ; 1970, L'homme qui vient de la nuit (Dague) ; 1971, Papa les petits bateaux (Kaplan) ; 1974, Au plaisir des dames/Q (Davy) ; 1978, Violette Nozières (Chabrol), Who Is Killing the Great Chefs of Europe ? (La grande cuisine) (Kotcheff) ; 1980, La banquière (Girod) ; 1982, L'émir préfère les blondes (Payet) ; 1983, Le bourreau des cœurs (Gion) ; 1984, La femme ivoire (Cheminal) ; 1987, Chouans ! (Broca).

Comique pétulant, fils de famille décavé, noceur impénitent, gandin 1900, amateur de filles mais plutôt efféminé, il a trop vite sombré dans un cinéma de boulevard (Loubignac, Jayet) indigne de son talent. Le personnage d'oisif fortuné qu'il compose dans *French Cancan* montre ce qu'il aurait pu faire s'il avait été plus exigeant avec les metteurs en scène.

Paredes, Marisa

Actrice espagnole née en 1946.

1960, Los economicamente débiles (Lazaga) ; 1962, Grito en la noche (L'horrible docteur Orloff) (Franco) ; 1963, Llegar a más (Fernández Santos) ; 1965, El mundo sigue (Fernan Gómez) ; 1966, La tía de Carlos en mini-falda (Fenollar) ; 1967, Reportaje de un rodaje (Serra) ; 1968, Tinto con amor (Montolio), Requiem para el gringo (Martin, Merino), No disponible (Herrero) ; 1969, El señorito y las seductoras (Fernandez), La revoltosa (De Orduña), Carola de día, Carole de noche (De Armiñan) ; 1970, Fray Dólar (Peña) ; 1971, Pastel de sangre (Bellmunt, Chavarri), El espíritu del animal (Martínez Torres), Goya, historia de una soledad (Quevedo) ; 1972, Abismo (Carreño) ; 1974, Larga noche de julio (Cameron) ; 1977, El perro (Les crocs du diable) (Isasi-Isasmendi) ; 1980, Opera prima (Cousine je t'aime) (Trueba), Sus años dorados (Lazaro) ; 1983, Las bicicletas son para el verano (Les bicyclettes sont pour l'été) (Chavarri) ; 1984, Entre tinieblas (Dans les ténèbres) (Almodóvar) ; 1985, Tras el cristal (Villaronga) ; 1986, Tatamia (Borau), Cara de acelga (Sacristan) ; 1987, Mientras haya luz (Vega) ; 1990, Continental (Villaverde) ; 1992, Golem, l'esprit de l'exil

(Gitai), La reina anónima (Suárez), Tacones lejanos (Talons aiguilles) (Almodóvar), Hors saison (Schmid) ; 1993, Tierno verano de lujurias y azoetas (Chavarri), Tombés du ciel (Lioret), La nave de las locos (Wullicher) ; 1994, Cronaca di un amore violato (Le journal de Luca) (Battiato) ; 1995, Talk of Angels (Hamm), La flor de mi secreto (La fleur de mon secret) (Almodóvar), Trois vies et une seule mort (Ruiz), Profundo Carmesí (Carmin profond) (Ripstein) ; 1996, Docteur Chance (Ossang) ; 1997, La vita è bella (La vie est belle) (Benigni), Préférence (Delacourt), Le serpent a mangé la grenouille (Guesnier) ; 1998, El coronel no tiene quien le escriba (Pas de lettres pour le colonel) (Ripstein) ; 1999, Todo sobre mi madre (Tout sur ma mère) (Almodóvar), Jonas et Lila, à demain (Tanner), Salvajes (Molinero) ; 2001, El espinazo del diablo (L'échine du diable) (Del Toro).

La célébrité de cette actrice n'avait pas dépassé les frontières espagnoles lorsque, à quarante ans passés, Almodóvar en fait une vedette en lui confiant le rôle de la mère indigne de *Talons aiguilles*.

Parely, Mila

Actrice française, de son vrai nom Olga Perzynski, née en 1917.

1932, Baby (Lamac) ; 1933, L'amour qu'il faut aux femmes (Trotz) ; 1934, Liliom (Lang), Cartouche (Daroy) ; 1935, Valse royale (Grémillon), La petite sauvage (Limur) ; 1936, Les pattes de mouche (Grémillon), Mister Flow (Siodmak), Les jumeaux de Brighton (Heymann), Donogoo (Schünzel) ; 1937, Une java (Orval) ; 1938, Remontons les Champs-Élysées (Guitry), La rue sans joie (Hugon), La tragédie impériale (L'Herbier), Le drame de Shanghai (Pabst), Le monsieur de cinq heures (Caron), Le grand élan (Christian-Jaque), Circonstances atténuantes (Boyer) ; 1939, La règle du jeu (Renoir), La charrette fantôme (Duvivier), L'esclave blanche (Sorkin) ; 1940, Elles étaient douze femmes (Lacombe) ; 1942, Monsieur des Lourdines (Hérain), Le camion blanc (Joannon), A la Belle Frégate (Valentin), Le lit à colonnes (Tual), Cap au large (Paulin) ; 1943, Les anges du péché (Bresson), Les Roquevillard (Dréville), Donne-moi tes yeux (Guitry), Tornavara (Dréville) ; 1944, Le cavalier noir (Grangier) ; 1945, La belle et la bête (Cocteau), Étoile sans lumière (Blistène), Le père Serge (Gasnier-Raymond) ; 1946, Dernier refuge (Maurette), Jeux de femmes (Cloche), Rêves d'amour (Stengel), Destins (Pottier) ; 1947, Snowbound (D. MacDonald) ; 1949, Véronique (Vernay), Mission à Tanger (Hunebelle) ; 1951, Le plaisir (Ophuls) ; 1956, Paris Palace-Hôtel (Verneuil) ; 1988, Comédie d'été (Vigne).

Un physique de garce : elle faisait une tricoteuse particulièrement odieuse dans *Remontons les Champs-Élysées*, une capitaine de girls cruelle dans *Le drame de Shanghai*, la coquette Nelly qui ruinait M. des Lourdines et Adélaïde, la mauvaise sœur dans *La belle et la bête*. Une excellente actrice qui fit aussi beaucoup de théâtre et tenta sa chance en 1935 à Hollywood, mais préféra en définitive revenir en France. Avec raison, à considérer sa brillante filmographie.

Parillaud, Anne

Actrice française née en 1960.

1977, L'hôtel de la plage (M. Lang) ; 1978, Écoute voir (Santiago) ; 1980, Girls (Jaekin), Patricia (Frank) ; 1981, Pour la peau d'un flic (Delon) ; 1983, Le battant (Delon) ; 1988, Juillet en septembre (Japrisot) ; 1989, Che ora è (Quelle heure est-il) (Scola) ; 1990, Nikita (Besson) ; 1991, Map of a Human Heart (Cœur de métisse) (Ward), La villa del venerdi (Bolognini) ; 1992, Innocent Blood (Innocent Blood) (Landis) ; 1993, À la folie (Kurys) ; 1994, Dead Girl (Coleman Howard) ; 1995, Frankie Starlight (Frankie Starlight) (Lindsay-Hogg) ; 1996, Passage à l'acte (Girod) ; 1997, The Man in the Iron Mask (L'homme au masque de fer) (Wallace), Shattered Image (Jessie) (Ruiz) ; 1999, Une pour toutes (Lelouch) ; 2001, Sex is Comedy (Breillat), Gangsters (Marchal) ; 2004, Deadlines (Boeken et Lemer) ; 2005, Tout pour plaire (Telerman), Promised Land (Terre promise) (Gitaï) ; 2007, Demandez la permission aux enfants ! (Civanyan), Je crois que je l'aime (Jolivet), Une vieille maîtresse (Breillat).

Jeune actrice découverte par Michel Lang et dont Alain Delon a fait une vedette. Beaucoup de charme. C'est avec *Nikita* qu'elle s'impose et qu'elle obtient un césar en 1991. La voilà vampire dans *Innocent Blood* avant d'être victime de l'amour trop possessif de Béatrice Dalle dans *A la folie* et Anne d'Autriche chez Wallace.

Parisy, Andréa

Actrice française née en 1935.

Principaux films : 1956, Paris Palace Hôtel (Verneuil) ; 1958, Les tricheurs (Carné), L'ambitieuse (Y. Allégret) ; 1959, 185, rue Montmartre (Grangier) ; 1960, Portrait-robot (Paviot) ; 1961, Les petits matins (Audry), Le

rendez-vous (Delannoy) ; 1963, Cent mille dollars au soleil (Verneuil) ; 1965, Dragées au poivre (Baratier) ; 1966, La grande vadrouille (Oury), Le petit baigneur (Dhéry) ; 1979, La gueule de l'autre (Tchernia) ; 1999, Pas de scandale (Jacquet).

Piquante brune qui s'est dispersée entre le théâtre, la danse, la télévision et le cinéma. Pas de grands rôles à son actif sur le grand écran.

Parker, Eleanor

Actrice américaine née en 1922.

1941, They Died with their Boots on (La charge fantastique) (Walsh) ; 1942, Busses Roar (Lederman) ; 1943, The Mysterious Doctor (Stoloff), Mission to Moscow (Curtiz) ; 1944, The Last Ride (Lederman), Hollywood Canteen (Daves), Between Two Worlds (Blatt), Crime by Night (G. Homes), The Very Thought of You (Daves) ; 1945, Pride of the Marines (Daves) ; 1946, Never Say Goodbye (Kern), Of Human Bondage (Goulding) ; 1947, The Voice of the Turtle (Rapper), Escape Me Never (Godfrey) ; 1948, The Woman in White (Godfrey), Always Together (De Cordova) ; 1949, It's a Great Feeling (Butler) ; 1950, Chain Lightning (Pilote du diable) (Heisler), Caged (Femmes en cage) (Cromwell), Three Secrets (Wise) ; 1951, Detective Story (Histoire de détective) (Wyler), Valentino (Allen), A Millionaire for Christy (Marshall) ; 1952, Scaramouche (Sidney), Above and Beyond (Frank, Panama) ; 1953, Escape from Fort Bravo (Fort Bravo) (Sturges) ; 1954, The Naked Jungle (Quand la Marabunta gronde) (Haskin), Valley of the Kings (La vallée des rois) (Pirosh) ; 1955, Many Rivers to Cross (L'aventure fantastique) (Rowland), Interrupted Melody (Bernhardt), The Man With the Golden Arm (L'homme au bras d'or) (Preminger) ; 1956, The King and Four Queens (Un roi et quatre reines) (Walsh) ; 1957, Lizzie (Haas) ; 1959, A Hole in the Head (Un trou dans la tête) (Capra) ; 1960, Home from the Hill (Celui par qui le scandale arrive) (Minnelli) ; 1961, Return to Peyton Place (Ferrer) ; 1962, Madison Avenue (Humberstone) ; 1963, Panic Button (G. Sherman) ; 1965, The Sound of Music (La mélodie du bonheur) (Wise) ; 1966, An American Dream (Gist), The Oscar (La statue en or massif) (Rouse) ; 1967, Il tigre (L'homme à la Ferrari) (Risi), Warning Shot (L'assassin est-il coupable ?) (Kulick) ; 1969, Eye of the Cat (Rich) ; 1979, Sunburn (Sarafian).

Beauté un peu froide, elle a joué avec une louable énergie les aventurières et les femmes de tête. Ses affrontements avec Charlton Heston dans *The Naked Jungle* et avec Gable dans *The King and Four Queens* sont encore dans toutes les mémoires. Star dans la période 1945-1965, elle s'est ensuite réfugiée dans l'activité télévisée.

Parker, Mary Louise

Actrice américaine née en 1964.

1989, Signs of Life (Coles) ; 1990, Longtime Companion (Un compagnon de longue date) (René) ; 1991, Grand Canyon (Grand Canyon) (Kasdan), Fried Green Tomatoes (Beignets de tomates vertes) (Avnet) ; 1993, Mr. Wonderful (Minghella) ; 1994, Naked in New York (Naked in New York) (Algrant), The Client (Le client) (Schumacher), Bullets Over Broadway (Coups de feu sur Broadway) (Allen) ; 1995, Reckless (René), Boys on the Side (Avec ou sans hommes) (Ross) ; 1996, The Portrait of a Lady (Portrait de femme) (Campion) ; 1997, Murder in Mind (Morahan), The Maker (Hunter) ; 1997, Goodbye Lover (Goodbye Lover) (Joffé) ; 1998, Let the Devil Wear Black (Title), The Five Senses (Les cinq sens) (Podeswa).

On la remarque en amante de l'héroïne (jeune) de *Beignets de tomates vertes*, mais elle ne semble pas faire beaucoup de vagues depuis, en dehors d'une jolie composition de cuisinière sensuelle dans *Les cinq sens*.

Parker, Sarah Jessica

Actrice américaine née en 1965.

1979, Rich Kids (Young) ; 1983, Somewhere Tomorrow (Wiemer) ; 1984, Footloose (Footloose) (Ross), Firstborn (Apted) ; 1985, Girls Just Want to Have Fun (Metter) ; 1986, Flight of the Navigator (Kleiser) ; 1991, L.A. Story (Los Angeles Story) (Jackson) ; 1992, Honeymoon in Vegas (Lune de miel à Las Vegas) (A. Bergman) ; 1993, Hocus Pocus (Hocus Pocus – Les trois sorcières) (Ortega), Striking Distance (Piège en eaux troubles) (Herrington) ; 1994, Ed Wood (Ed Wood) (Burton) ; 1995, Miami Rhapsody (Frankel) ; 1996, The First Wives Club (Le club des ex) (Wilson), If Lucy Fell (Schaeffer), The Substance of Fire (Sullivan), Extreme Measures (Mesure d'urgence) (Apted), Mars Attacks ! (Mars Attacks !) (Burton) ; 1997, 'Til There Was You (Winant) ; 1999, Dudley Do-Right (Wilson), Isn't She Great (A. Bergman) ; 2000, State and Main (Séquence et conséquences) (Mamet) ; 2001, Life Without Dick (Skahill) ; 2005, The Family Stone (Esprit de famille) (Bezucha).

Sorte de néo-Bette Midler, tout en dents et en pommettes, transformée en caniche dans *Mars Attacks !* et qui, après une carrière de nymphette dans les années 80, trouve finalement la gloire à trente-cinq ans grâce à la télévision et à la série « Sex and the City », dont elle est l'héroïne.

Parlo, Dita

Actrice allemande, de son vrai nom Grethe Gerda Kornstadt, 1908-1971.

1928, Geheimnisse des Orients (Sheherazade) (Volkoff), Die Dame mit der Maske (La dame au masque) (Thiele) ; 1929, Ungarische Rhapsodie (Schwarz), Heimkehr (Le chant du prisonnier) (May) ; Manolesco (Tourjansky) ; 1930, Le bonheur des dames (Duvivier) ; 1931, Die heilige Flamme (Viertel), Kismet (Dillon, version allemande), Big House (Fejos) ; 1933, Rapt (Kirsanoff) ; 1934, L'Atalante (Vigo) ; 1936, Mademoiselle docteur (Pabst) ; 1937, La grande illusion (Renoir) ; 1938, Ultimatum (Wiene), Le courrier de Lyon (Lehmann), La rue sans joie (Hugon) ; 1939, L'or de Cristobal (Stelli), Paix sur le Rhin (Choux), L'inconnue de Monte-Carlo (Berthomieu) ; 1950, Justice est faite (Cayatte) ; 1965, La dame de pique (Keigel).

D'origine allemande, née à Stettin, elle a fait une carrière internationale, après ses débuts dans les studios de Berlin. Si elle échoua à Hollywood, c'est en France qu'elle connut ses plus grands succès : *L'Atalante, Mademoiselle docteur* et *La grande illusion*. Interrompue par la guerre, sa carrière ne reprit qu'en 1950, mais sans lendemain.

Parsons, Estelle

Actrice américaine née en 1927.

1963, Ladybug Ladybug (Perry) ; 1967, Bonnie and Clyde (Bonnie and Clyde) (Penn) ; 1968, Rachel Rachel (Rachel Rachel) (Newman) ; 1969, Don't Drink the Water (Morris) ; 1970, I Never Sang for my Father (Cates), I Walk the Line (Le pays de la violence) (Frankenheimer), Watermelon Man (Van Peebles) ; 1973, Two People (Brève rencontre à Paris) (Wise) ; 1974, For Pete's Sake (Ma femme est dingue) (Yates) ; 1975, Fore Play (Avildsen et Malmuth) ; 1990, Dick Tracy (Dick Tracy) (Beatty), The Lemon Sisters (Chopra) ; 1994, Boys on the Side (Avec ou sans hommes) (Ross) ; 1997, That Darn Cat (Spiers) ; 1999, Freak City (Littman).

Remarquée dans *Bonnie and Clyde*, elle n'a pas tenu les promesses entrevues. Sauvons ses rôles chez Frankenheimer et Beatty.

Parvo, Elli

Actrice italienne, de son vrai nom Elvira Gobbo, née en 1915.

1937, Gatta cicova (Righelli) ; 1939, Arditi civili (Gambino), Miseria e nobilità (D'Errico), Il marchese di Ruvolito (Matarazzo) ; 1940, Ridi, pagliaccio ! (Mastrocinque), Il ponte dei sospiri (Le pont des soupirs) (Bonnard), La notte delle beffe (Campogalliani) ; 1941, L'uomo venuto dal mare (Randone, De Ribòn), Il re si diverte (Le roi s'amuse) (Bonnard), L'allegro fantasma (Palermi), Sette anni di felicità (Savarese), Beatrice Cenci (Béatrice Cenci) (Brignone) ; 1942, I due foscari (Fulchignoni), Carme (Christian-Jaque) ; 1945, Desiderio (La proie du désir) (Rossellini, Pagliero) ; 1946, La porta del cielo (La porte du ciel) (De Sica), Un Americano in vacanza (Zampa), Il sole sorge ancora (Le soleil se lèvera encore) (Vergano) ; 1947, I fratelli Karamazoff (Gentilomo), El alarido (Cerio) ; 1948, L'amore (La voix humaine et Le miracle) (Rossellini, Pagliero), Legge di sangue (La loi du sang) (Capuano), Vertigine d'amore (Le pain des pauvres) (Capuano), Il cavaliere misterioso (Le cavalier mystérieux) (Freda) ; 1949, Santo disonore (Péché d'une mère) (Brignone) ; 1950, E più facile che un cammello (Pour l'amour du ciel) (Zampa) ; 1951, Totò terzo uomo (Mattoli) ; 1952, Rosalba, la fanciulla di Pompei (Mortillo), Voto di marinaio (De Rosa) ; 1954, La Luciana (Gambino), L'amante di Paride (M. Allégret) ; 1955, Giuramento d'amore (Bianchi Montero), La campana di San Giusto (Amendola, Maccari), L'arte di arrangiarsi (Zampa), L'ultimo amante (Mattoli) ; 1956, Mi permette, babbo (Bonnard) ; 1957, La venere di Cheronea (Aphrodite, déesse de l'amour) (Cerchio, Tourjansky) ; 1959, Il mondo dei miracoli (Capuano), Madri pericolose (Paolella).

Actrice spécialisée dans des rôles de vamps (vamps rustiques, notamment) dans la tradition de ceux que tenait Ginette Leclerc à la même époque en France. On peut d'ailleurs remarquer une ressemblance physique assez troublante entre ces deux actrices. Après 1954, Elli Parvo tient des rôles de composition de moins en moins importants et se retire peu de temps après la mort de son mari, le réalisateur Aldo Vergano, qui ne l'avait dirigée que dans un seul film, *Le soleil se lèvera encore*, en 1946, lui offrant pour l'occasion l'un de ses plus beaux rôles.

Pascal, Christine

Actrice et réalisatrice française, 1953-1996.

1973, L'horloger de Saint-Paul (Tavernier) ; 1974, Les guichets du Louvre (Mitrani), Que la fête commence (Tavernier) ; 1975, La meilleure façon de marcher (Miller) ; 1976, Les Indiens sont encore loin (Moraz), Le juge et l'assassin (Tavernier) ; 1977, L'imprécateur (Bertucelli), Des enfants gâtés (Tavernier) ; 1978, Chaussette surprise (Davy), On efface tout (Vidal), Félicité (Pascal) ; 1979, Pannyz Wilka (Les demoiselles de Wilko) (Wajda), Paco l'infaillible (Haudepin) ; 1980, Le chemin perdu (Moraz) ; 1982, Coup de foudre (Kurys) ; 1983, Les faux-fuyants (Bergala et Limosin) ; 1984, Train d'enfer (Hanin) ; 1985, Signé Charlotte (Huppert), Elsa, Elsa (Haudepin), 44 ou les récits de la nuit (Smihi) ; 1986, Le grand chemin (Hubert), Autour de minuit (Tavernier) ; 1987, Il est génial papy (Drach), Promis juré (Monnet) ; 1988, La couleur du vent (Granier-Deferre), La travestie (Boisset) ; 1989, Le sixième doigt (Duparc) ; 1992, Rien que des mensonges (Muret) ; 1993, Les patriotes (Rochant) ; 1994, Regarde les hommes tomber (J. Audiard), Le sourire (Miller). *Pour la réalisatrice*, voir le *Dictionnaire du cinéma*. t. I : *Les réalisateurs*.

Étudiante à la faculté de Lyon, elle abandonne ses études pour tourner avec Bertrand Tavernier *L'horloger de Saint-Paul* puis *Que la fête commence*. Passée à la mise en scène, elle a signé *Félicité*, un film où elle se présente avec ses frustrations et ses fantasmes. L'œuvre ne méritait peut-être pas les sarcasmes dont elle fut l'objet, la contraignant à reprendre le métier de simple comédienne. Retour à la mise en scène avec *La garce, Zanzibar, Le Petit Prince a dit* et *Adultère, mode d'emploi*. Malheureusement, elle se suicide en 1996.

Pascal, Giselle

Actrice française, de son vrai nom Gisèle Tallone, 1923-2006.

1941, Les deux timides (Y. Allégret) ; 1942, La belle aventure (M. Allégret), L'Arlésienne (M. Allégret), La vie de bohème (L'Herbier) ; 1945, Madame et son flirt (Marguenat), Les J. 3 (Richebé) ; 1946, Lunegarde (M. Allégret), Tombé du ciel (Reinert), Amours, délices et orgues (Berthomieu), Collège swing (Berthomieu), Dernier refuge (M. Maurette) ; 1947, Après l'amour (Tourneur), Mademoiselle s'amuse (Boyer) ; 1949, La femme nue (Berthomieu), La petite chocolatière (Berthomieu), Véronique (Vernay) ; 1950, Bel amour (Campaux) ; 1952, Horizons sans fin (Dréville) ; 1953, Le feu dans la peau (Blistène), Si Versailles m'était conté (Guitry) ; 1954, Marchandes d'illusions (André) ; 1955, Mademoiselle de Paris (Kapps), La madone des sleepings (Diamant-Berger), Si Paris nous était conté (Guitry) ; 1956, Sylviane de mes nuits (Blistène), Pitié pour les vamps (Josipovici) ; 1958, Ça n'arrive qu'aux vivants (Saitor) ; 1961, Seul... à corps perdu (Malot) ; 1962, Le masque de fer (Decoin) ; 1968, La promesse (Feyder) ; 1969, Un caso di conscienza (Un cas de conscience) (Grimaldi) ; 1983, En haut des marches (Vecchiali) ; 1984, La femme publique (Zulawski).

Remarquée par Marc Allégret, elle a tourné plusieurs films sans grand relief. Elle est surtout connue pour sa liaison (ou prétendue telle) avec Gary Cooper et pour avoir été la fiancée du prince Rainier de Monaco. Mariée à Raymond Pellegrin, elle semble s'être retirée de la carrière cinématographique.

Pascal, Jean-Claude

Acteur français, de son vrai nom Villeminot, 1927-1992.

1949, Le jugement de Dieu (Bernard) ; 1951, Ils étaient cinq (Pinoteau), Quatre roses rouges (Malassomma), Un grand patron (Ciampi), Le rideau cramoisi (Astruc) ; 1952, La forêt de l'adieu (Habib), Le plus heureux des hommes (Ciampi), Un caprice de Caroline chérie (Devaivre) ; 1953, Alerte au Sud (Devaivre), Le chevalier de la nuit (Darène), Les enfants de l'amour (Moguy), La rage au corps (Habib), Le grand jeu (Siodmak) ; Si Versailles m'était conté (Guitry) ; 1954, Le tri ladre (Les trois voleurs) (Felice), Le fils de Caroline chérie (Devaivre) ; 1955, Les mauvaises rencontres (Astruc), Milord l'Arsouille (Haguet) ; 1956, Le salaire du péché (La Patellière), La châtelaine du Liban (Pottier), Les lavandières du Portugal (Gaspard-Huit) ; 1958, Guinguette (Delannoy), Le fric (Cloche) ; Pêcheur d'Islande (Schoendoerffer) ; 1959, Préméditation (Berthomieu) ; 1959, La belle et l'empereur (Von Ambesser) ; 1960, Les arrivistes (Daquin) ; 1961, L'homme de la frontière (Balcazar, Pascal) ; 1962, Le rendez-vous (Delannoy) ; 1963, La salamandre d'or (Regamey) ; 1964, Le faux pas (A. d'Ormesson), Napoléon (Guitry) ; 1966, The Poppy Is Also a Flower (Opération Opium) (T. Young) ; 1967, Las cuatro bodas de Marisol (Les quatre mariages de Marisol) (Lucia) ; 1968, Angélique et le sultan (Borderie) ; 1969, Unter den Dächern von St Pauli (Les toits de Saint-Paul) (Weidenman).

Sa brillante conduite en 1944-1945 lui vaudra la croix de guerre. Il aurait découvert le théâtre par la couture. Il suit l'enseignement du cours Simon. Comment sa beauté passerait-elle inaperçue ? Ses débuts à l'écran sont pourtant modestes. C'est Astruc, avec *Le rideau cramoisi*, un moyen métrage inspiré de Barbey d'Aurevilly, qui le lance. Hélas ! à un ou deux films près, la suite est des plus décevantes. Le pire cinéma commercial. Jean-Claude Pascal sut se reconvertir dans la chanson avec succès puis s'orienta vers la rédaction d'ouvrages historiques de qualité.

Pasco, Isabelle

Actrice française née en 1966.

1984, Ave Maria (Richard), Hors-la-loi (Davis) ; 1986, Sauve-toi Lola (Drach), Le mal d'aimer (Treves) ; 1988, High Frequency (Rosati) ; 1989, Roselyne et les lions (Beineix) ; 1990, Prospero's Books (Prospero's Books) (Greenaway) ; 1991, Céline (Brisseau), A quoi tu penses-tu ? (Kaminka), Sabato Italiano (Manuzzi) ; 1992, Undine (Schmidt) ; 1994, Colpo di luna (Coup de lune) (Simone) ; 1995, Sous-sol (Gang) ; 1996, Les couleurs du diable (Jessua), Festival (Avati) ; 2000, Minoush (Muxel) ; 2001, Una lunga, lunga, lunga notte d'amore (Une longue, longue, longue nuit d'amour (Emmer) ; 2003, Clandestino (Muxel).

Elle ne laissait pas indifférente dans *Le mal d'aimer* et elle fait un numéro éblouissant dans *Roselyne et les lions* qui la consacre comme une star malgré le relatif insuccès du film.

Pasdar, Adrian

Acteur et réalisateur américain né en 1965.

1986, Streets of Gold (Roth), Solarbabies (Johnson), Top Gun (Top Gun) (T. Scott) ; 1987, Near Dark (Aux frontières de l'aube) (Bigelow) ; 1988, Made in USA (Friedman) ; 1989, Cookie (Cookie) (Seidelman) ; 1990, Vital Signs (Silver), Torn Apart (Fisher) ; 1991, Once Upon a Time in Shanghai (Po-Chih Leong), Grand Isle (Lambert) ; 1992, Just Like a Woman (Monger) ; 1993, The Killing Box (Hickenlooper), Carlito's Way (L'impasse) (De Palma) ; 1994, The Last Good Time (Balaban) ; 1996, The Pompatus of Love (Schenkman) ; 1997, Ties to Rachel (Resnik), Wounded (Martin), A Brother's Kiss (Rosenfeld) ; 1998, We Met on the Vineyard (McCrudden) ; 1999, Desert Son (Martini). *Comme réalisateur :* 1999, Cement.

Pour quelques initiés, il reste le rôle-titre d'une série culte, « Profit », dans laquelle il incarnait l'arriviste américain dans toute son horreur, puisque décidé à faire tomber quiconque l'empêcherait de gravir les échelons sociaux. Pour les autres, il est un second rôle discret, avec à son actif la réalisation d'un film noir très étrange, *Cement*, toujours inédit en France.

Pasquali, Fred ou Alfred

Acteur et réalisateur français, 1898-1991.

1927, La jalousie du barbouillé (Cavalcanti) ; 1931, Fantômas (Fejos) ; 1932, La fusée (Natanson), Ma femme homme d'affaires (Vaucorbeil), Trois hommes en habit (Bonnard), Un peu d'amour (Steinhoff) ; 1933, Miss Hellyett (Kemm), Ame de clown (Didier), Rothschild (Gastyne), Monsieur de Pourceaugnac (Ravel) ; 1935, Les dieux s'amusent (Schunzel-Valentin) ; 1936, Un mauvais garçon (Boyer), Au service du tsar (Billon), Donogoo (Chomette), Un homme de trop à bord (Le Bon) ; 1937, Mademoiselle ma mère (Decoin) ; 1938, Le dernier tournant (Chenal), Lumières de Paris (Pottier), Raphaël le tatoué (Christian-Jaque) ; 1941, Caprices (Joannon), Ce n'est pas moi (Baroncelli), Pension Jonas (Caron), Péchés de jeunesse (Tourneur), Romance de Paris (Boyer) ; 1942, Le journal tombe à cinq heures (Lacombe), Le comte de Monte-Cristo (Vernay), L'honorable Catherine (L'Herbier), Une étoile au soleil (Zwobada), Fou d'amour (Mesnier), Une étoile au soleil (Zwobada) ; 1943, Coup de tête (Le Hénaff), Donne-moi tes yeux (Guitry) ; 1945, Jéricho (Calef), Au petit bonheur (L'Herbier), Trente et quarante (Grangier), L'extravagante mission (Calef) ; 1946, La parade du rire (Verdier), Jeux de femmes (Cloche) ; 1947, Les Pieds nickelés (Aboulker) ; 1948, Fantômas contre Fantômas (Vernay), Toute la famille était là (Marguenat) ; 1949, Interdit au public (Pasquali), Le trésor des Pieds nickelés (Aboulker), Nous irons à Paris (Boyer) ; 1950, Les mémoires de la vache Yolande (Neubach), Cœur-sur-mer (Daniel-Norman), Les joyeux pèlerins (Pasquali) ; 1951, Le dindon (Barma), Pas de vacances pour monsieur le maire (Labro) ; 1952, Cent francs par seconde (Boyer) ; 1953, Les amoureux de Marianne (Stelli), Capitaine Pantoufle (Lefranc), Ma petite folie (Loubignac) ; 1954, Les deux font la paire (Berthomieu) ; 1956, Le couturier de ces dames (Boyer) ; 1957, Un amour de poche (Kast) ; 1960, A rebrousse-poil (Armand) ; 1961, Snobs (Mocky) ; 1962, C'est pas moi c'est l'autre (Boyer) ; 1964, La cité de l'indicible peur (Mocky) ; 1969, Aux frais de la princesse (Quignon), La honte de la famille (Balducci) ; 1978, Les ringards (Pouret), Au bout du bout du banc (Kassovitz) ; 1980, Signé Furax (Simenon) ; 1981, Prends ta Rolls... et va pointer ! (Balducci) ; 1982, Salut la puce (Balducci). *Pour le metteur en scène*, voir le *Dictionnaire du cinéma*, t. I : *Les réalisateurs*.

Né à Constantinople, il a suivi les cours du Conservatoire de Paris et mené une très brillante carrière théâtrale comme acteur et metteur en scène (notamment *Les plaideurs* de Racine au théâtre Sarah-Bernhardt). C'est un spécialiste des films comiques et il y fait merveille. On ne l'oubliera pas en Sherlock Coco traquant les Pieds nickelés. Il a mis en scène deux films dont une estimable comédie musicale avec l'orchestre d'Aimé Barelli, *Les joyeux pèlerins*.

Patachou

Actrice et chanteuse française, de son vrai nom Henriette Ragon, née en 1918.

1933, Bach millionnaire (Wulschleger) ; 1953, Femmes de Paris (Boyer) ; 1954, Napoléon (Guitry) ; 1955, French cancan (Renoir) ; 1985, Faubourg Saint-Martin (Guiguet) ; 1986, La rumba (Hanin) ; 1989, Le champignon des Carpathes (Biette) ; 1990, Les matins chagrins (Gallepe) ; 1992, Chasse gardée (Biette) ; 1993, Cible émouvante (Salvadori) ; 1998, Pola X (Carax) ; 1999, Drôle de Félix (Ducastel, Martineau), Les acteurs (Blier) ; 2000, Belphégor, le fantôme du Louvre (Salomé) ; 2004, San-Antonio (Auburtin).

Grande prêtresse des nuits parisiennes de l'après-guerre (son cabaret est toujours sur la butte Montmartre), chanteuse qui fit le tour du monde avec un registre éminemment « parigot », elle n'apparaît véritablement au cinéma – souvent « d'auteur » – que sur le tard, après avoir « fait ses preuves » dans les grandes sagas télé de l'été. Extraordinaire mère abusive dans *Cible émouvante*, éditrice bienveillante dans *Pola X*, elle possède cette étincelle qui peut faire basculer chacun de ses personnages vers une irrésistible démesure.

Pate, Michael

Acteur d'origine australienne né en 1920.

1940, Forty Thousand Horsemen (Chauvel), The Rugged O'Riordans ; 1951, The Strange Door (Le château de la terreur) (Pevney), Thunder on the Hill (Sirk) ; 1952, Five Fingers (L'affaire Cicéron) (Mankiewicz), The Black Castle (Le mystère du château noir) (Juran) ; 1953, Hondo (Farrow), Houdini (1953), Julius Caesar (Mankiewicz), All the Brothers Were Valiant (La perle noire) (Thorpe), Scandal at Scourie (Negulesco) ; 1954, Secret of the Incas (Le secret des Incas) (Hopper), King Richard and the Crusades (Richard Cœur de Lion) (Butler), Curse of the Undead (Dans les griffes du vampire) (Dein) ; 1955, A Lawless Street (Lewis), The Silver Chalice (Le calice d'argent) (Saville) ; 1956, The Revolt of Mamie Stover (Bungalow pour femmes) (Walsh), The Killer Is Loose (Le tueur s'est évadé) (Boetticher), The Court Jester (Le bouffon du roi) (Frank) ; 1957, Something of Value (Le carnaval des dieux) (Brooks), The Oklahoman (Lyon), The Tall Stranger (Carr) ; 1959, Green Mansions (Vertes demeures) (Mel Ferrer), Westbound (Le courrier de l'or) (Boetticher) ; 1960, Walk Like a Dragon (Clavell) ; 1961, The Canadians (Kennedy) ; 1963, Sergeants 3 (Les trois sergents) (Sturges), Tower of London (Corman) ; 1963, McLintock ! (Le grand McLintock) (McLaglen), Drums of Africa (Clark) ; P.T. 109 (Patrouilleur 109) (Martinson) ; 1964, Advance to the Rear (Le bataillon des lâches) (Marshall) ; 1965, Major Dundee (Major Dundee) (Peckinpah), The Great Sioux Massacre (Salkow), Brainstorm (Conrad) ; 1966, The Singing Nun (Dominique) (Koster), Hondo and the Apaches (Katzin) ; 1967, Return of the Gunfighter (Le justicier de l'Arizona) (Neilson) ; 1976, Mad Dog Morgan (Mora) ; 1982, The Return of Captain Invincible (Mora).

L'un des plus fameux traîtres du cinéma américain : vampire que ne peuvent tuer les balles de revolver dans *Curse of the Undead*, méchant Indien dans *Hondo*, tueur dans divers « thrillers », ce beau ténébreux a tout de même été une fois pasteur (*Walk Like a Dragon*). Né à Sydney, il avait fait ses débuts dans des films australiens. Il est retourné dans son pays natal en 1970 ; il y est devenu producteur.

Patric, Jason

Acteur américain né en 1966.

1986, Solarbabies (Johnson) ; 1987, The Lost Boys (Génération perdue) ; 1988, The Beast (La bête de guerre) (Reynolds) ; 1990, After Dark, My Sweet (Foley), Roger Corman's Frankenstein Unbound (Corman) ; 1991, Denial (Dignam), Rush (Rush) (Fini Zanuck) ; 1993, Geronimo : An American Legend (Geronimo) (Hill) ; 1995, The Journey of August King (Duigan) ; 1996, Sleepers (Sleepers) (Levinson), Speed 2 : Cruise Control (Speed 2 : Cap sur le danger) (De Bont) ; 1997, Incognito (Badham) ; 1998, Your Friends and Neighbours (Entre amis et voisins) (LaBute).

Une belle gueule mais une carrière qui ne décolle pas. Tête d'affiche, avec Jennifer Jason Leigh, de *Rush*, dans lequel il incarne un flic junkie, il se résigne à opter finalement pour le blockbuster à grand spectacle avec *Speed 2*. Las ! le film est un immense échec et la carrière de Jason Patric attend encore... Aura-t-il seulement une seconde chance ?

Patrick, Nigel

Acteur et réalisateur anglais, 1913-1981.

1939, Mrs. Pym of Scotland (Ward) ; 1948, Uneasy Terms (Sewell), Spring in Park Lane (Wilcox), Silence Dust (Comfort), Noose (Greville) ; 1949, Jack of Diamonds (Sewell), The Perfect Woman (Knowles) ; 1950, Morning Departure (La nuit commence à l'aube) (Baker), Trio (Annakin), Pandora (Lewin) ; 1951, The Browning Version (L'ombre d'un homme) (Asquith), Encore (French), Young Wive's Tale (Cass) ; 1952, Who Goes There ? (Kimmins), Meet Me Tonight (Pelissier), The Sound Barrier (Le mur du son) (Lean) ; 1953, The Pickwick Papers (Langley), Grand National Night (Naught) ; 1954, Forbidden Cargo (French), The Sea Shall Not Have Them (Gilbert) ; 1955, All for Mary (Toye), A Prize of Gold (Hold-up en plein ciel) (Robson) ; 1957, Raintree Country (L'arbre de vie) (Dmytryk), How to Murder a Rich Uncle (Comment tuer un oncle à héritage) (Patrick) ; 1958, The Man Inside (Signes particuliers : néant) (Gilling) ; 1959, Count Five and Die (Vicas), Sapphire (Opération Scotland Yard) (Dearden) ; 1960, The League of the Gentlemen (Hold-up à Londres) (Dearden), The Trials of Oscar Wilde (Hughes) ; 1961, Johnny Nobody (Patrick) ; 1963, The Informers (Annakin) ; 1969, The Battle of Britain (La bataille d'Angleterre) (Hamilton), The Executioner (Wanamaker), The Virgin Soldiers (Dexter) ; 1971, A Touch of Class (Frank) ; 1972, Tales from the Crypt (Histoires d'outre-tombe) (Francis), The Great Waltz (Stone) ; 1973, The Mackintosh Man (Le piège) (Huston). *Pour le réalisateur*, voir le *Dictionnaire du cinéma*, t. I : *Les réalisateurs*.

Élégant, désinvolte, ce brillant acteur de théâtre a fort bien réussi à l'écran : pilote d'essai dans *The Sound Barrier*, professeur inquiétant dans *Raintree Country*, voleur amateur dans *The Man Inside*, il pouvait tout jouer.

Patrick, Robert

Acteur américain né en 1959.

1986, Eye of the Eagle (Santiago), Equalizer 2000 (Santiago) ; 1987, Killer Instinct (Santiago), Warlords of Hell (Henderson) ; 1989, Hollywood Boulevard II (Barnett), Future Hunters (Santiago) ; 1990, Die Hard 2 (58 minutes pour vivre) (Harlin) ; 1991, Terminator 2 : Judgment Day (Terminator 2 : Le jugement dernier) (Cameron) ; 1992, Wayne's World (Wayne's World) (Spheeris) ; 1993, Double Dragon (Double Dragon) (Yukich), Body Shot (Logothetis), Fire in the Sky (Lieberman), Last Action Hero (Last Action Hero) (McTiernan) ; 1994, Zero Tolerance (Mehri), Hong Kong 97 (Pyun), The Cool Surface (Anjou) ; 1995, Last Gasp (McGinnis), Decoy (Rambaldi) ; 1996, Asylum (Seale), Striptease (Striptease) (Bergman), Copland (Copland) (Mangold) ; 1997, Rag and Bone (Lieberman), The Only Thrill (Masterson), Hacks (Rosen), Rosewood (Singleton), Winter (Nagle) ; 1998, Tactical Assault (Griffiths), Renegade Force (Kunert), The Faculty (The Faculty) (Rodriguez), Ambushed (Dickerson) ; 1999, Detox (Gillespie), All the Pretty Horses (De si jolis chevaux) (Thornton), Texas Rangers (Miner), A Texas Funeral (Herron), Shogun Cop (Bailey), Eye See You (Gillespie) ; 2000, Mexico City (Shepard), Angels Don't Sleep Here (Cade).

Après moult séries Z tournées aux Philippines, ce solide gaillard connaît le succès en devenant le Terminator péroxydé et indestructible de *Terminator 2*. Prof de sport possédé par les extraterrestres dans *The Faculty*, il semble se cantonner exclusivement à la série B, avant de remplacer David Duchovny dans « X-Files ».

Pauley, Paul

Acteur français, 1886-1938.

1930, Le blanc et le noir (Florey) ; 1931, Un homme en habit (Guissart et Bossis), Rien que la vérité (Guissart) ; 1932, Criez-le sur les toits (Anton), Topaze (Gasnier), Les as du turf (Poligny), Maquillage (Anton) ; 1933, Rothschild (Gastyne), Étienne (Tarride) ; 1934, L'école des contribuables (Guissart), L'affaire Coquelet (Gourguet), Prince de minuit (Guissart) ; 1935, Sacré Léonce (Christian-Jaque), Parlez-moi d'amour (Guissart), Et moi j'te dis qu'elle t'a fait d'l'œil (Forrester), Le vertige (Schiller), La petite sauvage (Limur), La famille Pont-Biquet (Christian-Jaque) ; 1936, Œil de Lynx, détective (Ducis), Mon curé fait des miracles (Depondt), Les maris de ma femme (Cammage), On ne roule pas Antoinette (Madeux), Le faiseur (Hugon), Un grand amour de Beethoven (Gance), Au son des guitares (Ducis), La petite dame du wagon-lit (Cammage), Une femme qui se partage (Cammage) ; 1937, La petite marquise (Péguy), Chipée (Goupillières), Mon député et sa femme (Cammage), La belle de Montparnasse (Cammage), Un coup de rouge (Roudès), Neuf de trèfle (Mayrargue), Monsieur Bégonia (Hugon) ; 1938, La rue sans joie (Hugon).

De la finesse dans l'épaisseur, serait-on tenté de dire en contemplant ce poids lourd spécialiste des comédies légères. Magistrat, policier, homme d'affaires, député, rien de ce qui doit être rond ne lui échappe. Sa filmographie n'est guère exaltante, mais on n'oublie pas le comédien à défaut du scénario.

Paxinou, Katina

Actrice grecque, de son vrai nom Constantopoulos, 1900-1973.

1943, Hostages (Tuttle), For Whom the Bell Tolls (Pour qui sonne le glas) (Wood) ; 1945, Confidential Agent (Agent secret) (Shumlin) ; 1947, Mourning Becomes Electra (Le deuil sied à Électre) (Cacoyannis), Uncle Silas (Ch. Frank) ; 1949, Prince of Foxes (Échec à Borghia) (King) ; 1955, Mr. Arkadin (Mr. Arkadin) (Welles) ; 1959, The Miracle (Rapper) ; 1960, Rocco e i suoi fratelli (Rocco et ses frères) (Visconti) ; 1961, Morte di un bandito (Amato) ; 1963, The Trial (Le procès) (scènes coupées au montage) (Welles) ; 1968, Zita (Enrico).

Débutant au Théâtre national de Grèce en 1929, elle en devient l'un des membres phares, tragédienne subtile qui incarna de sublimes Clytemnestre et Électre. Également à l'aise dans le répertoire contemporain (Ibsen, Lorca, Dürrenmatt), elle obtient en 1943 l'oscar du meilleur second rôle féminin pour sa prestation en révolutionnaire gitane dans *Pour qui sonne le glas.* Un musée lui est entièrement consacré à Athènes.

Paxton, Bill

Acteur et réalisateur américain né en 1955.

1975, Crazy Mama (Demme) ; 1981, Stripes (Les bleus) (Reitman), Night Warning (Asher) ; 1983, Taking Tiger Mountain (Huckabee), The Lords of Discipline (La loi des seigneurs) (Roddam), Mortuary (Avedis) ; 1984, Impulse (Baker), Streets of Fire (Les rues de feu) (Hill), The Terminator (Terminator) (Cameron) ; 1985, Commando (Commando) (Lester), Weird Science (Une créature de rêve) (Hughes) ; 1986, Riding Fast (Milicevic), Aliens (Alien – le retour) (Cameron) ; 1987, Near Dark (Aux frontières de l'aube) (Bigelow) ; 1988, Pass the Ammo (Beaird) ; 1989, Next of Kin (Irvin), Slipstream (Lisberger) ; 1989, The Last of the Finest (MacKenzie), Brain Dead (Simon), Back to Back (Kincaid), Navy Seals (Navy Seals – Les meilleurs) (Teague), Predator 2 (Predator 2) (Hopkins) ; 1990, Brain Dead/-Paranoia (Simon) ; 1991, The Dark Backward (Rifkin) ; 1992, The Vagrant (Walas), One False Move (Un faux mouvement) (Franklin), Trespass (Les pilleurs) (Hill) ; 1993, Monolith (Eyres), Indian Summer (Binder), Future Shock (Parkinson), Boxing Helena (Boxing Helena) (H. Lynch), Tombstone (Tombstone) (Cosmatos) ; 1994, True Lies (True Lies) (Cameron), Frank & Jesse (Boris) ; 1995, The Last Supper (L'ultime souper) (Title), Apollo 13 (Apollo 13) (Howard) ; 1996, The Evening Star (L'étoile du soir), Twister (Twister) (De Bont) ; 1997, Titanic (Titanic) (Cameron), Traveller (Green) ; 1998, Migthy Joe Young (Mon ami Joe) (Underwood), A Simple Plan (Un plan simple) (Raimi) ; 1999, U-571 (U-571) (Mostow) ; 2000, Vertical Limit (Vertical Limit) (Campbell) ; 2001, Frailty (Emprise) (Paxton), Spy Kids 2 (Spy Kids 2) (Rodriguez). *Comme réalisateur* : 2001, Frailty.

Habilleur chez Roger Corman, ce Texan d'origine s'intéresse surtout à la comédie qu'il part étudier chez Stella Adler. Vacataire infatigable d'une pléthore de séries B et Z pendant les années 80, il doit son salut à James Cameron, qui lui offre régulièrement des rôles. Solide acteur dans des films entièrement dévolus aux effets spéciaux (*Twister*), il fait montre d'un réel talent de comédien dans *Un plan simple*, de Sam Raimi. Il met en scène un film fantastique : *Frailty*.

Payne, John

Acteur et réalisateur américain, 1912-1989.

1936, Dodsworth (Wyler) ; 1937, Hats Off (Petroff), Fair Warning (Foster) ; 1938, College Swing (Walsh), Garden of the Moon (Berkeley), Love on Toast (Dupont) ; 1939, Indiannapolis Speedway (Bacon), Wings of the Navy (Bacon), Kid Nightingale (Amy) ; 1940, Star Dust (Adieu Broadway) (W. Lang), Maryland (King), The Great Profile (W. Lang), King of the Lumberjacks (Clemens), Tear Gas Squad (Morse) ; 1941, Remember That Day (Adieu, jeunesse) (King), Week-End in Havana (Week-end à La Havane) (W. Lang), Sun Valley Serenade (Humberstone), The Great American Broadcast (Mayo) ; 1942, Iceland (Humberstone), Springtime in the Rockies (Cummings), To the Shores of Tripoli (Humberstone), Footlight Serenade (Ratoff) ; 1943, Hello, Frisco, Hello (Humberstone) ; 1945, The Dolly Sisters (Cummings), Wake Up and Dream (Bacon), Sentimental Journey (W. Lang), The Razors Edge (Le fil du rasoir) (Goulding) ;

1947, Miracle on 34th Street (Le miracle de la 34e rue) (Seaton) ; 1948, Larceny (Sherman), The Saxon Charm (Binyon) ; 1949, The Crooked Way, El Paso (El Paso, ville sans loi) (Foster), Captain China (Dans les mers de Chine) (Foster) ; 1950, The Eagle and the Hawk (L'aigle et le vautour) (Foster), Tripoli (Price) ; 1951, Passage West (Foster), Crosswind (L'or de la Nouvelle-Guinée) (Foster) ; 1952, The Blazing Forest (La forêt en feu) (Ludwig), Carribean (Le trésor des Caraïbes) (Ludwig), Kansas City Confidential (Le quatrième homme) (Karlson) ; 1953, Raiders of the Seven Seas (Salkow), The Vanquished (La ville sous le joug) (Ludwig), 99 River Street (L'affaire de la 99e rue) (Karlson) ; 1954, Rails into Laramie (Seul contre tous) (Hibbs), Silver Lode (Quatre étranges cavaliers) (Dwan) ; 1955, Santa Fe Passage (Le passage de Santa Fe) (Witney), Hell's Island (Les îles de l'enfer) (Karlson), The Road to Denver (Colorado Saloon) (Kane), Tennessee's Partner (Le mariage est pour demain) (Dwan) ; 1956, Slighty Scarlet (Deux rouquines dans la bagarre) (Dwan), Hold Back the Night (Bataillon dans la nuit) (Dwan), Rebel in Town (Werker), The Boss (Haskin) ; 1957, Bail Out at 43,000 (En chute libre) (Lyon) ; 1958, Hidden Fear (De Toth) ; 1968, They Ran for Their Lives (Payne) ; 1970, The Savage Wild (Eastman). *Comme réalisateur :* 1968, They Ran for Their Lives.

Aviateur, lutteur, chanteur, standardiste, il a fait tous les métiers avant d'être embauché par Goldwyn. Il connaît son apothéose dans les années 50 où il promène sa nonchalance dans une série de films d'aventures à petit budget, signés Ludwig, Karlson, Foster, Werker, Witney et Dwan, qui conservent aujourd'hui encore un charme incontestable. Il a dirigé un film, sur lequel on ne sait rien, sinon qu'il le signa sous le nom d'Oliver Drake et qu'il s'agissait d'une jeune femme poursuivie par les Thugs.

Pearce, Guy

Acteur australien né en 1967.

1990, Heaven Tonight (Amenta) ; 1991, Hunting (Howson) ; 1995, The Adventures of Priscilla, Queen of the Desert (Priscilla, folle du désert) (Elliot) ; 1996, Flynn (Howson), Dating the Enemy (Simpson Huberman) ; 1997, L.A. Confidential (L.A. Confidential) (Hanson) ; 1998, Woundings (Hanley), Ravenous (Vorace) (Bird) ; 1999, A Slipping Down Life (Kallem), Rules of Engagement (L'enfer du devoir) (Friedkin) ; 2000, Memento (Memento) (Nolan), Till Human Voices Wake Us (Petroni), The Count of Monte Cristo (Reynolds).

Né en Angleterre, il est élevé en Australie où il apparaît dans une sitcom populaire, « Neighbors ». Propulsé sur grand écran, il incarne une drag-queen dans *Priscilla, folle du désert*, et tient le rôle d'Errol Flynn dans un film biographique qui lui est consacré. Demandé aux États-Unis, il se fait remarquer avec le rôle d'un soldat de la guerre de Sécession aux prises avec un anthropophage dans *Vorace*, puis, dans *Memento*, il enquête sur le meurtre de sa femme mais perd la mémoire tous les quarts d'heure. Une belle gueule à suivre...

Peck, Gregory

Acteur américain, 1916-2003.

1944, Days of Glory (Tourneur), The Keys of the Kingdom (Les clefs du royaume) (Stahl), The Valley of Decision (La vallée du jugement) (Garnett) ; 1945, Spellbound (La maison du docteur Edwards) (Hitchcock) ; 1946, The Yearling (Judy et le faon) (Brown) ; 1947, Duel in the Sun (Duel au soleil) (Vidor), The Macomber Affair (Z. Korda), Gentleman's Agreement (Le mur invisible) (Kazan) ; 1948, The Paradine Case (Le procès Paradine) (Hitchcock), Yellow Sky (La ville abandonnée) (Wellman) ; 1949, The Great Sinner (Passion fatale) (Siodmak) ; 1950, Twelve O'Clock High (Un homme de fer) (King), The Gunfighter (La cible humaine) (King) ; 1951, Captain Horatio Hornblower (Capitaine sans peur) (Walsh), Only the Valiant (Ford Invincible) (Douglas), David and Bathsheba (David et Bethsabée) (King) ; 1952, The World in His Arms (Le monde lui appartient) (Walsh), The Snows of Kilimandjaro (Les neiges du Kilimandjaro) (King) ; 1953, Roman Holidays (Vacances romaines) (Wyler) ; 1954, Night People (Les gens de la nuit) (Johnson), Man with a Million (Neame) ; 1955, The Purple Plain (La flamme pourpre) (Parrish) ; 1956, The Man in the Grey Flannel (L'homme au complet gris) (N. Johnson), Moby Dick (Huston) ; 1957, Designing Woman (La femme modèle) (Minnelli) ; 1958, The Bravados (King), The Big Country (Les grands espaces) (Wyler) ; 1959, Pork Chop Hill (La gloire et la peur) (Milestone), The Beloved Infidel (Un matin comme les autres) (King), On the Beach (Le dernier rivage) (Kramer) ; 1961, The Guns of Navarone (Les canons de Navarone) (Lee-Thompson) ; 1962, Cape Fear (Les nerfs à vif) (Lee-Thompson), How the West Was Won (La conquête de l'Ouest) (épisode Hathaway), To Kill a Mockingbird

(Du silence et des ombres) (Mulligan) ; 1964, Behold a Pale Horse (Et vint le jour de la vengeance) (Zinneman), Captain Newman, M.D. (Le combat du capitaine Newman) (D. Miller) ; 1965, Mirage (Dmytryk) ; 1966, Arabesque (Arabesque) (Donen) ; 1968, The Mackenna's Gold (L'or des Mackenna) (Lee-Thompson), The Stalking Moon (L'homme sauvage) (Mulligan) ; 1969, Marooned (Les naufragés de l'espace) (Sturges), The Most Dangerous Man in the World (L'homme le plus dangereux du monde) (Lee-Thompson) ; 1970, I Walk the Line (Le pays de la violence) (Frankenheimer) ; 1971, Shoot Out (Quand siffle la dernière balle) (Hathaway) ; 1973, Billy Two Hats (Un colt pour une corde) (Kotcheff) ; 1976, The Omen (La malédiction) (R. Donner) ; 1977, Mac Arthur (Mac Arthur) (Sargent) ; 1978, The Boys from Brazil (Ces garçons qui venaient du Brésil) (Schaffner) ; 1980, The Sea Wolves (Le commando de Sa Majesté) (McLaglen) ; 1988, Silent Voice (La force du silence) (Newell) ; 1989, Old Gringo (Old Gringo) (Puenzo) ; 1991, Other People's Money (Larry le liquidateur) (Jewison), Cape Fear (Les nerfs à vif) (Scorsese).

Père pharmacien, d'origine irlandaise. Études à San Diego et à Berkeley. Débuts sur scène dans le cadre de l'université. Engagé par la RKO en 1944. Il va imposer des personnages héroïques mais légèrement désabusés : le général qui envoie ses pilotes à la mort dans *Un homme de fer*, le tueur lassé d'être provoqué dans des « gunfights » absurdes (*La cible humaine*), le vengeur qui se trompe de coupables (*Bravados*), le bandit de *La ville abandonnée*... Il reste l'homme fort confronté à des difficultés apparemment insurmontables : un fou (*Les nerfs à vif*) ou un peuple (La Chine dans *L'homme le plus dangereux du monde*), un sauvage (*The Stalking Moon*) ou l'espace (*Marooned*), mais il finit, après bien des tempêtes, par l'emporter. Dans l'épreuve, il demeure toujours convenable et maître de lui. Pas un mot de trop, rien qui puisse choquer. Au fond, c'est l'homme que toute femme rêve d'épouser. De là le public féminin qui lui est inconditionnellement acquis. Celui d'Hollywood aussi quand il le consacre par un oscar en 1962 pour *To Kill a Mockingbird*.

Pelayo, Sylvie

Actrice française, de son vrai nom Pelayo Gonçalves Moreira da Silva, née en 1930.

1949, Rendez-vous de juillet (J Becker), La cage aux filles (Cloche), Millionnaires d'un jour (Hunebelle) ; 1950, Chassécroisière (Lafond), Terreur en Oklahoma (Paviot), Au cœur de la Casbah (Cardinal) ; 1951, Pas de vacances pour monsieur le maire (Labro) ; 1952, Fanfan la Tulipe (Christian-Jaque), Passemur (Marquet), Le square aux miracles (Viernes) ; 1953, Le chasseur de chez Maxim's (Diamant-Berger) Legione Straniera (Légions étrangères) (Franchina), Huyendo de si mismo (Au bord du cratère) (Fortuny) ; 1954, Le fils de Caroline chérie (Devaivre) ; 1955, La grande journée (Oswald).

Une actrice à redécouvrir à travers une filmographie très variée.

Pellegrin, Raymond

Acteur français, de son vrai nom Pellegrini, né en 1925.

1945, Marie la misère (Baroncelli), Naïs (Pagnol, Leboursier), Jericho (Calef) ; 1946, La femme en rouge (Cuny) ; 1947, Le diamant de cent sous (Daniel-Norman), Un flic (Canonge) ; 1950, Coupable (Noé), Topaze (Pagnol), Le clochard milliardaire (Gomez) ; 1951, Trois femmes (Michel) ; 1952, Le témoin de minuit (Kirsanoff), Le banquet des fraudeurs (Storck), Nous sommes tous des assassins (Cayatte), Manon des sources (Pagnol), Le fruit défendu (Verneuil) ; 1953, Les compagnes de la nuit (Habib), Le feu dans la peau (Blistène), La rage au corps (Habib) ; 1954, Les intrigantes (Decoin), La romana (La belle Romaine) (Zampa), Marchandes d'illusions (André), Le grand jeu (Siodmak), Les impures (Chevalier), Napoléon (Guitry) ; 1955, Les hommes en blanc (Habib), Le crâneur (Kirsanoff), Chantage (Lefranc), La lumière d'en face (Lacombe) ; 1956, La loi des rues (Habib), Jusqu'au dernier (Billon), Le feu aux poudres (Decoin) ; 1957, Bitter Victory (Amère victoire) (Ray), La bonne tisane (Bromberger), Mimi Pinson (Darène) ; 1958, Ça n'arrive qu'aux vivants (Saltor), Secret professionnel (André) ; 1960, Chien de pique (Allégret) ; 1961, L'imprevisto (L'imprévu) (Lattuada), A View From the Bridge (Vu du pont) (Lumet), Horace 62 (Versini), Carillons sans joie (Brabant) ; 1962, Venere imperiale (Vénus impériale) (Delannoy), Les mystères de Paris (Hunebelle) ; 1963, La bonne soupe (Thomas) ; 1964, Behold a Pale Horse (Et vint le jour de la vengeance) (Zinnemann), Furia à Bahia pour OSS 117 (Hunebelle) ; 1965, Un soir à Tiberiade (Bromberger) ; 1966, Le deuxième souffle (Melville), Brigade antigangs (Borderie), Maigret à Pigalle (Landl) ; 1967, L'homme qui valait des milliards (Boisrond), Sous le signe de Monte-Cristo (Hunebelle) ; 1969, Beatrice Cenci (Le château des amants maudits) (Freda), Quanto Costa morire (Les colts brillent au soleil)

(Morella), Un caso di conscienza (Un cas de conscience) (Grimaldi) ; 1971, Le saut de l'ange (Boisset), L'odore delle belve (L'odeur des fauves) (Balducci), La part des lions (Larriaga), Les intrus (Gobbi) ; 1972, Crescete e moltiplicatevi (Petroni), Camorra (Tueurs à gages) (Squitieri), Abuso di potere (Abus de pouvoir) (Bazzoni), Un officier de police sans importance (Larriaga), L'onorata famiglia uccidere e cosa nostra (Ricci), Le solitaire (Brunet) ; 1973, Piedone lo sbiro (Un flic hors la loi) (Steno), I guappi (Lucia et les gouapes) (Squitieri), Le complot (Gainville) ; 1974, Die Antwort kennt nur die Wind (Seul le vent connaît la réponse) (Vohrer), Il poliziotto e marcio (Salut les pourris) (Di Leo), Viaggia ragazza, viaggia, hai la musica nelle vene (Squitieri) ; 1975, Quand la ville s'éveille (Grasset), L'uomo della strada la giustizia (Lenzi), L'ambizioso (Squitieri) ; 1976, Quelli della calibro 38 (Dallamano), Putana galera (Fyschaver), Scandalo (Scandalo) (Samperi), Paura in città (La peur règne sur la ville) (Rosati), Zerschossener Traume (L'appât) (Patzak) ; 1979, Le rose et le blanc (Pansard-Besson) ; 1980, Le bar du téléphone (Barrois) ; 1981, Les uns et les autres (Lelouch) ; 1983, Plus beau que moi tu meurs (Clair), Ronde de nuit (Missiaen) ; 1984, Louisiane (Broca), Viva la vie (Lelouch).

Ce solide acteur d'origine niçoise, qui avait rêvé d'être officier de marine, fut remarqué par Pagnol qui lui confia le rôle de Topaze en 1945. Au cinéma, il est capable d'être tout à la fois Napoléon ou un proxénète avec la même conviction. Marié à Giselle Pascal, il paraît maintenant surtout intéressé par son hôtel de la Côte d'Azur.

Pellonpää, Matti

Acteur finlandais, 1951-1995.

1962, Pojat (Niskanen) ; 1970, Akseli ja Elina (Laine) ; 1975, Kesän maku (Tolonen) ; 1976, Antti puuhaara (Partanen et Rautoma) ; 1977, Viimeinen savotta (Laine) ; 1979, Ruskan jälkeen (Laine) ; 1981, Valehtilija (Le menteur) (M. Kaurismäki), Peddon merkki (Pakkasvirta) ; 1982, Jackpot 2 (M. Kaurismäki), Arvottomat (The Worthless) (M. Kaurismäki) ; 1983, Rikos ja rangaistus (Crime et châtiment) (A. Kaurismäki), Regina ja miehet (Mänttäri), Huhtikuu on kuukausista julmin (Mänttäri) ; 1984, Kello (Mänttäri), Klaani – Tarina sammakoitten suvusta (Le clan) (M. Kaurismäki), Rakkauselokuva (Mänttäri), Viimeiset rotannahat (Mänttäri) ; 1985, Calamari Union (Calamari union) (A. Kaurismäki), Ylösnousemus (Mänttäri) ; 1986, Kuningas lähtee Ranskaan (Mänttäri), Varjoja paratiisissa (Shadows in Paradise) (A. Kaurismäki), Rocky VI (c.m., A. Kaurismäki) ; 1987, Hamlet liikemaailmassa (Hamlet Goes Business) (A. Kaurismäki) ; 1988, Ariel (Ariel) (A. Kaurismäki), Cha Cha Cha (M. Kaurismäki) ; 1989, Leningrad Cowboys Go America (Leningrad Cowboys Go America) (A. Kaurismäki) ; 1990, Räpsy ja Dolly (Ijäs), Kiljusen herrasväen uudet seikkalut (Kuortti) ; 1991, Kadunlakaisijat (Soinio), Zombie ja Kummitusjuna (Zombie and the Ghost Train) (M. Kaurismäki), Night on Earth (Night on Earth) (Jarmusch) ; 1992, La vie de bohème (A. Kaurismäki), Papukaijamies (Nieminen), Viimeisellä rajalla (The Last Border) (M. Kaurismäki) ; 1993, Iron Horsemen (Charmant), Pidä huivista kiinni, Tatjana (Tiens ton foulard, Tatiana) (A. Kaurismäki), Leningrad Cowboys Meet Moses (Les Leningrad Cowboys rencontrent Moïse) (A. Kaurismäki).

Cheveux mi-longs en baguettes de tambour, moustache tombante et regard de chien battu, Matti Pellonpää était – avec son complice Kari Vanäänen – LA gueule du cinéma finlandais contemporain. Abonné aux films des frères Kaurismäki, pour lesquels il fut – comme la plupart de leurs personnages principaux – le loser type, il devint particulièrement sadique en imprésario du groupe de rock « Les Leningrad Cowboys » dans les deux films qui leur sont consacrés.

Penn, Chris

Acteur américain, 1966-2006.

1983, Rumble Fish (Rusty James) (Coppola), All the Right Moves (Chapman) ; 1984, The Wild Life (Linson), Footloose (Footloose) (Ross) ; 1985, Pale Rider (Pale Rider) (Eastwood) ; 1986, At Close Range (Comme un chien enragé) (Foley) ; 1988, Return from the River Kwai (Retour de la rivière Kwai) (McLaglen), Made in USA (Friedman) ; 1989, Best of the Best (Best of the Best) (Radler) ; 1991, Mobsters (Les indomptés) (Karbelnikoff), Future Kick (Klaus) ; 1992, Reservoir Dogs (Reservoir Dogs) (Tarantino), Leather Jackets (Drysdale) ; 1993, True Romance (True Romance) (T. Scott), Short Cuts (Short Cuts) (Altman), The Pickle (Mazursky), The Music of Chance (La musique du hasard) (Haas), Josh and S.A.M. (Weber), Best of the Best II (Best of the Best II) (Radler), Beethoven's 2nd (Beethoven 2) (Daniel) ; 1994, Imaginary Crimes (Drazan) ; 1995, Under the Hula Moon (Celentano), To Wong Foo, Thanks for Everything, Julie Newmar (Extravagances) (Kidron), Sacred Cargo (Buravsky), Fist of the North Star (Randal) ; 1996,

Mulholland Falls (Les hommes de l'ombre) (Tamahori), The Funeral (Nos funérailles) (Ferrara), Cannes Man (Martini, Shapiro), Boys Club (Fawcett) ; 1997, Liar (Le suspect idéal) (Pate), Papertrail (D. Lee) ; 1998, Rush Hour (Rush Hour) (Ratner), The Florentine (Stagliano), One Tough Cop (Barreto) ; 1999, Cement (Pasdar) ; 2000, Kiss Kiss Bang Bang (Sugg), Corky (Pritts) ; 2001, Rush Hour 2 (Ratner) ; 2002, Murder by Numbers (Calculs meurtriers) (Schroeder) ; Masked and Anonymous (Masked and Anonymous) (Charles) ; 2003, Starsky & Hutch (Starsky et Hutch) (Phillips), After the Sunset (Coup d'éclat) (Ratner) ; 2006, King of Sorrow (Lee), The Darwin Awards (Taylor), Holly (Moshe) ; 2007, Aftermath (Farone).

Frère de Sean Penn au physique nettement plus enrobé, il ne connaît pas la carrière de ce dernier. Parmi la multitude de séries B dans lesquelles il figure, peu sortent en France, mais on le remarque enfin dans *Nos funérailles*, de Ferrara, au cours d'une superbe scène durant laquelle il chante une chanson à la mémoire de son frère disparu, avec une très belle voix au demeurant. Sa mort précoce l'empêchera de donner toute sa mesure.

Penn, Sean

Acteur et réalisateur américain né en 1961.

1981, Taps (Taps) (Becker) ; 1982, Fast Times at Ridgemont (Heckerling) ; 1983, Bad Boys (Rosenthal) ; 1984, Crackers (Malle), Racing With the Moon (Les moissons du printemps) (Benjamin) ; 1985, The Falcon and the Snowman (Le jeu du faucon) (Schlesinger), At Close Range (Comme un chien enragé) (Foley) ; 1986, Shanghai Surprise (Shanghai Surprise) (Goddard) ; 1988, Judgment in Berlin (L. Penn), Colors (Colors) (Hopper), Casualties of War (Outrage) (De Palma) ; 1989, We're No Angels (Nous ne sommes pas des anges) (Jordan) ; 1990, State of Grace (Les anges de la nuit) (Joanou) ; 1991, Schneeweissrosenrot (Ritter/Langhaus) ; 1993, Carlito's Way (L'impasse) (De Palma) ; 1995, Dead Man Walking (La dernière marche) (Robbins) ; 1996, She's So Lovely (She's So Lovely) (N. Cassavetes), The Game (The Game) (Fincher), Hugo Pool (Downey Sr.), Loved (Loved) (Dignam) ; 1997, U-Turn (U-Turn) (Stone), The Thin Red Line (La ligne rouge) (Malick) ; 1998, Hurlyburly (Drazan), Up at the Villa (Il suffit d'une nuit) (Haas), Sweet and Lowdown (Accords et désaccords) (Allen) ; 1999, Being John Malkovich (Dans la peau de John Malkovich) (Jonze) ; 2000, The Weight of Water (Le poids de l'eau) (Bigelow), Before Night Falls (Avant la nuit) (Schnabel) ; 2001, I am Sam (Sam, je suis Sam) (Nelson) ; 2003, Mystic River (Mystic River) (Eastwood), It's all about Love (Vinterberg), 21 Grams (21 grammes) (Iñárritu) ; 2004, The Assassination of Richard Nixon (The Assassination of Richard Nixon) (Mueller) ; 2005, The Interpreter (L'interprète) (Pollack) ; Bukowski : Born into This (Bukowski) (Dullaghan) ; 2006, All the King's Men (Les fous du roi) (Zaillian) ; 2007, Into the Wild (S. Penn). *Pour le metteur en scène*, voir le *Dictionnaire du cinéma*, t. I : *Les réalisateurs*.

Fils de Leo Penn et d'Eileen Ryan. Théâtre et télévision. Puis cinéma avec des rôles de violent le plus souvent. Un critique américain a pu écrire qu'il avait beaucoup du caméléon, ce qui est un compliment pour un acteur. A ses débuts, sa liaison avec Madonna a contribué à sa célébrité autant que ses interprétations.

Penot, Jacques

Acteur français né en 1959.

1981, Le crime d'amour (Gilles) ; 1982, Au nom de tous les miens (Enrico) ; 1984, Adieu blaireau (Decout), Derborence (Reusser), Diesel (Kramer), Le matelot 512 (Allio) ; 1985, Le testament d'un poète juif assassiné (Cassenti), Strictement personnel (Jolivet), Baton Rouge (Bouchareb) ; 1987, Le cri du hibou (Chabrol), Sale destin (Madigan), Les nouveaux tricheurs (Shock) ; 1988, The Revolving Doors (Les portes tournantes) (Mankiewicz) ; 1989, La Révolution française – les années lumières (Enrico), Après la pluie (Casabianca), Jour après jour (Attal) ; 1990, Milena (Valmont) ; 1991, 14 stations (Gimenez-Rico), El largo inverno (Camino), Bezness (Bouzid), Ma sœur mon amour (Cohen) ; 1992, Pas d'amour sans amour (Dress) ; 1997, Le comptoir (Tatischeff), Gaétan et Rachel en toute innocence (Cohen) ; 1998, Fait d'hiver (Enrico).

Il semble occuper une place originale dans dans le cinéma français, mais il lui manque un succès commercial.

Peppard, George

Acteur et réalisateur américain, 1928-1994.

1957, The Strange One (Demain ce seront des hommes) (Garfein) ; 1959, Pork Chop Hill (La gloire et la peur) (Milestone) ; 1960, Home from the Hill (Celui par qui le scandale arrive) (Minnelli), The Subterraneans (Les rats de cave) (MacDougall) ; 1961, Breakfast at Tiffany's (Diamants sur canapé) (Edwards) ; 1962, How the West Was Won (La

conquête de l'Ouest) (Ford, Hathaway, Marshall) ; 1963, The Victors (Les vainqueurs) (Foreman) ; 1964, The Carpetbaggers (Les ambitieux) (Dmytryk) ; 1965, Operation Crossbow (Anderson), The Third Day (Smight) ; 1966, The Blue Max (Le crépuscule des aigles) (Guillermin) ; 1967, Tobruk (Hiller), Rough Night in Jericho (Violence à Jéricho) (Laven) ; 1968, P.J. (Le syndicat du meurtre) (Guillermin) ; 1969, Pendulum (Schaefer), House of Cards (Guillermin), What's So Bad About Feeling Good ? (Seaton) ; 1970, The Executioner (L'exécuteur) (Wanamaker), Cannon for Cordoba (Des canons pour Cordoba) (Wendkos) ; 1971, One More Train to Robe (Le dernier train pour Frisco) (McLaglen) ; 1972, The Groundstar Conspiracy (Lamont Johnson) ; 1974, Newman's Law (Heffron) ; 1977, Damnation Alley (Les survivants de la fin du monde) (Smight) ; 1978, Five Days from Home (Peppard) ; 1979, Da Dunkerque alla vittoria (De l'enfer à la victoire) (Hank Milestone) ; 1980, Your Ticket Is No Longer Valid (Au-delà de cette limite votre ticket n'est plus valable) (Kaczender), Battle Beyond the Stars (Les mercenaires de l'espace) (Murakami) ; 1981, Race for the Yankee Zephyr (Les bourlingueurs) (Hemmings) ; 1982, Target Eagle (De la Loma). *Comme réalisateur :* 1978, Five Days from Home.

Blond aux yeux bleus, le visage poupin, il n'a rien d'un dur et pourtant il s'est promené dans un nombre important de films d'aventures ou pleins d'exploits guerriers comme l'excellent *The Blue Max*. Quelques bons westerns aussi dans sa filmographie. Il avait commencé par des études de piano qui convenaient mieux à son physique et à une certaine mollesse que même les cours de l'Actor's Studio n'ont pas entamée.

Perdrière, Hélène

Actrice française, 1910-1992.

1930, Le roi des resquilleurs (Colombier) ; 1931, Criminel (Forrester) ; 1932, Mon cœur balance (Guissart), La foule hurle (version française de The Crowd Roars de Hawks) ; 1933, La merveilleuse tragédie de Lourdes (Fabert) ; 1934, Jeanne (Marret) ; 1935, Le bébé de l'escadron (Sti), Gangster malgré lui (Hugon), La marmaille (Bernard-Deschamps) ; 1938, Trois de Saint-Cyr (Paulin), Le père Lebonnard (Limur) ; 1945, Le couple idéal (Bernard-Roland), Nuit d'alerte (Mathot), Jeux de femmes (Cloche) ; 1947, Le maître de forges (Rivers), Route sans issue (Stelli) ; 1948, Le mystère de la chambre jaune (Aisner), D'homme à hommes (Christian-Jaque) ; 1949, Le parfum de la dame en noir (Daquin), Un certain monsieur (Ciampi), Rome-Express (Stengel), Les nouveaux maîtres (Nivoix) ; 1950, Topaze (Pagnol), Mystère à Shanghai (Blanc) ; 1955, Si tous les gars du monde (Christian-Jaque) ; 1974, Le fantôme de la liberté (Buñuel).

Premier prix du Conservatoire, Comédie-Française : la filmographie de cette actrice distinguée ne fut pas en rapport avec ses titres. Elle était pourtant charmante en Diana dans *Le couple idéal*.

Peres, Marcel

Acteur français, de son vrai nom Farenc, 1898-1974.

1935, Le bébé de l'escadron (Sti), Haut comme trois pommes (Vajda), Variétés (Farkas) ; 1937, La plus belle fille du monde (Kirsanoff), Mollenard (Siodmak), Nostalgie (Tourjansky) ; 1938, Monsieur Coccinelle (Bernard-Deschamps), Prison de femmes (Richebé), Place de la Concorde (Lamac), Quai des brumes (Carné), La charrette fantôme (Duvivier), Mon oncle et mon curé (Caron), Hôtel du Nord (Carné), Métropolitain (Cam), L'accroche-cœur (Caron), Femmes collantes (Caron), Retour à l'aube (Decoin), Vidocq (Daroy), La belle étoile (Baroncelli), La bête humaine (Renoir), Carrefour (Bernhardt), La belle revanche (Mesnier) ; 1939, Le déserteur (Moguy), Remorques (Grémillon), La nuit de décembre (Bernhardt), Louise (Gance), Le jour se lève (Carné), Gosse de riche (Canonge), L'émigrante (Joannon), Les otages (Bernard), Paradis perdu (Gance), Tradition de minuit (Richebé) ; 1940, Parade en sept nuits (M. Allégret), Les surprises de la radio (Paul) ; 1941, L'assassinat du père Noël (Christian-Jaque), Briseur de chaînes (Daniel-Norman), Le pavillon brûle (Baroncelli), Nous, les gosses (Daquin), Caprices (Joannon), Péchés de jeunesse (Tourneur) ; 1942, Les affaires sont les affaires (Dréville), Le comte de Monte-Cristo (Vernay), L'assassin habite au 21 (Clouzot), Le baron fantôme (Poligny), Goupi Mains rouges (Becker), Le journal tombe à cinq heures (Lacombe), Coup de feu dans la nuit (Péguy), Une étoile au soleil (Zwobada) ; 1943, Adieu Léonard (Prévert), Ademaï bandit d'honneur (Grangier), Les petites du quai aux Fleurs (Allégret), Coup de tête (Le Hénaff), L'escalier sans fin (Lacombe) ; 1944, Les enfants du paradis (Carné), Le bossu (Delannoy), Le mystère Saint-Val (Le Hénaff), Sortilèges (Christian-Jaque), Lunegarde (M. Allégret) ; 1945, Les clandestins (Chotin), François Villon (Zwobada), M. Grégoire s'évade (Daniel-

Norman), On demande un ménage (Cam), La route du bagne (Mathot), Roger la honte (Cayatte), Le coup idéal (Bernard-Roland), Raboliot (Daroy) ; 1946, Les aventures de Casanova (Boyer), Beau voyage (Cuny), Dernier refuge (Maurette), Panique (Duvivier), Martin Roumagnac (Lacombe), Voyage surprise (Prévert) ; 1947, Le carrefour du crime (Sacha), Clochemerle (Chenal), La dame d'onze heures (Devaivre), La grande Maguet (Richebé), Monsieur Vincent (Cloche), La renégate (Séverac) ; 1948, Les amants de Vérone (Cayatte), L'armoire volante (Rim), Cartouche (Radot), Fantômas contre Fantômas (Vernay), La ferme des sept péchés (Devaivre), L'ombre (Berthomieu), Scandale (Le Hénaff), La veuve et l'innocent (Cerf) ; 1949, Amédée (Grangier), Au revoir M. Grock (Billon), Le furet (Leboursier), On ne triche pas avec la vie (Delacroix), Le 84 prend des vacances (Joannon), Ronde de nuit (Campaux) ; 1950, Boîte de nuit (Rode), Justice est faite (Cayatte), Raboliot (Daroy), La vie est un jeu (Leboursier) ; 1951, Le plaisir (Ophuls), Deux sous de violette (Anouilh), Le chéri de sa concierge (Jayet) ; 1952, Nous sommes tous des assassins (Cayatte), Le rideau rouge (Barsaq), La vie d'un honnête homme (Guitry) ; 1953, Alerte au Sud (Devaivre), Avant le déluge (Cayatte), Les enfants de l'amour (Moguy) ; 1954, Cadet-Rousselle (Hunebelle), Le fils de Caroline chérie (Devaivre) ; 1955, Coup dur chez les mous (Loubignac), Marie-Antoinette (Delannoy), Mon curé champion du régiment (Couzinet) ; 1956, Je reviendrai à Kandara (Vicas) ; 1957, Une Parisienne (Boisrond), La Tour prends garde (Lampin), Trois jours à vivre (Grangier), L'ami de famille (Pinoteau), Le chômeur de Clochemerle (Boyer) ; 1958, Énigme aux Folies-Bergère (Mitry), Archimède le clochard (Grangier), La P... sentimentale (Gourguet) ; 1959, Maigret et l'affaire Saint-Fiacre (Delannoy), Les yeux sans visage (Franju), Le capitan (Hunebelle), Les frangines (Gourguet), Interpol contre X (Boutel) ; 1961, Maléfices (Decoin), La traversée de la Loire (Gourguet) ; 1962, Les bricoleurs (Girault), Mathias Sandorf (Lampin), Le glaive et la balance (Cayatte) ; 1963, L'assassin connaît la musique (Chenal), Un drôle de paroissien (Mocky), Méfiez-vous mesdames (Hunebelle), La vie conjugale (Cayatte) ; 1964, La grande frousse/La cité de l'indicible peur (Mocky), La chance et l'amour (ép. Schlumberger), Monsieur (Le Chanois), Le petit monstre (Sassy) ; 1965, Deux heures à tuer (Govar), Les grandes gueules (Enrico), La bourse et la vie (Mocky), Pas de caviar pour tante Olga (Becker) ; 1966, Les compagnons de la marguerite (Mocky) ; 1967, Les risques du métier (Cayatte) ; 1968, La grande lessive (Mocky), Les cracks (A. Joffé), La voie lactée (Buñuel) ; 1969, Solo (Mocky), Dernier domicile connu (Giovanni), L'étalon (Mocky), Le passager de la pluie (Clément), La horse (Granier-Deferre), La fiancée du pirate (Kaplan) ; 1970, L'albatros (Mocky), Mourir d'aimer (Cayatte) ; 1974, Le fantôme de la liberté (Buñuel).

L'un des meilleurs seconds rôles du cinéma français, acteur fétiche de Carné à ses débuts, de Mocky plus tard, spécialisé dans les paysans ou les gendarmes. Brun, petit, un long nez, il fut le directeur des Funambules dans *Les enfants du paradis* ou le juré venu de sa campagne dans *Justice est faite*.

Perez, Vincent

Acteur et réalisateur français né en 1964.

1986, Gardien de la nuit (Limosin) ; 1987, Hôtel de France (Chéreau) ; 1988, La maison de jade (N. Trintignant) ; 1990, Cyrano de Bergerac (Rappeneau), Il viaggio di Capitan Fracassa (Le voyage du capitaine Fracasse) (Scola) ; 1991, La neige et le feu (Pinoteau) ; 1992, Indochine (Wargnier) ; 1993, Fanfan (A. Jardin) ; 1994, La reine Margot (Chéreau), Dismoi oui (Arcady) ; 1995, Talk of Angels (Hamm), Par-delà les nuages (Antonioni et Wenders), Ligne de vie (Lounguine) ; 1996, The Crow : City of Angels (The Crow – La cité des anges) (Pope), Swept from the Sea (Au cœur de la tourmente) (Kidron) ; 1997, Le Bossu (Broca), Ceux qui m'aiment prendront le train (Chéreau) ; 1998, I Dreamt of Africa (Je rêvais de l'Afrique) (Hudson), The Treat (Gems) ; 1999, Le temps retrouvé (Ruiz), Épouse-moi (Marin), Le libertin (Aghion) ; 2001, The Queen of the Damned (Rymer), Le pharmacien de garde (J. Veber) ; 2003, Fanfan la tulipe (Krawczyk), Je reste (Kurys), La felicita non costa niente (La felicita, le bonheur ne coûte rien) (Calopresti), Bride of the Wind (Alma, la fiancée du vent) (Beresford) ; 2003, Les clefs de la bagnole (Baffie) ; 2004, Bienvenue en Suisse (Fazer) ; 2005, Nouvelle-France (Beaudin). *Comme réalisateur :* 2001, Peau d'ange.

Jeune premier ténébreux et romantique comme on en voyait dans les années 50, il est parfait dans des rôles de passionné amoureux se battant pour les yeux d'une belle. Beaucoup de charme, certes, mais un registre qui paraît pour l'instant encore un peu limité même s'il a songé au rôle de Bonaparte. Il a mis en scène un joli portrait d'adolescente (jouée par Morgane Moré) dans *Peau d'ange*.

Périer, François

Acteur français, de son vrai nom Pilu, 1919-2002.

1938, La chaleur du sein (Boyer), L'entraîneuse (Valentin), Hôtel du Nord (Carné), Le veau gras (Boyer) ; 1939, La fin du jour (Duvivier), Le duel (Fresnay) ; 1941, Premier bal (Christian-Jaque), Les jours heureux (Marguenat) ; 1942, Mariage d'amour (Decoin), Lettres d'amour (Autant-Lara), Le camion blanc (Joannon) ; 1943, Bonsoir mesdames, bonsoir messieurs (Tual), La ferme aux loups (Pottier) ; 1945, Au petit bonheur (L'Herbier), La tentation de Barbizon ; 1946, Sylvie et le fantôme (Autant-Lara), Un revenant (Christian-Jaque) ; 1947, Le silence est d'or (Clair), La vie en rose (Faurez), Une jeune fille savait (Lehmann) ; 1948, Jean de la lune (Achard), Femme sans passé (Grangier), Retour à la vie (Lampin) ; 1949, Au petit zouave (Grangier), La souricière (Calef), Orphée (Cocteau), Ce siècle a cinquante ans (Tual) ; 1950, Les anciens de Saint-Loup (Lampin), Mon phoque et elles (Billon), Souvenirs perdus (Christian-Jaque), Sous le ciel de Paris (Duvivier) (voix) ; 1951, L'amour Madame (Grangier), Elle et moi (Lefranc) ; 1952, Un trésor de femme (Stelli) ; 1953, Jeunes mariés (Grangier), Tempi nostri (Quelques pas dans la vie) (Blasetti), Villa Borghese (Les amants de la villa Borghèse) (Franciolini), Secrets d'alcôve (épisode Le lit de la Pompadour) (Delannoy), Capitaine Pantoufle (Lefranc), Scènes de ménage (Berthomieu) ; 1954, Cadet-Rousselle (Hunebelle) ; 1955, Les évadés (Le Chanois), Escale à Orly (Dréville) ; 1956, Gervaise (Clément), Je reviendrai à Kandara (Vicas), Le notti di Cabiria (Les nuits de Cabiria) (Fellini), Que les hommes sont bêtes (Richebé) ; 1957, Les louves (Saslavski), Tous peuvent me tuer (Decoin), Charmants garçons (Decoin), La Bigorne, caporal de France (Darène) ; 1958, Bobosse (Périer), La création du monde (dessin animé) (Hofman) (voix) ; 1959, Il magistrato (Nous sommes tous coupables) (Zampa), La corde raide (Dudrumet), Le testament d'Orphée (Cocteau) ; 1960, La Française et l'amour (sketch : L'adultère) (Christian-Jaque), L'amant de cinq jours (Broca), Les amours de Paris (Poitrenaud) ; 1961, Réveille-toi, chérie (Magnier), Les petits matins (Audry), L'affaire Manet (Aurel) (commentaire) ; 1962, Les veinards (Broca, Girault, Pinoteau), Coup de bambou (Boyer) ; 1963, I compagni (Les camarades) (Monicelli), La visita (Pietrangeli), Dragées au poivre (Baratier) ; 1964, Week-end à Zuydcoote (Verneuil) ; 1966, Un homme de trop (Costa-Gavras) ; 1967, Le samouraï (Melville), Le temps des doryphores (Remy, De Launay) (commentaire) ; 1968, Z (Costa-Gavras) ; 1969, Les gauloises bleues (Cournot), Les caprices de Marie (Broca) ; 1970, La nuit bulgare (Mitrani), Le cercle rouge (Melville), Juste avant la nuit (Chabrol), Max et les ferrailleurs (Sautet), Tumuc Humac (Perier) ; 1972, L'attentat (Boisset), Vogliamo i colonelli (Nous voulons les colonels) (Monicelli), Antoine et Sébastien (Perier) ; 1974, Stavisky (Resnais) ; 1975, Docteur Françoise Gailland (Bertucelli), Police Python 357 (Corneau) ; 1976, Sartre par lui-même (Astruc et Contat) ; 1977, Le fond de l'air est rouge (Marker, voix) ; 1978, La raison d'État (Cayatte) ; 1979, La guerre des polices (Davis) ; 1980, Le bar du téléphone (Barrois) ; 1983, Le battant (Delon) ; 1984, Tartuffe (Depardieu) ; 1987, Soigne ta droite (Godard) ; 1989, Lacenaire (Girod) ; 1990, Madame Bovary (narrateur) (Chabrol), Codename : Gorilla (Rusnak) ; 1991, La pagaille (Thomas), L'envers du décor (Salis) ; 1992, Voyage à Rome (Lengliney) ; 1995, Mémoires d'un jeune con (Aurignac).

Sorti du cours Simon, il partage son temps entre le théâtre et le cinéma. Son premier grand rôle à l'écran : *Premier bal*, en fera un jeune premier de comédie, plein de fantaisie et de gaieté (*La tentation de Barbizon, Mon phoque et elles*). Puis il tente une conversion dans le style Fanfan la Tulipe avec *Cadet-Rousselle* et *La Bigorne*, mais sans grand succès. Le jeune premier se transforme alors en héros plus mûr : commissaire de police ou tenancier de boîtes de nuit (chez Melville notamment), et finit même dans des rôles antipathiques (*Le battant*). Notons qu'au théâtre il fut des grands succès de Sartre (*Les mains sales, Le Diable et le bon Dieu, Les séquestrés d'Altona*) et créa *Bobosse* de Roussin, son talent lui permettant de s'adapter à tous les styles. Il fut aussi Mazarin à la télévision. Bref, l'un des plus grands acteurs du cinéma français avec une filmographie abondante bien qu'inégale. Il n'a jamais cessé de jouer sur les planches, d'*Amadeus* à la *Mort d'un commis-voyageur*.

Périer, Jean

Acteur français, 1869-1954.

1922, Vingt ans après (Diamant-Berger) ; 1931, Autour d'une enquête (Siodmak), Une nuit à l'hôtel (Mittler) ; 1937, Mister Flow (Siodmak), La mort du cygne (Benoit-Lévy), Une femme sans importance (Choux) ; 1938, Gibraltar (Ozep), Werther (Ophuls), Remontons les Champs-Élysées (Guitry) ; 1939, Entente cordiale (L'Herbier) ; 1942, Le destin fabuleux de Désirée Clary (Guitry) ; 1943, Les Roquevillard (Dréville).

Il fut Richelieu (*Vingt ans après*), Choiseul (*Remontons les Champs-Élysées*), Talleyrand (*Le destin fabuleux de Désirée Clary*) et le président Loubet (*Entente cordiale*). A lui seul cet ancien ténor résume au cinéma l'histoire de France.

Perkins, Anthony

Acteur et réalisateur américain, 1933-1992.

1953, The Actress (Cukor) ; 1956, Friendly Persuasion (La loi du Seigneur) (Wyler) ; 1957, Fear Strikes Out (Prisonnier de la peur) (Mulligan), The Lonely Man (Jicop le proscrit) (Levin), The Tin Star (Du sang dans le désert) (A. Mann) ; 1958, Barrage contre le Pacifique (Clément), Desire under the Elms (Le désir sous les ormes) (D. Mann), The Matchmaker (La meneuse de jeu) (Anthony) ; 1959, Green Mansions (Les vertes demeures) (Ferrer), On the Beach (Le dernier rivage) (Kramer) ; 1960, Tall Story (La tête à l'envers) (Logan), Psycho (Psychose) (Hitchcock) ; 1961, Goodbye Again (Aimez-vous Brahms ?) (Litvak) ; 1962, Phaedra (Dassin), The Trial (Le procès) (Welles), Le couteau dans la plaie (Litvak), Le glaive et la balance (Cayatte) ; 1963, Une ravissante idiote (Molinaro) ; 1967, Le scandale (Chabrol), Paris brûle-t-il ? (Clément), The Fool Killer (Gonzales) ; 1970, Pretty Poison (Noel Black), Wusa (Wusa) (Rosenberg), Catch 22 (Catch 22) (Nichols) ; 1972, La décade prodigieuse (Chabrol), Quelqu'un derrière la porte (Gessner) ; 1973, The Life and Times of Judge Roy Bean (Juge et hors-la-loi) (Huston), Play It as It Lays (Perry), Lovin'Molly (Lumet), The Last of Sheila (Les invitations dangereuses) (Ross) ; 1975, Murder on the Orient-Express (Le crime de l'Orient-Express) (Lumet), Mahogany (Mahogany) (Gordy) ; 1978, Remember My Name (Tu ne m'oublieras jamais) (Rudolph) ; 1979, Twee Vrouwen (Sluizer), North Sea Hijack (Les loups de la haute mer) (McLaglen), The Black Hole (Le trou noir) (G. Nelson), The Horror Show (Schickel), Winter Kills (Reichert) ; 1980, Double Negatives (Bloomfield) ; 1983, Psycho II (Psychose 2) (Franklin) ; 1984, Crimes of Passion (Les jours et les nuits de China Blue) (K. Russell) ; 1985, For the Term of His Natural Life (Stewart) ; 1986, Psycho III (Psychose 3) (Perkins) ; 1988, Destroyer (Kirk), Edge of Sanity (Dr Jekyll et Mr. Hyde) (Kikoïne) ; 1991, The Naked Target (Elorietta) ; 1992, A Demon in My View (Haffter). *Pour le metteur en scène*, voir le *Dictionnaire du cinéma*, t. I : *Les réalisateurs*.

Fils d'un acteur, il est né à New York et a fait ses études à la Columbia University. Débuts au théâtre à Broadway dans *Tea and Sympathy* en 1954. Au cinéma, il fut longtemps voué aux jeunes garçons gauches et timides (avec pour maîtres Fonda dans *Du sang dans le désert* et Cooper dans *La loi du Seigneur*, mais aussi des femmes mûres, style Loren et Mercouri, qui le poursuivent de leurs avances). Il fut éblouissant en fils « à sa maman » dans *Psychose*. Passé le cap de l'âge ingrat, il n'a jamais retrouvé de rôles à sa mesure, exception faite de K dans *The Trial*. Marqué par le souvenir de *Psychose*, son film fétiche, il a accepté d'en tourner une suite.

Perlman, Ron

Acteur américain né en 1950.

1981, La guerre du feu (Annaud) ; 1986, Le nom de la rose (Annaud) ; 1992, Stephen King's Sleepwalkers (La nuit déchirée) (Garris) ; 1993, Cronos (Del Toro), The Adventures of Huck Finn (Les aventures de Huckleberry Finn) (Sommers), Romeo Is Bleeding (Romeo Is Bleeding) (Medak) ; 1994, La cité des enfants perdus (Jeunet et Caro) ; 1995, Fluke (Carlei), The Last Supper (L'ultime souper) (Title) ; 1996, The Island of Dr. Moreau (L'île du Dr Moreau) (Frankenheimer), Prince Valiant (Prince Valiant) (Hickox) ; 1997, Self Storage (Spiridakis), Alien Resurrection (Alien, la résurrection) (Jeunet), Betty (Murphy), The Second Civil War (The Second Civil War) (Dante) ; 1998, I Woke Up Early the Day I Died (Iliopoulos), Happy, Texas (Happy, Texas) (Illsley) ; 1999, Price of Glory (Avila) ; 2000, Bread and Roses (Bread and Roses) (Loach), Enemy at the Gates (Stalingrad) (Annaud) ; 2001, Night Class (Wilson), How to Go Out on a Date in Queens (Danner), Quiet Kill (Jones).

Son physique d'ogre lui vaut des rôles extrêmes : il fut un homme préhistorique mémorable et particulièrement simiesque dans *La guerre du feu* et le monstre de la série américaine « La belle et la bête ». Enfin on le connaît surtout pour son interprétation de One, le bon géant qui sauvait les enfants de *La cité des enfants perdus*.

Pernel, Florence

Actrice française née en 1962.

1977, Girls (Jaeckin) ; 1980, Le cœur à l'envers (Apprederis) ; 1981, Allons z'enfants (Boisset) ; 1982, Que les gros salaires lèvent le doigt (Granier-Deferre) ; 1989, Cellini (L'or et le sang) (Battiato), Mauvaise fille (Franc), Il y a des jours... et des lunes (Lelouch) ; 1990, The Man Inside (L'affaire Wallraff) (Roth) ; 1991, Les enfants du naufrageur

(Foulon) ; 1992, Bleu (Kieslowski), L'écrivain public (Amiguet), La cavale des fous (Pico), Le bateau de mariage (Améris) ; 1993, Blanc (Kieslowski) ; 1996, Arthur Rimbaud (Rivière), En brazos de la mujer madura (Lombardero) Violetta, la reine de la moto (Jacques) ; 1997, Vive la République ! (Rochant), Un hiver au bout du monde (Togay) ; 1999, La vache et le président (Muyl), Yoyes (Yoyes) (Taberna).

Après des débuts au cinéma alors qu'elle était encore adolescente, c'est vers la télévision qu'elle se tourne pendant plusieurs années, avant de revenir sur grand écran dans des rôles laissant éclater sa beauté simple et son jeu naturel.

Perret, Pierre

Chanteur et acteur français né en 1934.

1959, Les étoiles de midi (Ichac) ; 1969, Un été sauvage (Camus), Le juge (Girault), Les patates (Autant-Lara).

Le populaire auteur des « Joyeuses colonies de vacances » n'a fait qu'une brève apparition à l'écran. Son côté rond et débonnaire aurait pourtant pu être exploité par le cinéma comique français. Mais faut-il le déplorer, à voir le sort réservé à Darry Cowl, Paul Préboist ou même jadis Francis Blanche ?

Perrier, Jean-François

Acteur français né en 1947.

1983, Balla Balla (Le bal) (Scola) ; 1985, Une femme ou deux (Vigne), Elsa Elsa (Haudepin), La galette du roi (Ribes), Paulette la pauvre petite milliardaire (Confortès), Macheroni (Macaroni) (Scola) ; 1986, Yiddish Connection (Boujenah), Suivez mon regard (Curtelin) ; 1987, Corentin ou les infortunes conjugales (Marbœuf), La vieille quimboiseuse et le majordome (Laou), Les keufs (Balasko) ; 1988, Comédie d'été (Vigne), Prisonnières (Silvera) ; 1989, Vincent et Théo (Altman) ; 1990, Sushi sushi (Perrin), Il viaggio del capitano Fracassa (Le voyage du capitaine Fracasse) (Scola) ; 1991, Delicatessen (Jeunet et Caro), Faux rapports (Calderon) ; 1992, Une journée chez ma mère (Cheminal), Pétain (Marbœuf) ; 1993, Le fils du requin (Merlet), Grosse fatigue (Blanc), La guerre des enfants (Brucher) ; 1994, Dieu, l'amant de ma mère et le fils du charcutier (Issermann), Malik le maudit (Hamidi) ; 1995, La cérémonie (Chabrol), Maries Lied : Ich war ich was nicht wo (Brücher) ; 1996, La divine poursuite (Deville) ; 1997, Mauvais genre (Bénégui) ; 2000, 30 ans (Perrin).

Grande perche aux airs dédaigneux, il est parfait dans les comédies où il joue souvent les caricatures de personnages coincés et antipathiques. Une vraie gueule de cinéma et, surtout, un très bon troisième rôle.

Perrier, Mireille

Actrice française née en 1959.

1983, La bête noire (Chaput), Boy Meets Girl (Carax) ; 1984, Elle a passé tant d'heures sous les sunlights (Garrel) ; 1985, High Speed (Dartonne et Kaptur), Jour et nuit (Menoud), Gardien de la nuit (Limosin) ; 1986, Mauvais sang (Carax) ; 1987, Où que tu sois (Bergala), Chocolat (Denis), La vallée des anges (Issermann) ; 1988, Rupture (Carasco), Un monde sans pitié (Rochant) ; 1990, J'entends plus la guitare (Garrel), L'entraînement du champion avant la course (Favre), Netchaïev est de retour (Deray), Toto le héros (Van Dormael) ; 1991, Golem, l'esprit de l'exil (Gitaï) ; 1992, La Sévillane (Toussaint), L'ombre du doute (Issermann), Trahir (Mihaileanu) ; 1993, Tres irmaos (Villaverde) ; 1995, Krim (Bouchaala) ; 1997, Le comptoir (Tatischeff), La patinoire (Toussaint), A vendre (Masson) ; 1998, Fin de siècle (Champion) ; 1999, Un dérangement considérable (Stora) ; 2000, Les diseurs de vérité (Traidia) ; 2003, La petite prairie aux bouleaux (Loridan-Ivens) ; 2004, Les mains vides (Recha), Les Parisiens (Lelouch) ; 2005, Le courage d'aimer (Lelouch) ; 2006, Fragments sur la grâce (Dieutre) ; 2007, L'homme qui marche (Georges).

Voilà plus de quinze ans qu'elle circule dans les méandres du cinéma d'auteur avec une étonnante facilité. Beaucoup de films difficiles à son actif, parfois de très bons choix (*Boy Meets Girl, Un monde sans pitié, Toto le héros*), et presque toujours des premiers films. Son exigence finira bien par payer.

Perrin, Francis

Acteur et réalisateur français né en 1947.

1973, On s'est trompé d'histoire d'amour (Bertucelli), Le concierge (Girault) ; 1974, La gifle (Pinoteau), C'est dur pour tout le monde (Gion) ; 1975, Les fougères bleues (Sagan), Folies bourgeoises (Chabrol) ; Sérieux comme le plaisir (Benayoun) ; 1976, Le chasseur de chez Maxim's (Vital), Le mille-pattes fait des claquettes (Girault) ; 1978, Robert et Robert (Lelouch) ; 1979, On a volé la cuisse de Jupiter (Broca), Gros câlin (Rawson), Un amour d'emmerdeuse (Vandercoille) ; 1980, Le roi des cons (Confortès) ; 1981, Tête à claques (Perrin), Le corbillard de Jules

(Penard) ; 1982, Tout le monde il peut se tromper (Couturier) ; 1984, Le joli cœur (Perrin), Ça n'arrive qu'à moi (Perrin) ; 1985, Billy ze Kick (Mordillat) ; 1986, Le débutant (Janneau) ; 1987, Club de rencontres (Lang) ; 1990, Présumé dangereux (Lautner) ; 1993, La braconne (Pénard) ; 1996, La belle verte (Serreau) ; 2004, Le genre humain (Lelouch). *Pour le metteur en scène*, voir le *Dictionnaire du cinéma*, t. I : *Les réalisateurs.*

Bon acteur de théâtre (il joua avec la compagnie Marcelle-Tassencourt et entra au Conservatoire d'où il sortit avec trois premiers prix et un engagement à la Comédie-Française), il a un peu gâché ses dons au cinéma en interprétant des films sans grand relief et surtout sans grande ambition. Il semble vouloir se consacrer à la mise en scène. Après *Tête à claques*, il a réalisé une comédie charmante, pleine de mouvement et de finesse : *Le joli cœur*, réussite qui nous permet d'attendre beaucoup de Perrin. *Le débutant* raconte sa propre histoire. Il semble privilégier le théâtre.

Perrin, Jacques

Acteur, réalisateur et producteur français, de son vrai nom Simonet, né en 1941.

1946, Les portes de la nuit (Carné) ; 1957, La peau de l'ours (Boissol) ; 1958, Les tricheurs (Carné) ; 1959, La verte moisson (Villiers) ; 1960, Les nymphettes (Zaphiratos), La vérité (Clouzot), La ragazza con la valiglia (La fille à la valise) (Zurlini) ; 1961, Les croulants se portent bien (Boyer), Le soleil dans l'œil (Bourdon) ; 1962, Satan conduit le bal (Dabat), Cronaca familiare (Journal intime) (Zurlini) ; 1963, Il fornaretto di Venizia (Le procès des doges) (Tessari), La corruzione (La corruption) (Bolognini), La calda vita (Vancini) ; 1964, Oltraggio al pudore (Amadio), La chance et l'amor (épisode Les fiancés de la chance) (Schlumberger), La 317e section (Schoendoerffer) ; 1965, Rose rosse per Angelica (Le chevalier à la rose rouge) (Steno), Compartiment tueurs (Costa-Gavras), Un uomo a meta (Un homme à moitié) (De Seta) ; 1966, La busca (Fons), Un homme de trop (Costa-Gavras), L'horizon (Roufflo), La ligne de démarcation (Chabrol), Les demoiselles de Rochefort (Demy) ; 1967, L'écume des jours (Belmont), La petite vertu (Korber), Le grand dadais (Granier-Deferre), Vivre la nuit (Camus) ; 1968, Z (Costa-Gavras) ; 1969, L'invitée (De Seta), L'Américain (Bozzuffi) ; 1970, L'étrangleur (Vecchiali), Peau d'âne (Demy), Blanche (Borowczyk), Historia de una soledad (Goya) (Quevado) ; 1971, La guerre d'Algérie (Courrière, Monnier) ; 1972, Home Sweet Home (La fête à Jules) (Lamy) ; 1974, La spirale (Mattelart, Menniel, Mayoux) ; 1975, Section spéciale (Costa-Gavras) ; 1976, La victoire en chantant (Annaud), Il deserto dei Tartari (Le désert des Tartares) (Zurlini) ; 1977, Le crabe-tambour (Schoendoerffer), La part du feu (Périer) ; 1978, L'adoption (Grunebaum) ; 1979, La légion saute sur Kolwezi (Coutard) ; 1980, Une robe noire pour un tueur (Giovanni) ; 1981, La disubbidienza (La désobéissance) (Lado), Le sang du flamboyant (Migeat), L'honneur d'un capitaine (Schoendoerffer) ; 1982, Les quarantièmes rugissants (Chalonge) ; 1984, L'année des méduses (Frank), Le juge (Lefèbvre) ; 1985, Paroles et musique (Chouraqui), Parole de flic (Pinheiro) ; 1989, Nuovo Cinema Paradiso (Cinema paradiso) (Tornatore), Vanille-fraise (Oury) ; 1990, La contre-allée (Sebastian), Fuga dal paradiso (La fuite au paradis) (Pasculli) ; 1991, In nomine del popolo sovrano (Au nom du peuple souverain) (Magni), Rien que des mensonges (Muret), Les eaux dormantes (Trefouel) ; 1992, Il lungho silenzio (von Trotta), Touch and Die (Solinas), Les demoiselles ont eu vingt-cinq ans (Varda), La corsa dell'innocente (La course de l'innocent) (Carlei) ; 1993, C'e Kim Novak al telefono (Roseo), Montparnasse-Pondichéry (Robert) ; 1994, Les hirondelles ne meurent pas à Jérusalem (Behi) ; 1995, Le silence des fusils (Lamothe) ; 1996, Angkor '96 (Schultz) ; 1998, C'est pas ma faute ! (Monnet) ; 1999, Scènes de crimes (L. Schoendoerffer) ; 2000, Le pacte des loups (Gans) ; 2004, Les choristes (Barratier), Là-haut, un roi au-dessus des nuages (P. Schoendoerffer) ; 2005, L'enfer (Tanovic), Le petit lieutenant (Beauvois). *Pour le metteur en scène*, voir le *Dictionnaire du cinéma*, t. I : *Les réalisateurs*.

Fils d'un régisseur de la Comédie-Française, filleul du comédien Balpétré, il passe par le Conservatoire, crée *L'année du bac* puis s'oriente vers le cinéma. Très vite, il s'intéresse à la production (*Z*, *État de siège*, *Le désert des Tartares...*). Comme acteur, il semble voué aux rôles de jeunes officiers à états d'âme (les films de Schoendoerffer et *Le désert des Tartares*) ou aux juges imprudents que la Mafia fait assassiner (*Le juge*).

Perrin, Marco

Acteur français né en 1927.

1960, Adieu Philippine (Rozier) ; 1965, Monnaie de singe (Robert) ; 1966, Le vieil homme et l'enfant (Berri) ; 1969, L'armée des ombres (Melville) ; 1971, Les malheurs d'Alfred (Richard), Églantine (Brialy) ; 1972,

Tout le monde il est beau, tout le monde il est gentil (Yanne), Justine de Sade (Pierson), Les volets clos (Brialy), Moi y'en a vouloir des sous (Yanne), L'affaire Dominici (Bernard-Aubert), Les hommes (Vigne) ; 1973, J'irai comme un cheval fou (Arrabal), L'oiseau rare (Brialy), Les valseuses (Blier), L'heptaméron (Pierson) ; 1974, Comme un pot de fraises (Aurel), Les suspects (Wyn), Soldat Duroc ça va être ta fête (Gérard) ; 1975, La grande récré (Pierson), Flic Story (Deray), Le mâle du siècle (Berri) ; 1976, Les passagers (Leroy), Un mari c'est un mari (Friedman) ; 1977, L'homme pressé (Molinaro), Comme la lune (Séria), Attention les enfants regardent (Leroy), L'amour violé (Bellon) ; 1978, Je te tiens, tu me tiens par la barbichette (Yanne), L'ange gardien (Fournier), Le gendarme et les extraterrestres (Girault) ; 1979, Buffet froid (Blier), Les phallocrates (Pierson), La gueule de l'autre (Tchernia), On est venus là pour s'éclater (Pécas), Cocktail molotov (Kurys), L'associé (Gainville), Duos sur canapés (Camoletti) ; 1980, Fais gaffe à Lagaffe (Boujenah), T'inquiète pas, ça se soigne (Matalon), Voulez-vous un bébé Nobel ? (Pouret) ; 1981, La soupe aux choux (Girault), Prends ta Rolls et va pointer (Balducci), Belles, blondes et bronzées (Pécas), Comment draguer toutes les filles (Vocoret), Jamais avant le mariage (Ceccaldi) ; 1982, On n'est pas sortis de l'auberge (Pécas), Le braconnier de Dieu (Darras) ; 1984, Béruchet, dit la Boulie (Béruchet).

Un acteur et un personnage typiquement méridionaux (accent, moustache, bonhomie) qui nous a laissé le souvenir d'apparitions savoureuses, comme le vigile de supermarché martyrisé par Depardieu dans *Les valseuses*. Filmographie hélas trop dispersée et plombée par une fin de carrière chez Pécas...

Perrine, Valerie

Actrice américaine née en 1946.

1972, Slaughterhouse Five (Abattoir 5) (Roy Hill), The Last American Hero (L. Johnson) ; 1974, Lenny (Fosse) ; 1976, W.C. Fields and Me (Hiller) ; 1977, Mr. Billion (On m'appelle Dollars) (J. Kaplan) ; 1978, Superman (Superman) (Donner) ; 1979, The Magician of Lublin (Le magicien de Lublin) (Golan), The Electric Horseman (Le cavalier électrique) (Pollack) ; 1980, Can't Stop the Music (Parker), Agency (Des espions dans la ville) (Kaczender), Superman II (Superman II) (Lester) ; 1981, The Border (Police frontière) (Richardson) ; 1984, Water (Ouragan sur l'eau plate) (Clément) ; 1987, Maid to Order (Jones) ; 1989, Mask of Murder (Mattson) ; 1990, Bright Angel (Fields) ; 1991, Riflessi en un cielo oscuro (Maira) ; 1993, Boiling Point (L'extrême limite) (Harris) ; 1994, Girl in the Cadillac (Platt), The Break (Katzin) ; 1997, Curtain Call (Yates), A Place Called Truth/Shame (King) ; 1998, 54 (Studio 54) (Christopher), My Girlfriend's Boyfriend (Schapiro) ; 1999, Brown's Requiem (Freeland) ; 2000, What Women Want (Ce que veulent les femmes) (Meyers).

Révélée par *Lenny*, elle dessine, en brune parfois inquiétante, une brillante carrière, sans atteindre toutefois le paradis des stars.

Perrot, François

Acteur français né en 1924.

1955, Vous pigez ? (Chevalier) ; 1972, Nada (Chabrol) ; 1973, Le sourire vertical (Lapoujade), Les innocents aux mains sales (Chabrol) ; 1976, A chacun son enfer (Cayatte), Le corps de mon ennemi (Verneuil), Marie-Poupée (Séria), Madame Claude (Jaeckin), Alice ou la dernière fugue (Chabrol), Le jeu du solitaire (Adam) ; 1977, Ce vieux pays où Rimbaud est mort (Lefèbvre) ; 1978, Je te tiens, tu me tiens par la barbichette (Yanne), Le maître nageur (J.-L. Trintignant), L'argent des autres (Chalonge) ; 1979, Ras le cœur (Colas), Clair de femme (Costa-Gavras) ; 1980, Inspecteur la bavure (Zidi), Une robe noire pour un tueur (Giovanni), Trois hommes à abattre (Deray) ; 1981, Les quarantièmes rugissants (Chalonge), Hôtel des Amériques (Téchiné), Du blues dans la tête (Palud), Coup de torchon (Tavernier) ; 1982, Surprise Party (Vadim), Pour cent briques t'as plus rien (Molinaro), Josepha (Frank), Banzaï (Zidi), Le choc (Davis), Que les gros salaires lèvent le doigt (D. Granier-Deferre) ; 1983, L'ami de Vincent (Granier-Deferre), Attention, une femme peut en cacher une autre (Lautner), La femme de mon pote (Blier), Sarah (Dugowson), Les morfalous (Verneuil) ; 1984, Le vol du Sphinx (Ferrier) ; 1985, Ça n'arrive qu'à moi (Perrin) ; 1986, Les exploits d'un jeune Don Juan (Mingozzi), Le débutant (Janneau), Si t'as besoin de rien... fais-moi signe (Gérard) ; 1987, Les années sandwiches (Boutron) ; 1989, La vie et rien d'autre (Tavernier) ; 1990, Faux et usage de faux (Heynemann) ; 1991, Les clés du paradis (Broca), Merci la vie (Blier), A demain (Martiny) ; 1992, La belle histoire (Lelouch), L'inconnu dans la maison (Lautner) ; 1994, Les faussaires (Blum), Les Milles (Grall) ; 1995, Le jaguar (Veber) ; 1997, Mauvais genre (Bénégui) ; 1998, Une journée de merde (Courtois), La guerre dans le haut-pays (Reusser) ; 1999,

Le cœur à l'ouvrage (Dussaux) ; 2000, Mon père (Giovanni).

Venu du théâtre (Vilar, Barsacq), il joue au cinéma les hommes importants et imposants avec un talent sûr. Il fut même Talleyrand dans une série historique de la télévision.

Perugorría, Jorge

Acteur cubain né en 1965.

1993, Fresa y chocolate (Fresa y chocolate) (Gutiérrez Alea, Tabio), Derecho de asilo (Cortázar) ; 1994, Guantanamera (Guantanamera) (Gutiérrez Alea, Tabio) ; 1995, La sal de la vida (Martín), Dile a Laura que la quiero (Juárez), Cachito (Urbizu) ; 1996, Edipo Alcalde (Alí Triana), Bambola (Bambola) (Bigas Luna), Un asunto privado (Arias) ; 1997, Amor vertical (Sotto Díaz), Navalha na carne (De Almeida) ; 1998, Sidoglio Smithee (Molina), Doña Bárbara (Kaplan), Cosas que dejé en La Habana (Gutiérrez Aragón) ; 1999, Cuando vuelvas a mi lado (Quand tu me reviendras) (Querejeta), Volavérunt (Volavérunt) (Bigas Luna), Tierra del fuego (Littin), Lista de espera (Liste d'attente) (Tabío) ; 2000, Estorvo (Guerra).

Découvert dans *Fresa y chocolate* en homosexuel raffiné qui tombait amoureux d'un jeune éphèbe, il n'était pas pour rien dans le succès de ce film qui fit pour une fois converger le regard des cinéphiles vers Cuba. Exilé en Espagne, il y tourne notamment dans le méconnu *Bambola* de Bigas Luna. Un rôle totalement à l'opposé de celui de *Fresa y chocolate* : crâne rasé, hyper-violent, macho et sexuellement surpuissant.

Pesci, Joe

Acteur américain né en 1943.

1976, Death Collector (Ralph de Vito) ; 1980, Raging Bull (Raging Bull) (Scorsese) ; 1981, I'm Dancing as Fast as I Can (Hofsiss) ; 1982, Dear Mr. Wonderful (Lilienthal), Easy Money (Signorelli) ; 1983, Eurêka (Roeg) ; 1984, Once Upon a Time in America (Il était une fois en Amérique) (Leone), Tutti dentro (Sordi) ; 1987, Man on Fire (Chouraqui) ; 1988, Moonwalker (Chilvers et Kramer) ; 1989, Lethal Weapon 2 (L'arme fatale 2) (Donner), Backtrack (Hopper) ; 1990, Betsy's Wedding (Alda), Goodfellas (Les affranchis) (Scorsese), Home Alone (Maman j'ai raté l'avion) (Columbus) ; 1991, JFK (JFK) (Stone), My Cousin Vinny (Mon cousin Vinny) (Lynn), The Super (Daniel) ; 1992, Lethal Weapon 3 (L'arme fatale 3) (Donner), Home Alone 2 : Lost in New York (Maman j'ai encore raté l'avion) (Columbus), The Public Eye (L'œil public) (Franklin) ; 1993, Jimmy Hollywood (Levinson), A Bronx Tale (Il était une fois le Bronx) (De Niro) ; 1994, With Honors (Keshishian) ; 1995, Casino (Casino) (Scorsese) ; 1996, Gone Fishin' (Cain), 8 Heads in a Duffel Bag (8 têtes dans un sac) (Schulman) ; 1998, Lethal Weapon 4 (L'arme fatale 4) (Donner) ; 2007, The Good Shepherd (The Good Shepherd) (De Niro).

Révélé par son rôle de mafioso dans *Les affranchis* de Scorsese pour lequel il obtient un oscar en 1990, son côté débonnaire et généreux propre aux acteurs italo-américains (tel Danny DeVito) est très bien utilisé dans le cinéma de Scorsese. Dommage qu'il en fasse trop chez des réalisateurs nettement moins doués. Il n'en reste pas moins très attachant.

Peters, Jean

Actrice américaine, 1926-2000.

1947, Captain from Castile (Capitaine de Castille) (King), Deep Waters (King) ; 1949, It Happens Every Spring (Bacon) ; 1950, Love That Brute (Hall) ; 1951, Take Care of My Little Girl (Negulesco), Anne of the Indies (La flibustière des Antilles) (Tourneur), As Young as You Feel (Rendez-moi ma femme) (H. Jones) ; 1952, Wait Til the Sun Shines, Nellie (King), Viva Zapata (Viva Zapata) (Kazan), Lure of the Wilderness (Prisonniers du marais) (Negulesco), O'Henry's Full House (La sarabande de pantins) (Negulesco) ; 1953, Niagara (Niagara) (Hathaway), Vicki (Horner), Pickup on South Street (Le port de la drogue) (Fuller), A Blueprint for Murder (Meurtre prémédité) (Stone) ; 1954, Apache (Bronco Apache) (Aldrich), Broken Lance (La lance brisée) (Dmytryk), Three Coins in the Fountain (La fontaine des amours) (Negulesco) ; 1955, A Man Called Peter (Au service des hommes) (Koster) ; 1970, Little Big Man (Little Big Man) (Penn).

Cette sémillante brune interrompit ses études pour aller à Hollywood après avoir gagné un concours de beauté. D'emblée elle devint une star fréquentant Robert Wagner, épousant le milliardaire Stuart Cramer avant de faire sensation en restant pendant treize ans Mme Howard Hugues. En dépit de cette vie privée mouvementée, elle fut une excellente actrice spécialisée souvent dans les rôles exotiques (la Mexicaine de *Capitaine de Castille*, l'Indienne d'*Apache*, la flibustière des Antilles). Elle fut l'une des stars de la RKO à son apogée. C'est une une actrice homonyme qui joue dans *Poltergeist 2*.

Petit, Pascale

Actrice française née en 1938.

1956, Les sorcières de Salem (Rouleau) ; 1958, Les tricheurs (Carné), Une vie (Astruc), Faibles femmes (Boisrond) ; 1959, Julie la Rousse (Boissol) ; 1960, Une fille pour l'été (Molinaro), Vers l'extase (Wheeler), L'affaire d'une nuit (Verneuil), La novice (Lattuada) ; 1961, Les démons de minuit (M. Allégret), Un branco di vigliacchi (Bande de lâches) (Taglioni), La croix des vivants (Govar) ; 1962, Una regine per Cesare (Cléopâtre, une reine pour César) (Tourjanski) ; 1964, Comment épouser un Premier ministre (Boisrond) ; 1965, Corrida pour un espion (Labro) ; 1966, Gern hab' ich die Frauen gekillt (Le carnaval des barbouzes) (Soulanes, Cardone, Lynn et Reynolds), Zwei Girls vom roton Stern (Drechsel), Un soir à Tibériade (Bromberger) ; 1968, Mieux vaut faire l'amour (Legrand), Il mercenario (S. Corbucci), Joe, cercatti un posto per morire (Carnimeo) ; 1969, Frau Wirtin hat auch einen Grafen (Oui à l'amour, non à la guerre) (Antel) ; 1970, Les mercenaires de la violence (Muller) ; 1973, Quante volte... quella notte (Bava) ; 1985, A Strange Love Affair (De Kuyper et Verstraten) ; 1988, Sans défense (Nerval) ; 1991, Ville à vendre (Mocky).

A l'origine une manucure qui va se révéler dans *Les sorcières de Salem* puis dans *Les tricheurs* comme une bonne comédienne au ravissant minois. Elle aurait pu avoir une carrière voisine de celle de Brigitte Bardot : l'une et l'autre furent dirigées par Boisrond ; mais, après avoir montré des qualités d'actrice dans *Une fille pour l'été* où elle était émouvante, elle se perdit dans de médiocres films italiens ou allemands.

Peyrelon, Michel

Acteur français, 1936-2003.

1963, Les vierges (Mocky) ; 1970, Un condé (Boisset), Un beau monstre (Gobbi), Vertige pour un tueur (Desagnat) ; 1971, Biribi (Moosman) ; 1972, Le fils (Granier-Deferre), Docteur Popaul (Chabrol), La scoumoune (Giovanni) ; 1973, L'affaire Crazy Capo (Jamain), RAS (Boisset), Rude journée pour la reine (Allio), Les valseuses (Blier) ; 1974, Les seins de glace (Lautner), Dupont-Lajoie (Boisset), Un nuage entre les dents (Pico), Véronique ou l'été de mes treize ans (Guillemain) ; 1975, Adieu poulet (Granier-Deferre), Calmos (Blier), Le faux cul (Hanin) ; Le chat et la souris (Lelouch), Folle à tuer (Boisset) ; 1977, Dora et la lanterne magique (Kané), L'imprécateur (Bertucelli), Les œufs brouillés (Santoni), Ils sont fous ces sorciers (Lautner) ; 1978, Ces flics étranges venus d'ailleurs (Clair), One Two Two, 122 rue de Provence (Gion), Les réformés se portent bien (Gérard) ; 1979, Tusk (Jodorowsky), Flic ou voyou (Lautner), Les égouts du paradis (Giovanni), Le gagnant (Gion), Gros câlin (Rawson) ; 1980, Rendez-moi ma peau (Schulmann) ; 1982, Plus beau que moi, tu meurs (Clair) ; 1983, Drôle de samedi (Okan), Flics de choc (Desagnat), Retenez-moi ou je fais un malheur (Gérard) ; 1984, La femme ivoire (Cheminal), Le cow-boy (Lautner), Notre histoire (Blier) ; 1986, La vie dissolue de Gérard Floque (Lautner), Miss Mona (Charef), Suivez mon regard (Curtelin) ; 1987, Camomille (Charef) ; 1988, Radio corbeau (Boisset), Mon ami le traître (Giovanni) ; 1990, Feu sur le candidat (Delarive), Un vampire au paradis (Bahloul) ; 1991, Les sept péchés capitaux (sketch Le Moine) ; 1992, Une journée chez ma mère (Cheminal), Le bâtard de Dieu (Fechner), Les visiteurs (Poiré) ; 1994, Le grand blanc de Lambaréné (Ba Kobhio) ; 1996, Le plus beau métier du monde (Lauzier) ; 1997, Le nain rouge (Le Moine).

Bon acteur de composition. « Michel Peyrelon en huissier Schumacher dans *Dupont-Lajoie*, c'est Carette dans *L'auberge rouge*, c'est Larquey dans *Le corbeau*, c'est Robert Le Vigan dans *Goupi Mains rouges* : c'est la perfection. » (Thouart, *Les Grands Seconds Rôles du cinéma français*, p. 167.)

Pfeiffer, Michelle

Actrice américaine née en 1958.

1979, Falling in Love Again (Paul) ; 1980, The Hollywood Nights (Mutrux) ; 1981, Charlie Chan and the Curse of the Dragon Queen (Donner) ; 1982, Grease 2 (Birch) ; 1983, Scarface (Scarface) (De Palma) ; 1985, Ladyhawke (Ladyhawke, la femme de la nuit) (Donner), Into the Night (Série noire pour une nuit blanche) (Landis) ; 1986, Sweet Liberty (Alda) ; 1987, The Witches of Eastwick (Les sorcières d'Eastwick) (Miller), Amazon Women on the Moon (Cheeseburger Film Sandwich) (Landis) ; 1988, Married to the Mob (Veuve mais pas trop) (Demme), Tequila Sunrise (Towne), Dangerous Liaisons (Les liaisons dangereuses) (Frears) ; 1989, The Fabulous Baker Boys (Susie et les Baker Boys) (Kloves) ; 1990, The Russia House (La maison Russie) (Schepisi) ; 1991, Batman Returns (Batman - le défi) (Burton), Frankie and Johnny (Frankie et Johnny) (Marshall), Love Field (Love Field) (Kaplan) ; 1993, The Age of Innocence (Le temps de l'innocence) (Scorsese), Wolf (Wolf) (Nichols) ; 1994, Dangerous Minds (Esprits rebelles) (Smith) ; 1995, Up Close and Personal (Personnel et confidentiel) (Avnet) ; 1996, Gillian on her 37th Birthday (Par amour pour Gillian) (Pressman), One Fine Day (Un beau jour) (Hoffman), A Thousand Acres (Secrets) (Moorhouse) ; 1998, The Deep End of the Ocean (Grosbard), A Midsummer's Night Dream (Le songe d'une nuit d'été) (Hoffman) ; 1999, The Story of Us (Une vie à deux) (Reiner) ; 2000, What Lies Beneath (Apparences) (Zemeckis) ; 2001, I am Sam (Sam, je suis Sam) (Nelson) ; 2002, White Oleander (Laurier blanc) (Kosminsky) ; 2007, Stardust (Vaughn).

Dans la tradition du style « glamour » de l'âge d'or d'Hollywood avec le personnage de Susie qui assure le succès des Baker Boys, Michelle Pfeiffer peut être aussi la touchante victime de Mme de Merteuil dans *Les liaisons dangereuses* : c'est dire la diversité de son talent, un talent déjà remarqué dans *Ladyhawke* et plus encore en Sukie séduite, comme Cher et Susan Sarandon, par le diable-Nicholson dans *Les sorcières d'Eastwick*. On la retrouve dans *Le temps de l'innocence*, le seul film à costumes de Scorsese, en comtesse Olenska, héroïne d'un amour impossible.

Philipe, Gérard

Acteur français, 1922-1959.

1944, La boîte aux rêves (Y. Allégret), Les petites du quai aux Fleurs (M. Allégret) ; 1946, Le pays sans étoiles (Lacombe), L'idiot (Lampin) ; 1947, Le diable au corps (Autant-Lara) ; 1948, La chartreuse de Parme (Christian-Jaque) ; 1949, Une si jolie petite plage (Y. Allégret), Tous les chemins mènent à Rome (Boyer) ; 1950, La beauté du diable (Clair), La ronde (Ophuls), Souvenirs perdus (Christian-Jaque) ; 1951, Juliette ou la clef des songes (Carné) ; 1952, Fanfan la Tulipe (Christian-Jaque), Les sept péchés capitaux (Lacombe), Les belles de nuit (Clair) ; 1953, Les orgueilleux (Y. Allégret) ; 1954, Si Versailles m'était conté (Guitry), Monsieur Ripois (Clément), Villa Borghese (Franciolini), Le rouge et le noir (Autant-Lara) ; 1955, Les grandes manœuvres (Clair), Si Paris m'était conté (Guitry), La meilleure part (Y. Allégret) ; 1956, Till l'Espiègle (Ivens) ; 1957, Montparnasse 19 (Becker), Pot-Bouille (Duvivier) ; 1958, La vie à deux (Duhour), Le joueur (Autant-Lara) ; 1959, Les liaisons dangereuses (Vadim) ; 1960, La fièvre monte à El Pao (Buñuel).

Il réconciliait le XVIe arrondissement et Boulogne-Billancourt dans un culte commun : ne fut-il pas l'acteur le plus adulé et le plus admiré des années 50 ? Remarqué au théâtre en 1943 pour son interprétation de l'ange dans *Sodome et Gomorrhe* de Giraudoux puis de *Caligula* d'Albert Camus en 1945, il devait connaître une prestigieuse carrière théâtrale, notamment avec le TNP de Vilar (*Le Cid* — encore que sa manière de dire les stances ait suscité les réserves des puristes —, *Le Prince de Hombourg* en 1951, *Lorenzaccio* en 1952, *Ruy Blas* en 1954, *Les Caprices de Marianne* en 1958 et *On ne badine pas avec l'amour*, l'année suivante). Peut-être fut-il moins heureux au cinéma. Excellent dans *Le pays sans étoile* et *Le diable au corps* qui convenaient parfaitement à son physique, il fut un sympathique Fanfan la Tulipe (mais assez loin dans ses prouesses d'un Flynn ou d'un Lancaster !), puis il dirigea avec Ivens un médiocre *Till* qui fut un gros échec. Il se laissa, sur la fin de sa vie, mettre à toutes les sauces. Être tour à tour Julien Sorel, Modigliani et Valmont, c'est beaucoup pour un seul homme.

Phillips, Lou Diamond

Acteur, scénariste et réalisateur américain né en 1962.

1983, Trespassers (Bivens et Roake) ; 1987, La Bamba (La Bamba) (Valdez) ; 1988, Dakota (Holmes), Young Guns (Young Guns) (Cain), Stand and Deliver (Menendez) ; 1989, Disorganized Crime (Kouf), Renegades (Sholder) ; 1990, The First Power (Resnikoff), Young Guns 2 (Young Guns 2) (Murphy), A Show of Force (Barreto), Harley (Holmes) ; 1991, The Dark Wind (Le vent sombre) (Morris), Ambition (Goldstein) ; 1992, Agaguk (Dorffman) ; 1993, Extreme Justice (Lester) ; 1994, Boulevard (Buitenhuis), Sioux City (Phillips), Teresa's Tattoo (Cypher) ; 1995, Undertow (Red), Courage Under Fire (A l'épreuve du feu) (Zwick) ; 1997, The Big Hit (Big Hit) (Wong) ; 1998, Another Day in Paradise (Another Day in Paradise) (Clark), Brokedown Palace (Bangkok aller simple) (Kaplan), Supernova (Supernova) (Hill) ; 1999, Bats (La nuit des chauves-souris) (Morneau) ; 2000, Picking up the Pieces (Morceaux choisis) (Arau), A Better Way to Die (Wiper) ; 2001, Knight Club (Gannon), Route 666 (Wesley) ; 2002, Lone Hero (Sanzel), Malevolent (Terlesky) ; 2002, Stark Raving Mad (Daywalt et Schneider) ; 2003, Absolon (Barto), Hollywood Homicide (Hollywood Homicide) (Shelton). *Comme réalisateur* : 1994, Sioux City, Dangerous Touch.

D'origine sioux, il fut un convaincant Ritchie Valens dans *La Bamba*, son plus gros succès personnel. Par ailleurs scénariste et réalisateur, il ne semble pas avoir renoué avec le succès depuis lors.

Phoenix, Joaquin

Acteur américain né en 1974.

1986, SpaceCamp (Winer) ; 1987, Russkies (Rosenthal) ; 1989, Parenthood (Portrait caché d'une famille modèle) (Howard) ; 1995, To Die For (Prête à tout) (Van Sant) ; 1997, Inventing the Abbotts (O'Connor), U-Turn (U-Turn) (Stone) ; 1998, Return to Paradise (Loin du paradis) (Ruben), 8 mm (8 mm) (Schumacher) ; 1999, The Yards (The Yards) (Gray), Clay Pigeons (Dobkin), Gladiator (Gladiator) (Scott) ; 2000, Quills (Quills, la plume et le sang) (Kaufman) ; 2001, Buffalo Soldiers (Jordan) ; 2002, Signs (Signes) (Shyamalan) ; 2003, It's All About Love (Vinterberg) ; 2004, The Village (Le village) (Shyamalan) ; 2005, Hotel Rwanda (Hôtel Rwanda) (George), Ladder 49 (Piège de feu) (Russell) ; 2006, Walk the Line (Walk the Line) (Mangold).

Frère de River Phoenix (la gueule cassée en plus), il démarre adolescent au cinéma, sous le nom de Leaf Phoenix. Peu de rôles marquants jusqu'à *Prête à tout*, où il compose un personnage de petit malfrat qu'il reprendra peu ou prou dans *U-Turn* et *8 mm*. Il connaît la gloire en empereur Commode dans *Gladiator*, puis en mafioso lâche et corrupteur dans *The Yards*. Des personnages tordus, malsains, dont il semble se faire une spécialité si l'on fait entrer dans cette catégorie le Johnny Cash de *Walk the Line*.

Phoenix, River

Acteur américain, 1970-1993.

1985, Explorers (Explorers) (Dante) ; 1986, The Mosquito Coast (Mosquito coast) (Weir), Stand By Me (Stand By Me) (Reiner) ; 1988, Running on Empty (A bout de course) (Lumet), Little Nikita (Benjamin), A Night in the Life of Jimmy Reardon (Richert) ; 1989, Indiana Jones and the Last Crusade (Indiana Jones et la dernière croisade) (Spielberg) ; 1990, I Love You to Death (Je t'aime à te tuer) (Kasdan) ; 1991, My Own Private Idaho (My Own Private Idaho) (Van Sant), Dogfight (Savoca) ; 1992, Sneakers (Les experts) (Robinson) ; 1993, Silent Tongue (Shepard), The Thing Called Love (Bogdanovich), Dark Blood (inachevé, Sluizer).

Acteur depuis son plus jeune âge, on le remarque d'abord dans *Stand By Me*, film initiatique sur le monde de l'adolescence. Amant de Keanu Reeves dans *My Own Private Idaho*, il y démontrait une intense sensibilité et une puissance d'interprétation qui n'auraient pu aller qu'en progressant. Il est décédé d'une overdose à l'âge de vingt-trois ans.

Piaf, Édith

Chanteuse française, de son vrai nom Giovanna Gassion, 1915-1963.

1936, La garçonne (Limur) ; 1941, Montmartre sur Seine (Lacombe) ; 1945, Étoile sans lumière (Blistène) ; 1947, Neuf garçons, un cœur (Freedland) ; 1951, Paris chante toujours (Montazel) ; 1953, Boum sur Paris (Canonge), Si Versailles m'était conté (Guitry) ; 1954, French Cancan (Renoir) ; 1959, Les amants de demain (Blistène).

Populaire chanteuse dont la filmographie n'est pas à la hauteur du talent. A sauver toutefois *Étoile sans lumière*.

Piat, Jean

Acteur français né en 1924.

1946, Rouletabille (Chamborant) ; 1948, Le diable boiteux (Guitry) ; 1950, Clara de Montargis (Decoin) ; 1953, Le chasseur de chez Maxim's (Diamant-Berger) ; 1954, Napoléon (Guitry) ; 1958, Le bourgeois gentilhomme (Meyer) ; 1959, Le mariage de Figaro (Meyer) ; 1960, Les moutons de Panurge (Girault) ; 1966, La voie lactée (Buñuel) ; 1968, Les aventures de Lagardère (Decourt) ; 1969, La tour de Nesle (Legrand) ; 1970, Le passager de la pluie (Clément) ; 1974, La rivale (Gobbi) ; 1979, Ciao les mecs ! (Gobbi).

Excellent acteur de théâtre (il fut Cyrano et Figaro à la Comédie-Française), peu utilisé au cinéma. C'est dommage.

Piccoli, Michel

Acteur et réalisateur français né en 1925.

1945, Sortilèges (Christian-Jaque) ; 1948, Le point du jour (Daquin) ; 1949, Le parfum de la dame en noir (Daquin) ; 1950, Sans laisser d'adresse (Le Chanois), Terreur en Oklahoma (court métrage, Paviot) ; 1951, Torticola contre Frankensberg (court métrage, Paviot), Chicago Digest (court métrage, Paviot) ; 1952, Devoirs de vacances (court métrage, Paviot) ; 1953, Destinées (Delannoy) ; 1954, Interdit de séjour (Canonge), Marie-Antoinette (Delannoy), Tout chante autour de moi (Gout) ; 1955, French Cancan (Renoir), Ernst Thälmann (Allemagne), Les grandes manœuvres (Clair), Les mauvaises rencontres (Astruc) ; 1956, La mort en ce jardin (Buñuel) ; 1957, Rafles sur la ville (Chenal), Nathalie (Christian-Jaque), Les sorcières de Salem (Rouleau) ; 1958, Tabarin (Pottier) ;

1959, La bête à l'affût (Chenal), La dragée haute (Kerchner) ; 1960, Le bal des espions (M. Clément), Le vergini di Roma (Les vierges de Rome) (Bragaglia) ; 1961, Le rendez-vous (Delannoy), Climats (Lorenzi), La chevelure (Kyrou) ; 1962, Le doulos (Melville), Le jour et l'heure (Clément) ; 1963, Le mépris (Godard), Le journal d'une femme de chambre (Buñuel) ; 1964, La chance et l'amour (Bitsch), De l'amour (Aurel), Marie-Soleil (Bourseiller), Le coup de grâce (Cayrol) ; 1965, Lady L (Ustinov), Compartiment tueurs (Costa-Gavras), La curée (Vadim), Les ruses du diable (Vecchiali), Les créatures (Varda) ; 1966, Paris brûle-t-il ? (Clément), La guerre est finie (Resnais), Les demoiselles de Rochefort (Demy), Un homme de trop (Costa-Gavras), La voleuse (Chapot) ; 1967, Belle de jour (Buñuel), Benjamin (Deville), Mon amour, mon amour (N. Trintignant) ; 1968, La chamade (Cavalier), Diabolik (Danger Diabolik) (Bava), La voie lactée (Buñuel), La prisonnière (Clouzot) ; 1969, Topaz (L'étau) (Hitchcock), Les choses de la vie (Sautet), Dillinger est mort (Ferreri) ; 1970, L'invitata (L'invitée) (De Seta), Max et les ferrailleurs (Sautet) ; 1971, La cagna (Liza) (Ferreri), L'udienza (L'audience) (Ferreri), La poudre d'escampette (Broca), La décade prodigieuse (Chabrol) ; 1972, Le charme discret de la bourgeoisie (Buñuel), L'attentat (Boisset), Les noces rouges (Chabrol), Themroc (Faraldo), La femme en bleu (Deville) ; 1973, La grande bouffe (Ferreri), Touche pas à la femme blanche (Ferreri), Grandeur nature (Berlanga) ; 1974, Le trio infernal (Girod), Le fantôme de la liberté (Buñuel), Vincent, François, Paul et les autres (Sautet), Der dritte Grad (La faille) (Fleischman) ; 1975, Sept morts sur ordonnance (Rouffio), Leonor (J.-L. Buñuel) ; 1976, Todo modo (Todo modo) (Pietri), Mado (Sautet), René la canne (Girod), La part du feu (Périer) ; 1977, L'imprécateur (Bertucelli), L'état sauvage (Girod), Le sucre (Rouffio) ; 1979, Le mors aux dents (Heyneman), Salto nel vuoto (Le saut dans le vide) (Bellochio) ; 1980, Atlantic City (Malle), Les uns et les autres (Lelouch) ; 1981, La nuit de Varennes (Scola), La fille prodigue (Doillon), La passante du Sans-Souci (Rouffio), Espion, lève-toi (Boisset), Une étrange affaire (Granier-Deferre) ; 1982, Passion (Godard) ; 1983, Le prix du danger (Boisset), Une chambre en ville (Demy), Oltre la porta (Derrière la porte) (Cavani), Que les gros salaires lèvent le doigt (Granier-Deferre), Gli occhi e la bocca (Les yeux, la bouche) (Bellocchio) ; 1983, La diagonale du fou (Dembo), Le général de l'armée morte (Tovoli) ; 1984, Viva la vie (Lelouch), Le succès à tout prix (Skolimovski) ; 1985, Péril en la demeure (Deville), Partir, revenir (Lelouch), Adieu Bonaparte (Chahine) ; 1986, Mon beau-frère a tué ma sœur (Rouffio), Mauvais sang (Carax), Le paltoquet (Deville), La puritaine (Doillon) ; 1987, La rumba (Hanin), Terre étrangère (Bondy), L'homme voilé (Bagdadi), Maladie d'amour (Deray) ; 1988, Y'a bon les blancs (Ferreri), Blanc de Chine (Granier-Deferre) ; 1989, Milou en mai (Malle) ; 1990, Martha und Ich (Martha et moi) (Weiss) ; 1991, La belle noiseuse (Rivette), Contre l'oubli (collectif), Les équilibristes (Papatakis), La vie crevée (Nicloux), Le voleur d'enfants (Chalonge), Le bal des casse-pieds (Robert) ; 1992, Rupture(s) (Citti), Archipel (Granier-Deferre), Le souper (voix off) (Molinaro), La cavale des fous (Pico) ; 1993, L'ange noir (Brisseau), Youssef (L'émigré) (Chahine) ; 1994, Les cent et une nuits (Varda) ; 1995, Tykho Moon (Bilal) ; 1996, Beaumarchais l'insolent (Molinaro), Party (Party) (Oliveira), Compagna di viaggio (Compagne de voyage) (Del Monte), Généalogies d'un crime (Ruiz), Passion in the Desert (Currier) ; 1998, Rien sur Robert (Bonitzer), Paris-Tombuctu (Garcia Berlanga), Libero Burro (Libero Burro) (Castellitto) ; 1999, Les acteurs (Blier) ; 2000, Tout va bien, on s'en va (Mouriéras), Je rentre à la maison (Oliveira) ; 2003, La petite Lili (Miller), Un homme, un vrai (Larrieu) ; 2005, Jardins en automne (Iosseliani) ; 2007, Belle toujours (Oliveira), Ne touchez pas la hache (Rivette). *Comme réalisateur :* 1996, Alors voilà ; 2001, La plage noire.

Une carrière étonnante qui part des parodies de Paviot pour aboutir au nouveau cinéma des Girod, Doillon et autres Rouffio, en passant par Buñuel, Hitchcock, Resnais. Pouvait-il prévoir une telle suite de films, ce fils d'immigrants italiens qui, après avoir passé sa jeunesse en Corrèze, achève ses études à Paris où il découvre le théâtre et débute à l'écran comme figurant dans *Sortilèges* ? Son personnage de séducteur sûr de lui mais finalement vulnérable ne s'est jamais mieux exprimé que dans les œuvres de Sautet. Il peut être inquiétant, cynique, troublant (*Une étrange affaire*, de beaucoup son meilleur rôle, où en P-DG mystérieux il envoûte Gérard Lanvin), il ne se retrouve que rarement du mauvais côté. Il s'est occupé de produire une œuvre très originale, *Le général de l'armée morte*, mais semble vouloir se tourner à nouveau vers les films commerciaux de Lelouch ou de Hanin. L'engagement politique le tente également. Sa carrière paraît en souffrir. Mais des œuvres comme *Péril en la demeure* ou *Le paltoquet* le remettent en selle. Il est le peintre qui n'a pu achever son chef-d'œuvre, *La belle noiseuse*. C'est Georges Dufour qui prête sa main à Piccoli dans les esquisses. Il est l'un des fous de la cavale imaginée par Pico et prête son concours à Chahine pour *L'émigré*, se souvenant d'*Adieu Bonaparte* où il avait été un époustouflant Caffarelli.

Piccolo, Ottavia

Actrice italienne née en 1949.

1963, Il gattopardo (Le guépard) (Visconti) ; 1965, Un uomo a metà (Un homme à moitié) (De Seta), Madamigella di Maupin (Le chevalier de Maupin) (Bolognini) ; 1968, Serafino (Serafino) (Germi), Faustina (Magni) ; 1970, Un aller simple (Giovanno), Metello (Metello) (Bolognini), 12 + 1 (Gessner) ; 1971, Un'anguilla da trecento milioni (Samperi), Bubu (Bubu) (Bolognini) ; 1972, La cosa buffa (Lado), La veuve Couderc (Granier-Deferre) ; 1973, L'histoire très bonne et très joyeuse de Colinot Trousse-Chemise (Companeez), Antoine et Sébastien (Périer) ; 1975, Zorro (Tessari) ; 1976, Mado (Sautet) ; 1978, Travolta dagli affetti familiari (Severino) ; 1987, La famiglia (La famille) (Scola), Da grande (Amurri) ; 1988, Sposi (Avati) ; 1990, Nel giardino delle rose (Martino) ; 1991, Condominio (Condominio) (Farina), Barocco (Sestieri) ; 1992, Il lungo silenzio (Von Trotta) ; 1995, Bidoni (Farina) ; 1996, Marciando nel buio (Mon capitaine) (Spano).

Elle débute à l'âge de quatorze ans grâce à Visconti et se spécialise dans les rôles d'ingénues issues souvent d'un milieu populaire. Elle trouve son meilleur rôle dans *Metello*, de Bolognini, qui lui vaut un prix d'interprétation féminine à Cannes en 1970. Au début des années 80, elle se consacre surtout au théâtre et à la télévision, mais revient au cinéma depuis quelques années pour des prestations de moyenne importance mais de qualité.

Pickens, Slim

Acteur américain, de son vrai nom Louis Lindley, 1919-1983.

1950, Rocky Mountain (La révolte des dieux rouges) (Keighley) ; 1951, Colorado Sundown (Witney) ; 1952, The Last Musketeer (Witney), Old Oklahoma Plains (Witney), Border Saddlemates (Witney), Thunderbirds (Les diables de l'Oklahoma) (Auer), South Pacific Trail (Witney), The Story of Will Rogers (Curtiz) ; 1953, Old Overland Trail (Witney), Iron Mountain Trail (Witney), Down Laredo Way (Witney), Shadows of Tombstone (Witney), Red River Shore (Keller), The Sun Shines Bright (Le soleil brille pour tout le monde) (Ford) ; 1954, The Boy from Oklahoma (L'homme des plaines) (Curtiz), The Phantom Stallion (Keller), The Outcast (Les proscrits du Colorado) (Witney) ; 1955, The Last Command (Quand le clairon sonnera) (Lloyd), Santa Fe Passage (Le passage de Santa Fe) (Witney) ; 1956, Stranger at My Door (L'inconnu du ranch) (Witney), When Gangland Strikes (Springsteen), The Great Locomotive Chase (L'infernale poursuite) (Lyon), Gun Brothers (Salkow) ; 1957, Gunsight Ridge (Lyon) ; 1958, Tonka (Foster), The Sheepman (La vallée de la poudre) (Marshall) ; 1959, Escort West (Escorte pour l'Oregon) (Lyon) ; 1960, Chartroose Caboose (Reynolds) ; 1961, One-Eyed Jacks (La vengeance aux deux visages) (Brando), A Thunder of Drums (Tonnerre Apache) (Newman) ; 1963, Savage Sam (Tokar), Dr Strangelove (Docteur Folamour) (Kubrick) ; 1965, Major Dundee (Peckinpah), Up from the Beach (Le jour d'après) (Parrish), In Harm's Way (Première victoire) (Preminger), The Glory Guys (Les compagnons de la gloire) (Laven) ; 1966, An Eye for an Eye (Moore), Stagecoach (La diligence vers l'Ouest) (Douglas) ; 1967, The Flim Flam Man (Une sacrée fripouille) (Kershner), Will Penny (Gries), Rough Night in Jericho (Violence à Jéricho) (Laven), Never a Dull Moment (Marshall) ; 1968, Skidoo (Preminger) ; 1969, Eighty Steps to Jonah (Oswald) ; 1970, The Ballad of Cable Hogue (Peckinpah), Savage Season, The Deserter (Les dynamiteros) (Kennedy) ; 1972, The Honkers (Ihnat), The Getaway (Le guet-apens) (Peckinpah), Outdoor Rambling ; 1973, Pat Garett and Billy the Kid (Patt Garett et Billy le Kid) (Peckinpah) ; 1974, The Bootleggers (Pierce), The Legend of Earl Durand (Patterson), Blazing Saddles (Le shérif est en prison) (Brooks), Poor Pretty Eddie (Robinson) ; 1975, The Apple Dumpling Gang (Tokar), Rancho De Luxe (Perry), White Line Fever (Kaplan) ; 1976, Pony Express Rider (Harrison Jr.) ; 1977, Mr. Billion (Kaplan), The White Buffalo (Le bison blanc) (Lee-Thompson) ; 1978, The Swarm (L'inévitable catastrophe) (I. Allen) ; 1979, 1941 (Spielberg), Beyond the Poseidon Adventure (Le dernier secret du Poseidon) (I. Allen) ; 1980, Tom Horn (Tom Horn) (Wiard), Honeysuckle Rose (Show-Bus) (Schatzberg), The Howling (Hurlements) (Dante).

Après de modestes débuts dans les westerns de Witney, il va s'imposer comme extraordinaire acteur de composition. Il faut le voir en adjoint de shérif, humilier et maltraiter Brando enchaîné puis le supplier lorsque son rival le menace de son arme (non chargée, mais Pickens l'ignore) dans *La vengeance aux deux visages*. Toute la bassesse de certaines âmes est splendidement évoquée par l'acteur. Sur le mode comique, il faut le voir chevaucher une bombe atomique dans *Docteur Folamour*. De troisième couteau Pickens passe au statut de vedette, tout en restant dans son domaine de prédilection, le western. Il tourne avec Peckinpah, Gries... Puis la télévision semble l'absorber. On le retrouve pourtant dans ces rôles d'Américain moyen où il excelle, jusqu'à sa disparition.

Pickford, Mary

Actrice américaine, de son vrai nom Gladys Smith, 1893-1979.

Principaux films : 1909, Her First Biscuits (Griffith), The Violin Maker of Cremona (Griffith), The Lonely Villa (Griffith), The Renunciation (Griffith), The Peach Basket Hat (Griffith), The Seventh Day (Griffith), Sweet and Twenty (Griffith), His Wife's Visitor (Griffith), The Little Darling (Griffith), In Old Kentucky (Griffith), The Light That Came (Griffith), To Save Her Soul (Griffith) ; 1910, The Newlyweds (Griffith), Mary and December (F. Powell), Ramona (Griffith), The Call To Arms (Griffith) ; 1911, White Roses (Griffith), Three Sisters (Griffith) ; 1912, Lena and Geese (Griffith), A Pueblo Legend (Griffith), The Narrow Road (Griffith), Friends (Griffith), So Near, Yet So Far (Griffith), My Baby (Griffith) ; 1912, The Informer (Griffith), The New York Hat (Griffith) ; 1913, The Unwelcome Guest (Griffith), In the Bishop's Carriage (Porter), Caprice (Dawley) ; 1914, A Good Little Devil (Porter), Hearts Adrift (Porter), Tess of the Storm Country (Porter), The Eagle's Mate (Kirkwood), Such a Little Queen (H. Ford), Behind the Scenes (Kirkwood), Cinderella (Kirkwood) ; 1915, Mistress Nell (Kirkwood), Fanchon (Kirkwood), The Dawn of Tomorrow (Kirkwood), Little Pal (Kirkwood), Rags (Kirkwood), A Girl of Yesterday (Dwan), Esmeralda (Kirkwood), Madame Butterfly (Olcott) ; 1916, The Foudling (O'Brien), Poor Little Peppina (Olcott), The Eternal Grind (O'Brien), Hulda (O'Brien), Less than Dust (Emerson) ; 1917, The Pride of the Clan (Tourneur), The Poor Little Rich Girl (Tourneur), A Romance of the Redwoods (DeMille), The Little American (DeMille), Rebecca of Sunnybrook Farm (Neilan), A Little Princess (Neilan) ; 1918, Stella Maris (Neilan), Amarilly (Neilan), M'Liss (Neilan), How Could You, Jean ? (W. Taylor), Johanna Enlists (Taylor) ; 1919, Captain Kidd Jr. (Taylor), The Hoodlum (Franklin), The Heart O'the Hills (Franklin) ; 1920, Pollyanna (P. Powell), Suds (Dillon) ; 1921, The Love Light (F. Marion), Through the Back Door (Green et Pickford), Little Lord Fauntleroy (Le petit lord Fauntleroy) (Green, Pickford) ; 1922, Tess of the Storm Country (Tess au pays des tempêtes) (Robertson) ; 1923, Rosita (Lubitsch) ; 1924, Dorothy Vernon (Neilan) ; 1925, Little Annie Rooney (Beaudine), Sparrows (Moineaux) (Beaudine) ; 1927, My Best Girl (S. Taylor) ; 1929, Coquette (S. Taylor), The Taming of the Shrew (La mégère apprivoisée) (Taylor) ; 1931, Kiki (Taylor) ; 1933, Secrets (Secrets) (Borzage).

Elle fut « The America's Sweetheart ». Enfance malheureuse, très tôt orpheline de père, débuts dans des tournées miteuses : tout ce qui pouvait émouvoir l'Amérique. Ayant changé de nom, elle apparaît à l'écran sous la férule de Griffith et s'impose très vite. Elle est « The little Mary ». Ses cachets deviennent considérables. Elle reçoit même l'oscar de 1928-1929 pour *Coquette*. Femme d'affaires avisée, elle passe de Laemmle à Zuckor avant de fonder la Mary Pickford Company. Elle crée avec Chaplin, Fairbanks (qu'elle va épouser en secondes noces, ayant divorcé de l'acteur Owen Moore) et Griffith The United Artists Corporation. Sa gloire est internationale et ses boucles blondes sont aussi célèbres que la moustache de Charlot. Mais à partir de 1929 s'amorce son déclin ; elle ne peut jouer indéfiniment les petit lord Fauntleroy. L'échec retentissant de *The Taming of the Shrew*, qu'elle joue pourtant avec Fairbanks, met un terme à sa carrière. Elle épouse en troisièmes noces Charles Rogers, un médiocre acteur. Elle vendra en 1953 United Artists, mais donnera de nombreux films à American Film Institute. Son frère Jack Pickford a fait, dans son ombre, une honorable carrière d'acteur.

Pidgeon, Walter

Acteur américain, 1897-1984.

1925, Mannequin (Cruze) ; 1926, Old Loves and New (Tourneur), The Outsider (Lee), Miss Nobody (Hillyer), Marriage Licence (Borzage) ; 1927, The Gorilla (Foy), The Girl from Rio (Terriss), The Heart of Salome (Schertzinger), The Thirteenth Juror (Laemmle) ; 1928, Turn Back the Hours (Bretherton), Woman Wise (A. Ray), Melody of Love (Heath), The Gateway of the Moon (Wray), Clothes Make the Woman (Terriss) ; 1929, A Most Immoral Lady (Wray), Her Private Life (Korda) ; 1930, Sweet Kitty Bellairs (Green), Bride of the Regiment (Dillon), Viennese Nights (Crosland), Showgirl in Hollywood (LeRoy) ; 1931, Going Wild (Seiter), The Gorilla (Foy) ; 1932, Rockabye (Cukor) ; 1933, The Kiss Before the Mirror (J. Whale) ; 1934, Journal of Crime (Keighley) ; 1936, Big Brown Eyes (Empreintes digitales) (Walsh), Fatal Lady (Ludwig), As Good as Married (Buzzell), Girl overboard (Salkow), A Girl With Ideas (Simon), Saratoga (Conway), My Dear Miss Aldrich (Seitz) ; 1938, The Shopworn Angel (Potter), Man-Proof (Thorpe), Too Hot to Handle (Un envoyé très spécial) (Conway), Listen Darling (Marin), Girl of the Golden West (Leonard) ; 1939, Nick Carter, Master Detective (Tourneur), Society Lawyer (Un avocat mondain) (Marin), Stronger than Desire (Témoin imprévu) (Fenton), 6 000 Enemies (Seitz) ; 1940, Sky Murder (Seitz), The Dark Command (L'escadron noir) (Walsh), Phantom Raiders (Tourneur), The House across the Bay (Destins dans la nuit) (Mayo), It's a Date (Seiter) ; 1941, How Green Was My Valley (Qu'elle était verte ma vallée) (Ford), Man Hunt (Chasse à l'homme) (Lang), Flight Command (Borzage), Design for Scandale (Taurog) ; 1942, Mrs. Miniver (Madame Miniver) (Wyler), White Cargo (Tondelayo) (Thorpe) ; 1943, The Youngest Profession (Buzzell), Madame Curie (Madame Curie) (LeRoy) ; 1944, Mrs. Parkington (Madame Parkington) (Garnett) ; 1945, Weekend at Waldorf (Leonard) ; 1946, Holiday in Mexico (Féerie à Mexico) (Sidney), The Secret Heart (Cœur secret) (Leonard) ; 1947, If Winter Comes (Saville), Cass Timberlane (Éternel tourment) (Sidney) ; 1948, Julia Misbehaves (La belle impudente) (Conway), Command Decision (Tragique décision) (Wood) ; 1949, The Red Danube (Le Danube rouge) (Sidney), That Forsyte Woman (La dynastie des Forsyte) (C. Bennett) ; 1950, The Miniver Story (L'histoire des Miniver) (Potter) ; 1951, Soldiers Three (Les trois troupiers) (Garnett), The Unknown Man (Thorpe), Calling Bulldog Drummond (Le retour de Bulldog Drummond) (Saville) ; 1952, The Sellout (G. Mayer), Million Dollar Mermaid (La première sirène) (LeRoy), The Bad and the Beautiful (Les ensorcelés) (Minnelli) ; 1953, Scandal at Scourie (Vicky) (Negulesco) ; 1954, The Last Time I Saw Paris (La dernière fois que j'ai vu Paris) (Brooks), Executive Suite (La tour des ambitieux) (Wise), Men of the Fighting Lady (Marton) ; 1955, Hit the Deck (La fille de l'amiral) (Rowland) ; 1956, Forbidden Planet (Planète interdite) (Wilcox), The Rack (Laven), These Wilder Years (Rowland) ; 1961, Voyage to the Bottom of the Sea (Le sous-marin de l'Apocalypse) (I. Allen) ; 1962, Advise and Consent (Tempête à Washington) (Preminger), Big Red (Tokar) ; 1967, Warning Shot (L'assassin est-il coupable ?) (Kulik) ; 1968, Funny Girl (Funny Girl) (Wyler), The Vatican Affair (Miraglia) ; 1972, Skyjacked (Alerte à la bombe) (Guillermin) ; 1973, Harry in Your Pocket (Geller), The Neptune Factor (Petrie) ; 1975, Won Ton Ton, The Dog Who Saved Hollywood (Winner) ; 1977, Sextette (K. Hughes).

Au muet, puis au début du parlant, il joua dans des comédies puis des opérettes qui rappelèrent qu'il fut à l'origine un chanteur. Il fit ses débuts de vedette à la MGM, sa compagnie de prédilection, dans *My Dear Miss Aldrich*, une farce écrite par Herman Mankiewicz. C'est avec Greer Garson qu'il forme, à partir de *Mrs. Miniver*, l'un des couples les plus célèbres de l'écran. On les retrouvera dans plusieurs films, de *Madame Curie* à *Julia Misbehaves*, qui marque le déclin du tandem. Pidgeon continuera d'évoluer dans des rôles parfois sombres de traîtres ou de savants fous (*Planète interdite*), conservant toute sa prestance malgré l'âge.

Piéplu, Claude

Acteur français, 1923-2006.

1948, D'homme à hommes (Christian-Jaque) ; 1956, Adorables démons (Cloche) ; 1958, Suivez-moi, jeune homme (Lefranc), La Française et l'amour (sketch Verneuil) ; 1959, Du rififi chez les femmes (Joffé) ; 1960, Le caïd (Borderie), L'affaire d'une nuit (Verneuil) ; 1961, La belle américaine (Dhéry), Un nommé La Rocca (Becker) ; 1962, Comment réussir en amour (Boisrond), Le glaive et la balance (Cayatte), Le temps des copains (Guez), La chambre ardente (Duvivier), Le diable et les 10 commandements (Duvivier) ; 1963, Cherchez l'idole (Boisrond), Faites sauter la banque ! (Girault), Les copains (Robert) ; 1964, Les pieds dans le plâtre (Fabbri et Lary), Une souris chez les hommes (Poitrenaud), Le gendarme de Saint-Tropez (Girault) ; 1965, La bourse et la vie (Mocky) ; 1966, Si j'étais un espion (Blier) ; 1967, Diaboliquement vôtre (Duvivier), L'homme à la Buick (Grangier), L'écume des jours (Belmont) ; 1968, La coqueluche (Arrighi), La prisonnière (Clouzot), Le diable par la queue (Broca) ; 1969, Clérambard (Robert), Hibernatus (Molinaro), Le pistonné (Berri) ; 1970, La maison (Brach) ; 1971, Le drapeau flotte sur la marmite (Audiard) ; 1972, Elle court elle court, la banlieue (Pirès), Le charme discret de la bourgeoisie (Buñuel), Les noces rouges (Chabrol), Sex shop (Berri) ; 1973, Défense de savoir (N. Trintignant), Les aventures de Rabbi Jacob (Oury), La gueule de l'emploi (Rouland), Par le sang des autres (Simenon), Prêtres interdits (La Patellière) ; 1974, Le fantôme de la liberté (Buñuel), La moutarde me monte au nez (Zidi), Gross Paris (Grangier), Un nuage entre les dents (Pico) ; 1975, C'est dur pour tout le monde (Gion), Section spéciale (Costa-Gavras), La meilleure façon de marcher (Miller), Calmos (Blier), Le locataire (Polanski), Les galettes de Pont-Aven (Séria), L'ordinateur des pompes funèbres (Pirès) ; 1976, L'apprenti salaud (Deville) ; 1977, Dites-lui que je l'aime (Miller), Le mille-pattes fait des claquettes (Girault), Et vive la liberté ! (Korber) ; 1978, Vas-y maman ! (Buron), Chaussette surprise (Davy), Le sucre (Rouffio), Le pion (Gion), Ils sont grands ces petits (Santoni) ; 1986, La galette du roi (Ribes), Beau temps mais orageux en fin de journée (Frot-Coutaz), Le paltoquet (Deville) ; 1989, Suivez cet avion (Amblard), Après après-demain (Frot-Coutaz) ; 1993, Casque bleu (Jugnot) ; 1994, Les faussaires (Blum) ; 1996, Fallait pas !... (Jugnot) ; 1998, Astérix et Obélix contre César (Zidi).

Venu du théâtre — il débuta aux Mathurins en 1945, joua chez Barrault, Fabbri et au TNP —, il devint célèbre grâce à sa voix (étrange) en commentant à la télévision les aventures des Shadoks. Ses personnages de Français moyen (*cf.* le directeur de la colonie dans *La meilleure façon de marcher*) ont toujours une dimension inquiétante. Il était irrésistible à la télévision dans la série « Merci Bernard ».

Piéral

Acteur français, de son vrai nom Pierre Aleyrangues, 1923-2003.

1942, Les visiteurs du soir (Carné) ; 1943, Blondine (Mahé), L'éternel retour (Delannoy) ; 1945, Les gueux au Paradis (Le Hénaff) ; 1946, Voyage surprise (Prévert) ; 1947, Danger de mort (Grangier) ; 1952, La corona negra (Saslavsky), Lucrèce Borgia (Christian-Jaque) ; 1955, Lola Montès (Ophuls) ; 1956, Notre-Dame de Paris (Delannoy) ; 1958, Bobosse (Périer) ; 1960, La princesse de Clèves (Delannoy), Le capitan (Hunebelle) ; 1974, L'Amour est un fleuve en Russie/Spermula (Matton) ; 1977, Cet obscur objet du désir (Buñuel) ; 1978, Zoo Zéro (Fleischer) ; 1981, Crime d'amour (Gilles) ; 1987, Nuit docile (Gilles).

Célèbre nain, il a laissé d'intéressants souvenirs publiés sous le titre *Vu d'en bas*. Messager inoubliable de *L'éternel retour* de Delannoy, il fut aussi utilisé par ce dernier dans *Notre-Dame-de-Paris* et *La princesse de Clèves*.

Pierangeli, Anna-Maria

Actrice italienne, 1932-1971.

1949, Demain, il sera trop tard (Moguy) ; 1950, Demain est un autre jour (Moguy), Teresa (Teresa) (Zinnemann), The Light Touch (Miracle à Tunis) (Brooks) ; 1952, The Story of Three Loves (Histoire de trois amours) (Reinhardt) ; 1953, Sombrero (Foster) ; 1954, The Flame and the Flesh (Brooks), Mam'zelle Nitouche (Allégret) ; 1955, The Silver Chalice (Le calice d'argent) (Saville), Somebody Up There Likes Me (Marqué par la haine) (Wise), Le fou du cirque (Kidd) ; 1959, SOS Pacific (Green) ; 1961, I moschiettieri del mare (Il était trois flibustiers) (Steno), Sodom and Gomorrah (Sodome et Gomorrhe) (Aldrich) ; 1962, L'ammutinamento (Les révoltés de l'Albatros) (Armadio) ; 1964, Banco à Bangkok pour OSS 117 (Hunebelle) ; 1965, Berlino, appuntamento per le spie (Berlin, opération « Laser ») (Sala) ; 1966, The Battle of the Bulge (La bataille des Ardennes) (Annakin) ; 1968, Rose rosse per il Führer (Des roses rouges pour le Führer) (Di Leo) ; 1969, La vera storia di Frank Mannata (Le clan des frères Mannata) (Seto) ; 1970, Nella pieghe della carne (Bergonzelli), Adios Alexandra (Alexandra aime ma femme et aimez-moi) (Battaylier), Per 1000 dollari a giorno (Pour mille dollars par jour) (Amadio).

Sœur jumelle de Marisa Pavan, cette charmante brunette au visage angélique fut remarquée par Moguy et lancée par Zinnemann. Cette Italienne fit l'essentiel de sa carrière à Hollywood et ne revint dans la Péninsule que le succès l'abandonnant. Ces échecs puis des déceptions amoureuses (elle avait été liée à James Dean et avait connu deux mariages malheureux) la conduisirent à une absorption excessive, volontaire ou non, de barbituriques.

Pierre, Roger

Acteur français, de son vrai nom Jean Le Gall, né en 1923.

1951, Les pompons rouges (court métrage) ; 1952, Belle mentalité (Berthomieu), Deux de l'escadrille (Labro), Le trou normand (Boyer) ; 1953, Une vie de garçon (Boyer), Le portrait de son père (Berthomieu) ; 1954, Les deux font la paire (Berthomieu) ; 1955, Monsieur la Caille (Pergament), Paris-Coquin (Gaspard-Huit), La Madelon (Boyer), La bande à papa (Lefranc) ; 1956, La vie est belle (Roger Pierre, Jean-Marc Thibault), Nous autres à Champignol (Bastia) ; 1957, Sans famille (Michel), Vive les vacances (Thibault) ; 1958, Les motards (Laviron), Le gendarme de Champignol (Bastia) ; 1959, Les héritiers (Laviron) ; 1960, La Française et l'amour (sketch de Delannoy), Les tortillards (Bastia) ; 1961, La belle américaine (Dhéry), Un cheval pour deux (Thibault) ; 1962, Comment réussir en amour (Boisrond), Tartarin de Tarascon (Blanche), Nous irons à Deauville (Rigaud) ; 1963, Les durs à cuire (Pinoteau), Comment supprimer son prochain, Virginie (Boyer) ; 1964, Les gros bras (Rigaud) ; 1965, Les baratineurs (Rigaud), Les malabars sont au parfum (Lefranc) ; 1969, Faites donc plaisir aux amis (Rigaud), Le débutant (Daert) ; 1970, Des vacances en or (Rigaud) ; 1974, Gross Paris (Grangier) ; 1975, En grandes pompes (Teisseire) ; 1976, Comme sur des roulettes (Companeez) ; 1980, Camera d'albergo (Chambre d'hôtel) (Monicelli), Mon oncle d'Amérique (Resnais) ; 1982, Le braconnier de Dieu (Darras) ; 1997, Bingo ! (Illouz).

Auteur de revues pour l'Amiral (avec Jean Richard) et pour divers cabarets, producteur de radio et de télévision (*La grande farandole, Les z'heureux rois z'Henri*), écrivain, acteur de théâtre, il forma à l'écran comme sur la scène, avec Jean-Marc Thibault, un bon tandem comique, écrivant souvent avec son compère le scénario et les dialogues de leurs films que plusieurs fois Jean-Marc Thibault mit en scène. Depuis 1974, Roger Pierre a volé de ses propres ailes et on l'a même vu dans une œuvre de Resnais, destin inattendu pour ce charmant amuseur.

Pierreux, Jacqueline

Actrice française, 1924-2005.

1943, Le soleil de minuit (Bernard-Roland) ; 1945, Les démons de l'aube (Allégret) ; 1946, Le couple idéal (Bernard-Roland), On ne meurt pas comme ça (Boyer), L'arche de Noé (Jacques), Six heures à perdre (Joffé), Vertiges (Pottier) ; 1947, Figure de proue (Stengel) ; 1948, Scandale (Le Hénaff) ; 1949, Le cas du docteur Galloy (Teboul), Rome-Express (Stengel) ; 1950, Banco de prince (Dulud), Donne e briganti (Fra Diavolo) (Soldati) ; 1952, Le dindon (Barma) ; 1953, Le chasseur de chez Maxim's (Diamant-Berger), Cet homme est dangereux (Sacha) ; 1954, Série noire (Foucaud) ; 1956, Mannequins de Paris (Hunebelle) ; 1958, Amour, autocar et boîte de nuit (Kapps) ; 1962, La vendetta (Chérasse) ; 1963, I tre volti della paura (Les trois visages de la peur) (Bava) ; 1970, Le cinéma de papa (Berri).

Venue du théâtre, elle se spécialise au cinéma dans les rôles légers. Elle est la mère de Jean-Pierre Léaud.

Pierrot, Frédéric

Acteur français né en 1960.

1992, L. 627 (Tavernier), Comment font les gens (Bailly) ; 1993, Circuit Carole (Cuau) ; 1994, Land and Freedom (Land and Freedom) (Loach) ; 1995, Capitaine Conan (Tavernier), Forever Mozart (Godard) ; 1996, Les aveux de l'innocent (Améris), Port Djema (Heumann), Liberté chérie (épisode « Au bord de l'autoroute ») (Jahan), Artemisia (Merlet) ; 1997, Inside/Out (Tregenza), Les Sanguinaires (Cantet), Disparus (Bourdos), A vendre (Masson), Ça ne se refuse pas (Woreth), Dis-moi que je rêve (Mouriéras) ; 1999, La vie moderne (Ferreira Barbosa), Capitães d'abril (Capitaines d'avril) (Medeiros) ; 2000, Imago (Vermillard), La fille de son père (Deschamps), Une hirondelle a fait le printemps (Carion) ; 2002, Va, petite ! (Guesnier), Les diables (Ruggia) ; 2003, Monsieur N. (de Caunes), Cette femme-là (Nicloux) ; 2004, Inquiétudes (Bourdos), Les revenants (Campillo), Clara et moi (Viard), Holy Lola (Tavernier) ; 2005, Avant l'oubli (Burger), La ravisseuse (Santana) ; 2007, Très bien merci (Cuau).

Une vraie personnalité qui s'adapte aussi bien à Godard qu'à Ken Loach, au film à costumes (*Artemisia*) qu'à la comédie rurale (*Dis-moi que je rêve*). Beaucoup de talent... et une voix qui n'est pas sans rappeler celle de Gérard Depardieu.

Pierry, Marguerite

Actrice française, 1887-1963.

1931, On purge Bébé (Renoir), Le rosier de Madame Husson (Bernard-Deschamps), Le bal (Thiele) ; 1933, Le coucher de la mariée (Lion) ; 1935, La sonnette d'alarme (Christian-Jaque), Adémaï au Moyen Age (Marguenat), Paris-Camargue (Forrester) ; 1936, Courrier Sud (Billon), Les deux gosses (Rivers), Le nouveau testament (Guitry), Ça, c'est du sport (Pujol), J'arrose mes galons (Pujol), Trois artilleurs au pensionnat (Pujol) ; 1937, Titin des Martigues (Pujol), La citadelle du silence (L'Herbier), Monsieur Breloque a disparu (Péguy) ; 1938, La goualeuse (Rivers), Prison sans barreaux (Moguy), Conflit (Moguy), Trois artilleurs en vadrouille (Pujol) ; 1939, Ils étaient neuf célibataires (Guitry), Miquette et sa mère (Boyer), Face au destin (Fescourt), Monsieur Bretonneau (Esway), Paris-New York (Mirande), Les otages (Bernard), Tourbillon de Paris (Diamant-Berger) ; 1940, L'empreinte du Dieu (Moguy), Faut ce qu'il faut (Pujol), Parade en sept nuits (Allégret), Fausse alerte (Baroncelli) ; 1941, Fromont Jeune et Risler Aîné (Mathot),

Mam'zelle Bonaparte (Tourneur), Chèque au porteur (Boyer) ; 1942, Des jeunes filles dans la nuit (Le Hénaff), La femme perdue (Choux), Le baron fantôme (Poligny), Madame et le mort (Daquin) ; 1943, La rabouilleuse (Rivers), La boîte aux rêves (Y. Allégret), Donne-moi tes yeux (Guitry) ; 1946, Contre-enquête (Faurez), Le château de la dernière chance (Paulin) ; 1947, Le comédien (Guitry), Les condamnés (Lacombe), Les maris de Léontine (Le Hénaff) ; 1948, Ces dames aux chapeaux verts (Rivers), Toute la famille était là (Marguenat) ; 1949, Aux deux colombes (Guitry), Dernière heure, édition spéciale (Canonge), Un trou dans le mur (Couzinet) ; 1950, Le gang des tractions arrière (Loubignac), Knock (Lefranc), Le don d'Adèle (Couzinet) ; 1951, Adhémar (Fernandel) ; 1952, La vie d'un honnête homme (Guitry) ; 1953, J'y suis, j'y reste (Labro) ; 1954, Nana (Christian-Jaque), Madame Du Barry (Christian-Jaque), Napoléon (Guitry) ; 1955, Si Paris nous était conté (Guitry), Ces sacrées vacances (Vernay) ; 1957, Les œufs de l'autruche (La Patellière) ; 1958, Tant d'amour perdu (Joannon) ; 1959, Les frangines (Gourguet).

D'institutrice elle devient actrice en passant par le cabaret. Un physique long et maigre. D'emblée elle s'impose à l'écran sous la houlette de Renoir dans *On purge Bébé*. Son peignoir à demi ouvert, ses mules et ses bigoudis, ses jugements péremptoires et ses gaffes en font un « personnage ». Elle tournera beaucoup : femme du monde, petite-bourgeoise ou concierge, elle est toujours aussi sèche et autoritaire. C'est Sacha Guitry qui l'utilise le mieux (et le plus souvent). Les scènes entre elle et Saturnin Fabre dans *Ils étaient neuf célibataires* constituent un morceau d'anthologie.

Pigaut, Roger

Acteur et réalisateur français, 1919-1989.

1942, Retour de flamme (Fescourt), Félicie Nanteuil (M. Allégret) ; 1943, Douce (Autant-Lara) ; 1944, Sortilèges (Christian-Jaque) ; 1945, Nuits d'alerte (Mathot), L'invité de la onzième heure (Cloche) ; 1946, Antoine et Antoinette (Becker), La rose de la mer (Baroncelli) ; 1947, Les frères Bouquinquant (Daquin), Les condamnés (Lacombe) ; 1948, Cartouche (Radot), Rapide de nuit (Blistène), Bagarres (Calef), Vire-Vent (Faurez) ; 1950, La peau d'un homme (Jolivet), Un sourire dans la tempête (Chanas) ; 1951, Chicago-Digest (Paviot), La maison dans la dune (Lampin), L'agonie des aigles (Alden Delos) ; 1952, La caraque blonde (Audry) ; 1953, Théodora impératrice de Byzance (Freda), Le comte de Monte-Cristo (Vernay), Les amours de Manon Lescaut (Costa) ; 1954, Napoléon (Guitry) ; 1955, La plus belle des vies (Vermorel), La lumière d'en face (Lacombe) ; 1962, Konga-Yo (Y. Allégret) ; 1967, Indomptable Angélique (Borderie), Angélique et le sultan (Borderie), J'ai tué Raspoutine (Hossein), Mayerling (T. Young) ; 1968, Catherine il suffit d'un amour (Boisrond) ; 1970, L'étrangleur (Vecchiali) ; 1978, Une histoire simple (Sautet). *Pour le metteur en scène*, voir le *Dictionnaire du cinéma*, t. I : *Les réalisateurs*.

Jeune premier de la fin des années 40, après avoir été élève du cours Simon et employé aux Chemins de fer, il est resté célèbre pour son rôle d'Antoine dans le lugubre *Antoine et Antoinette*. Il continuera ainsi dans la grisaille, de Daquin en Vermorel, se retrouvant en Caulaincourt dans le *Napoléon* de Guitry. Il est passé avec plus de succès à la réalisation.

Pike, Rosamund

Actrice anglaise née en 1979.

2005, Rochester (Rochester) (Dunmore), Pride and Prejudice (Orgueil et préjugés) (Wright).

Charmante, elle interprète le rôle de la sœur aînée un peu sacrifiée de Keira Knightley dans *Orgueil et préjugés*.

Pinal, Silvia

Actrice mexicaine née en 1931.

Principaux films : 1950, El portero (Cordon, s'il vous plaît) (Delgado) ; 1958, Uma cita de amor (Le rebelle) (Fernandez) ; 1959, Las locuras de Barbara ; 1961, Viridiana (Viridiana) (Buñuel) ; 1962, El angel exterminador (L'ange exterminateur) (Buñuel) ; 1965, Simon del desierto (Simon du désert) (Buñuel) ; 1968, La bataille de San Sebastian (Verneuil) ; 1970, Shark ! (Fuller) ; 1992, Modelo antiguo (Araiza).

Beaucoup de théâtre au Mexique. Surtout connue pour son rôle de Viridiana dans le film de Buñuel qui fit scandale à l'époque.

Pinon, Dominique

Acteur français né en 1955.

1980, Diva (Beineix) ; 1981, Le retour de Martin Guerre (Vigne) ; 1982, Tir groupé (Missiaen), La lune dans le caniveau (Beineix), Même les moules ont du vague à l'âme (épisode « La découverte ») (Joffé) ; 1983, Nemo (Sélignac), Le thé à la menthe (Bahloul), Si j'avais mille ans (Enckell), The Mys-

13 Washington Square (Melville Brown), Buck Privates (Melville Brown), The Wedding March (Symphonie nuptiale) (Stroheim), Wife Savers (Cedar), Sins of the Fathers (L. Berger) ; 1929, Her Private Life (Korda), The Argyle Case (Bretherton), The Dummy (Milton), Oh, Yeah ! (Garnett), Paris (Badger), The Locked Door (Fitzmaurice), The Squall (Korda), Twin Beds (Santell), This Thing Called Love (Stein) ; 1930, All Quiet on the Western Front (A l'Ouest rien de nouveau) (Milestone), Honey (Ruggles), The Lottery Bride (Stein), No, No, Nanette (Badger), River's End (Curtiz), The Squealer (Harry Brown), Monte-Carlo (Lubitsch), Passion Flower (W. DeMille), Sin Takes a Holiday (Stein), War Nurse (Selwyn) ; 1931, Little Accident (Craft), Their Mad Moment (Mac Fadden), Beyond Victory (Robertson), The Big Gamble (Niblo), Seed (Stahl), A Woman of Experience, The Guardsman (Franklin), The Secret Witness (Freeland), Let's Do Things (Roach) — *premier court métrage d'une série de 17 films entre 1931 et 1933, fondés sur le tandem Zasu Pitts-Thelma Todd, dirigés par Roach, Neilan, Horne, Marshall ou Gus Meins* ; 1932, The Trial of Vivienne Ware (Howard), Steady Company (Ludwig), Make Me a Star (Beaudine), Broken Lullaby (L'homme que j'ai tué) (Lubitsch), Westward Passage (Milton), Unexpected Father (Lamont), Blondie of the Follies (Goulding), Destry Rides Again (Stoloff), Speak Easily (Le professeur) (Sedgwick), Is My Face Red ?, The Vanishing Frontier (Rosen), Roar of the Dragon (Ruggles), Back Street (Histoire d'amour) (Stahl), They Just Had to Get Married (Ludwig) ; 1933, Hello, Sister (Werker), Love, Honor and Oh Baby ! (Buzzell), Professional Sweet Heart (Seiter), Meet the Baron (W. Lang), Mr. Skitch (Cruze), Maker of Men (Sedgwick) ; 1934, The Meanest Gal in Town (Mack), Three on a Honeymoon (Tinling), Mrs. Wiggs of the Cabbage Patch (Taurog), Their Big Moment (Cruze), The Gay Bride (Conway), Dames (Enright) ; 1935, Ruggles of Red Gap (L'extravagant Mr. Ruggles) (McCarey), The Affairs of Susan (Seiter), Spring Tonic (Bruckman), She Gets Her Man (Kenton) ; 1936, Thirteen Hours by Air (Leisen), Sing Me a Love Song (Enright), Mad Holiday (Seitz) ; 1937, Forty Naughty Girls (Cline), 52nd Street (Young), Wanted (Kelly) ; 1938, So's Your Aunt Emma (Yarbrougt) ; 1939, Naughty but Nice (Enright), The Mickey the Kid (Lubin), Nurse Edith Cavell (Wilcox), Eternally Yours (Garnett), No No Nanette (Wilcox) ; 1940, It All Came True (Le rendez-vous de minuit) (Seiler) ; 1941, Niagara Falls (Douglas), Broadway Limited (Douglas), The Mexican Spitfire's Baby (Goodwins), Week-End for Three (Reis), Miss Polly (Guiol) ; 1942, Mexican Spitfire at Sea (Goodwins), The Bashful Bachelor (St. Clair) ; 1943, Let's Face It (Lanfield) ; 1946, The Perfect Marriage (Allen), Breakfast in Hollywood (Schuster) ; 1947, Life With Father (Curtiz) ; 1949, Francis (Lubin) ; 1952, Denver and Rio Grande (Les rivaux du rail) (Haskin) ; 1954, Francis Joins the Wacs (Lubin) ; 1957, This Could Be the Night (Wise) ; 1959, Gazebo (Un mort récalcitrant) (Marshall) ; 1961, Teenage Millionaire (Doheny) ; 1963, It's a Mad, Mad, Mad, Mad World (Un monde fou, fou, fou, fou) (Kramer).

Inoubliable interprète de Stroheim dans *Les rapaces* et dans *La symphonie nuptiale*. Dans le premier, sa perruque et son maquillage en font un personnage hors du commun ; les yeux hallucinés elle retrouve cette dimension onirique dans le second. Malgré Borzage, Cruze ou McCarey, le reste est nettement moins intéressant et Pitts se retrouve souvent confinée dans de petits rôles. Sa tentative de tandem comique avec Thelma Todd fut consternante. Cinquante ans de cinéma au total, mais beaucoup de déceptions. Elle mourut d'un cancer.

Pizani, Robert

Acteur français, 1896-1965.

1924, Un gentleman neurasthénique (Brassier et Poncet) ; 1930, Azaïs (Hervil) ; 1931, La chauve-souris (Lamac), Ma tante d'Honfleur (Diamant-Berger) ; 1932, Les amours de Pergolese (Brignone), Enlevez-moi (Perret), Le petit écart (Schünzel) ; 1933, Le billet de mille (Didier), Miss Helyett (Bourlon et Kemm), Une nuit au Paradis (Lamac), Je vous aimerai toujours (Camerini), L'héritier du bal Tabarin (Kemm) ; 1934, Les hommes de la côte (Pellenc), L'auberge du Petit Dragon (Limur), Une fois dans la vie (Vaucorbeil), Le prince de minuit (Guissart) ; 1935, Le malade imaginaire (Jaquelux), Son Excellence Antonin (Tavano), Un tour de cochon (Tzipine) ; 1936, L'homme du jour (Duvivier), La loupiote (Kemm), La pocharde (Kemm), Rigolboche (Christian-Jaque), Hercule (Esway), Les petites allées (Dréville), La reine des resquilleuses (Glass) ; 1937, L'amour veille (Roussel), Les perles de la couronne (Guitry) ; 1938, Monsieur Coccinelle (Bernard-Deschamps), La belle revanche (Mesnier), Le paradis perdu (Gance), Remontons les Champs-Élysées (Guitry), Entrée des artistes (Allégret), Entente cordiale (L'Herbier), Café de Paris (Mirande), Alerte en Méditerranée (Joannon) ; 1939, La boutique aux illusions (Séverac), Le président Haudecœur

(Dréville), Face au destin (Fescourt), Jeunes filles en détresse (Pabst) ; 1943, Coup de tête (Le Hénaff), La boîte aux rêves (Y. Allégret), Les petites du quai aux Fleurs (Marc Allégret), Béatrice devant le désir (Marguenat) ; 1946, Quartier chinois (Sti), L'éventail (Reinert) ; 1947, Le silence est d'or (Clair), Mandrin (Jayet), Le dolmen tragique (Mathot), Une grande fille toute simple (Manuel) ; 1948, L'armoire volante (Rim) ; 1949, Miquette et sa mère (Clouzot), Drame au Vél' d'Hiv' (Cam), La femme que j'ai assassinée (Daniel-Norman), Prélude à la gloire (Lacombe), Rome-Express (Stengel), Tête blonde (Cam) ; 1951, Le plus joli péché du monde (Grangier) ; 1952, La danseuse nue (Pierre Louis) ; 1953, Les révoltés du Lomanach (Pottier), J'y suis, j'y reste (Labro) ; 1955, Voici le temps des assassins (Duvivier) ; 1956, Le couturier de ces dames (Boyer), Les carottes sont cuites (Vernay), Folies-Bergère (Decoin), Honoré de Marseille (Regamey), C'est arrivé à Aden (Boisrond) ; 1957, Une Parisienne (Boisrond) ; 1958, Le père et l'enfant (Saslavsky) ; 1960, Le capitaine Fracasse (Gaspard-Huit).

Ce premier prix du Conservatoire qui joua à l'Odéon, mince et élégant, excellait en aristocrate, en magicien (*Monsieur Coccinelle*), en producteur (*Le silence est d'or*), en ambassadeur (*Entente cordiale*). Guitry en fit Talleyrand dans *Les perles de la Couronne* et tout à la fois Wagner et Offenbach dans *Remontons les Champs-Élysées*, c'est dire la palette de Pizani. Il finit en vieux cabot dans une version d'après-guerre du *Capitaine Fracasse*. Ce fut, sauf erreur, son dernier rôle.

Placido, Michele

Acteur et réalisateur italien né en 1946.

1972, Il caso Pisciotta (E. Visconti) ; 1973, Teresa la ladra (Di Palma), La mano nera (Racioppi) ; 1974, Romanzo popolare (Romances et confidences) (Monicelli), Mio dio como sono caduta in basso ? (Mon dieu comment suis-je tombée aussi bas ?) (Comencini), Processo per diretissima (De Caro), Peccati in famiglia (Garburro), Romanzo popolare (Romances et confidences) (Monicelli) ; 1975, La divina creatura (Griffi) ; 1976, Marcia trionfale (La marche triomphale) (Bellochio), ... e tanta paura (Cavara), Œdipus orca (E. Visconti), L'agnese va morire (Montaldo) ; 1977, Kleinhof Hotel (Lizzani), La ragazza del pigiama giallo (Mogherini), Io sono mia (Scandurra), Il casotto (Citti) ; 1978, Corleone (Squitieri), Ernesto (Samperi), Letti selvaggi (Les monstresses) (Zampa) ; 1979, Un uomo in ginocchio (Damiani), Il prato (Le pré) (P. & V. Taviani), Sabato, domenica e venerdi (Castellano, Moccia, Martino, Festa Campanile) ; 1980, Lulu (Borowczyk), Salto nel vuoto (Le saut dans le vide) (Bellochio), I tre fratelli (Trois frères) (Rosi), Fontamara (Lizzani) ; 1981, Les ailes de la colombe (Jacquot), Cargo (Subor) ; 1982, Colpire al cuore (Droit au cœur) (Amelio), Il matrimonio di Caterina (Le mariage de Catherine) (Comencini) ; 1983, L'art d'aimer (Borowczyk), Sciopen (Odorisio) ; 1984, Les amants terribles (Dubroux) ; 1985, Pizza connection (Damiani), Grandi magazzini (Castellano) ; 1986, Notte d'estate con profile greco occhi a mandorla e odore di basilico (Wertmuller) ; 1987, Ah ! come sono buone i bianchi) (Y'a bon les blancs) (Ferreri), Ti presento un'amica (Massaro) ; 1988, Big Business (Abrahams) ; 1989, Mery per sempre (Mery pour toujours) (M. Risi) ; 1990, Russian Breakdown (Bortko) ; 1992, Le amiche del cuore (Les amies de cœur) (Placido) ; 1993, Giovanni Falcone (Ferrara), Padre e figlio (Pozzessere), Lamerica (Lamerica) (Amelio) ; 1994, Poliziotti (Policiers) (Base), Un eroe borghese (Placido) ; 1996, La lupa (Lavia) ; 1997, Le plaisir (et ses petits tracas) (Boukhrief) ; 1998, Del perduto amore (Placido), Panni sporchi (Monicelli) ; 1999, La balia (La nourrice) (Bellochio), Un uomo perbene (Zaccaro), Liberate i pesci (C. Commencini) ; 2000, Tra due Mondi (Entre deux mondes) (Conversi). *Pour le metteur en scène*, voir le *Dictionnaire du cinéma*, t. I : *Les réalisateurs.*

Solide acteur transalpin sans grand relief, spécialisé dans les rôles de flic. Partiellement reconverti dans la réalisation depuis quelques années, il rencontre le succès avec *Romanzo criminale.*

Planchon, Roger

Acteur et réalisateur français né en 1931.

1956, Un condamné à mort s'est échappé (Bresson) ; 1972, Les autres (Santiago), George qui ? (Rosier) ; 1978, Molière (Mnouchkine), Les routes du Sud (Losey), Le dossier 51 (Deville) ; 1979, I... comme Icare (Verneuil) ; 1982, Le retour de Martin Guerre (Vigne), Danton (Wajda), Légitime violence (Leroy), Le grand frère (Girod) ; 1984, La septième cible (Pinoteau), Un amour interdit (Dougnac) ; 1987, Dandin (Planchon) ; 1988, Camille Claudel (Nuytten), Radio Corbeau (Boisset) ; 1990, Jean Galmot, aventurier (Maline) ; 1991, L'année de l'éveil (Corbiau) ; 1992, Louis enfant roi (Planchon) ; 1998, Lautrec (Planchon). *Pour le metteur en scène*, voir le *Dictionnaire du cinéma*, t. I : Les réalisateurs.

Avant tout un homme de théâtre dont les mises en scène, des *Trois mousquetaires* à

Athalie, ont révolutionné le monde dramatique. Au cinéma, il n'a fait que quelques apparitions, mais il était remarquable dans le rôle du juge du *Retour de Martin Guerre* et dans celui de Fouquier-Tinville pour le *Danton* de Wajda. Il a mis en scène la Fronde dans *Louis enfant roi.*

Pleasence, Donald

Acteur anglais, 1919-1995.

1954, The Beachcomber (Le vagabond des îles) (Box), Orders Are Orders (Paltenghi) ; 1955, Value for Money (Fièvre blonde) (Annakin) ; 1956, The Black Tent (Le secret des tentes noires) (Hurst), 1984 (Anderson), The Man in the Sky (Flammes dans le ciel) (Crichton) ; 1957, Manuela (Manuela, fille de rien) (Hamilton), Barnacle Bill (Il était un petit navire) (Frend), A Tale of Two Cities (Thomas) ; 1958, Heart of a Child (Donner), The Two Headed Spy (Chef de réseau) (De Toth), The Wind Cannot Read (Le vent ne sait pas lire) (Thomas), The Man Inside (Signes particuliers : néant) (Gilling) ; 1959, The Shakedown (Chantage à Soho) (Lemont), Hell Is a City (Un homme pour le bagne) (Guest), Look Back in Anger (Les corps sauvages) (Richardson), The Battle of the Sexes (La bataille des sexes) (Crichton), Killers of Kilimandjaro (Les aventuriers du Kilimandjaro) (Thorpe), The Flesh and the Fiends (L'impasse aux violences) (Gilling) ; 1960, Circus of Horrors (Le cirque des horreurs) (Hayers), Sons and Lovers (Amants et fils) (Cardiff), Hands of Orlac (Les mains d'Orlac) (Greville), The Big Day (Scott), A Story of David (McNaught) ; 1961, No Love for Johnnie (Pas d'amour pour Johnnie) (Thomas), The Wind of Change (Sewell), Spare the Rod (Norman), Suspect (Boulting), The Horsemasters (Fairchild), What a Carve Up (Jackson), The Inspector/Lisa (L'inspecteur) (Dunne) ; 1962, Doctor Crippen (Lynn) ; 1963, The Great Escape (La grande évasion) (Sturges), The Caretaker (Le concierge) (Donner) ; 1965, The Greatest Story Ever Told (La plus grande histoire jamais contée) (Stevens), The Hallelujah Trail (Sur la piste de la grande caravane) (Sturges) ; 1966, The Fantastic Voyage (Le voyage fantastique) (Fleisher), Cul-de-sac (Polanski), The Eye of the Devil (Lee-Thompson), The Night of the Generals (La nuit des généraux) (Litvak), Matchless (Mission top secret) (Lattuada) ; 1967, You Only Live Twice (On ne vit que deux fois) (Gilbert), Will Penny (Will Penny, le solitaire) (Gries) ; 1968, Sleep is Lovely (Hart), The Madwoman of Chaillot (La folle de Chaillot) (Forbes), Mister Freedom (Klein) ; 1969, Arthur Arthur (Gallu) ; 1970, Soldier Blue (Soldat bleu) (Nelson) ; 1971, THX 1138 (Lucas), Outback (Le réveil dans la terreur) (Kotcheff), The Jerusalem File (Flynn), The Pied Piper (Le joueur de flûte de Hamelin) (Demy), Kidnapped (Mann), Henry III and Six Wives (Hussein) ; 1972, Deathline (Sherman), Innocent Bystanders (Nid d'espions à Istanbul) (Collinson) ; 1973, From Beyond the Grave (Frissons d'outre-tombe) (Connor), The Rainbow Boys (Potterton), Wedding in White (Fruet), Raw Meat (Sherman), Tales That Witness Madness (Francis), The Seaweed Children (Herbert) ; 1974, The Mutations (Cardiff), The Black Windmill (Contre une poignée de diamants) (Siegel), Escape to Witch Mountain (La montagne ensorcelée) (Hough), Altrimenti ci arrabbiamo (Attention, on va s'fâcher) (Fondato), Barry McKenzie Holds His Own (Beresford), Malachi's Cove (Herbert) ; 1975, I Don't Want to Be Born (Sasdy), Hearts of the West (Hollywood cow-boy) (Zieff), Journey Into Fear (Le voyage de la peur) (Mann), La loba y la paloma (Suarez), Juego sucio (Bardem) ; 1976, The Last Tycoon (Le dernier nabab) (Kazan), The Eagle Has Landed (L'aigle s'est envolé) (Sturges), The Devil's Men (La secte des morts-vivants) (Carayiannis), The Passover Plot (Campus), A Choice of Weapons (Connor) ; 1977, The Uncanny (Héroux), Jesus of Nazareth (Jésus de Nazareth) (Zeffirelli), Meteor (Neame), SGT Pepper's Lonely Heart Club Band (Schultz), National Lampoon's Animal House (Landis), Telefon (Un espion de trop) (Siegel), Les liens de sang (Chabrol), Oh ! God (Reiner) ; 1978, L'ordre et la sécurité du monde (D'Anna), Halloween (La nuit des masques) (Carpenter), L'homme en colère (Pinoteau), Power Play (Le jeu de la puissance) (Burke) ; 1978, Tommorow Never Comes (Collinson), Out of the Darkness (Madden) ; 1979, Jaguar Lives (Nom de code : Jaguar) (Pintoff), Dracula (Dracula) (Badham), Good Luck, Miss Wyckoff (Chomsky) ; 1980, The Monster Club (Baker), Escape From New York (New York 1997) (Carpenter), L'uomo puma (De Martino) ; 1981, Race for the Yankee Zephir (Les bourlingueurs) (Hemmings) ; 1982, The Devonsville Terror (Lommel), The Thing (The Thing) (Carpenter), Alone in the Dark (Sholder), Halloween 2 (Halloween 2) (Rosenthal) ; 1983, The Treasure of the Amazons (Les diamants de l'Amazone), Il guerriere del mondo perduto (Le chevalier du monde perdu) (North), A Breed Apart (Mora), Sotto il vestito, niente (Où est passée Jessica ?) (Vanzina) ; 1984, Terror in the Aisles (Kuehn), Where Is Parsifal ? (Helman), The Ambassador (Lee-Thompson) ; 1985, Frankenstein's Great Aunt Tillie

(Gold), Phenomena (Phenomena) (Argento), Cheech and Chong's the Corsican Brothers (Chong), Cobra Mission (Commando cobra) (Ludman), To Kill a Stranger (Lopez et Moctezuma), Dario Argento's World of Horror (Soavi) ; 1987, Fuga dall'inferno (Mattei), Ground Zero (Terre interdite) (Pattinson et Myles), Prince of Darkness (Prince des ténèbres) (Carpenter), Warrior Queen (Vincent), Spettri (Avallone), Double Target (Dawn), Il grande ritorno di Django (Rossati) ; 1988, Halloween 4 : The Return of Michael Myers (Little), Un delitto poco comune (Le tueur de la pleine lune) (Deodato), Vampires in Venice (Nosferatu in Venice) (Caminito), Last Platoon (Last Platoon) (Robinson), Der Commander (Margheriti) ; 1989, River of Death (Carver), Hannah's War (La guerre d'Hannah) (Golan), American Rickshaw (Martino), Paganini Horror (Cozzi), Halloween 5 (Othenin-Girard), Blade on the Feather (Loncraine), Ten Little Indians (Birkinshaw), Casablanca Express (Casablanca Express) (Martino), The House of Usher (Birkinshaw), River of Death (Carver) ; 1990, Li avvoltolo puo attendere (Calasso), Buried Alive (Kikoine) ; 1991, Miliardi (Vanzina), Dien Bien Phu (Schoendoerffer), Shadows and Fog (Ombres et brouillard) (Allen) ; 1993, The Hour of the Pig (Megahey), Femme fatale (Prasad) ; 1995, Halloween 6 (Chappelle), Fatal Frames (Festa).

Beaucoup de théâtre, dont *Antoine et Cléopâtre* avec Laurence Olivier, puis nombreuses émissions de télévision avant de se lancer tardivement dans le cinéma. Il y révèle un exceptionnel talent servi par son inquiétante silhouette, ses yeux bleus, son allure clochardesque en font un asocial et un psychopathe idéal pour les films fantastiques. Du *Cirque des horreurs* au *Dracula* de Badham en passant par *Cul-de-sac* de Polanski et *THX 1138* de Lucas, son palmarès est fourni.

Pleshette, Suzanne

Actrice américaine née en 1937.

1958, The Geisha Boy (Le kid en kimono) (Tashlin) ; 1962, Rome Adventure (Vacances à l'italienne) (Daves) ; 1963, Wall of Noise (Wilson), The Birds (Les oiseaux) (Hitchcock), 40 Pounds of Trouble (Des ennuis à la pelle) (Jewison) ; 1964, Youngblood Hawke (Daves), A Distant Trumpet (La charge de la 8e brigade) (Walsh), Fate Is the Hunter (Le crash mystérieux) (Nelson) ; 1965, Mister Buddwing (D. Mann), A Rage to Live (A corps perdus) (Grauman) ; 1966, The Ugly Dachshund (Quatre bassets pour un danois) (Tokar), Nevada Smith (Nevada Smith) (Hathaway) ; 1967, The Adventures of Bullwhip Griffin (L'honorable Griffin) (Neilson) ; 1968, Blackbeard's Ghost (Le fantôme de Barbe-Noire) (Stevenson), The Power (La guerre des cerveaux) (Haskin), What's in It for Harry ? (Istanbul, mission impossible) (Corman, sous le pseudonyme de Henry Neill) ; 1969, If It's Tuesday, This Must Be Belgium (Mardi, c'est donc la Belgique) (Stuart) ; 1970, Suppose They Gave a War and Nobody Came ? (Trois réservistes en java) (Averback) ; 1971, Support Your Local Gunfighter (Ne tirez pas sur le shérif) (Kennedy) ; 1976, The Shaggy D.A. (Un candidat au poil) (Stevenson) ; 1979, Hot Stuff (Les fourgueurs) (De Luise) ; 1980, Oh, God ! Book II (Cates).

Fille d'une danseuse et d'un gérant de cinémas de Los Angeles, elle grandit au milieu des stars et fait ses premiers pas au théâtre à l'âge de douze ans. Au cinéma, elle débute grâce à Jerry Lewis et on la découvre en institutrice jalouse de Tippi Hedren dans *Les oiseaux*. Pétillante, ayant une certaine ressemblance avec Elizabeth Taylor, elle s'est presque entièrement tournée vers la télévision à partir de 1970.

Plowright, Joan

Actrice anglaise née en 1929.

1956, Time Without Pity (Temps sans pitié) (Losey), Moby Dick (Moby Dick) (Huston) ; 1960, The Entertainer (Le cabotin) (Richardson) ; 1970, Three Sisters (Olivier, Sichel) ; 1977, Equus (Equus) (Lumet) ; 1982, Brimstone and Treacle (Loncraine), Britannia Hospital (Britania Hospital) (L. Anderson) ; 1985, Revolution (Révolution) (Hudson) ; 1988, The Dressmaker (O'Brien), Drowning by Numbers (Drowning by Numbers) (Greenaway) ; 1990, Avalon (Avalon) (Levinson), I Love You to Death (Je t'aime à te tuer) (Kasdan) ; 1991, Enchanted April (Avril enchanté) (Newell) ; 1993, Last Action Hero (Last Action Hero) (McTiernan), Dennis the Menace (Dennis la malice) (Castle) ; 1994, A Pin for the Butterfly (Kodichek), Widow's Peak (Parfum de scandale) (Irvin) ; 1995, A Pyromaniac's Love Story (Brand), Hotel Sorrento (Franklin), The Scarlet Letter (Les amants du Nouveau Monde) (Joffé) ; 1996, Surviving Picasso (Surviving Picasso) (Ivory), Jane Eyre (Jane Eyre) (Zeffirelli), Mr. Wrong (Castle), 101 Dalmatians (Les 101 dalmatiens) (Herek) ; 1997, The Assistant (Petrie) ; 1998, Tom's Midnight Garden (Carroll), Dance with Me (Danse passion) (Haines) ; 1999, Tea with Mussolini (Un thé avec

Mussolini) (Zeffirelli) ; 2001, Global Heresy (Furie) ; 2002, Callas Forever (Zeffirelli).

Une des plus célèbres tragédiennes anglaises de l'après-guerre, c'est sous l'égide de Laurence Olivier (qu'elle épousera en 1961) qu'elle fait ses débuts sur grand écran avec l'adaptation de la pièce *Le cabotin.* A partir des années 80, elle endosse une multitude de personnages de vieilles dames excentriques ou sages, américaines, anglaises ou autres, trouvant son meilleur rôle en veuve victorienne dans *Avril enchanté* (avec une nomination à l'oscar à la clé).

Plummer, Amanda

Actrice américaine née en 1957.

1981, Cattle Annie and Little Britches (Winchesters et longs jupons) (L. Johnson) ; 1982, The World According to Garp (Le monde selon Garp) (Roy Hill) ; 1983, Daniel (Daniel) (Lumet) ; 1984, The Hotel New Hampshire (Hotel New Hampshire) (Richardson) ; 1986, Courtship (Cummings), Static (Romanek) ; 1987, Made in Heaven (Made in Heaven) (Rudolph) ; 1989, Prisoners of Inertia (Scher) ; 1990, Joe Versus the Volcano (Joe contre le volcan) (Sherman) ; 1991, The Fisher King (Fisher king) (Gilliam) ; 1992, Freejack (Freejack) (Murphy), The Lounge People (Popper) ; 1993, So I Married an Axe Murderer (Quand Harriet découpe Charlie) (Schlamme), Needful Things (Le bazaar de l'épouvante) (Heston) ; 1994, Pulp Fiction (Pulp Fiction) (Tarantino), Pax (Guedes), Nostradamus (Christian) ; 1995, The Prophecy (Widen), Butterfly Kiss (Butterfly Kiss) (Winterbottom), Freeway (Freeway) (Bright), The Final Cut (Christian), Drunks (Cohn) ; 1996, Hysteria (Daalder), Dead Girl (Coleman Howard), A Simple Wish (La guerre des fées) (Ritchie), American Perfekt (Chart) ; 1997, Skeletons (Decoteau), October 22 (Schenkman) ; 1998, You Can Thank Me Later (Dotan), I Woke Up Early the Day I Died (Iliopoulos), L.A. Without a Map (I Love L.A.) (Kaurismäki), Elizabeth Jane (Ward) ; 1999, The Million Dollar Hotel (The Million Dollar Hotel) (Wenders) ; 2000, Seven Days to live (Sept jours à vivre) (Niemann).

Fille de Christopher Plummer, elle possède un charme fragile et excentrique dont elle joue admirablement, et souvent dans des rôles aux antipodes les uns des autres. Ainsi elle campe une charmante jeune femme distraite et fofolle dans *Fisher King*, elle tente désespérément de mettre à sac un fast-food en compagnie de Tim Roth dans *Pulp Fiction* ou bien elle se transforme en une *serial killer* psychotique, lesbienne et masochiste dans le sordide *Butterfly Kiss.* Elle mène par ailleurs une intense carrière théâtrale pour laquelle elle a reçu de multiples récompenses.

Plummer, Christopher

Acteur d'origine canadienne né en 1927.

1958, Stage Struck (Les feux du théâtre) (Lumet), Wind Across the Everglades (La forêt interdite) (Ray) ; 1963, The Fall of the Roman Empire (La chute de l'Empire romain) (A. Mann) ; 1955, The Sound of Music (La mélodie du bonheur) (Wise), Inside Daisy Clover (Mulligan) ; 1966, Triple Cross (Eddie Chapman) (T. Young), Nobody Runs Forever (Mandat d'arrêt) (R. Thomas), The Night of the Generals (La nuit des généraux) (Litvak) ; 1968, Œdipus the King (Ph. Saville), Lock Up Your Daughters (Coe) ; 1969, The Royal Hunt of the Sun (Lerner), The Battle of Britain (La bataille d'Angleterre) (Hamilton) ; 1970, Waterloo (Bondartchouk) ; 1973, The Pyx (Hart) ; 1974, The Return of the Pink Panther (Le retour de la Panthère rose) (Edwards) ; 1975, The Spiral Staircase (La nuit de la peur) (Collinson), Conduct Unbecoming (Anderson), The Man Who Would Be King (L'homme qui voulut être roi) (Huston) ; 1976, Aces High (Le tigre du ciel) (Gold) ; 1977, Jesus of Nazareth (Jésus de Nazareth) (Zefirelli) ; 1978, The Silent Partner (L'argent de la banque) (Duke), International Velvet (Sarah) (Forbes), Murder by Decree (Meurtre par décret) (B. Clark), The Disappearance (Cooper) ; 1979, Hanover Street (Guerre et passion) (Hyams), Starcrash (Le choc des étoiles) (Cozzi) ; 1980, Somewhere in Time (Quelque part dans le temps) (Szwarc), Eye Witness (L'œil du témoin) (Yates), Highpoint (Carter) ; 1982, The Amator (L'homme de Prague) (Jarrott) ; 1983, Treasure of the Amazon (Les diamants de l'Amazone) (Cardona Jr.) ; 1984, Ordeal by Innocence (Davis) ; 1985, Dreamscape (Dreamscape) (Ruben) ; 1987, Dragnet (Dragnet) (T. Mankiewicz) ; 1988, Shadow Dancing (Furey), Vampires in Venice (Nosferatu à Venise) (Caminito), Souvenir (Reeve), I Love N.Y. (Bozzacchi, sous le pseudonyme de Smithee) ; 1989, Red Blooded American Girl (Blyth) ; 1990, Where the Heart Is (Tout pour réussir) (Boorman) ; 1991, Firehead (Yuval), Money (Money) (Stern), Star Trek VI, the Undiscovered Country (Star Trek VI : Terre inconnue) (Meyer) ; 1992, Malcolm X (Malcolm X) (Lee) ; 1994, Wolf (Wolf) (Nichols), Crackerjack (Mazo), Dolores Claiborne (Dolores Clairbone) (Hackford) ; 1995, The Twelve Monkeys (L'armée des douze singes) (Gilliam) ; 1996, Skeletons

(DeCoteau) ; 1999, The Insider (Révélations) (Mann), The Dinosaur Hunter (Stevenson) ; 2000, Possessed (De Souza), Dracula 2001 (Dracula 2001) (Lussier) ; 2002, Ararat (Ararat) (Egoyan), Nicholas Nickleby (McGrath) ; 2003, Lucky Break (Lucky Break) (Cattaneo) ; 2004, National Treasure (Benjamin Gates et le trésor des Templiers) (Turteltaub), The New World (Le Nouveau Monde) (Malick), Must Love Dogs (La main au collier) (Goldberg), Alexander (Alexandre) (Stone) ; 2006, Inside Man (Inside Man – L'homme de l'intérieur) (Lee), Syriana (Syriana) (Gaghan).

Brillant acteur de théâtre, il a tenu au cinéma, grâce à un visage osseux et typiquement britannique, certains grands emplois : il fut Wellington dans *Waterloo* (il était d'ailleurs remarquable) et Sherlock Holmes dans le curieux *Meurtre par décret*. Rappelons qu'il interpréta aussi des aventuriers sympathiques comme cet Eddie Chapman, délinquant de droit commun qui vendit ses services à l'Angleterre pendant la guerre. Il est même chasseur de vampires dans *Nosferatu*.

Podalydès, Denis

Acteur français né en 1964.

1991, Versailles Rive gauche (moyen métrage, Podalydès), Mayrig (Verneuil) ; 1993, Pas très catholique (Marshall) ; 1994, Comment je me suis disputé (ma vie sexuelle) (Desplechin), État des lieux (Richet, Dell'Isola), Voilà (moyen métrage, Podalydès) ; 1995, La belle verte (Serreau), Le journal du séducteur (Dubroux), L'échappée belle (Dhaène) ; 1996, La divine poursuite (Deville) ; 1997, Dieu seul me voit (Podalydès), Jeanne et le garçon formidable (Ducastel, Martineau) ; 1998, La mort du Chinois (Benoît), Les frères Sœur (F. Jardin), Rien sur Robert (Bonitzer), Les enfants du siècle (Kurys) ; 1999, La voleuse de Saint-Lubin (Devers), A l'attaque ! (Guédiguian) ; 2000, La comédie de l'innocence (Ruiz), Liberté-Oléron (Podalydès), La chambre des officiers (Dupeyron), Mortel transfert (Beineix) ; 2001, Laissez-passer (Tavernier), Embrassez qui vous voudrez (Blanc) ; 2002, Un monde presque paisible (Deville), Il est plus facile pour un chameau... (Bruni-Tedeschi) ; 2003, Le mystère de la chambre jaune (Podalydès) ; 2004, Vert paradis (Bourdieu), Bienvenue en Suisse (Fazer), Le pont des Arts (Green), Vipère au poing (Broca) ; 2005, Les âmes grises (Angelo), Caché (Haneke), Paris royal ! (Lemercier), Le parfum de la dame en noir (Podalydès) ; 2006, Da Vinci Code (Da Vinci Code) (Howard), Un an (Boulanger), Les temps des porte-plumes (Duval) ; 2007, Le 4e morceau de la femme coupée en 3 (Marsac), Coupable (Masson), La vie d'artiste (Fitoussi).

Frère du cinéaste Bruno Podalydès et acteur principal de tous les films de ce dernier, il se spécialise dans les rôles lunaires et décalés de grand enfant à calvitie naissante. Ce sociétaire de la Comédie-Française a été un merveilleux Rouletabille.

Podesta, Rossana

Actrice italienne née en 1934.

1949, Domani è un altro giorno (Demain est un autre jour) (Moguy) ; 1950, Strano appuntamento (Hamza) ; 1951, Gli angeli del quartiere (Borghesio), Sette nani alla riscossa (Tamburella), Guardie e ladri (Gendarmes et voleurs) (Monicelli et Steno) ; 1952, La colpa di una madre (Mère coupable) (Duse), Viva il cinema ! (Baldaccini/Trapani), Il moschettiere fantasma (Calandri), Don Lorenzo (Bragaglia), Io, Amleto (Simonelli), Fanciulle di lusso (Vorhaus), La voce del silenzio (La maison du silence) (Pabst) ; 1953, Addio, figlio mio (Guarini), Ulisse (Ulysse) (Camerini), La Red (Le filet) (Fernandez), Viva la rivista (Trapani) ; 1954, Helen of Troy (Hélène de Troie) (Wise), La ragazze di Sanfrediano (Zurlini), Nosotros los hombres ; 1955, Canzoni di tutta Italia (Paolella) ; 1956, Non scherzare con le donne (Bennati), Santiago (G. Douglas) ; 1957, La Bigorne, caporal de France (Darène) ; 1958, Raw Wind in Eden (Orage au paradis) (Wilson), L'île du bout du monde (Greville), La spada e la croce (Bragaglia), Un vaso de whisky (Un verre de whisky) (Coll) ; 1959, Ismael il conquistadore ; 1960, La grande vallata (Dorigo), La schiava di Roma (L'esclave de Rome) (Grieco), Toryok furia dei Barbari (Malatesta) ; 1961, Sodoma e Gomorra (Sodome et Gomorrhe) (Aldrich et Leone) ; 1962, La freccia d'oro, Solo contro Roma (Herbert Wise) ; 1963, L'arciere delle mille e una notte/La freccia d'oro (La flèche d'or) (Margheriti), La vergine di Norimberga (La vierge de Nuremberg) (Margheriti) ; 1964, Un aero per Balbeck (Dernier avion pour Baalbeck) (Fregonese), Le ore nude (Vicario) ; 1965, Sette uomini d'oro (Sept hommes en or) (Vicario) ; 1966, Il grande colpo dei 7 uomini d'oro (Vicario) ; 1970, Il prete sposato (Vicario) ; 1971, Homo eroticus (Vicario) ; 1972, Ucello migratore (Steno) ; 1973, Paolo il caldo (Vicario) ; 1975, Gatto mammone (Cicero) ; 1976, Il letto in piazza (Gaburro) ; 1977, Pane, burro e marmellata

(Capitani) ; 1979, Siete chicas peligrosas (Lazaga), Tranquille donne di campagna (De Molinis) ; 1980, Sunday Lovers (Les séducteurs) (Forbes, Molinaro, Rosi, Wilder) ; 1985, Hercules (Cozzi), Segreti segreti (Bertolucci).

D'origine argentine, née en Tripolitaine, cette superbe créature fit ses débuts sous Moguy, mais c'est avec *La Red*, qui dévoilait largement son anatomie, qu'elle gagna la célébrité. Hélas, elle limita ses ambitions au péplum et au mélodrame, ne faisant qu'un bref passage aux États-Unis où elle fut dirigée par deux solides artisans de la série B., Gordon Douglas et Wilson.

Poelvoorde, Benoît

Acteur belge né en 1964.

1992, C'est arrivé près de chez vous (Belvaux, Poelvoorde, Bonzel) ; 1996, Pour rire ! (Belvaux) ; 1997, Les randonneurs (Harel) ; 1998, Les convoyeurs attendent (Mariage) ; 2000, Les portes de la gloire (Merret-Palmair) ; 2001, Le vélo de Ghislain Lambert (Harel) ; 2002, Le boulet (Berbérian) ; 2003, Rire et châtiment (Doval), Podium (Moix) ; 2004, Atomik Circus, le retour de James Bataille (Poiraud), Aaltra (Delépine), Narco (Aurouet et Lellouche) ; 2005 Akoibon (Baer), Entre ses mains (Fontaine), Cinéastes à tout prix (Sojcher), Tu vas rire, mais je te quitte (Harel) ; 2006, Jean-Philippe (Tuel), Selon Charlie (Garcia), Du jour au lendemain (Le Guay).

Étudiant en publicité, il coréalise avec une bande de copains le canular cinématographique du début des années 90, *C'est arrivé près de chez vous*, où il incarne un tueur en série doté d'un humour particulièrement macabre. Il incarne à lui tout seul la quintessence de l'humour belge, qu'il exploite à la télévision avec « Les carnets de M. Manatane », et effectue un joli retour cinématographique en père maladroit dans le tendre *Les convoyeurs attendent*. Son énergie détonnante a fait le succès de *Podium*, où il incarne un sosie de Claude François... Il est étonnant dans *Du jour au lendemain*, victime d'événements qui la dépassent.

Poiret, Jean

Acteur et réalisateur français, de son vrai nom Poiré, 1926-1992.

1955, Cette sacrée gamine (Boisrond) ; 1956, La terreur de ces dames (Boyer), La vie est belle (R. Pierre et J.-M. Thibault), Adorables démons (Cloche), Assassins et voleurs (Guitry) ; 1957, Clara et les méchants (André), Ça aussi c'est Paris (Cloche), Le naïf aux quarante enfants (Agostini) ; 1958, Messieurs les ronds-de-cuir (Diamant-Berger), Nina (Boyer), Oh que mambo (Berry) ; 1959, Vous n'avez rien à déclarer (Duhour) ; 1960, Candide (Carbonnaux), Ma femme est une panthère (Bailly), La Française et l'amour (Christian-Jaque) ; 1961, La gamberge (Carbonnaux), Tout l'or du monde (Clair), Auguste (Chevallier), Les Parisiennes (Poitrenaud, Boisrond, etc.), Les snobs (Mocky) ; 1962, Les vierges (Mocky), Comment réussir en amour (Boisrond), Les quatre vérités (sketch de Bromberger), C'est pas moi, c'est l'autre (Boyer) ; 1963, Un drôle de paroissien (Mocky), La foire aux cancres (Daquin), Les durs à cuire (Pinoteau) ; 1964, La grande frousse/La cité de l'indicible peur (Mocky), La bonne occase (Drach), Jaloux comme un tigre (Cowl) ; 1965, La tête du client (Poitrenaud), Les baratineurs (Rigaud), Le petit monstre (Sassy) ; 1966, Le roi de cœur (Broca), La bourse ou la vie (Mocky) ; 1967, Le grand bidule (André), Ces messieurs de la famille (André) ; 1969, Aux frais de la princesse (Quignon), Qu'est-ce qui fait courir les crocodiles ? (Poitrenaud), Ces messieurs de la gâchette (André), La grande lessive (Mocky), Trois hommes sur un cheval (Moussy) ; 1970, Le mur de l'Atlantique (Camus) ; 1979, La gueule de l'autre (Tchernia) ; 1980, Le dernier métro (Truffaut) ; 1982, Que les gros salaires lèvent le doigt (Granier-Deferre) ; 1984, La septième cible (Pinoteau) ; 1985, Poulet au vinaigre (Chabrol), Liberté, égalité, choucroute (Yanne) ; 1986, Inspecteur Lavardin (Chabrol), Je hais les acteurs (Krawczyk) ; 1987, Le miraculé (Mocky) ; 1988, Les saisons du plaisir (Mocky), Une nuit à l'assemblée nationale (Mocky), La petite amie (Beraud), Corentin (Marbeuf) ; 1990, Lacenaire (Girod) ; 1991, Sissi und der Kaiserküss (Sissi, la valse des cœurs) (Böll), Sup de fric (Gion). *Pour le metteur en scène*, voir le *Dictionnaire du cinéma*, t. I : *Les réalisateurs*.

Il a longtemps formé un tandem comique avec Michel Serrault, jouant plusieurs films avec lui et renouant cette collaboration encore en 1979 dans une folle comédie de Tchernia, *La gueule de l'autre*. Mais il a, à partir de 1963, joué aussi tout seul et s'est par la suite consacré à l'écriture de scénarios et de comédies. Influence de son épouse d'alors, Françoise Dorin ? Il devint l'auteur de pièces à succès comme *La cage aux folles* ou *Joyeuses Pâques*. On l'a revu toutefois comme acteur, en écrivain collaborateur, dans *Le dernier métro* de François Truffaut. Chabrol, en lui donnant le rôle de l'inspecteur Lavardin qui met son nez dans les affaires des notables de province, l'a parfaitement intégré à son univers. Mocky à son tour l'a intelligemment utilisé. Poiret fut aussi metteur en scène avec *Le zèbre*.

Poirier, Arlette

Actrice française née en 1926.

1950, La dame de chez Maxim's (Aboulker), Andalousie (Vernay) ; 1951, Les deux Monsieur de Madame (Bibal), Ma femme, ma vache et moi (Devaivre) ; 1952, La fugue de M. Perle (Richebé), Coiffeur pour dames (Boyer), Mon gosse de père (Mathot) ; 1953, Via Padova 46 ; 1954, C'est la vie parisienne (Rode) ; 1955, Seampolo (Les femmes mènent le jeu) (Bianchi) ; 1957, Montparnasse 19 (Becker) ; 1958, Sérénade au Texas (Pottier) ; 1960, Amour, autocar et boîtes de nuit (Kapps).

Née à Paris, cette pétulante blonde passe par le Conservatoire. S'ensuit une courte activité théâtrale dont le *P'tit café* (avec Bernard Blier et Nicole Maurey, une autre débutante...) qui débouche sur le cinéma avec *La dame de chez Maxim's*. Après ce rôle et compte tenu de son physique aguichant, les producteurs auront tendance à la confiner dans des rôles de femme volage ou de petite vertu, ce qui nuira quelque peu à sa carrière, l'empêchant ainsi d'exprimer la plénitude de son talent.

Poitier, Sidney

Acteur et réalisateur américain né en 1927.

1950, No Way Out (La porte s'ouvre) (Mankiewicz) ; 1951, Cry the Beloved Country (Z. Korda) ; 1952, Red Ball Express (Les conducteurs du diable) (Boetticher) ; 1954, Go Man Go ! (J. Wong Howe) ; 1955, Blackboard Jungle (Graine de violence) (Brooks) ; 1956, Goodbye My Lady (Wellman), Edge of the City (L'homme qui tua la peur) (Ritt) ; 1957, Band of Angels (L'esclave libre) (Walsh) ; 1958, Something of Value (Le carnaval des dieux) (Brooks), Mark of the Hawk (Audley), The Defiant Ones (La chaîne) (Kramer), Virgin Island (P. Jackson) ; 1959, Porgy and Bess (Preminger) ; 1960, All the Young Men (Bartlett) ; 1961, Paris Blues (Ritt), A Raisin in the Sun (Un raisin au soleil) (Petrie) ; 1962, Pressure Point (Cornfield) ; 1963, Lilies of the Field (Le lys des champs) (Nelson), The Long Ships (Les Drakkars) (Cardiff) ; 1965, The Greater Story Ever Told (La plus grande histoire jamais contée) (Stevens), The Bedford Incident (Aux postes de combat) (Harris), The Slender Thread (Trente minutes de sursis) (Harris), A Patch of Blue (Guy Green) ; 1966, Duel at Diablo (La bataille de la vallée du Diable) (Nelson), To Sir, with Love (Les anges aux poings serrés) (Clavell) ; 1967, In the Heat of the Night (Dans la chaleur de la nuit) (Jewison), Guess Who's Coming to Dinner (Devine qui vient dîner) (Kramer) ; 1968, For Love of Ivy (Mon homme) (Mann) ; 1969, The Lost Man (Alan Arthur) ; 1970, Brother John (Goldstone), They Call Me *Mister* Tibbs (Appelez-moi Monsieur Tibbs) (Douglas), King, a Film Record (Mankiewicz et Lumet) ; 1971, The Organization (L'organisation) (Medford), Buck and the Preacher (Buck et son complice) (Poitier) ; 1973, A Warm December (Poitier) ; 1974, The Wilby Conspiracy (Le vent de la violence) (Nelson), Uptown Saturday Night (Poitier) ; 1975, Let's Do It Again (Poitier) ; 1977, A Piece of the Action (Poitier) ; 1988, Shoot to Kill/Deadly Pursuit (Randonnée pour un tueur) (Spottiswoode), Little Nikita (Benjamin) ; 1992, Sneakers (Les experts) (Robinson) ; 1996, The Jackal (Le Chacal) (Caton-Jones). *Pour le metteur en scène*, voir le *Dictionnaire du cinéma*, t. I : *Les réalisateurs*.

La bonne conscience de l'Amérique libérale. Né dans les Caraïbes dans une famille pauvre de cultivateurs, il vient tenter sa chance à New York et travaille sur les chantiers comme terrassier avant de s'engager dans l'armée comme infirmier. Libéré, il est engagé comme machiniste puis acteur par l'American Negro Theatre. Mankiewicz et Brooks le découvrent et en font un symbole du peuple noir. Kramer, Jewison, Petrie... continueront, avec une lourdeur pachydermique, à exploiter le mythe. Oscar en 1963 pour *Le lys des champs*, Poitier fonde sa propre maison de production puis entre dans l'éphémère First Artists. Réalisateur, il ne témoigne que d'un talent des plus réduits. Il a épousé Joanna Shimkus.

Poivre, Annette

Actrice française, de son vrai nom Paule Perron, 1919-1988.

Principaux films : 1943, La valse blanche (Stelli) ; 1945, Le couple idéal (Bernard-Roland) ; 1946, Antoine et Antoinette (Becker), Copie conforme (Dréville) ; 1947, Quai des orfèvres (Clouzot) ; 1948, L'armoire volante (Carlo-Rim) ; 1949, Branquignol (Dhéry) ; 1950, La rue sans loi (Gibaud) ; 1951, Le costaud des Batignolles (Lacourt), Les deux « Monsieur » de Madame (Bibal), Ma femme, ma vache et moi (Devaivre), Moumou (Jayet), Le passage de Vénus (Gleize) ; 1952, La loterie du bonheur (Gehret), Soyez les bienvenus (Pierre-Louis) ; 1953, Le chevalier de la nuit (Darène), Les corsaires du bois de Boulogne (Carbonnaux), Mon frangin du Sénégal (Lacourt), Une nuit à Megève (André) ; 1956, Porte des Lilas (Clair), Mon curé chez les pauvres (Diamant-Berger), Une gosse sensass (Bibal) ; 1957, L'ami de la famille (Pinoteau), Les gaietés de l'escadrille (Peclet), C'est arrivé à 36 chandelles (Diamant-Berger) ; 1958, Guinguette (Delannoy), Quai du point du jour (Faurez), Taxi, roulotte et corrida (Hunebelle) ; 1960, Un jour comme les autres (inédit, Bordry) ; 1961, Comme un poisson dans l'eau (Michel), Les filles de La Rochelle (Deflandre) ; 1963, Les félins (Clément) ; 1964, Les combinards (Roy) ; 1965, Un milliard dans un billard (Gessner) ; 1967, La malédiction de Belphégor (Combret) ; 1970, Opération Macédoine (Scandelari) ; 1974, Soldat Duroc, ça va être ta fête (Gérard) ; 1975, Mords pas, on t'aime (Y. Allégret) ; 1976, Drôles de zèbres (Lux) ; 1977, Va voir maman, papa travaille (Leterrier) ; 1979, C'est pas moi c'est lui (Richard) ; 1982, La boum 2 (Pinoteau), Prends ton passe-montagne, on va à la plage (Matalon) ; 1986, Suivez mon regard (Curtelin).

Associée à son mari, Raymond Bussières, elle forma un couple comique apprécié du grand public qui se reconnaissait dans ce tandem toujours situé dans des milieux populaires. Malheureusement, la plupart de ces films ont sombré dans la médiocrité de l'après-guerre.

Pola, Isa

Actrice italienne, de son vrai nom Maria-Luisa di Montesano, 1909-1984.

Principaux films : 1932, La telefonista (Malasomma) ; 1933, Acciaio (Acier) (Ruttman) ; 1935, Le scarpe al sole (Grimpeurs du diable) (Elter) ; 1936, L'anonimo Roylott (Matarazzo) ; 1937, Sono stato io (Matarazzo), La vedova (Alessandrini), Cavalleria rusticana (Palermi) ; 1944, I bambini ci guardano (Les enfants nous regardent) (De Sica) ; 1946, Furia (Alessandrini) ; 1952, Tre storie proibite (Histoires interdites) (Genina).

Débuts en 1926 dans de tout petits rôles. Sa vraie carrière commence en 1932 avec *La telefonista*. Elle règne sur les années 30 et connaît son apogée avec *Les enfants nous regardent*. Déclin après la guerre.

Polidor

Acteur et réalisateur italien d'origine française, de son vrai nom Ferdinand Guillaume, 1887-1977.

1910, Pinocchio (Antamoro) ; 1912, série des Polidor ; 1940, E Sbarcato un marinaio (Ballerini), Il pirata sono io (Mattoli) ; 1943, Carmen (Christian-Jaque) ; 1956, Contre récompense (Orfese) ; 1957, Le notti di Cabiria (Les nuits de Cabiria) (Fellini) ; 1960, La dolce vita (La douceur de vivre) (Fellini) ; 1961, Accatone (Accatone) (Pasolini) ; 1963, Cyrano et d'Artagnan (Gance) ; 1967, Storie straordinarie (Histoires extraordinaires) (Fellini). *Pour le metteur en scène,* voir le *Dictionnaire du cinéma,* t. I : *Les réalisateurs.*

Parti tenter sa chance dans les studios de la Cines, il y tourna une populaire série comique, celle des Polidor. Le cinéma parlant mit fin à sa carrière. Il essaya un impossible « come-back » dans *Carmen* où il est un voyageur âgé.

Pollard, Harry Snub

Acteur et réalisateur d'origine australienne, de son vrai nom Harold Frazer, 1889-1962.

Plus de 200 courts métrages avec G.M. Anderson puis Hal Roach *(série avec Harold Lloyd) et enfin série des* Beaucitron. *Par la suite :* 1936, The Gentleman from Louisiana (Pichel) ; 1937, Arizona Days (English) ; 1938, Starlight over Texas (Al Herman), Song of the Buckaroo (Al Herman) ; 1947, The Perils of Pauline (Marshall) ; 1952, Limelight (Chaplin) ; 1961, A Pocketful of Miracles (Milliardaire d'un jour) (Capra). *Pour le metteur en scène,* voir le *Dictionnaire du cinéma,* t. I : *Les réalisateurs.*

Comique moustachu qui servit de faire-valoir à Harold Lloyd avant d'être le héros de sa propre série, connue en France sous le nom de *Beaucitron.* Il en dirigea plusieurs (mais ne pas le confondre avec le réalisateur Harry Pollard, 1883-1934). Par la suite, comme Al St. John, il fit le clown dans des westerns de série Z avant de terminer sa carrière chez Capra.

Polley, Sarah

Actrice canadienne née en 1979.

1985, One Magic Christmas (Borsos) ; 1987, The Big Town (Bolt), Blue Monkey (Fruet) ; 1988, The Adventures of Baron Munchhausen (Les aventures du baron de Munchhausen) (Gilliam) ; 1994, Exotica (Exotica) (Egoyan) ; 1996, Jo's so Mean to Josephine (Wellington) ; 1997, The Sweet Hereafter (De beaux lendemains) (Egoyan), The Planet of Junior Brown (Virgo), The Hanging Garden (Fitzgerald) ; 1998, Last Night (Last Night) (McKellar), Jerry & Tom (Rubinek), eXistenZ (eXistenZ) (Cronenberg), Go (Go) (Liman) ; 1999, Guinevere (Guinevere) (Wells), The Life Before This (Ciccoritti) ; 2000, The Weight of Water (Bigelow), The Law of Enclosures (Greyson), Love Come Down (Virgo), The Claim (Rédemption) (Winterbottom), They Might Be Good (Rozena) ; 2001, No Such Thing (Hartley) ; 2003, The Evert (Fitzgerald), My Life Without Me (Ma vie sans moi) (Coixet), Dermott's Quest (Ardal).

Héroïne d'un feuilleton télévisé très populaire au Canada alors qu'elle a tout juste dix ans, elle est finalement révélée par Atom Egoyan qui lui confie le rôle de la baby-sitter d'*Exotica*. Un sourire triste, une jolie blondeur nacrée et une apparente douceur qui peut exploser sans crier gare, à l'image de sa performance dans l'étonnant *Go*.

Popesco, Elvire

Actrice française, de son vrai nom Elvira Popescu, 1896-1993.

1924, La jeune fille de la mansarde (Halm, en Roumanie) ; 1929, Une nuit à Venise (en Roumanie) ; 1930, L'étrangère (Ravel) ; 1932, Sa meilleure cliente (Colombier) ; 1933, Ma cousine de Varsovie (Gallone), Une femme chipée (Colombier) ; 1935, Dora Nelson (Guissart) ; 1936, Le roi (Colombier), L'homme du jour (Duvivier), L'amant de Madame Vidal (Berthomieu), La maison d'en face (Christian-Jaque) ; 1937, L'habit vert (Richebé), Le club des aristocrates (Colombier) ; 1938, A Venise une nuit (Christian-Jaque), Eusèbe député (Berthomieu), Tricoche et Cacolet (Colombier), Éducation de prince (Esway), Mon curé chez les riches (Boyer), La présidente (Rivers) ; 1939, Le veau gras (Poligny), Ils étaient neuf célibataires (Guitry), Derrière la façade (Lacombe), Paradis perdu (Gance), Le bois sacré (Mathot), L'héritier des Mondésir (Valentin) ; 1940, Parade en sept nuits (Allégret) ; 1941, L'âge d'or (Limur), Le valet maître (Mesnier) ; 1942, Le voile bleu (Stelli), Mademoiselle Swing (Pottier), Frédérica (Boyer), Fou d'amour (Mesnier), The I Inside (Suso Richter), Luck (Wellington), Sugar (Palmer) ; 1959, Plein soleil (Clément) ; 1960, Austerlitz (Gance).

L'étrangère ravissante et un peu fofolle, au gazouillis souvent incompréhensible mais d'autant plus charmant : c'est le personnage qu'imposa cette Roumaine, ancienne élève du Conservatoire de Bucarest, venue en France en 1930 où elle partagea son temps entre les planches (nombreuses pièces de Louis Verneuil) et les studios : elle était étourdissante en cousine de Varsovie ou en duchesse de Maulévrier dans *L'habit vert* : « Je suis dans un état de prostitution », dit-elle en roulant le « r » et en voulant parler de prostration. « La duchesse est étrangère », corrige le duc.

Poppe, Nils

Acteur suédois, de son vrai nom Jönsson, 1908-2000.

Principaux films : 1943, Aktören (Frisk) ; 1945, Sirènes et cols bleus (Hisberg) ; 1946, Pengar (Poppe et Kjellgren) ; 1947, Ballongen (Poppe) ; 1948, Soldat Bom (Poppe) ; 1949, Pappa Bom (Poppe et Kjellgren) ; 1956, Det Djunde Inseglet (Le septième sceau) (Bergman) ; 1960, Djävulens öga (L'œil du diable) (Bergman).

Cet excellent mime et vedette d'opérettes a créé un personnage populaire à la Chaplin, Boum, avant de devenir l'interprète de Bergman. On se souvient du comédien qui échappe à la mort dans *Le septième sceau.*

Porel, Marc

Acteur français, de son vrai nom Landry, 1949-1985.

1966, Un homme de trop (Costa-Gavras) ; 1967, Des garçons et des filles (Périer) ; 1969, La promesse (Feyder), Le clan des Siciliens (Verneuil), Le dernier saut (Luntz) ; 1970, La route de Salina (Lautner), La Horse (Granier-Deferre), Les aveux les plus doux (Molinaro), Tumuc-Humac (Jean-Marie Périer) ; 1971, Un peu de soleil dans l'eau froide (Deray) ; 1972, Non si sevizia un paperino (La longue nuit de l'exorcisme) (Fulci), Ludwig II (Ludwig ou le crépuscule des dieux) (Visconti), Un officier de police sans importance (Larriaga) ; 1973, Tony Arzenta (Big Guns) (Tessari), Virilita (Cavara) ; 1974, Nipoti miei diletti (Rossetti) ; Colpo in Canna (Di Leo) ; 1975, Il soldato di ventura (La grande bagarre) (Festa Campanile), Quand la ville s'éveille (Grasset), Uomini si nasce, poliriotti si muore (Deodato) ; 1976, L'innocente (L'innocent) (Visconti), Sette notte in nero (L'emmurée vivante) (Fulci) ; 1977, Una spirale di nebbia (Caresses bourgeoises) (Visconti), Difficile morire (Silva), Milano diffendersi o morire (Martucci) ; 1978, Occhi (Milioni), La sorella di Ursula (Bertuccioli) ; 1979, La pagella (Grassia) ; 1980, Je vais craquer (Leterrier) ; 1981, La disubbidienza (La désobéissance) (Lado), Il marchese del Grillo (Le marquis s'amuse) (Monicelli) ; 1982, Delitto carnale (Canevari).

Fils des comédiens Jacqueline Porel et Gérard Landry, arrière-petit-fils de Réjane, il n'a jamais eu de rôle à sa mesure en France. De là ses exils en Italie. Mort prématurément, victime de la drogue.

Porten, Henny
Actrice allemande, 1888-1960.

Principaux films : 1906, Die Sieger (F. Porten), Apachentanz (Porten) ; 1907, Lohengrin (Porten), Meissner Porzellan (Biebrach) ; 1908, Desdemona (Porten) ; 1919, Rose Bernd (Halm), 1920, Anna Boleyn (Lubitsch), Kohlhiesels Töchter (Les filles de Kohlhiesel) (Lubitsch) ; 1921, Die Geierwally (Dupont), Die Hintertreppe (L'escalier de service) (Leni) ; 1923, I.N.R.I. (Wiene), Der Kaufmann von Venedig (Felner) ; 1924, Mutter und Kind (Maternité) (Froelich) ; 1927, Die grosse Pausse (Froelich), Meine Tante... Deine Tante (Froelich), Violanta (Froelich), Liebe im Kuhstall (Froelich), Liebfraumilch (Froelich) ; 1928, Lotte (Froelich), Zuflucht (Froelich) ; 1929, Die Frau, die jeder liebt, bist Du ! (Froelich), Die Herrin und ihr Knecht (Madame et son cocher) (Oswald), Mutterliebe (Kaufmann) ; 1930, Skandal um Eva (Scandale autour d'Ève) (Froelich) ; 1931, Luise, Königin von Preussen (Froelich) ; 1932, 24 Studen im Leben einer Frau (Land) ; 1933, Mutter und Kind (Steinhoff) ; 1935, Krach im Hinterhaus (Harlan) ; 1938, Der Optimist (Emo), War es der im 3. Stock ? (Boese) ; 1941, Komödianten (Les comédiens) (Pabst) ; 1942, Symphonie des Lebens (Bertram) ; 1943, Wenn der junge Wein blüht (Kirchhoff) ; 1944, Familie Buchholz (Froelich) ; 1950, Absender umbekannt (Ratony) ; 1955, Das Fräulein von Scüderi (E. York), Carola Lamberti (Muller).

Prestigieuse actrice du cinéma allemand, fille du réalisateur Franz Porten qui la dirigea, ainsi que Curt Stark et Rudolph Biebrach, entre 1907 et 1914. Elle a beaucoup tourné entre 1918 et 1930, surtout avec Froelich. Son film le plus connu est alors *Anna Boleyn* de Lubitsch. Sa carrière se poursuit sans entraves : ni le parlant, ni Hitler, ni la chute du Reich et l'effondrement des studios ne l'arrêtent. Le bilan vu par nos yeux d'aujourd'hui n'est guère enthousiasmant, mais elle fut en son temps une vraie star, adulée et admirée.

Portman, Eric
Acteur anglais, 1903-1969.

1935, Maria Marten (Rosmer), Adbul the Damned (Grune), Old Roses (Mainwaring), Hyde Park Corner (Hill) ; 1936, The Cardinal (Hill), The Crimes of Stephen Hawke (G. King), Hearts of Humanity (Baxter) ; 1937, Moonlight Sonata (Mendes), The Prince and the Pauper (Keighley) ; 1941, 49th Parallel (Powell) ; 1942, One of our Aircraft Is Missing (Un de nos avions n'est pas rentré) (Powell et Pressburger), Uncensored (Asquith), Squadron Leader X (Comfort) ; 1943, We Dive at Dawn (Plongée à l'aube) (Asquith), Escape to Danger (Comfort), Millions Like us (Gilliat et Launder) ; 1944, A Canterbury Tale (Powell et Pressburger) ; 1945, Great Day (Comfort) ; 1946, Wanted for Murder (Huntington), Men of Two Worlds (Dickinson) ; 1947, Dear Murderer (Mon cher assassin) (Crabtree), Corridor of Mirrors (L'étrange rendez-vous) (Young), Draybreak (Bennett) ; 1948, The Mark of Cain (Hurst), The Blind Goddess (French) ; 1950, The Spider and the Fly (Hamer), Cairo Road (Mac Donald) ; 1951, The Magic Box (La boîte magique) (Boulting) ; 1952, South of Algiers (Lee), His Excellency (Hamer) ; 1954, The Colditz Story (Hamilton), 1955, The Deep Blue Sea (Litvak) ; 1956, Child in the House (Endfield) ; 1957, The Good Companions (Lee-Thompson) ; 1959, The House of the Seven Hawks (La maison des sept faucons) (Thorpe) ; 1960, The Naked Edge (La lame nue) (Anderson), Surprise Package (Un cadeau pour le patron) (Donen) ; 1962, Freud (Freud, Passions secrètes) (Huston), The Man Who Finally Died (Lawrence) ; 1963, West Eleven (Winner) ; 1965, The Bedford Incident (Aux postes de combat) (Harris) ; 1966, The Spy with a Cold Nose (Petrie) ; 1967, The Whisperers (Les chuchoteurs) (Forbes) ; 1968, Deadfall (Forbes) ; 1969, Assignment to Kill (Reynolds).

Confiné dans les rôles de méchants, à travers une production très inégale et typiquement britannique, il reste surtout pour le cinéphile l'aristocrate raffiné du fantastique *Corridor of Mirrors.*

Portman, Natalie
Actrice américaine née en 1981.

1994, Léon (Besson) ; 1995, Heat (Heat) (Mann), Beautiful Girls (T. Demme) ; 1996, Everyone Says I Love You (Tout le monde dit I love you) (Allen), Mars Attacks ! (Mars Attacks !) (Burton) ; 1998, Star Wars Episode I : The Phantom Menace (Star Wars Épisode I : La menace fantôme) (Lucas) ; 1999, Anywhere but Here (Ma mère, moi et ma mère) (Wang), Where the Heart Is (Williams) ; 2001, Star Wars Episode II (Lucas) ; 2003, Cold Mountain (Minghella) ; 2004, Closer (Closer, entre adultes consentants) (Nichols) ; 2005, Free Zone (Gitaï), Star Wars : Episode III – The Revenge of Sikhs (Stars

Wars : Épisode III – La revanche des Sikhs) (Lucas), Garden State (Garden State) (Broff) ; 2006, Paris je t'aime (collectif), V for Vendetta (V pour Vendetta) (McTeigue) ; 2007, Goya's Ghosts (Forman), My Blueberry Nights (Wong Kar-wai).

Dénichée après un incroyable casting par Besson pour tenir la dragée haute à Jean Reno dans *Léon*, cette jeune fille précoce ne tourne presque exclusivement qu'avec des pointures, jusqu'à devenir la reine Amidala dans la nouvelle série de *Star Wars*. A suivre de très près, même si, tête très bien faite, elle dit préférer suivre ses études (à Harvard) que de faire du cinéma.

Posey, Parker

Actrice américaine née en 1968.

1993, The Wake (Donahue), Joey Breaker (Starr), Coneheads (Coneheads) (Barron), Dazed and Confused (Linklater) ; 1994, Sleep with Me (Sleep with Me) (Kelly), Mixed Nuts (Ephron), Dead Connection (Dick), Amateur (Amateur) (Hartley) ; 1995, Frisk (Verow), Flirt (Flirt) (Hartley), Drunks (Cohn), Party Girl (Von Sherler Meyer), Kicking and Screaming (Baumbach), The Doom Generation (The Doom Generation) (Araki) ; 1996, Waiting for Guffman (Guest), Basquiat (Basquiat) (Schnabel), The Daytrippers (En route pour Manhattan !) (Mottola) ; 1997, Dinner at Fred's (Thompson), SubUrbia (Linklater), Clockwatchers (Sprecher), Henry Fool (Henry Fool) (Hartley), The House of Yes (The House of Yes) (M. Waters), The Misadventures of Margaret (Les folies de Margaret) (Skeet) ; 1998, What Rats Won't Do (Reid), You've Got Mail (Vous avez un message) (Ephron) ; 1999, Scream 3 (Scream 3) (Craven), The Venice Project (Dornhelm), Best in Show (Bêtes de scène) (Guest), Dinner at Fred's (Thompson) ; 2000, Josie and the Pussycats (Kaplan, Elfont), The Anniversary Party (Jason Leigh).

Surnommée « Reine des indépendants » par le magazine *Time*, on peut en effet admirer la performance de cette stakhanoviste du film à petit budget : plus de vingt-cinq films en à peine cinq ans de carrière ! Du rôle secondaire (*En route pour Manhattan !, Henry Fool*) jusqu'à la tête d'affiche (*The House of Yes*, où elle incarne une obsédée de Jackie Kennedy), son avenir est prometteur.

Postlethwaite, Pete

Acteur anglais né en 1945.

1977, The Duellists (Duellistes) (Scott) ; 1985, A Private Function (Porc royal) (Mowbray) ; 1988, Number 27 (T. Powell), The Dressmaker (O'Brien), Distant Voices, Still Lives (Distant Voices) (Davies), To Kill a Priest (Le complot) (Holland) ; 1990, They Never Slept (Prasad), Hamlet (Hamlet) (Zeffirelli) ; 1991, The Grass Arena (McKinnon) ; 1992, Waterland (Gyllenhaal), Split Second (Maylam), Alien 3 (Alien 3) (Fincher), The Last of the Mohicans (Le dernier des Mohicans) (Mann) ; 1993, In the Name of the Father (Au nom du père) (Sheridan), Anchoress (La recluse) (Newby) ; 1995, When Saturday Comes (Giese), The Usual Suspects (Usual Suspects) (Singer), Suite 16 (Deruddere), Crimetime (Sluizer), James and the Giant Peach (James et la pêche géante) (Selick), Dragonheart (Dragonheart) (Cohen), Romeo + Juliet (Roméo + Juliette) (Luhrmann), Brassed Off (Les virtuoses) (Herman) ; 1997, The Serpent's Kiss (Le baiser du serpent) (Rousselot), The Lost World : Jurassic Park (Le monde perdu Jurassic Park) (Spielberg), Brute (Brute) (Dejczer), Amistad (Amistad) (Spielberg) ; 1998, Among Giants (Les géants) (Miller), The Divine Ryans (Reynolds) ; 1999, Wayward Son (Harris) ; 2000, Rat (Barron), When the Sky Falls (MacKenzie), Ring of Fire (Koller).

Formé au théâtre, comme bon nombre de ses compatriotes devenus célèbres sur grand écran, c'est vers la quarantaine seulement que cet acteur au visage taillé à la serpe accède à la reconnaissance. D'abord via un rôle très énigmatique dans *Usual Suspects*, puis grâce à son incarnation du pasteur tatoué dans *Roméo + Juliette*, et enfin dans le rôle du chef d'orchestre qui dirige d'une main de fer la fanfare locale dans *Les virtuoses*. Il est partagé entre l'Amérique, où il n'incarne que des figures étranges et baroques, et l'Angleterre qui se plaît à le voir jouer des personnages plus proches du réel (*Au nom du père, Les virtuoses, Les géants*).

Poujouly, Georges

Acteur français, 1940-2000.

1951, Jeux interdits (Clément) ; 1952, Nous sommes tous des assassins (Cayatte), La jeune folle (Y. Allégret), Quitte ou double (Vernay), Son dernier Noël (Daniel-Norman), Hold-up en musique (Turenne) ; 1954, Dix-huit heures d'escale (Jolivet), Les diaboliques (Clouzot) ; 1955, Si tous les gars du monde (Christian-Jaque), Les assassins du dimanche (Joffé) ; 1956, Et dieu créa la femme (Vadim) ; 1957, Les œufs de l'autruche (La Patellière), Ascenseur pour l'échafaud (Malle) ; 1958, Guinguette (Delannoy), Pêcheur d'Islande (Schoendoerffer) ; 1959, Une fille pour l'été (Molinaro) ; 1960, Vacances en enfer (Kerchbron) ; 1961, Une grosse tête (Givray) ; 1962, Le vice et la vertu (Vadim) ; 1965, Paris brûle-t-il ? (Clément) ; 1970, Biribi (Moosman) ; 1972, Helle (Vadim) ; 1973, Vive la quille ! (Guerrini) ; 1981, Le guêpiot (Pilissy).

Révélé par *Jeux interdits*, il n'eut pas la carrière espérée.

Poupaud, Melvil

Acteur français né en 1973.

1983, La ville des pirates (Ruiz) ; 1984, L'éveillé du pont de l'Alma (Ruiz), Dans un miroir (Ruiz) ; 1985, L'île au trésor (Ruiz) ; 1988, La fille de quinze ans (Doillon) ; 1991, L'amant (Annaud), Archipel (Granier-Deferre) ; 1992, Souvenirs (Shamberg) ; 1993, Les gens normaux n'ont rien d'exceptionnel (Ferreira-Barbosa), A la belle étoile (Desrosières) ; 1994, Fado majeur et mineur (Ruiz), Élisa (Becker), Innocent Lies (Les péchés mortels) (Dewolf), Marianne (Jacquot), Le plus bel âge... (Haudepin) ; 1995, Le rocher d'Acapulco (Tuel), Le journal du séducteur (Dubroux), Conte d'été (Rohmer) ; 1996, Trois vies et une seule mort (Ruiz), Généalogies d'un crime (Ruiz), Le ciel est à nous (Guit) ; 1998, Les kidnappeurs (Guit) ; 1999, Le temps retrouvé (Ruiz), La chambre obscure (Questerbert), A raiz do coracão (La racine du cœur) (Rocha) ; 2000, Combat d'amour en songe (Ruiz), Schkiment Hotel (De Meaux) ; 2001, Reines d'un jour (Vernoux) ; 2003, Les sentiments (Lvovsky) ; 2004, Monde extérieur (Rault), Éros thérapie (Dubroux) ; 2005, Le temps qui reste (Ozon).

Acteur fétiche (et précoce) de Ruiz, il est épatant en ado reclus et misanthrope dans *Les gens normaux n'ont rien d'exceptionnel*, film où il a su exploiter son côté longiligne et élastique, donnant ainsi un net relief à son personnage.

Poupon, Henri

Acteur français, 1884-1953.

1931, La fortune (Hémard) ; 1932, Aux urnes citoyens ! (Hémard) ; 1934, Angèle (Pagnol), Joffroi (Pagnol), J'ai une idée (Richebé) ; 1935, Cigalon (Pagnol), Merlusse (Pagnol), Regain (Pagnol) ; 1936, Si tu reviens (Daniel-Norman) ; 1937, Gueule d'amour (Grémillon), L'homme à abattre (Mathot), Hercule (Esway) ; 1938, La femme du boulanger (Pagnol), Le schpountz (Pagnol) ; 1939, L'embuscade (Rivers), Remorques (Grémillon) ; 1942, Simplet (Fernandel), La chèvre d'or (Barbéris), Cap au large (Paulin) ; 1943, Jeannou (Poirier), Arlette et l'amour (Vernay) ; 1945, Naïs (Leboursier), L'aventure de Cabassou (Grangier) ; 1946, Miroir (Lamy) ; 1948, L'école buissonnière (Le Chanois), Bagarres (Calef), Vire-vent (Faurez) ; 1949, Premières armes (Wheeler) ; 1950, Les aventuriers de l'air (Jayet) ; 1951, Bouquet de joie (Cam) ; 1953, Manon des sources (Pagnol), La caraque blonde (Audry).

Ce Marseillais, fidèle de Raimu, fit partie de l'écurie Pagnol et donna de la vérité aux nombreux petits rôles qui lui furent confiés. Il appartient à la légende marseillaise du cinéma.

Pousse, André

Acteur français, 1919-2005.

1963, D'où viens-tu Johnny ? (Howard) ; 1965, Ne nous fâchons pas (Lautner) ; 1966, Un idiot à Paris (Korber) ; 1967, Fleur d'oseille (Lautner), Le pacha (Lautner) ; 1968, Catherine, il suffit d'un amour (Borderie), Faut pas prendre les enfants du bon Dieu pour des canards sauvages (Audiard) ; 1969, Le clan des Siciliens (Verneuil), Une veuve en or (Audiard), Des vacances en or (Dague), Trop petit, mon ami (Matalon) ; 1970, Tumuc-Hamac (Périer), Compte à rebours (Pigaut) ; 1971, Le drapeau noir flotte sur la marmite (Audiard) ; 1972, Un flic (Melville), L'insolent (Roy), Quelques messieurs trop tranquilles (Lautner), Profession : aventuriers (Mulot), Elle cause plus... elle flingue (Audiard) ; 1974, Bons baisers... à lundi (Audiard), Bons baisers de Hong Kong (Chiffre) ; 1975, Flic story (Deray), Attention les yeux (Pirès), OK patron (Vital), Oublie-moi mandoline (Wyn) ; 1976, Drôles de zèbres (Lux) ; 1977, La 7e compagnie au clair de lune (Lamoureux), Le cœur froid (Helman) ; 1978, Les égouts du paradis (Giovanni) ; 1982, Deux heures moins le quart avant Jésus-Christ (Yanne), Le corbillard de Jules (Pénard) ; 1998, L'âme sœur (Bigard), Comme un poisson hors de l'eau (Hadmar).

C'est Melville qui sut le premier (mieux que Lautner) tirer parti du physique froid et cruel de cet ancien coureur des Six Jours, jadis associé à Delvoye au temps des Kint, Van Steenbergen, Schotte, Ockers, Danguillaume... Depuis on l'a revu plusieurs fois en troisième couteau dans des films policiers. Il se partagea ensuite entre son restaurant et des bandes publicitaires (notamment sur le turf).

Powell, Dick

Acteur et réalisateur américain, 1904-1963.

1931, Street Scene (Vidor) ; 1932, Blessed Event (Del Ruth), Too Busy to Work (Blystone) ; 1933, The King's Vacation (Adolfi), Convention City (Mayo), College Coach (Wellman), Footlight Parade (Prologue) (Bacon), 42nd Street (42e rue) (Bacon), Gold Diggers of 1933 (Chercheuses d'or) (LeRoy) ; 1934, Wonder Bar (Bacon), Dames (Enright), Happiness Ahead (LeRoy), Flirtation Walk (Borzage), 20 Million Sweethearts (Enright) ; 1935, Gold Diggers of 1935 (Chercheuses d'or 1935) (Berkeley), Broadway Gondolier (Bacon), Page Miss Glory (Mademoiselle général) (LeRoy), Shipmates Forever (Borzage), A Midsummer Night's Dream (Le songe d'une nuit d'été) (Reinhardt, Dieterle) ; 1936, Stage Struck (Berkeley), Colleen (Green), Hearts Divided (Betsy) (Borzage), Gold Diggers of 1937 (Chercheuses d'or 1937) (Bacon) ; 1937, Varsity Show (Keighley), The Singing Marine (Enright), Hollywood Hotel (Berkeley), On the Avenue (Del Ruth) ; 1938, The Cowboy from Brooklyn (Bacon), Hard To Get (Enright) ; 1939, Going Places (Enright), Naughty But Nice (Enright) ; 1940, Christmas in July (Sturges), I Want a Divorce (R. Murphy) ; 1941, In the Navy (Lubin), Model Wife (Jason) ; 1942, Star Spangled Rhythm (Au pays du rythme) (Marshall), Happy Go Lucky (Bernhardt) ; 1943, True to Life (Marshall), Riding High (Marshall) ; 1944, It Happened Tomorrow (C'est arrivé demain) (Clair), Meet the People (Reisner) ; 1945, Murder My Sweet (Le crime vient à la fin) (Dmytryk), Cornered (Dmytryk) ; 1947, Johnny O'Clock (L'heure du crime) (Rossen) ; 1948, To the Ends of the Earth (Opium) (Stevenson), The Pitfall (De Toth), Station West (La cité de la peur) (Lanfield), Rogue's Regiment (Florey) ; 1949, Mrs. Mike (L. King) ; 1950, The Reformer and the Redhead (Une rousse obstinée) (Panama), Right Cross (Sturges) ; 1951, Cry Danger (L'implacable) (Parrish), You Never Can Tell (Breslow), The Tall Target (La cible) (Mann) ; 1952, The Bad and the Beautiful (Les ensorcelés) (Minnelli) ; 1954, Susan Slept Here (Suzanne découche) (Tashlin). *Pour le réalisateur*, voir le *Dictionnaire du cinéma*, t. I : *Les réalisateurs*.

Il fut le jeune premier des grandes comédies musicales de la Warner et l'interprète idéal de Berkeley : cheveu plaqué, dents blanches, voix de fausset et bon coup de mollet. Il chanta et dansa avec conviction. En 1945, changement de rôle : il devient Marlowe, le détective de Chandler, dans *Murder My Sweet*. Il vaut Bogart. On le retrouve avec plaisir dans d'autres films noirs : *Cornered, Johnny O'Clock, Cry Danger*... Puis il délaisse le métier d'acteur (ses apparitions se font rares, mais il est très bon dans *The Bad and the Beautiful*) pour celui de réalisateur. Il est mort d'un cancer encore très jeune.

Powell, Eleanor

Actrice et danseuse américaine, 1912-1982.

1935, George White's Scandals (White) ; 1936, Broadway Melody of 1936 (Mélodie de Broadway) (Del Ruth), Born to Dance (L'amiral mène la danse) (Del Ruth) ; 1937, Broadway Melody of 1938 (Règne de la joie) (Del Ruth), Rosalie (Van Dyke) ; 1939, Honolulu (Buzzell) ; 1940, Broadway Melody of 1940 (Broadway qui danse) (Taurog) ; 1941, Lady Be Good (Divorce en musique) (McLeod) ; 1942, Ship Ahoy (Croisière mouvementée) (Buzzell) ; 1943, I Dood It (Mademoiselle ma femme) (Minnelli), Thousands Cheer (La parade aux étoiles) (George Sidney) ; 1944, Sensations of 1945 (Stone) ; 1950, The Duchess of Idaho (Jamais deux sans toi) (Leonard).

Elle débute à seize ans à Broadway. Au cinéma, c'est *Born to Dance* qui met en lumière la diversité de ses dons de danseuse. Elle a peu tourné mais fut admirée pour ses prouesses techniques.

Powell, Jane

Actrice américaine, de son vrai nom Suzanne Burce, née en 1928.

1935, Hollywood (court métrage) ; 1944, Song of the Open Road (Hollywood Melodie) (Simon), Delightfully Dangerous (Délicieusement dangereuse) (Lubin) ; 1946, Holiday in Mexico (Féerie à Mexico) (Sidney) ; 1947, Three Daring Daughters (Cupidon mène la danse) (Wilcox) ; 1948, Luxury Liner (Amour en croisière) (Worf), A Date with Judy (Ainsi sont les femmes) (Thorpe) ; 1950, Two Weeks with Love (Les heures tendres) (Rowland), Rich, Young and Pretty (Riche, jeune et jolie) (Taurog), Nancy Goes to Rio (Leonard) ; 1951, Royal Wedding (Mariage royal) (Donen) ; 1952, Small Town Girl (Le joyeux prisonnier) (Kardos) ; 1953, Three Sailors and a Girl (Une fille et trois marins) (Del Ruth) ; 1954, Athena (Athena) (Thorpe), Deep in My Heart (Au fond de mon cœur) (Donen), Seven Brides for Seven Brothers (Les sept femmes de Barberousse) (Donen) ; 1955, Hit the Deck (La fille de l'amiral) (Rowland) ; 1957, The Girl Most Likely (Une fille qui promet) (Leisen), The Female Animal (Femme devant le désir) (Keller) ; 1958, Enchanted Island (Dwan) ; 1985, Marie (Donaldson).

L'une des grandes figures de la comédie musicale style MGM. Après 1958, elle s'est limitée au cabaret et à la télévision.

Powell, Robert

Acteur anglais né en 1944.

1969, The Italian Job (L'or se barre) (Collinson) ; 1971, Secrets (Jeux intimes) (Saville) ; 1972, Running Scared (Hemmings), The Asphyx (Newbrook), Asylum (Baker) ; 1974, Malher (Russell) ; 1975, Tommy (Tommy) (Russell) ; 1977, Al di là del bene e del male (Au-delà du bien et du mal) (Cavani) ; 1978, Gesu di Nazareth (Jésus de Nazareth) (Zeffirelli), The Four Feathers (Don Sharp), The Thirty Nine Steps (Les trente-neuf marches) (Sharp), Cocktails for Three ; 1979, Harlequin (Wincer), The Dilessi Affair ; 1980, Jane Austen in Manhattan (Ivory), The Survivor (Le survivant d'un monde parallèle) (Hemmings) ; 1983, Imperativ (L'impératif) (Zanussi), The Jigsaw Man (T. Young) ; 1984, What Waits Below (Sharp) ; 1986, Laggiù nella giunglia (Reali) ; 1987, Shaka Zulu (Faure), D'Annunzio (Nasca) ; 1990, Romeo-Juliet (Acosta) ; 1992, Chunuk Bair (Bradley) ; 1993, The Mystery of Edwin Drood (Forder).

Sa maigreur, son étonnant visage brûlé par la fièvre furent révélés par *Malher* de Russell où il tenait le rôle du compositeur. Il fut par la suite Jésus pour Zeffirelli et Paul Ree, l'amant de Lou Salomé, dans *Au-delà du bien et du mal* puis une sorte de guérisseur démoniaque dans *Harlequin*. D'un excès à l'autre, il incarne souvent des personnages marginaux ou inquiétants avec une trouble complaisance masochiste.

Powell, William

Acteur américain, 1892-1984.

1922, When Knighthood Was in Flower (Vignola), Sherlock Holmes (Parker), Outcast (Seiter) ; 1923, The Bright Shawl (Robertson) ; 1924, Romola (King), Under the Red Robe (Crosland) ; 1925, White Mice (E. Griffith), Too Many Kisses (Sloane), The Beautiful City (K. Webb), Faint Perfume (Gasnier), My Lady's Lips (Hogan) ; 1926, Beau Geste (Brennon), Sea Horses (Dwan), The Runaway (W. DeMille), The Great Gatsby (Brennon), Aloma of the South Seas (Tourneur), Desert Gold (Seitz), Tin Gods (Dwan) ; 1927, Special Delivery (W. Goodrich-Fatty), New York (L. Reed), Nevada (Waters), Paid to Love (Prince sans amour) (Hawks), She's a Sheik (Badger), Time for Love (Tuttle), Love's Greatest Mistake (Sutherland), Señorita (Badger) ; 1928, The Dragnet (La rafle) (Sternberg), The Last Command (Crépuscule de gloire) (Sternberg), The Vanishing Pioneer (Waters), Partners in Crime (Strayer), Forgotten Faces (Schertzinger), Feel My Pulse (La Cava), Beau sabreur (Waters) ; 1929, The Greene Murder Case (Tuttle), Interference (Mendes), The Canary Murder Case (St. Clair), Charming Sinners (Milton), Pointed Heels (Sutherland), The Four Feathers (Schoedsack, Cooper) ; 1930, Shadow of the Law (Worsley), Paramount on Parad (plusieurs metteurs en scène), The Benson Murder Case (Tuttle), Behind the Make-Up (Milton), Street of Chance (Cromwell), For the Defense (Cromwell) ; 1931, The Road to Singapore (La route de Singapour) (Green), Man of the World (Wallace), Ladies' Man (Mendes) ; 1932, Lawyer Man (Dieterle), Jewel Robbery (Dieterle), High Pressure (LeRoy), One Way Passage (Voyage sans retour) (Garnett) ; 1933, Private Detective 62 (Curtiz), The Kennel Murder Case (Curtiz), Double Harness (Cromwell) ; 1934, The Key (La clef) (Curtiz), Fashions of 1934 (Dieterle), Manhattan Melodrama (L'ennemi public n° 1) (Van Dyke), Evelyn Prentice (Le témoin imprévu) (Howard), The Thin Man (L'introuvable) (Van Dyke) ; 1935, Reckless (Imprudente jeunesse) (Fleming), Escapade (Leonard), Star of Midnight (Roberts), Rendez-vous (Howard) ; 1936, My Man Godfrey (La Cava), The Great Ziegfeld (Le grand Ziegfeld) (Leonard), The Ex Mrs. Bradford (Mon ex-femme détective) (Roberts), Libeled Lady (Une fine mouche) (Conway), After the Thin Man (Nick Gentleman Detective) (Van Dyke) ; 1937, Double Wedding (Mariage double) (Thorpe), The Last of Mrs. Cheyney (La fin de Mme Cheyney) (Boleslavsky), The Emperor's Candlesticks (Le secret des chandeliers) (Fritzmaurice) ; 1938, The Baroness and the Butler (La baronne et son valet) (W. Lang) ; 1939, Another Thin Man (Nick joue et gagne) (Van Dyke) ; 1940, I Love You Again (Van Dyke) ; 1941, Love Crazy (Folie douce) (Conway), Shadow of the Thin Man (L'ombre de l'Introuvable) (Van Dyke) ; 1942, Crossroads (Conway) ; 1943, The Youngest Profession (Buzzell) ; 1944, The Thin Man Goes Home (L'Introuvable rentre chez lui) (Thorpe) ; 1946, Ziegfeld Follies (Minnelli), The Hoodlum Saint (Taurog) ; 1947, Song of the Thin Man (Meurtre en musique) (Buzzell), Life With Father (Mon père et nous) (Curtiz) ; 1948, Mr. Peabody and the Mermaid (Pichel), The Senator Was Indiscret (Kaufman) ; 1949, Take One False Step (Erskine), Dancing in the Dark (Reis) ; 1951, The Treasure of the Lost Canyon (Telzlaff), It's a Big Country (Wellman, Hartman, Sturges, Vidor, Brown...) ; 1953, The Girl Who Had Everything (La fille qui avait tout) (Thorpe), How to Marry a Millionaire (Comment épouser un millionnaire) (Negulesco) ; 1955, Mr. Roberts (Permission jusqu'à l'aube) (Ford, LeRoy).

Débuts sur scène en 1912 à Broadway. Une longue carrière théâtrale puis le cinéma. On le voit d'abord en traître puis en personnage de comédie. C'est le parlant qui lui permet de s'épanouir. Il tient d'abord le rôle de Philo Vance, le détective inventé par Van Dine, dans trois films (*Canary Murder Case, Greene Murder Case* et *Benson Murder Case*) où il fixe les traits du personnage repris ensuite par Warren Williams. Puis il sera, avec Mirna Loy, le protagoniste d'une autre série policière, volontairement drôle, *L'introuvable*, d'après Hammett, où il est Nick gentleman-détective quelque peu désinvolte. La série des *Thin Man* se poursuivra jusqu'en 1947. William Powell reste pour nous, visage barré d'une fine moustache, silhouette frêle et élégante, le policier amateur qui résout une énigme, une cigarette dans une main et un cocktail dans l'autre. Pourtant ce type de personnage un peu léger ne doit pas nous faire oublier son émouvante composition du gangster amoureux mais qui sait cet amour sans espoir puisqu'il va être exécuté, dans le très beau *One Way Passage*.

Power, Tyrone
Acteur américain, 1913-1958.

1932, Tom Brown of Culver (Wyler) ; 1934, Flirtation Walk (Borzage) ; 1936, Girls' Dormitory (Cummings), Ladies in Love (E. Griffith) ; 1937, Lloyds of London (King), Café Métropole (Griffith), Thin Ice (Prince X) (Lanfield), Second Honeymoon (J'ai deux maris) (W. Lang) ; 1938, Marie-Antoinette (Marie-Antoinette) (Van Dyke), Suez (Suez) (Dwan), In Old Chicago (L'incendie de Chicago) (King), Alexander's Ragtime Band (La folle parade) (King) ; 1939, Jesse James (Le brigand bien-aimé) (King), The Rain Came (La mousson) (Brown), Rose of Washington Square (Ratoff), Second Fiddle (Lanfield), Day-Time Wife (Ratoff) ; 1940, The Mark of Zorro (Le signe de Zorro) (Mamoulian), Johnny Apollo (Hathaway), Brigham Young Frontiersman (Hathaway) ; 1941, Blood and Sand (Arènes sanglantes) (Mamoulian), A Yank in the R.A.F. (King) ; 1942, The Black Swan (Le cygne noir) (King), Son of Fury (Cromwell), This Above All (Litvak) ; 1943, Crash Dive (Mayo) ; 1946, The Razor's Edge (Le fil du rasoir) (Goulding) ; 1947, Nightmare Alley (Le charlatan) (Goulding), Captain from Castile (Capitaine de Castille) (King) ; 1948, The Luck of the Irish (Koster), That Wonderful Urge (Sinclair) ; 1949, Prince of Foxes (Échec à Borgia) (King) ; 1950, An American Guerilla in the Philippines (Guérillas) (Lang), The Black Rose (La rose noire) (Hathaway) ; 1951, I'll Never Forget You (Roy Baker), Rawhide (L'attaque de la malle-poste) (Hathaway) ; 1952, Diplomatic Courier (Courrier diplomatique) (Hathaway), Pony Soldier (La dernière flèche) (Newman) ; 1953, The Mississippi Gambler (Le gentilhomme de la Louisiane) (Maté) ; 1954, King of the Khyber Rifles (Capitaine King) (King) ; 1955, Untamed (Quand soufflera la tempête) (King), The Long Gray Line (Ce n'est qu'un au revoir) (Ford) ; 1956, The Eddie Duchin Story (Tu seras un homme mon fils) (Sidney) ; 1957, Abandon Ship (Pour que les autres vivent) (Sale), The Rising of the Moon (Quand se lève la lune) (Ford), The Sun Also Rises (Le soleil se lève aussi) (King), Witness for the Prosecution (Témoin à charge) (Wilder).

Fils de l'acteur Tyrone Power que l'on vit notamment dans *The Big Trail* de Walsh, il fut l'un des acteurs les plus populaires des années 30 et 40, l'équivalent à la Fox d'Errol Flynn pour la Warner. Son idylle avec Annabella défraya la chronique. On se souvient encore de lui en Zorro et en Jesse James, se battant en duel ou roucoulant avec la même aisance. La guerre interrompit un temps sa carrière, mais il retrouva sa place sans trop de problèmes, tentant aussi sa chance au théâtre. Il s'était remarié avec Linda Christian en 1949 et avait eu une fille, Romina Power, que l'on vit dans quelques films mais qui fut plus connue pour son duo chantant avec le crooner italien Al Bano. Il mourut d'une crise cardiaque lors du tournage de *Salomon and Sheba*.

Poyen, René
Acteur français, 1908-1968.

1912, série Bébé ; 1912-1915, série Bout de Zan (Feuillade) ; 1915, Les vampires (Feuillade) ; 1916, Judex (Feuillade) ; 1917, La nouvelle mission de Judex (Feuillade) ; 1920, Les deux gamines (Feuillade) ; 1921, L'orpheline (Feuillade) ; 1923, Le gamin de Paris (Feuillade), Gosseline (Feuillade) ; 1924, Lucette (Feuillade), L'orphelin de Paris (Feuillade) ; 1926, Les murailles du silence (Carbonnat), Romanetti (Dini) ; 1932, Clochard (Péguy).

Acteur enfant (il débuta à quatre ans) il fut Bout de Zan, le désopilant héros de Feuillade, mélange de Bibi Fricotin et de Pim Pam

Poum. On le retrouva dans d'autres films de Feuillade. Et puis il vieillit...

Préboist, Paul

Acteur français, 1927-1997.

1948, Sergil et le dictateur (Daroy) ; 1954, Cadet-Rousselle (Hunebelle) ; 1955, Les aventures de Gil Blas de Santillane (Jolivet), Les assassins du dimanche (Joffé) ; 1956, Élisa (Richebé), Porte des Lilas (Clair) ; 1958, Les femmes des autres (Barma), Le Sicilien (Chevalier) ; 1959, Les affreux (M. Allégret), La marraine de Charley (Chevalier), Signé Arsène Lupin (Robert), Le trou (Becker) ; 1960, Le mouton (Chevalier), Cocagne (Cloche), Crésus (Giono), Le capitan (Hunebelle) ; 1961, Auguste (Chevalier), Cartouche (Broca), Les nouveaux aristocrates (Rigaud), Les sept péchés capitaux (sketch Broca), Tout l'or du monde (Clair) ; 1962, Tartarin de Tarascon (Blanche) ; 1963, Bébert et l'omnibus (Robert), La mort d'un tueur (Hossein) ; 1964, Cent briques et des tuiles (André), Week-end à Zuydcoote (Verneuil), Les gorilles (Girault), Le majordome (Delannoy) ; 1965, Quand passent les faisans (Molinaro), Les tribulations d'un Chinois en Chine (Broca) ; 1966, Commissaire San Antonio (Lefranc), Le vieil homme et l'enfant (Berri), La grande vadrouille (Oury), Un idiot à Paris (Korber), Le grand restaurant (Besnard), Monsieur le Président-Directeur général (Girault), L'homme qui trahit la Mafia (Gérard) ; 1967, Fleur d'oseille (Lautner), Le fou du labo 4 (Besnard), Oscar (Molinaro) ; 1968, Béru et ces dames (Lefranc) ; 1969, L'homme-orchestre (Korber), Hibernatus (Molinaro), La honte de la famille (Balducci), Mon oncle Benjamin (Molinaro), Et qu'ça saute ! (Lefranc) ; 1970, Le bateau sur l'herbe (Brach), Le distrait (Richard), Doucement les basses ! (Deray), Laisse aller... c'est une valse (Lautner), Le gendarme en balade (Girault), La maison (Brach), Sur un arbre perché (Korber) ; 1971, L'explosion (Simenon), Le viager (Tchernia), La folie des grandeurs (Oury), Jo (Girault), Les malheurs d'Alfred (Richard), Le trêfle à cinq feuilles (Fress) ; 1972, Tout le monde il est beau, tout le monde il est gentil (Yanne), Les fous du stade (Zidi), Moi y'en a vouloir des sous (Yanne), La belle affaire (Besnard), Quelques messieurs trop tranquilles (Lautner), Les joyeux lurons (Gérard) ; 1973, La raison du plus fou (Reichenbach), A nous quatre cardinal (Hunebelle), Les vacanciers (M. Gérard), Les Chinois à Paris (Yanne), Les quatre charlots mousquetaires (Hunebelle), La dernière bourrée à Paris (André) ; 1974, OK patron (Vital), Le permis de conduire (Girault), Le plumard en folie (Lem), Y'a un os dans la moulinette (André) ; 1976, La grande récré (Pierson) ; 1979, A nous deux (Lelouch), Les phallocrates (Pierson) ; 1980, Signé Furax (Simenon), Une merveilleuse journée (Vital) ; 1981, Les bidasses aux grandes manœuvres (Delpard) ; 1982, Le braconnier de Dieu (Darras), Mon curé chez les nudistes (R. Thomas), Les misérables (Hossein), Deux heures moins le quart avant Jésus-Christ (Yanne), L'émir préfère les blondes (Payet) ; 1983, Y a-t-il un pirate sur l'antenne ? (Roy), Un bon petit diable (Brialy), Les planqués du régiment (Caputo) ; 1984, Les fausses confidences (Moosman) ; 1985, Liberté, égalité, choucroute (Yanne), Le facteur de Saint-Tropez (Balducci) ; 1989, La folle journée (Coggio) ; 1990, Il y a des jours... et des lunes (Lelouch) ; 1991, La belle histoire (Lelouch).

Bien que Jerry Lewis le tînt en haute estime, il faut avouer que sa filmographie est dans l'ensemble catastrophique et ce n'est pas la série des *Mon curé* qui a pu l'améliorer. Venu du cabaret où il avait monté avec son frère Jacques d'excellents numéros, il s'était fourvoyé dans les seconds rôles de films consternants. Passa un temps à la télévision (« Sébastien c'est fou ») avant de se retirer définitivement du monde du spectacle dans son haras.

Préjean, Albert

Acteur français, 1894-1979.

1921, Les trois mousquetaires (Diamant-Berger) ; 1922, Vingt ans après (Diamant-Berger), Le mauvais garçon (Diamant-Berger) ; 1923, Gonzague (Diamant-Berger), Le roi de la vitesse (Diamant-Berger), Paris qui dort (Clair) ; 1924, Le miracle des loups (Bernard), Grandeur et décadence (Bernard), L'homme inusable (Bernard), Jim Bougne Boxeur (Diamant-Berger), Le fantôme du Moulin-Rouge (Clair) ; 1925, Amour et carburateur (Colombier), Le voyage imaginaire (Clair) ; 1926, Le Bouif errant (Hervil), Le chapeau de paille d'Italie (R. Clair), La justicière (Marsan) ; 1927, Le chauffeur de Mademoiselle (Chomette) ; 1928, Verdun, vision d'histoire (Poirier), Les nouveaux messieurs (Feyder), Éducation de prince (Diamant-Berger) ; 1929, Bluff (Lacombe), Fécondité (Étiévant), L'aventure de Luna Park (Préjean), Le requin (Chomette) ; 1930, Sous les toits de Paris (Clair), L'opéra de quat'sous (Pabst) ; 1931, Le joker (Waschneck), Le chant du marin (Gallone), Un soir de rafle (Gallone), L'amoureuse aventure (Thiele) ; 1932, Un fils d'Amérique (Gallone), Rivages de la piste (Poligny), Voyages de noces (Schmidt, Fried), Théodore et Cie (Colombier) ; 1933, Toto

(Tourneur), Les bleus du ciel (Decoin), Caprice de princesse (Hartl), Le paquebot Tenacity (Duvivier), Volga en flammes (Tourjansky) ; 1934, Le secret d'une nuit (Gandera), La crise est finie (Siodmak), L'auberge du Petit Dragon (Limur), Dédé (Guissart), L'or de la rue (Bernhardt), Le contrôleur des wagons-lits (Eichberg) ; 1935, Quelle drôle de gosse ! (Joannon), Paris-Camargue (Forrestier), Princesse Tam-Tam (Greville), Lune de miel (Ducis), Moïse et Salomon parfumeurs (Hugon) ; 1936, Jenny (Carné) ; 1937, A Venise une nuit (Christian-Jaque), Neuf de trèfle (Mayrargue), L'alibi (Chenal), La vie des artistes (Bernard Roland), La fessée (Caron), Mollenard (Siodmak) ; 1938, La rue sans joie (Hugon), La piste du Sud (Billon), L'inconnu de Monte-Cristo (Berthomieu), Place de la Concorde (Lamac), Métropolitain (Cam), Nord-Atlantique (Cloche) ; 1939, L'or du Cristobal (Becker), Dédé la musique (Berthomieu), Pour le maillot jaune (Stelli) ; 1941, L'étrange Suzy (Ducis), Caprises (Joannon) ; 1942, Picpus (Pottier) ; 1943, Au bonheur des dames (Cayatte), La vie de plaisir (Valentin) ; 1944, Cécile est morte (Tourneur), Les caves du Majestic (Pottier) ; 1945, L'assassin n'est pas coupable (Delacroix) ; 1946, L'homme de la nuit (Jayet), Kermesse rouge (Mesnier), Le secret du Florida (Houssin) ; 1947, Les frère Bouquinquant (Daquin), L'idole (Esway), La grande volière (Péclet) ; 1948, Piège à hommes (Loubignac), Je n'ai que toi au monde (De Meyst) ; 1949, Les nouveaux maîtres (Nivoix) ; 1951, Le désir et l'amour (Decoin), Ils sont dans les vignes (Vernay) ; 1954, Casse-cou, Mademoiselle (Stengel), Les amants du Tage (Verneuil), Chéri-Bibi (Pagliero) ; 1955, Un missionnaire (Cloche) ; 1956, Le circuit de minuit (Govar), Adorables démons (Cloche) ; 1957, Paris-Music-hall (Stany Cordier) ; 1959, Bomben auf Monte Carlo (Ça peut toujours servir) (Jacoby) ; 1961, Bonne chance Charlie (Richard).

Bal du 14 juillet et arrivée du tour de France, atmosphère enfumée des salles de boxe et promenade en banlieue : Albert Préjean est le jeune premier issu des milieux populaires par opposition à Pierre Richard-Willm ou Jean Murat, le bon gars sans complication, au cœur d'or et aux poings d'acier. Il s'est raconté devant son fils Patrick dans un livre drôle et émouvant, paru en 1979. On y découvre l'as de l'aviation au temps de Guynemer, le vendeur de lacets de chaussures, le cascadeur et enfin l'acteur, découvert par Diamant-Berger mais consacré par René Clair. Qui ne connaît l'air de *Sous les toits de Paris* ? Il eut pour partenaires Florelle, Gaby Morlay, Françoise Rosay, Danielle Darrieux, Françoise Arnoul et Martine Carol. Il fut ouvrier, boxeur et interpréta même dans trois films le rôle du commissaire Maigret. On le vit aussi dans le cirque de Jean Richard. Sa vie durant, il a eu, pour reprendre l'une des ses formules, « un drôle de petit bonheur humide au coin des mirettes... ».

Prentiss, Paula

Actrice américaine, de son vrai nom Paula Ragusa, née en 1939.

1960, Where the Boys Are (Levin) ; 1961, Bachelor in Paradise (L'Américaine et l'amour) (Arnold), The Honeymoon Machine (Branle-bas au casino) (Thorpe) ; 1962, The Horizontal Lieutenant (La guerre en dentelles) (Thorpe) ; 1963, Follow the Boys (En suivant mon cœur) (Thorpe) ; 1964, The World of Henry Orient (Deux copines... un séducteur) (Roy Hill), Man's Favorite Sport ? (Le sport favori de l'homme) (Hawks) ; 1965, What's New Pussycat ? (Quoi de neuf, Pussycat ?) (Donner), Looking for Love (Amour toujours) (Weis), In Harm's Way (Première victoire) (Preminger) ; 1970, Move (Le déménagement) (Rosenberg), Catch-22 (Catch 22) (Nichols) ; 1971, Born to Win (Né pour vaincre) (Passer) ; 1972, Last of the Red Hot Lovers (Saks) ; 1974, Crazy Joe (Lizzani), The Parallax View (A cause d'un assassinat) (Pakula) ; 1975, The Stepford Wives (Forbes) ; 1980, The Black Marble (Becker) ; 1981, Saturday the 14th (Cohen), Buddy Buddy (Buddy Buddy) (Wilder) ; 1996, Mrs. Winterbourne (Mrs. Winterbourne) (Benjamin).

Sous contrat à la MGM, elle était l'archétype de la brune piquante qui fit les beaux jours de la comédie américaine durant les années 60. La reconversion fut problématique, et, à part un rôle important de femme-robot dans le troublant *The Stepford Wives*, elle s'est peu à peu retirée de la scène. Elle est mariée à l'acteur devenu réalisateur Richard Benjamin.

Presle, Micheline

Actrice française, de son vrai nom Chassagne, née en 1922.

1937, La fessée (Caron) ; 1938, Je chante (Stengel), Petite peste (Limur), Vous seule que j'aime (Fescourt) ; 1939, Jeunes filles en détresse (Pabst), Paradis perdu (Gance), Fausse alerte (Baroncelli) ; 1940, La comédie du bonheur (L'Herbier), Elles étaient douze femmes (Lacombe), Parade en sept nuits (Allégret) ; 1941, Le soleil a toujours raison (Billon), Histoire de rire (L'Herbier) ; 1942, La nuit fantastique (L'Herbier), Félicie Nanteuil

(Allégret), La belle aventure (Allégret) ; 1943, Un seul amour (Blanchar) ; 1944, Falbalas (Becker) ; 1945, Boule de suif (Christian-Jaque) ; 1946, Le diable au corps (Autant-Lara) ; 1947, Les jeux sont faits (Delannoy) ; 1948, Les derniers jours de Pompéi (L'Herbier), Tous les chemins mènent à Rome (Boyer), Under My Skin (Negulesco) ; 1950, American Guerilla in the Philippines (Lang), The Adventures of Captain Fabian (Marshall) ; 1952, La dame aux camélias (Bernard) ; 1953, Si Versailles m'était conté (Guitry), L'amour d'une femme (Grémillon) ; 1954, Casa Ricordi (Gallone), Napoléon (Guitry), Villa Borghese (Les amants de la villa Borghese) (Franciolini), Les impures (Chevalier) ; 1955, Treize à table (Hunebelle), Beatrice Cenci (Freda) ; 1956, La mariée était trop belle (Gaspard-Huit) ; 1957, Les louves (Saslavsky), Les femmes sont marrantes (Hunebelle) ; 1958, Bobosse (E. Périer), Christine (Gaspard-Huit), Les mystères d'Angkor (Dieterle) ; 1959, Une fille pour l'été (Molinaro), Blind Date (L'enquête de l'inspecteur Morgan) (Losey) ; 1960, Il misterio dei tre continenti, Le baron de l'écluse (Delannoy), Les grandes personnes (Valère), Interpol contre X (Boutel) ; 1961, L'amant de cinq jours (Broca), L'assassino (Petri), Les sept péchés capitaux (sketch de Demy) ; I briganti italiani (Camerini), La loi des hommes (Gérard) ; 1962, Le Diable et les dix commandements (Duvivier), Coup de bambou (Boyer), If a Man Answers (Levin) ; 1963, The Prize (Pas de lauriers pour les tueurs) (Robson), Dark Purpose (Meurtre par accident) (Marshall), Vénus impériale (Delannoy) ; 1964, Les Pieds nickelés (Chambon), La chasse à l'homme (Molinaro) ; 1965, Je vous salue Mafia (Lévy), La religieuse (Rivette) ; 1966, Le roi de cœur (Broca) ; 1969, Le bal du comte d'Orgel (Allégret), Clair de terre (G. Gilles) ; 1970, Peau d'âne (Demy) ; 1971, Les pétroleuses (Christian-Jaque), L'événement le plus important depuis que l'homme a marché sur la lune (Demy) ; 1972, Il diavolo nel cervello (Sollima) ; 1973, L'oiseau rare (Brialy), Le boucher, la star et l'orpheline (Savary), La gueule de l'emploi (Rouland), Mords pas, on t'aime (Allégret) ; 1974, La preda (Paollela), Deux grandes filles dans un pyjama (Girault) ; 1975, Trompe-l'œil (d'Anna) ; 1976, Le diable dans la boîte (Lary), Nea (Kaplan) ; 1977, Va voir Maman, Papa travaille (Leterrier) ; 1978, On efface tout (Vidal), Certaines nouvelles (Davila), Démons de midi (Paureilhe) ; 1979, Je te tiens, tu me tiens par la barbichette (Yanne), S'il vous plaît, la mer ? (Lancelot), Tout dépend des filles (Fabre), Remue-ménage (Davila) ; 1981, Rien ne va plus (Ribes) ; 1982, Archipel des amours (ép. Davila) ; 1983, En haut des marches (Vecchiali), Les voleurs de la nuit (Fuller) ; 1984, Le chien (Gallotte), Les fausses confidences (Moosman), Le sang des autres (Chabrol) ; 1986, Qui trop embrasse (Davila), Beau temps mais orageux en fin de journée (Frot-Coutaz) ; 1987, Alouette, je te plumerai (Zucca), Mignon é partita (Mignon est partie) (Archibugi) ; 1989, I Want To Go Home (Resnais), La fête des pères (Fleury) ; 1990, Après après-demain (Frot-Coutaz) ; 1991, Le jour des rois (Treilhou) ; 1992, Fanfan (A. Jardin), Je m'appelle Victor (Jacques) ; 1993, Pas très catholique (Marshall), Casque bleu (Jugnot) ; 1994, Les misérables (Lelouch) ; 1995, Le journal du séducteur (Dubroux), Enfants de salaud (Marshall), Les 1001 recettes du cuisinier amoureux (Djordjadze) ; 1996, Fallait pas !... (Jugnot) ; 1997, Grève party (Onteniente) ; 1998, Vénus Beauté (Institut) (Marshall), Le voyage à Paris (Dufresne), Mauvaises fréquentations (Améris) ; 1999, Le cœur à l'ouvrage (Dussaux) ; 2000, Charmant garçon (Chesnais) ; 2001, Les âmes câlines (Bardinet), Mauvais genre (Girod), Vertiges de l'amour (Chouchan) ; 2003, Chouchou (Allouache), Saltimbank (Biette), France Boutique (Marshall) ; 2005, Grabuge (Mocky).

Elle fut l'une des meilleures actrices françaises des années 40, formant avec Fernand Gravey dans *La nuit fantastique* un couple idéal. Elle n'a cessé de tourner depuis, menant sa carrière en France et en Italie. Elle tint longtemps des emplois proches de ceux de Claudette Colbert dans les comédies américaines : sa grâce et sa distinction y faisaient merveille ; mais elle fut également excellente dans des rôles dramatiques comme ceux du *Diable au corps* ou de *La religieuse*. « J'ai tourné, confiait-elle à Jacques Fieschi, avec des cinéastes et dans des systèmes très différents les uns des autres. On m'a souvent collé une étiquette de Parisienne un peu fofolle et frivole. Je pense avoir prouvé que je pouvais m'aventurer ailleurs. »

Presley, Elvis

Chanteur et acteur américain, 1935-1977.

1957, Love Me Tender (Le cavalier du crépuscule) (R. Webb), Loving You (Amour frénétique) (Kanter) ; 1958, Jailhouse Rock (Le rock du bagne) (Thorpe), King Creole (Bagarres au King Creole) (Curtiz) ; 1960, G.I. Blues (Café Europa en uniforme) (Taurog) ; 1961, Flaming Star (Les rôdeurs de la plaine) (Siegel), Wild in the Country (Amour sauvage) (Dunne), Blue Hawaii (Sous le ciel bleu d'Hawaii) (Taurog) ; 1962, Follow That

Dream (Le shérif de ces dames) (G. Douglas), Kid Galahad (Un direct au cœur) (Karlson), Girls, Girls, Girls (Des filles, encore des filles) (Taurog) ; 1963, It Happened at the World's Fair (Blondes, brunes, rousses) (Taurog), Fun in Acapulco (L'idole d'Acapulco) (Thorpe) ; 1964, Kissin' Cousins (Salut les cousins) (G. Nelson), Viva Las Vegas (L'amour en 4e vitesse) (G. Sidney), Roustabout (L'homme à tout faire) (Rich) ; 1965, Girl Happy (La strip-teaseuse effarouchée) (B. Sagal), Tickle Me (Taurog), Harem Holiday (G. Nelson) ; 1966, Frankie and Johnny (De Cordova), Paradise Hawaiian Style (M. Moore), California Holiday (Le tombeur de ces dames) (Taurog), Easy Come, Easy Go (Rich) ; 1967, Double Trouble (Croisière surprise) (Taurog) ; 1968, Speedway (A plein tube) (Taurog), Stay Away Joe (Micmac au Montana) (Tewkesbury), Live a Little, Love a Little (Taurog) ; 1969, Charro (Warren), The Trouble With Girls and How To Get It (Tewkesbury), Change of Habit (W. Graham) ; 1970, Elvis Show (Sanders) ; 1972, Elvis on Tour (Adidge et Abel).

Rien à dire du chanteur, sorte de phénomène du show-business et qui a sans doute marqué de son empreinte le rock. En revanche, l'acteur n'emporte pas toujours l'adhésion, surtout lorsque les scénarios des films qu'il a tournés atteignent à un degré de niaiserie incroyable. On peut sauver toutefois les premiers : *King Creole* et *Flaming Star*.

Preston, Robert

Acteur américain, de son vrai nom Meservey, 1917-1987.

1938, King of Alcatraz (L'évadé d'Alcatraz) (Florey), Illegal Trafic (L. King) ; 1939, Union Pacific (Pacific Express) (DeMille), Disbarred (Florey), Beau Geste (Wellman) ; 1940, North West Mounted Police (Les tuniques écarlates) (DeMille), Moon over Burma (L. King), Typhoon (L. King) ; 1941, The Lady from Cheyenne (La danseuse de Burma (Lloyd), New York Town (Vidor), The Night of January 16th (Clemens), Parachute Battalion (Goodwins) ; 1942, Wake Island (La sentinelle du Pacifique) (Farrow), This Gun for Hire (Tueur à gages) (Tuttle), Pacific Blackout (Murphy), Star Spangled Rhythm (Marshall), Reap the Wild Wind (Les naufrageurs des mers du Sud) (DeMille) ; 1943, Night Plane from Chungking (Murphy) ; 1947, Variety Girl (Marshall), The Macomber Affair (Z. Korda), Wild Harvest (Les corsaires de la terre) (Garnett) ; 1948, Blood on the Moon (Ciel rouge) (Wise), Big City (Taurog) ; 1949, Whispering Smith (Fenton), The Lady Gambles (M. Gordon), Tulsa (Heisler), The Sundowners (Templeton) ; 1951, My Outlaw Brother (Nugent), When I Grow Up (Kanin), Cloudburst (Searle), Best of the Badmen (Plus fort que la loi) (Russell) ; 1952, Face to Face (Brahm) ; 1955, The Last Frontier (La charge des tuniques bleues) (A. Mann) ; 1960, The Dark at the Top of the Stairs (Delbert Mann) ; 1961, The Music Man (Da Costa) ; 1962, How the West Was Won (La conquête de l'Ouest) (Marshall, Ford, Hathaway) ; 1963, Island of Love (Da Costa), All the Way Home (Segal) ; 1972, Junior Bonner (Junior Bonner), (Peckinpah), Child's Play (Lumet) ; 1974, Mame (Saks) ; 1977, Semi-Tough (Les faux durs) (Ritchie) ; 1981, SOB (SOB) (Edwards), Victor, Victoria (Edwards) ; 1985, The Last Starfighter (Castle).

Il a débuté à la Paramount où on le confondit longtemps avec Preston Foster. DeMille l'utilisa à plusieurs reprises. Mais il ne fut jamais une star et, découragé, délaissa quelque peu le cinéma. Il remporta un fabuleux succès à Broadway avec *The Music Man* qui devint un film lui permettant de devenir enfin une vedette à part entière. Mais il rentra rapidement dans le rang, sinon des troisièmes couteaux, du moins des demi-dieux.

Prévost, Daniel

Acteur français né en 1939.

1966, Le roi de cœur (Broca) ; 1968, Érotissimo (Pirès) ; 1971, Laisse aller, c'est une valse (Lautner), Elle court elle court, la banlieue (Pirès) ; 1972, Tout le monde il est beau, tout le monde il est gentil (Yanne), Elle cause plus... elle flingue (Audiard) ; 1973, Moi y'en a vouloir des sous (Yanne), Le concierge (Girault), La dernière bourrée à Paris (André), Juliette et Juliette (Forlani), Je sais rien mais je dirai tout (Richard) ; 1974, Le permis de conduire (Girault), Les Chinois à Paris (Yanne), Comment réussir quand on est con et pleurnichard (Audiard), Y'a un os dans la moulinette (André) ; 1975, La situation est grave mais pas désespérée (Besnard) ; 1976, Cours après moi que je t'attrape (Pouret), Un mari c'est un mari (Friedman) ; 1978, Je te tiens, tu me tiens par la barbichette (Yanne) ; 1979, L'associé (Gainville), Sacrés gendarmes (Launois), Rien ne va plus (Ribes) ; 1980, Voulez-vous un bébé Nobel ? (Pouret), Fais gaffe à la gaffe (Boujenah) ; 1982, Prends ton passe-montagne, on va à la plage (Matalon), Ça va pas être triste (Sisser) ; 1983, Mon curé chez les Thaïlandaises (Thomas), Adieu foulards (Lara) ; 1984, Liberté, égalité, choucroute (Yanne), Tranches de vie (Leterrier) ; 1990, Uranus (Berri) ; 1991, Ville à vendre

(Mocky), L'œil qui ment (Ruiz), Room service (Lautner) ; 1992, Une journée chez ma mère (Cheminal) ; 1993, Le colonel Chabert (Angelo) ; 1994, Les faussaires (Blum) ; 1995, Ma femme me quitte (Kaminka) ; 1996, Violetta la reine de la moto (Jacques), Le plus beau métier du monde (Lauzier), Tenue correcte exigée (Lioret), Le comédien (Chalonge) ; 1997, Droit dans le mur (Richard), Un grand cri d'amour (Balasko), Le dîner de cons (Veber) ; 1998, Astérix et Obélix contre César (Zidi) ; 1999, Vive nous ! (Casabianca), Les insaisissables (Gion) ; 2000, Le soleil au-dessus des nuages (Le Roch), La vérité si je mens ! 2 (Gilou) ; 2001, Un crime au paradis (J. Becker) ; 2002, Mon idole (Canet), Coup franc indirect (Hamidi) ; 2003, Pas sur la bouche (Resnais) ; 2006, La maison du bonheur (Boon).

Le boute-en-train en chef. L'œil rigolard, le cheveu frisé (et hirsute), il a tout fait : théâtre, one-man-show, télévision, cinéma, et même animation d'un jeu télévisé vers 1985 où ses déguisements avaient plus d'intérêt que le jeu lui-même. Mais, depuis que la mode des nanars « comiques » est passée — il était un pilier du genre —, on découvre enfin ses grands talents de composition. Films « sérieux » ou non, il donne toujours à ses personnages une démesure particulièrement frappante.

Prévost, Françoise

Actrice française, 1930-1997.

1948, Jean de la lune (Achard) ; 1950, Clara de Montargis (Decoin) ; 1950, Les miracles n'ont lieu qu'une fois (Y. Allégret) ; 1951, Nez de cuir (Y. Allégret) ; 1953, Virgile (Rim), Les trois mousquetaires (Hunebelle) ; 1958, Cette nuit-là (Cazeneuve), Le bel âge (Kast), Paris nous appartient (Rivette) ; 1959, The Enemy General (Le général ennemi) (Sherman), Merci Natercia ! (Kast), Par-dessus le mur (Le Chanois), Le signe du lion (Rohmer) ; 1960, Payroll (Les gangsters) (Hayers), La récréation (Moreuil et Collin), La morte saison des amours (Kast), Comment qu'elle est (Borderie), Les grandes personnes (Valère) ; 1961, La fille aux yeux d'or (Albicocco), Le jeu de la vérité (Hossein) ; 1962, Il processo di Verona (Le procès de Vérone) (Lizzani), Il mare (Patroni Griffi), Anni ruggenti (Les années rugissantes) (Zampa), Bon voyage (Neilson), Bekentnisse eines möblierten Herrn (Wirth) ; 1963, Un tentativo sentimentale (Amours sans lendemain) (Festa Campanile), I sequestrati di Altona (Les séquestrés d'Altona) (De Sica), Vacances portugaises (Kast), Ein Mann im schönsten Alter (Wirth) ; 1965, La cage de verre (Arthuys) ; 1966, Via Macao (Leduc), Galia (Lautner), Maigret und sein grösster Fall (Maigret fait mouche) (Weidenmann) ; 1967, L'une et l'autre (Allio), La lama nel corpo (De Felice), Pronto... c'é una certa Giuliana per te (Franciosa) ; 1968, Italian Secret Service (Les Russes ne boiront pas du Coca-Cola) (Comencini), Quella sporca storia del West (Django porte sa croix) (Castellari), Histoires extraordinaires (Fellini, Vadim...), Häschen in der Grube (Fritz) ; 1969, Quarta parete (Bolzoni), Brucia, ragazzo, brucia (Pourquoi pas avec toi... Pourquoi ?) (Di Leo), Vive la mort (Reusser), Un caso di coscienza (Grimaldi) ; 1970, Mont-Dragon (Valère), Una maleta para un cadaver (Brescia), L'explosion (Simenon), La donna a 1 dimenzione (Baratti), I ragazzi del massacro (Di Leo) ; 1971, La saignée (Mulot), Il dottor Danieli industriale con il complesso giocattolo (Le PDG a des ratés) (Grimaldi), Quarta parere (Bolzoni) ; 1972, Les anges (Desvilles), Le inibizioni del dottor Gaudenzi, vedovo col complesso (Les obsessions sexuelles d'un veuf) (Grimaldi) ; 1974, La prova d'amore (Longo) ; 1975, Le téléphone rose (Molinaro) ; 1976, Un urlo dalle tenebre (Bacchanales infernales) (Pannacció), L'amour en herbe (Andrieux) ; 1977, Merry-go-round (Rivette) ; 1979, Le soleil en face (Kast) ; 1982, La cote d'amour (Dubreuil).

Un beau masque tragique, un type de femme tout à la fois forte et vulnérable : la scène d'humiliation qu'elle subit de la part de Jacques Brel, dans l'excellent *Mont-Dragon*, est difficile à soutenir. Un peu oubliée, elle a retrouvé la faveur du public en racontant sa lutte contre un mal impitoyable.

Price, Dennis

Acteur anglais, 1915-1973.

1944, A Canterbury Tale (Powell et Pressburger) ; 1945, A Place of One's Own (Le médaillon fatal) (Knowles), The Echo Murders (Harlow) ; 1946, Caravan (Caravane) (Crabtree), Hungry Hill (Les monts brûlés) (Desmond Hurst) ; 1947, Dear Murderer (Mon cher assassin) (Crabtree), The Magic Bow (L'archet magique) (Knowles), Jassy (Le manoir tragique) (Knowles), Holiday Camp (Annakin), Master of Bankdam (Forde), The White Unicorn (Knowles) ; 1948, Easy Money (Knowles), Snowbound (MacDonald), Good Time Girl (Les ailes brûlées) (MacDonald), The Bad Lord Byron (MacDonald) ; 1949, Kind Hearts and Coronets (Noblesse oblige) (Hamer), The Lost People (Knowies), Helter Skelter (Thomas) ; 1950, The Dancing Years (Au temps des valses) (French), Murder Without Crime (Lee-Thompson) ; 1951, The Magid Box (La boîte magique) (Boulting), The Adventures (MacDonald), Lady Godiva Rides Again (Launder), The House in the Square (Baker) ; 1952, Song of Paris (Guillermin), The Tall Headlines (Young) ; 1953, Noose for a Lady (Rilla), Murder at 3 A.M. (Searle), The Intruder (Le visiteur nocturne) (Hamilton) ; 1954, Time Is My Enemy (Chaffey), For Better, for Worse (Lee-Thompson), That Lady (La princesse d'Eboli) (Young) ; 1955, Oh Rosalinda (Powell et Pressburger), Private's Progress (Ce sacré z'héros) (Boulting), Port Afrique (Mate) ; 1956, Charley Moon (Hamilton), A Touch of the Sun (Parry) ; 1957, She Played With Fire (Le manoir du mystère) (Gilliat), The Naked Truth (La vérité presque nue) (Zampi) ; 1958, Hello London (Smith) ; 1959, Danger Within (Le mouchard) (Chaffey), I'm All Right Jack (Après moi le déluge) (Boulting), Don't Panic Chaps (Pollock) ; 1960, School for Scoundrels (L'académie des coquins) (Hamer), Oscar Wilde (Rattof), Piccadilly Third Stop (Rilla), The Millionairess (Les dessous de la millionnaire) (Asquith), Tunes of Glory (Les fanfares de la gloire) (Neame), The Pure Hell of St. Trinians (Launder) ; 1961, No Love for Johnnie (Pas d'amour pour Johnnie) (Thomas), The Rebel (Day), Five Golden Hours (Zampi), Double Bunk (Pennington-Richards), What a Carve Up (Jackson), Watch It Sailor (Rilla), Victim (La victime) (Dearden) ; 1962, Behave Yourself (Winner), Go to Blazes (Tout feu tout flamme) (Truman), Play It Cool (Winner), The Pot Carriers (Scott), The Amorous Prawn (Kimmins), Kill or Cure (Pollock), The Wrong Arm of the Law (Owen) ; 1963, Cool Mikado (Winner), The Vip's (Hôtel international) (Asquith), The Cracksman (Graham Scott), Doctor in Distress (Thomas), Tamahine (Une Tahitienne au collège) (Leacock), The Comedy Man (Rakoff), A Jolly Bad Fellow (Chaffey), The Horror of It All (Fisher), 1964, Murder Most Foul (Lady Détective entre en scène) (Pollock), The Earth Dies Screaming (Fisher), Wonderful Life (Furie) ; 1965, A High Wind in Jamaica (Un cyclone à la Jamaïque) (Mackendrick), Ten Little Indians (Dix petits Indiens) (Pollock), The Curse of the Woodoo (Shonteff), Just Like a Woman (Fuest) ; 1967, Jules Verne's Rocket to the Moon (Sharp), Venus im Pelz (Franco) ; 1969, The Haunted House of Horror (Armonstrong), The Magic Christian (McGrath) ; 1970, Some Will Some Won't (Wood), The Horror of Frankenstein (Les horreurs de Frankenstein) (Sangster), The Rise and Rise of Michael Rimmel (Billington), Vampyros Lesbos (L'héritière de Dracula) (Franco) ; 1971, Twins of Evil (Les sévices de Dracula) (Hough), Dracula prisonnier de Frankenstein (Franco) ; 1972, Pulp (Hodges), Tower of Evil (La tour du diable) (O'Connolly), Alice's Adventures in Wonderland (Alice au pays des merveilles) (Sterling), Go For a Take (Booth), Son of Dracula (Francis), That's Your Funeral ! (Robins), Los Amantes de la isla del Diablo (Quartier des femmes) (Franco) ; 1973, Theatre of Blood (Théâtre de sang) (Hickox), Horror Hospital (Balch), La malédiction de Frankenstein (Les expériences érotiques de Frankenstein) (Franco), The Adventures of Barry McKenzie (Beresford).

Ancien d'Oxford, il s'est tourné très tôt vers le théâtre en remplaçant au pied levé Noël Coward dans *Heureux mortels*. Remarqué alors par Powell, il se lance dans le cinéma. Il n'arrêtera plus de tourner. Un peu n'importe quoi, acceptant de travailler pour Franco dans des films érotiques, interprétant plusieurs films fantastiques. Trop de médiocres séries B de Shonteff, Sharp, Sangster ou Hough, où il ne parvient pas à imposer un personnage à la façon de son homonyme Vincent Price. Son meilleur rôle demeure celui de l'assassin élégant et raffiné de *Noblesse oblige*.

Price, Vincent

Acteur américain, 1911-1993.

1938, Service de luxe (Lee) ; 1939, The Private Lives of Elizabeth and Essex (La vie privée d'Élisabeth d'Angleterre) (Curtiz), The Tower of London (La tour de Londres) (Lee), Green Hell (L'enfer vert) (Whale) ; 1940, The House of Seven Gables (May), Brigham Young (Hathaway), Hudson's Bay (Les trappeurs de l'Hudson) (Pichel), The Invisible Man Returns (Le retour de l'homme invisible) (May) ; 1943, The Eve of St. Mark (La veille de la Saint-Marc) (Stahl), The Song of Bernadette (Le chant de Bernadette) (King) ; 1944, Wilson (King), A Royal Scandal (Scandale à la cour) (Preminger), Laura (Preminger), The Keys of Kingdom (Les clefs du royaume) (Stahl) ; 1945, Leave Her to Heaven (Péché mortel) (Stahl) ; 1946, Shock (Werker), Dragonwyck (Le château du dragon) (Mankiewicz) ; 1947, Moss Rose (La rose du crime) (Ratoff), The Long Night (Litvak), The Web (Le traquenard) (Gordon) ; 1948, The Three Musketeers (Sidney), Up in Central Park (Carrousel) (Seiter), Rogue's Regiment (Légion étrangère) (Florey) ; 1949, The Baron of Arizona (Fuller), Bagdad (Lamont), Curtain Call at Cactus Creek (L'homme à tout faire) (Lamont), Champagne for Caesar (Quitte ou double) (Whorf) ; 1950, Adventures of Captain Fabian (La taverne de New Orleans) (W. Marshall) ; 1951, His Kind of Woman (Fini de rire) (Farrow), The Las Vegas Story (Scandale à Las Vegas) (Stevenson) ; 1953, House of Wax (L'homme au masque de cire) (de Toth) ; 1954, The Mad Magician (Le tueur porte un masque) (Brahm), Casanova's Big Night (La grande nuit de Casanova) (McLeod), Dangerous Mission (Mission périlleuse) (L. King) ; 1955, The Son of Sinbad (Le fils de Sinbad) (Tetzlaff) ; 1956, Serenade (Sérénade) (Mann) ; While the City Sleeps (La cinquième victime) (Lang), The Ten Commandments (Les dix commandements) (DeMille), The Story of Mankind (I. Allen) ; 1958, The Bride (L'île au complot) (Leonard), The Fly (La mouche noire) (Neumann), House of Haunted Hill (La nuit de tous les mystères) (Castle) ; 1959, The Tingler (Le désosseur) (Castle), The Big Circus (Le cirque infernal) (Newman), The Bat (Le masque) (Wilbur), The Return of the Fly (Le retour de la mouche) (Bernds) ; 1961, Gordon, il pirata nero (Gordon, chevalier des mers) (Costa), Nefertite, Regina del Nilo (Nefertiti) (Cerchio), The Pit and the Pendulum (La chambre des tortures) (Corman), The Master of the World (Le maître du monde) (Witney) ; 1962, Reprieve (Kaufman), Tales of Terror (L'empire de la Terreur) (Corman), The House of Usher (La chute de la maison Usher) (Corman), Confessions of an Opium Eater (Confessions d'un mangeur d'opium) (Zugsmith) ; 1963, Diary of a Madman (L'étrange histoire du juge Cordier) (Le Borg), The Raven (Le corbeau) (Corman), The Haunted Palace (La malédiction d'Arkham) (Corman), The Comedy of Terrors (Tourneur), Twice Told Tales (Salkow) ; 1964, The Tower of London (Corman), The Tom of Ligeia (La tombe de Ligeia) (Corman), The Mask of the Red Death (Le masque de la Mort rouge) (Corman) ; 1965, City under the Sea (Tourneur), Doctor Goldfoot and the Bikini Machine (Taurog) ; 1967, House of 1 000 Dolls (J. Summers) ; 1968, Witchfinder General (Le grand inquisiteur) (Reeves) ; 1969, More Dead than Alive (Sparr), The Oblong Box (Le cercueil vivant) (Hessler), Scream and Scream Again (Lâchez les monstres) (Hessler), The Trouble With Girls (Tewkesbury), Madhouse (J. Clark) ; 1970, Cry of the Banshee (La terreur des Banshees) (Hessler) ; 1971, The Abominable Doctor Phibes (L'abominable Docteur Phibes) (Fuest) ; 1972, Doctor Phibes Rises Again (Le retour de l'abominable Docteur Phibes) (Fuest), Theatre of Blood (Théâtre de sang) (Hickox) ; 1974, Percy's Progress (Thomas) ; 1975, Journey into Fear (Le voyage de la peur) (Mann) ; 1980, Romance in the Jugular Vein ; 1982, House of the Long Shadows (Walker) ; 1983, Blood Bath at the House of Death (Camron) ; 1987, Dead Heat (Flic ou zombie) (Goldblatt), From a Whisper to a Scream (Burr), The Whales of August (Les baleines du mois d'août) (Anderson) ; 1988, Catchfire (Smithee), Dead Heat (Goldblatt) ; 1991, Edward Scissorhands (Edward aux mains d'argent) (Burton).

Excellent milieu et remarquable éducation à Yale et à l'université de Londres. C'est dans cette ville qu'il fait ses débuts sur scène. Retour à Broadway et carrière cinématographique peu après. Il semble d'abord devoir prendre la succession de Rathbone : longue silhouette, diction étudiée, belle prestance. Mais, à partir de *House of Wax* et de *The Fly*, il va se trouver enfermé dans un genre pour lequel il n'éprouvait aucun attrait : le fantastique. Le cycle Poe de Corman en fait la vedette de l'horreur. Le baroque *Docteur Phibes* le consacre star de l'épouvante. Et pourtant, cet homme profondément cultivé est l'auteur d'ouvrages d'histoire de l'art fort réputés : *Les dessins de Delacroix* (1962), *The Michelangelo Bible* (1965) et *The Vincent Price Treasury of American Art* (1972). Il a même écrit des livres de cuisine avec sa femme. De la marmite du chef au chaudron de Satan, il n'y a que l'espace d'un film.

Prim, Suzy

Actrice française, de son vrai nom Suzanne Arduini, 1895-1991.

1910, rôles d'enfant ; 1920, La vengeance de Mallet, Passionnément (Lacroix) ; 1921, Reine-Lumière, Un drame d'amour, L'Aiglonne (Keppens) ; 1931, Vingt-quatre heures de la vie d'une femme, Mon cœur et ses millions (Berthomieu), Quick (Siodmak) ; 1934, Les anges noirs (Rozier), La reine des resquilleurs (Glass et Gastyne) ; 1935, Marie des Angoisses (Bernheim), Le bébé de l'escadron (Sti) ; 1936, Un de la Légion (Christian-Jaque), Samson (Tourneur), Mayerling (Litvak), Le chemin de Rio (Siodmak), Les bas-fonds (Renoir), Les jumeaux de Brighton (Heymann), Moutonnet (Sti), La peur (Tourjansky), Au service du tsar (Billon) ; 1937, L'appel de la vie (Neveux), Arsène Lupin détective (Diamant-Berger), Les pirates du rail (Christian-Jaque), 27 rue de la Paix (Pottier), Êtes-vous jalouse ? (Chomette) ; 1938, Alexis, gentleman chauffeur (Vaucorbeil), Carrefour (Bernhardt), Le patriote (Tourneur), L'avion de minuit (Kirsanoff), Tarakanowa (Ozep), Le joueur (Lamprecht), L'or dans la montagne (Haufler) ; 1939, Cas de conscience (Kaps), Berlingot et compagnie (Rivers) ; 1940, Untel Père et fils (Duvivier) ; 1941, Les petits riens (Leboursier), L'étrange Suzy (Ducis), Après l'orage (Ducis) ; 1942, Le bienfaiteur (Decoin) ; 1943, Au bonheur des dames (Cayatte), La Malibran (Guitry), La Rabouilleuse (Rivers), La collection Ménard (Bernard-Roland), L'homme de Londres (Decoin) ; 1944, Les caves du Majestic (Pottier) ; 1946, Le cabaret du grand large (Jayet), Triple enquête (Orval), Quartier chinois (Sti) ; 1949, Au revoir M. Grock (Billon), Le cas du docteur Galloy (Téboul), Au royaume des cieux (Duvivier) ; 1950, Les deux gamines (Canonge), Trafic sur les dunes (Gourguet) ; 1952, Suivez cet homme (Lampin) ; 1953, Les compagnes de la nuit (Habib) ; 1954, Le feu dans la peau (Blistène), Les pépées font la loi (André), French Cancan (Renoir) ; 1955, Mémoires d'un flic (Foucaud) ; 1956, Lorsque l'enfant paraît (Boisrond) ; 1958, Douze heures d'horloge (Radvanyi) ; 1960, Les lionceaux (Bourdon) ; 1976, Le corps de mon ennemi (Verneuil).

Précoce, elle débute dans des rôles de petite fille (« la petite Arduini ») chez Gaumont, vers 1910. On la retrouve dans les années 20, mais c'est le parlant qui va la lancer. Capable de tout jouer, de Vassilissa des *Bas-fonds* à Catherine II dans *Tarakanova*, de la comtesse Merlin dans *La Malibran* à *La Rabouilleuse* de Balzac revue par Rivers, elle est une vraie star qui reçoit la consécration de descendre l'escalier des Folies-Bergère. L'après-guerre et l'âge lui portent un coup fatal. On la retrouve dans les films les plus divers, tirant son épingle du jeu grâce à un métier éprouvé. Elle est une mère émouvante dans *Le corps de mon ennemi*.

Prince-Rigadin

Acteur français, de son vrai nom Charles Seigneur-Petitdemange, 1872-1933.

1908, L'armoire normande (Capellani) ; 1910-1914, série des Rigadin (Monca, etc.) ; 1917, Le périscope de Rigadin ; 1920, Les femmes collantes (Monca), Chouquette et son as (Monca) ; 1921, Le meurtrier de Théodore (Monca) ; 1928, Embrassez-moi (Péguy) ; 1930, Le tampon du capiston (Toulout) ; 1931, Partir (Tourneur).

« Servi par son physique : nez épaté, yeux ahuris, dents longues, il prodigua la bêtise plutôt que la drôlerie dans une série de films qui eurent presque autant de succès internationaux que Max Linder » (Sadoul). Il fut Moritz en Allemagne, Tartufino en Italie, Sallustino en Espagne, Whiffles en Angleterre.

Printemps, Yvonne

Actrice et chanteuse française, de son vrai nom Wigniolle, 1894-1977.

1917, Un roman d'amour et d'aventure (Hervil et Mercanton) ; 1934, La dame aux camélias (Gance) ; 1938, Adrienne Lecouvreur (L'Herbier), Trois valses (Berger) ; 1939, Le duel (Fresnay) ; 1943, Je suis avec toi (Decoin) ; 1947, Les condamnés (Lacombe) ; 1949, La valse de Paris (Achard) ; 1951, Le voyage en Amérique (Lavorel).

Une chanteuse plutôt qu'une actrice. A l'écran elle forma pourtant avec Pierre Fresnay un couple idéal. Ils tournèrent huit fois ensemble. Leur meilleure prestation reste *La valse de Paris*, consacré à Offenbach, où Yvonne Printemps était une merveilleuse Hortense Schneider tandis que Fresnay s'était fait la tête et avait pris facilement l'accent d'Offenbach.

Prochnow, Jürgen

Acteur allemand né en 1957.

1971, Zoff (Pieper) ; 1973, Die Zärtlichkeit der Wolfe (La tendresse des loups) (Lommel) ; 1974, Einer von uns beiden (Petersen), Die Verrohung des Franz Blum (La déchéance de Franz Blum) (Hauff) ; 1975, Die verlorene Ehre der Katharina Blum (L'honneur perdu de Katharina Blum) (Schlöndorff) ; 1976, Shirins Hochzeit (Les noces de Shirin) (Sanders-Brahms) ; 1977, Die Konsequenz (La conséquence) (Petersen), Operation Ganymed (Erler) ; 1979, Unter Verschluss (Kottusch) ; 1980, So weit das Auge reicht (Keusch) ; 1981, Das Boot (Le bateau) (Schlöndorff) ; 1982, Comeback (Les évadés du triangle d'or) (Bartlett) ; 1983, The Keep (La forteresse noire) (Mann) ; 1985, Der Bulle und das Mädchen (Keglevic), Dune (Dune) (Lynch), Killing Cars (M. Verhoeven) ; 1986, Terminus (Glenn) ; 1987, Devil's Paradise (Glowna), Beverly Hills Cop 2 (Le flic de Beverly Hills 2) (Scott) ; 1988, The Seventh Sign (La septième prophétie) (Schultz) ; 1989, A Dry White Season (Une saison blanche et sèche) (Palcy), The Schoolmaster (Delbeke) ; 1990, The Fourth War (Frankenheimer), The Man Inside (L'affaire Wallraff) (Roth), Robin Hood (Robin des Bois) (Irvin) ; 1991, Skipper : Bloody Atlantic (Keglevic) ; 1992, Hurricane Smith (Budds),

Twin Peaks, Fire Walk With Me (Twin Peaks) (Lynch), Interceptor (Cohn), Die Wildnis (Mesten) ; 1993, Body of Evidence (Body) (Edel), The Last Border (M. Kaurismäki), Der Fall Lucona (Gold) ; 1994, The Floating Outfit : Trigger Fast (Lister), In the Mouth of Madness (L'antre de la folie) (Carpenter) ; 1995, Judge Dredd (Judge Dredd) (Cannon) ; 1996, The English Patient (Le patient anglais) (Minghella) ; Air Force One (Air Force One) (Petersen), Privateer 2 : The Darkening (Hilliker, Roberts) ; 1997, The Replacement Killers (Un tueur pour cible) (Fuqua) ; 1998, Wing Commander (Wing Commander) (Roberts) ; 1999, The Last Stop (Malone) ; 2000, Jack the Dog (Roth) ; 2001, Asylum (Gieras) ; 2006, Da Vinci Code (Da Vinci Code) (Howard).

Après une brillante carrière en Allemagne (il y tourna avec les meilleurs réalisateurs du moment), il s'exile aux États-Unis où son regard inquiétant lui vaut d'incarner la plupart du temps les méchants de service.

Proietti, Luigi

Acteur italien né en 1940.

1966, La piacevoli notti (Crispino) ; 1968, La matriarca (L'amour à cheval) (Festa Campanile), Una ragazza piuttosto complicata (Damiani) ; 1969, The Appointment (Le rendez-vous) (Lumet) ; 1970, Brancaleone alle crociate (Brancaleone s'en va-t-aux croisades) (Monicelli), Bubu (Bubu de Montparnasse) (Bolognini), Drop Out (Brass) ; 1971, La mortadella (Mortadella) (Monicelli) ; 1972, Gli ordini sono ordini (Les ordres sont les ordres) (Giraldi), Meo patacca (Giorciolini) ; 1973, La proprieta non è più un furto (La propriété n'est plus le vol) (Petri), La Tosca (Une Tosca pas comme les autres) (Magni) ; 1974, L'urlo (Brass), Le faro da padre (La bambina) (Lattuada) ; 1975, Conviene far bene l'amore (En 2000, il conviendra de bien faire l'amour) (Festa Campanile), Bordella (Avati), Chi dice donna dice (Cervi) ; 1976, L'eredita Ferramonti (L'héritage) (Bolognini), Languidi baci... Perfide carezze (Angeli) ; 1977, Casotto (Citti), Febre da cavalo (Steno) ; 1978, A Wedding (Un mariage) (Altman), Due pezzi di pane (Deux bonnes pâtes) (Citti), Who Is Killing the Great Chefs of Europe (La grande cuisine) (Kotcheff) ; 1983, F.F.S.S. cioé che mi hai portato a fare sopra Posillipo se non mi vuoi piu bene (Arbore) ; 1992, Passioni (Costa) ; 1994, La fille de d'Artagnan (Tavernier) ; 1998, Panni sporchi (Monicelli).

Populaire acteur comique italien, particulièrement remarqué dans *Brancaleone*. A beaucoup joué au théâtre et monté son propre one-man-show.

Proslier, Jean-Marie

Acteur français, 1928-1997.

1957, Les lavandières du Portugal (Gaspard-Huit) ; 1958, Maxime (Verneuil), Soupe au lait (Chevalier) ; 1959, Match contre la mort (Bernard-Aubert) ; 1961, Le tracassin ou les plaisirs de la ville (Joffé) ; 1962, Arsène Lupin contre Arsène Lupin (Molinaro), Du mouron pour les petits oiseaux (Carné) ; 1963, Le magot de Joséfa (Autant-Lara) ; 1972, Tout le monde il est beau, tout le monde il est gentil (Yanne), Le petit poucet (Boisrond) ; 1973, Moi y'en a vouloir des sous (Yanne), Les quatre Charlots mousquetaires (Hunebelle) ; 1974, Le jardin qui bascule (Gilles), La moutarde me monte au nez (Zidi) ; 1975, En grandes pompes (Teisseire) ; 1977, Herbie Goes Mexico (La coccinelle à Monte-Carlo) (McEveety) ; 1978, L'esprit de famille (Blanc) ; 1979, Charles et Lucie (Kaplan) ; 1980, Chanel solitaire (Kaczender) ; 1981, Le crime d'amour (Gilles) ; 1982, Banzaï (Zidi), Les misérables (Hossein), Comment draguer toutes les filles (Vocoret) ; 1983, Un bon petit diable (Brialy), Salut la puce (Balducci) ; 1984, Adam et Ève (Luret) ; 1987, Nuit docile (Gilles).

Une rondeur faussement débonnaire. Mais Proslier préférait les délices du théâtre de boulevard ou du café-théâtre à une carrière cinématographique.

Provence, Denise

Actrice française née en 1926.

1946, Pas un mot à la Reine Mère (Cloche) ; 1948, La valse de Paris (Achard) ; 1949, Les Branquignols (Dhéry), Miquette et sa mère (Clouzot) ; 1950, Et moi j'te dis qu'elle te fait de l'œil (Gleize) ; 1951, Le dindon (Barma), Les deux monsieurs de Madame (Bibal) ; 1952, Un caprice de Caroline chérie (Devaivre), Le chasseur de chez Maxim's (Mirande) ; 1955, Chantage (Lefranc) ; 1956, Les truands (Rim) ; 1959, Brèves amours (Mastrocinque) ; 1961, Les lions sont lâchés (Verneuil) ; 1962 Une ravissante idiote (Molinaro), Landru (Chabrol) ; 1964, Jaloux comme un tigre (Cowl), Angélique, marquise des Anges (Borderie) ; 1966, Merveilleuse Angélique (Borderie) ; 1967, Les grandes vacances (Girault) ; 1971, Les pétroleuses (Christian-Jaque) ; 1973, Les aventures de Rabbi Jacob (Oury), Le mâle du siècle (Berri) ; 1974, Gross Paris (Grangier) ; 1978, Le beaujolais nouveau est arrivé (Voulfow) ; 1981, Pourquoi pas nous ? (Serreau).

Brune piquante et spirituelle, incarnation de l'esprit parisien, elle eut la part belle au théâtre où son talent comique put s'épanouir pendant près de quarante ans, auprès de Danielle Darrieux chez Bernstein (*Évangéline*), de Louis de Funès dans *Oscar* ou de Jacqueline Maillan pour *La facture*, de Dorin. Au cinéma, où l'on regrette qu'elle n'ait été davantage employée, elle a alterné les personnages de soubrette (*La valse de Paris*) et de femme du monde (*Un caprice de Caroline chérie, Une ravissante idiote*) avec un égal bonheur.

Provins, Jacques

Chansonnier d'origine suisse, 1914-1979.

1947, Les amoureux sont seuls au monde (Decoin) ; 1949, L'atomique M. Placido (Hennion) ; 1950, Au fil des ondes (Gautherin), Trois télégrammes (Decoin) ; 1951, Les deux « Monsieur » de Madame (Bibal) ; 1969, Mon oncle Benjamin (Molinaro).

Mentionné pour d'amusantes silhouettes (un Égyptien dans *L'atomique M. Placido*, un agent dans *Trois télégrammes*) et parce qu'il fut le producteur avec Michel Méry de l'irrésistible émission « Radio-Pastiche » à laquelle *Au fil des ondes* rend hommage. Provins retrouvait son compère Méry dans *Les deux « Monsieur » de Madame* dont Méry avait écrit les dialogues.

Prucnal, Anna

Actrice et chanteuse polonaise née en 1942.

1961, Le soleil et l'ombre (Vulchanov) ; 1962, Smarkula (Buczkowski) ; 1963, Ça s'est passé le nouvel an (Wohl) ; 1964, Der fliegende Hollander (Herz) ; 1965, Reise ins Ehebett (Hasler) ; 1967, Wege über Land (Ekermann) ; 1968, Przeklandaniec (Méli-mélo) (Wajda) ; 1969, Der Sekretär (Hagen) ; 1970, Weg zum Lenin (Reich) ; 1972, Helle (Vadim) ; 1974, Sweet Movie (Makavejev) ; 1976, Dracula père et fils (Molinaro), Guerres civiles en France (Farges) ; 1979, Le dossier 51 (Deville), Mais où est donc Ornicar ? (Van Effenterre), Bastien Bastienne (Andrieu) ; 1980, La citta' delle donne (La cité des femmes) (Fellini) ; 1981, Neige (Berto et Roger), L'ogre de Barbarie (Matteuzi) ; 1994, Wrony (Les corneilles) (Kedzierzawska) ; 1997, C'est la tangente que je préfère (Silvera).

Chanteuse à textes très populaire dans les années 60, elle fit un peu de cinéma en Allemagne, puis en France, mais avec toutefois beaucoup de discrétion. On la retrouve très furtivement en 1994 dans un magnifique film polonais qui fut présenté à Cannes, *Les corneilles*.

Pryce, Jonathan

Acteur anglais, de son vrai prénom John né en 1947.

1979, Voyage of the Damned (Le voyage des damnés) (Rosenberg) ; 1980, Breaking Glass (Breaking Glass) (Gibson) ; 1981, Loophole (Quested) ; 1982, Praying Mantis (Les mantes religieuses) (Gold) ; 1983, Something Wicked This Way Comes (La foire aux ténèbres) (Clayton) ; 1984, The Ploughman's Lunch (Guerres froides) (Eyre) ; 1985, The Doctor and the Devils (Le docteur et les assassins) (Francis), Brazil (Brazil) (Gilliam) ; 1986, Jumpin' Jack Flash (Jumpin' Jack Flash) (P. Marshall), Haunted Honeymoon (Nuit de noces chez les fantômes) (Wilder) ; 1987, Man On Fire (Chouraqui), Hotel London (Jamal) ; 1988, Consuming Passions (G. Foster) ; 1989, The Rachel Papers (Le dossier Rachel) (Harris), The Adventures of Baron Munchausen (Les aventures du Baron de Münchhausen) (Gilliam) ; 1992, Glengarry Glen Ross (Glengarry) (Foley) ; 1993, The Age of Innocence (Le temps de l'innocence) (Scorsese) ; 1994, A Business Affair (D'une femme à l'autre) (Brandström), Deadly Advice (Fletcher), Great Moments in Aviation (Kidron), Shopping (Anderson) ; 1995, Carrington (Carrington) (Hampton) ; 1996, Evita (Evita) (Parker) ; 1997, Regeneration (McKinnon), Tomorrow Never Dies (Demain ne meurt jamais) (Spottiswoode) ; 1998, Ronin (Ronin) (Frankenheimer), Stigmata (Stigmata) (Wainwright) ; 1999, Robert Louis Stevenson's The Suicide Club (Samuels), Commedia (Florio), Pavarotti in Dad's Room (Sugarman) ; 2000, Unconditional Love (Hogan), The Affair of the Necklace (Shyer).

Déjà célèbre acteur de théâtre outre-Manche avant qu'il ne se tourne vers le cinéma, il est surtout connu parmi les cinéphiles pour son rôle de Sam Lowry, le petit fonctionnaire de *Brazil* perdu dans l'enfer des administrations.

Pryor, Richard

Acteur et réalisateur américain, 1940-2005.

1967, The Busy Body (Castle) ; 1968, Wild in the Streets (Les troupes de la colère) (Shear), The Green Berets (Les bérets verts) (Wayne) ; 1970, The Phynx (Katzin) ; 1971, You've Got to Walk It Like You Talk It or You'll Lose that Beat (Locke) ; 1972, Lady Sings the Blues

(Furie), Dynamite Chicken (Pintoff) ; 1973, The Mack (Campus), Hit ! (Furie), Wattstax (Stuart), Some Call it Loving (Sleeping Beauty) (Harris) ; 1974, Uptown Saturday Night (Poitier) ; 1975, Adios Amigo (Williamson) ; 1976, The Bingo (Badham), Silver Streak (Transamerica Express) (Hiller), Car Wash (Schultz) ; 1977, Which Way Is Up (Schultz), Greased Lightning (Schultz) ; 1978, Blue Collar (Schrader), The Wiz (Lumet), California Suit (California Hôtel) (Ross) ; 1979, The Muppet Movie (Franwley), In God We Trust (La bible ne fait pas le moine) (Feldman) ; 1980, Wholly Moses (Sacré Moïse) (Weis), Stir Crazy (Faut s'faire la malle) (Poitier) ; 1981, Bustin' Loose (Scott), Some Kind of Hero (Pressman) ; 1983, Superman III (Lester), The Toy (R. Donner) ; 1985, Brewster's Millions (Comment claquer un million de dollars) (Hill) ; 1986, JoJo Dancer, Your Life Is Calling (Pryor) ; 1987, Critical Condition (Apted) ; 1988, Moving (Metter) ; 1989, Harlem Nights (Les nuits de Harlem) (Murphy), See No Evil, Hear No Evil (Pas nous, pas nous) (Hiller) ; 1996, Lost Highway (Lost Highway) (Lynch), Mad Dog Time (Mad Dogs) (Bishop). *Comme réalisateur :* 1986, Jojo Dancer, Your Life is Calling.

Acteur comique noir et chanteur, en son temps l'un des plus gros « gagneurs d'argent » du cinéma américain. Petit, moustachu, il roule des yeux et gémit à longueur de films sans montrer beaucoup de talent. Pourquoi alors une telle popularité aux États-Unis ? Il semble avoir toutefois gagné en ambition en tournant lui-même un film : *Jojo Dancer, Your Life Is Calling*. Atteint de la sclérose en plaques, il se retire du monde du spectacle.

Pszoniak, Wojtek

Acteur polonais né en 1942.

1971, Diabel (Zulawski) ; 1972, Pilatus und andere (Wajda), Wesele (Noces) (Wajda) ; 1975, Ziemia obiecana (La terre de la grande promesse) (Wajda) ; 1976, Smuga cienia (Wajda) ; 1978, Rekolekcje (Leszczynski) ; 1979, Die Blechtrommel (Le tambour) (Schlöndorff), Szpital Przemienienia (Zebrowski) ; 1980, Golem (Szulkin), Aria dla atlety (Bajon), Olimpiada 40 (Kotkowski) ; 1982, Danton (Wajda), L'auberge du vieux Tag (Kawalerowicz), Limouzyna Daimler-Benz (Bajon) ; 1983, La diagonale du fou (Dembo) ; 1985, Bittere Ernte (Récoltes amères) (Holland), Je hais les acteurs (Krawczyk) ; 1986, Der Sommer des Samurai (Blumenberg) ; 1987, Le testament d'un poète juif assassiné (Cassenti) ; 1988, To Kill a Priest (Le complot) (Holland), Les années sandwiches (Boutron), Coupe franche (Sauné), Rouge Venise (Périer), Franz Schubert (Notturno) (Lehner) ; 1989, Deux (Zidi), Monsieur (Toussaint) ; 1990, Korczak (Korczak) (Wajda), Gawin (Sélignac) ; 1991, Le bal des casse-pieds (Robert), Vent d'est (Enrico) ; 1992, Coupable d'innocence (Ziebinski) ; 1993, Schindler's List (La liste de Schindler) (Spielberg) ; 1995, Wielki hydziem (La semaine sainte) (Wajda) ; 1996, La chica (Gantillon) ; 1997, Our God's Brother (Zanussi), L'amour fou (Rodde) ; 2000, Deuxième vie (Braoudé), Bajland (Dederko) ; 2003, Le pacte du silence (Guit) ; 2004, Là-haut, un roi au-dessus des nuages (P. Schoendoerffer) ; 2004, Vipère au poing (Broca).

Acteur fétiche de Wajda, il a composé un inoubliable spéculateur juif, Moryc Welt, dans *La terre de la grande promesse* (*Ziema obiecana*) et un saisissant Robespierre dans *Danton*. Peut-être l'un des plus grands acteurs de son temps.

Pullman, Bill

Acteur américain né en 1953.

1986, Ruthless People (Y a-t-il quelqu'un pour tuer ma femme ?) (Abrahams, Zucker) ; 1987, Spaceballs (La folle histoire de l'espace) (Brooks) ; 1988, The Serpent and the Rainbow (L'emprise des ténèbres) (Craven), Rocket Gibraltar (Petrie), The Accidental Tourist (Voyageur malgré lui) (Kasdan) ; 1989, Cold Feet (Dornhelm), Brain Dead (Simon) ; 1990, Sibling Rivalry (L'amour dans de beaux draps) (C. Reiner) ; 1991, Liebestraum (Figgis), Bright Angels (Fields), Going Under (Travis) ; 1992, Nervous Tricks (Lang), Newsies (Ortega), A League of their Own (Une équipe hors du commun) (P. Marshall), Singles (Singles) (Cameron) ; 1993, Sommersby (Sommersby) (Amiel), Sleepless in Seattle (Nuits blanches à Seattle) (Ephron), Malice (Malice) (Becker), Mr. Jones (Mister Jones) (Figgis) ; 1994, The Last Seduction (Last Seduction) (Dahl), The Favor (Petrie), Wyatt Earp (Wyatt Earp) (Kasdan) ; 1995, Casper (Casper) (Silberling), While You Were Sleeping (L'amour à tout prix) (Turteltaub), Mr. Wrong (Castle) ; 1996, Independence Day (Independence Day) (Emmerich), Lost Highway (Lost Highway) (Lynch), Mistrial (Gould) ; 1997, The End of Violence (The End of Violence) (Wenders), Zero Effect (La méthode Zéro) (J. Kasdan) ; 1998, Brokedown Palace (Bangkok aller simple) (Kaplan), Lake Placid (Lake Placid) (Miner) ; 1999, History Is Made at Night (Jarvilaturi), The Guilty (Le coupable) (Waller) ; 2000, Lucky Numbers (Le bon numéro) (Ephron),

Ignition (Olin) ; 2002, Igby Goes Down (Igby) (Stars) ; 2004, The Grudge (The Grudge) (Shimizu), Dear Wendy (Dear Wendy) (Vinterberg) ; 2006, Scary Movie 4 (Scary Movie 4) (Zucker).

Une carrière mollassonne le conduit néanmoins à tenir un premier rôle dans l'hypnotique *Lost Highway* de David Lynch. Éblouissant, on remarque enfin l'acteur derrière un banal physique de second rôle assermenté. Paradoxe : Pullman incarne la même année le président des États-Unis dans le pathétique *Independence Day*, balayant en seulement deux films le spectre des extrêmes cinématographiques. L'exploit méritait bien d'être souligné.

Pulver, Liselotte

Actrice allemande née en Suisse en 1929.

1949, Swiss Tour (Lindtberg) ; 1950, Föhn (Sous la rafale) (Hansen) ; 1951, Heidelberg Romange (Verhoeven) ; 1953, Ich und du (Weidenman) ; 1954, Der letzte Sommer (Braun) ; 1955, Hanussen (Fischer), Piroschka (Hoffmann) ; 1957, Les aventures d'Arsène Lupin (Becker), Felix Krull (Hoffmann) ; 1958, Le joueur (Autant-Lara), A Time to Live and a Time to Die (Le temps d'aimer et le temps de mourir) (Sirk), Helden (Peterwirth) ; 1959, Die Buddenbrooks (Weidenman), Das schöne Abenteuer (Hoffmann) ; 1960, Sturm in Wasserglas (Baky), Das Wirtshaus im Spessart (Hoffmann) ; 1961, One, Two, Three (Un, deux, trois) (Wilder), La Fayette (Dréville), Maléfices (Decoin), Das Glas Wasser (Kautner) ; 1963, Frühstück im Doppelbett (Café au lait au lit) (Ambesser), Ein fast anständiges Mädel (Wajda), A Global Affair (Arnold) ; 1964, Le gentleman de Cocody (Christian-Jaque), Monsieur (Le Chanois) ; 1966, La religieuse (Rivette), Le jardinier d'Argenteuil (Le Chanois) ; 1972, Le trèfle à cinq feuilles (Freess).

Sympathique blondinette, née à Berne mais star du cinéma allemand d'après-guerre et vouée également chez Becker ou Wilder aux rôles de Teutonne à opulents tétons et à la blondeur germanique.

Purdom, Edmund

Acteur anglais né en 1924.

1953, Titanic (Titanic) (Negulesco), Julius Caesar (Jules César) (Mankiewicz) ; 1954, Athena (Athena) (Thorpe), The Student Prince (Le prince étudiant) (Thorpe), The Egyptian (L'Égyptien) (Curtiz) ; 1955, The Prodigal (Le fils prodigue) (Thorpe), The King's Thief (Le voleur du roi) (Leonard) ; 1956, Strange Intruder (Rapper) ; 1957, Agguato a Tangeri (Guet-apens à Tanger) (Freda) ; 1959, Erode il grande (Le roi cruel) (Tourjansky), I Cosacchi (Les Cosaques) (Tourjansky), Quand les cosaques attaquent (Rivalta), Salammbó (Salammbô) (Grieco) ; 1960, Les nuits de Raspoutine (Chenal), La furia dei Barbari (Toryok, la furie des barbares) (Malatesta), Malaga (Le chemin de la peur) (Benedek), L'ultimo dei Vichinghi (Le dernier des Vikings) (Gentilomo) ; 1961, La Fayette (Dréville), L'ammutinamento (Les révoltés de l'Albatros) (Amadio), Nefertite, reina del Nilo (Néfertiti reine du Nil) (Cerchio), Solimano il conquistatore (Soliman le magnifique) (Tota) ; 1964, Contest Girl (Guest), Der letzte Ritt nach Santa Cruz (La chevauchée vers Santa Cruz) (Olsen), The Yellow Rolls-Royce (La Rolls-Royce jaune) (Asquith) ; 1965, L'uomo che ride (L'homme qui rit) (Corbucci) ; 1967, Il corsaro nero (Palli) ; 1968, Piluk il timido (Le justicier du Sud) (Celano) ; 1969-1970 : *Narrateur de plusieurs films dont* America — cosi' nuda, cosi' violenta (Martino) ; 1971, Un capitaine de quinze ans (Franco), Giornata nera per l'ariete (Journée noire pour le bélier) (Bazzoni) ; 1972, L'amante del demonio (Lombardo) ; 1973, L'onorata famiglia (Ricci), Il castello della paura (Oliver) ; 1974, Il medaglione insanguinato (Dallamano) ; 1977, Il padrone della città ; 1978, SOS Concorde (SOS Concorde) (Deodato) ; 1980, L'altra donna (L'autre femme) (Del Monte) ; 1981, Absurd (Horrible) (Newton), Safari Cannibal (Les aventuriers de l'or perdu) (Birkinshaw) ; 1982, Amok (Amok) (Ben Barka), Ator l'invincible (Ator le conquérant) (Massaccessi) ; 1983, 2019 dopo la caduta di New York (2019 après la chute de New York) (Martino), Le sadique à la tronçonneuse (Simón) ; 1987, Funny Boy (Le Hémonet).

Beau ténébreux, venu d'Angleterre à Hollywood. Par la suite, carrière dans le péplum en Italie, puis dans des séries Z.

Puri, Om

Acteur indien né en 1951.

1976, Ghasiram Kotwal (Hariharan, Kaul, Mirza, Swaroop) ; 1978, Arvind Desai Ki Ajeeb Dastaan (Mirza) ; 1979, Sparsh (Paranjape) ; 1980, Bhavni Bhavai (K. Mehta), Aakrosh (Nihalani) ; 1981, Sadgati (Délivrance) (Ray) ; 1982, Gandhi (Gandhi) (Attenborough), Arohan (Benegal) ; 1983, Jaane bhi do Yaaro (Shah), Ardh Satya (Nihalani), Mandi (Benegal) ; 1984, Tarang (Shahani), Party (Nihalani), Paar (Ghose), Holi (K. Mehta) ; 1985, Mirch Masala (K. Mehta) ;

1986, New Delhi Times (Sharma), Genesis (Genesis) (Sen) ; 1991, Sam and Me (D. Mehta), Narasimha (Chandra), Antarnaad (Benegal) ; 1992, Dharavi (Mishra), City of Joy (La cité de la joie) (Joffé) ; 1993, In Custody (In Custody) (Merchant), The Burning Season (Crossland), Ankuram (Rao) ; 1994, Wolf (Wolf) (Nichols), Patang (Ghose) ; 1995, Target (Sandip Ray), Kartavya (Kanwar) ; 1996, Ghatak (Santoshi), Brothers in Trouble (Prasad), The Ghost and the Darkness (L'ombre et la proie) (Hopkins), Maachis (Singh Gulzar), Droh Kaal (Nihalani) ; 1997, Mrityudand (Jha), Gupt (Rai), My Son the Fanatic (My Son the Fanatic) (Prasad) ; 1998, Such a Long Journey (Gunnarsson), China Gate (Santoshi), Chachi 420 (Haasan) ; 1999, East Is East (Fish and Chips) (O'Donnell) ; 2000, Hey Ram (Haasan), Kurukshetra (Manjrekar), Zindagi Zindabad (Bhave, Sukthankar), Kunwara (Dhawan) ; 2001, The Zookeeper (Ziman).

Originaire de la région de Bombay, il débute au théâtre après une formation classique, et entame, au début des années 80, une florissante carrière cinématographique qui le voit côtoyer Satyajit Ray, Shyam Benegal et Mrinal Sen. Acteur davantage dévoué, en Inde, à la cause artistique qu'au cinéma commercial, sa carrière s'internationalise, et il devient successivement un vieux sage de quatre-vingts ans dans *Wolf* ou un chef indien dans *L'ombre et la proie*. Mais ce sont trois rôles dans des films anglais qui révèlent vraiment son visage buriné et son regard perçant : le vieux professeur mourant de *In Custody*, le chauffeur de taxi volage confronté à un fils intégriste dans *My Son the Fanatic*, et enfin le père de famille inflexible de *Fish and Chips*.

Purviance, Edna

Actrice américaine, 1894-1958.

1915, A Night Out, The Champion, In the Park, A Jitney Elopment, The Tramp, By the Sea, Work, A Woman, The Bank, Carmen, A Night in the Show, Shanghaied ; 1916, Police, The Fireman, The Floorwalker, The Vagabond, The Count, The Pawn Shop, The Rink, Behind the Screen ; 1917, Easy Street, The Cure, The Immigrant, The Adventurer ; 1918, Triple Trouble, A Dog's Life, Shoulder Arms, Liberty Loan Appel / The Bond ; 1919, Sunnyside, A Day's Pleasure ; 1920, The Kid ; 1921, The Idle Class ; 1922, Play Day ; 1923, The Pilgrim, A Woman of Paris ; 1947, M. Verdoux, 1952, Limelight. *Tous ces films sont de Chaplin.*

Elle fut découverte par Chaplin et a tourné dans tous ses chefs-d'œuvre du muet. Que valait-elle loin de son réalisateur ? On ne sait. Elle avait tourné sous la direction de Sternberg *The Seagull*, mais Chaplin fit disparaître le film avant toute projection.

Putti, Lya de ou De Putti, Lya

Actrice hongroise, 1901-1931.

1920, Das Indische Grabmal (Le tombeau hindou) (May) ; 1921, Llona (Dinesen) ; 1922, Phantom (Murnau), Der brennende Acker (La terre qui flambe) (Murnau), Othello (Buchowetski) ; 1923, Die Fledermaus (Mack) ; 1924, Melva (Dinesen), Komödianten (Grüne) ; 1925, Variétés (Dupont) ; 1926, Capriccio (Licho), Manon Lescaut (Robison), Sorrows of Satan (Les chagrins de Satan) (Griffith) ; Prince of Tempters (Mendes) ; 1927, God Gave Me 20 Cents (La dernière escale) (Brenon) ; The Scarlet Lady (Crosland) ; 1929, The Informer (Robison).

Très belle actrice du muet qui tourna dans quelques-unes des plus importantes œuvres du cinéma expressionniste allemand, puis tenta sa chance en Angleterre et aux États-Unis. Elle se donna la mort à l'avènement du parlant.

Putzulu, Bruno

Acteur français né en 1967.

1994, Marie-Louise ou la permission (Flèche), Emmène-moi (Spinosa), L'appât (Tavernier), Jefferson in Paris (Jefferson à Paris) (Ivory) ; 1995, The Proprietor (La propriétaire) (Merchant) Les aveux de l'innocent (Améris), Un héros très discret (Audiard) ; 1997, Petits désordres amoureux (Péray), Une minute de silence (Siri) ; 1998, Le sourire du clown (Besnard), Les passagers (Guiguet), Pourquoi pas moi ? (Giusti), Les gens qui s'aiment (Tacchella) ; 1999, Virilité et autres sentiments modernes (Girre) ; 2000, Éloge de l'amour (Godard), Entre nous (Lalou), De l'amour (Richet) ; 2001, Irène (Calberac), Lulu (Roger) ; 2002, Entre nous (Lalou) ; 2003, Monsieur N. (De Caunes), Père et fils (Boujenah) ; 2003, Les clefs de la bagnole (Baffie), Dans le rouge du couchant (Cozarinsky) ; 2004, Holy Lola (Tavernier), Tout pour l'oseille (Van Effenterre) ; 2005, Les gens honnêtes vivent en France (Decout) ; 2006, Belhorizon (Rabadán) ; 2007, Dans les cordes (R. Serrano).

Découvert en innocent irresponsable dans *L'appât*, il reste dans le registre décalé en campant un adolescent qui s'accuse d'un crime qu'il n'a pas commis dans *Les aveux de l'innocent*. Sociétaire de la Comédie-Française, c'est le jeune premier idéal, alliant la beauté à une profonde (et rare) sensibilité.

Py, Olivier

Auteur, metteur en scène et acteur français né en 1966.

1993, 75 cl de prières (Maillot) ; 1994, Corps inflammables (Maillot), Funny Bones (Funny Bones) (Chelsom) ; 1995, Au petit Marguery (Bénégui) ; 1996, Chacun cherche son chat (Klapisch), La divine poursuite (Deville) ; 1998, Nos vies heureuses (Maillot), Fin août, début septembre (Assayas) ; 1999, Peut-être (Klapisch) ; 2000, Les yeux fermés (Py). *Comme réalisateur :* 2000, Les yeux fermés.

A trente ans, il avait déjà à son actif une douzaine de pièces de théâtre en tant qu'auteur, et autant de mises en scène. Capable d'être tout à la fois austère et drolatique quand il est sur scène (une performance !), Klapisch utilise formidablement bien son potentiel comique dans sa très bonne comédie *Chacun cherche son chat.* Il a pris la tête du théâtre de l'Odéon début 2007.

Q

Quaid, Dennis

Acteur américain né en 1954.

1975, Crazy Mama (Demme) ; 1977, September 30, 1955 (Bridges) ; 1978, Our Winning Season (Ruben), The Seniors (Amateau) ; 1979, Garp (Ruben), Breaking Away (La bande des quatre) (Yates) ; 1980, The Long Riders (Le gang des frères James) (Hill), All Night Long (La vie en mauve) (Tramont) ; 1981, Caveman (L'homme des cavernes) (Gottlieb), The Night the Lights Went Out in Georgia (Maxwell) ; 1982, Tough Enough (Fleischer) ; 1983, Jaws 3 (Les dents de la mer 3) (Alves), The Right Stuff (L'étoffe des héros) (Kaufman) ; 1984, Dreamscape (Dreamscape) (Ruben) ; 1985, Enemy Mine (Enemy) (Petersen) ; 1986, The Big Easy (Big Easy) (McBride) ; 1987, Innerspace (L'aventure intérieure) (Dante), Suspect (Suspect dangereux) (Yates) ; 1988, DOA (Mort à l'arrivée) (Morton et Jenkel), Everybody's All-American (Hackford) ; 1989, Great Balls of Fire (Great Balls of Fire) (McBride) ; 1990, Come See the Paradise (Bienvenue au paradis) (Parker), Postcards From the Edge (Bons baisers d'Hollywood) (Nichols) ; 1993, Wilder Napalm (Gordon Caron), Undercover Blues (Pas de vacances pour les Blues) (Ross), Flesh and Bone (Flesh and Bone) (Kloves) ; 1994, Wyatt Earp (Wyatt Earp) (Kasdan), Dragonheart (Cœur de dragon) (Cohen) ; 1995, Something to Talk About (Amour et mensonges) (Hallström) ; 1996, Switchback (La piste du tueur) (Stuart), Gang Related (Kouf) ; 1997, The Parent Trap (A nous quatre) (Meyers), Savior (Savior) (Antonjevic) ; 1998, Playing by Heart (La carte du cœur) (Carroll) ; 1999, Any Given Sunday (L'enfer du dimanche) (Stone), Frequency (Fréquence interdite) (Hoblit) ; 2000, Traffic (Traffic) (Soderbergh) ; 2002, The Rookie (Rêve de champion) (Hancock), Far from Heaven (Loin du paradis) (Haynes) ; 2004, The Day After Tomorrow (Le jour d'après) (Emmerich) ; 2005, In Good Company (En bonne compagnie) (Weitz), Flight of the Phoenix (La vol du Phoenix) (J. Moore) ; 2006, American Dreamz (American Dreamz) (Weitz), Yours, Mine and Ours (Une famille 2 en 1) (Gosnell) ; 2007, Vantage Point (Travis).

Visage d'adolescent, il a un temps symbolisé avec l'astronaute de *L'étoffe des héros* une nouvelle jeunesse américaine, charmeuse, désinvolte et sûre d'elle. De film en film l'Amérique aime à se retrouver en lui. Il est extraordinaire en mari homosexuel de Julianne Moore dans *Loin du paradis*.

Quayle, Anthony

Acteur anglais, 1913-1989.

1948, Hamlet (Olivier), Sarabande for Dead Lovers (Sarabande) (Dearden) ; 1955, Oh ! Rosalinda ! (Powell et Pressburger) ; 1956, The Battle of the River Plate (La bataille du rio de la Plata) (Powell et Pressburger), The Wrong Man (Le faux coupable) (Hitchcock) ; 1957, The Woman in a Dressing-Gown (La femme en robe de chambre) (Lee-Thompson), No Time for Tears (Frankel) ; 1958, The Man Who Wouln't Talk (Wilcox), Ice Cold in Alex (Le désert de la peur) (Lee-Thompson) ; 1959, The Killers of Kilimandjaro (Les aventuriers du Kilimandjaro) (Thorpe), Tarzan's Greatest Adventure (La plus grande aventure de Tarzan) (Guillermin), Serious Charge (Young) ; 1960, The Challenge (Un compte à régler) (Gilling) ; 1961, The Guns of Navarone (Les canons de Navarone) (Lee-Thompson) ; 1962, Lawrence of Arabia (Lean),

H.M.S. Defiant (Les mutinés du Téméraire) (Gilbert) ; 1963, The Fall of the Roman Empire (La chute de l'Empire romain) (Mann), East of Sudan (A l'est du Soudan) (Juran) ; 1965, A Study in Terror (Sherlock Holmes contre Jack l'éventreur) (Hill), Operation Crossbow (Anderson) ; 1967, Incompreso (L'incompris) (Comencini) ; 1968, Before Winter Comes (Avant que vienne l'hiver) (Lee-Thompson) ; 1969, Mac Kenna's Gold (L'or de McKenna) (Lee-Thompson), Anne of the Thousand Days (Anne des mille jours) (Jarrott) ; 1972, Everything You Always Wanted to Know about Sex... (Tout ce que vous avez toujours voulu savoir sur le sexe...) (Allen) ; 1973, Request to the Nation (James Cellan Jones) ; 1974, The Tamarind Seed (Top Secret) (Edwards) ; 1975, Great Expectations (J. Hardy) ; 1976, The Eagle Has Landed (L'aigle s'est envolé) (Sturges), 21 Hours at Munich (Les vingt et une heures de Munich) (Graham) ; 1977, Holocaust 2 000 (De Martino) ; 1978, Murder by Decree (Meurtre par décret) (Clark) ; 1988, La leggenda del Santo Bevitore (La légende du Saint-Buveur) (Olmi), Buster (Buster) (Green).

D'abord un homme de théâtre (académie royale d'art dramatique, Old Vic), directeur de Stratford et qui triomphe au West End. Au cinéma, des rôles de composition, de Marcellus *(Hamlet)* à l'agent de la Gestapo *(Operation Crossbow)*, de l'avocat de *The Wrong Man* au chef d'expédition malheureux de *Guns of Navarone*. Un grand acteur certes, mais trop confiné dans des personnages de second plan. Découragé, il semble s'être tourné vers la télévision *(Masada)*.

Quester, Hugues

Acteur français né en 1948.

1970, L'étrangleur (Vecchiali) ; 1972, Rendez-vous à Bray (Delvaux), Quelque part quelqu'un (Bellon), La rose de fer (Rollin) ; 1973, La chair de l'orchidée (Chéreau) ; 1975, Je t'aime moi non plus (Gainsbourg) ; 1977, L'honorable société (Weinberger) ; 1978, L'adolescente (Moreau) ; 1981, La nuit de Varennes (Scola) ; 1983, Polar (Bral), Une pierre dans la bouche (Leconte), La ville des pirates (Ruiz) ; 1984, No man's land (Tanner), Visage de chien (Gasiorowski), Escalier C (Tacchella) ; 1985, Anne Trister (Pool), Rue du départ (Gatlif), Parking (Demy) ; 1986, Hôtel du paradis (Bokova) ; 1987, Les matins chagrins (Gallepe) ; 1988, Una notte une sono (Manuelli) ; 1989, Conte de printemps (Rohmer) ; 1990, Hard to Be a God (Un dieu rebelle) (Fleischmann) ; 1991, Mauvais garçon (Bral), Souvenirs (Schamberg) ; 1992, Bleu (Kieslowski) ; 1993, Mina Tannenbaum (Dugowson), Grande petite (Filières) ; 1996, Le bassin de J.W. (Monteiro) ; 1999, La chambre obscure (Questerbert).

Acteur cérébral assez austère, il était le compagnon de route de Joe Dallesandro dans *Je t'aime moi non plus*, et l'interprète principal du film de Tanner *No man's land*. Sa gravité rappelle parfois celle de Laurent Terzieff et on ne peut dire qu'il ait développé un profil très populaire.

Quinn, Aidan

Acteur américain né en 1959.

1984, Reckless (Reckless) (Foley) ; 1985, Desperately Seeking Susan (Recherche Susan désespérément) (Seidelman) ; 1986, The Mission (Mission) (Joffé) ; 1987, The Stakeout (Étroite surveillance) (Badham) ; 1988, Crusoe (Deschanel) ; 1990, Avalon (Avalon) (Levinson), The Lemon Sisters (Chopra), The Handmaid's Tale (La servante écarlate) (Schlöndorff) ; 1991, At Play in the Fields of the Lord (En liberté dans les champs du seigneur) (Babenco) ; 1992, The Playboys (The Playboys) (Densham) ; 1993, Benny and Joon (Benny et Joon) (Chechik), Blink (Blink) (Apted) ; 1994, Mary Shelley's Frankenstein (Frankenstein) (Branagh), Legends of the Fall (Légendes d'automne) (Zwick) ; 1995, The Stars Fell on Henrietta (Keach), Haunted (Gilbert) ; 1996, Michael Collins (Michael Collins) (Jordan), Looking for Richard (Looking for Richard) (Pacino) ; 1997, This Is My Father (P. Quinn), The Assignment (Contrat sur un terroriste) (Duguay), In Dreams (Prémonition) (Jordan), Commandments (Taplitz) ; 1998, Practical Magic (Les ensorceleuses) (Dunne) ; 1999, Songcatcher (Greenwald), Music of the Heart (La musique de mon cœur) (Craven) ; 2003, Evelyn (Evelyn) (Beresford).

Natif de Chicago, on le découvre, après une carrière théâtrale classique (*Hamlet*, *Un tramway nommé Désir...*) dans *Recherche Susan désespérément*, où son regard bleu ciel et son physique de jeune premier font des ravages dans les cœurs des jeunes filles. Frère du personnage de Robert De Niro dans *Mission*, il apparaît depuis lors dans de solides productions qui ne le mettent, hélas ! pas toujours en valeur...

Quinn, Anthony

Acteur et réalisateur américain, de son vrai nom Antonio Rudolfo Oaxaca Quinn, 1915-2001.

1936, The Plainsman (Une aventure de Buffalo Bill) (DeMille) ; 1937, Swing High, Swind Low (Leisen), Waikiki Wedding (Tuttle), The Last Train for Madrid (Le dernier train part pour Madrid) (Hogan) ; 1938, Tip-off Girls (King), Hunted Men (King), The Buccaneer (Les flibustiers) (DeMille), Escape from Alcatraz (Florey), Dangerous to Know (Florey) ; 1939, Union Pacific (Pacific Express) (DeMille), Island of Lost Men (Neumann) ; 1940, The Ghost Breakers (Le mystère du château maudit) (Marshall) ; 1941, The Died with Their Boots on (La Charge fantastique) (Walsh), Man Power (L'entraîneuse fatale) (Walsh) ; 1942, Blood and Sand (Arènes sanglantes) (Mamoulian), The Black Swan (Le cygne noir) (King) ; 1943, The Ox-Bow Incident (L'étrange incident) (Wellman), Guadalcanal Diary (Guadalcanal) (Seiler) ; 1944, Buffalo Bill (Buffalo Bill) (Wellman) ; 1945, Back to Bataan (Retour aux Philippines) (Dmytryk) ; 1946, California (Farrow), The Imperfect Lady (Suprême aveu) (Allen) ; 1947, Sinbad the Sailor (Sinbad le marin) (Wallace), Black Gold (Le gagnant du Kentucky) (Karlson), Tycoon (Taikoun) (Wallace) ; 1950, The Brave Bulls (La corrida de la peur) (Rossen) ; 1951, Mask of the Avenger (L'épée de Monte-Cristo) (Karlson), Viva Zapata (Kazan) ; 1952, The Brigand (Le proscrit) (Karlson), The World In His Arms (Le monde lui appartient) (Walsh), Against All Flags (A l'abordage) (Sherman) ; 1953, Seminole (L'expédition du Fort King) (Boetticher), City Beneath the Sea (La cité sous la mer) (Boetticher), Ride Vaquero (Vaquero) (Farrow), Blowing Wind (Le souffle sauvage) (Fregonese), East of Sumatra (A l'est de Sumatra) (Boetticher), Cavalleria rusticana (Duel en Sicile) (Gallone), Donne proibite (Femmes damnées) (Amato) ; 1954, The Long Wait (Nettoyage par le vide) (Saville), Attila, flagello di Dio (Attila, fléau de Dieu) (Francisci) ; 1955, Ulysses (Ulysse) (Camerini), The Magnificent Matador (Le brave et la belle) (Boetticher), The Naked Street (Le roi du racket) (Shane), Seven Cities of Gold (Webb) ; 1956, La Strada (La Strada) (Fellini), The Man From Del Rio (Horner), Lust For Life (La vie passionnée de Vincent Van Gogh) (Minnelli), The Wild Party (La nuit bestiale) (Horner), Notre-Dame de Paris (Delannoy) ; 1957, The River's Edge (Dwan), The Ride Back (La chevauchée du retour) (Miner), Wild Is the Wind (Car sauvage est le vent) (Cukor) ; 1958, Hot Spell (Vague de chaleur) (Mann), The Last Train From Gun Hill (Le dernier train de Gun Hill) (Sturges) ; 1959, The Black Orchid (L'orchidée noire) (Ritt), Warlock (L'homme aux colts d'or) (Dmytryk) ; 1960, Heller In Pink Tights (La diablesse en collants roses) (Cukor), Portrait In Black (Meurtre sans faire-part) (Gordon), The Savage Innocents (Les dents du Diable) (Ray) ; 1961, The Guns of Navarone (Les canons de Navarone) (Lee-Thompson) ; 1962, Requiem For a Heavyweight (Requiem pour un champion) (Nelson), Barabbas (Fleisher), Lawrence of Arabia (Lawrence d'Arabie) (Lean) ; 1963, Der Besuch (La rancune) (Wicki) ; 1964, A High Wind In Jamaica (Cyclone à la Jamaïque) (Mackendrick), Zorba The Greek (Zorba le Grec) (Cacoyannis) ; 1966, The Lost Command (Les centurions) (Robson), La 25ᵉ heure (Verneuil), The Happening (Les détraqués) (Silverstein) ; 1967, The Rover (Peyrol le boucanier) (Young) ; 1968, La bataille de San Sebastian (Verneuil), The Shoes of the Fisherman (Les souliers de Saint-Pierre) (Anderson), The Magus (Jeux pervers) (Green) ; 1969, A Walk In the Spring Rain (Pluie de printemps) (Green), The Secret of Santa Vittoria (Le secret de Santa Vittoria) (Kramer) ; 1970, A Dream of Kings (Mann), R.P.M. (Kramer), King, a Filmed Record... Montgomery to Memphis (Lumet et Mankiewicz) ; 1971, The Last Warrior (L'Indien) (Reed), Arruza (Narration) (Boetticher), The City (Petrie) ; 1972, Los Amigos (Cavara), The Voice of La Raza (Greaves) ; 1973, Across The 110th Street (Meurtres dans la 110e rue) (Shear), The Don Is Dead (Don Angelo est mort) (Fleischer) ; 1974, Marseille Contract (Marseille contrat) (Parrish), The Destructors (Fargue) ; 1975, The Message (Le message) (Akkad), Storia di truffe e di imbroglioni (Bluff) (Corbucci) ; 1976, Tigers Don't Cry (Un risque à courir) (Collinson), L'eredita Ferramonti (L'héritage) (Bolognini) ; 1977, Jesus of Nazareth (Jésus de Nazareth) (Zeffirelli), Caravanes (Fargo) ; 1978, The Greek Tycoon (L'empire du Grec) (Lee-Thompson), The Children of Sanchez (Les enfants de Sanchez) (Bartlett), The Passage (Passeurs d'hommes) (Lee-Thompson) ; 1980, Omar Mukhtar (Le lion du désert) (Akkad), The Contender ; 1981, Mystique (Roth), The Salamander (Zinner) ; 1982, High Risk (Les risques de l'aventure) (Raffil) ; 1983, Valentina (Betancor) ; 1989, Revenge (Revenge) (Scott), Stradivarius (Battiato), Pasion de hombre (de la Loma) ; 1990, Jungle Fever (Jungle Fever) (Lee), Ghosts Can't Do It (Derek) ; 1991, A Star For Two (Kaufman), Mobsters (Les indomptés) (Karbelnikoff), Only the Lonely (Ta mère ou moi) (Columbus) ; 1992, Last Action Hero (Last Action Hero) (McTiernan) ; 1994, Somebody to Love (Somebody to Love) (Rockwell) ; 1995, A Walk in the Clouds (Les vendanges de feu) (Arau) ; 1996, The Seven Servants (Shokof),

Il sindaco (Giordani), Gotti (Harmon) ; 2001, Avenging Angelo (Mafia love) (Burke). *Pour le metteur en scène*, voir le *Dictionnaire du cinéma*, t. I : *Les réalisateurs.*

Né au Mexique d'un peintre toréador, il sera séminariste (ou presque), chauffeur, contremaître puis boxeur avant de faire de la figuration (ou presque) comme Indien (pourquoi pas ?) à Hollywood. Sa chance : il épouse la fille du grand Cecil B. DeMille. Le réalisateur désavoue le mariage mais doit autoriser son gendre à tourner un remake des *Lawrence d'Arabie* et *Flibustiers.* Quinn obtient un oscar pour *Viva Zapata*, mais sa réputation, il la doit à l'Europe : l'hercule pitoyable de *La Strada* puis *Lawrence d'Arabie* et *Zorba le Grec* – il n'est ni italien, ni arabe, ni grec (il n'était pas plus indien, il est vrai, n'ayant que du sang irlandais et mexicain) – en font une vedette internationale. On peut lire sa *Balade des sept collines* (1996).

R

Rabal, Francisco

Acteur espagnol, de son vrai nom Valera, 1926-2001.

1945, La prodiga (Gil) ; 1950, Luna de sangre (Beleta) ; 1951, María Morena (Forqué) ; 1953, Hay un camino a la derecha (Beleta), Todo es posible en Granada (Sáenz de Heredia) ; 1954, Murió hace quince años (Gil) ; 1955, El canto del gallo (Gil), Saranno uomini (Siano) ; 1956, La gran mentira (Gil), Amenecer en puerta oscura (Forqué) ; 1957, La Gerusalemme liberata (Bragaglia), La grande strada azzura (Un dénommé Squarcio) (Pontecorvo) ; 1958, La noche y el alba (Forqué), L'amore piu bello (Pelligrini), Nazarín (Buñuel), Los clarines del miedo (Román), Tal vez mañana (Pellegrini) ; 1959, Diez fusiles esperan (Sáenz de Heredia), Sonatas (Bardem), El hombre de la isla (Escrivá) ; 1960, A las cinco de la tarde (Bardem) ; 1961, Hijo de hombre (Demari), Viridiana (Buñuel), La mano en la trampa (La main dans le piège) (Torre Nilsson), Tiro al piccione (Le commando traqué) (Montaldo) ; 1962, L'éclisse (L'éclipse) (Antonioni), Autopsia de un criminal (Blasco), Setenta veces siete (Torre Nilsson), Noche de verano (Grau), Mathias Sandorf (Lampin) ; 1963, La rimpatriata (Damiani), Le gros coup (Valère), Fra Diávolo (Lluck et Simonelli), El diablo también llora (Nieves Condi) ; 1964, Llanto por un bandido (La charge des brigands) (Saura), María Rosa (Moreno), La otra mujer (Villiers) ; 1965, Currito de la cruz (Gil), Marie-Chantal contre le docteur Kha (Chabrol), España insólita ; 1966, La religieuse (Rivette), Camino del rocio, Das Vermachtnis des Inka, Hoy como ayer, I lunghi giorni della vendetta (Vancini) ; 1967, Cervantes (V. Scherman), Oscuros sueños de agosto, Le streghe (Les sorcières) (sketch de Visconti) ; 1968, El Che Guevara (Heusch), Sangre en el ruedo ; 1969, Los desafios, Simon Bolivar (Blasetti), El largo día del águila (Sous les ordres du führer) (Castellari), Laia (Lluch), Las gatas tienen frío ; 1970, Cabezas cortadas (Têtes coupées) (G. Rocha), Goya (Wolf), Le soldat Laforêt (Cavagnac) ; 1971, Después del dilubio, Las melancolías (La fille de l'exorciste) (Moreno Alba) ; 1972, N.P. Il segreto (L'effroyable machine de l'industriel N.P.) (Agosti), La otra imagen (L'autre image) (Ribas), Si puo fare amigo (Amigo, mon colt a deux mots à te dire) (Lucidi) ; 1973, La colonna infame, I consigliori (Le conseiller) (A. De Martino), No es nada mamá, sino un juego (Forqué) ; 1976, Las largas vacaciones del 36 (Les longues vacances de 36) (Camino), Il prefetto di ferro (L'affaire Mori) (Squitieri), Il deserto dei Tartari (Le désert des Tartares) (Zurlini) ; 1977, Wages of Fear (Le convoi de la peur) (Friedkin) ; 1978, Cosi come sei (La fille) (Lattuada), Pensione paura (Barilli) ; 1979, Fabricantes de panico (La rage de tuer) (Cardona Jr.), Sbirro, la tua legge é lenta... la mia no ! (La cité du crime) (Massi) ; 1980, Vertigo en la pista (Speed Driver) (Massi) ; 1981, Incubo sulla citta' contaminata (L'avion de l'apocalypse) (Lenzi) ; 1983, The Treasure of the Four Crowns (Le trésor des quatre couronnes) (Baldi), Epílogo (Suárez) ; 1984, Los santos inocentes (les saints innocents) (Mario Camus), Los zancos (Saura) ; 1985, Padre nuestro (Reguiero), Marbella (Hermoso) ; 1986, La storia (La storia) (Comencini), Camorra (Camorra) (Wertmuller) ; 1987, Divinas palabras (Sánchez) ; 1988, A Time of Destiny (Le temps du destin) (Nava) ; 1989, Manuel, le fils emprunté (Labonté), Atame ! (Attache-moi !) (Almodóvar) ; 1990, L'autre (Giraudeau) ; 1991, L'homme qui a perdu son ombre (Tanner) ; 1995, Talk of Angels (Hamm), Asi en el cielo como en la tierra (Cuerda), El palomo cojo (Armiñàn), Edipo alcade (Ali Triana) ; 1996, Airbag (Bajo Ulloa), Le jour et la nuit (Lévy), Pajarico (Pajarico) (Saura) ; 1997, La novia de medianoche (Simon), El evangelio de las maravillas (Divine) (Ripstein), Pequeños milagros (Subiela) ; 1998, En Dag til i solen (Un jour sans soleil) (Hamer) ; 1999, Goya (Gomez), Peixe-Lua (Alvaro Morais) ; 2000, Divertimento (Hernandez), Lázaro de Tormes (Fernández-Gómez, García Sánchez).

Solide acteur, sans grand relief mais qui sut défendre les valeurs traditionnelles du répertoire espagnol à l'écran comme sur la scène. D'abord technicien, il devint vedette en Espagne, mais c'est Buñuel qui fit sa célébrité. Il a tourné un peu partout : en France comme en Italie. Il a reçu un prix d'interprétation inattendu à Cannes pour les *Saints innocents*.

Radcliffe, Daniel

Acteur anglais né en 1989.

2001, Harry Potter and the Sorcerer's Stone (Harry Potter à l'école des sorciers) (Columbus), The Tailor of Panama (Le tailleur de Panama) (Boorman) ; 2002, Harry Potter and the Chamber of Secrets (Harry Potter et la chambre des secrets) (Columbus) ; 2004, Harry Potter and the Prisoner of Azakaban (Harry Potter et le prisonnier d'Azkaban) (Cuaron) ; 2005, Harry Potter and the Goblet of Fire (Harry Potter et la coupe de feu) (Newell) ; 2007, Harry Potter and the Order of the Phœnix (Harry Potter et l'ordre du Phénix) (Yates), Sixty Six (Weiland).

Ce jeune Anglais a été choisi pour incarner le héros des romans de J. K. Rowling. De nouvelles aventures sont en préparation.

Raft, George

Acteur américain, de son vrai nom Ranft, 1903-1980.

1929, Queen of the Night-Clubs (Foy) ; 1931, Hush Money (Landfield), Palmy Days (Sutherland), Quick Millions (Fortunes rapides) (Brown) ; 1932, Scarface (Hawks), Dancers in the Dark (Burton), Madame Racketeer (Hall), Night after Night (Nuit après nuit) (Mayo), Taxi (del Ruth), Undercover Man (Flood), If I Had a Million (Si j'avais un million) (sketch de Roberts), Night World (Henley), Love Is a Racket (Wellman) ; 1933, The Eagle and the Hawk (Walker), Pick-up (Gering), Midnight Club (Le club de minuit) (Hall), The Bowery (Walsh) ; 1934, All of Me (Flood), Bolero (Ruggles), The Trumpet Blows (El Matamor) (Roberts), Lime House Blues (Hall) ; 1935, Rumba (Gering), Stolen Harmony (Werker), The Glass Key (La clé de verre) (Tuttle), Every Night at Eight (Walsh), She Couldn't Take It (Garnett) ; 1936, It Had to Happen (Del Ruth), Yours for the Asking (Hall) ; 1937, Souls at Sea (Ames à la mer) (Hathaway) ; 1938, You and Me (Casier judiciaire) (Lang), Spawn of the North (Hathaway) ; 1939, The Lady's from Kentucky (Hall), Each Dawn I Die (A chaque aube je meurs) (Keighley), I Stole a Million (Tuttle) ; 1940, The House across the Bay (Destin dans la nuit ou La maison sur la baie) (Mayo), They Drive by Night (Une femme dangereuse) (Walsh) ; 1941, Manpower (L'entraîneuse fatale) (Walsh) ; 1942, Broadway (Seiter) ; 1943, Stage Door Canteen (Le cabaret des étoiles) (Borzage), Back Ground to Danger (Intrigues en Orient) (Walsh) ; 1944, Hollywood Canteen (Daves), Follow the Boys (Hollywood Parade) (Sutherland) ; 1945, Nob Hill (La grande dame et le mauvais garçon) (Hathaway), Johnny Angel (Marin) ; 1946, Mr. Ace (Marin), Nocturne (Marin), Whistle Stop (Tragique rendez-vous ou Flamingo Bar) (Moguy) ; 1947, Intrigue (Marin), Christmas Eve (Marin) ; 1948, Race Street (La nuit désespérée) (Marin), Johnny Allegro (L'homme de main) (Tetzlaff) ; 1949, Nous irons à Paris (Boyer), A Dangerous Profession (Profession dangereuse) (Tetzlaff), Red Light (Feu rouge) (Del Ruth), Outpost in Morocco (La dernière charge) (Florey) ; 1951, Lucky Nick Cain (Le mystère de San Paolo) (Newman) ; 1952, Loan Shark (Friedman) ; 1953, I'll Get You ou Escape Route (Friedman), The Man from Cairo (Anton) ; 1954, Rogue Cap (Sur la trace du crime) (Rowland), Black Widow (La veuve noire) (Johnson) ; 1955, A Bullet for Joey (Un pruneau pour Joe) (Allen) ; 1956, Around the World in 80 Days (Le tour du monde en 80 jours) (Anderson) ; 1959, Some Like it Hot (Certains l'aiment chaud) (Wilder) ; 1960, Jet over the Atlantic (Bagarre au-dessus de l'Atlantique) (Haskin), Ocean's Eleven (L'inconnu de Las Vegas) (Milestone) ; 1961, The Ladies' Man (Le tombeur de ces dames) (Lewis) ; 1964, For Those Who Think Young (Martinson), The Patsy (Jerry souffre-douleur) (Lewis) ; 1965, Du rififi à Paname (La Patellière) ; 1966, Five Golden Dragons (Summers), Casino Royal (Huston, Parrish, Guest, K. Hughes, Joe McGrath) ; 1968, Skidoo ! (Preminger) ; 1972, Hammersmith Is out (Ustinov) ; 1977, Sextet (Sextette) (K. Hughes) ; 1979, The Man with Bogart's Face (Détective comme Bogart) (Day).

S'il fut, avant Bogart, qui devait le supplanter, le grand interprète des films de gangsters, c'est que formé par la rue, à New York, il connaissait parfaitement la pègre avec laquelle il conserva toujours des liens. Il fut d'abord danseur dans des clubs et boîtes de nuit avant d'être découvert par le cinéma. Il fut le partenaire de Cagney et surtout celui de Muni pour *Scarface*. Son interprétation dans ce film (les guêtres et la pièce de monnaie lancée en l'air y firent sensation) devait le rendre célèbre et le condamner parfois à se parodier lui-même, comme dans *Some Like It Hot*. Walsh, Wellman, Hawks, Hathaway furent ses meilleurs metteurs en scène, mais il faudrait revoir les œuvres que dirigea le méconnu Edwin Marin. Par la suite Raft, vieilli, fit de courtes apparitions dans des bandes souvent médiocres. Un film lui fut consacré en 1961 par Newman où Ray Danton tenait son rôle.

Raimbourg, Lucien

Acteur français, 1903-1973.

1932, L'affaire est dans le sac (Prévert) ; 1933, Ciboulette (Autant-Lara) ; 1934, Minuit place Pigalle (Richebé) ; 1943, Adieu Léonard (Prévert) ; 1946, Voyage-surprise (Prévert) ; 1948, Les amants de Vérone (Cayatte) ; 1949, Zone frontière (Gourguet), Trafic sur les dunes (Gourguet) ; 1952, Nous sommes tous des assassins (Cayatte) ; 1953, Le chevalier de la nuit (Darène), Avant le déluge (Cayatte) ; 1954, L'air de Paris (Carné), Tout chante autour de moi (Gout) ; 1955, Les salauds vont en enfer (Hossein), Le dossier noir (Cayatte), Cette sacrée gamine (Boisrond), La plus belle des vies (Vermorel) ; 1956, Elisa (Richebé), Celui qui doit mourir (Dassin), La vie est belle (Pierre et Thibault) ; 1957, C'est arrivé à 36 chandelles (Diamant-Berger), Échec au porteur (Grangier), Rafles sur la ville (Chenal), Sans famille (Michel), Ces dames préfèrent le mambo (Borderie), Le rouge est mis (Grangier) ; 1958, Douze heures d'horloge (Radvanyi), Les naufrageurs (Brabant), Le petit prof' (Rim), L'increvable (Boyer), Jeux dangereux (Chenal), Le désordre et la nuit (Grangier), Du rififi chez les femmes (Joffé) ; 1959, 125, rue Montmartre (Grangier), La corde raide (Dudrumet), A rebrousse poil (Armand), Les tripes au soleil (Bernard-Aubert), Sérénade au Texas (Pottier), La sentence (Villiers) ; 1960, Dynamite Jack (Bastia), Austerlitz (Gance), Pleins feux sur l'assassin (Franju), L'engrenage (Kalifa), La pendule à Salomon (Ivernel) ; 1961, Cartouche (Broca), Le caporal épinglé (Renoir) ; 1962, Un singe en hiver (Verneuil) ; 1963, Chair de poule (Duvivier) ; 1964, Les Pieds Nickelés (Chambon) ; 1966, Un idiot à Paris (Korber) ; 1968, La femme écarlate (Valère) ; 1969, Les caprices de Marie (Broca) ; 1970, Ils (Simon) ; 1971, Jupiter (Prévost), Le traître du rossignol (Flechet), Le château du vice (Brismée), Les yeux fermés (Santoni) ; 1972, Une saison dans la vie d'Emmanuel (Weisz), Atout-sexe (Pontiac).

Chansonnier, il a fait beaucoup de cabaret. Comme acteur de cinéma, il fut un solide second plan, servi par un physique pincé de garde-chiourme. On se souvient surtout de ses personnages marginaux de *L'affaire est dans le sac* et de *Voyage-surprise* où il est Duroc. Il fut Fouché.

Raimondi, Ruggero

Baryton italien né en 1941.

1979, Don Giovanni (Losey) ; 1982, La Truite (Losey) ; 1983, La vie est un roman (Resnais) ; 1984, Carmen (Rosi) ; 1989, Boris Godounov (Zulawski) ; 1996, Les couleurs du diable (Jessua) ; 2001, Tosca (Jacquot).

Avant tout bien sûr un baryton-basse, grand interprète de Verdi que le cinéma, à travers un opéra filmé (somptueusement) par Losey, va révéler admirable acteur, au point que Resnais l'engagera dans l'un de ses films, à côté de Gassman. Et pourtant, à ses débuts comme chanteur, ses gestes étaient si maladroits qu'il faillit renoncer à la scène pour se limiter au disque !

Raimu

Acteur français, de son vrai nom Jules Muraire, 1883-1946.

1931, Le blanc et le noir (Florey), Mam' zelle Nitouche (Allégret), Marius (Korda) ; 1932, La petite chocolatière (Allégret), Fanny (Allégret), Les gaîtés de l'escadron (Tourneur) ; 1933, Théodore et Cie (Colombier), Charlemagne (Colombier) ; 1934, Ces messieurs de la Santé (Colombier), Tartarin de Tarascon (Bernard), J'ai une idée (Richebé) ; 1935, Minuit, place Pigalle (Richebé), Faisons un rêve (Guitry), L'école des cocottes (Colombier), Gaspard de Besse (Hugon) ; 1936, Le secret de Polichinelle (Berthomieu), Le roi (Colombier), Les jumeaux de Brighton (Heymann), César (Pagnol) ; 1937, Vous n'avez rien à déclarer (Joannon), Les perles de la couronne (Guitry), La chaste Suzanne (Berthomieu), Les rois du sport (Colombier), Le fauteuil 47 (Rivers), Gribouille (Allégret), Un carnet de bal (Duvivier) ; 1939, Le héros de la Marne (Hugon), L'étrange M. Victor (Grémillon), Les nouveaux riches (Berthomieu), La femme du boulanger (Pagnol) ; 1939, Noix de coco (Boyer), Monsieur Brotonneau (Esway), Dernière jeunesse (Musso), L'homme qui recherche la vérité (Esway) ; 1941, La fille du puisatier (Pagnol), Le duel (Fresnay), Parade en sept nuits (Allégret) ; 1942, L'Arlésienne (Allégret), Les petits riens (Le Boursier), Les inconnus dans la maison (Decoin), Monsieur La Souris (Lacombe), Le bienfaiteur (Decoin) ; 1943, Le colonel Chabert (Le Hénaff) ; 1945, Untel père et fils (Duvivier) ; 1946, Les gueux au paradis (Le Hénaff), L'homme au chapeau rond (Billon).

De l'avis d'un connaisseur, Orson Welles, Raimu fut le plus grand acteur du cinéma. Comique troupier de caf'conc', il a été lancé à Paris par Mayol puis par Guitry qui lui confia l'un des rôles de *Faisons un rêve*. En 1929, Raimu joue sur scène *Marius* de Pagnol. Cette fois, c'est la gloire. Le personnage de César qu'interprète Raimu (Fresnay est Marius, Charpin Panisse) et la fameuse partie de cartes vont connaître à l'écran une fabuleuse célébrité. Classé un moment acteur provençal, Raimu sera un éblouissant Tartarin de Tarascon, mais son talent lui permet une grande diversité de rôles : député *(Le roi)*, homme d'affaires véreux *(Ces messieurs de la Santé)*, académicien *(La chaste Suzanne)* ou garçon de café *(Les rois du sport)*... Il est au sommet de son art lorsqu'il interprète Aimable Castanier, le mari trompé de *La femme du boulanger*. Avocat déchu des *Inconnus dans la maison* ou colonel d'Empire présumé mort sur le champ de bataille *(Le colonel Chabert)*, il reste toujours bouleversant. Pierre Leprohon rappelle, dans son étude sur Raimu, un mot de René Clair : « Il faut distinguer les comédiens et les caractères. Raimu était un caractère. Il imposait Raimu et, quel que soit le génie d'un auteur, il n'aurait pu le dépersonnaliser. De son côté, Raimu lui-même n'aurait pu s'arracher de sa propre peau, s'effacer derrière un personnage dramatique. » En fait ce qui rend la présence de Raimu si fascinante à l'écran, c'est la parfaite adéquation entre l'homme et le personnage. De là cette extraordinaire impression de « naturel » que laisse chacune de ses apparitions. Un naturel qui explique son relatif échec lorsqu'il joua *Le bourgeois gentilhomme* à la Comédie-Française en 1944. Mais Molière aurait sans doute aimé son interprétation.

Rainer, Luise

Actrice autrichienne née en 1910.

1932, Sehnsucht 202 (Neufeld) ; 1933, Heut' kommt's drauf an (Gerron), Heimkehr ins Glück (Boese) ; 1935, Escapade (Leonard) ; 1936, The Great Ziegfeld (Le grand Ziegfeld) (Leonard) ; 1937, The Good Earth (Visages d'Orient) (Franklin), The Emperor's Candlesticks (Fitzmaurice), Big City (La grande ville) (Borzage) ; 1938, The Toy Wife (Frou-Frou) (Thorpe) ; 1939, The Great Waltz (Toute la ville danse) (Duvivier), Dramatic School (Sinclair) ; 1943, Hostages (Tuttle) ; 1954, Tiefland (Riefenstahl) ; 1960, La dolce vita (La dolce vita) (Fellini) ; 1997, The Gambler (Makk).

Révélée au théâtre par Max Reinhardt, elle est attirée à Hollywood par la MGM. Deux oscars (pour *The Great Ziegfeld* en 1936 et *The Good Earth* en 1937) puis la chute. Elle rentre en Europe après la guerre et se consacre au théâtre.

Raines, Ella

Actrice américaine, de son vrai nom Raubes, 1921-1988.

1943, Corvette K-225 (Rossen), Cry Havoc (Thorpe) ; 1944, The Suspect (Le suspect) (Siodmak), Hail the Conquering Hero (Héros d'occasion) (Sturges), Tall in the Saddle (Marin), Phantom Lady (Les mains qui tuent) (Siodmak), Enter Arsène Lupin (Beebe) ; 1945, The Strange Affair of Uncle Harry (Siodmak) ; 1946, The Runaround (Lamont), White Tie and Tails (Barton) ; 1947, The Web (Gordon), Time Out of Mind (Siodmak), Brute Force (Les démons de la liberté) (Dassin) ; 1948, The Senator Was Indiscret (Kaufman) ; 1949, A Dangerous Profession (Tetzlaff), The Walking Hills (Les aventuriers du désert) (Sturges), Impact (Lubin) ; 1950, Singing Guns (Springsteen), The Second Face (Jack Bernhard) ; 1951, Fighting Coast Guard (Kane) ; 1952, Ride the Man Down (Kane) ; 1956, The Man in the Road (Comfort).

Malgré son incontestable beauté, cette ravissante brune a rarement eu la vedette dans des films importants, à l'exception de *Phantom Lady* et de *Brute Force*. Elle en tira la conclusion qui s'imposait : elle se retira.

Rains, Claude

Acteur américain, 1889-1967.

1933, The Invisible Man (L'homme invisible) (Whale) ; 1934, Crime Without Passion (Crime sans passion) (Ben Hecht et Charles McArthur) ; 1935, The Man Who Reclaimed His Head (Ludwig), The Mystery of Edwin Drood (Walker), The Last Outpost (Gasnier) ; 1936, Hearts Divided (Betsy) (Borzage), Anthony Adverse (LeRoy) ; 1937, Stolen Holiday (Curtiz), The Prince and the Pauper (Le prince et la pauvre) (Keighley), They Won't Forget (La ville gronde) (Le-

Roy) ; 1938, The Adventures of Robin Hood (Les aventures de Robin des Bois) (Curtiz), Gold Is Where You Find It (La bataille de l'or) (Curtiz), Four Daughters (Rêves de jeunesse) (Curtiz), White Banners (Goulding) ; 1939, Daughters Courageous (Filles courageuses) (Curtiz), They Made Me a Criminal (Berkeley), Juarez (Juarez et Maximilien) (Dieterle), Four Wives (Quatre épouses) (Curtiz), Mr. Smith Goes to Washington (M. Smith au Sénat) (Capra) ; 1940, The Sea Hawk (L'aigle des mers) (Curtiz), Lady with Red Hair (Bernhardt), Saturday's Children (V. Sherman) ; 1941, Four Mothers (Keighley), Here Comes Mr. Jordan (Le défunt récalcitrant) (Hall), The Wolf Man (Le loup-garou) (Waggner), King's Row (Crimes sans châtiment) (Wood) ; 1942, Now Voyager (Une femme cherche son destin) (Rapper), Moontide (Péniche d'amour) (Mayo) ; 1943, Casablanca (Curtiz), Forever and a Day (Lloyd, etc.), Phantom of the Opera (Le fantôme de l'Opéra) (Lubin) ; 1944, Passage to Marseille (Curtiz), Mr. Skeffington (V. Sherman) ; 1945, Caesar and Cleopatra (Pascal), This Love of Ours (Dieterle) ; 1946, Angel on My Shoulder (Mayo), Deception (Rapper), Notorious (Les enchaînés) (Hitchcock), Strange Holiday (Oboler) ; 1947, The Unsuspected (Le crime était presque parfait) (Curtiz) ; 1949, Rope of Sand (La corde de sable) (Dieterle), Song of Surrender (Leisen), One Woman's Story (Lean) ; 1950, The White Tower (La tour blanche) (Tetzlaff), Where Danger Lives (Voyage sans retour) (Farrow) ; 1951, Sealed Cargo (Werker), The Man Who Watched the Trains Go By (L'homme qui regardait passer les trains) (French) ; 1956, Lisbon (L'homme de Lisbonne) (Milland) ; 1959, This Earth Is Mine (Cette terre qui est mienne) (King) ; 1960, The Lost World (Le monde perdu) (I. Allen) ; 1961, Pianeta degli uomini spenti (Dawson) ; 1962, Lawrence of Arabia (Lawrence d'Arabie) (Lean) ; 1963, Twilight of Honor (Sagal) ; 1965, The Greatest Story Ever Told (La plus grande histoire jamais contée) (Stevens).

Curieusement, il dut sa célébrité à un film où on ne le voyait qu'à la fin : *L'homme invisible*. Mais sa voix si caractéristique suffisait à affirmer sa présence. Par la suite il fut voué aux méchants, mais aux méchants d'un niveau supérieur : le prince Jean dans *Robin des Bois*, le sénateur corrompu de *Mr. Smith*, le District Attorney de *They Won't Forget*, le fantôme de l'Opéra (où il succédait à Lon Chaney), le policier pourri de *Casablanca*... Il fut aussi Napoléon dans *Betsy*. La liste de ses créations est impressionnante et fait de lui l'un des meilleurs serviteurs de la grandeur du cinéma hollywoodien.

Rajot, Pierre-Loup

Acteur et réalisateur français né en 1958.

1983, A nos amours (Pialat), La scarlatine (Aghion), Garçon ! (Sautet) ; 1984, L'été prochain (N. Trintignant), Souvenirs, souvenirs (Zeitoun) ; 1985, Cent francs l'amour (Richard), Bras de fer (Vergez), Baton Rouge (Bouchareb) ; 1986, La galette du roi (Ribes) ; 1987, La nuit de l'océan (Perset) ; 1988, Coupe franche (Saune), Jour après jour (Attal), La nuit bengali (Klotz), Les guérisseurs (Bakaba) ; 1991, Boulevard des Hirondelles (Yanne), Cheb (Bouchareb) ; 1992, Sale temps pour un voyou (Hakkar) ; 1994, La poudre aux yeux (Dugowson) ; 1995, Les frères Gravet (Féret), Au petit Marguery (Bénégui) ; 1996, Les corps ouverts (Lifshitz) ; 1997, La revanche de Lucy (Mrozowski) ; 1998, La nouvelle Ève (Corsini), Nos vies heureuses (Maillot) ; 1999, Voyous voyelles (Meynard), Drôle de Félix (Ducastel, Martineau). *Comme réalisateur :* 1991, Jeunes gens.

Révélé par son personnage de blouson noir dans le nostalgique *Souvenirs, souvenirs*, il fait alors partie de la nouvelle vague de comédiens des années 80 qui, à l'instar de Rémi Martin ou de Xavier Deluc, ne tiendra pas la distance faute d'une nouvelle vague conjointe de réalisateurs. Il passe à la mise en scène avec un film intimiste qui aura du mal à sortir en salles, et trouve enfin un second souffle à quarante ans grâce à son rôle d'amant de Karin Viard dans *La nouvelle Ève.*

Ralli, Giovanna

Actrice italienne née en 1935.

1942, I bambini ci guardano (Les enfants nous regardent) (De Sica) ; 1949, Luci del Varietà (Les feux du music-hall) (Lattuada, Fellini) ; 1951, La famiglia Passaguai (Fabrizi) ; 1952, Il prezzo dell'onore (Baldi), Papà diventa mamma (Fabrizi) ; 1953, Amore in città (L'amour à la ville) (Lattuada), Fermi tutto, arrivo io (Grieco), Prima di sera (La mort en poche) (Tellini), Anni facili (Zampa), Villa Borghese (Les amants de Villa Borghese) (Franciolini), La lupa (La louve de Calabre) (Lattuada), I tre ladri (Les trois voleurs) (De Felice) ; 1954, Madame Du Barry (Christian-Jaque), Le ragazze di San Frediano (Les jeunes filles de San Frediano) (Zurlini), Le signorine dello 04 (Les demoiselles du téléphone) (Franciolini) ; 1955, Les hussards (Joffé), Un eroe dei nostri tempi (Monicelli) ; 1956, Racconti romani (Histoires romaines)

(Franciolini), Il momento più bello (Emmer), Il bigamo (Le bigame) (Emmer), Una pellicia di visone (Pellegrini), Peccato di castità (Franciolini), Tempo di villeggiatura (Amours de vacances) (Racioppi, Zampa) ; 1957, Le belle dell'aria (Costa) ; 1958, Nel blu di pinto di blu (Tellini), E permesso maresciallo (Bragaglia), Un uomo facile (Heusch), Come te movi, te fulmino (Mattoli) ; 1959, I ladri (Fulci), Il nemico di mia moglie (Puccini), Il generale della Rovere (Le général della Rovere) (Rossellini), Costa Azzura (Le miroir aux alouettes) (Sala), Le cameriere (Bragaglia) ; 1960, Les canailles (Labro), Era notte a Roma (Les évadés de la nuit) (Rossellini), Viva l'Italia (Viva l'Italia) (Rossellini), Le goût de la violence (Hossein) ; 1961, Horace 62 (Versini), Pastosciutta nel deserto (Bragaglia), La guerra continua (La dernière attaque) (Savona) ; 1962, La monaca di Monza (Gallone), Carmen del Trastevere (Carmen 63) (Gallone) ; 1963, Liolà (Le coq du village) (Blasetti) ; 1964, La vita agra (Lizzani), La fuga (Spinola), Se permettete parliamo di donne (Parlons femmes) (Scola) ; 1965, What Did You Do in the War, Daddy ? (Qu'as-tu fait à la guerre, papa ?) (Edwards) ; 1966, The Caper of the Golden Bulls (Gros coup à Pampelune) (Rouse), El Mercenario (El Mercenario) (Corbucci) ; 1968, Deadfall (Le chat croque les diamants) (Forbes) ; 1969, La donna invisibile (Spinola), Uccisione di Django maledetto bianco l'uomo (Guerrieri) ; 1970, Cannon for Cordoba (Un canon pour Cordoba) (Wendkos), Una prostituta al servizio del pubblico e in regola con la legge (Une prostituée au service du public et en règle avec la loi) (Zingarelli) ; 1971, Gli occhi freddi della paura (Castellari) ; 1974, Per amare Ofelia (Mogherini), La polizia chiede aiuto (La lame infernale) (Dallamano), C'eravamo tanto amati (Nous nous sommes tant aimés) (Scola) ; 1975, Di che segno sei ? (Corbucci) ; 1976, Chi dice donna dice donna (Cerri), Colpita da improvviso benessere (Giraldi), Languidi baci perfide carezze (Angeli), 40 gradi all'ombra del lenzuolo (Sexe à gogo) (Martino) ; 1977, Strage (Caiano) ; 1980, Arrivano i bersaglieri (Magni) ; 1981, Mano lesta (Festa Campanile) ; 1990, Verso sera (Dans la soirée) (Archibugi) ; 1994, Tutti gli anni una volta l'anno (Même heure l'année prochaine) (Lazzotti).

Un des plus beaux visages du cinéma italien des années 50. On lui a reproché d'avoir trop tourné, mais si elle est apparue dans beaucoup de films médiocres, elle a joué dans une bonne dizaine d'excellents films où son talent a fait oublier son physique : elle a été une très grande comédienne sous la direction de Rossellini et de Scola. A partir de 1970, elle se consacre surtout au théâtre où elle connaît de plus grands triomphes qu'au cinéma.

Ralston, Vera

Actrice américaine d'origine tchèque, de son vrai nom Vera Helena Hruba, 1919 (ou 1921 ?)-2003.

1941, Ice-Capades (Santley) ; 1942, Ice-Capades Revue (Verhaus) ; 1944, The Lady and the Monster (Sherman), Lake Placid Serenade (Sekely), Storm over Lisbon (Sherman) ; 1945, Dakota (Dakota) (Kane) ; 1946, The Plainsman and the Lady (Kane), Murder in the Music Hall (English) ; 1947, The Flame (L'homme que j'ai choisi) (Auer), Angel on the Amazon (Tam-tam sur l'Amazone) (Auer), Wyoming (Kane) ; 1948, I, Jane Doe (La naufragée) (Auer) ; 1949, The Fighting Kentuckian (Le bagarreur du Kentucky (Waggner) ; 1950, Surrender (Dwan) ; 1951, Belle Le Grand (La belle du Montana) (Dwan), The Wild Blue Yonder (Tonnerre sur le Pacifique) (Dwan) ; 1952, Hoodlum Empire (Au royaume des crapules) (Kane) ; 1953, Fair Wind to Java (Kane), Perilous Journey (Springsteen) ; 1954, Jubilee Trail (La grande caravane) (Kane) ; 1955, Timberjack (La loi du plus fort) (Kane) ; 1956, Accused of Murder (Kane) ; 1957, Spoilers of the Forest (Kane), Gunfire at Indian Cap (Kane) ; 1958, The Notorious Mr. Monk (Kane), The Man Who Died Twice (Kane).

Princesse de la série B, cette patineuse tchèque épousa le producteur Herbert J. Yates et tourna une multitude de westerns signés Joseph Kane. Elle eut plusieurs fois John Wayne comme partenaire, notamment dans *Dakota*.

Rampling, Charlotte

Actrice anglaise née en 1945.

1964, The Knack (Le knack ou comment l'avoir) (Lester) ; 1965, Rotten to the Core (Boulting) ; 1966, Georgy Girl (Narizzano) ; 1967, The Long Duel (Les turbans rouges) (Annakin) ; 1968, What's in It For Harry ? (Istanbul, mission impossible) (Roger Corman, *sous le pseudonyme de* Henry Neill), Sequestro di persona (Mingozzi) ; 1969, Three (Salter), La caduta degli dei (Les damnés) (Visconti) ; 1971, Addio fratello crudele (Dommage qu'elle soit une putain) (Patroni Griffi) ; 1972, Asylum (Baker), Corky (Horn), Henry VIII (Les six femmes d'Henri VIII) (Hussein), The Sky Bum (Clark) ; 1973, Zardoz (Boorman), Giordano Bruno (Montaldo) ; 1974, Il portiere di notte (Portier de nuit) (Cavani), Caravan to Vaccares (Le passager) (G. Reeves), Yuppi du (Celentano) ; 1975, Farewell My Lovely (Adieu ma jolie) (Richards) ; 1976, La chair de l'orchidée (Chéreau) ; 1977, Fox Trot (Ripstein), Un taxi mauve (Boisset) ; 1978, Orca (Anderson) ; 1980, Stardust Memories (Stardust Memories) (W. Allen) ; 1982, Verdict (Lumet) ; 1984, Viva la vie (Lelouch) ; 1985, On ne meurt que deux fois (Deray), Tristesse et beauté (Fleury) ; 1986, Max mon amour (Oshima), Angel Heart (Parker) ; 1987, Mascara (Conrad) ; 1988, D.O.A. (Mort à l'arrivée) (Morton et Jankel), Rebus (Rébus) (Guglielmi), Paris by Night (Hare) ; 1989, Frames from the Edge (Maben) ; 1993, Hammers over the Anvil (Turner), Time is Money (Time is Money) (Barzman) ; 1995, Invasion of Privacy (Piège intime) (Hickox) ; 1996, Asphalt Tango (Caranfil), The Wings of the Dove (Les ailes de la colombe) (Softley) ; 1998, Varya (La cerisaie) (Cacoyannis) ; 1999, Signs & Wonders (Signs & Wonders) (Nossiter), Aberdeen (Moland) ; 2000, Sous le sable (Ozon) ; 2001, Superstition (Hope) ; 2002, Embrassez qui vous voudrez (Blanc) ; 2003, Swimming Pool (Ozon), The Statment (Crime contre l'humanité) (Jewison) ; 2004, Le chiavi di casa (Les clefs de la maison) (Amelio) ; 2005, Vers le sud (Cantet), Lemming (Moll), I'll Sleep When I'm Dead (Seule la mort peut m'arrêter) (Hodges), Searching for Debra Winger (R. Arquette) ; 2006, Désaccord parfait (De Caunes), Basic Instinct 2 (Basic Instinct 2) (Caton-Jones) ; 2007, Angel (Ozon).

Ancienne cover-girl, cette Anglaise aux yeux verts et à la beauté mystérieuse est vouée aux amours tumultueuses depuis *Portier de nuit*, où, ancienne déportée, elle retrouvait après la guerre son bourreau et se donnait à lui à la faveur d'une liaison sado-masochiste. Elle renoue avec les vénéneuses héroïnes du film noir dans *Farewell My Lovely* et *La chair de l'orchidée*, après avoir connu l'inceste dans *Dommage qu'elle soit une putain*, puis dans *On ne meurt que deux fois*. Elle aura même des rapports avec un singe (*Max mon amour*) ! On ne saurait dire que ces personnages soient de tout repos. Mais son talent l'impose comme une grande actrice.

Rascel, Renato

Acteur et réalisateur italien, de son vrai nom Ranucci, 1912-1991.

1942, Pazzo d'amore (Gentilomo) ; 1949, Botta e riposta (Je suis de la revue) (Soldati) ; 1950, Figaro qua, figaro là (Bragaglia) ; 1951, Amor non ho... pero, pero (Bianchi), Io sono il capataz (Simonelli) ; 1951, Bellezze in bicicletta (Campogalliani), L'eroe sono io (Bragaglia), Fiorenzo, il terzo uomo (Canzio), Marakatumba... ma non è une rumba (Trapani), Napoleone (Borghesio) ; 1952, Canzoni di mezzo secolo (Paolella), Il cappotto (Le manteau) (Lattuada) ; 1953, Il bandolero stanco (Cerchio), Attanzio cavallo vanesio (Mastrocinque), Ho scelto l'amore (Zampi), La passeggiata (La promenade) (Rascal), Il matrimonio (Petrucci), Piovuto dal cielo (Voleur malgré lui) (De Mitri) ; 1954, Alvaro piuttosto corsaro (Mastrocinque), Gran Varieta (Paolella), Io sono la primula rossa (Simonelli), Questi fantasmi (De Filippo) ; 1955, Rosso e nero (Paolella), Carosello di varieta (Bonaldi et Quinti) ; 1956, Montecarlo (Taylor), I pinguini ci guardano (Leoni) ; 1957, Rascel-fiffi (Leoni) ; 1958, The Seven Hills of Rome (Les sept collines de Rome) (Rowland), Come te movi te fulmino (Mattoli), Rascel marine (Leoni), Fernando I, re di Napoli (Franciolini) ; 1959, Policarpo, ufficiale di scrittura (Polycarpe, maître calligraphe) (Soldati), Tempi duri per i vampiri (Les temps sont durs pour les vampires) (Steno) ; 1960, Anonima cocottes (Petites femmes et haute finance) (Mastrocinque), Il corazziere (Mastrocinque), Un militare e mezzo (Steno), L'ours (Sechan) ; 1961, Gli attendenti (Bianchi), Il giudizio universale (Le jugement dernier) (De Sica), Mani in alto (En pleine bagarre) (Bianchi) ; 1969, The Secret of Santa Vittoria (Kramer) ; 1970, I trapianto (Steno). *Comme réalisateur :* 1953, La passeggiata.

Gili, dans son étude sur la comédie italienne, a mis l'accent sur la vérité humaine du comique de Rascel : le petit employé, qui rêve de s'acheter un manteau, réussit à l'acquérir, mais se le fait voler et en meurt (*Il cappotto*) ; l'infortuné Polycarpe (*Policarpo*), le rêveur de *La passeggiata*, très bien mis en scène par Rascel. C'est un monde de bureaucrates et d'employés de commerce, honnêtes et pauvres, doux et sans ambition, que ressuscite par petites touches ce comique trop méconnu chez nous.

Rathbone, Basil

Acteur d'origine britannique, 1892-1967.

1921, Innocent (Elvey), The Fruitful Vine (Elvey) ; 1923, The Loves of Mary, Queen of Scots (D. Clift), The School for Scandal (Greenwood) ; 1924, Trouping with Ellen (Hayes Hunter) ; 1925, The Masked Bride (Cabanne) ; 1926, The Great Deception (Higgin) ; 1929, The Last of Mrs. Cheyney (Franklin) ; 1930, The Bishop Murder Case (Grinde),

A Notorious Affair (Bacon), The Lady of Scandal (Franklin), This Mad World (DeMille), The Flirting Widow (Seiter), A Lady Surrenders (Stahl), Sin Takes a Holiday (Stein) ; 1932, A Woman Commands (Stein) ; 1933, One Precious Year (H. Edwards), After the Ball (Rosmer), Loyalties (Dean) ; 1935, Captain Blood (Curtiz), David Copperfield (Cukor), Anna Karenina (Brown), The Last Days of Pompei (Les derniers jours de Pompéi) (Schoedsack), A Feather in Her Hat (Santell), A Tale of Two Cities (Conway), Kind Lady (Seitz) ; 1936, The Garden of Allah (Le jardin d'Allah) (Boleslavsky), Romeo and Juliet (Cukor) ; 1937, Tovarich (Litvak), Make a Wish (Neumann), Love from a Stranger (Lee), Confession (May) ; 1938, The Adventures of Marco Polo (Mayo), The Adventures of Robin Hood (Robin des Bois) (Curtiz), If I Were King (Le roi des gueux) (Lloyd), Dawn Patrol (Goulding) ; 1940, Son of Frankenstein (Lee), The Hound of the Baskervilles (Le chien des Baskervilles) (Lanfield), The Sun Never Sets (Lee), The Adventures of Sherlock Holmes (Werker), Rio (Brahm), Tower of London (La tour de Londres) (Lee), The Mark of Zorro (Le signe de Zorro) (Mamoulian), Rhythm on the River (Schertzinger) ; 1941, The Black Cat (Rogell), The Mad Doctor (Whelan), International Lady (Whelan) ; 1942, Paris Calling (Marin), Crossroads (Conway), Fingers at the Window (Lederer), Sherlock Holmes and the Voice of Terror (La voix de la terreur) (Rawlins) ; 1943, Sherlock Holmes and the Secret Weapon (Sherlock Holmes et l'arme secrète) (Neill), Sherlock Holmes in Washington (Sherlock Holmes à Washington) (Neill), Sherlock Holmes Faces Death (Échec à la mort) (Neill), Above Suspicion (Thorpe) ; 1944, Frenchman's Creeck (L'aventure vient de la mer) (Leisen), Spider Woman (La femme aux araignées) (Neill), The Scarlet Claw (La griffe sanglante) (Neill), Bathing Beauty (Sidney), The Pearl of Death (La perle des Borgia) (Neill) ; 1945, House of Fear (La maison de la peur) (Neill), The Woman in Green (La femme en vert) (Neill) ; 1946, Pursuit to Algiers (Mission au soleil) (Neill), Terror by Night (Le train de la mort), Dressed to Kill (La clef) (Neill), Heartbeat (Wood) ; 1954, Casanova's Big Night (McLeod) ; 1955, We're No Angels (La cuisine des anges) (Curtiz) ; 1956, The Court Jester (Le bouffon du roi) (Frank et Panama), The Black Sleep (Le Borg) ; 1958, The Last Hurrah (La dernière fanfare) (Ford) ; 1962, Ponzio Pilato (Ponce Pilate) (Callegari), The Magic Sword (L'épée enchantée) (Gordon), Tales of Terror (Corman), Russian Roulette (documentaire) ; 1963, The Comedy of Terrors (Tourneur) ; 1966, Planet of Blood (Harrington), The Ghost in the Invisible Bikini (Weis) ; 1967, Voyage to a Prehistoric Planet (Sebastian), Autopsia de un fantasma (Rodriguez), Hillbillys in a Haunted House (Yarbrough).

Cet Anglais, né à Johannesburg et formé en Angleterre, fut d'abord un excellent acteur de théâtre, voué à Shakespeare. Grand, maigre, distingué, très intellectuel, il fut longtemps marqué par les rôles de traître qu'on lui attribua : excellent escrimeur, il se battit en duel avec tous les jeunes premiers des années 30, Gary Cooper (Marco Polo), Errol Flynn (Captain Blood) et Tyrone Power (Zorro). Mais c'est son incarnation de Sherlock Holmes qui devait le rendre célèbre. Il tint ce rôle quatorze fois. Sa silhouette finit par se confondre avec celle du héros de Conan Doyle. Sur la fin de sa vie, on le cantonna, à sa grande déception, dans les films d'épouvante de série B.

Rauzena, Fernand

Acteur français, 1900-1976.

1938, Prince Bouboule (Houssin) ; 1941, Opéra-musette (Lefèvre) ; 1945, La route du bagne (Mathot), Tant que je vivrai (Baroncelli) ; 1946, Copie conforme (Dréville) ; 1947, La Chartreuse de Parme (Christian-Jaque) ; 1948, L'école buissonnière (Le Chanois), D'homme à hommes (Christian-Jaque), Tous les chemins mènent à Rome (Boyer) ; 1949, Singoalla (Christian-Jaque) ; Manèges (Allégret) ; 1950, Ma pomme (Sauvajon) ; 1951, Barbe-Bleue (Christian-Jaque) ; 1952, Rue de l'Estrapade (Becker) ; 1955, Ces sacrées vacances (Vernay), La madone des sleepings (Diamant-Berger) ; 1956, Alerte au 2e bureau (Stelli) ; 1957, Nathalie (Christian-Jaque) ; 1958, Un homme se penche sur son passé (Rozier), Madame et son auto (Vernay) ; 1959, Bizenesse (Boutel).

Surtout connu comme le complice de Pierre Dac dans des émissions radiophoniques (il fut Lachnouf, le fidèle compagnon du détective Poileau Luc), il a composé, en troisième couteau, d'attachantes silhouettes comme Érasme dans *Singoalla.*

Ray, Aldo

Acteur américain, de son vrai nom Dake, 1926-1991.

1951, Saturday's Hero (D. Miller), My True Story (Rooney), The Marrying Kind (Je retourne chez maman) (Cukor) ; 1952, Pat and Mike (Mademoiselle Gagne-tout) (Cukor) ;

1953, Let's Do It Again (Remarions-nous) (Hall), Miss Sadie Thompson (La belle du Pacifique) (Bernhardt) ; 1955, We're No Angels (La cuisine des anges) (Curtiz), Three Stripes in the Sun (Murphy) ; 1956, Nightfall (Tourneur) ; 1957, Men in War (Cote 465) (A. Mann) ; 1958, God's Little Acre (Le petit arpent du Bon Dieu) (Mann), The Naked and the Dead (Les nus et les morts) (Walsh), The Siege of Pinchgut (H. Watt) ; 1960, The Day They Robbed the Bank of England (Le jour où l'on dévalisa la Banque d'Angleterre) (Guillermin), Johnny Nobody (Nigel Patrick) ; 1963, Nightmare in the Sun (Lawrence) ; 1965, Sylvia (Douglas) ; 1966, What Did You Do in the War, Daddy ? (Qu'as-tu fait à la guerre, papa ?) (Edwards) ; 1967, Riot on Sunset Strip (A. Dreifuss), Welcome to Hard Times (Kennedy), Dead Heat on a Merry Go-Round (Un truand) (Girard) ; 1968, The Power (La guerre des cerveaux) (Haskin), The Violent Ones (Lamas), The Green Berets (Les bérets verts) (Wayne) ; 1969, Commando suicida (Commando suicide) (Bazzoni) ; 1970, Angels Unchained (Madden) ; 1972, La course du lièvre à travers les champs (Clément) ; 1973, Tom (Clark) ; 1974, Dynamite Brothers (Adamson), Seven Alone (Bellamy), Centerfold Girls (Peyser) ; 1975, Stud Brown (Adamson), Inside Out (Duffell), The Man Who Would Not Die (Arkless), Won Ton Ton, the Dog Who Saved Hollywood (Winner), Psychic Killer (Danton) ; 1976, The Bad Bunch (Clark) ; 1977, Kino, the Padre on Horseback (Kennedy), Haunts (Freeds), Monstroid (Strock), Haunted (De Gaetano) ; 1978, Death Dimension (Dimension de la mort) (Adamson), Bog (Keeslar), Little Moon and Jud McGraw (Girard), Big Monster (Harford) ; 1979, Human Experiments (Goodell), The Glove (Hagen) ; 1982, The Executioner, part II (Bryan) ; 1983, Biohazard (Olen-Ray) ; 1984, Prison Ship (Olen-Ray) ; 1985, Flesh and Bullets (Tobalina), To Kill a Stranger (Lopez-Moctezuma), Evils of the Night (Rustam) ; 1987, Hollywood Cop (Shervan), The Sicilian (Le Sicilien) (Cimino) ; 1988, Star Slammer : the Escape (Olen-Ray) ; 1989, Swift Justice (Hope), Dark Sanity (Greene), Blood Red (Masterson) ; 1990, Terror Night (Lincoln), The Shooter (Yuval) ; 1991, Shock 'Em Dead (Freed).

Par quelle erreur débuta-t-il dans des comédies ? Cet ancien homme-grenouille de la guerre du Pacifique était fait pour les rôles de soldats. Il en fit la preuve avec deux films, deux chefs-d'œuvre, où il est inoubliable : *Men in War* et *The Naked and the Dead*. On le revit dans une autre guerre, celle d'Indochine, portant le béret vert. Le reste de sa filmographie est moins intéressant. On manque même totalement de renseignements sur ses derniers films.

Raye, Martha

Actrice américaine, de son vrai nom Margaret Reed, 1908-1994.

1936, Rhythm on the Range (Taurog), College Holiday (Tuttle), The Big Broadcast of 1937 (Leisen) ; 1937, Mountain Music (Florey), Hideaway Girl (Archainbaud), Artists and Models (Artistes et modèles) (Walsh), Waikiki Wedding (Tuttle), Double or Nothing (Theodore Reed) ; 1938, College Swing (Walsh), The Big Broadcast of 1938 (Leisen), Tropic Holiday (Th. Reed), Give Me a Sailor (Nugent) ; 1939, Never Say Die (Nugent), 1 000 dollars a Touchdown (Hogan) ; 1940, The Boys from Syracuse (Sutherland), The Farmer's Daughter (Hogan) ; 1941, Navy Blues (Bacon), Hellzapoppin (Hellzapoppin) (Potter), Keep 'Em Flying (Deux nigauds aviateurs) (Lubin) ; 1944, Pin-up Girl (Tu seras mon mari) (Humberstone), Four Jills in a Jeep (Seiter) ; 1947, Monsieur Verdoux (Monsieur Verdoux)(Chaplin) ; 1962, Billy Rose's Jumbo (La plus belle fille du monde) (Walters) ; 1969, The Phynx (Katzin) ; 1970, Pufnstuf (Morse) ; 1979, The Concorde-Airport '79 (Airport 80) (Rich).

Le mot « pétulante » semble avoir été inventé pour elle. D'une énergie à revendre, elle anima les comédies musicales de la fin des années 30 avant de venir se promener dans le loufoque *Hellzapoppin* et de finir assassinée (mais au prix de quelles difficultés !) par M. Verdoux-Chaplin.

Raynaud, Fernand

Acteur français, 1926-1973.

1955, La bande à papa (Lefranc) ; 1956, Fernand cow-boy (Lefranc), Assassins et voleurs (Guitry) ; 1957, Fernand clochard (Chevalier) ; 1958, Le Sicilien (Chevalier), Houla Houla (Darène) ; 1959, La marraine de Charley (Chevalier) ; 1960, Le mouton (Chevalier) ; 1961, Auguste (Chevalier) ; 1962, Nous irons à Deauville (Rigaud), C'est pas moi, c'est l'autre (Boyer) ; 1968, Salut Berthe (Lefranc) ; 1969, L'Auvergnat et l'autobus (Lefranc).

Célèbre pour ses monologues comiques (« Chez le tailleur », « le 22 à Asnières »...), il n'a pas eu de chance au cinéma où il joua les ahuris qui finissent par triompher malgré leur maladresse. Employé de banque, dans *La bande à papa*, il se découvre le fils d'un gangster fameux avec les conséquences que l'on devine. La suite ne dépasse pas ce niveau pourtant bien bas.

Rea, Stephen

Acteur irlandais né en 1949.

1978, On a Paving Stone Mountain (O'Sullivan) ; 1983, Danny Boy (Angel) (Jordan), Loose Connections (Eyre) ; 1984, The Company of Wolves (La compagnie des loups) (Jordan), Four Days in July (Leigh) ; 1985, The Doctor and the Devils (Le docteur et les assassins) (Francis) ; 1990, Life Is Sweet (Life Is Sweet) (Leigh) ; 1992, The Crying Game (The Crying Game) (Jordan) ; 1993, Bad Behavior (Blair) ; 1994, Angie (Angie) (Coolidge), Princess Caraboo (Austin), Ready to Wear (Prêt-à-porter) (Altman), Interview With the Vampire (Entretien avec un vampire) (Jordan), All Men Are Mortal (De Jong) ; 1995, Between the Devil and the Deep Blue Sea (Li) (Hänsel), Michael Collins (Michael Collins) (Jordan), Lumière et compagnie ; 1996, Last of the High Kings (Keating), Trojan Eddie (McKinnan), A Further Gesture (Escape) (Dornhelm), Fever Pitch (Carton jaune !) (Evans) ; 1997, This Is My Father (P. Quinn), Hacks (Rosen), Double Tap (Yaitanes), The Butcher Boy (Butcher Boy) (Jordan), In Dreams (Prémonition) (Jordan) ; 1998, Guinevere (Guinevere) (Wells), Still Crazy (Still Crazy) (Gibson), I Could Read the Sky (I Could Read the Sky) (Bruce) ; 1999, The End of the Affair (La fin d'une liaison) (Jordan) ; 2001, D'Artagnan (Hyams) ; 2003, Evelyn (Evelyn) (Beresford).

C'est l'acteur fétiche du réalisateur anglais Neil Jordan dont le visage fait immanquablement penser à celui de Droopy. Son rôle le plus marquant reste celui du terroriste de l'IRA qui part à la recherche de la petite amie de sa victime, dans *The Crying Game*. Depuis, sa carrière semble se tourner ostensiblement vers le continent américain.

Reagan, Ronald

Acteur américain, 1911-2004.

1937, Love Is on the Air (Grinde), Submarine D I (Bacon), Hollywood Hotel (Berkeley), Swing Your Lady (Enright) ; 1938, The Cow-Boy from Brooklyn (Bacon), Brother Rat (Keighley), Accidents Will Happen (Clemens), Boy Meets Girl (Bacon), Girls on Probation (McGann), Sergeant Murphy (Eason) ; 1939, Going Places (Enright), Dark Victory (Victoire sur la nuit) (Goulding), Hell's Kitchen (Seiler), Code of the Secret Service (N. Smith), Angels Wash Their Faces (Enright), Naughty But Nice (Enright), Smashing the Money Ring (T. Morse), Secret Service of the Air (Bacon) ; 1940, Knute Rockne, All American (Bacon), Santa Fe Trail (La piste de Santa Fé) (Curtiz), Murder in the Air (Seiler), Tugboat Annie Sails Again (Seiler), An Angel from Texas (Enright), Brother Rat and a Baby (Enright) ; 1941, Nine Lives Are Not Enough (Sutherland), International Squadron (Mendes), Million Dollar Baby (Bernhardt) ; 1942, Kings Row (Crimes sans châtiment) (Wood), Juke Girl (Bernhardt), Desperate Journey (Sabotage à Berlin) (Walsh) ; 1943, This Is the Army (Curtiz) ; 1947, That Hagen Girl (Godfrey), The Voice of the Turtle (Aventures à deux) (Rapper), Stallion Road (Kern), Night into Night (Siegel) ; 1949, John Loves Mary (Butler), The Girl from Jones Beach (Godfrey), It's a Great Feeling (Les travailleurs du chapeau) (Butler), The Hasty Heart (V. Sherman) ; 1950, Louisa (Hall), Storm Warning (Heisler) ; 1951, The Last Outpost (Le dernier bastion) (L. Foster), Hong-Kong (Foster), Bedtime for Bonzo (Cordova) ; 1952, The Winning Team (Seiler), She's Working Her Way Through College (La collégienne en folie) (Humberstone) ; 1953, Tropic Zone (L. Foster), Law and Order (Quand la poudre parle) (Juran) ; 1954, Prisoner of War (Marton), Cattle Queen of Montana (La reine de la Prairie) (Dwan) ; 1955, Tennessee's Partner (Le mariage est pour demain) (Dwan) ; 1957, Hellcats of the Navy (Juran) ; 1961, The Young Doctors (Les blouses blanches) (Karlson) ; 1963, Truth About Communism (voix seulement) ; 1964, The Killers (A bout portant) (Siegel).

L'histoire considère qu'il fut un grand président des États-Unis ; pour l'acteur, force est d'avouer qu'il se limita longtemps aux fonctions de modeste faire-valoir à la Warner, mauvais cavalier et comédien au jeu limité. En vieillissant, il s'améliora et ses prestations chez Lewis Foster, Dwan ou dans *A bout portant*, son dernier film, sont nettement plus convaincantes que celles de ses débuts. Son élection au poste de gouverneur de Californie de 1966 à 1974 interrompit sa carrière cinématographique. Il fut élu président des États-Unis en 1980 puis réélu en 1984. Marié d'abord à Jane Wyman, il épousa en 1952 Nancy Davis.

Redford, Robert

Acteur et réalisateur américain né en 1937.

1961, War Hunt (Le mal de tuer) (Sanders) ; 1965, Inside Daisy Clover (Daisy Clover) (Mulligan), Situation Hopeless But Not

Serious (Situation désespérée mais pas sérieuse) (Reinhardt) ; 1966, The Chase (La poursuite impitoyable) (Penn), This Property Is Condemned (Propriété interdite) (Pollack) ; 1967, Barefoot in the Park (Pieds nus dans le parc) (Saks) ; 1969, Butch Cassidy and the Sundance Kid (Butch Cassidy et le Kid) (Roy Hill), The Downhill Racer (La descente infernale) (Ritchie), Tell Them Willie Boy Is Here (Willie Boy) (Polonsky) ; 1970, Little Fauss and Big Halsy (L'ultime randonnée) (Furie) ; 1972, The Hot Rock (Les quatre malfrats) (Yates), The Candidate (Votez McKay) (Ritchie), Jeremiah Johnson (Pollack) ; 1973, The Way We Were (Nos plus belles années) (Pollack), The Sting (L'arnaque) (Roy Hill) ; 1974, The Great Gatsby (Gatsby le magnifique) (Clayton) ; 1975, The Great Waldo Pepper (La kermesse des aigles) (Roy Hill), Three Days of the Condor (Les trois jours du Condor) (Pollack) ; 1976, All the President's Men (Les hommes du Président) (Pakula) ; 1977, A Bridge Too Far (Un pont trop loin) (Attenborough) ; 1979, The Electric Horseman (Le cavalier électrique) (Pollack) ; 1980, Brubaker (Brubaker) (Rosenberg) ; 1984, The Natural (Le meilleur) (Levinson) ; 1986, Out of Africa (Souvenirs d'Afrique) (Pollack), Legal Eagles (L'affaire Chelsea Deardon) (Reitman) ; 1991, Havana (Havana) (Pollack) ; 1992, Sneakers (Les experts) (Robinson), Indecent Proposal (Proposition indécente) (Lyne) ; 1995, Up Close and Personal (Personnel et confidentiel) (Avnet) ; 1997, The Horse Whisperer (L'homme qui murmurait à l'oreille des chevaux) (Redford) ; 2001, Spy Game (Spy Game, jeu d'espions) (T. Scott), The Last Castle (Le dernier château) (Lurie) ; 2004, The Clearing (L'enlèvement) (Brugge) ; 2005, An Unfinished Life (Une vie inachevée) (Hallström) ; 2007, Lions for Lambs (Lions for Lambs) (Redford). *Pour le metteur en scène*, voir le *Dictionnaire du cinéma*, t. I : *Les réalisateurs.*

Comme le rappelle justement Marion Vidal, Robert Redford se situe dans la lignée des Gary Cooper, Cary Grant ou Gregory Peck qui offrent une image idéale de l'Américain. Études de peinture à l'université du Colorado, séjour en Europe (Paris et Florence), American Academy of Dramatic Arts, Broadway (notamment pour *Barefoot in the Park)*, séries télévisées, puis acteur (brillant dans le western, émouvant dans le drame fitzgeraldien, très à l'aise dans le thriller : *Jeremiah Johnson, The Great Gatsby* et *Three Days of the Condor* sont autant de sommets dans sa carrière), producteur (*The Candidate, Three Days of the Condor...*) et metteur en scène. *Out of Africa*, où il est le beau chasseur et le type parfait de l'aventurier, relance sa carrière. Il retrouve les aventuriers avec *Havana* et les milliardaires désinvoltes dans *Indecent Proposal.* Il est l'organisateur du festival de films indépendants de Sundance.

Redgrave, Michael

Acteur anglais, 1908-1985.

1938, The Lady Vanishes (Une femme disparaît) (Hitchcock), Climbing High (Reed) ; 1939, Stolen Life (La vie d'une autre) (Czinner), A Window in London (Meurtre à l'aube) (Mason), The Stars Look Down (Sous le regard des étoiles) (Reed) ; 1941, Kipps (Reed), Atlantic Ferry (Forde), Jeannie (French), The Big Blockade (Frend) ; 1942, Thunder Rock (Boulting), Desperate Journey (Sabotage à Berlin) (Walsh) ; 1945, The Way to the Stars (Le chemin des étoiles) (Asquith), Dead of Night (Au cœur de la nuit) (sketch de Cavalcanti) ; 1946, Captive Heart (J'étais un prisonnier) (Dearden), The Years Between (Bennett), The Man Within (Les pirates de la Manche) (Knowles) ; 1947, Fame Is the Spur (Boulting), Mourning Becomes Electra (Le deuil sied à Electre) (Nichols), Secret Beyond the Door (Le secret derrière la porte) (Lang) ; 1950, The Browning Version (L'ombre d'un homme) (Asquith) ; 1951, The Magic Box (La boîte magique) (Boulting), The Importance of Being Erneast (Il importe d'être constant) (Asquith) ; 1954, The Green Scarf (More O'-Ferrall), The Sea Shall Not Have Them (Gilbert) ; 1955, The Night My Number Came Up (La nuit où mon destin s'est joué) (Norman), The Dam Busters (Les briseurs de barrages) (Anderson), Confidential Report (Dossier secret) (Welles), Oh Rosalinda (Powell) ; 1956, 1984 (Anderson), The Happy Road (La route joyeuse) (Kelly) ; 1957, The Quiet American (Un Américain bien tranquille) (Mankiewicz), Time Without Pity (Temps sans pitié) (Losey) ; 1958, Law and Disorder (L'habit fait le moine) (Crichton), Behind the Mask (Desmond Hurst) ; 1959, Shake Hands with The Devil (L'épopée dans l'ombre) (Anderson), The Wreck of the Mary Deare (Cargaison dangereuse) (Anderson) ; 1960, No My Darling Daughter (Thomas) ; 1961, The Innocents (Les innocents) (Clayton) ; 1962, The Loneliness of the Long Distance Runner (La solitude du coureur de fond) (Richardson) ; 1965, The Young Cassidy (Le jeune Cassidy) (Cardiff), The Hill (La colline des hommes perdus) (Lumet), The Heroes of Telemark (Les héros de Télémark) (Mann) ; 1967, La 25e heure (Verneuil), Assignment K (Services spéciaux division K) (Guest) ; 1968, Good Bye Mr. Chips (Ross) ; 1969, Oh What a Lovely War ! (Dieu que la guerre est jolie) (Attenborough), The Battle of Britain (La bataille d'Angleterre) (Hamilton), David Copperfield (D. Mann) ; 1970, Goodbye Gemini (Gibson) ; 1971, The Go-Between (Le messager) (Losey), Connecting Rooms (Gollings), Nicholas and Alexandra (Schaffner).

Études à Cambridge et entrée dans l'enseignement. Mais au bout de trois ans, il s'oriente vers le théâtre. En 1938, c'est le cinéma : Hitchcock, Reed, Asquith, Losey, Powell, Richardson le dirigent. On se souvient encore de sa création du ventriloque dans *Dead of Night* et celle du professeur incompris dans *The Browning Version*. Il a su constamment se renouveler à travers ses nombreux films. En récompense de sa prestigieuse carrière, il a été anobli.

Redgrave, Vanessa

Actrice anglaise née en 1937.

1958, Behind the Mask (Hurst) ; 1959, Morgan A Suitable Case for Treatment (Morgan) (Reisz) ; 1966, A Man for All Seasons (Un homme pour l'éternité) (Zinnemann), The Sailor from Gibraltar (Le marin de Gibraltar) (Richardson) ; 1967, Blow-Up (Blow-Up) (Antonioni), Camelot (Camelot ou le chevalier de la reine) (Logan), Red and Blue (Richardson) ; 1968, The Charge of the Light Brigade (La charge de la brigade légère) (Richardson), Isadora (Reisz), Tonight Let's All Make Love in London (Whitehead), Un tranquillo posto di campagna (Un coin tranquille à la campagne) (Petri), The Seagull (La mouette) (Lumet) ; 1969, Oh What a Lovely War ! (Dieu que la guerre est jolie) (Attenborough), The Trojan Women (Les Troyennes) (Cacoyannis) ; 1970, Drop Out (Brass) ; 1971, The Devils (Les diables) (Russel), Mary Queen of Scots (Marie Stuart, reine d'Écosse) (Jarrott) ; 1972, La vacanza (Brass) ; 1974, Murder on the Orient Express (Le crime de l'Orient-Express) (Lumet) ; 1975, Out of Season (Bridges) ; 1976, The Seven Per Cent Solution (Sherlock Holmes attaque l'Orient Express) (Ross) ; 1977, Julia (Julia) (Zinnemann) ; 1978, Yanks (Yanks) (Schlesinger), Agatha (Agatha) (Apted) ; 1979, Bear Island (Le secret de la banquise) (Sharp) ; 1983, Wagner (Palmer) ; 1984, The Bostonians (Les Bostoniennes) (Ivory), Steamin' (Steamin') (Losey) ; 1985, Whetherby (Hare) ; 1987, Prick Up Your Ears (Prick Up) (Frears) ; 1988, Consuming Passions (Foster) ; 1991, Ballad of the Sad Café (Ballad of the Sad Café) (Callow), Howards End (Retour à Howards End) (Ivory) ; 1993, The House of the Spirits (La maison aux esprits) (August), Un muro de silencio (Stantic), Crime and Punishment (Golan) ; 1994, Storia di una capinera (Mémoire d'un sourire) (Zeffirelli), Great Moments in Aviation (Kidron), Down Came a Blackbird (Sanger), Little Odessa (Little Odessa) (Gray), Mother's Boy (Simoneau) ; 1995, A Month by the Lake (Irvin), Looking for Richard (Looking for Richard) (Pacino) ; 1996, Smilla's Sense of Snow (Smilla) (August), Wilde (Oscar Wilde) (Gilbert), Mrs. Dalloway (Gorris) ; 1997, Deja Vu (Jaglom), Deep Impact (Deep Impact) (Leder) ; 1998, Lulu on the Bridge (Lulu on the Bridge) (Auster), Cradle Will Rock (Broadway 39e Rue) (Robbins), Uninvited (C. G. Nero) ; 1999, Girl, Interrupted (Une vie volée) (Mangold), A Rumor of Angels (O'Fallon), Mirka (Benhadj) ; 2000, The Pledge (The Pledge) (Penn) ; 2003, Merci... Dr Rey ! (Litvack) ; 2005, Searching for Debra Winger (R. Arquette) ; 2007, Atonement (Wright).

Fille de l'acteur Michael Redgrave et de l'actrice Rachel Kempson, elle étudia l'art dramatique à la Central School of Speech and Drama de Kensington puis joua Shakespeare, Shaw, Brecht et Tchekhov. A l'écran, elle fut révélée par Morgan. Elle fut une curieuse Marie Stuart chez Jarrott et une inattendue Agatha Christie (meurtrière) pour Apted.

Reed, Donna

Actrice américaine, de son vrai nom Mullenger, 1921-1986.

1941, The Get-Away (Buzzell), Shadow of the Thin Man (L'ombre de l'Introuvable) (Van Dyke), Bugle Sounds (Simon) ; 1942, The Courtship of Andy Hardy (André Hardy fait sa cour) (Seitz) ; 1943, The Human Comedy (Brown), The Man from Down Under (Leonard), Thousands Cheer (Sidney), Dr. Gillespie's Criminal Case (Goldbeck) ; 1944, Gentle Annie (Marton), See Here, Private Hargrove (Ruggles) ; 1945, The Picture of Dorian Gray (Le portrait de Dorian Gray) (Lewin), They Were Expendable (Les sacrifiés) (Ford) ; 1946, It's a Wonderful Life (La vie est belle) (Capra), Faithfull is My Fashion (Salkow), Green Dolphin Street (Le pays du Dauphin vert) (Saville) ; 1948, Beyond Glory (Retour sans espoir) (Farrow) ; 1949, Chicago Deadline (Enquête à Chicago) (Allen) ; 1951, Saturday's Hero (Miller) ; 1952, Scandal Sheet (L'inexorable enquête) (Karlson), Hangman's Knot (Le relais de l'or maudit) (Huggins) ; 1953, From Here to Eternity (Tant qu'il y aura des hommes) (Zinnemann), Raiders of the Seven Seas (Le pirate des sept mers) (Salkow), The Caddy (Amour, délices et golf) (Taurog), Gun Fury (Bataille sans merci) (Walsh) ; 1954, The Last Time I Saw Paris (La dernière fois que j'ai vu Paris)

(Brooks), Three Hours to Kill (Trois heures pour tuer) (Werker), They Rode West (Karlson) ; 1955, The Far Horizons (Horizons lointains) (Maté) ; 1956, The Benny Goodman Story (Davies), Ransom (La rançon) (Segal), Blacklash (Coup de fouet en retour) (Sturges) ; 1957, Beyond Mombasa (Au sud de Mombasa) (Marshall) ; 1958, The Whole Truth (Le crime était signé) (Guillermin).

Westerns, thrillers, comédies : elle a joué dans tous les genres. Connue pour son oscar du meilleur second rôle dans *Tant qu'il y aura des hommes*, elle abandonne le cinéma pour la télévision en 1958 : son « Donna Reed Show » connaît un énorme succès.

Reed, Oliver

Acteur anglais, 1938-1999.

1958, Hello London (Smith) ; 1959, The League of Gentlemen (Hold-up à Londres) (Dearden) ; 1960, The Rebel (Day), Beat Girl (Greville), The Angry Silence (Le silence de la colère) (Green), Sword of Sherwood Forest (Le serment de Robin des Bois) (Fisher), The Two Faces of Doctor Jekyll (Les deux visages du docteur Jekyll) (Fisher), The Bulldog Breed (Asher), No Love for Johnnie (Pas d'amour pour Johnnie) (Thomas) ; 1961, His and Hers (Hurst), The Curse of the Werewolf (La nuit du loup-garou) (Fisher), The Pirates of Blood River (L'attaque de San Cristobal) (Gilling), The Damned (Les damnés) (Losey) ; 1962, Captain Clegg (Le fascinant capitaine Clegg) (Scott), The Party's Over (Hamilton) ; 1963, Paranoiac (Paranoïaque) (Francis), The Scarlet Blade (L'épée écarlate) (Gilling) ; 1964, The System (Winner) ; 1965, Brigand of Kandahar (Gilling) ; 1966, The Trap (L'aventure sauvage) (Hayers), The Jockers (Scotland Yard au parfum) (Winner) ; 1965, The Shuttered Room (La malédiction des Whateley) (Greene), I'll Never Forget What's His Name (Qu'arrivera-t-il après ?) (Winner) ; 1968, Oliver (Reed), The Assassination Bureau (Assassinats en tous genres) (Dearden), Hannibal Brooks (L'extraordinaire évasion) (Winner) ; 1969, Women In Love (Love) (Russell), The Lady In the Car with Glasses and a Gun (La dame dans l'auto avec des lunettes et un fusil) (Litvak) ; 1970, Take a Girl Like You (Miller), The Hunting Party (Les charognards) (Medford) ; 1971, The Devils (Les diables) (Russell), Zero Population Growth (Population Zero) (Campus) ; 1972, The Screaming Target (La cible hurlante) (Hickox), The Triple Echo (Apted), Mordi e fuggi (Rapt à l'italienne) (Risi) ; 1973, Il giorno del furore (Avril rouge) (Calenda), Revolver (La poursuite implacable) (Sollima), The Three Musketeers/The Four Musketeers (Les trois mousquetaires / On l'appelait Milady) (Lester), Blue Blood (Sinclair) ; 1974, Mahler (Mahler) (Russell), And Then There Were None (Dix petits nègres) (Collinson) ; 1975, Tommy (Tommy) (Russell), Royal Flash (Lester), The Sell-Out (Le sursis) (Collinson), Listztomania (Lisztomania) (Russell), Ransom (Un million de dollars par meurtre) (Compton) ; 1976, Big Sam The Great Scout and Cathouse Thursday (Un cow-boy en colère) (Taylor), Burnt Offerings (Curtis) ; 1977, The Prince and the Pauper (Le prince et le pauvre) (Fleischer), The Big Sleep (Le grand sommeil) (Winner), The Class of Miss Mac Michael (La classe de miss Mac Michael) (Narizzano), Tomorrow Never Comes (Collinson) ; 1979, The Brood (Chromosome 3) (Cronenberg), Le lion du désert (Akkad), A Touch of the Sun (Curran) ; 1980, Dr. Heckyl and Mr. Hype (Griffith) ; 1981, Venom (Venin) (Haggard), Condorman (Condorman) (Jarrott) ; 1982, The Sting II (Kagan), Fanny Hill (O'Hara), Spasms (Fruet) ; 1983, Two of a Kind (Seconde chance) (Herzfeld), Clash of Loyalties (Shoukri Jamil) ; 1985, Captive (Meyersberg) ; 1986, The Misfit Brigade (Hessler), Castaway (Roeg) ; 1987, Gor (Kiersch), Dragonard (Kikoine) ; 1988, Captive Rage (Sundstrom), The Return of the Musketeers (Le retour des mousquetaires) (Lester), Skeleton Coast (Cardos) ; 1989, The House of Usher (Birkinshaw), Rage to Kill (Winters), The Adventures of Baron Munchausen (Les aventures du baron de Münchhausen) (Gilliam), Hold my Hand, I'm Dying (Ryan) ; 1990, Panama Sugar (Avallone), The Revenger (Sundstrom), Hired to Kill (Mastorakis et Rader), The Pit and the Pendulum (Gordon) ; 1992, Severed Ties (Santostefano) ; 1994, Funny Bones (Funny Bones) (Chelsom) ; 1997, Marco Polo (Erschbamer), Parting Shots (Winner) ; 1999, Gladiator (Gladiator) (Scott).

Neveu de Carol Reed, il fit tous les métiers avant de s'orienter vers le cinéma. Il devient l'une des principales vedettes de la production britannique, après avoir tenu des petits rôles dans des films d'épouvante. Il fut remarquable en Urbain Grandier dans *The Devils*, convaincant en Athos dans *The Three Musketeers*, inattendu en Bismarck dans *Royal Flash*.

Reeve, Christopher

Acteur américain, 1952-2004.

1978, Gray Lady Down (Greene), Superman (Donner) ; 1979, Somewhere in Time

(Quelque part dans le temps) (Szwarc) ; 1980, Superman II (Lester) ; 1982, Monsignore (Perry), Deathtrap (Piège mortel) (Lumet) ; 1983, Superman III (Lester) ; 1984, The Bostonians (Les Bostoniennes) (Ivory) ; 1985, The Aviator (Miller) ; 1987, Street Smart (La rue) (Schatzberg) ; Superman IV (Furie), Switching Channels (Scoop) (Kotcheff) ; 1992, Noises Off (Bogdanovich) ; 1993, The Sea Wolf (Anderson), The Remains of the Day (Les vestiges du jour) (Ivory) ; 1994, Speechless (Underwood), The Rhinehart Theory (Schachter), Village of the Dammed (Le village des damnés) (Carpenter).

Ce superbe garçon, après des études à la Princeton Day School, fut choisi pour être Superman. Le succès entraîna trois suites. Reeve risquait d'être marqué à jamais par ce personnage. Non seulement il sut, à l'intérieur même des films, prendre ses distances en introduisant un humour supplémentaire, mais il se révéla un prodigieux comédien en Monsignore gérant les fonds de l'Église en liaison avec la Mafia, et avouons qu'il fut éblouissant en complice et amant de Michael Caine dans le trop méconnu *Deathtrap* de Lumet. Sa carrière cinématographique s'est terminée à la suite d'une chute de cheval qui l'a laissé paralysé.

Reeves, Keanu

Acteur canadien né en 1964.

1986, Flying (P. Lynch), Youngblood (Youngblood) (Markle) ; 1987, River's Edge (Hunter), Brotherhood of Justice (Brotherhood, la loi du campus) (Braverman) ; 1988, The Prince of Pennsylvania (Le prince de Pennsylvanie) (Nuyswaner), The Night Before (Eberhardt), Permanent Record (M. Silver), Dangerous Liaisons (Les liaisons dangereuses) (Frears) ; 1989, Bill and Ted's Excellent Adventure (Herek), Parenthood (Portrait craché d'une famille modèle) (Howard) ; 1990, Tune In Tomorrow / Aunt Julia and the Scriptwriter (Tante Julia et le scribouillard) (Amiel), I Love You to Death (Je t'aime à te tuer) (Kasdan) ; 1991, Bill and Ted's Bogus Journey (Hewitt), Point Break (Point break — Extrême limite) (Bigelow), My Own Private Idaho (My Own Private Idaho) (Van Sant) ; 1992, Bram Stoker's Dracula (Dracula) (Coppola) ; 1993, Much Ado About Nothing (Beaucoup de bruit pour rien) (Branagh), Even Cow-Girls Get the Blues (Even Cow-Girls Get the Blues) (Van Sant), Little Buddha (Little Buddha) (Bertolucci) ; 1994, Speed (Speed) (De Bont) ; 1995, Johnny Mnemonic (Johnny Mnemonic) (Longo), A Walk in the Clouds (Les vendanges de feu) (Arau), Feeling Minnesota (Feeling Minnesota) (Baigelman) ; 1996, Chain Reaction (Poursuite) (Davis), The Last Time I Committed Suicide (Kay) ; 1997, Devil's Advocate (L'associé du diable) (Hackford) ; 1998, The Matrix (Matrix) (Wachowski) ; 1999, The Replacements (Deutch) ; 2000, The Gift (Intuitions) (Raimi), The Watcher (The Watcher) (Charbanic), Sweet November (O'Connor) ; 2001, Hard Ball (B. Robbins) ; 2003, The Matrix Reloaded (Matrix Reloaded) (Wachowski), The Matrix Revolutions (Matrix Revolutions) (Wachowski), Something's Gotta Give (Tout peut arriver) (Meyers) ; 2005, Constantine (Constantine) (Lawrence) ; 2006, The Lake House (Entre deux rives) (Agresti), Thumbsucker (Age difficile obscur) (Mills).

Élevé en Allemagne, il joue d'abord un adolescent rebelle dans une série de films assez violents. Brun, svelte et élégant, à la fois physique et cérébral, il devient vite la coqueluche de toute une génération d'adolescents grâce à des films à succès (des *Liaisons dangereuses* à *Speed*). Il tourne aussi dans des films d'auteur sans concession : *My Own Private Idaho*, et surtout *Little Buddha*, où il n'est rien moins que Siddharta lui-même. Après un passage à vide, il retrouve les faveurs du public avec les très spectaculaires *Matrix*.

Reeves, Steve

Acteur américain, 1926-2000.

1954, Athena (Thorpe), Jail Bait (Wood) ; 1957, Le fatiche di Ercole (Les travaux d'Hercule) (Francisci) ; 1959, Ercole e la regina di Lidia (Hercule et la reine de Lydie) (Francisci) ; 1959, Il terrore dei barbari (La terreur des barbares) (Campogalliani), Il Diavolo bianco (La charge des Cosaques) (Freda), La battaglia di Maratona (La bataille de Marathon) (Tourneur), Gli ultimi giorni di Pompei (Les derniers jours de Pompei) (Bonnard) ; 1960, Morgan il pirata (Capitaine Morgan) (De Toth), Il ladro di Bagdad (Le voleur de Bagdad) (Lubin) ; 1961, Romolo e Remo (S. Corbucci), La Guerra di Troia (Ferroni) ; 1962, Il figlio di Spartacus (Le fils de Spartacus) (S. Corbucci), La leggenda di Enea (Rivalta) ; 1963, Sandokan (Sandokan) (Lenzi) ; 1964, I pirati della Malesia (Les pirates de Malaisie) (Lenzi) ; 1968, Vivo per la tua morte (L'évadé de Yuma) (Bazzoni).

Couronné Monsieur Muscle et Monsieur Univers, ce superbe athlète aux pectoraux impressionnants régna sur le péplum à la fin des années 50 et au début des années 60. Il fut Hercule et Sandokan avec une conviction qui n'excluait pas une pointe (modeste) d'humour.

Régent, Benoît

Acteur français, 1953-1994.

1979, La femme intégrale (Guilmain) ; 1982, L'indiscrétion (Lary), Un dimanche de flic (Vianey) ; 1983, La diagonale du fou (Dembo), La java des ombres (Goupil) ; 1984, Stella (Heynemann), Rouge-gorge (Zucca), Train d'enfer (Hanin) ; 1985, L'été prochain (N. Trintignant), Accord parfait (Floquet), Mon ami Washington (Soto), Bleu comme l'enfer (Boisset), Subway (Besson), Spécial police (Vianey) ; 1986, L'île aux oiseaux (Larcher), Noir et blanc (Devers), Un homme et une femme : vingt ans déjà (Lelouch), Autour de minuit (Tavernier), Une flamme dans mon cœur (Tanner) ; 1987, La maison de Jeanne (Clément), A soldier's Tale (Parr), Savannah (Pico) ; 1988, La bande des quatre (Rivette) ; 1989, Bunker Palace Hotel (Bilal), Docteur M. (Chabrol) ; 1990, Jean Galmot, aventurier (Maline) ; 1991, J'entends plus la guitare (Garrel) ; 1992, Grand bonheur (Le Roux), Bleu (Kieslowski) ; 1993, Du fond du cœur (Doillon), Rouge (Kieslowski) ; 1994, ... à la campagne (Poirier), En mai, fais ce qu'il te plaît (Grange), Noir comme le souvenir (Mocky).

Cet acteur attachant, profond et énigmatique vient du théâtre : après la rue Blanche et le Conservatoire, il jouera Shakespeare ou Genet avec la même grâce un peu écorchée. Au cinéma, il est d'abord voué aux rôles de personnages étranges et décalés, avant d'être enfin remarqué dans *La bande des quatre* de Rivette. Il acquiert ensuite une popularité grandissante qui trouve son point culminant dans ... *à la campagne*. Mais la mort l'a déjà emporté quand le film sort.

Reggiani, Serge

Acteur et chanteur français d'origine italienne, 1922-2004.

1939, Nuit de décembre (Bernhardt) ; 1942, Le voyageur de la Toussaint (Daquin) ; 1943, Le carrefour des enfants perdus (Joannon) ; 1945, François Villon (Zwobada), Étoile sans lumière (Blistène) ; 1946, Coïncidences (Debecque), Les portes de la nuit (Carné) ; 1947, Le dessous des cartes (Cayatte) ; 1948, Les amants de Vérone (Cayatte), Manon (Clouzot), Le mystère de la chambre jaune (Aisner) ; 1949, Retour à la vie (épisode de Dréville), Le parfum de la dame en noir (Daquin), Au royaume des cieux (Duvivier) ; 1950, Les anciens de Saint-Loup (Lampin), Une fille à croquer, La ronde (Ophuls), Camicie rosse (Les chemises rouges) (Alessandrini) ; 1952, The Secret People (Dickinson), Casque d'or (Becker), Bufere (Fille dangereuse) (Brignone), Il mondo le condanna (Les anges déchus) (Franciolini) ; 1953, La bergère et le ramoneur, dessin animé de P. Grimault (voix du ramoneur) ; 1954, Act of Love (Un acte d'amour) (Litvak), Napoléon (Guitry) ; 1955, Les salauds vont en enfer (Hossein) ; 1956, La donna del giorno (Maselli), Elisa (Richebé) ; 1957, Un ettaro di cielo (Casadio), Le passager clandestin (Richebé), Les misérables (Le Chanois), Échec au porteur (Grangier), La Seine a rencontré Paris (court métrage de J. Ivens ; récitant du poème de Prévert), Quand les fleuves changent de chemin (Leconte, commentaire), Paris à la manière de... (Thierry, commentaire) ; 1958, Marie-Octobre (J. Duvivier) ; 1960, Tutti a casa (La grande pagaille) (Comencini), Les années folles (Alexandresco et Torrent, commentaire) ; 1961, Paris Blues (Ritt), La guerra continua (La dernière attaque) (Savona) ; 1962, Le doulos (Melville) ; 1963, Il gattopardo (Le guépard) (Visconti) ; 1964, Aurélia ou la descente aux enfers (Destree) ; 1965, Marie-Chantal contre le docteur Kha (Chabrol), Compartiment tueurs (Costa-Gavras) ; 1966, La 25e heure (Verneuil) ; 1967, Les aventuriers (Enrico), Il giorno della civetta (La Maffia fait la loi) (Damiani) ; 1969, L'armée des ombres (Melville), 36, Le grand tournant (Turenne, commentaire) ; 1970, Compte à rebours (Pigaut) ; 1972, Les caïds (Enrico), Trois milliards sans ascenseur (Pigaut) ; 1973, Touche pas la femme blanche (Ferreri) ; 1974, Vincent, François, Paul et les autres (Sautet) ; 1975, Le chat et la souris (Lelouch), Le bon et les méchants (Lelouch) ; 1976, Sartre par lui-même (Astruc et Contat), Une fille cousue de fil blanc (Lang), Violette et François (Rouffio) ; 1979, L'empreinte des géants (Enrico), Fantastica (Carle) ; 1980, La terrazza (La terrasse) (Scola) ; 1986, Mauvais sang (Carax), O Melisokonos (L'apiculteur) (Angelopoulos) ; 1988, Coupe franche (Sauné), Ne réveillez pas un flic qui dort (Pinheiro) ; 1990, Il y a des jours et des lunes (Lelouch), Plein fer (Dayan), I Hired a Contract Killer (J'ai engagé un tueur) (Kaurismaki) ; 1992, De force avec d'autres (Simon Reggiani) ; 1993, Rosenemil (Gabrea) ; 1994, Le petit garçon (Granier-Deferre) ; 1996, Héroïnes (Krawczyk) ; 1997, El pianista (Gas) ; 2001, Bella ciao (Giusti).

Venu très jeune en France, il fait le Conservatoire et débute au théâtre en 1940. Il restera toujours fidèle au théâtre en travaillant avec Bourseiller à Avignon. Mais il ne dédaigne pas la chanson : il interprète Baudelaire, Rimbaud, Vian, Moustaki, Dabadie... Au cinéma, il se révéla avec *Les portes de la nuit* et *Les amants de Vérone*. Adolescent fragile, au destin tragique, il devient en vieillissant un personnage au masque tourmenté, bien utilisé par Sautet et Lelouch.

Régnier, Natacha

Actrice belge née en 1974.

1995, Dis-moi oui (Arcady), Calino Maneige (Lebel) ; 1996, Encore (Bonitzer) ; 1997, La vie rêvée des anges (Zonca) ; 1998, Les amants criminels (Ozon) ; 1999, Il tempo dell'amore (Les saisons de l'amour) (Campiotti) ; 2000, Tout va bien, on s'en va (Mouriéras), La fille de son père (Deschamps) ; 2001, Comment j'ai tué mon père (Fontaine) ; 2004, Vert paradis (Bourdieu), Demain on déménage (Akerman), Le pont des Arts (Green), Le silence (Miret), Ne fais pas ça ! (Bondy) ; 2005, Trouble (Cleven) ; 2006, La raison du plus faible (Belvaux), Les amitiés maléfiques (Bourdieu) ; 2007, Carmen (Limosin).

La révélation de *La vie rêvée des anges* : blonde, angélique, vulnérable, insaisissable en jeune paumée rebelle à toute autorité, elle a pourtant su se transformer en ange de la mort dans *Les amants criminels*.

Rego, Luis

Acteur et réalisateur d'origine portugaise né en 1943.

1970, La grande java (Clair) ; 1971, Les bidasses en folie (Zidi) ; 1973, Je sais rien mais je dirai tout (Richard), Le führer en folie (Clair) ; 1975, La course à l'échalote (Zidi) ; 1978, Les bronzés (Leconte) ; 1980, Le roi des cons (Confortès) ; 1981, Les hommes préfèrent les grosses (Poiré) ; 1982, Le retour des bidasses en folie (Vocoret) ; 1983, Sandy (Nerval), Circulez y'a rien à voir (Leconte) ; 1984, La vengeance du serpent à plumes (Oury), Aldo et Junior (Schulmann), La smala (Hubert) ; 1985, Tranches de vie (Leterrier) ; 1986, Poules et frites (Rego), Maine océan (Rozier), Paulette la pauvre petite milliardaire (Confortès), Gauguin (Gauguin, le loup dans le soleil) (Carlsen) ; 1990, Les secrets professionnels du docteur Apfelglück (collectif) ; 1991, Le retour des Charlots (Sarrus), Ma vie est un enfer (Balasko) ; 1995, Le cœur fantôme (Garrel) ; 1997, Ça n'empêche pas les sentiments (Jackson) ; 1998, Superlove (Janer), La vie ne me fait pas peur (Lvovsky) ; 1999, La chambre obscure (Questerbert) ; 2000, Mercredi, folle journée ! (Thomas) ; 2001, Gagner la vie (Canijo) ; 2002, Mille millièmes, fantaisie immobilière (Watherhouse) ; 2004, San-Antonio (Auburtin) ; 2006, El Cantor (Morder) ; 2007, New délire (Le Roch), Après lui (Morel). *Comme réalisateur :* 1986, Poules et frites.

Un temps membre de la fine équipe des Charlots, il prend vite le large mais n'en patauge pas moins dans de grosses comédies à forte teneur en matières grasses, genre bidasses et Aldomaccioneries, entre autres. Son film *Poules et frites* est de la même veine et est un échec. Son personnage de petit teigneux dragueur était donc voué à s'éteindre en même temps que la vogue des nanars comiques mais le revoici en 1996, mûri et très émouvant, dans *Le cœur fantôme*. De Philippe Clair à Philippe Garrel, voilà un acteur qui n'a peur de rien. Et ça fait plaisir.

Reiner, Carl

Acteur et réalisateur américain né en 1922.

1959, Happy Anniversary (Miller) ; 1960, The Gazebo (Un mort récalcitrant) (Marshall) ; 1961, Gidget Goes Hawaiian (Wendkos) ; 1963, The Thrill of It All (Jewison), It's a Mad Mad Mad Mad World (Un monde fou fou fou fou) (Kramer) ; 1965, The Art of Love (Jewison) ; 1966, Don't Worry, We'll Think of a Title (H. Jones), The Russians Are Coming, The Russians Are Coming (Les Russes arrivent, les Russes arrivent) (Jewison) ; 1967, A Guide for the Married Man (Petit guide pour un mari volage) (Kelly) ; 1969, Generation (Schaefer) ; 1978, The End (Reynolds). 1982, Dead Men Don't Wear Plaid (Les cadavres ne portent pas de costard) (C. Reiner) ; 1993, Triple Indemnity (C. Reiner) ; 1997, Slums of Beverly Hills (Les taudis de Beverly Hills) (Jenkis) ; 2001, Ocean's Eleven (Ocean's Eleven) (Soderbergh). *Pour le metteur en scène*, voir *Dictionnaire du cinéma*, t. I : *Les réalisateurs.*

Comique fameux de Broadway et de télévision, il a fait partie de l'équipe Sid Caesar comme Mel Brooks auquel s'apparente son humour. Il a été découvert en France surtout comme réalisateur avec *Dead Men Don't Wear Plaid*, montage astucieux d'épisodes fameux de films noirs dont le bout à bout donne une histoire farfelue d'espionnage.

Rellys

Acteur français, de son vrai nom Henri Marius Bourrelly, 1905-1991.

1933, Au pays du soleil (Péguy) ; 1934, Trois de la marine (Barrois) ; 1935, Merlusse (Pagnol), Arènes joyeuses (Anton) ; 1936, César (Pagnol) ; 1937, Titin de Martigues (Pujol) ; 1938, Ça c'est du sport (Pujol), Un de la Canebière (Pujol) ; 1939, Narcisse (Ayres d'Aguiar) ; 1942, Frédérica (Boyer) ; 1943,

Feu Nicolas (Houssin) ; 1945, Le roi des resquilleurs (Devaivre), Roger la Honte (Cayatte) ; 1946, Les trois cousines (Daniel-Norman), La revanche de Roger la Honte (Cayatte) ; 1947, Les Pieds Nickelés (Aboulker) ; 1948, Tabusse (Gehret) ; 1949, Le trésor des Pieds nickelés (Aboulker), Le 84 prend des vacances (Joannon), L'atomique M. Placido (Hennion), Vient de paraître (Houssin), Amédée (Grangier) ; 1950, Le tampon du capiston (Labro), Les mémoires de la vache Yolande (Neubach), La vie est un jeu (Leboursier) ; 1952, Manon des sources (Pagnol) ; 1954, Les lettres de mon moulin (Pagnol), La tour de Nesle (Gance) ; 1956, Adorables démons (Cloche), Honoré de Marseille (Régamey), Le chômeur de Clochemerle (Boyer) ; 1960, Cocagne (Cloche), Crésus (Giono) ; Un soir sur la plage (Boisrond) ; 1961, La traversée de la Loire (Gourguet) ; 1962, Le voyage à Biarritz (Grangier), La salamandre d'or (Régamey) ; 1964, L'âge ingrat (Grangier), La chance et l'amour (Schlumberger), La bonne occase (Drach), Le petit monstre (Sassy) ; 1965, Dis-moi qui tuer (Périer), Pas de caviar pour tante Olga (J. Becker) ; 1966, Le jardinier d'Argenteuil (Le Chanois) ; 1969, Heureux qui comme Ulysse (Colpi), La honte de la famille (Balducci) ; 1970, Kiss (Le Vitte) ; 1978, L'ange gardien (Fournier).

Débuts à l'Alcazar de Marseille : tours de chant et opérettes. Rellys définit un type de comique provençal qui n'est pas sans finesse. Il a la vedette dans *Narcisse*, l'un des films les plus drôles de l'avant-guerre. Il est ensuite Croquignol, l'un des Pieds nickelés en 1947 et en 1949. Pagnol fait plusieurs fois appel à lui. Mais il interpréta aussi des rôles dramatiques, tout en poursuivant une activité théâtrale.

Remick, Lee

Actrice américaine, 1935-1991.

1957, A Face In the Crowd (Un homme dans la foule) (Kazan) ; 1958, The Long Hot Summer (Les feux de l'été) (Ritt), These Thousand Hills (Duel dans la boue) (Fleischer) ; 1959, Anatomy of Murder (Autopsie d'un meurtre) (Preminger) ; 1960, Wild River (Le fleuve sauvage) (Kazan) ; 1961, Sanctuary (Sanctuaire) (Richardson) ; 1962, Experiment in Terror (Allô... brigade spéciale) (Edwards), The Days of Wine and Roses (Le jour du vin et des roses) (Edwards) ; 1963, The Running Man (Le deuxième homme) (Reed), The Wheeler Dealers/Separate Beds (Hiller) ; 1964, The Hallelujah Trail (Sur la piste de la grande caravane) (Sturges) ; 1965, Baby, The Rain Must Fall (Le sillage de la violence) (Mulligan) ; 1968, No Way To Treat a Lady (Le refroidisseur de dames) (Smight), The Detective (Le détective) (Douglas) ; 1969, Hard Contract (Pogostin) ; 1970, A Severed Head (Clement), Loot (Le magot) (Narizzano) ; 1971, Sometimes a Great Notion (Le clan des irréductibles) (Newman), Touch Me Not (Eithian) ; 1973, A Delicate Balance (Richardson), The Blue Kniant (Butler) ; 1974, Henness (Le grand défi) (Sharp) ; 1976, The Omen (La malédiction) (Donner) ; 1977, Telefon (Un espion de trop) (Siegel) ; 1978, Medusa Touch (La grande menace) (Gold) ; 1979, The Europeans (Les Européens) (Ivory) ; 1980, Tribute (Un fils pour l'été) (Clark), The Competition (Le concours) (Oliansky).

Cette Bostonienne a appris la danse avant de passer (hélas !) par l'Actor's Studio. On ne s'étonnera pas en conséquence de la retrouver à ses débuts au générique d'œuvres de Kazan et de Preminger puis de la voir appréciée par Newman. Nombreuses émissions de télévision.

Rémy, Albert

Acteur et réalisateur français, 1915-1967.

1942, Madame et le mort (Daquin), Le voyageur de la Toussaint (Daquin), Goupi Mains Rouges (Becker) ; 1943, Adieu Léonard (Prévert), Le ciel est à vous (Grémillon), La boîte aux rêves (Y. Allégret), Douce (Autant-Lara) ; 1944, Le cavalier noir (Grangier), Les enfants du paradis (Carné) ; 1945, François Villon (Zwobada), La fille du diable (Decoin), La part de l'ombre (Delannoy) ; 1946, Le diable au corps (Autant-Lara), La parade du rire (Verdier) ; 1947, La croisière pour l'inconnu (Montazel), Le village perdu (Stengel), Les amants du pont Saint-Jean (Decoin) ; 1948, Tous les chemins mènent à Rome (Boyer), L'impeccable Henri (Tavano) ; 1949, Ronde de nuit (Campaux) ; 1950, Maître après Dieu (Daquin) ; 1951, Rome-Paris-Rome (Zampa), Seul dans Paris (Bromberger) ; 1952, Au diable la vertu (Laviron), Légère et court vêtue (Laviron), Les amours finissent à l'aube (Calef) ; 1953, Les fruits sauvages (Bromberger), Virgile (Rim), Minuit Champs-Élysées (Blanc), Avant le déluge (Cayatte) ; 1954, Razzia sur la chnouf (Decoin), La belle Otero (Pottier), French Cancan (Renoir) ; 1955, Les hussards (Joffé), Je suis un sentimental (Berry), L'affaire des poisons (Decoin), Elena et les hommes (Renoir) ; 1956, Paris Palace Hôtel (Verneuil), Les truands (Rim), Crime et châtiment (Lampin) ; 1957, Rafles sur la ville (Chenal), Escapade (Habib) ; 1958, En cas de malheur (Autant-Lara), Cigarettes, whisky et petites pépées (Regamey) ; Le grand chef (Verneuil) ; 1959, Le dialogue des carmélites (Agostini), Les 400 coups (Truffaut), Pantalaskas (Paviot), La vache et le prisonnier (Verneuil) ; 1960, Tirez sur le pianiste (Truffaut), Le passage du Rhin (Cayatte), The Four Horsemen of the Apocalypse (Les quatre cavaliers de l'Apocalypse) (Minnelli) ; 1961, Le couteau dans la plaie (Litvak), La Fayette (Dréville), La ligne droite (Gaillard), Le monocle noir (Lautner), Le septième juré (Lautner) ; 1962, Gigot (Gigot, le clochard de Belleville) (Kelly), Mandrin, bandit gentilhomme (Le Chanois), L'œil du monocle (Lautner) ; 1963, Un roi sans divertissement (Leterrier), Bébert et l'omnibus (Robert), La foire aux cancres (Daquin), Le train (Frankenheimer) ; 1964, Week-end à Zuydcoote (Verneuil), Mata Hari agent H21 (Richard), Cent briques et des tuiles (Grimblat) ; 1965, Paris brûle-t-il ? (Clément) ; 1966, Les bons vivants (Lautner, Granier-Deferre...), Un idiot à Paris (Korber), La vingt-cinquième heure (Verneuil), Un homme de trop (Costa-Gavras), Le plus vieux métier du monde (sketch Broca). *Comme réalisateur :* des courts métrages dont *Ali en est baba.*

Cet humoriste venu des Beaux-Arts, où il fut grand massier, doit à Truffaut, qui lui donna le rôle du beau-père dans *Les 400 coups*, d'avoir été enfin reconnu par le grand public qui salua ensuite sa prestation dans *Tirez sur le pianiste*. Il était un peu tard. C'est en sacristain dans *Douce*, en acteur dans *Les enfants du paradis*, en valet de ferme dans *Goupi* qu'il aurait fallu proclamer son talent. Il fit du music-hall et du cirque avec Margaritis, nous privant peut-être d'un burlesque cinématographique qui aurait renouvelé les vieilles traditions. Seul Renoir, avant Truffaut, lui avait permis d'esquisser ces silhouettes de noctambules et d'ivrognes où il excellait.

Rémy, Constant

Acteur français, 1884-1957.

1920, La reconnaissance du bandit (Roudès) ; 1922, Maître Evora (Roudès) ; 1923, Le crime des hommes (Roudès) ; 1925, La douleur (Roudès) ; Altemer le cynique (Monca), Grand-mère (Bertoni) ; 1926, Les frères Zemgano (Bertoni) ; 1927, Chantage (Debain), Le chemin de la gloire (Roudès) ; 1928, Hara-Kiri (Iribe) ; 1930, Atlantis (Kemm) ; 1931, Jean de la Lune (Choux), Un soir de rafle (Gallone) ; 1932, Roger la Honte (Roudès), La femme nue (Paulin) ; 1933, L'agonie des aigles (Richebé), Son autre amour (Rémy et Machard) ; 1934, La flambée (Marguenat), Le billet de mille (Didier), Le petit Jacques (Roudès), Poliche (Gance), La rue sans nom (Chenal) ; 1935, Cavalerie légère (Hochbaum), Sous la griffe (Christian-Jaque), Le chant de l'amour (Roudès) ; 1936, Hélène (Benoit-Lévy et Epstein), Le disque 413 (Pottier), Les petites alliées (Dréville) ; 1937, Passeurs d'hommes (Jayet), Les hommes sans nom (Vallée) ; 1938, La goualeuse (Rivers) ; 1939, Le chemin de l'honneur (Paulin) ; 1940, Espoirs (Rozier) ; 1943, Monsieur des Lourdines (Herain) ; 1946, Les gosses mènent l'enquête (Labro) ; 1954, La tour de Nesle (Gance).

Débuts avec le film d'art. Son physique noble et pathétique en fait l'un des rois du mélodrame. Son interprétation de *Monsieur des Lourdines* est célèbre.

Renant, Simone

Actrice française, de son vrai nom Georgette Buigny, 1911-2004.

1932, La folle nuit (Poirier) ; 1935, Escale (Valray) ; 1936, L'école des journalistes (Christian-Jaque), L'ange du foyer (Mathot), On ne roule pas Antoinette (Madeux), La mystérieuse lady (Péguy) ; 1937, Les perles de la couronne (Guitry) ; 1938, Les pirates du rail (Christian-Jaque) ; 1939, Elles étaient douze femmes (Lacombe) ; 1941, Mam'zelle Bonaparte (Tourneur) ; 1942, La duchesse de Langeais (Baroncelli), Romance à trois (Richebé), Lettres d'amour (Autant-Lara) ; 1943, Domino (Richebé), Voyage sans espoir (Christian-Jaque) ; 1945, L'ange qu'on m'a donné (Choux), La tentation de Barbizon (Stelli) ; 1946, Le mystérieux M. Sylvain (Stelli) ; 1947, Quai des Orfèvres (Clouzot), Après l'amour (Tourneur) ; 1948, Bal Cupidon (Sauvajon) ; 1950, Pas de pitié pour les femmes (Stengel), L'homme de joie (Grangier) ; 1951, Tapage nocturne (Sauvajon) ; 1952, Le fils de Lagardère (Cerchio) ; 1953, La nuit est à nous (Stelli) ; 1954, Napoléon (Guitry), Escale à Orly (Dréville) ; 1955, Si Paris nous était conté (Guitry), Bedevilled (Boulevards de Paris) (Leisen) ; 1957, Les œufs de l'autruche (La Patellière) ; 1958, Échec au porteur (Grangier), Sans famille (Michel), Faibles femmes (Boisrond) ; 1959, Les liaisons dangereuses 1960 (Vadim), La Française et l'amour (sketch de Le Chanois), Vive Henri IV, vive l'amour (Autant-Lara) ; 1961, Cadavres en vacances/Pas si folles les guêpes (Audry) ; 1963, L'homme de Rio (Broca) ; 1977, Un homme qui me plaît (Lelouch), Tendre poulet (Broca) ; 1980, Trois hommes à abattre (Deray).

Ancienne élève du Conservatoire, cette très belle blonde fut une remarquable actrice, aussi douée pour la comédie *(La tentation de Barbizon)* que pour les personnages ambigus (la photographe de *Quai des Orfèvres*). Élégante, séduisante, elle fut l'épouse de Christian-Jaque.

Renaud, Line

Chanteuse et actrice française née en 1928.

1946, La foire aux chimères (Chenal) ; 1947, Une belle garce (Daroy) ; 1950, Au fil des ondes (Gautherin) ; 1951, Paris chante toujours (Montazel), Ils sont dans les vignes (Vernay) ; 1952, Quitte ou double (Vernay) ; 1953, La route du bonheur (Labro), Boum sur Paris (Canonge) ; 1955, La Madelon (Boyer) ; 1956, Mademoiselle et son gang (Boyer) ; 1958, L'increvable (Boyer) ; 1959, Tausend Sterne Leuchten (Philipp) ; 1978, Claude François, le film de sa vie (Pavel) ; 1989, Ripoux contre ripoux (Zidi), La folle journée (Coggio) ; 1993, J'ai pas sommeil (Denis) ; 1995, Ma femme me quitte (Kaminka) ; 1998, Doggy bag (Comtet) ; 1999, Belle maman (Aghion) ; 2003, Dix-huit ans après (Serreau) ; 2005, Le courage d'aimer (Lelouch) ; 2006, La maison du bonheur (Boon).

Meneuse de revue internationale, chanteuse, actrice, éternellement dévouée aux causes humanitaires : cette adorable blonde, mariée à son parolier Loulou Gasté, est devenue une charmante dame, aujourd'hui appréciée sur grand écran pour ses facéties (mamie lesbienne dans *Belle maman*, il fallait oser).

Renaud, Madeleine

Actrice française, 1903-1994.

1922, Vent debout (Leprince) ; 1926, La terre qui meurt (Choux), Serments (Fescourt), Jean de la Lune (Choux) ; 1932, La belle marinière (Lachman), Mistigri (Lachman), La couturière de Lunéville (Lachman) ; 1933, Le tunnel (Bernhardt), La maternelle (Benoit-Lévy), Primerose (Guissart) ; 1934, Le voleur (Tourneur), Maria Chapdelaine (Duvivier) ; 1935, Cœur de gueux (Epstein), La marche nuptiale (Bonnard) ; 1936, Les demi-vierges (Caron), Les petites alliées (Dreville), Hélène (Benoit-Lévy) ; 1938, L'étrange Monsieur Victor (Grémillon) ; 1939, Remorques (Grémillon) ; 1942, Lumière d'été (Grémillon) ; 1943, L'escalier sans fin (Lacombe), Le ciel est à vous (Grémillon) ; 1951, Le plaisir (Ophuls) ; 1959, Le dialogue des carmélites (Agostini) ; 1962, The Longest Day (Le jour le plus long) (Annakin...) ; 1969, Le diable par la queue (Broca) ; 1971, L'humeur vagabonde (Luntz), La mandarine (Molinaro) ; 1976, Des journées entières dans les arbres (Duras) ; 1988, La lumière du lac (Comencini).

Avant tout l'amour du théâtre : Conservatoire, Comédie-Française, de 1921 à 1946, Compagnie Renaud-Jean-Louis Barrault (celui-ci rencontré sur le plateau d'*Hélène* et épousé en 1940). Mais la filmographie est également brillante : *Remorques, Lumière d'été* et surtout *Le ciel est à vous* où elle est aviatrice, trois films de Grémillon qui sont aussi trois grands moments du cinéma français. On l'a revue égale à elle-même et pleine de malice dans *Le diable par la queue*. Sa longévité fut exceptionnelle.

Renauld, Isabelle

Actrice française née en 1966.

1986, L'amoureuse (Doillon), Hôtel de France (Chéreau) ; 1990, L'opération Cornedbeef (Poiré) ; 1992, Louis enfant roi (Planchon) ; 1994, Les frères Gravet (Féret) ; 1996, Parfait amour ! (Breillat) ; 1997, Ça ne se refuse pas (Woreth) ; 1998, Mia eoniotita ke mia mera (L'éternité et un jour) (Angelopoulos), Sibirskij tsirylnik (Le barbier de Sibérie) (Mikhalkov) ; 1999, C'est quoi la vie ? (Dupeyron) ; 2000, Les blessures assassines (Denis), Vidocq, la dernière aventure (Titof), La chambre des officiers (Dupeyron).

Cours Florent puis les Amandiers à Nanterre où elle suit les cours de Patrice Chéreau. Sa beauté, souvent comparée à celle de Romy Schneider, transcende le drame sordide au cœur du *Parfait amour !* de Catherine Breillat, qui lui apporte la renommée. Puis Angelopoulos la choisit pour le premier rôle de *L'éternité et un jour*.

Rénier, Yves

Acteur français né en 1942.

1961, Le comte de Monte-Cristo (Autant-Lara) ; 1963, Méfiez-vous mesdames (Hunebelle) ; 1967, Le grand dadais (Granier-Deferre), Le mois le plus beau (Blanc) ; 1969, Un merveilleux parfum d'oseille (Bassi) ; 1973, George qui ? (Rosier) ; 1977, Diabolo menthe (Kurys) ; 1984, Adieu blaireau (Decout) ; 1986, Pékin central (Casabianca) ; 1987, Frantic (Polanski) ; 1990, Merci la vie (Blier) ; 1995, Les anges gardiens (Poiré) ; 1998, Je règle mon pas sur le pas de mon père (Waterhouse) ; 2000, Mortel transfert (Beineix) ; 2001, Absolument fabuleux (Aghion) ; 2002, Le raid (Bensalah).

Plus connu pour les téléfilms et séries télé dont il est un pilier depuis les années 70 (notamment « Belphégor », puis le très démago « Commissaire Moulin »), il a su se moquer de lui-même en incarnant un vieux beau très réussi dans *Je règle mon pas sur le pas de mon père*.

Rennie, Michael

Acteur anglais, 1909-1971.

1936, The Man Who Could Work Miracles (L'homme qui faisait des miracles) (Mendes), The Secret Agent (Quatre de l'espionnage) (Hitchcock) ; 1937, Gangway (S. Hall), Bank Holiday (Reed) ; 1938, The Divorce of Lady X (Whelan) ; 1939, This Man in Paris (MacDonald) ; 1941, The Patient Vanishes (Huntington), Conquest of the Air (Z. Korda), Turned Out Nice Again (Varnel), Pimpernel Smith (L. Howard), Dangerous Moonlight (Hurst), Ships with Wings (Nolbandov), The Tower of Terror (Huntington), Big Blockade (Frend) ; 1945, I'll Be Your Sweetheart (Guest), The Wicked Lady (L. Arliss), Caesar and Cleopatra (Pascal) ; 1947, The Root of All Evil (Brock Williams), White Cradle Inn (French) ; 1948, Idol of Paris (Arliss) ; 1949, Miss Pilgrim's Progress (Guest), The Golden Madonna (Wajda) ; 1950, Trio (Annakin et French), The Black Rose (La rose noire) (Hathaway) ; 1951, The Thirteenth Letter (Preminger), The Day the Earth Stood Still (Le jour où la terre s'arrêta) (Wise) ; 1952, Five Fingers (L'affaire Cicéron) (Mankiewicz), Phone Call from Stranger (Appel d'un inconnu) (Negulesco), Les misérables (La vie de Jean Valjean) (Milestone) ; 1953, Single-Handed, The Robe (La tunique) (Koster), King of The Khyber Rifles (Capitaine King) (King), Dangerous Crossing (Newman) ; 1954, Demetrius and the Gladiators (Les gladiateurs) (Daves), Princess of the Nile (Jones), Desirée (Koster) ; 1955, Mambo (Rossen), Soldier of Fortune (Le rendez-vous de Hong Kong) (Dmytryk), Seven Cities of the Gold (R. Webb), The Rains of Ranchipur (La mousson) (Negulesco) ; 1956, Teenage Rebel (Goulding) ; 1957, Island in the Sun (Une île au soleil) (Rossen), The Loves of Omar Khayyam (Les amours d'Omar Khayyam) (Dieterle) ; 1958, Battle of the VI (Sewell) ; 1959, The Third Man on the Mountain (Annakin) ; 1960, The Lost World (Le monde perdu) (I. Allen) ; 1963, Mary, Mary (LeRoy) ; 1966, Ride Beyond Vengeance (McEveety), Hondo and the Apaches (Katzin), Hotel (Quine) ; 1967, The Power (La guerre des cerveaux) (Haskin), Cyborg 2087 (Adreon), Bersaglio mobile (Corbucci) ; 1968, Subterfuge (Scott), El Alamein (Padget), The Devil's Brigade (La brigade du diable) (McLaglen), Scaccio internazionale (Rosati) ; 1970, Dracula versus Frankenstein (Adamson).

Grand, maigre, le visage tendu, il fut un acteur anglais considéré (sa carrière ayant été toutefois interrompue par la guerre), avant de travailler à Hollywood où il fut mis à toutes les sauces : habitant d'une autre planète dans *The Day the Earth Stood Still* ou maréchal Bernadotte dans *Désirée*. Et toujours cet air constipé qui le caractérise, qu'il s'agisse d'un péplum (*Les gladiateurs*), d'un film de guerre (*Island in the Sun*) ou d'une œuvre de science-fiction (*The Power*). A-t-il ri un jour ?

Reno, Jean

Acteur français, de son vrai nom Juan Moreno, né en 1948.

1978, L'hypothèse du tableau volé (Ruiz) ; 1979, Clair de femme (Costa-Gavras) ; 1980, Voulez-vous un bébé Nobel ? (Pouret) ; 1981, Les bidasses aux grandes manœuvres (Delpard), On n'est pas des anges... elles non plus (Lang) ; 1982, Le dernier combat (Besson), La passante du Sans-Souci (Rouffio) ; 1983, Signes extérieurs de richesse (Monnet) ; 1984, Le téléphone sonne toujours deux fois (Vergne), Notre histoire (Blier) ; 1985, Strictement personnel (Jolivet), Subway (Besson) ; 1986, Zone rouge (Enrico), I Love You (Ferreri) ; 1987, Le grand bleu (Besson) ; 1989, Nikita (Besson) ; 1990, L'homme au masque d'or (Duret), Opération corned-beef (Poiré) ; 1991, Loulou Graffiti (Lejalé) ; 1992, Les visiteurs (Poiré) ; 1993, Léon (Besson), Flight from Justice (Kent) ; 1994, Les truffes (Nauer) ; 1995, French Kiss (French Kiss) (Kasdan), Par-delà les nuages (Antonioni et Wenders) ; 1996, Le jaguar (Veber), For Roseanna (Pour l'amour de Roseanna) (Weiland), Un amour de sorcière (Manzor), Les sœurs Soleil (Szwarc) ; 1997, Les couloirs du temps – Les visiteurs II (Poiré), Godzilla (Godzilla) (Emmerich) ; 1998, Ronin (Ronin) (Frankenheimer) ; 1999, Tripwire (Furie), Just Visiting (Les visiteurs en Amérique) (Poiré, sous le pseudonyme de Gaubert) ; 2000, Les rivières pourpres (Kassovitz), Rollerball (McTiernan) ; 2002, Décalage horaire (Thompson) ; 2003, Tais-toi ! (Veber) ; 2004, Les rivières pourpres 2 (Dahan), L'enquête corse (Berbérian) ; 2005, Hotel Rwanda (Hôtel Rwanda) (George), L'empire des loups (Nahon), La tigre e la neve (Le tigre et la neige) (Benigni) ; 2006, Da Vinci Code (Da Vinci Code) (Howard), The Pink Panther (La panthère rose) (Levy).

L'inoubliable Enzo Molinari du *Grand bleu*. On oubliera en revanche le curé catcheur du film de Duret, *L'homme au masque d'or*. Extravagant Godefroy de Papincourt dans *Les visiteurs*, il se transforme en tueur implacable dans *Léon*. Deux compositions qui en font une star. Par la suite, il interprète surtout des rôles de policiers douteux, comme dans *Da Vinci Code*.

Renoir, Pierre

Acteur français, 1885-1952.

1911, La digue (Gance) ; 1932, La nuit du carrefour (J. Renoir) ; 1933, L'agonie des aigles (Richebé) ; 1934, Madame Bovary (Renoir) ; 1935, La route impériale (L'Herbier), Tovaritch (Deval), La bandera (Duvivier), Veille d'armes (L'Herbier) ; 1936, Les loups entre eux (Mathot), L'homme sans cœur (Joannon), L'île des veuves (Heymann), Quand minuit sonnera (Joannon), Sous les yeux d'Occident (Allégret) ; 1937, La citadelle du silence (L'Herbier), Les nuits blanches de Saint-Pétersbourg (Dréville), Boissière (Rivers), Mollenard (Siodmak) ; 1938, Légions d'honneur (Gleize), La Marseillaise (Renoir), L'affaire Lafarge (Chenal), Le patriote (Tourneur), Le révolté (Mathot), La piste du Sud (Billon), Le paradis de Satan (Gandera), Serge Panine (Méré), La maison du Maltais (Chenal) ; 1939, Pièges (Siodmak), Nord-Atlantique (Cloche), Le récif de corail (Gleize), L'embuscade (Rivers), Nadia femme traquée (Orval) ; 1940, Ceux du ciel (Y. Noé), Le pavillon brûlé (Baroncelli), Histoire de rire (L'Herbier) ; 1942, La loi du printemps (Daniel-Norman), Dernier atout (Becker), Le journal tombe à cinq heures (Lacombe), Le loup des Malveneurs (Radot), L'appel du bled (Gleize), Macao l'enfer du jeu (Delannoy), Madame et le mort (Daquin) ; 1943, Tornavara (Dréville), Le voyageur sans bagages (Anouilh) ; 1944, Les enfants du paradis (Carné), Le mystère Saint-Val (Le Hénaff), Le père Goriot (Vernay) ; 1945, Le capitan (Vernay), Peloton d'exécution (Berthomieu), Marie la misère (Baroncelli), Mission spéciale (Canonge) ; 1946, Coïncidences (Debecque) ; 1947, La dame d'onze heures (Devaivre), Cargaison clandestine (Rode), Les trafiquants de la mer (Rozier) ; 1948, La ferme des sept péchés (Devaivre), Le mystère de la chambre, jaune (Aisner), Scandale aux Champs-Élysées (Blanc) ; 1949, Le furet (Leboursier), Le jugement de Dieu (Bernard), Menace de mort (Leboursier) ; 1950, Knock (Lefranc).

Fils du peintre, frère de Jean et père de Claude Renoir, directeur de la photo. Il eut un premier prix au Conservatoire et joua beaucoup avec Louis Jouvet, à partir de 1928. Au cinéma, il fut aussi bien Maigret (*La nuit du carrefour*) que M. Bovary (*Madame Bovary*), Louis XVI (*La Marseillaise*) que M. Lafarge empoisonné par son épouse (*Madame Lafarge*), un mari trompé (*Le voyageur sans bagages*) que Vautrin (*Le père Goriot*). Ce sont toujours des personnages un peu épais, lourds, généralement sans finesse, auxquels il a prêté sa silhouette massive avec un talent indiscutable. Il faut le voir en colonel conspirateur, joué par une femme qui fait échouer le complot, et retrouvant sa dignité dans la mort. Dès *L'agonie des aigles*, Renoir montrait sa forte personnalité.

Renucci, Robin

Acteur français né en 1956.

1981, Eaux profondes (Deville) ; 1982, Les quarantièmes rugissants (Chalonge), Invitation au voyage (Del Monte), Les misérables (Hossein) ; 1983, La petite bande (Deville), Coup de foudre (Kurys), Rien ne va plus (Bonn), Stella (Heynemann), La trace (Favre), Vive la sociale (Mordillat) ; 1984, Les mots pour le dire (Pinheiro), Fort Saganne (Corneau), Côté cœur, côté jardin (Van Effenterre), Le vol du sphinx (Ferrier), Train d'enfer (Hanin) ; 1985, Escalier C (Tacchella), La baston (Missiaen), Peau d'ange (Daniel), L'amant magnifique (Issermann) ; 1986, Suivez mon regard (Curtelin), États d'âme (Fansten), Le mal d'aimer (Treves) ; 1987, Masques (Chabrol) ; 1988, Blanc de Chine (Granier-Deferre), Les mannequins d'osier (Gueltzl) ; 1989, Les deux Fragonard (Le Guay) ; 1990, L'aventure de Catherine C (Beuchot), Faux et usage de faux (Heynemann), La putain du roi (Corti), Dames galantes (Tacchella) ; 1991, Je pense à vous (L. et J.-P. Dardenne) ; 1992, L'écrivain public (Amiguet), Poisson-lune (Van Effenterre) ; 1993, L'ordre du jour (Khleifi), L'ombra della sera (Torrini) ; 1994, La cicatrice (Bouzaglo), La poudre aux yeux (Dugowson), Les frères Gravet (Féret) ; 1995, Méfie-toi de l'eau qui dort (Deschamps) ; 1998, Les enfants du siècle (Kurys) ; 1999, Furia (Aja) ; 2001, Affaire(s) à suivre (Boespflug) ; 2002, Total Kheops (Beverini) ; 2003, Le furet (Mocky), The Dreamers (Les innocents) (Bertolucci) ; 2004, Arsène Lupin (Salomé) ; 2006, L'ivresse du pouvoir (Chabrol).

Ancien élève du Conservatoire, il impose l'image d'un jeune premier tourmenté, notamment le médecin du *Mal d'aimer*. Sa carrière se poursuit de Mocky à le Guay sans accrocs. Il semble se passionner pour ses activités théâtrales en Corse.

Repp, Pierre

Acteur français, 1909-1986.

1933, La merveilleuse tragédie de Lourdes (Fabert), Une femme au volant (Gerron et Billon) ; 1955, Bonjour sourire (Sautet) ; 1956, Club de femmes (Habib), Printemps à Paris (Roy), Le colonel est de la revue (Labro), Quelle sacrée soirée (Vernay) ; 1958, Brigade des mœurs (Boutel) ; 1959, Les quatre cents coups (Truffaut), Les jeux de l'amour (Broca) ; 1960, Candide (Carbonnaux), Crésus (Giono), L'amant de cinq jours (Broca) ; 1961, Le tracassin ou les plaisirs de la ville (Joffé), Cartouche (Broca) ; 1962, Césarin joue les étroits mousquetaires (Couzinet), Un clair de lune à Maubeuge (Chérasse) ; 1963, La bande à Bobo (Saytor), Un roi sans divertissement (Leterrier), Humour noir (sketch Autant-Lara) ; 1964, Fifi la plume (Lamorisse) ; 1965, L'or du duc (Baratier) ; 1968, Sous le signe de Monte-Cristo (Hunebelle), Le tatoué (La Patellière) ; 1970, Peau d'âne (Demy) ; 1971, L'explosion (Simenon), La grande mafia (Clair) ; 1973, Je sais rien mais je dirai tout (Richard) ; 1978, Le gendarme et les extraterrestres (Girault) ; 1979, Charles et Lucie (Kaplan), Les givrés (Jaspard) ; 1982, Le gendarme et les gendarmettes (Girault et Aboyantz), Prends ton passe-montagne, on va à la plage (Matalon) ; 1984, Le téléphone sonne toujours deux fois (Vergne).

Il avait créé un personnage étriqué et bafouilleur qui lui permit de composer quelques silhouettes dans une production inégale.

Reubens, Paul : cf. Herman, Pee-Wee.

Rey, Fernando

Acteur espagnol, 1917-1994.

1944, Eugenia de Montijo (Rubio) ; 1945, Los últimos de Filipinas (Roman), Misión blanca (Orduña) ; 1947, Reina santa (Gil), Don Quijote de La Mancha (Gil) ; 1948, Locura de amor (Orduña) ; 1949, Aventuras de Juan Lucas (Gil) ; 1950, Agustina de Aragón (Orduña) ; 1951, Cielo negro ; 1952, Bienvenido Mr. Marshall ! (Bienvenue M. Marshall) (Berlanga), Cómicos (Bardem) ; 1953, Rebeldía, el alcalde de Zalamea ; 1955, Marcellino, pan y vino (Marcellin, joie et vie) (Vajda) ; 1956, Faustina, el amor de don Juan (J. Berry), Gil Blas (Jolivet), Le chanteur de Mexico (Pottier) ; 1957, La venganza (La vengeance) (Bardem), Les bijoutiers au clair de lune (Vadim) ; 1958, Sonatas (Bardem) ; 1959, Operación Relámpago ; 1960, Gli ultimi giorni di Pompei (Les derniers jours de Pompei) (Bonnard), Don Lucio y el hermano pio ; 1961, Viridiana (Buñuel), Rebelión de los esclavos ; 1962, Shéhérazade (Gaspard-Huit), Goliat contra los gigantes (Malatesta) ; 1963, El diablo también llora ; 1964, Los palomas (Échappement libre) (Becker) ; 1965, El hijo de pistolero, España insolita, Misión Lisboa, Zampo y yo, Cartes sur table (Franco) ; 1966, Chimes at Midnight (Falstaff) (Welles), Le vicomte règle ses comptes (Cloche) ; 1967, Navajo Joe (Navajo Joe) (S. Corbucci) ; 1968, Cervantes (Sherman), Guns of the Magnificent Seven (Les colts des sept mercenaires) (Wendkos), Villa rides (Pancho Villa) (Kulik), Un sudario a la Medira ; 1969, Fellini Satyricon (Fellini Satyricon) (Fellini), Day of the Landgrabber (L'Ouest en feu) (Juran), Texas (Texas) (Valerii), La colera del viento (La colère du vent) (Mario Camus) ; 1970, The Adventurers (Gilbert), Tristana (Tristana) (Buñuel), Gli occhi freddi della paura (Girolami), Muerte de un presidente, Bianco, rosso e... (La bonne planque) (Lattuada) ; 1971, The Light at the Edge of the World (Le phare du bout du monde) (Billington), Boulevard du Rhum (Enrico), The French Connection (French connection) (Friedkin), A Town Called Bastard (Les brutes dans la ville) (Parrish) ; 1972, Anthony and Cleopatra (Heston), La duda (Gil), Questa specie d'amore (Bevilacqua), I due volti della paura (Demicheli), Le charme discret de la bourgeoisie (Buñuel) ; 1973, La chute d'un corps (Polac), Fatti di gente perbene (La grande bourgeoise) (Bolognini), Zanna bianca (Croc-blanc) (Fulci), La polizia incrimina, la legge assolve (Le témoin à abbattre) (Castellari) ; 1974, Dites-le avec des fleurs (Grimblat), Corruzione al palazzo di giustizia (Aliprandi), La femme aux bottes rouges (J. Buñuel) ; 1975, Pasqualino settebelezze (Pasqualino) (Wertmuller), Cadaveri eccelenti (Cadavres exquis) (Rosi), French Connection II (French connection n° 2) (Frankenheimer) ; 1976, Voyage of the Damned (Le voyage des damnés) (Rosenberg), Il deserto dei Tartari (Le désert des Tartares) (Zurlini), A Matter of Time (Nina) (Minelli) ; 1977, Cet obscur objet du désir (Buñuel), Elisa vida mia (Elisa mon amour) (Saura), El segundo poder (Forque), L'occhio dietro la parete (Petrelli), Uppdraget (Arelm) ; 1978, Le dernier amant romantique (Jaeckin) ; 1979, L'ingorgo (Le grand embouteillage) (Comencini), Quintet (Quintet) (Altman), Cabo Blanco (Cabo Blanco) (Lee-Thompson), El crimen de Cuenca (Le crime de Cuenca) (Miro) ; 1980, La vera storia della signora delle camelie (La dame aux camélias) (Bolognini), La mort en direct (Tavernier) ; 1981, Cercasi Jesu (L'imposteur) (Comencini), Rosa (Samperi) ; 1982, A estrangeira

(Grilo), Monsignor (Monsignor) (Perry) ; 1983, Bearn o la sala de munecas (Bearn ou la chambre des poupées) (Chavarri), Honey (Fleur de vice) (Di Carlo) ; 1984, The Hit (Le tueur était presque parfait) (Frears), Un amour interdit (Dougnac) ; 1985, La noche mas hermosa (Gutierrez Aragon) ; 1986, Padre nuestro (Padre nuestro) (Regueiro), Rustler's Rhapsody (Wilson), Savin Grace (Robert Young), Black Arrow (Hough), El caballero del dragon (Colome) ; 1987, Les prédateurs de la nuit (Franco), Hôtel du paradis (Bokova), Mi general (de Arminan) ; 1988, Esmeralda Bay (Franco), El aire de un crimen (Isasi-Isasmendi), Diario de invierno (Regueiro), Pasodoble (García Sánchez), Moon over Parador (Mazursky), El tunel (Drove), El bosque encantado (La forêt animée) (Cuerda) ; 1989, Hard to Be a God (Un dieu rebelle) (Fleischmann) ; 1990, The Betrothed (Nocita), La batalla de los tres reyes (Ben Barka), Naked Tango (L. Schrader), Di ceria dell'untore (Cino) ; 1991, L'Atlantide (Swaim) ; 1992, Después del sueño (Camus), 1492, Christophe Colomb (Scott), La marrana (Cuerda), El Quijote (Gutiérrez Aragón) ; 1993, Al otro lado del túnel (Arminan), Madregilda (Regueiro).

Issu d'un milieu très républicain, il connaît la clandestinité sous le régime franquiste et, pour vivoter, fait de la figuration. Il devient bientôt une vedette en Espagne, mais la liste des films qu'il tourne alors n'est pas facile à dresser. C'est Buñuel qui le fait connaître en Europe. Sa prestance, son humour rentré et son origine espagnole en font le personnage idéal de l'univers buñuelien. Mais Rey tourne avec d'autres metteurs en scène de grand renom : Altman, Bolognini, Comencini... Ses interprétations (toujours des notables !) vont de l'officier (*Le désert des Tartares*) à l'ecclésiastique (*L'imposteur*). On l'a même vu élu pape dans *Monsignore* !

Reys, Mario Moreno : cf. Cantinflas.

Reymond, Dominique

Actrice française.

1984, Boy meets girl (Carax), Pinot simple flic (Jugnot) ; 1985, Zone rouge (Enrico) ; 1986, La femme secrète (Grall) ; 1987, Poker (Corsini) ; 1988, Drôle d'endroit pour une rencontre (Dupeyron) ; 1989, Baptême (Féret) ; 1990, La révolte des enfants (Poitou-Weber) ; 1991, Betty (Chabrol) ; 1993, La naissance de l'amour (Garrel) ; 1996, Y aura-t-il de la neige à Noël ? (Veysset) ; 1997, Artemisia (Merlet), J'irai au paradis car l'enfer est ici (Durringer) ; 1998, Un pont entre deux rives (Depardieu, Auburtin), On a très peu d'amis (Monod) ; 1999, La maladie de Sachs (Deville), Presque rien (Lifshitz), L'affaire Marcorelle (Le Péron) ; 2000, Les destinées sentimentales (Assayas), Sade (Jacquot) ; 2001, Avec tout mon amour (Escriva) ; 2002, Dans ma peau (Van) ; 2003, Variété française (Videau) ; 2004, Demain on déménage (Akerman).

Avant tout une femme de théâtre au minois charmant, qui prend bientôt une toute nouvelle dimension derrière le tablier sale et les mains crasseuses de la mère dévouée du splendide *Y aura-t-il de la neige à Noël ?* Sa carrière cinématographique décolle sur-le-champ, et ce n'est que justice.

Reynolds, Burt

Acteur et réalisateur américain né en 1935.

1961, Angel Baby (Wendkos et Cornfield), Armored Command (L'espionne des Ardennes) (Haskin) ; 1965, Operation CIA (Nyby) ; 1967, Navajo Joe (Corbucci) ; 1968, Fade-In (Jud Taylor), 1969, Impasse (Benedict), Sam Whiskey (Sam Whisky le dur) (Laven), 100 Rifles (Cent fusils) (Gries) ; 1970, Shark (Fuller), Skullduggery (Douglas-Wilson) ; 1972, Fuzz (Les poulets) (Colla), Deliverance (Délivrance) (Boorman), Every Thing You Always Wanted to Know about Sex... (Tout ce que vous avez toujours voulu savoir sur le sexe...) (Allen) ; 1973, Shamus (Le fauve) (Kulik), The Man Who Loved Cat Dancing (Le fantôme de Cat Dancing) (Sarafian), White Lightning (Les Bootleggers) (Sargent) ; 1974, The Longest Yard (Plein la gueule) (Aldrich) ; 1975, At Long Last Love (Enfin l'amour) (Bodganovich), W.W. and the Dixie Dance Kings (W.W. Dixie) (Avildsen), Hustle (La cité des dangers) (Aldrich), Lucky Lady (Les aventuriers du Lucky Lady) (Donen) ; 1976, Gator (Reynolds), Silent Movie (La dernière folie de Mel Brooks) (Brooks), Nickelodeon (Bodganovich) ; 1977, Smokey and the Bandit (Cours après moi, shérif) (Needham), Semi-Tough (Les faux durs) (Ritchie) ; 1978, The End (Suicidez-moi, docteur) (Reynolds), Hooper (La fureur du danger) (Needham) ; 1979, Starting Over (Merci d'avoir été ma femme) (Pakula), Smokey and the Bandit II (Tu fais pas le poids, shérif) (Needham) ; 1980, The Canonball Run (L'équipée du Canonball) (Needham), Rough Cut (Le lion sort ses griffes) (Siegel) ; 1981, Sharky's Machine (Reynolds), Paternity (Steinberg) ; 1982, Best Friends (Les meilleurs amis) (Jewison) ; 1983, The Best Little Whorehouse in Texas (La cage aux poules)

(Higgin), The Man Who Loved Women (L'homme à femmes) (Edwards) ; Cannonball 2 (Needham) ; Smokey and the Bandit 3 (Lowry), Stroker Ace (As de cœur) (Needham) ; 1984, City Heat (Haut les flingues) (Benjamin) ; 1985, Stick (Le justicier de Miami) (Reynolds) ; 1986, Banco (Richards) ; 1987, Malone (Cockliss), Rent-a-Cop (Assistance à femme en danger) (London), Switching Channels (Scoop) (Kotcheff) ; 1987, Heat (Richards) ; 1989, Breaking in (Forsyth) ; 1991, The Player (The Player) (Altman) ; 1992, Cop and a Half (Un flic et demi) (Winkler) ; 1994, The Maddening (D. Huston) ; 1995, Citizen Ruth (Payne), Frankenstein and Me (Tinnell) ; 1996, Meet Wally Sparks (P. Baldwin), Striptease (Striptease) (A. Bergman), Mad Dog Time (Mad Dogs) (Bishop), Boogie Nights (Boogie Nights) (Anderson) ; 1997, Big City Blues (Fleury), Bean (Bean) (Smith) ; 1998, Waterproof (Berman), Stringer (Stringer) (Bidermann), Mystery Alaska (Roach), Pups (Ash) ; 1999, The Crew (Dinner), The Hunter's Moon (Weiman) ; 2000, The Hollywood Sign (Wortmann), The Last Producer (Reynolds), Driven (Harlin) ; 2004, Without a Paddle (Jusqu'au cou) (Brill) ; 2005, The Longest Yard (Mi-temps au mitard) (Segal), The Dukes of Hazzard (Shérif, fais-moi peur, le film) (Chandrasekhar). *Pour le metteur en scène*, voir le *Dictionnaire du cinéma*, t. I : *Les réalisateurs*.

Né en Géorgie d'un père cherokee et d'une mère italienne, il commence, en raison de ses dons athlétiques, une carrière de footballeur professionnel qu'interrompt un accident de voiture. Il se tourne vers la télévision où il fait plusieurs apparitions, s'y fait connaître avec *Mr. Squad* et tourne dans plusieurs films. C'est avec *Délivrance*, où il tient le rôle de l'homme fort, qu'il accède au rang de vedette. *Le fauve, Plein la gueule* le confinent dans ces rôles de « macho » puis, avec Needham, il se retrouve dans la peau d'un pilote peu soucieux des limitations de vitesse, d'où ses ennuis avec les shérifs. Mais l'homme est intelligent et comprend le danger d'interprétations trop plates et conformistes. A quatre reprises, il s'essaie dans la mise en scène avec un relatif succès. De là sa place particulière. Sa carrière traduit pourtant depuis 1990 un certain essoufflement malgré sa prestation remarquée dans *Boogie Nights*. Et le metteur en scène lui-même marque le pas.

Reynolds, Debbie

Actrice américaine née en 1932.

1950, The Daughter of Rosie O'Grady (Butler), Three Little Words (Trois petits mots) (Thorpe), Two Weeks with Love (Rowland) ; 1951, Mr. Imperium (Hartman) ; 1952, Singing in the Rain (Chantons sous la pluie) (Kelly et Donen), Skirts Ahoy (Des jupons à l'horizon) (Lanfield) ; 1953, Give a Girl a Break (Donnez-lui une chance) (Donen), I love Melvin (Cupidon photographe) (Weis), The Affairs of Dobie Gillis (Weis) ; 1954, Susan Slept Here (Suzanne découche) (Tashlin), Athena (Thorpe) ; 1955, Hit the Deck (La fille de l'Amiral) (Rowland), The Tender Trap (Le tendre piège) (Walters) ; 1956, The Catered Affair (Brooks), Bundle of Joy (Le bébé de mademoiselle) (Taurog) ; 1958, This Happy Feeling (Le démon de midi) (Edwards) ; 1959, The Mating Game (Comment dénicher un mari) (Marshall), Say One for Me (L'habit ne fait pas le moine) (Tashlin), It Started with a Kiss (Tout commence par un baiser) (Marshall) ; 1960, The Gazebo (Un mort récalcitrant) (Marshall), The Rat Race (Les pièges de Broadway) (Mulligan) ; 1961, The Pleasure of His Company (Mon séducteur de père) (Seaton), The Second Time Around (Le farfelu de l'Arizona) (V. Sherman) ; 1962, How The West Was Won (La conquête de l'Ouest) (Ford, Marshall, Hathaway), My Six Loves (Champion), Mary, Mary (LeRoy) ; 1964, The Unsinkable Molly Brown (La reine du Colorado) (Walters), Goodbye Charlie (Au revoir Charlie) (Minnelli) ; 1965, The Singing Nun (Dominique) (Koster) ; 1967, Divorce American Style (Yorkin) ; 1968, How Sweet It Is (Paris) ; 1971, What's the Matter with Helen ? (Qu'est-il arrivé à Hélène ?) (Harrington) ; 1974, That's Entertainment (Il était une fois Hollywood) (Healey Jr.) ; 1992, The Bodyguard (Bodyguard) (Jackson) ; 1993, Heaven and Earth (Entre ciel et terre) (Stone) ; 1994, That's Entertainment III (That's Entertainment III) (Friedgen et Knievel) ; 1996, Mother (Mother) (A. Brooks), In and Out (In & Out) (Oz), Wedding Bell Blues (Lustig) ; 1999, Keepers of the Flame (McLaughlin).

Venue d'El Paso dans le Texas, elle fut élue Miss Burbank en 1948 et engagée aussitôt à Hollywood. Pour la première fois en vedette dans *Chantons sous la pluie*, elle conquit tous les cœurs des cinéphiles. Que lui est-il advenu ensuite ? De mornes comédies de George Marshall *(The Mating Game)*, en « nonne chantante » de Koster *(Dominique)*, elle a aligné une série de films insipides. On finirait par comprendre que le chanteur Eddie Fisher (par ailleurs sinistre) l'ait quittée à la fin des années 60 pour Elizabeth Taylor. Désormais Debbie Reynolds pleure sous la pluie.

Rhames, Ving

Acteur américain, de son vrai prénom Irving, né en 1961.

1986, Native Son (Freedman) ; 1988, Patty Hearst (Patty Hearst) (Schrader) ; 1989, Casualties of War (Outrages) (De Palma) ; 1990, The Long Walk Home (Le long chemin vers la liberté) (Pearce), Jacob's Ladder (L'échelle de Jacob) (Lyne), Flight of the Intruder (Milius) ; 1991, Homicide (Homicide) (Mamet) ; 1992, The People Under the Stairs (Le sous-sol de la peur) (Craven), Stop ! or My Mom Will Shoot (Arrête ou ma mère va tirer) (Spottiswoode) ; 1993, The Saint of Fort Washington (Le saint de Manhattan) (Hunter), Blood In, Blood Out (Les princes de la ville) (Hackford), Dave (Président d'un jour) (Reitman) ; 1994, Drop Squad (Johnson), Pulp Fiction (Pulp Fiction) (Tarantino) ; 1995, Kiss of Death (Kiss of Death) (Schroeder) ; 1996, Mission : Impossible (Mission : Impossible) (De Palma), Striptease (Striptease) (Bergman) ; 1997, Dangerous Ground (Roodt), Rosewood (Singleton), Con Air (Les ailes de l'enfer) (West), Out of Sight (Hors d'atteinte) (Soderbergh) ; 1998, Body Count (Patton-Spruill), Entrapment (Haute voltige) (Amiel) ; 1999, Bringing Out the Dead (A tombeau ouvert) (Scorsese), Mission : Impossible 2 (Mission : Impossible 2) (Woo) ; 2001, Baby Boy (Singleton).

Second couteau noir au physique très massif et au visage paradoxalement plutôt doux. Surtout connu pour avoir été méchamment maltraité, de dos, dans une fameuse scène de *Pulp Fiction*. Passe en haut de l'affiche avec la série des *Mission : Impossible*, où il est Luther Strickell, spécialiste incontesté de l'informatique de pointe.

Riaboukine, Serge

Acteur français né en 1947.

1982, La balance (Swaim) ; 1984, Viva la vie (Lelouch) ; 1987, Buisson ardent (Perrin), Désordre (Assayas) ; 1989, L'enfant de l'hiver (Assayas) ; 1990, Rendez-vous au tas de sable (Grousset) ; 1992, Cible émouvante (Salvadori) ; 1993, Bonsoir (Mocky), Le mari de Léon (Mocky) ; 1994, ... à la campagne (Poirier), Jacques le Fataliste (Douchet) ; 1995, Des nouvelles du Bon Dieu (Le Pêcheur), L'année Juliette (Le Guay), Les apprentis (Salvadori) ; 1997, Marthe (Hubert), Western (Poirier) ; 1998, ... comme elle respire (Salvadori), Les grandes bouches (Bonvoisin), L'examen de minuit (Dubroux) ; 1999, Voyous voyelles (Meynard), Peau d'homme, cœur de bête (Angel), Une femme d'extérieur (Blanc), Scènes de crimes (Schoendoerffer), Ligne 208 (Dumont), Les acteurs (Blier), Les marchands de sable (Salvadori) ; 2000, Antilles-sur-Seine (Légitimus), La tour Montparnasse infernale (Némès) ; 2001, Grégoire Moulin contre l'humanité (Penguern).

Un physique d'ogre admirablement exploité par Pierre Salvadori, qui en fait un kidnappeur pitoyable dans ... *comme elle respire*. Homme de théâtre avant tout, il tient la vedette de *L'examen de minuit*, dans le rôle d'un paysan énamouré. A mille lieues d'un physique de cinéma, un acteur gargantuesque qui attend encore la reconnaissance.

Ricci, Christina

Actrice américaine née en 1980.

1990, Mermaids (Les 2 sirènes) (Benjamin) ; 1991, The Hard Way (La manière forte) (Badham) ; 1992, The Addams Family (La famille Addams) (Sonnenfeld) ; 1993, The Cemetery Club (Duke), Addams Family Values (Les valeurs de la famille Addams) (Sonnenfeld) ; 1995, Casper (Casper) (Silberling), Now and Then (Glatter), Gold Diggers : The Secret of Bear Mountain (Dobson) ; 1996, Bastard Out of Carolina (Huston), The Last of the High Kings (Keating) ; 1997, The Ice Storm (Ice Storm) (Lee), That Darn Cat ! (Spiers), Buffalo' 66 (Buffalo' 66) (Gallo) ; 1998, The Opposite of Sex (Sexe et autres complications) (Roos), Fear and Loathing in Las Vegas (Las Vegas Parano) (Gilliam), Pecker (Pecker) (Waters), I Woke Up Early the Day I Died (Iliopoulos), 200 Cigarettes (Bramon Garcia), Desert Blue (Freeman), No Vacancy (Balchunas) ; 1999, Sleepy Hollow (Sleepy Hollow) (Burton), Bless the Child (L'élue) (Russell), Buffalo 66 (Gallo) ; 2000, The Man Who Cried (The Man Who Cried) (Potter), Prozac Nation (Skjoldbjærg) ; 2003, Anything Else (La vie et tout le reste) (Allen), Monster (Monster) (Jenkins) ; The Gathering (Les témoins) (Gilbert) ; 2005, Cursed (Cursed) (Craven) ; Black Snake Moan (Brewer).

La terrifiante Mercredi de *La Famille Addams* poursuit, entre films d'auteur (Huston, Gilliam, Waters, Burton) et grosses productions sans âme, une carrière intelligente.

Rich, Claude

Acteur français né en 1929.

1955, Les grandes manœuvres (Clair) ; 1956, C'est arrivé à Aden (Boisrond), Mitsou (Audry), La polka des menottes (André) ; 1957, Ni vu ni connu (Robert), La ligne de mire (Pollet), La garçonne (Audry) ; 1960, La

Française et l'amour (sketch de Clair), L'homme à femmes (Cornu), Ce soir ou jamais (Deville) ; 1961, Tout l'or du monde (Clair), Les sept péchés capitaux (sketch de Chabrol), La chambre ardente (Duvivier) ; 1962, Les petits matins (Audry), Le caporal épinglé (Renoir), Le diable et les dix commandements (Duvivier), Copacabana Palace (Steno) ; 1963, Les tontons flingueurs (Lautner), Comment trouvez-vous ma sœur ? (Boisrond), Constance aux enfers (Villiers) ; 1964, Le repas des fauves (Christian-Jaque), La chasse à l'homme (Molinaro), Les copains (Robert), Mata-Hari (Richard) ; 1965, Un milliard dans un billard (Gessner), L'or du duc (Baratier) ; 1966, Monsieur le président-directeur général (Girault) ; 1967, Mona l'étoile sans nom (Colpi), Paris brûle-t-il ? (Clément), Les compagnons de la Marguerite (Mocky), Oscar (Molinaro) ; 1968, La mariée était en noir (Truffaut), Je t'aime, je t'aime (Resnais) ; 1969, Le corps de Diane (Richard), Une veuve en or (Audiard) ; 1970, Con quale amore, con quanto amore (Tu peux ou tu peux pas ?) (Festa Campanile) ; 1971, Nini Tirabuscio (Nini Tirebouchon) (Fondato) ; 1973, L'ironie du sort (Molinaro), Stavisky (Resnais) ; 1974, La race des seigneurs (Granier-Deferre), Le futur aux trousses (Grassian), La femme de Jean (Bellon) ; 1975, Adieu poulet (Granier-Deferre) ; 1977, Le crabe-tambour (Schoendoerffer) ; 1980, La guerre des polices (Davis) ; 1981, La revanche (Lary), Un matin rouge (Aublanc) ; 1983, Des mots pour le dire (Pinheiro) ; 1984, Maria Chapdelaine (Carle) ; 1985, Escalier C (Tacchella) ; 1988, Les cigognes n'en font qu'à leur tête (Kaminka) ; 1990, Promotion canapé (Kaminka) ; 1992, L'accompagnatrice (Miller), Le souper (Molinaro) ; 1993, Le colonel Chabert (Angelo) ; 1994, La fille de d'Artagnan (Tavernier), Dis-moi oui (Arcady) ; 1995, Le bel été 1914 (Chalonge), Désiré (Murat) ; 1996, Capitaine Conan (Tavernier) ; 1997, Nel profondo paese straniero (Homère — La dernière odyssée) (F. Carpi) ; 1998, Lautrec (Planchon), Le derrière (Lemercier) ; 1999, La bûche (Thompson), Les acteurs (Blier) ; 2002, Astérix et Obélix : mission Cléopâtre (Chabat) ; 2003, Le coût de la vie (Leguay), Le cou de la girafe (Nebbou) ; 2004, Là-haut, un roi au-dessus des nuages (P. Schoendoerffer), Rien, voilà l'ordre (Baratier) ; 2005, Le parfum de la dame en noir (Podalydès) ; 2006, Cœurs (Resnais), Président (Delplanque).

Encore un élève de Dullin dont il suivit les cours tout en travaillant dans une banque. Il fit ensuite le Conservatoire où il se lia avec Belmondo. Remarqué par René Clair, ce Strasbourgeois se laissa entraîner dans le monde du cinéma mais sans jamais délaisser la scène (*Lorenzaccio*, *Hadrien VII* d'après Corvo, *Périclès, Jean de La Fontaine* ou *Faisons un rêve* et *Le souper*... autant de réussites). Il se passionne pour l'écriture et joue *Un habit pour l'hiver, Le zouave, Une chambre sur la Dordogne* et *Pavane pour une infante*, pièces dont il est l'auteur. A l'écran, il joue les personnages légers (*Oscar*), mais passe au mode tragique (il est l'interprète inoubliable du *Crabe-tambour* et le rival un peu salaud de Claude Brasseur dans *La guerre des polices*). Il retrouve Brasseur dans *Le souper* qui lui vaut un césar. Il y est un éblouissant Talleyrand (mais sans le physique du personnage) opposé à Fouché-Brasseur. On le remarque également en aristocrate du faubourg Saint-Germain dans *Le colonel Chabert*. Il est excellent en rédacteur en chef du *Figaro* dans *Là-haut, un roi au-dessus des nuages*.

Richard, Jean

Acteur français, 1921-2001.

1946, Six heures à perdre (Joffé) ; 1949, Le roi Pandore (Berthomieu), Adémaï au poteau frontière (Colline) ; 1950, Bertrand cœur de lion (Dhéry), Le roi du blablabla (Labro) ; 1951, Le costaud des Batignolles (Lacourt), Le passage de Vénus (Sassy) ; 1952, Drôle de noce (Joannon), Les sept péchés capitaux (sketch de Rim), Deux de l'escadrille (Labro), Belle mentalité (Berthomieu) ; 1953, Le portrait de son père (Berthomieu) ; 1954, Drôle de bobines (Steno), Les deux font la paire (Berthomieu), Scènes de ménage (Berthomieu), Escalier de service (Rim), Chéri-Bibi (Pagliéro), Les gaietés de l'escadron (Moffa) ; 1955, La Madelon (Boyer), Elena et les hommes (Renoir) ; 1956, Les truands (Rim), Courte-tête (Carbonnaux), La vie est belle (R. Pierre, J.-M. Thibault) ; 1957, Nous autres à Champignol (Bastia), La peau de l'ours (Boissol) ; 1958, Messieurs les ronds-de-cuir (Diamant-Berger), La vie à deux (Duhour), En bordée (Chevalier) ; 1959, Le gendarme de Champignol (Bastia), Vous n'avez rien à déclarer (Duhour), Arrêtez le massacre (Hunebelle), Mon pote le Gitan (Gir), Certains l'aiment... froide (Bastia) ; 1960, Tête folle (Vernay), Les fortiches (Lefranc), Candide (Carbonnaux) ; 1961, La famille Fenouillard (Robert), La guerre des boutons (Robert), Sans tambours ni trompettes (Kautner), Les fortiches (Combret), Les tortillards (Bastia), Ma femme est une panthère (Bailly), La belle américaine (Dhéry) ; 1962, Du mouron pour les petits oiseaux (Carné), Coup de bambou (Boyer), Tartarin de Tarascon (Blanche),

Nous irons à Deauville (Rigaud), Un clair de lune à Maubeuge (Chérasse) ; 1963, Bébert et l'omnibus (Robert), Dragées au poivre (Baratier), Clémentine chérie (Chevalier) ; 1964, La bonne occase (Drach), Allez France (Dhéry), Comment épouser un Premier ministre (Boisrond), Le dernier tiercé (Pottier), Jaloux comme un tigre (Cowl), Les mordus de Paris (Armand) ; 1965, Le lit à deux places (Delannoy), L'or du duc (Baratier), La corde au cou (Lisbona), Les bons vivants (Girault), La tête du client (Girault), Les fêtes galantes (Clair) ; 1966, Le caïd de Champignol (Bastia), Sale temps pour les mouches (Lefranc) ; 1967, Le plus vieux métier du monde (Broca, Godard, etc.) ; 1968, Béru et ces dames (Lefranc) ; 1969, La maison de campagne (Girault) ; 1971, Le viager (Tchernia) ; 1975, Quand la ville s'éveille (Grasset) ; 1980, Signé Furax (Simenon).

Débuts au cabaret en paysan faussement abruti. Il reprendra le personnage dans plusieurs films, dont l'excellent *Courte-tête* sur le monde des courses. Dhéry, Carné, Clair feront appel à lui mais sans mettre en valeur sa « vis comica ». Il sera Béru, le compagnon de San-Antonio avant de se retirer du cinéma pour se consacrer au cirque, sa passion, et à la télévision où il fut Maigret dans une série d'enquêtes adaptées de Simenon.

Richard, Jean-Louis

Acteur et réalisateur français né en 1927.

1959, Austerlitz (Gance) ; 1960, Me faire ça à moi (Grimblat) ; 1961, Jules et Jim (Truffaut) ; 1963, La peau douce (Truffaut) ; 1967, Je t'aime je t'aime (Resnais) ; 1980, Le dernier métro (Truffaut) ; 1981, Le professionnel (Lautner) ; 1982, Le gendarme et les gendarmettes (Girault, Aboyantz), La vie est un roman (Resnais), Le choc (Davis), Vivement dimanche ! (Truffaut) ; 1983, Un amour de Swann (Schlöndorff), Le marginal (Deray), Équateur (Gainsbourg), Fort Saganne (Corneau) ; 1986, L'île (Leterrier), La femme secrète (Grall) ; 1987, Quelques jours avec moi (Sautet), La nuit de l'océan (Perset) ; 1988, Les deux Fragonard (Le Guay) ; 1991, Août (Herré), La sentinelle (Desplechin) ; 1992, L'inconnu dans la maison (Lautner) ; 1993, Tombés du ciel (Lioret), Grosse fatigue (Blanc), Jeanne la pucelle — Les batailles (Rivette), Jeanne la pucelle — Les prisons (Rivette) ; 1994, Fiesta (Boutron), L'année Juliette (Leguay), L'appât (Tavernier), N'oublie pas que tu vas mourir (Beauvois) ; 1996, Lucie Aubrac (Berri), Messieurs les enfants (Boutron), « Post Coitum, animal triste » (Roüan) ; 1997, Cantique de la racaille (Ravalec) ; 1998, L'école de la chair (Jacquot) ; 1999, Peau d'homme, cœur de bête (Angel) ; 2000, Le prof (Jardin) ; 2003, Mister V. (Deleuze). *Pour le réalisateur*, voir le *Dictionnaire du cinéma*, t. I : *Les réalisateurs*.

Acteur de théâtre à l'origine, il joue les jeunes premiers dans la compagnie de Louis Jouvet jusqu'en 1951, puis passe à la mise en scène. Il réalise quelques films dans les années 60, dont *Mata-Hari*, avec Jeanne Moreau qu'il épouse. Scénariste de nombreux films depuis 1962, dont certains signés François Truffaut, il impose depuis les années 80 son imposante stature dans un registre débonnaire ou carrément inquiétant (à l'image de son rôle de pornographe dans *Cantique de la racaille*).

Richard, Nathalie

Actrice française née en 1963.

1986, Golden Eighties (Akerman) ; 1988, La bande des quatre (Rivette) ; 1989, L'enfant de l'hiver (Assayas), Monsieur (Toussaint) ; 1991, Bar des rails (Kahn), Riens du tout (Klapisch) ; 1992, Grand bonheur (Le Roux), Jeanne la pucelle — Les prisons (Rivette) ; 1993, Les amoureux (Corsini) ; 1994, Haut bas fragile (Rivette), L'éducatrice (Kané) ; 1995, Lumière et compagnie (Moon) ; 1996, Irma Vep (Assayas), Jeunesse sans dieu (Corsini), Eau douce (Vermillard) ; 1998, Voleur de vie (Angelo), A Soldier's Daughter Never Cries (La fille d'un soldat ne pleure jamais) (Ivory), Fin août, début septembre (Assayas), Afraid of Everything (Barker) ; 1999, Confort moderne (Choisy), Code inconnu (Haneke) ; 2000, 30 ans (Perrin), Faites comme si je n'étais pas là (Jahan), La confusion des genres (Duran Cohen), Imago (Vermillard), On appelle ça... le printemps (Le Roux) ; 2001, Mon meilleur amour (Favrat), L'hiver sera rude (Chaize) ; 2002, Novo (Limosin), Au plus près du paradis (Marshall), Maintenant (Rabadán), Merci... Dr Rey ! (Litvack) ; 2003, Le ventre de Juliette (Provost), Le divorce (Ivory) ; 2005, Les enfants (Vincent), Zim and Co. (Jolivet), Caché (Haneke) ; 2006, Le passager (Caravaca), Le pressentiment (Darroussin) ; 2007, Avant le jour (Abitbol).

En dépit d'une majorité de seconds rôles, elle apporte toujours un soin extrême dans la psychologie de chacun de ses personnages. On la retrouve fréquemment chez Rivette, qui prise fort ce genre de physique un peu androgyne et fragile chez les jeunes filles, et, outre *Haut bas fragile* où elle tient la vedette, elle est aussi tête d'affiche d'un film très injustement méconnu : *Les amoureux*.

Richard, Pierre

Acteur et réalisateur français, de son vrai nom Defays, né en 1934.

1959, Heures chaudes (Félix) ; 1964, Le Monocle rit jaune (Lautner) ; 1965, La grosse caisse (Joffé), Du grisbi à Hong Kong (Kohler), Baroud à Beyrouth pour FBI 505 (Kohler) ; 1966, Jerk à Istanbul (Rigaud) ; 1967, Trois hommes sur un cheval (Moussy), Un idiot à Paris (Korber), Alexandre le Bienheureux (Robert) ; 1968, La prisonnière (Clouzot) ; 1969, La coqueluche (Arrighi) ; 1970, Le distrait (Richard), Teresa (Vergez), Sur un arbre perché (Korber) ; 1971, Les malheurs d'Alfred (Richard) ; 1972, Le grand blond avec une chaussure noire (Robert) ; 1973, La raison du plus fou (Reichenbach), Je sais rien mais je dirai tout (Richard), Juliette et Juliette (Forlani) ; 1974, Un nuage entre les dents (M. Pico), La moutarde me monte au nez (Zidi), Le retour du grand blond (Robert) ; 1975, Les naufragés de l'île de la Tortue (Rozier), Trop c'est trop (Kaminka), La course à l'échalote (Zidi) ; 1976, On aura tout vu (Lautner), Le jouet (Veber) ; 1978, Je suis timide mais je me soigne (Richard), La carapate (Oury) ; 1979, C'est pas moi, c'est lui (Richard) ; 1980, Le coup du parapluie (Oury) ; 1981, La chèvre (Veber) ; 1982, Un chien dans un jeu de quilles (Guillou) ; 1983, Les compères (Veber) ; 1984, Le jumeau (Robert) ; 1985, Les rois du gag (Zidi), Tranches de vie (Leterrier) ; 1986, Les fugitifs (Veber) ; 1988, A gauche en sortant de l'ascenseur (Molinaro), Mangeclous (Mizrahi) ; 1990, Bienvenue à bord (Leconte), On peut toujours rêver (Richard), Promotion canapé (Kaminka) ; 1992, Vieille canaille (Jourd'hui), La cavale des fous (Pico) ; 1994, La partie d'échecs (Anchar), L'amour conjugal (Babier) ; 1995, Les 1001 recettes du cuisinier amoureux (Djordjadze) ; 1997, Droit dans le mur (Richard) ; 1999, 27 Missing Kisses (L'été de mes 27 baisers) (Djordjadze) ; 2003, Les clefs de la bagnole (Baffie), Mariés mais pas trop (Corsini) ; 2005 ; Le Cactus (Bitton et Munz), En attendant le déluge (Odoul) ; 2006, Essaye-moi (Martin-Laval) ; 2007, Le serpent (Barbier). *Pour le metteur en scène*, voir le *Dictionnaire du cinéma*, t. I : *Les réalisateurs*.

Venu du music-hall où il fut lié à Jean Yanne, Jacques Fabbri et Georges Brassens, il a créé à l'écran un personnage d'ahuri sympathique, éternellement optimiste et que protège sa candeur. Ce « grand blond », qu'il ait ou non une chaussure noire, a connu, en faisant parfois il est vrai des concessions, une grande popularité.

Richard-Willm, Pierre

Acteur français, 1895-1983.

1930, Toute sa vie (Cavalcanti), Les vacances du diable (Cavalcanti) ; 1931, Sous le casque de cuir (Courville), Autour d'une enquête (Siodmak) ; 1932, Baby (Billon), Kiki (Lamac), Les amours de Pergolese (Brignone), Un soir au front (Ryder), Le petit écart (Schünzel) ; 1933, Pour être aimé (Tourneur), La fille du régiment (Lamac), L'épervier (L'Herbier) ; 1934, Nuits moscovites (Granovsky), Le prince Jean (Marguenat), Le grand jeu (Feyder), Fanatisme (Ravel), La maison dans la dune (Billon) ; 1935, Barcarolle (Lamprecht), La route impériale (L'Herbier) ; 1936, Anne-Marie (R. Bernard), L'argent (Billon), Courrier Sud (Billon), Au service du tsar (Billon) ; 1937, Un carnet de bal (Duvivier), La dame de Malacca (Allégret), Stradivarius (Bolvary), Yoshiwara (Ophuls), La tragédie impériale (L'Herbier) ; 1938, Le roman de Werther (Ophuls), Tarakanova (Ozep) ; 1939, Entente cordiale (L'Herbier), La piste du Nord (Feyder) ; 1941, Les jours heureux (Marguenat) ; 1942, Le comte de Monte-Cristo (Vernay), La croisée des chemins (Berthomieu), La duchesse de Langeais (Baroncelli) ; 1944, La fiancée des ténèbres (Poligny) ; 1946, Le beau voyage (L. Cuny), Rêves d'amour (Stengel).

Il fut le jeune premier à la mode des années 30. Blond, grand, le visage régulier mais tourmenté, il apparaissait comme le parfait héros romantique. On lui reprocha son jeu un peu figé, son manque d'aisance, mais le succès était toujours au rendez-vous. Et force est de reconnaître qu'il fut un excellent comte de Monte-Cristo. En 1946, il abandonna le cinéma pour se consacrer, dans les Vosges, au théâtre de Bussang. Il a laissé un livre de souvenirs.

Richardson, Miranda

Actrice anglaise née en 1958.

1985, Dance With a Stranger (Dance With a Stranger) (Newell), The Innocent (Mackenzie), Underworld (Pavlou) ; 1987, Eat the Rich (Richardson), Empire of the Sun (Empire du soleil) (Spielberg) ; 1989, The Mad Monkey (Trueba) ; 1990, The Fool (Edzard) ; 1991, Enchanted April (Avril enchanté) (Newell), Mio caro dottor Gässler (Faenza) ; 1992, The Crying Game (The Crying Game) (Jordan), Damage (Fatale) (Malle) ; 1993, Century (Poliakoff) ; 1994, The Night and the Moment (La nuit et le moment) (Tatò), Tom & Viv (Gilbert) ; 1995, Fatherland (Menaul) ; 1996, Kansas City (Kansas City) (Altman),

Swann (Benson Gyles), Saint Ex (Tucker), The Evening Star (Étoile du soir) (Harling) ; 1997, The Apostle (Le prédicateur) (Duvall) ; 1998, Jacob Two Two Meets the Hooded Fang (Bloomfield), The Big Brass Ring (Hickenlooper), St. Ives (Hook) ; 1999, Sleepy Hollow (Sleepy Hollow) (Burton) ; 2000, Get Carter (Get Carter) (Kay) ; 2001, The Man Who Killed Don Quichotte (Gilliam, inachevé) ; 2002, Spider (Spider) (Cronenberg), The Hours (The Hours) (Daldry).

Révélée grâce à *Dance With a Stranger* dans le rôle de la célèbre meurtrière Ruth Ellis, c'est encore grâce à Mike Newell et à son bucolique *Avril enchanté* qu'elle renoue avec le succès. Partagée entre Hollywood et le Royaume-Uni, elle est citée deux fois à l'Oscar (*Tom & Viv*, qui raconte les amours entre Vivienne Haigh-Wood et T. S. Eliot, et *Fatale*, dans lequel elle joue l'épouse frustrée de Jeremy Irons), et est également très présente sur scène et à la télévision.

Richardson, Natasha

Actrice anglaise née en 1963.

1986, Gothic (Gothic) (Russell) ; 1987, A Month in the Country (Un mois à la campagne) (O'Connor) ; 1988, Patty Hearst (Patty Hearst) (Schrader) ; 1989, Shadow Makers (Les maîtres de l'ombre) (Joffé) ; 1990, The Handmaid's Tale (La servante écarlate) (Schlöndorff), The Comfort of Strangers (Étrange séduction) (Schrader) ; 1991, The Favour, the Watch and the Very Big Fish (La montre, la croix et la manière) (Lewin) ; 1994, Nell (Nell) (Apted), Widow's Peak (Parfum de scandale) (Irvin) ; 1998, The Parent Trap (A nous quatre !) (Meyers) ; 2002, Waking Up in Reno (Brady), Blow Dry (Coup de peigne) (Breathnach).

Fille de Tony Richardson et de Vanessa Redgrave, elle débute sur scène au côté de cette dernière dans *La mouette*. Au cinéma, elle incarne Mary Shelley dans le *Gothic* de Ken Russell, puis hérite du rôle-titre de *Patty Hearst* de Paul Schrader, qu'elle retrouvera pour *Étrange séduction*. Plus racée que sa sœur Joely, également actrice (*Les 101 dalmatiens, Maybe Baby*), elle partage son temps entre la scène et le grand écran, et est mariée au comédien Liam Neeson.

Richardson, Ralph

Acteur et metteur en scène anglais, 1902-1983.

1933, The Ghoul (Le mort-vivant) (Hayes, Hunter), Friday the 13th (Saville) ; 1934, The Return of Bulldog Drummond (Summers), Java Head (Reuben), The King of Paris (Raymond) ; 1935, Bulldog Jack (Forde) ; 1935, Things to Come (La vie future) (Cameron Menzies), The Man Who Could Work Miracles (L'homme qui faisait des miracles) (Mendes) ; 1938, Thunder In the City (Gering) ; 1938, South Riding (Saville), The Divorce of Lady X (Le divorce de Lady X) (Whelar), The Citadel (La citadelle) (Vidor) ; 1939, Q-Planes (Woods), The Four Feathers (Les quatre plumes blanches) (Korda), The Lion Has Wings (Le lion a des ailes) (Powell, Brunel/ Hurst), On the Night of the Fire (Hurst) ; 1942, The Day Will Dawn (Riposte à Narvik) (French), The Silver Fleet (Sewell) ; 1943, The Volunteer (Powell, Pressburger) ; 1946, School For Secrets (Ustinov) ; 1948, Anna Karenine (Duvivier), The Fallen Idol (Première désillusion) (Reed) ; 1949, The Heiress (L'héritière) (Wyler) ; 1951, An Outcast of the Islands (Le banni des îles) (Reed), Home at Seven (Richardson) ; 1952, The Sound Barrier (Le mur du son) (Lean), The Holly and the Ivy (More O'Ferrall) ; 1956, Richard III (Olivier), Smiley (Perdus dans la brousse) (Kimmins) ; 1957, The Passionate Stranger (L'étranger amoureux) (Box) ; 1959, Our Man in Havana (Notre agent à La Havane) (Reed) ; 1960, Oscar Wilde (Ratoff), Exodus (Preminger) ; 1962, Long Day's Journey into Night (Lumet) ; 1963, The 300 Spartians (La bataille des Thermopyles) (Mate) ; 1964, The Woman of Straw (La femme de paille) (Dearden) ; 1966, The Doctor Zhivago (Le docteur Jivago) (Lean), The Wrong Box (Un mort en pleine forme) (Forbes), Khartoum (Dearden) ; 1969, Oh What a Lovely War (Dieu que la guerre est jolie) (Attenborough), The Battle of Britain (La bataille d'Angleterre) (Hamilton), The Bed Sitting Room (L'ultime garçonnière) (Lester), David Copperfield (Mann), The Midas Run (Kjelin) ; 1970, Eagle in a Cage (Cook), The Looking Glass War (Pierson) ; 1972, Tales from the Crypt (Histoires d'outre-tombe) (Francis), Who Ever Slew Auntie Roo ? (Qui a tué Tante Roo ?) (Harrington), Alice's Adventures in Wonderland (Alice au pays des merveilles) (Sterling), Lady Caroline Lamb (Bolt) ; 1973, O Lucky Man (Le meilleur des mondes possibles) (Anderson), A Doll's House (Garland), Frankenstein : the True Story (Smight) ; 1975, Rollerball (Rollerball) (Jewison) ; 1981, Dragonslayer (Robbins), Time Bandits (Bandits, bandits) (Gilliam) ; 1983, Wagner (Palmer), Greystoke (La légende de Tarzan) (Hudson) ; 1984, Give my Regards to Broad Street (Rendez-vous à Broad Street) (Webb).

Fils de quakers, il a été l'un des plus grands acteurs de la scène anglaise (il a beaucoup joué avec Olivier à l'Old Vic et a été anobli), mais il s'est limité au cinéma à des rôles de composition (le docteur Sloper de *L'héritière*, le capitaine Lindgard dans *Le banni des îles*) ou même à de simples silhouettes (un officier dans *Exodus*, un financier dans *Le meilleur des mondes*...). Du moins a-t-il fortement marqué ces rapides apparitions.

Rickman, Alan

Acteur et réalisateur britannique né en 1946.

1988, Die Hard (Piège de cristal) (McTiernan), The January Man (Calendrier meurtrier) (O'Connor) ; 1990, Quigley Down Under (Mr. Quigley l'Australien) (Wincer), Truly, Madly, Deeply (Truly, Madly, Deeply) (Minghella) ; 1991, Close my Eyes (Poliakoff), Robin Hood, Prince of Thieves (Robin des Bois, prince des voleurs) (Reynolds), Closet Land (Closet Land) (Bharadwaj) ; 1992, Bob Roberts (Bob Roberts) (Robbins) ; 1993, Mesmer (Spottiswoode) ; 1994, An Awfully Big Adventure (Newell) ; 1995, Sense and Sensibility (Raison et sentiments) (Ang Lee) ; 1996, Michael Collins (Michael Collins) (Jordan) ; 1997, Dark Harbor (Coleman Howard) ; 1998, Dogma (Dogma) (Smith), Judas Kiss (Judas Kiss) (Gutierrez) ; 1999, Galaxy Quest (Galaxy Quest) (Parisot) ; 2000, Blow Dry (Coup de peigne) (Breathnach) ; 2001, Harry Potter and the Sorcerer's Stone (Columbus). *Comme réalisateur :* 1997, The Winter Guest (L'invitée de l'hiver).

Décorateur pendant plusieurs années (et alors comédien amateur), ce n'est qu'en 1985 qu'il entre à la Royal Shakespeare Company. On le découvre au cinéma dans le rôle de l'impitoyable méchant de *Piège de cristal*. Par la suite, ses airs matois et torves le voueront souvent aux rôles de fourbes invétérés. Et il volait quasiment la vedette à Kevin Costner dans *Robin des Bois*.

Rideau, Stéphane

Acteur français né en 1976.

1994, Les roseaux sauvages (Téchiné) ; 1995, A toute vitesse (Morel), Revivre (Reynaud) ; 1997, Ça ne se refuse pas (Woreth), Mauvais genre (Bénégui) ; 1998, Sitcom (Ozon) ; 1999, Presque rien (Lifshitz) ; 2000, Loin (Téchiné).

Découvert par Téchiné, indissociable de Gaël Morel qui en fait son acteur fétiche, si son jeu reste encore à affiner, son physique de jeune premier à carrure de rugbyman séduit immanquablement, notamment dans son rôle très dénudé de *Sitcom*.

Riefenstahl, Leni

Actrice et réalisatrice allemande, 1902-2003.

1926, Der heilige Berg (La montagne sacrée) (Fanck) ; 1927, Der grosse Sprung (Le grand saut) (Fanck) ; 1929, Die weisse Hölle vom Piz Palü (Prisonniers de la montagne) (Fanck et Pabst) ; 1930, Stürme über dem Mont-Blanc (Tempête sur le Mont-Blanc) (Fanck) ; 1932, Das blaue Licht (La lumière bleue) (Riefenstahl) ; 1933, SOS Eisberg (SOS Iceberg) (Fanck, Garnett) ; 1954, Tiefland (Riefenstahl). *Pour le metteur en scène,* voir le *Dictionnaire du cinéma*, t. I : *Les réalisateurs.*

Très belle, sportive, intelligente, elle avait été danseuse dans la troupe de Mary Wigman avant d'être engagée par Fanck pour une série de films sur la montagne. Devenue réalisatrice en 1932, elle allait devenir l'égérie du IIIe Reich, tournant *Le triomphe de la volonté* et *Les dieux du stade*. Elle devait le payer très cher en 1945. Elle parvint pourtant à terminer *Tiefland*, délirant mélodrame où elle jouait un rôle de gitane que se disputaient un marquis (cruel) et un berger (innocent). C'est bien sûr le berger qui l'emportait. Une tentative de réhabilitation a été entreprise par Charles Ford en 1978.

Rigaud, Georges

Acteur français, de son vrai nom Pedro Jorge Rigato Delissetche, 1905-1984.

1931, Sous le casque de cuir (Courville) ; 1932, Fantômas (Féjos), Liebelei (Liebelei) (Ophuls), Une histoire d'amour (v.f. de Liebelei) (Ophuls) ; 1933, Quatorze juillet (Clair), Idylle au Caire (Schunzel), Tambour battant (Robinson), L'ordonnance (Tourjansky) ; 1935, Joli monde (Le Hénaff), Divine (Ophuls), Nitchevo (Baroncelli), La vie parisienne (Siodmak), Debout là dedans (Wulschleger) ; 1936, La peur (Tourjansky), Vertige d'un soir (Tourjansky), Le roman d'un spahi (Bernheim), Puits en flammes (Tourjansky) ; 1937, Nuits de feu (L'Herbier), Sarati le terrible (Hugon), Nostalgie (Tourjansky) ; 1939, Face au destin (Fescourt) ; 1940, Sans lendemain (Ophuls), Vingt-quatre heures de perm' (Cloche) ; 1947, I Walk Alone (L'homme aux abois) (Haskin) ; 1959, Du rififi chez les femmes (Joffé) ; 1961, Il colosse di Rodi (Le colosse de Rhodes) (Leone) ; 1963, Constance aux enfers (Villiers), Scaramouche (Isasi-Isasmendi), La tulipe noire (Christian-Jaque) ; 1965, L'homme de Marrakech (Deray), Operacion Estambul (L'homme d'Istanbul) (Isasi-Isasmendi), Finger on the Trigger

(Le chemin de l'or) (Pink), Le tigre se parfume à la dynamite (Chabrol) ; 1966, Surcouf, l'éroe dei sette mari (Surcouf le tigre des mers) (Bergonzelli), Sette pistole per i Mac Gregor (Sept Écossais du Texas) (Garfield) ; 1967, Hallo Ward ! (Baroud à la Jamaïque) (Salvador) ; 1970, Les mercenaires de la violence (Müller) ; 1971, Una lucertola con la pelle di donna (Carole) (Fulci), La morte camina con i tacchi alti (Ercoli) ; 1972, Uomo avvisato mezzo amurazzato — parola di Spirito Santo (On l'appelle Spirito Santo) (Ascott), Tutti i colori del buio (Martino), Perche quelle strane gocce di sangue sul corpo di Jennifer ? (Les rendez-vous de Satan) (Ascott), Horror Express/Panico en el Transiberiano (Terreur dans le Shanghai Express) (Martin), Il coltello di ghiaccio (Lenzi), La mansion de la niebla (de Blain) ; 1974, Gatti rossi in un labirinto di vetro (Lenzi) ; 1975, Léonor (J. Buñuel) ; 1979, Paco l'infaillible (Haudepin).

Jeune premier fameux de l'avant-guerre (on se souvient de l'amoureux d'Annabella dans *Quatorze Juillet)*, il se contenta dans les années 50-60 de petits rôles qui n'étaient pas à sa mesure.

Rignault, Alexandre
Acteur français, 1901-1985.

1931, La chienne (Renoir) ; 1933, La tête d'un homme (Duvivier), L'assommoir (Roudes), L'ordonnance (Tourjansky), Knock (Jouvet) ; 1934, Maria Chapdelaine (Duvivier), Liliom (Lang), Nuit de mai (Ucicky), Justin de Marseille (Tourneur), La maison dans la dune (Billon), L'aventurier (L'Herbier) ; 1935, Crime et châtiment (Chenal), La terre qui meurt (Vallée), L'équipage (Litvak), Les beaux jours (Allégret) ; 1936, Courrier sud (Billon), François Ier (Christian-Jaque), Les réprouvés (Séverac), La symphonie des brigands (Feher) ; 1937, La citadelle du silence (L'Herbier), Le puritain (Musso), La femme du bout du monde (Epstein), Puits en flammes (Tourjansky), La tour de Nesle (Roudès), Les filles du Rhône (Paulin), Tragédie impériale (L'Herbier), L'or dans la montagne (Haufler), Café de Paris (Mirande), Fort Dolorès (Le Hénaff) ; 1939, Campement 13 (Constant), Volpone (Tourneur), La tradition de minuit (Richebé), La charrette fantôme (Duvivier) ; 1942, Le comte de Monte-Cristo (Vernay), Pontcarral (Delannoy), Le voyageur de la Toussaint (Daquin), Madame et le mort (Daquin), Le bienfaiteur (Decoin), Malaria (Gourguet) ; 1943, Dernier métro (Canonge), Adémaï bandit d'honneur (Grangier), L'éternel retour (Delannoy), Les mystères de Paris (Baroncelli), Coup de tête (Le Hénaff), Le soleil de minuit (Bernard-Roland), Le secret de Madame Clapain (Berthomieu), L'homme de Londres (Decoin), Tornavara (Dréville) ; 1944, Le mystère Saint-Val (Le Hénaff) ; 1945, M. Grégoire s'évade (Daniel-Norman), Le capitan (Vernay), Christine se marie (Le Hénaff), Raboliot (Daroy) ; 1946, Nuits sans fin (Séverac), Torrents (Poligny), Le beau voyage (Cuny) ; 1947, Fantômas (Sacha), Ruy-Blas (Billon), Émile l'Africain (Vernay), Fort de la solitude (Vernay) ; 1948, Le sorcier du ciel (Blistène), Les souvenirs ne sont pas à vendre (Hennion), Fantômas contre Fantômas (Vernay), Les dieux du dimanche (Lucot) ; 1949, Le Furet (Leboursier), Le martyr de Bougival (Loubignac), Dans la vie tout s'arrange (Cravenne), Zone frontière (Gourguet) ; 1950, Bibi Fricotin (Blistène), Andalousie (Vernay), L'homme de la Jamaïque (Canonge), Knock (Lefranc) ; 1951, Le plus joli péché du monde (Grangier), Le costaud des Batignolles (Lacourt), La maison dans la dune (Lampin) ; 1952, Brelan d'as (Verneuil), La fête à Henriette (Duvivier), Nous sommes tous des assassins (Cayatte), Un caprice de Caroline (Devaivre) ; Piédalu fait des miracles (Loubignac) ; 1953, Maternité clandestine (Gourguet), Le retour de Don Camillo (Duvivier), Piédalu député (Loubignac) ; 1954, Le rouge et le noir (Autant-Lara), La plus belle des vies (Vermorel), Leguignon guérisseur (Labro) ; 1955, Gil Blas (Jolivet) ; 1956, Till l'Espiègle (Ivens), Les sorcières de Salem (Rouleau) ; 1957, Pot-Bouille (Duvivier), Clara et les méchants (André) ; 1958, Drôles de phénomènes (Vernay), Madame et son auto (Vernay) ; 1959, Le baron de l'écluse (Delannoy), Le Bossu (Hunnebelle), Marie des Isles (Combret) ; 1960, Les yeux sans visage (Franju), Les vieux de la vieille (Grangier) ; 1961, Don Camillo monseigneur (Gallone) ; 1962, Le scorpion (Hanin), Le roi des montagnes (Rozier), Le gentleman d'Epsom (Grangier) ; 1964, Angélique, marquise des Anges (Borderie), Up from the Beach (Le jour d'après) (Parrish) ; 1965, La sentinelle endormie (Dréville), Pas de panique (Gobbi) ; 1973, Les guichets du Louvre (Mitrani) ; 1974, Les bijoux de famille (Laureux) ; 1975, Numéro deux (Godard), Il faut vivre dangereusement (Makovsky) ; 1976, Le diable dans la boîte (Lary) ; 1977, Le paradis des riches (Barge) ; 1978, Un balcon en forêt (Mitrani) ; 1979, La ville des silences (Marbeuf) ; 1980, T'inquiète pas, ça se soigne (Matalon) ; 1981, Mon oncle d'Amérique (Resnais) ; 1982, L'indiscrétion (Lary), Y a-t-il un Français dans la salle ? (Mocky) ; 1983, L'ami de Vincent (Granier-Deferre) ; 1984, Partenaires (D'Anna).

Acteur de théâtre, il fut voué à l'écran aux rôles de brutes ; on le vit en garde-chasse, en gangster pas très malin, en personnage fruste. Ses meilleurs rôles sont peut-être ceux du maître d'école dans *Les mystères de Paris* et du commissaire Juve dans *Fantômas*. Il faillit alors devenir une vedette. Après une éclipse dans les années 70, il a reparu dans des films de Mocky, de Resnais et à la télévision.

Rin Tin Tin

Chien berger allemand, 1916-1932 (?).

1922, The Man from Hell's River (Cummings) ; 1923, Where the North Begins (Franklin) ; 1924, Find Your Man (St. Clair) ; 1925, Clash of the Wolves (Mason-Smith) ; 1926, The Night Cry, When London Sleeps ; 1927, Jaws of Steel (Enright), Dog of the Regiment (Lederman) ; 1928, Rinty of the Desert (Lederman) ; 1929, The Show of Shows (Adolfi), Frozen River (Weight), Tiger Rose (Fitzmaurice), The Million Dollar Collar (Lederman) ; 1930, Rough Waters (Daumery), The Lone Defender ; 1931, Lightning Warrior.

Ce splendide berger allemand fut ramené d'Allemagne par le capitaine Lee Duncan et dressé pour le cinéma. La Warner le prit sous contrat : westerns, comédies et mélodrames furent tenus par cet interprète à quatre pattes, particulièrement doué pour le cabotinage. Pour la petite histoire : les scénarios étaient écrits par Darryl F. Zanuck. Rin Tin Tin eut un successeur dans les années 30 pour des films dirigés souvent par Ray Enright. Il fut évoqué sous le nom de Won Ton Ton dans un film de Winner en 1976.

Rio, Dolores del : Cf. Del Rio, Dolores.

Risch, Maurice

Acteur français né en 1945.

1967, Le grand restaurant (Besnard), Les grandes vacances (Girault) ; 1968, La grande chasse (Berry) ; 1969, Le pistonné (Berri) ; 1971, L'œuf (Herman) ; 1972, Tout le monde il est beau, tout le monde il est gentil (Yanne), Nous ne vieillirons pas ensemble (Pialat) ; 1973, Le führer en folie (Clair) ; 1974, L'éducation amoureuse de Valentin (L'Hôte) ; 1975, Opération Lady Marlène (Lamoureux), No no Nénesse (inédit, Rozier) ; 1976, Le trouble-fesses (Foulon) ; 1977, Un oursin dans la poche (P. Thomas), Parlez-moi d'argent (R. Thomas), Les naufragés de l'île de la Tortue (Rozier) ; 1978, Le gendarme et les extra-terrestres (Girault), La zizanie (Zidi) ; 1980, Les fourberies de Scapin (Coggio), Le dernier métro (Truffaut), Le coup du parapluie (Oury), Signé Furax (Simenon) ; 1981, Le jour se lève et les conneries commencent (Mulot), Beau-père (Blier), L'ombre rouge (Comoli) ; 1982, Le gendarme et les gendarmettes (Girault), Les p'tites têtes (Menez) ; 1983, Mon curé chez les Thaïlandaises (R. Thomas) ; 1984, Retenez-moi ou je fais un malheur (Gérard), Vive les femmes (Confortès), La smala (Hubert) ; 1985, Gros dégueulasse (Zincone), Les clowns de dieu (Schmidt) ; 1986, Paulette la pauvre petite milliardaire (Confortès), Justice de flic (Gérard) ; 1990, They Never Slept (Prasad) ; 2000, Mercredi, folle journée ! (Thomas).

On n'a indiqué que quelques-uns des films que cette « rondeur » (le type du bon copain) a interprétés et en particulier le personnage du régisseur dans *Le dernier métro*. C'est que Risch a beaucoup joué les « utilités » avant de devenir enfin vedette avec *Vive les femmes*, d'après Reiser, puis *Gros dégueulasse*. Ne semble-t-il pas sortir tout droit des dessins de *Charlie-Hebdo* ?

Rispal, Jacques

Acteur français, 1923-1986.

1963, L'année du bac (Lacour) ; 1964, Aimez-vous les femmes ? (Léon) ; 1965, La guerre est finie (Resnais) ; 1967, Tante Zita (Enrico) ; 1968, Baisers volés (Truffaut) ; 1969, L'aveu (Costa-Gavras) ; 1970, Domicile conjugal (Truffaut) ; 1971, Le chat (Granier-Deferre) ; 1972, L'invitation (Goretta), L'affaire Dominici (Bernard-Aubert), La scoumoune (Giovanni) ; 1973, On s'est trompé d'histoire d'amour (Bertucelli), Lacombe Lucien (Malle), Les guichets du Louvre (Mitrani), Les valseuses (Blier) ; 1974, Peur sur la ville (Verneuil), Un nuage entre les dents (Pico) ; 1975, Il faut vivre dangereusement (Makovski), Adieu poulet (Granier-Deferre), Le chant du départ (Aubier), Section spéciale (Costa-Gavras), Ce cher Victor (Davis), Calmos (Blier) ; 1976, Comme un boomerang (Giovanni), Les ambassadeurs (Ktari) ; 1977, Comme la lune... (Séria), Pourquoi pas ! (Serreau), Diabolo menthe (Kurys), Le mille-pattes fait des claquettes (Girault), La menace (Corneau) ; 1978, La ville à prendre (Brunié), Mon oncle d'Amérique (Resnais) ; 1979, Les turlupins (Revon) ; 1980, French Postcards (French Postcards) (Huyck) ; 1981, Pour la peau d'un flic (Delon), Beau-père (Blier) ; 1982, Interdit aux moins de treize ans (Bertucelli) ; 1983, Vive la sociale ! (Mordillat) ; 1984, Le thé à la menthe (Bahloul).

Excellent second rôle et gueule typique du cinéma de genre des années 70 : tour à tour flic ou voyou, il imprimait un aspect débonnaire et légèrement « parigot » à chacun de ses personnages.

Ritter, Thelma

Actrice américaine, 1905-1969.

1947, Miracle on 34th Street (Seaton) ; 1949, A Letter to Three Wives (Chaînes conjugales) (Mankiewicz), Father Was a Fullback (Stahl), City across the River (Shane) ; 1950, All about Eve (Eve) (Mankiewicz), I'll Get By (Sale), Perfect Strangers (Windust) ; 1951, As Young as You Feel (Jones), The Mating Season (Leisen), The Model and the Marriage Broker (Cukor) ; 1952, With a Song in My Heart (W. Lang) ; 1953, Titanic (Negulesco), The Farmer Takes a Wife (Levin), Pickup on South Street (Le port de la drogue) (Fuller) ; 1954, Rear Window (Fenêtre sur cour) (Hitchcock) ; 1955, Daddy Long Legs (Papa longues-jambes) (Negulesco) ; 1956, The Proud and the Profane (Seaton) ; 1959, A Hole in the Head (Un trou dans la tête) (Capra), Pillow Talk (Confidences sur l'oreiller) (Gordon) ; 1960, The Misfits (Les désaxés) (Huston) ; 1962, The Birdman of Alcatraz (Le prisonnier d'Alcatraz) (Frankenheimer), How the West Was Won (La conquête de l'Ouest) (Ford, Walsh, Hathaway) ; 1963, For Love or Money (M. Gordon), Move over Darling (M. Gordon), A New Kind of Love (Shavelson) ; 1965, Boeing Boeing (Rich) ; 1967, The Incident (L'incident) (Peerce).

L'équivalent américain de Pauline Carton. Femme de ménage, nurse ou habilleuse, elle a toujours son franc-parler et représente la sagesse populaire. Elle est surtout connue pour être l'infirmière de James Stewart dans *Fenêtre sur cour.*

Ritz Brothers

Groupe américain (Al Joachim, 1901-1965 ; Jimmy Joachim, 1903-1985 ; Harry Joachim, 1906-1986).

1934, Hotel Anchory (Al Christie) ; 1936, Sing, Baby, Sing (Lanfield) ; 1937, One a Million (Lanfield), On the Avenue (Del Ruth), You Can't Have Everything (Taurog), Life Begins at College (Seiter) ; 1938, The Goldwyn Follies (Marshall), Kentucky Moonshine (Butler), Straight, Place and Show (Butler) ; 1939, The Three Musketeers (Les trois loufquetaires) (Dwan), The Gorilla (Le gorille) (Dwan), Pack Up Your Troubles (Les sans-soucis) (Humberstone) ; 1940, Argentine Nights (Rogell) ; 1942, Behind the Eight Ball (Roberts) ; 1943, Hi'Ya Chum (H. Young), Never a Dull Moment (Lilley).

Fils d'un immigrant autrichien, nés dans le Newark, ils débutèrent séparément sur les planches avant de former, à partir de 1925, une équipe qui rencontra un vif succès dans les « night-clubs ». Ils firent un premier court métrage avec Al Christie, puis signèrent un contrat avec la Fox. On les vit dans plusieurs comédies musicales. Assez drôles dans *The Three Musketeers* et *The Gorilla*, ils ne purent pourtant jamais prétendre rivaliser avec les Marx. En 1939, ils passèrent à l'Universal où ils tournèrent quatre films sans intérêt. Après la mort de l'aîné, on a revu Jim et Harry dans *Won Ton Ton* (Winner) et Harry seul dans *Silent Movie* (Brooks).

Riva, Emmanuelle

Actrice française née en 1927.

1958, Les grandes familles (La Patellière), 1959, Hiroshima mon amour (Resnais), Le huitième jour (Hanoun) ; 1960, Recours en grâce (Benedek), Adua e le compagne (Adua et ses compagnes) (Pietrangeli), Kapo (Pontocorvo) ; 1961, Léon Morin prêtre (Melville), Climats (Lorenzi) ; 1962, Thérèse Desqueyroux (Franju), Les heures de l'amour (Salce) ; 1963, Le gros coup (Valère) ; 1964, Le coup de grâce (Cayrol), L'or et le plomb (Cuniot) ; 1965, Thomas l'imposteur (Franju), Io uccido, tu uccidi (Puccini) ; 1966, Les fruits amers (Audry), Cinq mille kilomètres vers la gloire (Kurahara) ; 1967, Les risques du métier (Cayatte) ; 1969, La modification (Worns) ; 1970, L'homme de désir (Delouche) ; 1971, Les portes de feu (Bernard-Aubert) ; 1973, J'irai comme un cheval fou (Arrabal) ; 1974, Au long de la rivière Fango (Sotha) ; 1975, Le diable au cœur (Queysanne) ; 1975, La mort de l'utopie (Amat) ; 1980, Les jeux de la comtesse Dolingen de Gratz (Binet) ; 1982, Y a-t-il un Français dans la salle ? (Mocky), Gli occhi e la bocca (Les yeux et la bouche) (Bellocchio) ; 1983, Un homme à ma taille (Carducci) ; 1984, Liberté, la nuit (Garrel) ; 1987, Funny boy (Le Hémonet) ; 1988, Nieswykla Podroz Baltazara Kobera (Les tribulations de Balthazar Kober) (Has) ; 1991, Pour Sacha (Arcady) ; 1992, Loin du Brésil (Tilly), Bleu (Kieslowski) ; 1993, L'ombre du doute (Issermann) ; 1995, Dieu, l'amant de ma mère et le fils du charcutier (Issermann) ; 1996, Arthur Rimbaud, l'homme aux semelles de vent (Rivière), Capitaine au long cours (Conti Rossini) ; 1997, XXL (Zeitoun) ; 1998, Vénus Beauté (Institut) (Marshall) ; 2001,

C'est la vie (Améris) ; 2004, Éros thérapie (Dubroux), Vert paradis (Bourdieu) ; 2007, Mon fils à moi (Fougeron).

Lancée par Resnais dans *Hiroshima*, elle reste l'héroïne de ce film et la Thérèse Desqueyroux de Franju. Par ailleurs elle a refusé un statut de vedette populaire (que son physique ne lui permettait peut-être pas) pour se consacrer à des œuvres difficiles (Cayrol, Queysanne...).

Rivière, Georges

Acteur français né en 1924.

1948, Le diable boiteux (Guitry) ; 1958, Houla-Houla (Darène) ; 1960, Normandie-Niemen (Dréville), Herrin der Welt (Les mystères d'Angkor) (Dieterle), Crimen (Chacun son alibi) (Camerini), Le passage du Rhin (Cayatte) ; 1961, Le jeu de la vérité (Hossein), Le dernier quart d'heure (Saltel), Il giudizio universale (Le jugement dernier) (De Sica), Antinea, l'amante della citta sepolta (L'Atlantide) (Ullmer), The Longest Day (Le jour le plus long) (Zanuck, Marton, Annakin...) ; 1962, La Fayette (Dréville), Mandrin, bandit gentilhomme (Le Chanois), L'accident (Greville) ; 1963, La vie conjugale (Cayatte) ; 1964, La donnacia (L'allumeuse) (Siano), Danza macabra (La danse macabre) (Corbucci et Margheriti), La vergine di Norimberga (La vierge de Nuremberg) (Margheriti), La cage de verre (Arthuys et Lévi Alvarez) ; 1965, Minnesota Clay (L'homme du Minnesota) (Corbucci), Le commissaire mène l'enquête (Collin et Delille), Passeport pour l'enfer (Sterling), Les chiens dans la nuit (Rozier).

Une rapide carrière de jeune premier dans des films d'action.

Rivière, Marie

Actrice française née en 1956.

1978, Perceval le Gallois (Rohmer), La vie comme ça (Brisseau) ; 1979, Confidences pour confidences (Thomas) ; 1980, La femme de l'aviateur (Rohmer) ; 1985, Folie suisse (Lipinska) ; 1986, Le rayon vert (Rohmer) ; 1987, Le bonheur se porte large (Métayer), Quatre aventures de Reinette et Mirabelle (Rohmer) ; 1988, Papa est parti, maman aussi (Lipinska) ; 1991, Conte d'hiver (Rohmer) ; 1992, Le cahier volé (Lipinska) ; 1993, Couples et amants (Lvoff) ; 1994, Muriel fait le désespoir de ses parents (Faucon) ; 1996, Sept en attente (Etchegaray) ; 1998, Conte d'automne (Rohmer), Vénus Beauté (Institut) (Marshall) ; 1999, Les filles ne savent pas nager (Birot) ; 2000, Marie-Line (Charef), Minoush (Muxel), Samia (Faucon), L'Anglaise et le duc (Rohmer).

Éloignée du stéréotype de l'actrice rohmérienne par excellence (nécessairement à peine pubère, évanescente et fleur bleue), Marie Rivière reste pourtant une favorite du cinéaste des Contes moraux. La raison : une hypersensibilité à fleur de peau et une force de jeu tout en finesse, avec un art consommé de la fausse improvisation. Elle était bouleversante dans l'inégalé *Rayon vert*, et revint en force en tête d'affiche du *Conte d'automne*.

Roanne, André

Acteur français, 1896-1959.

1916, Le pied qui étreint (Feyder) ; 1921, L'Atlantide (Feyder) ; 1922, L'ombre déchirée ; 1924, Violettes impériales (Roussel) ; 1925, Le berceau de Dieu (Leroy-Granville), Terre promise (Roussel), Chouchou poids plume (Ravel), Le fauteuil 47 (Ravel) ; 1927 Mademoiselle Josette ma femme (Ravel) ; 1928, La petite chocolatière (Hervil), Dolly (Colombier), Rapa-Nui (Bonnard), La petite fonctionnaire (Goupillières), La merveilleuse journée (Barberis) ; 1929, Le journal d'une fille perdue (Pabst) ; 1930, Accusée levez-vous ! (Tourneur), Le chant des nations (Meinert), La lettre (Mercanton), Cendrillon de Paris (Hemard) ; 1931, Gloria (Behrendt), Nicole et sa vertu (Hervil), Grains de beauté (Caron), L'amour à l'américaine (Heymann), Calais-Douvres (Litvak) ; 1932, Baby (Lamac), Mon curé chez les riches (Donatien), Ne sois pas jalouse (Génina), Cognasse (Mercanton), Tout s'arrange (Diamant-Berger), Le triangle de feu (Greville) ; 1933, Ma cousine de Varsovie (Gallone), Le coq du régiment (Cammage), Paris-Deauville (Delannoy) ; 1934, L'aristo (Berthomieu), Une nuit de folies (Cammage), Le mystère Imberger (Séverac) ; 1935, Le cavalier Lafleur (Ducis), Le voyage de M. Perrichon (Tarride), L'école des vierges (Weill), Quelle drôle de gosse (Joannon), La mariée du régiment (Cammage), Un soir de bombe (Cammage) ; 1936, Gigolette (Noé), Les demi-vierges (Caron), Police mondaine (Bernheim), Jeunes fille de Paris (Vermorel) ; 1937, Le fauteuil 47 (Rivers), Le club des aristocrates (Colombier), Mon député et sa femme (Cammage), Les gens du voyage (Feyder) ; 1938, Petite peste (Limur), Les cinq sous de Lavarède (Cammage), Café de Paris (Mirande), Gibraltar (Ozep) ; 1939, Le chasseur de chez Maxim's (Cammage), Entente cordiale (L'Herbier) ; 1940, Finance noire (Gandéra), Monsieur Hector (Cammage) ; 1946, Macadam (Blistène) ; 1950, Boniface somnambule (Labro) ;

1953, Mam'zelle Nitouche (Y. Allégret) ; 1954, Les clandestines (André) ; 1955, Les pépées font la loi (André) ; 1957, Une manche et la belle (Verneuil).

Jeune premier sportif des années 20 (on n'a pas indiqué tous les films qu'il a alors tournés), apprécié de Feyder, partenaire de Louise Brooks pour *Le journal d'une fille perdue*, il supporte mal l'avènement du parlant et se transforme en noceur ou en militaire dans les vaudevilles de Cammage. Films géniaux par rapport à ceux qui suivront l'après-guerre et qui seront signés Raoul André. Chouchou poids plume s'est transformé en Chouchou poids lourd !

Robards Jr., Jason

Acteur américain, 1920-2001.

1937, Clipped Wings (Paton), Sweetheart of the Navy (Mansfield) ; 1938, Prison Break (Lubin) ; 1946, Dick Tracy vs. Cueball (Douglas) ; 1948, Guns of Hate (Selander) ; 1949, Rimfire (Eason) ; 1950, Western Pacific Agent (Newfield) ; 1958, The Journey (Le voyage) (Litvak) ; 1961, By Love Possessed (Par l'amour possédé) (Sturges), Tender Is the Night (Tendre est la nuit) (King) ; 1962, Long Day's Journey into Night (Le long voyage dans la nuit) (Lumet), Act One (Schary) ; 1965, A Thousand Clowns (Des clowns par milliers) (Coe) ; 1966, Any Wednesday (Chaque mercredi) (R. E. Miller), Big Deal at Dodge City (Gros coup à Dodge City) (F. Cook) ; 1967, Divorce American Style (Yorkin), Hour of the Gun (Sept secondes en enfer) (Sturges), The St Valentine's Day Massacre (L'affaire Al Capone) (Corman) ; 1968, The Night They Raided Minsky's (Friedkin), C'era una volta il West (Il était une fois dans l'Ouest) (Leone) ; 1969, Isadora (Isadora) (Reisz), Rosolino Pater no soldato (N. Loy) ; 1970, Tora ! Tora ! Tora ! (Tora ! Tora ! Tora !) (Fleischer), Julius Caesar (Burge), The Ballad of Cable Hogue (Un nommé Cable Hogue) (Peckinpah), Fools (Gries) ; 1971, Murders in the Rue Morgue (Meurtres dans la rue Morgue) (Hessler), Johnny Got His Gun (Johnny s'en va-t-en guerre) (Trumbo) ; 1972, The War Between Men and Women (Shavelson), Tod eines Fremden (Badiyi, Massad) ; 1973, Play It As It Lays (Perry), Pat Garrett and Billy the Kid (Peckinpah) ; 1975, Mr. Sycamore (Kohner), A Boy and His Dog (Apocalypse 2024) (Jones) ; 1976, All the President's Men (Les hommes du président) (Pakula) ; 1977, Julia (Julia) (Zinnemann) ; 1978, Comes a Horseman (Le souffle de la tempête) (Pakula) ; 1979, Hurricane (L'ouragan) (Troell) ; 1980, Melvin and Howard (Demme), Raise the Titanic ! (La guerre des abîmes) (Jameson) ; 1981, Capoblanco (Lee Thompson), The Legend of the Lone Ranger (Fraker) ; 1982, Burden of Dreams (Blank) ; 1983, Max Dugan Returns (Ross), Something Wicked This Way Comes (La foire des ténèbres) (Clayton), The Day After (Le jour d'après) (Meyer) ; 1987, Square Dance (Daniel Petrie) ; 1988, The Good Mother (Le prix de la passion) (Nimoy), Bright Lights, Big Cities (Les feux de la nuit) (Bridges) ; 1989, Dream a Little Dream (Rocco), Reunion (L'ami retrouvé) (Schatzberg), Parenthood (Portrait craché d'une famille modèle) (Howard) ; 1990, Quick Change (Franklin, Murray), Black Rainbow (Black Rainbow) (Hodges) ; 1992, Storyville (Storyville) (Hodges) ; 1993, The Adventures of Huck Finn (Les aventures de Huckleberry Finn) (Sommers), Philadelphia (Philadelphia) (Demme), The Trial (Jones) ; 1994, Little Big League (Scheinman), The Paper (Le journal) (Howard) ; 1995, Crimson Tide (USS Alabama) (T. Scott) ; 1997, A Thousand Acres (Secrets) (Moorhouse) ; 1998, Enemy of the State (Ennemi d'Etat) (T. Scott), Heartwood (Cotler), The Real Macaw (Andreacchio), Beloved (Beloved) (Demme) ; 1999, Magnolia (Magnolia) (Anderson).

Fils d'un acteur réputé (1892-1963) qui a eu une filmographie abondante, il fait ses études à la Hollywood High School puis à l'American Academy of Art. Après son service militaire, le doute n'est plus permis : il sera comédien. Beaucoup de théâtre, de Broadway à Stratford on Avon. Il n'aborde que tardivement le cinéma où son masque buriné et ses cheveux qui blanchissent en font un héros idéal pour les westerns crépusculaires *(Hour of the Gun, Pat Garret et Billy le Kid)*. C'est pourtant avec des œuvres plus ambitieuses (mais peut-être moins bonnes) qu'il gagne un prix d'interprétation à Cannes *(Le long voyage dans la nuit)* et deux oscars d'acteur de complément *(Les hommes du président* et *Julia)*. Il a été marié à Lauren Bacall de 1961 à 1973.

Robbins, Tim

Acteur et réalisateur américain né en 1958.

1984, No Small Affair (Schatzberg), Toy Soldiers (Fisher) ; 1985, The Sure Thing (Garçon chic pour nana choc) (Reiner), Fraternity Vacations (Frawley) ; 1986, Howard the Duck (Howard) (Huyck), Top Gun (Top Gun) (Scott) ; 1987, Five Corners (Bill) ; 1988, Tapeheads (Les as du clip) (Fishman), Bull Durham (Duo à trois) (Shelton) ; 1989, Erik

The Viking (Erik le Viking) (Jones), Twister (Almereyda), Miss Firecracker (Schlamme) ; 1990, Cadillac Man (Cadillac Man) (Donaldson), Jacob's Ladder (L'échelle de Jacob) (Lyne) ; 1991, Jungle Fever (Jungle Fever) (Lee) ; 1992, Bob Roberts (Bob Roberts) (Robbins), The Player (The Player) (Altman) ; 1993, Short Cuts (Short Cuts) (Altman), The Hudsucker Proxy (Le grand saut) (Coen) ; 1994, The Shawshank Redemption (Les évadés) (Darabont), Ready to Wear (Prêt-à-porter) (Altman), I.Q. (L'amour en équation) (Schepisi) ; 1996, Nothing to Lose (Rien à perdre) (Oedekerk) ; 1998, Arlington Road (Arlington Road) (Pellington) ; 1999, Austin Powers : The Spy Who Shagged Me (Austin Powers : L'espion qui m'a tirée) (Roach), High Fidelity (High Fidelity) (Frears) ; 2000, Mission to Mars (Mission to Mars) (De Palma), Antitrust (Howitt), Human Nature (Gondry) ; 2003, Mystic River (Mystic River) (Eastwood) ; 2005, Anchoman : The Legend of Ron Burgundy (Présentateur vedette : la légende de Ron Burgundy) (McKay), War of the Worlds (La guerre des mondes) (Spielberg) ; 2006, La Vida Secreta de las Palabras (The Secret Life of Words) (Coixet), Zathura (Zathura : une aventure spatiale) (Farveau) ; 2007, Catch a Fire (Au nom de la liberté) (Noyce). *Pour le metteur en scène*, voir le *Dictionnaire du cinéma*, t. I : *Les réalisateurs*.

Fils d'un chanteur folk new-yorkais, ce géant de la scène (il mesure près de deux mètres) fonde l'une des troupes théâtrales indépendantes les plus réputées de la côte est (The Actor's Gang). Sa carrière cinématographique démarre doucement, ses rôles dans des comédies anodines lui valant de ne pas être pris au sérieux. On le remarque enfin dans *L'échelle de Jacob*, où il incarne un vétéran du Vietnam. Altman lui offre son premier grand rôle avec *The Player* qui lui vaudra le prix d'interprétation à Cannes. Depuis, il ne quitte plus le devant de la scène. Il entame une carrière de réalisateur avec *Bob Roberts*, brillante et intelligente satire des milieux politiques américains et *La dernière marche*, émouvante réflexion sur la peine de mort. Il parodie Bill Gates dans *Antitrust*.

Robert, Jacques

Acteur et réalisateur français, 1890-1928.

1918, L'âme de Pierre (Burguet), La course du flambeau (Burguet), Le comte de Monte Cristo (série) (Pouctal) ; 1919, Le fils de la nuit (Bourgeois) ; 1920, La force de vie (Leprince), Naragana (Poirier) ; 1921, L'espoir (Burguet). *Pour le metteur en scène*, voir le *Dictionnaire du cinéma*, t. I : *Les réalisateurs*.

Type même de l'acteur des années 20 devenu réalisateur. Impossible de le juger, ses films étant perdus, mais selon Jean Dréville le réalisateur fut plus important que l'acteur.

Robert, Yves

Acteur, réalisateur et producteur français, 1920-2002.

1948, Les dieux du dimanche (Lucot) ; 1949, Le parfum de la dame en noir (Daquin) ; 1950, Juliette ou la clé des songes (Carné) ; Bibi Fricotin (Blistène), Trois télégrammes (Decoin), Le tampon du capiston (Labro) ; 1951, Deux sous de violettes (Anouilh), La rose rouge (Pagliero) ; 1952, Suivez cet homme (Lampin) ; 1953, Virgile (Rim) ; 1954, Escalier de service (Rim), Les hommes ne pensent qu'à ça (Robert), Futures vedettes (Allégret) ; 1955, Les mauvaises rencontres (Astruc), Les grandes manœuvres (Clair), Les truands (Rim), La terreur des dames, Ce cochon de Morin (Boyer) ; 1956, Folies-Bergère (Decoin) ; 1958, Les femmes sont marrantes (Hunebelle), Le petit prof (Rim), Nina (Boyer) ; 1959, La jument verte (Autant-Lara), Signé Arsène Lupin (Robert), La famille Fenouillard (Robert) ; 1960, La brune que voilà (Lamoureux), La mort de Belle (Molinaro), La Française et d'amour (sketch Le mariage, de Clair), L'U.R.S.S. à cœur ouvert (Vernay et Karmen) (commentaire) ; 1962, Cléo de 5 à 7 (Varda) ; 1963, Bébert et l'omnibus (Robert) ; 1965, La communale (Lhote) ; 1966, Le roi de cœur (Broca), Un idiot à Paris (Korber) ; 1968, Le mois le plus beau (Blanc) ; 1969, Clérambard (Robert), Le pistonné (Berri) ; 1970, Le distrait (Richard), Le cinéma de papa (Berri), Le voyou (Lelouch), Le cri du cormoran le soir au-dessus des jonques (Audiard) ; 1971, Absences répétées (Gilles), L'aventure, c'est l'aventure (Lelouch), Les malheurs d'Alfred (Richard), Le viager (Tchernia) ; 1972, Chère Louise (Broca), Le grand blond avec une chaussure noire (Robert) ; 1973, La grande Pauline (Calderon), La raison du plus fou (Reichenbach) ; 1974, Le retour du grand blond (Robert), Section spéciale (Costa-Gavras) ; 1975, Le juge et l'assassin (Tavernier) ; 1976, Le petit Marcel (Fansten) ; 1977, Cap Horn (Hussenot) (commentaire) ; 1978, Ils sont grands ces petits (Santoni) ; 1979, Le rose et le blanc (Pansard-Besson), Femme entre chien et loup (Delvaux) ; 1980, Un mauvais fils (Sautet) ; 1983, Vive la sociale ! (Mordillat), Garçon ! (Sautet) ; 1985, Billy-ze-kick (Mordillat) ;

1986, Le débutant (Janneau) ; 1988, Cher frangin (Mordillat) ; 1989, Le crime d'Antoine (Rivière) ; 1992, La crise (Serreau) ; 1993, Montparnasse-Pondichery (Robert) ; 1994, Le nez au vent (Guerrier) ; 1995, Sortez des rangs ! (J.-D. Robert) ; 1997, Disparus (Bourdos). *Pour le metteur en scène*, voir le *Dictionnaire du cinéma*, t. I : *Les réalisateurs.*

D'abord typographe, il entre en 1943 dans la troupe de Grenier-Hussenot puis tente sa chance seul. Il devient animateur de la Rose rouge. En 1948, il tourne son premier film, mais vite lassé des œuvres médiocres qu'il interprète, il passe à la mise en scène en 1954, tout en continuant à tenir des petits rôles chez des réalisateurs amis. Marié à Danielle Delorme, il avait fondé sa propre maison de production. Le metteur en scène qui savait choisir ses scénarios était bien supérieur à l'acteur.

Roberts, Eric

Acteur américain né en 1956.

1978 King of the Gypsies (Le roi des gitans) (Pierson) ; 1981, Raggedy Man (Fisk) ; 1983, Star 80 (Star 80) (Fosse) ; 1984, The Pope of Greenwich Village (Le pape de Greenwich Village) (Patrick) ; 1985, Runaway Train (Runaway Train) (Konchalovsky), The Coca-Cola Kid (Coca-Cola kid) (Makavejev) ; 1986, Nobody's Fool (Purcell) ; 1988, Les portes tournantes (Mankiewicz) ; 1989, Rude Awakening (Greenwalt, Russo), Blood Red (Masterson), Best of the Best (Best of the Best) (Radler) ; 1990, The Ambulance (L'ambulance) (Cohen) ; 1991, Lonely Hearts (Lane), By the Sword (Par l'épée) (Kagan) ; 1992, Final Analysis (Sang chaud pour meurtre de sang froid) (Joanou) ; 1993, Voyage (Voyage) (MacKenzie), Best of the Best II (Best of the Best 2) (Radler) ; 1994, The Specialist (Le spécialiste) (Llosa), Love Is a Gun (Hartwell), The Hard Truth (Peterson), Freefall (Irvin), Babyfever (Jaglom) ; 1995, Public Enemy #1 (M. Lester), Power 98 (J. Hellman), Nature of the Beast (Salva), It's My Party (Kleiser), The Immortals (Grant) ; 1996, Past Perfect (Heap), Heaven's Prisoners (Vengeance froide) (Joanou), The Grave (Pate), The Cable Guy (Disjoncté) (Stiller), American Strays (Covert) ; 1997, Prophecy II : Ashtown (Spence), Most Wanted (Wanted : recherché mort ou vif) (Hogan), La Cucaracha (Perez) ; 1998, Wildflowers (Painter) ; 1999, The Unconcerned (Pittman) ; 2000, Sanctimony (Boll), Cecil B. DeMented (Cecil B. DeMented) (Waters), Mercy Streets (Gunn) ; 2001, Rough Air : Danger on Flight 534 (Cassar).

Frère de Julia Roberts, il acquiert la popularité avant elle en figurant aux génériques de quelques films importants et judicieux pour un début de carrière. Ainsi *Le pape de Greenwich Village* ou *Coca-Cola Kid* en font illico un second rôle assez recherché. Son physique rude le cantonne néanmoins à des rôles de brutes ou de petites frappes. Depuis 1990, mis à part une ou deux participations à des productions intéressantes comme *Par l'épée*, sur le monde de l'escrime, c'est la dégringolade dans la série B, puis Z, qui semblent le réclamer à cor et à cri. Saura-t-il en ressortir ?

Roberts, Julia

Actrice américaine née en 1967.

1987, Firehouse (Ingvordsen) ; 1988, Blood Red (Masterson), Satisfaction (Freeman), Baja, Oklahoma (Roth) ; 1989, Mystic Pizza (Mystic Pizza) (Petrie), Steel Magnolias (Potins de femmes) (Ross) ; 1990, Pretty Woman (Pretty Woman) (Marshall), Flatliners (L'expérience interdite) (Schumacher), Sleeping With the Enemy (Les nuits avec mon ennemi) (Ruben) ; 1991, Dying Young (Le choix d'aimer) (Schumacher), Hook (Hook, la revanche du capitaine Crochet) (Spielberg), The Player (The Player) (Altman) ; 1993, The Pelican Brief (L'affaire Pelican) (Pakula) ; 1994, I Love Trouble (Les complices) (Shyer), Ready to Wear (Prêt-à-porter) (Altman), Mary Reilly (Mary Reilly) (Frears) ; 1995, Something to Talk About (Amour et mensonges) (Hallström), Michael Collins (Michael Collins) (Jordan) ; 1996, Everyone Says I Love You (Tout le monde dit I love you) (Allen), My Best Friend's Wedding (Le mariage de mon meilleur ami) (Hogan) ; 1997, Conspiracy Theory (Complots) (Donner), Stepmom (Ma meilleure ennemie) (Columbus) ; 1998, Notting Hill (Coup de foudre à Notting Hill) (Michell) ; 1999, Runaway Bride (Just married (ou presque)) (Marshall) ; 2000, Erin Brockovich (Erin Brockovich) (Soderbergh), The Mexican (Le Mexicain) (Verbinski) ; 2001, American Sweethearts (Roth), Full Frontal (Full Frontal) (Soderbergh), Ocean's Eleven (Ocean's Eleven) (Soderbergh) ; 2002, Confessions of a Dangerous Mind (Confessions d'un homme dangereux) (Clooney) ; 2003, Mona Lisa Smile (Le sourire de Mona Lisa) (Newell) ; 2004, Closer (Closer, entre adultes consentants) (Nichols).

C'est *Pretty Woman* qui en fait une star : elle y est une call-girl un peu paumée, embauchée par Richard Gere qui en tombe amoureux comme Pygmalion de sa statue. Mais Julia Roberts échappe à ce personnage et *Mary Reilly* révèle l'autre face de son talent. *Notting Hill* et *Erin Brockovich*, qui lui vaut l'oscar

2000, la consacrent définitivement comme l'actrice du moment la plus populaire au monde. Hormis *Mona Lisa*, la suite de sa carrière déçoit.

Roberts, Tanya

Actrice américaine née en 1945.

1975, Forced Entry (Sotos) ; 1977, Finger (Mélodie pour un tueur) (Toback), California Dreaming (Ça glisse les filles) (Hancock), The Private Files of J. Edgar Hoover (Cohen) ; 1979, The Tourist Trap (Le piège) (Schmoeller), Racquet (Winters) ; 1982, The Last Victim (Sotos), I paladini (Le choix des seigneurs) (Battiato), The Beastmaster (Dar l'invincible) (Coscarelli) ; 1984, Sheena (Guillermin) ; 1985, A View to Kill (Dangereusement vôtre) (Glen) ; 1987, Body Slam (Needham) ; 1988, Purgatory (Artzi) ; 1990, Night Eyes (Mundhra) ; 1991, Legal Tender (Mundhra), Inner Sanctum (Olen-Ray) ; 1992, Almost Pregnant (M. de Luise) ; 1993, Sins of Desire (Wynorski) ; 1994, Deep Down (Travers) ; 1995, National Lampoon's Favorite Deadly Sins (Jablin, Leary).

Populaire star de la télévision grâce à *Drôles de dames*, elle a tenu à l'écran quelques petits rôles avant d'être la vedette de *The Bestmaster*. Cette fort jolie fille a une qualité : elle n'a jamais tourné dans un film ennuyeux et certains gagneraient à être redécouverts : *California Dreaming* ou *The Tourist Trap*.

Robertson, Cliff

Acteur et réalisateur américain né en 1925.

1955, Picnic (Logan) ; 1956, Autumn Leaves (Feuilles d'automne) (Aldrich) ; 1957, The Girl Most Likely (Leisen) ; 1958, The Naked and the Dead (Les nus et les morts) (Walsh), Days of Wine and Roses (Edwards) ; 1959, Gidget (Wendkos), Battle at the Coral Sea (Wendkos), As the Sea Rages (Haechler) ; 1961, Underworld USA (Les bas-fonds de New York) (Fuller), All in a Night's Work (Il a suffi d'une nuit) (Antony), The Big Show (Clark) ; 1962, P.T. 109 (Patrouilleur 109) (Martinson), The Interns (Les internes) (Swift) ; 1963, My Six Loves (Champion), Sunday in New York (Tewksbury) ; 1964, The Best Man (Que le meilleur l'emporte) (Schaffner) ; 633 Squadron (Grauman), Love Has Many Faces (Singer) ; 1965, Masquerade (Dearden), Up from the Beach (Le jour d'après) (Parrish) ; 1967, The Honey Pot (Guêpier pour trois abeilles) (Mankiewicz) ; 1968, Charly (Nelson), The Devil's Brigade (La brigade du diable) (McLaglen) ; 1969, Too Late for the Hero (Trop tard pour les héros) (Aldrich) ; 1971, J. W. Coop (Robertson) ; 1972, The Great Northfield Minnesota Raid (La légende de Jesse James) (Kaufman) ; 1973, Ace Eli and Rodger of the Skies (Sampson) ; 1974, Man on a String (Enquête dans l'impossible) (Perry) ; 1975, Out of Season (Alan Bridges), Three Days of the Condor (Les trois jours du Condor) (Pollack) ; 1976, Midway (Smight), Obsession (Obsession) (De Palma), Shoot (Hart) ; 1977, Fraternity Row (Tobin) ; 1978, Dominique (Anderson) ; 1979, The Pilot (Robertson) ; 1983, Class (Class 84) (Carlino), Star 80 (Star 80) (Fosse), Brainstorm (Trumbull) ; 1985, Shaker Run (Morrison) ; 1986, Malone (Malone) (Cokliss) ; 1991, Wild Hearts Can't Be Broken (Miner) ; 1992, Wind (Wind) (Ballard) ; 1994, Renaissance Man (Opération Shakespeare) (P. Marshall), The Sunset Boys/Pakten (Risan) ; 1996, John Carpenter's Escape to L.A. (Los Angeles 2013) (Carpenter) ; 1997, Melting Pot (Musca) ; 1998, Assignment Berlin (Randel) ; 1999, Family Tree (Clark) ; 2001, The 13th Child, Legend of the Jersey Devil (Stockage), Spider-Man (Spider-Man) (Raimi). *Pour le metteur en scène*, voir le *Dictionnaire du cinéma*, t. I : *Les réalisateurs*.

Journaliste, critique radio, chauffeur de taxi, il mettra longtemps à se faire connaître. C'est la télévision qui l'impose et Logan qui le révèle sur le grand écran avec *Picnic*. Viril, sympathique, il est surtout voué aux films guerriers depuis *Les nus et les morts*. Aldrich, Martinson (pour l'exploit de Kennedy pendant la guerre du Pacifique), McLaglen, Smight le transforment en officier héroïque. Mais c'est avec le rôle de Charly, victime de la chirurgie, qu'il a gagné un oscar en 1968.

Robin, Dany

Actrice française, 1927-1995.

1946, Lunegarde (Allégret), Les portes de la nuit (Carné), Six heures à perdre (Joffe), L'éventail (Reinert), Le destin s'amuse (Reinert) ; 1947, Le silence est d'or (Clair), Une jeune fille savait (Lehmann) ; 1948, La passagère (Daroy), Les amoureux sont seuls au monde (Decoin) ; 1949, Au petit zouave (Grangier), La soif des hommes (Poligny), La voyageuse inattendue (Stelli) ; 1951, Deux sous de violettes (Anouilh), Le plus joli péché du monde (Grangier), Une histoire d'amour (Lefranc), Elle et moi (Lefranc) ; 1952, Douze heures de bonheur (Grangier), La fête à Henriette (Duvivier) ; 1953, Tempi nostri (Quelques pas dans la vie) (Blasetti), Julietta (Allégret), Les amants de minuit (Richebé), Les révoltés de Lomanach (Pottier) ; 1954, Cadet Rousselle (Hunebelle), Napoléon (Guitry),

Act of Love (Un acte d'amour) (Litvak) ; 1955, Escale à Orly (Dréville), Frou-frou (Genina), Paris coquin (Gaspart-Huit) ; 1956, C'est arrivé à Aden (Boisrond), Bonsoir Paris, bonjour l'amour (Baum), Le coin tranquille (Vernay) ; 1957, C'est la faute d'Adam (Audry), L'école des cocottes (Audry), Mimi Pinson (Darène), Quand sonnera midi (Greville) ; 1958, Les dragueurs (Mocky), Suivez-moi jeune homme (Lefranc) ; 1959, Le secret du chevalier d'Éon (Audry) ; 1960, Scheldungsgrund Liebe (Motif du divorce : l'amour) (Frankel), La Française et l'amour (épisode L'adultère, Verneuil) ; 1961, Les amours célèbres (épisode Lauzun, Boisrond), Les Parisiennes (épisode Antonia, Boisrond), The Waltz of the Toreadors (Les femmes du général) (Guillermin), Conduite à gauche (Lefranc) ; 1962, Mandrin, bandit gentilhomme (Le Chanois), Les mystères de Paris (Hunebelle) ; 1963, Comment trouvez-vous ma sœur ? (Boisrond), Follow the Boys (En suivant mon cœur) (Thorpe) ; 1964, Sursis pour un espion (Maley), La corde au cou (Lisbona) ; 1966, Don't Lose your Head (Thomas) ; 1968, The Best House in London (Le club des libertins) (Saville) ; 1969, Topaz (L'étau) (Hitchcock).

Danseuse à l'Opéra de Paris et chez Roland Petit, elle passe au théâtre (*L'invitation au château* de Jean Anouilh) et de là au cinéma où elle jouera à ravir les ingénues. Longtemps mariée à Georges Marchal, elle parut, après s'être séparée de l'acteur, avoir pris une sage retraite.

Robin, Joëlle

Actrice française, de son vrai nom Célestine de Franceschi, née en 1927.

1947, Mandrin (R. Jayet) ; 1948, Le sorcier du ciel (Blistène), Deux amours (Pottier) ; 1949, Rendez-vous de juillet (Becker), Au royaume des cieux (Julien Duvivier) ; 1951, Un grand patron (Ciampi), Caroline chérie (Pottier) ; 1952, Les dents longues (D. Gélin) ; 1953, La belle de Cadix (R. Bernard) ; 1954, French Cancan (Renoir) ; 1955, Votre dévoué Blake (Laviron), Nana (Christian-Jaque) ; 1956, La vie passionnée de Vincent Van Gogh (Minelli) ; 1957, Maigret tend un piège (Delannoy) ; 1958, Archimède le clochard (Grangier), Vivre sa vie (Godard) ; 1969, Les choses de la vie (Sautet) ; 1979, Tous vedettes (Lang).

Les nostalgiques du cinéma français des années 50 la connaissent bien et lui pardonnent une incursion chez Godard.

Robin, Michel

Acteur français né en 1928.

1969, L'aveu (Costa-Gavras), La coqueluche (Arrighi) ; 1970, Le mur de l'Atlantique (Camus) ; 1971, Mais ne nous délivrez pas du mal (Séria) ; 1972, L'invitation (Goretta), Le petit Poucet (Boisrond) ; 1973, Erica Minor (Van Effenterre), Les guichets du Louvre (Mitrani) ; 1974, Verdict (Cayatte), Pas si méchant que ça (Goretta), L'important c'est d'aimer (Zulawski) ; 1975, La traque (Leroy), L'éducation amoureuse de Valentin (Lhôte), Un sac de billes (Doillon) ; 1976, Je suis Pierre Rivière (Lipinska), Le jouet (Veber) ; 1977, Le point de mire (Tramont), L'hôtel de la plage (Lang), Le cœur froid (Helman) ; 1978, Un si joli village (Périer) ; 1979, Les petites fugues (Yersin) ; 1980, La femme-enfant (Billetdoux), Deux lions au soleil (Faraldo), Le cheval d'orgueil (Chabrol) ; 1981, Nestor Burma, détective de choc (Miesch), La chèvre (Veber) ; 1982, La mort de Mario Ricci (Goretta) ; 1983, Drôle de samedi (Okan), Le marginal (Deray), Une pierre dans la bouche (Leconte) ; 1984, L'amour ou presque (Gautier), L'amour en douce (Molinaro) ; 1985, Harem (Joffé) ; 1986, Nanou (Templeman) ; 1987, Les maris, les femmes, les amants (Thomas) ; 1989, Stan le flasher (Gainsbourg) ; 1990, Toto le héros (Van Dormael) ; 1991, La gamine (Palud), L'affût (Bellon), Les enfants du naufrageur (Foulon) ; 1994, L'amour conjugal (Barbier) ; 1998, Restons groupés (Salomé), Les enfants du siècle (Kurys) ; 1999, De l'histoire ancienne (Miret) ; 2000, Merci pour le chocolat (Chabrol), Le fabuleux destin d'Amélie Poulain (Jeunet) ; 2004, Un long dimanche de fiançailles (Jeunet).

Au milieu d'une flopée de seconds rôles dans des films jugés difficiles et marginaux, cet acteur au physique très banal de bonhomme — puis de vieux bonhomme — un peu bourru a été l'interprète privilégié d'une œuvre inoubliable pour ceux qui l'ont vue, *Les petites fugues*, où il jouait un valet de ferme qui se révèle à la vie sur le tard.

Robin, Muriel

Actrice et humoriste française née en 1954.

1985, Le bonheur a encore frappé (Trotignon) ; 1988, La passerelle (Sussfeld), Bonjour l'angoisse (Tchernia) ; 1997, Les visiteurs 2 — Les couloirs du temps (Poiré) ; 1998, Doggy bag (Comtet) ; 2000, Marie-Line (Charef) ; 2005, Saint-Jacques... La Mecque (Serreau).

Avant tout une forte personnalité comique, qui triomphe sur scène grâce à des sketches grinçants à travers lesquels elle impose un personnage de râleuse invétérée, de grande gueule ou de dépressive chronique. Le cinéma n'a pas encore vraiment su exploiter son potentiel comique, très bridé dans la suite des *Visiteurs*, d'autant qu'elle joue le contre-emploi absolu en incarnant une femme de ménage confrontée à la misère dans *Marie-Line*.

Robinet

Acteur et réalisateur, de son vrai nom Fernandez Perez, francisé en Marcel Fabre, 1885-1927.

1913, courts métrages sous le nom de Robinet ; 1915, courts métrages sous le nom de Tweedledum. *Pour le metteur en scène*, voir Fabre Marcel dans le *Dictionnaire du cinéma*, t. I : *Les réalisateurs*.

Acteur comique excellent qu'un accident, où il perdit une jambe, conduisit à se transformer en gagman.

Robinson, Edward G.

Acteur américain, de son vrai nom Emmanuel Goldenberg, 1893-1973.

1916, Arms and the Woman ; 1923, The Bright Shawl (Le châle aux fleurs de sang) (Robertson) ; 1929, The Hole in the Wall (Le trou dans le mur) (Florey) ; 1930, Outside the Law (Gentleman Gangster) (Browning), Night Ride (Robertson), East Is West (Monta Bell), A Lady to Love (Sjostrom), The Widow from Chicago (Cline), Little Caesar (Le petit César) (LeRoy) ; 1931, Five Star Final (LeRoy), Smart Money (Green) ; 1932, Tiger Shark (Le harpon rouge) (Hawks), Two Seconds (LeRoy), The Hatchet Man (Wellman), Silver Dollar (Green) ; 1933, The Little Giant (Del Ruth), I Loved a Woman (Green) ; 1934, The Man with Two Faces (L'homme aux deux visages) (Mayo), Dark Hazard (Green), The Whole Town's Talking (Toute la ville en parle) (Ford) ; 1935, Barbary Coast (Ville sans loi) (Hawks) ; 1936, Bullets or Ballots (Guerre au crime) (Keighley) ; 1937, The Last Gangster (Le dernier gangster) (Ludwig), Kid Galahad (Le dernier round) (Curtiz) ; 1938, I Am the Law (Hall), The Amazing Dr. Clitterhouse (Le mystérieux docteur Clitterhouse) (Litvak), A Slight Case of Murder (Un meurtre sans importance) (Bacon) ; 1939, Blackmail (Chantage) (Potter), Confessions of a Nazi Spy (Litvak) ; 1940, Dr. Ehrlich's Magic Bullet (Dieterle), Brother Orchid (Bacon), A Dispatch from Reuter (Une dépêche Reuter) (Dieterle) ; 1941, Man Power (L'entraîneuse fatale) (Walsh), Sea Wolf (Le vaisseau fantôme) (Curtiz), Unholy Partners (LeRoy) ; 1942, Larceny Inc. (Bacon), Tales of Manhattan (Six destins) (Duvivier) ; 1943, Flesh and Fantasy (Obsessions) (Duvivier), Destroyer (Seiter) ; 1944, Tampico (Mendes), Mr. Winkle Goes to War (Green), Double Indemnity (Assurance sur la mort) (Wilder), The Woman in the Window (La femme au portrait) (Lang) ; 1945, Scarlet Street (La rue rouge) (Lang), Journey Together (Boulting), Our Vines Have Tender Grapes (Rowland) ; 1946, The Stranger (Le criminel) (Welles) ; 1947, The Red House (La maison rouge) (Daves) ; 1948, All My Sons (Reis), Key Largo (Huston), Night Has a Thousand Eyes (Les yeux de la nuit) (Farrow) ; 1949, House of Strangers (La maison des étrangers) (Mankiewicz), It's a Great Feeling (Butler) ; 1950, Operation X (Ratoff) ; 1952, Actors and Sin (Ben Hecht) ; 1953, The Big Leaguer (Aldrich), Vice Squad (Investigation criminelle) (Laven), The Glass Webb (Arnold) ; 1954, Black Tuesday (Mardi ça saignera) (Fregonese), The Violent Men (Le souffle de la violence) (Maté) ; 1955, Tight Spot (Coincée) (Karlson), Hell on Frisco Bay (Colère noire) (Tuttle), Illegal (Le témoin à abattre) (Allen), A Bullet for Joey (Un pruneau pour Joe) (Allen) ; 1956, Nightmare (Shanz), The Ten Commandments (Les dix commandements) (DeMille) ; 1959, A Hole in the Head (Un trou dans la tête) (Capra) ; 1960, Pepe (Sidney), Seven Thieves (Les sept voleurs) (Hathaway) ; 1962, My Geisha (Ma geisha) (Cardiff), Two Weeks in Another Town (Quinze jours ailleurs) (Minnelli), Sammy Going South (Mackendrick) ; 1963, The Prize (Pas de lauriers pour les tueurs) (Robson) ; 1964, The Outrage (L'outrage) (Ritt), Cheyenne Autumn (Les Cheyennes) (Ford), Good Neighbor Sam (Swift), Robin and the Seven Hoods (Les sept voleurs de Chicago) (Douglas) ; 1965, The Cincinnati Kid (Le Kid de Cincinnati) (Jewison), The Biggest Bundle of Them All (La bande à César) (Annakin) ; 1967, La blonde de Pékin (Gesner), Never a Dull Moment (Frissons garantis) (Paris) ; 1968, Grand Slam (Le carnaval des truands) (Montaldo), Mackenna's Gold (L'or des Mackenna) (Lee-Thompson) ; 1970, Song of Norway (Stone) ; 1973, Soylent Green (Soleil vert) (Fleischer).

L'un des plus prestigieux acteurs de la grande époque hollywoodienne. Né à Bucarest, il émigre avec ses parents aux États-Unis. Après de solides études, notamment à la Columbia University, si l'on en croit ses biographies officielles, il joue dans de nombreuses pièces. Au cinéma sa laideur de batracien semblait un obstacle irrémédiable pour une grande carrière. LeRoy le lance pourtant en lui confiant dans *Little Caesar* un rôle de chef de gang qui le rend célèbre : il retrouvera ce personnage à plusieurs reprises *(The Last Gangster, Key Largo)*, au point de se confondre avec lui. Que l'on se rappelle *Toute la ville en parle !* Au moment du maccarthysme, il devint suspect et sa carrière en souffrit : il fut voué à la série B. Une récompense spéciale en 1972 ne le consola pas. Il se réfugia auprès des tableaux qu'il avait achetés depuis de nombreuses années. Hélas ! Ultime déception : beaucoup étaient faux. Il mourut d'un cancer.

Robinson, Madeleine

Actrice français, de son vrai nom Svoboda, 1916-2004.

1935, Promesses (Delacroix) ; 1936, La mioche (Moguy), L'assaut (Ducis) ; 1937, Nuits de feu (L'Herbier), L'homme à abattre (Mathot) ; 1938, Tempête sur l'Asie (Oswald), Grisou (Canonge), Gosse de riche (Canonge), L'innocent (Cammage), La cité des lumières (Limur) ; 1939, Le capitaine Benoît (Canonge) ; 1940, La nuit merveilleuse (Paulin) ; 1942, Lumière d'été (Grémillon), Promesse à l'inconnue (Berthomieu), La croisée des chemins (Berthomieu) ; 1943, Douce (Autant-Lara) ; 1944, Sortilèges (Christian-Jaque) ; 1946, Le fugitif (Bibal), Les Chouans (Calef) ; 1947, Le cavalier de Croix-Mort (Gasnier-Raymond), La grande Maguet (Richebé), Les frères Bouquinquant (Daquin) ; 1948, Une si jolie petite plage (Y. Allégret), Le mystère Barton (Spaak) ; 1949, Entre onze heures et minuit (Decoin) ; 1949, On ne triche pas avec la vie (Delacroix), L'invité du mardi (Deval) ; 1950, Dieu a besoin des hommes (Delannoy) ; 1951, Le garçon sauvage (Delannoy), Seul au monde (Chanas), L'homme de ma vie (Lefranc) ; 1952, Je suis un mouchard (Chanas), La maison du crime, Minuit, quai de Bercy (Stengel) ; 1953, Leur dernière nuit (Lacombe), L'affaire Maurizius (Duvivier) ; 1954, Un gosse de la butte (Delbez), Les chiffonniers d'Emmaüs (Darène) ; 1955, Le couteau sous la gorge (Séverac), Les possédées (Brabant) ; 1956, Mannequins de Paris (Hunebelle) ; 1957, Les louves (Saslavsky) ; 1959, A double tour (Chabrol), Les arrivistes (Daquin) ; 1960, Le goût de la violence (Hossein), La croix des vivants (Govar) ; 1961, Leviathan (Keigel), Giorno per giorno, disperatamente (Giannetti) ; 1962, La salamandre d'or (Regamey), Le procès (Welles), Le gentelman d'Espsom (Grangier), Le diable et les dix commandements (Duvivier) ; 1963, El juego de la verdad (Couple interdit) (Forqué) ; 1964, Voir Venise et crever (Versini), Piège pour Cendrillon (Cayatte) ; 1966, Un mondo nuovo (Un monde nouveau) (De Sica), Le voyage du père (La Patellière) ; 1969, Le cœur fou (Albicocco) ; 1970, Aussi loin que l'amour (Rossif) ; 1971, Le petit matin (Albicocco) ; 1978, On peut le dire sans se fâcher (Coggio), Un amant de poche (Queysanne) ; 1979, Corps à cœur (Vecchiali), Les sept jours de janvier (Bardem), Une histoire simple (Sautet) ; 1982, J'ai épousé une ombre (Davis) ; 1985, Hors-la-loi (Davis) ; 1988, Camille Claudel (Nuytten) ; 1992, Schwarze Hochzeit (Roll) ; 1993, L'ours en peluche (Deray).

C'est à l'école de Dullin qu'elle se forme et elle jouera autant sur scène qu'à l'écran. Sa filmographie est importante et des plus variées. Révélée par *Lumière d'été* puis *Une si jolie petite plage*, elle a su choisir ses rôles, même si quelques films paraissent peu dignes de son talent. Elle a su également bien vieillir : sa composition de la mère qui a tout deviné dans *J'ai épousé une ombre* est bouleversante.

Robson, Flora

Actrice anglaise, 1902-1984.

1931, Gentleman of Paris (Hill) ; 1932, Dance Pretty Lady (Asquith) ; 1933, One Precious Year (Edwards) ; 1934, Catherine the Great (La grande Catherine) (Czinner) ; 1937, Fire Over England (L'invincible Armada) (Howard), Farewell Again (Six heures à terre) (Whelan), I Claudius (Sternberg) (film inachevé) ; 1939, Poison Pen (Stein), The Lion Has Wings (Le lion a des ailes) (Powell, Brunel, Hurst), Invisible Stripes (Bacon), We Are Not Alone (Nous ne sommes pas seuls) (Goulding), Wuthering Heights (Les hauts de Hurlevent) (Wyler) ; 1940, The Sea Hawk (L'Aigle des mers) (Curtiz) ; 1941, Bahama Passage (Griffith) ; 1944, 2000 Women (2000 femmes) (Launder) ; 1945, Saratoga Trunk (L'intrigante de Saratoga) (Wood), Caesar and Cleopatra (César et Cléopâtre) (Pascal), Great Day (Comfort) ; 1946, The Years Between (Bennett) ; 1947, The Black Narcissus (Le narcisse noir) (Powell, Pressburger), Frieda (Dearden), Holiday Cam (Annakin) ; 1948, Good Time Girl (Les ailes brûlées) (MacDonald), Saraband for Dead Lovers (Sarabande) (Dearden et Ralph) ; 1952, The Tall Headlines (Young) ; 1953, Giulietta e Romeo (Roméo et Juliette) (Castellani) ; 1954, Malta Story (Tonnerre sur Malte) (Hurst) ; 1957, The Gypsy and the Gentleman (Gipsy) (Losey), High Tide at Noon (Marée haute à midi) (Leacock), No Time for

Tears (Frankel) ; 1958, Innocent Sinners (Leacock) ; 1962, 55 Days at Peking (Les 55 jours de Pékin) (Ray) ; 1963, Murder at the Gallop (Meurtre au galop) (Pollock) ; 1964, Guns at Batasi (Les canons de Batasi) (Guillermin) ; 1965, Young Cassidy (Le jeune Cassidy) (Cardiff), Those Magnificent Men in Their Flying Machines (Ces merveilleux fous volants dans leurs drôles de machines) (Annakin) ; 1966, Seven Women (Frontière chinoise) (Ford), A Cry in the Wind (Schach/Heller), Eye of the Devil (Lee-Thompson) ; 1967, The Shuttered Room (La malédiction des Whateley) (Greene) ; 1969, Fragment of Fear (Sarafian), The Beast in the Cellar (Kelly) ; 1972, The Beloved (Cosmatos), Alice's Adventures in Wonderland (Sterling) ; 1978, Dominique (Anderson) ; 1979, Gauguin (Cook) ; 1980, Clash of the Titans (Le choc des Titans) (Davis).

Grande actrice de théâtre qui fit à l'écran une saisissante Élisabeth dans *Fire over England* sur le désastre de la Grande Armada puis dans *The Sea Hawk*, et se spécialisa par la suite dans les rôles de vieilles dames. (Elle fut même Tseu-Hi dans *Les 55 jours de Pékin.)* Anoblie en 1960.

Rochefort, Charles de

Acteur et réalisateur français, 1887-1952.

1913, courts métrages de Max Linder ; 1921, L'empereur des pauvres (Leprince), Le roi de Camargue (Hugon), L'homme qui pleure (Louis d'Hée), La faute des autres (Perret) ; 1922, L'Arlésienne (Antoine), Notre-Dame d'amour (Hugon) ; 1923, The Ten Commandments (Les dix commandements) (DeMille) ; 1924, Tarnish (Flétrissure) (Fitzmaurice), Shadows of Paris (Brenon) ; 1925, Love and Glory (Julian), The Law and the Lawless (Melford), La princesse aux clowns (Hugon) ; 1926, Madame Sans-Gêne (Perret) ; 1931, La croix du Sud (Hugon). *Comme réalisateur* : 1929, Paramount en parade ; 1930, Une femme a menti ; 1931, Le secret du docteur, Un bouquet de flirts, Trois cœurs s'enflammèrent, Verdun vu par les Allemands.

Brillant jeune premier qui fut appelé à Hollywood en 1924, mais préféra rentrer en France. Conscient de ses limites avec l'avènement du parlant, il devint un metteur en scène, au demeurant assez médiocre. A laissé des Mémoires.

Rochefort, Jean

Acteur français né en 1930.

1956, Rencontre à Paris (Lampin) ; 1958, Une balle dans le canon (Deville et Gérard) ; 1960, Le capitaine Fracasse (Gaspard-Huit), Vingt mille lieues sur la terre (Pagliero) ; 1961, Cartouche (Broca) ; 1962, Le masque de fer (Decoin) ; Le fort du fou (Joannon) ; 1963, La porteuse de pain (Cloche), Symphonie pour un massacre (Deray), Du grabuge chez les veuves (Poitrenaud), La foire aux cancres (Daquin), Les Pieds Nickelés (Chambon), Le dimanche de la vie (Herman) ; 1964, Angélique marquise des Anges (Borderie), Merveilleuse Angélique (Borderie) ; 1965, Les tribulations d'un Chinois en Chine (Broca), Angélique et le Roy (Borderie) ; 1966, A cœur joie (Bourguignon), Le facteur s'en va-t-en guerre (Bernard-Aubert), Johnny Banco (Allégret), Pour un amour lointain (Sechan) ; 1967, Qui êtes-vous Poly Magoo (Klein), Ne jouez pas avec les Martiens (Lanoë) ; 1968, Le diable par la queue (Broca) ; 1969, Le temps de mourir (Farwagi) ; 1970, La liberté en groupe (Molinaro) Céleste (Gast) ; 1971, L'œuf (Herman), 1972, Les feux de la Chandeleur (Korber), Le grand blond avec une chaussure noire (Robert), L'héritier (Labro) ; 1973, Salut l'artiste (Robert), Le complot (Gainville) ; L'horloger de Saint-Paul (Tavernier), Comment réussir dans la vie quand on est con et pleurnichard (Audiard), Bel ordure (Marbeuf), Dio, sei un padreterno ! (L'homme aux nerfs d'acier) (Lupo) ; 1974, Le retour du grand blond (Robert), Le fantôme de la Liberté (Buñuel), Que la fête commence (Tavernier), Un divorce heureux (Carlsen), Les innocents aux mains sales (Chabrol), Mio Dio, come sono caduta in basso (Mon Dieu, comment suis-je tombée si bas) (Comencini) ; 1975, Isabelle devant le plaisir (Van Raemdonck et Berckmans) Les magiciens (Chabrol), Calmos (Blier) ; 1976, Les vécés étaient fermés de l'intérieur (Leconte), Un éléphant ça trompe énormément (Robert), Le diable dans la boîte (Lary) ; 1977, Le crabe-tambour (Schoendoerffer), Nous irons tous au paradis (Robert) ; 1978, La grande cuisine (Kotcheff), Le cavaleur (Broca) ; 1979, Courage, fuyons (Robert) ; 1980, French Postcards (Huyck), Odio le bionde (Capitani), Un étrange voyage (Cavalier), Chère inconnue (Misrahi) ; 1981, Il faut tuer Birgitt Haas (Heynemann) ; 1983, Il cane di Jerusalem (Carpi), Un dimanche de flic (Vianey), L'ami de Vincent (Granier-Deferre), L'indiscrétion (Lary), Le grand frère (Girod) ; 1984, Frankenstein 90 (Jessua), Réveillon chez Bob (Granier-Deferre) ; 1985, David, Thomas et les autres (Szabo) ; 1986, La galette du roi (Ribes) ; 1987, Le moustachu (Chaussois), Tandem (Leconte) ; 1988, Je suis le seigneur du château (Wargnier), I miei primi quarant'anni (Mes quarante premières années) (Vanzina) ; 1990, Le mari de la coif-

feuse (Leconte), Le château de ma mère (Robert) ; 1991, El largo inverno (Camino), L'Atlantide (Swaim), Le bal des casse-pieds (Robert), Amoureux fou (Menard) ; 1992, Cible émouvante (Salvadori), Tango (Leconte), La prossima volta il fuoco (Et ensuite le feu) (Carpi) ; 1993, Tombés du ciel (Lioret), Tom est tout seul (Onteniente) ; 1994, Tutti gli anni, una volta l'anno (Même heure l'année prochaine) (Lazotti), Ready to Wear (Prêt-à-porter) (Altman) ; 1995, Palace (Palace) (El Tricicle), Les grands ducs (Leconte), Ridicule (Leconte) ; 1996, Never Ever (Finch), Barracuda (Haïm) ; 1997, Le serpent a mangé la grenouille (Guesnier), El viento se llevo lo que (Le vent en emporte autant) (Agresti) ; 1999, Rembrandt (Matton) ; 2000, Honolulu Baby (Nichetti), Le placard (Veber) ; 2001, The Man Who Killed Don Quixote (Gilliam, inachevé) ; 2002, Blanche (Bonvoisin), L'homme du train (Leconte) ; 2003, Lost in la Mancha (Fulton, Pepe), Les clefs de la bagnole (Baffie), RRRrrr ! (Chabat) ; 2005, Akoibon (Baer), L'enfer (Tanovic) ; 2006, Désaccord parfait (De Caunes), Ne le dis à persoone (Canet) ; 2007, Mr. Bean's Holiday (Les vacances de Mr. Bean) (Bendelack).

Long et noir, la moustache barrant un visage osseux, il fut l'acteur favori d'Yves Robert et celui de Borderie pour la série des *Angélique*. C'est Tavernier qui montra que Rochefort pouvait être d'une autre trempe et c'est à son interprétation du *Crabe-Tambour* de Schoendoerffer qu'il dut de gagner un césar en 1978. De film en film il confirme l'étendue de son talent : éblouissant en animateur de jeux radiophoniques dans *Tandem*, il est extraordinaire en tueur professionnel dans *Cible émouvante*. Il s'égare, il est vrai, en Mazarin dans *Blanche* et en Don Quichotte – dont il ne reste que le making of, *Lost in la Mancha*. Avec Marielle il se situe dans la lignée des grands acteurs des années 60.

Rock (The)

Acteur américain né en 1972.

2001, The Mummy Returns (Le retour de la momie) (Sommers), The Scorpion King (Le roi Scorpion) (Russell) ; 2004, Walking Tall (Tolérance zéro) (Bray), The Rundown (Bienvenue dans la jungle) (Berg) ; 2005, Boom (Bartkowiak).

Ancien lutteur, il promène une musculature impressionnante dans plusieurs films d'action. Il a remplacé Schwarzenegger.

Rodriguez-Tomé, Marina : cf. Tomé ou Rodriguez-Tomé, Marina.

Rogers, Ginger

Actrice américaine, de son vrai nom Virginia Katherine McNath, 1911-1995.

1928, Campus Sweethearts (court métrage) ; 1930, The Young Man of Manhattan (Bell), The Sap From Syracuse (Sutherland), Follow the Leader (Taurog) ; 1931, Honor Among Lovers (Arzner) ; 1932, Carnival Boat (Wilcox), the Tenderfoot (Enright), Hat Check Girl (Lanfield), You Said a Mouthful (Bacon) ; 1933, 42nd Street (42e rue) (Bacon), Broadway Bad (Lanfield), Gold Diggers of 1933 (Les chercheuses d'or de 1933) (LeRoy), Professional Sweetheart (Seiter), Sitting Pretty (Brown), Flying Down to Rio (Carioca) (Freeland), Chance at Heaven (Seiter) ; 1934, Rafter Romance (Seiter) Change of Heart (Blystone), Twenty Million Sweethearts (Enright), Upper World (del Ruth), The Gay Divorcee (La gaie divorcée) (Sandrich) ; 1935, Roberta (Seiter), Star of Midnight (Roberts), Top Hat (Le danseur de dessus) (Sandrich), In Person (Je te dresserai) (Seiter) ; 1936, Follow the Fleet (Suivez la flotte) (Sandrich), Swing Time (Sur les ailes de la danse) (Stevens), Shall We Dance ? (L'entreprenant Monsieur Petroff) (Sandrich), Mary of Scotland (Ford), Stage Door (Pension d'artistes) (La Cava) ; 1938, Having Wonderful Time (Santell), Vivacious Lady (Mariage incognito) (Stevens) ; 1939, Carefree (Amanda) (Sandrich), The Story of Irene and Vernon Castle (La grande farandole) (Potter), Bachelor Mother (Kanin), Fifth Avenue Girl (La Cava) ; 1940, The Primrose Path (La Cava), Lucky Partners (Double chance) (Milestone), Kitty Foyle (Wood) ; 1941, Tom Dick and Harry (Kanin), Roxie Hart (Wellman), Tales of Manhattan (Six Destins) (Duvivier), The Major and the Minor (Uniformes et jupons courts) (Wilder) ; 1942, Once Upon a Honeymoon (Lune de miel mouvementée) (McCarey) ; 1943, Tender Comrade (Dmytryk) ; 1944, Lady in the Dark (Les nuits ensorcelées) (Leisen) ; 1945, I'll Be Seeing You (Dieterle), Week-End at the Waldorf (Week-end au Waldorf) (Leonard), Heartbeat (Wood) ; 1946, Magnificent Doll (Borzage) ; 1947, It Had To Be You (L'homme de mes rêves) (Mate) ; 1949, The Barkleys (Entrons dans la danse) (Walters) ; 1950, Perfect Strangers (Le verdict de l'amour) (Windust), Storm Warning (Heisler) ; 1951, The Groom Wore Spurs (Whorf) ; 1952, We're Not Married (Cinq mariages à l'essai) (Goulding), Monkey Business (Chérie, je me sens rajeunir) (Hawks), Dreamboat (Un

grand séducteur) (Binyon) ; 1953, Forever Female (L'éternel féminin) (Rapper) ; 1954, Black Widow (La veuve noire) (Johnson), Beautiful Stranger (Miller) ; 1955, Tight Spot (Coincée) (Karlson) ; 1956, The First Travelling Saleslady (Lubin), Teenage Rebel (Goulding), Oh Men, Oh Women (Ma femme a des complexes) (Johnson) ; 1965, True Confession (Ruggles), Harlow (Harlow, la blonde platine) (Segal).

Venue du music-hall où elle dansait avec son premier mari, elle passe dans l'orchestre de Paul Ash où elle est remarquée par Rudy Vallée et joue avec lui dans un court métrage. Elle reviendra à Hollywood en 1930, après le triomphe à Broadway de *Top Speed*. La RKO l'associe à Astaire et ils tourneront dix films ensemble. Ce fut le couple de danseurs le plus célèbre du monde, même si les scénarios de leurs films ne brillent guère par leur intelligence. Ginger Rogers était au demeurant une bonne comédienne : récompensée par un oscar en 1940 pour *Kitty Foyle*, elle tint souvent des emplois dramatiques *(Tight Spot)*. Mais c'est à ses talents de danseuse qu'elle doit sa réputation. « Sophistiquée et quelque peu anglaise dans les attitudes, elle n'en fut pas moins l'un des plus beaux tempéraments du cinéma musical, passant sans effort de la danse romantique en costume aux bizarreries clownesques et rythmiques des claquettes. Enfin sa voix au timbre original lui permettait de chanter avec glamour les tempos les plus rapides » (Lacombe et Rocle, « De Broadway à Hollywood », *Cinéma 81*).

Rogers, Mimi

Actrice américaine née en 1956.

1983, Blue Skies Again (Michaels) ; 1986, Gung Ho (Howard) ; 1987, Someone to Watch over Me (Traquée) (Scott), Street Smart (La rue) (Schatzberg) ; 1989, Hider in the House (Patrick), The Mighty Quinn (Schenkel), Dimenticare Palermo (Oublier Palerme) (Rosi) ; 1990, Desperate Hours (La maison des otages) (Cimino) ; 1991, The Rapture (La disparue) (Tolkin), The Doors (Les Doors) (Stone), Wedlock (Teague), The Player (The Player) (Altman) ; 1992, Shooting Elizabeth (Taylor), Dark Horse (Hemmings) ; 1994, Killer (Malone), Monkey Trouble (Mon ami Dodger) (Amurri) ; 1996, Trees Lounge (Happy Hour) (Buscemi), A Mirror Has Two Faces (Leçons de séduction) (Streisand), Three Blind Mice (Tolkin), White Lies (Chan), Austin Powers : International Man of Mystery (Austin Powers) (Roach) ; 1997, Lost in Space (Perdus dans l'espace) (Hopkins) ; 1999, Seven Girlfriends (Lazarus) ; 2000, Ginger Snaps (Fawcett).

Sa carrière commence vraiment avec *Traquée* : belle et riche, d'une classe folle, elle est protégée par un policier qui se laisse peu à peu fasciner par sa beauté et le luxe qui l'entoure. Ses autres rôles sont plus conventionnels.

Rogers, Roy

Acteur américain, de son vrai nom Leonard Slye, 1911-1998.

Un peu plus de cent westerns dont : 1935, Tumbling Tumbleweeds (Kane) ; 1938, Billy the Kid Returns (Kane) ; 1940, Young Bill Hickock (Kane) ; 1941, Robin Hood of the Pecos (Kane) ; 1942, Man from Cheyenne (Kane) ; 1943, Idaho (Kane), King of the Cow-Boys (Kane) ; 1944, San Fernando Valley (English), Song of Nevada (Kane) ; 1945, Bells of Rosarita (McDonald) ; 1946, Roll on Texas Moon (Witney) ; 1949, Down Dakota Way (Witney) ; 1950, Trail of Robin Hood (Witney) ; 1952, Son of Pale Face (Le fils de Visage Pâle) (Tashlin) ; 1959, Alias Jesse James (Ne tirez pas sur le bandit) (McLeod).

Spécimen redoutable de cow-boy chantant, d'une prolifique activité. A fuir malgré la qualité de ses metteurs en scène (42 films avec Kane, 27 avec Witney).

Rogers, Will

Acteur américain, 1879-1935.

1918, Laughing Bill Hyde ; 1919, Jubilo (Badger), Almost a Husband (Badger), Water Water Everywhere (Badger) ; 1920, Jes'Call Me Jim (Badger), Cupid the Cowpuncher (Badger), The Strange Boarder (Badger) ; 1921, Boys Will Be Boys (Badger), Honest Hutch (Badger), Guile of Women (Badger), Doubling for Romeo (Badger), An Unwilling Hero (Badger) ; 1922, The Headless Horseman (Venturini) ; 1923, Hollywood (Cruze) ; 1927, A Texas Steer (Wallace) ; 1929, They Had to See Paris (Borzage), 1930, So This Is London (Blytone), Happy Days (Stoloff), Lightnin' (King) ; 1931, A Connecticut Yankee (Butler), Ambassador Bill (Taylor), As Young as You Feel ; 1932, Down to Earth (Par terre) (Butler), Too Busy To Work (Blystone), Business and Pleasure (Les affaires et le plaisir) (Butler) ; 1933, State Fair (La foire aux illusions) (King), Doctor Bull (Ford), Mr. Skitch (Cruze) ; 1934, David Harum (Cruze), Handy Andy (Butler), Judge Priest (Ford) ; 1935, The County Chairman (Blystone), Life Begins at 40 (Marshall), Steamboat 'Round the Bend (Ford), Doubting

Thomas (Butler), In Old Kentucky (Marshall).

Prototype de l'Américain moyen, il devint vite populaire dans une Amérique qui se reconnaissait en lui. On le vit dans de nombreux films en cow-boy fantaisiste. Ford ne s'y trompa pas qui en fit l'interprète d'une trilogie qui exaltait l'Amérique profonde. Le reste ne présente plus aujourd'hui qu'un intérêt rétrospectif. Rogers mourut dans un accident d'avion.

Rökk, Marika

Actrice allemande d'origine hongroise, 1913-2004.

1932, Csokolj meg edes (Gaal) ; 1933, Kisertetek vonata (Lazar) ; 1935, Leichte Kavallerie (Cavalerie légère) (Hochbaum) ; 1936, Und Du, mein Schatz, fährst mit (Le démon de la danse) (Jacoby), Der Bettelstudent (L'étudiant pauvre) (Jacoby) ; 1937, Gasparone (Jacoby) ; 1938, Eine Nacht im Mai (Fille d'Ève) (Jacoby) ; 1939, Hall, Janine (Boese) ; 1940, Es war eine rauschende Ballnacht (Pages immortelles) (Froelich), Kora Terry (Jacoby), Wunschkonzert (L'épreuve du temps) (Borsody) ; 1941, Tanz mit dem Kaiser (La danse avec l'Empereur) (Jacoby), Frauen sind doch bessere Diplomaten (La belle diplomate) (Jacoby) ; 1942, Hab'mich lieb (Jacoby) ; 1944, Die Frau meiner Träume (La femme de mes rêves) (Jacoby) ; 1948, Fregola (Robbeling) ; 1950, Sensation in San Remo (Jacoby), Die Czardasfürstin (Princesse Czardas) (Jacoby) ; 1953, Maske in blau (Le masque bleu) (Jacoby), Die geschiedene Frau (Jacoby) ; 1957, Nachts im grünen Kakadu (Les nuits du perroquet vert) (Jacoby) ; 1958, Bühne frei für Marika (Jacoby) ; 1959, Die Nacht vor der Premiere (Jacoby) ; 1962, Die Fledermaus (Von Cziffra) ; 1988, Schloß Königsweld (Schamoni).

Les Cahiers de la Cinémathèque, en 1983, ont rappelé l'importance de la comédie musicale allemande. Le tandem Jacoby (réalisateur) et Rökk (actrice) y fit merveille. *Kora Terry* et *Die Frau meiner Träume* sont les sommets du genre. Affirmer que Rökk est particulièrement excitante serait beaucoup dire, et si quelqu'un a du talent, c'est Jacoby ; mais on ne pouvait oublier dans ce livre son interprète favorite.

Roland, Gilbert

Acteur mexicain, de son vrai nom Luis Antonio Damaso de Alonso, 1905-1994.

1925, The Lady Who Lied (Carewe), The Plastic Age (Ruggles) ; 1926, The Blonde Saint (Gade), The Campus Flirt (Badger), The Midshipman (Cabanne) ; 1927, Camille (Niblo), The Dove (R. West), The Love Mart (Fitzmaurice), Rose of the Golden West (Fitzmaurice) ; 1928, The Woman Disputed (King) ; 1929, New York Nights (Milestone) ; 1930, Men of the North (Roach) ; 1931, Resurrection (Carewe) ; 1932, Call Her Savage (Dillon), Life Begins (Flood), No Living Witness (Hopper), The Passionate Plumber (Le plombier amoureux) (Sedgwick), A Parisian Romance (Franklin), The Woman in Room 13 (King) ; 1933, Our Betters (Cukor), She Done Him Wrong (Lady Lou) (L. Sherman), Gigolettes of Paris (Martell), After Tonight (Archainbaud) ; 1934, Elinor Norton (Mac Fadden) ; 1935, Ladies Love Danger (Humberstone), Mystery Woman (Forde) ; 1936, Julieta compra un hijo ; 1937, Thunder Train (Barton), The Last Train from Madrid (Le dernier train de Madrid) (J. Morgan), Midnight Taxi (E. Forde) ; 1938, Gateway (Werker) ; 1939, Juarez (Dieterle) ; 1940, The Sea Hawk (L'aigle des mers) (Curtiz), Isle of Destiny (Clifton), Gambling on the High Seas (Amy), Rangers of Fortune (Wood) ; 1941, My Lyfe with Caroline (Milestone), Angels with Broken Wings (Vorhaus) ; 1942, Enemy Agents Meet Ellery Queen (Hogan), Isle of the Missing Men (Oswald) ; 1944, The Desert Hawk (Eason) ; 1945, Captain Kidd (Lee) ; 1946, The Gay Cavalier Beauty and the Bandit (Nigh) ; 1947, Pirates of Monterey (Les pirates de Monterey) (Werker), Riding the California Trail (Nigh), King of the Bandits (Cabanne), High Conquest (Allen), The Other Love (L'orchidée blanche) (De Toth) ; 1948, The Dude Goes West (Neumann) ; 1949, Malaya (Thorpe), We Were Strangers (Les insurgés) (Huston) ; 1950, The Torch (E. Fernandez), Crisis (Cas de conscience) (Brooks), The Furies (Les furies) (Mann) ; 1951, The Bullfighter and the Lady (La dame et le toréador) (Boetticher), Mark of the Renegade (Le signe des renégats) (Fregonese), Ten Tall Men (Goldbeck) ; 1952, Glory Alley (La ruelle du péché) (Walsh), The Bad and the Beautiful (Les ensorcelés) (Minnelli), Apache War Smoke (Kress), My Six Convicts (Mes six forçats) (Fregonese), The Miracle of Our Lady Fatima (Le miracle de Fatima) (Brahm) ; 1953, Beneath the 12 Mile Reef (Tempête sous la mer) (Webb), Thunder Bay (Le port des passions) (Mann), The Diamond Queen (Brahm) ; 1954, The French Line (Bacon) ; 1955, Underwater (La Vénus des mers chaudes) (Sturges), The Racers (Le cercle infernal) (Hathaway), That Lady (La princesse d'Eboli) (Young), The Treasure of Pancho Villa (Le trésor de Pancho Villa) (Sherman) ;

1956, Bandido (Bandido Caballero) (Fleischer), Three Violent People (Terre sans pardon) (Maté), Around the World in 80 Days (Le tour du monde en 80 jours) (Anderson) ; 1957, Midnight Story (Rendez-vous avec une ombre) (Pevney) ; 1958, Last of the Fast Guns (Duel dans la sierra) (Sherman), Mr. Pharaoh and Cleopatra ; 1959, The Wild and the Innocent (Le bagarreur solitaire) (Sher), Guns of Timberland (Tonnerre sur Timberland) (Webb), The Big Circus (Le cirque fantastique) (Newman) ; 1962, Samar (Montgomery) ; 1964, Cheyenne Autumn (Les Cheyennes) (Ford) ; 1965, The Reward (La récompense) (Bourguignon) ; 1966, The Poppy Is also a Flower (Opération opium) (Young) ; 1967, Vado, l'amazzo e torno (Je vais, je tire et je reviens) (Castellari) ; 1968, Ognimo per se (Chacun pour soi) (Capitani), Anche nel West, c'era una volta Dio (Girolami), Quella sporca storia del West (Castellari) ; 1969, Johnny Hamlet (Castellari), 1971, The Christian Licorice Store (Frawley) ; 1973, Running Wild (Mac Cahon) ; 1974, Deliver Us from Evil (Sagal) ; 1977, Islands in the Stream (L'île des adieux) (Schaffner) ; 1980, Capo Blanco (Lee-Thompson) ; 1982, Barbarosa (Schepisi).

Fils de matador, il délaisse l'arène pour Hollywood. Il fait un peu de figuration puis obtient à la fin des années 20 des rôles importants. Le parlant le relègue dans des films à petit budget ou des productions mexicaines. Si des metteurs en scène plus prestigieux (Walsh, Ford) le choisissent ensuite, c'est pour des personnages d'Indiens, de Mexicains ou d'aventuriers apatrides. Il fait contre mauvaise fortune bon cœur et donne toujours du relief à ses compositions. Les cinéphiles le connaissent bien et l'apprécient. On l'a revu, toujours mexicain, dans un rôle de chef de famille handicapé d'une jambe avec sa fine moustache grisonnante dans *Barbarosa*, un western à mi-chemin entre la série B et le spaghetti.

Rollan, Henri

Acteur français, 1888-1967.

1912, L'héritière (Pouctal) ; 1913, Jeanne la folle (Denola), La fille de la folle (Denola) ; 1914, L'absent (Capellani), Le chevalier de Maison Rouge (Capellani) ; 1919, Le baron Mystère (M. Chaillot) ; 1921, Les trois mousquetaires (Diamant-Berger), Mimi Trottin (Andréani) ; 1922, Au seuil du harem (Luitz-Morat), Vingt ans après (Diamant-Berger) ; 1923, Paris qui dort (Clair) ; 1924, L'emprise (Diamant-Berger) ; 1932, Clair de lune (Diamant-Berger), Les trois mousquetaires (Diamant-Berger), Sola (Diamant-Berger), Une étoile disparaît (Villers) ; 1933, Primerose (Guissart), Le maître des forges (Rivers) ; 1934, Les anges noirs (Rozier), L'aventurier (L'Herbier), La flambée (Marguenat) ; 1935, Les mystères de Paris (Gandéra), La marche nuptiale (Bonnard), Le clown Bux (Natanson), Sous la terreur (Forzano), Marie des angoisses (Bernheim) ; 1936, La garçonne (Limur), La gondole aux chimères (Genina), La tentation (Caron), Le scandale (L'Herbier), Clair de lune (Diamant-Berger), Femmes (Bernard-Roland) ; 1938, Petite peste (Limur), Le roman d'un génie (Gallone), Le cœur ébloui (J. Vallée) ; 1942, Coups de feu dans la nuit (Péguy) ; 1949, Le cas du Dr Galloy (Teboul), Les nouveaux maîtres (Nivoix) ; 1951, Barbe-Bleue (Christian-Jaque), Fanfan la Tulipe (Christian-Jaque), Buridan, héros de la tour de Nesle (Couzinet) ; 1953, Les amoureux de Marianne (Stelli) ; 1956, Les aventures d'Arsène Lupin (Becker).

Conservatoire (premier prix en 1906), Odéon, Comédie-Française en 1917, puis enseignement au Conservatoire. Un port de tête d'une grande noblesse et des manières de gentilhomme. Il joua donc les aristocrates dans de nombreux films avec une emphase très théâtrale. Un symbole : dans *Les trois mousquetaires*, il était Athos.

Rollin, Georges

Acteur et réalisateur français, 1909-1964.

1933, Ame de clown (Didier/Noé) ; 1935, Barcarolle (Lamprecht) ; 1936, Pattes de mouche (Grémillon) ; 1937, J'accuse (Gance) ; 1938, Firmin, le muet de Saint-Pataclet (Séverac), Ultimatum (Wiene), Accord final (Rosenkranz), La plus belle fille du monde (Kirsanoff) ; 1939, L'embuscade (Rivers), Notre-Dame de la mouise (Péguy) ; 1941, Le dernier des six (Lacombe), Annette et la dame blonde (Dréville), Mamouret ou le briseur de chaînes (Daniel-Norman) ; 1942, Goupi Mains Rouges (Becker), Dernier atout (Becker), Mariage d'amour (Decoin), La loi du Printemps (Daniel-Norman), L'homme sans nom (Mathot) ; 1944, Le merle blanc (Houssin), Le père Goriot (Vernay) ; 1945, L'impasse (Dard), Les clandestins (Chotin) ; 1946, Fausse identité (Chotin), L'arche de Noé (Jacques) ; 1948, Les casse-pieds (Dréville), Le sorcier du ciel (Blistène), La vie est un rêve (Séverac) ; 1949, La nuit s'achève (Méré) ; 1951, Buridan, héros de la tour de Nesle (Couzinet), La femme à l'orchidée (Leboursier) ; 1952, Zig et Puce sauvent Nénette (G. Rollin) ; 1953, Le guérisseur (Ciampi),

La famille Cucuroux (Couzinet), Mourez, nous ferons le reste (Stengel) ; 1954, Le congrès des belles-mères (Couzinet) ; 1956, L'aventurière des Champs-Elysées (Blanc) ; 1959, Chaque minute compte (Bibal), Bal de nuit (Cloche) ; 1960, Pleins feux sur l'assassin (Franju) ; 1965, 077 opération sexy (Franco). *Comme réalisateur :* 1952, Zig et Puce sauvent Nénette.

Né à Pont-à-Mousson, premier prix du Conservatoire de Nancy, il fait du théâtre avec Georges Pitoëff avant de jouer dans de nombreux films. Ses meilleurs rôles : Gribbe, l'un des associés dans *Le dernier des six*, Goupi Monsieur dans *Goupi Mains Rouges*, Rastignac dans *Le père Goriot* et surtout le curé d'Ars dans *Le sorcier du ciel...*

Rollis ou Rollys, Robert

Acteur français, de son vrai nom Vasseux, né en 1921.

1936, La Marseillaise (Renoir) ; 1938, Les disparus de Saint-Agil (Christian-Jaque), Carrefour (Bernardt), Le roman de Werther (Ophuls), La fin du jour (Duvivier) ; 1939, L'enfer des anges (Christian-Jaque) ; 1940, Notre-Dame de la mouise (Péguy) ; 1941, Annette et la dame blonde (Dréville), Caprices (Joannon), Péchés de jeunesse (Tourneur), Premier rendez-vous (Decoin) ; 1942, Les cadets de l'océan (Dréville) ; 1943, Le carrefour des enfants perdus (Joannon) ; 1945, Les démons de l'aube (Y. Allégret) ; 1946, Amours, délices et orgues (Berthomieu) ; 1947, Blanc comme neige (Berthomieu) ; 1948, Les amants de Vérone (Cayatte), le bal des pompiers (Berthomieu), Tous les deux (Cuny) ; 1949, La femme nue (Berthomieu), On ne triche pas avec la vie (Delacroix et Vandenberghe), La petite chocolatière (Berthomieu) ; 1950, Justice est faite (Cayatte), Le roi des camelots (Berthomieu), Une fille à croquer (André) ; 1951, Chacun son tour (Berthomieu), Drôle de noce (Joannon), Jamais deux sans trois (Berthomieu), La maison Bonnadieu (Rim), La maison dans la lune (Lampin) ; 1952, Adorables créatures (Christian-Jaque), Allô... je t'aime ! (Berthomieu), Belle mentalité (Berthomieu), Les dents longues (Gélin) ; 1953, Faites-moi confiance (Grangier), Le portrait de son père (Berthomieu), L'œil en coulisses (Berthomieu), Une vie de garçon (Boyer), Le village magique (Le Chanois), Virgile (Rim) ; 1954, Les deux font la paire (Berthomieu), Papa, maman, la bonne et moi (Le Chanois), Les évadés (Le Chanois) ; 1955, La Madelon (Boyer), Papa, maman, ma femme et moi (Le Chanois), Cette sacrée gamine (Boisrond), Le dossier noir (Cayatte), Les Duraton (Berthomieu) ; 1956, La vie est belle (Pierre et Thibault), Nous autres à Champignol (Bastia) ; 1957, L'étrange monsieur Stève (Bailly), L'amour est en jeu (M. Allégret), La garçonne (Audry), Le grand bluff (Dally), Trois jours à vivre (Grangier) ; 1958, En légitime défense (Berthomieu), Le grand chef (Verneuil), La miroir à deux faces (Cayatte), Suivez-moi, jeune homme (Lefranc) ; 1959, Sans tambour ni trompette (Kautner) ; 1960, Les amours de Paris (Poitrenaud), La brune que voilà (Lamoureux), La famille Fenouillard (Robert), La Française et l'amour (Sketch Le Chanois), L'homme à femmes (Cornu), Ma femme est une panthère (Bailly), Quai Notre-Dame (Berthier), Les tortillards (Bastia) ; 1961, La belle américaine (Dhéry), La guerre des boutons (Robert), Le petit garçon de l'ascenseur (Granier-Deferre), Tout l'or du monde (Clair) ; 1962, C'est pas moi c'est l'autre (Boyer), Les culottes rouges (Joffé), Le glaive et la balance (Cayatte), Mélodie en sous-sol (Verneuil), Les veinards (sketch Pinoteau) ; 1963, L'honorable Stanislas, agent secret (Dudrumet) ; 1964, Allez France (Dhéry), Week-end à Zuydcoote (Verneuil) ; 1965, Les baratineurs (Rigaud), Le caïd de Champignol (Bastia), La tête du client (Poitrenaud) ; 1966, Monsieur le président-directeur général (Girault), Trois enfants dans le désordre (Joannon), Le jardinier d'Argenteuil (Le Chanois) ; 1967, Le petit baigneur (Dhéry) ; 1968, Faites donc plaisir aux amis (Rigaud), La femme écarlate (Valère), Un drôle de colonel (Girault) ; 1969, Trois hommes sur un cheval (Moussy), La maison de campagne (Girault) ; 1973, L'événement le plus important depuis que l'homme a marché sur la lune (Demy), Les gaspards (Tchernia) ; 1974, Vos gueules les mouettes ! (Dhéry) ; 1975, On a retrouvé la 7e compagnie (Lamoureux) ; 1976, Le jour de gloire (Besnard) ; 1977, Moi, fleur bleue (Le Hung) ; 1979, La gueule de l'autre (Tchernia) ; 1980, Touch' pas à mon biniou (Launois) ; 1982, Le braconnier de Dieu (Darras), Te marre pas, c'est pour rire (Besnard) ; 1986, Nuit docile (Gilles) ; 1987, Bonjour l'angoisse (Tchernia).

Toute la gouaille de Paname chez ce poulbot aux allures d'adolescent. Remarqué par Christian-Jaque qui en fera la mascotte des *Disparus de Saint-Agil*. Beaucoup de petits rôles, mais aussi une importante activité théâtrale et de cabaret, notamment avec les duos Pierre/Thibault et Dac/Blanche. Il rejoint les Branquignols en 1956 et partagera leur sort dans les années 70 en se perdant dans la comédie pachydermique. Sa petite voix pincée et son visage de furet malin resteront gravés dans la mémoire de tout cinéphile attaché aux grands seconds rôles du cinéma français.

Romain, Yvonne

Actrice anglaise née en 1938.

1956, The Baby and the Battleship (Jay Lewis) ; 1957, Action of the Tiger (T. Young) ; 1958, Seven Thunders (Les sept tonnerres) (Fregonese), The Silent Enemy (Fairchild) ; 1960, Circus of Horrors (Le cirque des horreurs) (Hayers) ; 1961, The Curse of the Werewolf (La nuit du loup-garou) (Fisher), The Frightened City (Lemont) ; 1961, Village of Daughters (Pollock), Night Creatures (Le fascinant capitaine Clegg) (Scott) ; 1963, The Devil Doll (Shonteff), Return to Sender (Hales) ; 1964, Smokescreen (O'Connolly) ; 1965, Brigand of Kandahar (Gilling) ; 1966, The Swinger (Sidney) ; 1967, Double Trouble (Taurog) ; 1972, Last of Sheila (Les invitations dangereuses) (Ross).

Le nom de cette charmante Londonienne est associé à quelques grands films fantastiques anglais dont *The Curse of the Werewolf* où elle était livrée à l'homme-chien.

Roman, Ruth

Actrice américaine, de son vrai prénom Norma, 1922-1999.

1943, Stage Door Canteen (Le cabaret des étoiles) (Borzage) ; 1944, Ladies Courageous (Rawlins), White Stallion, Since You Went Away (Depuis ton départ) (Cromwell), Storm over Lisbon (G. Sherman) ; 1945, Jungle Queen, See My Lawyer, The Affairs of Susan (Seiter), Incendiary Blonde (La blonde incendiaire) (G. Marshall), You Came Along (Farrow), She Gets Her Man (Kenton) ; 1946, A Night in Casablanca (Une nuit à Casablanca) (Mayo) ; 1948, The Big Clock (La grande horloge) (Farrow), Belle Starr's Daughter (Selander), Night Has a Thousand Eyes (Les yeux de la nuit) (Farrow), Good Sam (Ce bon vieux Sam) (McCarey) ; 1949, Beyond the Forest (La garce) (Vidor), Always Leave Them Laughing (Del Ruth), The Window (Une incroyable histoire) (Teztlaff), Champion (Le champion) (Robson) ; 1950, Barricade (Godfrey), Dallas (Dallas ville-frontière) (Heisler), Three Secrets (Wise), Colt 45 (Marin) ; 1951, Starlift (Del Ruth), Lightning Strikes Twice (Vidor), Strangers on a Train (L'inconnu du Nord Express) (Hitchcock), Tomorrow Is Another Day (Feist) ; 1952, Mara Maru (Douglas), Young Man with Ideas (Leisen), Invitation (Reinhardt) ; 1953, Blowing Wild (Le souffle sauvage) (Fregonese) ; 1954, Tanganyka (De Toth), The Shanghai Story (Terreur à Shanghai) (Lloyd), The Far Country (Je suis un aventurier) (Mann), Down Three Dark Streets (L'assassin est parmi eux) (Laven) ; 1955, Joe Macbeth (Ken Hughes), La peccatrice del deserto (Vernuccio) ; 1956, The Bottom of the Bottle (Le fond de la bouteille) (Hathaway), Great Day in the Morning (L'or et l'amour) (Tourneur), Rebel in Town (Werker), The Sinner ou Desert Desperadoes (Sekely) ; 1957, Five Steps to Danger (Kesler) ; 1958, Bitter Victory (Amère victoire) (Ray) ; 1961, Look in Any Window (Alland) ; 1964, Love Has Many Faces (Singer) ; 1972, The Baby (Post) ; 1973, The Killing Kind (Harrington) ; 1974, A Knife for the Ladies (Spangler) ; 1975, Dead of Night (Clark) ; 1976, Day of the Animals (Girdler) ; 1983, Echoes (A.A. Seidelman).

Venue du cirque, cette belle brune eut du mal à atteindre, à travers « serials » et séries B, le statut de star. Elle le doit à John Farrow et à quelques bons westerns de Mann *(The Far Country)* et de Stuart Heisler *(Dallas)*. Mais elle ne put se maintenir longtemps. La télévision lui a tout de même permis de conserver une certaine activité.

Romance, Viviane

Actrice française, de son vrai nom Paulina Ortmans, 1912-1991.

1931, Il est charmant (Mercanton) ; 1932, La dame de chez Maxim's (Korda) ; 1933, Les aventures du roi Pausole (Granowski), L'épervier (L'Herbier), Ciboulette (Autant-Lara), Je te confie ma femme (Guissart) ; 1934, Liliom (Lang) ; Dédé (Guissart), Mam'zelle Spahi (Vaucorbeil), Zouzou (Allégret), N'aimer que toi (Berthomieu), L'auberge du Petit Dragon (Limur) ; 1935, Marchand d'amour (Greville), La bandera (Duvivier), Retour au paradis (Poligny), Princesse Tam Tam (Greville), Deuxième bureau (Billon), Les yeux noirs (Tourjansky), La rosière des halles (Limur) ; 1936, Une gueule en or (Colombier), L'ange du foyer (Mathot), Les deux favoris (Jacoby), La belle équipe (Duvivier), L'homme à abattre (Mathot), Mademoiselle Docteur (Pabst) ; 1937, Le club des aristocrates (Colombier), Naples au baiser de feu (Genina), Le puritain (Musso), L'étrange M. Victor (Grémillon), Le joueur (Lamprecht-Daquin), Prison de femmes (Richebé), Gibraltar (Ozep), La maison du Maltais (Chenal) ; 1939, L'esclave blanche (Sorkin), La tradition de minuit (Richebé), Angélica (Choux) ; 1940, Vénus aveugle (Gance) ; 1941, Une femme dans la nuit (Greville), Cartacalha (Mathot), Feu sacré (Cloche) ; 1942, Carmen (Christian-Jaque) ; 1944, La boîte aux rêves (Y. Allégret) ; 1945, La route du bagne (Mathot) ; 1946, L'affaire du collier de la reine (L'Herbier), Panique (Duvivier) ; 1947, La maison sous la mer (Calef) ; 1948, Carrefour des passions (Giannini), La colère des dieux (Lamac) ; 1949, Maya (Bernard) ; 1950, Passion (Lampin) ; 1951, Au cœur de la Casbah (Cardinal), Les sept péchés capitaux (Allégret) ; 1952, Les femmes sont des anges (Aboulker) ; 1953, Legione straniera (Franchina), L'uomo, la bestia e la virtu (Steno), La chair et le diable (Josipovici) ; 1954, Le tournant dangereux (Bibal) ; 1955, Gueule d'ange (Blistène), L'affaire des poisons (Decoin), L'inspecteur connaît la musique (Josipovici) ; 1956, Pitié pour les vamps (Josipovici) ; 1957, I segreti della notte (Mattoli) ; 1962, Mélodie en sous-sol (Verneuil) ; 1973, Nada (Chabrol).

Le mot « vamp » semble avoir été inventé pour elle. Élue Miss Paris à dix-huit ans, rendue célèbre par une altercation avec Mistinguett, elle fait ses débuts à l'écran en 1931. Vouée aux rôles de courtisanes au grand cœur, de filles mères et de chanteuses de cabaret, elle impose progressivement sa trouble sensualité. Comme elle l'explique dans *Les Cahiers de la Cinémathèque*, elle devint une vedette grâce à *La belle équipe* de Duvivier. *Carmen* situe son apogée. Après *Panique*, c'est la chute, à l'exception de *L'affaire des poisons* où elle tient le rôle de la Voisin. Mais que dire des films signés par Josipovici ? Viviane Romance choisit la retraite. Elle n'en sortira que pour un film avec Chabrol.

Romand, Béatrice

Actrice française née en 1952.

1967, Mayerling (T. Young) ; 1970, Le genou de Claire (Rohmer) ; 1971, L'amour l'après-midi (Rohmer) ; 1972, Themroc (Faraldo) ; 1973, Sexshop (Berri), R.A.S. (Boisset) ; 1974, The Romantic Englishwoman (Une Anglaise romantique) (Losey), Projetto aulenti (Magri), Le manuscrit dans la bouteille (Lindsay-Hogg) ; 1976, Soft Bed, Hard Battles (En voiture Simone) (Boulting) ; 1981, Le beau mariage (Rohmer) ; 1983, La casa del tapetto giallo (Lizzani) ; 1984, Paris vu par... 20 ans après (sketch Nordon) ; 1986, Le rayon vert (Rohmer) ; 1998, Conte d'automne (Rohmer), La lettre (Oliveira).

Histoire d'une fidélité, celle d'une actrice (Béatrice Romand) à son metteur en scène (Rohmer). La récompense : un prix d'interprétation à Venise pour *Le beau mariage*. Beaucoup de théâtre avant de réapparaître dans le premier rôle de *Conte d'automne*.

Rome, Sydne

Actrice américaine née en 1946.

1969, Vivi o preferibilimente morti (La chevauchée vers l'Ouest) (Tessari), Some Girls Do (Thomas) ; 1970, La ragazza di latta (Aliprandi), Ciao Gulliver (Tuzii) ; 1972, Un doppio a metà (Piccioli), Così sia (Caltabiano) ; 1973, Reigen (Le baiser) (Schenk), La race des seigneurs (Granier-Deferre), El Clan de los inmorales (Maesso), What ? (Quoi ?) (Polanski) ; 1974, La sculacciata (Festa Campanile), Il faut vivre dangereusement (Makovski) ; 1975, La baby-sitter (Clément), Folies bourgeoises (Chabrol), L'assassino è costretto ad uccidere ancora (Cozzi), That Lucky Touch (Le veinard) (Miles), Umarmungen und andere Sachen (Richter) ; 1976, 40 gradi all'ombra del lenzuolo (S. Martino) ; 1977, Il mostro (Zampa), Moi, fleur bleue (Le Hung) ; 1978, Speed Fever (Morra, Orefici) ; 1979, Schöner Gigolo, armer Gigolo (Just a gigolo) (Hemmings) ; 1980, L'uomo puma (L'homme puma) (De Martino), Los locos vecinos del 2° (Bosch) ; 1981, Looping (Bockmayer, Bührmann) ; 1982, Krasnye kolokola (Bondartchouk) ; 1983, Arrivano i miei (Salerno) ; 1985, Romanza final (Forqué).

Jolie blonde filiforme aux yeux immenses, mannequin aux États-Unis qui part tenter sa chance au cinéma en Europe. Une filmographie qui ressemble à un peu tout et n'importe quoi, à l'image de *Quoi ?*, de Polanski, qui lui offrit son rôle le plus mémorable, sorte d'Alice perdue dans un univers bigarré.

Romero, Cesar

Acteur américain, 1907-1993.

1933, The Shadow Laughs (Hoerl) ; 1934, Cheating Cheaters (Thorpe), The Thin Man (L'introuvable) (Van Dyke), British Agent (Curtiz) ; 1935, The Good Fairy (Wyler), Clive of India (Boleslavsky), Hold'Em Yale (Lanfield), Diamond Jim (Sutherland), Rendez-vous (Howard), Strange Wives (Thorpe), Cardinal Richelieu (Lee), The Devil Is a Woman (La femme et le pantin) (Sternberg), Metropolitan (Boleslavsky), Show Them No Mercy (Marshall) ; 1936, Nobody's Fool (Collins), Love Before Breakfast (W. Lang), Public Enemy's Wife (Grinde) ; 1937, Wee Willie Winkle (La mascotte du régiment) (Ford), Dangerously Yours (Tuttle), Armored Car (Foster) ; 1938, Always Goodbye (Lanfield), My Lucky Star (Del Ruth), Five of a Kind (Leeds) ; 1939, Return of Cisco Kid (Leeds), Charlie Chan at Treasure Island (Foster), Wife, Husband and Friend (Ratoff), The Little Princess (W. Lang), Frontier Marshal (Dwan) ; 1940, Lucky Cisco Kid (Humberstone), He Married His Wife (Del Ruth), Viva Cisco Kid (Foster), Cisco Kid and the Lady (Leeds) ; 1941, Ride on Vaquero (Leeds), The Gay Caballero (Brower), Tall, Dark and Handsome (Humberstone), Dance Hall (Pichel), The Great American Broadcast (Mayo), Romance of the Rio Grande (Leeds), Week-End in Havana (Lang) ; 1942, Tales of Manhattan (Six destins) (Duvivier), Orchestra Wives (Mayo), A Gentleman at Heart (Ray McCarey), Springtime in the Rockies (Cummings) ; 1943, Wintertime (Brahm), Coney Island (W. Lang) ; 1947, Carnival in Costa Rica (Ratoff), Captain from Castile (Capitaine de Castille) (King) ; 1948, Deep Waters (King), That Lady in Ermine (Lubitsch), Julia Misbehaves (Conway) ; 1949, The Beautiful Blonde from Bashful Bend (Mamzelle Mitraillette) (P. Sturges) ; 1950, Love That Brute (Hall), Once a Thief (Lee Wilder) ; 1951, The Lost Continent (Newfield), FBI Girl (Berke), Happy Go Lovely (Humberstone) ; 1952, The Jungle (Berke), Scotland Yard Inspector (Newfield) ; 1953, Prisoners of the Casbah (La princesse prisonnière) (Bare), Street of Shadows (Vernon) Vera Cruz (Vera Cruz) (Aldrich) ; 1955, The Racers (Le cercle infernal) (Hathaway) ; 1956, Around the World in 80 Days (Le tour du monde en 80 jours) (Anderson), The Leather Saint (Ganzer) ; 1957, The Story of Mankind (I. Allen) ; 1958, Villa (Clark) ; 1960, Pepe (Sidney), Ocean's Eleven (L'inconnu de Las Vegas) (Milestone) ; 1961, Seven Women from Hell (Webb) ; 1962, If a Man Answers (Levin), The Castillan (Seto) ; 1963, Donovan's Reef (La taverne de l'Irlandais) (Ford) ; 1964, A House Is Not a Home (Rouse), Two on a Guillotine (Guillotine pour deux) (Conrad) ; 1965, Sergeant Deadhead (Taurog), Marriage on the Rocks (Donohue) ; 1966, Batman (Martinson) ; 1967, Madigan's Millions (Prager) ; 1968, Hot Millions (Till), Crooks and Coronets (Connolly), Skidoo (Preminger), What's in it for Harry (Istanbul, mission impossible) (Neill) ; 1970, Latitude Zero (Hondo), Midas Run (Kjellin) ; 1971, Soul Soldier (Cardos), The Specter of Edgar Allan Poe (Quandour), Now You See Him, Now You Don't (Pas vu, pas pris) (Butler) ; 1973, Timber Tramp (Garnett) ; 1974, The Strongest Man in the World (McEveety) ; 1975, Won Ton Ton, the Dog Who Saved Hollywood (Winner) ; 1985, Lust in the Dust (Lust in the Dust) (Bartel).

Depuis une fulgurante apparition dans *The Devil Is a Woman*, fine moustache et sourire éclatant de blancheur, il était devenu un « latin lover » très recherché. Il fut Cisco Kid dans une série de westerns médiocres et le héros des poussives comédies musicales de la Fox dirigées par Walter Lang. Après 1950, il tourna un peu n'importe quoi et fut même de la distribution nostalgique de *Won Ton Ton*.

Ronet, Maurice

Acteur et réalisateur français, de son vrai nom Robinet, 1927-1983.

1949, Rendez-vous de juillet (Becker) ; 1951, Un grand patron (Ciampi), Les sept péchés capitaux (sketch : La luxure, Y. Allégret), La jeune folle (Y. Allégret), La môme vert-de-gris (Borderie) ; 1952, Horizons sans fin (Dréville), Lucrèce Borgia (Christian-Jaque) ; 1953, Le guérisseur (Ciampi), Casta Diva (A toi toujours) (Gallone) ; 1954, Gueule d'ange (Blistène), Les aristocrates (La Patellière), La sorcière (Michel) ; 1955, Châteaux en Espagne (Wheeler), Section des disparus (Chenal) ; 1956, Celui qui doit mourir (Dassin) ; 1957, Ascenseur pour l'échafaud (Malle), Cette nuit-là (Cazeneuve) ; 1958, Ce corps tant désiré (Saslawsky) ; 1959, Carmen de Grenade (Demicheli), Plein soleil (Clément), Les grandes personnes (Valère) ; 1960, Mon dernier tango (Amadori), Portrait-robot (Paviot) ; 1961, Le rendez-vous de minuit (Leenhardt), La dénonciation (Doniol-Valcroze), Liberté 1 (Ciampi) ; 1962, Le meurtrier (Autant-Lara), The Victors (Les vainqueurs) (Foreman), Tempête sur Ceylan (Oswald) ; 1963, Le feu follet (Malle), Les parias de la gloire (Decoin), Donde du este (Lorente), Casablanca nid d'espions (Decoin), Il giardino delle delizie (S. Agosti) ; 1964, La ronde (Vadim), Amador (Regueiro) ; 1965, Trois chambres à Manhattan (Carné), Les centurions (Robson), Le voleur de Tibidado (Ronet), La ligne de démarcation (Chabrol), La longue marche (Astruc) ; 1966, Le scandale (Chabrol) ; 1967, La route de Corinthe (Chabrol) ; 1968, How Sweet It Is (Adorablement vôtre) (Paris) Les oiseaux vont mourir au Pérou (Gary), Le curieux impertinent (Forque) ; 1969, La femme infidèle (Chabrol), La piscine (Deray), La femme écarlate (Valère), Delphine (Le Hung), Les femmes (Aurel), Le dernier saut (Luntz), La modification (Worms) ; 1970, Qui ? (Keigel), Splendeurs et misères de Madame Royale (Caprioli), Un peu beaucoup passionnément (Enrico), Raphaël ou le débauché (Deville) ; 1971, La maison sous les arbres (Clément), L'odeur des fauves (Balducci), Devil in the Brain (Solima), Les galets d'Étretat (Gobbi) ; 1972, La chambre rouge (Berckmans), Don Juan 73 (Vadim), Sans sommation (Gantillon) ; 1973, L'affaire Crazy Capo (Jamain), Commissariato di notturna (Leoni), La seduzione (Di Leo) ; 1974, Marseille contrat (Parrish), Le cri du cœur (Lallemand), La messe dorée (Montrésor), Perche si uccidono (Macario), Seul le vent connaît la réponse (Vohrer) ; 1975, Il diavolo nelle cervello (Sollima), Jackpot (Young), Oh mia bella matrigna (Leoni) ; 1976, La nuit d'or (Moatti), Bartleby (Ronet), A l'ombre d'un été (Van Belle), Madame Claude (Jaekin) ; 1977, Emmenez-moi au Ritz (Grimblat) ; 1978, Mort d'un pourri (Lautner) ; 1979, Bloodline (Liés par le sang) (Young) ; 1980, Sphinx (Schaffner) ; 1981, Beau-père (Blier), Les années ont passé (Aublanc), Un matin rouge (Aublanc) ; 1982, La guérillera (Kast), La balance (Swaim), Surprise party (Vadim). *Pour le metteur en scène*, voir le *Dictionnaire du cinéma*, t. I : *Les réalisateurs.*

Élégant, séduisant, raffiné, Maurice Ronet fut l'un des meilleurs acteurs de l'après-guerre. Comment oublier sa prestation dans *Plein soleil* où il était opposé à Alain Delon ? Il n'était pas moins remarquable à nouveau face à Delon dans *La piscine* puis dans *Mort d'un pourri*. Les deux acteurs se complétaient admirablement. Mais c'est au *Feu follet*, d'après Drieu, que Ronet dut sa célébrité. Venu du Conservatoire, il avait fait ses débuts au théâtre. On peut déplorer qu'il n'ait pas toujours mieux choisi, au cinéma, ses metteurs en scène. En eut-il conscience ? Il devint lui-même réalisateur. Ce fut une révélation, il prouva une intelligence et une culture que l'on avait déjà soupçonnées chez l'acteur. Dommage qu'il soit mort si tôt.

Rooney, Mickey

Acteur et réalisateur américain, de son vrai nom Joseph Yule, né en 1920.

1926, Not to Be Trusted (Buckingham) ; 1927, Orchids and Ermine (Mon cœur avait raison) (Santell) ; 1927-1934 : 63 courts métrages de la série Mickey McGuire ; 1932, Information Kid (Neumann), My Pal the King (Neumann), Beast of the City (Brabin), Sin's Pay Day (Seitz) ; 1933, Broadway to Hollywood (Mack), The Big Cage (Neumann), The Chief (Riesner), The World Changes (LeRoy), The Life of Jimmy Dolan (Mayo), The Big Chance (Herman) ; 1934, The Lost Jungle (Serial), Love Birds (Seiter), Beloved (Schertzinger), I Like It That Way (Lachman), Manhattan Melodrama (L'ennemi public n° 1) (Van Dyke), Chained (Brown), Death on the Diamond (Sedgwick), Upper World (Del Ruth), Blind Date (Neill) ; 1935, A Midsummer Night's Dream (Le songe d'une nuit d'été) (Dieterle), The Healer (Barker), Riffraff (Ruben), Reckless (Fleming), Ah Wilderness (Impétueuse jeunesse) (Brown), The County Chairman (Blystone) ; 1936, Down the Stretch (Clemens), Little Lord Fauntleroy (Cromwell), The Devil Is a Sissy (Van Dyke) ; 1937, Captains Courageous (Capitaines courageux) (Fleming), The Hoosier Schoolboy (Nigh), Thorougbreds Don't Cry (Green), A Family Affair (Seitz), Slave Ship (Le dernier négrier) (Garnett), Live, Love and Learn (Fitzmaurice) ; 1938, Judge Hardy's Children (Les enfants du juge Hardy) (Seitz), Love Finds Andy Hardy (L'amour frappe André Hardy) (Seitz), You're Only Young Once (Seitz), Hold That Kiss (Marin), Lord Jeff (Compagnons d'infortune) (Wood), Love Is a Headache (Thorpe), Boys'Town (Des hommes sont nés) (Taurog), Outwest with the Hardys (André Hardy cowboy) (Seitz), Stablemates (Barreaux blancs) (Wood) ; 1939, The Adventures of Huckleberry Finn (Thorpe), The Hardys Ride High (André Hardy millionnaire) (Seitz), Babes in Arms (Place au rythme) (Berkeley), Judge Hardy and Son (Le juge Hardy et son fils) (Seitz), Andy Hardy Gets Spring Fever (André Hardy s'enflamme) (Van Dyke) ; 1940, Andy Hardy Meets Debutante (Seitz), Young Tom Edison (Taurog), Strike Up the Band (En avant la musique) (Berkeley), Andy Hardy's Private Secretary (Seitz) ; 1941, Life Begins for Andy Hardy (Seitz), Men of Boys Town (Taurog), Babes on Broadway (Débuts à Broadway) (Berkeley) ; 1942, The Courtship of Andy Hardy (Seitz), Andy Hardy's Double Life (Seitz), A Yank at Eton (Taurog) ; 1943, Girl Crazy (Taurog), The Human Comedy (Et la vie continue) (Brown), Thousand Cheers (La parade aux étoiles) (Sidney) ; 1944, Andy Hardy's Blonde Trouble (Seitz), National Velvet (Le grand National) (Brown) ; 1946, Love Laughs at Andy Hardy (Goldbeck) ; 1947, Killer McCoy (McCoy aux poings d'or) (Rowland) ; 1948, Summer Holiday (Belle jeunesse) (Mamoulian), Words and Music (Ma vie est une chanson) (Taurog) ; 1949, The Big Wheel (Le grand départ) (Ludwig) ; 1950, The Fireball (Garnett), He's a Cockeyed Wonder (Godfrey) ; 1951, My Outlaw Brother (Nugent), The Strip (Kardos) ; 1952, Sound Off (Quine), Off Limits (Marshall) ; 1953, A Slight Case of Larceny (D. Weis) ; 1954, Drive a Crooked Road (Quine), The Bridges of Toko-Ri (Les ponts de Toko-Ri) (Robson), The Atomic Kid (Martinson) ; 1955, Twinkle in God's Eye (Blair) ; 1956, The Bold and the Brave (Le brave et le téméraire) (Foster), Francis in the Haunted House (Lamont), Magnificent Roughness (Rose) ; 1957, Operation Mad Ball (Le bal des cinglés) (Quine), Baby Face Nelson (L'ennemi public) (Siegel) ; 1958, Andy Hardy Comes Home (Koch) ; 1959, A

Nice Little Bank That Should Be Robbed (Comment dévaliser une bonne petite banque) (Levin), The Big Operator (Le témoin doit être assassiné) (Ch. Haas), The Last Mile (La dernière rafale) (Koch) ; 1960, Platinum High School (Haas), The Private Lives of Adam and Eve (Rooney) ; 1961, King of the Roaring Twenties (Newman), Everything's Ducky (D. Taylor), Breakfast at Tiffany's (Diamants sur canapé) (Edwards) ; 1962, Requiem for a Heavyweight (Requiem pour un poids lourd) (Nelson) ; 1963, It's a Mad, Mad, Mad, Mad World (Un monde fou fou fou fou) (Kramer) ; 1964, The Secret Invasion (Corman) ; 1965, How To Stuff a Wild Bikini (Asher) ; 1966, L'arcidiavolo (Belfagor le magnifique) (Scola), Ambush Day (Winston), Twenty-Four Hours to Kill (Bezencenet) ; 1968, The Extraordinary Seaman (Frankenheimer), Skidoo (Preminger) ; 1969, 80 Steps to Jonah (Oswald), The Comic (Reiner), The Cockeyed Cowboys of Calico County (MacDougall) ; 1971, Journey Back to Oz (voix seulement), B.J. Presents (Yablonsky) ; 1972, Pulp (Hodges), Richard (Yerby et Hurwitz) ; 1974, That's Entertainment (Haley Jr.), Bons baisers de Hong Kong (Chiffre) ; 1975, Rachel's Man (Mizrahi) ; 1976, The Domino Killings (La théorie des dominos) (Kramer) ; 1977, Pete's Dragon (Chaffey) ; 1978, The Magic of Lassie (Chaffey), Rudolphe and Frosty's Christmas in July (voix), The Black Stallion (L'étalon noir) (C. Ballard) ; 1979, Arabian Adventure (Le trésor de la montagne sacrée) (Connor) ; 1982, L'empereur du Pérou (Arrabal) ; 1986, Lightning, the White Stallion (Levey) ; 1989, Erik the Viking (Erik le Viking) (Jones) ; 1991, My Heroes Have Always Been Cowboys (Rosenberg), Silent Night, Deadly Night V (Kitrosser) ; 1992, Legend of the Wolf Mountain (Clyde), Maximum Force (Merhi) ; 1993, Sweet Justice (Plone), The Milky Life (Esterlich) ; 1994, The Legend of O.B. Taggart (Hitzig), The Adventures of the Red Baron (Gordon), That's Entertainment III (That's Entertainment III) (Friedgen/Knievel) ; 1995, He Ain't Heavy (Hamilton) ; 1996, Sinbad (Mehrez) ; 1997, Michael Kael contre la World News Company (Smith), Boys Will Be Boys (DeLuise), Killing Midnight (Dorsey), Animals (Animals) (Di Jiacomo) ; 1998, Babe — Pig in the City (Babe — Le cochon dans la ville) (Miller) ; 2007, Night at the Museum (La nuit au musée) (Levy). *Pour le metteur en scène*, voir le *Dictionnaire du cinéma*, t. I : *Les réalisateurs*.

Enfant prodige du cinéma, il débute à six ans dans la série des Mickey, courts métrages qui rencontrent un grand succès. Il est alors Mickey McGuire. Mais il joue également dans de longs métrages sous le nom de Mickey McBann. En 1931, il devient Mickey Rooney. Sa popularité grandit avec une autre série, la saga de la famille Hardy, où il a pour partenaire Judy Garland qu'il retrouve dans des comédies musicales de Berkeley. De petite taille, il compense cette infériorité par un dynamisme extraordinaire. La comédie musicale est son domaine de prédilection mais, en vieillissant il s'oriente vers le « thriller » : il est un inoubliable Baby Face Nelson. Il est également brillant dans d'autres policiers comme *The Big Operator* ou *The Last Mile*. Il s'est également intéressé à la mise en scène, mais sans convaincre.

Roquevert, Noël

Acteur français, de son vrai nom Bénévent, 1892-1973.

1922, L'étroit mousquetaire (Linder) ; 1934, Cartouche (Daroy) ; 1935, La terre qui meurt (Vallée), La bandera (Duvivier) ; 1936, Tarass Boulba (Granowsky), La porte du large (L'Herbier) ; 1937, Miarka, la fille à l'Ours (Choux), Marthe Richard (Bernard) ; 1938, Entrée des artistes (Allégret), Thérèse Martin (Canonge), Barnabé (Esway), Les otages (Bernard), Les trois valses (Berger) ; 1939, Les musiciens du ciel (Lacombe), La belle revanche (Mesnier) ; Moulin Rouge (Hugon), Paris-New York (Mirande), Chantons quand même (Caron), Le chasseur de chez Maxim's (Cammage) ; 1940, Ils étaient cinq permissionnaires (Caron) ; 1941, Parade en sept nuits (Allégret), Mam'zelle Bonaparte (Tourneur) ; 1942, Le comte de Monte-Cristo (Vernay), Dernier atout (Becker), Le journal tombe à cinq heures (Lacombe), Le voile bleu (Stelli), La symphonie fantastique (Christian-Jaque), Picpus (Pottier), La main du diable (Tourneur), L'assassin habite au 21 (Clouzot), Le destin fabuleux de Désirée Clary (Guitry) ; 1943, Le Corbeau (Clouzot), La vie de plaisir (Valentin), Le dernier sou (Cayatte), Pierre et Jean (Cayatte), Vingt-cinq ans de bonheur (Jayet) ; 1945, L'affaire du Grand Hôtel (Hugon), Sérénade aux nuages (Cayatte) ; 1946, La rose de la mer (Baroncelli), Le destin s'amuse (Reinert), Histoire de chanter (Grangier), Dernier refuge (Maurette), Antoine et Antoinette (Becker) ; 1947, Croisière pour l'inconnu (Montazel), Le village perdu (Stengel) ; 1948, Le paradis des pilotes perdus (Lampin), Duguesclin (La Tour), Scandale aux Champs-Élysées (Blanc) ; 1949, Retour à la vie (Clouzot), Ronde de nuit (Campeaux), La cage aux filles (Cloche), Véronique (Vernay), Adémaï au poteau-frontière (Colline) ; 1950, Justice est faite (Cayatte), Andalousie

(Vernay), Méfiez-vous des blondes (Hunebelle), La passante (Calef), Les femmes sont folles (Grangier) ; 1951, Fanfan la Tulipe (Christian-Jaque), L'agonie des aigles (Alden-Delos), Le plus joli péché du monde (Grangier), Ma femme est formidable (Hunebelle), Pas de vacances pour monsieur le maire (Labro), Signori, in carrozza ! (Rome-Paris-Rome) (Zampa) ; 1952, Le trou normand (Boyer), Le rideau rouge (Barsaq), Elle et moi (Lefranc), Deux de l'escadrille (Labro), Les détectives du dimanche (Orval) ; 1953, Les compagnes de la nuit (Habib), Capitaine Pantoufle (Lefranc), Dortoir des grandes (Decoin), Maternité clandestine (Gourguet), Mourez, nous ferons le reste (Stengel), C'est la vie parisienne (Rode), Le comte de Monte-Cristo (Vernay), Le secret d'Hélène Marimon (Calef), Mon frangin du Sénégal (Lacour) ; 1954, Le mouton à cinq pattes (Verneuil), Madame du Barry (Christian-Jaque), Napoléon (Guitry), Cadet Rousselle (Hunebelle), Nana (Christian-Jaque) ; La soupe à la grimace (Sacha), Les diaboliques (Clouzot) ; 1955, Chantage (Lefranc), Toute la ville accuse (Boissol), Le dossier noir (Cayatte), La Madelon (Boyer), L'impossible M. Pipelet (Hunebelle), On déménage le colonel (Labro), La bande à papa (Lefranc), Tant qu'il y aura des femmes (Greville) ; 1956, Ah ! quelle équipe (Quignon), Fernand cow-boy (Lefranc), Nous autres à Champignol (Bastia), L'auberge en folie (Chevalier), Club de femmes (Habib), La terreur des dames (Boyer), La vie est belle (Pierre et Thibault), Mademoiselle et son gang (Boyer), Les lumières du soir (Vernay), Quelle sacrée soirée (Vernay) ; 1957, C'est la faute d'Adam (Audry), A pied, à cheval et en voiture (Delbez), Le désir mène les hommes (Roussel), Ce joli monde (Rim), Le coin tranquille (Vernay), Donnez-moi ma chance (Moguy), La loi c'est la loi (Christian-Jaque), Une Parisienne (Boisrond), La peau de l'ours (Boissol), Une nuit au Moulin-Rouge (Roy) ; 1958, Le gendarme de Champignol (Bastia), A pied, à cheval et en spoutnik (Dréville), Soupe au lait (Chevalier), Suivez-moi, jeune homme (Lefranc), Archimède le clochard (Grangier), La moucharde (Lefranc), Sacrée jeunesse (Berthomieu), Houla-Houla (Darène) ; 1959, Babette s'en va-t-en guerre (Christian-Jaque), Nathalie agent secret (Decoin), Marie des isles (Combret), Voulez-vous danser avec moi ? (Boisrond), Faibles femmes (Boisrond), Marie-Octobre (Duvivier), La Française et l'amour (sk. Decoin), Certains l'aiment froide (Bastia) ; 1960, Les portes claquent (Poitrenaud), A rebrousse-poil (Armand) ; 1961, Les filles de La Rochelle (Deflandre), Cartouche (Broca), Snobs (Mocky), L'assassin est dans l'annuaire (Joannon), Clémentine chérie (Chevalier), Cadavres en vacances (Audry), Une blonde comme ça (Jabley) ; 1962, Conduite à gauche (Lefranc), Jusqu'à plus soif (Labro), Les mystères de Paris (Hunebelle), Le Masque de fer (Decoin), Réglements de compte (Chevalier), Les veinards (ép. Pinoteau), Comment réussir en amour (Boisrond), Un singe en hiver (Verneuil), Le diable et les dix commandements (Duvivier) ; 1963, L'assassin viendra ce soir (Maley), L'assassin connaît la musique (Chenal), A toi de faire, mignonne (Borderie), L'honorable Stanislas (Dudrumet), Coup de bambou (Boyer), Que personne ne sorte (Govar) ; 1964, Les combinards (Roy), L'âge ingrat (Grangier), Angélique, marquise des Anges (Borderie), Les mordus de Paris (Armand), Patate (Thomas), Les barbouzes (Lautner), Sursis pour un espion (Maley), Le petit monstre (Sassy) ; 1965, Merveilleuse Angélique (Borderie), Pas de caviar pour tante Olga (J. Becker), L'or du duc (Baratier), Le majordome (Delannoy) ; 1966, Le grand restaurant (Besnard), La ligne de démarcation (Chabrol), Le jardinier d'Argenteuil (Le Chanois) ; 1969, Un merveilleux parfum d'oseille (Bassi), La honte de la famille (Balducci) ; 1970, Les novices (Casaril) ; 1971, Jeunes filles bien... sous tous rapports (Terry), Mais qui donc m'a fait ce bébé ? (Gérard) ; 1972, Le viager (Tchernia).

D'origine bretonne (il était né à Douarnenez), il appartenait à un milieu de comédiens et a beaucoup joué au théâtre avant de faire connaître à l'écran sa silhouette d'homme grand et brun, toujours râleur, la moustache en bataille et le verbe haut. Sa grande période se situe en 1942-1943. Il est prodigieux dans *L'assassin habite au 21* et dans *Le corbeau*. A part son rôle dans *Fanfan la Tulipe*, l'après-guerre lui fut moins favorable, la quantité n'allant pas de pair avec la qualité. Il est toutefois éblouissant en père de famille dépassé par les événements dans *Justice est faite*. Il mourut de chagrin après la mort de sa femme.

Rosay, Françoise

Actrice française, de son vrai nom Bandy de Nalèche, 1891-1974.

1913, Falstaff (Maurice) ; 1915, Les vampires (Feuillade) ; 1916, Têtes de femmes, femmes de tête (Feyder) ; 1922, Crainquebille (Feyder) ; 1925, Gribiche (Feyder) ; 1927, Les deux timides (Clair) ; 1928, Madame Récamier (Ravel), Le bateau de verre (Constantin David) ; 1929, Échec au roi (L. d'Usseau) ; 1930, Soyons gais (Robison), Le procès de Mary Dugan (M. de Sano), Buster se marie

(Autant-Lara), Si l'empereur savait ça (Feyder), Le petit café (Berger), Jenny Lind (Robison) ; 1931, La chance (Guissart), La femme en homme (Genina), Quand on est belle (Robison) ; 1932, Papa sans le savoir (R. Wyler), Le rosier de Mme Husson (Bernard-Deschamps), La pouponnière (Boyer) ; 1933, Tambour battant (Robison) ; 1934, Le billet de mille (Didier), L'abbé Constantin (Paulin), Le grand jeu (Feyder), Coralie et Cie (Cavalcanti), Remous (Greville), Vers l'abîme (Steinhoff) ; 1935, Pension Mimosas (Feyder), La kermesse héroïque (Feyder), Gangster malgré lui (Hugon), Maternité (Choux), Marie des Angoisses (Bernheim), Marchand d'amour (Greville) ; 1936, Jenny (Carné), Le secret de Polichinelle (Berthomieu), La porteuse de pain (Sti) ; 1937, Drôle de drame (Carné), Un carnet de bal (Duvivier), Le fauteuil 47 (Rivers), Mein Sohn der Herr Minister (Fiston) (Harlan) ; 1938, Ramuntcho (Barbéris), Paix sur le Rhin (Choux), Le joueur d'échecs (Dréville), Le ruisseau (Lehmann), Les gens du voyage (Feyder), La symphonie des brigands (Feher) ; 1939, Serge Panine (Méré) ; 1940, Elles étaient douze femmes (Lacombe) ; 1941, Une femme disparaît (Feyder) ; 1944, The Halfway House (L'auberge fantôme) (Dearden) ; 1945, Johnny Frenchman (Frend) ; 1946, Macadam (Blistène), La dame de Haut-le-Bois (Daroy) ; 1948, Le mystère Barton (Spaak), Saraband (Dearden), Quartet (sketch de Frend) ; 1949, Maria Chapdelaine (Allégret) ; 1950, On n'aime qu'une fois (Stelli) ; 1951, I figli di nessuno (Le fils de personne) (Matarazzo), September Affair (Les amants de Capri) (Dieterle), Les vagabonds du rêve (Tavano), Femmes sans nom (Radvanyi), L'auberge rouge (Autant-Lara), Le banquet des fraudeurs (Storck), The 13th Letter (Preminger) ; 1952, Les sept péchés capitaux (sketch d'Autant-Lara) ; 1953, Sul ponte dei sospiri (Sur le pont des Soupirs) (Leonviola), Tempo di Charleston, Wanda la peccatrice (Coletti) ; 1954, That Lady (La princesse d'Eboli) (Young), La reine Margot (Dréville) ; 1955, Ragazze d'oggi ; 1956, Le long des trottoirs (Moguy) ; 1957, Interlude (Les amants de Salzbourg) (Sirk) ; 1958, Du rififi chez les femmes (Joffé), Le joueur (Autant-Lara) ; 1959, The Sound and the Fury (Le bruit et la fureur) (Ritt), Me and the Colonel (Moi et le colonel) (Glenville), Les yeux de l'amour (La Patellière), Die Gans von Sedan (Sans tambour ni trompette) (Kautner), Une fleur au fusil ; 1960, Le bois des amants (Autant-Lara), Stéfanie in Rio ; 1961, The Full Treatment (Guest), Le cave se rebiffe (Grangier) ; 1962, The Longest Day (Le jour le plus long) (Annakin...) ; 1965, Up from the Beach (Le jour d'après) (Parrish), La métamorphose des cloportes (Granier-Deferre) ; 1966, La vingt-cinquième heure (Verneuil) ; 1968, Faut pas prendre les enfants du Bon Dieu pour des canards sauvages (Audiard) ; 1969, Un merveilleux parfum d'oseille (Bassi) ; 1972, Trois milliards sans ascenseur (Pigault), Pas folle la guêpe (Delannoy), Le piéton (Schell).

Fille d'une grande comédienne, elle s'inscrit au concours du Conservatoire et suit les cours de Paul Mounet. Débuts en 1908 sur les boulevards puis à l'Odéon avec Antoine. Elle joue en Russie à la veille de la guerre, puis, à son retour, se laisse séduire par le cinéma. Elle épouse le metteur en scène Feyder en 1917. On la retrouve dans les principaux films de celui-ci. Elle est éblouissante en femme du bourgmestre dans *La kermesse héroïque*. Création moins remarquable dans *Drôle de drame*. Pendant la guerre, elle se réfugie en Suisse avec Feyder. Après avoir tourné quelques films en Angleterre et en Amérique, elle reprend sa carrière en France, une carrière marquée par quelques triomphes comme *L'auberge rouge*. Par la suite elle se disperse entre le drame historique (elle est Catherine de Médicis dans *La reine Margot*), le mélodrame et les comédies policières. Titre symbolique de son avant-dernier film : *Pas folle la guêpe* !

Ross, Katharine

Actrice américaine née en 1943.

1965, Shenandoah (Les prairies de l'honneur) (McLaglen), The Singing Nun (Dominique) (Koster), Mr. Buddwing (Mann) ; 1966, Games (Le diable à trois) (Harrington) ; 1967, The Graduate (Le lauréat) (Nichols), The Longest Hundred Miles (L'évasion la plus longue) (Weis) ; 1968, The Hellfighters (Les feux de l'enfer) (McLaglen), Tell Them Willie Boy Is Here (Willie Boy) (Polonski) ; 1969, Butch Cassidy and the Sundance Kid (Butch Cassidy et le Kid) (Roy-Hill) ; 1970, Get to Know Your Rabbit (DePalma), Fools (Gries) ; 1972, They Only Kill Their Masters (Ils ne tuent que leurs maîtres) (Goldstone), Daddy's Deadly Darling (Lawrence) ; 1974, Le hasard et la violence (Labro) ; 1975, Sulle vie della maffia (Muzil), L'immenso e rosso (Andrei), The Strange Exorcism of Lynn Hart (Lawrence), The Stepford Wives (Forbes) ; 1976, Voyage of the Damned (Le voyage des damnés) (Rosenberg) ; 1977, The Swarm (L'inévitable catastrophe) (Allen), The Betsy (Petrie) ; 1979, The Final Countdown (Nimitz, retour de l'enfer) (Taylor) ; 1980, The Legacy (Psychose phase 3) (Marquand) ; 1982, The Man With the Deadly Lens (Meurtres en direct) (Brooks) ; 1986, Red-Headed Stranger (Wittliff) ; 1990, A Row of Crows (Cardone) ; 1996, Home Before Dark (Foley) ; 2000, Don't Let Go (Myers).

Beaucoup de télévision. Une carrière cinématographique sans grand relief.

Rossellini, Isabella

Actrice italienne née en 1952.

1976, Nina/A Matter of Time (Nina) (Minnelli) ; 1979, Il prato (Le pré) (P. et V. Taviani), Il papocchio (Arbore) ; 1985, White Nights (Soleil de nuit) (Hackford) ; 1986, Blue Velvet (Blue Velvet) (Lynch), Siesta (Lambert) ; 1987, Red Riding Hood (Adam Brooks), Tough Guys Don't Dance (Les vrais durs ne dansent pas) (Mailer) ; 1988, Zelly and Me (Rathborne) ; 1989, Cousins (Cousins) (Schumacher) ; 1990, Wild at Heart (Sailor et Lula) (Lynch), Dames galantes (Tacchella) ; 1991, The Pickle (Mazursky) ; 1992, Caccia alla vedova (Le diable à quatre) (G. Ferrara), Death Becomes Her (La mort vous va si bien) (Zemeckis) ; 1993, The Innocent (Schlesinger), Fearless (État second) (Weir) ; 1994, Wyatt Earp (Wyatt Earp) (Kasdan), Immortal Beloved (Ludwig van B.) (Rose) ; 1995, Big Night (Big Night) (Tucci et Scott) ; 1996, The Funeral (Nos funérailles) (Ferrara) ; 1997, Left Luggage (Krabbé) ; 1998, The Impostors (Les imposteurs) (Tucci) ; 1999, Joe Gould's Secret (Tucci) ; 2000, Il cielo cade (A. & A. Frazzi) ; 2006, The Saddest Music in the World (The Saddest Music in the World) (Maddin) ; 2007, Mr. Bean's Holiday (Les vacances de Mr. Bean) (Bendelack).

Fille de Rossellini et d'Ingrid Bergman, elle a assisté son père comme habilleuse, puis s'est orientée vers la publicité. Un petit rôle à côté de sa mère dans *Nina.* Elle ne s'impose vraiment que dans le malsain *Blue Velvet.*

Rossi, Tino

Chanteur et acteur français, 1907-1983.

1934, Les nuits moscovites (Granowsky), L'affaire Coquelet (Gourguet), La cinquième empreinte (Anton), Justin de Marseille (Tourneur) ; 1935, Marinella (Caron), Adémaï au Moyen Age (Marguenat) ; 1936, Naples au baiser de feu (Genina) ; 1937, Au son des guitares (Ducis), Lumières de Paris (Pottier) ; 1941, Le soleil a toujours raison (Billon), Fièvres (Delannoy) ; 1942, Le chant de l'exilé (Hugon) ; 1943, Mon amour est près de toi (Pottier) ; 1944, L'île d'amour (Cam) ; 1945, Sérénade aux nuages (Cayatte), Le gardian (Marguenat) ; 1946, Destins (Pottier), Le chanteur inconnu (Cayatte) ; 1948, La belle meunière (Pagnol), Deux amours (Pottier), Marlène (Hérain) ; 1949, Envoi de fleurs (Stelli) ; 1950, Paris chante toujours (Montazel) ; 1951, Au pays du soleil (Canonge) ; 1952, Son dernier Noël (Daniel-Norman) ; 1954, Tourments (Daniel-Norman), Si Versailles m'était conté (Guitry) ; 1960, Candide (Carbonnaux) ; 1970, Une drôle de bourrique (Canolle).

Ce populaire chanteur corse (« Vieni, vieni ») a été à plusieurs reprises la vedette de films qui valent ce que valent ses chansons. Il fait de son mieux pour donner quelque consistance à des histoires ineptes ou inexistantes.

Rossi-Drago, Eleonora

Actrice italienne, de son vrai nom Palmina Omiccioli, née en 1925.

1945, Il pirati di Capri (Le pirate de Capri) (Scotese et Ulmer) ; 1950, I pirati di Capri (Les pirates de Capri) (Ulmer), Altura (Sequi) ; 1951, Persiane chiuse (Comencini) ; 1952, Sensualita (Fracassi), Tre storie proibite (Histoires interdites) (Genina), L'ultima sentenza (Bonnard), Verginita (De Mitri), La fiammata (Blasetti), La tratta delle bianche (La traite des blanches) (Comencini) ; 1953, I sette dell'orsa maggiore (Coletti), Destinées (Delannoy, Christian-Jaque, etc.) ; 1954, Vestire gli ignudi (Vêtir ceux qui sont nus) (Pagliero), L'esclave (Ciampi), L'affaire Maurizius (Duvivier), Le amiche (Femmes entre elles) (Antonioni), Napoléon (Guitry) ; 1956, Donne sole (Sala) ; Il prezzo della gloria (Musu), Suor Letizia (Camerini) ; 1957, Kean (Gassman), Tous peuvent me tuer (Decoin), La Tour prends garde (Lampin) ; 1959, Dagli Appennini alle Ande (Quilici), Estate violenta (Été violent) (Zurlini), L'impiegato (Puccini), Un maledetto imbroglio (Meurtre à l'italienne) (Germi), La strada lunga un anno (De Santis), Vacanze d'inverno (Mastrocinque), David et Goliath (Pottier) ; 1960, La garçonnière (De Santis), Sotto dieci bandiere (Sous dix drapeaux) (Coletti) ; 1961, Caccia all'uomo (Freda), Rosmunda e Alboino (Le glaive du conquérant) (Campogalliani), Tiro al piccione (Montaldo) ; 1962, L'amour à vingt ans (Truffaut, R. Rossellini, Wajda, etc.), Anima nera (Rossellini) ; 1963, I don Giovanni della Costa azzura (Sala), Il giorno piu corto (S. Corbucci), Hipnosis (E. Martin), Tempesta su Ceylan (Roccardi), Il terrore di notte (Reinl) ; 1964, Amore facile (Puccini), Il disco volante (Brass), Il diablo tambien llora, L'idea fissa (Guerrini), Omkel Toms Hütte (Radvanyi), Se permette, parliamo di donne (Scola), Il treno del sabato (Sala) ; 1965, Io uccido, tu uccidi (Puccini), Su e giu (Guerrini) ; 1966, The Bible (La Bible) (Huston), Il delitto di Anna Sandoval (Nieves-Conde) ; 1967, Mano di velluto (Fecchi) ; 1968, L'eta del malessere (Biagetti) ; 1969, Il dio chiamato Dorian (Le dépravé) (Dallamano), Camille 2000 (Metzger) ; 1970, Las endemoniadas/Nelle pieghe della carne (Bergonzelli).

Elle était Madame Fourès, maîtresse de Bonaparte en Égypte, dans le *Napoléon* de Guitry. Ce fut son apogée. Elle s'est lancée dans une carrière internationale qui ne devait lui occasionner que des déboires, de *La Tour* à *Goliath*, pour finir par *La Bible*. Si ses débuts avec Comencini n'étaient pas sans charme, les derniers films qu'elle a tournés ne présentent plus guère d'intérêt.

Roth, Cecilia

Actrice argentine née en 1958.

1976, No toquen a la nena (Jusid) ; 1977, De fresa, limón y menta (Diez), Crecer de golpe (Renan) ; 1979, El curso en que amamos a Kim Novak (Porto), Las verdes praderas (Garci), Cuentos eróticos (Trueba, Chavarri, Colomo, etc.), Arrebato (Zulueta) ; 1980, Pepi, Luci, Bom y otras chicas del montón (Pepi, Luci, Bom et autres filles du quartier) (Almodóvar), La familia bien, gracias (Masó) ; 1981, Pepe, no me des tormento (Gutiérrez), Trágala, perro (Artero) ; 1982, Laberinto de pasiones (Labyrinthe des passions (Almodóvar), Best Seller (Botas) ; 1983, El señor Galíndez (Kuhn), Entre tinieblas (Dans les ténèbres) (Almodóvar) ; 1984, Qué he hecho yo para merecer esto ? ! ! (Qu'est-ce que j'ai fait pour mériter ça ?) (Almodóvar) ; 1984, El jardín secreto (Suarez) ; 1987, The Stranger (Aristarain) ; 1988, Los amores de Kafka (Docampo Feijóo) ; 1992, Un lugar en el mundo (Un lieu dans le monde) (Aristarain), Desencuentros (Manfrini) ; 1995, Caballos salvajes (Piñeyro) ; 1997, Martín (Hache) (Aristarain), Cenizas del paraíso (Piñeyro) ; 1999, Todo sobre mi madre (Tout sur ma mère) (Almodóvar), Segunda piel (Vera) ; 2000, Una noche con Sabrina Love (Une nuit avec Sabrina Love) (Agresti).

Née à Buenos Aires d'un père journaliste, elle s'exile en Espagne en 1976 après le coup d'État dans son pays natal, et entame une carrière d'actrice, marquée notamment par ses rencontres avec Pedro Almodóvar et Iván Zulueta, deux figures phares de la Movida. Finalement, elle rentre en Argentine par amour, où elle doit recommencer quasiment à zéro sa carrière d'actrice. De retour en Espagne au milieu des années 90, elle obtient le Goya de la meilleure actrice pour *Martín* (Hache), et connaît la consécration avec son incarnation de Manuela, dont le fils disparaît dans des conditions tragiques dans *Tout sur ma mère*.

Roth, Tim

Acteur et réalisateur anglais né en 1961.

1983, Meantime (t.v., Leigh), Return to Waterloo (Davies), The Hit (Le tueur était presque parfait) (Frears) ; 1988, To Kill a Priest (Le complot) (Holland), A World Apart (Un monde à part) (Menges) ; 1989, The Cook, the Thief, his Wife and her Lover (Le cuisier, le voleur, sa femme et son amant) (Greenaway) ; 1990, Farendj (Prenczina), Rosencrantz and Guildenstern Are Dead (Rosencrantz et Guildenstern sont morts) (Stoppard), Vincent et Théo (Altman) ; 1991, Jumpin' at the Boneyard (Stanzler), Reservoir Dogs (Reservoir Dogs) (Tarantino) ; 1992, Bodies, Rest and Motion (Une pause... quatre soupirs) (Steinberg), Backsliding (Target) ; 1993, The Perfect Husband (Docampo Feijoo), Captives (Pope) ; 1994, Heart of Darkness (Roeg), Little Odessa (Little Odessa) (Gray), Pulp Fiction (Pulp Fiction) (Tarantino), Rob Roy (Rob Roy) (Caton-Jones) ; 1995, All our Fault (O'-Sullivan), Four Rooms (Tarantino, Rockwell, Rodriguez, Anders) ; 1996, No Way Home (No Way Home) (Giovinazzo) ; Everyone Says I Love You (Tout le monde dit I love you) (Allen), Hoodlum (Les seigneurs de Harlem) (Duke), Gridlock'd (Gridlock'd) (Curtis Hall) ; 1997, Liar (Le suspect idéal) (Pate), Animals (Animals) (Di Jiacomo), The Legend of the Pianist on the Ocean (La légende du pianiste sur l'océan) (Tornatore) ; 1999, Vatel (Vatel) (Joffé), The Million Dollar Hotel (The Million Dollar Hotel) (Wenders) ; 2000, Bread and Roses (Bread and Roses) (Loach), Lucky Numbers (Ephron), Invincible (Herzog) ; 2001, Planet of the Apes (Burton) ; 2005, Dark Water (Dark Water) (Salles), Nouvelle-France (Beaudin), The Last Sign (Le dernier signe) (D. Law), Don't Come Knocking (Don't Come Knocking) (Wenders). *Comme réalisateur :* 1998, The War Zone (The War Zone).

Issu du théâtre d'avant-garde anglais, il connaît une assez belle carrière américaine au cinéma, principalement dans des productions indépendantes. Peut-être moins connu que son compatriote Gary Oldman, il possède comme lui cette faculté de distanciation dans l'appréhension de ses rôles. Le résultat est qu'en dépit d'un physique assez banal (il a tout de même interprété Van Gogh dans le film d'Altman), chacune de ses apparitions à l'écran, souvent sanguines et abruptes, ressort avec un net relief.

Roüan, Brigitte

Actrice et réalisatrice française née en 1946.

1971, Les gants blancs du diable (Szabo) ; 1972, Out one (Spectre) (Rivette) ; 1973, Le maître (Béraud) ; 1974, La messe dorée (Montrésor), Que la fête commence (Tavernier) ; 1975, Demain les mômes (Pourtalé) ; 1976, Paradiso (Bricout) ; 1978, Cause toujours tu m'intéresses (Molinaro) ; 1979, Le mors aux dents (Heynemann), C'est encore loin l'Amérique (Coggio), Mon oncle d'Amérique (Resnais) ; 1980, Les uns et les autres (Lelouch) ; 1982, Le quart d'heure américain (Galland) ; 1983, Le grain de sable (Meffre) ; 1986, Suivez mon regard (Curtelin), Double messieurs (Stévenin), La petite allumeuse (Dubroux) ; 1987, Charlie Dingo (Behat), Les mois d'avril sont meurtriers (Heynemann) ; 1988, Le café des Jules (Vecchiali) ; 1989, Chasse gardée (Biette) ; 1990, Les enfants du vent (Rogulski), Outremer (Roüan) ; 1991, La thune (Galland), Bar des rails (Khan), Olivier, Olivier (Holland) ; 1993, L'honneur de la tribu (Zemmouri) ; 1994, Péché véniel... Péché mortel... (Meffre), Le petit garçon (Granier, Deferre) ; 1995, Corps inflammables (Maillot), L'éducatrice (Kané), Les caprices d'un fleuve (Giraudeau) ; 1996, Les agneaux (Schupbach), Mes dix-sept ans (Faucon), Le silence de Rak (Loizillon) ; 1997, « Post Coïtum, animal triste » (Roüan), Marie Baie des Anges (Pradal) ; 1998, Vénus Beauté (Institut) (T. Marshall), Pourquoi pas moi ? (Giusti), A mort la mort ! (Goupil) ; 1999, Inséparables (Couvelard) ; 2001, De l'amour (Richet) ; 2003, Le temps du loup (Haneke) ; 2004, Tout le plaisir est pour moi (Broué). *Pour la réalisatrice*, voir le *Dictionnaire du cinéma*, t. I : *Les réalisateurs*.

On la connaît d'abord grâce à sa participation à diverses séries télé (« Médecins de nuit »...). Après quelques rôles de second plan dans un cinéma résolument d'auteur, elle réalise en 1990 un premier film primé dans le monde entier et qui raconte ses souvenirs d'Algérie alors qu'elle était adolescente. Une actrice attachante et une réalisatrice douée.

Rougerie, Jean

Acteur belge, 1929-1998.

1947, Monsieur Vincent (Cloche) ; 1958, La tête contre les murs (Franju) ; 1973, L'horloger de Saint-Paul (Tavernier), Lacombe Lucien (Malle) ; 1974, Que la fête commence (Tavernier), Le fantôme de la liberté (Buñuel) ; 1976, Le jour de gloire (Besnard) ; 1977, Préparez vos mouchoirs (Blier), La nuit de Saint-Germain-des-Prés (Swaim), Servante et maîtresse (Gantillon), March or Die (Il était une fois... la légion) (Richards) ; 1978, Judith Therpauve (Chéreau), La raison d'État (Cayatte) ; 1979, Buffet froid (Blier), La guerre des polices (Davis) ; 1980, Rendez-moi ma peau (Schulmann), Tendres cousines (Hamilton), T'inquiète pas, ça se soigne (Matalon), Voulez-vous un bébé Nobel ? (Pouret) ; 1981, Le choix des armes (Corneau), Tout feu, tout flamme (Rappeneau), L'étoile du Nord (Granier-Deferre) ; 1982, Le prix du danger (Boisset), Edith et Marcel (Lelouch), Prends ton passe-montagnes, on va à la plage (Matalon), On s'en fout, nous on s'aime (Gérard) ; 1983, American Dreamer (Rosenthal), Gwendoline (Jaeckin), Attention, une femme peut en cacher une autre (Lautner), Les cavaliers de l'orage (Vergès) ; 1984, Signes extérieurs de richesse (Monnet), Pinot simple flic (Jugnot), Tranches de vie (Leterrier), A View to a Kill (Dangereusement vôtre) (Glen) ; 1986, L'état de grâce (Rouffio), Le miraculé (Mocky), Scout toujours (Jugnot), Club de rencontres (Lang) ; 1987, Preuve d'amour (Courtois) ; 1988, L'invité surprise (Lautner), Corps z'a corps (Halimi), Les gauloises blondes (Jabley) ; 1989, La gloire de mon père (Robert) ; 1991, Merci la vie (Blier), Le fils du Mékong (Leterrier) ; 1993, Chacun pour toi (Ribes).

Venu du théâtre, cet excellent second rôle semble voué aux flics pourris et aux avocats marrons. Il était l'époux de Simone Signoret dans *L'étoile du Nord*.

Rouleau, Raymond

Acteur et réalisateur d'origine belge, 1904-1981.

1930, Ce soir à huit heures (Charbonnier), Idylle à la plage (Storck) ; 1932, Suzanne (Rouleau), La femme nue (Paulin), Le jugement de minuit (Esway, Charlet) ; 1933, Une vie perdue (Rouleau), Volga en flammes (Tourjanski) ; 1934, Vers l'abîme (Steinhoff, Véber), Les beaux jours (Allégret) ; 1936, Donogoo (Schunzel, Chomette), Le cœur dispose (Lacombe), L'affaire Lafarge (Chenal) ; 1938, Le drame de Shanghai (Pabst), Conflit (Moguy), Coups de feu (Barberis), Le duel (Fresnay) ; 1940, Documents secrets (Joannon) ; 1941, L'assassinat du Père Noël (Christian-Jaque), Premier bal (Christian-Jaque) ; 1942, Mam' zelle Bonaparte (Tourneur), Dernier atout (Becker), L'aventure est au coin de la rue (Daniel-Norman), L'honorable Catherine (L'Herbier), La femme que j'ai le plus aimée (Vernay) ; 1943, Monsieur de Lourdines (Hérain), Le secret de Madame Clapain (Berthomieu) ; 1944, Falbalas (Becker) ; 1946, Le couple idéal (Roland), Dernier refuge (Maurette) ; 1947, Vertiges (Pottier), L'aventure commence demain (Pottier), Une grande fille toute simple (Manuel) ; 1948, L'inconnu d'un soir (Neufeld) ; 1949, Mission à Tanger (Hunebelle) ; 1950, Les femmes sont folles (Grangier), Méfiez-vous des blondes (Hunebelle) ; 1951, Tapage nocturne (Sauvajon), Ma femme est formidable (Hunebelle), Massacre en dentelle (Hunebelle) ; 1952, Brelan d'as (Verneuil), Devoir de vacances (Delafosse), Il est minuit, Dr Schweitzer (Haguet) ; 1954, Les intrigantes (Decoin) ; 1955, Une fille épatante (André) ; 1956, Les sorcières de Salem (Rouleau) ; 1958, Le fric (Cloche) ; 1964, La grande frousse (Mocky) ; 1965, Deux heures à tuer (Govar). *Pour le metteur en scène*, voir aussi le *Dictionnaire du cinéma*, t. I : *Les réalisateurs*.

Ancien élève du Conservatoire de Bruxelles, il fut toujours fasciné par le théâtre où il fit de nombreuses mises en scène ainsi qu'à l'Opéra de Paris *(Carmen...)* et à la télévision. Il fut aussi un bon metteur en scène de films. Mais c'est comme acteur qu'il fut avant tout connu. Élégant, spirituel, décontracté, il fut dans les années 40 le Cary Grant du cinéma français. Il est merveilleux de désinvolture dans ces petits chefs-d'œuvre que sont *L'aventure est au coin de la rue, Le secret de Madame Clapain* ou *Le couple idéal.* Dans une série d'André Hunebelle, au début des années 50, il reprit ce personnage de héros sans complexe, gai et raffiné, avec un grand succès.

Roundtree, Richard

Acteur américain né en 1937.

1970, What Do You Say to a Naked Lady ? (Funt) ; 1971, Shaft (Les nuits rouges de Harlem) (Parks) ; 1972, Embassy (Baraka à Beyrouth) (Hessler), Charley One-Eye (Charley le borgne) (Chaffey), Shaft's Big Score (Les nouveaux exploits de Shaft) (Parks) ; 1973, Shaft in Africa (Les trafiquants d'hommes) (Guillermin) ; 1974, Earthquake (Tremblement de terre) (Robson) ; 1975, Diamonds (Golan) ; 1976, Man Friday (Gold) ; 1977, Portrait of a Hitman (Buckhantz) ; 1979, A Game for Vultures (Le putsch des mercenaires) (Fargo), Escape to Athena (Bons baisers d'Athènes) (Cosmatos), Day of the Assassin (Trenchard-Smith) ; 1980, Gypsy Angels (Smithee) ; 1981, An Eye for an Eye (Dent pour dent) (Carver) ; 1982, Inchon (T. Young), Q/The Winged Serpent (Épouvante sur New York) (Cohen) ; 1983, Young Warriors (Foldes), The Big Score (Les quatre justiciers) (Williamson), One Down, Two to Go (Williamson) ; 1984, Killpoint (Harris), City Heat (Haut les flingues) (Benjamin) ; 1986, Opposing Force (Karson) ; 1987, Jocks (Carver) ; 1988, Party Line (Webb), Getting Even (Lucchetti), Angel III : The Final Chapter (DeSimone), Maniac Cop (Maniac Cop) (Lustig) ; 1989, Crack House (Fischa), The Banker (Webb) ; 1990, Night Visitor (Hitzig), Bad Jim (Ware) ; 1991, A Time to Die (Kanganis), Bloodfist III : Forced to Fight (Sassone) ; 1992, Deadly Rivals (Dodson) ; 1993, Sins of Night (Hippolyte), Body of Influence (Hippolyte), Amityville : A New Generation (Murlowski) ; 1994, Mind Twister (Olen Ray) ; 1995, Ballistic (Bass) ; 1995, Seven (Seven) (Fincher), Theodore Rex (T. Rex) (Betuel) ; 1996, Once Upon a Time... When We Were Colored (Reid) ; 1996, Original Gangstas (Cohen) ; 1997, George of the Jungle (George de la jungle) (Weisman), Steel (Johnson) ; 2000, Shaft Returns (Shaft) (Singleton), Dog Shit (Adlon), Antitrust (Howitt), Corky Bonono (Pritts) ; 2006, Brick (Brick) (Johnson).

Au début des années 70, il fut avant tout Shaft, justicier noir qui fit les beaux jours, avec Jim Brown et Pam Grier, de la « Blaxploitation » (films d'action des années 70 destinés au public afro-américain). Héros de la série télé éponyme, il se spécialise par la suite dans les rôles d'action (films catastrophe, thrillers, polars en tout genre) et passe difficilement le cap des années 80.

Rourke, Mickey

Acteur américain né en 1953.

1979, 1941 (1941) (Spielberg) ; 1980, Fade to Black (Fondu au noir) (Zimmerman) ; 1981, Body Heat (La fièvre au corps) (Kasdan), Heaven's Gate (La porte du paradis) (Cimino) ; 1982, Diner (Dîner) (Levinson) ; 1983, Rumble Fish (Rusty James) (Coppola), Eureka (Roeg), The Pope of Greenwich Village (Le pape de Greenwich Village) (Rosenberg) ; 1985, Year of the Dragon (L'année du dragon) (Cimino) 9 1/2 weeks (Neuf semaines 1/2) (Lyne) ; 1986, Angel Heart (Angel Heart — Aux portes de l'enfer) (Parker) ; 1987, Barfly (Barfly) (Schroeder), A Prayer for the Dying (L'Irlandais) (Hodges) ; 1988, Homeboy (Homeboy) (Seresin) ; 1989, Francesco (Cavani), Johnny Handsome (Johnny belle gueule) (Hill), Wild Orchid (L'orchidée sauvage) (King) ; 1990, Desperate Hours (La maison des otages) (Cimino) ; 1991, Harley Davidson and the Marlboro Man (Harley Davidson et l'homme aux santiags) (Wincer) ; 1992 White Sands (Sables mortels) (Donaldson) ; 1993, The Last Outlaw (Murphy), F.T.W. (Karbelnikoff) ; 1994, Fall Time (Warner), Bullet (Temple) ; 1996, Another Nine and a Half Weeks (Love in Paris) (Goursaud), Double Team (Double Team) (Hark), The Rainmaker (L'idéaliste) (Coppola) ; 1997, Buffalo '66 (Buffalo '66) (Gallo), Thursday (C'est pas mon jour !) (Woods) ; 1998, Shergar (Lewiston) ; 1999, Animal Factory (Animal Factory) (Buscemi), Shades (Van Looy) ; 2000, Get Carter (Get Carter) (Kay), The Pledge (Penn) ; 2001, Claire's Hat (McDonald) ; 2003, Once Upon a Time in Mexico (Desperado 2) (Rodriguez) ; 2004, Man on Fire (Man on Fire) (Scott) ; 2005, Domino (Domino) (Scott), Sin City (Sin City) (Rodriguez) ; 2006, Stormbreaker (Alex Rider : Stormbreaker) (Sax).

Beaucoup de théâtre et un passage — hélas ! — au cours de Strasberg. Remarqué en pyromane dans *Body Heat*, il « éclate » dans le personnage de Motorcycle Boy, le grand frère mythique de *Rusty James*. Puis c'est *L'année du dragon* qui l'impose en vedette. Personnage cynique et désabusé, il devient le détective à la recherche de lui-même, par rupture de contrat avec le diable, dans l'époustouflant *Angel Heart*, puis l'alcoolique de *Barfly*. Il va se perdre dans l'érotisme soft de *Wild Orchid*, puis revient au thriller dans *Desperate Hours* et *White Sands*. Il semble un moment plus intéressé par la boxe que par le cinéma, puis revient avec des petits rôles. Il est méconnaissable en taulard travesti dans *Animal Factory*.

Roussel, Myriem

Actrice française née en 1961.

1981, Passion (Godard) ; 1983, Prénom Carmen (Godard) ; 1984, Je vous salue Marie (Godard) ; 1985, Tristesse et beauté (Fleury) ; 1986, Bleu comme l'enfer (Boisset) ; 1988, Le piège de Vénus (Van Ackeren) ; 1991, Jeunes gens (Rajot) ; 1992, L'œil qui ment (Ruiz) ; 1993, Les patriotes (Rochant), 75 cl de prière (moyen métrage, Maillot) ; 1995, Au Petit Marguery (Bénégui), Corps inflammables (Maillot).

Révélée par Godard, cette ancienne danseuse s'est imposée de film en film par son étrange beauté et son talent.

Roussillon, Jean-Paul

Acteur français né en 1931.

1953, La chair et le diable (Josipovici) ; 1955, Voici le temps des assassins ; 1958, Mission diabolique (May) ; 1964, Week-end à Zuydcoote (Verneuil) ; 1981, Une affaire d'hommes (Ribowski) ; 1982, La truite (Losey) ; 1983, La guerre des demoiselles (Nichet) ; 1984, Elsa, Elsa (Haudepin), Monsieur de Pourceaugnac (Mitrani) ; 1985, Mon beau-frère a tué ma sœur (Rouffio), On ne meurt que deux fois (Deray) ; 1986, États d'âme (Fansten) ; 1987, Alouette je te plumerai (Zucca), Maladie d'amour (Deray) ; 1988, Baxter (Boivin) ; 1989, Comédie d'amour (Rawson), La fille du magicien (Bories), Je t'ai dans la peau (Thorn) ; 1990, Cherokee (Ortega), Le secret de Sarah Tombelaine (Lacambre), Le brasier (Barbier), Plein fer (Dayan) ; 1991, Tableau d'honneur (Némès), La fille de l'air (Bagdadi) ; 1994, Les truffes (Nauer), La fille de D'Artagnan (Tavernier) ; 1995, Oui (Pérennès) ; 1997, On connaît la chanson (Resnais) ; 1998, Le plus beau pays du monde (Bluwal) ; 2001, Mischka (Stévenin) ; 2003, Léo en jouant « Dans la compagnie des hommes » (Desplechin) ; 2004, Rois et reines (Desplechin) ; 2007, Zone libre (Malavoy).

Bordelais de naissance, il entre à la Comédie-Française en 1950 et impose rapidement un personnage vif, plutôt comique. Il s'y fait aussi remarquer par des mises en scène jugées « scandaleuses », telle celle de *L'avare*, en 1969. Accessoirement, il touche un peu au cinéma, avec une grande pause pendant les années 60 et 70, toutes dévolues à la scène. Revenu sur les écrans avec un certain embonpoint, il excelle dans les seconds rôles bourrus. Il est l'un des acteurs fétiches de Desplechin.

Rouve, Jean-Paul

Acteur français né en 1967.

Principaux films : 2002, Mon idole (Canet), Monsieur Batignole (Jugnot) ; 2003, Podium (Moix) ; 2004, Un petit jeu sans conséquence (Rapp), Bunker Paradise (Liberski) ; 2005, Je préfère qu'on reste amis (Toledano et Nakache) ; 2007, La môme (Dahan), L'île aux trésors (Berbérian).

Grand admirateur de Patrick Dewaere (il a participé à un recueil consacré à l'acteur), cet ex-Robin des Bois fut remarqué dans *Monsieur Batignole* et récompensé du César du meilleur espoir masculin.

Rouvel, Catherine

Actrice française, de son vrai nom Vitale, née en 1939.

1956, Honoré de Marseille (Régamey) ; 1959, Le testament du docteur Cordelier (Renoir), Le déjeuner sur l'herbe (Renoir) ; 1962, Kriss Romani (Schmidt), Landru (Chabrol), Le roi du village (Gruel) ; 1963, Chair de poule (Duvivier), Les amoureux du France

(Reichenbach) ; 1964, Les copains (Robert), Les pas perdus (Robin) ; 1967, Benjamin ou les mémoires d'un puceau (Deville) ; 1968, Mister Freedom (Klein) ; 1969, Borsalino (Deray) ; 1970, La rupture (Chabrol), Mont-Dragon (Valère), Le soldat Laforêt (Cavagnac) ; 1971, Les assassins de l'ordre (Carné), La cavale (Mitrani) ; 1972, Les volets clos (Brialy) ; 1974, Marseille contrat (Parrish), Borsalino and Co (Deray) ; 1975, Chobizenesse (Yanne), Les grands moyens (Cornfield), C'est dur pour tout le monde (Gion), Opération Lady Marlène (Lamoureux) ; 1976, Noirs et blancs en couleurs/La victoire en chantant (Annaud) ; 1979, L'école est finie (Nolin) ; 1980, Tendres cousines (Hamilton) ; 1985, Louise l'insoumise (Silvera) ; 1986, Jubiaba (Dos Santos), Fuegos (Arias) ; 1987, De sable et de sang (Labrune), Le solitaire (Deray) ; 1992, Les mamies (Lanoë) ; 1994, Élisa (Becker).

Fraîche et saine, très en chair, elle fut choisie par Renoir en hommage à son père pour *Le déjeuner sur l'herbe* alors qu'elle venait de monter de Marseille à Paris. Ce patronage explique qu'elle ait beaucoup joué avec Chabrol. Mais on la vit aussi en prostituée dans quelques bons films policiers et dans *Élisa* de Becker.

Rovère, Liliane

Actrice française née en 1933.

1969, Le portrait de Marianne (Goldenberg) ; 1971, Une larme dans l'océan (Glaeser) ; 1975, Calmos (Blier), Je t'aime, moi non plus (Gainsbourg), Andréa (Glaeser), Monsieur Albert (Renard) ; 1977, March or Die (Il était une fois la légion) (Richards), La jument-vapeur (J. Buñuel), Préparez vos mouchoirs (Blier) ; 1979, Comment passer son permis de conduire (Derouillat), Le voyage en douce (Deville), Buffet froid (Blier) ; 1980, La bande du Rex (Meunier) ; 1981, Enigma (Szwarc) ; 1986, Autour de minuit (Tavernier) ; 1987, De guerre lasse (Enrico) ; 1988, Prisonnières (Silvera) ; 1989, La Révolution française (Enrico, Heffron) ; 1991, Does This Mean We're Married ? (Wiseman) ; 1992, La fille de l'air (Bagdadi) ; 1995, Adultère (mode d'emploi) (Pascal) ; 1996, Un samedi soir sur la Terre (Bertrand) ; 1997, Artémisia (Merlet), Lila Lili (Vermillard) ; 1998, Vénus Beauté (Institut) (Marshall), Le plus beau pays du monde (Bluwal), Le bleu des villes (Brizé), Passionnément (Nuytten), Voyages (Finkiel) ; 1999, Peut-être (Klapisch), Harry, un ami qui vous veut du bien (Moll), La captive (Akerman), Les fantômes de Louba (Dugowson) ; 2003, Variété française (Videau).

Du théâtre avant tout pour cette actrice qui, la cinquantaine passée, semble se faire une spécialité des femmes acariâtres ou blessées par la vie. Elle était très émouvante dans *Voyages*, où elle comprenait, sans rien lui avouer, que celui qui se disait son père n'était en fait qu'un imposteur.

Rowlands, Gena

Actrice américaine née en 1936.

1958, The High Cost of Loving (L'amour coûte cher) (J. Ferrer) ; 1962, Lonely Are the Brave (Seuls sont les indomptés) (Miller), The Spiral Road (L'homme de Bornéo) (Mulligan) ; 1963, A Child Is Waiting (Cassavetes) ; 1967, Tony Rome (Tony Rome est dangereux) (Douglas) ; 1968, Faces (Cassavetes), Gli intoccabili (Les intouchables) (Montaldo) ; 1971, Minnie and Moskowitz (Ainsi va l'amour) (Cassavettes) ; 1974, A Woman Under the Influence (Une femme sous influence) (Cassavetes) ; 1976, Two Minutes Warning (Un tueur dans la foule) (Peerce) ; 1978, The Brink's Job (Têtes vides cherchent coffres pleins) (Friedkin) ; 1979, Opening Night (Cassavetes) ; 1980, Gloria (Cassavetes) ; 1982, The Tempest (La tempête) (Mazursky) ; 1984, Love Streams (Cassavetes) ; 1987, Light of Day (Schrader) ; 1988, Another Woman (Une autre femme) (Allen) ; 1991, Once Around (Ce cher intrus) (Hallström), Night on Earth (Night on Earth) (Jarmusch), Crazy in Love (Coolidge), Ted and Venus (Cort) ; 1994, The Neon Bible (La bible de néon) (Davies) ; 1995, Something to Talk About (Amour et mensonges) (Hallström), Unhook the Stars (Décroche les étoiles) (N. Cassavetes) ; 1996, She's So Lovely (She's So Lovely) (N. Cassavetes) ; 1997, Paulie (Paulie, le perroquet qui parlait trop) (Roberts), The Mighty (Les puissants) (Chelsom), Hope Floats (Ainsi va la vie) (Whitaker) ; 1998, Playing by Heart (La carte du cœur) (Carroll), The Weekend (Skeet) ; 1999, Ljuset håller mig sällskap (C.-G. Nykvist) ; 2004, The Notebook (N'oublie jamais) (N. Cassavetes), Taking Lives (Taking Lives, destins violés) (Caruso) ; 2005, The Skeleton Key (La porte des secrets) (Softley) ; 2006, Paris je t'aime (collectif) ; 2007, Persépolis (Satrapi).

Héroïne des films de Cassavetes dont elle était l'épouse à la ville, elle a peu tourné en dehors des œuvres de son mari : son meilleur rôle loin de Cassavetes reste celui de la jeune femme dont tombait amoureux Kirk Douglas dans *Lonely Are the Brave*.

Ruehl, Mercedes

Actrice américaine née en 1948.

1979, The Warriors (Les guerriers de la nuit) (W. Hill) ; 1981, Four Friends (Georgia) (Penn) ; 1986, Twisted (Holender), Heartburn (La brûlure) (Nichols), 84 Charing Cross Road (Jones) ; 1987, The Secret of My Success (Le secret de mon succès) (Ross), Radio Days (Radio Days) (Allen), Leader of the Band (Hyams) ; 1988, Big (Big) (Marshall), Married to the Mob (Veuve mais pas trop) (Demme) ; 1989, Slaves of New York (Esclaves de New York) (Ivory) ; 1990, Crazy People (Bill) ; 1991, The Fisher King (Fisher King) (Gilliam), Another You (Phillips) ; 1993, Lost in Yonkers (La vie sous silence) (Coolidge), Last Action Hero (Last Action Hero) (John McTiernan) ; 1997, Roseanna's Grave (Pour l'amour de Roseanna) (Weiland) ; 1999, The Minus Man (Fancher), Out of the Cold (Buravsky), More Dogs Than Bones (Browning), Spooky House (Sachs), What's Cooking ? (What's Cooking ?) (Chadha) ; 2000, The Amati Girls (DeSalvo).

Des petits rôles qui mènent cette jolie brune dans les bras de Jeff Bridges à l'affiche de *Fisher King*, grâce auquel elle glane l'oscar du meilleur second rôle. Une gloire de courte durée, car ce n'est pas la « comédie » italo-américaine *Pour l'amour de Roseanna*, dans lequel elle tient la vedette avec Jean Reno, qui va redorer son blason. Elle devient malgré elle l'archétype de l'épouse-mère, soumise et dévouée.

Rufus

Acteur français, de son vrai nom Jacques Narcy, né en 1942.

1968, Les encerclés (Gion), L'amour c'est gai, l'amour c'est triste (Pollet), Mister Freedom (Klein), Nous n'irons plus au bois (Dumoulin), Inadmissible évidence (Page) ; 1969, L'Américain (Bozzuffi), Erotissimo (Pirès), Cran d'arrêt (Boisset), Les patates (Autant-Lara), La promesse de l'aube (Dassin) ; 1970, Les camisards (Allio), Un aller simple (Giovanni), L'alliance (Chalonge), Laisse aller... c'est une valse (Lautner), Aussi loin que l'amour (Rossif), Fantasia chez les ploucs (Pirès), Valparaiso, Valparaiso (Aubier), Peau d'âne (Demy) ; 1971, Un condé (Boisset), Où est passé Tom ? (Giovanni), La vie facile (Warin) ; 1973, L'adultère (Rodeges), L'école sauvage (Natsis et Pianko), L'histoire très bonne et très joyeuse de Colinot Trousse-Chemise (Companeez), Un nuage entre les dents (Pico) ; 1974, Le locataire (Polanski), La valise (Lautner), Mariage (Lelouch), Lily, aime-moi (Dugowson), Au long de la rivière Fango (Sotha), Un nuage entre les dents (Pico) ; 1975, Le chant du départ (Aubier), Trop c'est trop (Kaminka) ; 1976, Jonas qui aura vingt-cinq ans en l'an 2000 (Tanner) ; 1977, March or Die (D. Richard), La part du feu (Périer) ; 1978, Chaussette surprise (Davy), Zoo zéro (Fleischer), La ville à prendre (Brunie) ; 1979, La guerre des polices (Davis) ; 1983, Erendira (Guerra), Itinéraire bis (Drillaud) ; 1984, San Francisco (Charles), Chimanski (Gies) ; 1985, Vera : contes cruels (B. Pollet), A la recherche de la lumière (Berbren) ; 1987, Les exploits d'un jeune don Juan (Mingozzi), Ubac (Grasset), Poisons (Maillard), Soigne ta droite (Godard) ; 1988, Le radeau de la Méduse (Azimi) ; 1990, L'Autrichienne (Granier-Deferre), Promotion canapé (Kaminka) ; 1991, Lacenaire (Girod), Delicatessen (Jeunet et Caro) ; 1993, Des feux mal éteints (Moati), Joe et Marie (Stocklin), Le mangeur de lune (Dai Sijie) ; 1994, Les misérables (Lelouch), La cité des enfants perdus (Jeunet et Caro) ; 1997, Metroland (Metroland) (Saville). C'est la tangente que je préfère (Silvera), Que la lumière soit ! (A. Joffé), Train de vie (Mihaileanu) ; 2000, Le fabuleux destin d'Amélie Poulain (Jeunet), Mon père (Giovanni) ; 2003, A ton image (Villiers) ; 2004, Madame Édouard (Monfils), Ce jour-là (Ruiz), Le grand rôle (Suissa), Comme si de rien n'était (Mornas) ; 2004, Un long dimanche de fiançailles (Jeunet) ; 2005, Iznogoud (Braoudé) ; 2006, Qui m'aime me suive (B. Cohen), Les irréductibles (Bertrand), Du jour au lendemain (Le Guay).

Comédien de scène autant que de cinéma, il a développé une sorte de personnage un peu austère, un peu lunaire et pince-sans-rire qui lui a valu quantité de seconds rôles dans tous les registres : comédie, drame, grand spectacle... Sa longue silhouette, son visage anguleux, sa voix grave et posée s'adaptent à tout. Il écrit aussi.

Ruggles, Charlie

Acteur américain, 1886-1970.

1929, Gentlemen of the Press (Webb) ; 1930, Young Man of Manhattan (Bell) ; 1931, Honor Among Lovers (Arzner), Girl Habit (Cline) ; 1932, This Is the Night (Tuttle), If I Had a Million (Si j'avais un million) (Cruze), Love Me Tonight (Mamoulian) ; 1933, Murders in the Zoo (Sutherland) ; 1934, Six of a Kind (McCarey), Melody in Spring (McLeod) ; 1935, Ruggles of Red Gap (L'extravagant M. Ruggles) (McCarey), People Will Talk (Santell) ; 1936, Anything Goes (Milestone), A Heart Divided (Borzage), Early to Bed (McLeod), Wives Never Know (Nugent) ; 1938, Bringing Up Baby (L'impossible Monsieur Bébé) (Hawks), Breaking the Ice (Cline) ; 1939, Invitation to Happiness (W. Ruggles) ; 1940, Opened by Mistake (Keighley) ; 1941, The Perfect Snob (R. McCarey), Honeymoon for Three (Bacon), The Parson of Panamint (McGann) ; 1942, Friendly Enemies (Dwan) ; 1943, Dixie Dugan (Brower) ; 1944, Our Hearts Were Young and Gay (Allen), Three Is a Family (Ludwig) ; 1946, The Gallant Journey (Wellman), The Perfect Marriage (Allen) ; 1947, It Happened on 5th Avenue (Del Ruth), Ramrod (De Toth) ; 1948, Give My Regards to Broadway (Bacon) ; 1949, The Loveable Cheat (Oswald), Look for the Silver Lining (Butler) ; 1961, The Parent Trap (Swift), All in a Night's Work (Antony), The Pleasure of this Company (Seaton) ; 1963, Son of Flubber (Stevenson), Papa's Delication Condition (Marshall) ; 1964, I'd Rather Be Rich (Smight) ; 1966, The Ugly Dachshund (Tokar).

Frère du réalisateur Wesley Ruggles. Vedette de nombreuses comédies souvent insipides sauf celles de McCarey, et notamment *Ruggles of Red Gap* où il gagnait au poker le domestique (Charles Laughton) d'un lord anglais qu'il ramenait dans une petite ville américaine. Il eut souvent pour partenaire Mary Boland, épouse autoritaire qui le terrorisait.

Rühmann, Heinz

Acteur et réalisateur allemand, 1902-1994.

1926, Da Deutsche Mutterherz (Von Bolvary) ; 1927, Das Mädchen mit den fünf Nullen (Bernhardt) ; 1930, Die Drei von der Tankstelle (Thiele), Einbrecher (Schwarz) ; 1931, Der brave Sünder (Kortner), Bomben auf Monte Carlo (Capitaine Craddok) (Schwarz), Man braucht kein Geld (Boese), Der Mann, der seinen Mörder sucht (Siodmak), Der Stolz der 3. Kompanie (Sauer), Meine Frau, die Hochstalperin (Gerron) ; 1932, Strich durch die Rechnung (Zeisler), Es wird schon wieder besser (Gerron) ; 1933, Die lachenden Erben (Ophuls), Ich und die Kaiserin (Hollaender), Es gibt nur eine Liebe (Meyer), Heimkehr ins Glück (Boese), Drei blaue Jungs, ein blondes Mädel (Böse) ; 1934, Die Finanzen des Grossherzogs (Les finances du grand-duc) (Gründgens), Pipin der Kurze (Wolff), So ein Flegel (Stemmle), Frasquita (Lamac), Ein Walzer für dich (Zoch) ; 1935, Heinz im Mond (Stemmle), Wer wagt-gewinnt (Janssen), Eva (Riemann), Der Aussenseiter (Deppe) ; 1936, Allotria (Forst), Wenn wir alle Engel wären (Froelich), Lumpacivagabundus (Von Bolvary) ; 1937, Der Mustergatte (Un mari modèle) (Liebeneiner), Der Mann, der Sherlock Holmes war (Hartl), Der Mann, von dem man spricht (Emo) ; 1938, Fünf Millionen suchen einen Erben (Boese), Die Umwege des schönen Karl (Froelich), Nanu, Sie kennen Korff noch nicht ? (Holl) ; 1939, Hurra ! Ich bin Papa (La joie d'être père) (Hoffmann), Der Florentiner Hut (Un chapeau de paille d'Italie) (Liebeneiner), 13 Stühle (Le mystère de la 13e chaise) (Emo), Paradies der Junggesellen (Hoffmann) ; 1940, Kleider machen Leute (L'habit fait le moine) (Käutner), Wunschkonzert (L'épreuve du temps) (Borsody), Der Gassmann (Froelich), Hauptsache glücklich ! (Lingen) ; 1941, Quax, der Bruchpilot (K. Hoffman) ; 1943, Ich vertraue dir meine Frau an (Garde-moi ma femme) (K. Hoffman), Die Feuerzangenbowle (Weiss) ; 1946, Sag' die Wahrheit (Weiss) ; 1948, Der Herr vom andern Stern (Weiss) ; 1949, Das Geheimnis der roten Katze (Weiss), Ich mag dich glücklich (Von Stalinay) ; 1952, Das kann jedem passieren (Verhoeven), Schäm' dich, Brigitte ! (Emo) ; 1953, Briefträger Müller (Rühmann), Quaz in Afrika (Weiss), Keine Angst vor grossen Tieren (Erfurth) ; 1954, Escale à Orly (Dréville), Keine Angst vor Schwiegermüttern (Engels), Auf der Reeperbahn nachts um halb eins (Liebeneiner) ; 1955, Wenn der Vater mit dem Sohne (Quest) ; 1956, Charley's Tante, Der Hauptmann von Köpenick (Käutner), Das Sonntagskind (Meisel) ; 1957, Vater sein dagegen sehr (Meisel) ; 1958, Es geschah am hellichten Tag (C'est arrivé en plein jour) (Vajda), Der Pauker (Ambesser), Der eiserne Gustav (Hurdalek), Der Mann, der nicht nein sagen konnte (Früh) ; 1959, Menschen im Hotel (Grand Hôtel) (Reinhardt), Der Jugendrichter (Verhoeven), Ein Mann geht durch die Wand (Vajda) ; 1960, Der brave Soldat Schweik (Ambesser), Das schwarze Schaf (Fais ta valise, Sherlock Holmes) (Ashley), Mein Schulfreund (R. Siodmak) ; 1961, Der Lügner (Wajda) ; 1962, Max, der Taschendieb (Moszokowicz), Er kann's nicht lassen (Von Ambesser) ; 1963, Das Haus in Montevideo (Käutner), Meine Tochter und Ich (Engel) ; 1964, Dr. med. Hiob Prätorius (Hoffmann), Vorsicht Mr. Dodd (Gräwert) ; 1965, La bourse et la vie (Mocky), Das Liebeskarusell (Thiele), Ship of Fools (La nef des fous) (Kramer) ; 1966, Hokuspokus (Hoffmann), Maigret und sein grösster Fall (Maigret fait mouche) (Weidenmann), Grieche sucht Griechin (Thiele) ; 1968, Die Abenteuer des Kardinal Braun (Fulci), Die Ente klingelt um halb acht (Thiele) ; 1971, Der Kapitän (Hoffmann) ;

1973, Oh Jonathan, oh Jonathan (Wirth) ; 1976, Das Chinesische Wunder (Liebeneiner) ; 1977, Gefundenes Fressen (M. Verhoeven) ; 1992, In weiter Ferne, so nah ! (Si loin, si proche) (Wenders). *Pour le metteur en scène*, voir le *Dictionnaire du cinéma*, t. I : *Les réalisateurs*.

Ce pittoresque acteur a surtout fait rire le public allemand et demeure peu connu audelà du Rhin. Il fut pourtant un Maigret assez vraisemblable.

Rumilly, France

Actrice française.

1962, Les veinards (sketch Le gros lot, Pinoteau) ; 1963, Les durs à cuire (Pinoteau) ; 1964, Le gendarme de Saint-Tropez (Girault), La bonne occase (Drach), Moi et les hommes de 40 ans (Pinoteau) ; 1965, Un milliard dans un billard (Gessner), Le gendarme à New York (Girault), Ne nous fâchons pas (Lautner) ; 1966, Le grand restaurant (Besnard), Monsieur le président-directeur général (Girault), Le solitaire passe à l'attaque (Habib) ; 1967, Playtime (Tati) ; A tout casser (Berry) ; 1968, Le gendarme se marie (Girault), Faites donc plaisir aux amis (Rigaud), L'Auvergnat et l'autobus (Lefranc) ; 1970, Le gendarme en balade (Girault) ; 1972, Elle court elle court la banlieue (Pirès) ; 1973, Je sais rien mais je dirai tout (P. Richard) ; 1978, Le gendarme et les extraterrestres (Girault) ; 1979, Les héroïnes du mal (Borowczyk) ; 1980, Fais gaffe à la Gaffe (Boujenah) ; 1982, Le gendarme et les gendarmettes (Girault) ; 1984, Sac de nœuds (Balasko), Le facteur de Saint-Tropez (Balducci) ; 1985, Suivez mon regard (Curtelin) ; 1986, Twist again à Moscou (Poiré).

L'intrépide religieuse a traversé les 6 épisodes de la série des *Gendarmes* en dévalant les routes côtières avec sa 2CV casse-cou, et en sermonnant nos pauvres gendarmes, Cruchot en tête. Un personnage culte. Actrice quasi invisible en dehors de cette série.

Rush, Barbara

Actrice américaine née en 1927.

1951, The First Legion (La première légion) (Sirk), When Worlds Collide (Le choc des mondes) (Male) ; 1953, He Came from Outer Space (Le météore de la nuit) (Arnold) ; 1954, Magnificent Obession (Le secret magnifique) (Sirk), The Black Shield of Falworth (Le chevalier du roi) (Maté) ; 1955, Captain Lightfoot (Capitaine mystère) (Sirk) ; 1956, Bigger than Life (Derrière le miroir) (Ray) ; 1957, No Down Payment (Les sensuels) (Ritt) ; 1958, Young Lions (Le bal des maudits) (Dmytryk), Harry Black and the Tiger (Harry Black et le tigre) (Fregonese) ; 1959, The Young Philadelphians (Ce monde à part) (V. Sherman), The Bramble Bush (Le buisson ardent) (D. Petrie) ; 1960, Strangers when We Meet (Liaisons secrètes) (Quine) ; 1962, Come Blow Your Horn (T'es plus dans la course, papa) (Yorkin) ; 1964, Robin and the Seven Hoods (Les sept voleurs de Chicago) (Douglas) ; 1967, Hombre (Hombre) (Ritt) ; 1980, Can't Stop the Music (Rien n'arrête la musique) (Walker) ; 1982, Summer Lovers (Kleiser) ; 1994, Widow's Kiss (Foldy) ; 1998, You've Got M@il (Vous avez un mess@ge) (Ephron).

Vedette lancée par l'Universal, elle passe en 1956 à la Fox.

Rush, Geoffrey

Acteur australien né en 1951.

1981, Hoodwink (Whatham) ; 1982, Starstruck (Armstrong) ; 1987, Twelfth Night (Armfield) ; 1995, Dad and Dave : On Our Selection (Whaley), Children of the Revolution (Children of the Revolution) (Duncan) ; 1996, Cal Me Sal (Bosi), Shine (Shine) (Hicks) ; 1997, Les misérables (August) ; 1998, Elizabeth (Elizabeth) (Kapur), A Little Bit of Soul (Duncan), Shakespeare in Love (Shakespeare in Love) (Madden) ; 1999, Mystery Men (Mystery Men) (Usher), House on Haunted Hill (La maison de l'horreur) (Malone) ; 2000, Quills (Quills, la plume et le sang) (Kaufman) ; 2001, Lantana (Lawrence) ; 2002, The Banger Sisters (Sex fan des sixties) (Dolman) ; 2003, Intolerable Cruelty (Intolérable cruauté) (Coen) ; 2004, The Life and Death of Peter Sellers (Moi, Peter Sellers) (S. Hopkins) ; 2005, Swimming Upstream (Swimming Upstream) (Maluchy) ; 2006, Munich (Munich) (Spielberg), Pirates of Caribbean 2 : Dead Man's Chest (Pirates des Caraïbes, Le secret du coffre maudit) (Verbinski).

Acteur de scène parfaitement rodé et peu porté sur le cinéma, il explose grâce à son interprétation de David Helfgott, pianiste génial mais psychologiquement friable, dans *Shine*. Décrochant l'oscar pour l'occasion, il accumule les personnages troubles et fétides (Javert dans *Les misérables*, Casanova Frankenstein dans *Mystery Men*), Sade dans *Quills*), puis Peter Sellers.

Russell, Gail

Actrice américaine, 1924-1961.

1943, Henri Aldrich get Glamour (Bennett) ; 1944, Lady in the Dark (Les nuits ensorcelées) (Leisen), Our Hearts Were Young and Gay (Allen), The Uninvited (La falaise mystérieuse) (Allen) ; 1945, The Unseen (L'invisible meurtrier) (Allen), Salty O'Rourke (Sa dernière course) (Walsh) ; 1946, The Bachelor's Daughters (Stone), Our Hearts were Growing Up (Russell) ; 1947, The Angel and the Badman (L'ange et le mauvais garçon) (Grant), Calcutta (Meurtre à Calcutta) (Farrow), Variety Girl (Hollywood en folie) (Marshall) ; 1948, Wake of the Red Witch (Le réveil de la sorcière rouge) (Ludwig), Moonrise (Le fils du pendu) (Borzage) ; 1949, El Paso (El Paso ville sans loi) (Foster), The Lawless (Haines) (Losey), Captain China (Dans les mers de Chine) (Foster), Song of India (La révolte des fauves) (Rogell) ; 1951, Air Cadet (Pevney) ; 1956, Seven Men from Now (Sept hommes à abattre) (Boetticher) ; 1961, The Silent Call (Bushelman).

Elle doit de n'avoir pas été oubliée à son apparition dans deux films mythiques : *Le réveil de la sorcière rouge* et *Sept hommes à abattre*.

Russell, Jane

Actrice américaine née en 1921.

1943, The Outlaw (Le banni) (Howard Hughes) ; 1946, Young Widow (Marin) ; 1948, The Paleface (Visage pâle) (McLeod) ; 1951, His Kind of Woman (Fini de rire) (Farrow), Double Dynamite (Cummings) ; 1952, Montana Belle (Dwan), Macao (Sternberg), The Las Vegas Story (Scandale à Las Vegas) (Stevenson), Son of Paleface (Le fils de Visage pâle) (Tashlin) ; 1953, Gentlemen Prefer Blondes (Les hommes préfèrent les blondes) (Hawks) ; 1954, French Line (Bacon) ; 1955, Underwater (La Vénus des mers chaudes) (Sturges), Foxfire (La muraille d'or) (Pevney), The Tall Men (Les implacables) (Walsh), Gentlemen Marry Brunettes (Sale) ; 1956, Hot Blood (L'ardente gitane) (Ray), The Revolt of Mamie Stover (Bungalow pour femmes) (Walsh) ; 1957, The Fuzzy Pink Nightgown (Taurog) ; 1964, Fate Is the Hunter (Nelson) ; 1966, Waco (Springsteen), Johnny Reno (Springsteen) ; 1967, Born Losers (Le credo de la violence) (Frank), Darker than Amber (Clouse).

Inventée par le milliardaire Howard Hughes séduit par sa fabuleuse poitrine, elle débuta dans un western, *The Outlaw*, dont le personnage principal lui préférait un cheval ! Cette brune, d'une agressive vulgarité, ne fut jamais aussi à l'aise que chez Hawks — où elle formait contraste avec la blonde Marilyn (Monroe) — et chez Walsh. Et comment oublier la tenue « anti-code » d'une extraordinaire impudeur qui la moulait dans *French Line* ? Vulgaire ? Peut-être. Mais de la personnalité et du talent. Et quelle filmographie de Sternberg à Ray, de Walsh à Hawks !

Russell, Kurt

Acteur américain né en 1951.

1961, It Happened at the World's Fair (Blondes, brunes, rousses) (Taurog) ; 1966, Follow Me, Boys ! (Demain des hommes) (Tokar) ; 1968, The One and Only, Genuine, Original Family Band (O'Herlihy), The Horse in the Grey Flannel Suit (Le cheval aux sabots d'or) (Tokar) ; 1970, The Computer Wore Tennis Shoes (Butler) ; 1971, The Barefoot Executive (Butler), Fool's Parade (McLaglen) ; 1972, Now You See Him, Now You Don't (Pas vu, pas pris) (Butler) ; 1973, Charley and the Angel (McEveety) ; 1974, Superdad (McEveety) ; 1975, The Strongest Man in the World (McEveety) ; 1979, Elvis, the Movie (Le roman d'Elvis) (Carpenter) ; 1980, Used Cars (La grosse magouille) (Zemeckis) ; 1981, Escape From New York (New York 1997) (Carpenter) ; 1982, The Thing (The Thing) (Carpenter) ; 1983, Silkwood (Le mystère Silkwood) (Nichols) ; 1984, Swing Shift (Demme) ; 1985, The Mean Season (Un été pourri) (Borsos) ; 1986, The Best of Times (Spottiswoode), Big Trouble in Little China (Les aventures de Jack Burton dans les griffes du mandarin) (Carpenter) ; 1987, Overboard (Marshall) ; 1988, Tequila Sunrise (Tequila Sunrise) (Towne) ; 1989, Winter People (Winter People) (Kotcheff), Tango & Cash (Tango et Cash) (Konchalovsky) ; 1991, Backdraft (Backdraft) (Howard) ; 1992, Unlawful Entry (Obsession fatale) (Kaplan), Captain Ron (Eberhardt) ; 1993, Tombstone (Tombstone) (Cosmatos) ; 1994, Stargate (Stargate, la porte des étoiles) (Emmerich) ; 1995, Critical Decision (Ultime décision) (Baird) ; 1996, John Carpenter's Escape to L.A. (Los Angeles 2013) (Carpenter), Breakdown (Breakdown) (Mostow) ; 1998, Soldier (Anderson) ; 2000, 3,000 Miles to Graceland (Lichtenstein) ; 2001, Vanilla Sky (Vanilla Sky) (Crowe) ; 2002, Dark Blue (Dark Blue) (Sheldon) ; 2005, Poseidon (Poséidon) (Petersen).

Fils de l'acteur Bing Russell (le shérif de la série *Bonanza*), il fait ses classes très tôt dans la compagnie de répertoire des Studios Walt Disney, pour laquelle il tourne quelques comédies enfantines au début des années 70. Mais c'est le rôle d'Elvis, dans le film du même nom, qui le lance définitivement. Il enchaîne par la suite sur des rôles d'action, assez fades par ailleurs, mis à part son personnage de Snake Plissken dans deux films de John

Carpenter. Il est excellent en flic corrompu dans *Dark Blue*.

Russell, Rosalind

Actrice américaine, 1908-1976.

Principaux films : 1934, The President Vanishes (Wellman) ; 1935, China Seas (Garnett) ; 1936, Night Must Fall (La force des Ténèbres) (Thorpe) ; 1937, The Citadel (Vidor) ; 1938, The Women (Cukor) ; 1940, This Girl Friday (Hawks) ; 1942, My Sister Eileen (Hall) ; 1946, Sister Kenny (Nichols) ; 1947, Mourning becomes Electra (Le deuil sied à Electre) (Nichols) ; 1956, Picnic (Picnic) (Logan) ; 1958, Auntie Mame (Da Costa) ; 1962, Gypsy (La Vénus de Broadway) (LeRoy).

Reine de la comédie, cette fille d'homme de loi débuta au théâtre dans les années 20 et alterna par la suite films et pièces. Elle obtint quatre nominations aux oscars, le premier pour *My Sister Eileen* et le dernier pour *Auntie Mame*.

Russell, Theresa

Actrice américaine née en 1957.

1976, The Last Tycoon (Le dernier nabab) (Kazan) ; 1978, Straight Time (Le récidiviste) (Grosbard) ; 1980, Bad Timing (Enquête sur une passion) (Roeg) ; 1981, Eureka (Roeg) ; 1984, The Razor's Edge (Le fil du rasoir) (Byrum) ; 1985, Insignifiance (Une nuit de réflexion) (Roeg) ; 1986, Black Widow (La veuve noire) (Rafelson) ; 1987, Aria (Roeg) ; 1988, Track 29 (Roeg) ; 1989, Impulse (Double jeu) (Locke), Physical Evidence (Crichton) ; 1990, Whore (La putain) (Russell), Impulse (Locke) ; 1991, Kafka (Kafka) (Soderbergh) ; 1992, Cold Heaven (Roeg) ; 1994, Flight of the Dove (Railsback) ; 1995, A Young Connecticut Yankee in King's Arthur Court (Thomas) ; 1996, Public Enemy N° 1 (M. Lester), Erotic Tales II (Torrini, Roeg, Majewski), Gentlemen Don't Eat Poets (Davidson), The Proposition (S. Hamilton) ; 1997, The Velocity of Gary (Ireland), Wild Things (Sexcrimes) (McNaughton) ; 2000, The Believer (Bean).

Elle a beaucoup tourné avec Roeg qu'elle a épousé, mais elle eut son meilleur rôle dans *La veuve noire* où elle tuait ses richissimes maris pour hériter de leur fortune.

Russo, Daniel

Acteur français né en 1948.

1975, Julie était belle (Saurel), Le juge et l'assassin (Tavernier) ; 1976, Mado (Sautet), L'exercice du pouvoir (Galland) ; 1977, Moi, fleur bleue (Le Hung) ; 1979, Tout dépend des filles (Fabre), Le mors aux dents (Heynemann), Ciao les mecs ! (Gobbi), Le diable dans la tête (Othnin-Girard) ; 1980, Putain d'histoire d'amour (Béhat), Pourquoi pas nous ? (Berny) ; 1982, Ça va pas être triste (Sisser), Le jeune marié (Stora), La boum 2 (Pinoteau) ; 1983, Un homme à ma taille (Carducci) ; 1984, Sac de nœuds (Balasko), Paris vu par... 20 ans après (Akerman, Garrel, Dubois, Mitterrand, Nordon, Venault) ; 1985, Black mic-mac (Gilou), Moi vouloir toi (Dewolf) ; 1986, Les frères Pétard (Palud), Poussière d'ange (Niermans) ; 1989, La vie et rien d'autre (Tavernier) ; 1990, Génial mes parents divorcent ! (Braoudé) ; 1992, Drôles d'oiseaux ! (P. Kassovitz) ; 1993, Neuf mois (Braoudé) ; 1994, L'appât (Tavernier), Le hussard sur le toit (Rappeneau) ; 1995, Ma femme me quitte (Kaminka), Mémoires d'un jeune con (Aurignac), Fantôme avec chauffeur (Oury), Le bonheur est dans le pré (Chatiliez) ; 1996, Delphine : 1 - Yvan : 0 (Farrugia), Oui (Jardin), La cible (Courrège) ; 1997, L'homme idéal (X. Gélin), Droit dans le mur (Richard), Grève party (Onteniente), Bingo ! (Illouz), Les Boys (Saïa) ; 1998, Les Boys 2 (Saïa) ; 2000, Deuxième vie (Braoudé), Antilles sur Seine (Légitimus) ; 2002, Marche et rêve ! Les homards de l'utopie (Carpita) ; 2003, Les clefs de la bagnole (Baffie) ; 2005, L'antidote (De Brus).

Un long apprentissage théâtral puis, après des débuts cinéma en pleine période « néopolar à la française », il se reconvertit dans la comédie décomplexée où son personnage de bon gros jovial fait recette, notamment quand il est en tandem avec Catherine Jacob (*Neuf mois, Delphine : 1 - Yvan : 0*). La revanche du comique beauf sur l'humour intello, en quelque sorte...

Russo, Rene

Actrice américaine née en 1954.

1989, Major League (Les Indians) (Ward) ; 1990, Mr. Destiny (Orr) ; 1991, One Good Cop (Gould) ; 1992, Freejack (Freejack) (Murphy), Leathal Weapon 3 (L'arme fatale 3) (Donner), In the Line of Fire (Dans la ligne de mire) (Petersen) ; 1995, Get Shorty (Get Shorty — Stars et truands) (Sonnenfeld), Outbreak (Alerte !) (Petersen) ; 1996, Tin Cup (Tin Cup) (Shelton), Ransom (La rançon) (Howard) ; 1997, Bloodmoon (Tony Leung Siu Hung), Buddy (Mon copain Buddy) (Thompson) ; 1998, Lethal Weapon 4 (L'arme fatale 4) (Donner) ; 1999, The Thomas Crown Affair (Thomas Crown) (McTiernan), The Adventures of Rocky and Bullwinkle (Les aventures de Rocky & Bullwinkle) (McAnuff) ; 2000, Big Trouble (Sonnenfeld).

Spécialisée dans les films à gros budget (partenaire notamment de Mel Gibson dans les deux derniers opus de *L'arme fatale*), une belle plante très à l'aise dans les rôles de potiches de luxe.

Rutherford, Ann

Actrice américaine née en 1917.

1936, The Lawless Nineties (Kane), The Harvester, Down Under the Sea ; 1937, The Devil is Driving (Conduits par Satan) (Stoloff) ; 1938, You're Only Young Once (Seitz), Of Human Hearts (Brown), Judge Hardy's Children (Les enfants du juge Hardy) (Seitz), Love Finds Andy Hardy (L'Amour frappe André Hardy (Seitz), Out West with the Hardy's (André Hardy cow-boy) (Seitz), Dramatic School (Un coup de théâtre) (Sinclair), A Christmas Carol (Marin) ; 1939, Four girls in white (Simon), The Hardys Ride High (André Hardy millionnaire) (Seitz), Andy Hardy Gets Spring Fever (André Hardy s'enflamme) (Van Dyke), These Glamour Girls (Simon), Dancing Co-ed (Simon), Gone with the Wind (Autant en emporte le vent) (Fleming) ; 1940, Judge Andy Hardy and Son (André Hardy détective) (Seitz), Andy Hardy Meets Debutante (André Hardy va dans le monde) (Seitz), Pride and Prejudice (Orgueil et préjugés) (Leonard), Wyoming (Thorpe) ; 1941, Andy Hardy's Private Secretary (La secrétaire d'André Hardy (Seitz), Washington Melodrama (Simon), Life Begins for Andy Hardy (La vie commence pour André Hardy (Seitz), Whistling in the Dark (Émissions SOS) (Simon), Badlands of Dakota (Green) ; 1942, Courtship of Andy Hardy (André Hardy fait sa cour) (Seitz), Orchestra Wives (Mayo), Whistling in Dixie (Simon) ; 1943, Andy Hardy's Double Life (La double vie d'André Hardy) (Seitz), Happy Land (Pichel) ; 1944, Whistling in Brooklyn (Simon), Bermuda Mystery (Stoloff), Laramie Trail (English) ; 1945, Two O'clock Courage (Mann), Bedside Manner (Stone) ; 1946, Murder in the Music Hall (Meurtre au music-hall) (English), The Madonna's Secret (Le secret de la madone) (Thiele), Inside Job (Yarbrough) ; 1947, The Secret Life of Walter Mitty (La vie secrète de Walter Mitty) (McLeod) ; 1948, Adventures of Don Juan (Les aventures de Don Juan) (V. Sherman) ; 1972, They Only Kill their Masters (Goldstone).

Née à Toronto (Canada) de parents comédiens, elle débuta sur les planches dès l'âge de sept ans. Mais cette jolie brune piquante ne parvint jamais à s'imposer comme star au cinéma. A joué dans la fameuse série des *Andy Hardy* avec Mickey Rooney et dans de nombreux films plus ou moins importants des années 40 (Walter Mitty, etc.). Son titre de gloire : avoir été l'une des sœurs O'Hara dans *Autant en emporte le vent*. A cessé tôt sa carrière.

Rutherford, Margaret

Actrice anglaise, 1892-1972.

1936, Dusty Ermine (Vorhaus) ; 1937, Talk of the Devil (Reed), Catch as Catch Can (Kelling) ; 1940, Quiet Wedding (Asquith) ; 1943, The Yellow Canary (Wilcox) ; 1945, Blithe Spirit (L'esprit s'amuse) (Lean) ; 1946, English Without Tears (French) ; 1947, Meet Me at Dawn (Freeland), Jassy (Le manoir tragique) (Knowles), While the Sun Shines (Erreurs amoureuses) (Asquith) ; 1948, Miranda (Annakin) ; 1949, Passport to Pimlico (Passeport pour Pimlico) Cornelius), The Happiest Days of Your Life (Launder) ; 1950, Her Favorite Husband (Soldati) ; 1951, The Magic Box (La boîte magique) (Boulting) ; 1952, Curtain Up (Smart), The Importance of Being Earnest (Il importe d'être constant) (Asquith), Innocents in Paris (Week-end à Paris) (Parry), Miss Robin Hood (Guillermin), Castle in the Air (Cass) ; 1953, Trouble in Store (Le roi de la pagaille) (Carstairs) ; 1954, Mad about Men (La folie des hommes) (Thomas), Aunt Clara (Kimmins), The Runaway Bus (Guest) ; 1955, An Alligator Named Daisy (Lee-Thompson) ; 1957, The Smallest Show on Earth (Sous le plus petit chapiteau du monde) (Dearden), Just My Luck (Carstairs) ; 1959, I'm All Right (Après moi le déluge) (J. Boulting) ; 1961, On the Double (La doublure du général) (Shavelson) ; 1962, The Mouse on the Moon (La souris sur la lune) (Lester), Murder She Said (Le train de seize heures cinquante) (Pollock) ; 1963, Murder at the Gallop (Meurtre au galop) (Pollock), The V.I.P.'s. (Hôtel international) (Asquith) ; 1964, Murder Ahoy (Passage à tabac) (Pollock), Murder Most Foul (Lady détective entre en scène) (Pollock) ; 1965, Chimes at Midnight (Falstaff) (Welles), A Countess from Hong-Kong (La comtesse de Hong Kong) (Chaplin) ; 1967, Arabella (Bolognini).

Célèbre actrice comique anglaise, d'une laideur toute britannique avec la pointe d'humour indispensable. Elle est surtout connue pour sa participation à certaines comédies de Lean et de Cornelius et pour sa composition du détective d'Agatha Christie, Miss Marple.

Mais on retiendra principalement que Welles et Chaplin firent appel à elle.

Ryan, Meg

Actrice américaine, de son vrai nom Margaret Hyra, née en 1961.

1981, Rich and Famous (Riches et célèbres) (Cukor) ; Amityville 3-D (Fleisher) ; 1986, Top Gun (Top Gun) (T. Scott), Armed and Dangerous (M. Lester) ; 1987, DOA (Mort à l'arrivée) (Morton, Jenkel), Innerspace (L'aventure intérieure) (Dante), Promised Land (Hoffman) ; 1988, When Harry Met Sally (Quand Harry rencontre Sally) (B. Reiner), The Presidio (Presidio, San Francisco base militaire) (Hyams) ; 1989, Joe versus the Volcano (Joe contre le volcan) (Shanley) ; 1990, The Doors (Les Doors) (Stone) ; 1992, Prelude to a Kiss (Rene) ; 1993, Sleepless in Seattle (Nuits blanches à Seattle) (Ephron) ; Flesh and Bones (Flesh and Bones) (Kloves) ; 1994, I.Q. (L'amour en équation) (Schepisi) ; Restoration (Le don du roi) (Hoffman) ; When a Man Loves a Woman (Pour l'amour d'une femme) (Mandoki) ; 1995, French Kiss (French Kiss) (Kasdan) ; 1996, Courage under Fire (A l'épreuve du feu) (Zwick), Addicted to Love (Addicted to Love) (Dunne) ; 1997, City of Angels (La cité des anges) (Silberling) ; 1998, Hurlyburly (Drazan), You've Got Mail (Vous avez un message) (Ephron) ; 1999, Hanging Up (Raccroche !) (Keaton) ; 2000, Proof of Life (L'échange) (Hackford) ; 2001, Kate and Leopold (Kate et Leopold) (Mangold) ; 2003, In the Cut (In the Cut) (Campion) ; 2004, Against the Ropes (Dans les cordes) (Dutton) ; 2005, Searching for Debra Winger (R. Arquette).

Spécialisée depuis ses débuts dans la comédie romantique typiquement américaine, son indéniable charme et sa beauté juvénile furent pour beaucoup dans les grandes réussites au box-office qu'ont été *Quand Harry rencontre Sally* et *Nuits blanches à Seattle*. En renouvelant grâce à Jane Campion son personnage de midinette amoureuse, exploité au maximum, Meg Ryan n'avait rien à perdre.

Ryan, Robert

Acteur américain, 1909-1973.

1940, Golden Gloves (Dmytryk), Queen of the Mob (Hogan), North West Mounted Police (Les tuniques écarlates) (DeMille) ; 1943, Bombardier (Wallace), The Sky's the Limit (Griffith), Gangway for Tomorrow (Auer), The Iron Major (Enright), Tender Comrade (Dmytryk) ; 1944, Marine Raiders (Schuster) ; 1947, Trail Street (Du sang sur la piste) (Enright), Woman on the Beach (Renoir), Crossfire (Dmytryk), Berlin Express (Tourneur) ; 1948, Return of the Badmen (Enright), Act of Violence (Zinneman), The Boy with Green Hair (Le garçon aux cheveux verts) (Losey) ; 1949, Caught (Ophuls), The Set-Up (Nous avons gagné ce soir) (Wise), I Married a Communist (Stevenson) ; 1950, The Secret Fury (Ferrer), Born to Be Bad (Ray) ; 1951, Best of the Bad Men (Russel), Flying Leathernecks (Les diables de Guadalcanal) (Ray), The Racket (Cromwell), On Dangerous Ground (La maison dans l'ombre) (Ray) ; 1952, Clash by Night (Le démon s'éveille la nuit) (Lang), Beware My Lovely (Horner), Horizons West (Le traître du Texas) (Boetticher) ; 1953, City Beneath the Sea (La cité sous la mer) (Boetticher), The Naked Spur (L'appât) (Mann), Inferno (Baker) ; 1954, Alaska Seas (Hopper), About Mrs. Leslie (D. Mann), Her Twelve Men (Leonard), Bad Day at Black Rock (Un homme est passé) (Sturges) ; 1955, Escape to Burma (Les rubis du prince birman) (Dwan), House of Bamboo (Fuller), The Tall Men (Les implacables) (Walsh) ; 1956, The Proud Ones (Le shérif) (Webb), Back from Eternity (Les échappés du néant) (Farrow) ; 1957, Men in War (Cote 465) (Mann) ; 1958, God's Little Acre (Le petit arpent du Bon Dieu) (Mann), Lonelyhearts (Donohue) ; 1959, Day of the Outlaw (La chevauchée des bannis) (de Toth), Odds Against Tomorrow (Le coup de l'escalier) (Wise) ; 1960, Ice Palace (Sherman) ; 1961, The Canadians (Kennedy), King of Kings (Le roi des rois) (Ray) ; 1962, Billy Budd (Ustinov), The Longest Day (Le jour le plus long) (plusieurs réalisateurs) ; 1965, Battle of the Bulge (La bataille des Ardennes) (Annakin), The Croaked Road (Chaffey), The Dirty Game (Young) ; 1966, The Professionals (Les professionnels) (Brooks) ; 1967, Busy Body (Castle), Dirty Dozen (Les douze salopards) (Aldrich), Hour of the Gun (Sept secondes en enfer) (Sturges) ; 1968, Anzio (Dmytryk), Custer of the West (Siodmak), Dead or Alive (Gualdi) ; 1969, The Wild Bunch (La horde sauvage) (Peckinpah), Captain Nemo and the Underwater City (Hill) ; 1970, Lawman (L'homme de la loi) (Winner) ; 1971, The Love Machine (Haley Jr.), La course du lièvre à travers les champs (Clément) ; 1972, Lolly Maddonna XXX (Une fille nommée Lolly Madonna) (Sarafian) ; 1973, The Iceman Cometh (Frankenheimer), The Executive Action (D. Miller), The Outfit (Échec à l'organisation) (Flynn).

D'une famille d'origine irlandaise, Ryan était né à Chicago. Il fut d'abord acteur de théâtre avant de s'orienter vers le cinéma.

D'une haute stature, le visage tôt marqué, le regard vif mais désabusé, il compose des personnages en apparence forts, mais dans la réalité déchirés. Parfois du bon côté (le boxeur de *The Set-Up*, son meilleur rôle), souvent du mauvais (l'antisémite meurtrier de *Crossfire*, le vengeur d'*Act of Violence*, le chef de gang de *House of Bamboo*, le gangster raciste de *Odds Against Tomorrow*, l'adversaire de Doc Holliday dans *Hour of the Gun)*, il force toujours le respect. Seul le désordre mental peut expliquer certains de ses comportements. Ryan a travaillé avec les meilleurs réalisateurs des années 50 et 60 : Ray, Aldrich, Sturges, Fuller, Mann, etc.

Ryder, Winona

Actrice américaine, de son vrai nom Winona Laura Horowitz, née en 1971.

1986, Lucas (Seltzer) ; 1987, Square Dance (Petrie) ; 1988, Beetlejuice (Beetlejuice) (Burton), 1969 (Thompson) ; 1989, Heathers (Fatal games) (Lehmann), Great Balls of Fire (Great Balls of Fire) (McBride) ; 1990, Welcome Home Roxy Carmichael (Abrahams) ; Edward Scissorhands (Edward aux mains d'argent) (Burton), Night on Earth (Night on Earth) (Jarmusch), Mermaids (Les deux sirènes) (Benjamin) ; 1992, Bram Stoker's Dracula (Dracula) (Coppola), The Age of Innocence (Le temps de l'innocence) (Scorsese) ; 1993, Reality Bites (Génération 90) (Stiller), The House of the Spirits (La maison aux esprits) (August) ; 1994, Little Women (Les quatre filles du docteur March) (Armstrong) ; 1995, How to Make an American Quilt (Le patchwork de la vie) (Moorhouse), Boys (Cochran), Looking for Richard (Looking for Richard) (Pacino) ; 1996, The Crucible (La chasse aux sorcières) (Hytner) ; 1997, Alien Resurrection (Alien, la résurrection) (Jeunet) ; 1998, Celebrity (Celebrity) (Allen) ; 1999, Lost Souls (Les âmes perdues) (Kaminski), Girl, Interrupted (Une vie volée) (Mangold), Autumn in New York (Un automne à New York) (Chen) ; 2002, Simone (Niccol), M. Deeds (Les aventures de M. Deeds) (Brill) ; 2005, The Heart is Deceitful Above all Things (Le livre de Jérémie) (Argento) ; 2006, A Scanner Darkly (Linklater).

Morbidement comique dans *Beetlejuice* où elle incarnait une jeune fille fascinée par la mort, elle gagne en humanité dans *Edward aux mains d'argent*, puis acquiert ses galons de star en 1992 en tournant coup sur coup avec Coppola et Scorsese. Sa pâleur et son apparente froideur semblent aller à contre-courant de tout ce qui se fait en matière de starlettes. Peut-être une des raisons de la prendre au sérieux.

Rysel, Ded

Acteur et chansonnier français, 1903-1975.

1950, Piédalu au centre d'accueil (Loubignac) ; 1951, Piédalu voyage (Loubignac), Les raisons de Piédalu (Loubignac), Piédalu à Paris (Loubignac) ; 1952, Piédalu fait des miracles (Loubignac) ; 1953, Piédalu député (Loubignac) ; 1955, Les Duraton (Berthomieu) ; 1956, Bonjour jeunesse (Cam), La joyeuse prison (Berthomieu), Cinq millions comptant (Berthomieu).

L'esprit « chansonnier » à l'écran. Ded Rysel a créé Piédalu, personnage plein de bon sens qui se heurte aux absurdités de notre administration et aux contradictions de notre société.

Ryu, Chishu

Acteur japonais, 1904-1993.

Principaux films : 1932, Umaretewa Mita Keredo (Gosses de Tokyo) (Ozu), Hitori Musuko (Le fils unique) (Ozu) ; 1941, Kamzashi (Kamzashi) (Shimizu) ; 1944, Rikugun (L'armée) (Kinoshita) ; 1949, Banshun (Printemps tardif) (Ozu) ; 1951, Karumen kyoko ni kaeru (Carmen revient au pays) (Kinoshita) ; 1952, Ochazuke no aji (Le goût du riz au thé vert) (Ozu) ; 1953, Tokyo monogatari (Le voyage à Tokyo) (Ozu) ; 1960, Akibiyori (Fin d'automne) (Ozu) ; 1961, Ningen no joken (La condition de l'homme) (3e partie) (Kobayashi) ; 1962, Samma no aji (Le goût du saké) (Ozu) ; 1965, Akahige (Barberousse) (Kurosawa) ; 1972, Otoko wa tsurai yo (Tora San) (Yamada) ; 1970, Kazoku (Une famille où vient tard le printemps) (Yamada) ; 1985, Tokyo-Ga (Tokyo-Ga) (Wenders) ; 1987, Ososhiki (Itami) ; 1989, Akira Kurosawa's Dreams (Rêves, épis. Le village des moulins à eau) (Kurosawa) ; 1991, Until the End of the World (Jusqu'au bout du monde) (Wenders).

L'admirable interprète des films d'Ozu résume à travers sa carrière cinquante ans de cinéma japonais. « Jamais je n'ai eu plus grand respect pour un acteur que pour Chishu Ryu » (Wim Wenders).

S

Sabu

Acteur indien naturalisé américain, de son vrai nom S. Dastagir, 1924-1963.

1936, Elephant Boy (Elephant Boy) (Flaherty) ; 1938, The Drum (Alerte aux Indes) (Z. Korda) ; 1940, The Thief of Bagdad (Le voleur de Bagdad) (Powell) ; 1942, Jungle Book (Le livre de la jungle) (Z. Korda), Arabian Nights (Les mille et une nuits) (Rawlins) ; 1943, White Savage (La sauvagesse blanche) (Lubin), Cobra Woman (Le signe du cobra) (Siodmak) ; 1946, Tangiers (Tanger) (Waggner) ; 1947, Black Narcissus (Le narcisse noir) (Powell), The End of the River (Au bout du fleuve) (Twist) ; 1948, Man-Eater of Kumaon (Haskin) ; 1949, Song of India (La révolte des fauves) (Rogell) ; 1951, Savage Drums (Berke) ; 1952, Buongiorno elefante (Bonjour éléphant) (Franciolini), Le trésor du Bengale (Venuccio) ; 1955, Jungle Hell (Cerf) ; 1956, Jaguar (Blair) ; 1957, Sabu and the Magic Ring (Sabu et l'anneau magique) (Blair) ; 1958, Die Herrin der Welt (Les mystères d'Angkor) (Dieterle) ; 1962, Rampage (Massacre pour un fauve) (Karlson) ; 1963, A Tiger Walks (Les pas du tigre) (Tokar).

Fils du chef des cornacs du maharadjah de Lysore, il est remarqué par Korda qui l'engage pour *Elephant Boy*. Il sera par la suite un Mowgli idéal dans *Le livre de la jungle*, et ne cessera plus de tourner des films exotiques où son expérience des éléphants se révèle fort utile. Il a disparu prématurément.

Sägebrecht, Marianne

Actrice allemande née en 1945.

1984, Die Schaukel (La balançoire) (Adlon), Irrsee (Pezold) ; 1985, Sugarbaby (Sugarbaby) (Adlon) ; 1987, Crazy Boys (Kern), Out of Rosenheim (Bagdad café) (Adlon) ; 1988, Rosalie Goes Shopping (Rosalie fait ses courses) (Adlon), Moon over Parador (Mazursky) ; 1989, The War of the Roses (La guerre des Rose) (De Vito), Martha und ich (Martha et moi) (Weiss) ; 1992, Dust Devil (Le souffle du démon) (Stanley) ; 1993, Run of Hearts (Wortmann), The Milky Life (Esterlich), Erotique (Borden, Law, Magalhaes et Treut), Mona Must Die (Reiker) ; 1994, All Men Are Mortal (De Jong), Eine Mutter kampft um ihren Sohn (Makk), At Sea (Mestagh), Ohne Hose (Willbrandt) ; 1995, The Ogre (Le roi des Aulnes) (Schlöndorff), Luise knack den Jackpot (Golan), Lady Mayerhofer (Liccini) ; 1996, Soleil (Hanin) ; 1997, Spanish Fly (Spanish Fly) (Kastner), Left Luggage (Krabbé) ; 1998, Astérix et Obélix contre César (Zidi) ; 1999, Die Polizistin (Dresen).

Bavaroise de naissance, elle est tout d'abord assistante médicale avant de devenir en 1975 la gérante d'un cabaret munichois. 1984 est l'année de sa rencontre avec Percy Adlon qui, sous le charme de sa personnalité et de son physique tout en rondeurs, en fait son actrice fétiche. Son film *Bagdad Café*, où elle tient le rôle d'une Allemande égarée dans une bourgade désertique de Californie, la révèle au monde entier. Sa carrière est dès lors internationale, mais plutôt désordonnée.

Sagnier, Ludivine

Actrice française née en 1979.

1989, I Want to Go Home (Resnais), Les maris, les femmes, les amants (P. Thomas) ; 1990, Cyrano de Bergerac (Rappeneau) ; 1999, Gouttes d'eau sur pierres brûlantes (Ozon), Le ciel, les oiseaux et... ta mère (Bensalah), Rembrandt (Matton), Les enfants du siècle (Kurys) ; 2000, Bon plan (Lévy), Un jeu d'enfants (Tuel) ; 2001, Ma femme est une atrice (Attal) ; 2002, Huit femmes (Ozon) ; 2003, Swimming Pool (Ozon), La petite Lilli (Miller), Petites coupures (Bonitzer), Peter Pan (Hogan) ; 2005, Foon (Pétré), Une aventure (Giannoli) ; 2006, La Californie (Fieschi), Paris je t'aime (collectif) ; 2007, Molière (Tirard), Un secret (Miller).

Révélée par Ozon qui en fait une star, elle est sacrée héroïne de Tchekhov par Miller. Des débuts vraiment prometteurs, que confirme *La Californie.*

Saint, Eva Marie

Actrice américaine née en 1924.

1954, On the Waterfront (Sur les quais) (Kazan) ; 1956, That Certain Feeling (Frank et Panama) ; 1957, Raintree County (L'arbre de vie) (Dmytryk), A Hatful of Rain (Une poignée de neige) (Zinneman) ; 1959, North by Northwest (La mort aux trousses) (Hitchcock) ; 1960, Exodus (Exodus) (Preminger) ; 1962, All Fall Down (L'ange de la violence) (Frankenheimer) ; 1964, 36 Hours (Seaton) ; 1965, The Sandpiper (Le chevalier des sables) (Minnelli) ; 1966, The Russians Are Coming, The Russians Are Coming (Les Russes arrivent, les Russes arrivent) (Jewison), Grand Prix (Frankenheimer) ; 1968, The Stalking Moon (L'homme sauvage) (Mulligan) ; 1969, A Talent for Loving (Quine) ; 1970, Loving (Loving) (Kershner) ; 1972, Cancel My Reservation (Bogart) ; 1986, Nothing in Common (Rien en commun) (Marshall) ; 1995, Mariette in Ecstasy (Bailey) ; 1998, I Dreamed of Africa (Je rêvais de l'Afrique) (Hudson) ; 2005, Don't Come Knocking (Don't Come Knocking) (Wenders), Because of Winn-Dixie (Winn-Dixie mon meilleur ami) (Wang) ; 2006, Superman Returns (Superman Returns) (Singer).

Un premier film à trente ans ! Mais sa douceur blonde fit passer l'âge et lui valut un oscar. Toujours apaisante on la revit dans plusieurs mélodrames. A la recherche de blondeurs un peu fades, Hitchcock ne résista pas et l'engagea pour *La mort aux trousses.* Depuis 1972, Eva Marie Saint fait surtout de la télévision.

Saint-Cyr, Renée

Actrice française, de son vrai nom Raymonde Vittore, 1904-2004.

1932, Les deux orphelines (Tourneur) ; 1933, Toto (Tourneur), Incognito (Gerron), D'amour et d'eau fraîche (Gandera), Une fois dans la vie (Vaucorbeil) ; 1934, Arlette et ses papas (Henry Roussell), L'école des cocottes (Colombier), Le dernier milliardaire (Clair) ; 1935, La valse royale (Grémillon) ; 1936, La valse éternelle (Neufeld), Donogoo (Schünzel), Pattes de mouche (Grémillon), Les loups entre eux (Mathot), Paris (Choux), Le cœur dispose (Lacombe) ; 1937, Les perles de la couronne (Guitry), Prison de femmes (Richebé), Trois-six-neuf (Rouleau), 27 rue de la Paix (Pottier) ; 1938, The Strange boarders of the Palace Crescent (M. Mason) ; 1939, Nuit de décembre (Bernhardt), Le chemin de l'honneur (Paulin) ; 1941, Roses écarlates (De Sica) ; 1942, La symphonie fantastique (Christian-Jaque), Madame et le mort (Daquin), Marie-Martine (Valentin), Retour de flamme (Fescourt), La femme perdue (Choux) ; 1943, Pierre et Jean (Cayatte) ; 1944, Paméla (Hérain) ; 1945, L'insaisissable Frédéric (Pottier), Étrange destin (Cuny) ; 1946, Le beau voyage (Cuny) ; 1948, Tous les deux (Cuny), La voix du rêve (Paulin) ; 1950, Fusillé à l'aube (Haguet) ; 1951, Capitaine Ardant (Zwobada) ; 1953, Le chevalier de la nuit (Darène) ; 1955, Si Paris nous était conté (Guitry), An der schönen blauen (Schweikart) ; 1960, La valse du Gorille (Borderie) ; 1961, La Fayette (Dréville) ; 1964, Déclic et... des claques (Clair), Le Monocle rit jaune (Lautner) ; 1967, Fleur d'oseille (Lautner) ; 1971, Jeunes filles bien... sous tous rapports (Terry) ; 1972, Quelques messieurs trop tranquilles (Lautner) ; 1973, Vous intéressez-vous à la chose ? (Baratier), OK patron (Vital) ; 1975, Pas de problème (Lautner) ; 1976, On aura tout vu (Lautner) ; 1977, Ils sont fous ces sorciers (Lautner) ; 1981, Est-ce bien raisonnable ? (Lautner) ; 1983, Attention, une femme peut en cacher une autre (Lautner) ; 1984, Le cow-boy (Lautner) ; 1988, L'invité surprise (Lautner) ; 1991, Room service (Lautner), Sup de fric (Gion).

Distinguée, elle a, parallèlement à sa carrière cinématographique, mené une grande activité théâtrale et a été productrice. Au cinéma, après quelques petites comédies, sa grande période se situe sous l'occupation avec notamment le rôle principal de *Marie-Martine.* Mère du réalisateur Georges Lautner, elle a beaucoup tourné sous sa direction dans les années 70. On lira avec agrément ses souvenirs : *Le hérisson puni.*

Saint-Granier

Acteur français, de son vrai nom Granier de Cassagnac, 1890-1980.

1921, Villa Destin (L'Herbier) ; 1923, Taxi 313 (Colombier), La sin ventura (Donatien) ; 1930, Paramount en parade (Rochefort) ; 1931, Chérie (Mercanton), Rien que la vérité (Guissart) ; 1932, Avec l'assurance (Capellani), Criez-le sur les toits (Anton), Une étoile disparaît (Villers), Maquillage (Anton) ; 1934, Tartarin de Tarascon (Bernard) ; 1936, On ne roule pas Antoinette (Madeux) ; 1937, Un coup de rouge (Roudès) ; 1946, Destins (Pottier) ; 1950, Mon ami le cambrioleur (Lepage), Boîte de nuit (Rode), Au fil des ondes (Gautherin) ; 1952, Rires de Paris (Lepage) ; 1954, Le collège en folie (Lepage).

Personnalité de l'entre-deux-guerres, partageant son activité entre les Folies-Bergère et la radio. Surnommé « le marquis » en raison de ses origines et de son charme. Au cinéma, il joua les séducteurs puis son propre rôle. Il a écrit les dialogues de plusieurs films dont *Chérie* de Mercanton (1931), *Marions-nous* de Mercanton (1931), *Rien que la vérité* de Guissart (1932), *Les as du turf* de Poligny (1932).

Saint John, Al

Acteur et réalisateur américain, 1893-1963.

1914, Tillie Punctured Romance (Chaplin), Mabel's Strange Predicament (Chaplin), The Knockout (Chaplin), The Knockout (Chaplin), The Rounders (Chaplin), New Janitor (Chaplin) ; 1915, Fickle Fatty's Fall (Fatty), Village Scandal ; 1916, Fatty and Mabel Adrift (Fatty), The Other Man (Sennett), He Did and He Didn't (Sennett), The Bright Lights (Sennett), The Moonshiners ; 1917, Fatty in Coney Island (Fatty), The Rough House (Fatty), His Wedding Night (Fatty), The Butcher Boy (Fatty), Good Night Nurse (Fatty), A Reckless Romeo (Fatty), A Country Hero (Fatty) ; 1918, The Bell Boy (Fatty), Out West (Fatty), The Cook (Fatty) ; 1919, The Pullman ; 1920, Speed (St John), Cleaning Up (St John) ; 1921, Fast and Furious, The Big Secret, The Slicker (St John), Ain't Love grand ! (St John) ; 1922, All Wet (St John), Studio Rube, Village Sheik (St John), The City Shap (St John), Alarme (St John), Out of Place (St John), Special Delivery (St John) ; 1923, Young and Dum (St John), The Salesman (St John), The Author (St John), Full Spead Ahead (St John), A Tropical Romeo (St John), Slow and Sure (St John) ; 1924, Be Yourself (St John), Stupid but Brave (St John), Love Mania (St John) ; 1925, Dynamite Doggie, Red Pepper, The Iron Mule Fares, Fire Away ; 1926, Pink Elephants, Hold Your Hat, High Sea Blues ; 1927, American Beauty (Wallace), Listen Lena, Roped In, Jungle Heat ; 1928, Racing Mad ; Call Your Shots, Hot or Cold, Hello Cheyenne ! (Forde) ; 1929, Dance of Life (Cromwell), She Goes to War (King) ; 1930, Hell Harbor (King), The Land of Missing Men (McCarthy), Oklahoma Cyclone (McCarthy), Western Knights (McCarthy) ; 1931, Aloha (Rogell). *Plus de 100 westerns entre 1932 et 1950*, signés par Newfield, Sherman, etc., dont : 1935, Bar Twenty Rides again (Bretherton) ; 1936, Hopalong Cassidy Returns (Selander) ; 1937, The Outcasts of Poker Flat (Cabanne) ; 1938, Frontier Scout (Newfield) ; 1943, Cattle Stamede (Panique au Far West) (Newfield) ; 1944, Wild Horse Phantom (Newfield) ; 1949, Son of Billy the Kid (Taylor) ; 1950, The King of Bullwhip (Ormond). *Pour le réalisateur*, voir le *Dictionnaire du cinéma*, t. I : *Les réalisateurs*.

Neveu de Fatty, il a débuté très tôt dans le burlesque sous la houlette de Mack Sennett, jouant avec Chaplin, Fatty, Keaton, avant de créer et de mettre en scène son propre personnage, grand, maigre, blafard et lunaire connu en France sous le nom de Picratt, aux États-Unis sous celui de Fuzzy et en Italie comme Eccolo. L'avènement du parlant lui porta un coup fatal. Il se limita à jouer les comiques dans des westerns de série Z qu'il n'a pas paru utile de recenser complètement ici, mais dont Bessy et Chardens, dans leur dictionnaire, donnent la liste presque complète.

Salerno, Enrico Maria

Acteur et réalisateur italien, 1926-1994.

Principaux films : 1942, La tratta delle bianche (La traite des Blanches) (Comencini) ; 1959, Estate violenta (Été violent) (Zurlini) ; 1960, L'assedio di Siracusa (La charge de Syracuse) (Francisci) ; 1961, Odissea nuda (L'odyssée nue) (Rossi) ; 1962, Smog (Rossi), Le masque de fer (Decoin) ; 1965, L'armata Brancaleone (Monicelli) ; 1968, Sentenza di morte (Lanfranchi). *Pour le metteur en scène*, voir le *Dictionnaire du cinéma*, t. I : *Les réalisateurs*.

Près de cent films touchant tous les genres en honneur en Italie. Il reste surtout célèbre pour sa composition du fasciste dans *Été violent*.

Salinger, Emmanuel

Acteur français né en 1964.

1990, La vie des morts (Desplechin) ; 1992, La sentinelle (Desplechin), Sauve-toi (Fabre) ; 1993, Des feux mal éteints (Moati), Grande petite (Fillières), La reine Margot (Chéreau) ; 1994, Oublie-moi (Lvovsky), N'oublie pas que tu vas mourir (Beauvois), Mirek n'est pas parti (Horackova), Les cent et une nuits (Varda) ; 1995, Comment je me suis disputé... (Desplechin), Le bel été 1914

(Chalonge) ; 1999, En face (Ledoux), Kill by Inches (Doniol-Valcroze), Capitães d'abril (Capitaines d'avril) (Medeiros).

Alors qu'il était assistant-réalisateur et monteur, son ami Arnaud Desplechin le prit comme acteur dans ses premiers films : *La vie des morts* et *La sentinelle*. Il devient dès lors une figure importante du jeune cinéma d'auteur français.

Salou, Louis

Acteur français, de son vrai nom Goulven, 1902-1948.

1937, Les nuits blanches de Saint-Pétersbourg (Dréville) ; 1941, Mam'zelle Bonaparte (Tourneur), Premier bal (Christian-Jaque), La symphonie fantastique (Christian-Jaque), Boléro (Boyer) ; 1942, Le journal tombe à cinq heures (Lacombe), Défense d'aimer (Pottier), Le comte de Monte-Cristo (Vernay), Monsieur des Lourdines (Hérain), Mademoiselle Béatrice (Vaucorbeil), Le loup des Malveneurs (Radot), La main du diable (Tourneur), Huit hommes dans un château (Pottier), La vie de bohème (L'Herbier), Le bienfaiteur (Decoin), Défense d'aimer (Pottier), Lettres d'amour (Autant-Lara) ; 1943, Voyage sans espoir (Christian-Jaque), Bonsoir mesdames, bonsoir messieurs (Tual), Le voyageur sans bagages (Anouilh) ; 1944, Farandole (Zwobada), Les enfants du paradis (Carné) ; 1945, Seul dans la nuit (Stengel), Boule de suif (Christian-Jaque), Sylvie et le fantôme (Autant-Lara), Le père Serge (Gasnier-Raymond), Adieu chérie (Bernard), Roger-la-Honte (Cayatte), Un ami viendra ce soir (Bernard) ; 1946, La revanche de Roger-la-Honte (Cayatte), La foire aux chimères (Chenal), Contre-enquête (Faurez), Les atouts de M. Wens (De Meyst), La colère des dieux (Lamac) ; 1947, La vie en rose (Faurez), La chartreuse de Parme (Christian-Jaque), Les requins de Gibraltar (Reinert), Éternel conflit (Lampin), Le carrefour du crime (Jean Sacha) ; 1948, Fabiola (Blasetti), Les amants de Vérone (Cayatte).

Venu de la troupe des Pitoëff, il a imposé une suite de personnages qui sont restés dans la mémoire des cinéphiles : le comte de Montray des *Enfants du paradis*, l'officier prussien de *Boule de suif*, Ernest IV de *La chartreuse de Parme* et l'émouvant pion de *La vie en rose*. Il y est toujours remarquable : diction particulière, silhouette mince de notable, gestes étudiés. Sa confrontation avec Marcel Herrand dans *Les enfants du paradis* est un régal.

Salvatori, Renato

Acteur italien, 1933-1988.

1951, Le ragazze di piazza di Spagna (Les fiancés de Rome) (Emmer) ; 1952, I tre corsari (Les trois corsaires) (Soldati) ; 1953, La figlia del corsaro nero (La fille du Corsaire noir) (Soldati) ; 1956, Poveri ma belli (Pauvres mais beaux) (Risi) ; 1958, I soliti ignoti (Le pigeon) (Monicelli), Nella cita l'inferno (L'enfer dans la ville) (Castellani) ; 1959, Vacanze d'inverno (Brèves amours) (Mastrocinque), Audace colpo dei soliti ignoti (Hold-up à la milanaise) (Loy), I maglieri (Rosi) ; 1960, Rocco e i suoi fratelli (Rocco et ses frères) (Visconti), La Ciociara (La Ciociara) (De Sica), Era notte a Roma (Les évadés de la nuit) (Rossellini) ; 1962, Il disordine (Le désordre) (Brusati) ; 1963, I compagni (Les camarades) (Monicelli), Le glaive et la balance (Cayatte) ; 1964, Les grands chemins (Marquand) ; 1967, L'harem (Le harem) (Ferreri), Cento ragazze per un play boy (Pfleghar) ; 1969, Queimada (Pontecorvo) ; 1970, Z (Costa-Gavras) ; 1971, The Light at the Edge of the World (Le phare du bout du monde) (Billington) ; 1972, État de siège (Costa-Gavras) ; 1973, Le casse (Verneuil), Les granges brûlées (Chapot), La prima notte di quiete (Le professeur) (Zurlini), Una breve vacanza (De Sica) ; 1975, Cadaveri eccelenti (Cadavres exquis) (Rosi), Le gitan (Giovanni) ; 1976, L'ultima donna (La dernière femme) (Ferreri), Flic Story (Deray), Todo modo (Todo Modo) (Petri) ; 1977, Armaguedon (Jessua) ; 1979, La Luna (La Luna) (Bertolucci) ; 1980, La cigala (La Cigala) (Lattuada), Oggetti smariti (Une femme italienne) (Bertolucci) ; 1981, La tragedia di un uomo ridiculo (La tragédie d'un homme ridicule) (Bertolucci).

Fils d'un ouvrier des carrières de marbre de Carrare, son gabarit et son physique rugueux le conduisent à jouer au cinéma, où il débute très tôt, les jeunes prolétaires. *Le pigeon* puis *Rocco et ses frères* en font une vedette internationale. Il épouse en 1962 Annie Girardot rencontrée sur le plateau de *Rocco* et vient tourner en France plusieurs films. On le retrouve en enquêteur dépassé par des meurtres de plus en plus étranges dans *Todo modo*. Bertolucci avait relancé sa carrière au moment où elle connaissait un essoufflement.

Samoïlova, Tatiana

Actrice russe née en 1934.

1957, Letiat Jouravli (Quand passent les cigognes) (Kalatozov) ; 1960, Neotpravlennoe pismo (La lettre inachevée) (Kalatozov),

Vingt mille lieues sur terre (Pagliero) ; 1962, Alba Reghia (Szemes) ; 1963, Italiani brava gente (De Santis) ; 1965, Anna Karenine (Zarkhi) ; 1974, Vozvrata net (Saltykov).

Un rayon de soleil dans les steppes glacées du cinéma russe. Fille d'acteur, ayant reçu une bonne formation théâtrale, elle fut révélée à Cannes par *Quand passent les cigognes*. Ses autres films sont d'un moindre intérêt. Il lui a manqué un grand metteur en scène.

Sanda, Dominique

Actrice française, de son vrai nom Varaigne, née en 1951.

1968, Une femme douce (Bresson) ; 1969, Erste Liebe (Premier amour) (M. Schell), Il conformista (Le conformiste) (Bertolucci) ; 1970, Il giardino dei Finzi Contini (Le jardin des Finzi Contini), La notte dei fiori (Baldi) ; 1971, Sans mobile apparent (Labro) ; 1972, The Mackintosh Man (L'incroyable évasion/Le piège) (Huston), The Impossible Objet (L'impossible objet) (Frankenheimer) ; 1973, Steppenwolf (Le loup des steppes) (Haines) ; 1975, Gruppo di famiglia in un interno (Violence et passion) (Visconti) ; 1976, L'eredità Ferramonti (L'héritage) (Bolognoni), Novecento (1900) (Bertolucci), Le berceau de cristal (Garrel) ; 1977, Damnation Alley (Les survivants de la fin du monde) (Smight), Aldila del bene e del male (Au-delà du bien et du mal) (Cavani) ; 1979, La chanson de Roland (Cassenti), Utopia (Azimi), Navire Night (Duras), Cabo Blanco (Lee-Thompson) ; 1980, Le voyage en douce (DeVille) ; 1981, Les ailes de la colombe (Jacquot) ; 1982, Une chambre en ville (Demy), L'indiscrétion (Lary) ; 1983, Poussière d'empire (Lâm-Lê) ; 1984, Le matelot 512 (Allio) ; 1986, Corps et biens (Jacquot) ; 1988, Les mendiants (Jacquot) ; 1989, In una notte di chiaro di luna (Wertmuller), Guerriers et captives (Cozarinsky) ; 1990, El viaje (Le voyage) (Solanas), Tolgo il disturbo (Valse d'amour) (Risi), Yo, la peor de todas (Moi, la pire de toutes) (Bemberg) ; 1992, Henri le vert (Koerfer), Rosen Emil (Gabrea) ; 1993, Der Fall Lucona (Gold), Nobody's Children (Les enfants de la honte) (Wheatley) ; 1995, Brennendes Herz (Petzak) ; 1998, Garage Olimpo (Garage Olimpo) (Bechis) ; 2000, Les rivières pourpres (Kassovitz).

Milieu très bourgeois dont elle s'évade pour se marier à quinze ans et divorcer à dix-sept. Modèle dans *Vogue*, elle est remarquée par Bresson qui l'engage pour *Une femme douce*. Blonde, d'une grande beauté, très bonne comédienne, elle va surtout faire carrière en Italie (Visconti, Bolognini, Bertolucci, Cavani... rien que des chefs-d'œuvre) et gagne sous pavillon italien un prix d'interprétation à Cannes pour *L'héritage*. Mais elle ne refuse pas à l'occasion de jouer dans des œuvres difficiles (Jacquot, Garrel).

Sanders, George

Acteur d'origine anglaise, 1906-1972.

1936, Find the Lady (Gillette), Strange Cargo (Huntington), Things to Come (La vie future) (Menzies), Dishonour Bright (Walls), The Man Who Could Work Miracles (L'homme qui faisait des miracles) (Mendes), Lloyds of London (Le pacte) (King) ; 1937, Lancer Spy (Amour d'espionne) (Ratoff), Love Is News (L'amour en première page) (Garnett), Slave Ship (Le dernier négrier) (Garnett), The Lady Escapes (E. Ford) ; 1938, International Settlement (Concession internationale) (E. Ford), Four Men and a Prayer (Quatre hommes et une prière) (Ford) ; 1939, The Outsider (Stein), So This Is London (Freeland), The Saint Strikes Back (Farrow), Mr. Moto's Last Warning (Foster), The Saint in London (Carstairs), Alleghany Frontier (Robel), Confession of a Nazi Spy (Confession d'un espion nazi) (Litvak), Nurse Edith Cavell (Wilcox), Green Hell (L'enfer vert) (Whale) ; 1940, Rebecca (Hitchcock), The Saint's Double Trouble (Hively), The House of the Seven Gables (May), The Saint Takes Over (Hively), Foreign Correspondant (Correspondant 17) (Hitchcock), Bitter Sweet (Douce amère) (Van Dyke), The Son of Monte Cristo (Le fils de Monte-Cristo), The Saint in Palm Springs (Hively) ; 1941, Rage in Heaven (La proie du mort) (Van Dyke), Man Hunt (Chasse à l'homme) (Lang), The Gay Falcon (Reis), A Date with the Falcon (Reis), Sundown (Crépuscule) (Hathaway), Son of Fury (Le chevalier de la vengeance) (Cromwell) ; 1942, The Falcon Takes Over (Reis), Her Cardboard Lover (Cukor), Tales of Manhattan (Six destins) (Duvivier), The Falcon's Brother (Logan), Quiet Please, Murder (Larkin), The Black Swan (Le cygne noir) (King), The Moon and Six Pence (Lewin) ; 1943, The Immortal Sergeant (Aventure en Libye) (Stahl), This Land Is Mine (Vivre libre) (Renoir), They Came to Blow Up America (Ludwig), Appointment in Berlin (Green), Paris After Dark (Moguy) ; 1944, The Lodger (Jack l'éventreur) (Brahm), Action in Arabia (Intrigue à Damas) (Moguy), Summer Storm (L'aveu) (Sirk) ; 1945, The Strange Affair of Uncle Harry (Oncle Harry) (Siodmak), A Scandal In Paris (Sirk), Strange Woman (Le démon de la chair) (Ulmer), The Picture of Dorian Gray (Le portrait de Dorian Gray) (Lewin), Hangover Square (Brahm) ;

1947, Lured (Des filles disparaissent) (Sirk), The Private Affairs of Bel Ami (Bel Ami) (Lewin), The Ghost and Mrs. Muir (L'aventure de Madame Muir) (Mankiewicz), Forever Amber (Ambre) (Preminger) ; 1949, The Fan (L'éventail de Lady Windermere) (Preminger), Black Jack (Duvivier) ; 1950, Samson and Delilah (Samson et Dalila) (DeMille), All About Eve (Ève) (Mankiewicz) ; 1951, I Can Get It For You Whole Sale (Vendeur pour dames) (Gordon), The Light Touch (Miracle à Tunis) (Brooks) ; 1952, Ivanhoe (Ivanhoé) (Thorpe), Assignment Paris (Aveux Spontanés) (Parrish), Call Me Madam (Appelez-moi Madame) (Lang) ; 1953, Jupiter's Darling (La chérie de Jupiter) (Sidney), Witness to Murder (Témoin de ce meurtre) (Rowland) ; 1954, Viaggio in Italia (Voyage en Italie) (Rosselini), The Stranger Came Home (Meurtre sans empreintes) (Fisher), King Richard and the Crusaders (Richard Cœur de Lion) (Butler) ; 1955, Never Say Good Bye (Ne dites jamais adieu) (Hopper), Moonfleet (Les contrebandiers de Moonfleet) (Lang), The Scarlet Coat (Duel d'espions) (Sturges), The King's Thief (Le voleur du roi) (Leonard), While the City Sleeps (La cinquième victime) (Lang) ; 1956, Death of a Scoundrel (La mort d'une canaille) (Martin), That Certain Feeling (Si j'épousais ma femme) (Panama et Frank) ; 1957, The Seventh Sin (La passe dangereuse) (Neame), The Whole Truth (Le crime était signé) (Guillermin) ; 1958, From the Earth to the Moon (De la terre à la lune) (Haskin) ; 1959, That Kind of Woman (Une espèce de garce) (Lumet), Solomon and Sheba (Salomon et la reine de Saba) (Vidor), The Last Voyage (Panique à bord) (Stone), A Touch of Larceny (Un brin d'escroquerie) (Hamilton) ; 1960, Bluebeard's Ten Honeymoons (La dixième femme de Barbe-Bleue) (Lee Wilder), Village of the Damned (Le village des damnés) (Rilla), Cone of Silence (Frend) ; 1961, Five Golden Hours (Zampi), The Rebel (Day), Le rendez-vous (Delannoy) ; 1962, In Search of the Castaways (Les enfants du capitaine Grant) (Stevenson), Operation Snatch (L'argent secret de Churchill) (Day), Cairo (Les bijoux du pharaon) (Rilla) ; 1963, Dark Purpose (Meurtre par accident) (Marshall), Un aero per Baalbeck (Dernier avion pour Baalbeck) (Fregonese), The Cracksman (Scott) ; 1964, The Golden Head (Thorpe), A Shot in the Dark (Quand l'inspecteur s'emmêle) (Edwards), The Amorous Adventures of Moll Flanders (Les aventures amoureuses de Moll Flanders) (Young) ; 1965, Good Times (Friedkin), Warning Shot (L'assassin est-il coupable ?) (Kulik), The Quiller Memorandum (Le secret du rapport Quiller) (Anderson), The Candy Man (Leders) ; 1968, The Best House in London (Le club des libertins) (Saville) ; 1969, The Body Stealers (Levy) ; 1970, The Kremlin Letter (La lettre du Kremlin) (Huston) ; 1971, Endless Night (Gillat) ; 1972, Psychomania (Sharp), Doomwatch (Sasdy).

Il a incarné à l'écran un personnage généralement élégant et cynique, le type même du dandy. Il fut Le Saint (d'après Charteris), le Faucon et même Vidocq (*Scandal in Paris*). Il gagna un oscar pour sa composition du critique d'*All about Eve*. Marié à Zsa Zsa Gabor puis à Benita Hume, il a partagé son temps entre les studios anglais et Hollywood. Puis un beau jour, il en eut assez et se suicida avec discrétion et élégance, tel Petrone, nous laissant ses *Mémoires d'une fripouille* (2004), passionnants et ironiques.

Sandre, Didier

Acteur français, de son vrai nom Maffre, né en 1946.

1983, La java des ombres (Goupil) ; 1984, Train d'enfer (Hanin) ; 1986, La femme de ma vie (Wargnier) ; 1988, Vent de galerne (Favre) ; 1989, Les mannequins d'osier (De Gueltzl) 1991, Boulevard des hirondelles (Josée Yanne), Mensonge (Margolin) ; 1994, Petits arrangements avec les morts (Ferran) ; 1998, Conte d'automne (Rohmer) ; 1999, Le mystère Paul (Ségal).

Beaucoup applaudi au théâtre, cet acteur grave et profond a peu tourné pour le cinéma, mais a marqué de sa forte présence des films comme *Mensonge* et surtout *Petits arrangements avec les morts*.

Sandrelli, Stefania

Actrice italienne née en 1946.

1961, Divorzio all'italiano (Divorce à l'italienne) (Germi), Il federale (Salce) ; 1962, Gioventu di notte (Jeunesse de nuit) (Saqui), La bella di Lodi (Missiroli) ; 1963, Il fornaretto di Venezia (Le procès des Doges) (Tessari), Les vierges (Mocky), L'aîné des Ferchaux (Melville) ; 1964, La chance et l'amour (sketch Schlumberger), Sedotta e abbandonata (Séduite et abandonnée) (Germi) ; 1966, Io la conoscevo bene (Pietrangeli), Tendre voyou (Becker) ; 1967, L'immorale (Beaucoup trop pour un seul homme) (Germi) ; 1968, Partner (Bertolucci) ; 1969, L'amante di Gramigna (Lizzani), Il conformista (Le conformiste) (Bertolucci) ; 1970, Brancaleone alle crociate (Brancaleone aux croisades) (Monicelli), La tarantola dal ventre nero (Cavara), Un estate con sentimento (Scarsella) ;

1972, Alfredo, Alfredo (Germi), Il diavolo nel cervello (Sollima) ; 1973, Delitto d'amore (Un vrai crime d'amour) (Comencini) ; 1974, C'eravamo tanto amati (Nous nous sommes tant aimés) (Scola) ; 1975, Les magiciens (Chabrol), Police Python 357 (Corneau), Le voyage de noces (N. Trintignant) ; 1976, Quelle strane occasioni (La fiancée de l'évêque) (sketch de L. Comencini), 1900 (Bertolucci) ; 1978, Le maître nageur (J.-L. Trintignant), Dove vai in vacanza (Où es-tu allé en vacances ?) (Sordi) ; 1979, Nell'ochio della volpe (Drove), L'ingorgo (Le grand embouteillage) (Comencini) ; 1980, La terrazza (La terrasse) (Scola) ; 1981, La disubbidienza (Lado) ; 1982, Bello mio bellezza mia (Corbucci) ; 1984, La chiave (La clef) (Brass) ; 1985, Segreti segreti (Bertolucci), L'attenzione (Plaisirs de femme) (Soldati) ; 1986, Speriamo que sia femmina (Pourvu que ce soit une fille) (Monicelli) ; 1987, La famiglia (La famille) (Scola), Gli occhiali d'oro (Les lunettes d'or) (Montaldo), Noyade interdite (Granier-Deferre) ; 1988, Mignon è partita (Archibugi), Il piccolo diavolo (Le petit diable) (Benigni) ; 1990, L'africaine (Von Trotta), Il male oscuro (Monicelli) ; 1991, No chiamarmi Omar (Staino), Nottataccia (D. Camerini) ; 1992, Jamòn jamòn (Jambon jambon) (Luna), L'œil écarlate (Roulet) ; 1993, Per amore, solo per amore (Veronesi), Colpo di coda (Sanchez Silva) ; 1994, Of Love and Shadows (B. Kaplan), Con gli occhi chiusi (Les yeux fermés) (Archibugi), Il signore delle comete (Pese) ; 1995, Stealing Beauty (Beauté volée) (Bertolucci), Erotic Tales II (Torrini, Roeg, Majewski), Ninfa Plebea (Wertmuller), Palermo Milano solo andata (Palerme Milan, aller simple) (Fragasso) ; 1997, Love Deal (San Miguel), Matrimoni (Matrimoni) (C. Comencini) ; 1998, Le dîner (Scola) ; 1999, Esperando al Mesias (Burman), Volavérunt (Volavérunt) (Bigas Luna) ; 2000, L'ultimo bacio (Juste un baiser) (Muccino) ; 2003, Un filme falado (Un film parlé) (Oliveira) ; 2003, Giornalino romano (Gente di Roma) (Scola) ; 2005, Te lo leggo negli occhi (Je lis dans tes yeux) (Santella).

Danseuse, elle doit exercer plusieurs métiers pour vivre avant de gagner un concours de beauté et de faire du cinéma en vedette, destin classique des stars de la Péninsule. Reconnaissons que les juges qui la couronnèrent firent preuve de bon goût et créditons-la d'un réel talent, très apprécié de Scola et de Germi. Après une interruption, elle a fait une rentrée remarquée dans un film semi-pornographique, *La clef* et sa carrière a pris un nouveau cours grâce à Monicelli et Scola.

Sands, Julian

Acteur anglais né en 1958.

1982, Privates on Parade (Blakemore) ; 1984, Oxford Blues (Boris), The Killing Fields (La déchirure) (Joffé), After Darkness (Othnin-Girard) ; 1985, The Doctor and the Devils (Le docteur et les assassins) (Francis) ; 1986, Gothic (Gothic) (Russell), A Room With a View (Chambre avec vue) (Ivory) ; 1987, Siesta (Lambert), Vibes (Kwapis), Outback Vampires (Eggleston) ; 1989, Manika, une vie plus tard (Villiers), Wherever You Are (Audelà du vertige) (Zanussi), Tennessee Nights (Gessner) ; 1990, Il sole anche di notte (Le soleil même la nuit) (P. et V. Taviani), Arachnophobia (Arachnophobie) (Marshall), Warlock (Warlock) (Miner), Grand Isle (Lambert) ; 1991, La villa del venerdi (Bolognini), Impromptu (Impromptu) (Lapine), The Naked Lunch (Le festin nu) (Cronenberg), Cattiva (Lizzani) ; 1992, Boxing Helena (Boxing Helena) (Lynch), Turn of the Screw (Tour d'écrou) (Lemorande), Warlock : the Armageddon (Hickox), Tale of a Vampire (Sato) ; 1993, The Browning Version (Les leçons de la vie), (Figgis) ; 1994, Mario und der Zauberer (Mario et le magicien) (Brandauer) ; 1995, Leaving Las Vegas (Leaving Las Vegas) (Figgis) ; 1996, Never Ever (Finch), One Night Stand (Pour une nuit) (Figgis) ; 1998, The Loss of Sexual Innocence (La fin de l'innocence sexuelle) (Figgis), Il fantasma dell'Opera (Le fantôme de l'opéra) (Argento), Long Time Since (Anania), Mercy (Harris) ; 1999, Vatel (Vatel) (Joffé), Love me (Masson), The Million Dollar Hotel (The Million Dollar Hotel) (Wenders) ; 2000, Timecode (Timecode) (Figgis).

Grand et beau, il est voué aux rôles de personnages torturés que symbolise bien le saint du *Soleil même la nuit*.

San Giacomo, Laura

Actrice américaine née en 1962.

1989, Sex, Lies and Videotape (Sexe, mensonges et vidéo) (Soderbergh) ; 1990, Quigley down under (Mr. Quigley l'Australien) (Wincer), Vital Signs (Silver), Pretty Woman (Pretty Woman) (Marshall) ; 1991, Once Around (Ce cher intrus) (Hallström), Under Suspicion (Faute de preuves) (Moore) ; 1992, Where the Day Takes you (Rocco) ; 1993, Nina Takes a Lover (Jacobs) ; 1994, Stuart Save his Family (Ramis) ; 1997, Eat Your Heart Out (F. Adlon), Suicide Kings (Suicide Kings) (O'Fallon), With Friends Like These... (Messina) ; 1998, The Apocalypse (De La Bouillerie).

Deux rôles dans deux films-événements successifs la font connaître du grand public : la petite amie vidéotée de *Sexe, mensonges et vidéo*, et la prostituée au grand cœur, collègue de Julia Roberts dans *Pretty Woman*.

Sanson, Yvonne

Actrice italienne, 1926-2003.

1946, Aquila nera (L'aigle noir) (Freda) ; 1947, Il delitto di Giovanni Episcopo (Lattuada) ; 1948, La grande aurora (Scotese), Il cavaliere misterioso (Le chevalier mystérieux) (Freda) ; 1949, Campane a martello (Zampa), Nerone e Messalina (Zeglio) ; 1950, Catene (Le mensonge d'une mère) (Matarazzo), L'imperatore di Capri (Comencini), L'inafferabile 12 (Mattoli) ; 1951, I figli di nessuno (Le fils de personne) (Matarazzo), Tormento (Bannie du foyer) (Matarazzo) ; 1952, Il cappotto (Lattuada), Wanda la peccatrice (Coletti), Nous sommes tous des assassins (Cayatte), Menzogna (Del Colle) ; 1953, Noi peccatori (Nous les coupables) (Brignone), Chi è senza peccato (Qui est sans péché ?) (Matarazzo), Quand tu liras cette lettre (Melville), Les trois mousquetaires (Hunebelle) ; 1954, Star of India (Lubin), Torna (Larmes d'amour) (Matarazzo), Menzogna (L'île des passions) (Colle) ; 1955, Angelo bianco (La femme aux deux visages) (Matarazzo), La moglie è uguale per tutti (Simonelli), La bella mugnaia (Par-dessus les moulins) (Camerini) ; 1956, Il campanile d'oro (Simonelli) ; 1957, Barrage contre le Pacifique (Clément) ; 1958, Malinconico autunno (Matarazzo), L'ultima violenza (Matarazzo) ; 1959, La valle di fuoco, Il mondo dei miracoli (Capuano) ; 1962, I masnadieri (Les brigands) (Bonnard), Anima nera (Rossellini), Lo smemorato di Collegno (Grimaldi) ; 1963, Il re di poggioreale (Le roi des truands) (Coletti) ; 1967, On m'appelle Saligo (Valerii) ; 1970, Il conformista (Le conformiste) (Bertolucci).

Née à Salonique mais établie en Italie dès 1943, cette beauté brune fut la reine du mélodrame avec Amedeo Nazzari pour partenaire dans des films mis en scène par Matarazzo. Dans les années 50 elle est une vedette internationale mais se voit par la suite cantonnée dans de petits rôles.

Sapritch, Alice

Actrice française, 1916-1990.

1950, Le tampon du Capiston (Labro) ; 1951, Le crime du Bouif (Cerf) ; 1957, Premier mai (Saslavsky) ; 1958, Le joueur (Autant-Lara), Les tripes au soleil (Bernard-Aubert) ; 1959, Le testament d'Orphée (Cocteau), Tirez sur le pianiste (Truffaut) ; 1960, La fille aux yeux d'or (Albicocco), La menace (Oury), Candide (Carbonnaux) ; 1961, Le tracassin ou les plaisirs de la ville (Joffé) ; 1964, Le due orfanelle (Les deux orphelines) (Freda) ; 1965, Qui êtes-vous Polly Magoo ? (Klein) ; 1966, Le démoniaque (Gainville) ; 1967, La fille d'en face (Simon), Lamiel (Aurel) ; 1970, Sur un arbre perché (Korber) ; 1971, La folie des grandeurs (Oury) ; 1972, Elle court elle court, la banlieue (Pirès), Les joyeux lurons (Gérard) ; 1973, La raison du plus fou (Reichenbach), Le concierge (Girault), L'affaire Crazy Capo (Jamain), L'événement le plus important depuis que l'homme a marché sur la lune (Demy), L'histoire très bonne et très joyeuse de Colinot Trousse-chemise (Companeez), Les vacanciers (Gérard), Le führer en folie (Clair) ; 1974, Le plumard en folie (Lem), Gross Paris (Grangier), Les guichets du Louvre (Mitrani) ; 1975, L'intrépide (Girault) ; 1976, Le trouble-fesses (Foulon), Drôles de zèbres (Lux) ; 1978, L'horoscope/Fais gaffe à la marche (Girault) ; 1979, Les sœurs Brontë (Téchiné) ; 1983, Un bon petit diable (Brialy) ; 1984, Adam et Ève (Luret) ; 1985, National Lampoon's European Vacation (Heckerling).

Conservatoire et brillante carrière théâtrale. Sèche, pincée, un physique ingrat, elle jouait à merveille, au cinéma comme à la scène, les duègnes (*La folie des grandeurs*). Cible des chansonniers qui se plaisaient à moquer son absence de beauté et faisant beaucoup de télévision, elle était du coup devenue l'une des actrices les plus connues du public.

Sarandon, Susan

Actrice américaine, de son vrai nom Tomalin, née en 1946.

1970, Joe (Joe, c'est aussi l'Amérique) (Avildsen) ; 1971, Mortadella (Mortadella) (Monicelli), Le Fleur Bleu (Kent) ; 1972, Lovin'Molly (Lumet) ; 1974, Front Page (Spéciale première) (Wilder) ; 1975, The Great Waldo Pepper (La kermesse des aigles) (G. Roy Hill), The Rocky Horror Picture Show (The Rocky Horror Picture Show) (Sharman), One Summer Love (Cates), The Great Smokey Roadblock (J. Leone) ; 1977, The Other Side of Midnight (De l'autre côté de minuit) (Jarrot), Checkered Flag or Crash (Gibson) ; 1978, Pretty Baby (La petite) (L. Malle) ; 1979, Something Short of Paradise (Helpern Jr.), King of the Gipsies (Le roi des gitans) (Pierson) ; 1980, Loving Couples (L'amour à quatre mains) (Smight), Atlantic City (Atlantic City) (Malle) ; 1982, Tempest (La tempête) (Mazursky) ; 1983, The Hunger

(Les prédateurs) (Scott) ; 1984, The Buddy System (Jordan) ; 1985, Compromising Positions (Perry) ; 1987, The Witches of Eastwick (Les sorcières d'Eastwick) (Miller) ; 1988, Bull Durham (Duo à trois) (Shelton), The January Man (Calendrier meurtrier) (O'Connor) ; 1989, A Dry White Season (Une saison blanche et sèche) (Palcy), Sweet Hearts Dance (L'amour à quatre temps) (Greenwald) ; 1991, Thelma and Louise (Thelma et Louise) (Scott), White Palace (La fièvre d'aimer) (Mandoki), The Player (The player) (Altman) ; 1992, Bob Roberts (Bob Roberts) (Robbins), Light Sleeper (Light Sleeper) (Schrader), Lorenzo's Oil (Lorenzo) (George Miller) ; 1994, The Client (Le client) (Schumacher), Safe Passage (Safe Passage) (Ackerman), Little Women (Les quatre filles du Docteur March) (Armstrong) ; 1995, Dead Man Walking (La dernière marche) (Robbins) ; 1997, Twilight (L'heure magique) (Benton), Stepmom (Ma meilleure ennemie) (Columbus), Illuminata (Illuminata) (Turturro) ; 1998, Cradle Will Rock (Broadway 39e Rue) (Robbins), Anywhere But Here (Ma mère, moi et ma mère) (Wang) ; 1999, Earthly Possessions (Les fugueurs) (Lapine), Joe Gould's Secret (Tucci), Ljuset håller mig sällskap (C.-G. Nykvist) ; 2000, Cats and Dogs (Guterman) ; 2002, Igby Goes Down (Steers), The Banger Sisters (Sex fan des sixties) (Dolman), Moonlight Mile (Silberling) ; 2004, Alfie (Irrésistible Alfie) (Shyer) ; 2005, Elizabethtown) (Rencontres à Elizabethtown) (Crowe), Shall We Dance ? (Shall We Dance ? La nouvelle vie de M. Clarck) (Chelsom) ; 2007, Enchanted (Il était une fois) (Lima).

Élevée à l'Université catholique de New York où elle fait la connaissance de l'acteur Chris Sarandon, qu'elle épouse. Mannequin puis actrice remarquée dans *Atlantic City* où elle a Burt Lancaster pour partenaire, elle se fait connaître au monde entier dans *Thelma and Louise*. Son rôle de bonne sœur dans *Dead Man Walking*, radicalement différent, lui vaut un oscar en 1996. Désormais mariée avec Tim Robbins, elle forme avec lui un couple de comédiens très impliqué politiquement, notamment dans l'opposition à la guerre en Irak.

Sarcey, Martine

Actrice française née en 1928.

1951, Agence matrimoniale (Le Chanois), Nez-de-cuir (Y. Allégret), Procès au Vatican (Haguet) ; 1954, Les intrigantes (Decoin) ; 1956, Alerte au deuxième bureau (Stelli) ; 1963, Méfiez-vous Mesdames (Hunebelle) ; 1965, Le caïd de Champignol (Bastia), Fifi la plume (Lamorisse) ; 1967, Le voleur (Malle) ; 1968, La leçon particulière (Boisrond), Salut Berthe (Lefranc) ; 1969, Clérambard (Robert), Du soleil plein les yeux (Boisrond) ; 1970, Aussi loin que l'amour (Rossif) ; 1971, Rendez-vous à Bray (Delvaux) ; 1972, L'homme au cerveau greffé (Doniol-Valcroze) ; 1973, Le permis de conduire (Girault) ; 1974, Les murs ont des oreilles (Girault) ; 1975, Un linceul n'a pas de poches (Mocky) ; 1976, Un éléphant ça trompe énormément (Robert) ; 1977, Un moment d'égarement (Berri), La vie parisienne (Christian-Jaque), Hôtel de la plage (Lang) ; 1978, Trocadéro bleu citron (Schock), L'hôtel de la plage (M. Lang) ; 1979, Ciao les mecs ! (Gobbi), Certaines nouvelles (Davila) ; 1980, Deux lions au soleil (Faraldo) ; 1985, P.R.O.F.S. (Schulmann) ; 1986, États d'âme (Fansten) ; 1994, Dernier stade (Zerbib) ; 1995, Jefferson in Paris (Jefferson à Paris) (Ivory) ; 1999, La maladie de Sachs (Deville).

Épouse de Michel de Ré, elle est plus connue pour ses prestations sur scène ou à la télévision que pour ses apparitions cinématographiques. Elle semble dépourvue de toute ambition à l'écran.

Sardou, Fernand

Acteur français, 1910-1976.

1934, Le train de 8 h 47 (Wulschleger) ; 1938, Le moulin dans le soleil (Didier) ; 1939, Bifur III (Cam) ; 1942, Les cadets de l'océan (Dréville) ; 1946, Le voleur se porte bien (Loubignac), Miroir (Lamy) ; 1948, Si ça peut vous faire plaisir (Daniel-Norman) ; 1950, Meurtres (Pottier), Cœur-sur-Mer (Daneil-Norman), Porte d'Orient (Darry), Dakota 308 (Daniel-Norman) ; 1951, Le garçon sauvage (Delannoy), Ma femme, ma vache et moi (Devaivre), La table aux crevés (Verneuil) ; 1952, Manon des sources (Pagnol), Le fruit défendu (Verneuil) ; 1953, Le boulanger de Valorgues (Verneuil), Virgile (Rim), Quand tu liras cette lettre (Melville), La route Napoléon (Delannoy) ; 1954, Escalier de services (Rim), Les lettres de mon moulin (Pagnol), Sur le banc (Vernay), Du rififi chez les hommes (Dassin) ; 1955, M'sieur la Caille (Pergament), Marguerite de la nuit (Autant-Lara), Quatre jours à Paris (Berthomieu), Mémoires d'un flic (Foucaud) ; 1956, L'irrésistible Catherine (Pergament), La fille Élisa (Richebé), La terreur des dames (Boyer) ; 1957, A la Jamaïque (Berthomieu), Que les hommes sont bêtes (Richebé), Les filous (Saytor), Les espions (Clouzot), Échec au porteur (Grangier), Une Parisienne (Boirsrond) ; 1958, La moucharde (Lefranc), I tartassati (Fripouillards et Cie) (Steno), Un drôle de dimanche (Allégret) ; 1959, Bouche cousue (Boyer), Business (Boutel), Le déjeuner sur l'herbe (Renoir) ; 1961, Cadavres en vacances (Audry) ; 1962, Les grands chemins (Marquand), Axel Munthe, der Arzt von San Michele (L'odyssée du Dr Munthe) (Capitani), 1963, La bande à Bobo (Saytor), D'où viens-tu Johnny ? (N. Howard), Les durs à cuire (Pinoteau) ; 1965, Dis-moi qui tuer ? (Périer), L'or du duc (Baratier), Le gendarme de Saint-Tropez (Girault) ; 1969, L'ardoise (Bernard-Aubert), Le petit théâtre de Jean Renoir (Renoir) ; 1970, Sur un arbre perché (Korber) ; 1971, Le soldat Laforêt (Cavagnac) ; 1975, Les grands moyens (Cornfield).

Comique méridional, roi de l'opérette marseillaise que le cinéma a beaucoup utilisé pour évoquer le midi de la France. Sa rondeur, son accent, ses manières joviales suffisaient à mettre de bonne humeur le public, car il faut avouer que par ailleurs les scénarios ne péchaient guère par excès métaphysique.

Sardou, Jackie

Actrice française, de son vrai nom Jacqueline Labbé, 1919-1998.

1948, Si ça peut vous faire plaisir (Daniel-Norman) ; 1949, Hôtel des artistes (Perdrix), Cœur-sur-mer (Daniel-Norman) ; 1950, Meurtres (Pottier), La rue sans loi (Gibaud) ; 1951, Nous irons à Monte-Carlo (Boyer) ; 1952, L'appel du destin (Lacombe) ; 1953, Leur dernière nuit (Lacombe) ; 1954, Le printemps, l'automne et l'amour (Grangier) ; 1955, Je suis un sentimental (Berry), M'sieur la Caille (Pergament), Quatre jours à Paris (Berthomieu), Paris coquin (Gaspard-Huit) ; 1956, Fric-frac en dentelles (Radot), Les carottes sont cuites (Vernay), Que les hommes sont bêtes (Richebé), Le septième commandement (Bernard) ; 1957, Le chômeur de Clochemerle (Boyer), Le coin tranquille (Vernay), Le désert de Pigalle (Joannon) ; 1958, Drôles de phénomènes (Vernay), Prisons de femmes (Cloche), Suivez-moi, jeune homme (Lefranc) ; 1959, Les jeux de l'amour (Broca) ; 1960, La vérité (Clouzot), Au cœur de la ville (Gautherin) ; 1967, La prisonnière (Clouzot) ; 1968, Béru et ces dames (Lefranc), Ho ! (Enrico) ; 1970, Le mur de l'Atlantique (Camus) ; 1975, Les grands moyens (Cornfield), Opération Lady Marlène (Lamoureux) ; 1976, Le chasseur de chez Maxim's (Vital), On a retrouvé la 7e compagnie (Lamoureux) ; 1978, Freddy (Thomas), New génération (Low-Legoff) ; 1981, T'es folle ou quoi ? (M. Gérard) ; 1982, On n'est pas sorti de l'auberge (Pécas), On s'en fout, nous on s'aime (Gérard) ; 1983, Adam et Ève (Luret), Retenez-moi ou je fais un malheur ! (Gérard) ; 1984, La vengeance du serpent à plumes (Oury), Par où t'es rentré on t'a pas vu sortir (Clair) ; 1985, Gros dégueulasse (Zincone) ; 1986, La vie dissolue de Gérard Floque (Lautner) ; 1987, Les gauloises blondes (Jabely) ; 1992, Les mamies (Lanoë).

Music-hall, cabaret et opérette pour cette Parisienne pure souche, née d'une mère danseuse de french cancan. Jusqu'en 1976, date de la mort de son mari, Fernand Sardou, épousé à la fin de la guerre, elle mène sa carrière théâtrale et cinématographique sous le nom de Jackie Rollin dans une succession de rôles de petite bonne femme gouailleuse, avec une coupure dans les années 60 pendant laquelle les époux Sardou dirigent un cabaret. Mère de Michel Sardou, on ne peut pas dire que son personnage, plutôt vulgaire dans ses prestations télévisées et radiophoniques (*Les grosses têtes*), ait beaucoup fait dans la dentelle, mais elle reste en tout état de cause une silhouette attachante.

Sarrazin, Michael

Acteur canadien né en 1940.

1967, Gunfight in Abilene (Le shérif aux poings nus) (Hale), The Flin Flam Man (Une sacrée fripouille) (Kershner), Journey to Shiloh (La brigade des cow-boys) (Hale) ; 1968, The Sweet Ride (Fureur sur la plage) (Hart), A Man Called Gannon (Un Colt nommé Gannon) (Goldstone), Eye of the Cat (Les griffes de la peur) (Lowell Rich) ; 1969, In Search of Gregory (P. Wood), They Shoot Horses, Don't They ? (On achève bien les chevaux) (Pollack), The Pursuit of Happiness (Mulligan) ; 1971, Sometimes a Great Notion (Le clan des irréductibles) (Newman), Believe in Me (Hagman) ; 1972, The Groundstar Conspiracy (Requiem pour un espion) (L. Johnson), The Life and Times of Judge Roy Bean (Juge et hors-la-loi) (Huston) ; 1973, Frankenstein : the True Story (Smight), Harry in Your Pocket (Geller) ; 1974, The Reincarnation of Peter Proud (La réincarnation de Peter Proud) (Lee-Thompson), For Pete's Sake (Ma femme est dingue) (Yates) ; 1976, The Gumball Rally (Bail), Scaramouche (La grande débandade) (Castellari) ; 1978, Caravans (Fargo) ; 1979, Double Negative (Bloomgield) ; 1981, The Seduction (Schmoeller) ; 1982, Fighting Back (Philadelphia security) (Teague), Viadukt (Simo) ; 1985, Joshua Then and Now (Kotcheff) ; 1987, Make up for Murder/ Mascara) (Conrad), Captive Hearts (Almond), Keeping Back

(Spry) ; 1988, Malarek (Cardinal) ; 1990, The Phone Call (Goldstein) ; 1991, Lena's Holiday (Keusch) ; 1993, La Florida (Mihalka) ; 1994, Len Deighton's Bullet to Beijing (Mihalka) ; 1995, Len Deighton's Midnight in St. Petersburg (D. Jackson) ; 1997, The Peacekeeper (Forestier) ; 1998, The Arrival Agenda (Tenney).

Canadien français, né à Québec, fils d'un avocat, il préfère le théâtre au droit. Il débute sur scène à Toronto puis tente sa chance à Hollywood. Son physique romantique le fait remarquer dans deux westerns de Hale, mais c'est Pollack qui en fait une vedette avec *On achève bien les chevaux* où Sarrazin a Jane Fonda pour partenaire. Il confirme son talent chez Mulligan. Mais il s'égare par la suite dans de médiocres productions comme *Scaramouche*.

Sassard, Jacqueline

Actrice française née en 1940.

1957, Guendalina (Lattuada) ; 1959, Faibles femmes (Boisrond), Estate violenta (Été violent) (Zurlini) ; 1962, Arrivano i Titani (Les Titans) (Tessari) ; 1963, Le voci bianche (Le sexe des anges) (Festa Campanile) ; 1964, I piratti della Malesia (Les pirates de Malaisie) (Lenzi) ; 1967, Accident (Accident) (Losey) ; 1968, Les biches (Chabrol).

Cette charmante Niçoise a fait ses débuts cinématographiques en Italie où elle poursuivit sa carrière avant de conquérir le monde anglo-saxon grâce à son rôle vedette d'*Accident*. Elle semble s'être retirée.

Savage, John

Acteur américain, de son vrai nom Youngs, né en 1949.

1972, Bad Company (Bad Company) (Benton) ; 1973, The Killing Kind (Harrington), Steelyard Blues (Myerson) ; 1974, The Sister-In-Law (Ruben) ; 1975, Eric (Printemps perdu) (Goldstone) ; 1978, The Dear Hunter (Voyage au bout de l'enfer) (Cimino) ; 1979, The Onion Field (Tueur de flics), Hair (Hair) (Forman) ; 1980, Inside Moves (Rendez-vous chez Max's) (Donner) ; 1981, Cattle Annie and Little Britches (Johnson), The Amateur (L'homme de Prague) (Jarrott) ; 1983, Hosszù vàgta (Gabor) ; 1984, Maria's Lover (Maria's Lover) (Konchalovsky) ; 1986, Salvador (Salvador) (Stone) ; 1987, Beauty and the Beast (Marner), Hotel Colonial (Torrini), Caribe (Kennedy) ; 1988, The Beat (Mones), Any Man's Death (Clegg) ; 1989, Do the Right Thing (Do the Right Thing) (Lee) ; 1990, Voice in the Dark (V.G. Cox), Point of View (Cohen, Yavor), The Godfather, part III (Le parrain III) (Coppola), Ottobre rosa all'Arbat (Lippi) ; 1991, Mountain of Diamonds (Szwarc), Hunting (Howson), Door to Silence (Fulci), Buck ai confini del cielo (Ricci) ; 1992, Primary Motive (Adams), Favola crudele (Leoni) ; 1994, Red Scorpion 2 (Kennedy), Killing Obsession (Leder), Deadly Weapon (Lloyd), The Dangerous (Dante, Hewitt), CIA II Target : Alexa (Lamas), Berlin '39 (Sollima) ; 1995, The Takeover (Cook), Firestorm (Shepphird), The Crossing Guard (Crossing Guard) (Penn), Carnosaur 2 (Morneau) ; 1996, Where Truth Lies (Molina), One Good Turn (Randel), Managua (Taverna), Flynn (Howson), White Squall (Lame de fond) (Scott), American Strays (Covert) ; 1997, Notti di paura (Bonuglia), Club Vampire (A. Ruben), Amnesia (Voss), Hostile Intent (Heap), Et Hjornet af paradis (Ringgaard), The Mouse (Adams), The Thin Red Line (La ligne rouge) (Malick) ; 1998, Message in a Bottle (Une bouteille à la mer) (Mandoki), Centurion Force (Cook), Burning Down the House (Mora), Little Boy Blue (Tibaldi) ; 1999, Summer of Sam (Summer of Sam) (Lee), Christina's House (Wilding), Frontline (Peeples) ; 2000, Redemption of the Ghosts (Friedman), Bombshell (Dear).

Trois films propulsent ce beau blond, qui joue de l'ambiguïté d'un physique doux, tout en haut de l'affiche : *Voyage au bout de l'enfer*, *Hair* et *Tueur de flics*. Et puis c'est la dégringolade vers la série B, voire carrément Z dans les années 90, où il enchaîne des productions musclées sans âme, hormis quelques participations chez Malick ou Spike Lee.

Saval, Dany

Actrice française née en 1940.

1958, Les tricheurs (Carné), Le miroir à deux faces (Cayatte), Asphalte (Bromberger) ; 1959, La verte moisson (Villiers), Nathalie agent secret (Decoin), La dragée haute (Kerchner) ; 1960, Pleins feux sur l'assassin (Franju), Les portes claquent (Poitrenaud), Pierrot la tendresse (Villiers), Dans la gueule du loup (Dudrumet) ; 1961, Les sept péchés capitaux (Broca, etc.), Le puits aux trois vérités (Villiers), Les Parisiennes (Poitrenaud) ; 1962, Moon Pilote (Neilson), Strip-Tease (Poitrenaud), Comment réussir en amour (Boisrond), Du mouron pour les petits oiseaux (Carné) ; 1963, Cherchez l'idole (Boisrond), Constance aux enfers (Villiers) ; 1964, Une souris chez les hommes (Poitrenaud), Jaloux comme un tigre (Cowl), Moi et les hommes de quarante ans (Pinoteau) ; 1965, Boeing Boeing (Boeing Boeing) (Rich) ; 1972,

Si puo fare amigo (Amigo, mon colt a deux mots à te dire) (Lucidi) 1977, L'animal (Zidi) ; 1978, La vie parisienne (Christian-Jaque), Plein les poches pour pas un rond (Daert) ; 1979, Ciao les mecs (Gobbi) ; 1980, Voulez-vous un bébé Nobel ? (Pouret), Inspecteur la bavure (Zidi), Signé Furax (Simenon).

Petit rat puis danse classique. Elle suit en même temps le cours Simon. Remarquée par Carné et Cayatte, elle commence une carrière qui s'annonce brillante. Ne sait-elle pas chanter et danser au point de séduire le compositeur Maurice Jarre ? Les États-Unis l'attirent, elle s'y perdra. Elle y perdra Maurice Jarre. De retour en France, elle fit sur nos écrans un « come-back » sympathique. Mariée avec Michel Drucker.

Savalas, Telly

Acteur américain, 1924-1994.

1961, Mad Dog Coll (Balaban), The Young Savages (Le temps du châtiment) (Frankenheimer) ; 1962, Cape Fear (Les nerfs à vif) (Lee-Thompson), Birdman of Alcatraz (Le prisonnier d'Alcatraz) (Frankenheimer), The Interns (Les internes) (Swift) ; 1963, Love Is a Ball (Swift), The Man from Diner's Club (Les pieds dans le plat) (Tashlin), Johnny Cool (La revanche du Sicilien) (Asher) ; 1964, The New Interns (Les nouveaux internes) (Rich) ; 1965, The Greatest Story Ever Told (La plus grande histoire jamais contée) (Stevens), John Goldfarb, Please Come Home (L'encombrant M. John) (Lee-Thompson), Genghis Khan (Levin), Battle of the Bulge (La bataille des Ardennes) (Annakin), The Slender Thread (Trente minutes de sursis) (Pollack) ; 1966, Beau Geste (Heyes) ; 1967, The Dirty Dozen (Douze salopards) (Aldrich), The Karate Killers (Tueurs au karaté) (Shear) ; 1968, Sol Madrid (Les corrupteurs) (Hutton), The Scalphunters (Les chasseurs de scalps) (Pollack) ; 1969, Buona sera, Mrs. Campbell (Frank), The Assassination Bureau (Assassinats en tous genres) (Dearden), Mackenna's Gold (L'or des Mackenna) (Lee-Thompson), Crooks and Coronets (O'Connolly), On Her Majesty's Secret Service (Au service secret de Sa Majesté) (Hunt) ; 1970, Land Raiders (L'Ouest en feu) (Juran), Kelly's Heroes (De l'or pour les braves) (Hutton), Citta violenta (La cité de la violence) (Sollima) ; 1971, Si tu crois fillette (Vadim), Clay Pigeon (Pigeon d'argile) (Stern), A Town Called Bastard (Les brutes dans la ville) (Parrish) ; 1972, Panico en el Transiberiano (Terreur dans le Shanghai Express) (Martin), La Banda J & S (Far West Story) (Corbucci), I familiari delle vittime non saranno avvertiti (Le nouveau boss de la mafia) (De Martino), Assassino e al telefono (Dernier appel) (De Martino), Una ragione per vivere e una per morire (Une raison pour vivre, une raison pour mourir) (Valerii), Los hijos del dia y de la noche (S. Corbucci) ; 1973, Redneck (Le salopard) (Narizzano), Pancho Villa (Pancho Villa) (Martin) ; 1975, Killer Force (Les mercenaires) (Guest) ; 1976, Inside Out (L'enlèvement) (Duffell) ; 1977, La casa de l'exorcismo (La maison de l'exorcisme) (Lion, alias Bava), Beyond Reason (Savalas) ; 1978, Capricorn One (Hyams), Mati (Savalas) ; 1979, The Muppet Movie (Les Muppets, ça c'est du cinéma) (Frawley), Escape to Athena (Bons baisers d'Athènes) (Cosmatos), Beyond the Poseidon Adventure (Le dernier secret du Poseidon) (Allen) ; 1980, The Border (Leitch) ; 1982, Fake-out (Cimber) ; 1984, Cannonball 2 (Needham) ; 1988, Les prédateurs de la nuit (Franco) ; 1990, Stakes (Zurli) ; 1993, Mind Twister (La manipulatrice) (Olen Ray).

Bon troisième couteau hollywoodien, ce fils d'émigré grec a connu une brusque popularité grâce à la télévision où il fut l'inspecteur « Kojak ». Du coup il promena son crâne rasé dans des séries Z.

Sax, Guillaume de

Acteur français, 1889-1946.

1937, Les gens du voyage (Feyder) ; 1938, J'étais une aventurière (Bernard), Un de la Canebière (Pujol), Ernest le Rebelle (Christian-Jaque), Le récif de corail (Gleize) ; 1939, Trois valses (Berger) ; Deuxième bureau contre Kommandantur (Jayet), Angelica (Choux), Rappel immédiat (Mathot), L'or du Cristobal (Stelli) ; 1941, Ne bougez plus (Caron), Péchés de jeunesse (Tourneur) ; 1942, L'amant de Bornéo (Le Hénaff), Picpus (Pottier), Mam'zelle Bonaparte (Tourneur), Pontcarral (Delannoy), Le voyageur de la Toussaint (Daquin), La vie de bohème (L'Herbier), Forte tête (Mathot), La fausse maîtresse (Cayatte), Défense d'aimer (Pottier), La main du diable (Tourneur) ; 1943, Adémaï bandit d'honneur (Grangier), La ferme aux loups (Pottier), Vautrin (Billon), Vingt-cinq ans de bonheur (Jayet) ; 1944, Farandole (Zwobada) ; 1945, Les clandestins (Chotin), L'invité de la onzième heure (Cloche).

Protégé (et un peu plus) de Cécile Sorel, ce descendant des Ségur, à la mâle prestance, a incarné les notables (*Le voyageur de la Toussaint*), les gouverneurs (*Vautrin*) ou les officiers prussiens (*Deuxième Bureau contre*

Kommandantur) dans plusieurs films de la grande époque du cinéma français. Comment ne pas lui rendre hommage ?

Saxon, John

Acteur américain, de son vrai nom Carmen Orrico, né en 1935.

1954, It Should Happen to You (Une femme qui s'affiche) (Cukor), A Star Is Born (Une étoile est née) (Cukor) ; 1955, Running Wild (A. Biberman) ; 1956, Rock Pretty Baby (Bartlett), The Unguarded Moment (L'enquête de l'inspecteur Graham) (Keller) ; 1958, This Happy Feeling (Le démon de midi) (Edwards), The Restless Years (Käutner), The Reluctant Debutante (Qu'est-ce que maman comprend à l'amour ?) (Minnelli), Summer Love (Haas) ; 1959, Cry Tough (Stanley), The Big Fisherman (Simon le pêcheur) (Borzage) ; 1960, The Plunderers (La rançon de la peur) (Pevney), The Unforgiven (Le vent de la plaine) (Huston), Portrait in Black (Meurtre sans faire-part) (Gordon) ; 1961, Posse from Hell (Les cavaliers de l'enfer) (Coleman) ; 1962, Agostino (Bolognini), Mr. Hobbs Takes a Vacation (Mr. Hobbs prend des vacances) (Koster), War Hunt (Le mal de tuer) (D. Sanders) ; 1963, La ragazza che sapeva troppo (La fille qui en savait trop) (Bava), The Cardinal (Le cardinal) (Preminger) ; 1964, Sette contro la morte (Bianchini, Ulmer) ; 1965, The Ravagers (E. Romero), The Night Caller (Gilling) ; 1966, Queen of Blood (Harrington), The Appaloosa (L'homme de la sierra) (Furie) ; 1968, I tre che sconvolsero il West – Vado, vedo e sparo (Castellari), For Singles Only (Dreifuss) ; 1969, Death of a Gunfighter (Une poignée de plomb) (Siegel, Totten) ; 1972, Joe Kidd (Joe Kid) (Sturges) ; 1973, Mr. Kingstreet's War (Rubens), Baciamo le mani (Schiraldi), Enter the Dragon (Opération Dragon) (Clouse) ; 1974, Metralleta « Stein » (De la Loma), Black Christmas (Clark) ; 1975, The Swiss Conspiracy (Arnold), Mitchell (Liquidez l'inspecteur Mitchell) (McLaglen) ; 1976, Napoli violenta (SOS Jaguar, opération casseurs) (Lenzi), La legge violenta della squadra anticrimine (Massi), Una magnum special per Tony Saitta (De Martino), Italia a mano armata (Girolami) ; 1977, Raid on Entebbe (Raid sur Entebbé) (Kershner), Moonshine County Express (Trikonis), Mark colpisce ancora (Massi), Il cinico, l'infame, il violento (Lenzi) ; 1978, Shalimar (Shah), The Glove (Hagen), The Bees (Zacharias) ; 1979, The Electric Horseman (Le cavalier électrique) (Pollack), Fast Company (Cronenberg) ; 1980, Running Scared (Glicker), Beyond Evil (Freed), Apocalisse domani (Margheriti), Battle Beyond the Stars (Les mercenaires de l'espace) (Murakami) ; 1981, Blood Beach (Bloom) ; 1982, Tenebrae (Ténèbres) (Argento), Una donna dietro la porta (Tosini), Assassinio al cimitero etrusco (Martino), Wrong Is Right/The Man with the Deadly Lens (Meurtres en direct) (Brooks) ; 1983, Desire (E. Romero, The Big Score (Williamson) ; 1984, A Nightmare on Elm Street (Les griffes de la nuit) (Craven) ; 1985, Fever Pitch (La fièvre du jeu) (R. Brooks) ; 1986, Atomic Cyborg (Le Cyborg aux mains de pierre) (Martino, sous le pseudonyme de Dolman) ; 1987, A Nightmare on Elm Street 3 : Dream Warriors (Les griffes de la nuit 3) (Russell), House Made of Dawn (Morse), Death House (Marino) ; 1988, Nightmare Beach (Lenzi) ; 1989, My Mom's a Werewolf (Fischa), Crossing the Line (Graver), Criminal Act (Byers) ; 1990, The Last Samurai (Mayersberg), The Final Alliance (DiLeo), Blood Salvage (Johnston), The Arrival (Schmoeller), Aftershock (Harris) ; 1992, Maximum Force (Merhi), Hellmaster (Schulze), Animal Instincts (Dark) ; 1993, No Escape, No Return (Kanganis) ; 1993, Jonathan degli orsi (Castellari), Frame-Up II : The Cover-Up (P. Leder), The Baby Doll Murders (P. Leder) ; 1994, Wes Craven's New Nightmare (Freddy sort de la nuit) (Craven), Killing Obsession (P. Leder), Beverly Hills Cop III (Le flic de Beverly Hills III) (Landis) ; 1995, Nonstop Pyramid Action (Gold), The Killers Within (P. Leder) ; 1996, From Dusk Till Dawn (Une nuit en enfer) (Rodriguez) ; 1997, Lancelot : Guardian of Time (Cruz) ; 1998, Joseph's Gift (Mora) ; 1999, The Party Crashers (Leirness) ; 2001, Night Class (Wilson).

Très classe, il est mannequin avant de débuter à l'écran pendant les années 50, s'imposant dans des rôles de jeunes rebelles. Après un bref passage à l'affiche de films « honorables » (notamment chez Cukor, Borzage et Preminger), il émigre en Italie (le pays de sa mère), où il devient un incontournable de la série B. Des policiers, des westerns spaghetti, un film de karaté ultracélèbre (*Opération Dragon*, avec Bruce Lee) et, surtout, beaucoup de films d'horreur dont il se fait une spécialité. A part un passage dans les feuilletons « Falcon Crest » et « Dynasty », il ne sortira dès lors plus de l'ornière du film dit d'« exploitation ».

Scacchi, Greta

Actrice anglaise née en 1960.

1983, Heat and Dust (Chaleur et poussière) (Ivory), Das zweite Gesicht (Graf) ; 1985, Coca-Cola Kid (Coca-Cola Kid) (Makavejev),

Burke and Wills (Clifford), Defence of the Realm (Drury) ; 1986, Good Morning Babilonia (Good morning Babylone) (P. et V. Taviani) ; 1987, Un homme amoureux (Kurys), White Mischief (Sur la route de Nairobi) (Radford) ; 1988, Paura e amore (Trois sœurs) (Von Trotta), La donna della luna (Zagarrio) ; 1990, Presumed Innocent (Présumé innocent) (Pakula), Turtle Beach (Wallace) ; 1991, Fires Within (Armstrong), Shattered (Troubles) (Petersen) ; The Player (The Player) (Altman) ; 1992, Salt On Our Skin (Les vaisseaux du cœur) (Birkin) ; 1993, The Browning Version (Les leçons de la vie) (Figgis), Country Life (Blakemore) ; 1994, Jefferson in Paris (Jefferson à Paris) (Ivory) ; 1995, Emma (Emma l'entremetteuse) (McGrath) ; 1996, Cosi (M. Joffe), The Serpent's Kiss (Le baiser du serpent) (Rousselot) ; 1997, Tom's Midnight Garden (Carroll), The Red Violin (Le violon rouge) (Girard) ; 1998, The Manor (Berris), Ladies Room (Cristiani) ; 1999, Cotton Mary (Cotton Mary) (Merchant), Looking for Alibrandi (Woods) ; 2000, One of the Hollywood Ten (Francis) ; 2003, Una strano crimine (Andò), Baltic Storm (Leder) ; 2004, Sotto falso nome (Le prix du désir) (Andò).

Extraordinaire interprétation du rôle de Diana Broughton (le personnage a réellement existé) dans *Sur la route de Nairobi*. Une beauté sensuelle à couper le souffle. Éblouissante dans *Troubles*, l'ingénieux thriller de Petersen, elle est l'épouse infidèle des *Leçons de la vie*. On peut également l'admirer dans *Jefferson à Paris*.

Scheider, Roy

Acteur américain né en 1932.

1964, The Curse of the Living Corpse (Del Tenney) ; 1969, Stiletto (Kowalski) ; 1970, Loving (Kershner), Puzzle of a Downfall Child (Portrait d'une enfant déchue) (Schatzberg) ; 1971, Klute (Pakula), The French Connection (Friedkin) ; 1972, L'attentat (Boisset) ; 1973, Un homme est mort (Deray), The Seven Ups (Police puissance sept) (D'Antoni) ; 1974, Sheila Levine Is Dead and Living in New York (Furie) ; 1975, Jaws (Les dents de la mer) (Spielberg) ; 1976, Marathon Man (Schlesinger) ; 1977, Wages of Fear (Le convoi de la peur) (Friedkin) ; 1978, Jaws 2 (Les dents de la mer, 2) (Szwarc) ; 1979, The Last Embrace (Demme), All That Jazz (Que le spectacle commence) (Fosse) ; 1981, Stab ; 1982, Still of The Night (La mort aux enchères) (Benton) ; 1983, Blue Thunder (Tonnerre de feu) (Badham) ; 1985, 2010 (2010) (Hyams), Mishima (Mishima) (Schrader), 1986, 52 Pickup (Paiement cash) (Frankenheimer), The Men's Club (Men's Club) (Medak) ; 1989, Listen to Me (Une chance pour tous) (Stewart) Night Game (Meurtres en nocturne) (Masterson) ; 1990, The Fourth War (Frankenheimer) ; 1991, The Russia House (La maison Russie) (Schepisi), The Naked Lunch (Le festin nu) (Cronenberg) ; 1993, Romeo Is Bleeding (Romeo Is Bleeding) (Medak), Seaquest (Kershner) ; 1996, The Myth of Fingerprints (Back Home) (Freundlich), Plato's Run (Becket) ; 1997, The Peacekeeper (Forrestier), The Rainmaker (L'idéaliste) (Coppola), The Driver (Merhi), The Rage (Furie) ; 1998, Silver Wolf (Svatek) ; 1999, RKO 281 (Citizen Welles) (B. Ross) ; 2000, Chain of Command (Terlesky) ; 2004, The Punisher (The Punisher) (Hensleigh).

Venu du New Jersey, il commence une carrière théâtrale en jouant du Shakespeare. Ses débuts au cinéma sont modestes (il n'est pas crédité dans *Star* de Wise) et ne devient vedette qu'en interprétant le shérif de *Jaws*. Son physique quelconque lui permet d'être un aventurier raté (*Wages of Fear*) ou un policier avec la même vraisemblance, mais en construisant toujours ses personnages de l'extérieur.

Schell, Maria

Actrice suisse d'origine autrichienne, de son vrai nom Margarete Schell-Noe, 1926-2005.

1942, Steibruch (Steiner) ; 1947, Der Engel mit der Posaune (Hartl) ; 1948, Die letzte Nacht (York) ; 1951, Dr. Holl (Hansen), The Magic Box (Boulting) ; 1952, So Little Time (Je ne suis pas une héroïne) (C. Bennett) ; 1953, The Heart of the Matter (Le fond du problème) (O'Ferral), Solange du da bist (Braun), Das Tagebuch einer Verliebten (Journal d'une amoureuse) (Baky) ; 1954, Die letzte Brücke (Le dernier pont) (Kautner), Napoléon (Guitry) ; 1955, Herr über Leben und Tod (Dans tes bras) (Vicas), Die Ratten (Les rats) (Siodmak), Gervaise (Clément) ; 1956, Liebe, Rose Bernd (Rose) (Staudte) ; 1957, Le notte bianche (Nuits blanches) (Visconti) ; 1958, The Brothers Karamazov (Les frères Karamazov) (Brooks), Der Schinderhannes (Le brigand au grand cœur) (Kautner), Une vie (Astruc) ; 1959, The Hanging Tree (La colline des potences) (Daves) ; 1960, Cimarron (La ruée vers l'Ouest) (Mann) ; 1961, The Mark (Green), Das Riesenrad (Radvanyi) ; 1962, Ich bin auch nur eine Frau (Weidenmann) ; 1963, L'assassin connaît la musique (Chenal), Zwei Whisky und ein Soda (Grawert) ; 1968, 99 mujeres (Les brûlantes) (Franco), Le diable par la queue (Broca) ;

1969, La provocation (Charpak) ; 1971, Dans la poussière du soleil (Balducci) ; 1974, The Odessa File (Le dossier Odessa) (Neame) ; 1976, Voyage of the Damned (Le voyage des damnés) (Rosenberg), Folies bourgeoises (Chabrol) ; 1978, Just a Gigolo (Gigolo) (Hemmings), Superman (Superman) (Donner) ; 1981, La passante du Sans-Souci (Rouffio) ; 1985, Nineteen Nineteen (Brody).

Vouée aux rôles larmoyants, ce qui n'exclut pas le talent. Elle avait fui Vienne, avec ses parents dont son frère Maximilian, pour la Suisse en 1938. C'est là qu'elle débute à l'écran quatre ans plus tard. Après l'effondrement du Reich, elle devient l'une des principales stars du cinéma allemand et amorce très vite une carrière internationale : en Angleterre, en France (avec Astruc et Chenal) et aux États-Unis (Brooks, Daves avec Cooper pour partenaire, Mann). Carrière un peu dispersée, sans lignes directrices, un peu à la dérive comme le cinéma allemand d'avant Wenders et Fassbinder. On ne s'étonnera pas de la retrouver en Vond-Ah dans *Superman*.

Schell, Maximilian

Acteur et réalisateur autrichien né en 1930.

1954, Kinder, Mutter und ein General (Des enfants, des mères et un général) (Benedek) ; 1955, Der 20 Juli (Harnak), Heifende jugend (Erfurth) ; 1956, Einherz kehrt Heim (York), Ein mädchen aus Flandern (Une fille des Flandres) (Kautner), Die Ehe des dr med. Danwitz (Rabenalt) ; 1957, Taxi Chauffeur Bantz (Duggelin), Die Letzten Werden die ersten sein (Hansen), The Young Lions (Le bal des maudits) (Dmytryk) ; 1958, Ein wunderbaren Sommer (Tressier) ; 1961, Judgement at Nuremberg (Jugement à Nuremberg) (Kramer), Five Fingers Exercise (Mann) ; 1962, The Reluctant Saint (Miracle à Cupertino) (Dmytryk), I sequestrati di Altona (Les séquestrés d'Altona) (De Sica) ; 1964, Topkapi (Topkapi) (Dassin) ; 1965, Beyond the Mountains (Ramati), Return From the Ashes (Le démon est mauvais joueur) (Lee-Thompson) ; 1967, The Desperate Ones (Ramati), The Deadly Affair (M. 15 demande protection) (Lumet), Counterpoint (La symphonie des héros) (Nelson), Krakatoa East of Java (Krakatoa à l'est de Java) (Kowalski), Heidi Kehrt Heim (Mann) ; 1968, Das Schloss (Le château) (Noolte) ; 1969, Simon Bolivar (Blasetti) ; 1970, Erste Liebe (Premier amour) (Schell) ; 1972, Pope Joan (Jeanne, papesse du Diable) (Anderson), Paulina 1880 (Bertucelli) ; 1973, Der Fussganger (Le piéton) (Schell) ; 1974, The Odessa File (Le dossier Odessa) (Neame), The Man In the Glass Both (Hiller) ; 1975, Atentat U Sarajevu (Bulajic), St. Yves (Monsieur St-Yves) (Lee-Thompson) ; 1976, A Bridge Too Far (Un pont trop loin) (Attenborough), Cross of Iron (Croix de fer) (Peckinpah) ; 1977, Julia (Zinneman) ; 1978, Avalanche Express (Robson), Amo non amo ; 1979, Players (Smash) (Harvey) ; 1980, The Black Hole (Le trou noir) (Nelson) ; 1982, The Chosen (L'élu) (Kagan) ; 1983, Les îles (Azimi) ; 1984, Morgen in Alabama (Kückelmann) ; 1985, The Assisi Underground (Ramati) ; 1989, The Rose Garden (Rademakers), The Freshman (Premiers pas dans la mafia) (A. Bergman) ; 1992, A Far Off Place (Kalahari) (Solomon) ; 1993, Justiz (Geissendörfer) ; 1994, Little Odessa (Little Odessa) (Gray) ; 1996, The Vampyre War (Parks), The Eighteenth Angel (Bindley), Telling Lies in America (Ferland) ; 1997, Deep Impact (Deep Impact) (Leder), John Carpenter's Vampires (Vampires) (Carpenter), Left Luggage (Krabbé). *Pour le metteur en scène*, voir le *Dictionnaire du cinéma*. t. I : *Les réalisateurs*.

Fils de la comédienne Noe Von Nordberg et de l'écrivain Hermann-Ferdinand Schell, il se réfugie avec sa famille en Suisse, au moment de l'Anschluss dans les années 30. Il entame une carrière d'acteur en 1954, comme sa sœur Maria Schell. Il dirige plusieurs films dont trois où il ne joue pas : *Erste Liebe* (1970), *Der Richter und sein Henker* (1975), *Geschichten aus dem Wienerwald* (1979). Comme acteur, il gagna un oscar en 1961 pour son apparition dans *Judgement at Nuremberg*. A la télévision, il fut un fascinant *Hamlet* en 1960.

Schenström, Carl

Acteur danois, 1881-1942.

Voir filmographie à Madsen, Harald.

Du couple du gros et du maigre, il était le maigre. Il a joué seul dans *Med fuld Musik* en 1933 et dirigé *Midt i Bjens Hjerte* en 1938.

Schiaffino, Rosanna

Actrice italienne née en 1940.

1956, Totò, lascia o raddopia (Mastrocinque), Orlando e i paladini di Francia (Francisci) ; 1957, Un ettaro di cielo (Casadio) ; 1958, La sfida (Le défi) (Rosi), Il vendicatore (Dieterle) ; 1959, La notte brava (Les garçons) (Bolognini), Ferdinando I, re di Napoli (Franciolini) ; 1960, Le bal des espions (Clément), Teseo contro il Minotauro (Thésée et le Minotaure) (Amadio) ; 1961, L'onorata societa (Pazzaglia), Le crime ne paie pas (Oury),

Le miracle des loups (Hunebelle), La Fayette (Dréville), Il ratto delle Sabine (L'enlèvement des Sabines) (Pottier), I briganti italiani (Camerini) ; 1962, Two Weeks in Another Town (Quinze jours ailleurs) (Minnelli), Axel Munthe, der Arzt von San Michele (Le médecin de San Michele) (Jugert et Capitani), The Victors (Les vainqueurs) (Foreman) ; 1963, Rogopag (Rossellini), The Long Ships (Les drakkars) (Cardiff), Sette contro la morte (Bianchini et Ulmer), La corruzione (Bolognini) ; 1964, El Greco (Salce) ; 1965, La Mandragola (La Mandragore) (Lattuada) ; 1966, La strega in amore (Damiani), The Rover (Peyrol le boucanier) (T. Young) ; 1967, Violenza per una monaca (Buchs) ; 1969, Simon Bolivar (Blasetti), Scacco alla regina (Festa Campanile) ; 1971, Sette volte sette (Lupo), La betia, ovvero in amore per ogni gaudenzia ci vuole sofferenza (De Bosio), Trastavere (Tozzi) ; 1973, Gli Eroi (Les enfants de chœur) (Tessari), Lo chiamavano Mezzogiorno (Collinson), Il magnate (Grimaldi) ; 1974, L'assassino fra riservato 9 poltrone (Bennati), Il testimone deve tacere (Rosati) ; 1975, Cagliostro (Pettinari).

Populaire vedette italienne qui passe du mélodrame au péplum, du thriller à la comédie avec l'aisance que donne la beauté.

Schildkraut, Joseph

Acteur américain d'origine autrichienne, 1895-1964.

Principaux films : 1922, Orphans of the Storm (Les deux orphelines) (Griffith) ; 1925, The Road To Yesterday (DeMille) ; 1927, King of Kings (Le roi des rois) (DeMille), Cleopatre (Cléopâtre) (DeMille) ; 1936, The Garden of Allah (Le jardin d'Allah) (Boleslavsky) ; 1937, The Life of Emile Zola (La vie d'Émile Zola) (Dieterle) ; 1938, Marie-Antoinette (Marie-Antoinette) (Van Dyke), Suez (Suez) (Dwan), The Mean in the Iron Mask (L'homme au masque de fer) (Whale) ; 1940, The Shop around The Corner (Rendez-Vous) (Lubitsch) ; 1959, The Diary of Anne Frank (Le journal d'Anne Frank) (Stevens).

Fils du grand acteur autrichien Rudolph Schildkraut, il a tenu à l'écran quelques rôles mémorables de méchant : le libertin des *Deux orphelines* ou le duc d'Orléans dans *Marie-Antoinette.*

Schneider, Magda

Actrice allemande, 1908-1996.

1932, Zwei in einem Auto (Deux dans une auto) (May), Das Lied einer Nacht (La chanson d'une nuit) (Litvak), Ein bisschen Liebe für Dich, Glück üker Nacht (Neufeld), Sehnsucht 202 (Neufeld), Das Testament des Cornelius Gulden (Emo), Fräulein, falsch verbunden (Emo), Kind, ich freu' mich auf dein Kommen (Gerron), Glückliche Reise (Abel) ; 1933, Going Gay (Gallone), Liebelei (Ophuls), Fräulein Liselott (Guter) ; 1934, Geschichten aus dem Wienerwald (Histoires de la forêt viennoise) (Jacoby), Vergissmeinnicht (Genina), Die lustigen Weiber (Hoffmann), Eva (Riemann), Geheimnis eines alten Hauses ; 1936, Die Puppenfee (Emo), Rendez-vous in Wien (Rendez-vous à Vienne) (Janson) ; 1937, Musik für dich, ihr Leinhusar (Son hussard) (Marischka) ; 1939, Die Frau am Scheidewege (Baky) ; 1940, Mädchen im Vorzimmer (Lamprecht). *Dix films entre 1942 et 1954* ; 1954, Mädchenjahre einer Königin (Les jeunes années d'une reine) (Marischka) ; 1955, Sissi, Die Deutschmeister (Sissi) (Marischka) ; 1956, Sissi, die jungen Kaiserin (Sissi impératrice) (Marischka) ; 1957, Sissi, Schicksalsjahre einer Kaiserin (Sissi face à son destin) (Marischka), Das Freimädderlhaus (Sérénade pour trois amours) (Marischka) ; 1958, Robinson soll nicht sterben (Un petit coin de paradis) (Baky).

Chanteuse et danseuse dans la bonne tradition viennoise, elle débute tardivement à l'écran mais va connaître une célébrité mondiale grâce à son personnage de Christine dans *Liebelei.* Le reste vaut ce que valent opérettes autrichiennes et comédies allemandes d'avant-guerre. Magda Schneider chante, pleure, aime et porte la toilette conformément aux usages du Prater. Mère de Romy Schneider, elle va, à partir de 1954, épauler sa fille dans la fameuse série des *Sissi* qui sera son chant du cygne.

Schneider, Maria

Actrice française née en 1952.

1969, César Grand Blaise (Dewever) ; 1970, Madly (Kahane), L'arbre de Noël (Young), Les femmes (Aurel), La vieille fille (Blanc) ; 1971, Hellé (Vadim), What a Flash (Barjol) ; 1972, L'ultimo tango a Parigi (Le dernier tango à Paris) (Bertolucci) ; 1973, Cari genitori (Salerno) ; 1974, Le baiser (Schenk), Profession : reporter (Antonioni) ; 1975, La babysitter (Clément) ; 1977, Merry Go Round (Rivette), Violenta (Schmid), Io sono mia (Scandurra), Sois belle et tais-toi (Seyrig), Voyage au jardin des morts (Garrel) ; 1978, Une femme comme Ève (Van Brakel) ; 1979, La dérobade (Duval), Haine (D. Goult), Schöner Gigolo, armer Gigolo (Just a Gigolo) (Hemmings) ; 1980, Mama Dracula (Szulzinger),

Weisse Reisse (Weisse Reise) (Schroeter) ; 1981, Cercasi Gesu (L'imposteur) (Comencini) ; 1982, Heimat (Heimat) (Reisz) ; 1983, Balles perdues (Comolli) ; 1987, Résidence surveillée (Compain) ; 1989, Bunker Palace Hotel (Bilal) ; 1990, Écrans de sable (Chahal Sabbag) ; 1991, Au pays des Juliets (Charef) ; 1992, Les nuits fauves (Collard) ; 1995, Jane Eyre (Jane Eyre) (Zeffirelli) ; 1997, Something to Believe In (Hough) ; 1999, Les acteurs (Blier).

Fille de Daniel Gélin, elle est d'abord mannequin avant d'être découverte par Delon qui la demande pour *Madly*. C'est *Le dernier tango à Paris* qui la lance. Elle est vouée désormais aux personnages marginaux *(L'imposteur)* et aux films difficiles (Garrel, Schmid).

Schneider, Romy

Actrice d'origine allemande, 1938-1982.

1953, Wenn der weisse Flieder wieder blüht (Lilas blancs) (Deppe), Feuerwerk (Feu d'artifice) (K. Hoffmann) ; 1954, Mädchenjahre einer Königin (Les jeunes années d'une reine) (Marischka) ; 1955, Die Deutschmeister (Mam'zelle Cricri) (Marischka), Der letzte Mann (Mon premier amour) (Braun), Sissi (Marischka) ; 1956, Sissi, Die Junge Kaiserin (Sissi impératrice) (Marischka), Kitty (Kitty) (Weidenmann), Robinson soll nicht sterben (Un petit coin de paradis) (Von Baky) ; 1957, Monpti (Kautner), Mademoiselle Scampolo (Weidenmann), Sissi (Sissi face à son destin) (Marischka) ; 1958, Mädchen in Uniform (Jeunes filles en uniforme) (Radvanyi), Christine (Gaspard-Huit) ; 1958, Eva (Thiele) ; 1959, Ein Enge auf Erden (Mademoiselle Ange) (Radvanyi), Die Schöne Lügnerin (La belle et l'empereur) (Von Ambesser), Katia (Siodmak), Plein soleil (Apparition) (Clément) ; 1961, Boccace 70 (Visconti), Le combat dans l'île (Cavalier) ; 1962, Le procès (Orson Welles), The Victors (Les vainqueurs) (Foreman), L'amour à la mer (Gilles) ; 1963, The Cardinal (Preminger) ; 1964, Good Neighbour Sam (Prête-moi ton mari) (Swift) ; 1965, What's New Pussycat ? (Donner), Dix heures et demie du soir en été (Dassin) ; 1966, La Voleuse (Chapot), Triple cross (La fantastique histoire d'Eddie Chapman) (Terence Young) ; 1968, Otley (D. Clement), La Piscine (Deray) ; 1969, My Love, My Son (Newland), Les choses de la vie (Sautet) ; 1970, Qui ? (Kiegel), Bloomfield (Harris), La Califfa (Bevilacqua), Max et les ferrailleurs (Sautet) ; 1971, L'assassinat de Trotsky (Losey) ; 1972, Ludwig (Le crépuscule des dieux) (Visconti), César et Rosalie (Sautet) ; 1973, Le train (Granier-Deffere), Un amour de pluie (Brialy), Le mouton enragé (Deville) ; 1974, Le trio infernal (Girod), L'important c'est d'aimer (Zulawski), Les innocents aux mains sales (Chabrol) ; 1975, Le vieux fusil (Enrico) ; 1976, Une femme à sa fenêtre (Granier-Deferre), Mado (Sautet) ; 1977, Portrait de groupe avec dame (Petrovic) ; 1978, Une histoire simple (Sautet) ; 1979, Blood Line (Liés par le sang) (Young), Clair de femme (Costa-Gavras), La mort en direct (Tavernier) ; 1980, La banquière (Girod), Fantasma d'amore (Fantôme d'amour) (Dino Risi) ; 1981, Garde à vue (Miller), La passante du Sans-Souci (Rouffio).

Fille de deux comédiens, Magda Schneider, l'interprète de *Liebelei* d'Ophuls, et Wolf Albach-Retty, elle débute à quinze ans, au côté de sa mère, dans *Wenn der weisse Flieder wieder blühr*t (Lilas blancs) de Deppe. Le succès est immédiat. Un personnage se crée, celui de Sissi. Romy Schneider est pour trois films Sissi ; elle est la jeune fille allemande, telle qu'on l'imagine dans une dizaine de comédies d'une légèreté toute teutonique. *Le procès* puis *La piscine* marquent un tournant dans une carrière qui s'annonçait désastreuse. L'idylle avec Delon masque une mutation profonde. Utilisée à contre-courant de son personnage par Welles dans *Le procès*, elle devient une star internationale et donne l'image d'une femme belle et libre. Elle est dirigée par Visconti, Losey, Sautet, Costa-Gavras... Elle tourne film sur film, est lauréate du premier césar en 1976 pour *L'important c'est d'aimer* et en remporte un deuxième en 1979 pour *Une histoire simple*. Mais déjà une fêlure apparaît avec *Fantasma d'amore* de Risi. La mort de son fils puis la maladie ont raison d'elle. Elle disparaît en pleine gloire.

Schreck, Max

Acteur allemand, 1870-1936.

1921, Am Narrenseil ; 1922, Der Favorit der Königin, Nosferatu, eine Symphonie des Grauens (Nosferatu) (Murnau), Pique Ass ; 1923, Der Kaufmann von Venedig, Die Strasse (La rue) (Grune), Dudu, Die Finanzen des Grossherzogs (Les finances du Grand-Duc) (Murnau) ; 1925, Die gefundene Braut, Krieg im Frieden, Der rosa Diamant ; 1927, Der alte Fritz, Am Rande der Welt, Luther, Dona Juana, Der Sohn der Hagar ; 1928, Der Kampf der Tertia, Das Mädchen von der Strasse, Moderne Piraten, Rasputins Liebes anemeuer (Malikoff), Die Republik der Backfische, Ritter der Nacht, Serenissimus und die letzte Jungfrau, Wolga Wolga ; 1929, Ludwig der Zweite, König von Bayern ; 1930, Das

Land des Lächelns ; 1931, Im Banne der Berge ; 1932, Muss man sich gleich scheiden Lassen ? Die Nacht der Versuchung, Ein Mann mit Herz, Die Verkaufte Braut, Fürst Seppl, Peter Voss, der Milliondieb ; 1933, Der Tunnel (Bernhardt), Ein Kuss in der Sommernacht, Das verliebte Hotel, Roman einer Nacht, Eine Frau wie Du, Fraulein Hoffmanns Erzählungen ; 1935, Der Schlafwagenkontrolleur ; 1936, Donogoo Tonka (Schünzel), Die letzten Vier von Santa Cruz (Klingler).

La légende veut que Nosferatu n'ait pas eu d'interprète ; un acteur mystérieux aurait tenu le rôle. Ce serait le vampire lui-même. En fait ce fut Schreck, mais comme les films qu'il devait tourner ensuite sont pour la plupart perdus ou invisibles depuis longtemps, Schreck est resté l'acteur d'un seul film et de quel film ! De là l'obscurité qui l'entoure et la légende de *Nosferatu*.

Schubert, Karin

Actrice suédoise née en 1944.

1968, Willst du ewig Jungfrau bleiben ? (Frank), Samoa, regina della giunglia (Malatesta), Io ti amo (Margheriti, sous le pseudonyme de Dawson) ; 1969, Ore di terrore (Leoni) ; 1970, ¡ Vamos a matar, compañeros ! (Compañeros) (S. Corbucci), Satiricosissimo (Laurenti), Una spada per Branda (Caltabiano), Pussycat, Pussycat I Love You (Amateau) ; 1971, Scusi, ma lei le paga le tasse ? (Guerrini), Il prete sposato (Vicario), Gli occhi freddi della paura (Castellari), La folie des grandeurs (Oury), Due maghi del pallone (Laurenti) ; 1972, Tutti per uno, botti per tutti (Les rangers défient les karatékas) (B. Corbucci), Racconti proibiti... di niente vestiti (Rondi) ; 1972, La punition (P.-A. Jolivet) Bluebeard (Barbe-Bleue) (Dmytry), L'attentat (Boisset) ; 1973, Valse à trois (Rivard), Quel gran pezzo della ubalda tutta nuda e tutta calda (Laurenti) ; 1974, Questa volta ti faccio rico ! (Parolini), Il pavone nero (Civirani), Mio dio como sono caduta in basso ! (Mon Dieu comment suis-je tombée aussi bas ?) (Comencini), Il bacio di una morta (Infascelli), L'ammazzatina (Dolce) ; 1975, La casa della paura (Rose), L'uomo che sfido l'organizzazione (Grieco), Lo sgarbo (Girolami), Emanuelle nera (Black Emanuelle en Afrique) (Albertini) ; 1976, La muerte ronda a Mónica (Fernandez), Frittata all'italiana (Brescia), La dottoressa sotto il lenzuolo (Martucci), Cuando los maridos se iban a la guerra (Fernandez) ; 1977, Emanuelle – perché violenza alle donne ? (D'Amato) ; 1978, Missile X – Geheimauftrag Neutronenbombe (Martinson) ; 1979, Une femme spéciale (Pallardy) ; 1980, L'infirmiera nella corsia dei militari (L'infirmière de l'hosto du régiment) (Laurenti), Lo scoiattolo (Zurli) ; 1983, Invierno en Marbella (Madrid), Black Venus (Mulot) ; 1984, Panther Squad (Commando Panthère) (Chevalier, sous le pseudo de P. Knight), Christina (Polop), Hanna D (A 16 ans dans l'enfer d'Amsterdam) (Mattei) ; 1985, Morbosamente vostra (Bianchi) ; 1986, Karin l'ingorda (Test), Ricordi di notte (Di Tosto) ; 1987, Poker di donne (D'Agostino), Osceno (Antonio D'Agostino), The Devil in Mr. Holmes (Grand), Born for Love (Alexander) ; 1988, Karin moglie vigliosa (Grand), Karin e Barbara supersexystar (Grand) ; 1989, La Parisienne (Dino), Mafia Connection (Dino), Eravamo così (Mills), Wiener Glut (Jones) ; 1993, Le avventure erotix di Cappuccetto Rosso (Lo Cascio) ; 1994, Enfoncées bien à fond (Berko).

Reine teutonne dans *La folie des grandeurs* (son seul film connu), elle figure dans ce dictionnaire pour l'étrangeté de sa carrière : débutante blonde et sexy à l'aise dans la comédie bavaroise, elle donne ensuite dans la série B italienne, puis bifurque vers la polissonnerie avant d'entamer, à l'âge de quarante ans, une très fructueuse carrière dans l'industrie pornographique ! Elle est extraordinaire dans *La punition*, l'un des films les plus sadiques de l'histoire du cinéma.

Schutz, Maurice

Acteur français, 1866-1955.

1913, Nick Winter (Garbagni), Sa gosse (Desfontaines), Le méchant homme (Marsan), Au-delà des lois humaines (Roudès) ; 1916, Les vampires (Feuillade) ; 1919, L'âtre (Boudrioz) ; 1920, Irène (Roudès) ; 1921, Lily Vertu (Bompard), Fromont Jeune et Risler Aîné (Krauss), Prisca (Roudès), La douloureuse comédie (Bergerat), L'empereur des pauvres (Leprince), Maître Evora (Roudès) ; 1922, Pour toute la vie (Perojo) ; 1923, Le petit Jacques (Lannes), Les opprimés (Henry Roussel), Le crime des hommes (Roudès), Le petit moineau de Paris (Roudès), Gossette (Dulac), La mendiante de Saint-Sulpice (Burguet) ; 1924, Les Rantzau (Roudès), Faubourg Montmartre (Burguet), Le fantôme du Moulin-Rouge (Clair), Le Vert-Galant (Leprince), La vierge au portrait (Durec) ; 1925, Veille d'armes (Baroncelli), Le voyage imaginaire (Clair), La course au flambeau (Luitz-Morat), Jean Chouan (Luitz-Morat) ; 1926, Le juif errant (Luitz-Morat), Mauprat (Epstein), L'agonie de Jérusalem (Duvivier) ; 1928, Verdun, visions d'histoire (Poirier), La passion de

Jeanne d'Arc (Dreyer) ; 1930, L'Arlésienne (Baroncelli) ; 1931, Vampyr (Vampyr) (Dreyer) ; 1932, La mille et deuxième nuit (Barberis), Gitanes (Baroncelli), Fantômas (Fejos) ; 1933, Le petit roi (Duvivier) ; 1935, Adémaï au Moyen Age (Marguenat), Pasteur (Guitry) ; 1936, L'appel du silence (Poirier) ; 1938, Remontons les Champs-Élysées (Guitry), Raphaël le tatoué (Christian-Jaque), Werther (Ophuls) ; 1939, La fin du jour (Duvivier) ; 1942, Adémaï bandit d'honneur (Grangier), La symphonie fantastique (Christian-Jaque), Goupi Mains rouges (Becker), La nuit fantastique (L'Herbier), Le camion blanc (Joannon), La chèvre d'or (Barbéris) ; 1943, Jeannou (Poirier), Les Roquevillard (Dreville), Vautrin (Billon) ; 1944, La grande meute (Limur) ; 1945, Un ami viendra ce soir (Bernard), L'assassin n'est pas coupable (Delacroix), La fille du diable (Decoin) ; 1946, Coïncidences (Debècque), Le village de la colère (André) ; 1947, Fantômas (Sacha), Danger de mort (Grangier) ; 1948, Le diable boiteux (Guitry) ; 1949, Histoires extraordinaires (Faurez), Retour à la vie (Clouzot, Dréville, etc.), Miquette et sa mère (Clouzot), Adémaï au poteau frontière (Colline), Ronde de nuit (Campaux), L'extravagante Théodora (Lepage) ; 1950, Le jugement de Dieu (Bernard) ; 1951, Une fille à croquer (André).

Un masque taillé dans le bois, osseux et ridé. Venu de l'Odéon, après le Conservatoire, partenaire de Réjane, Sarah Bernhardt et Lucien Guitry, il débute au cinéma en 1913. Son meilleur rôle est celui du juge dans *La passion de Jeanne d'Arc*. Avec le parlant, il se contenta de petits rôles : Louis XIV vieux dans *Remontons les Champs-Élysées*, Goupi l'Empereur dans *Goupi Mains rouges* et Éloi des Forges dans le vichyssois *Jeannou*.

Schwarzenegger, Arnold

Acteur autrichien naturalisé américain né en 1947.

1970, Hercules in New York (Seidelman) ; 1973, The Long Good-bye (Le privé) (Altman) ; 1976 ; Stay Hungry (Rafelson) ; 1977, Pumping Iron (Arnold le magnifique) (Butler et Fiore) ; 1979, The Villain (Cactus Jack) (Needham), Scavenger Hunt (Schultz) ; 1981, Conan (Conan le Barbare) (Milius) ; 1983, Conan the Destroyer (Conan II) (Fleischer) ; 1985, Terminator (Terminator) (Cameron), Red Sonja (Kalidor) (Fleischer), Commando (Commando) (Lester) ; 1986, Raw Deal (Le contrat) (Irvin) ; 1987, Predator (Predator) (McTierman), The Running Man (Running Man) (Glaser) ; 1988, Red Heat (Double détente) (Hill) ; 1989, Twins (Jumeaux) (Reitman) ; 1990, Total Recall (Total Recall) (Verhoeven), Kindergarten Cop (Un flic à la maternelle) (Reitman) ; 1991, Terminator 2 : Judgment Day (Terminator 2 : Le jugement dernier) (Cameron) ; 1992, Last Action Hero (Last Action Hero) (McTiernan) ; 1993, Dave (Président d'un jour) (Reitman) ; 1994, True Lies (True Lies) (Cameron), Junior (Junior) (Reitman) ; 1996, Eraser (L'effaceur) (Russell), Jingle all the Way (La course au jouet) (Levant) ; 1997, Batman and Robin (Batman & Robin) (Schumacher) ; 1999, End of Days (La fin des temps) (Hyams) ; 2000, The 6th Day (A l'aube du sixième jour) (Spottiswoode) ; 2001, Collateral Damage (Dommage collatéral) (Davis) ; 2003, Terminator 3 (Terminator 3) (Mostow) ; 2004, Around the World in 80 Days (Le tour du monde en 80 jours) (Coraci) ; 2004, The Rundown (Bienvenue dans la jungle) (Berg) ; 2005, How Arnold Won the West (Arnold à la conquête de l'Ouest) (Cooke).

Né à Graz en Autriche, il fut, grâce à son impressionnante musculature, quatre fois monsieur Univers. Remarqué dans *Stay Hungry*, il fit sensation dans *Conan*. Il peut n'avoir pas toujours le beau rôle (*Terminator*) et vaut mieux que les films — souvent faibles quant au scénario — qu'il interprète. Cette masse de muscles est riche en humour. Par deux fois il se moque de son personnage : dans *Last Action Hero*, film pirandellien, il est un policier mythique ; dans *Junior*, le voilà médecin ayant inventé un produit permettant une grossesse idéale et enceint lui-même. Mais ses fans n'ont pas suivi et ces deux films furent des échecs commerciaux. Il est revenu avec *Terminator 3* à des rôles plus conformes à sa légende. Désormais il se tourne vers la politique et se fait élire, en 2003, au poste de gouverneur de Californie.

Schweig, Eric

Acteur canadien né en 1967.

Principaux films : 1992, The Last of the Mohicans (Le dernier des Mohicans) (Mann) ; 1994, Squanto : A Warror's Tale (Koller) ; 1995, The Scarlet Letter (Les amants du Nouveau Monde) (Joffé) ; 2000, Big Eden (Bezucha) ; 2002, Skins (Eyre) ; 2003, The Missing (Les disparues) (Howard).

D'origine inuit et allemande, il débute au théâtre comme comédien en 1987 dans *The Craddle Will Fall*. Il s'impose dans les rôles de méchant avec sa remarquable composition d'Indien cruel et sans pitié, le Chidin des *Disparues*.

Schweiger, Til

Acteur allemand, de son vrai prénom Tilman, né en 1963.

1991, Manta, Manta (Büld) ; 1993, Ebbies Bluff (Rudolph) ; 1994, Der Bewegte Mann (Les nouveaux mecs) (Wortmann) ; 1995, Bunte Hunde (Becker) ; 1996, Männerpension (Buck), Das Superweib (Wortmann) ; 1997, Brute (Brute) (Dejczer), Knockin' on Heaven's Door (Paradis express) (Jahn) ; 1998, S.L.C. Punk ! (Merendino), The Replacement Killers (Un tueur pour cible) (Fuqua), Judas Kiss (Judas Kiss) (Gutierrez) ; 1999, Der Eisbär (Henman, Schweiger), Bang Boom Bang – Ein Todischeres Ding (Thorwarth), Der Grosse Bagarozy (Eichinger) ; 2000, Investigating Sex (Rudolph), Jetzt oder nie – Zeit ist Geld (Büchel), Magicians (Merendino), Driven (Harlin).

Nouveau chouchou des petites Allemandes depuis ses prestations sexy (*Les nouveaux mecs*) ou dramatiques (le malade condamné qui décide de profiter à fond de ses derniers jours à vivre dans *Paradis express*). S'oriente rapidement vers les États-Unis, où il cherche encore sa place.

Schygulla, Hanna

Actrice allemande née en 1943.

1968, Der Bräutigan, die Komödiantin und der Zuhalter (Le fiancé, la comédienne et le maquereau) (c.m., Straub et Huillet) ; 1969, Liebe ist kälter als Tod (L'amour est plus froid que la mort) (Fassbinder), Katzelmacher (Fassbinder), Baal (Schlöndorff), Götter der Pest (Fassbinder), Warum läuft Herr K. Amok ? (Fassbinder), Jagdszenen aus Niederbayern (Scènes de chasse en Bavière) (Fleischmann) ; 1970, Rio das Mortes (Fassbinder), Whity (Fassbinder), Warnung vor einer heilige Nutte (Prenez garde à la sainte Putain) (Fassbinder), Pionere in Ingolstadt (Fassbinder), Matthias Kneissl (Hauff), Das Kaffeehaus (t.v., Fassbinder), Kuckucksei im Gangsternest (Spieker) ; 1971, Der Handler der vier Jahrezeiten (Le marchand des quatre saisons) (Fassbinder), Jacob von Günten (Lilienthal), Acht Stunden sind kein Tag (t.v., Fassbinder) ; 1972, Wildwechsel (Gibier de passage) (Fassbinder), Bremer Freiheit (t.v., Fassbinder), Die bittere Tränen der Petra von Kant (Les larmes amères de Petra von Kant) (Fassbinder) ; 1974, Fontane Effi Briest (Effi Briest) (Fassbinder), Falsche Bewegung (Faux mouvement) (Wenders) ; 1975, Ansichten eines Clown (Jasny), Der Stumme (Meili) ; 1976, Die Heimkehr des alten Herren (Jasny) ; 1978, Berlin Alexanderplatz (t.v., Fassbinder), Die Ehe der Maria Braun (Le mariage de Maria Braun) (Fassbinder) ; 1979, Der dritte Generation (La troisième génération) (Fassbinder) ; 1980, Lili Marleen (Lily Marleen) (Fassbinder) ; 1981, Die Fälschung (Le faussaire) (Schlöndorff) ; 1982, La nuit de Varennes (Scola), Passion (Godard) ; 1983, Heller Wahn (L'amie) (von Trotta), Antonietta (Antonietta) (Saura), Storia di Piera (L'histoire de Piera) (Ferreri), Un amour en Allemagne (Wajda) ; 1984, Il futuro e donna (Le futur est femme) (Ferreri) ; 1986, The Delta Force (Delta force) (Golan) ; 1987, Forever Lulu (Kollek) ; 1988, L'heureux été de Madame Forbes (Hermosillo), Miss Arizona (Sandor) ; 1990, Aventure de Catherine C. (Beuchot), Abraham Gold (Graser), Dead Again (Dead again) (Branagh) ; 1991, Warszawa (Warszawa, année 5703) (Kijowski), Golem, l'esprit de l'exil (Gitaï) ; 1992, Ich will nicht nur, dass ihr mich liebt (Pflaum), Das blaue Exil (Kiral) ; 1993, Aux petits bonheurs (Deville), The Petrified Garden (Gitaï) ; 1994, Les cent et une nuits (Varda), Hey Stranger (Woditsch), The Sunset Boys/Pakten (Risan) ; 1996, Lea (Fila), Milim (Gitaï) ; 1997, Chronique (Maillard) ; 1998, Black Out (Karamaghiolis) ; 1999, Werckmeister Harmoniak (Tarr) ; 2004, Janela da alma (Fenêtre sur l'âme) (Jardim et Carvalho) ; 2005, Promised Land (Terre promise) (Gitaï) ; 2006, Vendredi ou un autre jour (Le Moine).

L'admirable interprète des premiers films de Fassbinder, longtemps enfermée dans le ghetto du cinéma allemand, connaît enfin une réputation internationale. Elle fut éblouissante en aristocrate fidèle à Louis XVI chez Scola, passionnante chez Godard, émouvante chez Saura et gagna, grâce à Ferreri, un prix d'interprétation à Cannes.

Sciorra, Annabella

Actrice américaine née en 1964.

1988, True Love (Savoca) ; 1990, Cadillac Man (Cadillac man) (Donaldson), Internal Affairs (Affaires privées) (Figgis), Reversal of Fortune (Le mystère von Bülow) (Schroeder) ; 1991, The Hard Way (La manière forte) (Badham), Jungle Fever (Jungle Fever) (Lee) ; 1992, The Hand That Rocks the Cradle (La main sur le berceau) (Hanson), Whispers in the Dark (Intimes confessions) (Crowe) ; 1993, Mr. Wonderful (Minghella), Romeo is Bleeding (Romeo is Bleeding) (Medak), The Night We Never Met (Chassé-croisé) (Leight) ; 1994, The Cure (Horton), The Addiction (The Addiction) (Ferrara) ; 1995, The Innocent Sleep (Michell), National

Lampoon's Favorite Deadly Sins (Jablin, Leary) ; 1996, The Funeral (Nos funérailles) (Ferrara), Underworld (Underworld) (Christian), Copland (Copland) (Mangold), Little City (Benabib) ; 1997, Mr. Jealousy (Baumbach), How to Visit New York (Grocki), What Dreams May Come (Au-delà de nos rêves) (Ward) ; 1998, New Rose Hotel (New Rose Hotel) (Ferrara) ; 1999, King of the Jungle (Rosenthal).

Mi-américaine mi-française, Spike Lee en fit la victime de discriminations racistes dans *Jungle fever* où elle tombait amoureuse d'un collègue de couleur. Elle est aussi l'épouse fidèle de Gary Oldman dans l'étrange film noir *Romeo is Bleeding*.

Scob, Édith

Actrice française née en 1937.

1958, La tête contre les murs (Franju), Le bel âge (Kast) ; 1959, La ligne de mire (Pollet), Les yeux sans visage (Franju) ; 1961, Le bateau d'Émile (La Patellière), La chambre ardente (Duvivier) ; 1962, L'assassin est dans l'annuaire (Joannon), Thérèse Desqueyroux (Franju) ; 1963, Judex (Franju) ; 1965, Thomas l'imposteur (Franju) ; 1968, Haschisch (Soutter), La voie lactée (Buñuel) ; 1970, Un beau monstre (Gobbi) ; 1971, La vieille fille (Blanc) ; 1974, Erica Minor (Van Effenterre) ; 1975, L'acrobate (Pollet) ; 1976, A chacun son enfer (Cayatte) ; 1982, Mille milliards de dollars (Verneuil) ; 1983, L'été meurtrier (Becker) ; 1988, Radio corbeau (Boisset), Baptême (Féret) ; 1990, Les amants du Pont-Neuf (Carax) ; 1991, On peut toujours rêver (Richard), Rue du Bac (Aghion) ; 1992, La cavale des fous (Pico) ; 1993, Jeanne la pucelle — les prisons (Rivette), Casa de lava (Casa de lava) (Costa) ; 1996, Un air si pur... (Angelo) ; 1998, Vénus Beauté (Institut) (Marshall) ; 1999, Le temps retrouvé (Ruiz), La chambre des magiciennes (Miller), La chambre obscure (Questerbert) ; 2000, Du côté des filles (Decaux-Thomelet), La fidélité (Zulawski), Comédie de l'innocence (Ruiz), Le pacte des loups (Gans), Vidocq (Pitof) ; 2001, Le mal du pays (Bachet), Les âmes fortes (Ruiz) ; 2002, L'homme du train (Leconte), La mentale (Boursinhac) ; 2003, Bon voyage (Rappeneau), Ce jour-là (Ruiz) ; 2005, L'annulaire (Bertrand) ; 2006, Un camion en réparation (Simon) ; 2007, Suzanne (Candas).

Débuts au théâtre mais c'est le cinéma qui la révèle grâce à Franju qui sut mettre en valeur la fragilité de son corps et la douceur de ses grands yeux. Une étonnante poésie se dégage de ses personnages.

Scofield, Paul

Acteur anglais né en 1922.

1955, That Lady (T. Young) ; 1958, Carve Her Name with Pride (Gilbert) ; 1965, The Train (Le train) (Frankenheimer) ; 1966, A Man for All Seasons (Un homme pour l'éternité) (Zinnemann) ; 1967, Tell Me Lies (Brook) ; 1970, King Lear (Brook), Bartleby (A. Friedmann) ; 1972, The Scorpio File (Scorpio) (Winner) ; 1974, A Delicate Balance (Richardson) ; 1984, 1919 (Brody) ; 1986, Mr. Corbett's Ghost (D. Huston) ; 1989, When the Whales Came (Rees) ; 1990, Henry V (Henry V) (Branagh) ; 1991, Hamlet (Hamlet) (Zeffirelli) ; 1992, Utz (Sluizer) ; 1994, Quiz Show (Quiz show) (Redford) ; 1996, The Crucible (La chasse aux sorcières) (Hytner).

Grand acteur anglais de théâtre qui en 1966 gagna un oscar à l'écran pour son interprétation du rôle de Thomas More dans *A Man for All Seasons*. Depuis 1972, il semble se consacrer uniquement à la scène jusqu'à son retour au cinéma où il est un émouvant roi de France dans *Henry V*.

Scott, George C.

Acteur et réalisateur américain, 1927-1999.

1958, The Hanging Tree (La colline des potences) (Daves) ; 1959, Anatomy of a Murder (Autopsie d'un meurtre) (Preminger) ; 1961, The Hustler (L'arnaqueur) (Rossen) ; 1963, The List of Adrian Messenger (Le dernier de la liste) (Huston), Dr. Strangelove... (Dr. Folamour) (Kubrick) ; 1964, The Yellow Rolls Royce (La Rolls-Royce jaune) (Asquith) ; 1966, The Bible (La Bible) (Huston), Not With My Life, You don't (Panama) ; 1967, The Film Flam Man (Une sacrée fripouille) (Kershner) ; 1968, Petulia (Petulia) (Lester) ; 1969, Patton (Patton) (Schaffner) ; 1970, Jane Eyre (Delbert Mann) ; 1971, The Hospital (L'hôpital) (Hiller), They Might Be Giants (Le rivage oublié) (A. Harvey), The Last Run (Les complices de la dernière chance) (Fleischer) ; 1972, The New Centurions (Les flics ne dorment pas la nuit) (Fleischer), Rage (G. Scott) ; 1973, Oklahoma Crude (L'or noir de l'Oklahoma) (Kramer), The Day of the Dolphin (Le jour du dauphin) (Nichols) ; 1974, The Savage is Loose (Scott), Bank Shot (Champion) ; 1975, The Hindenberg (L'odyssée du Hindenburg) (Wise) ; 1976, Islands in the Stream (L'île des adieux) (Schaffner) ; 1977, The Prince and the Pauper (Fleischer) ; 1978, Hardcore (Hardcore) (Schrader), Movie Movie (Folies, folies) (Donen) ; 1979, The Changeling (L'enfant du diable) (Medak) ; 1980, The Formula (La formule) (Avildsen) ; 1981, Taps (Taps) (Becker) ; 1982, The Beastmaster (Dar l'invincible) (Coscarelli) ; 1983, Oliver Twist (Cl. Donner) ; 1984, Firestar-ter (Charlie) (Lester) ; 1990, The Exorcist III (L'exorciste 3) (Blatty) ; 1991, The Silence of the Lambs (Le silence des agneaux) (Deme) ; 1993, Malice (Malice) (Becker) ; 1995, Angus (Angus) (Read Johnson), Country Justice (Campbell), Gloria (Gloria) (Lumet). *Pour le réalisateur*, voir le *Dictionnaire du cinéma*, t. I : *Les réalisateurs*.

Une jeunesse très difficile, de nombreux métiers pas tous avouables. Fort en gueule, arrogant, sûr de lui, il se fait connaître par sa prodigieuse composition de Patton. On pourrait presque parler d'identification ou de résurrection. Scott y gagne l'oscar de 1970 qu'il refuse. C'est la première fois que le cas se produit. L'acteur profite du scandale pour tourner plusieurs films d'inégal intérêt. Puis il décide de se mettre en scène lui-même. Ce sera *Rage*. Le succès n'étant pas au rendez-vous, Scott retourne, après l'échec d'un deuxième film, à la simple condition d'acteur.

Scott, Gordon

Acteur américain, de son vrai nom Scott Werschkul, né en 1927.

1955, Tarzan's Hidden Jungle (Tarzan chez les Soukoulous) (Schuster) ; 1957, Tarzan and the Lost Safari (Tarzan et le safari perdu) (Humberstone) ; 1958, Tarzan's Fight for Life (Humberstone), Tarzan and the Trappers (Haas, Howard) ; 1959, Tarzan's Greatest Adventure (La plus grande aventure de Tarzan) (Guillermin) ; 1960, Tarzan the Magnificent (Tarzan le magnifique) (Day) ; 1961, Romolo e Remo (Romulus et Remus) (S. Corbucci), Maciste contro il vampiro (Maciste contre le fantôme) (S. Corbucci, Gentilomo), Maciste alla corte del Gran Khan (Le géant à la cour de Kubla Khan) (Freda) ; 1962, Una regina per Cesare (Cléopâtre, une reine pour César) (Pierotti, Tourjansky), Il gladiatore di Roma (Le gladiateur de Rome) (Costa), Il giorno più corto (S. Corbucci), Il figlio dello sceicco (Le retour du fils du sheik) (Costa) ; 1963, Zorro e i tre moschiettieri (Zorro et les trois mousquetaires) (Capuano), Il leone di San Marco (Le lion de Saint-Marc) (Capuano), Goliath e la schiava ribelle (Caiano), L'eroe di Babilonia (S. Marcellini), Ercole contro Molock (Hercule contre Molock) (Ferroni), Coriolano : eroe senza patria (La terreur des gladiateurs) (Ferroni) ; 1964, Il colosso di Roma (Ferroni), Buffalo Bill, l'eroe del Far West (Buffalo Bill, le héros du Far-West) (Costa) ; 1966, Gli uomini dal passo pesante (Les forcenés) (Band), Segretissimo (Cerchio) ; 1967, Il raggio infernale (Baldanello).

Après une carrière dans l'armée, il fait tous les métiers dont garde du corps à Los Angeles, où son imposante masse musculaire est repérée par des producteurs. Il sera Tarzan pour la MGM, mais cède sa place quand la mode des physiques plus sveltes revient. Sa carrière se poursuit en Italie dans des films de genre. Le choc des titans : sa rencontre avec Steeve Reeves, l'autre colosse du péplum italien, dans *Rémus et Romulus*.

Scott, Lizabeth

Actrice américaine, de son vrai nom Emma Matzo, née en 1922.

1945, You Came Along (Farrow) ; 1946, The Strange Love of Martha Ivers (L'emprise du crime) (Milestone) ; 1947, Desert Fury (Allen), Dead Reckoning (En marge de l'enquête) (Cromwell), I Walk Alone (L'homme aux abois) (Haskin), Variety Girl (Hollywood en folie) (Marshall) ; 1948, Pitfall (De Toth) ; 1949, Too Late for Tears (La tigresse) (Haskin) ; 1950, Dark City (La main qui venge) (Dieterle), Paid in Full (La rue de traverse) (Dieterle) ; 1951, Two of a Kind (Levin), The Compagny She Keeps (Cromwell), The Racket (Cromwell) ; 1952, Red Mountain (La montagne rouge) (Dieterle) ; 1953, Scared Stiff (Fais-moi peur) (Marshall) ; 1954, Bad for Each Other (Rapper), Silver Lode (Quatre étranges cavaliers) (Dwan) ; 1956, The Weapon (Chester) ; 1957, Loving You (Hal Kanter) ; 1972, Pulp (Hodges).

Grande prêtresse du film noir à la Paramount de *The Strange Love of Martha Ivers* à *Dark City* en passant par *Dead Reckoning* et *I Walk Alone*. Son physique anguleux, sa voix rauque, sa forte personnalité convenaient parfaitement à ce type de film. Elle avait été surnommée à Hollywood *the Throat* : « la gorge ».

Scott, Randolph

Acteur américain, de son vrai nom Crane, 1903-1987.

1928, Sharp Shooters (Blystone) ; 1929, The Far Call (Dwan) ; 1931, Women Men Marry (Hutchinson), Sky Bride (Roberts) ; 1932, Hot Saturday (Seiter), Island of the Lost Souls (L'île du docteur Moreau) (Kenton), A Successful Calamity (Adolfi) ; 1933, Wild Horse Mesa (Hathaway), Murders in the Zoo (Sutherland), Supernatural (Halperin), Cocktail Hour (Schertzinger), To the Last Man (Hathaway), The Thundering Herd (Hathaway), Hello Everybody (Seiter), Heritage of the Desert (Hathaway), Sunset Pass (Hathaway), Man of the Forest (Hathaway), Broken Dreams (Vignola) ; 1934, Wagon Wheels (Barton), The Last Round-Up (Hathaway), The Lone cow-boy (Sloane) ; 1935, Home on the Range (Willett), The Rocky Mountain Mystery (Barton), She (Pichel), So Red the Rose (Vidor), Roberta (Seiter) ; 1936, The Last of the Mohicans (Le dernier des Mohicans) (Seitz), Follow the Fleet (Suivons la flotte) (Sandrich), Go West, Young Man (Hathaway), And Sudden Death (Barton) ; 1937, High, Wide and Handsome (La furie de l'or noir) (Mamoulian) ; 1938, The Texans (Hogan), Rebecca of Sunnybrook Farm (Dwan), Road to Reno (Simon) ; 1939, Jesse James (Le brigand bien-aimé) (King), Frontier Marshal (Dwan), Susannah of the Monties (Seiter) ; 1940, Virginia City (La caravane héroïque) (Curtiz), When the Dalton Rode (Marshall), My Favorite Wife (Mon épouse favorite) (Kanin) ; 1941, Western Union (Les pionniers de la Western Union) (Lang), Belle Starr (La reine des rebelles) (Cummings), Paris Calling (Marin) ; 1942, To the Shores of Tripoli (Humberstone), The Spoilers (Les écumeurs) (Enright), Pittsburgh (Pittsburgh) (Seiler) ; 1943, The Desperados (Les desperados) (Ch. Vidor), Bombardier (Wallace), Gung Ho (Enright), Corvette K-225 (Richard Rosson) ; 1944, Belle of the Yukon (Seiter), Follow the Boys (Hollywood Parade) (Sutherland) ; 1945, China Sky (Enright), Captain Kidd (Lee) ; 1946, Abilene Town (Marin), Home, Sweet Homicide (Bacon), Badman's Territory (La ville des sans-loi) (Whelan) ; 1947, Trail Street (Du sang sur la piste) (Enright), Gunfighters (Waggner), Christmas Eve (Marin) ; 1948, Albuquerque (La descente tragique) (Enright), Return of the Bad Men (Far West 89) (Enright), Coroner Creek (Ton heure a sonné) (Enright) ; 1949, Canadian Pacific (Marin), The Walking Hills (Les aventuriers du désert) (Sturges), The Doolins of Oklahoma (Douglas), Fighting Man of the Plains (Marin) ; 1950, The Nevadan (G. Douglas), Colt 45 (Marin), The Cariboo Trail (Marin) ; 1951, Santa Fe (La bagarre de Santa Fe) (Pichel), Sugarfoot (Marin), Fort Worth (Marin), Man in the Saddle (Le cavalier de la mort) (De Toth) ; 1952, Carson City (Les conquérants de Carson City) (De Toth), Hangman's Knot (Le relais de l'or maudit) (Huggins) ; 1953, The Man Behind the Gun (Feist), The Stranger Wore a Gun (Les massacreurs du Kansas) (De Toth), Thunder over the Plains (La trahison du capitaine Porter) (De Toth) ; 1954, Riding Shotgun (Le cavalier traqué) (De Toth), The Bounty Hunter (Terreur à l'Ouest) (De Toth) ; 1955, Rage at Dawn (Les rôdeurs de l'aube) (Whelan), Ten Wanted Men (Dix hommes à abattre) (Humberstone), Tall Man Riding (La furieuse chevauchée) (Selander), A Lawless Street (Lewis) ; 1956, 7th Cavalry (Lewis), Seven Men from Now (Sept hommes à abattre) (Boetticher) ; 1957, The Tall T (L'homme de l'Arizona) (Boetticher), Shootout at Medecine Bend (Le vengeur) (Bare), Decision at Sundow (Boetticher) ; 1958, Buchanan Rides Alone (L'aventurier du Texas) (Boetticher) ; 1959, Ride Lonesome (La chevauchée de la vengeance) (Boetticher), Westbound (Le courrier de l'or) (Boetticher) ; 1960, Comanche Station (Boetticher) ; 1962, Ride the High Country (Coups de feu dans la Sierra) (Peckinpah).

Il est au western parlant ce que William Hart fut au muet. Il débuta dans des westerns de Hathaway et finit dans des westerns de Boetticher et de Peckinpah. Producteur de ses films en association avec Harry Joe Brown à partir de 1955, il réalisa sous la direction de Boetticher une suite de chefs-d'œuvre, déjà préparés par d'excellents westerns de Ray Enright et André De Toth. Son visage buriné, la noblesse de ses gestes, sa courtoisie envers les femmes, empreinte de timidité, en faisaient un rival de Gary Cooper. On ne dira jamais assez la beauté de *Ride Lonesome* ou de *Comanche Station* : Randolph Scott, héros impassible et implacable, y est sublime.

Scott, Zachary

Acteur américain, 1914-1965.

1944, The Mask of Dimitrios (Le masque de Dimitrios) (Negulesco), Hollywood Canteen (Daves) ; 1945, The Southerner (L'homme du Sud) (Renoir), Mildred Pierce (Le roman de Mildred Pierce) (Le roman de Mildred Pierce) (Curtiz), Danger Signal (Florey) ; 1946, Her Kind of Man (De Cordova) ; 1947, Stallion Road (Kern), Cass Timberlane (Éternel tourment) (Sidney), The Unfaithfull (Sherman) ; 1948, Whiplash (Seiler), Ruthless (L'impitoyable) (Ulmer), Flaxy Martin (Bare) ; 1949, South of St Louis (Les chevaliers du Texas) (Enright), Flamingo Road (Le boulevard des passions) (Curtiz), One Last Fling (Godfrey) ; 1950, Guilty Bystander (J. Lerner), Shadow on the Wall (P. Jackson), Born to Be Bad (Ray), Colt 45 (Marin), Pretty Baby (Windust) ; 1951, Let's Make It Legal (Sale), The Secret of Convict Lake (Gordon), Lightning Strikes Twice (Vidor) ; 1953, Appointment in Honduras (Les révoltés de la Claire-Louise) (Tourneur) ; 1954, The Treasure of Ruby Hills (McDonald) ; 1955, Shotgun (Amour, fleur sauvage) (Selander),

Flame of the Islands (La femme du hasard) (Ludwig) ; 1956, Bandido (Bandido Caballero) (Fleischer), The Counterfelt Plan (Tully) ; 1957, Man in the Shadow (Le salaire du diable) (Arnold) ; 1960, The Young One (La jeune fille) (Buñuel) ; 1962, It's Only Money (L'increvable Jerry) (Tashlin).

Depuis Dimitrios, il joue les traîtres et les personnages de l'obscurité, avec une louable constance. Il est le méchant par excellence : noir, moustachu, l'œil sombre... Une exception : *L'homme du Sud*. Il mourut d'une tumeur au cerveau.

Scott Thomas, Kristin

Actrice anglaise née en 1961.

1986, Under the Cherry Moon (Under the cherry moon) (Prince) ; 1987, Agent trouble (Mocky) ; 1988, La méridienne (Amiguet), A Handful of Dust (Sturridge) ; 1989, Bille en tête (Cotti), Force majeure (Jolivet), Mio caro dottor Gässler (Faenza) ; 1990, Le bal du gouverneur (Pisier) ; 1991, Precious (Parisol), Aux yeux du monde (Rochant) ; 1992, Lunes de fiel (Polanski) ; 1993, Four Weddings and a Funeral (4 mariages et 1 enterrement) (Newell), Un été inoubliable (Pintilié) ; 1994, En mai, fais ce qu'il te plaît (Grange), Les Milles (Grall), Angels and Insects (Des anges et des insectes) (Haas), The Pompatus of Love (Schenkman) ; 1995, Le confessional (Lepage) ; 1996, Richard III (Richard III) (Loncraine), The English Patient (Le patient anglais) (Minghella), Mission : Impossible (Mission impossible) (De Palma), Amour et confusions (Braoudé) ; 1997, The Revenger's Comedies (Amour, vengeance et trahison) (Mowbray) ; 1998, The Horse Whisperer (L'homme qui murmurait à l'oreille des chevaux) (Redford), Up at the Villa (Il suffit d'une nuit) (Haas), Random Hearts (L'ombre d'un soupçon) (Pollack) ; 2001, Life as a House (Winkler) ; 2002, Gosford Park (Gosford Park) (Altman) ; 2003, Petites coupures (Bonitzer) ; 2004, Arsène Lupin (Salomé) ; 2005, Man to Man (Wargnier) ; 2006, Ne le dis à personne (Canet), Chromophobia (Chromophobia) (Fiennes), Keeping Mum (Secrets de famille) (Johnson), La doublure (Veber).

Adorable Anglaise résidant en France, brune piquante aux allures de garçonne, elle devient mondialement connue grâce à *4 mariages et 1 enterrement*, alors même qu'elle n'a qu'un second rôle puis est consacrée par *Le patient anglais* et *L'homme qui murmurait à l'oreille des chevaux*.

Seagal, Steven

Acteur et réalisateur américain né en 1951.

1988, Above the Law (Nico) (Davis) ; 1989, Hard to Kill (Malmuth) ; 1990, Marked for Death (Désigné pour mourir) (Little) ; 1991, Out for Justice (Flynn) ; 1992, Under Siege (Piège en haute mer) (Davis) ; 1993, On Deadly Ground (Terrain miné) (Seagal) ; 1994, Under Siege 2 (Piège à grande vitesse) (Murphy) ; 1995, Critical Decision (Ultime décision) (Baird) ; 1996, The Glimmer Man (L'ombre blanche) (Gray), Fire Down Below (Alcala) ; 1997, The Patriot (Semler), My Giant (Lehmann) ; 2000, Ticker (Pyun) ; 2001, Exit Wounds (Hors limites) (Bartkowiak) ; 2003, Half Past Dead (Mission Alcatraz) (Paul). *Comme réalisateur :* 1994, On Deadly Ground (Terrain miné).

« Gros bras » monolithique, spécialiste (comme beaucoup) en arts martiaux, son visage est aussi expressif qu'une borne à incendie. S'il n'a pas le sens de l'humour, il a au moins celui de l'action.

Seberg, Jean

Actrice américaine, 1938-1979.

1957, Saint Joan (Sainte Jeanne) (Preminger) ; 1958, Bonjour tristesse (Preminger) ; 1959, The Mouse That Roared (La souris qui rugissait) (Arnold), A bout de souffle (Godard) ; 1960, Let No Man Write My Epitaph (Leacock), La récréation (Mareuil), Les grandes personnes (Valère), L'amant de cinq jours (Broca) ; 1963, In the French Style (A la française) (Parrish), Les plus belles escroqueries du monde (Sketch, « Le faux-monnayeur charitable », supprimé de l'exploitation commerciale et distribué comme court-métrage) (Godard) ; 1964, Lilith (Rossen), Échappement libre (Becker) ; 1965, Moment to Moment (LeRoy), La ligne de démarcation (Chabrol). Un milliard dans un billard (Gessner), A Fine Madness (L'homme à la tête fêlée) (Kershner) ; 1967, Estouffade à la Caraïbe (Hunebelle), La route de Corinthe (Chabrol) ; 1968, Pendulum (Seaton), Les oiseaux vont mourir au Pérou (Gary) ; 1969, Paint Your Wagon (La kermesse de l'Ouest) (Logan) ; 1970, Airport (Airport) (Seaton), Ondata di callore (N. Risi) ; 1970, Macho Callahan (Kowalski) ; 1971, Kill (Gary), Questa specie d'amore (Bevilacqua) ; 1972, L'attentat (Boisset), The Corruption of Chris Miller, Camorra (Squitieri) ; 1974, Les hautes solitudes (Garrel) ; 1975, Le grand délire (D. Berry) ; 1976, Die Wildente (Le canard sauvage) (Geissendorfer).

Débuts dans le cadre de l'université. Preminger la remarque et lui confie le rôle de Jeanne d'Arc dans l'adaptation de la pièce de Shaw. Mais c'est Godard qui la rend célèbre avec *A bout de souffle* où elle est une jeune Américaine éprise de Belmondo. La suite de la carrière ne tiendra pas les promesses des années 50 malgré une remarquable composition dans *Lilith*. Faut-il l'attribuer à une vie privée difficile : mariages avec François Mareuil, Romain Gary et Dennis Berry qui furent ses metteurs en scène. Elle s'oriente vers la défense des minorités raciales, cherchant un sens à son existence. On l'a trouvée morte dans sa voiture, le 8 septembre 1979. Overdose de barbituriques. Suicide ou assassinat ? La question fut posée.

Segal, George

Acteur américain né en 1934.

1961, The Young Doctors (Les blouses blanches) (Karlson) ; 1962, The Longest Day (Le jour le plus long) (Marton, Annakin...) ; 1963, Act One (Schary) ; 1964, The New Interns (Les nouveaux internes) (Rich), Invitation to a Gunfighter (Wilson) ; 1965, Ship of Fools (La nef des fous) (Kramer), King Rat (Un caïd) (Forbes) ; 1966, The Lost Command (Les centurions) (Robson), Who's Afraid of Virginia Woolf ? (Qui a peur de Virginia Woolf ?) (Nichols), The Quiller Memorandum (Le secret du rapport Quiller) (Anderson) ; 1967, The St Valentine's Day Massacre (L'affaire Al Capone) (Corman) ; 1968, Bye Bye Braveman (Lumet), Tenderly (Brusati), No Way to Treat a Lady (Le refroidisseur de dames) (Smight) ; 1969, Southern Star (L'étoile du Sud) (Hayers), The Bridge at Remagen (Le pont de Remagen) (Guillermin), Loving (Loving) (Kershner) ; 1970, The Owl and the Pussycat (La chouette et le pussycat) (Ross), Wher's Poppa ? (Reiner) ; 1971, Born to Win (Né pour vaincre) (Passer) ; 1972, The Hot Rock (Les quatre malfrats) (Yates) ; 1973, Blume in Love (Les choses de l'amour) (Mazursky), A Touch of Class (Une maîtresse dans les bras, une femme sur le dos) (Frank) ; 1974, The Terminal Man (Hodges), California Split (California Split) (Altman) ; 1975, Russian Roulette (Lombardo), The Black Bird (David Giler) ; 1976, The Duchess and the Dirtwater Fox (La duchesse et le truand) (Frank) ; 1977, Fun with Dick and Jane (Touche pas à mon gazon) (Kotcheff), Rollercoaster (Le toboggan de la mort) (Goldstone) ; 1978, Who Is Killing the Great Chefs of Europe (La grande cuisine) (Kotcheff) ; 1979, Lost and Found (Frank), The Last Married Couple in America (Cates) ; 1981, Carbon Copy (Schultz), Killing'Em Softly (Fischer) ; 1982, Deadly Game (Schaefer) ; 1983, The Cold Room (Dearden) ; 1985, Stick (Le justicier de Miami) (B. Reynolds) ; 1986, Many Happy Returns (MacLeod) ; 1989, All's Fair (R. Lang), Look Who's Talking (Allô maman, ici bébé) (Heckerling) ; 1990, The Clearing (Alenikov) ; 1991, Un orso chiamato Arturo (Martino), For the Boys (For the boys) (Rydell) ; 1992, Joshua Tree (Au-dessus de la loi) (Armstrong), Me, Myself and I (Ferro) ; 1993, Look Who's Talking Now (Allô maman, c'est Noël) (Ropelewski) ; 1994, The Feminine Touch (Janis), Direct Hit (Merhi), Deep Down (Travers) ; 1995, It's my Party (Kleiser) Flirting with Disaster (Flirter avec les embrouilles) (Russell), To Die For (Prête à tout) (Van Sant), The Babysitter (Ferland) ; 1996, The Cable Guy (Disjoncté) (Stiller), The Mirror Has Two Faces (Leçons de séduction) (Streisand).

Beaucoup de théâtre (de *The Iceman Cometh* à *Antoine et Cléopâtre*), du cabaret (avec Patricia Scott) et de la télévision. A l'écran, en dépit d'un physique un peu banal, il a mené une carrière honorable, voué aux rôles de « looser » de série noire (le parodique *Black Bird*), aux seconds couteaux que l'on remarque plus que les premiers (*L'affaire Al Capone*) et aux personnages de comédies grinçantes à la Melvin Frank.

Seigner, Emmanuelle

Actrice française née en 1966.

1985, Détective (Godard) ; 1986, Cours privé (Granier-Defferre) ; 1987, Frantic (Polanski) ; 1989, Il male oscuro (Monicelli) ; 1991, Lunes de fiel (Polanski) ; 1994, Le sourire (Miller) ; 1995, Pourvu que ça dure (Thibaut) ; 1996, La divine poursuite (Deville), Nirvana (Nirvana) (Salvatores), R.P.M. (Sharp) ; 1997, Place Vendôme (Garcia) ; 1998, The Ninth Gate (La neuvième porte) (Polanski) ; 2003, Corps à corps (Hanss) ; 2004, Ils se marièrent et eurent beaucoup d'enfants (Attal) ; 2005, Backstage (Bercot) ; 2007, La môme (Dahan).

Petite-fille de Louis Seigner, sœur de Mathilde, elle fut révélée par Polanski, dont elle partage la vie, dans *Frantic*. Elle impose sa sensualité dans l'extraordinaire numéro de strip-tease du *Sourire*.

Seigner, Louis

Acteur français, 1903-1991.

1931, Une histoire entre mille (Rieux) ; 1933, Chotard et Cie (Renoir) ; 1934, Le commissaire est bon enfant (Prévert) ; 1938,

Entente cordiale (L'Herbier), Alerte en Méditerranée (Joannon) ; 1941, Nous les gosses (Daquin) ; 1942, Le mariage de Chiffon (Autant-Lara), Le voyageur de la Toussaint (Daquin), La symphonie fantastique (Christian-Jaque), Goupi Mains rouges (Becker) ; 1943, Vautrin (Billon), Service de nuit (Faurez). Lucrèce (Joannon), Les Roquevillards (Dréville), Le corbeau (Clouzot), Les anges du péché (Bresson), Le secret de Madame Clapain (Berthomieu), Premier de cordée (Daquin) ; 1945, Jéricho (Calef), Patrie (Daquin), Le jugement dernier (Chanas) ; 1946, Un revenant (Christian-Jaque), L'homme au chapeau rond (Billon), Les chouans (Calef), La femme en rouge (Cuny), Preuve d'amour (Stengel) ; 1947, La carcasse et le tord-cou (Chanas), Les frères Bouquinquant (Daquin), La chartreuse de Parme (Christian-Jaque) ; 1948, Le colonel Durand (Chanas), D'homme à hommes (Christian-Jaque), Vire vent (Faurez) ; 1949, Rendez-vous de juillet (Becker), Maya (Bernard), Singoalla (Christian-Jaque), Tête blonde (Cam), La Marie du port (Carné), Un certain monsieur (Ciampi), La souricière (Calef), Miquette et sa mère (Clouzot), Le jugement de Dieu (Bernard), Le cas du docteur Gallois (Téboul) ; 1950, Dakota 308 (Daniel-Norman), L'homme de la Jamaïque (Canonge), L'enfant des neiges (Guyot), Maître après Dieu (Daquin), Clara de Montargis (Decoin), Coq en pâte (Tavano), Boîte de nuit (Rode) ; 1951, Les sept péchés capitaux (Filippo), Le plaisir (Ophuls), La plus belle fille du monde (Stengel), Le dindon (Barma), Ce coquin d'Anatole (Couzinet) ; 1952, La fête à Henriette (Duvivier), Nous sommes tous des assassins (Cayatte), Adorables créatures (Christian-Jaque), Son dernier Noël (Daniel-Norman), Les amours finissent à l'aube (Calef), Minuit, quai de Bercy (Stengel), Les dents longues (Gélin), Les amants de minuit (Richebé), Kœnigsmark (S. Térac), Lucrèce Borgia (Christian-Jaque) ; 1953, Si Versailles m'était conté (Guitry), Le comte de Monte-Cristo (Vernay), L'esclave (Ciampi), L'ennemi public n° 1 (Verneuil) ; 1954, Obsession (Delannoy), Gli amori di Manon Lescaut (Les amours de Manon Lescaut) (Costa), La belle Otéro (Pottier) ; 1955, Marguerite de la nuit (Autant-Lara), Les premiers outrages (Gourguet), La rue des bouches peintes (Vernay), Milord l'Arsouille (Haguet), Nuits de Montmartre (Franchi), Les indiscrètes (André) ; 1956, Miss Catastrophe (Kirsanoff), Paris Palace Hôtel (Verneuil), Quai des illusions (Couzinet), Nathalie (Christian-Jaque) ; 1957, Les espions (Clouzot), La venganza (Bardem) ; 1958, Les grandes familles (La Patellière), Le bourgeois gentilhomme (J. Meyer), Jeux dangereux (Chenal) ; 1959, Rue des Prairies (La Patellière), Le mariage de Figaro (J. Meyer), Les affreux (Allégret), Les frangines (Gourguet), Détournement de mineures (Kapps), Le baron de l'écluse (Delannoy), Les cosaques (Tourjansky) ; 1960, Interpol contre X (Boutel), A pleines mains (Régamey), Le panier à crabes (Lisbona), La vérité (Clouzot), Le Président (Verneuil) ; 1962, L'eclisse (L'éclipse) (Antonioni), Le petit garçon de l'ascenseur (Granier-Deferre) ; 1964, Les amitiés particulières (La Patellière), Les faux jetons (Donati) ; 1966, Soleil noir (La Patellière) ; 1969, Le Pacha (Lautner) ; 1973, La race des seigneurs (Granier-Deferre), Prêtres interdits (La Patellière) ; 1975, Section spéciale (Costa-Gavras), Bons baisers de Hong Kong (Chiffre) ; 1976, Monsieur Klein (Losey) ; 1980, Asphalte (Amar) ; 1982, Les misérables (Hossein).

Originaire de l'Isère, il monte à Paris, au Conservatoire, joue à l'Odéon puis à la Comédie-Française dont il deviendra le doyen. Il s'est spécialisé à l'écran dans les rôles d'hommes d'affaires (souvent un peu douteux), de notables qui, grâce à leur ton papelard, arrangent des cas louches. On n'oubliera pas à cet égard son étonnante composition du *Voyageur de la Toussaint* ou son interprétation du garde des Sceaux de Vichy, Joseph Barthélemy dans *Section spéciale.* De façon générale, il fut toujours remarquable. Il a contribué aussi, sous la direction de Jean Meyer, à la mise sur pellicule de certains spectacles de la Comédie-Française.

Seigner, Mathilde

Actrice française née en 1968.

1994, Le sourire (Miller), Rosine (Carrière) ; 1995, Mémoires d'un jeune con (Aurignac) ; 1996, Portraits chinois (Dugowson), Francorusse (Miansarow) ; 1997, Nettoyage à sec (Fontaine), Vive la république ! (Rochant) ; 1998, Vénus Beauté (Institut) (Marshall), Le bleu des villes (Brize), Belle maman (Aghion) ; 1999, Le temps retrouvé (Ruiz), Le cœur à l'ouvrage (Dussaux), Harry, un ami qui vous veut du bien (Moll), La chambre des magiciennes (Miller) ; 2000, Une hirondelle a fait le printemps (Carion) ; 2001, Inch'Allah dimanche (Benguigui), Betty Fisher et autres histoires (Miller), Le lait de la tendresse humaine (Cabrera) ; 2003, Tristan (Harel) ; 2004, Le genre humain (Lelouch), Mariages ! (Guignabodet) ; 2005, Le courage d'aimer (Lelouch), Palais royal ! (Lemercier), Tout pour plaire (Telerman) ; 2006, Camping (Onteniente), Le passager de l'été (Moncorgé-

Gabin) ; 2007, Zone libre (Malavoy), Amis (Boujenah), Danse avec lui (Guignabodet).

Sœur cadette d'Emmanuelle Seigner, elle se fait connaître au théâtre dans des classiques tels que *L'avare*, *Le médecin malgré lui* ou encore *Les fourberies de Scapin*, puis au cinéma avec le rôle délicat de la mère d'une adolescente difficile dans *Rosine*. Transformiste dans *Nettoyage à sec*, serial-killer dans *Francorusse*, policière dans *Tristan*, amie de la reine dans *Palais royal !*, son visage rude mais non dénué de charme s'adapte à tout.

Selleck, Tom

Acteur américain né en 1945.

1970, Myra Breckinridge (Myra Breckinridge) (Sarne) ; 1971, The Seven Minutes (Meyer) ; 1972, Daughters of Satan (Morse) ; 1973, Terminal Island (Rothman) ; 1975, Midway (La bataille de Midway) (Smight) ; 1977, The Washington Affair (Stoloff) ; 1978, The Gypsy Warriors (Antonio) ; 1979, Coma (Morts suspectes) (Crichton) ; 1982, High Road to China (Les aventuriers du bout du monde) (Hutton) ; 1983, Lassiter (Signé Lassiter) (R. Young) ; 1985, Runaway (Crichton) ; 1987, Three Men and a Baby (Trois hommes et un bébé) (Nimov) ; 1989, An Innocent Man (Délit d'innocence) (Yates), Her Alibi (Son alibi) (Beresford) ; 1990, Quigley Down Under (Mr. Quigley l'australien) (Wincer) ; 1991, Three Men and a Little Lady (Tels pères, telle fille) (Ardolino) ; 1992, Christopher Columbus : The Discovery (Glen), Mr. Baseball (Schepisi), Folks (Kotcheff) ; 1994, Open Season (Wuhl) ; 1996, In & Out (In & out) (Oz) ; 1998, The Love Letter (Destinataire inconnu) (Chan).

Très athlétique, il doit la célébrité à la télévision grâce à *Magnum*. Il est un sympathique disciple d'Arsène Lupin dans *Lassiter* puis le père embarrassé de *Trois hommes et un bébé*. Il échoue en héros de western australien.

Seller, Robert

Acteur français, 1889-1967.

1931, L'amour à l'américaine (Heymann) ; 1932, Chotard et Cie (Renoir), L'amour et la veine (Banks) ; 1933, Ame de clown (Didier et Noé), Tout pour rien (Pujol) ; 1934, Le comte Obligado (Mathot), Le billet de mille (Didier), Compartiment de dames seules (Christian-Jaque), Les nuits moscovites (Granowsky), Le père Lampion (Christian-Jaque), Zouzou (M. Allégret) ; 1935, Bonne chance (Guitry), Paris, mes amours (Blondeau), Bichon (Rivers), Mademoiselle Mozart (Noé), Dora Nelson (Guissart), Gangster malgré lui (Hugon), Jérôme Perreau (Gance), Les sœurs Hortensias (Guissart), Train de plaisir (Joannon) ; 1936, Faisons un rêve (Guitry), L'amant de madame Vidal (Berthomieu), Les deux gosses (Rivers), L'homme du jour (Duvivier), Salonique nid d'espions (Pabst), Mon père avait raison (Guitry), Vous n'avez rien à déclarer ? (Joannon), Aventure à Paris (M. Allégret), Josette (Christian-Jaque), Ménilmontant (Guissart) ; 1937, Les perles de la couronne (Guitry), L'habit vert (Richebé), Monsieur Breloque a disparu (Péguy), Double crime sur la ligne Maginot (Gandera), Le fauteuil 47 (Rivers), Hercule (Esway et Rim), L'innocent (Cammage), Mollenard (Siodmak), Monsieur Bégonia (Hugon) ; 1938, Clodoche (Lamy et Orval), Remontons les Champs-Élysées (Guitry), L'entraîneuse (Valentin), Je chante (Stengel), Katia (Tourneur), Le père Lebonnard (Limur), Prince Bouboule (Houssin), Le patriote (Tourneur) ; 1939, La loi du Nord (Feyder) (présenté en 1942 sous le titre : La piste du Nord), Pièges (Siodmak), L'homme qui cherche la vérité (Esway), Ils étaient neuf célibataires (Guitry) ; 1940, Volpone (Tourneur) ; 1945, Fille du diable (Decoin), Jéricho (Calef), Au petit bonheur (L'Herbier), Mission spéciale (Canonge), Adieu chérie (Bernard) ; 1946, L'homme de la nuit (Jayet), Six heures à perdre (Joffé et Levitte), Copie conforme (Dréville), Le café du cadran (Gehret), Le destin s'amuse (Reinert), Nuits sans fin (Séverac) ; 1947, Le destin exécrable de Guillemette Babin (Radot), Le comédien (Guitry), Erreur judiciaire (Canonge), L'éventail (Reinert) ; 1948, Le crime des justes (Gehret), Le diable boiteux (Guitry), Tabusse (Gehret) ; 1949, Le trésor de Cantenac (Guitry), Toâ (Guitry), Aux deux colombes (Guitry) ; 1950, Caroline chérie (Pottier), Deburau (Guitry), Uniformes et grandes manœuvres (Le Hénaff), Tu m'as sauvé la vie (Guitry), Le tampon du capiston (Labro), Souvenirs perdus (Christian-Jaque), Casimir (Pottier) ; 1951, Adhémar ou le jouet de la fatalité (Fernandel).

Surtout connu pour ses compositions dans les films de Guitry, où il est tantôt roi (Charles X dans *Remontons les Champs-Élysées* et *Le diable boiteux)*, tantôt valet de chambre (*Mon père avait raison*). De toute façon, Seller est toujours remarquable. Rendons hommage à Guitry qui sut toujours donner sa chance à ce type de comédiens.

Sellers, Peter

Acteur et réalisateur anglais, 1925-1980.

1951, Let's Go Crazy (Cullimore), Penny Point to Paradise (Tony Young) ; 1952, Down Among the Z Men (Rogers) ; 1953, The Super

Secret Service (Ch. Green) ; 1955, Orders Are Orders (Paltenghi), John and Julie (Fairchild), The Ladykillers (Tueurs de dames) (Mackendrick) ; 1956, The Case of the Mukkinese Battlehorn (Stirling) ; 1957, The Smallest Show on Earth (Sous le plus petit chapiteau du monde) (Dearden), The Naked Truth (La vérité presque nue) (Zampi) ; 1958, Up the Creek (Guest), Tom Thumb (Tom Pouce) (Pal) ; 1959, Carlton-Browne of the F.O. (Roy Boulting), The Mouse That Roared (La souris qui rugissait) (Arnold), I'm All Right Jack (Après moi le déluge) (J. Boulting), The Battle of the Sexes (La bataille des sexes) (Crichton) ; 1960, Two Way Stretch (Le paradis des monte-en-l'air) (Day), The running, jumping and standing film (Lester), Never Let Go (Guillermin), The Millionairess (Les dessous de la millionnaire) (Asquith) ; 1961, Mr. Topaze (Sellers), The Waltz of the Toreadors (Les femmes du général) (Guillermin), The Wrong Arm of the Law (Owen) ; 1962, The Dock Brief (Hill), The Road to Hong-Kong (Astronautes malgré eux) (Panama), Only Two Can Play (On n'y joue qu'à deux) (Gilliat), Lolita (Kubrick) ; 1963, Heavens Above (J. Boulting), Dr. Strangelove (Dr. Folamour) (Kubrick), The Pink Panther (La panthère rose) (Blake Edwards) ; 1964, A Shot in the Dark (Quand l'inspecteur s'emmêle) (Edwards), The World of Henry Orient (Deux copines, un séducteur) (Roy Hill) ; 1965, What's New Pussycat ? (Quoi de neuf, Pussycat ?) (Donner) ; 1966, The Wrong Box (Un mort en pleine forme) (Forbes) ; 1967, Casino Royale (Guest, Hugues, Huston, Parrish), The Bobo (Parrish), Woman Times Seven (Sept fois femme) (De Sica), After the Fox (Le renard s'évade à trois heures) (De Sica) ; 1968, The Party (La party) (Edwards), I Love You, Alice B. Toklass (Le baiser Papillon) (Averback) ; 1970, The Magic Christian (McGrath), A Day at the Beach (Hesera), Hoffmann (Rakoff), There's a Girl in my soup (Roy Boulting) ; 1971, Where Does It Hurt ? (La clinique en folie) (Amateau) ; 1972, Alice's Adventures in Wonderland (Alice au pays des merveilles) (W. Sterling) ; 1973, Soft Beds, Hard Battles (Roy Boulting), The Optimists of Nine Elms (Les optimistes) (A. Simmons), The Block House (Rees) ; 1974, The Great McGonagall (McGrath), The Return of the Pink Panther (Le retour de la panthère rose) (Edwards) ; 1976, Murder by Death (Un cadavre au dessert) (Moore), The Pink Panther Strikes Again (Quand la Panthère rose s'emmêle) (Edwards) ; 1978, Revenge of the Pink Panther (La revanche de la Panthère rose) (Edwards) ; 1979, The Prisoner of Zenda (Quine), Being There (Bienvenue Mr. Chance) (Ashby), The Fiendish Plot of Dr. Fu Manchu (Le complot diabolique du Dr. Fu Manchu) (Piers Haggard) ; 1982, Trail of the Pink Panther (A la recherche de la Panthère rose) (Edwards). *Pour le metteur en scène*, voir le *Dictionnaire du cinéma*, t. I : *Les réalisateurs*.

Qui l'aurait remarqué à ses débuts ? D'une famille de modestes comédiens, il s'essaie à l'armée dans des rôles comiques, trouve de petits emplois à la radio et sur les planches, se marie à Britt Ekland, joue dans quelques comédies humoristiques (*The Ladykillers* où il est éclipsé par Guinness) : rien de bien notable. Il s'exerce même à la mise en scène (le *Topaze* de Pagnol) et produit un court métrage de Lester. Puis c'est l'explosion de 1963 : le triple rôle de *Dr Folamour* (dont celui extraordinaire du savant nazi au bras qui se redresse brusquement par moments pour faire le salut hitlérien) et l'inspecteur Clouseau de *La panthère rose*. En policier gaffeur et malchanceux, qui sème destructions et cadavres sur son passage, Sellers était extraordinaire. On en redemanda. Plusieurs films suivirent, encore plus drôles. Sellers y était irrésistible, servi par Blake Edwards. Le même le transforma en Indien non moins destructeur dans *The Party*, l'un des films les plus hilarants tournés par Edwards. Sellers mourut brusquement au sommet de son art.

Semon, Larry

Acteur et réalisateur américain, 1889-1928.

1912, Courts métrages à la Vitagraph ; 1920 : série des Zigoto ; 1928, Underworld (Les nuits de Chicago) (Sternberg). *Pour le metteur en scène*, voir le *Dictionnaire du cinéma*, t. I : *Les réalisateurs*.

Fils d'un artiste de music-hall, il fut d'abord caricaturiste avant de jouer les personnages comiques dans de courtes bandes burlesques fondées essentiellement sur le thème de la poursuite et qu'il mit en scène le plus souvent lui-même. Il fut Jester aux États-Unis, Ridolini en Italie et Zigoto en France. Son dernier rôle – dramatique – appartient au générique des *Nuits de Chicago*.

Semoun, Élie

Acteur français né en 1963.

1995, Les trois frères (Bourdon et Campan) ; 1996, Les Bidochon (Korber) ; 1997, Les démons de Jésus (Bonvoisin), Tout doit disparaître (Muyl) ; 1998, Le clone (Conversi) ; 1999, Les parasites (Chauveron), Les grandes bouches (Bonvoisin) ; 2000, Love Me (Masson), Deuxième vie (Braoudé) ; 2004,

People (Onteniente) ; 2005, Aux abois (Collin), Il était une fois dans l'Oued (Bensalah) ; 2005, Riviera (Villacèque).

Débuts au cabaret en duo avec Dieudonné. Plusieurs films, mais rien de très saillant.

Sentier, Jean-Pierre

Acteur et réalisateur français, 1940-1995.

1967, Drôle de jeu (Kast) ; 1968, Le tatoué (La Patellière), Le Socrate (Lapoujade) ; 1971, Le sauveur (Mardore), On est toujours trop bon avec les femmes (Boisrond) ; 1975, Les vécés étaient fermés de l'intérieur (Leconte) ; 1977, La jument-vapeur (J. Buñuel) ; 1978, Le maître nageur (J.-L. Trintignant), L'argent des autres (Chalonge), Le chien de Mr. Michel (c.m., Beineix) ; 1979, Tout dépend des filles (Fabre), West Indies (Hondo), Le mors aux dents (Heynemann) ; 1980, Deux lions au soleil (Faraldo), Extérieur nuit (Bral) ; 1981, Un assassin qui passe (Vianey), Le jardinier (Sentier), La revanche (Lary) ; 1982, Nestor Burma détective de choc (Miesch) ; 1983, Debout les crabes, la mer monte (Grand-Jouan), Les îles (Azimi), Un bruit qui court (Sentier et Laloux) ; 1984, Rue Barbare (Béhat), Le juge (Lefèbvre) ; 1985, Exit-exil (Monheim), Rue du départ (Gatlif) ; 1986, Poussière d'ange (Niermans), La femme secrète (Grall), Les folles années du twist (Zemmouri) ; 1987, La maison assassinée (Lautner) ; 1988, Mon ami le traître (Giovanni), Drôle d'endroit pour une rencontre (Dupeyron), La fille du magicien (Bories) ; 1989, Pleure pas my love (Gatlif), La soule (Sibra), Camille Claudel (Nuytten), La fille des collines (Davis) ; 1990, Les amusements de la vie privée (Comencini), Faux et usage de faux (Heynemann) ; 1991, L'affût (Bellon), Woyzeck (Marignane) ; 1992, Krapatchouk (Lipschutz) ; 1993, L'ombre du doute (Isserman) ; 1994, Le livre de cristal (Plattner). *Pour le metteur en scène*, voir le *Dictionnaire du cinéma*, t. I : *Les réalisateurs*.

Un art de la composition souvent étonnant : ainsi le redoutable lanceur de couteau de *Rue Barbare*, complice et rival de Bernard-Pierre Donnadieu. Le metteur en scène n'était pas moins intéressant.

Sereys, Jacques

Acteur français né en 1928.

1963, Le feu follet (Malle) ; 1968, La chamade (Cavalier) ; 1970, Le souffle au cœur (Malle) ; 1971, Una stagione all'inferno (Une saison en enfer) (N. Risi) ; 1976, Le gang (Deray) ; 1977, L'état sauvage (Girod) ; 1978, Une histoire simple (Sautet) ; 1979, I... comme Icare (Verneuil), Le mors aux dents (Heynemann) ; 1980, T'inquiète pas, ça se soigne (Matalon) ; 1984, Le bon plaisir (Girod), L'addition (Amar) ; 1988, La petite amie (Béraud) ; 1989, Le bal du gouverneur (Pisier) ; 1990, Lacenaire (Girod) ; 1991, Opération Corned-beef (Poiré) ; 1995, Le hussard sur le toit (Rappeneau), La servante aimante (Douchet) ; 1997, Le Bossu (Broca).

Une bête de théâtre, capable de jouer à la Comédie-Française *Les fourberies de Scapin*, à l'Odéon *La villégiature* de Goldoni dans la mise en scène de Strehler, et à l'Opéra-Comique *La belle Hélène* dans celle de Savary.

Sernas, Jacques

Acteur d'origine lituanienne né en 1925.

1946, Miroir (Lamy) ; 1947, L'idole (Esway), La révoltée (L'Herbier) ; 1948, Jean de la Lune (Achard), Una lettera all'alba (Cocaïne) (Bianchi) ; 1949, Il muliono del Po (Le moulin du Po) (Lattuada) ; 1950, Cuori sul mare (Les mousquetaires de la mer) (Bianchi), Golden Salamander (La salamandre d'or) (Neame), Il lupo della sila (Le loup de la Sila) (Coletti) ; 1951, Ultima sentenza (Son dernier verdict) (Bonnard), Camicie rosse (Les chemises rouges) (Alessandrini), Barbe-Bleue (Christian-Jaque) ; 1952, L'envers du paradis (Greville) ; 1953, Maddalena (Une fille nommée Madeleine) (Genina), Il cielo é rosso (Giro) ; 1954, Helen of Troy (Hélène de Troie) (Wise) ; 1955, I figli non si vendono (Les enfants ne sont pas à vendre) (Bonnard), Jump into Hell (D. Butler) ; 1957, La venera di Cheronea (Aphrodite, déesse de l'amour) (Cerchio), C'est la faute d'Adam (Audry) ; 1958, Pia de Tolomei (La parole est à l'épée) (Greco), Vite perdute (Lui seul survivra) (A. Bianchi), Nel segno di Roma (Sous le signe de Rome) (Brignone) ; 1959, Salammbo (Salammbô) (Grieco), La dolce vita (La dolce vita) (Fellini), Le notti di Lucrezia Borgia (Les nuits de Lucrèce Borgia) (Grieco) ; 1960, La regina dei Tartari (La reine des barbares) (Grieco), Un amore a Roma (L'inassouvie) (Risi) ; 1961, Il conquistadore di Corinto (La bataille de Corinthe) (Costa), Oraci e Curiazi (Les Horaces et les Curiaces) (Baldi), Romolo e Remo (Romulus et Rémus) (S. Corbucci) ; 1962, Fifty-Five Days at Peking (Les cinquante-cinq jours de Pékin) (Ray), Maciste contro il vampiro (Maciste contre le fantôme) (Gentilomo), Il figlio di Spartacus (Le fils de Spartacus) (S. Corbucci) ; 1964, Un aereo per Baalbek (Dernier avion pour Baalbek) (Fregonese) ; 1965, La muerte viaje en Baùl (Barbouze chérie) (Forqué), Guerre secrète (Christian-

Jaque) ; 1967, Per pochi dollari ancora (Trois cavaliers por Fort Yuma) (Paget) ; 1969, Midas Run (Kjellin) ; 1971, Hornet's Nest (L'assaut des jeunes loups) (Karlson) ; 1973, Superfly TNT (O'Neal) ; 1975, Children of Rage (A.A. Seidelman) ; 1980, La pelle (La peau) (Cavani) ; 1984, L'addition (Amar) ; 1989, Fuga dalla morte (Milioni), Io, Peter Pan (Decaso) ; 1990, L'Africaine (Von Trotta), L'avaro (Cervi) ; 1991, Caldo suffocante (Gagliardo) ; 1997, Coppia omicidia (Fragasso).

Carrière très internationale pour ce jeune premier remarqué dans *Helen of Troy* et *L'envers du paradis.*

Serrato, Massimo

Acteur italien, de son vrai nom Giuseppe Segato, 1917-1989.

1940, L'ispettore Vargas (Franciolini) ; 1941, Piccolo mondo antico (Soldati), L'amore canta (Poggioli) ; 1942, Giacomo l'idealista (Lattuada), Le sorelle Materassi (Poggioli) ; 1943, Quartieri alti (Soldati) ; 1946, Il sole sorge ancora (Le soleil se lèvera encore) (Vergano), Il mondo vuole cosi (Bianchi) ; 1947, L'Apocalisse (Scotese), Rocambole (Baroncelli) ; 1948, I cavalieri dalla maschera nera (Mercanti), Sangue a Ca' Foscari (Calandri), La Traviata (Gallone), Il corriere del re (Le rouge et le noir) (Righelli) ; 1949, I pirati di Capri (Ulmer), La strada buia (Salkow) ; 1950, Domenica d'agosto (Dimanche d'août) (Emmer) ; 1951, Il ladro di Venezia (Le voleur de Venise) (Brahm), Il principe ribelle (Mercanti), Amore et sangue (Girolami), Il conte di Sant'Elmo (Brignone), Incantesimo tragico (Sequi), Senza bandiera (De Felice) ; 1952, I piombi di Venezia (Le bourreau de Venise) (Cottafavi), Lucrèce Borgia (Christian-Jaque) ; 1953, Il boia di Lilla (Milady et les mousquetaires) (Cottafavi), La figlia del diavolo (Zeglio), Madame Du Barry (Christian-Jaque), Le marchand de Venise (Billon), Febbre da vivere (Gora) ; 1954, Opinione pubblica (Corgnati), Pieta per chi cade (Costa) ; 1955, Le avventure di Cartouche (Vernuccio), La vedova (La veuve) (Milestone) ; 1956, La trovatella di Milano (Capitani), Il falco d'oro (La vengeance du Faucon d'or) (Bragaglia) ; 1957, Peppino le modelle e chella ila (Mattoli), Tormento d'amore (Bercovici) ; 1958, Afrodite, dea dell'amore (L'esclave de l'Orient) (Bonnard), The Silent Enemy (Fair-child) ; 1959, The Naked Maja (La maja nue) (Koster), La spada e la croce (Marie-Madeleine) (Bragaglia), Capitan Fuoco (Campogalliani), La scimitarra del saraceno (Pierotti) ; 1960, Gli amori di Ercole (Les amours d'Hercule) (Bragaglia), David et Goliath (Pottier), La venere dei pirati (Costa), Il cavaliere del castello maledetto (Costa) ; 1961, Costantino il grande (De Felice), El Cid (Mann) ; 1962, Ponzio Pilato (Ponce Pilate) (Callegari et Rapper), Nur tote Zeugen Schweizen (Le tueur à la rose rouge) (Martin) ; 1963, Il colpo segreto di d'Artagnan (Callegari), Gli sette invincibli (Les sept invincibles) (De Martino), Goliath e la schiava ribelle (Goliath et l'Hercule noir) (Caiano), Il leone di Tebe (Hélène reine de Troie) (Ferroni), Brenno il nemico di Roma (Brenno le tyran) (Gentilomo) ; 1964, Muzio scevola (Le colosse de Rome) (Ferroni), Il gladiatore che sfido l'impero (Hercule défie Spartacus) (Paolella), Maciste alla corte dello zar (Le trésor des tsars) (Anton) ; 1966, I criminali della galassia (Margheriti), Duel à Rio Bravo (Demicheli), Super Seven chiama Cairo (Super 7 appelle le Sphinx) (Lenzi), La decima vittima (La dixième victime) (Petri), Delitto quasi perfetto (Camerini), Bang Bang (Piollet), La notte pazza del conigliaccio (Angeli) ; 1967, L'invincible cavalier noir (Lenzi) ; 1971, Anda, muchacho, spara ! (Ma dernière balle sera pour toi) (Florio), Il sergente Klems (Sergent Klems) (Grieco) ; 1972, Beau Masque (Paul) ; 1973, Don't Look Now (Ne vous retournez pas) (Roeg) ; 1976, Cattivi pensieri (Qui chauffe le lit de ma femme ?) (Tognazzi) ; 1978, Macchie solari (Frissons d'horreur) (Grispino) ; 1979, L'umanoide (L'humanoïde) (Lewis) ; 1981, Estigma (Carraz) ; 1982, Nana, la vera chiave del piacere (Wolman).

Théâtre puis débuts au cinéma avec Franciolini. Serrato va vite devenir une vedette du film de cape et d'épée et du péplum dont les tenues conviennent bien à sa mâle beauté. Mais de série B en série Z, il ne cesse de se dévaluer pour tomber dans un presque anonymat après 1965.

Serrault, Michel

Acteur français né en 1928.

1954, Ah ! les belles bacchantes (Loubignac), Les diaboliques (Clouzot) ; 1955, Cette sacrée gamine (Boisrond) ; 1956, La terreur des dames (Boyer), La vie est belle (Pierre, Thibault), Adorables démons (Cloche), Assassins et voleurs (Guitry) ; 1957, Ça aussi c'est Paris (Cloche), Le naïf aux quarante enfants (Agostini), Clara et les méchants (André) ; 1958, Messieurs les ronds-de-cuir (Diamant-Berger), Oh que mambo (Berry), Nina (Boyer) ; 1959, Vous n'avez rien à déclarer ? (Duhour) ; 1960, La Française et l'amour (épisode Le divorce) (Christian-Jaque), Candide (Carbonnaux), Ma femme est une panthère (Bailly) ; 1961, La belle américaine (Dhéry), La gamberge (Carbonnaux) ; 1962, Les vierges (Mocky), Comment réussir en amour (Boisrond), Nous irons à Deauville (Rigaud), Les quatre vérités (épisode Le corbeau et le renard) (Bromberger), Clémentine chérie (Chevalier), Un clair de lune à Maubeuge (Chérasse), Le repos du guerrier (Vadim) ; 1963, Bébert et l'omnibus (Robert), Les pissenlits par la racine (Lautner), Les durs à cuire (Pinoteau), Carambolages (Bluwal), Comment trouvez-vous ma sœur ? (Boisrond) ; 1964, Moi et les hommes de quarante ans (Pinoteau), La chasse à l'homme (Molinaro), Le petit monstre (Sassy), Jaloux comme un tigre (Cowl), Les combinards (Roy), La bonne occase (Drach), Cent briques et des tuiles (Grimblat) ; 1965, La tête du client (Poitrenaud), Le lit à deux places (Delannoy), Quand passent les faisans (Molinaro), Le caïd de Champignol (J. Bastia), Les baratineurs (Rigaud), Bon week-end (Dulac) ; 1966, Les enquiquineurs (Quignon), Les compagnons de la Marguerite (Mocky), Le roi de cœur (Broca) ; 1967, Le grand bidule (André), Du mou dans la gachette (Grospierre), Le fou du labo 4 (Besnard), Ces messieurs de la famille (André) ; 1968, A tout casser (Berry) ; 1969, Appelez-moi Mathilde (Mondy), Un merveilleux parfum d'oseille (Bassi), Ces messieurs de la gachette (André), Qu'est-ce qui fait courir les crocodiles ? (Poitrenaud) ; 1970, La liberté en croupe (Molinaro), Le cri du cormoran le soir au-dessus des jonques (Audiard) ; 1972, Le viager (Tchernia), Tout le monde il est beau, tout le monde il est gentil (Yanne), La belle affaire (Besnard) ; 1973, Un meurtre est un meurtre (Périer), Moi y'en a vouloir des sous (Yanne), Le grand bazar (Zidi), Les Gaspards (Tchernia), Les Chinois à Paris (Yanne), La main à couper (Périer), La gueule de l'emploi (Rouland) ; 1974, C'est pas parce qu'on n'a rien n'à dire qu'il faut fermer sa gueule (Besnard), Un linceul n'a pas de poche (Mocky) ; 1975, L'ibis rouge (Mocky), Opération Lady Marlène (Lamoureux) ; 1976, La situation est grave, mais pas désespérée (Besnard), Le roi des bricoleurs (Mocky) ; 1977, Préparez vos mouchoirs (Blier) ; 1978, L'argent des autres (Chalonge), La cage aux folles (Molinaro), L'esprit de famille (Blanc) ; 1979, L'associé (Gainville), Buffet froid (Blier), La gueule de l'autre (Tchernia) ; 1980, Pile ou face (Enrico), La cage aux folles 2 (Molinaro), Le coucou (Massaro), Malevil (Chalonge) ; 1981, Garde à vue (Miller), Nestor Burma, détective de choc (Miesch) ; 1982, Deux heures moins le quart avant Jésus-Christ (Yanne), Les fantômes du chapelier (Chabrol), Les quarantièmes rugissants (Chalonge) ; 1983, Mortelle randonnée (Miller) ; 1984, Le bon plaisir (Girod), A mort l'arbitre (Mocky), Dagobert (Risi) ; 1985, Les rois du gag (Zidi), Liberté, égalité, choucroute (Yanne), On ne meurt que deux fois (Deray), La cage aux folles 3 (Lautner) ; 1986, Mon beau-frère a tué ma sœur (Rouffio) ; 1987, Le miraculé (Mocky), Ennemis intimes (Amar) ; 1988, Bonjour l'angoisse (Tchernia), Ne réveillez pas un flic qui dort (Pinheiro), En toute innocence (Jessua) ; 1989, Buon natale, buon anno (Joyeux Noël, bonne année) (Comencini), Comédie d'amour (Rawson) ; 1990, Docteur Petiot (Chalonge) ; 1991, La vieille qui marchait dans la mer (Heynemann), Room service (Lautner), Ville à vendre (Mocky) ; 1992, Bonsoir (Mocky), Vieille canaille (Jourd'hui) ; 1995, Nelly et monsieur Arnaud (Sautet), Le bonheur est dans le pré (Chatiliez) ; 1996, Beaumarchais l'insolent (Molinaro), Le comédien (Chalonge), Assassin(s) (Kassovitz), Artemisia (Merlet) ; 1997, Rien ne va plus (Chabrol) ; 1998, Volpone (Chalonge), Les enfants du marais (Becker) ; 1999, Le monde de Marty (Bardiau), Les acteurs (Blier), Le libertin (Aghion) ; 2000, Belphégor, le fantôme du Louvre (Salomé), Une hirondelle a fait le printemps (Carion) ; 2001, Vajont (Martinelli) ; 2002, Le papillon (Muyl) ; 2003, Vingt-quatre heures de la vie d'une femme (Bouhnik), Le furet (Mocky), Albert est méchant (Palud) ; 2004, Ne quittez pas ! (A. Joffé) ; 2005, Grabuge ! (Mocky), Joyeux Noël (Carion) ; 2006, Les enfants du pays (Javaux) ; 2007, Pars vite et reviens tard (Wargnier).

Échec au Conservatoire, tournées en Allemagne, troupe de Robert Dhéry (le meilleur conservatoire) puis rencontre de Jean Poiret avec lequel il monte de nombreux sketches et joue plusieurs films (à redécouvrir : *Le fou du labo 4*). Ils se séparent mais collaborent pour *La cage aux folles* qui est un triomphe. Toutefois, à partir de *Pile ou face*, puis avec *Garde à vue* et *Mortelle randonnée*, Serrault va se révéler exceptionnel dans des rôles dramatiques : sa composition de détective privé obsédé par la mort de sa fille (il a connu ce drame dans sa vie privée) et suivant à la trace Adjani qui la lui rappelle, montre qu'on l'a trop utilisé dans des comédies de bas niveau (André, Rigaud, Besnard) et que l'on n'a pas su tirer parti, avant 1980, des aspects inquiétants que pouvait traduire sa personnalité. C'est ce que confirme Deray dans *On ne meurt que deux fois* où Serrault retrouve ce personnage de policier désabusé et obsédé. Dans *Le miraculé*, il récupère son complice :

Jean Poiret. Mais le film est un semi-échec. Même échec pour les autres films de Mocky ou pour *Vieille canaille* de Jourd'hui. Serrault y est pourtant admirable en modeste imprimeur assassin de sa femme et fabricant de faux billets de cinq cents francs. L'étendue de son talent est mise en lumière par son personnage de juge désabusé dans *Nelly et monsieur Arnaud*, qui montre qu'il se meut avec aisance dans l'univers de Sautet, et celui d'entrepreneur en proie aux grèves, aux contrôles fiscaux et aux caprices d'une épouse encombrante, qui trouve « le bonheur dans le pré » chez Chatiliez dont la vision cinématographique est aux antipodes de celle de Sautet. Serrault a déjà obtenu trois césars : en 1979 pour *La cage aux folles*, en 1982 pour *Garde à vue* et en 1996 pour *Nelly et monsieur Arnaud*.

Serre, Henri

Acteur français né en 1931.

1961, Le combat dans l'île (Cavalier), Tire au flanc (de Givray), Jules et Jim (Truffaut) ; 1962, Hong Kong, un addio (Polidoro) ; 1963, Le feu follet (Malle) ; 1966, Atout cœur pour OSS 117 (Boisrond) ; 1967, Fantômas contre Scotland Yard (Hunebelle) ; 1969, La main (Glaeser) ; 1971, La vie facile (Warin) ; 1972, Galaxie (Merigny) ; 1973, Le sourire vertical (Lapoujade), Club privé (pour couples avertis) (Pécas) ; 1974, Section spéciale (Costa-Gavras) ; 1978, L'ordre et la sécurité du monde (d'Anna) ; 1979, Rue du pied-de-grue (Grand-Jouan) ; 1980, L'œil du maître (Kurc) ; 1985, O meu caso (Mon cas) (voix off) (Oliveira), Le soulier de satin (Oliveira), Vertiges (Laurent) ; 1987, De guerre lasse (Enrico) ; 1989, La révolution française (Enrico et Heffron), Mister Frost (Setbon), Je t'ai dans la peau (Thorn).

Cabaret et théâtre. Il fut l'homme d'un seul film : *Jules et Jim*.

Servais, Jean

Acteur français d'origine belge, 1912-1976.

1931, Criminel (Forrester) ; 1932, Mater dolorosa (Gance) ; 1933, Les misérables (Bernard) ; 1934, Amok (Ozep), Angèle (Pagnol), Jeunesse (Lacombe), La voix sans visage (Mittler), La chanson de l'adieu (Von Bolvary) ; 1935, Bourrasque (Billon), La dernière heure (Bernard-Desrone) ; 1936, Gigolette (Noé), Rose (Rouleau), Les réprouvés (Séverac), La valse éternelle (Neufeld), Police mondaine (Chamborant), Une fille à papa (Guissart) ; 1938, Terre de feu (L'Herbier), La vie est magnifique (Cloche), L'étrange nuit de Noël (Noé) ; 1939, Quartier sans soleil (Kirsanoff) ; 1940, Ceux du ciel (Noé), Finance noire (Gandera) ; 1941, Fromont Jeune et Risler Aîné (Mathot) ; 1942, Patricia (Mesnier), Malhia la métisse (Kapps) ; 1943, Tornavara (Dréville), La vie de plaisir (Valentin) ; 1945, Terroristes (Gatti) ; 1946, La danse de mort (Cravenne) ; 1947, Amanti venza amore (Franciolini) ; 1948, Une si jolie petite plage (Y. Allégret) ; 1949, Le furet (Leboursier), Mademoiselle de La Ferté (Dallier) ; 1950, Le château de verre (Clément) ; 1951, Le plaisir (Ophuls) ; 1952, Rue de l'estrapade (Becker), Mina de Venghel (Clavel), Tourbillon ; 1953, Le chevalier de la nuit (Darene) ; 1954, Du rififi chez les hommes (Dassin) ; 1955, Les héros sont fatigués (Ciampi), Le couteau sous la gorge (Séverac) ; 1956, La châtelaine du Liban (Pottier), La roue (Haguet), Celui qui doit mourir (Dassin) ; 1957, Tamango (Berry), Quand la femme s'en mêle (Allégret) ; 1958, Cette nuit-là (Cazeneuve), Jeux dangereux (Chenal), Ce corps tant désiré (Saslavsky) ; 1959, La fièvre monte à El Pao (Buñuel) ; 1960, Meurtre en 45 tours (Périer), Le Sahara brûle (Gast), An einen Freitag um halb zwölf (Vendredi treize heures) (Rakoff) ; 1961, Les menteurs (Greville), Le crime ne paie pas (Oury), I fratelli corsi (Majano), Le jour le plus long (Annakin, etc.), Le jeu de la vérité (Hossein) ; 1962, La cage (Darene) ; 1963, L'homme de Rio (Broca), Soupe au poulet (Agostini), Un soir par hasard (Govar) ; 1964, Vous souvenez-vous de Paco ? (Franco), Sursis pour un espion (Maley) ; 1965, Thomas l'imposteur (Franju), Lost Command (Les centurions) (Robson) ; 1966, Avec la peau des autres (Deray) ; 1967, Qualcuno ha tradito (Prosperi) ; Coplan sauve sa peau (Boisset), Suddario di sabbia (Les hommes de Las Vegas) (Isasi-Isasmendi) ; 1970, La nuit des pétrifiés (Brismée), Peau d'âne (Demy) ; 1971, Le château du vice (Brismee), Le seuil du vide (Davy) ; 1973, L'affaire Crazy Capo (Jamain), Le protecteur (Hanin), Un tueur, un flic, ainsi soit-il... /La balançoire à minouches (Van Belle).

Débuts sur scène en Belgique, mais c'est en France qu'il fera une carrière cinématographique. Il est surtout voué aux personnages désabusés, aux gangsters fatigués, aux personnages veules mais qui peuvent être dangereux (*Les héros sont fatigués*). A mesure que son visage se ravage, le pessimisme s'empare de ses créations. Il est l'homme accablé par le destin.

Servier, Élisa

Actrice française née en 1955.

1974, Le chaud lapin (Thomas) ; 1978, Confidences pour confidences (Thomas) ; 1980, Tendres cousines (Hamilton), On n'est pas des anges... elles non plus (Lang) ; 1982, L'été de nos quinze ans (Jullian), Pour cent briques t'as plus rien (Molinaro) ; 1983, Le garde du corps (Leterrier) ; 1984, Partenaires (D'Anna) ; 1987, Quelques jours avec moi (Sautet) ; 1997, Bruits d'amour (Otmezguine) ; 1999, Peut-être (Klapisch).

Une voix sépulcrale sublime, un brushing blond impeccable : Élisa Servier aurait été une superbe femme fatale si elle avait vécu cinquante ans plus tôt. En attendant, elle tourne un peu au cinéma (rien de notable, mis à part à ses débuts chez Pascal Thomas), mais beaucoup pour la télévision, notamment dans les feuilletons de l'été. Une actrice à l'évidence sous-employée.

Séty, Gérard

Acteur français, 1922-1998.

1945, Nuits d'alerte (Mathot), Patrie (Daquin), La tentation de Barbizon (Stelli) ; 1947, L'aventure des Pieds nickelés (Aboulker) ; 1949, Menace de mort (Leboursier), Mission à Tanger (Leboursier), Le trésor des Pieds nickelés (Aboulker) ; 1954, Pas de souris dans le bizness (Lepage), Le rouge et le noir (Autant-Lara) ; 1957, Les espions (Clouzot), Maigret tend un piège (Delannoy) ; 1959, Le travail c'est la liberté (Grospierre) ; 1960, Les pique-assiette (Girault) ; 1961, Cadavres en vacances (Audry), Seul... à corps perdu (Maley), I Titani (Les titans) (Tessari) ; 1964, Aimez-vous les femmes ? (Léon) ; 1965, La guerre est finie (Resnais) ; 1975, Il faut vivre dangereusement (Makovski) ; 1978, Les filles du régiment (Bernard-Aubert), L'argent des autres (Chalonge), Les chiens (Jessua) ; 1980, La puce et le privé (Kay) ; 1990, Van Gogh (Pialat) ; 1992, Fanfan (Jardin), Les visiteurs (Poiré).

Reconnaissance tardive pour cet acteur de second plan avec le rôle du docteur Gachet dans le *Van Gogh* de Pialat.

Sevigny, Chloë

Actrice américaine née en 1974.

1995, Kids (Kids) (Clark) ; 1996, Trees Lounge (Happy Hour) (Buscemi) ; 1997, Gummo (Gummo) (Korine) ; 1998, Palmetto (Schlöndorff), The Last Days of Disco (Les derniers jours du disco) (Whitman), A Map of the World (Une carte du monde) (Elliott) ; 1999, Boys Don't Cry (Boy's Dont Cry) (Peirce), American Psycho (American Psycho) (Harron) ; 2000, Julien Donkey-Boy (Julien Donkey-Boy) (Korine) ; 2002, Demonlover (Assayas) ; 2003, Party Monster (Bailey, Barbato), Death of a Dynasty (Dash), Dogville (Dogville) (Trier) ; 2003, The Brown Bunny (The Brown Bunny) (Gallo), Shattered Glass (Ray).

Adoubée reine du jeune cinéma trash américain après son rôle de junkie sidéenne dans *Kids* et à son travail avec son petit ami Harmony Korine, chantre de la misère suburbaine et de la déliquescence adolescente, Chloë Sevigny se targue en plus d'une vocation de cover-girl hors des standards aseptisés. Issue à la fois de la bourgeoisie new-yorkaise et du mouvement « skate », elle représente, en l'an 2000, la quintessence de la néoféminité, entre trash et glamour.

Sevilla, Carmen

Actrice espagnole, de son vrai nom Maria del Carmen Garcia Galisteo, née en 1930.

1948, Jalisco canta en Sevilla (de Fuentes) ; 1949, La revoltosa ; 1950, Cuentos de la Alhambra ; 1951, Andalousie (Vernay), Le désir et l'amour (Decoin) ; 1952, Babes in Bagdad (Les mille et une filles de Bagdad) (Ulmer), Violettes impériales (Pottier) ; 1953, La belle de Cadix (Bernard) ; 1955, Don Juan (Berry) ; 1957, La venganza (La vengeance) (Bardem) ; 1958, A Spanish Affair (Flamenco) (Siegel), Pane, amore e Andalusia (Seto) ; 1959, Europa di notte (Nuits d'Europe) (Blasetti) ; 1961, King of Kings (Le roi des rois) (Ray) ; 1972, Antony and Cleopatra (Heston), El mas fabuloso golpe del Far West (La Loma).

Danseuse et chanteuse plus qu'actrice, on la retrouve dans d'innombrables films, en belle de Cadix aux yeux de velours comme en Marie-Madeleine dans *Le roi des rois* et même en Octavie dans *Antony and Cleopatra*. Sa réputation s'est fondée sur des œuvres à pure consommation locale que l'on n'a pas cru devoir recenser ici, du type *Un Caballero andaluz* (1954), *Secretaria para todo* (1958) on *Un adulterio decente* (1969) qui sont au cinéma ce qu'un peintre en bâtiment est à Velazquez.

Seweryn, Andrzej

Acteur polonais né en 1946.

1975, Ziemia obiecana (La terre de la grande promesse) (Wajda) ; 1978, Bez znieczulznia (Sans anesthésie) (Wajda), Granica (Rybkowski) ; 1979, Bestia (Domaradski) ; 1980,

Dyrygent (Le chef d'orchestre) (Wajda), Kung Fu (Kijowski) ; 1981, Czlowiek z Zelaza (L'homme de fer) (Wajda), Rosa pour sauver le rêve (Christoforis) ; 1982, Danton (Wajda) ; 1984, Haute mer/High sea (Cozarinsky) ; 1986, La femme de ma vie (Wargnier), Le mal d'aimer (Treves), Qui trop embrasse (Davila) ; 1976/87, Na srebmym Globie (Sur le globe d'argent) (Zulawski) ; 1989, La Révolution française (Enrico et Heffron), Le Mahabharata (Brook) ; 1990, La condanna (Autour du désir) (Bellochio) ; 1991, Indochine (Wargnier) ; 1992, Amok (Farges) ; 1993, Schindler's List (La liste de Schindler) (Spielberg) ; 1994, Podroz na wschod (Chazbijewicz) ; 1995, Total Eclipse (Rimbaud/Verlaine) (Holland) ; 1996, Généalogies d'un crime (Ruiz), Lucie Aubrac (Berri) ; 1998, Ogniem i mieczem (Hoffman) ; 1999, Pan Tadeusz (Pan Tadeusz) (Wajda) ; 2000, Prymas – Trzy lata z tysiaca (Kotlarczyk) ; 2003, À ton image (Villiers).

Après de nombreux films sous la direction de Wajda, il fut Robespierre dans *La Révolution française* comme Pszoniak, son camarade de *La terre de la grande promesse* le fut dans le *Danton* de Wajda. Il joue actuellement à la Comédie Française.

Seyffertitz, Gustav von

Acteur et réalisateur autricien, 1863-1943.

1922, The Face in the Fog (Crosland), Sherlock Holmes (A. Parker), When Knighthood Was in Flower (Vignola), The Inner Man (H. Smith) ; 1923, Mark of the Beast (Thomas Dixon), Under the Red Robe (Crosland), Unseeing Eyes (E. Griffith) ; 1924, The Bandolero (Terriss), The Lone Wolf (S. Taylor), Yolanda (Vignola) ; 1925, The Eagle (Brown), Flower of Night (Bern), The Goose Woman (Brown) ; 1926, The Bells (J. Young), Don Juan (Crosland), The Lone Wolf Returns (Ince), Sparrows (Beaudine), Red Dice (Howard), Danger Girl (Dillon), Diplomacy (Neilan), Unknown Treasures (Mayo) ; 1927, The Student Prince in Old Heidelberg (Lubitsch), The Magic Flame (King), Barbed Wire (Lee), The Price of Honor (E. Griffith), Rose of the Golden West (Fitzmaurice), The Wizard (Rosson) ; 1928, The Gaucho (Jones), Me, Gangster (Walsh), The Docks of New York (Les damnés de l'océan) (Sternberg), The Little Shepherd of Kingdom Come (Santell), The Red Mark (Cruze), The Mysterious Lady (Niblo), The Woman Disputed (King), Vamping Venus (Cline), The Yellow Lily (Korda) ; 1929, The Canary Murder Case (St. Clair), The Case of Lena Smith (Sternberg), Chasing Through Europe (Butler), Seven Faces (Viertel), His Glorious Night (Barrymore), Come Across (R. Taylor) ; 1930, The Bat Whispers (West), The Case of Sergeant Grischa (Brenon), Dangerous Paradise (Wellman) ; 1931, Dishonored (X 27) (Sternberg) ; 1932, Shanghai Express (Shanghai Express) (Sternberg) ; 1934, Remember That Night (Whale) ; 1936, Nurse Edith Cavell (Wilcox). *Pour le metteur en scène*, voir le *Dictionnaire du cinéma*, t. I : *Les réalisateurs*.

L'insuccès de ses films en tant que réalisateur en fit un acteur servi par une inquiétante et fort distinguée maigreur. On le voit surtout en méchant (Moriarty dans *Sherlock Holmes*) ou en prince dégénéré (*The Student Prince*). Il eut Garbo pour partenaire dans *The Mysterious Lady*.

Seymour, Dan

Acteur américain, 1915-1993.

1942, Casablanca (Casablanca) (Curtiz) ; 1944, Kismet (Dieterle) ; 1945, The Spanish Main (Pavillon noir) (Borzage) ; 1946, A Night in Casablanca (Une nuit à Casablanca) (Mayo), Cloak and Dagger (Lang) ; 1947, To Have or Have not (Le port de l'angoisse) (Hawks), Slave Girl (Lamont) ; 1948, Johnny Belinda (Negulesco), Unfaithfully Yours (Infidèlement vôtre) (Sturges), Key Largo (Key Largo) (Huston) ; 1950, Abbott and Costello in the Foreign Legion (Lamont) ; 1951, The Blue Veil (La femme au voile bleu) (Bernhardt) ; 1952, Glory Alley (La ruelle du péché) (Walsh), Rancho Notorious (L'ange des maudits) (Lang) ; 1953, The Big Heat (Règlement de comptes) (Lang) ; 1954, Moonfleet (Les contrebandiers de Moonfleet) (Lang) ; 1956, Beyond a Reasonable Doubt (L'invraisemblable vérité) (Lang) ; 1973, The Way We Were (Nos plus belles années) (Pollack) ; 1974, The Centerfold Girls (Peyser), Escape to Witch Mountain (La montagne ensorcelée) (Hough).

Gros, repoussant, il était, flanqué d'inspecteurs extraordinaires de vérité, un policier de Vichy inquiétant dans *Le port de l'angoisse*. Télévision ensuite.

Seymour, Jane

Actrice anglaise, de son vrai nom Joyce Penelope Frankenberg, née en 1951.

1969, Oh, What a Lovely War (Dieu que la guerre est jolie) (Attenborough) ; 1970, The Only Way (Christensen) ; 1972, Young Winston (Les griffes du lion) (Attenborough) ; 1973, Live and Let Die (Vivre et laisser mourir) (Hamilton) ; 1977, Sinbad and the Eye of the Tiger (Sinbad et l'œil du tigre) (Wanamaker) ; 1978, Battlestar Galactica (Galactica) (Colla) ; 1980, Somewhere in Time (Quelque part dans le temps) (Szware), Oh Heavenly Dog ! (Camp) ; 1983, Lassiter (Signé Lassiter) (Young) ; 1986, Head Office (Finkelman) ; 1988, El tunel (Sabato), Keys to Freedom (Feke) ; 1989, La Révolution française (Enrico et Heffron) ; 1997, The New Swiss Family Robinson (Les naufragés du Pacifique) (Raffill).

Ravissante poupée qui fut « Solitaire » dans un mémorable James Bond (*Vivre et laisser mourir*) et Marie-Antoinette dans *La Révolution française*. Mais elle est surtout connue par la télévision.

Seyrig, Delphine

Actrice et réalisatrice française, 1932-1990.

1958, Pull My Daisy (Frank) ; 1961, L'année dernière à Marienbad (Resnais) ; 1963, Muriel (Resnais) ; 1965, Qui êtes-vous Polly Maggoo (Klein), Comédie (Karmitz) ; 1966, La musica (Duras) ; 1967, Accident (Losey) ; 1968, Mister Freedom (Klein), Baisers volés (Truffaut) ; 1969, La voie lactée (Buñuel) ; 1970, Les lèvres rouges (Kumel) ; 1971, Peau d'âne (Demy) ; 1972, The Day of the Jackal (Chacal) (Zinneman), Le journal d'un suicide (Stanojeviv), Le charme discret de la bourgeoisie (Buñuel) ; 1973, Doll's House (La maison de poupée) (Losey), Dites-le avec des fleurs (Grimblat), Le cri du cœur (Lallemand) ; 1974, Black Windmill (Contre une poignée de diamants) (Siegel), L'atelier (Mervelec), Aloise (Kermadec), India song (Duras), Le jardin qui bascule (Gilles), Le dernier cri (Von Ackeren), Le boucher, la star et l'orpheline (Savary) ; 1975, Jeanne Dielman (Akerman) ; 1976, Son nom de Venise dans Calcutta désert (Duras), Caro Michele (Monicelli), Baxter, Vera Baxter (Duras) ; 1977, Repérages (Soutter) ; 1979, Chère inconnue (Mizrahi), Le chemin perdu (Moraz) ; 1980, Le petit pommier (Kermadec) ; 1981, Freak Orlando (Ottinger) ; 1983, Le grain de sable (Meffre) ; 1984, Dorian Gray, im Spiegel der Boulevardpresse (Ottinger) ; 1986, Golden Eighties (Akerman) ; 1987, Seven Women, Seven Sins (collectif) ; 1988, Johanna d'Arc of Mongolia (Ottinger). *Comme réalisatrice :* 1977, Sois belle et tais-toi.

On ne peut dire qu'elle a donné dans le cinéma de boulevard. A deux ou trois exceptions près rien que des cinéastes difficiles, « très rive gauche » (Resnais, Duras, Akerman, Moraz...). Fille d'un archéologue, elle est née au Liban puis a suivi les cours d'art dramatique de P. Bertin et R. Blin avant d'aller faire un tour à l'Actors' Studio. Elle aurait pu choisir une autre voie qu'un cinéma pour « intellectuels » : elle fut en effet une fort terrifiante comtesse Bathory dans *Les lèvres rouges*. Elle a tourné un film sur le métier d'actrice, à partir du principe de l'interview.

Sharif, Omar

Acteur égyptien, de son vrai nom Michel Shalhoub, né en 1932.

De 1954 (Sina fil wadi *de Chashine) à 1962 : nombreux films (24) en Égypte et en 1956 :* La châtelaine du Liban (Pottier) ; 1958, Goha (Baratier) ; 1962, Lawrence of Arabia (Laurence d'Arabie) (Lean) ; 1963, The Fall of the Roman Empire (La chute de l'Empire romain) (Mann) ; 1964, La fabuleuse aventure de Marco Polo (La Patellière), Behold a Pale Horse (Et vint le jour de la vengeance) (Zinneman), The Yellow Rolls Royce (La Rolls Royce jaune) (Asquith) ; 1965, Genghis Khan (Levin), Doctor Zhivago (Docteur Jivago) (Lean) ; 1966, The Night of the Generals (La nuit des généraux) (Litvak), The Poppy Is Also a Flower (Opération Opium) (Young) ; 1967, C'era une volta (La belle et le cavalier) (Rosi) ; 1968, Funny Girl (Wyler), Mayerling (Young), Mackenna's Gold (L'or des Mackenna) (Lee-Thompson) ; 1969, Che (Fleischer), The Appointment (Lumet) ; 1970, The Horsemen (Les cavaliers) (Frankenheimer), The Lost Valley (La vallée perdue) (Clavell) ; 1971, Le casse (Verneuil) ; 1972, Le droit d'aimer (Le Hung) ; 1973, L'île mystérieuse (Bardem), Tamarend Seed (Top secret) (Blake Edwards) ; 1974, Juggernaut (Terreur sur le Britannic) (Lester) ; 1975, Ace Up My Sleeve (Le désir et la corruption) (Passer), Funny Lady (Funny Lady) (Ross) ; 1976, The Pink Panther Strikes Again (Quand la Panthère rose s'emmêle) (Edwards) ; 1979, Ashanti (Ashanti) (Fleischer), Bloodline (Liés par le sang) (Young), The Baltimore Bullet (Revanche à Baltimore) (R.E. Miller) ; 1980, Oh Heavenly Dog (Camp), Green Ice (E. Day) ; 1983, Ayoub (Lashin), The Far Pavilions (Pavillons lointains) (Duffell) ; 1984, Top Secret (Top secret) (Abrahams, D. Zucker, J. Zucker) ; 1987, Les pyramides bleues (Dombasle) ; 1988, Les possédés (Wajda), Keys to Freedom (Feke) ; 1990, Viaggio d'amore (Fabbri), The Rainbow Thief (Le voleur d'arc en ciel) (Jodorowsky) ; 1991, Al moaten al myssri (Seif), Mayrig (Verneuil), 588, rue Paradis (Verneuil) ; 1992, Tengoku no taizai (Masuada), Beyond Justice (Tessari) ; 1994, Dehk, wa laip wa gad wa hob (El Telmissany) ; 1996, Heaven Before I Die (Musallam) ; 1997, The 13th Warrior (Le 13e guerrier) (McTiernan) ; 2003, M. Ibrahim et les fleurs du Coran (Dupeyron) ; 2004, Hidalgo (Hidalgo) (Johnston) ; 2007, Fuoco su di me (Mon cul) (Lambertini).

Populaire acteur égyptien qui a entrepris à partir de 1962 une grande carrière internationale liée surtout à des super-productions où il joue avec une louable conviction les héros orientaux ou exotiques au regard langoureux. Il semble délaisser les studios au profit du bridge et des courses. Son rôle d'épicier philosophe dans *M. Ibrahim* lui vaut un césar en 2004.

Shaw, Robert

Acteur anglais, 1925-1978.

1954, The Dam Busters (Les briseurs de barrages) (Anderson) ; 1955, A Hill in Korea (Les échappés de l'enfer) (Amyes) ; 1958, Sea Fury (Endfield) ; 1959, Libel (La nuit est mon ennemie) (Asquith) ; 1962, The Valiant (Alerte sur le Vaillant) (Baker), Tomorrow At Ten (Comfort) ; 1963, The Caretaker (Le concierge) (Donner), From Russia With Love (Bons baisers de Russie) ; 1964, The Luck of Ginger Coffey (Kershner) ; 1965, Battle of the Bulge (La bataille des Ardennes) (Annakin) ; 1966, A Man For All Seasons (Un homme pour l'éternité) (Zinneman) ; 1968, Custer of ther West (Custer l'homme de l'Ouest) (Siodmak), The Birthday party (Friedkin) ; 1969, Royal Hunt of the Sun (La chasse royale du soleil) (Lerner), The Battle of Britain (La bataille d'Angleterre) (Hamilton) ; 1970, Figures in a Landscape (Deux hommes en fuite) (Losey) ; 1971, A Town Called Bastard (Les brutes dans la ville) (Parrish), A reflection of Fear (Le souffle de la peur) (Fraker) ; 1972, Young Winston (Les griffes du Lion) (Attenborough) ; 1973, The Hireling (La méprise) (Bridges), The Sting (L'arnaque) (Roy Hill) ; 1974, The Taking of Pelham : 1.2.3. (Les pirates du métro) (Sargent) ; 1975, Jaws (Les dents de la mer) (Spielberg), Swashbuckler (Les pirates des Caraïbes) (Goldstone), Diamonds (Un coup de deux milliards de dollars) (Golan), End of the Game (Schell) ; 1976, Robin and Marian (La rose et la flèche) (Lester), Black Sunday (Un dimanche terrifiant) (Frankenheimer) ; 1977, The Deep (Les grands fonds) (Yates) ; 1978, Avalanche Express (Avalanche Express) (Robson), Force Ten from Navarone (L'ouragan vient de Navarone) (Hamilton).

Encore un de ces acteurs anglais formés à la Royal Academy of Dramatic Art de Londres. Il joua, avec un immense talent, tout le répertoire shakespearien à Stratford on Avon ou à l'Old Vic, écrivit six romans et quatre pièces et introduisit dans ses rôles cinématographiques une curieuse fébrilité (frappante dans *Le pirate des Caraïbes*) comme s'il se savait condamné à disparaître très tôt. Curieuse personnalité qui nous échappera, à tout jamais.

Shawn, Wallace

Acteur américain né en 1943.

1979, Starting Over (Merci d'avoir été ma femme) (Pakula), Manhattan (Manhattan) (Allen) ; 1980, Simon (Simon) (Brickman) ; 1981, Atlantic City (Atlantic City) (Malle), My Dinner With Andre (My dinner with Andre) (Malle) ; 1982, A Little Sex (Paltrow) ; 1983, Deal of the Century (Friedkin), The First Time (Loventhal), Lovesick (Brickman), Strange Invaders (Laughlin) ; 1984, The Bostonians (Les Bostoniennes) (Ivory) Crackers (Crackers) (Malle), The Hotel New Hampshire (Hotel New Hampshire) (Richardson), Micki and Maude (Micki et Maude) (Edwards) ; 1985, Heaven Help Us/Catholic Boys (Tutti Frutti) (Dinner) ; 1986, Head Office (Finkelman), Radio Days (Radio days) (Allen) ; 1987, The Bedroom Window (Faux témoin) (Hanson), Nice Girls Don't Explode (Martinez), The Princess Bride (Princess Bride) (Reiner), Prick Up Your Ears (Prick Up) (Frears) ; 1988, The Moderns (Les modernes) (Rudolph) ; 1989, Take Your Hands Off My Daughter (Touche pas à ma fille) (Dragoti), Scenes From the Class Struggle in Beverly Hills (Bartel), We're No Angels (Nous ne sommes pas des anges) (Jordan) ; 1991, Shadows and Fog (Ombres et brouillard) (Allen) ; 1992, Mom and Dad Save the World (Beeman), Nickel & Dime (Moses), Unbecoming Age (Ringel) ; 1993, The Cemetary Club (Duke), Mrs. Parker and the Vicious Circle (Mrs. Parker et le Cercle Vicieux) (Rudolph) ; 1994, Vanya on the 42nd Street (Vanya, 42e rue) (Malle), The Wife (Noonan) ; 1995, Clueless (Clueless) (Heckerling), House Arrest (Winer), Canadian Bacon (Canadian Bacon) (Moore), The Hurdy-Gurdy Man (Von Dettre) ; 1996, Vegas Vacation (Kessler), Just Write (Gallerani) ; 1997, Critical Care (Lumet), My Favorite Martian (Petrie) ; 2000, The Prime Gig (Mosher) ; 2001, The Curse of the Jade Scorpion (Allen).

Une filmographie très inégale, certainement due à son physique de nabot ingrat et grimaçant (proche de la grenouille), facilement exploité par de mauvais réalisateurs en quête d'effets faciles. Mais de grands cinéastes tels que Malle, Allen, Frears ou Rudolph, ont bien su mettre en valeur cette célèbre figure du théâtre new-yorkais, par ailleurs dramaturge très joué outre-Atlantique.

Shearer, Norma

Actrice américaine, 1900-1983.

1920, Way Down East (A travers l'orage) (Griffith) ; 1921, The Sign on the Door (Brenon) ; 1922, The Bootleggers (Sheldon), The Man Who Paid (Apfek), Channing of the Northwest (R. Ince) ; 1923, The Devil's Partner (S. Fleming), A Clouded Name (Huhn), Pleasure Mad (Barker), Man and Wife (McCutcheon), Lucretia Lombard (Conway), The Wanters (Stahl) ; 1924, Broadway after Dark (Bell), Trail of the Law (Apfel), Empty Hands (Fleming), The Wolf Man (Mortimer), Broken Barriers (Barker), The Snob (Bell), He Who Gets Slapped (Larmes de clown) (Sjöström), Married Flirts (Vignola) ; 1925, Lady of the Night (Bell), Waking up the Town (Cruze), A Slave of Fashion (Henley), Pretty Ladies (Bell), The Tower of Lies (Sjöström), His Secretary (Henley), Excuse Me (Goulding) ; 1926, The Devil's Circus (Christensen), Upstage (Bell), The Waning Sex (Leonard) ; 1927, The Demi-Bride (Leonard), After Midnight (Bell), The Student Prince (Le prince étudiant) (Lubitsch) ; 1928, The Latest from Paris (S. Wood), The Actress (Franklin), A Lady of Chance (Leonard) ; 1929, The Trial of Mary Dugan (Le procès de Mary Dugan) (Veiller), The Last of Mrs Cheyney (La fin de Mme Cheyney) (Franklin), The Hollywood Revue of 1929 (Reisner), Their Own Desire (Hopper) ; 1930, The Divorce (La divorcée) (Leonard), Let Us Be Gay (Leonard), A Free Soul (Ames libres) (Brown), Private Lives (Vies privées) (Franklin), Strangers May Kiss (Fitzmaurice) ; 1932, Strange Interlude (L'étrange interlude) (Leonard), Smilin' Through (Chagrin d'amour) ; 1934, Riptide (Goulding), The Barretts of Wimpole Street (Miss Barrett) (Franklin) ; 1936, Romeo and Juliet (Roméo et Juliette) (Cukor) ; 1938, Marie-Antoinette (Marie-Antoinette) (Van Dyke) ; 1939, The Women (Femmes) (Cukor), Idiot's Delight (La ronde des pantins) (Brown) ; 1940, Escape (LeRoy) ; 1942, We Were Dancing (Danse autour de la vie) (Leonard), Her Cardboard Lover (Cukor).

D'origine canadienne, elle tenta d'abord sa chance chez Ziegfeld puis vint à Hollywood où elle tint de petits rôles. En 1923, elle fut remarquée par Irving Thalberg qui la lia par contrat avec la MGM, la façonna en créature sophistiquée et l'épousa en 1927. Jusqu'en 1936, date de la mort de Thalberg, elle fut l'une des principales stars d'Hollywood obtenant même l'oscar de 1930-1931 pour *The Divorcee.* Elle fut à son apogée Juliette (elle avait trente-six ans !) puis Marie-Antoinette. Elle se maintint encore dans quelques films de Cukor, mais l'appui de Thalberg lui manquait et sa beauté (qui ne fut jamais très grande, il faut l'avouer) commençait à passer. Elle se retira dignement en 1942 et se maria avec un moniteur de ski.

Sheedy, Ally

Actrice américaine née en 1962.

1982, Bad Boys (Rosenthal) ; 1983, Wargames (Wargames) (Badham) ; 1984, The Breakfast Club (Breakfast Club) (Hughes), Oxford Blues (Boris) ; 1985, St Elmo's Fire (Schumacher), Twice in a Lifetime (Soleil d'automne) (Yorkin) ; 1986, Blue City (Manning), Short Circuit (Short Circuit) (Badham) ; 1987, Mail to Order (Jones) ; 1988, She's Having a Baby (La vie en plus) (Hughes) ; 1989, Heart of Dixie (Davidson) ; 1990, Betsy's Wedding (Alda) ; 1991, Only the Lonely (Ta mère ou moi) (Columbus) ; 1992, Home Alone II : Lost in New York (Maman, j'ai encore raté l'avion) (Columbus), The Pickle (Mazursky) ; 1993, Man's Best Friend (Max, le meilleur ami de l'homme) (Lafia), Tattle Tale (Taylor) ; 1994, One Night Stand (Shire), Parallel Lives (Yellen) ; 1996, Myth America (Niederhoffer) ; 1997, High Ball (Baumbach), Groupies (Spiegel), Crossroads of Destiny (Muspratt), Country Justice (Campbell), Amnesia (Voss), High Art (High Art) (Cholodenko) ; 1998, Autumn Heart (Maler) ; 1999, Sugar Town (Sugar Town) (Anders, Voss).

Charmante ingénue excellente dans les films de Badham. Mais Hollywood lui tourne bientôt le dos et elle se retranche dans le cinéma indépendant. On la retrouve, mûrie et apaisée, dans *High Art,* présenté au Festival de Cannes 1998.

Sheen, Charlie

Acteur américain né en 1965.

1979, Apocalypse Now (Apocalypse Now) (Coppola) ; 1984, Firestarter (Charlie) (M. Lester), Red Dawn (L'aube rouge) (Milius), The Boys Next Door (De sang froid) (Spheeris) ; 1986, Ferris Bueller's Day Off (La folle journée de Ferris Bueller) (Hughes), Lucas (Seltzer), The Wraith (Marvin), Platoon (Platoon) (Stone), Wisdom (Estevez) ; 1987, Wall Street (Wall Street) (Stone), Three for the Road (Norton), No Man's Land (260 chrono) (Werner) ; 1988, Young Guns (Young guns) (Cain), Eight Men Out (Sayles) ; 1989, Major League (Les Indians) (Ward), Courage Mountain (Leitch), Never on Tuesday (Rifkin), Beverly Hills Brats (Sotorakis) ; 1990, Backtrack (Hopper), Navy Seals (Navy Seals — Les meilleurs) (Teague),

Men at Work (Men at work) (E. Estevez), Cadence (Cadence) (M. Sheen), The Rookie (La relève) (Eastwood) ; 1991, Hot Shots ! (Hot Shots !) (Abrahams) ; 1992, Beyond the Law (Ferguson) ; 1993, National Lampoon's Loaded Weapon 1 (Alarme fatale) (Quintano), Hot Shots ! 2 (Hot Shots ! 2) (Abrahams), Fixing the Shadow (Ferguson), Deadfall (Chris Coppola), The Three Musketeers (Les trois mousquetaires) (Herek) ; 1994, Major League II (Ward), The Chase (A toute allure) (Rifkin), Terminal Velocity (Terminal Velocity) (Serafian), Wings of Courage (Annaud) ; 1995, Shadow Conspiracy (Haute trahison) (Cosmatos) ; 1996, The Arrival (The Arrival) (Twohy), Loose Women (Bernard), Money Talks (Argent comptant) (Ratner) ; 1997, Bad Day on the Block (Sous pression) (Baxley), Postmortem (Pyun), Free Money (Simoneau) ; 1998, A Letter from Death Row (Michaels, Baker), No Code of Conduct (Michaels), Being John Malkovich (Dans la peau de John Malkovich) (Jonze) ; 1999, Five Aces (O'Neill), Rated X (Estevez) ; 2000, Famous (Dunne) ; 2003, Scary Movie 3 (Scary Movie 3) (Zucker) ; 2006, Scary Movie 4 (Scary Movie 4) (Zucker).

Fils de Martin Sheen et frère d'Emilio Estevez, il a été imposé par Stone qui voyait en lui un nouveau Montgomery Clift.

Sheen, Martin

Acteur et réalisateur américain, de son vrai nom Ramon Estevez, né en 1940.

1967, The Incident (L'incident) (Peerce) ; 1968, The Subject Was Roses (Grosbard) ; 1970, Catch 22 (Catch 22) (Nichols) ; 1971, No Drums, no Bugles (Ware) ; 1972, Rage (G. Scott), Pick up of 101 (Florea), When the Line Goes Through (Ware) ; 1974, Badlands (La balade sauvage) (Malick) ; 1975, The Catholics (Le visiteur) (Gold), The Legends of Earl Durand (Patterson), Sweet Hostage (Douce captive) (Philips) ; 1976, La petite fille au bout du chemin (Gessner) ; 1977, Cassandra Crossing (Le pont de Cassandra) (Cosmatos) ; 1978, Eagle's Wing (L'étalon de guerre) (Harvey) ; 1979, Apocalypse Now (Apocalypse Now) (Coppola), The Final Countdown (Nimitz, retour vers l'enfer) (D. Taylor) ; 1982, Enigma (Szwarc), A Man, a Woman and a Child (Un homme, une femme, un enfant) (Richards), Gandhi (Gandhi) (Attenborough), That Champion Season (Miller) ; 1983, The Dead Zone (Dead zone) (Cronenberg) ; 1984, Firestarter (Charlie) (Lester) ; 1985, Broken Rainbows (Florio et Mudd) ; 1986, Loophole (Quested) ; 1987, Wall Street (Wall Street) (Stone), The Believers (Les envoûtés) (Schlesinger), Siesta (Lambert), Da (La maison avant la nuit) (Clark) ; 1988, Judgment in Berlin (L. Penn), Dear America (voix off, Couturier), Walking After Midnight (Kay) ; 1989, Personal Choice (Saperstein), Cold Front (Bnarbic), The Beverly Hills Brats (Sotirakis) ; 1990, Stockade (Sheen) ; 1991, Hearts of Darkness – A Filmmaker's Apocalypse (Aux cœurs des ténèbres) (Hickenlooper et Bahr), Cadence (Cadence) (Sheen), The Maid (Toynton) ; 1992, The Killing Box (Hickenlooper), Touch and Die (Solinas), Running Wild (McLachlan) ; 1993, Gettysburg (Gettysburg, la dernière bataille) (Maxwell), The Break (Katzin), Hear no Evil (Greenwald), Hot Shots, Part Deux (Hot Shots ! 2) (Abrahams) ; 1994, Gospa (Sedlar), Hits ! (Greenblatt), Les cent et une nuits (Varda), The Profiler (Cohn), Boca (King), Fortunes of War (Klotz), Guns of Honor (Edwards), Trigger Fast (D. Lester) ; 1995, Dillinger and Capone (Purdy), Sacred Cargo (Boravsky), The American President (Le président et Miss Wade) (Reiner), Dorothy Day (Rhodes) ; 1996, The War at Home (Estevez), Truth or Consequences, N. M. (La dernière cavale) (K. Sutherland), Spawn (Spawn) (Dippé), A Stranger in the Kingdom (Craven) ; 1997, Snitch (T. Demme), Hostile Waters (Péril en mer) (Drury), The Ballad of Hopalong Cassidy (Ch. Coppola), The Elevator (Zelinski, Borman, Dick) ; 1998, A Letter from Death Row (Michaels, Baker), No Code of Conduct (Michaels), Storm (Done), Ninth Street (Rebman, Wilmott), Lost & Found (J. Pollack), Gunfighter (C. Coppola) ; 1999, Lucky Town (Bereth), O (Blake Nelson), A Texas Funeral (Herron) ; 2002, Catch Me if You Can (Arrête-moi si tu peux) (Spielberg) ; 2006, The Departed (Les infiltrés) (Scorcese), Bobby (Bobby) (Estevez) ; 2007, Bordertown (Les oubliées) (Nava). *Comme réalisateur :* 1990, Cadence (Cadence).

Beau ténébreux, au jeu un peu terne. On l'oublie aussitôt le mot « End », mais sa composition dans *Les infiltrés* l'a fait redécouvrir.

Sheffield, Johnny

Acteur américain né en 1931.

1939, Tarzan Finds a Son (Tarzan trouve un fils) (Thorpe), Babes in Arms (Berkeley) ; 1940, Little Orvie (McCarey), Lucky Cisco Kid (Humberstone), Knute Rockne (Bacon) ; 1941, Million Dollar Baby (Bernhardt), Tarzan's Secret Treasure (Le trésor de Tarzan) (Thorpe) ; 1942, Tarzan's New York Adventure (Tarzan à New York) (Thorpe) ; 1943, Tarzan Triumphs (Le triomphe de Tarzan)

(Thiele), Tarzan's Desert Mystery (Le mystère de Tarzan) (Thiele) ; 1944, Our Hearts Were Young and Gay (Allen), The Man in Half Moon Street (R. Murphy), Wilson (King) ; 1945, Roughly Speaking (Curtiz), Tarzan and the Amazones (Tarzan et les amazones) (Neumann) ; 1946, Tarzan and the Leopard Woman (Tarzan et la femme léopard) (Neumann) ; 1947, Tarzan and the Huntress (Tarzan et la chasseresse) (Neumann) ; 1949, Bomba the Jungle Boy (Beebe), Bomba on Panther Island (Beebe) ; 1950, The Lost Volcano (Beebe), Bomba and the Hidden City (Beebe) ; 1951, The Lion Hunters (Beebe), Bomba and the Elephant Stampede (Beebe) ; 1952, African Treasure (Beebe), Bomba and the Jungle Girl (Beebe) ; 1953, Safari Drums (Beebe) ; 1954, The Golden Idol (Beebe), Liller Leopard (Beebe) ; 1955, Lord of the Jungle (Beebe) ; 1956, The Black Sleep (Le Borg).

Il fut le fils de Tarzan dans plusieurs films de la MGM avant de devenir Bomba, le nouveau Tarzan, dans une jungle de carton devant les caméras poussives de Beebe. Ne soyons pas trop sévères pourtant et gardons le souvenir de « Boy », le « fils » de Tarzan et de Jane, tombé en fait pudiquement du ciel grâce à un accident d'avion et recueilli par l'homme-singe.

Shepard, Sam

Scénariste et acteur américain né en 1943.

1970, Bronco Bullfrog (Platt-Mills) ; 1977, Renaldo and Clara (Bob Dylan) ; 1978, Days of Heaven (Les racines du ciel) (Malick) ; 1980, Resurrection (Petrie) ; 1981, Raggedy Man (L'homme dans l'ombre) (Fisk) ; 1983, Frances (Frances) (Clifford), The Right Stuff (L'étoffe des héros) (Kaufman) ; 1984, Country (Les moissons de la colère) (Pearce) ; 1985, Fool for Love (Altman) ; 1986, Crimes of the Heart (Les crimes du cœur) (Beresford) ; 1987, Baby Boom (Shyer) ; 1989, Steel Mangnolias (Potins de femmes) (Ross) ; 1991, Homo Faber (The voyager) (Schlöndorff), Thunderheart (Cœur de tonnerre) (Apted), Bright Angel (Fields), Defenseless (Sans aucune défense) (Campbell) ; 1993, The Pelican Brief (L'affaire pélican) (Pakula) ; 1994, Safe Passage (Safe Passage) (Ackerman) ; 1997, The Only Thrill (Masterson) ; 1998, Snow Falling on Cedars (La neige tombait sur les cèdres) (Hicks) ; 1999, Hamlet (Hamlet) (Almereyda), All the Pretty Horses (De si jolis chevaux) (Thornton) ; 2000, The Pledge (Penn) ; 2001, Swordfish (Sena) ; 2002, Leo (Norowzian), Black Hawk Dawn (La chute du faucon noir) (Scott) ; 2004, The Notebook (N'oublie jamais) (N. Cassavetes) ; 2005, Don't Come Knocking (Don't Come Knocking) (Wenders) ; 2005, Sleath (Furtif) (R. Cohen) ; 2007, The Assassination of Jesse James by the Coward Robert Ford (Dominik), Ocean's Thirteen (Ocean's Thirteen) (Soderbergh).

Double carrière de comédien et de dramaturge-scénariste, lauréat en 1979 du prix Pulitzer. Ce rural issu du Middle West est inclassable. Créateur, il est aussi un acteur exceptionnel qui se situe dans la lignée de Gary Cooper.

Sheridan, Ann

Actrice américaine, 1915-1967.

1933, Search for Beauty (Kenton) ; 1934, Ladies Should Listen (Tuttle), Murder at the Vanities (Leisen), Shoot the Works (Ruggles), You Belong to Me (Werker), Come on Marines (Hathaway), The Notorious Sophie Lang (Murphy), College Rhythm (Taurog), Wagon Wheels (Barton), Limehouse Blues (Hall) ; 1935, Enter Madame (Nugent), Rocky Mountain Mystery (Barton), Behold My Wife (Leisen), The Glass Key (La clé de verre) (Tuttle), Fighting Youth, Mississippi (Sutherland), The Crusades (Les croisades) (DeMille), Red Blood of Courage (English) ; 1936, Black Legion (La Légion noire) (Mayo), Sing Me a Love Song (Enright) ; 1937, Wine, Women and Horses (L. King), The Great O'Malley (Septième district) (Dieterle), San Quentin (Bacon), The Footloose Heiress (Clemens) ; 1938, The Patient in Room 18 (Connolly), Alcatraz Island (McGann), Cow-boy from Brooklyn (Bacon), She Loved a Fireman (Farrow), Mystery House (N. Smith), Little Miss Thoroughbred (Farrow), Broadway Musketeers (Farrow), Letter of Introduction (Stahl), Angels with Dirty Faces (Les anges aux figures sales) (Curtiz) ; 1939, Naughty But Nice (Enright), They Made Me a Criminal (Je suis un criminel) (Berkeley), Indianapolis Speedway (Bacon), Winter Carnival (Riesner), Dodge City (Les conquérants) (Curtiz) ; 1940, Torrid Zone (Keighley), Castle on the Hudson (Litvak), City for Conquest (Litvak), It All Game True (Le rendez-vous de minuit) (Seiler), They Drive by Night (Une femme dangereuse) (Walsh) ; 1941, Kings Row (Crimes sans châtiment) (Wood), Honeymoon for Three (Bacon), Navy Blues (Bacon), The Man Who Came to Dinner (Keighley) ; 1942, George Washington Slept Here (Keighley), Juke Girl (Bernhardt), Wings for the Eagle (Bacon) ; 1943, Thank Your Lucky Stars (Remerciez votre bonne étoile) (Butler), Edge of

Darkness (L'ange des ténèbres) (Milestone) ; 1944, The Doughgirls (Kern) ; Shine on Harvest Moon (Butler) ; 1946, One More Tomorrow (Godfrey) ; 1947, Nora Prentiss (V. Sherman), The Unfaithful (V. Sherman) ; 1948, The Treasure of the Sierra Madre (Le trésor de la Sierra Madre) (Huston), Silver River (La rivière d'argent) (Walsh), Good Sam (Le bon vieux Sam) (McCarey) ; 1949, I Was a Male War Bride (Allez coucher ailleurs) (Hawks) ; 1950, Stella (Binyon), Woman on the Run (Foster) ; 1952, Steel Town (G. Sherman), Just Across the Street (Pevney) ; 1953, Take Me to Town (Sirk), Appointment in Honduras (Les révoltés de la Claire Louise) (Tourneur) ; 1956, Come Next Spring (Springsteen), The Opposite Sex (Miller).

Beaucoup de petits rôles à ses débuts, puis le contrat avec la Warner. Des personnages rudes mais pleins d'espoir pour cette blonde au sourire moqueur qui éclipse souvent la vedette avant de connaître enfin la célébrité grâce à son surnom : « the 'oomph girl' ». Son nom est associé à ceux de Flynn ou de Bogart à la grande époque de la Warner mais elle épousera Edward Norris puis George Brent. Morte d'un cancer.

Shields, Brooke

Actrice américaine née en 1965.

1976, Alice, Sweet Alice (Alice, douce Alice) (Sole) ; 1978, La petite (Malle), Tilt (Durand) ; 1979, Just You and Me Kid (Stern), King of the Gipsies (Le roi des gitans) (Pierson) ; 1980, Wanda Nevada (Fonda), Blue Lagon (Le lagon bleu) (Kleiser), Endless Love (Zeffirelli) ; 1984, The Muppets Take Manhattan (Oz), Sahara (McLaglen) ; 1985, Wet Gold (Lowry) ; 1989, Speed Zone (Drake), Brenda Starr (R.E. Miller) ; 1990, Backstreet Dreams (Hitzig) ; 1991, Un amore americano (Schivazappa) ; 1992, Running Wild (McLachlan) ; 1993, Freaked (Winter/Stern) ; 1994, The Seventh Floor (Barry) ; 1996, Freeway (Freeway) (Bright) ; 1997, The Misadventures of Margaret (Les folies de Margaret) (Skeet) ; 1998, The Weekend (Skeet) ; 1999, Black & White (Black and White) (Toback), The Bachelor (Le célibataire) (Sinyor) ; 2000, After Sex (Thor), Mayor of Sunset Strip (Hickenlooper).

Avant l'âge d'un an, elle posait déjà comme modèle ! Choisie par Louis Malle comme héroïne d'un film sur la prostitution des enfants, on la revit, fort agréable à contempler, dans une niaiserie intitulée *Le lagon bleu*. La suite ne vaut guère mieux, mais elle rebondit grâce à la télévision, dans une sitcom à succès dont elle est la vedette (« Susan »).

Shimkus, Joanna

Actrice canadienne née en 1943.

1964, Paris vu par... (Godard, etc.) ; 1965, De l'amour (Aurel) ; 1966, Les aventuriers (Enrico) ; 1967, La prisonnière (Clouzot) ; 1968, Tante Zita (Enrico) ; 1969, Ho! (Enrico) ; 1970, L'invitata (De Seta), The Last Man (Arthur), The Virgin and The Gypsy (Miles) ; 1971, Time for Loving (Miles), The Marriage of a Young Stockbroker (Turman).

Mannequin réputé, d'origine canadienne, mélangée d'Irlandais et de Lituanien. Elle posa pour *Elle* et fut lancée par la nouvelle vague française. Mais son talent restait modeste malgré de brillants patronages. Elle a fini par épouser l'acteur noir Sidney Poitier.

Shimura, Takashi

Acteur japonais, de son vrai nom Shōji Shimazaki, 1905-1982.

(Ne sont indiqués que les principaux films avec leur titre français uniquement.) 1936, L'élégie d'Osaka/L'élégie de Naniwa (Mizoguchi) ; 1943, La légende du grand Judo (Kurosawa) ; 1948, L'ange ivre (Kurosawa) ; 1949, Chien enragé (Kurosawa) ; 1950, Scandale (Kurosawa), Rashomon (Kurosawa) ; 1951, L'idiot (Kurosawa) ; 1952, Vivre (Kurosawa) ; 1954, Les sept samouraïs (Kurosawa), Godzilla (Honda) ; 1957, Le château de l'Araignée (Kurosawa) ; 1958, Prisonnières des Martiens (Honda), La forteresse cachée (Kurosawa) ; 1961, Yojimbo (Kurosawa) ; 1962, Sanjuro (Kurosawa), Gorath (Honda) ; 1965, Ghidorah (Honda), Barberousse (Kurosawa), Kwaidan (Kobayashi) ; 1969, Tora-San (Yamada) ; 1974, Debout les damnés de la terre (Yoshimura) ; 1980, Kagemusha (Kurosawa).

Acteur de théâtre engagé par la compagnie cinématographique Toho dans les années 40, il va révéler son immense talent chez Kurosawa. Qui a pu oublier le docteur de *L'ange ivre*, le vieux chef des *Sept samouraïs*, le condamné de *Vivre*. Un visage bouleversant, pétri d'humanité.

Short, Martin

Acteur canadien né en 1950.

1979, Lost and Found (Frank) ; 1986, Three Amigos ! (Three Amigos) (Landis) ; 1987, Innerspace (L'aventure intérieure) (Dante), Cross My Heart (Bernstein) ; 1989, The Big Picture (The Big Picture) (Guest), Three Fugitives (Les trois fugitifs) (Veber) ; 1991, Pure

Luck (Tass), Father of the Bride (Le père de la mariée) (Shyer) ; 1992, Captain Ron (Eberhardt) ; 1994, Clifford (Flaherty) ; 1995, Father of the Bride 2 (Shyer) ; 1996, Mars Attacks ! (Mars Attacks !) (Burton) ; 1997, Jungle2Jungle (Un Indien à New York) (Pasquin), A Simple Wish (La guerre des fées) (Ritchie) ; 1999, Mumford (Kasdan) ; 2000, Get Over It (O'Haver).

Comique formé à l'école « Saturday Night Live », il se spécialise dans les rôles de pauvres types à qui arrivent tous les malheurs du monde. Le pendant américain de Pierre Richard, dont il reprend d'ailleurs le rôle dans la version américaine des *Fugitifs*. Il prête sa voix à des dessins animés comme *The Prince of Egypt*.

Shue, Elisabeth

Actrice américaine née en 1963.

1984, The Karate Kid (Karaté Kid – Le moment de vérité) (Avildsen) ; 1986, Link (Link) (Franklin) ; 1987, Adventures in Babysitting (Nuit de folie) (Columbus) ; 1988, Cocktail (Cocktail) (Donaldson) ; 1989, Body Wars (Nimoy) ; 1989, Back to the Future II (Retour vers le futur 2) (Zemeckis) ; 1990, Back to the Future III (Retour vers le futur 3) (Zemeckis) ; 1991, Soapdish (Hoffmann), The Marrying Man (La chanteuse et le milliardaire) (Rees) ; 1993, Twenty Bucks (Rosenfeld), Heart and Souls (Underwood) ; 1994, Radio Inside (Bell), Blind Justice (Justice aveugle) (Spence) ; 1995, The Underneath (A fleur de peau) (Soderbergh), Leaving Las Vegas (Leaving Las Vegas) (Figgis), The Trigger Effect (Réactions en chaîne) (Koepp) ; 1997, The Saint (Le Saint) (Noyce), Deconstructing Harry (Harry dans tous ses états) (Allen), Cousin Bette (McAnuff) ; 1998, Palmetto (Schlöndorff), Molly (Molly) (Duigan) ; 1999, The Hollow Man (Hollow Man – L'homme sans ombre) (Verhoeven) ; 2002, Leo (Norowzian).

Elle débute adolescente dans des spots publicitaires, puis tient le premier rôle féminin du film de kung-fu pour enfants, *Karaté kid*. Mais la belle en a dans la tête et part étudier à Harvard avant de décider que la comédie a finalement du bon, et de revenir à l'écran. La reconnaissance se fera en 1995 grâce à son rôle d'alcoolique dans *Leaving Las Vegas*, pour lequel elle est nommée à l'oscar de la meilleure actrice. Un charme naturel et une forte présence émanent de cette comédienne partagée entre registre léger et dramatique.

Sibertin-Blanc, Jean-Chrétien

Acteur français né en 1960.

1977, Le dernier amant romantique (Jaeckin) ; 1988, Un tour de manège (Pradinas) ; 1992, Les histoires d'amour finissent mal... en général (Fontaine) ; 1994, Le fils préféré (Garcia), Augustin (Fontaine) ; 1995, La fille seule (Jacquot), La mémoire est-elle soluble dans l'eau ? (Najman) ; 1997, On connaît la chanson (Resnais) ; 1998, Augustin roi du kung-fu (Fontaine).

Il est avant tout Augustin, personnage lunaire, bégayeur et foncièrement attachant, qui tient la vedette de deux films réalisés par sa sœur Anne Fontaine. Le reste est beaucoup plus anecdotique.

Sibirskaïa, Nadia

Actrice française, de son vrai nom Jeanne Brunet, 1901-1980.

1923, L'ironie du destin (Kirsanoff) ; 1924, Ménilmontant (Kirsanoff) ; 1927, Sables (Kirsanoff) ; 1929, Brumes d'automne (Kirsanoff) ; 1930, La petite Lise (Grémillon) ; 1931, Les nuits de Port-Saïd (Mittler), Les vagabonds magnifiques (Dini) ; 1933, Rapt (Kirsanoff) ; 1934, Dédé (Guissart), Sapho (Perret), Jeanne (Marrot) ; 1935, Le crime de M. Lange (Renoir), Les mystères de Paris (Gandera) ; 1936, La vie est à nous (Renoir, Le Chanois, Becker...), Jeunes filles de Paris (Vermorel) ; 1937, La Marseillaise (Renoir), La plus belle fille du monde (Kirsanoff), Franco de port (Kirsanoff) ; 1939, Quartier sans soleil (Kirsanoff).

Elle a beaucoup tourné sous la direction de Kirsanoff, mais c'est Grémillon dans *La petite Lise* puis Renoir dans *Le crime de M. Lange* où elle était poursuivie par les assiduités de Jules Berry qui lui ont donné ses meilleurs rôles.

Sidney, Sylvia

Actrice américaine, de son vrai nom Sophia Kosow, 1910-1999.

1927, Broadway Nights (Boyle) ; 1929, Thru Different Eyes (Blystone) ; 1931, Confession of a Co-Ed (Burton, Murphy), An American Tragedy (Une tragédie américaine) (Sternberg), Ladies of the Big House (Gering), City Streets (Les carrefours de la ville) (Mamoulian), Street Scene (Vidor) ; 1932, Madame Butterfly (Gering), The Miracle Man (McLeold), Merrily We Go to Hell (Arzner), Make Me a Star (Beaudine) ; 1933, Pick Up (Gering), Jennie Gerhardt (Gering) ; 1934, Behold My Wife (Leisen), Good Dame

(Gering), Thirty Day Princess (Gering) ; 1935, Accent on Youth (Ruggles), Mary Burns Fugitive (Howard) ; 1936, Sabotage (Agent secret) (Hitchcock), Fury (Furie) (Lang), Trail of the Lonesome Pine (La fille du bois maudit) (Hathaway) ; 1937, Dead End (Rue sans issue) (Wyler) ; You Only Live Once (J'ai le droit de vivre) (Lang) ; 1938, You and Me (Casier judiciaire) (Lang) ; 1939, One Third of a Nation (Murphy) ; 1941, The Wagons Roll at Night (Enright) ; 1945, Blood on the Sun (Du sang dans le soleil) (Lloyd) ; 1946, The Searching Wind (Dieterle), Mr Ace (Marin) ; 1947, Love from a Stranger (L'amour d'un inconnu) (Whorf) ; 1952, Les misérables (Milestone) ; 1955, Violent Saturday (Les inconnus dans la ville) (Fleischer) ; 1956, Behind the High Wall (Biberman) ; 1973, Summer Wishes, Winter Dreams (Cates) ; 1976, Raid on Entebbe (Raid sur Entebbe) (Kershner), God Told Me To (Meurtres sous contrôle) (Cohen) ; 1977, I Never Promised You a Rose Garden (Page) ; 1978, The Omen II (Damien) (Taylor) ; 1980, The Shadow Box (Newman) ; 1982, Hammett (Hammett) (Wenders) ; 1983, Order of Death/Copkiller (Faenza) ; 1988, Beetlejuice (Beetle juice) (Burton), Going Hollywood (Schlossberg) ; 1992, Used People (4 New-Yorkaises) (Kidron) ; 1996, Mars Attacks ! (Mars Attacks !) (Burton).

Léo Malet lui a consacré l'un de ses poèmes en souvenir de *You Only Live Once* qui marqua toute une génération. Fille d'émigrants, elle prit le nom de son beau-père lorsque sa mère divorça. Remarquée par les agents de la Paramount, elle en devint l'une des stars lors des années 30. Elle se retira une première fois en 1941, revint en 1945 mais pour se voir confinée dans des films et des rôles de moins en moins importants. A partir de 1956, elle se tourna vers la télévision où elle n'a pas arrêté de tourner jusqu'en 1980. Certains films (*Entebbe, Omen II*) ont été distribués en salles.

Signoret, Gabriel

Acteur français, 1878-1937.

1910, Rival de son père (Leprince), L'usurpateur (Leprince) ; 1911, La comtesse noire (Leprince), L'amour plus fort que la haine (Leprince) ; 1912, Britannicus (Morlhon) ; 1913, L'usurier (Morlhon) ; 1914, La lutte pour la vie (Zecca, Leprince) ; 1917, Mères françaises (Mercanton et Hervil) ; 1918, Le torrent (Mercanton et Hervil), Bouclette (Mercanton et Hervil) ; 1919, La cigarette (Dulac), Fanny Lear (Manoussi), L'homme bleu (Manoussi), Le secret du Lone Star (Baroncelli) ; 1920, Le silence (Delluc), Flipotte (Baroncelli) ; 1921, Prométhée banquier (L'Herbier) ; 1922, Pour Don Carlos (Lasseyre) ; 1923, Le rêve (Baroncelli), La flamme (Leprieur), Le père Goriot (Baroncelli) ; 1924, La porteuse de pain (Le Somptier), L'enfant des Halles (Leprince), Le secret de Polichinelle (Hervil), Jocaste (Ravel), L'ornière (Chimot), Les deux gosses (Mercanton) ; 1925, Le berceau de Dieu (Leroy-Grandville) ; 1933, Trois pour cent (Dréville) ; 1934, Le billet de mille (Didier) ; 1935, Veille d'armes (L'Herbier), Bourrachon (Guissart) ; 1936, Ménilmomant (Guissart), 27, rue de la Paix (Pottier), La flamme (Berthomieu), Le grand refrain (Mirande), Le coupable (Bernard), Nuits de feu (L'Herbier), Les hommes nouveaux (L'Herbier), Messieurs les ronds-de-cuir (Mirande) ; 1937, Arsène Lupin détective (Diamant-Berger), Faisons un rêve (Guitry), La danseuse rouge (Paulin).

Acteur de théâtre réputé, il participe aux débuts du cinéma. Il en sera une star dans les années 20 mais avec le parlant, il ne conservera guère la vedette que dans *Bourrachon*, un rôle de cocu magnifique qu'il avait créé au théâtre. Il mourut pendant le tournage de *La danseuse rouge*.

Signoret, Simone

Actrice française, de son vrai nom Kaminker, 1921-1985.

1941, Bolero (Boyer) ; 1942, Le prince charmant (J. Boyer), Les visiteurs du soir (Carné) ; 1943, Adieu Léonard (Prévert), Le voyageur de la Toussaint (Daquin), Le mort ne reçoit plus (Tarride) ; 1944, Service de nuit (Faurez), L'ange de la nuit (Berthomieu), Béatrice devant le désir (Marguenat) ; 1945, Le couple idéal (Bernard-Roland), La boîte aux rêves (Y. Allégret), Les démons de l'aube (Y. Allégret) ; 1946, Macadam (Blistène) ; 1947, Fantômas (Sacha), Dédée d'Anvers (Y. Allégret), Against the Wind (Les guerriers dans l'ombre) (Crichton) ; 1948, L'impasse des deux anges (M. Tourneur) ; 1949, Manèges (Y. Allégret), Swiss Tour (Lindtberg) ; 1950, La ronde (Ophuls), Sans laisser d'adresse (Le Chanois), Le traqué (Tuttle), Ombre et lumière (Calef) ; 1952, Casque d'or (Becker) ; 1953, Thérèse Raquin (Carné) ; 1954, Les diaboliques (Clouzot) ; 1956, La mort en ce jardin (Buñuel), Les sorcières de Salem (Rouleau) ; 1959, Room at the Top (Les chemins de la haute ville) (Clayton) ; 1960, Les mauvais coups (Leterrier), Adua e le compagne (Adua et ses compagnes) (Pietrangeli) ; 1961, Les amours célèbres (Boisrond), Term of Trial (Le verdict)

(Glenville) ; 1963, Le jour et l'heure (Clément), Dragées au poivre (Baratier) ; 1965, Paris brûle-t-il ? (Clément), Compartiment tueurs (Costa-Gavras), Ship of Fools (La nef des fous) (Kramer) ; 1967, The Deadly Affair (M 15 demande protection) (Lumet), Games (Le diable à trois) (Harrington) ; 1969, The Seagull (La mouette) (Lumet), L'armée des ombres (Melville), L'Américain (Bozzuffi) ; 1970, L'aveu (Costa-Gavras) ; 1971, Compte à rebours (Pigault), Le chat (Granier-Deferre) ; La veuve Couderc (Granier-Deferre) ; 1972, Les granges brûlées (Chapot) ; 1973, Rude journée pour la reine (Allio) ; 1974, La chair de l'orchidée (Chéreau) ; 1975, Le gitan (Giovanni), Police Python 357 (Corneau) ; 1977, La vie devant soi (Mizrahi) ; 1978, Judith Therpauve (Chéreau) ; 1979, L'adolescence (J. Moreau) ; 1980, Chère inconnue (Mizrahi) ; 1981, Guy de Maupassant (Drach), L'étoile du Nord (Granier-Deferre).

Elle demeure dans la mémoire de tout cinéphile comme l'éblouissante *Casque d'or*, de loin son meilleur rôle. Elle avait auparavant, après avoir fait de la figuration sous l'Occupation, collé au courant néoréaliste de l'après-guerre : prostituée au grand cœur ou fille de l'assistance publique. Sa beauté plutôt canaille convenait aux films d'Yves Allégret qu'elle épousa en 1944. Après *Casque d'or*, l'oscar de 1959 pour *Room at the top* et son mariage en secondes noces avec Montand, changement de style. Non seulement l'artiste s'engage, mais elle joue maintenant les femmes mûres. Du *Chat* à *l'Étoile du Nord*, c'est une suite de personnages qui montre comment elle s'intègre parfaitement à l'univers de Simenon : des femmes vieillies mais restées fortes. Mais que de mauvais films qu'elle accepte de tourner au nom de l'amitié ou de l'engagement *(La vie devant soi* — qui lui vaut tout de même un césar en 1978 —, *Judith Therpauve)*. Elle n'y est — il faut le reconnaître — pas toujours très bonne, par rapport à ses premières interprétations. Son livre de souvenirs, *La nostalgie n'est plus ce qu'elle était*, a été un best-seller en 1977. Il sera suivi notamment d'un roman, *Adieu Volodia*, publié en 1984. Sa mort suscita une vive émotion.

Sihol ou Silhol, Caroline

Actrice française née en 1949.

1974, L'ombre d'une chance (Mocky) ; 1982, Le démon dans l'île (Leroi), La vie est un roman (Resnais) ; 1983, Vivement dimanche ! (Truffaut) ; 1984, Les morfalous (Verneuil) ; 1986, Tenue de soirée (Blier) ; 1988, Contrainte par corps (Leroy) ; 1989, I Want to Go Home (Resnais) ; 1990, Faux et usage de faux (Heynemann) ; 1991, Tous les matins du monde (Corneau), Vent d'est (Enrico) ; 1992, La prédiction (Riazanov) ; 1993, La lumière des étoiles mortes (Matton) ; 1994, L'amour conjugal (Barbier) ; 1997, Droit dans le mur (Richard) ; 1999, Rembrandt (Matton), La moitié du ciel (Mazars) ; 2003, L'outremangeur (Binisti).

Elle n'apparaissait que quelques instants dans *L'Ombre d'une chance* de Mocky, et déjà, tant de grâce et de charme au milieu de cette galeries de monstres... Outre de nombreux rôles au théâtre — elle fut la Marie-Antoinette du spectacle de Robert Hossein — elle mène de front une carrière cinématographique qui prit de l'ampleur à partir de 1990.

Silva, Henry

Acteur américain né en 1928.

1952, Viva Zapata (Kazan) ; 1956, Crowded Paradise (Fred Pressburger) ; 1957, The Tall T (L'homme de l'Arizona) (Boetticher), A Hatful of Rain (Une poignée de neige) (Zinneman) ; 1958, The Bravados (Bravados) (King), The Law and Jake Wade (Le trésor du pendu) (Sturges), Ride a Crooked Trail (L'étoile brisée) (Hibbs) ; 1959, Green Mansions (Vertes demeures) (Ferrer), The Jayhawkers (Violence au Kansas) (Frank) ; 1960, Cinderella (Cendrillon aux grands pieds) (Tashlin), Ocean's Eleven (L'inconnu de Las Vegas) (Milestone) ; 1962, Sergeants Three (Les trois sergents) (Sturges), The Mandchurian Candidate (Un crime dans la tête) (Frankenheimer) ; 1963, A Gathering of Eagles (D. Mann), Johnny Cool (La revanche du Sicilien) (Asher) ; 1964, The Secret Invasion (Corman) ; 1965, The Return of Mr Moto (Ernest Morris), The Reward (La récompense) (Bourguignon), Je vous salue Mafia (Levy) ; 1966, Matchless (Mission Top Secret) (Lattuada), The Plainsman (Les fusils du Far West) (Lowell Rich), Un fiume di dollari (Du sang dans la montagne) (Lizzani, alias Beaver) ; 1967, Never a Dull Moment (Paris) ; 1968, Quella carogna dell'ispettore Sterling (Miraglia) ; 1969, Probalita Zero (Lucidi) ; 1970, The Animals (Joy) ; 1971, Man and Boy (Swackhamer) ; 1972, La mala ordina (Di Leo), L'insolent (Roy), Les hommes (Vigne) ; 1973, Il boss (Di Leo) ; 1974, Milano odia (Lenzi), Fatevi vivi : la polizia non interverra (Fago) ; 1975, L'uomo della strada fa giustizia (Lenzi), Il re de la mala (Roland) ; 1976, Poliziotti violenti (MKs... 118) (Tarantini), Shoot (H. Hart) ; 1978, Love and Bullets (Avec les compliments de Charlie) (Rosenberg) ; 1979, Buck Rogers in the 25th Century (Buck Rogers au 25e siècle) (Haller) ;

1980, Virus (Virus) (Fukasaku), Alligator (L. Teague), Thirst (R. Hardy) ; 1981, Sharky's Machine (L'antigang) (Reynolds), Trapped (Fruet), Megaforce (Needham) ; 1982, The Man With the Deadly Lens/Right is Wrong (Meurtres en direct) (Brooks) ; 1983, Bronx Warriors 2 (Les guerriers du Bronx 2) (Castellari), The Violent Breed (Di Leo), Le marginal (Deray), Chained Heat (Les anges du mal) (L. Nicolas) ; 1984, The Manhunt (de Angelis), Cannonball Run 2 (Cannonball 2) (Needham), Code of Silence (Sale temps pour un flic) (Davis) ; 1985, Lust in the Dust (Lust in the dust) (Bartel), The Killer Party (Fruet) ; 1987, Allan Quatermain and the Lost City of Gold (Allan Quatermain et la cité de l'or perdu) (Nelson), Amazon Women on the Moon (Cheeseburger film sandwich) (Dante, Landis,...) ; 1988, Above the Law (Nico) (Davis), Bullet Proof (Carver) ; 1989, Fists of Steel (Schafer), Trained to Kill (Dyal) ; 1990, Dick Tracy (Dick Tracy) (Beatty), Three Days to Kill (Williamson) ; 1992, The Harvest (Marconi) ; 1993, South Beach (Williamson) ; 1994, Possessed By the Night (Olen-Ray) ; 1996, Mad Dog Time (Mad Dog) (Bishop), The Prince (Perry) ; 1997, The End of Violence (The End of Violence) (Wenders) ; 1998, Unconditional Love (Rush) ; 1999, Ghost Dog — The Way of the Samurai (Ghost Dog — La voie du Samouraï) (Jarmusch).

D'origine portoricaine, il s'imposa par son étrange physique : yeux enfoncés et cruels, pommettes saillantes, gestes froids et précis, bref le type parfait du tueur glacé. *Johnny Cool* (ce nom lui allait à merveille) en fit une vedette en France et en Italie, alors qu'il restait confiné dans les seconds rôles aux États-Unis. Notons toutefois une curieuse tentative pour lui faire ressusciter le personnage de Mr Moto créé jadis par Peter Lorre.

Silveira, Leonor

Actrice portugaise née en 1970.

1988, Os canibais (Les cannibales) (Oliveira) ; 1989, Non a và gloria de mandar (Non ou la vaine gloire de commander) (Oliveira) ; 1991, A divina comédia (La divine comédie) (Oliveira), Retrato da familia (Galvão Teles) ; 1992, O quatro elementos — O ar (Botelho), O quatro elementos — O fogo (Botelho) ; 1993, Vale Abraào (Le val Abraham) (Oliveira) ; 1995, O convento (Le couvent) (Oliveira) ; 1996, Party (Party) (Oliveira), Viagem ao principo do mundo (Voyage au début du monde) (Oliveira) ; 1997, Porto Santo (Silva) ; 1998, Inquiétude (Oliveira), La lettre (Oliveira) ; 2000, Palavra e utopia (Parole et utopie) (Oliveira), Je rentre à la maison (Oliveira) ; 2001, O Porto da minha infância (Porto de mon enfance) (Oliveira) ; 2002, O princípio da incerteza (Le principe d'incertitude) (Oliveira) ; 2003, Un filme falado (Un film parlé) (Oliveira).

Engagée par Manoel de Oliveira pour *Les Cannibales* alors qu'elle est encore étudiante, elle sera plus tard la sublime et tragique Ema du *Val Abraham*, transposition moderne de *Madame Bovary*. Ne semble pas, pour l'instant, s'intéresser beaucoup aux autres réalisateurs.

Silver, Véronique

Actrice française née en 1931.

1953, Si Versailles m'était conté (Guitry) ; 1957, Méfiez-vous fillettes (Y. Allégret), Montparnasse 19 (Becker) ; 1964, Moi et les hommes de quarante ans (Pinoteau) ; 1970, Mais ne nous délivrez pas du mal (Séria) ; 1976, La communion solennelle (Féret) ; 1977, La part du feu (Périer), Dites-lui que je l'aime (Miller) ; 1978, La jument-vapeur (J. Buñuel), La tortue sur le dos (Béraud) ; 1980, Mon oncle d'Amérique (Resnais) ; 1981, La passante du Sans-Souci (Rouffio), La femme d'à côté (Truffaut) ; 1982, Ballade à blanc (Gauthier), Toute une vie (Lelouch), Le destin de Juliette (Issermann) ; 1983, La vie est un roman (Resnais) ; 1984, Stress (Bertucelli) ; 1985, Mystère Alexina (Féret), Blanche et Marie (Renard) ; 1986, Où que tu sois (Bergala), Poussière d'ange (Niermans) ; 1988, La maison de jade (N. Trintignant) ; 1989, Il y a des jours... et des lunes (Lelouch), Noce blanche (Brisseau) ; 1990, Aujourd'hui peut-être (Bertucelli) ; 1991, Les enfants du naufrageur (Foulon) ; 1992, Le mirage (Guiguet) ; 1994, Du fond du cœur (Doillon) ; 1995, Les frères Gravet (Féret), Le cœur fantôme (Garrel) ; 1998, Les passagers (Guiguet).

Elle est surtout connue pour son sublime rôle de Mme Jouve, voisine handicapée, témoin du drame qui se noue dans *La femme d'à côté*. Une actrice qui se caractérise, à l'écran, par des personnages empreints d'une réelle douceur : mère affectueuse, confidente... Dommage que le cinéma ne se soit intéressée à elle que tardivement. Elle a été l'épouse d'Henri Virlojeux.

Silvera, Frank

Acteur américain, 1914-1970.

1951, The Cimarron Kid (A feu et à sang) (Boetticher) ; 1952, Viva Zapata (Kazan), The Fighter (Kline), The Miracle of Our Lady of Fatima (Le miracle de Fatima) (Brahm) ; 1955, Killer's Kiss (Le baiser de tueur) (Kubrick) ;

1956, Crowded Paradise (Fred Pressburger) ; 1959, Crime and Punishment U.S.A. (Sanders) ; 1960, The Mountain Road (Commando de destruction) (Daniel Mann), Key Witness (L'homme qui a trop parlé) (Karlson), Heller in Pink Tights (La diablesse en collants roses) (Cukor) ; 1962, Mutiny on the Bounty (Les révoltés du Bounty) (Milestone) ; 1963, Toys in the Attic (Le tumulte) (Roy Hill) ; 1966, The Appaloosa (L'homme de la Sierra) (Furie) ; 1967, The Saint Valentine's Day Massacre (Le massacre de la Saint-Valentin) (Corman) ; 1969, Guns of the Magnificent Seven (Les colts des sept mercenaires) (Wendkos) ; 1971, Valdez Is Coming (Valdez) (Sherin).

L'une de ces innombrables trognes du cinéma américain. Silvera est surtout célèbre pour la folle poursuite dans un dépôt de mannequins de *Killer's Kiss*. Il venait du Plymouth Theatre de Boston et a fait ensuite beaucoup de télévision. Supérieur à Devon ou Jaeckel.

Silverstone, Alicia

Actrice américaine d'origine anglaise née en 1976.

1993, The Crush (Shapiro) ; 1994, True Crime (Verducci) ; 1995, The Babysitter (Ferland), Hideaway (Souvenirs de l'au-delà) (Leonard), Le nouveau monde (Corneau) ; 1996, Clueless (Clueless) (Heckerling) ; 1997, Batman and Robin (Batman & Robin) (Schumacher), Excess Baggage (Excess Baggage) (Brambilla) ; 1998, Blast from the Past (Première sortie) (Wilson) ; 1999, Love's Labour's Lost (Peines d'amour perdues) (Branagh).

Après un passage chez Corneau dans un film pour lequel quasiment personne ne s'est déplacé, cette jeune midinette blonde et un peu évaporée retourne à Hollywood et tient le premier rôle de *Clueless*, dans lequel elle joue une pauvre petite fille riche de Beverly Hills. Sophistiquée et puérile à la fois, elle est parfaitement en harmonie avec le rôle, et le film est une réussite du genre. Son personnage de Batgirl dans les quatrième aventures de la chauve-souris masquée n'est par contre guère convaincant.

Sim

Acteur français, de son vrai nom Simon Berryer, né en 1926.

1969, Elle boit pas... elle fume pas... elle drague pas... mais elle cause ! (Audiard), Une veuve en or (Audiard) ; 1970, Les mariés de l'an II (Rappeneau) ; 1971, La grande mafia (Clair) ; 1972, La brigade en folie (Clair) ; 1973, La grande nouba (Caza) ; 1977, Drôles de zèbres (Lux), Le roi des bricoleurs (Mocky) ; 1978, Sacrés gendarmes (Launois) ; 1980, Touch' pas à mon biniou (Launois) ; 1989, La voce della luna (La voce della luna) (Fellini) ; 1998, Astérix et Obélix contre César (Zidi).

D'abord et avant tout une gueule invraisemblable, sur lequel ce comédien de cabaret va jouer pendant toute sa carrière, allant jusqu'à lui consacrer un livre, *Elle est chouette, ma gueule*. Cantonné dans le registre de la gaudriole lourde, ses travestissements en vieille femme, pour les besoins du théâtre, sont étrangement bien plus émouvants que simplement comiques. À plus de soixante-dix ans, il endosse le rôle qui semblait taillé pour lui, à savoir celui d'Agecanonix, le vieillard d'Astérix.

Simmons, Jean

Actrice anglaise née en 1929.

1944, Give Us the Moon (Guest), Mr. Emmanuel (French), Meet Sexton Blake (Harlow), Kiss the Bride Goodbye (Stein) ; 1945, The Way to the Stars (Le chemin des étoiles) (Asquith), Caesar and Cleopatra (César et Cléopâtre) (Pascal) ; 1946, Great Expectations (Les grandes espérances) (Lean), Hungry Hill (Desmond Hurst) ; 1947, Black Narcissus (Le narcisse noir) (Powell), Uncle Silas (Ch. Frank) ; 1948, Hamlet (Hamlet) (Olivier), The Bleu Lagoon (Le lagon bleu) (Launder) ; 1949, Adam and Evelyne (French) ; 1950, Trio (French), Cage of Gold (Dearden), So Long at the Fair (Fisher), The Clouded Yellow (R. Thomas) ; 1952, Androcles and the Lion (Androclès et le lion) (Erskine), Angel Face (Un si doux visage) (Preminger) ; 1953, Young Bess (La reine vierge) (Sidney), Affair with a Stranger (Rowland), She Couldn't Say No (Bacon), The Actress (Cukor), The Robe (La tunique) (Koster) ; 1954, The Egyptian (L'Égyptien) (Curtiz), Desiree (Désirée) (Koster), A Bullet Is Waiting (Une balle vous attend) (Farrow) ; 1955, Guys and Dolls (Blanches colombes et vilains messieurs) (Mankiewicz), Footsteps in the Fog (Des pas dans le brouillard) (Lubin) ; 1956, Hilda Crane (Dunne) ; 1957, This Could Be the Night (Cette nuit ou jamais) (Wise), Until They Sail (Femmes coupables) (Wise) ; 1958, Home Before Dark (LeRoy), The Big Country (Les grands espaces) (Wyler) ; 1959, This Earth Is Mine (Cette terre qui est mienne) (King) ; 1960, Elmer Gantry (Elmer Gantry le charlatan) (Brooks), Spartacus (Spartacus) (Kubrick) ; 1961, The Grass Is Greener (Ailleurs l'herbe est plus verte)

(Donen) ; 1963, All the Way Home (Segal) ; 1965, Life at the Top (Kotcheff) ; 1966, Mr Buddwing (D. Mann) ; 1967, Divorce American Style (Yorkin), Rough Night in Jericho (Violence à Jéricho) (Laven) ; 1969, The Happy Ending (Brooks) ; 1970, Say Hello to Yesterday (Rakoff) ; 1975, Mr. Sycomore (Khoner) ; 1978, Dominique (Dominique) (Anderson) ; 1984, Going Undercover (Clarke) ; 1988, The Dawning (Knights) ; 1995, How to Make an American Quilt (Le patchwork de la vie) (Moorhouse).

Née à Londres, danseuse puis actrice, elle n'est guère remarquée dans ses premiers films. Mais Laurence Olivier lui confie le rôle d'Ophélie dans son *Hamlet*, ce qui lui vaut un prix au Festival de Venise. La voilà lancée, Hollywood l'appelle pour *Androclès et le lion. Angel Face* où sa douceur angélique cachait une énigme funeste confirme l'immensité de son talent. Elle n'échappe pas à Cukor, le directeur des stars, est la partenaire de Brando dans *Guys and Dolls* et suscite l'admiration par la diversité de son jeu dans *Elmer Gantry* de Brooks qu'elle épouse mais dont elle divorcera, n'appréciant pas son film *A la recherche de Mr. Goodbar*. Elle avait été mariée auparavant avec Stewart Granger. Elle a peu tourné après 1970.

Simon, François

Acteur suisse, 1917-1982.

1935, Sous les yeux d'Occident (M. Allégret) ; 1938, Circonstances atténuantes (Boyer) ; 1939, Fric-frac (Lehman) ; 1957, Baeckerei Zürrer (Früh) ; 1969, Le champignon (Simenon), Charles mort ou vif (Tanner) ; 1970, Le fou (Goretta) ; 1971, Mourir d'aimer (Cayatte), Corpo d'amore (Carpi) ; 1972, La mort du directeur du cirque de puces (Koerfer), La salamandre (Tanner) ; 1973, L'invitation (Goretta) ; 1974, La chair de l'orchidée (Chéreau), Pas si méchant que ça (Goretta) ; 1975, Lumière (Moreau) ; 1977, Violanta (Schmid) ; 1978, Judith Therpauve (Chéreau) ; 1979, Cristo si e fermato a Eboli (Le Christ s'est arrêté à Eboli) (Rosi), Alzire (Koerfer) ; 1980, La femme flic (Boisset) ; 1981, Quartetto Basileus (Quartetto Basileus) (Carpi).

Fils de Michel Simon, élève de Dullin, acteur chez Barrault, directeur de théâtre à Genève, il a peu été utilisé au cinéma, si ce n'est par Tanner et Goretta. Son physique tragique lui permit d'être aussi bien le vieil homme découvrant la vie de *Charles mort ou vif* que l'inquiétant tueur de *La chair de l'orchidée*.

Simon, Marcel

Acteur et réalisateur français, 1872-1958.

1913, Le mystère de la chambre jaune (Tourneur) ; 1931, Le rosier de madame Husson (Bernard-Deschamps), Le monsieur de minuit (Lachman) ; 1932, Il a été perdu une mariée (Joannon), Paris-Soleil (Hémard) ; 1933, La femme invisible (Lacombe) ; 1934, Une femme chipée (Colombier) ; 1935, Sacré Léonce (Christian-Jaque) ; 1936, Donogoo (Schunzel et Chomette), La chanson du souvenir (Sierck et Poligny), Prends la route (Boyer et Chavance), Avec le sourire (Tourneur) ; 1937, Le plus beau gosse de France (Pujol), Alexis, gentleman-chauffeur (Vaucorbeil), Le club des aristocrates (Colombier), Mademoiselle ma mère (Decoin), Trois artilleurs au pensionnat (Pujol), Monsieur Breloque a disparu (Péguy), La griffe du hasard (Pujol) ; 1938, Deux de la réserve (Pujol), Katia (Tourneur), La marraine du régiment (Rosca), Trois artilleurs en vadrouille (Pujol), Café de Paris (Mirande) ; 1939, Moulin-Rouge (Hugon), Derrière la façade (Mirande et Lacombe) ; 1940, Paris-New York (Mirande) ; 1945, Boule de suif (Christian-Jaque) ; 1947, Non coupable (Decoin) ; 1949, Le trésor de Cantenac (Guitry). *Comme réalisateur :* 1917, Le calvaire de Mignon ; 1919, Un fil à la patte ; 1922, L'hôtel du Libre-Échange.

On se souvient de lui comme le centenaire du *Trésor de Cantenac*, mais il fut éblouissant en aristocrate peureux dans *Boule de suif* ou en comparse de *Paris-New York* et autres films à sketches d'Yves Mirande.

Simon, Michel

Acteur français d'origine suisse, de son vrai prénom François Michel, 1895-1975.

1925, La vocation d'André Carell (Choux), Feu Mathias Pascal (L'Herbier) ; 1926, L'inconnue des Six-Jours (Sti) ; 1927, Casanova (Volkoff) ; 1928, La passion de Jeanne d'Arc (Dreyer), Tire-au-flanc (Renoir) ; 1929, Pivoine (A. Sauvage) ; 1930, L'enfant de l'amour (L'Herbier) ; 1931, Jean de la Lune (Choux), On purge Bébé (Renoir), La chienne (Renoir), Baleydier (Mamy) ; 1932, Boudu sauvé des eaux (Renoir) ; 1933, Miquette et sa mère (Diamant-Berger), Du haut en bas (Pabst), Léopold le bien-aimé (Brun) ; 1934, L'Atalante (Vigo), Lac aux dames (M. Allégret), Le bonheur (L'Herbier) ; 1935, Le bébé de l'escadron (Sti), Adémaï au Moyen Age (Marguenat), Amants et voleurs (Bernard) ; 1936, Sous les yeux d'Occident (Allégret), Moutonnet (Sti), Les jumeaux de Brighton (Heymann), Le mort en fuite (Berthomieu), Jeunes filles de Paris (Vermorel),

Faisons un rêve (Guitry) ; 1937, La bataille silencieuse (Billon), Naples au baiser de feu (Genina), Drôle de drame (Carné), Boulot aviateur (Canonge), Si tu m'aimes (Ryder), Le choc en retour (Monca et Keroul) ; 1938, Les disparus de Saint-Agil (Christian-Jaque), Quai des brumes (Carné), Les nouveaux riches (Berthomieu), La chaleur du sein (Boyer), Le ruisseau (Lehmann), Belle étoile (Baroncelli) ; 1939, Eusèbe député (Berthomieu), Le dernier tournant (Chenal), Noix de coco (Boyer), La fin du jour (Duvivier), Cavalcade d'amour (Bernard), Fric-frac (Lehmann), Circonstances atténuantes (Boyer), Derrière la façade (Lacombe-Mirande), Les musiciens du ciel (Lacombe), Paris-New York (Heymann-Mirande) ; 1940, La comédie du bonheur (L'Herbier), La Tosca (Koch) ; 1942, Le roi s'amuse (Bonnard), La dame de l'Ouest (Koch) ; 1943, Au Bonheur des dames (Cayatte), Vautrin (Billon) ; 1945, Un ami viendra ce soir (Bernard) ; 1946, Panique (Duvivier), La taverne du Poisson couronné (Chanas) ; 1947, Non coupable (Decoin), Les amants du pont Saint-Jean (Decoin), La carcasse et le tord-cou (Chanas) ; 1948, Fabiola (Blasetti) ; 1949, La beauté du diable (Clair) ; 1950, Les deux vérités (Leonviola) ; 1951, Hôtel des Invalides (Franju), La Poison (Guitry) ; 1952, La fille au fouet (Dréville), Brelan d'as (Verneuil), Monsieur Taxi (Hunebelle), Le rideau rouge (Barsacq), Le chemin de Damas (Glass), La vie d'un honnête homme (Guitry), Le marchand de Venise (Billon), Femmes de Paris (Boyer) ; 1953, L'étrange désir de M. Bard (Radvanyi), Saadia (Lewin), Par ordre du tsar (Haguet), Quelques pas dans la vie (Blasetti) ; 1955, L'impossible M. Pipelet (Hunebelle), Les mémoires d'un flic (Foucaud) ; 1956, La joyeuse prison (Berthomieu) ; 1957, Les trois font la paire (Duhour), Un certain M. Jo (Jolivet) ; 1959, Ça s'est passé en plein jour (Vajda), La femme nue et Satan (Trivas), Austerlitz (Gance) ; 1960, Pierrot la tendresse (Villiers), Candide (Carbonnaux) ; 1961, Le bateau d'Émile (La Patellière) ; 1962, Le diable et les dix commandements (Duvivier), Cyrano et d'Artagnan (Gance) ; 1963, Le train (Frankenheimer) ; 1965, Deux heures à tuer (Govar) ; 1966, Le vieil homme et l'enfant (Berri) ; 1967, Ce sacré grand-père (Poitrenaud) ; 1970, Contestazione generale (Zampa), La maison (Brach) ; 1971, Blanche (Borowczyk) ; 1972, La piu belle sera della mia vita (Scola) ; 1974, Le boucher, la star et l'orpheline (Savary) ; 1975, L'ibis rouge (Mocky).

« Je suis né en 1895, et, comme un malheur ne vient jamais seul, cette année-là, les frères Lumière inventaient le cinématographe ! » confiait Michel Simon. De nombreux livres, de Claude Gauteur et Paul Guth à Christian Plume et Xavier Pasquini, ont évoqué la vie de ce monstre sacré qui fut aussi un sacré monstre. Débuts au théâtre avec Pitoëff puis Jouvet. Au cinéma, ses premières apparitions, notamment dans la *Jeanne d'Arc* de Dreyer, ne retiennent guère l'attention. Puis c'est Clo-Clo de *Jean de la Lune*, le caissier pitoyable de *La chienne* et enfin Boudu de *Boudu sauvé des eaux*. Michel Simon crève l'écran. Le clochard de *Boudu*, qui, arraché à la noyade, passe son temps à semer le trouble dans le milieu bien convenable qui l'a recueilli, cet anarchiste total, c'est au fond le double de Michel Simon. Tout comme le père Jules, ce vieux marinier au crâne rasé et aux collections étranges entassées dans sa cabine, qui exerce une trouble fascination sur la jeune femme du patron dans *L'Atalante*. Mais, à côté de ces chefs-d'œuvre, Michel Simon sauve, dans les années 30, de nombreux navets par sa seule présence. Il est remarqué par Carné qui lui donne deux grands rôles : Molyneux dans *Drôle de drame* et Zabel (« personne ne m'aime ») dans *Quai des brumes*. Après la guerre, il atteint le sommet de son art dans *Panique*, inspiré d'un roman de Simenon et où il donne à son personnage une extraordinaire ambiguïté. Un sommet ? Non, il se dépasse encore dans *La Poison*, sous la direction de Guitry. Et quelle humanité dans le rôle du grognard d'*Austerlitz* d'Abel Gance. Gance, Renoir, Duvivier, Clair, Carné, L'Herbier, Guitry, Michel Simon a travaillé avec les plus grands metteurs en scène français et tous ont dit leur admiration pour son génie.

Michel Simon était tout aussi extravagant dans sa vie privée : érotomane fabuleux (il avait une collection extraordinaire de photos et d'objets érotiques), méprisant les artistes engagés du style de Gérard Philipe (il eut des mots avec lui sur le plateau de *La beauté du diable*), pleurant misère mais en réalité fort riche, il fut bien un monstre sacré. « Je ne sache pas, disait Cocteau, qu'aucune gloire contemporaine du film puisse vous donner cette somme de réalisme et de songe. Comment fait-il ? Car cet artiste qui pose des énigmes est une énigme lui-même, et j'estime que sa grandeur vient de ce que ni lui ni aucun autre ne peut la résoudre. »

Simon, Simone
Actrice française, 1911-2005.

1931, Durand contre Durand (Thiele, Joannon), Le chanteur inconnu (Tourjansky), Mam'zelle Nitouche (Allégret), La petite chocolatière (Allégret) ; 1932, Un fils d'Amérique (Gallone), Le roi des palaces (Gallone), Prenez garde à la peinture (Chomette), Pour vivre heureux (Della Torre) ; 1933, L'étoile de Valencia (Poligny), Tire-au-flanc (Wulschleger), Le voleur (Tourneur) ; 1934, Lac aux dames (Allégret) ; 1935, Les yeux noirs (Tourjansky), Les beaux jours (Allégret) ; 1936, Girl's Dormitory (Cummings), Ladies in Love (Quatre femmes à la recherche du bonheur) (E. Griffith) ; 1937, Love and Hisses (Lanfield), Seventh Heaven (L'heure suprême) (King) ; 1938, Josette (Dwan), La bête humaine (Renoir) ; 1939, Cavalcade d'amour (Bernard) ; 1941, All That Money Can Buy (Tous les biens de la terre) (Dieterle) ; 1942, Cat People (La féline) (Tourneur) ; 1943, Tahiti Honey (Auer) ; 1944, Johnny Doesn't Live Here Anymore (May), The Curse of the Cat People (La malédiction des hommes chats) (Wise et von Fritsch), Mademoiselle Fifi (Wise) ; 1946, Petrus (Allégret) ; 1947, Temptation Harbour (Le port de la tentation) (Comfort) ; 1949, Donne senze nome (Femmes sans nom) (Radvanyi) ; 1950, Olivia (J. Audry), La ronde (Ophuls) ; 1951, Le plaisir (Ophuls) ; 1954, I tre ladri (De Felice) ; 1955, Das zweite Leben (Double destin) (Vicas) ; 1956, The Extra Day (Fairchild) ; 1973, La femme en bleu (Deville).

Figurante, elle se fait remarquer par sa fraîcheur et occupe une place de plus en plus grande dans les films qu'elle tourne jusqu'à *Lac aux dames* qui la lance. Zanuck lui offre un contrat à Hollywood mais la cantonne dans des films ineptes comme *Josette* où elle chante et danse pour sauver le film. Retour en France pour un chef-d'œuvre, *La bête humaine*, où sa fausse innocence fait merveille. Mais c'est aux États-Unis, pendant la guerre, qu'elle va trouver le rôle de sa vie : *Cat People*. Son visage de chat lui permet de donner une terrifiante crédibilité à ce personnage de femme-panthère qui la marquera à jamais aux yeux du public américain. Un remake suivra sans épuiser le succès de ce film devenu mythique. Revenue en France, elle tourne avec Ophuls puis se retire peu à peu du monde cinématographique.

Simon-Girard, Aimé

Acteur et réalisateur français, 1889-1950.

1921, Les trois mousquetaires (Diamant-Berger) ; 1922, Le fils du flibustier (Feuillade) ; 1925, Le Vert-Galant (Leprince), Mylord l'Arsouille (Leprince) ; 1926, Fanfan la Tulipe (Leprince), La grande amie (Max de Rieux) ; 1927, Les Transatlantiques (Colombier) ; 1930, Gassenhauer (Les quatre vagabonds) (Lupu-Pick) ; 1933, Les trois mousquetaires (Diamant-Berger), Champignol malgré lui (Ellis) ; 1934, Les hommes de la côte (Pellenc) ; 1936, Arsène Lupin détective (Diamant-Berger) ; 1937, François Ier (Christian-Jaque), Les perles de la couronne (Guitry), La fessée (Caron) ; 1938, Alexis, gentleman chauffeur (Vaucorbeil) ; 1944, Le cavalier noir (Grangier) ; 1947, Mandrin (Jayet). *Comme réalisateur :* 1923, La Belle Henriette.

Brillant acteur de théâtre à la belle prestance, il fut à l'écran d'Artagnan ou François Ier, Henri IV *(Les perles de la couronne)* ou Mylord l'Arsouille. Il aurait pu être Arsène Lupin ou Cyrano tant il avait de panache.

Sinatra, Frank

Chanteur et acteur américain, 1915-1998.

1941, Las Vegas Nights (Murphy) ; 1942, Ship Ahoy (Buzzell) ; 1943, Higher and Higher (Whelan) ; 1944, Step Lively (Whelan) ; 1945, Anchors Aweigh (Escale à Hollywood) (Sidney) ; 1946, Till the Clouds Roll By (Whorf) ; 1947, It Happened in Brooklyn (Whorf) ; 1948, The Miracle of the Bells (Le miracle des cloches) (Pichel), The Kissing Bandit (Le brigand amoureux) (Benedek) ; 1949, Take Me Out to the Ball Game (Berkeley), On the Town (Un jour à New York) (Donen et Kelly) ; 1951, Double Dynamite (Cummings) ; 1952, Meet Danny Wilson (Pevney) ; 1953, From Here to Eternity (Tant qu'il y aura des hommes) (Zinnemann) ; 1954, Suddenly (Je dois tuer) (Allen), Young at Heart (G. Douglas) ; 1955, Not as a Stranger (Pour que vivent les hommes) (Kramer), Guys and Dolls (Blanches colombes et vilains messieurs) (Mankiewicz), The Tender Trap (Le tendre piège) (Walters) ; 1956, The Man With the Golden Arm (L'homme au bras d'or) (Preminger), Johnny Concho (McGuire), High Society (Haute société) (Walters) ; 1957, The Pride and the Passion (Orgueil et passion) (Kramer), The Joker Is Wild (Le pantin brisé) (Ch. Vidor), Pal Joey (La blonde ou la rousse ?) (Sidney) ; 1958, Kings Go Forth (Les diables au soleil) (Daves) ; 1959, Some Came Running (Comme un torrent) (Minnelli), A Hole in the Head (Un trou dans la tête) (Capra), Never So Few (La proie des vautours) (Sturges) ; 1960, Ocean's Eleven (L'inconnu de Las Vegas) (Milestone), Can Can (W. Lang) ; 1961, The Devil at Four O'Clock (Le diable à quatre heures) (LeRoy) ; 1962, Sergeants 3 (Les trois sergents) (Sturges), The Mandchurian Candidate (Un crime dans la tête) (Frankenheimer) ; 1963, Come Blow Your Horn (Yorkin), Four for Texas (Quatre du Texas) (Aldrich), The List of Adrian Messenger (Le dernier de la liste) (Huston) ; 1964, Robin and the Seven Hoods (Les sept voleurs de Chicago) (Douglas) ; 1965, None But the Brave (Sinatra), Marriage on the Rocks (Donohue) ; 1966, Von Ryan's Express (L'express du colonel von Ryan) (Robson) ; 1967, Cast a Giant Shadow (L'ombre d'un géant) (Shavelson), Assault on a Queen (Donohue), The Naked Runner (Chantage au meurtre) (Furie), Tony Rome (Tony Rome est dangereux) (Douglas) ; 1968, The Detective (Le détective) (Douglas), Lady in Cement (La femme en ciment) (Douglas) ; 1970, Dirty Dingus Magee (Un beau salaud) (Kennedy) ; 1974, That's Entertainment (Il était une fois Hollywood) (Healey Jr) ; 1980, The First Deadly Sin (De plein fouet) (Hutton) ; 1984, Cannonball 2 (Needham).

Crooner à la réputation mondiale, Sinatra a été à l'écran un acteur inégal. Lorsqu'il imposa son clan (Lawford, D. Martin, S. Davis Jr) à des réalisateurs pourtant de talent (Sturges, Aldrich, Douglas), le résultat fut pitoyable : *Les trois sergents, Les sept voleurs* ou *Les quatre du Texas* sont nuls et Sinatra exécrable. En revanche le même acteur fut admirable dans des œuvres comme *Tant qu'il y aura des hommes, Suddenly* et surtout *Johnny Concho*, où il jouait le rôle d'un lâche que protégeait un frère tueur réputé. Le frère abattu, Sinatra devait faire face seul à ses ennemis. On le retrouva non moins séduisant dans *The Detective* confirmant qu'il était curieusement plus à l'aise tragique que comique.

Sinise, Gary

Acteur et réalisateur américain né en 1955.

1983, True West (Sinise, Goldstein) ; 1988, Miles from Home (Rien à perdre) (Sinise) ; 1992, A Midnight Clear (Gordon), Of Mice and Men (Des souris et des hommes) (Sinise) ; 1993, Jack the Bear (Herskowitz) ; 1994, Forrest Gump (Forrest Gump) (Zemeckis) ; 1995, The Quick and the Dead (Mort ou vif) (Raimi), Apollo 13 (Apollo 13) (Howard) ; 1996, Albino Alligator (Albino Alligator) (Spacey), Ransom (La rançon) (Howard) ; 1998, Snake Eyes (Snake Eyes) (De Palma), The Green Mile (La ligne verte) (Darabont) ; 1999, Bruno (MacLaine), Reindeer Games (Piège fatal) (Frankenheimer), All the Rage (Stern) ; 2000, Mission to Mars (Mission to Mars) (De Palma), A Gentleman's Game (Goodloe) ; 2002, Impostor (Fleder), Made-Up (Shalhoub) ; 2003, The Human Stain (La couleur du mensonge) (Berton) ; 2004, The Forgotten (Mémoire effacée) (Ruben) ; 2005, Magnificent Desolation : Walking on the Moon 3D (Magnifique désolation : marchons sur la Lune) (Cowen). *Pour le metteur en scène*, voir le *Dictionnaire du cinéma*, t. I : *Les réalisateurs*.

Fondateur de la fameuse Steppenwolf Company de Chicago (au sein de laquelle débuta John Malkovich), il réalise des films ambitieux mais peu commerciaux, et s'attache alors à une carrière d'acteur qui, sans être prolifique, est justifiée par des choix judicieux : hommes d'honneur, droits et austères ou bien méchants perfides (*Snake Eyes*) ont fait la réputation d'un acteur aujourd'hui révéré à Hollywood.

Sinoël

Acteur français, de son vrai nom Jean-Leonis Bies, 1868-1949.

1931, Calais-Douvres (Litvak), Le congrès s'amuse (Charell et Boyer), La petite de Montparnasse (Schwarz et Vaucorbeil), Gagne ta vie (Berthomieu), Le capitaine Craddock (Schwarz et Vaucorbeil) ; 1932, La mille et deuxième nuit (Volkoff), Baby (Lamac et Billon), Embrassez-moi (Mathot), Une faible femme (Vaucorbeil), Pour vivre heureux (Della Torre), Une idée folle (Vaucorbeil), La chanson d'une nuit (Litvak) ; 1933, L'illustre Maurin (Hugon), Bach millionnaire (Wulschleger), La femme invisible (Lacombe), Chourinette (Hugon), Tout pour rien (Pujol), Étienne (Tarride), Faut réparer Sophie (Ryder), Caprice de princesse (Hartl et Clouzot), La femme idéale (Berthomieu), Trois balles dans la peau (Lion) ; 1934, Turandot, princesse de Chine (Lamprecht), Aux portes de Paris (Barrois), Dernière heure (Bernard-Derosne), Cessez le feu (Baroncelli), Jeanne (Marret), Le dernier milliardaire (Clair), Famille nombreuse (Hugon), Nuit de mai (Ucicky et Chomette), On a trouvé une femme nue (Joannon), Tartarin de Tarascon (Bernard) ; 1935, Le diable en bouteille (Lamprecht), La fille de madame Angot (Bernard-Desrone), Bout de chou (Wulschleger), Les beaux jours (M. Allégret), Une lune de miel (Ducis), Coup de vent (Dréville et Forzano), Pluie d'or (Rozier), La terre qui meurt (Vallée), Un soir de bombe (Cammage), La vie parisienne (Siodmak), Haut comme trois pommes (Vajda et Ramel), Variétés (Farkas), Arènes joyeuses (Anton) ; 1936, Mais n'te promène donc pas toute nue (Joannon), Tout va très bien, madame la marquise (Wulschleger), L'homme du jour (Duvivier), Une poule sur un mur (Gleize), Les amants terribles (M. Allégret), Les deux gamines (Hervil et Champreux), L'homme sans cœur (Joannon), J'arrose mes galons (Pujol), L'homme de nulle part (Chenal), L'ange du foyer (Mathot), Donogoo (Schünzel), Trois... six... neuf (Rouleau), Gigolette (Noé) ; 1937, Drôle de drame (Carné), Boulot aviateur (Canonge), Êtes-vous jalouse ? (Chomette), La fille de la Madelon (Pallu et Mugelli), Franco de port (Kirsanoff), Hercule (Esway et Rim), Rendez-vous aux Champs-Élysées (Houssin), Un soir à Marseille (Canonge), Mon député et sa femme (Cammage), François Ier (Christian-Jaque), Nuits de feu (L'Herbier), Les gangsters de l'exposition (Meyst), Nostalgie (Tourjansky) ; 1938, La maison du Maltais (Chenal), Feux de joie (Houssin), Gargousse (Wulschleger), L'or dans la montagne (Haufler), Paix sur le Rhin (Choux), Remontons les Champs-Élysées (Guitry), Les rois de la flotte (Pujol) ; 1939, Les otages (Bernard), La famille Duraton (Stengel), Jeunes filles en détresse (Pabst), Ils étaient neuf célibataires (Guitry), Entente cordiale (L'Herbier), Ma tante dictateur (Pujol), Une main a frappé (Roudès), Le paradis des voleurs (Marsoudet), Tourbillon de Paris (Diamant-Berger) ; 1940, La comédie du bonheur (L'Herbier), Remorques (Grémillon), Ceux du ciel (Noé), Espoirs (Rozier), Le roi des galéjeurs (Rivers), Untel Père et Fils (Duvivier) ; 1941, L'assassinat du père Noël (Christian-Jaque), Caprices (Joannon), Pension Jonas (Caron) ; 1942, L'honorable Catherine (L'Herbier), Les ailes blanches (Péguy), La vie de bohême (L'Herbier), L'inévitable monsieur Dubois (Billon), Fou d'amour (Mesnier), La grande marnière (Marguenat) ; 1943, Lucrèce (Joannon), Mademoiselle Béatrice (Vaucorbeil) ; 1944, Sortilèges (Christian-Jaque) ; 1945, Boule de suif (Christian-Jaque), L'assassin n'est pas coupable (Delacroix), Le couple idéal (Bernard-Roland), Le roi des resquilleurs (Devaivre) ; 1946, Tombé du ciel (Reinert), Voyage surprise (Prévert), Monsieur chasse (Rozier), On ne meurt pas comme ça (Boyer), La revanche de Roger La Honte (Cayatte), Le voleur se porte bien (Loubignac), Couple idéal (Bernard-Roland), Plume la poule (Kapps) ; 1947, La dame d'onze heures (Devaivre), Quai des Orfèvres (Clouzot), Mort ou vif (Tedesco), Une nuit à Tabarin (Lamac), Si jeunesse savait (Cerf) ; 1948, Cartouche (Radot), Impasse des deux anges (Tourneur), Fantômas contre Fantômas (Vernay), Toute la famille était là (Marguenat) ; 1949, Amour et Cie (Grangier).

Vous l'avez vu traverser l'écran d'un mouvement rapide, presque furtif, ce petit bonhomme malingre, spécialisé dans les rôles de vieillard, et vous l'avez oublié probablement. Et pourtant, dans plus de cent films (on n'a évoqué que les principaux ici), il a composé l'un de ces personnages qui donnent au cinéma français des années 30 et 40 un charme inépuisable.

Skarsgård, Stellan

Acteur suédois né en 1951.

1972, Firmafesten (Halldoff), Fem døgn i august (Wam), Strandhugg i somras (Ekman) ; 1973, Bröllopet (Halldoff), Anita – ur en tonårsflickas dagbok (Wickman) ; 1974, The Intruders (Wickman) ; 1977, Tabu (Tabou) (Sjöman) ; Hemåt i natten (Lindström) ; 1982, Den Enfaldige mördaren (Alfredson) ; 1983, P & B (Alfredson) ; 1984, Åke och hans varld (Ederall) ; 1985, Falok som vatten (Alfredson) ; 1986, Ormens väg på hälleberget (Widerberg) ; 1987, Jim & piraterna Blom (Alfredson), Hip hip hurra (Grede) ; 1988, The Unbearable Lightness of Being (L'insoutenable légèreté de l'être) (Kaufman), Vargens tid (Alfredson), Friends (Andersson), S/Y Glädjen (Du Rées) ; 1989, Täcknamn Coq Rouge (Berglund), Kvinnorna på taket (Nykvist) ; 1990, The Hunt for Red October (A la poursuite d'Octobre-Rouge) (Noyce), Godafton, Herr Wallenerg (Wallenberg) (Grede) ; 1991, Oxen (Nykvist) ; 1992, Wind (Wind) (Ballard), Den Demokratiske terroristen (Berglund) ; 1993, Sista Dansen (Nutley), Kådisbellan (La fronde) (Sandgren) ; 1995, Jönssonsligans största kupp (Gabrielsson), Kjærlighetens kjøtere (Molland), Hundarna i Riga (Berglund) ; 1996, Harry och Sonja (Runge), Breaking the Waves (Breaking the Waves) (Van Trier) ; 1997, Amistad (Amistad) (Spielberg), My Son the Fanatic (My Son the Fanatic) (Prasad), Insomnia (Insomnia) (Skjoldbjærg), Riget II (The Kingdom II) (Von Trier), Good Will Hunting (Will Hunting) (Van Sant) ; 1998, Glasblåsarns barn (Grönros), Savior (Savior) (Antonjevic), Ronin (Ronin) (Frankenheimer), Deep Blue Sea (Peur bleue) (Harlin), Passion of Mind (D'un rêve à l'autre) (Berliner) ; 1999, Signs & Wonders (Signs & Wonders) (Nossiter), Ljuset håller mig sällskap (C.-G. Nykvist), Dancer in the Dark (Dancer in the Dark) (Von Trier), Aberdeen (Moland) ; 2000, Harlan County (Bill), Timecode (Timecode) (Figgis), Kiss Kiss Bang Bang (Sugg).

Omniprésent en Scandinavie au théâtre, au cinéma et à la télévision depuis l'âge de seize ans, il opte pour une carrière internationale au milieu des années 80 et connaît la reconnaissance internationale en interprétant le paraplégique de *Breaking the Waves*. Il partage désormais sa carrière entre de solides seconds rôles dans des films hollywoodiens de prestige, et des premiers rôles dans des œuvres scandinaves plus discrètes.

Skelton, Red

Acteur américain, de son vrai prénom Richard Bernard, 1913-1997.

1938, Having Wonderful Time (Santell) ; 1940, Flight Command (Borzage) ; 1941, People vs. Dr Kildare (Bucquet), Dr. Kildare Wedding Day (Bucquet), Lady Be Good (Divorce en musique (McLeod), Whistling in the Dark (Simon) ; 1942, Maisie Gets Her Man (Del Ruth), Panama Hattie (McLeod), Ship Ahoy (Croisière mouvementée) (Buzzell) ; 1943, Du Barry Was a Lady (La Du Barry était une dame) (Del Ruth), I Dood It (Mademoiselle ma femme) (Minnelli), Thousand Cheers (Parade aux étoiles) (Sidney), Whistling in Brooklyn (Simon) ; 1944, Bathing Beauty (Le bal des sirènes) (Sidney) ; 1946, Ziegfeld Follies (Minnelli), The Show-Off ; 1947, Merton of Movies (Alton) ; 1948, A Southern Yankee (Sedgwick), The Fuller Brush Man (Tashlin) ; 1949, Neptune's Daughter (La fille de Neptune) (Buzzell) ; 1950, The Fuller Brush Girl (Bacon), The Yellow Cab Man (Donohue), Three Little Words (Trois petits mots) (Thorpe), The Duchess of Idaho (Jamais deux sans toi) (Leonard), Watch the Birdie (Donohue) ; 1951, Excuse My Dust (Un fou au volant) (Rowland), Texas Carnival (Carnaval au Texas) (Walters) ; 1952, Lovely to Look at (Les rois de la couture) (LeRoy), The Clown (Leonard) ; 1953, Half a Hero (Weis), The Great Diamond Robbery (Leonard) ; 1954, Susan Slept Here (Suzanne découche) (Tashlin) ; 1956, Around the World in 80 Days (Le tour du monde en quatre-vingts jours) (Anderson), Public Pigeon n° 1 (McLeod) ; 1960, Ocean's Eleven (L'inconnu de Las Vegas) (Milestone) ; 1965, Those Magnificent Men in Their Flying Machines (Ces merveilleux fous volants dans leurs drôles de machines) (Annakin).

Comique attitré des comédies musicales de la MGM il fait encore rire les spectateurs de bonne volonté par des pitreries plutôt laborieuses mais qui méritent sympathie.

Skerritt, Tom

Acteur américain né en 1933.

1962, War Hunt (Sanders) ; 1964, One Man's Way (Sanders) ; 1965, Those Calloways (Calloway le trappeur) (Tokar) ; 1970, M.A.S.H. (M.A.S.H.) (Altman), Wild Rovers (Deux hommes dans l'Ouest) (Edwards) ; 1972, Fuzz (Les poulets) (Colla) ; 1974, Thieves Like Us (Nous sommes tous des voleurs) (Altman), Big Bad Mama (Super nanas) (Carver), Arrivano Joe e Margherito (Colizzi) ; 1975, The Devil's Rain (La pluie du diable) (Fuest) ; 1976, E tanta paura (Cavara) ; 1977, The Turning Point (Le tournant de la vie) (Ross) ; 1978, Up in Smoke (Faut trouver le joint) (Adler) ; 1979, Ice Castles (Château de rêves) (Wrye), Alien (Alien) (Scott) ; 1981, Savage Harvest (Collins), Silence of the North/Comes a Time (King) ; 1982, Fighting Back (Philadelphia Security) (Teague), A Dangerous Summer/A Burning Man (Masters) ; 1983, The Dead Zone (Dead Zone) (Cronenberg) ; 1986, Hell Camp (Le camp de l'enfer) (Karson), Top Gun (Top Gun) (T. Scott), Spacecamp (Cap sur les étoiles) (Winer), Wisdom (Estevez) ; 1987, The Big Town (Bolt), Maid to Order (Jones) ; 1988, Poltergeist 3 (Poltergeist 3) (Sherman) ; 1989, Steel Magnolias (Potins de femmes) (Ross), Big Man on Campus (Kagan) ; 1990, Horror Bound (Szwarc), The Rookie (La relève) (Eastwood) ; 1992, Poison Ivy (Shea Ruben), Wild Orchid II : Two Shades of Blue (Blue, l'orchidée sauvage II) (King), Singles (Singles) (Crowe), A River Runs Through It (Et au milieu coule une rivière) (Redford) ; 1993, Knight Moves (Face à face) (Schenkel) ; 1997, Contact (Contact) (Zemeckis) ; 1998, Smoke Signals (Phoenix, Arizona) (Eyre), The Other Sister (Marshall).

Solide comédien issu de la télévision, il incarne régulièrement des militaires (chef de mission d'Alien) ou des hommes de caractère (le père de Brad Pitt dans *Et au milieu coule une rivière*). Le genre de second rôle typiquement américain et a priori interchangeable avec tous les J.T. Walsh et autres Michael Ironside.

Slater, Christian

Acteur américain né en 1969.

1985, The Legend of Billie Jean (M. Robbins) ; 1986, Le nom de la rose (Annaud), Twisted (Holender) ; 1988, Tucker : A Man and his Dream (Tucker) (Coppola) ; 1989, Personal Choice (Saperstein), Gleaming the Cube (Clifford), The Wizard (Vidéo kid) (Holland), Tales from the Darkside (Darkside) (Harrison), Heathers (Fatal games) (Lehmann) ; 1990, Robin Hood : Prince of Thieves (Robin des bois, prince des voleurs) (Reynolds), Young Guns 2 (Young guns 2) (Murphy), Pump Up the Volume (Pump up the volume) (Moyle) ; 1991, Mobsters (Les indomptés) (Karbelnikoff), Star Trek VI, the Undiscovered Country (Star Trek VI : Terre inconnue) (Meyer) ; 1992, Kuffs (Evans), Where the Day Takes You

(Rocco) ; 1993, Untamed Heart (Cœur sauvage) (Bill), True Romance (True romance) (Scott), Johnny Hollywood (Levinson) ; 1994, Interview With the Vampire (Entretien avec un vampire) (Jordan), Murder in the First (Meurtre à Alcatraz) (Rocco) ; 1995, Bed of Roses (Pluie de roses sur Manhattan) (Goldenberg), Broken Arrow (Broken Arrow) (Woo), Catwalk (Leacock) ; 1996, Austin Powers : International Man of Mystery (Austin Powers) (Roach), The Tears of Julian Po (Wade) ; 1997, Hard Rain (Pluie d'enfer) (Salomon), Basil (Bharadwah) ; 1998, Very Bad Things (Very Bad Things) (Berg) ; 1999, The Contender (Manipulations) (Lurie) ; 2000, 3,000 Miles to Graceland (Destination : Graceland) (Lichtenstein) ; 2001, Windtalkers (Les messagers du vent) (Woo) ; 2005, Midhunters (Profession profiler) (Harlin) ; 2006, Bobby (Bobby) (Estevez).

Tout jeune moine copiste aux côtés de Sean Connery dans *Le nom de la rose*, puis interprète privilégié de plusieurs comédies sentimentales pour adolescents, il a su, à l'inverse de nombreuses étoiles filantes à belle gueule, négocier avec habileté son passage à l'âge adulte.

Slezak, Walter

Acteur américain d'origine autrichienne, 1902-1983.

1922, Sodom und Gomorrha (Le sixième commandement) (Kertesz) ; 1924, Michael (Dreyer), Mein Leopold ; 1925, Die gefundene Braut (Rochus Glise), Grüss mir das blonde Kind am Rhein, O alte Burschenherrlichkeit, Sumpf und Moral ; 1926, Aus des Rheinlands Schicksalstagen, Das war in Heidelberg in blauer Sommernacht, Junges Blut, Marccos tollste Wette, Der Seek adett, Wie bliebe ich jung und Schön ; 1927, Der Fahnenträger von Sedan, Die grosse Rause, Liebe geht seltsame Wege, Die Lerelei ; 1928, Das Hannerl vom Rolandsbogen, Einen jux will er sich machen, Ledige Mutter, Addio, giovenezza ; 1932, Spione am Savoy Hotel ; 1938, Le postillon de Longjumeau (Lamac) ; 1942, Once upon a Honeymoon (Une lune de miel mouvementée) (McCarey) ; 1943, This Land Is Mine (Vivre libre) (Renoir), The Fallen Sparrow (Wallace) ; 1944, Lifeboat (Hitchcock), Step Lively (Whelan), The Princess and the Pirate (La princesse et le pirate) (Butler), Till We Meet Again (Ce n'est qu'un au revoir) (Borzage), And Now Tomorrow (Pichel) ; 1945, The Spanish Main (Pavillon noir) (Borzage), Salome Where She Danced (Salomé) (Lamont) Cornered (Dmytryk) ; 1947, Sinbad the Sailor (Sinbad le marin) (Wallace), Riffraff (Tetzlaff), Born to Kill (Wise) ; 1948, The Pirate (Le pirate) (Minnelli) ; 1949, The Inspector General (Vive monsieur le maire !) (Koster) ; 1950, The Yellow Cab Man (Taxi, s'il vous plaît) (Donohue), Spy Hunt (G. Sherman), Abott and Costello in the Foreign Legion (Deux Nigauds légionnaires) (Lamont) ; 1951, People Will Talk (On murmure dans la ville) (Mankiewicz), Bedtime for Bonzo (De Cordova) ; 1953, Confidentially Connie (Buzzell), Call Me Madam (Appelez-moi Madame) (W. Lang), White Witch Doctor (La sorcière blanche) (Hathaway) ; 1954, The Steel Cage (Doniger) ; 1956, Voici le temps des assassins (Duvivier) ; 1957, Ten Thousand Bedrooms (Dix mille chambres à coucher) (Thorpe) ; 1959, The Miracle (Rapper) ; 1961, Come September (Le rendez-vous de septembre) (Mulligan) ; 1962, The Wonderful World of the the Brothers Grimm (Les amours enchantées) (Levin et Pal) ; 1964, Emil and the Detectives (Tewkesbury), Wonderful Life (Furie) ; 1965, 24 Hours to Kill (Bezencenet), Der Kongress amüsiert sich (Radvanyi) ; 1967, The Caper of the Golden Bull (Gros coup à Pampelune) (Rouse) ; 1971, Black Beauty (J. Hill), Treasure Island (Hough) ; 1976, The Mysterious House of Dr. C. (Kneeland).

Fils du ténor Leo Slezak, ce Viennois débute à l'écran sous la direction du futur Michael Curtiz. Il joue les jeunes premiers dans de nombreux films allemands entre 1924 et 1928, puis passe aux États-Unis. Il y devient un « méchant » réputé : pirate ou espion. Il fait également beaucoup de théâtre et écrit des livres humoristiques. Il s'était retiré des écrans en 1972.

Sloane, Everett

Acteur américain, 1909-1965.

1941, Citizen Kane (Welles) ; 1943, Journey into Fear (Voyage au pays de la peur) (N. Foster) ; 1948, Lady from Shanghai (La dame de Shanghai) (Welles) ; 1949, Prince of Foxes (Échec à Borgia) (Welles) ; 1950, The Men (C'étaient des hommes) (Zinnemann) ; 1951, The Enforcer (La femme à abattre) (Windust), Sirocco (Sirocco) (Bernhardt), The Blue Veil (La femme au voile bleu) (Bernhardt), The Desert Fox (Le renard du désert) (Hathaway), The Prince who Was a Thief (Le voleur de Tanger) (Mate) ; 1955, The Big Knife (Le grand couteau) (Aldrich) ; 1956, Patterns (Cook), Somebody Up There Likes Me (Marqué par la haine) (Wise), Lust for Life (La vie passionnée de Van Gogh) (Minnelli) ; 1958, Marjorie Morningstar (Rapper) ; 1960, Home from the Hill (Celui par qui le scandale arrive) (Minnelli), By Love possessed (Par l'amour possédé) (Sturges) ; 1964, The Patsy (Jerry souffre-douleur) (Lewis), The Disorderly Orderly (Jerry chez les cinoques) (Tashlin).

Ayant perdu son emploi à Wall Street lors du krach de 1929, il se tourne vers le théâtre et la radio. Il rejoint ensuite Welles au Mercury Theatre. Il fait ses débuts à l'écran dans *Citizen Kane* où il est un compagnon de Kane. Il est éblouissant en avocat infirme dans *Lady from Shanghai*, mais Hollywood ne saura pas l'utiliser à sa juste valeur. On le retrouve avec tristesse dans les pitreries de Jerry Lewis, à la fin de sa vie.

Smaïn

Acteur français, de son vrai nom Smaïn Fairouze, né en 1958.

1982, Le grand frère (Girod), Te marre pas, c'est pour rire (Besnard), L'homme qui regardait les fenêtres (Allouache) ; 1983, Femmes de personne (Frank), Chômeurs en folie (Cachoux) ; 1984, Le téléphone sonne toujours deux fois (Vergne), La smala (Hubert) ; 1985, Le bonheur a encore frappé (Trottignon) ; 1986, Les frères Pétard (Palud) ; 1987, Flag (Santi), L'œil au beur(re) noir (Meynard) ; 1989, J'aurais jamais dû croiser son regard (Longval) ; 1990, On peut toujours rêver (Richard) ; 1992, Siméon (Palcy) ; 1993, Tom est tout seul (Onteniente) ; 1994, Parano (Flèche, Robak, Piquer...) ; 1995, Les 2 papas et la maman (Smaïn, Longval) ; 1997, Bingo ! (Illouz) ; 1998, Charité biz'ness (Barthes, Jamin), Recto-/verso (Longval), Le Schpountz (Oury) ; 2000, Old School (Ayd & Abbou).

Découvert à la télévision dans « Le petit théâtre de Bouvard », cet acteur comique, un temps labellisé « beur comique de service », a cherché à changer de registre, revenant néanmoins finalement à la comédie. Il reste avant tout un comique de scène.

Smet, Laura

Actrice française née en 1983.

2003, Les corps impatients (Giannoli) ; 2004, La demoiselle d'honneur (Chabrol), La femme de Gilles (Fonteyne) ; 2006, Le passager de l'été (Moncorgé-Gabin), U.V. (Paquet-Brenner).

Fille de Johnny Hallyday et de Nathalie Baye, elle fait des débuts remarqués dans *Les corps impatients*, que confirme sa composition de folle dans *La demoiselle d'honneur*.

Smith, Alexis

Actrice canadienne, 1921-1993.

1940, Lady with Red Hair (Bernhardt) ; 1941, Three Sons o'Guns (Stoloff), Affectionately Yours (Bacon), Passage from Hong Kong (Lederman), Steel Against the Sky (Sutherland), Singapore Woman (Negulesco), Dive Bomber (Curtiz), She Couldn't Say No (Bacon), Flight from Destiny (Sherman), The Smiling Ghost (Seiler) ; 1942, Gentleman Jim (Gentleman Jim) (Walsh) ; 1943, Thank Your Lucky Stars (Remerciez votre bonne étoile (Butler), The Constant Nymph (Tessa la nymphe au cœur fidèle) (Goulding) ; 1944, Hollywood Canteen (Daves), The Doughgirls (Kern), The Adventures of Mark Twain (Rapper) ; 1945, San Antonio (Butler), Conflict (La mort n'était pas au rendez-vous) (Bernhardt), Rhapsody in blue (Rhapsodie en bleu) (Rapper), The Horn Blows at Midnight (Walsh) ; 1946, One More Tomorrow (Godfrey), Of Human Bondage (Goulding), Night and Day (Nuit et jour) (Curtiz) ; 1947, Always Together (De Cordova), The Two Mrs Carrolls (La deuxième madame Carroll) (Godfrey), Stallion Road (Kern), The Woman in White (Godfrey) ; 1948, The Decision of Christopher Blake (Godfrey), Whiplash (Veiler) ; 1949, One Last Fling (Godfrey), South of St-Louis (Les chevaliers du Texas) (Enright), Any Number Can Play (Faites vos jeux) (LeRoy) ; 1950, Montana (Montana) (Enright), Wyoming Mail (Le Borg), Undercover Girl (Pevney) ; 1951, Here Comes the Groom (Si l'on mariait papa) (Capra), Cave of the Outlaws (Castle) ; 1952, The Turning Point (Le cran d'arrêt) (Dieterle) ; 1953, Split Second (Powell) ; 1954, The Sleeping Tiger (La bête s'éveille) (Losey) ; 1955, The Eternal Sea (Auer) ; 1957, Beau James (Shavelson) ; 1958, This Happy Feeling (Le démon de midi) (Edwards) ; 1959, The Young Philadelphians (Ce monde à part) (V. Sherman) ; 1974, Once is Not Enough (Guy Green) ; 1976, The Little Girl Who Lives Down the Lane (Gessner) ; 1977, Casey's Shadow (Ritt) ; 1982, La Truite (Losey) ; 1987, Tough Guys (Coup double) (Kanew) ; 1993, The Age of Innocence (Le temps de l'innocence) (Scorsese).

Actrice mais aussi danseuse et chanteuse, très grande et élégante, elle fut prise sous contrat par la Warner qui l'employa dans de nombreux westerns, comme entraîneuse de saloon ou aventurière. Elle fut au moins à trois reprises (*Gentleman Jim, San Antonio, Montana*) la partenaire d'Errol Flynn et au moins deux fois (*The Two Mrs. Carroll* et *Conflict*) celle de Bogart. Une référence.

Smith, Charles Martin

Acteur et réalisateur américain né en 1954.

1972, The Culpepper Cattle Company (La poussière, la sueur et la poudre) (Richards), Fuzz (Les poulets) (Colla) ; 1973, Pat Garrett and Billy the Kid (Pat Garrett et Billy le Kid) (Peckinpah), American Graffiti (American Graffiti) (Lucas) ; 1974, The Skipes Gang (Fleischer) ; 1975, Rafferty and the Gold Dust Twin (Richards), No Deposit No Return (Tokar) ; 1977, The Hazing (Curtis) ; 1978, The Buddy Holly Story (The Buddy Holly Story) (Rash) ; 1979, More American Graffiti (American Graffiti la suite) (Norton) ; 1980, Herbie Goes Bananas (La coccinelle), Mexico (McEveety), Never Cry Wolf (Un homme parmi les loups) (Ballard) ; 1984, Starman (Starman) (Carpenter) ; 1986, Trick of Treat (Smith) ; 1987, The Untouchables (Les incorruptibles) (De Palma) ; 1989, The Experts (Thomas) ; 1990, The Hot Spot (Hot spot) (Hopper) ; 1991, Fifty Fifty (Smith) ; 1992, Deep Cover (Dernière limite) (Duke) ; 1993, And the Band Played On (Les soldats de l'espérance) (Spottiswoode) ; 1994, I Love Trouble (Les complices) (Shyer), Speechless (Underwood) ; 1995, He Ain't Heavy (Hamilton), The Final Cut (Christian) ; 1996, Wedding Bell Blues (Lustig), Dead Silence (Petrie Jr.) ; 1997, Deep Impact (Deep Impact) (Leder) ; 2000, Here's to Life (Olsen). *Comme réalisateur :* 1993, Fifty Fifty ; 1997, Air Bud (Air Bud).

Petit, gringalet, affligé d'une mauvaise vue, timide, il est le souffre-douleur idéal, le laissé-pour-compte de nombreux films. Il excelle dans ces rôles (le comptable des *Incorruptibles*) grâce à un talent d'une grande finesse.

Smith, Maggie

Actrice anglaise née en 1934.

1958, Nowhere to Go (Holt) ; 1963, The VIPs (Hôtel international) (Asquith) ; 1964, The Pumpkin Eater (Le mangeur de citrouilles) (Clayton) ; 1965, Young Cassidy (Le jeune Cassidy) (Cardiff et Ford) ; 1966, Othello (Othello) (Burge) ; 1967, The Honey Pot (Guêpier pour trois abeilles) (Mankiewicz) ; 1969, The Prime of Miss Brodie (Les belles années de Miss Brodie) (Neame), Oh, What a Lovely War (Dieu ! que la guerre est jolie) (Attenborough) ; 1972, Travels with My Aunt (Voyages avec ma tante) (Cukor) ; 1973, Love and Pain and the Whole Damn Thing (Pakula) ; 1976, Murder by Death (Un cadavre au dessert) (Moore) ; 1978, California Suite (California Hotel) (Ross), Death on the Nile (Mort sur le Nil) (Guillermin) ; 1980, Clash of the Titans (Le choc des Titans) (Davis) ; 1981, Quartet (Quartet) (Ivory), The Missionnary (Drôle de missionnaire) (Loncraine) ; 1982, Evil Under the Sun (Meurtre au soleil) (G. Hamilton) ; 1984, A Private Function (Porc royal) (Mowbary) ; 1986, A Room with a View (Chambre avec vue) (Ivory) ; 1987, The Lonely Passion of Judith Hearne (Clayton) ; 1990, Romeo-Juliet (Acosta) ; 1992, Hook (Hook, la revanche du capitaine Crochet) (Spielberg), Sister Act (Sister Act) (Ardolino) ; 1993, The Secret Garden (Le jardin secret) (Holland) ; 1994, Sister Act II (Sister Act, acte 2) (Duke) ; 1996, Richard III (Richard III) (Loncraine), The First Wives Club (Le club des ex) (Wilson), Washington Square (Washington Square) (Holland) ; 1997, Curtain Call (Yates) ; 1998, Tea With Mussolini (Un thé avec Mussolini) (Zeffirelli) ; 1999, The Last September (The Last September) (Warner) ; 2001, Harry Potter and the Sorcerer's Stone (Columbus), Gosford Park (Gosford Park) (Altman).

Comédienne de formation classique au physique de bourgeoise pincée, spécialisée dans les rôles de femmes coincées et/ou acariâtres, elle a obtenu presque toutes les récompenses pour ses prestations sur scène, et l'oscar 1969 de la meilleure actrice pour son interprétation sur grand écran des *belles années de Miss Brodie*.

Smith, Sir C. Aubrey

Acteur anglais, 1863-1948.

1918, Red Pottage (Milton) ; 1920, The Face at the Window (Noy), Castles in Spain (Lucoque), The Shuttle of Life (Williams) ; 1922, Flames of Passion (Moody), The Bohemian Girl (Knoles) ; 1923, The Temptation of Carlton Earlye (W. Noy) ; 1924, The Unwanted (Summers) ; 1930, Birds of Prey (Craft), Such Is the Law (S. Hill) ; 1931, Bachelor Father (Leonard), Trader Horn (Le trafiquant Horn) (Van Dyke), Daybreak, Just a Gigolo (Conway), Never The Twain Shall Meet (Van Dyke), Man in Possession (Wood), Guilty Hands (Van Dyke), Son of India (Feyder), Phantom of Paris (Robertson) ; 1932, But the Flesh Is Weak (Conway), Polly of the Circus (Santell), Trouble in Paradise (Haute pègre) (Lubitsch), They Just Had to Get Married (Ludwig), Tarzan the Ape Man (Van Dyke), Love Me Tonight (Aimez-moi ce soir) (Mamoulian), No More Orchids (W. Lang) ; 1933, The Barbarian (Le chant du Nil / L'Arabe) (Wood), Luxury Liner (Mendes), Monkey's Paw (Ruggles), Bombshell (Mademoiselle Volcan) (Fleming), Secrets (Secrets) (Borzage), Adorable (Dieterle), Morning Glory

(L. Sherman), Queen Christina (La reine Christine) (Mamoulian) ; 1934, Curtain at Eight (Hopper), The House of Rothschild (Les Rothschild) (Werker), Cleopatra (Cléopâtre) (DeMille), One More River (Whale), The Firebird (Dieterle), Gambling Lady (Mayo), Bulldog Drummond Strikes Back (Le retour de Bulldog Drummond) (Del Ruth), Caravan (Caravane) (Charell), We Live Again (Résurrection) (Mamoulian), Riptide (Goulding), The Scarlet Empress (L'impératrice rouge) (Sternberg) ; 1935, The Florentine Dagger (Florey), The Right to Live (Keighley), Clive of India (Boleslavsky), Jalna (Cromwell), The Tunnel (Elvey), Lives of a Bengal Lancer (Les trois lanciers du Bengale) (Hathaway), The Gilded Lily (Binyon), China Seas (La malle de Singapour) (Garnett), The Crusades (Les croisades) (DeMille) ; 1936, The Garden of Allah (Le jardin d'Allah) (Boleslavsky), Little Lord Fauntleroy (Cromwell), Romeo and Juliet (Roméo et Juliette) (Cukor), Lloyds of London (King) ; 1937, Wee Willie Winkie (La mascotte du régiment) (Ford), The Hurricane (Ford), The Prisoner of Zenda (Le prisonnier de Zenda) (Cromwell), Thoroughbreds Don't Cry (Green) ; 1938, Sixty Glorious Years (H. Wilcox), Four Men and a Prayer (Quatre hommes et une prière) (Ford), Kidnapped (Werker) ; 1939, The Four Feathers (Les quatre plumes blanches) (Z. Korda), East Side of Heaven (Butler), The Sun Never Sets (Lee), The Under-Pup (Wallace), Another Thin Man (Nick joue et gagne) (Van Dyke), Eternally Yours (Garnett), Five Came Back (Farrow), Balalaika (Schunzel) ; 1940, A Bill of Divorcement (Farrow), Rebecca (Hitchcock), Beyond Tomorrow (Sutherland), City of Chance (Cortez), Waterloo Bridge (La valse dans l'ombre) (LeRoy), A Little Bit of Heaven (Marton) ; 1941, Maisie Was a Lady (Marin), Dr. Jekyll and Mr. Hyde (Fleming), Free and Easy (Sidney) ; 1943, Two Tickets to London (Marin), Forever and a Day (Lloyd, Clair, etc.), Flesh and Fantasy (Obsessions) (Duvivier), Madame Curie (LeRoy) ; 1944, They Shall Have Faith (Nigh), Secrets of Scotland Yard (Blair), The White Cliffs of Dover (Brown), The Adventures of Mark Twain (Rapper), Sensations of 1945 (Stone) ; 1945, And Then There Were None (Les dix petits Indiens) (Clair), Scotland Yard Investigates (Blair) ; 1946, Cluny Brown (La folle ingénue) (Lubitsch), Rendez-vous With Annie (Dwan), Unconquered (Les conquérants d'un nouveau monde) (DeMille) ; 1947, High Conquest (Allen), An Ideal Husband (Korda) ; 1949, Little Women (Les quatre filles du docteur March) (LeRoy).

De haute taille, de noble prestance, la moustache en croc, il était l'image du parfait gentleman. Il fit ses débuts comme acteur dans les studios anglais puis vint à Hollywood en 1931. Outre des rôles de Britanniques (majors ou colons, avec une prédilection pour les pères nobles dans *Quatre hommes et une prière* ou *Les quatre plumes blanches)*, il introduisit le cricket dans la Mecque du cinéma. DeMille, Ford, Lubitsch, King, Hathaway firent appel à lui. Il fut anobli par la couronne anglaise en 1944 à la surprise générale : tout le monde l'avait cru aristocrate de naissance ! Il mourut peu après de pneumonie.

Smith, Will

Acteur américain né en 1968.

1992, Where the Day Takes You (Rocco) ; 1993, Six Degrees of Separation (Six degrés de séparation) (Schepisi), Made in America (Made in America) (Benjamin) ; 1995, Bad Boys (Bad Boys) (Bay) ; 1996, Independence Day (Independence Day) (Emmerich) ; 1997, Men in Black (Men in Black) (Sonnenfeld) ; 1998, Enemy of the State (Ennemi d'État) (T. Scott), Wild Wild West (Wild Wild West) (Sonnenfeld), Welcome to Hollywood (Markes) ; 2000, The Legend of Bagger Vance (La légende de Bagger Vance) (Redford) ; 2001, Ali (Mann), Men in Black 2 (Men in Black 2) (Sonnenfeld) ; 2003, Bad Boys 2 (Bad Boys 2) (Bay) ; 2004, I, Robot (I, Robot) (Proyas) ; Jersey Girl (Père et fille) (K. Smith) ; 2005, Hitch (Hitch – Expert en séduction) (Tennant) ; 2007, The Pursuit of Happiness (A la poursuite du bonheur) (Muccino), I am Legend (Je suis une légende) (Lawrence).

Télé, rap, cinéma : le tiercé gagnant pour cet acteur-chanteur révélé par un très bon drame urbain (*Six degrés de séparation*) qu'il renia par la suite, arguant qu'il n'était pas bon pour la communauté noire d'interpréter un personnage homosexuel... C'est par le biais de films à gros budgets (*Bad Boys, Men in Black*) qu'il gagne son immense notoriété.

Snipes, Wesley

Acteur américain né en 1963.

1986, Streets of Gold (Roth), Wildcats (Ritchie) ; 1987, Critical Condition (Apted) ; 1989, Major League (Les Indians) (Ward), Mo'Better Blues (Mo' Better Blues) (Lee), King of New York (The king of New York) (Ferrara) ; 1990, Jungle Fever (Jungle Fever) (Lee) ; 1991, New Jack City (New Jack City) (Van Peebles) ; 1992, White Men Can't Jump (Les Blancs ne savent pas sauter) (Shelton), The Waterdance (Jimenez et Steinberg), Passenger 57 (Passager 57) (Hooks) ; 1993, Rising Sun (Soleil levant) (Kaufman), Demolition Man (Demolition Man) (Brambilla), Boiling Point (L'extrême limite) (Harris) ; 1994, Sugar Hill (Ichaso), Drop Zone (Drop Zone) (Badham), To Wong Foo, Thanks for Everything, Julie Newmar (Kidron) ; 1995, Money Train (Money Train) (Ruben), Waiting to Exhale (Où sont les hommes ?) (Whitaker) ; 1996, The Fan (Le fan) (T. Scott), One Night Stand (Pour une nuit) (Figgis), Murder at 1600 (Meurtre à la Maison-Blanche) (Little) ; 1997, Blade (Blade) (Norrington), U.S. Marshals (U.S. Marshals) (Baird) ; 1998, Down in the Delta (Angelou) ; 1999, Play It to the Bone (Les adversaires) (Shelton) ; 2000, The Art of War (L'art de la guerre) (Duguay) ; 2001, Blade 2 (Blade 2) (Del Toro), Undisputed (Invincible) (Hill).

Acteur noir de premier plan, il se spécialise dans les rôles musclés depuis son rôle de dealer violentissime de *New Jack City*. Puis il casse son image en interprétant un *drag-queen* dans *To Wong Foo...* Il reste surtout comme Blade, le tueur de vampires.

Snodgress, Carrie

Actrice américaine, de son vrai nom Caroline Snodgress, née en 1946.

1970, Rabbit Run (Smight), Diary of a Mad Housewife (Journal intime d'une femme mariée) (Perry) ; 1978, The Fury (Furie) (De Palma) ; 1979, The Attic (Edwards) ; 1982, Trick or Treats (Graver), Homework (Beshears) ; 1983, A Night in Heaven (Avildsen) ; 1985, L.A. Bad (Kent), Pale Rider (Pale Rider) (Eastwood) ; 1986, Murphy's Law (La loi de Murphy) (Lee Thompson) ; 1988, Blueberry Hill (S. Hamilton) ; 1990, Chill Factor (Stanton) ; 1991, Across the Tracks (Tung) ; 1993, The Ballad of Little Joe (M. Greenwald) ; 1994, Blue Sky (Blue Sky) (Richardson), 8 Seconds (Avildsen) ; 1995, White Man's Burden (White Man) (Nakano) ; 1997, Death Benefits (Piznarski) ; 1998, Wild Things (Sexcrimes) (McNaughton) ; 2001, The Forsaken (Les vampires du désert) (Cardone).

Nommée à l'oscar pour sa performance dans *Journal intime d'une femme mariée*, cette actrice en demi-teinte privilégie par la suite sa vie de famille (elle épouse le chanteur Neil Young) à sa carrière. De retour au cinéma, huit ans plus tard, elle n'endosse plus que des seconds rôles entre télévision et cinéma.

Söderbaum, Kristina

Actrice d'origine suédoise, 1912-2001.

1938, Jugend (Jeunesse) (Harlan), Verwehte spuren (Harlan) ; 1939, Die Reise nach Tilsit (Harlan), Das unsterbliche Herz (Cœur immortel) (Harlan) ; 1940, Jud Süss (Le juif Süss) (Harlan) ; 1942, Die goldene Stadt (La ville dorée) (Harlan), Der Grosse König (Le grand roi) (Harlan) ; 1943, Immensee (Le lac aux chimères) (Harlan) ; 1944, Opfergang (Offrande au bien-aimé) (Harlan) ; 1945, Kolberg (Harlan) ; 1950, Unsterbliche Geliebte (Harlan) ; 1951, Hanna Amon (Harlan) ; 1953, Die blaue Stunde (Harlan) ; 1955, Sterne über Colombo *et* Die Gefangene des Maharadscha (Le tigre de Colombo) (Harlan), Verrat an Deutschland (L'espion de Tokyo) (Harlan) ; 1958, Ich werde dich auf Händen tragen (Harlan).

Née à Stockholm, cette blonde enfant vint tenter sa chance à Berlin et devint l'interprète fétiche de Veit Harlan. Comme lui, elle survécut à la chute du régime nazi mais sans trouver désormais de rôles importants.

Sokoloff, Vladimir

Acteur d'origine russe, 1899-1962.

1931, L'opéra de quat'sous (Pabst) ; 1932, No Man's Land (Trivas), Don Quichotte (Pabst), L'Atlantide (Pabst) ; 1933, Dans les rues (Trivas), Du haut en bas (Pabst) ; 1934, Lac aux dames (Allégret) ; 1935, Napoléon (Gance) ; 1936, Les bas-fonds (Renoir), Sous les yeux d'Occident (Allégret), La vie est à nous (Renoir), Mister Flow (Siodmak), Mayerling (Litvak) ; 1937, The Life of Émile Zola (Dieterle) ; 1938, Alcatraz Island (L'île du diable) (McGann) ; 1939, The Real Glory (Hathaway) ; 1943, From whom the Bell Tolls (Pour qui sonne le glas) (Wood), Mission to Moscow (Curtiz) ; 1945, A Royal Scandal (Preminger) ; 1946, Cloak and Dagger (Cape et poignard) (Lang) ; 1948, Opium (Stevenson) ; 1952, Macao (Le paradis des mauvais garçons) (Sternberg) ; 1956, While the City Sleeps (La cinquième victime) (Lang) ; 1958, Istamboul (Pevney) ; 1959, Twilight for the Gods (Crépuscule sur l'Océan) (Pevney) ; 1960, The Magnificent Seven (Les sept mercenaires) (Sturges).

Né à Moscou, passé à l'Ouest, il compose avec bonheur un peu partout, surtout aux États-Unis à partir de 1937, des personnages d'apatride ou d'indigène toujours fourbes. Son visage maigre de fouine, ses yeux brillants de ruse en font le traître par excellence.

Sol, Laura del

Actrice espagnole née en 1961.

1983, Carmen (Carmen) (Saura), Las bicicletas son para el verano (Chávarri) ; 1984, The Hit (Le tueur était presque parfait) (Frears), Los zancos (Saura) ; 1985, Le due vite di Mattia

Pascal (La double vie de Mathias Pascal) (Monicelli), El amor brujo (L'amour sorcier) (Saura), Il camorrista (Tornatore) ; 1986, El viaje a ninguna parte (Gomez) ; 1987, El gran serafin, La nuit de l'océan (Perset), Daniya, jardin del harem (Mira) ; 1988, Disamistade (Cabidu) ; 1989, A Killing Dad (Austing), L'aventure extraordinaire d'un papa peu ordinaire (Clair) ; 1990, Amelia Lopes O'Neill (Amélia Lopes O'Neill) (Sarmiento) ; 1991, El rey pasmado (Le roi ébahi) (Uribe) ; 1993, Tombés du ciel (Lioret), Tres irmaos (Villaverde), A propos de Nice, la suite (sk. Ruiz) ; 1994, The Crew (Colpaert), Gran slalom (Chavarri) ; 1997, Santera (Hoogesteijn), Love Deal (San Miguel), Il figlio di Bakunin (Cabiddu) ; 1998, Furia (Aja) ; 1999, Tôt ou tard... (Étienne).

Éblouissante dans *The Hit*, qui la révéla, elle semble avoir disparu des écrans à la grande déception des admirateurs de sa troublante sensualité.

Sologne, Madeleine

Actrice française, de son vrai nom Madeleine Vouillon, 1912-1995.

1936, La vie est à nous (Renoir) ; 1937, Les filles du Rhône (Paulin), Forfaiture (L'Herbier) ; 1938, Adrienne Lecouvreur (L'Herbier), Les gens du voyage (Feyder), Remontons les Champs-Élysées (Guitry), Raphaël le tatoué (Christian-Jaque), Conflit (Moguy) ; 1939, Le monde tremblera (Pottier), Le père Lebonnard (Limur), Le Danube bleu (Reinert) ; 1941, Les hommes sans peur (Noé), Fièvres (Delannoy) ; 1942, Le loup des Malveneurs (Radot), Croisières sidérales (Zwobada), L'appel du bled (Gleize) ; 1943, Vautrin (Billon), L'éternel retour (Delannoy) ; 1944, Mademoiselle X (Billon) ; 1945, Marie la misère (Baroncelli), Un ami viendra ce soir (Bernard) ; 1946, La foire aux chimères (Chenal) ; 1947, La figure de proue (Stengel), Le dessous des cartes (Cayatte), Une grande fille toute simple (Manuel) ; 1959, Les naufrageurs (Brabant) ; 1961, Il suffit d'aimer (Darène) ; 1969, Le temps des loups (Gobbi).

Remarquée par un opérateur, Douarinou, elle débute à l'écran, délaissant les magasins de mode, dans un rôle d'ouvrière de *La vie est à nous*. Remarquée dans *Le loup des Malveneurs* (son type de personnage convient bien au cinéma fantastique), elle va connaître, blonde Yseult-Nathalie, un véritable triomphe dans *L'éternel retour* où elle a Jean Marais pour partenaire. Peu de films après 1960.

Solonitsyn, Anatoli

Acteur russe, 1934-1982.

1967, V ogne broda net (Pas de gué dans le feu) (Panfilov), Odin shans iz tysyatsi (Oganesyan) ; 1969, Andreï Roublev (Andreï Roublev) (Tarkovski) ; 1971, Proverka na dorogakh (La vérification) (Guerman) ; 1972, Solyaris (Solaris) (Tarkovski) ; 1974, Svoj sredi chuzhikh, chuzhoj sredi svojkh (Le nôtre parmi les autres) (Mikhalkov), Poslednij dyen zimy (Grigoryev) ; 1975, Zerkalo (Le miroir) (Tarkovski), Vozdukhoplavatel (Troshchenko, Vekhotko), Tam, za gorizontom (Yegorov) ; 1976, Voskhozhdeniye (Shepitko), Legenda o Tile (Alov, Naoumov), Luottamus (Laine, Tregubovich) ; 1977, Yuliya Vrevskaya (Korabov) ; 1978, Trassa (Troshchenko, Vekhotko) ; 1979, Stalker (Stalker) (Tarkovski) ; 1980, Iz zhizni otdykhayushchikh (Gubenko), Dvadtsat shest dnej iz zhizni Dostoyevskogo (Zarkhy) ; 1981, Muzhiki (Babich) ; 1982, Ostanovilsya poyezd (Abdrashitov).

Il fut avant tout un admirable interprète de Tarkovski, réalisateur qui le découvrit alors qu'il était non professionnel et qui lui confia l'interprétation du rôle-titre d'*Andreï Roublev*, d'un médecin dans *Le miroir* et du stalker du film éponyme. Recherché par les plus grands réalisateurs russes (Guerman, Mikhalkov), il est décédé prématurément d'un cancer.

Solovei, Elena

Actrice russe née en 1947.

1969, Korol-olen (Arsenov) ; 1970, Sem nevest efretora Zbruyeva (Melnikov), O lyubvi (Bogin) ; 1971, Yegor Bulychov i drugiye (Solovyov) ; 1974, Under en steinhimmel (Andersen) ; 1975, Shag navstrechu (Birman), Dnevnik direktora shkoly (Frumin) ; 1976, Raba lyubvi (Esclave de l'amour) (Mikhalkov) ; 1977, Vragi (Nakhapetov), Smeshnye lyudi (Shvejtser), Neokonchennaya pyesa dlya mekhanicheskogo pianono (Partition inachevée pour piano mécanique) (Mikhalkov) ; 1975, Neskolko dnej iz zhizni I.I. Oblomova (Cinq jours dans la vie d'Oblomov) (Mikhalkov) ; 1980, Vam i ne snilos (Frez) ; 1981, Gruppa krovi nol/Faktas (Grikiavicius), Derevenskaya istoriya (Kanevsky), Beshenye dengi (Matveyev) ; 1982, Ne bylo pechali (Daniyalov), Izvinite, pozhalujsta (Zalakiavicius) ; 1983, Obryv (Vengerov), Lishnij bilet (Vladimirov), Karantin (Frez), Blondinka za uglom (Bortko) ; 1986, Odinokaya zhenshchina zhelayet poznakomitsya (Krishtofovich) ; 1987, Yedinozhdy solgav (Bortko),

Vremya letat (Sakharov), Drug (Kvinikhidze) ; 1990, Rogonosets (Krasilshchikov) ; 1991 Anna Karamazoff (Khamdamov)

Interprète privilégiée des premiers Mikhalkov, elle fut une inoubliable diva du muet emportée par le tourbillon de la révolution bolchevique dans *Esclave de l'amour*, puis incarnait l'ancien amour du héros de *Partition inachevée pour piano mécanique*. Sa carrière (essentiellement russe et peu vue à l'étranger) s'interrompt en 1991 quand elle quitte la Russie pour les États-Unis. Elle a été récompensée à Cannes pour *Gruppa krovi nol*, d'Almantas Grikiavicius.

Sommer, Elke

Actrice allemande, de son vrai nom Schletz, née en 1940.

1959, Am Tag, als der Regen kam (Le gang descend sur la ville) (Oswald), Uomini e nobiluomini (Bianchi), Ragazzi del Juke-Box (Fulci) ; 1960, Femmine di lusso (Bianchi), Urlatori alla barra (Fulci) ; 1961, Don't Bother to Knock (Frankel), Douce violence (Pecas), De quoi te mêles-tu Daniela ? (Pecas) ; 1962, Les bricoleurs (Girault), Aufwiedersehn (Philipp), Un chien dans un jeu de quilles (Collin) ; 1963, Verführung am Meer (L'île du désir) (Zivanovic), The Victors (Les vainqueurs) (Foreman), The Prize (Pas de lauriers pour les tueurs) (Robson) ; 1964, Le bambole (sketch de Comencini), A Shot in the Dark (Quand l'inspecteur s'emmêle) (Edwards) ; 1965, The Art of Love (Jewison) ; The Money Trap (Piège au grisbi) (Kennedy) ; 1966, The Peking Medallion (Hill), The Oscar (La statue en or massif) (Rouse), Boy, Did I Get a Wrong Number (G. Marshall), Deadlier than the Male (Plus féroces que les mâles) (Thomas), The Venetian Affair (Minuit sur le Grand Canal) (J. Thorpe) ; 1967, The Wicked Dreams of Paula Schultz (G. Marshall) ; 1968, The Invincible Six (Negulesco) ; 1969, The Wrecking Crew (Mat Helm règle son compte) (Karlson) ; 1970, Percy (Mon petit oiseau s'appelle Percy, il va beaucoup mieux, merci) (R. Thomas) ; 1971, Zeppelin (E. Perier) ; 1972, Lisa e il diavolo (Bava) ; 1974, And Then There Were None (Dix petits nègres) (Collinson), Percy's Progress (R. Thomas) ; 1975, The Swiss Conspiracy (Arnold), Das Netz (Purzer), La casa dell'esorcismo (La maison de l'exorcisme) (Bava) ; 1976, Invisible Strangler (Florea), One Way (Zone rouge) (Mayers), The Double McGuffin (Camp) ; 1978, Einer von uns beiden (Petersen) ; 1979, The Prisoner of Zenda (Quine), A Nightingale Sang in Berkeley Square (R. Thomas) ; 1980, Exit Sunset Boulevard (Cleve) ; 1984, Invisible Strangler (Florea) ; 1985, Jatszani Kell (Makk) ; 1986, Death Stone (Gottlieb) ; 1988, Adventures Beyond Relief (Thompson) ; 1989, Himmelsheim (Stelzer) ; 1992, Severed Ties (Santostefano) ; 1996, Alles nur Tarnung (Zingler) ; 2000, Take Out (Moll).

Appétissante blondinette teutonne, au visage enfantin et à la poitrine opulente. Elle a tourné dans des films allemands, italiens, anglais, français, et américains, d'où n'émerge que *A Shot in the Dark* qui attira l'attention sur elle. Peut-être découragée par cet océan de films médiocres et le plus souvent inconnus, elle semble s'être orientée vers la peinture et a exposé pour la première fois en 1978. On lui souhaite meilleure chance dans sa nouvelle carrière.

Soral, Agnès

Actrice française née en 1960.

1977, Chaussette surprise (Davy), Un moment d'égarement (Berri) ; 1983, Tchao Pantin (Berri) ; 1984, Réveillon chez Bob (Granier-Deferre), Diesel (Kramer) ; 1985, Killing Cars (M. Verhoeven), Bleu comme l'enfer (Boisset), I Love You (Ferreri) ; 1986, Twist again à Moscou (Poiré) ; 1987, Les trois sœurs (Trotta) ; 1988, Prisonnières (Silvera) ; 1989, Australia (Andrien) ; 1990, Après après-demain (Frot-Coutaz) ; 1993, Le ballon d'or (Doukouré), Salades russes (Mamine), 1995, The Ogre (Le roi des Aulnes) (Schlöendorff) ; 1996, Hommes, femmes, mode d'emploi (Lelouch) ; 1997, C'est la tangente que je préfère (Silvera), Ça n'empêche pas les sentiments (Jackson), Je suis vivante et je vous aime (Kahane) ; 1998, Comme une bête (Schulmann) ; 2000, Les gens en maillot de bain ne sont pas (forcément) superficiels (Assous) ; 2003, Les filles, personne s'en méfie (Silvera), Livraison à domicile (Delahaye) ; 2004, Les Parisiens (Lelouch), L'incruste, fallait pas le laisser entrer ! (Julius et Castagnetti) ; 2005, L'antidote (De Brus) ; 2006, Les brigades du Tigre (Cornuau).

Un charme acidulé et une vive intelligence : Agnès Soral ne passe pas inaperçue.

Sorano, Daniel

Acteur français, 1920-1962.

1949, Vendetta en Camargue (Devaivre) ; 1951, Ce coquin d'Anatole (Couzinet), Trois vieilles filles en folie (Couzinet), Buridan héros de la Tour de Nesle (Couzinet) ; 1952, Quand te tues-tu ? (Couzinet) ; 1953, Alerte au Sud (Devaivre) ; 1954, Après vous Duchesse (Nesle) ; 1958, Le vent se lève

(Ciampi), La fille de Hambourg (Allégret) ; 1959, Marche ou crève (Lautner) ; 1960, Arrêtez les tambours (Lautner), Les magiciennes (Friedman) ; 1961, Les trois mousquetaires (Borderie) ; 1962, Le scorpion (Hanin).

Avant tout un acteur de théâtre (TNP) et un inoubliable Cyrano. N'a pas donné sa mesure au cinéma. Mort à la fin du tournage du premier film dont il avait la vedette, *Le scorpion* de Serge Hanin.

Sordi, Alberto

Acteur et réalisateur italien, 1919-2003.

1938, La principessa Tarakanova (Tarakanova) (Ozep) ; 1940, La notte delle beffe (Campogalliani) ; 1941, Cuori nelle tormenta (Campogalliani) ; 1942, I tre aquilotti (Mattoli), Le signorine della villa accanto (Rosmino), La signorina (Kish), Casanova farebbe cosi (Bragaglia), Giarabub (Alessandrini) ; 1943, Saint'Elena piccola isola (Simoni), Chi l'ha visto (Alessandrini) ; 1944, Tre ragazze cercano marito (Coletti), Circo equestre Za Bum (Mattoli) ; 1945, L'innocente Casimiro (Carlo Campogalliani) ; 1946, Le miserie del signor Travet (Mario Soldati) ; 1947, Il delitto di Giovanni Episcopo (Le crime de Giovanni Episcopo) (Alberto Lattuada), Il passatore (Coletti) ; 1948, Il vento mi ha cantato una canzone (Mastrocinque), Che tempi ! (Bianchi) ; 1949, Sotto il sole di Roma (Sous le ciel de Rome) (Castellani) ; 1950, Mamma mia, che impressione ! (Savarese) ; 1951, Cameriera bella, presenza offresi (Pastina), Totò e i re di Roma (Steno Monicelli) ; 1952, Lo sceicco bianco (Courrier du cœur) (Fellini), E'arrivato l'accordatore (Coletti), Giovinezza (Pastina), I vitelloni (Les vitelloni) (Fellini) ; 1953, L'incantevole nemica (Gora) ; Canzoni, canzoni, canzoni (épisode Io cerco la Titina) (Paolella), Ci troviamo in galleria (Une fille formidable) (Bolognini), Due notti con Cleopatra (Deux nuits avec Cléopâtre) (Mattoli) ; 1954, Via Padova 46 (La scocciatore) (Bianchi), Tempi nostri (Quelques pas dans la vie) (épisode La sorpresa) (Blasetti), Un giorno in pretura (Les gaietés de la correctionnelle) (Steno), Il matrimonio (un épisode) (Petrucci), Amori di mezzo secolo (épisode Lo squadrista) (Chiari), Gran varieta' (épisode Fregoli) (Paolella), Tripoli bel suol d'amore (Cerio), L'allegro squadrone (Moffa), Il seduttore (Rossi), Un Americano a Roma (Steno), Accadde al commissariato (Simonelli), Una Parigina a Roma (Kobler), Rosso e nero (Paolella) ; 1955, L'arte di arrangiarsi (Zampa), Il segno di Venere (Le signe de Vénus) (Risi), Buona notte, avvocato (Bianchi), Accadde al penitenziario (Bianchi), Un eroe dei nostri tempi (Monicelli), La bella di Roma (La belle de Rome) (Comencini), Bravissimo (d'Amico), Piccola posta (Steno) ; 1956, Lo scapolo (Le célibataire) (Pietrangeli), I pappagalli (Paolinelli), Mio figlio Nerone (Les week-ends de Néron) (Steno), Era di venerdi 17 (Sous le ciel de Provence) (Soldati), Mi permette, babbo (Bonnard) ; 1957, Souvenir d'Italie (Souvenirs d'Italie) (Pietrangeli), Il conte Max (Madame, le comte, la bonne et moi) (Bianchi), Arrivano i dollari (Costa), A Farewell to Arms (L'adieu aux armes) (Vidor), Il medico e lo stregone (Monicelli) ; 1958, Il marito (Loy, Puccini), Le septième ciel (Bernard), Fortunella (Fortunella) (De Filippo), Ladro lui, ladra lei (Zampa), Venezia, la luna e tu (Venise, la lune et toi) (Risi), Racconti d'estate (Franciolini), Domenica e' sempre domenica (Mastrocinque), Nella citta l'inferno (L'Enfer dans la ville) (Castellani) ; 1959, Oh, que mambo (Berry), Vacanze d'inverno (Brèves amours) (Mastrocinque), Policarpo ufficiale di scrittura (Soldati), Il moralista (Bianchi), I magliari (Rosi), Costa azzura (Le miroir aux alouettes) (Sala), La Grande Guerra (La Grande Guerre) (Monicelli), Brevi amori a Palma di Majorca (Bianchi), Il vedovo (Risi) ; 1960, Gastone (Bonnard), Il vigile (Zampa), Tutti a casa (La grande pagaille) (Comencini), Crimen (Chacun son alibi) (Camerini) ; 1961, Il giudizio universale (Le jugement dernier) (De Sica), The Best of Enemies (Le meilleur ennemi) (Hamilton), Una vita difficile (Une vie difficile) (Risi) ; 1962, Il commissario (Comencini), Mafioso (Lattuada) ; 1963, Il Diavolo (L'amour à la suédoise) (Polidoro), Il boom (De Sica), Il maestro di Vigevano (Petri) ; 1964, La mia signora (Brass), Il disco volante (Brass), Those Magnificent Men in Their Flying Machines (Ces merveilleux fous volants dans leurs drôles de machines) (Annakin) ; 1965, I tre volti (épisode Latin Lover) (Indovina), I complessi (épisode Guglielmo il dentone) (D'Amico), Thrilling (épisode L'autostrada del sole) (Lizzani), Made in Italy (A l'italienne) (Loy) ; 1966, Fumo di Londra (Sordi), Scusi lei e'favorevole o contrario (Sordi), I nostri mariti (épisode Il marito di Roberta) (D'Amico), Le fate (Les ogresses) (l'épisode Fata Marta) (Pietrangeli) ; 1967, Le streghe (Les sorcières) (épisode Senso civico) (Bolognini), Un Italiano in America (Sordi) ; 1968, Amore mio, aiutami (Sordi), Il medico della mutua (Zampa), Riusciranno i nostri eroi a ritrovare l'amico misteriosamente scomparso in Africa ? (Nos héros réussiront-ils à retrouver leur ami mystérieusement disparu en Afrique ?) (Scola), Il prof. dr. Guido Tersilli, primario della clinica Villa celeste (Salce) ; 1969,

Nell'anno del signore (Les conspirateurs) (Magni), Contestazione generale (épisode Il prete) (Zampa) ; 1970, Il presidente del Borgorosso football-club (D'Amico), Le coppie (Drôles de couples) (Monicelli, Sordi et De Sica) ; 1971, Detenuto in attesa di giudizio (Loy), Bello, onesto, emigrato Australia sposerebbe compaesana illibata (Zampa) ; 1972, Roma (Fellini), Lo scopone scientifico (L'argent de la vieille) (Comencini), La piu'bella serata della mia vita (La plus belle soirée de ma vie) (Scola) ; 1973, Anastasia, mio fratello (Steno), Polvere di stelle (Sordi) ; 1974, Finché c'é guerra c'é speranza (Tant qu'y a la guerre, y'a de l'espoir) (Sordi) ; 1975, Di che segno sei ? (Corbucci) ; Il comune senso del pudore (Sordi) ; 1976, Quelle strane occasioni (La fiancée de l'évêque) (épisode L'ascensore) (Comencini) ; 1977, Un borghese piccolo, piccolo (Un bourgeois tout petit, petit) (Monicelli), I nuovi mostri (Les nouveaux monstres) (Monicelli, Risi, Scola) ; 1978, Dove vai in vacanza (Où es-tu allé en vacances ?) (épisode Una vacanza intelligente) (Sordi), L'ingorgo (Le grand embouteillage) (Comencini) ; 1979, Le témoin (Mocky), Il malato immaginario (Le malade imaginaire) (Cervi) ; 1980, Io e Caterina (Sordi) ; 1981, Il marchese del Grillo (Le marquis s'amuse) (Monicelli) ; Io so che tu sai che io so (Sordi) ; 1982, In viaggio con papà (Sordi) ; 1983, Lo so che tu sai che io so (Je sais que tu sais que je sais) (Sordi) ; 1985, Bertoldo, Bertoldino e cacasenno (Monicelli) ; 1990, L'avaro (Cervi) ; 1991, In nomine del popolo sovrano (Au nom du peuple souverain) (Magni) ; 1992, Assolto per aver commesso il fatto (Sordi), Vacanze di Natale 91 (Oldoini) ; 1994, Nestore, l'ultima corsa (Sordi) ; 1995, Romanzo di un giovane povero (Le roman d'un jeune homme pauvre) (Scola) ; 1998, Incontri proibiti (Sordi). *Pour le metteur en scène*, voir le *Dictionnaire du cinéma*, t. I : *Les réalisateurs*.

Le roi de la comédie « à l'italienne » avec Gassman. Révélé à treize ans dans un concours d'imitation de Hardy organisé par la MGM Citons Gili dans son remarquable *Cinéma italien*, t. II (p. 273) : « Un peu hésitant au début de sa carrière sur la nature des rôles qui lui convenaient, Sordi est devenu à partir du début des années 50 un des personnages les plus riches du cinéma italien, réussissant à créer un caractère qui, au-delà de la variété des histoires, des situations, des milieux, conserve sa valeur symbolique, par rapport à la réalité italienne : l'Italie du fascisme, de la résistance, de la reconstruction, du boom économique puis de la crise, a trouvé en Sordi un témoin privilégié. La galerie des portraits composés par Sordi renvoie à un archétype unique, celui de l'Italien, avec ses défauts (l'égoïsme, la trahison, la lâcheté) et ses qualités, la vitalité, la capacité d'adaptation, la volonté de vivre qui permettent de traverser toutes les crises et de surmonter le chaos. » Prodigieux acteur — à l'égal d'Oliver Hardy — Sordi savait rendre toutes les nuances de ses personnages par des gestes, des mimiques, un plissement des yeux qui provoquaient le rire ou l'émotion (l'abandon de la mère dans *Les nouveaux monstres*).

Sorel, Jean

Acteur français, de son vrai nom Jean de Combault-Roquebrune, né en 1934.

1959, J'irai cracher sur vos tombes (Gast), Les lionceaux (Bourdon) ; 1960, Una giornata (Bolognini), I dolci inganni (Les adolescentes) (Lattuada), Amélie ou le temps d'aimer (Drach), La giornata balorda (Ça s'est passé à Rome) (Bolognini) ; 1961, Vive Henri IV, vive l'amour (Autant-Lara), A View from the Bridge (Vu du pont) (Lumet), L'oro di Roma (Lizzani), Adorable Julia (Weidenmann) ; 1962, Nur tote Zeugen Schweigen (Le tueur à la rose rouge) (Martin), Le désordre (Brusati), Germinal (Y. Allégret), Ipnosi (E. Martin), Le quattro giornate di Napoli (La bataille de Naples) (Loy), Un marito in condominio (Dorigo) ; 1963, Chair de poule (Duvivier) ; 1964, La ronde (Vadim), De l'amour (Aurel) ; 1965, L'uomo che ride (L'homme qui rit) (Corbucci), Vaghe Stelle dell'orsa (Sandra) (Visconti), Le bambole (Les ogresses) (sketch de Bolognini), Made in Italy (Loy) ; 1966, Diabolik (Danger, Diabolik !) (Bava), Belle de jour (Buñuel), Le fate (Les ogresses) (sketch Salce), Fai in fretta ad uccidermi... ho freddo ! (Tue-moi vite, j'ai froid !) (Maselli) ; 1967, I protagonisti (Fondato), Un italiano in America (Sordi) ; 1968, Adelaïde (Simon), L'adorable corps de Deborah (Guerrieri) ; 1969, Una sull'altra (Perversion story) (Fulci) ; 1970, Paranoïa (Lenzi) ; 1971, Una lucertola con la pelle di donna (Carole) (Fulci), Suspicion (Forque), El ojo del huracan (Forque) ; 1972, Apenas una gota de sangre para morir amando (Le bal du vaudou) (E. de la Iglesia), La corta notte delle bambole di vetro (Lado) ; 1973, The Day of the Jackal (Chacal) (Zinnemann), Trader Horn (Badiyi) ; 1976, Les enfants du placard (Jacquot), La polizia sta a guardare (Le grand kidnapping) (Insascelli) ; 1978, L'affaire suisse (Ammann), Les sœurs Brontë (Téchiné) ; 1980, Les ailes de la colombe (Jacquot), Aimée (Farges) ; 1982, Aspern (de Gregorio) ; 1983, Bonnie and Clyde all'italiana (Steno) ; 1986, Il burbero (Castellano), Rosa la

Rose, fille publique (Vecchiali) ; 1989, Casablanca express (Casablanca express) (Martino) ; 1990, Un piede in paradiso (Ange ou démon) (Clucher) ; 1991, Miliardi (Vanzina).

Remarqué pour sa beauté que Christian Dureau met justement en parallèle avec celle d'Alain Delon (autre point commun : ils seront l'un et l'autre dirigés par Visconti), il a échoué à créer un personnage comme le fit Delon. Sans doute a-t-il eu tort de trop tourner – et n'importe quoi – en Italie ; sans doute aussi lui manquait-il le côté tragique de Delon ; sans doute enfin s'est-il trop vite empâté. On peut déplorer une carrière sinon manquée (Visconti et Buñuel lui ont fait appel), du moins sans rapport avec les espoirs placés en lui.

Sorvino, Mira

Actrice américaine née en 1967.

1993, Amongst Friends (Weiss) ; 1994 Barcelona (Barcelona) (Stillman), Quiz Show (Quiz Show) (Redford), Parallel Lives (Yellen) ; 1995, Tarentella (DeMichiel), Sweet Nothing (Winick), The Dutch Master (Seidelman), Blue in the Face (Brooklyn Boogie) (Wang, Auster), Mighty Aphrodite (Maudite Aphrodite) (Allen) ; 1996, Beautiful Girls (Demme), New York Cop (Murakawa), Tales of Erotica (sketch Seidelman) ; 1997, Romy and Michelle's High School Reunion (Mirkin), Mimic (Mimic) (Del Toro), Too Tired to Die (Chin), The Replacement Killers (Un tueur pour cible) (Fuqua) ; 1998, Lulu on the Bridge (Lulu on the Bridge) (Auster), Free Money (Simoneau), At First Sight (Premier regard) (Winkler), Summer of Sam (Summer of Sam) (Lee) ; 2000, Famous (Dunne), Bamboozled (The Very Black Show) (Lee), The Grey Zone (Blake Nelson), Semana santa (Danquart) ; 2001, The Triumph of Love (Peploe) ; 2002, Between Strangers (Pontí).

Fille de Paul Sorvino, on la découvre en call-girl vulgaire et braillarde dans *Maudite Aphrodite*. Très grande et très belle, c'est aussi une intellectuelle multilingue (elle parle mandarin couramment) diplômée de Harvard. Avec de tels atouts, espérons qu'elle choisisse dorénavant ses films avec soin, après les moyens *Mimic* et *Un tueur pour cible*.

Sorvino, Paul

Acteur américain né en 1939.

1971, Made for Each Other (Bean), Cry Uncle ! (Avildsen), The Panic in Needle Park (Panique à Needle Park) (Schatzberg) ; 1973, A Touch of Class (Une maîtresse dans les bras, une femme sur le dos) (Frank), The Day of the Dolphin (Le jour du dauphin) (Nichols) ; 1974, Shoot It : Black, Shoot It : Blue (McGuire) ; 1974, The Gambler (Le flambeur) (Reisz) ; 1976, I Will, I Will... For Now (C'est toujours oui...) (Panama) ; 1977, Oh, God ! (C. Reiner) ; 1978, Slow Dancing in the Big City (Slow Dancing) (Avildsen), The Brink's Job (Têtes vides cherchent coffres pleins) (Friedkin) ; 1979, Bloodbrothers (Les chaînes du sang) (Mulligan), Lost and Found (Frank) ; 1980, Cruising (Cruising – La chasse) (Friedkin) ; 1981, Reds (Reds) (Beatty) ; 1982, That Championship Season (J. Miller), I, The Jury (J'aurai ta peau) (Heffron), Melanie (Bromfield) ; 1983, Off the Wall (Friedberg) ; 1985, The Stuff (L. Cohen) ; 1985, Turk 182 ! (B. Clark) ; 1986, Very Close Quarters (Rif), Vasectomy : A Delicate Matter (Burge), A Fine Mess (Un sacré bordel) (Edwards) ; 1990, Dick Tracy (Dick Tracy) (Beatty), GoodFellas (Les affranchis) (Scorsese) ; 1991, The Rocketeer (Rocketeer) (Johnston) ; 1992, Age Isn't Everything (Katz) ; 1993, The Firm (La firme) (Pollack) ; 1994, Parallel Lives (Yellen), Backstreet Justice (McIntyre) ; 1995, Cover Me (Schroeder), Nixon (Nixon) (Stone) ; 1996, Escape Clause (Trenchard-Smith), Dog Watch (Langley), Love Is all There Is (Bologna, Taylor), Romeo + Juliet (Roméo + Juliette) (Luhrmann) ; 1997, Men With Guns (Skogland), Money Talks (Argent comptant) (Ratner), American Perfekt (Chart), Most Wanted (Wanted : recherché mort ou vif) (Hogan) ; 1998, Knock Off (Piège à Hong-Kong) (Hark), Bulworth (Bulworth) (Beatty) ; 2000, The Amati Girls (DeSalvo), See Spot Run (Whitesell) ; 2001, Perfume (Rymer).

Archétype de l'Italo-Américain, spécialisé dans les rôles de mafiosi adipeux et remarqué pour sa composition d'Henry Kissinger dans *Nixon*. Ténor accompli, il a également donné dans l'opéra.

Sothern, Ann

Actrice américaine, de son vrai nom Harriet Lake, 1909-2001.

1934, Kid Millions (Del Ruth) ; 1935, Folies-Bergère (Del Ruth) ; 1937, Danger, Love at Work (Preminger) ; 1939, Maisie (Marin) ; 1947, The Two Mrs. Carrolls (La deuxième Mme Carroll) (Godfrey) ; 1949, A Letter to Three Wives (Chaînes conjugales) (Mankiewicz) ; 1953, The Blue Gardenia (La femme au gardénia) (Lang) ; 1965, Sylvia (Sylvia) (Douglas) ; 1966, Chubasco (Miner) ; 1987, The Whales of August (Les baleines du mois d'août) (L. Anderson).

Elle dut sa célébrité à la série des *Maisie*, personnage qu'elle incarna avec succès. Sa sensualité semble faire encore rêver quelques vieux cinéphiles.

Soualem, Zinedine

Acteur français né en 1957.

1983, La bête noire (Chaput), Hannah K. (Costa-Gavras) ; 1992, Riens du tout (Klapisch), Un'anima divisa in due (Soldini) ; 1993, Fast (Desarthe), Les gens normaux n'ont rien d'exceptionnel (Ferreira Barbosa), Le péril jeune (Klapisch) ; 1994, Daisy et Mona (D'Anna), Les apprentis (Salvadori), La haine (Kassovitz), Le rocher d'Acapulco (Tuel) ; 1995, Chacun cherche son chat (Klapisch), L'échappée belle (Dhaene) ; 1996, Un air de famille (Klapisch), Cameleone (Cohen), Le silence de Rak (Loizillon), Les randonneurs (Harel), Tenue correcte exigée (Lioret), Messieurs les enfants (Boutron), Mauvais genre (Bénégui), Didier (Chabat), Le ciel est à nous (Guit), Liberté chérie (ép. « Liberté chérie ») (Gaget) ; 1997, La femme défendue (Harel), La voie est libre (Clavier), Je ne vois pas ce qu'on me trouve (Vincent), Vive la république ! (Rochant), Que la lumière soit ! (A. Joffé), Serial lover (Huth) ; 1998, Le clone (Conversi), Lila Lili (Vermillard), Mes amis (Hazanavicius), Trafic d'influence (Farrugia), Banqueroute (Desrosières) ; 1999, Peut-être (Klapisch), Ligne 208 (Dumont) ; 2000, 2e quinzaine de juillet (Reichert), J'ai tué Clémence Acéra (Gaget), Voyance et manigance (Fourniols), Mademoiselle (Lioret) ; 2001, Inch'Allah dimanche (Benguigui), Astérix et Obélix : mission Cléopâtre (Chabat), La maîtresse en maillot de bain (Boukhitine).

Une formation de mime l'amène à animer un atelier aux Beaux-Arts de Clermont-Ferrand, puis, depuis 1992, une omniprésence quasi systématique dans toute une partie du jeune cinéma français a popularisé cet acteur à l'aise dans à peu près n'importe quel emploi, du benêt touchant de *Chacun cherche son chat* au quadra motivé de *L'échappée belle*.

Souchon, Alain

Chanteur et acteur français né en 1944.

1980, Je vous aime (Berri), La boum (Pinoteau) ; 1981, Tout feu, tout flamme (Rappeneau) ; 1983, L'été meurtrier (J. Becker) ; 1984, Le vol du Sphinx (Ferrier) ; 1985, L'homme aux yeux d'argent (Granier-Deferre) ; 1987, Comédie (Doillon) ; 1988, Jane B. par Agnès V. (Varda) ; 1989, La fête des pères (Fleury) ; 1991, Contre l'oubli (collectif) ; 1998, Charité biz'ness (Barthes, Jamin) ; 1999, Sans plomb (Téodori).

S'il privilégie la chanson, Alain Souchon a fait quelques incursions remarquées sur les écrans. Il fut surtout salué pour sa performance en mari d'Isabelle Adjani dans *L'été meurtrier*. Aventurier désabusé du *Vol du sphinx* ou de *L'homme aux yeux d'argent*, il impose son physique maigre et son regard naïf dans des films attachants.

Souplex, Raymond

Acteur français, de son vrai nom Guillermain, 1901-1972.

1940, Les surprises de la radio (Paul) ; 1949, Manon (Clouzot), Branquignol (Dhéry), Lady Paname (Jeanson) ; 1950, Au fil des ondes (Gautherin), Le clochard milliardaire (Gomez), Caroline chérie (Pottier), Identité judiciaire (Bromberger), Meurtres (Pottier), Le passe-muraille (Boyer) ; 1951, Poil de carotte (Mesnier), Le vrai coupable (Thévenard), Paris chante toujours (Montazel) ; 1953, Si Versailles m'était conté (Guitry) ; 1954, Sur le banc (Vernay), Nagana (Bromberger) ; 1955, Les Duraton (Berthomieu), Les pépées au service secret (André), Coup dur chez les mous (Loubignac) ; 1956, Tant qu'il y aura des femmes (Greville), Les carottes sont cuites (Vernay), Till l'Espiègle (Ivens), Bébés à gogo (Mesnier) ; 1957, Les amants de demain (Blistène) ; 1958, La fille de feu (Rode) ; 1959, Chaque minute compte (Bibal), Alibi pour un meurtre (Bibal) ; 1960, Le mouton (Chevalier) ; 1963, Paris When it Sizzles (Deux têtes folles) (Quine), L'assassin viendra ce soir (Maley) ; 1964, Le dernier tiercé (Pottier) ; 1965, La sentinelle endormie (Dréville) ; 1967, La malédiction de Belphégor (Combret) ; 1970, Clodo (G. Clair).

Brillant chansonnier de la génération des Jean Rieux, Dorin, Rocca, Géo Pomel, F. Rauzéna, il a été une vedette de la radio à l'époque des Jacques Provins et Michel Méry, Pierre Louis et Paul Barré, Pierre Dac et Jean-Jacques Vital. Son émission la plus populaire qui donna lieu à un film fut *Sur le banc*. On le retrouva à la télévision en policier (*Les cinq dernières minutes*). Au cinéma, il joua les commissaires (*Identité judiciaire*), les individus louches (M. Paul dans *Manon*) ou son propre rôle (*Les surprises de la radio*, *Au fil des ondes*). Il a excellé dans des personnages bourrus, plutôt taciturnes, petits-bourgeois ou clochards. Dommage qu'à part Clouzot, il ait si mal choisi ses metteurs en scène.

Spaak, Catherine

Actrice belge née en 1945.

1959, Le trou (Becker) ; 1960, I dolci inganni (Les adolescentes) (Lattuada) ; 1961, Le puits aux trois vérités (Villiers) ; 1962, Il sorpasso (Le fanfaron) (Risi), La voglia matta (Elle est terrible) (Salce) ; 1963, La noia (L'ennui et sa diversion, l'érotisme) (Damiani), I mostri (Les monstres) (Risi) ; 1964, La ronde (Vadim), Week-end à Zuydcoote (Verneuil), L'amore difficile (Amours difficiles) (Sollima), Break Up (Break Up) (Ferreri) ; 1965, L'armata Brancaleone (Monicelli), Made in Italia (A l'italienne) (Loy), La burgiada (Une fille qui mène une vie de garçon) (Comencini) ; 1966, Madamigella di Maupin (Mademoiselle de Maupin) (Bolognini) ; 1968, La matriarca (L'amour à cheval) (Festa Campanile) ; 1969, If It's Tuesday... Then It Must Be Belgium (Mardi, c'est donc la Belgique) (Stuart) ; 1970, Il gatto a nove code (La chat à neuf queues) (Argento), Con quale amore, con quanto amore (Tu peux ou tu peux pas ?) (Festa Campanile) ; 1971, Un meurtre est un meurtre (Périer) ; 1973, Storia di una monaca di clausura (Paolella) ; 1974, L'uomo della pelle dura (Prosperi) ; 1975, Take a Hard Ride (La chevauchée terrible) (Mergheriti) ; 1976, Febbre di cavallo (Fièvre de cheval) (Steno), Bruciati da cocente passione (L'amour c'est quoi au juste ?) (Capitani) ; 1980, Sunday Lovers (Les séducteurs) (sketch Risi), Lo e Caterina (Moi et Catherine) (Sordi) ; 1982, Honey (Fleur du vice) (Angelucci) ; 1989, Scandalo segreto (Scandale secret) (Vitti).

Fille du scénariste Charles Spaak, elle a partagé sa carrière entre l'Italie et la France dans une filmographie inégale avec toutefois quelques bons rôles dus à Risi et Bolognini.

Spacek, Sissy

Actrice américaine née en 1949.

1970, Trash (Morrissey) ; 1972, Prime Cut (Carnage) (Ritchie) ; 1973, Ginger in the Morning (G. Wiles) ; 1974, Badlands (La balade sauvage) (Malick) ; 1976, Carrie (Carrie au bal du Diable) (De Palma) ; 1977, Welcome to L.A. (Welcome to Los Angeles) (Rudolph), Three Women (Trois femmes) (Altman) ; 1979, Heartbeat (Les premiers beatnicks) (Byrum) ; 1980, Coal Miner's Daughter (Nashville Lady) (Apted) ; 1981, Raggedy Man (L'homme dans l'ombre) (Fisk) ; 1982, Missing (Costra-Gavras) ; 1983, The Man with Two Brains (L'homme aux deux cerveaux) (Reiner) ; 1984, The River (La rivière) (Rydell) ; 1985, Marie (Donaldson) ; 1986, Violets Are Blue (Fisk), Night Mother (Goodnight Mother) (Morre), Crimes of the Heart (Crimes du cœur) (Beresford) ; 1990, The Long Way Home (Le long chemin vers la liberté) (Pearce) ; 1992, Hard Promises (Davidson) ; 1991, JFK (JFK) (Stone) ; 1994, Trading Mom (Brelis) ; 1995, The Grass Harp (Ch. Matthau) ; 1996, If These Walls Could Talk (Savoca, Cher) ; 1997, Affliction (Affliction) (Schrader) ; 1998, Blast from the Past (Première sortie) (Wilson), The Straight Story (Une histoire vraie) (Lynch) ; 2001, In the Bedroom (Field) ; 2005, The Ring Two (Le cercle – The Ring 2) (Nakata) ; 2006, North Country (L'affaire Josey Aimes) (Caro).

Chanteuse rock, élève de Strasberg, décoratrice de plateau, elle apparut longtemps comme victime d'un physique ingrat. Puis ce fut *Carrie*, film sanglant, où elle se vengeait de sa fragilité par ses pouvoirs parapsychiques. Le rôle la rendit célèbre. Altman et Apted firent le reste. *Nashville Lady* lui valut même l'oscar de 1980. Elle a beaucoup tourné pour la télévision.

Spacey, Kevin

Acteur et réalisateur américain, de son vrai nom Fowler, né en 1959.

1986, Heartburn (La brûlure) (Nichols) ; 1988, Rocket Gibraltar (Petrie), Working Girl (Working Girl) (Nichols) ; 1989, Dad (Mon père) (Goldberg), See no Evil, Hear no Evil (Pas nous, pas nous !) (Hiller) ; 1990, Henry & June (Henry & June) (Kaufman), A Show of Force (Barreto) ; 1992, Glengarry Glen Ross (Glengarry) (Foley), Consenting Adults (Jeux d'adultes) (Pakula) ; 1994, The Ref (T. Demme), Iron Will (Haid) ; 1995, The Buddy Factor (Swimming with sharks) (Huang), Outbreak (Alerte !) (Petersen), Usual Suspects (Usual Suspects) (Singer), Seven (Seven) (Fincher), Looking for Richard (Looking for Richard) (Pacino) ; 1996, A Time to Kill (Le droit de tuer ?) (Schumacher), L.A. Confidential (L.A. Confidential) (Hanson) ; 1997, Midnight in the Garden of Good and Evil (Minuit dans le jardin du Bien et du Mal) (Eastwood), The Negociator (Négociateur) (Gray) ; 1998, Hurlyburly (Drazan) ; 1999, Ordinary Decent Criminal (Ordinary Decent Criminal) (O'Sullivan), American Beauty (American Beauty) (Mendes), The Big Kahuna (Swanbeck) ; 2000, Pay It Forward (Un monde meilleur) (Leder) ; 2001, K-PAX (L'homme qui venait de loin) (Softley), The Shipping News (Terre-Neuve) (Hallström) ; 2002, The Life of David Gale (La vie de David Gale) (Parker). *Pour le metteur en scène*, voir le *Dictionnaire du cinéma*, t. I : *Les réalisateurs.*

Parcours classique (théâtre, télé, cinéma) pour ce comédien protéiforme très remarqué en indic tortueux dans *Usual Suspects* et en tueur machiavélique dans *Seven*. Il n'est pas moins remarquable dans *L.A. Confidential*, chef-d'œuvre du film noir. Passé à la mise en scène, il confirme la diversité de son talent dans *Albino Alligator*.

Spader, James

Acteur américain né en 1960.

1981, Endless Love (Un amour infini) (Zeffirelli) ; 1983, The New Kids (Cunningham) ; 1985, Tuff Turf (Quartier chaud) (Kiersch), Pretty in Pink (Rose bonbon) (Deutch) ; 1986, Mannequin (Mannequin) (Gottlieb) ; 1987, Baby Boom (Baby Boom) (Shyer), Wall Street (Wall Street) (Stone), Less Than Zero (Neige sur Beverly Hills) (Kanievska) ; 1988, Jack's Back (Herrington) ; 1989, The Rachel Papers (Le dossier Rachel) (Harris), Sex, Lies and Videotape (Sexe, mensonges et vidéo) (Soderbergh) ; 1990, Bad Influence (Bad influence) (Hanson), White Palace (La fièvre d'aimer) (Mandoki) ; 1991, True Colors (Ross) ; 1992, Storyville (Storyville) (Frost), Bob Roberts (Bob Roberts) (Robbins) ; 1993, The Music of Chance (La musique du hasard) (Haas) ; 1994, Dream Lover (Kazan), Wolf (Wolf) (Nichols), Stargate (Stargate, la porte des étoiles) (Emmerich) ; 1995, Driftwood (La geôlière) (O'Leary), 2 Days in the Valley (2 jours à Los Angeles) (Herzfeld) ; 1996, Crash (Crash) (Cronenberg), Keys to Tulsa (Greif) ; 1997, Critical Care (Lumet), Curtain Call (Yates) ; 1998, Supernova (Supernova) (Hill) ; 2000, The Watcher (The Watcher) (Charbanic) ; 2002, Secretary (La secrétaire) (Shainberg).

Beaucoup de charisme chez ce fils d'enseignant, à l'origine comédien de théâtre, et qui endossa de nombreux rôles de romantiques ténébreux. En 1989, il obtient le prix d'interprétation à Cannes pour son rôle d'impuissant énigmatique dans *Sexe, mensonges et vidéo*, film qui le révèle au grand public.

Spencer, Bud

Acteur italien, de son vrai nom Carlo Pendersoli, né en 1929.

1967, Dio perdona... io no (Dieu pardonne, moi pas) (Colizzi) ; 1968, I quattro dell'Ave Maria (Les quatre de l'Ave Maria) (Colizzi), Pas de pitié pour les salopards (Stegani), Cinq gâchettes d'or (C. Cervi) ; 1969, La collina degli stivali (La colline des bottes) (Colizzi), Cinq hommes armés (Singarelli) ; 1970, A l'aube du cinquième jour (Montaldo) ; 1971, Lo chiamavano Trinita (On l'appelle Trinita) (Clucher), Continuavano a chiamarlo Trinita (On continue à l'appeler Trinita) (Clucher), Quatro mosche di veluto grigio (Quatre mouches de velours gris) (Argento) ; 1972, Una ragione per vivere, una ragione per morire (Une raison pour vivre, une raison pour mourir) (Valerii), E poi lo chiamarono Il Magnifico (El Magnifico) (Colizzi), Maintenant on l'appelle Plata (Colizzi), En el Oeste se puede hacer, amigo (Lucidi), Il corsaro nero (Thomas) ; 1973, Anche gli angeli mangiano fagioli (Les anges mangent aussi des fayots) (Clucher), Attention, on va se fâcher (Fondato), Piedone lo sbiro (Steno) ; 1974, Piedone a Hong Kong (Steno), Porgi l'altra guancia (Les deux missionnaires) (F. Rossi) ; 1975, Il soldato di ventura (La grande bagarre) (Festa Campanile) ; 1976, Charleston (Fondato), Corto Maltese (Fondato) ; 1977, I due superpiedi quasi piatti (Deux superflics) (Clucher) ; 1978, Piedone l'africano (L'inspecteur Bulldozer) (Steno) ; 1978, Pari e dispari (Pair et impair) (S. Corbucci), Lo chiamavano Bulldozer (Mon nom est Bulldozer) (Lupo) ; 1979, Cul et chemise (Zingarelli), Piedone d'Egitto (Piedplat sur le Nil) (Steno) ; 1980, Banana Joe (Steno), Uno sceriffo extraterrestre (Le shérif et les extraterrestres) (Lupo), Occhio alla penna (On m'appelle Malabar) (Lupo), Le nuove aventure del sceriffo extraterrestre (Faut pas pousser) ; 1981, Who Finds a Friend, Finds a Treasure (Salut l'ami, adieu le trésor) (Corbucci) ; 1983, Bomber (Capitaine Malabar) (Lupo), Go for It (Quand faut y aller, faut y aller) (Clucher) ; 1984, Io, tu, loro e gli altri (Attention les dégâts !) (Clucher) ; 1985, Miami Supercops (Les superflics de Miami) (Corbucci) ; 1986, Aladdin (Corbucci) ; 1991, Un piede in paradiso (Ange ou démon) (Clucher) ; 1994, The N(F)ight Before Christmas (Petit papa baston) (Hill) ; 1997, Fuochi d'artificio (Pieraccioni), Al Limite (Al Limite) (Campoy).

Champion d'Italie de natation, ce colosse a pris la succession du boxeur Primo Carnera dans les rôles de force de la nature. Associé à Terence Hill, puis seul, Malabar ou Piedplat, dirigé par Steno, Lupo ou Corbucci, il distribue les coups de poing et fracasse les tables avec une belle ardeur. Dommage que les scénarios de ses films soient aussi indigents !

Spielvogel, Laurent

Acteur français né en 1955.

1982, La vie est un roman (Resnais) ; 1983, Le faucon (Boujenah) ; 1984, Urgence (Béhat) ; 1985, Le bonheur a encore frappé (Trotignon), La galette du roi (Ribes), Max mon amour (Oshima) ; 1986, Kamikaze (Grousset), Les exploits d'un jeune don Juan (Mingozzi) ; 1987, Frantic (Frantic) (Polanski) ; 1989, To Kill a Priest (Le complot) (Holland), Après-après demain (Frot-Coutaz), Il y a des jours... et des lunes (Lelouch) ; 1990, Lola Zipper (Duran Cohen), On peut toujours rêver (Richard) ; 1992, Une journée chez ma mère (Cheminal) ; 1993, Les braqueuses (Salomé) ; 1994, Il mostro (Le monstre) (Benigni), French Kiss (French Kiss) (Kasdan) ; 1995, Pédale douce (Aghion) ; 1996, The Ogre (Le roi des aulnes) (Schlöndorff) ; 1997, Que la lumière soit ! (A. Joffé) ; 1998, Le derrière (Lemercier), Ronin (Ronin) (Frankenheimer), Astérix et Obélix contre César (Zidi) ; 1999, Épouse-moi (Marin), Une affaire de goût (Rapp) ; 2000, 2e quinzaine de juillet (Reichert).

Sa grande distinction et ses airs dédaigneux lui ont surtout valu, aussi bien au cinéma qu'à la télévision, des compositions de maîtres d'hôtel, de banquiers ou d'hommes d'affaires, interprétés avec une saveur et un humour tels qu'il vole généralement la vedette aux acteurs dont il partage les scènes... Il est de cette catégorie de comédiens qu'on s'acharne (à tort) à cantonner dans les petits rôles, et dont le cinéma pourrait difficilement se passer.

Spiesser, Jacques

Acteur français né en 1947.

1971, Faustine et le bel été (Companeez) ; 1973, L'ironie du sort (Molinaro), R.A.S. (Boisset) ; 1974, Un homme qui dort (Queysanne), La gifle (Pinoteau), Section spéciale (Costa-Gavras) ; 1975, Le diable au cœur (Queysanne), Je suis Pierre Rivière (Lipinska), Lumière (Moreau), Le petit Marcel (Fansten), Un animal doué de déraison (Kast) ; 1976, Le juge Fayard dit « le shérif » (Boisset), Noirs et blancs en couleurs/La victoire en chantant (Annaud) ; 1977, Autopsie d'un meurtre (Ryad), L'amant de poche (Queysanne) ; 1978, Tout est à nous (Daniel), Même les mômes ont du vague à l'âme (Daniel) ; 1982, La truite (Losey) ; 1985, Folie suisse (Lipinska) ; 1986, On a volé Charlie Spencer (Huster) ; 1987, Preuve d'amour (Courtois) ; 1988, Baxter (Boivin), Peaux de vaches (Mazuy) ; 1989, L'homme imaginé (Bardon) ; 1992, Tout ça... pour ça ! (Lelouch) ; 1996, Mme Jacques sur la Croisette (moyen métrage, Finkiel) ; 1998, La vie ne me fait pas peur (Lvovsky) ; 1999, Rembrandt (Matton), La vie moderne (Ferreira Barbosa), De l'histoire ancienne (Miret) ; 2000, Après la réconciliation (Miéville).

Très actif au cinéma dans les années 70, il se consacre par la suite essentiellement au théâtre. Sur grand écran, son jeu, souple et fin, grave et intelligent en ont fait un acteur de second plan très demandé. Ceux qui l'ont vu dans *Un homme qui dort* (un de ses rares premiers rôles, et ici seul acteur du film), d'après le livre de Georges Perec, n'oublieront pas ce visage d'une blondeur angélique qui dissimulait la violence intérieure la plus nihiliste que le cinéma ait jamais montrée.

Stack, Robert

Acteur américain, de son vrai nom Modini, 1919-2003.

1939, First Love (Koster) ; 1940, The Mortal Storm (Borzage), When the Daltons Rode (Marshall), A Little Bit of Heaven (Marton) ; 1941, Nice Girl ? (Seiter), Badlands of Dakota (Green) ; 1942, Men of Texas (Enright), To Be or not to Be (Jeux dangereux) (Lubitsch), Eagle Squadron (Lubin) ; 1948, Miss Tatlock's Millions (Haydn), Fighter Squadron (Les géants du ciel) (Walsh), A Date with Judy (Thorpe) ; 1950, Mr. Music (Haydn) ; 1951, My Outlaw Brother (Nugent), The Bullfighter and the Lady (La dame et le toréador) (Boetticher) ; 1953, Bwana the Devil (Bwana le diable) (Oboler), Sabre Jet (Les corsaires de l'espace) (L. King), War Paint (Selander), Conquest of Cochise (W. Castle) ; 1954, The High and the Mighty (Écrit dans le ciel) (Wellman), The Iron Glove (Castle) ; 1955, House of Bamboo (La maison de bambou) (Fuller), Good Morning Miss Dove (Bonjour Miss Dove) (Koster) ; 1956, Great Day in the Morning (L'or et l'amour) (Tourneur), Written on the Wind (Écrit sur du vent) (Sirk) ; 1957, The Tarnished Angels (La ronde de l'aube) ; 1958, The Gift of Love (La femme que j'aimais) (Negulesco) ; 1959, John Paul Jones (Farrow), The Scarface Mob (Le tueur de Chicago) (Karlson) ; 1960, The Last Voyage (Panique à bord) (Stone) ; 1963, The Caretakers (Bartlett) ; 1965, Paris brûle-t-il ? (Clément) ; 1966, The Corrupt Ones (Hill) ; 1967, Le soleil des voyous (Delannoy) ; 1969, Storia di una donna (Bercovici) ; 1975, Murder on Flight 502 (Mystère sur le vol 502) (MacGowan) ; 1978, Un second souffle (Blain) ; 1979, 1941 (1941) (Spielberg) ; 1980, Airplane-Flying High (Y a-t-il un pilote dans l'avion ?) (Abrahams et Zucker) ; 1983, Uncommon Valor (Retour vers l'enfer) (Kotcheff) ; 1986, Big Trouble (Cassavetes) ; 1988, Plain Clothes (Coolidge), Caddyshack II (Arkush) ; 1989, Joe Versus the Vulcano (Joe contre le volcan) (Shanley) ; 1998, Mumford (Kasdan) ; 2001, Killer Bud (Hirsch).

Brillant sportif, il doit abandonner toute activité de ce type après une fracture au poignet. Il devient comédien mais la guerre interrompt des débuts prometteurs. Il reprend sa carrière en 1948 : à son actif, un beau Wellman (*Écrit dans le ciel*) et deux splendides Sirk (*Écrit sur du vent* et *La ronde de l'aube*). Pourtant c'est la série télévisée « Les incorruptibles » qui le rendra célèbre : il y incarne un policier en lutte contre les gangs de Chicago. On a tiré un film de cette série, *The Scarface Mob*.

Stallone, Sylvester

Acteur et réalisateur américain né en 1946.

1970, The Italian Stallion (Lewis) ; 1971, Bananas (Bananas) (Allen) ; 1974, No Place to Hide (Schmitzler), The Prisoner of Second Avenue (Le prisonnier de la 2e avenue) (Frank), The Lords of Flatbush (Verona) ; 1975, Capone (Carter), Farewell My Lovely (Adieu ma jolie) (Richards), Death Race 2000 (La course à la mort de l'an 2000) (Bartel) ; 1976, Rocky (Rocky) (Avildsen), Canonball (Bartel) ; 1978, Fist (Jewison), Paradise Alley (La taverne de l'enfer) (Stallone) ; 1979, Rocky II (Rocky II) (Stallone) ; 1980, Nighthawks (Les faucons de la nuit) (Malmuth) ; 1981, Escape to Victory (A nous la victoire) (Huston), Rocky III (L'œil du tigre) (Stallone) ; 1983, First Blood (Rambo) (Kotcheff) ; 1984, Rhinestone (Clark) ; 1985, Rambo II (Rambo II) (Cosmatos), Rocky IV (Rocky IV) (Stallone) ; 1986, Cobra (Cosmatos) ; 1987, Over The Top (Bras de fer) (Golan) ; 1988, Rambo III (Rambo III) (Mac Donald) ; 1989, Tango and Cash (Tango et Cash) (Konchalovsky), Lock Up (Haute sécurité) (Flynn) ; 1990, Rocky V (Rocky V) (Avildsen) ; 1991, Oscar (L'embrouille est dans le sac) (Landis) ; 1992, Stop or my Mom Will Shoot (Arrête ou ma mère va tirer) (Spottiswoode), Cliffhanger (Cliffhanger) (Harlin) ; 1993, Demolition Man (Demolition man) (Brambilla) ; 1994, The Specialist (L'expert) (Llosa), Judge Dredd (Judge Dredd) (Cannon) ; 1995, Assassins (Assassins) (Donner) ; 1996, Daylight (Daylight) (Cohen), Copland (Copland) (Mangold) ; 1997, An Alan Smithee Film — Burn Hollywood Burn (An Alan Smithee Film) (Hiller, sous le pseudonyme de Smithee), No Vacancy (Gordon) ; 1999, Eye See You (Gillespie) ; 2000, Get Carter (Get Carter) (Kay), Driven (Harlin) ; 2001, D-TOX (Compte à rebours mortel) (Gillespie) ; 2003, Spy Kids 3D : Game Over (Mission 3D Spy Kids 3) (Rodriguez), Taxi 3 (Krawczyk) ; 2004, Avenging Angelo (Mafia love) (Burke), Shade (Les maîtres du jeu) (Nieman) ; 2007, Rocky Balboa (Rocky Balboa) (Stallone). *Pour le metteur en scène*, voir le *Dictionnaire du cinéma*, t. I : *Les réalisateurs*.

Véritable boule de muscles, il attendait en vain le succès, lorsqu'il se souvint de son expérience de boxeur amateur et écrivit le scénario de *Rocky*. Ce fut un triomphe. Stallone prit les choses en main en mettant lui-même en scène les deux suites. Moins simple qu'il n'y paraît pourtant, le cerveau de ce Stallone : il faut voir son numéro masochiste de *First Blood* pour s'en convaincre. *Rambo II* et *Rocky IV* élevèrent le personnage au niveau du mythe. Il n'arrête pas de mettre en valeur ses muscles : en haute montagne (*Cliffhanger*), devant Sharon Stone (*The Specialist*), dans l'exercice du métier de juge (*Judge Dredd*), en tueur soucieux de prendre une retraite méritée (*Assassins*). En 2007, il reprend pour la dernière fois (?) son personnage de Rocky.

Stamp, Terence

Acteur anglais né en 1939.

1962, Term of Trial (Le verdict) (Glenville), Billy Budd (Ustinov) ; 1964, The Collector (L'obsédé) (Wyler) ; 1966, Modesty Blaise (Losey) ; 1967, Far from the Madding Crowd (Loin de la foule déchaînée) (Schlesinger), Poor Cow (Pas de larmes pour Joy) (Loach), Blue (El Gringo) (Narizzano), Histoires extraordinaires (sketch de Fellini) ; 1968, Teorema (Théorème) (Pasolini) ; 1969, The Mind of Mr. Soames (A. Cooke) ; 1971, Una stagione all' inferno (Une saison en enfer) (N. Risi) ; 1974, Hu-Man (Laperrousaz) ; 1975, La divina creatura (La divine créature) (Patroni-Griffi) ; 1976, Strip-Tease (Lorente) ; 1978, Superman (Superman) (R. Donner), The Thief of Bagdad (Le voleur de Bagdad) (C. Donner) ; 1979, Meetings with Remarkable Men (Rencontres avec des hommes remarquables) (Brook), Amo non amo (Balducci) ; 1980, Superman II (Superman II) (Lester) ; 1981, Misterio en la isla de los monstruos (Piquet Simon) ; 1982, Morte in Vaticano (Aliprandi) ; 1984, The Hit (Le tueur était presque parfait) (Frears) ; 1985, Link (Link) (Franklin), Legal Eagles (L'affaire Chelsea Deardon) (Reitman), The Company of Wolves (La compagnie des loups) (Jordan) ; 1987, The Sicilian (Le Sicilien) (Cimino), Wall Street (Wall Street) (Stone) ; 1988, Alien Nation (Futur Immédiat Los Angeles 1991) (Baker), Young Guns (Young Guns) (Cain) ; 1990, Stranger in the House (Stamp) ; 1991, Genuine Risk (Voss), Beltenebros (Miro) ; 1994, The Real MacCoy (L'affaire Karen MacCoy) (Mulcahy), The

Adventures of Priscilla, Queen of the Desert, (Priscilla, folle du désert) (Elliott), Mindbender (Uri) (Russell) ; 1995, Bliss (Au-delà de l'amour) (L. Young), Tiré à part (Rapp) ; 1996, The Bitter End (Campanella) ; 1998, Bowfinger (Bowfinger, roi d'Hollywood) (Oz), Kiss the Sky (Young), Love Walked In (Campanella) ; 1999, Star Wars Episode I : The Phantom Menace (Star Wars Épisode I : La menace fantôme) (Lucas), The Limey (L'Anglais) (Soderbergh) ; 2000, Red Planet (Planète rouge) (Hoffman) ; 2001, Revelation (Urban), Ma femme est une actrice (Attal) ; 2003, Federico Fellini, sono un gran bugiardo (Fellini – Je suis un grand menteur) (Pettigrew), The Haunted Mansion (Le manoir hanté et les 999 fantômes) (Minkoff) ; 2004, My Boss's Daughter (Mon boss, ma fille et moi) (Zucker) ; 2005, Elektra (Elektra) (Bowman).

Mère française et père marinier anglais : golf puis théâtre. Remarqué par Ustinov, lancé par *The Collector* qui lui vaut un prix à Cannes. Depuis 1978, semble se désintéresser de sa carrière. De *Billy Budd* à *Superman*, l'évolution est inquiétante. Pourtant son physique le disposait à des compositions plus brillantes.

Stanczak, Wadeck

Acteur français né en 1961.

1983, Les cavaliers de l'orage (Vergez) ; 1985, Hors-la-loi (Davis), Rendez-vous (Téchiné) ; 1986, Le lieu du crime (Téchiné), Désordre (Assayas) ; 1987, Ennemis intimes (Amar), La nuit de l'Océan (Perset) ; 1988, La lumière du lac (F. Comencini), Chimère (Devers) ; 1990, L'autre (Giraudeau) ; Cellini (L'or et le sang) (Battiato) ; 1991, Le retour de Casanova (Niermans) ; 1992, Mouche (inachevé, Carné) ; 1994, C'est jamais loin (Centonze) ; 1996, Les couleurs du diable (Jessua) ; 1998, Furia (Aja) ; 1999, Là-bas... mon pays (Arcady).

Solide acteur imposé par Téchiné.

Stanton, Harry Dean

Acteur américain né en 1926.

1957, Tomahawk Trail (Selander) ; 1958, The Proud Rebel (Le fier rebelle) (Curtiz) ; 1959, Park Chop Hill (La gloire et la peur) (Milestone) ; 1961, The Adventures of Huckleberry Finn (Les aventuriers du fleuve) (Curtiz) ; 1968, Day of the Evil Gun (Le jour des apaches) (Thorpe) ; 1973, Pat Garret and Billy the Kid (Peckinpah) ; 1975, Apache Massacre (L'Apache) (Graham), Farewell, My Lovely (Adieu ma jolie) (Richards) ; 1976, The Missouri Breaks (Missouri Breaks) (Penn) ; 1977, Renaldo and Clara (Renaldo et Clara) (Dylan), Straight Time (Le récidiviste) (Grosbard) ; 1979, The Rose (The Rose) (Rydell), Wise Blood (Le malin) (Huston), Alien (Alien) (Scott) ; 1980, Private Benjamin (La bidasse) (Zieff), La mort en direct (Tavernier) ; 1981, Escape From New York (New York 1997) (Carpenter) ; 1982, One From the Heart (Coup de cœur) (Coppola), Young Doctors in Love (Doctors in love) (Marshall) ; 1983, Christine (Christine) (Carpenter) ; 1984, Repo Man (Repo man) (Cox), Paris, Texas (Paris, Texas) (Wenders), The Bear (Sarafian), Red Dawn (L'aube rouge) (Milius) ; 1985, One Magic Christmas (Borsos), Fool For Love (Fool for love) (Altman) ; 1986, Uforia (Binders) ; 1987, Slam Dance (Slam dance) (Wang), Pretty in Pink (Rose bonbon) (Deutch) ; 1988, Stars and Bars (O'Connor), The Last Temptation of Christ (La dernière tentation du Christ) (Scorsese) ; 1989, Mr. North (Mr. North) (D. Huston) ; 1990, The Fourth War (Frankenheimer), Twister (Almereyder), Wild at Heart (Sailor et Lula) (Lynch), Dream a Little Dream (Rocco) ; 1992, Twin Peaks, Fire Walk With Me (Twin Peaks) (Lynch), Man Trouble (Rafelson) ; 1993, Blue Tiger (Barba), Against the Wall (Frankenheimer) ; 1994, Les cent et une nuits (Varda) ; 1995, Never Talk to Strangers (Hall), Down Periscope (Touche pas à mon périscope) (Ward) ; 1996, She's So Lovely (She's So Lovely) (N. Cassavetes), Fire Down Below (Alcala) ; 1997, The Mighty (Les puissants) (Chelsom) ; 1998, Fear and Loathing in Las Vegas (Las Vegas parano) (Gilliam), The Green Mile (La ligne verte) (Darabont), Ballad of the Nightingale (Greville Morris), The Straight Story (Une histoire vraie) (Lynch) ; 2000, The Man Who Cried (The Man Who Cried) (Potter), The Pledge (Penn) ; 2001, Ginostra (Ginostra) (Pradal) ; 2003, Anger Management (Self Control) (Segal) ; 2005, Bukowski : Born Into This (Bukowski) (Dullaghan).

Troisième couteau de western, il s'impose en vedette dans *Le malin* et surtout *Paris, Texas*.

Stanwyck, Barbara

Actrice américaine, de son vrai nom Ruby Stevens, 1907-1990.

1927, Broadway Nights (Boyle) ; 1929, The Locked Door (Fitzmaurice), Mexicali Rose (Kenton), Ladies of Leisure (Capra) ; 1931, Illicit (Mayo), Ten Cents a Dance (Barrymore), Miracle Woman (Capra), Night Nurse (L'ange blanc) (Wellman) ; 1932, Forbidden (Amour défendu) (Capra), So Big (Mon grand) (Wellman), Shopworn (Grinde), The Purchase Price (Wellman) ; 1933, Baby Face (Green), The Bitter Tea of General Yen (La grande muraille) (Capra), Ever in my Heart (Mayo), Ladies They Talk About (Bretherton) ; 1934, The Secret Bride (Dieterle), Gambling Lady (Mayo) ; 1935, Red Salute (Lanfield), Annie Oakley (La gloire du cirque) (G. Stevens), The Woman in Red (Florey) ; 1936, Banjo on My Knee (Saint Louis Blues) (Cromwell), A Message to Garcia (Marshall), The Bride Walks Out (Jason), The Plough and the Stars (Révolte à Dublin) (Ford), His Brother's Wife (Van Dyke) ; 1937, Stella Dallas (Stella Dallas) (Vidor), This Is My Affair (Seiter), Breakfast for Two (Santell), Internes Can't Take Money (Santell) ; 1938, The Mad Miss Manton (Miss Manton est folle) (Jason), Always Goodbye (Lanfield) ; 1939, Union Pacific (Pacific Express) (DeMille), Golden Boy (L'esclave aux mains d'or) (Mamoulian) ; 1940, Remember the Night (Leisen) ; 1941, You Belong to Me (Ruggles), Ball of Fire (Boule de feu) (Hawks), The Lady Eve (Sturges), Meet John Doe (L'homme de la rue) (Capra) ; 1942, The Gay Sisters (Rapper), The Great Man's Lady (Wellman) ; 1943, Lady of Burlesque (L'étrangleur) (Wellman), Flesh and Fantasy (Obsessions) (Duvivier) ; 1944, Double Indemnity (Assurance sur la mort) (Wilder), Hollywood Canteen (Daves) ; 1945, Christmas in Connecticut (Godfrey) ; 1946, The Bride Wore Boots (Pichel), My Reputation (Bernardt), The Strange Love of Martha Ivers (L'emprise du crime) (Milestone), California (Californie terre promise) (Farrow) ; 1947, The Two Mrs. Carrolls (La seconde Madame Carroll) (Godfrey), Variety Girl (Hollywood en folie) (Marshall), The Other Love (De Toth), Cry Wolf (Godfrey) ; 1948, B.F.'s Daughter (Leonard), Sorry Wrong Number (Raccrochez c'est une erreur) (Litvak) ; 1949, East Side, West Side (Ville haute, ville basse) (LeRoy), The Lady Gambles (Gordon), Thelma Jordan (La femme à l'écharpe pailletée) (Siodmak) ; 1950, No Man of Her Own (Les chaînes du destin) (Leisen), The Furies (Les Furies) (Mann), To Please a Lady (Brown) ; 1951, The Man with a Cloak (Smarkel) ; 1952, Clash by Night (Le démon s'éveille la nuit) (Lang) ; 1953, Jeopardy (La plage déserte) (Sturges), Titanic (Negulesco), All I Desire (Sirk), The Moonlighter (Rowland), Blowing Wild (Le souffle sauvage) (Fregonese) ; 1954, Executive Suite (La tour des ambitieux) (Wise), Witness to Murder (Témoin de ce meurtre) (Rowland), Cattle Queen of Montana (La reine de la prairie) (Dwan) ; 1955, The Violent Men (Le souffle de la violence) (Maté), Escape to Burma (Les rubis du Prince Birman) (Dwan) ; 1956, The Maverick Queen (La horde sauvage) (Kane), These Wilder Years (Rowland), There's Always Tomorrow (Sirk) ; 1957, Crime of Passion (Oswald), Trooper Hook (Warren), Forty Guns (Quarante tueurs) (Fuller) ; 1962, A Walk on the Wild Side (La rue chaude) (Dmytryk) ; 1964, Roustabout (Rich) ; 1965, The Night Walker (Castle).

L'une des plus grandes stars d'Hollywood. Débuts aux Ziegfeld Follies puis en 1926 un rôle important à Broadway pour *The Noose*. C'est alors qu'elle adopte son surnom de Barbara Stanwyck. Hollywood l'accueille dès 1927, mais c'est Capra qui en fait une vedette. Elle s'intègre parfaitement dans son univers et joue dans les meilleurs films, les moins conformistes en tout cas, du metteur en scène. Elle est excellente également dans *Ball of Fire* où elle sème la pagaille dans une réunion de savants. Pourtant c'est avec le film « noir » qu'elle atteint son apogée. *Double Indemnity, Martha Ivers* et *Thelma Jordan* en font, l'actrice par excellence du genre : intelligence et sensualité se mêlent dans les personnages qu'elle incarne pour conduire à sa perte l'infortuné mâle. Troisième étape de sa carrière : le western. Dwan, Fuller, Kane, Maté, Fregonese, Warren lui proposent des films à petit budget mais qui ne sont pas indignes de l'interprète de *Stella Dallas* et de *Pacific Express*. A partir de 1962, Barbara Stanwyck s'est surtout consacrée à la télévision.

Steele, Barbara

Actrice irlandaise née en 1938.

1959, Bachelor of Hearts (Rilla) ; 1960, La maschera del demonio (Le masque du démon) (Bava) ; 1961, The Pit and the Pendulum (La chambre des tortures) (Corman) ; 1962, Raptus (L'effroyable secret du docteur Hichcock) (Freda) ; 1963, Otto e mezzo (Huit et demi) (Fellini), Le ore dell'amore (Les heures de l'amour) (Salce), Lo spettro (Le spectre du docteur Hichcock) (Freda), La danza macabra (La danse macabre) (Margheriti), Le voci bianche (Le sexe des anges) (Festa Campanile), Les baisers (sketch Hauduroy) ; 1964, I maniaci (Fulci), I lunghi capelli della morte (La sorcière sanglante) (Margheriti), Le monocle rit jaune (Lautner), Il capitano di ferro (Le capitaine de fer) (Grieco) ; 1965, Un angelo per Satana (Mastrocinque), Amanti d'oltre tomba (Les amants d'outre-tombe) (Caiano), Cinque tombe per un medium (Le cimetière des morts-vivants) (Pupillo) ; 1966, Der junge Törless (Les désarrois de l'élève Törless) (Schloendorff) ; 1967, La sorcella di Satana

(Reeves) ; 1968, The Curse of the Crimson Altar (La maison ensorcelée) (Sewell) ; 1974, Caged Heat ! (Cinq femmes à abattre) (Demme), Parasite Murders (Frisson) (Cronenberg) ; 1977, I Never Promised You a Rose Garden (Jamais je ne t'ai promis un jardin de roses) (A. Page), Sois belle et tais-toi (Seyrig) ; 1978, La petite (Malle), La clef sur la porte (Boisset), Piranha (Piranhas) (Dante) ; 1979, Silent Scream (Le silence qui tue) (D. Harris) ; 1994, Tief oben (Hengstler).

Actrice anglaise vouée au chômage, elle trouve en Italie le filon du film d'épouvante. Son étrange beauté, la profondeur de son regard, un sourire moqueur, une longue chevelure défaite en font l'héroïne idéale des histoires macabres. L'horrible supplice qu'elle subissait dans *Le masque du démon* la lança auprès des amateurs du genre et elle devint l'objet d'un véritable culte. Au fond d'elle-même, elle préférait jouer avec Fellini et alla jusqu'à s'auto-parodier dans *Der junge Torless*. Ce qui explique peut-être sa retraite.

Steenburgen, Mary

Actrice américaine née en 1953.

1978, Goin'South (En route vers le sud) (Nicholson) ; 1979, Time after Time (C'était demain) (Meyer) ; 1980, Melvin and Howard (Melvin et Howard) (J. Demme) ; 1981, Ragtime (Ragtime) (Forman) ; 1982, Midsummernight Sex Comedy (Comédie érotique d'une nuit d'été) (Allen), Cross Creek (Majorie) (Ritt), Romantic Comedy (Hiller), One Magic Christmas (Borsas) ; 1986, Dead of Winter (Froid comme la mort) (Penn) ; 1987, Whales of August (Baleines du mois d'août) (Anderson) ; 1989, Back to the Future 3 (Retour vers le futur 3) (Zemeillis), Parenthood (Portrait craché d'une famille modèle) (Howard) ; 1990, End of the Line (Russell), The Long Way Home (Le long chemin vers la liberté) (Pearce) ; 1991, The Butcher's Wife (T. Hughes) ; 1993, What's Eating Gilbert Grape (Gilbert Grape) (Hallström), Philadelphia (Philadelphia) (Demme) ; 1994, It Runs in the Family (B. Clark), Pontiac Moon (Medak) ; 1995, Powder (Powder) (Salva), The Grass Harp (Ch. Matthau), Nixon (Nixon) (Stone) ; 2000, Nobody's Baby (Seltzer).

Née dans l'Arkansas, elle a été révélée par Nicholson qui s'était enthousiasmé pour sa diction chantante et sa grâce. Son talent s'est confirmé à travers le chassé-croisé amoureux d'une nuit d'été imaginé par Woody Allen et surtout dans le solide thriller de Penn *Froid comme la mort*.

Steiger, Rod

Acteur américain, 1925-2002.

1951, Teresa (Zinnemann) ; 1954, On the Waterfront (Sur les quais) (Kazan) ; 1955, Oklahoma (Oklahoma) (Zinnemann), The Big Knife (Le grand couteau) (Aldrich), The Court Martial of Billy Mitchell (Condamné au silence) (Preminger) ; 1956, The Harder They Fall (Plus dure sera la chute) (Robson), Back from Eternity (Les échappés du néant) (Farrow), Jubal (L'homme de nulle part) (Daves) ; 1957, The Unholy Wife (La femme et le rôdeur) (Farrow), Run of the Arrow (Le jugement des flèches) (Fuller), Across the Bridge (Frontière dangereuse) (Annakin) ; 1958, Cry Terror (Stone) ; 1959, Al Capone (Al Capone) (R. Wilson) ; 1960, Seven Thieves (Les sept voleurs) (Hathaway) ; 1961, The Mark (La marque) (Green), Vendredi 13 heures (Rakoff) ; 1962, Convicts 4 (M. Kaufman), 13 West Treet (Leacock), The Longest Day (Le jour le plus long) (Annakin, etc.), Gli indifferenti (Les deux rivales) (Maselli), Le mani sulla citta (Main basse sur la ville) (Rosi) ; 1964, E venne un uomo (Olmi) ; 1965, The Pawnbroker (Le prêteur sur gages) (Lumet), The Loved One (Ce cher disparu) (Richardson), Doctor Zhivago (Docteur Jivago) (Lean) ; 1967, In the Heat of the Night (Dans la chaleur de la nuit) (Jewison), The Girl and the General (La fille et le général) (Festa Campanile), No Way to Treat a Lady (Le refroidisseur de dames) (Smight) ; 1968, 3 into 2 Won't Go (Auto stop girl) (Hall), The Sergeant (Flynn), The Illustrated Man (L'homme tatoué) (Smight) ; 1970, Waterloo (Waterloo) (Bondartchouk) ; 1971, Duck You Sucker (Il était une fois la Révolution) (Leone), Happy Birthday Wanda June (Robson) ; 1972, Gli eroi (Les enfants de chœur) (Tessari) ; 1973, Lolly Madonna (Une fille nommée Lolly Madonna) (Sarafian), Lucky Luciano (Lucky Luciano) (Rosi) ; 1974, Les innocents aux mains sales (Chabrol) ; 1975, Hennesy (Sharp) ; 1976, W.C. Fields and Me (Fields et moi) (Hiller) ; 1978, Gesu di Nazareth (Jésus de Nazareth) (Zeffirelli), Break Through (La percée d'Avranches) (McLaglen), FIST (FIST) (Jewison) ; 1979, Love and Bullets (Avec les compliments de Charlie) (Rosenberg), Cattle Annie and Little Britches (L. Johnson), The Amityville Horror (Amytiville) (Rosenberg) ; 1980, Klondike Fever (Carter), The Lucky Star ; 1982, The Chosen (L'élu) (Kagan), Der Zauberberg (La montagne magique) (Geissendorfer) ; 1984, The Naked Face (Machination) (Forbes) ; 1987, American Gothic (Hough), That Summer of White Roses (L'été des roses blanches)

(Grlic), Feel the Heat (Silberg), The Kindred (Carpenter et Obrow) ; 1989, The January Man (Calendrier meurtrier) (O'Connor) ; 1990, Men of Respect (Reilly) ; 1991, Guilty as Charged (Irvin), Ballad of the Sad Café (Ballad of the sad café) (Callow), The Player (The Player) (Altman) ; 1994, Tous les jours dimanche (Tacchella), The Specialist (L'expert) (Llosa) ; 1995, The Last Tattoo (Reid), Livers Ain't Cheap (Merendino) ; 1996, Carpool (Hiller), Shiloh (Rosenbloom), Mars Attacks ! (Mars Attacks !) (Burton), Truth or Consequences, N.M. (La dernière cavale) (K. Sutherland), The Kid (Hamilton), The Real Thing (Merendino) ; 1997, Incognito (Badham), Animals (Animals) (Di Jiacomo), Revenant (Elfman), Cypress Edge (Rodnunsky) ; 1998, Legacy (Scott), Crazy in Alabama (La tête dans le carton à chapeaux) (Banderas) ; 1999, End of Days (La fin des temps) (Hyams), The Hurricane (Hurricane Carter) (Jewison) ; 2000, The Hollywood Sign (Wortmann), The Last Producer (Reynolds) ; 2002, Poolhall Junkies (Callahan).

Il en fait des tonnes cet ancien « marine » recyclé dans le cinéma par l'Actor's Studio. Son interprétation de Napoléon dans *Waterloo* fit scandale par ses outrances. Il se croyait sans doute encore dans le rôle d'Al Capone. Il faut le voir rouler des yeux dans *The Pawnbroker*, type même du mauvais film américain, ou jouer le personnage de Fields. Pourtant sa filmographie est très intéressante et ses premières interprétations n'étaient pas sans charme : le Sudiste entêté du *Jugement des flèches* ou le condamné à mort qui se sacrifiait pour les autres dans *Back from Eternity*. Dirigé d'une main ferme, il donne une impression de puissance qui fait merveille dans certains rôles. Il est particulièrement impressionnant dans un film fantastique comme *American Gothic*. Rappelons qu'*In the Heat of the Night* lui valut l'oscar de 1967.

Stéphane, Nicole

Actrice et productrice française, de son vrai nom de Rothschild, 1928-2007.

1948, Le silence de la mer (Melville) ; 1949, Les enfants terribles (Melville) ; 1950, Né de père inconnu (Cloche) ; 1953, Le défroqué (Joannon), Madame Curie (Franju).

Révélée par Melville, Nicole Stéphane ne fit – hélas – qu'une brève carrière d'actrice, mais marqua de son empreinte *Le silence de la mer*. Elle dirigea par la suite plusieurs métrages et produisit entre autres films *La vie de château* de Rappeneau et *Un amour de Swann* de Schlöndorff.

Stephen, Pierre

Acteur français, de son vrai nom Trambouze, 1890-1980.

1930, La ronde des heures (Ryder) ; 1932, Le chasseur de chez Maxim's (Anton), Rien que des mensonges (Anton) ; 1933, Ces messieurs de la Santé (Colombier) ; 1934, Arlette et ses papas (Roussel), Le billet de mille (Didier) ; 1935, Le compartiment des dames seules (Christian-Jaque) ; 1936, Au son des guitares (Ducis) ; 1937, L'amour veille (Roussel), Rendez-vous Champs-Élysées (Houssin) ; 1938, Trois valses (Berger), Son oncle de Normandie (Dréville), Raphaël le tatoué (Christian-Jaque), Une java (Orval) ; 1939, Nadia femme traquée (Orval) ; 1941, L'étrange Suzy (Ducis), Mélodie pour toi (Rozier) ; 1946, Plume la poule (Kapps) ; 1948, Cartouche (Radot), La femme que j'ai assassinée (D. Norman), Le sorcier du ciel (Blistène) ; 1956, Arsène Lupin (Becker) ; 1960, Tendre et violente Élisabeth (Decoin).

Comique un peu lunaire, composant un personnage pittoresque de film en film (on n'a retenu que les principaux), mais très vite oublié. Ressuscité par Chirat dans ses *Excentriques*.

Stephens, Robert

Acteur anglais, 1931-1995.

1960, Circle of Deception (J. Lee) ; 1961, A Taste of Honey (Un goût de miel) (Richardson), The Queen's Guards (Powell), The Inspector (L'inspecteur) (Dunne) ; 1962, Lunch Hour (J. Hill) ; 1963, The Small World of Sammy Lee (K. Hugues), Cleopatra (Mankiewicz) ; 1965, Morgan (Reisz) ; 1967, Romeo and Juliet (Zeffirelli) ; 1969, The Prime of Miss Jean Brodie (Les belles années de Miss Brodie) (Neame) ; 1970, The Private Life of Sherlock Holmes (La vie privée de Sherlock Holmes) (Wilder) ; 1972, The Asphyx (Newbrook), Travels with My Aunt (Voyages avec ma tante) (Cukor) : 1973, Luther (G. Green) ; 1976, La nuit tous les chats sont gris (Zingg) ; 1977, Duellists (Les duellistes) (Scott) ; 1978, The Shout (Le cri du sorcier) (Skolimovski) ; 1981, Les jeux de la Comtesse Dolingen de Gratz (Binet) ; 1986, Comrades (Douglas) ; 1987, Empire of the Sun (L'empire du soleil) (Spielberg), Testimony (Palmer), High Season (Soleil grec) (Peploe) ; 1988, The Fruit Machine (Saville) ; 1989, Henry V (Henry V) (Branagh) ; 1990, The Bonfire of the Vanities (Le bûcher des vanités) (De Palma), Wings of Fame (Les ailes de la renommée) (Otocek), The Children (Palmer) ; 1991, For the Boys (For the boys) (Rydell), Ferdydurke (Ferdydurke) (Skolimovski), The Pope Must Die (Richardson) ; 1992, Chaplin (Chaplin) (Attenborough), Afraid of the Dark (Double vue) (Peploe) ; 1993, The Secret Rapture (Davies), Century (Poliakoff), Searching for Bobby Fischer (Zaillian) ; 1994, Lorna Doone (Grieve).

Grand, maigre, distingué, trop limité aux seconds rôles, il se révéla un honorable Sherlock Holmes dans le film « sacrilège » de Wilder.

Sterling, Ford

Acteur américain, de son vrai nom George Ford Shitel, 1883-1939.

1911, Abe Gets even with Father ; 1912-1914 : une centaine de courts métrages pour Sennett dont : Mabel's Adventure, At Coney Island, Cohen Saves the Flag, Between Showers (Charlot et le parapluie) (Chaplin), Tango Tangles (Charlot danseur) (Chaplin) ; 1915, The Hunt (Sterling) ; 1917, His Pride and Shame (Sterling), His Wild Oats (Sterling) ; Stars and Bars ; 1918, Beware of Boarders, Torpedoed Love, Her Screen Idol ; 1919, Yankee Doodle in Berlin (Jones), A Lady's Tailor, Trying to Get Along, His Last False Step ; 1920, Married Life, Don't Weaken, His Youthful Fancy, Love, Honor and Behave ; 1923, Wild Oranges (K. Vidor) ; 1924, He Who Get Slapped (Sjöström) ; 1925, Stafe Struck (Dwan) ; 1926, Road to Glory (Hawks), Miss Brewster's Millions (Badger), Stranded in Paris (Rosson), American Venus (Tuttle), Good and Naughty (St. Clair), Show Off (St. Clair), Everybody's Acting (Neilan) ; 1927, Drums of the Desert (Waters), The Trunk Mystery (Crane), Casey at the Bat (Brice), For the Love of Mike (Capra) ; 1928, Gentlemen Prefer Blondes (St. Clair), Wife Savers (Cedar), Sporting Goods (St. Clair), Chicken à la King (Lehrman), Oh Kay ! (LeRoy) ; 1929, Fall of Eve (Strayer) ; 1930, Kismet (Dillon) ; 1931, Her Majesty Love (Dieterle) ; 1933, Alice in Wonderland (Alice au pays des merveilles) (McLeod).

Né à La Crosse dans le Wisconsin, il fait du cirque et du théâtre avant d'entrer dans la troupe de Sennett. Il y joue les personnages barbichus acariâtres dans un nombre incalculable de courts métrages. Quittant Sennett, il joue en vedette chez Malcom St. Clair, metteur en scène alors réputé, mais glisse peu à peu dans les deuxièmes et même troisièmes rôles.

Stévenin, Jean-François

Acteur et réalisateur français né en 1944.

1969, L'enfant sauvage (Truffaut) ; 1971, Out 1 : Spectre/Out 1 : Noli me tangere (Rivette) ; 1973, La nuit américaine (Truffaut) ; 1976, L'argent de poche (Truffaut), Adieu, mon bel ami (Bouthier), Barocco (Téchiné) ; 1977, Roberte (Zucca), La machine (Vecchiali), Ce vieux pays où Rimbaud est mort (Lefèbvre) ; 1978, Le passe-montagne (Stévenin), Écoute voir (Santiago), La tortue sur le dos (Béraud), Mais où est donc Ornicar ? (Van Effenterre) ; 1979, Merry-go-round (Rivette), La guerre des polices (Davis) ; 1980, Théâtre (Fieschi et Mabilles), Si j'te cherche j'me trouve (Diamantis), Deux lions au soleil (Faraldo), Escape to victory (A nous la victoire) (Huston), The dogs of war (Les chiens de guerre) (Irvin), Psy (Broca) ; 1981, Allons z'enfants (Boisset) ; 1982, Le pont du Nord (Rivette), Neige (Berto et Roger), Passion (Godard), Y a-t-il un Français dans la salle ? (Mocky), Une chambre en ville (Demy), Poussière d'Empire (Lâm Lê) ; 1983, Flight to Berlin (Petit) ; 1984, Notre histoire (Blier), Côté cœur, côté jardin (Van Effenterre) ; 1985, Parole de flic (Pinheiro) ; 1986, Tenue de soirée (Blier), Salomé (d'Anna), L'île au trésor (Ruiz), Je hais les acteurs (Krawczyk) ; 1987, Sale destin (Madigan), Vent de panique (Stora), Y a bon les Blancs (Ferreri), Peaux de vaches (Mazuy), 36 fillette (Breillat) ; 1988, La Soule (Sibra), Les maris, les femmes, les amants (Thomas) ; 1989, La Révolution française (Enrico et Heffron), Mona et moi (Grandperret) ; 1990, Jacques Rivette, le veilleur (Denis et Daney) ; 1991, Lune froide (Bouchitey), Sushi, sushi (Perrin), La gamine (Palud), Olivier, Olivier (Holland), Un paragua para tres (Un parapluie pour trois) (Vega) ; 1992, Le grand pardon II (Arcady), A cause d'elle (Hubert), De force avec d'autres (Simon Reggiani) ; 1993, Parano (Piquer, Robak...), Les patriotes (Rochant), 23 h 58 (Glenn) ; 1994, Fast (Desarthe), Les frères Gravet (Féret), Dis-moi oui (Arcady) ; 1995, Noir comme le souvenir (Mocky), L'éducatrice (Kané), Les Bidochon (Korber) ; 1996, Les aveux de l'innocent (Améris), K (Arcady) ; 1997, Le Bossu (Broca), ... Comme elle respire (Salvadori), A vendre (Masson) ; 1998, Fait d'hiver (Enrico), Les frères Sœur (Jardin) ; 1999, Love me (Masson) ; 2000, Total Western (Rochant), Mischka (Stévenin), Le pacte des loups (Gans), De l'amour (Richet) ; 2002, L'homme du train (Leconte) ; 2002, Deux (Schroeter) ; 2003, Pas si grave (Rapp) ; 2005, Camping à la ferme (Sinapi) ; 2007, Il a suffi que maman s'en aille… (Féret). *Pour le metteur en scène*, voir le *Dictionnaire du cinéma*, t. I : *Les réalisateurs*.

Ce n'est pas l'acteur des films faciles. Sa calvitie, son physique tourmenté en font l'interprète d'œuvres que boude le grand public même si Truffaut, Broca et Huston l'ont dirigé.

Trop longtemps confiné dans des rôles secondaires, il a tenté sa chance comme réalisateur. Encore une fois le grand public a boudé, injustement. Il s'est vengé en jouant le rôle de Napoléon dans une série télévisée. Ses enfants, Robinson, Sagamore et Salomé, se sont eux aussi lancés dans le cinéma.

Stevens, Mark

Acteur et réalisateur américain, 1916-1994.

1941, The Two Faced Woman (Cukor) ; 1944, Destination Tokyo (Daves), The Daghgirls (Kern), Hollywood Canteen (Daves) ; 1945, Objective Burma (Walsh), God Is My Copilot (Florey), Within These Walls (Humberstone), Pride of the Marines (Daves), Rhapsody in Blue (Rapper) ; 1946, From This Day Forward (Berry), The Dark Corner (Hathaway) ; 1947, I Wonder who's Kissing Her Now (Bacon) ; 1948, The Street with no Name (La dernière rafale) (Keighley) ; 1949, The Snake Pit (Litvak), Sand (L. King), Oh ! You Beautiful Doll (Stahl) ; 1950, Dancing in the Dark (Reis), Please, Believe Me (Taurog), Between Midnight and Dawn (Douglas) ; 1951, Target Unknown (Sherman), Katie Did It (De Cordova), Little Egypt (De Cordova), Reunion in Reno (Neumann) ; 1952, Mutiny (Mutinerie à bord) (Dmytryk), The Lost Hours (MacDonald) ; 1953, Torpedo Alley (Landers), Jack Slade (Schuster) ; 1954, Cry Vengeance (La vengeance de Scarface) (Stevens) ; 1956, Timetable (Stevens) ; 1957, Gunsight Ridge (Lyon) ; 1958, Gun Fever (Stevens), Gunsmoke in Tucson (Carr) ; 1960, September Storm (Haskin) ; 1963, Escape from Hell Island (Stevens) ; 1964, Fate Is the Hunter (Nelson) ; 1965, Vergeltung in Catana (Stevens) ; 1966, Frozen Alive (Knowles), Tierra de Fuego (Balcazar) ; 1969, España otra vez (Camino), ¿ Es usted mi padre ? (Gimenez Rico) ; 1970, La furia del hombre lobo (Zabalza) ; 1974, La Lola dicen que... No vive sola (Arminan). *Pour le metteur en scène*, voir le *Dictionnaire du cinéma*, t. I : *Les réalisateurs*.

Bon acteur de série B, presque symbolique du genre, il fut aussi un réalisateur trop méconnu. Il ne connut jamais une grande popularité même s'il compte aujourd'hui encore de fidèles admirateurs. Il se retira pour se consacrer à son restaurant de Majorque, ne se limitant plus qu'à quelques apparitions à la télévision.

Stewart, Alexandra

Actrice d'origine canadienne née en 1939.

1958, Les motards (Laviron) ; 1959, Le bel âge (Kast), L'eau à la bouche (Doniol-Valcroze) ; 1960, La morte saison des amours (Kast), La mort de Belle (Molinaro), Les distractions (Dupont), Les mauvais coups (Leterrier), Les liaisons dangereuses (Vadim), Exodus (Exodus) (Preminger) ; 1961, Une grosse tête (Givray), Climats (Lorenzi), Le rendez-vous de minuit (Leenhardt) ; 1963, Le feu follet (Malle), Dragées au poivre (Baratier), RoGoPaG (Laviamoci il cervello) (sketch Godard) ; 1964, Waiting for Caroline (Deux amours de Caroline) (Kelly) ; 1965, La brûlure de mille soleils (Kast), Mickey One (Mickey One) (Penn) ; 1966, Maroc 7 (Maroc dossier n° 7) (O'Hara), La loi du survivant (Giovanni) ; 1967, L'écume des jours (Belmont), La mariée était en noir (Truffaut) ; 1968, Bye bye Barbara (Deville) ; 1969, Umano, non umano (Humain, non humain) (Schifano), The man who has power over women (Narizzano) ; 1970, Zeppelin (Zeppelin) (Périer), Ils (J.D. Simon), Valparaiso, Valparaiso (Aubier), Le ciel est bleu (Leroy) ; 1971, Les soleils de l'île de Pâques (Kast), Où est passé Tom ? (Giovanni), F.F.D. ou les trois morts de John F. (Toledano) ; 1972, La nuit américaine (Truffaut) ; 1974, Marseille contrat (Parrish), Black Moon (Malle), En pleine gueule (Lord) ; 1975, Un animal doué de déraison (Kast), The Heatwave Lasted Four Days (Jackson) ; 1976, Julie pot-de-colle (Broca) ; 1977, Good bye Emmanuelle (Leterrier) ; 1978, La petite fille en velours bleu (Bridges), In Praise of Older Women (Les femmes de trente ans) (Kaczender), Le soleil en face (Kast) ; 1979, Agency (Les espions dans la ville) (Kaczender) ; 1980, Phoebia (Phobia) (Huston), Chanel Solitaire (Kaczender), Aiutami a sognare (Avati), Les uns et les autres (Lelouch) ; 1981, Madame Claude n° 2 (Mimet) ; 1982, Cercasi Jesu (L'imposteur) (Comencini), La guerillera (Kast), Chassé-croisé (Dombasle), Le choc (Davis), Your Ticket Is No Longer Valid (Au-delà de cette limite, votre ticket n'est plus valable) (Kaczender) ; 1983, Femmes (Kaleya) ; 1984, Charlots connection (Couturier), Le bon plaisir (Girod), Le sang des autres (Chabrol) ; 1986, Peau d'ange (Daniel), Under the Cherry Moon (Prince) ; 1988, Der Passagier — Welcome to Germany (Brasch) ; 1989, Monsieur (Toussaint) ; 1994, Le fils de Gascogne (Aubier) ; 1996, The Seven Servants (Shokof) ; 1999, La candide Madame Duff (Mocky) ; 2000, Sous le sable (Ozon) ; 2003, Les filles, personne ne s'en méfie (Silvera) ; 2004, Rien, voilà l'ordre (Baratier) ; 2005, Mon petit doigt m'a dit (Thomas) ; 2006, El cantor (Morder).

Belle, un peu énigmatique, elle a toujours eu le souci de choisir des réalisateurs ou des films du genre intellectuel, ce qui l'a privée de la popularité des stars tout en lui permettant d'aligner une liste de films sans concession à la production commerciale.

Stewart, James

Acteur américain, 1908-1997.

1935, The Murder Man (Whelan) ; 1936, Next Time We Love (E. Griffith), Rose Marie (Van Dyke), Wife vs Secretary (Sa femme et sa secrétaire) (Brown), Speed (Marin), Small Town Girl (Wellman), Born to Dance (Del Ruth), The Gorgeous Hussy (L'enchanteresse) (Brown), After the Thin Man (Nick, gentleman détective) (Van Dyke) ; 1937, Seventh Heaven (L'heure suprême) (King), The Last Gangster (Le dernier gangster) (Ludwig), Navy Blue and Gold (Wood) ; 1938, Of Human Hearts (Brown), The Shopworn Angel (Potter), Vivacious Lady (Mariage incognito) (Stevens), You Can't Take It with You (Vous ne l'emporterez pas avec vous) (Capra) ; 1939, Ice Follies of 1939 (Schunzel), Made for Each Other (Le lien sacré) (Cromwell), Destry Rides Again (Femme ou démon) (Marshall), It's a Wonderful World (Van Dyke), Mr Smith Goes to Washington (M. Smith au Sénat) (Capra) ; 1940, No Time for Comedy (Keighley), The Shop Around the Corner (Rendez-vous) (Lubitsch), The Mortal Storm (Borzage), The Philadelphia Story (Indiscrétions) (Cukor) ; 1941, Ziegfeld Girl (La danseuse des Ziegfeld Follies) (Leonard), Pot' O'Gold (Marshall), Come Live With Me (Brown) ; 1946, It's a Wonderful Life (La vie est belle) (Capra) ; 1947, Thunderbolt (Wyler), Magic Town (Wellman), Call Northside 777 (Appelez Nord 777) (Hathaway), On Our Merry Way (La folle enquête) (Vidor et Fenton), Rope (La corde) (Hitchcock), You Gotta Stay Happy (Potter) ; 1949, The Stratton Story (Wood), Malaya (Thorpe) ; 1950, Winchester 73 (Mann), The Broken Arrow (La flèche brisée) (Daves), The Jackpot (W. Lang), Harvey (Koster) ; 1951, No Highway in the Sky (Le voyage fantastique) (Koster), The Great Show on Earth (Sous le plus grand chapiteau du monde) (DeMille), Bend of the River (Les affameurs) (Mann), Carbine Williams (Thorpe) ; 1953, The Naked Spur (L'appât) (Mann), Thunder Bay (Le port des passions) (Mann) ; 1954, The Far Country (Je suis un aventurier) (Mann), The Glenn Miller Story (Romance inachevée) (Mann), Rear Window (Fenêtre sur cour) (Hitchcock) ; 1955, Strategic Air Command (Mann), The Man from Laramie (L'homme de la plaine) (Mann) ; 1956, The Man Who Knew Too Much (L'homme qui en savait trop) (Hitchcock) ; 1957, The Spirit of Saint Louis (L'odyssée de Charles Lindberg) (Wilder), Night Passage (Le survivant des monts lointains) (Neilson) ; 1958, Vertigo (Sueurs froides) (Hitchcock), Bell, Book and Candle (Adorable voisine) (Quine) ; 1959, Anatomy of a Murder (Autopsie d'un meurtre) (Preminger), The FBI Story (La police fédérale enquête) (LeRoy) ; 1960, The Mountain Road (Daniel Mann) ; 1961, Two Rode Together (Les deux cavaliers) (Ford) ; 1962, The Man Who Shot Liberty Valance (L'homme qui tua Liberty Valance) (Ford), Mr. Hobbs Takes a Vacation (M. Hobbs prend des vacances) (Koster), How the West Was Won (La conquête de l'Ouest) (Ford, Marshall, Hathaway) ; 1963, Take Her She's Mine (Koster) ; 1964, Cheyenne Autumn (Les Cheyennes) (Ford) ; 1965, Dear Brigitte (Brigitte) (Koster), Shenandoah (Les prairies de l'honneur) (McLaglen), The Flight of the Phoenix (Le vol du Phoenix) (Aldrich) ; 1966, The Rare Breed (Rancho Bravo) (McLaglen) ; 1968, Firecreek (Les cinq hors-la-loi) (Mc-Eveety), Bandolero (Bandolero) (McLaglen) ; 1970, The Cheyenne Social Club (Attaque au Cheyenne Club) (Kelly) ; 1971, Fool's Parade (McLaglen) ; 1976, The Shootist (Le dernier des géants) (Siegel) ; 1977, Airport 77 (Les naufragés du 747) (Jameson) ; 1978, The Big Sleep (Le grand sommeil) (Winner), The Magic of Lassie (Chaffey) ; 1981, Afrika Monogatari (Hani).

Symbole de l'Américain, idéaliste et naïf, scout au grand cœur, prêt à toutes les croisades pour la défense de la liberté et de la dignité humaine. L'homme se confond avec le personnage. L'homme ? Études à Princeton ; fondation d'une compagnie théâtrale, les University Players ; engagement par la MGM ; oscar en 1940 pour *The Philadelphia Story* ; pilote de bombardier pendant la guerre qu'il finit comme colonel avant de reprendre place en 1946 parmi les monstres sacrés d'Hollywood. Le personnage, c'est celui des comédies de Capra où l'on exalte la démocratie (*M. Smith au sénat*) et le genre de vie américain (*Vous ne l'emporterez pas avec vous*), des westerns anti-racistes de Daves (*La flèche brisée*), de lyriques évocations des pionniers de Ford ou du *Strategic Air Command* de Mann ; c'est aussi chez Hitchcock l'Américain engagé dans une histoire impossible et qui réagit en Américain (*L'homme qui en savait trop*). De là la popularité de James Stewart.

Stewart, Patrick

Acteur anglais né en 1940.

1975, Hedda (Nunn), Hennessy (Dieu sauve la reine) (Sharp) ; 1981, Excalibur (Excalibur) (Boorman) ; 1984, Dune (Dune) (Lynch) ; 1985, The Doctor and the Devils (Le docteur et les assassins) (Francis), Code Name : Emerald (Sanger), Lifeforce (Lifeforce) (Hooper), Wild Geese II (Rose) ; 1986, Lady Jane (Nunn) ; 1991, L.A. Story (Los Angeles Story) (Jackson) ; 1993, Robin Hood : Men in Tights (Sacré Robin des bois) (Brooks) ; 1994, Gunmen (Deux doigts sur la gâchette) (Sarafian), Star Trek : Generations (Star Trek : Generations) (Carson) ; 1995, Let It Be Me (Bergstein), Jeffrey (Jeffrey) (Ashley) ; 1996, Star Trek : First Contact (Star Trek : premier contact) (Frakes) ; 1997, Safe House (Stahl), Dad Savage (Morris Evans), Conspiracy Theory (Complots) (Donner), Masterminds (Christian) ; 1998, Star Trek Insurrection (Star Trek Insurrection) (Frakes) ; 2000, X-Men (X-Men) (Singer) ; 2002, Star Trek Nemesis (Star Trek Nemesis) (Baird), X-Men 2 (X-Men 2) (Singer).

Beaucoup de théâtre dès l'adolescence, et, à 26 ans, il rejoint la Royal Shakespeare Company, troupe qu'il quittera définitivement vingt-sept ans plus tard, en 1993. Entre-temps, on le voit un peu au cinéma et beaucoup à la télévision, notamment, dès 1987, dans le rôle qui le fait connaître d'un large public, celui du capitaine Jean-Luc Picard dans l'interminable série « Star Trek ».

Stewart, Paul

Acteur américain, 1908-1986.

1941, Citizen Kane (Welles) ; 1942, Johnny Eager (LeRoy) ; 1943, Mr. Lucky (Potter), Government Girl (Nichols) ; 1949, Champion (Robson), The Window (Une incroyable histoire) (Tetzlaff), Illegal Entry (Cordova), Easy Living (Tourneur) ; 1950, Edge of Doom (La marche à l'enfer) (Robson), Twelve O'Clock High (Un homme de fer) (King), Walk Softly Stranger (L'étranger dans la cité) (Stevenson) ; 1951, Appointment with Danger (Allen) ; 1952, Carbine Williams (Thorpe), Deadline USA (Bas les masques) (Brooks), The Bad and the Beautiful (Les ensorcelés) (Minnelli), We're Not Married (Goulding) ; 1953, The Juggler (Le jongleur) (Dmytryk), The Joe Louis Story (Gordon) ; 1954, Deep in My Heart (Au fond de mon cœur) (Donen), Prisoner of War (Marton) ; 1955, Kiss Me Deadly (En quatrième vitesse) (Aldrich), The Cobweb (La toile d'araignée) (Minnelli), Chicago Syndicate (Sears), Hell on Frisco Bay (Colère noire) (Tuttle) ; 1956, The Wild Party (La virée fantastique) (Horner) ; 1957, Top Secret Affair (Potter) ; 1963, A Child Is Waiting (Cassavetes) ; 1965, The Greatest Story Ever Told (La plus grande histoire jamais contée) (Stevens) ; 1967, In Cold Blood (De sang froid) (Brooks) ; 1969, How to Commit Marriage (Panama), Jigsaw (Markle) ; 1974, F for Fake (Vérités et mensonges) (Welles), The Day of the Locust (Le jour du fléau) (Schlesinger) ; 1975, Bite the Bullet (La chevauchée sauvage) (Brooks) ; 1976, W.C. Fields and Me (Fields et moi) (Hiller) ; 1977, Opening Night (Cassavetes) ; 1978, The Revenge of the Pink Panther (La revanche de la Panthère rose) (Edwards) ; 1981, S.O.B. (S.O.B.) (Edwards) ; 1981, Nobody's Perfect (Bonerz) ; 1982, Tempest (La tempête) (Mazursky).

Membre du Mercury Theatre, il fut le valet de chambre de *Citizen Kane* qui passait à côté de l'énigme de « Rosebud » en faisant brûler le traîneau qui portait ce nom. Policier ou gangster, on le retrouve ensuite dans de nombreux thrillers dont *Kiss Me Deadly*, autre phare du cinéma américain où il était un gangster arrivé. Il fut excellent dans *The Window* : il y poursuivait un petit garçon témoin du meurtre qu'il venait de commettre.

Stiller, Ben

Acteur et réalisateur américain né en 1965.

1987, Hot Pursuit (Lisberger), Empire of the Sun (Empire du Soleil) (Spielberg) ; 1988, Fresh Horses (Anspaugh) ; 1989, Next of Kin (Irvin), That's Adequate (Hurwitz) ; 1990, Stella (Stella) (Erman) ; 1992, Highway to Hell (De Jong) ; 1994, Heavyweights (Brill), Reality Bites (Génération 90) (Stiller) ; 1996, Happy Gilmore (Dugan), If Lucy Fell (Schaeffer), For Better or Worse (Alexander), Flirting with Disaster (Flirter avec les embrouilles) (Russell), Cable Guy (Disjoncté) (Stiller) ; 1997, Zero Effect (La méthode Zéro) (J. Kasdan) ; 1998, McLintock's Peach (Rouse), There's Something About Mary (Mary à tout prix) (Farrelly), Your Friends and Neighbors (Entre amis et voisins) (LaBute), Permanent Midnight (Veloz) ; 1999, Mystery Men (Mystery Men) (Usher), The Suburbans (Lardner Ward) ; 2000, The Independent (Kessler), Keeping the Faith (Au nom d'Anna) (Norton), Meet the Parents (Mon beau-père et moi) (Roach), Black and White (Black & White) (Toback) ; 2001, Zoolander (Zoolander) (Stiller) ; 2002, The Royal Tenenbaums (La famille Tenenbaum) (Anderson) ; 2003, Duplex (1 duplex pour 3) (DeVito), Orange County (Orange County) (Kasdan) ; 2004, Along Came Polly (Polly et moi) (Hamburg), Strasky & Hutch (Starsky et Hutch) (Phillips), Dodgeball : A True Underdog Story (Même pas mal !) (Thurber) ; 2005, Meet the Fockers (Mon beau-père, mes parents et moi) (Roach), Anchorman : The Legend of Ron Burgundy (Présentateur vedette : la légende de Ron Burgundy)

(McKay) ; 2007, Night at the Museum (La nuit au musée) (S. Levy), Seven Days Itch (Farrelly). *Comme réalisateur :* 1994, Reality Bites (Génération 90) ; 1996, Cable Guy (Disjoncté) ; 2001, Zoolander (Zoolander).

Enfant de la balle (ses parents sont tous deux comiques), il prend le relais dès l'adolescence et se fait connaître non pas d'emblée comme acteur, mais comme le réalisateur d'un film très tendance sur les émois adolescents, *Génération 90.* Sa carrière au cinéma explose avec *Au nom d'Anna* (il y est un rabbin très branché), puis avec *Mon-beau père et moi*, dans lequel, benêt malgré lui, il doit faire face à un beau-père terrifiant qui le met à l'épreuve avant de lui accorder la main de sa fille. Plutôt orienté vers la comédie, malgré un physique solide.

Stockfeld, Betty

Actrice anglaise, 1905-1966.

1931, City of Song (La ville qui chante) (Gallone) ; 1932, Money for Nothing (Banks), Maid of the Mountains (Lane), Life Goes On (Raymond), Monsieur Albert (K. Anton) ; 1933, L'abbé Constantin (Paulin), Le roi des palaces (Gallone), La bataille (Farkas), Le sexe faible (Siodmak) ; 1934, Le voyage imprévu (Limur), La garnison amoureuse (Vaucorbeil), The Man Who Changed His Name (Edwards) ; 1935, The Lad (Edwards) ; Trois de la marine (Barrois), Fanfare d'amour (Pottier), Le vagabond bien-aimé (Bernhardt) ; 1936, Dishonour Bright (Wales), Les nouveaux riches (Berthomieu), Une gueule en or (Colombier), L'ange du foyer (Mathot), Club de femmes (Deval), Arènes joyeuses (K. Anton) ; 1938, I See Ice (Kimmins), Les gangsters du château d'If (Pujol), Les femmes collantes (Caron) ; 1939, Derrière la façade (Mirande), Le président Haudecœur (Dréville), Sur le plancher des vaches (Ducis), Ils étaient neuf célibataires (Guitry) ; 1940, Elles étaient douze femmes (Lacombe) ; 1947, Flying Fortress (W. Forde), Hard Steel (N. Walker) ; 1950, Édouard et Caroline (Becker), Les amants du Tage (Verneuil).

Née en Australie, cette Anglaise fut le symbole de l'entente cordiale, franchissant plusieurs fois par an le Channel pour venir jouer en France des films d'une rare ineptie, style *La garnison amoureuse.* Seule la guerre mit fin à ses allées et venues. Il ne restait plus à la charmante Betty, soubrette idéale, qu'à prendre sa retraite. Elle reste pourtant comme l'actrice-parangon du cinéma ringard.

Stockwell, Dean

Acteur américain né en 1935.

1945, The Valley of Decision (La vallée du jugement) (Garnett), Anchors Aweigh (Escale à Hollywood) (Sidney) ; 1946, The Green Years (Saville) ; 1947, Gentleman's Agreement (Le mur invisible) (Kazan) ; 1948, The Boy with Green Hair (Le garçon aux cheveux verts) (Losey) ; 1949, Down to the Sea in Ships (Les marins de l'Orgueilleux) (Hathaway) ; 1950, Stars in My Crown (Tourneur), Kim (Kim) (Saville) ; 1951, Cattle Drive (Neumann) ; 1958, Compulsion (Fleischer) ; 1970, The Dunwich Horror (Haller) ; 1971, The Last Movie (Hopper), The Loners (Roley) ; 1973, The Werewolf of Washington (Ginsberg) ; 1974, Won Ton Ton, the Dog Who Saved Hollywood (Winner) ; 1975, Win, Place or Steal (Bailey), The Pacific Connection (Nepomuceno) ; 1976, Tracks (Jaglom) ; 1979, She Came to the Valley (A. Band), Alsino y el condor (Littin), Human Highway (Stockwell), The Man With a Deadly Lens/Wrong Is Right (Meurtres en direct) (A. Brooks) ; 1983, Sweet Scene of Death (Sasdy) ; 1984, Paris, Texas (Paris, Texas) (Wenders), Dune (Dune) (Lynch) ; 1985, The Legend of Bille Jean (Robbins), To Kill a Stranger (Lopez-Moctezuma), To Live and Die in L.A. (Los Angeles Police fédérale) (Friedkin) ; 1986, My Science Project (Les aventuriers de la quatrième dimension) (Bethuel), Papa Was a Preacher (Feke), Beverly Hills Cop II (Le flic de Beverly Hills 2) (Scott) ; 1987, The Time Guardian (Hannaut), Banzai Runner (Thomas), Gardens of Stone (Jardins de pierre) (Coppola) ; 1988, Jorge, um Brazileiro (Thiago), Tucker, a Man and His Dream (Tucker) (Coppola) Buying Time (Gabourie), The Blue Iguana (Lafia), Married to the Mob (Veuve mais pas trop) (Demme), Palais Royale (Lavut) ; 1989, Limit Up (Martini), Stickfighter (Nepomuceno) ; 1990, Sandino (Littin), Backtrack (Hopper) ; 1992, Friends and Ennemies (Friends and Ennemies) (Frank), The Player (The Player) (Altman) ; 1994, Chasers (Hopper) ; 1996, McHale's Navy (Spicer), Last Resort (Dayton), Air Force One (Air Force One) (Petersen), Sinbad (Mehrez) ; 1997, The Rainmaker (L'idéaliste) (Coppola), The Shadow Men (T. Bond) ; 1998, Rites of Passage (Salva) ; 1999, The Venice Project (Dornhelm) ; 2001, The Quickie (The Quickie) (Bodrov) ; 2003, C.Q. (C.Q.) (R. Coppola).

Issu d'une famille de comédiens, il débute très jeune au cinéma dans des rôles d'enfant. Il est consacré comme star enfantine avec *The Boy with Green Hair.* La suite de sa carrière sera plus décevante. Son frère Guy (1934-2002) a notamment tourné dans *Le seigneur de la guerre* (Shaffner), *Airport* (Smight) et *Le monstre est vivant* (Cohen).

Stoler, Shirley

Actrice américaine, 1929-1999.

1969, The Honeymoon Killers (Les tueurs de la lune de miel) (Kastle) ; 1971, Klute (Klute) (Pakula) ; 1974, Pasqualino Settebellezze (Pasqualino) (Wertmüller) ; 1976, Une vraie jeune fille (Breillat) ; 1978, The Deer Hunter (Voyage au bout de l'enfer) (Cimino) ; 1980, Seed of Innocence (Davidson), Below the Belt (Fowler) ; 1981, Second-Hand Hearts (Ashby) ; 1984, Splitz (Paris) ; 1985, Desperately Seeking Susan (Recherche Susan désespérément) (Seidelman) ; 1987, Three O'Clock High (Joanou) ; 1988, Sticky Fingers (Adams), Shakedown (Blue Jean Cop) (Glickenhaus) ; 1990, Frankenhooker (Frankenhooker) (Hickenlooper), Miami Blues (Miami Blues) (Armitage) ; 1992, Me & Veronica (Scardino), Malcolm X (Malcolm X) (Lee), Mac (Mac) (Turturro).

Elle fit sensation en tueuse obèse dans *Les tueurs de la lune de miel*, aux côtés de Tony Lo Bianco. Le reste n'est que seconds, voire troisièmes rôles. Évidemment, difficile d'accéder au rang de vedette aux États-Unis avec un tel physique ! A noter son apparition en épicière dans *Une vraie jeune fille*, le premier film de Catherine Breillat.

Stoltz, Eric

Acteur américain né en 1961.

1982, Fast Times at Ridgemont High (Spheeris) ; 1984, Surf II (Badat), Running Hot (Griffiths), The Wild Life (Linson), Mask (Mask) (Bogdanovich) ; 1985, The New Kids (Cunningham), Code Name : Emerald (Sanger) ; 1987, Some Kind of Wonderful (La vie à l'envers) (Deutch), Lionheart (Schaffner), Sister, Sister (Condon) ; 1988, Manifesto (Pour une nuit d'amour) (Makavejev), Haunted Summer (Passer) ; 1989, The Fly II (La mouche 2) (Walas), Say Anything... (Crowe) ; 1990, Memphis Belle (Memphis Belle) (Puttnam) ; 1991, Money (Money) (Stern) ; 1992, The Waterdance (Steinberg), Singles (Singles) (Crowe) ; 1993, Bodies, Rest and Motion (Une pause... quatre soupirs) (Steinberg), Naked in New York (Naked in New York) (Algrant) ; 1994, Killing Zoe (Killing Zoe) (Avary), Sleep With me (Sleep With me) (Kelly), Pulp Fiction (Pulp fiction) (Tarantino), The Prophecy (Widen), Little Women (Les quatre filles du docteur March) (Armstrong), Fluke (Carlei), Rob Roy (Rob Roy) (Caton-Jones) ; 1995, Kicking and Screaming (Baumbach), Grace of My Heart (Grace of My Heart) (Anders), 2 Days in the Valley (2 jours à Los Angeles) (Herzfeld), Inside (Inside) (A. Penn) ; 1996, Anaconda (Anaconda) (Llosa), Keys to Tulsa (Greif), Jerry Maguire (Jerry Maguire) (Crowe) ; 1997, Mr. Jealousy (Baumbach), Don't Look Back (Murphy) ; 1998, A Murder of Crows (Murder of Crows) (Herrington), Hi-Life (Hedden), The Passion of Ayn Rand (Menaul) ; 1999, The House of Mirth (Chez les heureux du monde) (Davies), The Simian Line (Yellen) ; 2000, Harvard Man (Toback), Things Behind the Sun (Anders) ; 2002, The Rules of Attraction (Les lois de l'attraction) (Avary).

Ce roux flamboyant avait démarré très fort en tenant le rôle principal de *Mask*, celui d'un adolescent souffrant d'un faciès monstrueux. Par la suite, il sera assez bizarrement abonné aux productions pour teenagers, puis deviendra plus ambitieux dans le choix de ses rôles, jusqu'à devenir une figure difficilement contournable du cinéma indépendant américain, produisant lui-même plusieurs de ses films.

Stone, Sharon

Actrice et productrice américaine née en 1958.

1980, Stardust Memories (Stardust Memories) (Allen) ; 1981, Les uns et les autres (Lelouch), Deadly Blessing (La ferme de la terreur) (Craven) ; 1984, Irreconcilable Differences (Divorce à Hollywood) (Shyer) ; 1985, King Solomon's Mines (Allan Quatermain et les mines du roi Salomon) (Lee-Thompson) ; 1986, Allan Quatermain and the Lost City of Gold (Allan Quatermain et la Cité de l'Or Perdu) (Nelson) ; 1987, Police Academy 4 : Citizens on Patrol (Police Academy 4 : Aux armes citoyens !) (Drake), Cold Steel (Sur le fil du rasoir) (Puzo) ; 1988, Above the Law (Nico) (Davis), Action Jackson (Action Jackson) (Baxley) ; 1989, Beyond the Stars/Personal Choice (Saperstein), Blood and Sand (Elorrieta) ; 1990, Total Recall (Total Recall) (Verhoeven), Scissors (De Felitta) ; 1991, Diary of a Hitman (Hitman) (London), He Said, She Said (Kwapis, Silver), Year of the Gun (L'année de plomb) (Frankenheimer), Where Sleeping Dogs Lie (Finch) ; 1992, Basic Instinct (Basic Instinct) (Verhoeven) ; 1993, Sliver (Sliver) (Noyce), Last Action Hero (Last Action Hero) (McTiernan) ; 1994, Intersection (Intersection) (Rydell), The Specialist (L'expert) (Llosa) ; 1995, The Quick and the Dead (Mort ou vif) (Raimi), Casino (Casino) (Scorsese) ;

1996, Last Dance (Dernière danse) (Beresford), Diabolique (Diabolique) (Chechick) ; 1997, The Mighty (Les puissants) (Chelsom), Sphere (Sphere) (Levinson), Gloria (Gloria) (Lumet) ; 1998, The Muse (La muse) (A. Brooks) ; 1999, Simpatico (Simpatico) (Warchus), Picking Up the Pieces (Morceaux choisis) (Arau) ; 2000, Beautiful Joe (Une blonde en cavale) (Metcalfe) ; 2004, Catwoman (Catwoman) (Pitof) ; 2005, Broken Flowers (Broken Flowers) (Jarmusch), Searching for Debra Winger (R. Arquette) ; 2006, Basic Instinct 2 : Risk Addiction (Basic Instinct 2) (Caton-Jones), Bobby (Bobby) (Estevez) ; 2007, Alpha Dog (N. Cassavetes).

Sharon Stone apparaît très vite comme une surdouée ; son QI légendaire de 157 est du même ordre que celui de Marie Curie. Universitaire à quinze ans, diplômée ès lettres et des Beaux-Arts d'Edinboro (université de Pennsylvanie). Engagée par l'agence Eileen Ford, Sharon, premier top model mondial, accomplit, au gré des horizons et des cultures, plusieurs tours du monde. Irrésistiblement attirée par l'art dramatique, elle est conseillée par Roy London. Woody Allen la fait ensuite débuter (apparition de l'exquise jeune fille entrevue à la vitre d'un train) dans *Stardust Memories* (1980). *Basic Instinct* la révèle au grand public. Artiste, comme elle préfère se définir avant tout, productrice (elle a fondé sa propre société : Chaos Productions), peintre, sportive accomplie, maître en arts martiaux, admirable cavalière, dotée d'une voix et d'une gestuelle magnifiques, elle passe du film d'action (*L'expert, Mort ou vif*) à la grande production (*Casino* de Scorsese) avec la même aisance. Après une éclipse, son retour dans *Basic Instinct 2* n'est pas convaincant.

Stooges (The)

Moe Howard (1897-1975), Shemp Howard (1900-1955), Larry Fine (1911-1974).

1934-1958 : *plus de 200 courts métrages dirigés par* Del Lord, Charlie Chase, Jules White et Edwards Bernds. *Longs métrages :* 1930, Soup to Nuts (Stoloff) ; 1933, Turn Back the Clock (Selwyn), Meet the Baron (W. Lang), Dancing Lady (Leonard) ; 1934, Fugitive Lovers (Boleslavsky), Hollywood Party (Boleslavsky), Gift of a Gab (Freund), The Captain Hates the Sea (Milestone) ; 1938, Start Cheering (Rogell) ; 1941, Time out for Rhythm (Salkow) ; 1942, My Sister Eileen (Hall) ; 1945, Rockin' in the Rockies (Keays) ; 1946, Swing Parade (Karlson) ; 1951, Gold Raiders (Bernds) ; 1959, Have Rocket, Will Traval (Rich), Three Stooges Scrapbook (S. Miller), Stop ! Look ! and Laugh (White) ; 1961, Snow White and the Three Stooges (W. Lang) ; 1962, The Three Stooges Meet Hercules (Les trois Stooges contre Hercule) (Bernds), The Three Stooges in Orbit (Bernds) ; 1963, The Three Stooges Go Around the World in a Daze (Maurer), It's a Mad, Mad, Mad, Mad World (Un monde fou, fou, fou, fou) (Kramer), Four for Texas (Quatre du Texas) (Aldrich) ; 1965, The Outlaws Is Coming (Maurer).

Rarement on est allé aussi loin dans les concours de grimaces et dans le caractère débile des gags. Au départ deux frères Moe et Shemp Howard. Renforcés par Larry Fine, ils firent leur apparition sur scène et à l'écran vers 1930, et devinrent les Stooges. Puis Shemp Howard laissa la place à son frère Jerome dit Curly (1906-1952). Ils entamèrent alors une longue série de courts métrages qui prétendaient faire rire et obtinrent un succès immérité. Les Stooges ne savaient que se frapper à coups de maillet ou s'enfoncer les doigts dans les yeux. Épuisé. Curly se retira en 1946 et Shemp reprit sa place. Mais Shemp mourut en 1955 ; Joe Besser puis Joe De Rita complétèrent à tour de rôle le tandem. Celui-ci retrouva quelque popularité dans les années 60 grâce à la télévision.

Stoppa, Paolo

Acteur italien, 1906-1988.

Principaux films : 1940, Un'avventura di Salvator Rosa (Une aventure de Salvator Rosa) (Blasetti), Orizzonte dipinto (Salvini) ; 1941, La corona di ferro (La couronne de fer) (Blasetti), Se non son matti non li vogliamo (Pratelli) ; 1943, Giorni felici (Franciolini) ; 1949, La beauté du diable (Clair) ; 1952, Belles de nuit (Clair) ; 1953, Le retour de Don Camillo (Duvivier) ; 1951, Miracolo a Milano (Miracle à Milan) (De Sica) ; 1954, L'oro di Napoli (L'or de Naples) (De Sica) ; 1960, Rocco i suoi fratelli (Rocco et ses frères) (Visconti) ; 1961, Viva l'Italia (Viva l'Italia) (Rossellini), Vanina Vanini (Vanina Vanini) (Rossellini), Quelle joie de vivre (Clément), Boccaccio 70 (Boccace 70) (Visconti) ; 1963, Il Gattopardo (Le guépard) (Visconti) ; 1964, Behold a Pale Horse (Et vient le jour de la vengeance) (Zinnemann), Der Besuch (La rancune) (Wicki), Un monsieur de compagnie (Broca), Becket (Becket) (Glenville) ; 1968, C'éra una volta nello vest (Il était une fois dans l'Ouest) (Leone) ; 1969, La matriarca (L'amour à cheval) (Festa Campanile) ; 1970, The Adventures of Gerard (Skolimovski) ; 1974, Les bidasses s'en vont en guerre (Zidi) ;

1977, Casotto (Citti) ; 1978, La mazzetta (Le pot de vin) (S. Corbucci) ; 1981, Il marchese del grillo (Le marquis s'amuse) (Monicelli) ; 1982, Amici miei 2 (Mes chers amis n° 2) (Monicelli), Testa o croce (Loy).

Beaucoup de théâtre, notamment dans des mises en scène de Visconti. Il retrouve Visconti au cinéma : il est remarquable dans *Le guépard* en bourgeois arriviste.

Stormare, Peter

Acteur suédois né en 1953.

1983, Fanny och Alexander (Fanny et Alexandre) (Bergman) ; 1986, Den Frusna leoparden (Oskarsson) ; 1987, Mälarpirater (Edwall) ; 1990, Awakenings (L'éveil) (Marshall) ; 1991, Riflessi in un cielo scuro (Maira), Freud flyttar hemifrån (Bier) ; 1992, Fatale (Malle) ; 1996, Le polygraphe (Lepage), Fargo (Fargo) (Coen) ; 1997, The Lost World : Jurassic Park (Le monde perdu : Jurassic Park) (Spielberg), Somewhere in the City (Niami), Playing God (Playing God) (Wilson), Larmar och gör sig till (Bergman, film réalisé pour la télévision) ; 1998, Mercury Rising (Code Mercury) (H. Becker), The Big Lebowski (The Big Lebowski) (Coen), Hamilton (Zwart), Armageddon (Armageddon) (Bay), 8 mm (8 mm) (Schumacher) ; 1999, Amor nello specchio (Maira), The Million Dollar Hotel (The Million Dollar Hotel) (Wenders), Circus (Circus) (Walker) ; 2000, Dancer in the Dark (Dancer in the Dark) (Von Trier), Bruiser (Romero), Happy Campers (D. Waters), Chocolat (Le chocolat) (Hallström) ; 2001, Windtalkers (Les messagers du vent) (Woo) ; 2002, Bad Company (Bad Company) (Schumacher), Minority Report (Minority Report) (Spielberg) ; 2003, Bad Boys 2 (Bad Boys 2) (Bay).

Issu du théâtre, ce grand gaillard suédois chemine tranquillement du cinéma de Bergman à la série B américaine, où il officie régulièrement en gangster patibulaire (notamment dans *8 mm*). Il est amusant en comptable à lunettes dans le polar *Circus*.

Stowe, Madeleine

Actrice américaine née en 1958.

1987, Stakeout (Étroite surveillance) (Badham) ; 1989, Worth Winning (Mackenzie), Tropical Snow (Duran) ; 1990, Revenge (Revenge) (T. Scott), The Two Jakes (The two Jakes) (Nicholson) ; 1991, Closet Land (Closet Land) (Bharadwaj) ; 1992, Unlawful Entry (Obsession fatale) (Kaplan), The Last of the Mohicans (Le dernier des Mohicans) (Mann) ; 1993, The Lookout (Indiscrétion assurée) (Badham), Short Cuts (Short Cuts) (Altman) ; 1994, Blink (Blink) (Apted), China Moon (Lune rouge) (Bailey), Bad Girls (Belles de l'Ouest) (J. Kaplan) ; 1995, The Twelve Monkeys (L'armée des douze singes) (Gilliam) ; 1997, The Proposition (La proposition) (Glatter) ; 1998, Playing by Heart (La carte du cœur) (Carroll), The General's Daughter (Le déshonneur d'Elisabeth Campbell) (West), Alien Love Triangle (Boyle) ; 2001, The Magnificent Ambersons (Aran), We Were Soldiers (Nous étions soldats) (Wallace) ; 2002, Impostor (Fleder).

Une mère portoricaine et un père américain, des études de journalisme, de cinéma, un peu de théâtre, et en 1985 elle débute sur le petit écran, avant d'apparaître sur le grand dans *Étroite surveillance*, de John Badham. Ce n'est pas un top-model, mais son allure volontaire et son regard incisif lui permettent d'obtenir des rôles de femmes d'action, que ce soit physiquement comme dans *Belles de l'Ouest*, ou psychologiquement (*Obsession fatale*, *Blink*). Elle s'impose dans *La proposition*, mélo flamboyant, dans la lignée de Douglas Sirk, en écrivain en mal de maternité.

Strange, Glenn

Acteur américain, 1899-1973.

1935, New Frontier (Pierson) ; 1937, Arizona Days (English) ; 1938, The Mysterious Rider (Selander) ; 1939, Range War (Selander) ; 1940, Wagon Train (Killy) ; 1942, The Mad Monster (Newfield) ; 1943, Action in the North Atlantic (Convoi vers la Russie) (Bacon), Mission to Moscow (Curtiz) ; 1944, The Monster Maker (Newfield) ; 1945, House of Frankenstein (La maison de Frankenstein) (Kenton), House of Dracula (La maison de Dracula) (Kenton) ; 1947, The Wistful Widow of Wagon Cap (Deux nigauds et leur veuve) (Barton), Sindbad the Sailor (Sindbad le marin) (Wallace) ; 1948, Abbott and Costello Meet Frankenstein (Barton), Red River (Hawks) ; 1951, The Red Badge of Courage (La charge victorieuse) (Huston), Double Crossbones (Barton), Texas Carnival (Carnaval au Texas) (Walters) ; 1952, The Lawless Bree (Victime du destin) (Walsh) ; 1953, Escape from Fort Bravo (Fort Bravo) (J. Sturges) ; 1955, The Vanishing American (Courage indien) (Kane) ; 1957, Jailhouse Rock (Le rock du bagne) (Thorpe) ; 1958, Quantrill's Raiders (Bernds).

Avec du sang Cherokee et un passé de champion de rodéo, il débuta à Hollywood dans le western. Mais c'est son interprétation du rôle de Frankenstein dans trois films d'épouvante qui lui valut une petite célébrité.

Streep, Meryl

Actrice américaine née en 1950.

1976, Julia (Julia) (Zinnemann) ; 1978, The Deer Hunter (Voyage au bout de l'enfer) (Cimino) ; 1979, Manhattan (Manhattan) (Allen), The Seduction of Joe Tynan (La vie privée d'un sénateur) (Schatzberg) ; 1980, Kramer vs Kramer (Kramer contre Kramer) (Benton) ; 1981, The French Lieutenant's Woman (La maîtresse du lieutenant français) (Reisz) ; 1982, Sophie's Choice (Le choix de Sophie) (Pakula), Still of the Night (La mort aux enchères) (Benton) ; 1984, Silkwood (Le mystère Silkwood) (Nichols) ; 1985, Falling in Love (Grosbard), Plenty (Schepisi) ; 1986, Out of Africa (Souvenirs d'Afrique) (Pollack), Heartburn (La brûlure) (Nichols) ; 1988, Ironweed (Ironweed/La force du destin) (Babenco), A Cry in the Dark (Un cri dans la nuit) (Schepisi) ; 1989, She-Devil (La diable) (Seidelman) ; 1990, Postcards from the Edge (Bons baisers d'Hollywood) (Nichols) ; 1991, Defending Your Life (Brooks) ; 1992, Death Becomes Her (La mort vous va si bien) (Zemeckis) ; 1993, The House of the Spirits (La maison aux esprits) (August) ; 1994, The River Wild (La rivière sauvage) (Hanson), The Bridges of Madison County (Sur la route de Madison) (Eastwood) ; 1995, Before and After (Before and After) (Schroeder) ; 1996, Marvin's Room (Simples secrets) (Zaks) ; 1997, Dancing at Lughnasa (O'Connor) ; 1998, One True Thing (Contre-jour) (Franklin) ; 1999, Music of the Heart (La musique de mon cœur) (Craven), Adaptation (Adaptation) (Jonze), The Hours (The Hours) (Daldry) ; 2002, Adaptation (Adaptation) (Jonze), Minority Report (Minority Report) (Spielberg) ; 2004, Lemony Snicket's a Series of Unfortunate Events (Les désastreuses aventures des orphelins Baudelaire) (Silberling), The Mandchurian Candidate (Un crime dans la tête) (Demme), Stuck on You (Deux en un) (B. et P. Farelly) ; 2006, A Prairie Home Companion (The Last Show) (Altman), The Devil Wears Prada (Le diable s'habille en Prada) (Frankel), Prime (Petites confidences à ma psy) (Younger) ; 2007, Lions for Lambs (Lions for Lambs) (Redford).

Court d'art dramatique de l'université de Yale puis Phoenix Repertory Theatre de New York. Exigeante et très portée sur un cinéma « new-yorkais », elle tourne peu et connaît la célébrité avec un feuilleton télévisé, *Holocauste. Kramer contre Kramer*, *La maîtresse du lieutenant français* et *Le choix de Sophie*, qui lui vaut l'oscar de 1982, sont d'énormes succès qui la propulsent au firmament des stars, un peu malgré elle, si l'on en croit ses interviews. Elle semble vouloir prendre la succession de Jane Fonda dans les films engagés (*Silkwood*). Son interprétation remarquable de Karen Dinesen dans *Out of Africa* l'oriente toutefois vers le film à grand spectacle. Elle sait varier son jeu, passe de la comédie fantastique (*La mort vous va si bien*) au film écologique d'aventures (*La rivière sauvage*) et se révèle émouvante en fermière de l'Iowa éprise d'un photographe de presse dans *Sur la route de Madison*. Elle a relancé sa carrière avec *The Hours*, film inspiré par Virginia Woolf, et surtout avec son rôle de patronne dans *Le diable s'habille en Prada*.

Streisand, Barbra

Actrice, réalisatrice et chanteuse américaine née en 1942.

1968, Funny Girl (Wyler) ; 1969, Hello Dolly (Kelly) ; 1970, On a Clear Day You Can See Forever (Melinda), The Owl and the Pussycat (La chouette et le Pussy Cat) (Kershner) ; 1972, What's Up Doc ? (On se fait la valise, doc ?) (Bogdanovitch), Up the Sandbox (Kershner) ; 1973, The Way We Were (Nos plus belles années) (Pollack) ; For Pete's Sake (Ma femme est folle) (Yates) ; 1974, Funny Lady (Ross) ; 1975, A Star Is Born (Une étoile est née) (Pierson) ; 1979, The Main Event (Tendre combat) (Zieff) ; 1981, All Night Long (La vie en mauve) (Tramont) ; 1987, Nuts (Cinglée) (Ritt) ; 2004, Meet the Fockers (Mon beau-père, mes parents et moi) (Roach). *Pour la réalisatrice*, voir le *Dictionnaire du cinéma*, t. I : *Les réalisateurs*.

Les vieux amateurs de comédies musicales, Jean Domarchi en tête, ont dit toute l'horreur qu'elle leur inspirait. Mariée à Elliott Gould, elle participe à des shows télévisés, puis joue avec un tel succès à Broadway dans *Funny Girl* qu'elle est l'interprète du film tiré de l'opérette et qu'elle y gagne un oscar. Elle ne va plus arrêter de tourner, interprétant le plus souvent des films d'une indigence scandaleuse (*The Main Event* par exemple), certains étant toutefois sauvés par la mise en scène (*Hello Dolly*). Elle est plutôt laide mais a le mérite d'en jouer ; elle est mauvaise comédienne mais chante sur un vaste registre. Au fond elle n'est supportable que si on ne la voit pas. Elle se révèle bonne réalisatrice mais s'obstine à interpréter ses propres films, de là peut-être l'échec du *Prince des marées*.

Strode, Woody

Acteur américain, 1923-1994.

1941, Sundown (Crépuscule) (Hataway) ; 1951, The Lion Hunters (Beebe) ; 1956, The Ten Commandments (Les dix commandements) (DeMille) ; 1958, Tarzan's Fight for Life (Le combat mortel de Tarzan) (Humberstone) ; 1959, Pork Shop Hill (La gloire et la peur) (Milestone) ; 1960, Spartacus (Kubrick) ; Sergeant Rutledge (Le sergent noir) (Ford) ; 1961, Two Rode Together (Ford), The Sins of Rachel Cade (Au péril de sa vie) (Douglas) ; 1962, The Man Who Shot Liberty Valance (L'homme qui tua Liberty Valance) (Ford) ; 1964, Genghis Khan (Genghis Khan) (Levin) ; 1966, The Professionals (Les Professionnels) (Brooks), Seven Women (Frontière chinoise) (Ford) ; 1967, The Perils of Charity Jones (Tarzan est en difficulté) (Nicol) ; 1968, C'era una volta il West (Il était une fois dans l'Ouest) (Leone), Shalako (Shalako) (Dmytryk) ; 1969, Che (Che) (Fleisher) ; 1970, Tarzan's Deadly Silence (Friend/Dobkin) ; 1971, Last Rebel (McCoy), La spina dorsate del Diavolo (Kennedy), Ciak Mull (Clucher), La Collina degli stivali (La colline des bottes) (Colizzi) ; 1972, The Revengers (La poursuite sauvage) (D. Mann), Black Rodeo (Kanew), La mala ordina (Di Leo) ; 1973, The Gatling Gun (R. Gordon) ; 1975, Winter Hawk (Pierce), Colpo in Canna (Di Leo) ; 1976, Keoma (Keoma) (Castellari) ; 1977, Kingdom of the Spiders (Carlos) ; 1979, Ravagers (Compton), Jaguar Lives (Nom de code : Jaguar) (Pintoff), Key West Crossing (Leacock) ; 1981, Vigilante (Lustig), Scream (Quisenberry), Angkor-Cambodia Express (Kitiparaparn), Safari Cannibal (Birkenshaw) ; 1983, The Black Stallion Returns (Le retour de l'étalon noir) (Dalva) ; 1984, The Cotton Club (Cotton Club) (Coppola) ; 1985, Lust in the Dust (Lust in the Dust) (Bartel), Jungle Warriors (Theumer), Final Executor (Guerrieri) ; 1987, A Gathering of Old Men (Colère en Louisiane) (Schloendorff) ; 1992, Storyville (Storyville) (Frost) ; 1994, The Quick and the Dead (Mort ou vif) (Raimi).

Acteur noir de second plan, il était admirable avec son crâne rasé et sa haute stature dans une suite impressionnante de westerns, de *Sergeant Rutledge* aux *Professionnels* (où il tirait à l'arc de manière redoutable). Difficile d'établir une filmographie complète de cet acteur sympathique et modeste qui semble avoir surtout travaillé pour la télévision dans les années 70.

Stroh, Valérie

Actrice et réalisatrice française née en 1958.

1969, L'ours et la poupée (Deville) ; 1971, La cagna (Liza) (Ferreri) ; 1982, La vie est un roman (Resnais) ; 1985, Mystère Alexina (Féret) ; 1986, L'homme qui n'était pas là (Féret) ; 1989, Baptême (Féret) ; 1991, Un homme et deux femmes (Stroh) ; 1992, Promenades d'été (Féret) ; 1993, Le bâtard de dieu (Fechner) ; 1994, L'année Juliette (Le Guay) ; 2000, Marie-Line (Charef), La confusion des genres (Duran Cohen). *Comme réalisatrice :* 1990, Un homme et deux femmes.

Un regard doux et un peu triste... Elle est la compagne de René Féret pour lequel elle a tenu les rôles principaux de la plupart de ses films.

Stroheim, Erich von

Réalisateur et acteur d'origine viennoise, de son vrai nom Erich Oswald Stroheim, 1885-1957.

1916, Intolérance (Griffith), The Social Secretary (Emerson), His Picture in the Papers (Emerson) ; 1917, Less than Dust (Emerson), For France (Ruggles), The Unbeliever (Crosland), In Again, Out Again (Emerson), Hearts of the World (Cœurs du monde) (Griffith) ; 1918, Hearts of Humanity (Holubar), The Hun Within (Cabanne) ; 1921, Foolish Wives (Folies de femmes) (Stroheim) ; 1927, The Wedding March (La symphonie nuptiale) (Stroheim) ; 1929, The Great Gabbo (Gabbo le ventriloque) (Cruze) ; 1930, Three Faces East (Del Ruth) ; 1931, Friends and Lovers (Schertzinger) ; 1932, Lost Squadron (Quatre de l'aviation) (Archainbaud), As You Desire Me (Comme tu me veux) (Fitzmaurice) ; 1934, Crimson Romance (D. Howard), Fugitive Road (Strayer) ; 1935, The Crime of Dr. Crespi (Le crime du docteur Crespi) (Auer) ; 1936, Marthe Richard (R. Bernard) ; 1937, La grande illusion (Renoir), L'alibi (Chenal), Mademoiselle Docteur (Greville), L'affaire Lafarge (Chenal), Les pirates du rail (Christian-Jaque) ; 1938, Les disparus de Saint-Agil (Christian-Jaque), Ultimatum (Wiene), Gibraltar (Ozep) ; 1939, Rappel immédiat (Mathot), Menaces (Greville), Derrière la façade (Lacombe-Mirande), Le monde tremblera (Pottier), Pièges (Siodmak), La révolte des vivants (Pottier), Tempête (Bernard-Deschamps), Macao (Delannoy), Paris-New York (Lacombe-Mirande) ; 1940, I Was an Adventuress (Ratoff) ; 1941, So Ends Our Night (Cromwell) ; 1943, Five Graves to Cairo (Les cinq secrets du désert) (Wilder) ; 1944, North Star (L'étoile du Nord) (Milestone), Storm over Lisbon (Tempête sur Lisbonne) (Sherman), The Lady and the Monster (Sherman) ; 1945, Scotland Yard Investigator (Blair), The Great Flammarion (Mann), The Mask of Dijon (Landers) ; 1946, La foire aux chimères (Chenal), On ne meurt pas comme ça (Boyer) ; 1947, La danse de mort (Cravenne) ; 1948, Le signal rouge (Neubach) ; 1949, Portrait d'un assassin (Bernard-Roland) ; 1950, Sunset Boulevard (Boulevard du crépuscule) (Wilder) ; 1952, Alraune (Mandragore) (Rabenalt), Minuit quai de Bercy (Stengel) ; 1953, Alerte au Sud (Devaivre), L'envers du paradis (Greville) ; 1954, Série noire (Foucaud), Napoléon (Guitry) ; 1955, La Madone des sleepings (Diamant-Berger) ; 1956, L'homme aux cent visages (Spafford). *Pour le metteur en scène* : voir aussi le *Dictionnaire du cinéma*, t. I : *Les réalisateurs.*

Il doit tout à l'entrée en guerre de l'Amérique. On le chargea à Hollywood, où il était venu tenter sa chance en 1914, des rôles d'officier allemand. « Dans l'un d'eux, à la tête de son détachement, il traverse un village des Flandres où les habitants se terrent dans les caves. Une fillette pourtant s'approche du brillant capitaine, veut jouer avec lui, lui offre sa poupée. Il se prête quelques instants à ce caprice avec une condescendance amusée, puis donne l'ordre du départ et fracasse d'un coup de revolver la tête blonde. » (Denis Marion.) Un personnage est né. Stroheim ne cessera de jouer les officiers allemands avec deux sommets : *La grande illusion* et *Five Graves to Cairo* (où il est Rommel). Mais il fut aussi un grand metteur en scène incompris (cette partie de sa carrière est évoquée dans le *Dictionnaire du cinéma*, t. I) ; de là les rôles d'artistes déchus qui lui furent aussi confiés, de *The Great Gabbo* à *The Great Flammarion* et surtout à *Sunset Boulevard* où il était bouleversant. Sa carrière d'acteur s'est déroulée aux États-Unis jusqu'en 1936 ; il vint alors en France, son crédit ruiné à Hollywood, et y resta jusqu'en 1940 ; il repartit aux États-Unis et revint en France en 1946 pour y terminer — dans des œuvres médiocres — sa carrière. Il fut marié à Margaret Knox qui mourut en 1915 ; puis il épousa May Jones qui lui donna un fils ; il en divorça en 1918. Il se maria avec une monteuse, Valérie Germonprez, qui lui donna un deuxième fils. Sa femme fut brûlée dans un accident. Sa dernière compagne fut Denise Vernac qui l'assista lorsqu'il mourut, à Maurepas, d'un cancer de la moelle épinière.

Such, Michel

Acteur et réalisateur français né en 1944.

1974, Thomas (Dion) ; 1975, Les vécés étaient fermés de l'intérieur (Leconte), L'important c'est d'aimer (Zulawski), La meilleure façon de marcher (Miller) ; 1976, Violette et François (Rouffio), La question (Heynemann) ; 1977, Dites-lui que je l'aime (Miller) ; 1978, Le sucre (Rouffio), Les bronzés (Leconte) ; 1979, Ils sont grands ces petits (Santoni), Les bronzés font du ski (Leconte) ; 1980, Quartet (Quartet) (Ivory), Viens chez moi, j'habite chez une copine (Leconte) ; 1981, Plein Sud (Béraud), Pourquoi pas nous ? (Berny), Garde à vue (Miller) ; 1982, Mortelle randonnée (Miller), Interdit aux moins de treize ans (Bertucelli), Le jeune marié (Stora) ; 1983, Itinéraire bis (Drillaud) ; 1984, Réveillon chez Bob (D. Granier-Deferre) ; 1986, Levy et Goliath (Oury), L'été en pente douce (Krawczyk), Tenue de soirée (Blier), Je hais les acteurs (Krawczyk) ; 1987, Un amour à Paris (Allouache) ; 1988, Mes meilleurs copains (Poiré) ; 1990, On peut toujours rêver (Richard) ; 1993, Bab el-Oued city (Allouache), La soif de l'or (Oury) ; 2000, Félix et Lola (Leconte). *Comme réalisateur :* 1996, Oranges amères.

Le pied-noir dans toute sa gouaille et sa bonhomie, loin, cependant, des bassesses comiques d'un Robert Castel. Beaucoup de petits rôles et un peu d'assistanat à la réalisation, avant de réaliser un film sur ses souvenirs d'enfance en Algérie, injustement passé inaperçu.

Sukowa, Barbara

Actrice allemande née en 1950.

1977, Frauen in New York (Makk) ; 1979, Die Jager (Makk) ; 1980, Lola (Lola, une femme allemande) (Fassbinder), Berlin Alexanderplatz (Fassbinder) ; 1981, Die Bleierne Zeit (Les années de plomb) (Von Trotta) ; 1982, Équateur (Gainsbourg), Un dimanche de flic (Vianey) ; 1986, Die Verliebten (Meerapfel) ; 1987, Rosa Luxemburg (Rosa Luxemburg) (von Trotta), The Sicilian (Le Sicilien) (Cimino) ; 1991, Homo Faber (The voyager) (Schlöndorff), Europa (Europa) (Von Trier), The Return (L'Africaine) (Von Trotta) ; 1993, Colpo di coda (Sanchez), M. Butterfly (M. Butterfly) (Cronenberg) ; 1994, Johnny Mnemonic (Johnny Mnemonic) (Longo) ; 1997, In Namen der Unschuld (Kleinert), Office Killer (Sherman) ; 1998, Star ! Star ! (Müller), Cradle Will Rock (Broadway 39e Rue) (Robbins) ; 1999, The Third Miracle (Holland), Urbania (Shear).

Après une brillante carrière théâtrale en Allemagne, et deux essais cinéma peu concluants, Fassbinder la fait vraiment débuter sur grand écran dans un film où elle tient le rôle-titre. Elle tourne dès lors dans tous les pays et avec toutes sortes de réalisateurs, de Gainsbourg à Cronenberg... Une carrière sous le signe des rencontres et de la passion.

Sullavan, Margaret

Actrice américaine, 1911-1960.

1933, Only Yesterday (Une nuit seulement) (Stahl) ; 1934, Little Man What Now ? (Borzage) ; 1935, So Red the Rose (Vidor), The Good Fairy (Wyler) ; 1936, The Moon's Our Home (Seiter), Next Time We Love (Épreuves) (E. Griffith) ; 1938, Three Comrades (Trois camarades) (Borzage), The Shopworn Angel (L'ange impur) (Potter), The Shining Hour (L'ensorceleuse) (Borzage) ; 1940, The Mortal Storm (Borzage), The Shop around the Corner (Rendez-vous) (Lubitsch) ; 1941, Back Street (Stevenson), Appointment for Love (Rendez-vous d'amour) (Seiter), So Ends Our Night (Cromwell) ; 1943, Cry Havoc (Thorpe) ; 1950, No Sad Songs for Me (La flamme qui s'éteint) (Maté).

La reine du mélodrame. Issue d'une excellente famille, elle débute sur les planches dans les University Players avec Henry Fonda (qu'elle épousera) et James Stewart. En 1931, elle joue à Broadway ; en 1933, Universal l'attire à Hollywood. Elle s'y partage entre le drame à la Borzage et la comédie. Elle ne quitte pas le théâtre pour autant. Mais sa vie privée demeure agitée ; après Fonda, elle se remarie avec Wyler puis Leland Hayward. Elle se suicide à quarante-neuf ans dans des conditions racontées par sa fille dans *Haywire*.

Sullivan, Barry

Acteur américain, de son vrai nom Patrick Barry, 1912-1994.

1943, The Woman of the Town (Archainbaud), High Explosive (McDonald) ; 1944, Lady in the Dark (Les nuits ensorcelées) (Leisen), And Now Tomorrow (Pichel), Rainbow Island (R. Murphy) ; 1945, Getting Gertie's Garter (Dwan), Duffy's Tavern (H. Walker) ; 1946, Two Years Before the Mast (Révolte à bord) (Farrow), Suspense (Tuttle) ; 1947, The Gangster (G. Wiles), Framed (R. Wallace) ; 1948, Smart Woman (Blatt), Bad Men of Tombstone (Neumann) ; 1949, The Great Gatsby (Nugent), Any Number Can Play (Faites vos jeux) (LeRoy), Nancy Goes to Rio (Leonard), Tension (Berry) ; 1950, A Life of Her Own (Ma vie à moi) (Cukor), The Outriders (Le convoi maudit) (Rowland), Mr. Imperium (Hartman), Grounds for Marriage (Leonard) ; 1951, Three Guys Named Mike (Walters), Inside Straight (G. Mayer), Payment on Demand (Bernhardt), No Questions Asked (Kress), The Unknown Man (Thorpe), I Was a Communist for the F.B.I. (Douglas) ; 1952, Skirts Ahoy (Lanfield), The Bad and the Beautiful (Les ensorcelés) (Minnelli) ; 1953, Cry of the Hunted (Le mystère des bayous) (Lewis), Jeopardy (La plage déserte) (Sturges), China Venture (Siegel) ; 1954, Playgirl (Pevney), The Miami Story (Sears), Loophole (Dangereuse enquête) (Schuster), Her 12 Men (Leonard) ; 1955, Strategic Air Command (Mann), Texas Lady (Whelan), Queen Bee (Une femme diabolique) (McDougall) ; 1956, The Maverick Queen (La horde sauvage) (Kane), Julie (Stone) ; 1957, The Way to the Gold (Webb), Dragoon Wells Massacre (La poursuite fantastique) (Schuster), Forty Guns (Fuller) ; 1958, Wolf Larsen (Jones), Another Time, Another Place (Je pleure mon amour) (Allen) ; 1960, Seven Ways from Sundown (Les sept chemins du couchant) (Keller), The Purple Gang (McDonald) ; 1961, The Light in the Piazza (Lumière sur la piazza) (Green) ; 1963, A Gathering of Eagles (Mann) ; 1964, Pyro (Coli), Stage to Thunder Rock (Claxton), My Blood Runs Cold (Conrad), Man in the Middle (Hamilton) ; 1965, Harlow (Segal), Terrore nello spazio (Bava) ; 1966, The Poppy Is Also a Flower (Opération Opium) (Young), Intimacy (Stoloff), An American Dream (Gist) ; 1967, Shark (Fuller) ; 1968, Buckskin (M. Moore), How to Steal the World (Roley) ; 1969, Tell Them Willie Boy Is Here (Willie Boy) (Polonsky), It Takes All Kinds (Davis) ; 1972, The Candidate (Votez McKay) (Ritchie) ; 1974, Earthquake (Tremblement de terre) (Robson) ; 1975, The Human Factor (Preminger), Take a Hard Ride (La chevauchée terrible) (Margheriti) ; 1976, Napoli violenta (SOS Jaguar) (Lenzi) ; 1977, Oh, God ! (Reiner), The Washington Affair (Stoloff) ; 1978, No Room to Run (Lewis), Caravans (Fargo).

Séduisant bandit dans *Les sept chemins du couchant* où il jouait avec les nerfs d'Audie Murphy, il n'a jamais été une vedette à part entière, mais on le retrouve au générique de nombreux westerns souvent excellents (*Forty Guns, Dragoon Wells Massacre...*) et de petits thrillers nerveux (*Jeopardy*). A partir de 1970, il sembla se consacrer surtout à la télévision.

Sullivan, Francis

Acteur anglais, 1903-1956.

1932, The Missing Rembrandt (Hiscott), The Chinese Puzzle (Newall), When London Sleeps (Hiscott) ; 1933, Called Back (Denham), F.P.I. (Hartl), The Stickpin (Miscott), The Fire Raisers (Powell), The Right to Live (Parker), The Wandering Jew (Elvey) ; 1934, The Wagon (Summers), Princess Charming (Elvey), The Return of Bulldog Drummond (Summess), The Chin Chin Chow

(W. Forde), Great Expectations (Les grandes espérances) (Walker) ; 1935, The Mystery of Edwin Drood (Walker) ; 1936, Sabotage (Agent secret) (Hitchcock) ; 1937, Action for Slander (Saville), Dinner at the Ritz (Schuster), Twenty-One Days (Dean) ; 1938, The Drum (Alerte aux Indes) (Z. Korda), The Citadel (La citadelle) (Vidor) ; 1939, The Four Just Men (Les quatre justiciers) (Forde) ; 1941, Pimpernel Smith (M. Smith agent secret) (Howard et Pascal) ; 1942, The Day Will Dawn (French), The Foreman Went to France (Frend), Lady from Lisbon (Hiscott) ; 1943, The Butler's Dilemna (Hiscott) ; 1944, Fiddlers Three (Watt) ; 1945, Caesar and Cleopatra (César et Cléopâtre) (Pascal) ; 1946, Great Expectations (Les grandes espérances) (Lean) ; 1947, The Man Within (Les pirates de la Manche) (Knowles), Laughing Lady (La dame en bleu) (Stein), Take My Life (Neame) ; 1948, Oliver Twist (Lean), Broken Journey (Annakin), The Winslow Boy (Asquith), Joan of Arc (Jeanne d'Arc) (Fleming) ; 1949, The Red Danube (Le Danube rouge) (Sidney), Christopher Colombus (Christophe Colomb) (D. McDonald) ; 1950, The Night and the City (Les forbans de la nuit) (Dassin) ; 1951, Behave Yourself (Beck), My Favorite Spy (Espionne de mon cœur) (McLeod) ; 1952, Carribean (Le trésor des Caraïbes) (Ludwig), The Hour of Thirteen (La treizième heure) (French), Plunder of the Sun (Les pillards de Mexico) (Farrow) ; 1953, Sangaree (Sangaree) (Ludwig) ; 1954, Hell's Islands (Les îles de l'enfer) (Karlson), Drums of Tahiti (Intrigues sous les tropiques) (Castle) ; 1955, The Prodigal (Le fils prodigue) (Thorpe).

Gras, énorme, monstrueux, cet excellent acteur de théâtre (il joua Shakespeare à l'Old Vic) ne manquait pas de finesse dans son épaisseur, à l'instar d'un Sidney Greenstreet. Quelques grands rôles : Mr. Bamble dans *Oliver Twist*, Cauchon dans *Joan of Arc* et surtout l'inquiétant personnage qui semble incapable de se mouvoir tant il est gras dans *The Night and the City.*

Summerville, Slim

Acteur américain, de son vrai nom George Sommerville, 1892-1946.

1914-1917, très nombreux courts métrages sous Sennett et Chaplin (The Knock-out, Mabel's Busy Day ; Laughing Gas, Dough and Dynamite...) ; 1921, Skirts (Del Ruth) ; 1926, The Texas Streaks (Reynolds) ; 1927, The Chinese Parrot (Leni), The Beloved Rogue (Crosland) ; 1928, Riding for Fame (Eason) ; 1929, King of the Rodeo (MacRae), One Hysterical Night (Craft), Tiger Rose (Franklin), Strong Boy (Ford), The Last Warning (Le dernier avertissement) (Leni) ; 1930, See America Thirst (Craft), Under Montana Skies (Thorpe), Troopers Three (Taurog), All Quiet on the Western Front (A l'ouest rien de nouveau) (Milestone), The Spoilers (Carewe) ; 1931, Front Page (Milestone), Bad Sister (Henley) ; 1932, Air Mail (Ford), Tom Brown of Culver (Wyler), The Unexpected Father (Freeland) ; 1933, They Just Had to Get Married (Ludwig), Out All Night (S. Taylor), Her First Mate (Wyler), Love, Honor and oh Baby ! (Buzzell) ; 1934, Their Big Moment (Cruze), Love Birds (Seiter) ; 1935, Way Down East (King), Love Begins at Twenty (McDonald), The Farmer Takes a Wife (Fleming) ; 1936, The Country Doctor (King), Captain January (Butler), Pepper (Tinling), Reunion (Taurog), White Fang (Butler) ; 1937, Off to the Races (Strayer), The Road Back (Whale), Love Is News (L'amour en première page) (Garnett) ; 1938, Submarine Patrol (Patrouille en mer) (Ford), Kentucky Moonshine (Butler), Rebecca of Sunnybrook Farm (Dwan) ; 1939, Jesse James (Le brigand bien-aimé) (King) ; 1940, Gold Rush Maisie (Marin) ; 1941, Western Union (Les pionniers de la Western Union) (Lang), Tobacco Road (La route du tabac) (Ford) ; 1946, The Hoodlum Saint (Taurog).

De l'écurie Mack Sennett, où il fut des Keystone Cops grâce à Edgar Kennedy. Il poursuivit une carrière de grand naïf venu de la campagne, sorte d'Adémaï longiligne, dans de nombreux films à la Fox notamment. Il servit aussi dans les années 30 de faire-valoir à Zasu Pitts *(The Unexpected Father, Love Birds*, etc.). Mais on ne saurait l'enfermer uniquement dans le burlesque : il fut très émouvant dans *All Quiet on the Western Front.*

Surgère, Hélène

Actrice française, de son vrai nom Collet, née en 1928.

1965, Les ruses du diable (Vecchiali) ; 1970, L'étrangleur (Vecchiali) ; 1974, Souvenirs d'en France (Téchiné), Femmes, femmes (Vecchiali) ; 1975, Change pas de main (Vecchiali), Salo' o le 120 giornate di Sodoma (Salo' ou les 120 journées de Sodome) (Pasolini) ; 1976, L'aigle et la colombe (Bernard-Aubert), Un éléphant, ça trompe énormément (Robert), Barocco (Téchiné) ; 1977, La machine (Vecchiali), Nous irons tous au paradis (Robert) ; 1978, Corps à cœur (Vecchiali), Les sœurs Brontë (Téchiné) ; 1979, Les belles manières (Guiguet) ; 1980, Cauchemar (Simsolo), C'est la vie (Vecchiali), La femme-enfant (Billetdoux) ; 1981, Inspecteur Labavure

(Zidi) ; 1982, Le retour de Christophe Colon (Saire), Un chien dans un jeu de quilles (Guillou) ; 1983, En haut des marches (Vecchiali) ; 1984, L'air du crime (Klarer) ; 1985, Zone rouge (Enrico), Trois hommes et un couffin (Serreau) ; 1986, Attention, bandits (Lelouch) ; 1988, Trois places pour le 26 (Demy), La fille du magicien (Bories) ; 1989, Australia (Andrien) ; 1990, Je t'ai dans la peau (Thorn), Dieu vomit les tièdes (Guédiguian) ; 1991, Un vampire au paradis (Bahloul) ; 1992, La cavale des fous (Pico) ; 1997, Le pari (Bourdon, Campan), A la place du cœur (Guédiguian) ; 1999, Le temps retrouvé (Ruiz), L'affaire Marcorelle (Le Péron) ; 2000, Lise et André (Dercourt) ; 2003, Confidences trop intimes (Leconte) ; Ma vraie vie à Rouen (Ducastel et Martineau), Ce jour-là (Ruiz) ; 2005, A vot' bon cœur (Vecchiali) ; 2007, Lions for Lambs (Lions for Lambs) (Redford).

Venue du théâtre, elle fut l'actrice fétiche de Vecchiali, notamment la sœur de Danielle Darrieux dans *En haut des marches*. Elle est la directrice de pensionnat dans *Attention bandits*.

Sutherland, Donald

Acteur canadien né en 1935.

1963, The World Ten Times Over (Rilla) ; 1964, Il castello dei morti vivi (L. Ricci) ; 1965, The Bedford Incident (Aux postes de combat) (Harris), Dr. Terror's House of Horrors (Le train des épouvantes) (Francis), Fanatic (Narizzano) ; 1966, Promise Her Anything (A. Hiller), Morgan (Reisz) ; 1967, Billion Dollar Brain (Un cerveau d'un milliard de dollars) (Russell), Sebastian (Les filles du code secret) (D. Greene), The Dirty Dozen (Douze salopards) (Aldrich) ; 1968, Œdipus the King (Œdipe-roi) (Saville), Interlude (Bellington), Joanna (Sarne), The Split (Le crime, c'est notre business) (Flemyng) ; 1970, Start the Revolution Without Me (Commencez la Révolution sans nous) (Yorkin), Act of the Heart (Almond), MASH (Altman), Kelly's Heroes (De l'or pour les braves) (Hutton), Alex in Wonderland (Mazursky) ; 1971, Little Murders (Petits meurtres sans importance) (Arkin), Klute (Pakula), Johnny Got His Gun (Johnny s'en va-t-en guerre) (Trumbo) ; 1972, F.T.A. (F. Parker) ; 1973, Alien Thunder/Dan Candy's Law (Tonnerre rouge) (Fournier), Steelyard Blues (Myerson), Lady Ice (Gries), Don't Look Back (Ne vous retournez pas) (Roeg) ; 1974, S.P.Y.S. (Les S pions) (Kershner) ; 1975, The Day of the Locust (Le jour du Fléau) (Schlesinger), End of the Game (Schell) ; 1976, Novecento (1900) (Bertolucci) ; 1977, Kentucky Fried Movie (Hamburger film sandwich) (Landis), Il Casanova di Federico Fellini (Casanova de Fellini) (Fellini), The Eagle Has Landed (L'aigle s'est envolé) (J. Sturges) ; 1978, The Disappearance (Cooper), Les liens du sang (Chabrol), National Lampoon's Animal House (American College) (Landis), Invasion of the Body Snatchers (L'invasion des profanateurs) (Kaufman) ; 1979, The First Great Train Robbery (La grande attaque du train d'or) (Crichton), Murder by Decree (Meurtre par décret) (Clark), The Bear Island (Le secret de la banquise) (Sharp), Nothing Personal (Bloomfield), A Man, a Woman and a Bank (Black) ; 1980, The Eye of the Needle (L'arme à l'œil) (Marquand), Ordinary People (Des gens comme les autres) (Redford) ; 1981, Gas (Rose) ; 1982, Threshold (Pearce) ; 1983, Max Dugan Returns (Ross) ; 1984, Ordeal by Innocence (Davis) ; 1985, Crackers (Malle) ; 1986, Catholic Boys (Tutti frutti) (Dinner), Revolution (Révolution) (Hudson), Gauguin (Gauguin, le loup dans le soleil) (Carlsen) ; 1987, The Trouble With Spies (Kennedy), The Rosary Murders (Confession criminelle) (Walton) ; 1988, Apprentice to Murder (Thomas) ; 1989, The Road Home/-Lost Angels (Carrefour des innocents) (Hudson), Lock Up (Haute sécurité) (Flynn), A Dry, White Season (Une saison blanche et sèche) (Palcy) ; 1990, Eminent Domain (La guerre des nerfs) (Irvin), Schrei aus Stein (Cerro Torre – Le cri de la roche) (Herzog), Bethune : The Making of a Hero (Docteur Norman Bethune) (Borsos) ; 1991, Backdraft (Backdraft) (Howard), JFK (JFK) (Stone), Buster's Bedroom (Horn) ; 1992, Benefit of the Doubt (Au bénéfice du doute) (Heap), Buffy the Vampire Slayer (Kuzui), The Railway Station Man (Whyte), Agaguk (Dorfmann) ; 1993, Younger and Younger (Adlon), Red Hot (Haggis), Six Degrees of Separation (Six degrés de séparation) (Schepisi) ; 1994, The Puppet Masters (Les maîtres du monde) (Orme), The Lifeforce Experiment (Haggard), Disclosure (Harcèlement) (Levinson), Punch (Birkinshaw, Flütsch) ; 1995, Outbreak (Alerte !) (Petersen), Hollow Point (Furie), Shadow Conspiracy (Haute trahison) (Cosmatos) ; 1996, The Assignment (Contrat sur un terroriste) (Duguay), A Time to Kill (Le droit de tuer ?) (Schumacher), Without Limits (Towne) ; 1997, Fallen (Le témoin du Mal) (Hoblit), Virus (Virus) (Bruno), Free Money (Simoneau) ; 1998, Instinct (Instinct) (Turteltaub) ; 2000, The Art of War (L'art de la guerre) (Duguay), Space Cowboys (Space Cowboys) (Eastwood) ; 2001, Uprising (1943, l'ultime révolte) (Avnet) ; 2003, Cold Mountain (Minghella), The

Italian Job (Braquage à l'italienne) (Gray), Baltic Storm (Leder) ; 2005, Pride and Prejudice (Orgueil et préjugés) (Wright) ; 2006, Ask the Dust (Demande à la poussière) (Towne) : 2007, An American Haunting (Solomon), Reign Over Me (Binder).

Touche-à-tout de talent, ce Canadien, né dans le Nouveau-Brunswick, a été speaker, ingénieur diplômé de l'université de Toronto et mineur. Des *Douze salopards*, son premier film important, personne n'a gardé souvenir de lui. Il faut attendre *MASH* pour que les spectateurs le remarquent. Dès lors il va promener sa nonchalance pleine de charme dans de nombreuses comédies, et quelques bons films d'action avant de devenir... Casanova pour Fellini. Faut-il voir de la dérision dans ce choix de la part de Fellini ? En revanche, Sutherland fut admirable dans *Ordinary People* et plus encore en espion allemand dans *The Eye of the Needle*, montrant qu'il peut exceller dans un registre dramatique. On le retrouve en père désabusé de cinq filles dans *Orgueil et préjugés*.

Sutherland, Kiefer

Acteur et réalisateur américain né en 1966.

1983, Max Dugan Returns (Ross) ; 1985, The Bad Boy (Un printemps sous la neige) (Petrie), At Close Range (Comme un chien enragé) (Foley) ; 1986, Stand By Me (Stand by me) (R. Reiner), Amazing Stories (Histoires fantastiques) (sketch Spielberg) ; 1987, The Lost Boys (Génération perdue) (Schumacher), The Killing Time (King), The Promised Land (Hoffman), Brotherhood of Justice (Brotherhood, la loi du campus) (Braverman) ; 1988, Bright Lights, Big Cities (Les feux de la nuit) (Bridges), Crazy Moon (Battista), 1969 (Thompson), Young Guns (Cain) ; 1989, Renegades (Flic et rebelle) (Sholder), Flatliners (L'expérience interdite) (Schumacher) ; 1990, Chicago Joe and the Showgirl (Chicago Joe et la Showgirl) (Rose), Flashback (Amurri), Young Guns 2 (Young Guns 2) (Murphy) ; 1991, Article 99 (Deutch) ; 1992, A Few Good Men (Des hommes d'honneur) (R. Reiner), Twin Peaks, Fire Walk With Me (Twin Peaks) (Lynch), The Vanishing (La disparue) (Sluizer) ; 1993, The Three Musketeers (Les trois mousquetaires) (Herek) ; 1994, The Cowboy Way (Deux cowboys à New York) (Champion), Teresa's Tattoo (Cypher) ; 1995, Eye for an Eye (Au-delà des lois) (Schlesinger) ; 1996, Freeway (Freeway) (Bright), The Last Days of Frankie the Fly (Markle), Jackals (Duguay), Truth or Consequences, N.M. (La dernière cavale) (K. Sutherland), A Time to Kill (Le droit de tuer ?) (Schumacher), Dark City (Dark City) (Proyas) ; 1997, A Soldier's Sweetheart (Donnelly) ; 1998, The Breakup (Marcus), 1999, After Alice (Marcus), Beat (Walkow), Picking Up the Pieces (Morceaux choisis) (Arau) ; 2000, Ring of Fire (Koller), Desert Saints (Greenberg), To End All Wars (Cunningham) ; 2002, Phone Booth (Phone Game) (Schumacher) ; 2004, Taking Lives, (Taking Lives, destins violés) (Caruso) ; 2006, The Sentinel (The Sentinel) (Johnson). *Comme réalisateur :* 1996, Truth or Consequences, N.M. (La dernière cavale).

Fils de Donald Sutherland, il est prisonnier d'une image d'adolescent rebelle qui l'empêche d'accéder à des rôles plus intéressants jusqu'à la série télé *Vingt-quatre heures chrono*.

Swain, Mack

Acteur américain, 1876-1935.

1913-1916 : *très nombreux courts métrages soit avec Chaplin, soit en vedette sous le surnom d'Ambrose* ; 1917, The Pullman Bride (Sennett) ; 1921, The Idle Class (Charlot et le masque de fer) (Chaplin) ; 1922, Pay Day (Jour de paye) (Chaplin) ; 1923, The Pilgrim (Le pèlerin) (Chaplin) ; 1925, The Gold Rush (La ruée vers l'or) (Chaplin) ; 1926, Hands Up ! (Badger), Sea Horses (Dwan), Footloose Widows (Del Ruth), Kiki (Brown), The Torrent (Monta Bell) ; 1927, The Shamrock and the Rose (J. Nelson), Finnegan's Ball (Hogan), Mockery (Christensen), The Beloved Rogue (Crosland) ; 1928, Caught in the Fog (Bretherton), Gentlemen Prefer Blondes (St. Clair), Tillie's Punctured Romance (Sutherland) ; 1929, The Last Warning (Leni), The Cohens and Kellys in Atlantic City (Craft) ; 1930, The Sea Bat (Ruggles), Redemption (Niblo) ; 1931, Finn and Hattie (Taurog) ; 1932, Midnight Patrol (Cabanne).

Il fut l'une des vedettes du cinéma burlesque américain sous la houlette de Sennett. Son aspect imposant contrastant avec ses mimiques le rendaient irrésistible. Mais c'est *La ruée vers l'or* qui l'a rendu célèbre. Il y était l'énorme prospecteur affamé qui voyait Charlot sous la forme d'un poulet puis mangeait avec lui une chaussure.

Swanson, Gloria

Actrice américaine, 1897-1983.

1915, The Fable of Elvira and Farina and the Meal Ticket, Sweedie Goes to College, The Romance of an American Duchess, The Brocken Pledge ; 1916, A Dash of Courage, Hearts and Sparks, A Social Club (Badger), The Danger Girl, Love on Skates, Haystacks and Steeples (Badger), The Nick of Time Baby (Badger), Teddy at the Throttle (Badger) ; 1917, Baseball Madness (Mason), Danger of a Bride, The Sultan's Wife, A pullman Bride (Badger) ; 1918, Society for Sale (Borzage), Her Decision (Conway), You Can't Believe Everything (Conway), Everywoman's Husband (Hamilton), Shifting Sands (Parker), Station Content (Hoyt), Secret Code (Parker), Wife or Country (Hopper) ; 1919, Don't Change Your Husband (Après la pluie, le beau temps) (DeMille), For Better, for Worse (DeMille), Male and Female (L'admirable Chrichton) (DeMille) ; 1920, Why Change Your Wife ? (L'échange) (DeMille), Something to Think about (DeMille), The Great Moment (Wood) ; 1921, The Affairs of Anatol (Le cœur nous trompe) (DeMille), Under the Lash (Wood), Don't Tell Everything (Wood) ; 1922, Her Husband's Trademark (Wood), Beyond the Rocks (Le droit d'aimer) (Wood), Her Gilged Cage (Wood), The Impossible Mrs. Bellew (Le calvaire de Mme Mallory) (Wood) ; 1923, My American Wife (Wood), Prodigal Daughters (Wood), Bluebeard's Eight Wife (La huitième femme de Barbe-Bleue) (Wood), Zaza (Zaza) (Dwan) ; 1924, The Humming Bird (Olcott), A Society Scandal (Scandale) (Dwan), Manhandled (Tricheuse) (Dwan), Her Love Story (Larmes de reine) (Dwan), Wages of Virtue (Le prix de la vertu) (Dwan) ; 1925, Madame Sang-Gêne (Perret), The Coast of Folly (Le prix d'une folie) (Dwan), Stage Struck (Vedette) (Dwan) ; 1926, Untamed Lady (Tuttle), Fine Manners (Rosson) ; 1927, The Love of Sunya (Parker) ; 1928, Sadie Thompson (Walsh), Queen Kelly (Queen Kelly) (von Stroheim) ; 1929, The Trespasser (Goulding) ; 1930, What a Widow ! (Quelle veuve !) (Dwan) ; 1931, Indiscreet (Indiscret) (McCarey), Tonight or Never (Cette nuit ou jamais) (LeRoy) ; 1933, A perfect understanding (Gardner) ; 1934, Music in the Air (May) ; 1941, Father Takes a Wife (Hively) ; 1950, Sunset Boulevard (Boulevard du crépuscule) (Wilder) ; 1952, Three for Bedroom (Bren) ; 1956, Nero's Mistress (Les week-ends de Néron) (Steno) ; 1974, Airport 75 (747 en péril) (Smight).

Pour mesurer ce que fut cette reine du cinéma muet, il faut lire ses souvenirs et voir *Sunset Boulevard* où elle accepta de jouer son propre personnage de star déchue. Rien que pour cette dernière performance, elle mériterait un grand coup de chapeau. Elle est sublime dans ce chef-d'œuvre de cruauté. Embauchée par Essanay en 1913 à Chicago, elle se lie avec Wallace Beery. Ensemble ils partent pour Hollywood. Elle débute sous l'égide de Sennett qu'elle suit chez Paramount. Nouveau passage à la Triangle puis retour à la Paramount, mais cette fois chez DeMille. Celui-ci l'impose. En 1926, elle décide de produire ses propres films. Avec des capitaux du père du président Kennedy, elle entreprend *Queen Kelly* mais se brouille avec Stroheim qui assure la mise en scène. L'avènement du parlant lui porte un coup fatal. Elle ne tourne presque plus. Puis ce sera *Sunset Boulevard* où elle retrouve DeMille et Stroheim.

Swayze, Patrick

Acteur américain né en 1954.

1979, Shaketown, USA (Levey) ; 1983, The Outsiders (Outsiders) (Coppola), Uncommon Valors (Retour vers l'enfer) (Kotcheff) ; 1984, Grandview, USA (Kleiser), Red Dawn (L'aube rouge) (Milius) ; 1986, Youngblood (Youngblood) (Markle) ; 1987, Dirty Dancing (Dirty Dancing) (Ardolino), Steel Dawn (Hool) ; 1988, Road House (Road House) (Herrington), Tiger Warsaw (Chaudhri) ; 1989, Next of Kin (Irvin) ; 1990, Ghost (Ghost) (J. Zucker) ; 1991, Point Break (Point Break-Extrême limite) (Bigelow) ; 1992, City of Joy (La cité de la joie) (Joffé) ; 1994, Tall Tale (Chechik), To Wong Foo, Thanks for Everything, Julie Newmar (Extravagances) (Kidron) ; 1995, Three Wishes (Trois vœux) (Coolidge) ; 1997, Letters from a Killer (Lettres à un tueur) (Carson) ; 1998, Black Dog (Black Dog) (Hooks), Vanished (Forster) ; 1999, Boondock Saints (Duffy), Forever Lulu (Kaye) ; 2000, Green Dragon (Linh Bui) ; 2002, Waking Up in Reno (Brady).

Les succès respectifs de *Dirty Dancing* et de *Ghost* en font une star très en vue. Puis cette idole des jeunes filles en fleur, avec sa crinière blonde et sa belle carrure, casse soudain son image en endossant le rôle principal de *La Cité de la Joie*, d'après l'œuvre de Lapierre et Collins. Cela lui permet de changer de registre, mais le film ne remporte pas le succès escompté...

Swinton, Tilda

Actrice anglaise née en 1960.

1986, Caravaggio (Caravaggio) (Jarman), Egomania — Insel ohne Hoffnung (Schlingensief) ; 1987, The Last of England (The Last of England) (Jarman), Aria (Aria) (sketch D. Jarman), Friendship's Death (Wollen) ; 1988, War Requiem (Jarman) ; 1990, The Garden (The Garden) (Jarman) ; 1991, Edward II (Edward II) (Jarman) ; 1992, The Party : Nature Morte (Beatt), Man to Man (Maybury) ; 1993, Blue (voix seulement) (Jarman) Orlando (Orlando) (Potter), Wittgenstein (Wittgenstein) (Jarman), Remembrance of Things Fast (Maybury) ; 1996, Female Perversions (Streitfeld) ; 1997, Conceiving Ada (Hershman Leeson), Love Is the Devil (Love Is the Devil) (Maybury) ; 1998, The War Zone (The War Zone) (Roth), The Protagonists (Guadagnino) ; 1999, The Beach (La plage) (Boyle), Possible Worlds (Mondes possibles) (Lepage) ; 2002, The War Zone (The War Zone) (Roth) ; 2001, The Deep End (Bleu profond) (McGehee et Siegel) ; 2002, Vanilla Sky (Vanilla Sky) (Crowe) ; 2003, Adaptation (Adaptation) (Jonze) ; 2004, The Statement (Crime contre l'humanité) (Jewison) ; 2005, Constantine (Constantine) (Lawrence), Broken Flowers (Broken Flowers) (Jarmusch) ; 2006, The Chronicles of Narnia (Le monde de Narnia) (Adamson).

Actrice fétiche de Derek Jarman (et du poulain de celui-ci, John Maybury), elle tient le rôle principal d'*Orlando*, d'après Virginia Woolf, personnage mi-homme mi-femme qui traverse les siècles. Une actrice singulière qui ne semble pas vouloir sortir de l'avant-garde théâtrale et cinématographique mais s'offre une incursion chez Disney avec *Narnia*.

Sydow, Max von

Acteur et réalisateur suédois, de son vrai nom Carl Adolf, né en 1929.

1949, Bara en mor (Rien qu'une mère) (Sjoberg) ; 1951, Froken Julie (Mademoiselle Julie) (Sjoberg) ; 1953, Ingen Mans Kvinna (Kjellgrin) ; 1956, Ratten att alska (Pollak) ; 1957, Det sjunde inseglet (Le septième sceau) (Bergman), Prasten i Uddarbo (Le prêtre d'Uddarbo) (K. Fant), Smultronstallet (Les fraises sauvages) (Bergman) ; 1958, Nara Livet (Au seuil de la vie) (Bergman), Spion 503 (Jeppesen) ; 1959, Ansiktet (Le visage) (Bergman), Jungfrukallan (La source) (Bergman) ; 1960, Brollopsdagen (K. Fant) ; 1961, Sosom i en spegel (A travers le miroir) (Bergman), Nils Holgerssons Underbara rosa (Les aventures de Nils Holgersson) (K. Fant), Alskarinnan (La maîtresse) (Sjoman), Nattvard Sgastarna (Les communiants) (Bergman) ; 1964, Uppehall i myrlandet (Séjour dans les marais) (Troell) ; 1965, The Greatest Story Ever Told (La plus grande histoire jamais contée) (Stevens), The Reward (La récompense) (Bourguignon), 4 x 4 (sketch, Troell) ; 1966, Hawai (Hawai) (Roy Hill), The Quiller Memorandum (Le secret du rapport Quiller) (Anderson), Har Har du ditt liv (Les feux de la vie) (Troell) ; 1968, Vargtimmen (L'heure du loup) (Bergman), Svarta Palmkroner (Lindgren), Skammen (La honte) (Bergman) ; 1969, Made in Sweden (Bergenstrahle), En passion (Une passion) (Bergman) ; 1970, The Kremlin Letter (La lettre du Kremlin) (Huston) ; 1971, The Night Visitor (Benedek), Utvandrarna (Les émigrants) (Troell), Nybyggarna (Le nouveau monde) (Troell), The Touch (Le lien) (Bergman), Appelkriget (Danielssen) ; 1972, Embassy (Baraka à Beyrouth) (G. Hessler) ; 1973, The Exorcist (L'exorciste) (Friedkin) ; 1974, Steppenwolf (Le loup des steppes) (Haines), The Ultimate Warrior (New York ne répond plus) (Clouse) ; 1975, Trompe-l'œil (d'Anna), Agget ar lost (Alfredson), Three Days of the Condor (Les trois jours du Condor) (Pollack), Fox Trot (Ripstein) ; 1976, Cadaveri eccelenti (Cadavres exquis) (Rosi), Cuore di cane (Lattuada), Il deserto dei Tartari (Le désert des Tartares) (Zurlini), Voyage of the Damned (Le voyage des damnés) (Rosenberg) ; 1977, Exorcist II The Heretic (L'hérétique) (Boorman), March or die (Il était une fois la Légion) (Richards), The Serpent's Egg (L'œuf du serpent) (Bergman), Gran Bollito (Bolognini) ; 1978, Brass Target (La cible étoilée) (Hough) ; 1979, Hurricane (L'ouragan) (Troell) ; 1980, La mort en direct (Tavernier), Flash Gordon (Flash Gordon) (Hodges), Escape to Victory (A nous la victoire) (Huston), Bugie blanche (Rolla) ; 1981, Conan the Barbarian (Conan le Barbare) (Milius), She Dances Alone (Dornhelm) ; 1982, Ingenjoer Andrees Luftfaerd (Le vol de l'aigle) (Troell), Le cercle des passions (D'Anna), Target Eagle (De la Loma) ; 1983, Never Say Never Again (Jamais plus jamais) (Kershner), Strange Brew (Thomas et Moranis) ; 1984, Dreamscape (Dreamscape) (Ruben), Dune (Dune) (Lynch), The Ice Pirates (Raffill), Target Eagle (Loma) ; 1985, Code Name : Emerald (Singer) ; 1986, Hannah and her Sisters (Hannah et ses sœurs) (Allen), The Wolf at the Door (Gauguin, le loup dans le soleil) (Carlsen), The Second Victory (Thomas), Il pentito (Squitieri) ; 1987, Duet for One (Duo pour une soliste) (Konchalovsky) ; 1988, Quo vadis (Rossi), Pelle erobreren (Pelle le conquérant) (August) ; 1989, Cellini (L'or et le sang) (Battiati), Father (Power) ; 1990, Awakenings (L'éveil) (Marshall), Mio caro Doctor Graesler (Faenza), Una vita scellerata (Battiato) ; 1991, Europa (Europa) (narrateur) (Von Trier), Until the End of the World (Jusqu'au bout du monde) (Wenders), A Kiss Before Dying (Un baiser avant de mourir) (Dearden), Den goda viljan (Les meilleures intentions) (August) ; 1992, Oxen (Nykvist), Morfars resa (Lamm), The Silent Touch (Zanussi) ; 1993, Time is Money (Time is Money) (Barzman), Stephen King's Needful Things (Le bazar de l'épouvante) (Heston) ; 1994, Judge Dredd (Judge Dredd) (Cannon), Atlanten (narrateur) (Roed, Petri, Enquist) ; 1995, Jerusalem (August), Hamsun (Troell), Lumière et compagnie (Moon) ; 1996, Enskilda Samtal (Ullmann) ; 1997, What Dreams May Come (Au-delà de nos rêves) (Ward) ; 1998, Snow Falling on Cedars (La neige tombait sur les cèdres) (Hicks) ; 1999, Vercingétorix (Dorfmann) ; 2000, Non ho sonno (Le sang des innocents) (Argento) ; 2002, Intacto (Intacto) (Fresnadillo), Minority Report (Minority Report) (Spielberg). *Comme réalisateur :* 1988, Ved Vejen/Katinka.

Fils d'un éminent professeur de folklore scandinave, il entre à l'Académie royale d'art dramatique de Stockholm puis va travailler avec le théâtre de Malmoe que dirige Bergman. C'est celui-ci qui va le révéler en lui confiant le rôle du chevalier qui joue aux échecs avec la Mort dans *Le septième sceau*. Il interprétera désormais la plupart des films de Bergman. Sa réputation en fait un artiste international qui va de Paris à Hollywood, de Suède en Italie. Grand, imposant, tout en blondeur, il est voué à jouer aussi bien les aristocrates que les missionnaires, les immigrants du Nouveau Monde que les espions. Superbe empereur Ming, dans *Flash Gordon* où il semble sorti tout droit des dessins de Raymond, il devient quasi incestueux dans le *Cercle des passions*. En vieillissant les rôles de « mauvais » lui semblent régulièrement destinés. Il y met toujours un professionnalisme à toute épreuve.

Sylvia, Gaby

Actrice française, de son vrai nom Gabrielle Zignani, 1920-1980.

1938, Le ruisseau (Lehmann) ; 1939, Derrière la façade (Lacombe), Face au destin (Fescourt), Les surprises de la radio (Paul) ; 1941, Premier bal (Christian-Jaque) ; 1942, Signé illisible (Chamborant) ; 1943, Bonsoir mesdames, Bonsoir messieurs (Tual) ; 1945, La femme fatale (Boyer) ; 1946, Le mariage de Ramuntcho (Vaucorbeil) ; 1947, Le capitaine Blomet (Feix) ; 1948, Métier de fous (Hunebelle), Fantasmi del mare (De Robertis) ; 1949, Mission à Tanger (Hunebelle), Amour et Cie (Grangier) ; 1950, Les femmes sont folles (Grangier), L'amant de paille (Grangier), Avalanche (Segard) ; 1951, Wanda la pécheresse (Coletti) ; 1954, Huis clos (Audry) ; 1955, Les mauvaises rencontres (Astruc) ; 1957, C'est la faute d'Adam (Audry) ; 1959, La bête à l'affût (Chenal) ; 1963, Méfiez-vous, mesdames (Hunebelle) ; 1972, Beau masque (Paul) ; 1977, Nous irons tous au paradis (Robert).

Danseuse puis élève de Raymond Rouleau, elle fait de brillants débuts à la scène dans *Altitude 3200*. Si le cinéma l'attire à partir de 1938, elle conservera toujours une importante activité théâtrale. Jeune première à ses débuts (l'évaporée Danielle, fille de Fernand Ledoux dans *Premier bal*), elle joue ensuite les femmes mûrissantes (*Huis clos, Les mauvaises rencontres*) au cours d'une longue carrière que clôt un accident cérébral.

Sylvie

Actrice française, de son vrai nom Louise Sylvain Mainguené, 1883-1970.

1912, Britannicus (Morlhon) ; 1918, Germinal, La fille du peuple, Ursule Mirouet, Le coupable (Antoine), Marie-Jeanne ; 1920, Roger la honte (Baroncelli) ; 1935, Crime et châtiment (Chenal) ; 1937, Un carnet de bal (Duvivier) ; 1938, L'affaire Lafarge (Chenal), Entrée des artistes (Allégret) ; 1939, La fin du jour (Duvivier), L'esclave blanche (Sorkin) ; 1940, La comédie du bonheur (L'Herbier) ; 1941, Montmartre sur Seine (Lacombe), Romance de Paris (Boyer) ; 1942, L'homme sans nom (Mathot), Marie-Martine (Valentin) ; 1943, Le corbeau (Clouzot) ; 1944, Les anges du péché (Bresson), Le voyageur sans bagages (Anouilh), L'île d'amour (Cam), Le père Goriot (Vernay) ; 1945, Le pays sans étoiles (Lacombe), La route du bagne (Mathot) ; 1946, Miroir (Lamy), Le diable au corps (Autant-Lara), L'idiot (Lampin), Coïncidences (Debecque), On ne meurt pas comme ça (Boyer), Pour une nuit d'amour (Greville) ; 1947, La révoltée (L'Herbier) ; 1948, Deux amours (Pottier), Pattes blanches (Grémillon) ; 1949, La cage aux filles (Cloche) ; 1950, Dieu a besoin des hommes (Delannoy), Sous le ciel de Paris (Duvivier) ; 1951, Le petit monde de Don Camillo (Duvivier) ; 1952, Nous sommes tous des assassins (Cayatte) ; 1953, Thérèse Raquin (Carné) ; Adam et Ève ; 1955, Le dossier noir (Cayatte), Froufrou ; 1956, Michel Strogoff (Gallone), Les truands (Carlo Rim) ; 1957, Le miroir à deux faces (Cayatte) ; 1960, Crésus (Giono) ; 1962, Cronaca familiare (Zurlini) ; 1963, Un château en Suède (Vadim) ; 1964, La vieille dame indigne (Allio).

Elle débuta au temps du muet mais reste l'héroïne d'un seul film : *La vieille dame indigne*, celle qui veut rire au soleil, mince silhouette qui dérange parce qu'elle jette son bonnet aux orties. Mais ne l'oublions pas, elle fut admirable en aveugle qui comprend tout dans *Marie-Martine*, en justicière tout de noir vêtue dans *Le corbeau* qui s'achevait sur l'image de ce spectre, en mère paralysée dans *Thérèse Raquin*. Trois grands rôles parmi d'autres qui montrent l'étendue de son talent.

Szabo, Laszlo

Acteur et réalisateur d'origine hongroise né en 1936.

1959, Les cousins (Chabrol), A double tour (Chabrol) ; 1960, Les bonnes femmes (Chabrol), Le petit soldat (Godard) ; 1961, Ophélia (Chabrol), La poupée (Baratier) ; 1962, Les sept péchés capitaux (sketch Godard) ; 1964, Les plus belles escroqueries du monde (sketch « Le faux-monnayeur charitable », coupé au montage) (Godard) ; 1965, Alphaville (Godard), Pierrot le fou (Godard) ; 1966, Made in USA (Godard) ; 1968, Week-end (Godard) ; 1970, L'aveu (Costa-Gavras) ; 1972, Valparaiso Valparaiso (Aubier), Salut voleurs ! (Cassenti), Le mâle du siècle (Berri) ; 1975, Orökbefogadas (Adoption) (Meszaros) ; 1976, L'affiche rouge (Cassenti) ; 1977, La brigade du point du jour (Richon), Dernière sortie avant Roissy (Paul) ; 1978, La chanson de Roland (Cassenti), Judith Therpauve (Chéreau), Le dossier 51 (Deville), Olyan mint otthon (Comme chez nous) (Meszaros), A kedves somszed (Cher voisin) (Kezdi-Kovacs) ; 1979, Girls (Jaeckin), Rue du pied-de-grue (Grand-Jouan), 1980, Le dernier métro (Truffaut) ; 1981, Une mère, une fille (Meszaros) ; 1982, Passion (Godard) ; 1983, Debout les crabes, la mer monte (Grand-Jouan), The Mysterious Death of Nina Chereau (D. Berry) ; 1984, Liberté, la nuit (Garrel), Les nuits de la pleine lune (Rohmer), L'amour par terre (Rivette), Könnyü testi sertes (Blessures légères) (Szomjas), Paroles et musique (Chouraqui) ; 1985, The Unbearable Lightness of Being (L'insoutenable légèreté de l'être) (Kaufman) ; 1986, Accroche-cœur (Picault), Le testament d'un poète juif assassiné (Cassenti) ; 1988, Coupe franche (Sauné), Les flotteurs (Elek), La femme de paille (Schiffmann), Pleure pas my love (Gatlif), Tolérance (Salfati) ; 1989, L'orchestre rouge (Rouffio) ; 1991, Rome Roméo (Fleischer) ; 1992, La sentinelle (Desplechin), Grand bonheur (Le Roux) ; 1994, L'eau froide (Assayas), Le fils de Gascogne (Aubier), Haut bas fragile (voix seulement) (Rivette) ; 1995, Les enfants jouent à la Russie (Godard), The Hurdy-Gurdy Man (Von Dettre) ; 1997, Mange ta soupe (Amalric) ; 1998, Place Vendôme (Garcia) ; 1999, Esther Kahn (Desplechin) ; 2000, On appelle ça... le printemps (Le Roux) ; 2001, Torzók (Sopsits), Comme un avion (Pisier) ; 2002, C'est le bouquet (Labrune) ; 2003, Léo en jouant « Dans la compagnie des hommes » (Desplechin). *Pour le metteur en scène*, voir le *Dictionnaire du cinéma*, t. I : *Les réalisateurs*.

Peu connu du grand public, ce sympathique acteur au physique passe-partout et à l'éternel accent fut révélé par Godard pour qui il devient un acteur fétiche. Après avoir connu les beaux jours de la nouvelle vague, il a surtout joué les seconds rôles dans des films d'art et d'essai.

T

Taghmaoui, Saïd

Acteur français né en 1973.

1995, La haine (Kassovitz) ; 1997, Héroïnes (Krawczyk), Go for Gold ! (Go for Gold !) (Segura) ; 1998, I giardini dell'Eden (D'Alatri), Hideous Kinky (Marrakech express) (McKinnon), Onorevoli detenuti (Planta) ; 1999, Prima del tramonto (Incerti), Three Kings (Les rois du désert) (O. Russell), La taule (Robak) ; 2000, Nationale 7 (Sinapi), Ali Zaoua (Ayouch), Le petit Poucet (Dahan), Room to Rent (Al-Haggar) ; 2001, Gamer (Fishman), Confession d'un dragueur (Soral), Absolument fabuleux (Aghion) ; 2002, Entre chiens et loups (Arcady) ; 2003, Spartan (Spartan) (Mamet), Wanted (Mirman), The Good Thief (L'homme de la riviera) (Jordan), I Heart Huckabees (J'adore Huckabees) (O. Russell) ; 2006, Ô Jérusalem (Chouraqui).

Depuis son rôle marquant de petite « caillera » de banlieue dans *La haine*, il incarne avec panache la naissance artistique de la génération beur, veillant à ne pas se laisser enfermer dans un ghetto. Exilé volontaire en Italie, on le retrouve en tortionnaire irakien, aux côtés de George Clooney, dans *Les rois du désert*. Dans *Nationale 7*, il est à la fois handicapé, gay, fan de Johnny et musulman qui se convertit au catholicisme ! Un rôle archétypal pour un comédien multiple.

Tallier, Armand

Acteur français, 1887-1958.

1911, La camargue (Pouctal), Paraître (Chaillot) ; 1917, Mater Dolorosa (Gance) ; 1918, Les travailleurs de la mer (Antoine), Simone (Morlhon) ; 1920, Mathias Sandorf (Fescourt) ; 1922, Jocelyn (Poirier) ; 1924, La brière (Poirier), Le soleil de minuit (Garrick) ; 1926, La chaussée des géants (Durand).

Séducteur des débuts du cinéma, il se retira des écrans pour fonder le studio des Ursulines en 1926 avec Laurence Myrga puis le studio des Agriculteurs.

Tallier, Nadine

Actrice française née en 1932.

1950, Boniface somnambule (Labro) ; 1951, Nez de cuir (Allégret) ; 1952, Coiffeur pour dames (Boyer) ; 1953, Ma petite folie (Labro), Femmes de Paris (Boyer), Les hommes ne pensent qu'à ça (Y. Robert) ; 1955, Madame du Barry (Christian-Jaque), Vous pigez ? (Chevalier), Chantage (Lefranc) ; 1956, Ce soir les jupons volent (Kirsanoff), Miss Catastrophe (Kirsanoff), Voici le temps des assassins (Duvivier), En effeuillant la marguerite (Allégret), Les truands (Rim), Folies-Bergère (Decoin), Fernand cow-boy (Lefranc), L'homme et l'enfant (André), Cinq millions comptant (Berthomieu) ; 1957, Comme un cheveu sur la soupe (Régamey), En bordée (Francis), Donnez-moi ma chance (Moguy) ; 1958, Cigarettes, whisky et petites pépées (Régamey), Les grandes familles (La Patellière), Girls at Sea (Gunn) ; 1959, Deuxième bureau contre terroristes (Stelli), Les Cobardes (Thorry), Visa pour l'enfer (Rode), The Treasure of San Teresa (Rakoff) ; 1961, Deuxième bureau contre terroristes (Stelli) ; 1963, Une ravissante idiote (Molinaro).

Elle s'est perdue dans la pire production des années 50, indigne de son talent, et s'est retirée au début des années 60.

Talmadge, Norma

Actrice américaine, 1897-1957.

Principaux films : 1910, Heart of the Hill, A Dixie Mother ; 1911, A Tale of Two Cities (Blackton), Nellie the Model, Forgotten, Sky Pilot, The Thumb Print ; 1912, The First Violin, Mrs Carter's Necklace, Captain Barnacle's Waif ; 1913, The Blue Rose ; 1914, Sawdust and Salome, The Hero, John Rance Gentleman, Goodbye Summer, Politics and the Press, Daughter of Israel ; 1915, Broken Links (Ingraham), Mary Carstairs, The Pillar of Flame ; 1916, The Children in the House (Ingraham), The Social Secretary (Ingraham) ; 1917, Panthea, The Secret of Storm Country ; 1918, The Ghost of Yesterday (Le fantôme du passé) (R. Hughes), Poppy, The Lone Wolf, De Luxe Annie, The Safety Curtain, The Heart of Wetona, Salome, By Right of Purchase, Her Only Way ; 1919, The Way of a Woman, The Isle of Conquest, The Branded Woman ; 1920, The Loves and Lies, The Woman Gives, A Daughter of Two Worlds (Parker), Yes or No, The Right of Way ; 1921, Love's Redemption (Parker), The Passion Flower (Brenon), The Sign on the Door (Brenon), The Wonderful Thing (Brenon) ; 1922, The Eternal Flame (La duchesse de Langeais) (Lloyd), Smiling Through (Franklin) ; 1923, Ashes of Vengeance (Cendres de vengeance) (Lloyd), The Song of Love (Borzage), Within the Law (Lloyd), The Voice from the Minaret (Lloyd) ; 1924, Secrets (Borzage), The Only Woman (Olcott), In Hollywood with Potash and Perlmutter (Green) ; 1925, The Lady (Sa vie) (Borzage), Graustark (Buchowetzki) ; 1926, Kiki (Brown) ; 1927, Camille (La dame aux camélias) (Niblo), The Dove (West) ; 1928, Show People (Vidor), Woman Disputed (King) ; 1929, New York Nights (Milestone) ; 1930, Du Barry (S. Taylor).

Sœur de Constance (1898-1973), l'interprète d'*Intolerance* et de *The Habit of the Happiness*, et de Natalie (1899-1973), autres stars du muet, cette belle brune tourna énormément de moyens métrages entre 1911 et 1916. On n'en a donné que quelques titres ici. Après 1916 (la liste de ses films est complète), elle règne sur Hollywood. Olcott, Niblo, Lloyd, Franklin, Milestone la dirigent. Elle est la dame aux camélias, madame du Barry... Mais son accent de Brooklyn ne lui permet pas de supporter l'avènement du parlant. Elle se retire et mourra bien plus tard d'une congestion cérébrale.

Tamblyn, Russ

Acteur américain né en 1934.

1948, The Boy With Green Hair (Le garçon aux cheveux verts) (Losey) ; 1949, Reign of Terror (Le livre noir) (Mann), Gun Crazy (Le démon des armes) (Lewis), Samson and Delilah (Samson et Dalila) (DeMille), The Kid from Cleveland (Kline), Captain Carey U.S.A. (Leisen) ; 1950, The Father of the Bride (Le père de la mariée) (Minnelli), The Vicious Years (Florey) ; 1951, Father's Little Dividend (Allons donc papa) (Minnelli), As Young as You Feel (Jones) ; 1952, The Winning Team (Seiler), Retreat Hell (Lewis) ; 1953, Take the High Ground (Sergent la Terreur) (Brooks) ; 1954, Seven Brides for Seven Brothers (Les sept femmes de Barberousse) (Donen) ; 1955, Many Rivers to Cross (L'aventure fantastique) (Rowland), Hit the Deck (La fille de l'amiral) (Rowland) ; 1956, The Last Hunt (La dernière chasse) (Brooks), The Fastest Gun Alive (La première balle tue) (Rouse), The Young Guns (Band) ; 1957, Peyton's Place (Les plaisirs de l'enfer) (Robson), Don't Go Near the Water (Walters) ; 1958, High School Confidential (Arnold), Tom Thumb (Tom Pouce) (Pal) ; 1960, Cimarron (La ruée vers l'Ouest) (Mann) ; 1961, West Side Story (West Side Story) (Wise) ; 1962, The Wonderful World of the Brothers Grimm (Les amours enchantées) (Levin), How the West Was Won (La conquête de l'Ouest) (Marshall, Hathaway, Ford) ; 1963, Follow the Boys (En suivant mon cœur) (Thorpe), The Long Ships (Les drakkars) (Cardiff), The Haunting (La maison du diable) (Wise) ; 1964, Son of a Gunfighter (Landres) ; 1966, Furankenshutain no kaiju (La guerre des monstres) (Honda) ; 1970, Dracula vs. Frankenstein (Adamson) ; 1971, The Last Movie (Hopper) ; 1972, The Female Bunch (Les amazones du désir) (Adamson) ; 1975, Win, Place or Steal (Bailey) ; 1976, Black Heat (Adamson) ; 1982, Human Highway (Young et Stockwell) ; 1985, The Fantasy Film World of George Pal (Leibovit) ; 1987, Cyclone (Olen Ray), Blood Screams (Gebhard), Commando Squad (Olen Ray) ; 1989, Necromancer (Nelson), B.O.R.N. (Hagen), The Phantom Empire (Olen Ray) ; 1990, Aftershock (Harris) ; 1991, Wizards of the Demon Sword (Olen Ray) ; 1994, Cabin Boy (Resnick) ; 1997, Invisible Dad (Olen Ray), Ghost Dog (Putch), Little Miss Magic (Olen Ray).

Acteur enfant surdoué, il se révèle un prodigieux danseur dans les comédies musicales de la MGM, où son agilité abolit les limites de la pesanteur, avant de laisser éclater totalement son talent dans *West Side Story*. Il s'égara par la suite dans de petits westerns et des films de série Z.

Tamiroff, Akim

Acteur américain, 1898-1972.

1932, Okay America (Garnett) ; 1933, Storm at Daybreak (Boleslavsky), Gabriel over the White House (La Cava), Fugitive Lovers (Boleslavsky), Queen Christina (La reine Christine) (Mamoulian), The Devil's in Love (Dieterle) ; 1934, Sadie McKee (Brown), The Great Flirtation (Ratoff), Chained (Brown), The Merry Widow (La veuve joyeuse) (Lubitsch), The Scarlet Empress (L'impératrice rouge) (Sternberg), Now and Forever (C'est pour toujours) (Hathaway), Here Is My Heart (Tuttle), Wonder Bar (Wonder Bar) (Bacon), The Winning Ticket (Reisner), Lives of a Bengal Lancer (Les trois lanciers du Bengale) (Hathaway), Murder in the Private Car (Beaumont), The Captain Hates the Sea (Milestone), Whom the Gods Destroy (W. Lang) ; 1935, Black Fury (Furie noire) (Curtiz), China Seas (La malle de Singapour) (Garnett), Rumba (Gering), Paris in Spring (Milestone), Reckless (Fleming), The Gay Deception (Wyler), Go Into Your Dance (Mayo), The Last Outpost (Gasnier), Two Fisted (Cruze), Naughty Marietta (La fugue de Marietta) (Van Dyke), Black Sheep (Dwan), The Big Broadcast of 1936 (Leisen) ; 1936, Woman Trap (H. Young), The General Died at Dawn (Le général est mort à l'aube) (Milestone), Desire (Désir) (Borzage), Anthony Adverse (LeRoy), The Story of Louis Pasteur (La vie de Louis Pasteur) (Dieterle), The Jungle Princess (Hula, fille de la brousse) (W. Thiele) ; 1937, King of Gamblers (L'homme qui terrorisait New York) (Florey), Her Husband Lies (Ludwig), High, Wide and Handsome (La furie de l'or noir) (Mamoulian), The Soldier and the Lady (Nicholls Jr.), The Great Gambini (C. Vidor), This Way Please (Florey) ; 1938, Spawn of the North (Les gars du large) (Hathaway), Dangerous to Know (Florey), The Buccaneer (Les flibustiers) (DeMille), Paris Honeymoon (Tuttle), Ride a Crooked Mile (Green) ; 1939, Disputed Passage (Borzage), Union Pacific (Pacifique Express) (DeMille), King of Chinatown (Grinde), Honeymoon in Bali (Griffith) ; 1940, Geronimo (Geronimo) (Sloan), Untamed (Archainbaud), The Way of All Flesh (L. King), North-West Mounted Police (Les tuniques écarlates) (DeMille), Texas Rangers Ride Again (Hogan) ; 1941, New York Town (Ch. Vidor) ; The Corsican Brothers (Les frères corses) (Ratoff) ; 1942, Tortilla Flat (Fleming), Are Husbands Necessary ? (Taurog) ; 1943, His Butler's Sister (La sœur de mon valet) (Borzage), Five Graves to Cairo (Les cinq secrets du désert) (Wilder), For Whom the Bell Tolls (Pour qui sonne le glas) (Wood) ; 1944, Dragon Seed (Les fils du dragon) (Bucquet, Conway), The Miracle of Morgan's Creek (Miracle au village) (Sturges), The Bridge of San Luis Rey (Lee), Can't Help Singing (Ryan) ; 1945, Pardon My Past (Fenton) ; 1946, A Scandal in Paris (Sirk) ; 1947, The Gangster (Un gangster pas comme les autres) (Wiles), Fiesta (Señorita Toreador) (Thorpe) ; 1948, Relentless (G. Sherman), My Girl Tisa (Nugent), Tenth Avenue Angel (Rowland) ; 1949, Black Magie (Cagliostro) (Ratoff), Outpost in Morocco (Florey) ; 1953, Desert Legion (La légion du Sahara) (Pevney) ; 1954, You Know What Sailors are (Annakin), They Who Dare (Milestone) ; 1955, Mr. Arkadin (M. Arkadin) (Welles) ; 1956, The Black Sleep (Le Borg), Anastasia (Anastasia) (Litvak), Cartouche (Sekely) ; 1957, Yangtse Incident (Anderson) ; 1958, Touch of Evil (La soif du mal) (Welles), Me and the Colonel (Moi et le colonel) (Glenville) ; 1959, Desert Desperadoes (Sekely) ; 1960, Le baccanti (Ferroni), Ocean's Eleven (L'inconnu de Las Vegas) (Milestone), Romanoff and Juliet (Ustinov) ; 1961, Il giudizio universale (Le Jugement dernier) (De Sica), I briganti italiani (Camerini), Ursus e la regazza tartara (Del Grosso), With Fire and Sword (Cerchio) ; 1962, The Reluctant Saint (Miracle à Cupertino) (Dmytryk), Una regina per Cesare (Cléopâtre, une reine pour César) (Tourjansky), The Trial (Le procès) (Robson) ; 1963, La tulipe noire (Christian-Jaque), Panic Button (G. Sherman) ; 1964, Topkapi (Topkapi) (Dassin), La fabuleuse aventure de Marco Polo (La Patellière), Le bambole (Les poupées) (Bolognini) ; 1965, Lord Jim (Lord Jim) (Brooks), Marie-Chantal contre le docteur Kha (Chabrol), Alphaville (Godard), The Liquidator (Cardiff), Par un beau matin d'été (Deray) ; 1966, Chimes at Midnight (Falstaff) (Welles), Lt Robinson Crusoe, U.S.N. (Byron Paul), Caccia alla volpe (Le renard s'évade à trois heures) (De Sica), The Vulture (Huntington), Hotel Paradiso (Paradiso, hôtel du libre-échange) (Glenville), I nostri mariti (D'Amico) ; 1968, The Great Catherine (La grande Catherine) (Flemyng), Justine (Les infortunes de la vertu) (Franco) ; 1969, The Great Bank Robbery (Le plus grand des hold-up) (Averback), Sabra (Wicki).

D'origine russe, il se fixe aux États-Unis à la faveur d'une tournée théâtrale. Passé à Hollywood, cette rondeur slave va jouer les Mexicains, les Espagnols, les Italiens et même les Chinois. Remarqué dans *Le général est mort à l'aube*, en seigneur de la guerre, il est excellent en républicain espagnol dans *Pour qui sonne le glas*, mais c'est Welles qui lui donne ses deux meilleurs rôles, le Jacob Zouk de *Mr. Arkadin* et le trafiquant de drogue Joe Grandi dans *Touch of Evil*. Godard lui rendit hommage en l'engageant pour *Alphaville*. Tamiroff traîna en Italie, en France et en Angleterre, jouant dans de médiocres productions en attendant que Welles ait trouvé l'argent nécessaire pour finir son *Don Quichotte*, Tamiroff y était Sancho Pança. La mort le surprit avant que le tournage ait repris.

Tanaka, Kinuyo

Actrice et réalisatrice japonaise, 1909-1977.

Principaux films : 1924, Une femme de l'époque (Nomura) ; 1927, Rêve intime (Gosho) ; 1933, La danseuse d'Izu (Gosho) ; 1940, Une femme d'Osaka (Mizogushi) ; 1948, Femmes de la nuit (Mizoguchi) ; 1950, Les sœurs Munakata (Ozu) ; 1951, Miss Oyu (Mizoguchi), La dame de Musashino (Mizoguchi) ; 1952, La vie de O'Haru, femme galante (Mizogushi) ; 1953, Les contes de la lune vague après la pluie (Mizogushi) ; 1954, La mère (Naruse), L'intendant Sansho (Mizogushi) ; 1958, Fleurs d'équinoxe (Ozu) ; 1965, Barberousse (Kurosawa). *Comme réalisatrice :* 1953, Koibumi ; 1962, Ogin-Sama.

Symbole du cinéma japonais elle a débuté avec Gosho puis tourné avec tous les grands réalisateurs : Ozu, Shimazu et surtout Mizogushi, rencontré pendant la guerre et avec lequel elle tourna plusieurs chefs-d'œuvre. Souvent « engagée », Kinuyo Tanaka a mis en scène plusieurs films, ce qui provoqua sa rupture avec Mizogushi.

Tandy, Jessica

Actrice américaine d'origine anglaise, 1909-1994.

1932, The Indiscrections of Eve (Lewis) ; 1938, Murder in the Family (Parker) ; 1944, The Seventh Cross (La septième croix) (Zinnemann) ; 1945, The Valley of Decision (La vallée du jugement) (Garnett) ; 1946, Dragonwyck (Le château du dragon) (Mankiewicz), The Green Years (Les vertes années) (Saville) ; 1947, Forever Amber (Ambre) (Preminger), A Woman's Vengeance (Vengeance de femme) (Korda) ; 1950, September Affair (Les amants de Capri) (Dieterle) ; 1951, The Desert Fox (Le renard du désert) (Hathaway) ; 1958, The Light in the Forest (Daugherty) ; 1962, Hemingway's Adventures of a Young Man (Aventures de jeunesse) (Ritt) ; 1963, The Birds (Les oiseaux) (Hitchcock) ; 1974, Butley (Butley) (Pinter) ; 1981, Honky Tonk Freeway (Schlesinger) ; 1982, The World According to Garp (Le monde selon Garp) (Roy Hill), Still of the Night (La mort aux enchères) (Benton), Best Friends (Les meilleurs amis) (Jewison) ; 1984, The Bostonians (Le Bostoniennes) (Ivory) ; 1985, Cocoon (Cocoon) (Howard) ; 1987, Batteries not Included (Miracle sur la 8e rue) (Robbins) ; 1988, Cocoon : the Return (Cocoon, le retour) (Petrie), The House on Caroll Street (Une femme en péril) (Yates) ; 1989, Driving Miss Daisy (Miss Daisy et son chauffeur) (Beresford) ; 1991, Fried Green tomatoes at the Whistle Stop Café (Beignets de tomates vertes) (Avnet) ; 1992, Used People (4 New-Yorkaises) (Kidron) ; 1994, Nobody's Fool (Un homme presque parfait) (Benton), Camilla (Mehta).

Figure illustre du théâtre américain, interprète de la plupart des rôles d'héroïnes shakespeariennes, et créatrice sur scène du rôle de Blanche DuBois dans *Un tramway nommé désir*, le cinéma n'a fait appel à elle qu'occasionnellement, mais elle obtint en 1989 l'oscar de la meilleure actrice pour son rôle de *Miss Daisy et son chauffeur*. Une consécration populaire tardive (à quatre-vingts ans !) qui permit de la revoir plusieurs fois en haut de l'affiche. Elle était mariée à l'acteur Hume Cronyn depuis 1942.

Tani, Yoko

Actrice d'origine japonaise, de son vrai nom Itani, 1928-1999.

1945, Ali Baba et les quarante voleurs (Becker), Les clandestines (André), Interdit de séjour (Canonge), Marchandes d'illusions (André), Les pépées font la loi (André), Le port du désir (Greville) ; 1955, A la manière de Sherlock Holmes (Lepage), Paris coquin (Gaspard-Huit), Gueule d'ange (Blistène), The Ambassador's Daughter (La fille de l'ambassadeur) (Krasna) ; 1956, Mannequins de Paris (Hunebelle), Prison de femmes (Husamatsu), La jeunesse aux pieds nus (Taniguchi) ; 1957, Fire in the Flesh (La fille de feu) (Rode), Les œufs de l'autruche (La Patellière), The Quiet American (Un Américain bien tranquille) (Mankiewicz) ; 1958, The Wind Cannot Read (Le vent ne sait pas lire) (Thomas) ; 1959, Der Schweigende Stern (Maetzig), The Savage Innocents (Les dents du diable) (Ray) ; 1960, Piccadilly Third Stop (Rilla) ; 1961, My Geisha (Ma geisha) (Cardiff), Ursus e la ragazza tartara (La fille des tartares) (Del Grosso), Maciste alla corte del gran Khan (Le géant à la cour de Kublai Khan) (Freda), Marco Polo (Marco Polo)

(Fregonese, Pierotti) ; 1962, The Sweet and the Bitter (Clavell) ; 1963, Who's Been Sleeping in my Bed ? (Mercredi soir, 9 heures) (Mann), The Partner (Glaister) ; 1964, Die Todes Strahlen des Dr. Mabuse (Mission spéciale au deuxième bureau) (Fregonese), Un aero per Baalbeck (Dernier avion pour Baalbeck) (Fregonese), Bianco, rosso, giallo, rosa (sketch Mida) ; 1965, OSS 117 operazione fior di loto (Tonnerre sur Pékin) (Paolinelli), Le spie amano i fiori (Des fleurs pour un espion) (Lenzi), Agente Z55 missione disperata (Agent Z55 mission désespérée) (Bianchi, sous le pseudonyme de White), Goldsnake « Anonima Killers » (Mission suicide à Singapour) (Baldi) ; 1966, Invasion (Bridges), Le sette cinesi d'oro (Cascino) ; 1977, Ça fait tilt ! (Hunebelle).

Née en France d'un père ambassadeur, cette jolie Japonaise travaille comme mannequin, strip-teaseuse et modèle avant de débuter au théâtre (*La petite maison de thé*, en 1955) et au cinéma. Mariée à Roland Lesaffre, elle devient vedette en interprétant de douces Asiatiques dans bon nombre de films de facture assez honnête, avant de se remarier avec l'Américain Hugo Fregonese, qui ne la fait tourner que dans de médiocres séries B. Elle abandonne définitivement l'écran au début des années 70 pour se consacrer à la peinture.

Tarantino, Quentin

Réalisateur et acteur américain né en 1963.

1992, Reservoir Dogs (Reservoir Dogs) (Tarantino) ; 1993, Eddie Presley (Burr) ; 1994, Somebody to Love (Somebody to Love) (Rockwell), Pulp Fiction (Pulp Fiction) (Tarantino), Sleep With Me (Sleep With Me) (Kelly) ; 1995, Desperado (Desperado) (Rodriguez), Destiny Turns On the Radio (Baran), Four Rooms (sketch Tarantino) ; 1996, Girl 6 (Girl 6) (Lee), From Dusk Till Dawn (Une nuit en enfer) (Rodriguez), Full Tilt Boogie (Kelly) ; 2000, Little Nicky (Little Nicky) (Brill). *Pour le metteur en scène*, voir le *Dictionnaire du cinéma*, t. I : *Les réalisateurs*.

Passé en quelques années du statut de vendeur dans un magasin vidéo à celui de réalisateur culte palmé à Cannes, Tarantino a montré sa bobine élastique dans quelques films, souvent dans des petits rôles (savoureux dans *Sleep With Me*), parfois dans de plus importants (un des deux méchants d'*Une nuit en enfer*). Si l'acteur n'est pas inoubliable, ses propres films méritent nettement plus d'attention.

Tarride, Abel

Acteur français, 1865-1951.

1920, Pour Don Carlos (Lasseyne) ; 1930, Le roi des resquilleurs (Colombier) ; 1932, Embrassez-moi (Mathot), Le chien jaune (Tarride) ; 1933, Matricule 33 (Anton), Les ailes brisées (Berthomieu), Liebelei (Ophuls) ; 1934, Aux portes de Paris (Barrois), L'aventurier (L'Herbier) ; 1935, Jérôme Perreau (Gance), Un homme de trop à bord (Lamprecht et Le Bon), Vogue mon cœur (Daroy) ; 1936, Maria de la nuit (Rozier), Notre Dame d'amour (Caron), Les deux gamines (Hervil et Champreux), Les demi-vierges (Caron), Nitchevo (Baroncelli), Blanchette (Caron) ; 1937, La bataille silencieuse (Billon), L'habit vert (Richebé) ; 1945, Nuits d'alerte (Mathot).

Particularité : fut le premier Maigret à l'écran dans *Le chien jaune* que dirigeait son fils.

Tate, Sharon

Actrice anglaise, 1943-1969.

1967, Eye of the Devil (L'œil du malin) (Lee-Thompson), Valley of the Dolls (Robson), Don't Make Waves (Comment réussir en amour sans se fatiguer) (Mackendrick), The Fearless Vampire Killers (Le bal des vampires) (Polanski) ; 1969, The Wrecking Crew (Matt Helm règle son compte) (Karlson), 12 + 1 (Gessner).

Cette ravissante actrice fut la victime d'un meurtre horrible alors qu'elle était enceinte. Elle était l'épouse du réalisateur Polanski.

Tati, Jacques

Acteur et réalisateur français, de son vrai nom Tatischeff, 1908-1982.

1945, Sylvie et le fantôme (Autant-Lara) ; 1946, Le diable au corps (Autant-Lara) ; 1949, Jour de fête (Tati) ; 1953, Les vacances de Monsieur Hulot (Tati) ; 1958, Mon oncle (Tati) ; 1967, Playtime (Tati) ; 1971, Trafic (Tati) ; 1973, Parade (Tati). *Pour le metteur en scène*, voir le *Dictionnaire du cinéma*, t. I : *Les réalisateurs*.

L'importance du père de *M. Hulot* n'est plus à démontrer sur le plan de la réalisation. Grand, fort, empêtré de lui-même, l'acteur a toujours déployé une nonchalance pleine de charme, un humour tout à la fois glacé et poétique, une maladresse physique qui ravit. Autant-Lara eut le mérite de lui donner sa chance.

Tautou, Audrey

Actrice française née en 1978.

1998, Vénus Beauté (Institut) (Marshall) ; 2000, Épouse-moi (Marin), Voyous Voyelles (Meynard), Le libertin (Aghion), Le battement d'ailes du papillon (Firode), Dieu est grand et je suis toute petite (Bailly), Le fabuleux destin d'Amélie Poulain (Jeunet) ; 2001, L'auberge espagnole (Klapisch), A la folie... pas du tout (Colombani) ; 2002, Dirty Pretty Things (Loin de chez eux) (Frears) ; 2003, Nowhere to Go But Up (Happy End) (Kollek), Les marins perdus (Devers), Pas sur la bouche (Resnais) ; 2004, Un long dimanche de fiançailles (Jeunet) ; 2005, Les poupées russes (Klapisch) ; 2006, Da Vinci Code (Da Vinci Code) (Howard), Hors de prix (Salvadori) ; 2007, Ensemble, c'est tout (Berri).

Trois films ont fait sa réputation : remarquée dans *Vénus Beauté*, émouvante dans *Dieu est grand*, elle atteint le mythe avec Amélie Poulain, qui veut faire le bonheur des gens. On la retrouve chez Frears en immigrée orientale à Londres, puis à la recherche de son fiancé disparu pendant la guerre 14-18 ; elle est elle-même la descendante de Jésus dans *Da Vinci Code*.

Tavernier, Nils

Acteur et réalisateur français né en 1965.

1977, Des enfants gâtés (Tavernier) ; 1981, Une semaine de vacances (Tavernier) ; 1982, Coup de foudre (Kurys) ; 1986, Les mois d'avril sont meurtriers (Heynemann) ; 1987, La passion Béatrice (Tavernier) ; 1988, La lumière du lac (C. Comencini), Une affaire de femmes (Chabrol), Mon bel amour ma déchirure (Pinheiro) ; 1989, The Man Inside (L'affaire Wallraff) (Roth), Valmont (Valmont) (Forman) ; 1990, Sale comme un ange (Breillat) ; 1991, Sissi und der Kaiserküss (Sissi, la valse des cœurs) (Boll), L. 627 (Tavernier) ; 1993, Mina Tannenbaum (Dugowson) ; 1994, La fille de D'Artagnan (Tavernier) ; 1997, « Post coïtum, animal triste » (Roüan), Un frère... (Verheyde). *Comme réalisateur :* 2000, Tout près des étoiles ; 2006, Aurore.

Fils de Bertrand Tavernier pour lequel il tourne alors qu'il est encore enfant, puis adolescent, il tient son premier grand rôle toujours pour ce dernier dans *La passion Béatrice*. Par la suite, une carrière en dents de scie où ses rôles dans les films de son père restent les plus notables. Néanmoins, ce comédien au physique de jeune premier tenait le rôle d'un écrivain en manque d'inspiration dans le deuxième film de Brigitte Roüan. Il a également réalisé des courts métrages et des documentaires : *Tout près des étoiles* est consacré aux danseurs de l'Opéra.

Taylor, Elizabeth

Actrice d'origine anglaise née en 1932.

1942, There's One Born Every Minute (H. Young), Lassie Come Home (Fidèle Lassie) (Wilcox) ; 1944, Jane Eyre (Stevenson), The White Cliffs of Dover (Les blanches falaises de Douvres) (Brown), National Velvet (Le grand National) (Brown) ; 1946, Courage of Lassie (Le courage de Lassie) (Wilcox) ; 1947, Cynthia (Leonard), Life with Father (Mon père et nous) (Curtiz) ; 1948, A Date With Judy (Ainsi sont les femmes) (Thorpe), Julia Misbehaves (La belle imprudente) (Conway) ; 1949, Little Women (Les quatre filles du docteur March) (LeRoy) ; 1950, The Big Hangover (Krasna), Conspirator (Guet-apens) (Saville), The Father of the Bride (Le père de la mariée) (Minnelli) ; 1951, A Place in the Sun (Une place au soleil) (Stevens), Father's Little Dividend (Allons donc Papa) (Minnelli) ; 1952, Love Is better than Ever (Donen), Ivanohé (Thorpe) ; 1953, The Girl Who Had Everything (La fille qui avait tout) (Thorpe), Elephant Walk (La piste des éléphants) (Dieterle) ; 1954, Rhapsody (Rhapsodie) (Vidor), The Last Time I Saw Paris (La dernière fois que j'ai vu Paris) (Brooks), Beau Brummel (Le beau Brummel) (Bernhardt) ; 1956, Giant (Géant) (Stevens) ; 1957, Raintree County (L'arbre de la vie) (Dmytryk) ; 1958, Cat on a Hot Tin Roof (La chatte sur un toit brûlant) (Brooks) ; 1959, Suddenly Last Summer (Soudain l'été dernier) (Mankiewicz) ; 1960, Butterfield 8 (La Vénus au vison) (D. Mann) ; 1963, Cleopatra (Cléopâtre) (Mankiewicz), The VIP's (Hôtel international) (Asquith) ; 1965, The Sandpiper (Le chevalier des sables) (Minnelli) ; 1966, Who's Afraid of Virginia Woolf (Qui a peur de Virginia Woolf ?) (Nichols) ; 1967, The Comedians (Les comédiens) (Glenville), The Taming of the Shrew (La mégère apprivoisée) (Zeffirelli), Reflections in a Golden Eye (Reflets dans un œil d'or) (Huston) ; 1968, Doctor Faustus (Burton), Boom (Losey), Secret Ceremony (Cérémonie secrète) (Losey) ; 1969, Anne of the Thousand Days (Anne des mille jours) (Jarrott) ; 1970, The Only Game in Town (Las Vegas, un couple) (Stevens) ; 1971, Zee and Co (Une belle tigresse) (Hutton), Under Milk Wood (Sinclair) ; 1972, Hammersmith Is Out (Ustinov) ; 1973, Night Watch (Terreur dans la nuit) (Hutton), Ash Wednesday (Noces de cendre) (Peerce) ; 1974, Identikit (Patroni-Griffi) ; 1976, Victory at Entebbe (Victoire à Entebbé) (Chomsky),

The Blue Bird (L'oiseau bleu) (Cukor) ; 1977, A Little Night Music (Petite musique de nuit) (Prince) ; 1978, Return Engagement (Hardy) ; 1979, Winter Kills (Richert) ; 1980, The Mirror Crak'd (Le miroir se brisa) (Hamilton) ; 1986, Between Friends (Antonio) ; 1988, Young Toscanini (Zeffirelli) ; 1994, The Flintstones (La famille Pierrafeu) (Levant).

Dernière des grandes stars de Hollywood, elle remplit la presse de ses caprices et de ses amours (elle fut mariée à Nicky Hilton, Michaël Wilding, Michaël Todd, Eddie Fisher, Richard Burton, John Warner...). Mais cette vie privée orageuse ne doit pas dissimuler les talents de l'actrice qui débuta à dix ans sur un plateau. Elle fut remarquable dans *Une place au soleil* ou *Soudain l'été dernier*. Hollywood la consacra d'ailleurs par deux oscars ; celui de 1960 pour *Butterfield 8* et celui de 1966 pour *Who's Afraid of Virginia Woolf ?* Dans *Trente ans de cinéma américain*, Coursodon et Tavernier dénoncent sa vulgarité. Force est de reconnaître qu'à partir de *Cléopâtre*, mais surtout après 1970, son jeu se fait plus appuyé en même temps que la radieuse beauté de l'adolescente s'efface, moins sous les effets inévitables de l'âge que des excès de toute sorte. Une certaine « aura » demeure pourtant et Elizabeth Taylor continue à fasciner son public.

Taylor, Lili

Actrice américaine née en 1967.

1988, Mystic Pizza (Mystic Pizza) (Petrie), She's Having a Baby (La vie en plus) (Hughes) ; 1989, Born on a Fourth of July (Né un 4-juillet) (Stone), Say Anything (Crowe) ; 1990, Bright Angel (Fields) ; 1991, Dogfight (Savoca) ; 1992, Arizona Dream (Kusturica) ; 1993, Watch It (Flynn), Short Cuts (Short Cuts) (Altman), Rudy (Anspaugh), Household Saints (Savoca) ; 1994, Mrs Parker and the Vicious Circle (Mrs Parker et le Cercle Vicieux) (Rudolph), Ready to Wear (Prêt-à-porter) (Altman) ; 1995, Four Rooms (Tarantino, Anders, Rockwell, Rodriguez), The Addiction (The Addiction) (Ferrara), Cold Fever (Cold Fever) (Fridriksson), Killer : A Journal of Murder (Metcalfe), I Shot Andy Warhol (Harron), Girlstown (McKay), Things I Never Told You (Des choses que je ne t'ai jamais dites) (Coixet) ; 1996, Ransom (La rançon) (Howard), Illtown (Gomez), OK Garage (Cole) ; 1997, Kicked in the Head (Harrison) ; 1998, The Impostors (Les imposteurs) (Tucci), Pecker (Pecker) (Waters), Spring Forward (Gilroy), A Slipping Down Life (Kalem) ; 1999, The Haunting (Hantise) (De Bont), High Fidelity (High Fidelity) (Frears) ; 2000, Julie Johnson (Gosse), Gaudi Afternoon (Seidelman).

Remarquée chez Kusturica et Altman où sa spontanéité et sa fraîcheur séduisent immanquablement, Ferrara la transforme et fait d'elle une vampire à la noirceur psychologique la plus extrême.

Taylor, Robert

Acteur américain, de son vrai nom Spangler Arlington Brough, 1911-1969.

1934, Handy Andy (Butler), There's Always Tomorrow (Sloman), A Wicked Woman (Brabin) ; 1935, Buried Loot (Seitz), Society Doctor (Seitz), Times Square Lady (Seitz), West Point of the Air (Tel père tel fils) (Rosson), Murder in the Fleet (Sedgwick), Broadway Melody of 1936 (Del Ruth), Magnificent Obsession (Le secret magnifique) (Stahl) ; 1936, Small Town Girl (La petite provinciale) (Wellman), Private Number (Une certaine jeune fille) (Del Ruth), His Brother's Wife (La fièvre des tropiques) (Van Dyke), The Gorgeous Hussy (Brown) ; 1937, Camille (Le roman de Marguerite Gautier) (Cukor), Personal Property (Van Dyke), This Is My Affair (Seiter), Broadway Melody of 1938 (Le règne des étudiants) (Del Ruth), A Yank at Oxford (Vivent les étudiants) (Conway), Three Comrades (Trois camarades) (Borzage), The Crowd Roars (La foule en délire) (Thorpe) ; 1939, Stand Up and Fight (Trafic d'hommes) (Van Dyke), Lucky Night (Taurog), Lady of the Tropics (La dame des tropiques) (Conway), Remember ? (McLeod) ; 1940, Flight Command (Borzage), Waterloo Bridge (La valse dans l'ombre) (LeRoy), Escape (LeRoy) ; 1941, Billy the Kid (Le réfractaire) (Miller), When Ladies Meet (Leonard) ; 1942, Johnny Eager (Johnny roi des gangsters) (LeRoy), Her Cardboard Lover (Cukor) ; 1943, Stand by for Action (Leonard), Bataan (Bataan) (Garnett), The Youngest Profession (Buzzell) ; 1944, Song of Russia (Ratoff) ; 1946, Undercurrent (Lame de fond) (Minnelli) ; 1947, The High Wall (Le mur des ténèbres) (Bernhardt) ; 1949, The Bribe (L'île au complot) (Leonard) ; 1950, Ambush (Embuscade) (Wood), Conspirator (Guet-apens) (Saville), The Devil's Doorway (La porte du diable) (Mann) ; 1951, Quo Vadis ? (Quo Vadis ?) (LeRoy), Westward the Women (Convoi de femmes) (Wellman) ; 1952, Ivanhoe (Ivanhoé) (Thorpe) ; 1953, Above and Beyond (Le grand secret) (Frank, Panama), I Love Melvin (Weis), Ride Vaquero (Vaquero) (Farrow), All the Brothers Were Valiant (La perle noire) (Thorpe) ; 1954, Knights of the Round Table (Les chevaliers de la Table ronde) (Thorpe), Valley of the Kings (La vallée des rois) (Pirosh), Rogue Cop (Sur la trace du crime) (Rowland) ; 1955, Many Rivers to Cross (L'aventure fantastique) (Rowland), Quentin Durward (Quentin Durward) (Thorpe) ; 1956, The Last Hunt (La dernière chasse) (Brooks), D-Day the Sixth of June (Au sixième jour) (Koster), The Power and the Prize (Koster) ; 1957, Tip on a Dead Jockey (Contrebande au Caire) (Thorpe) ; 1958, Saddle the Wind (Libre comme le vent) (Parrish), The Law and Jake Wade (Le trésor du pendu) (Sturges), Party Girl (Traquenard) (Ray) ; 1959, The Hangman (Le bourreau du Nevada) (Curtiz), The House of the Seven Hawks (La maison des sept faucons) (Thorpe) ; 1960, Killers of Kilimandjaro (Les aventuriers du Kilimandjaro) (Thorpe) ; 1963, Miracle of the White Stallions (Le grand retour) (Hiller), Cattle King (Les ranchers du Wyoming) (Garnett) ; 1964, A House Is not a Home (La maison de Mme Adler) (Rouse) ; 1965, The Night Walker (Celui qui n'existait pas) (Castle) ; 1966, Johnny Tiger (Wendkos) ; 1967, Savage Pampas (La pampa sauvage) (Fregonese), The Glass Sphinx (Scattini), Where Angels Go, Trouble Follows (Neilson) ; 1968, Le téléphone rouge (Périer).

Il fut à ses débuts un jeune premier romantique d'une exceptionnelle beauté. Comment l'oublier dans *Camille* ? Il aurait pu mal vieillir. Le film de guerre lui convint parfaitement : il devait sortir mûri de pareilles épreuves (*Bataan*) ; on lui pardonna donc quelques rides. Jusqu'alors avait-il été un bon acteur ? On ne sait trop. Mais on découvrit, après son divorce d'avec Barbara Stanwick épousée en 1939, que le western lui allait fort bien. S'il avait été un Billy the Kid un peu vieux en 1941, il fit ses preuves de cow-boy dans une suite de westerns tous remarquables (on pense au *Trésor du pendu* où il s'opposait à Richard Widmark) et où il fut lui-même excellent (notamment dans *La dernière chasse* où il était, pour une fois, le méchant). Wellman, Sturges, Mann, Rowland, Curtiz nous le révélèrent. Et comme le Moyen Age lui réussissait aussi (*Quentin Durward, Ivanhoe*...), il devint un champion toutes catégories du film d'action. Mais c'est sa performance dans le sublime *Party Girl*, en personnage déchu et infirme, qu'il faut saluer. A la bien considérer, la filmographie de Robert Taylor est en tout point digne d'intérêt malgré quelques œuvres mineures.

Taylor, Rod

Acteur d'origine australienne né en 1930.

1954, Long John Silver (Le pirate des mers du Sud) (Haskin), King of the Coral Sea (Lee Robinson) ; 1955, The Virgin Queen (Le seigneur de l'aventure) (Koster), Hell on Frisco Bay (Colère noire) (Tuttle), Top Gun (Nazarro) ; 1956, The Rack (Laven), Giant (Géant) (Stevens), The Catered Affair (Brooks), World Without End (Bernds) ; 1957, Raintree County (L'arbre de vie) (Dmytryk) ; 1958, Step down to Terror (Keller), Separate Tables (Tables séparées) (Delbert Mann) ; 1959, Ask Any Girl (Une fille très avertie) (Walters), La regina delle Amazzoni (La reine des amazones) (Sala) ; 1960, The Time Machine (La machine à explorer le temps) (Pal), Seven Seas to Calais (Maté) ; 1963, Sunday in New York (Tewksbury), The Birds (Les oiseaux) (Hitchcock), A Gathering of Eagles (Le téléphone rouge) (Delbert Mann), The VIP's (Hôtel international) (Asquith) ; 1964, Young Cassidy (Le jeune Cassidy) (Cardiff), Fate Is the Hunter (Nelson), Thirty-Six Hours (Seaton) ; 1965, Do Not Disturb (R. Levy), The Liquidator (Cardiff) ; 1966, The Glass Bottom Boat (La blonde défie le F.B.I.) (Tashlin), Hotel (Hôtel Saint-Gregory) (Quine) ; 1967, The Mercenaries (Le dernier train du Katanga) (Cardiff), Chuka (Chuka) (G. Douglas) ; 1968, The Hell with Heroes (Visa pour l'enfer) (Sargent), Nobody Runs Forever (Mandat d'arrêt) (Thomas) ; 1969, Zabriskie Point (Antonioni) ; 1970, The Man Who Had Power over Women (N. Johnson), Darker than Amber (Clouse) ; 1973, The Train Robbers (Les voleurs de trains) (Kennedy), The Deadly Trackers (Le shérif ne pardonne pas) (Shear), Trader Horn (Badiyi), Gli eroi (Les enfants de chœur) (Tessari) ; 1974, Partisani (Jankovic) ; 1975, Blondy (Gobbi) ; 1977, The Picture Show Man (J. Powell) ; 1978, Hell River (Jankovic) ; 1979, Seven Graves for Rogan (Cymber), A Time to Die (Kanganis) ; 1982, On the Run (Brown) ; 1986, The Fantasy Film World of George Pal (Leibovit) ; 1989, Mask of Murder (Mattson) ; 1994, Open Season (Wuhl) ; 1995, Shattered Trust (Martini).

Un dur au visage énergique que les studios d'Hollywood font venir d'Australie où il a débuté. Il s'impose rapidement dans des films d'action mais Hitchcock lui confie la vedette des *Oiseaux* et Antonioni le prend pour *Zabriskie Point*, ce qui lui permet de montrer la variété d'un jeu que l'on a trop limité à Chuka ou aux mercenaires des guerres coloniales. Sa vie privée fut orageuse : deux mariages et des liaisons avec Anita Ekberg et Zsa Zsa Gabor.

Tchenko, Katia

Actrice française née en 1947.

1967, J'ai tué Raspoutine (Hossein) ; 1969, Dossier prostitution (Roy) ; 1971, La promesse de l'aube (Dassin), Les assassins de l'ordre (Carné), L'odeur des fauves (Balducci) ; 1972, Les tentations de Marianne (Leroi), Les Charlots font l'Espagne (Girault), L'insolent (Roy) ; 1973, Le concierge (Girault), Les enfants de la nuit (Mulot, Reinchenbach) ; 1974, Deux grandes filles dans un pyjama (Girault), L'important c'est d'aimer (Zulawski) ; 1976, Cours après moi que je t'attrape (Pouret), Drôles de zèbres (Lux) ; 1977, La carapate (Oury), Le mille-pattes fait des claquettes (Girault), La stanza del vescovo (La chambre de l'évêque) (Risi), L'ombre et la nuit (J.-L. Leconte), Blue Jeans (Burin des Roziers) ; 1978, L'horoscope (Girault), Les bidasses au régiment (Vocoret) ; 1979, Et la tendresse ?... Bordel ! (Schulmann), Gros câlin (Rawson), Haine (Goult), The Fiendish Plot of Fu Manchu (Le complot diabolique du docteur Fu Manchu) (Haggard), L'œil du maître (Kurc) ; 1981, Qu'est-ce qui fait courir David ? (Chouraqui) ; 1982, Qu'est-ce qui fait craquer les filles ? (Vocoret), Mon curé chez les nudistes (R. Thomas), On n'est pas sorti de l'auberge (Pécas) ; 1983, Mon curé chez les Thaïlandaises (R. Thomas), C'est facile et ça peut rapporter vingt ans (Luret), L'émir préfère les blondes (Payet) ; 1985, Baton Rouge (Bouchareb) ; 1986, Club de rencontres (Lang) ; 1996, On va nulle part et c'est très bien (Jean) ; 1998, Madeline (Madeline) (Von Sherler Meyer), Ronin (Ronin) (Frankenheimer) ; 2000, Mercredi, folle journée ! (P. Thomas).

Blonde, sexy et drôle, elle fit le délice de réalisateurs de nanars comiques tels Jean Girault, Michel Vocoret et Robert Thomas... Elle n'atteindra probablement pas le panthéon des inoubliables par ce biais.

Tchérina, Ludmila

Danseuse et actrice française, de son vrai nom Monika Tchemerzine, 1924-2004.

1946, Un revenant (Christian-Jaque) ; 1948, The Red Shoes (Les chaussons rouges) (Powell et Pressburger), Fandango (Reinert) ; 1949, La nuit s'achève (Méré), La belle que voilà (Le Chanois) ; 1950, The Tales of Hoffmann (Les contes d'Hoffmann) (Powell et Pressburger), Clara de Montargis (Decoin) ; 1951, A la mémoire d'un héros (c.m.), Mephisto Valse (c.m.) ; 1952, La corona negra (La couronne noire) (Saslavsky), Spartacus (Spartacus) (Freda), Grand gala (Campaux), Parsifal (Mangrané) ; 1954, Sign of the Pagan (Le signe du païen) (Sirk), Oh Rosalinda (M. Powell, Pressburger), La figlia di Mata Hari (Merusi) ; 1959, Luna de miel (M. Powell) ; 1962, Les amants de Teruel (Rouleau) ; 1963, Une ravissante idiote (Molinaro).

Première danseuse étoile des Ballets de Monte-Carlo, elle a interprété, notamment avec Lifar, les plus grandes œuvres du répertoire. Le cinéma fit appel à elle en raison de sa beauté et de ses dons chorégraphiques (*Les chaussons rouges, Hoffmann*...). On la vit par la suite dans de sombres mélodrames et dans de bons péplums où elle jouait les beautés un peu exotiques.

Tcherkassov, Nikolaï

Acteur russe, 1903-1966.

1926, Ego Prevoschoditel'stvo (Son Excellence) (Rochal), Luna sleva (La lune à gauche) (Ivanov), Granica (Frontières) (Doubson) ; 1936, Podrugi (Les amies) (Arnstam), Deti Kapitana Granta (Les enfants du capitaine Grant) (Vaïnchtok) ; 1937, Depontat Baltiki (Le député de la Baltique) (Zarkhi et Heifetz), Piotr I (Pierre le Grand, Première partie) (Petrov), Za Sovetskuju Rodinu (Pour la patrie soviétique) (Film de propagande), Alexandre Nevski (Alexandre Nevski) (Eisenstein) ; 1939, Piotr II (Petrov), Lenin v. 1918 godai (Lénine en 1918) (Romm) ; 1940, Sest desjat dnej (Soixante jours) (Film de propagande) ; 1942, Oborona Caricyna (La défense de Caricyna) (Film de propagande) ; 1944, Ivan Grozny (Ivan le Terrible, Première partie) (Eisenstein) ; 1946-1958, Ivan Grozny (Ivan le Terrible, Deuxième partie) (Eisenstein) ; 1947, Pigorov (Kozintsev), Vesna Printemps (Le printemps) (Alexandrof) ; 1949, Pavlov (Rochal) ; 1950, Moussorgsky (Rochal) ; 1953, Rimsky-Korsakov (Rochal) ; 1957, Don Quichotte (Kozintzev).

Le plus grand des acteurs russes. Venu du théâtre, il va s'imposer au cinéma dans les personnages d'Alexandre Nevsky et surtout d'Ivan le Terrible. Il fut également brillant dans *Pierre le Grand*. Son jeu, un peu théâtral peut-être, ne s'est pas démodé. Devenu artiste national, très apprécié de Staline, il fut député au Soviet suprême, délaissant l'écran pour les responsabilités politiques. Il a laissé des Mémoires : *Souvenirs d'un acteur soviétique*.

Tchourikova, Inna

Actrice russe née en 1943.

1964, Je m'balade dans Moscou (Danelia) ; 1968, Pas de gué dans le feu (Panfilov) ; 1970, Nacalo (Le début) (Panfilov) ; 1976, Prochou Slova (Je demande la parole) (Panfilov) ; 1979, Un certain Münchhausen (Zakharov), Themia (Le thème) (Panfilov) ; 1981, Valentina (Panfilov) ; 1982, Vassa (Panfilov) ; 1984, Romance du front (Todorovski) ; 1986, Le coursier (Shakhnazarov) ; 1989, Mat (Panfilov) ; 1990,

Rebro Adama (La côte d'Adam) (Krichtofovitch) ; 1993, L'année du chien (Aranovich), Plashch Kazanovy (Galin) ; 1994, Riaba ma poule (Konchalovsky), Shily Myrly (Menshov) ; 1995, Il delegazione (Galin).

Épouse du réalisateur Gleb Panfilov, elle est la vedette de ses films. *Vassa* a confirmé les espoirs qu'on pouvait placer en elle en un moment où le cinéma russe semble encore très dépourvu d'acteurs.

Teal, Ray

Acteur américain, 1902-1976.

1938, Western Jamboree (Starb) ; 1940, Pony Post (Taylor), Cherokee Strip (Selander), The Adventures of Red Ryder (Witney et English), Northwest Passage (Le grand passage) (Vidor), Prairie Schooners (Nelson), The Trail Blazers (G. Sherman), I Love You Again (Florian) ; 1941, They Met in Bombay (Brown), They Died With Their Boots on (La charge fantastique) (Walsh), Wild Bill Hickok Rides (Enright), Honky Tonk (Franc-jeu) (Conway), Outlaws of the Panhandle (Nelson) ; 1942, Juke Girl (Bernhardt), Tennesse Johnson (Dieterle), Apache Trail (Thorpe), Prairie Chickens (Hal Roach Jr.) ; 1943, Lost Angel (Rowland), Madame Curie (LeRoy), North Star (L'étoile du Nord) (Milestone) ; 1944, Maisie Goes to Reno (Beaumont), Hollywood Canteen (Daves), The Princess and the Pirate (Butler), Strange Affair (Green), A Wing and a Prayer (Hathaway), None Shall Escape (De Toth), The Thin Man Goes Home (Thorpe) ; 1945, Circumstantial Evidence (Larkin), Sudan (Rawlins), Captain Kidd (Lee), Anchors Aweigh (Escale à Hollywood) (Sydney), The Fighting Guards Man (Levin), Along Came Jones (Le Grand Bill) (Heisler) ; 1946, Blondie Knows Best (A. Berlin), The Best Years of Our Lives (Les meilleures années de notre vie) (Wyler), Deadline for Murder (Tinling), Till the Clouds Roll by (La pluie qui chante) (Whorf), The Bandit of Sherwood Forest (Le fils de Robin des Bois) (Levin), Canyon Passage (Le passage du canyon) (Tourneur), The Missing Lady (Karlson) ; 1947, Ramrod (Femme de feu) (De Toth), The Michigan Kid (Taylor), Cheyenne (Cheyenne) (Walsh), Unconquered (Les conquérants du Nouveau Monde) (DeMille), Brute Force (Les démons de la liberté) (Dassin), Deep Valley (Negulesco), Dead Reckoning (En marge de l'enquête) (Cromwell), The High Wall (Le mur des ténèbres) (Bernhardt), Road to Rio (McLeod) ; 1948, Raw Deal (Marché de brutes) (Mann), Roadhouse (La femme aux cigarettes) (Negulesco), The Man from Colorado (La peine du talion) (Levin), The Black Arrow (La flèche noire) (Douglas), Joan of Arc (Jeanne d'Arc) (Fleming), Whispering Smith (Smith le Taciturne) (Fenton), Daredevils of the Clouds (Blair), The Miracle of the Bells (Pichel), Montana Belle (Dwan) ; 1949, Blondie Hits the Jackpot (Bernds), Rusty's Birthday (Friedman), Streets of Laredo (Fenton), Scene of the Crime (Rowland), Ambush (Embuscade) (Wood), The Kid from Texas (Le Kid du Texas) (Neumann), Once More My Darling (Montgomery) ; 1950, No Way Out (La porte s'ouvre) (Mankiewicz), Where Danger Lives (Farrow), The Redhead and the Cowboy (Fenton), Our Very Own (D. Miller), Convicted (La loi des bagnards) (Levin), Davy Crockett (Landers), Harbor of Missing Men (Springsteen), When You're Smiling (Santley), Winchester 73 (Mann), Edge of Doom (Robson) ; 1951, Tomorrow Is Another Day (Feist), Fort Worth (Marin), The Big Carnival (Le gouffre aux chimères) (Wilder), Lorna Doone (Karlson), The Secret of Convict Lake (Gordon), Along the Great Divide (Le désert de la peur) (Walsh), Distant Drums (Les aventures du capitaine Wyatt) (Walsh), Flaming Feather (Enright) ; 1952, The Turning Point (Cran d'arrêt) (Dieterle), The Lion and the Horse (L. King), Hangman's Knot (Le relais de l'or maudit) (Huggins), The Wild North (Au pays de la peur) (Marton), Cattle Town (Smith), Captive City (Wise), Carrie (Un amour désespéré) (Wyler) ; 1953, Ambush at Tomahawk Gap (Sears) ; 1954, The Command (La poursuite dura sept jours) (Butler), Rogue Cop (Sur la trace du crime) (Rowland) ; 1955, The Man from Bitter Ridge (Arnold), Rage at Dawn (Les rôdeurs de l'aube) (Whelan), The Indian Fighter (La rivière de nos amours) (De Toth), The Desperate Hours (La maison des otages) (Wyler), Run for Cover (A l'ombre des potences) (Ray), Apache Ambush (Sears) ; 1956, The Burning Hills (Heisler), The Young Guns (Band), Canyon River (Jones) ; 1957, Band of Angels (L'esclave libre) (Walsh), Decision at Sundown (Boetticher), The Oklahoman (Lyon), The Tall Stranger (Carr), The Guns of Fort Petticoat (Le fort de la dernière chance) (Marshall), Girl on the Run (Bare) ; 1958, Saddle the Wind (Libre comme le vent) (Parrish), Gunman's Walk (Le salaire de la violence) (Karlson) ; 1960, Home from the Hill (Celui par qui le scandale arrive) (Minnelli), One-Eyed Jacks (La vengeance aux deux visages) (Brando) ; 1961, Posse from Hell (Coleman), Judgment at Nuremberg (Jugement à Nuremberg) (Kramer) ; 1963, Cattle King (Les ranchers du Wyoming) (Garnett) ; 1964, Taggart (Cinq mille dollars mort ou vif)

(Springsteen), Bullet for a Bad Man (La patrouille de la violence) (Springsteen) ; 1970, The Liberation of L.B. Jones (On n'achète pas le silence) (Wyler), Chisum (McLaglen).

Une « trogne » fort appréciée de Walsh. Carré, moustachu, cet ancien joueur de saxophone des années 20, reconverti dans le cinéma, fut l'un des bandits les plus transpercés de balles de l'histoire du western. Gangster ou policier corrompu dans les thrillers, il a fait oublier d'autres méchants : Jaeckel, Devon ou Merril.

Temerson, Jean

Acteur français, 1898-1956.

1936, Blanchette (Caron), Avec le sourire (Tourneur), Pépé le moko (Duvivier), L'amant de Mme Vidal (Berthomieu) ; 1937, Alibi (Chenal), La chaste Suzanne (Berthomieu), Rendez-vous aux Champs-Élysées (Houssin), Boulot aviateur (Canonge), Le messager (Rouleau), Ramuntcho (Barbéris), Les deux combinards (Houssin) ; 1938, Barnabé (Esway), Le révolté (Mathot), Alerte en Méditerranée (Joannon), Le joueur d'échecs (Dréville), Prince de mon cœur (Daniel-Norman), Le capitaine Benoît (Canonge), La piste du sud (Billon), Raphaël le tatoué (Christian-Jaque), Éducation de prince (Esway), Mon oncle et mon curé (Caron) ; 1939, Le bois sacré (Mathot), Les cinq sous de Lavarède (Cammage), Le Danube bleu (Reinert), Monsieur Brotonneau (Esway), Les gangsters du château d'If (Pujol), Berlingot et Cie (Rivers), Pièges (Siodmak), Le président Haudecœur (Dréville) ; 1940, Volpone (Tourneur), Monsieur Hector (Cammage), Soyez les bienvenus (Baroncelli) ; 1945, Les malheurs de Sophie (Audry), La femme coupée en morceaux (Noé) ; 1946, Cœur de coq (Cloche), L'ennemi sans visage (Cammage et Dagan), On ne meurt pas comme ça (Boyer) ; 1947, Cargaison clandestine (Rode), Une mort sans importance (Noé), Si jeunesse savait (Cerf) ; 1948, Fantômas contre Fantômas (Vernay), Manon (Clouzot), L'armoire volante (Rim) ; 1949, Miquette et sa mère (Clouzot), L'atomique monsieur Placido (Hennion), Sans tambour ni trompette (Blanc), La belle que voilà (Le Chanois), Véronique (Vernay), Tête blonde (Cam) ; 1950, Dominique (Noé), Le gang des tractions arrière (Loubignac), Coq en pâte (Tavano) ; 1953, Le comte de Monte-Cristo (Vernay) ; 1954, Les diaboliques (Clouzot), La reine Margot (Dreville).

Avec ses bajoues, sa voix modulée et son air satisfait de gros dindon, il faisait merveille en notaire dans *Volpone* et fut inoubliable dans *Les cinq sous de Lavarède* en pianiste virtuose : « Tartinovitch ne joue que sur les pianos de Tartinovitch. » Un excellent second plan.

Temple, Shirley

Actrice américaine née en 1928.

1932, The Red Haired Alibi (Cabanne) ; 1933, To the Last Man (Hathaway), Out all Night (Taylor) ; 1934, Carolina (King), Now I'll Tell (Burke), Change of Heart (Blystone), Stand Up an Cheer (McFadden), Little Miss Marker (Petite Miss) (Hall), Baby Take a Bow (Petite Shirley) (Lachman), Mandalay (Curtiz), Now and Forever (C'est pour toujours) (Hathaway), Bright Eyes (Shirley aviatrice) (Butler) ; 1935, The Little Colonel (Le petit colonel) (Butler), Our Little Girl (Robertson), Curly Top (Boucles d'or) (Cummings) ; 1936, Captain January (Capitaine Janvier) (Butler), Poor Little Rich Girl (Pauvre petite fille) (Cummings), Dimples (Fossettes) (Seiter), Stowaway (Tchin-tchin) (Seiter) ; 1937, Wee Willie Winkie (La mascotte du régiment) (Ford), Heidi (Heidi) (Dwan) ; 1938, Rebecca of Sunnybrook Farm (Mam'zelle Vedette) (Dwan), Little Miss Broadway (Hôtel à vendre) (Cummings), Just Around the Corner (La vie en rose) (Cummings) ; 1939, The Little Princess (Petite princesse) (Lang), Susannah of the Mounties (Suzanne) (Seiter) ; 1940, The Blue Bird (Lang), Young People (Dwan) ; 1941, Kathleen (Bucquet) ; 1942, Miss Annie Rooney (Marin) ; 1944, Since You Went Away (Depuis ton départ) (Cromwell), I'll Be Seeing You (Étranges vacances) (Dieterle) ; 1947, The Bachelor and the Bobby Soxer (Reis), Honeymoon (Sérénade à Mexico) (Keighley) ; 1948, Fort Apache (Le massacre de Fort Apache) (Ford) ; 1949, Mr. Belvedere Goes to College (Nugent), A Kiss for Corliss (Wallace), That Hagen Girl (Godfrey), Adventure in Baltimore (Wallace), The Story of Seabiscuit (Butler).

Enfant prodige, elle débute à quatre ans au cinéma et devient dès 1934, à six ans, une star, numéro 1 au box-office. Ses boucles blondes et son air mutin lui valent d'être dirigée par Hathaway, Ford et Dwan en personne, dans d'insipides comédies à l'usage des grands-mères plus que des enfants qui lui préfèrent Tarzan ou Buffalo Bill. Elle continuera à tourner jusqu'en 1949, date à laquelle elle se reconvertira dans la politique et représentera les États-Unis aux Nations unies.

Terry, Alice

Actrice américaine, de son vrai nom Frances Taafe, 1899-1988.

1916, The Bugle Call, Not my Sister ; 1917, Strictly Business, The Bottom of the Well ; 1918, The Clarion Call, Old Wives for New ; 1919, Thin Ice ; 1920, Hearts are Trumps (Ingram) ; 1921, The Four Horsemen of the Apocalypse (Les quatre cavaliers de l'Apocalypse) (Ingram), The Conquering Power (Eugénie Grandet) (Ingram), Turn to the Right (Le chemin de l'honneur) (Ingram) ; 1922, The Prisoner of Zenda (Ingram) ; 1923, Scaramouche (Ingram), Where the Pavement Ends (Les cataractes de la mort) (Ingram) ; 1924, The Arab (Ingram) ; 1925, The Great Divide (Barker), Confessions of a Queen (Sjöström), Any Woman (King) ; 1926, Mare Nostrum (Ingram), The Magician (Ingram) ; 1927, The Garden of Allah (Ingram) ; 1929, The Three Passions (Ingram).

Née à Vincennes... dans l'Indiana, elle débuta dans les films de la Triangle avant d'être remarquée par le réalisateur Rex Ingram qui l'épousa et en fit la vedette de ses principaux films. Elle eut Valentino pour partenaire dans *The Four Horsemen of the Apocalypse*, et Navarro pour *The Arab* ! Elle s'établit par la suite à Nice avec Ingram puis sa carrière fut brisée par le parlant et la mort de son mari. Elle retourna aux États-Unis.

Terry-Thomas

Acteur anglais, de son vrai nom Thomas Terry Hoar-Stevens, 1911-1990.

Près de cent films dont : 1949, Helter Skelter (R. Thomas) ; 1955, Private's Progress (Boulting) ; 1956, The Green Man (Day) ; 1957, The Naked Truth (Zampi) ; 1958, Tom Thumb (Tom Pouce) (Pal) ; 1959, Too Many Crooks (Ni fleurs ni couronnes) (Zampi) ; 1960, School for Scoundrels (L'académie des coquins) (Hamer) ; 1962, Bachelor Flat (Tashlin), The Wonderful World of the Brothers Grimm (Les amours enchantées) (Pal et Levin) ; 1963, It's a Mad, Mad, Mad, Mad World (Un monde fou, fou, fou, fou) (Kramer), The Mouse on the Moon (Lester) ; 1965, Those Magnificent Men in Their Flying Machines (Ces merveilleux fous volants dans leurs drôles de machines) (Annakin), How to Murder Your Wife (Comment tuer votre femme) (Quine) ; 1967, The Karate Killers (Tueurs au karaté) (Shear) ; 1968, La grande vadrouille (Oury), Munster Go Home (Bellamy) ; 1969, Monte-Carlo or Bust (Gonflés à bloc) (Annakin), 12 + 1 (Gessner) ; 1970, Le mur de l'Atlantique (Camus) ; 1971, The Abominable Dr. Phibes (L'abominable Dr Phibes) (Fuest) ; 1972, Dr. Phibes Rises Again (Le retour du Dr Phibes) (Fuest), Gli eroi (Les enfants de chœur) (Tessari) ; 1975, Tom Jones (Owen) ; 1977, The Last Remake of Beau Geste (Mon beau légionnaire) (Feldman).

Second plan anglais, plus britannique que nature et utilisé comme tel par Annakin, Oury ou Camus. Reconnaissable à sa moustache et à une dentition très particulière.

Ter Steege, Johanna

Actrice néerlandaise née en 1961.

1988, Spoorlos (L'homme qui voulait savoir) (Sluizer) ; 1989, Vincent et Théo (Altman) ; 1990, Meeting Venus (La tentation de Vénus) (Szabo), J'entends plus la guitare (Garrel) ; 1991, Emma und Bobe (Chère Emma) (Szabo) ; 1992, De Bunker (Soeteman) ; 1993, La naissance de l'amour (Garrel) ; 1994, Immortal Beloved (Ludwig Van B.) (Rose) ; 1995, Tot Ziens (Honigmann), Le cœur fantôme (Garrel) ; 1996, Für immer und immer (Bohm), Mama's Proefkonijn (Van de Ven) ; 1997, Paradise Road (Beresford) ; 1999, Rembrandt (Matton), Een Vrouw van het Noorden (Weisz), Hanna lacht (Honigmann) ; 2000, Mariken (Dan Duren).

Carrière internationale pour cette actrice à la blondeur dorée, aussi à l'aise chez Garrel que dans des superproductions hollywoodiennes (*Ludwig Van B.*). Un cas, donc.

Terzieff, Laurent

Acteur français, de son vrai nom Tchemerzine, né en 1935.

1958, C'est arrivé un 1er mai (Saslavski), Les tricheurs (Carné), Douze heures d'horloge (Radvanyi) ; 1959, Les régates de San Francisco (Autant-Lara), Les garçons (Bolognini) ; 1960, Kapo (Pontecorvo), Le bois des amants (Autant-Lara) ; 1961, La dénonciation (Doniol-Valcroze), Vanina Vanini (Rossellini), Tu ne tueras point (Autant-Lara), Les sept péchés capitaux (sketch de Demy) ; 1962, Les culottes rouges (Joffé), Ballade pour un voyou (Bonnardot) ; 1963, Le grain de sable (Kast), Mort, où est ta victoire ? (Bromberger) ; 1964, Le voyage du père (La Patellière) ; 1966, Les fruits amers (Audry), A cœur joie (Bourguignon), Le Horla (Pollet) ; 1967, La prisonnière (Clouzot) ; 1968, La voie lactée (Buñuel) ; 1969, Le révélateur (Garrel), Medea (Medée) (Pasolini), Ostia (Ostia) (Citti) ; 1971, Brother Carl (Sontag) ; 1974, Un ange passe (Garrel) ; 1975, Jeu (Gray), Les hautes solitudes (Garrel), Il pleut sur Santiago (Soto), Moïse (de Bosio) ; 1976, Il deserto dei Tartari

(Le désert des Tartares) (Zurlini), Couleur chair (Weyergans) ; 1977, Les noces de sang (Ben Barka), Voyage au pays des morts (Garrel) ; 1979, Utopia (Azimi) ; 1980, La vera storia della signora delle camelie (La dame aux camélias) (Bolognini) ; 1981, La flambeuse (Weinberg) ; 1985, Détective (Godard), Diesel (Kramer), Rouge Baiser (Belmont) ; 1988, Le radeau de la méduse (Azimi) ; 1990, Hiver 54 (Amar) ; 1993, Germinal (Berri) ; 1995, Fiesta (Boutron) ; 1997, L'âne qui joue de la lyre (Has), El pianista (Gas) ; 1998, La guerre dans le Haut-Pays (Reusser) ; 1999, Sulla spaggia di là dal molo (Fago), Il manoscritto del principe (Andò) ; 2002, Peau d'ange (Pérez) ; 2004, Rien, voilà l'ordre (Baratier) ; 2005, Mon petit doigt m'a dit (Thomas).

Acteur de théâtre (Milosz et bien d'autres), il eut moins de chance avec le cinéma. Il débute au moment où le vieux cinéma français s'essouffle : le Carné des *Tricheurs* (qui fit connaître Terzieff) ou l'Autant-Lara de *Tu ne tueras point* ne sont plus que l'ombre d'eux-mêmes. Et quelle idée de s'égarer dans *Mort, où est ta victoire ?* Rossellini, Buñuel et Pasolini semblent engager Terzieff sur la bonne voie (lactée bien sûr !), mais il se laisse séduire par Garrel et se perd à nouveau dans des films d'avant-garde sans public. Dommage.

Tessier, Valentine

Actrice française, 1892-1981.

1911, Vengeance kabyle, En mission, L'otage ; 1912, Britannicus (Morlhon) ; 1927, Un chapeau de paille d'Italie (Clair) ; 1934, Madame Bovary (Renoir) ; 1935, Jérôme Perreau (Gance) ; 1936, Club de femmes (Deval), Ménilmontant (Guissart) ; 1937, Abus de confiance (Decoin) ; 1939, La charrette fantôme (Duvivier), L'embuscade (Rivers) ; 1942, Le lit à colonnes (Tual) ; 1946, Désarroi (Dagan) ; 1950, Justice est faite (Cayatte) ; 1951, Nez de cuir (Y. Allégret), Procès au Vatican (Haguet) ; 1952, Le due verita (Les deux vérités) (Leonviola), La neige était sale (Saslavsky), Lucrèce Borgia (Christian-Jaque) ; 1953, Maddalena (Une fille nommée Madeleine) (Genina) ; 1954, La figlia di Mata-Hari (Merusi), French cancan (Renoir) ; 1956, Notre-Dame de Paris (Delannoy), La fille Élisa (Richebé) ; 1959, Maigret et l'affaire Saint-Fiacre (Delannoy) ; 1971, Églantine (Brialy) ; 1974, La rivale (Gobbi).

Avant tout une actrice de théâtre ayant travaillé avec Copeau et Jouvet. De cette formation initiale, son jeu est resté profondément marqué. On s'en aperçoit dans *Madame Bovary*. Elle jouera surtout par la suite les dames du monde et les personnes distinguées lors de ses rares apparitions à l'écran, sans trouver de rôles qui la mettent en valeur.

Testi, Fabio

Acteur italien né en 1941.

1968, I due crociati, Un posto all'infierno (L'enfer des Philippines) (Vari, sous le pseudonyme de Warren) ; 1969, Blonde Köder für den Mörder (Philipp) ; 1970, Il giardino dei Finzi Contini (Le jardin des Finzi Contini) (De Sica) ; 1971, Addio fratello crudele (Dommage qu'elle soit une putain) (Patroni Griffi), Quel maledetto giorno d'inverno... Django e Sartana all'ultimo (Fidani), Anda muchacho, spara ! (Florio ; 1972, Cosa avete fatto a Solange ? (Dallamano), El Zorro justiciero (Romero), Le tueur (La Patellière), Camorra (Tueurs à gages) (Squitieri) ; 1973, Un amore così fragile, così violento (Pittoni), Nada (Chabrol), L'ultima chance (La dernière chance) (Lucidi), Revolver (La poursuite implacable) (Sollima) ; 1974, The Ambassador (Thompson), I guappi (Lucia et les gouapes) (Squitieri), L'important, c'est d'aimer (Zulawski), Dieci bianchi uccisi da un piccolo indiano (Baldanello) ; 1975, Giube rosse (D'Amato), I quattro dell'Apocalisse (Les quatre de l'Apocalypse) (Fulci), Vai gorilla (Valerii) ; 1976, L'eredita Ferramonti (L'héritage) (Bolognini), Il grande racket (Castellari) ; 1977, La via della droga (Castellari) ; 1978, China 9, Liberty 37 (Hellman), Enigma rosso (Negrin), A chi tocca, tocca... ! (Baldanello) ; 1979, Speed Cross (Massi) ; 1980, Manaos (Vasquez Figuerosa), Luca il contrabbandiere (La guerre des gangs) (Fulci) ; 1981, Speed Driver (Massi), Il carabiniere (Amadio), Il falco e la colomba (Lori), Les uns et les autres (Lelouch), L'ultima volta insieme (Grassia) ; 1984, Giochi d'estate (Contini) ; 1985, Scemo di guerra (Le fou de guerre) (Risi) ; 1986, El sueño de Tanger (R. Franco), Adios pequeña (Uribe) ; 1988, Iguana (Hellman) ; 1995, Ragazzi della notte (Calà).

Débute au cinéma comme cascadeur à la fin des années 60. Il a la chance d'être remarqué par Vittorio De Sica, qui lui confie un des principaux rôles du *Jardin des Finzi Contini.* Sa carrière va se partager entre films d'aventures, westerns et polars, où ses qualités sportives font merveille, et des films, signés par de grands réalisateurs, dans lesquels son talent a l'occasion de s'affirmer. Ses rôles les plus remarqués en France resteront celui de Diaz, le terroriste de *Nada*, et celui de Mario Ferramonti, le fils aîné d'Anthony Quinn, dans *L'héritage* de Mario Bolognini. A partir de 1985, il se consacre surtout à la télévision.

Testud, Sylvie

Actrice française née en 1971.

1993, L'histoire du garçon qui voulait qu'on l'embrasse (Harel), Couples et amants (Lvoff) ; 1994, Le plus bel âge... (Haudepin), Maries Lied : Ich war, ich weiss nicht wo (Brücher) ; 1996, Jenseits der Stille (Link) ; 1997, Flammen in Paradies (Les raisons du cœur) (Imhoof), The Misadventures of Margaret (Les folies de Margaret) (Skeet) ; 1998, Karnaval (Vincent), Pünktchen und Anton (Link) ; 1999, La captive (Akerman), La chambre obscure (Questerbert) ; 2000, Les blessures assassines (Denis), Les acteurs anonymes (Cohen) ; 2001, Tangos volés (De Gregorio), Je rentre à la maison (Oliveira), Un moment de bonheur (Santana), The Chateau (Peretz), Aime ton père (Berger), Les femmes et les enfants d'abord (Poirier) ; 2003, Stupeur et tremblements (Corneau), Filles uniques (Jolivet), Vivre me tue (Sinapi), Dédales (Manzor), Tanghi rubati (Tangos volés) (Gregorio) ; 2004, Demain on déménage (Akerman), Cause toujours ! (Labrune), Victoire (Murat) ; 2005, Tout pour l'oseille (Van Effenterre), Les mots bleus (Corneau), La vie est à nous ! (Krawczyk) ; 2006, L'héritage (G. et T. Babluani) ; 2007, La môme (Dahan).

Elle décide de devenir actrice après avoir vu Charlotte Gainsbourg dans *L'effrontée*. Étrangement, elle connaît le succès en Allemagne – elle y décroche l'équivalent d'un césar pour son rôle de clarinettiste dans *Jenseits der Stille* – avant de se faire connaître en France avec *Karnaval*. Regard bleu acier, visage triangulaire, elle est prisonnière de Stanislas Merhar dans *La captive*, d'après Proust, et une des terribles sœurs Papin dans *Les blessures assassines*, rôle grâce auquel elle décroche un premier césar qui sera confirmé par un second en 2004 pour *Stupeur et tremblements*.

Teynac, Maurice

Acteur français, de son vrai nom Garros, 1915-1992.

1941, Le destin fabuleux de Désirée Clary (Guitry), Opéra-musette (Lefèvre et Renoir), La pavillon brûle (Baroncelli), Romance de Paris (Boyer) ; 1943, Donne-moi tes yeux (Guitry) ; 1945, Sérénade aux nuages (Cayatte) ; 1946, Contre-enquête (Faurez) ; 1947, Brigade criminelle (Gil), Le comédien (Guitry) ; 1948, Le mystère Barton (Spaak), Femme sans passé (Grangier), Le diable boiteux (Guitry), Fantômas contre Fantômas (Vernay), Rapide de nuit (Blistène) ; 1949, On demande un assassin (Neubach) ; 1950, Mystère à Shanghai (Blanc), Au fil des ondes (Gautherin), La rose rouge (Pagliero) ; 1951, Massacre en dentelles (Hunebelle) ; 1952, Le chemin de Damas (Glass), Mon gosse de père (Mathot), Illusion in Moll (Jugert) ; 1953, Si Versailles m'était conté (Guitry) ; 1954, La belle Otéro (Pottier), Napoléon (Guitry) ; 1955, Drôles de bobines (Sténo), Bedevilled (Boulevard de Paris) (Leisen) ; 1956, L'affaire des poisons (Decoin), Zaza (Gaveau) ; 1957, Sans famille (Michel), Les suspects (Dréville) ; 1959, Austerlitz (Gance, Richebé) ; 1960, M. Suzuki (Vernay), Drame dans un miroir (Fleischer), Le capitaine Fracasse (Gaspard-Huit) ; 1961, L'assassin est dans l'annuaire (Joannon), Une blonde comme ça (Jabely) ; 1962, The trial (Le procès) (Welles), Le diable et les dix commandements (Duvivier), La veuve joyeuse (Jacobs) ; 1963, L'honorable Stanislas, agent secret (Dudrumet) ; 1964, In the French Style (A la française) (Parrish), Sursis pour un espion (Maley) ; 1965, Los pianos mecanicos (Les pianos mécaniques) (Bardem) ; 1966, The Night of the Generals (La nuit des généraux) (Litvak) ; 1967, La louve solitaire (Logereau), Trois filles vers le soleil (Fellous) ; 1968, Thérèse et Isabelle (Metzger), Mayerling (T. Young) ; 1972, État de siège (Costa-Gavras) ; 1973, Ash Wednesday (Mercredi des cendres) (Peerce) ; 1975, L'année sainte (Girault), Section spéciale (Costa-Gavras) ; 1983, L'ami de Vincent (Granier-Deferre).

Il débute comme imitateur à la radio avant de s'orienter vers des rôles de composition où il fait preuve d'un talent sûr (son La Reynie dans *L'affaire des poisons* est saisissant de vérité).

Thamar, Thilda

Actrice argentine, de son vrai nom Matilde Sofia Abrecht de Vidal-Quadras, 1917-1989.

1941, Nahuel Huapi (Pessano) ; 1942, Adolescencia (Mugica), El pijama de Adan (Mugica) ; 1943, Todo un hombre (Chenal), El espejo (Mugica) ; 1944, La casta Susana (La p'tite femme du Moulin-Rouge) (Perojo), El muerto falta a la cita (Chenal) ; 1945, Despertar a la vida (Soffici), La senora de Perez se divorci (Christensen), No salgas esta noche (Buhr) ; 1946, Adan y la serpiente (Christensen), Un modelo de Paris (Herrera) ; 1947, La hosteria del caballito blanco (Perojo) ; 1948, L'ange rouge (Daniel-Norman) ; 1949, Ronde de nuit (Campaux), Amour et Cie (Grangier) ; 1950, Sérénade au bourreau (Stelli) ; 1951, La femme à l'orchidée (Leboursier) ; 1952, Massacre en dentelles (Hunebelle), Bouquet de joie (Cam), La caraque blonde (Audry) ; 1953, M. Scrupule gangster (Daroy), Muss man sich gleich Scheiden lassen (Schveikart), La mujer desnuda ; 1954, Sor Angelica (Romero-Marchent) ; 1955, Paris coquin (Gaspard-Huit), Les pépées au service secret (André) ; 1956, Le chanteur de Mexico (Pottier), Paris-Palace-Hôtel (Verneuil), L'aventurière des Champs-Élysées (Blanc) ; 1957, Une nuit au Moulin-Rouge (Roy), Les fanatiques (Joffé) ; 1958, Chérie, fais-moi peur ! (Pinoteau), Incognito (Dally) ; 1959, Friends and Neighbours (Parry) ; 1960, Safari-diamant (Drach) ; 1966, A belles dents (Lautner) ; 1970, Un ange au paradis (Dally) ; 1975, L'appel (Thamar) ; 1987, Les prédateurs de la nuit (Franco).

Populaire actrice de Buenos Aires (où elle suivit des cours de dessin avant de s'orienter vers le métier d'actrice), surnommée en France, non sans quelque exagération, « la bombe argentine ». Belle blonde, elle a en effet joué, chez nous, dans une douzaine de films peu exaltants avant de se tourner vers la réalisation (des courts métrages) et la production.

Theron, Charlize

Actrice sud-africaine née en 1975.

1994, Children of the Corn III (Hickox) ; 1996, 2 Days in The Valley (2 jours à Los Angeles) (Herzfeld), That Thing You Do ! (That Thing You Do !) (Hanks) ; 1997, Trial and Error (Lynn), The Devil's Advocate (L'associé du diable) (Hackford) ; 1998, Celebrity (Celebrity) (Allen), Mighty Joe Young (Mon ami Joe) (Underwood), The Astronaut's Wife (Intrusion) (Ravich), The Cider House Rules (L'œuvre de Dieu, la part du diable) (Hallström) ; 1999, The Yards (The Yards) (Gray), Reindeer Games (Piège fatal) (Frankenheimer), The Legend of Bagger Vance (La légende de Bagger Vance) (Redford), Men of Honor (Les chemins de la dignité) (Tillman, Jr.) ; 2000, Wakin' Up in Reno (Brady), Sweet November (O'Connor) ; 2001, The Curse of the Jade Scorpion (Le sortilège du scorpion de jade) (Allen), The Yards (The Yards) (Gray) ; 2002, Waking Up in Reno (Brady) ; 2003, The Italian Job (Braquage à l'italienne) (Gray), Monster (Monster) (Jenkins) ; 2004, Life and Death of Peter Sellers (Moi, Peter Sellers) (S. Hopkins), Head in the Clouds (Nous étions libres) (Duigan) ; 2006, Aeon Flux (Aeon Flux) (Kusama), North Country (L'affaire Josey Aimes) (Caro).

Superbe créature blonde (elle a été top-model) aux prises avec le Malin dans *L'associé du diable*, gorille dans *Mon ami Joe*, bébé alien dans *Intrusion*, *serial killer* dans *Monster*, qui lui vaut un oscar... Chercherait-on à lui faire payer sa beauté ?

Thesiger, Ernest

Acteur anglais, 1879-1961.

1916, The Real Thing (MacBean) ; 1918, Nelson (Elvey), The Life Story of David Lloyd George (Elvey) ; 1919, A Little Bit of Fluff (Foss) ; 1921, The Adventures of Mr. Pickwick (Bentley), The Bachelor Club (Bramble) ; 1928, Weekend Wives (Lachman) ; 1929, The Vagabond Queen (Bolvary) ; 1932, The Old Dark House (Une soirée étrange) (Whale) ; 1933, The Only Girl (Holaender), The Ghoul (Hunter) ; 1934, My Heart Is Calling (Gallone), The Night of the Party (M. Powell) ; 1935, The Bride of Frankenstein (La fiancée de Frankenstein) (Whale) ; 1936, The Man Who Could Work Miracles (L'homme qui faisait des miracles) (Mendes) ; 1938, The Ware Case (Summers), They Drive by Night (Walsh), Lightning Conductor (Elvey) ; 1943, The Lamp Still Burns (Elvey), My Learned Friend (Dearden) ; 1944, Henry V (Olivier) ; 1945, A Place of One's Own (Knowles) ; 1946, Caesar and Cleopatra (Pascal) ; Beware of Pity (Elvey) ; 1947, The Man Within (Knowles), Jassy (Knowless), The Ghosts of Berkeley Square (Sewell) ; 1948, The Winslow Boy (Asquith), Portrait from Life (Fisher), The Bad Lord Byron (MacDonald), Quartet (sketch d'Annakin), The Brass Monkey (Freeland) ; 1950, Last Holiday (Cass) ; 1951, The Man in White Suit (L'homme au complet blanc) (Mackendrick), Laughter in Paradise (Zampi), Scrooge (Desmond Hurst), The Magic Box (La boîte magique) (Boulting) ; 1953, Thought to Kill, Meet Mr. Lucifer (Pelissier), The Robe (La tunique) (Koster), The Million Pound Note (Neame) ; 1954, Father Brown (Le détective du Bon Dieu) (Hammer) ; 1955, Value for Money (Annakin), An Alligator Named Daisy (Lee-Thompson), Quentin Durward (Quentin Durward) (Thorpe) ; 1956, Three Men in a Boat (Annakin) ; 1957, Doctor at Large (R. Thomas) ; 1958, The Horse's Mouth (De la bouche du cheval) (Neame), The Truth About Women (Box) ; 1959, Battle of the Sexes (Crichton) ; 1960, Sons and Lovers (Cardiff) ; 1961, The Roman Spring of Mrs. Stone (Quintero).

Une tête étrange sortie d'une gargouille de cathédrale : la peau et les os, des yeux exorbités, une allure malingre. Thesiger avait d'abord tenu le rôle de Pitt dans une vie de Nelson et celui de Joseph Chamberlain dans une autre vie, celle de Lloyd George. Mais il reste dans nos mémoires pour son interprétation du docteur Praetorius dans *la Fiancée de Frankenstein*, où il manipulait avec une aisance diabolique des homoncules conservés dans des bocaux. On le revit dans de nombreux films anglais mais cantonné – hélas pour lui et pour nous – dans de petits rôles.

Thewlis, David

Acteur anglais né en 1963.

1987, Road (Clarke) ; 1988, Vroom (Kidron), Little Dorrit (Edzard) ; 1989, Skulduggery (Davis), Resurrected (Greengrass) ; 1991, Life Is Sweet (Life Is Sweet) (Leigh) ; 1992, Afraid of the Dark (Double vue) (Peploe), Damage (Fatale) (Malle) ; 1993, The Trial (Jones), Naked (Naked) (Leigh) ; 1994, Black Beauty (Thompson), Restoration (Le don du roi) (Hoffman), Dragonheart (Cœur de dragon) (Cohen) ; 1995, Total Eclipse (Rimbaud/-Verlaine) (Holland) ; 1996, The Island of Dr. Moreau (L'île du Dr Moreau) (Frankenheimer), American Perfekt (Chart) ; 1997, Seven Years in Tibet (Sept ans au Tibet) (Annaud), The Big Lebowski (The Big Lebowski) (Coen), Divorcing Jack (Divorcing Jack) (Caffrey) ; 1998, Besieged (Shanduraï) (Bertolucci) ; 1999, Whatever Happened to Harold Smith ? (Hewitt), Strong Boys (Love), Gangster No. 1 (McGuigan) ; 2000, Endgame (McPherson), Great Sex (Chart).

Il est révélé par sa composition stupéfiante d'un sans-abri philosophe dans *Naked* de Mike Leigh, rôle qui lui vaudra d'ailleurs un prix d'interprétation à Cannes. Loin du créneau « beau gosse », il frappe par sa silhouette tourmentée, son visage creusé et sa voix éraillée.

Thibault, Jean-Marc

Acteur et réalisateur français né en 1923.

1943, Premier de cordée (Daquin) ; 1946, Antoine et Antoinette (Becker) ; 1949, La cage aux filles (Cloche) ; 1951, Lettre ouverte à un mari (Joffé), Belle mentalité (Berthomieu), Désordre (Baratier) ; 1953, L'œil en coulisse (Berthomieu), Une vie de garçon (Boyer), Le portrait de son père (Berthomieu) ; 1954, Escalier de service (Rim), Les deux font la paire (Berthomieu) ; 1955, Les assassins du dimanche (Joffé), Les nuits de Montmartre (Franchi) ; 1956, La vie est belle (Thibault, Pierre), Une nuit aux Baléares (Mesnier), Nous autres à Champignol (Bastia) ; 1957, C'est arrivé à 36 chandelles (Diamant-Berger), Vive les vacances (Thibault) ; 1958, Les motards (Laviron), Sans famille (Michel) ; 1959, Les héritiers (Laviron) ; 1961, La belle américaine (Dhéry), Un cheval pour deux (Thibault), Napoléon II l'Aiglon (Boissol) ; 1962, Nous irons à Deauville (Rigaud) ; 1963, Virgine ; 1964, Les gros bras (Rigaud) ; 1965, Les baratineurs (Rigaud), Les malabars sont au parfum (Lefranc) ; 1969, Le débutant (Daert) ; 1974, Gross Paris (Grangier) ; 1975, En grandes pompes (Teisseire) ; 1976, Le juge Fayard dit « le shérif » (Boisset) ; 1978, Les bidasses au pensionnat (Vocoret), On efface tout (P. Vital) ; 1979, La femme flic (Boisset) ; 1980, Le roi des cons (Confortès), La ville des silences (Marbœuf), Signé Furax (Simenon) ; 1981, Allons z'enfants (Boisset), Petit Joseph (Barjol), Croque la vie (Tacchella) ; 1982, Mon curé chez les nudistes (R. Thomas), Le corbillard de Jules (Pénard) ; 1986, Vaudeville (Marbœuf) ; 1990, Voir l'éléphant... (Marbœuf), La femme fardée (Pinheiro) ; 1994, Wonder boy (Vecchiali) ; 2000, Féroce (Maistre), Vidocq (Pitof). *Pour le metteur en scène*, voir le *Dictionnaire du cinéma*, t. I : *Les réalisateurs*.

Nombreux cabarets, du Tabou à l'Amiral, metteur en scène de ballets *(A tout cœur)* ; producteur d'émissions de radio ou de télévision, auteur de plusieurs livres, dont *Plumes rouges, Farandole* et *C'est pour rire* (en collaboration avec Roger Pierre), acteur de théâtre, il a formé avec son compère Roger Pierre (voir à ce nom) un excellent tandem comique cinématographique. C'est Thibault qui mit à plusieurs reprises en scène leurs films, avant de se séparer de son camarade vers 1975. Ils se sont retrouvés sur scène en 1984.

Thomas, Henry

Acteur américain né en 1971.

1981, Raggedy Man (L'homme dans l'ombre) (Fisk) ; 1982, E.T. the Extra-Terrestrial (E.T. l'extraterrestre) (Spielberg) ; 1984, Misunderstood (Besoin d'amour) (Schatzberg), Cloak and Dagger (Franklin) ; 1986, The Quest (Trenchard-Smith) ; 1989, Valmont (Valmont) (Forman) ; 1993, Fire in the Sky (Lieberman) ; 1994, Legends of the Fall (Légendes d'automne) (Zwick) ; 1996, Riders of the Purple Sage (Haid), Suicide Kings (Suicide Kings) (O'Fallon), Bombshell (Wynne) ; 1997, Hijacking Hollywood (Mandt), Niagara Niagara (Gosse) ; 1998, Fever (Winter), A Good Baby (Dieckmann) ; 1999, All the Pretty Horses (De si jolis chevaux) (Thornton) ; 2000, Dead in the Water (Lipsztein), Briar Patch (Berman) ; 2001, Gangs of New York (Gangs of New York) (Scorsese).

Natif du Texas. Spielberg le choisit pour incarner Elliott, le petit garçon qui se lie d'amitié avec *E.T.* Profil bas par la suite, sauf un rôle conséquent en frère de Brad Pitt dans *Légendes d'automne*. Il est également musicien dans un groupe de rock.

Thomassin, Florence

Actrice française née en 1966.

1989, Un père et passe (Grall), Le crime d'Antoine (Rivière) ; 1990, Annabelle partagée (F. Comencini) ; 1991, Cellini (Cellini, l'or et le sang) (Battiato) ; 1994, Ainsi soient-elles (Alessandrin), Élisa (Becker), Mina Tannenbaum (Dugowson) ; 1995, Des nouvelles du Bon Dieu (Le Pêcheur), Beaumarchais l'insolent (Molinaro) ; 1996, Les victimes (Grandperret) ; 1997, Dobermann (Kounen) ; 1998, Le plaisir (et ses petits tracas) (Boukhrief), L'île au bout du monde (Herré), Paddy (Mordillat) ; 1999, Rien à faire (Vernoux), Une affaire de goût (Rapp).

Rebelle à l'autorité, autodidacte, elle s'impose grâce à une personnalité forte, affirmée à travers des films d'auteur pas forcément grand public et souvent dans l'ombre d'autres comédiennes (Vanessa Paradis dans *Élisa,* Valeria Bruni-Tedeschi dans *Rien à faire*). Entre douceur et violence, une actrice à suivre.

Thomassin, Gérald

Acteur français né en 1974.

1990, Le petit criminel (Doillon) ; 1992, Tendre guerre (Morin) ; 1995, Clubbed to Death (Lola) (Zaubermann), Calino Maneige (Lebel) ; 1997, L'annonce faite à Marius (Sbraire) ; 1998, Louise (take 2) (Siegfried), Un pur moment de rock'n roll (Boursinhac) ; 2000, Nationale 7 (Sinapi) ; 2003, Mister V. (Deleuze).

Inoubliable *Petit criminel* de Jacques Doillon, pour lequel il remporta le césar du meilleur espoir, il véhicule un physique tourmenté, nourri par un vécu difficile, dans des films d'auteur où il n'a pas toujours le beau rôle, mis à part peut-être le touchant *Calino Maneige*, où il joue un jeune chômeur prêt à tout pour s'en sortir.

Thompson, Emma

Actrice anglaise née en 1959.

1989, Henry V (Henry V) (Branagh), The Tall Guy (Smith) ; 1991, Impromptu (Impromptu) (Lapine), Dead Again (Dead Again) (Branagh), Howards End, (Retour à Howards End) (Ivory) ; 1992, Peter's Friends (Peter's Friends) (Branagh) ; 1993, Much Ado About Nothing (Beaucoup de bruit pour rien) (Branagh), The Remains of the Day (Les vestiges du jour) (Ivory), In the Name of the Father (Au nom du père) (Sheridan) ; 1994, My Father the Hero (My father, ce héros) (Miner), Junior (Junior) (Reitman) ; 1995, Carrington (Carrington) (Hampton), Sense and Sensibility (Raison et sentiments) (Ang Lee) ; 1997, The Winter Guest (L'invitée de l'hiver) (Rickman), Primary Colors (Primary Colors) (Nichols) ; 1998, Judas Kiss (Judas Kiss) (Gutierrez) ; 1999, Maybe Baby (Maybe Baby) (Elton) ; 2003, Imagining Argentina (Hampton), Love Actually (Curtis); 2004, Harry Potter and the Prisoner of Azakaban (Harry Potter et le prisonnier d'Azkaban) (Cuaron) ; 2005, Nanny McPhee (Nanny McPhee) (K. Jones) ; 2007, Harry Potter and the Order of the Phoenix (Harry Potter et l'ordre du Phénix) (Yates), Stranger than Fiction (L'incroyable destin de Harold Crick) (Forster).

Mariée un temps à Kenneth Branagh qu'elle rencontra au théâtre alors qu'ils étaient tous deux de brillants acteurs shakespeariens, elle fut de presque tous ses films, et leur apporta un charme et un humour incontestables. Grande, distinguée, elle est l'héroïne british type et, en dehors de Branagh, est aussi à l'aise dans de beaux drames typiquement britanniques (*Retour à Howards End* qui lui vaut l'oscar de 1992, *Les vestiges du jour*, *Carrington*) que dans des comédies plus légères (*Junior*), où son indéniable charisme peut s'avérer nécessaire pour contrebalancer le trivial du propos.

Thomson, Anna

Actrice américaine, de son vrai nom Anna Levine, née en 1957.

1980, Heaven's Gate (Les portes du paradis) (Cimino) ; 1984, The Pope of Greenwich Village (Le pape de Greenwich Village) (Rosenberg), Maria's Lover (Maria's Lover) (Konchalovski) ; 1985, Murphy's Romance (Ritt), Desperately Seeking Susan (Recherche Susan désespérément) (Seidelman) ; 1986, At Close Range (Comme un chien enragé) (Foley), Something Wild (Dangereuse sous tous rapports) (Demme) ; 1987, Wall Street (Wall Street) (Stone), Fatal Attraction (Liaison fatale) (Lyne) ; 1988, Bird (Bird) (Eastwood), Talk Radio (Talk Radio) (Stone) ; 1989, Warlock (Miner), White Hot (Benson) ; 1990, Aunt Julia and the Scriptwriter/Tune In Tomorrow... (Tante Julia et le scribouillard) (Amiel) ; 1992, Criss Cross (Menges), Unforgiven (Impitoyable) (Eastwood) ; 1993, True Romance (True Romance) (T. Scott) ; 1994, Handgun (Ransick), Outside the Law (Davidson), Bad Boys (Bad Boys) (Bay), The Crow (The Crow) (Proyas), Baby's Day Out (Bébé part en vadrouille) (Johnson) ; 1995, Drunks (Cohn), Cafe Society (Cafe Society) (De Felitta), Angela (Miller), Angus (Angus) (Read

Johnson) ; 1996, Jaded (Krooth), I Shot Andy Warhol (Harron) ; 1997, Trouble on the Corner (Madison), Sue (Sue perdue dans Manhattan) (Kollek), Six Ways to Sunday (Bernstein), Other Voices, Other Rooms (Rocksavage) ; 1998, Fiona (Fiona) (Kollek) ; 1999, Gouttes d'eau sur pierres brûlantes (Ozon) ; 2000, Fast Food Fast Women (Fast Food Fast Women) (Kollek) ; 2001, Beirut (Kollek).

Il suffit parfois d'un seul film pour révéler définitivement une grande actrice, longtemps abonnée aux troisièmes rôles. C'est le cas d'Anna Thomson (également créditée Anna Levine ou Anna Levine Thomson aux génériques), qui incarne dans *Sue perdue dans Manhattan* une jeune femme dépressive paumée dans un New York ultra-réaliste. Bouleversante, elle tient le film à bout de bras, elle-même portée par un incroyable visage dont la fragilité rappelle celui de Pascale Ogier. Un phénomène du cinéma indépendant américain que l'on espère revoir très vite au tout premier plan.

Thornton, Billy Bob

Acteur et réalisateur américain né en 1955.

1987, Hunter's Blood (Hughes) ; 1988, South of Reno (Rezyka) ; 1989, Going Overboard (Breiman), Chopper Chicks in Zombietown (D. Hoskins) ; 1991, One False Move (Un faux mouvement) (Franklin), For the Boys (For the Boys) (Rydell) ; 1992, Trouble Bound (Reiner) ; 1993, The Killing Box (Hickenlooper), Blood In, Blood Out (Les princes de la ville) (Hackford), Indecent Proposal (Proposition indécente) (Lyne), Tombstone (Tombstone) (Cosmatos) ; 1994, Floundering (McCarthy), On Deadly Ground (Terrain miné) (Seagal) ; 1995, Dead Man (Dead Man) (Jarmusch), The Stars Fell on Henrietta (Keach) ; 1996, The Winner (Cox), Sling Blade (Sling Blade) (Thornton) ; 1997, The Apostle (Le prédicateur) (Duvall), An Alan Smithee Film – Burn, Hollywood, Burn (An Alan Smithee Film) (Hiller, sous le pseudonyme de Simthee), U-Turn (U-Turn) (Stone) ; 1998, Armageddon (Armageddon) (Bay), Primary Colors (Couleurs primaires) (Nichols), A Simple Plan (Un plan simple) (Raimi), A Gun, a Car, a Blonde (Ames), Homegrown (Gyllenhaal) ; 1999, Pushing Tin (Les aiguilleurs) (Newell), Daddy and Them (Thornton), South of Heaven West of Hell (Yoakam) ; 2000, The Men Who Wasn't There (The Barber) (Coen) ; 2001, Bandits (Levinson), Monster's Ball (A l'ombre de la haine) (Forster) ; 2002, Waking Up in Reno (Brady) ; 2003, Levity (Solomon), Intolerable Cruelty (Intolérable cruauté) (Coen), Love Actually (Love Actually) (Curtis), Bad Santa (Zwigoff) ; 2004, Alamo (Hancock) ; 2004, The Ice Harvest (Faux amis) (Ramis) ; 2006, Bad News Bears (Bad News Bears) (Linklater). *Comme réalisateur :* 1996, Sling Blade (Sling Blade) ; 1998, Daddy and Them ; 1999, All the Pretty Horses (De si jolis chevaux).

Une longue carrière de second couteau dans une flopée de séries Z, avant la révélation hollywoodienne grâce à *Sling Blade*, drame sudiste qu'il écrit, produit (en s'endettant), réalise et interprète. Oscar (meilleur scénario), triomphe critique, distribution dans le monde entier : l'acteur est enfin sorti de l'impasse. Totalement méconnaissable de film en film, il incarne souvent des simplets (*Sling Blade*) plus complexes qu'ils n'en ont l'air.

Thual, Jean-Yves

Acteur français né en 1963.

1990, The Rainbow Thief (Le voleur d'arc-en-ciel) (Jodorowsky) ; 1991, Le coup suprême (Sentier) ; 1993, Miko (moyen métrage) (Chavarot) ; 1995, Les Milles (Grall) ; 1996, La ballade de Titus (De Brus) ; 1997, Le nain rouge (Le Moine) ; 1998, L'ami du jardin (Bouchaud), Astérix et Obélix contre César (Zidi).

Mesurant 1,28 m, il débute au théâtre sous la direction de Jean-Luc Tardieu, à Nantes, avant d'écumer les courts métrages et finalement se faire une place sur plusieurs longs métrages, de préférence dans des univers oniriques : un Lapon à la recherche d'un fil à plomb en or dans *Le coup suprême*, un fonctionnaire amoureux d'une obèse dans le malsain *Nain rouge*, et un nain de jardin réincarné en tueur à la faucille dans le très médiocre *Ami du jardin*.

Thulin, Ingrid

Actrice suédoise, 1929-2004.

1948, Kann dej som hemma (Holmsen), Dit vindarna bar – Jorund smed (D'où vient le vent) (Ohberg) ; 1949, Havets son (Le fils de la mer) (Husberg), Karleken segrar (L'amour est vainqueur) (Molander) ; 1950, Hjarter knekt (Voleurs de cœurs) (Ekman), Nar karleken kom till byn (Quand l'amour arrive au village) (Mattson) ; 1951, Leva pa hoppet (Vivre dans l'espoir) (Gentele) ; 1952, Mote met livet (Rencontre avec la vie) (Werner), Kalle Karlsson fran Jularbo (Kalle Kalisson de Jularbo) (Johansson) ; 1953, En skargardsnatt (Une nuit dans l'archipel de Stockholm) (Logardt), Goingehovdingen (Ohberg) ; 1954, I

Rok och dans (Blomgren), Tva skonjuveler (Deux beaux bijoux) (Husberg) ; 1955, Danssalongen (Salon de danse) (Larsson), Hoppsan (Hopla) (Ofin) ; 1956, Foreign Intrigue (L'énigmatique Monsieur D) (Reynolds), Petterson I annorlunda (Gunvall) ; 1957, Aldrig I livet (Le rapt parfait) (Ragneborn), Smultronstallet (Les fraises sauvages) (Bergman) ; 1958, Nara livet (Au seuil de la vie) (Bergman), Ansiktet (Le visage) (Bergman) ; 1960, Domaren (Le juge) (Sjoberg) ; 1961, The Four Horsemen of the Apocalypse (Les quatre cavaliers de l'Apocalypse) (Minnelli) ; 1962, Agostino (Boligni) ; 1963, Nattvardsgasterna (Les communiants) (Bergman), Tystnaden (Le silence) (Bergman), Sekstet (Hovmand) ; 1964, Der Film den niemand sieht (Sachs, Triandafilidès) ; 1965, Die Lady (Un certain désir) (Albin), Return from the Ashes (Le démon est mauvais joueur) (Lee-Thompson), Hangivelse (Devotion) (c.m., Thulin) ; 1966, La guerre est finie (Resnais), Langtan (Nostalgie) (Zetterling), Nattlek (Jeux de nuit) (Zetterling) ; 1967, Domani non siamo piu qui (Rondi) ; 1968, Vargtimmen (L'heure du loup) (Bergman), Badarna (Les baigneurs) (Gamlin), Adelaide (Simon) ; 1969, Riten (Le rite) (Bergman), Un diablo bajo la almohada (Le diable sous l'oreiller) (Forque), The Damned (Les damnés) (Visconti) ; 1971, N.P. Il segreto (L'effroyable machine de l'industriel N.P.) (Agosti) ; 1972, La sainte famille (Koralnik), Viskningar och rom (Cris et chuchotements) (Bergman), La corta notte delle bambole di vetro nero (Lado) ; 1973, En Handfull Karlek (Une poignée d'amour) (Sjoman) ; 1974, La chasse au diable (Koralnik) ; 1975, Monismanien 1995 (Fant), La cage (Granier-Deferre), Salon Kitty (Brass) ; 1976, E comincio il viaggio nella vertigni (de Gregorio), The Cassandra Crossing (Le pont de Cassandra) (Cosmatos) ; 1978, En och en (Un et un) (Josephson, Nykyist, Thulin) ; 1984, Efter repetitionen (Après la répétition) (Bergman) ; 1986, Control (Contrôle) (Montaldo) ; 1991, La casa del sorriso (La maison du sourire) (Ferreri).

Contrairement à la légende, ce n'est pas Bergman qui l'a révélée. Elle avait déjà tourné beaucoup de films avant de jouer sous sa direction dans *Les fraises sauvages*, mais il est vrai qu'à partir de 1957 elle devient l'une de ses interprètes favorites, ce qui lui vaudra une gloire internationale et lui permettra de travailler notamment avec Visconti. Passionnée de cinéma, elle a tourné elle-même un court métrage, *Devotion*, et participé à l'élaboration de *Un et un*. Elle fut couronnée à Cannes d'un prix d'interprétation pour *Au seuil de la vie*.

Thurman, Uma

Actrice américaine née en 1970.

1987, Kiss Daddy Good Night (Illy Huemers) ; 1988, Johnny Be Good (Smith) ; 1989, The Adventures of Baron Muchhausen (Les aventures du baron de Munchhausen) (Gilliam), Dangerous Liaisons (Les liaisons dangereuses) (Frears) ; 1990, Where the Heart Is (Tout pour réussir) (Boorman), Henry and June (Henry et June) (Kaufman) ; 1991, Robin Hood (Robin des bois) (Irvin), Dylan (inachevé, Drury) ; 1992, Final Analysis (Sang chaud pour meurtre de sang froid) (Joanou), Jennifer 8 (Jennifer 8) (Robinson), Mad Dog and Glory (Mad Dog and Glory) (McNaughton) ; 1993, Even Cowgirls Get the Blues (Even Cowgirls Get the Blues) (Van Sant) ; 1994, Pulp Fiction (Pulp Fiction) (Tarantino), A Month by the Lake (Irvin) ; 1995, The Truth about Cats and Dogs (Entre chiens et chats) (Lehmann), Beautiful Girls (Ted Demme) ; 1996, Batman and Robin (Batman & Robin) (Schumacher) ; 1997, Gattaca (Bienvenue à Gattaca) (Niccol), Les Misérables (August), The Avengers (Chapeau melon et bottes de cuir) (Chechik) ; 1998, Sweet and Lowdown (Accords et désaccords) (Allen) ; 1999, Vatel (Vatel) (Joffé) ; 2000, The Golden Bowl (La coupe d'or) (Ivory), Tape (Linklater) ; 2003, Kill Bill : Vol. 1 (Kill Bill volume 1) (Tarantino), Paycheck (Paycheck) (Woo) ; 2004, Kill Bill : Volume 2 (Kill Bill : Volume 2) (Tarentino) ; 2005, Be Cool (Be Cool) (Gray) ; 2006, Prime (Petites confidences à ma psy) (Younger), The Producers (Les Producteurs) (Stroman), My Super Ex-Girlfriend (Ma super ex) (Reitman) ; 2007, Bee Movie (Smith et Hickner).

Rapidement passée au statut de vedette, cette ravissante ex-mannequin au regard un peu triste trouve la pleine mesure de son talent dans des films intrigants tels *Pulp Fiction* ou *Even Cowgirls Get the Blues*, où elle interprète le rôle d'une auto-stoppeuse au pouce démesuré.

Tierney, Gene

Actrice américaine, 1920-1991.

1940, The Return of Frank James (Le retour de Frank James) (Lang), Hudson's Bay (Pichel) ; 1941, Tobacco Road (La route du tabac) (Ford), Bell Starr (La reine des rebelles) (Cummings), Sundown (Crépuscule) (Hathaway) ; 1942, The Shanghai Gesture (Shanghai) (Sternberg), Son of Fury (Le chevalier de la vengeance) (Cromwell), Rings on Her Fingers (Mamoulian), Thunder Birds (Wellman), China Girl (Hathaway) ; 1943, Heaven Can Wait (Le ciel peut attendre) (Lubitsch) ;

1944, Laura (Laura) (Preminger) ; 1945, A Bell for Adano (King), Leave her to Heaven (Péché mortel) (Stahl) ; 1946, Dragonwyck (Le château du Dragon) (Mankiewicz), The Razor's Edge (Le fil du rasoir) (Goulding) ; 1947, The Ghost and Mrs. Muir (L'aventure de Mme Muir) (Mankiewicz) ; 1948, The Iron Curtain (Wellman), That Wonderful Urge (Scandale en première page) (Sinclair) ; 1949, Whirlpool (Le mystérieux docteur Korvo) (Preminger) ; 1950, Night and the City (Les forbans de la nuit) (Dassin), Where the Sidewalk Ends (Mark Dixon détective) (Preminger) ; 1951, The Mating Season (La mère du marié) (Leisen), On the Riviera (W. Lang), The Secret of Convict Lake (Gordon), Close to My Heart (Keighley) ; 1952, Way of a Gaucho (Le gaucho) (Tourneur), Plymouth Adventure (Capitaine sans loi) (Brown) ; 1953, Never Let Me Go (Ne me quitte jamais) (Daves) ; 1954, Personal Affair (Une affaire ultra-secrète) (Pelissier), Black Widow (La veuve noire) (Johnson), The Égyptian (L'Égyptien) (Curtiz) ; 1955, The Left Hand of God (La main gauche du Seigneur) (Dmytryk) ; 1962, Advise and Consent (Tempête à Washington) (Preminger) ; 1963, Toys in the Attic (Le tumulte) (Hill) ; 1964, The Pleasure Seekers (Negulesco).

Elle se confond dans la mémoire des cinéphiles avec le souvenir de *Laura*. Remarquée par Litvak, recevant des propositions de la MGM, elle préfère le théâtre. Finalement elle deviendra une vedette de la Fox. Son étrange beauté, un peu asiatique (les yeux en amande, les pommettes saillantes), en fait vite une star. Des chagrins privés semblent devoir briser sa carrière. En 1955, elle abandonne le cinéma. La Fox la sollicite à nouveau. Elle tournera encore trois films.

Tierney, Lawrence

Acteur américain, 1919-2002.

1943, Government Girl (D. Nichols), The Ghost Ship (Robson), Gildersleeve on Broadway (Douglas) ; 1944, Youth Runs Wild (Robson), The Falcon Out West (Clemens) ; 1945, Mama Loves Papa (Strayer), Dillinger (Nosseck), Back to Bataan (Dmytryk), Those Endearing Young Charms (Allen) ; 1946, San Quentin (Douglas), Step by Step (Rosen), Badman's Territory (La ville des sans-loi) (Whelan) ; 1947, The Devil Thumbs a Ride (Feist), Born to Kill (Né pour tuer) (Wise) ; 1948, Bodyguard (Fleischer) ; 1950, Kill or Be Killed (Nosseck), Shakedown (Pevney) ; 1951, The Hoodlum (Nosseck), The Best of the Badmen (Plus fort que la loi) (W. D. Russell), The Bushwhackers (Amateau) ; 1952, The Greatest Show on Earth (Sous le plus grand chapiteau du monde) (DeMille) ; 1954, The Steel Cage (Doniger) ; 1956, Female Jungle (Sota) ; 1962, A Child Is Waiting (Cassavetes) ; 1966, Custer of the West (Custer l'homme de l'Ouest) (Siodmak) ; 1971, Such Good Friends (Des amis comme les miens) (Preminger) ; 1975, Abduction (Zito) ; 1976, Andy Warhol's Bad (Johnson) ; 1978, The Kirlian Witness (Sarno) ; 1979, Bloodrage (Bigwood) ; 1980, Gloria (Gloria) (Cassavetes) ; 1981, Arthur (Arthur) (Gordon), The Prowler (Zito) ; 1982, Midnight (Russo) ; 1984, Nothing Lasts Forever (Schiller) ; 1985, Silver Bullet (Attias), Prizzi's Honor (L'honneur des Prizzi) (Huston) ; 1986, Murphy's Law (La loi de Murphy) (Lee-Thompson) ; 1987, Tough Guys Don't Dance (Les vrais durs ne dansent pas) (Mailer), The Offspring (Burr) ; 1989, The Naked Gun (Y a-t-il un flic pour sauver la reine ?) (Zucker), The Horror Show (Isaac), Why Me ? (Un plan d'enfer) (Quintano) ; 1991, Wizards of the Demon Sword (Olen Ray), City of Hope (City of Hope) (Sayles) ; 1992, Eddie Presley (Burr), Reservoir Dogs (Reservoir Dogs) (Tarantino), The Runestone (Ballard) ; 1994, Junior (Junior) (Reitman) ; 1995, Fatal Passion (Toidi) ; 1996, 2 Days in the Valley (2 jours à Los Angeles) (Herzfeld) ; 1997, American Hero (Burr) ; 1998, Armageddon (Armageddon) (Bay), Southie (Shea).

Blond, mince, le visage allongé, le regard froid, il incarne le tueur glacé, sans nerfs et sans pitié. Deux grands rôles : *Dillinger* et *Né pour tuer*.

Tiller, Nadja

Actrice autrichienne née en 1929.

1949, Eroica (Kolm-Veltée), Märchen vom Glück, Kleiner Schwindel am Wolfgangsee ; 1950, Das Kind an der Donau ; 1952, Wir werden das Kind schon schaukeln, Illusion in Moll (Ingert) ; 1953, Einmal keine Sorgen haben, Die Kaiserin ; 1954, Liebe und trompetenblasen, Mädchen mit Zukunft, Der letzte Sommer (Braun) ; 1955, Ball im Savoy, Hotel Adlon (Baky), Wie werde ich Filmstar ?, Die Barrings (Thiele) ; 1956, Das Bad auf der Tenne, Spion für Deutschland (L'espion de la dernière chance) (Klinger) ; 1957, La Tour, prends garde (Lampin), El Hakim (Thiele) ; 1958, Le désordre et la nuit (Grangier), Das Mädchen Rosemarie (La fille Rosemarie) (Thiele) ; 1959, The Rough and the Smooth (Siodmak), Du rififi chez les femmes (Joffé), Buddenbrooks (Hoffmann), Labyrinth (A bout de nerfs) (Thiele) ; 1960, An einem Freitag um halb Zwölf (Vendredi, 13 h) (Rakoff),

Die Botschafterin ; 1961, L'affaire Nina B (Siodmak), Die Botschafterin (La peau d'un espion) (Abich) ; 1962, Anima nera (Rossellini), Lulu (Les liaisons douteuses) (Thiele), La chambre ardente (Duvivier) ; 1963, Schloss Gripsholm (Hoffmann) ; 1964, Tonio Kröger (Thiele) ; 1965, Pleins feux sur Stanislas (Dudrumet), Liebe Karrussel (Belles d'un soir) (Thiele, Weidenmann, Von Ambesser) ; 1966, L'estate (Spinola), Como imparai ad amore le donne (R. Hoffmann), Tendre voyou (Becker), Du rififi à Paris (La Patellière) ; 1968, Lady Hamilton (Christian-Jaque) ; 1969, Ohrfeigen (Thiele) ; 1970, Blonde Köder für den Mörder, La morte bussa due volte (Phillip) ; 1972, L'occhio nel Labirinto (Caiano), Le moine (Kyrou), L'etrusco uccide ancora (Crispino) ; 1974, Il baco da seta (Sequi) ; 1975, La babysitter (Clément).

Fille d'un acteur et d'une cantatrice, cette pulpeuse créature fut élue Miss Autriche en 1949 et entama une carrière cinématographique dans les années 50. Son meilleur rôle fut celui de la fille Rose-Marie dans un film important de Thiele ainsi que la Nina B de Siodmak : deux personnages de ravageuse sur le plan sexuel.

Tilly, Jennifer

Actrice canadienne née en 1958.

1984, No Small Affair (Schatzberg) ; 1985, Moving Violations (Israel) ; 1986, Inside Out (Taicher) ; 1987, Remote Control (Lieberman), He's My Girl (Beaumont) ; 1988, Rented Lips (Downey Sr.), Johnny Be Good (Smith), High Spirits (High Spirits) (Jordan) ; 1989, Let It Ride (Pytka), Far From Home (Avis), The Fabulous Baker Boys (Susie et les Baker Boys) (Kloves) ; 1991, Scorchers (Beaird), The Doors (The Doors) (Stone) ; 1992, Agaguk (Dorfmann) ; 1993, The Webbers (Marlowe), Body Snatchers (Body Snatchers) (Ferrara), Made in America (Made in America) (Benjamin) ; 1994, Embrace of the Vampire (Goursaud), Double Cross (Keusch), The Getaway (Guet-apens) (Donaldson), Bullets Over Broadway (Coups de feu sur Broadway) (Allen) ; 1996, Man with a Gun (Wyles), Edie & Pen (Irmas), Bound (Bound) (Wachowski), Bird of Prey (Lopez), The Pompatus of Love (Schenkman), House Arrest (Winer), American Strays (Covert) ; 1997, Liar Liar (Menteur menteur) (Shadyac), Hoods (Parrain malgré lui) (Malone) ; 1998, Music from Another Room (Le « cygne » du destin) (Peters), Relax... It's Just Sex (Relax... It's Just Sex) (Castellaneta), The Wrong Guy (Steinberg), Bride of Chucky (La fiancée de Chucky) (Yu), The Muse (La muse) (A. Brooks), Goosed (C. Dahl) ; 1999, Play It to the Bone (Les adversaires) (Shelton), Do Not Disturb (Issue de secours) (Haas), Hide and Seek (Furie), The Crew (Dinner) ; 2000, Dancing at the Blue Iguana (Radford) ; 2001, The Cat's Meow (Bogdanovich), The Magnificent Ambersons (Arau).

Sœur de Meg Tilly, c'est la fofolle type, insupportable et criarde, parfaitement à l'aise en fille légère, en diva évaporée (*Coups de feu sur Broadway*) ou en ex-femme procédurière et cynique (*Menteur menteur*). Un tempérament de feu, à l'aise dans tous les registres, à rapprocher de l'actrice anglaise Tracy Ullman.

Tilly, Meg

Actrice canadienne née en 1961.

1980, Fame (Fame) (Lyne) ; 1982, One Dark Night (McLoughlin), Tex (Tex) (Hunter) ; 1983, Psycho III (Psychose 3) (Franklin), The Big Chill (Les copains d'abord) (Kasdan) ; 1984, Impulse (Pulsion homicide) (Baker) ; 1985, Agnes of God (Agnès de Dieu) (Jewison) ; 1986, Off Beat (Le flic était presque parfait) (Dinner) ; 1988, Masquerade (Swaim), The Girl in a Swing (Hessler) ; 1989, Valmont (Valmont) (Forman) ; 1990, The Two Jakes (The Two Jakes) (Nicholson), Carmilla (Beaumont) ; 1992, Leaving Normal (Zwick) ; 1993, Body Snatchers (Body Snatchers) (Ferrara) ; 1994, Sleep With Me (Sleep With Me) (Kelly).

Femme-enfant fragile et innocente en apparence, mais actrice exigeante et dramaturge confirmée en réalité, elle a connu son premier succès avec le rôle de la petite amie rapportée dans le film culte *Les copains d'abord*. Son Agnès dans *Agnès de Dieu* lui vaut les honneurs de la critique.

Timsit, Patrick

Acteur et réalisateur français né en 1959.

1986, Paulette (Confortès) ; 1988, Sans peur et sans reproches (Jugnot) ; 1989, Le crime d'Antoine (Rivière), Vanille-fraise (Oury) ; 1990, A la vitesse d'un cheval au galop (Onteniente) ; 1991, Une époque formidable... (Jugnot), Mayrig (Verneuil) ; 1992, Le bal des casse-pieds (Robert), Loulou graffiti (Lejalé), La crise (Serreau) ; 1993, Une journée chez ma mère (Cheminal) ; 1994, Elles n'oublient jamais (Frank), Un Indien dans la ville (Palud) ; 1995, Pédale douce (Aghion), La belle verte (Serreau) ; 1996, Passage à l'acte (Girod) ; 1997, Marquise (Belmont), Le cousin (Corneau), Paparazzi (Berbérian) ; 1998, Quasimodo d'El Paris (Timsit) ; 2000, Le prince du Pacifique (Corneau) ; 2001, L'art (délicat) de la séduction (Berry), Rue des plaisirs (Leconte) ; 2002, Quelqu'un de bien (Timsit) ; 2003, Les clefs de la bagnole (Baffie) ; 2004, Les 11 commandements (Desagnat) ; L'Américain (Timsit) ; 2005, Un fil à la patte (Deville) ; 2006, Incontrôlable (Shart). *Pour le metteur en scène*, voir le *Dictionnaire du cinéma*, t. I : *Les réalisateurs*.

Figure célèbre de la scène comique, il est réputé pour son humour féroce et provocateur. Irremplaçable au cinéma où sa bonne bouille le confinerait plutôt dans les rôles de gentil emmerdeur, de copain débrouillard ou de collègue de bureau.

Tisot, Henri

Acteur français né en 1937.

1958, Le bourgeois gentilhomme (Meyer) ; 1959, Voulez-vous danser avec moi ? (Boisrond), Le mariage de Figaro (Meyer) ; 1960, La menace (Oury) ; 1961, les Parisiennes (Boisrond), La Fayette (Dréville) ; 1962, Mon oncle du Texas (Guez), Le roi du village (Gruel), Le temps des copains (Guez) ; 1965, Pleins feux sur Stanislas (Dudrumet) ; 1966, Martin soldat (voix de De Gaulle) (Deville) ; 1968, Les gros malins (Leboursier) ; 1969, Aux frais de la princesse (Quignon) ; 1970, Heureux qui comme Ulysse (Colpi) ; 1973, Le Führer en folie (Clair), L'histoire très bonne et très joyeuse de Colinot Trousse-Chemise (Companeez) ; 1974, Gross Paris (Grangier), Le plumard en folie (Lem) ; 1979, Charles et Lucie (Kaplan) ; 1982, La baraka (Valère) ; 1983, Une jeunesse (Mizrahi).

Une rondeur venue du Conservatoire et de la Comédie-Française, mal utilisée à l'écran. Surtout connu pour ses imitations du général de Gaulle. Il s'est depuis reconverti dans le prosélytisme catholique.

Tissier, Jean

Acteur français, 1896-1973.

1934, Le monde où l'on s'ennuie (Marguénat), Voyage imprévu (Limur), Les hommes de la côte (Pellenc) ; 1935, Quelle drôle de gosse (Joannon), Haut comme trois pommes (Ramelot) ; Les gaîtés de la finance (Forrester), Retour au paradis (Poligny), Un oiseau rare (Pottier), La mascotte (Mathot) ; 1936, L'ange du foyer (Mathot), Les jumeaux de Brighton (Heymann), Une gueule en or (Colombier), Nitchevo (Baroncelli), La garçonne (Limur), Le chanteur de minuit (Joannon) ; 1937, Le grand refrain (Mirande), Messieurs les ronds-de-cuir (Mirande), Sarati le terrible (Hugon), Alerte en Méditerranée (Joannon), Une femme sans importance (Choux), Hercule (Esway), L'affaire du courrier de Lyon (Lehmann), Le club des aristocrates (Colombier), Le puritain (Musso) ; 1938, J'étais une aventurière (Bernard), Les femmes collantes (Caron), Le Petit Chose (Cloche), Le monsieur de cinq heures (Caron), Le grand élan (Christian-Jaque) ; 1939, Je chante (Stengel), Battement de cœur (Decoin), Quartier latin (Colombier), Tourbillon de Paris (Diamant-Berger), Nuit de décembre (Bernhardt), L'enfer des anges (Christian-Jaque) ; 1940, L'âge d'or (Limur), L'acrobate (Boyer), L'homme qui cherche la vérité (Esway), Vingt-quatre heures de perm' (Cloche), Fausse alerte (Baroncelli) ; 1941, Chèque au porteur (Boyer), Le dernier des six (Lacombe), Nous les gosses (Daquin), Premier rendez-vous (Decoin), Ce n'est pas moi (Baroncelli), Romance de Paris (Boyer) ; 1942, La femme que j'ai le plus aimée (Vernay), La maison des sept jeunes filles (Valentin), Les inconnus dans la maison (Decoin), L'amant de Bornéo (Le Hénaff), Le lit à colonnes (Tual), L'assassin habite au 21 (Clouzot), Picpus (Pottier), A vos ordres, Madame (Boyer) ; 1943, Adrien (Fernandel), Lucrèce (Joannon), La collection Ménard (Bernard-Roland), Au Bonheur des dames (Cayatte), Coup de tête (Le Hénaff), Mon amour est près de toi (Pottier), Vingt-cinq ans de bonheur (Jayet) ; 1944, Le merle blanc (Husson), Le cavalier noir (Grangier) ; 1945, Le capitan (Vernay), Lunegarde (M. Allégret), Son dernier rôle (Gourguet), L'extravagante mission (Calef), Christine se marie (Le Hénaff), L'invité de la onzième heure (Cloche), Roger-la-Honte (Cayatte), Leçon de conduite (Grangier), Le roi des resquilleurs (Devaivre) ; 1946, L'ennemi sans visage (Cammage), La kermesse rouge (Mesnier), Les aventures de Casanova (Boyer), L'homme traqué (Bibal), Rendez-vous à Paris (Grangier), On demande un ménage (Cam) ; 1947, Si jeunesse savait (Cerf), La dame d'onze heures (Devaivre), Le diamant de cent sous (Daniel-Norman), Une mort sans importance (Noé), Les casse-pieds (Dréville), La cité de l'espérance (Stelli), Métier de fous (Hunebelle), Fandango (Reinert), Toute la famille était là (Marguenat), Gigi (Audry), Ces dames aux chapeaux verts (Rivers), La veuve et l'innocent (Cerf) ; 1949, La femme nue (Berthomieu), La voyageuse inattendue (Stelli), Rome-Express (Stengel), Le Furet (Leboursier), Tête blonde (Cam), Vendetta en Camargue (Devaivre), Sans tambour ni trompette (Blanc), La ronde des heures (Ryder), La porteuse de pain (Cloche), Véronique (Vernay) ; 1950, Minne (Audry), Quai de Grenelle (Reinert), Prima communione, Le tampon du capiston (Labro), Cet âge est sans pitié (Blistène), Cœur-sur-Mer (Daniel-Norman), Le roi du bla-bla (Labro), Les maîtres nageurs (Lepage), Les petites Cardinal (Grangier) ; 1951, Messaline (Gallone), Trois vieilles filles en folie (Couzinet), Ce coquin d'Anatole (Couzinet), Et ta sœur (Lepage), Rendez-vous à Grenade (Pottier), Un jour avec vous (Legrand), Descendez, on vous demande (Laviron) ; 1952, Un caprice de Caroline chérie (Devaivre), Mon gosse de père (Mathot), Quand te tues-tu ? (Couzinet), Douze heures de bonheur (Grangier), L'île aux femmes nues (Lepage), Hold-up en musique (Turenne), Tourbillon (Rode) ; 1953, Le petit Jacques (Bibal), La rafle est pour ce soir (Dekobra), La famille Cucuroux (Couzinet), La belle de Cadix (Bernard), Alerte au Sud (Devaivre), C'est la vie parisienne (Rode), Si Versailles m'était conté (Guitry) ; 1954, Le vicomte de Bragelonne (Cerchio), Crime au concert Mayol (Méré), Fête de quartier (film belge), Papa, Maman, ma femme et moi (Le Chanois), On déménage le colonel (Labro), Pas de souris dans le bisness (Lepage), La rue des bouches peintes (Vernay), Boulevard du crime (Gaveau), Ces sacrées vacances (Vernay) ; 1955, Si Paris nous était conté (Guitry), Alerte aux Canaries (Roy) ; 1956, Notre-Dame de Paris (Delannoy), Mon curé chez les pauvres (Diamant-Berger), L'aventurière des Champs-Élysées (Blanc), Le colonel est de la revue (Labro), L'inspecteur aime la bagarre (Devaivre), Printemps à Paris (Roy, Cam), Baratin (Stelli), Vacances explosives (Stengel), Et Dieu créa la femme (Vadim) ; 1957, Police judiciaire (Canonge), A pied, à cheval et en voiture (Delbez), La blonde des tropiques (Roy), Maigret tend un piège (Delannoy), C'est arrivé à 36 chandelles (Diamant-Berger) ; 1958, Bobosse (Perier), Soupe au lait (Chevalier), Vous n'avez rien à déclarer (Duhour), La vie à deux (Duhour), Énigme aux Folies-Bergère (Mitry), Madame et son auto (Vernay) ; 1959, Marie des Isles (Combret) ; 1960, Candide (Carbonnaux) ; 1961, Vive Henri IV, vive l'amour (Autant-Lara), Les godelureaux (Chabrol), Les croulants se portent bien (Boyer), La bride sur le cou (Vadim), Snobs (Mocky), Dossier 1413 (Rode) ; 1962, Clémentine chérie (Chevalier) ; 1963, L'assassin viendra ce soir (Maley), Le bon roi Dagobert (Chevalier), Un drôle de paroissien (Mocky) ; 1964, Requiem pour un caïd (Cloche), Les motorisées (Girolami) ; 1965, Les baratineurs (Rigaud), L'or du duc (Baratier) ; 1966, Les compagnons de la Marguerite (Mocky), Le jardinier d'Argenteuil (Le Chanois) ; 1967, Deux billets pour Mexico (Christian-Jaque) ; 1968, La grande lessive (Mocky) ; 1971, La veuve Couderc (Granier-Deferre) ; 1972, Sex-shop (Berri).

Il a promené sa silhouette lymphatique et légèrement voûtée, sa diction traînante et ses mimiques ennuyées dans une bonne centaine de films. On rit rien qu'en le voyant ; au demeurant il a rarement la vedette et se contente de brèves apparitions qui détendent l'atmosphère. Mais attention, sous cet air bonasse, il peut être un dangereux criminel (*L'assassin habite au 21*). Il a laissé un livre de souvenirs : *Sans maquillage*.

Tissot, Alice

Actrice française, 1890-1971.

1916, Les demoiselles Perrotin (Poirier) ; 1919, Barabbas (Feuillade) ; 1920, Les deux gamines (Feuillade) ; 1921, L'orpheline (Feuillade) ; 1923, Le gamin de Paris (Feuillade), Gosseline (Feuillade) ; 1924, Une fille bien gardée (Feuillade), Lucette (Feuillade), L'orphelin de Paris (Feuillade), Les étrennes à travers les âges (Colombier), Le gardien du feu (Ravel) ; 1925, Le fils d'Amérique (Fescourt), Gribiche (Feyder), Autour d'un berceau (Monca), Amour et carburateur (Colombier) ; 1926, Au revoir et merci (Donatien), Belphegor (Desfontaines) ; 1927, Un chapeau de paille d'Italie (Clair), Le capitaine Rascasse (Desfontaines), Le chauffeur de mademoiselle (Chomette) ; 1928, La cousine Bette (Max de Rieux), Nuits de prince (L'Herbier) ; 1929, Ces dames au chapeau vert (Berthomieu), Cagliostro (Oswald) ; 1930, Le secret du docteur (Rochefort), Pas sur la bouche, Cendrillon de Paris (Hémard), Paramount en parade (Rochefort) ; 1931, Les quatre vagabonds (Lupu-Pick), Une femme a menti (Rochefort), Hardi les gars (Champreux), Le capitaine Craddock (Schwarz), Tu m'oublieras (Diamant-Berger), Le petit écart (Schünzel), La fortune (Hémard) ; 1932, Le gamin de Paris (Roudès), Un fils d'Amérique (Gallone), Mirages de Paris (Ozep), Un homme heureux (Bideau), Plaisirs de Paris (Greville) ; 1933, Si tu veux (Hugon), La maternelle (Benoit-Lévy), Un fil à la patte (Anton), Le billet de mille (Didier), L'affaire Blaireau (Wulschleger), La madone de l'Atlantique (Weill), Feu Toupinel (Capellani), Flofloche (Roudès) ; 1934, Un train dans la nuit (Hervil), Un tour de cochon (Tzipine), Compartiment de dames seules (Christian-Jaque), Madame Bovary (Renoir), La banque Nemo (Viel), L'affaire Coquelet (Gourguet), La caserne en folie (Cammage), Le chéri de sa concierge (Glavany), Son autre amour (Remy) ; 1935, Le train d'amour (Weill), L'homme à l'oreille cassée (Boudrioz), La famille Pont-Biquet (Christian-Jaque), Le contrôleur des wagons-lits (Eichberg), Le chant de l'amour (Roudès), Et moi j'te dis qu'elle t'a fait de l'œil (Forrester), Antonia, romance hongroise (Neufeld), L'or dans la rue (Bernhardt), Juanita (Caron), La petite sauvage (Limur), Vogue mon cœur (Daroy) ; 1936, Les deux gamines (Hervil), La course à la vertu (Gleize), La rose effeuillée (Pallu), Trois jours de perm' (Monca), Les maris de ma femme (Cammage), Mes tantes et moi (Noé), L'appel du silence (Poirier), On ne roule pas Antoinette (Madeux), Œil de lynx détective (Ducis) ; 1937, François Ier (Christian-Jaque), Ces dames aux chapeaux verts (Cloche), Ignace (Colombier), Professeur Cupidon (Beaudoin) ; 1938, Feux de joie (Houssin), Mon curé chez les riches (Boyer), Mon oncle et mon curé (Caron), Le dompteur (Colombier) ; 1939, Bécassine (Caron), Sixième étage (Cloche), Dernière jeunesse (Musso) ; 1940, Ils étaient cinq permissionnaires (Caron) ; 1941, Pension Jonas (Caron) ; 1942, L'ange de la nuit (Berthomieu), Le capitaine Fracasse (Gance) ; 1944, Le merle blanc (Houssin), Cyrano de Bergerac (Rivers) ; 1946, Amours, délices et orgues (Berthomieu), Adieu, chérie (Bernard), L'homme traqué (Bibal) ; 1947, Blanc comme neige (Berthomieu) ; 1949, Une nuit de noces (Jayet), L'auberge du péché (Marguenat) ; 1951, Jamais deux sans trois (Berthomieu) ; 1952, La pocharde (Combret), L'île aux femmes nues (Lepage), Tambour battant (Combret) ; 1953, Le collège en folie (Lepage) ; 1954, Les deux font la paire (Berthomieu) ; 1955, Si Paris nous était conté (Guitry) ; On déménage le colonel (Labro) ; 1956, La joyeuse prison (Berthomieu), Porte des Lilas (Clair) ; 1957, En bordée (Chevalier), Trois marins en bordée (Couzinet), Le tombeur (Delacroix) ; 1959, Quai du point du jour (Faurez) ; 1960, Un couple (Mocky) ; 1961, Le capitaine Fracasse (Gaspard-Huit) ; 1962, The Longest Day (Le jour le plus long) (Annakin...), Césarin joue « Les étroits mousquetaires » (Couzinet).

Vieille fille ou vierge folle, l'air pincé, la poitrine opulente, un chignon et des vêtements austères, elle reste dans notre mémoire comme l'une des dames au chapeau vert qui ont ému et fait rire nos grands-mères. Elle fut une belle-mère acariâtre ou une institutrice sadique, elle faisait rire, mais elle pouvait faire peur. La variété de son registre, eu égard à son physique, était admirable.

Tobias, George

Acteur américain, 1901-1980.

1939, Maisie (Marin), The Hunch-back of Notre-Dame (Quasimodo) (Dieterle), Ninotchka (Ninotchka) (Lubitsch), Balalaika (Schünzel) ; 1940, City for Conquest (La ville conquise) (Litvak), Music in my Heart (Santley), Saturday's Children (Sherman), Torrid Zone (Keighley), They Drive by Night (Une femme dangereuse) (Walsh), East of the River (Green) ; 1941, The Strawberry Blonde (Walsh), The Bride Came C.O.D. (Keighley), Affectionately Yours (Bacon), You're in the Army Now (Seiler), Sergeant York (Sergent York) (Hawks), Out of the Fog (Litvak) ; 1942, Wings for the Eagle (Bacon), My Sister Eileen (Hall), Yan Kee Doodle Dandy (La parade de la gloire) (Curtiz), Juke Girl (Bernhardt), Captains of the Clouds (Les chevaliers du ciel) (Curtiz) ; 1943, Mission to Moscow (Curtiz), Thank Your Lucky Stars (Remerciez votre bonne étoile) (Butler), Air Force (Air Force) (Hawks) ; 1944, Mask of Dimitrios (Le masque de Dimitrios) (Negulesco), Passage to Marseille (Curtiz), Between Two Worlds (Blatt) ; 1945, Mildred Pierce (Le roman de Mildred Pierce) (Curtiz), Objective Burma (Aventures en Birmanie) (Walsh) ; 1946, Her Kind of Man (De Cordova), Gallant Blade (Le chevalier Belle Épée) (Levin), Nobody Lives Forever (Negulesco) ; 1947, Sinbad the Sailor (Sinbad le marin) (Wallace) ; 1948, The Adventures of Casanova (Gavaldon) ; 1949, The Set-Up (Nous avons gagné ce soir) (Wise) ; 1951, Rawhide (L'attaque de la malle-poste) (Hathaway), Mark of the Renegade (Le signe des renégats) (Fregonese), The Tanks are Coming (Les tanks arrivent) (Seiler), Ten Tall Men (Goldbeck), The Magic Carpet (Landers) ; 1953, The Glenn Miller Story (Romance inachevée) (Mann) ; 1955, The Seven Little Foys (Shavelson) ; 1957, Still Stockings (La belle de Moscou) (Mamoulian) ; 1958, Marjorie Morningstar (Rapper) ; 1963, A New Kind of Love (La fille à la casquette) (Shavelson) ; 1964, Bullet for a Badman (La patrouille de la violence) (Springsteen) ; 1966, The Glass Bottom Boat (Tashlin) ; 1970, The Phynx (Katzin).

Grand, fort, un peu borné, il tint les seconds rôles à la Warner où on le reconnaît facilement en soldat de deuxième classe, en mécano pour avions, en marin. Du solide !

Todd, Ann

Actrice anglaise, 1909-1993.

1931, Keepers of Youth (Bentley), These Charming People (Mercanton), The Ghost Train (Forde) ; 1932, The Water Gypsies (Elvey) ; 1934, The Return of Bulldog Drummond (Summers) ; 1936, Things to Come (La vie future) (Menzies) ; 1937, Action for Slander (Saville), The Squeaker (Le receleur)

(Howard) ; 1938, South Riding (Saville) ; 1939, Poison Pen (Stein) ; 1941, Danna Boy (La chanson du bonheur) (O. Mitchell), Ships With Wings (Nolbandov), How Green Was My Valley (Qu'elle était verte ma vallée) (Ford) ; 1945, Perfect Strangers (A. Korda), The Seventh Veil (Le septième voile) (Bennett) ; 1946, Gaiety George (G. King) ; 1947, The Paradine Case (Le procès Paradine) (Hitchcock), Daybreak (Bennett) ; 1948, So Evil My Love (Une âme perdue) (L. Allen), The Passionate Friends (Les amants passionnés) (Lean) ; 1950, Madeleine (Lean) ; 1952, The Sound Barrier (Le mur du son) (Lean), The Snows of Kilimandjaro (Les neiges du Kilimandjaro) (King) ; 1954, The Green Scarf (O'Ferrall) ; 1956, Time Without Pity (Temps sans pitié) (Losey) ; 1961, Scream of Fear (Hurler de peur) (Holt), Il figlio del capitano Blood (Demichelli) ; 1965, Tricetjedna ve Stinu (Weiss) ; 1971, Teresa (Verges) ; 1972, The Fiend (Hartford-Davis) ; 1980, The Human Factor (La guerre des otages) (Dmytryk) ; 1985, The McGuffin (Bucksey).

Cette blonde aux yeux bleus, symbole de l'Anglaise jusqu'à la caricature, fut remarquée par Korda, imposée par Compton Bennett et épousée par Lean. A la recherche de beautés blondes glacées, Hitchcock la fit tourner dans *le Procès Paradine* où elle était l'épouse de Gregory Peck. Très populaire, elle fut, malgré sa froideur, une grande actrice : voir son personnage de névrosée dans *The Seventh Veil* ou celui de la femme d'un industriel assassin dans *Time Without Pity*. Elle a également réalisé des courts métrages : 1964, *Thunder in Heaven ;* 1966, *Thunder of the Gods...*, documentaires sur des pays étrangers.

Todd, Richard

Acteur irlandais, de son vrai nom Palethorpetodd, né en 1919.

1949, For Them That Trespass (Cavalcanti), Interrupted Journey (Birt), The Hasty Heart (Le dernier voyage) (Sherman) ; 1950, Stage Fright (Le grand alibi) (Hitchcock), Portrait of Clare (Comfort), Flesh and Blood (Kimmins) ; 1951, Robin Hood and His Merry Men (Robin des Bois et ses joyeux compagnons) (Annakin) ; 1952, Twenty-Four Hours of a Woman's Life (L'inconnue de Monaco) (Saville), The Venetian Bird (Enquête à Venise) (R. Thomas) ; 1953, The Sword and the Rose (La rose et l'épée) (Annakin), Rob Roy (Échec au roi) (French), Secrets d'alcôve (Decoin, Habib, Delannoy) ; 1954, The Virgin Queen (Le seigneur de l'aventure) (Koster) ; 1955, The Crime Doesn't Pay (Gilling) ; Marie-Antoinette (Delannoy), The Dam Busters (Briseurs de barrages) (Anderson), A Man Called Peter (Koster) ; 1956, Day, the Sixth of June (Au sixième jour) (Koster) ; 1957, Saint Joan (Sainte Jeanne) (Preminger), Yang-Tse Incident (Commando sur le Yang-Tsé) (Anderson), Chase a Crooked Shadow (L'homme à démasquer) (Anderson) ; 1958, Naked Earth (La rivière des alligators) (V. Sherman), Intent to Kill (Cardiff) ; 1959, Danger Within (Le mouchard) (Chaffey) ; 1960, Never Let Go (Guillermin) ; 1961, The Long and the Short and the Tall (La patrouille égarée) (L. Norman), Don't Bother to Knock (Frankel), The Hellions (Les diables du Sud) (Annakin) ; 1962, The Boys (Furie) ; 1963, The Very Edge (Frankel), Death Drums Along the River (Huntington) ; 1964, Coast of Skeletons (Lynn) ; 1965, Operation Cross-bow (Anderson), Battle of Villa Fiorita (Daves) ; 1968, Subterfuge (Graham-Scott) ; 1969, The Last of the Long Haired Boys (Everett) ; 1970, Das Bildnis des Dorian Gray (Dallamano) ; 1972, Asylum (Baker) ; 1977, N° 1 of the Secret Service (Shonteff), Las flores del vicio (Narizzano) ; 1978, The Big Sleep (Le grand sommeil) (Winner), Home Before Midnight (P. Walker) ; 1982, House of the Long Shadows (P. Walker) ; 1985, 90 Days (Walker) ; 1991, Incident at Victoria Falls (Corcoran).

Né à Dublin, il suit des cours d'art dramatique et, après quelques années de formation, fonde en 1939 la Dundee Repertory Company. Sa carrière est interrompue par la guerre. Il est parachuté en Normandie et combat sur le front des Ardennes. Démobilisé, il se tourne vers le cinéma. Un rôle le lance : celui de l'assassin au récit mensonger dans *Stage Fright*. Son visage énergique mais inquiétant lui vaut souvent d'interpréter des personnages ambigus, de *The Hasty Heart* à *Asylum*.

Todd, Thelma

Actrice américaine, 1905-1935.

1926, God Gave Me Twenty Cents (Brenon), Fascinating Youth (Wood) ; 1927, Rubber Heels (Heerman), Nevada (Waters), The Gay Defender (La Cava), The Shield of Honor (E. Johnson) ; 1928, The Haunted House (Christensen), Vamping Venus (Cline), Seven Footprints to Satan (Christensen), The Crash (Cline), Heart to Heart (Beaudine), The Noose (Dillon), Naughty Baby (LeRoy) ; 1929, Trial Marriage (Kenton), Bachelor Girl (Thorpe), Her Private Life (Korda), House of Horror (Christensen), *Dix courts métrages burlesques dont* Unaccustomed As We Are

(Foster) ; 1930, Hell's Angels (Hughes), Command Performance (Lang), No Limit (Tuttle), Swanee River (Cannon), Her Man (Son homme) (Garnett), *neuf courts métrages* ; 1931, Aloha (Rogell), The Hot Heiress (Badger), Broad-Minded (LeRoy), Corsair (West), Monkey Business (Monnaie de singe) (McLeod), The Maltese Falcon (Le faucon maltais) (Del Ruth), Beyond Victory (Robertson) ; *huit courts métrages dont* Chickens Come Home (Horne) ; 1932, Speak Easily (Le professeur) (Sedgwick), Call Her Savage (Dillon), Klondike (Rosen), Horse Feathers (Plumes de cheval) (McLeod), Big Timer (Buzzell), No Greater Love (Seiler), *dix courts métrages* ; 1933, The Devil's Brother (Fra Diavolo) (Roach), Air Hostess (Rogell), Sitting Pretty (Harry Joe Brown), Deception (Seiler), Counsellor at Law (Le grand avocat) (Wyler), Son of a Sailor (Bacon), *neuf courts métrages* ; 1934, Palooka (Stoloff), Bottoms Up (Butler), Hips, Hips, Hooray (Sandrich), Cockeyed Cavaliers (Sandrich), The Poor Rich (Sedgwick), *neuf courts métrages* ; 1935, Two for Tonight (Tuttle), Lightning Strikes (Fraser), *neuf courts métrages* ; 1936, The Bohemian Girl (La bohémienne) (Horne, Rogers).

Cette joyeuse blonde fut l'une des reines du burlesque, non grâce au tandem qu'elle forma avec ZaSu Pitts dans plusieurs courts métrages assez médiocres, mais parce qu'elle fut la partenaire de Keaton (*Speak Easily*), des Marx Brothers (*Monkey Business, Horse Feathers*), de Wheeler et Wolsey (*Hips, Hips, Hooray*) et surtout de Laurel et Hardy (quelques courts métrages, *Fra Diavolo, La bohémienne*). On la retrouva asphyxiée dans son garage : accident, suicide ou meurtre ? On ne sut jamais.

Todd, Tony

Acteur américain né en 1952.

1986, Platoon (Platoon) (Stone), Sleepwalk (Driver), 84 Charing Cross Road (Jones) ; 1987, Peng ! Du bist tot ! (Winkelmann), Enemy Territory (Manoogian) ; 1988, Bird (Bird) (Eastwood), Colors (Colors) (Hopper) ; 1989, Lean on Me (Avildsen) ; 1990, Voodoo Dawn (Fierberg), Night of the Living Dead (Savini) ; 1991, Sunset Heat (Nicolella) ; 1992, Candyman (Candyman) (Rose), Excessive Force (Hess) ; 1994, The Crow (The Crow) (Proyas) ; 1995, Candyman : Farewell to the Flesh (Candyman 2) (Condon), Burnzy's Last Call (De Avila), Beastmaster III : The Eye of Braxus (Beaumont) ; 1996, Driven (Shoob), Sabotage (Takacs), The Rock (Rock) (Bay) ; 1997, Wishmaster (Wishmaster) (Kurtzman), Univers'l (Nicholas), Stir (Nakhapetov), Shadow Builder (Dixon) ; 1998, Caught Up (D. Scott), The Pandora Project (Terlesky, Wynorski), Butter (Gathings Bunche) ; 1999, The Dogwalker (Duran), Candyman : Day of the Dead (Candyman — Le jour des morts) (Meyer) ; 2000, Le secret (Wagon), Final Destination (Destination finale) (Wong), Slice (Pavia).

Partagé entre Shakespeare sur scène et la série B violente et généralement de bas étage (hormis son incarnation assez effrayante d'un *serial killer* maître des abeilles dans *Candyman*), Tony Todd, géant noir au regard profond et étrange, trouve un nouvel extrême à une carrière explosée en tous sens : il est l'amant d'une jeune bourgeoise parisienne dans le film français *Le secret*, drame intimiste sur l'adultère.

Todeschini, Bruno

Acteur suisse né en 1962.

1985, Caviar rouge (Hossein) ; 1987, Hôtel de France (Chéreau), L'amoureuse (Doillon) ; 1990, Outremer (Roüan) ; 1991, Sans un cri (Labrune) ; 1992, La sentinelle (Desplechin) ; 1993, Ma saison préférée (Téchiné), Mensonge (Margolin), Le nombril du monde (Zeitoun), Fanfan (Jardin) ; 1994, La reine Margot (Chéreau), Couples et amants (Lvoff), Petits arrangements avec les morts (Ferran) ; 1995, A cran (Martin), Haut, bas, fragile (Rivette) ; 1996, Francorusse (Miansarow) ; 1997, Oranges amères (Such), Territorio comanche (Territoire comanche) (Herrero), Flammen in Paradies (Les ombres du cœur) (Imhoof) ; 1998, Ceux qui m'aiment prendront le train (Chéreau), Civilisées (Chahal Sabbag) ; 1999, Code inconnu (Haneke) ; 2000, Le libertin (Aghion), Va savoir ! (Rivette) ; 2001, Quand on sera grand (Cohen), Avec tout mon amour (Escriva) ; 2003, Son frère (Chéreau) ; 2004, Agents secrets (F. Schoendoerffer), Le dernier jour (Marconi) ; 2005, Cavalcade (Suissa), Gentille (Fillières), La Petite Jérusalem (Albou), Une aventure (Giannoli), Un couple parfait (Suwa) ; 2006, La doublure (Veber), Ne le dis à personne (Canet) ; 2007, 7 ans (Hattu).

Formé au Conservatoire de Genève puis dans la classe de Patrice Chéreau au théâtre des Amandiers, il ne parvient que très rarement à s'imposer dans les premiers rôles au cinéma (hormis *A cran*) mais développe, de film en film, un personnage au romantisme intériorisé, charnel et puissant. Il est sans doute mieux utilisé au théâtre.

Tognazzi, Ugo

Acteur et réalisateur italien, 1922-1990.

1950, I cadetti di Guascogna (Mattoli) ; 1951, Auguri e figli maschi (Simonelli), La paura fa novanta (Le mousquetaire fantôme) (Simonelli), Una bruna indiavolata (Bragaglia), Amore in citta (L'amour à la ville) (sketch de Lattuada) ; 1953, L'incantevole nemica (Gora), Siamo tutti Milanesi (M. Landi) ; 1954, Sua Altezza ha detto no ! (Basaglia), Café chantant (Mastrocinque), Se vincessi cento millioni (sketch de Moscovini) ; 1955, Milanesi a Napoli (Di Gianni), Assi alla ribalta (Baldi), Ridere, ridere, ridere ! (Anton), La moglie è uguale per tutti (Simonelli) ; 1958, Domenica è sempre domenica (Mastrocinque), Mia nonna poliziotto (Steno), Marinai, donne e guai (Simonelli), Il terrible Teodore (Montero), Totó nella luna (Steno) ; 1959, Fantasmi e ladri (Simonelli), Non perdiamo la testa (Mattoli), Guardatele ma non toccatele ! (Mattoli), La Pica sul Pacifico (Montero), Le confident de ces dames (J. Boyer), Le cameriere (Bragaglia), La duchessa di Santa Lucia (Montero), Noi siamo due evasi (Simonelli), La cambiale (Mastrocinque), La sceriffa (Montero), Tipi da spiaggia (Mattoli), I bacchanali di Tiberio (Ces sacrées Romaines) (Simonelli) ; 1960, Genitori in blue-jeans (Mastrocinque), Tu, che me dici ? (Amadio), Il mio amico Jekyll (Girolami), Il principe fusto (Arena), Un dollaro di fifa (Simonelli), A noi piace freddo ! (Le chat miaulera trois fois) (Steno) ; Femminine di lusso (Bianchi), Le olimpiadi dei mariti (Bianchi), Che gioia vivere ! (Quelle joie de vivre !) (Clément) ; 1961, Gli incensurati (Giaculli), Psycossissimo (Steno), Sua eccellenza si fermo' a mangiare (Mattoli), Il federale (Mission ultra-secrète — Le fédéral) (Salce), Cinque marines per cento ragazze (Mattoli), La ragazza di mille mesi (Défense d'y toucher) (Steno), I magnificitre (Simonelli), Pugni, pupe e marinai (D'Anza), Il mantenuto (Le souteneur) (Tognazzi) ; 1962, Una domenica d'estate (Petrone), La voglia matta (Elle est terrible) (Salce), I tromboni di fra' diavolo (Les dernières aventures de Fra Diavolo) (Simonelli), I motorizzati (Mastrocinque), La marcia su Roma (La marche sur Rome) (Risi), La Cuccagna (Salce) ; 1963, Il giorno più corto (Corbucci), l'ape regina (Le lit conjugal) (Ferreri), Rogopag (Laviamoci il cervello) (épis. « Il pollo ruspante ») (Gregoretti), Le ore dell'amore (Salce), La donna degli altri e' sempre piu' bella (épis. « Luna di miele ») (Girolami), Liola' (Blasetti), Controsesso (épis. « Il professore ») (Ferreri), I mostri (Les monstres) (Risi), I fuorilegge del matrimonio (Orsini et Paolo et Vittorio Taviani), La donna scimmia (Le mari de la femme à barbe) (Ferreri), Alta infedelta' (épis. « Gente moderna ») (Haute infidélité) (Monicelli) ; 1964, La vita agra (Lizzani), Il magnifico cornuto (Le cocu magnifique) (Pietrangeli) ; 1965, Oggi, domani, dopodomani (Ferreri), Una moglie americana (Mes femmes américaines) (Polidoro), I complessi (Les complexés) (épis. « La schiava nubiana ») (Rossi), Marcia nuziale (Ferreri), Una questione d'onore (Question d'honneur) (Zampa), Io la conoscevo bene (Je la connaissais bien) (Pietrangeli), Ménage All'Italiana (Indovina) ; 1966, I nostri mariti (3e sketch) (Risi), Le piacevoli notti Crispino et Lucignani), Follie d'estate (Anton) ; 1967, Il fischio al naso (Tognazzi), L'immorale (Beaucoup trop pour un seul homme) (Germi), Il padre di famiglia (Jeux d'adultes) (Loy), L'harem (Le harem) (Ferreri) ; 1968, Barbarella (Vadim), La bambolona (Giraldi), Sissignore (Tognazzi), Straziami, ma di baci saziami (Fais-moi très mal mais couvre-moi de baisers) (Risi) ; 1969, Break up (Ferreri), Il commissario Pepe (Le Fouineur) (Scola), Satyricon (Polidoro), Cuori solitari (Giraldi), Porcile (Porcherie) (Pasolini), Nell'anno del Signore (Les conspirateurs) (Magni) ; 1970, Splendori e miserie di madame Royale (Que fais-tu grande folle ?) (Caprioli), Venga a prendere il caffe' da noi (Venez donc prendre le café chez nous) (Lattuada) ; 1971, La Califfa (La Califfa) (Bevilacqua), Stanza 17/17, Palazzo delle tasse, ufficio imposte (Lupo), La supertestimone (Super témoin) (Giraldi), L'udienza (L'Audience) (Ferreri), In nome del popolo italiano (Au nom du peuple italien ou Le petit juge) (Risi) ; 1972, Questa specie d'amore (Bevilacqua), Il maestro e Margherita (Le maître et Marguerite) (Petrovic), Il generale dorme in piedi (Massaro), Vogliamo i colonelli (Nous voulons les colonels) (Monicelli) ; 1973, La grande bouffe (Ferreri), La proprieta non e piu un furto (La propriété c'est plus le vol) (Petri) ; 1974, Non toccare la donna bianca (Touche pas la femme blanche) (Ferreri), Permette, signora, che ami vostra figlia ? (Polidoro), Romanzo popolare (Romances et confidences) (Monicelli) ; 1975, La mazurka del barone, della santa e del fico fiorone (Avati), La smagliatura (La faille) (Fleischman), L'anatra all'arancia (Le canard à l'orange) (Salce), Amici miei (Mes chers amis) (Monicelli), Un sorriso, uno schiaffo, un bacio in boca (Morra) ; 1976, Telefoni bianchi (La carrière d'une femme de chambre) (Risi), Al piacere di riverdela (Letto), Cattivi pensieri (Tognazzi), Signore e signori, buona notte (Mesdames et messieurs, bonsoir) (Monicelli, Comencini, Loy, Scola, Magni) ; 1977,

La stanza del vescovo (La chambre de l'évêque) (Risi), Nene (Samperi), I nuovi mostri (Les nouveaux monstres) (Monicelli, Risi, Scola), Il gatto (Qui a tué le chat ?) (Comencini), Casotto (Citti) ; 1978, La mazzetta (Le pot-de-vin) (S. Corbucci), Primo amore (Dernier amour) (Risi), La cage aux folles (Molinaro), Dove vai in vacanza ? (Où es-tu allé en vacances ?) (sketch de Bolognini) ; 1979, I viaggiatori della sera (Tognazzi) ; 1980, Arrivano i bersaglieri (Magni), La terrazza (La terrasse) (Scola), Sono fotogenico (Je suis photogénique) (Risi), La cage aux folles II (Molinaro), Les séducteurs (sketch de Risi) ; 1981, La tragedia di un uomo ridicolo (La tragédie d'un homme ridicule) (Bertolucci) ; 1982, Infedelmente tua (Vicario) ; 1983, Amici miei II (Mes chers amis II) (Monicelli), Scherzo del destino agguato dietro l'angelo come un brigante di strada (Wertmuller) ; 1984, Dagobert (Risi) ; 1985, La cage aux folles III (Lautner), Bertoldo, Bertoldino e cacasenno (Monicelli) ; 1986, Yiddish Connection (Boujenah) ; 1987, Ultimo minuto (Avati) ; 1989, Tolerance (Salfati). *Pour le metteur en scène*, voir le *Dictionnaire du cinéma*, t. I : *Les réalisateurs.*

Venu du théâtre d'amateur, il était surtout spécialisé dans la comédie italienne où il incarnait les humbles, les petits, les paumés par rapport aux personnages de Sordi, de Gassman ou de Celi (*Amici miei*). Il savait être drôle à coups de grimaces ou émouvant à force d'humilité. La vulgarité ne lui déplaisait pas (*Les nouveaux monstres*) mais il faisait le plus souvent preuve d'une grande finesse (*Il gatto*).

Toja, Jacques
Acteur français, 1929-1996.

1954, La tour de Nesle (Gance) ; 1958, Christine (Gaspard-Huit) ; 1960, Le capitaine Fracasse (Gaspard-Huit) ; 1961, Les trois mousquetaires (Borderie) ; 1964, Angélique, marquise des Anges (Borderie), Merveilleuse Angélique (Borderie) ; 1966, Angélique et le roy (Borderie) ; 1990, Aujourd'hui peut-être (Bertucelli).

Élégant, de belle prestance, il était l'acteur rêvé des films de cape et d'épée. Il préféra être un excellent administrateur de la Comédie-Française. Les cinéphiles le déploreront.

Toler, Sidney
Acteur américain, 1874-1947.

1929, Madame X (Barrymore) ; 1930, Strictly Dishonorable (Stahl) ; 1931, White Shoulders (Brown) ; 1932, Speak Easily (Le professeur) (Sedgwick), Tom Brown of Culvet (Wyler), Strangers in Love (Mendes), Is My Face Red ? (Seiter), Blondie of the Follies (Goulding), The Phantom President (Le président fantôme) (Taurog), Radio Patrol (Cahn), Blonde Venus (Blonde Venus) (Sternberg) ; 1933, Billion Dollar Scandal (Brown), King of the Jungle (Humberstone), The Way to Love (Taurog), The World Changes (Le monde change) (LeRoy), The Narrow Corner (Green) ; 1934, Operator 13 (Boleslavsky), Registred Nurse, Dark Hazard (Green), Romance in Manhattan (Roberts), The Trumpet Blows (Roberts), Here Comes the Groom (Sedgwick), Massacre (Crosland), Spitfire (Cromwell) ; 1935, Call of the Wind (L'appel de la forêt) (Wellman), Champagne for Breakfast (Brown), The Daring Young Man (Seiter) ; 1936, Three Godfathers (Boleslavsky), The Longest Night (Taggert), Our Relations (C'est donc ton frère) (Lachman), Give Us this Night (Hall), The Gorgeous Hussy (Brown) ; 1937, Double Wedding (Thorpe), That Certain Woman (Goulding), Quality Street (Stevens) ; 1938, Up the River (Werker), Gold Is Where You Find It (La bataille de l'or) (Curtiz), If I Were King (Le roi des gueux) (Lloyd), One Wild Night (Forde), Three Comrades (Trois camarades) (Borzage), The Mysterious Rider (Selander), Wide Open Faces (Neumann), Charlie Chan in Honolulu (Humberstone) ; 1939, The Kid from Komoko (Seiler), Charlie Chan in Reno (Foster), Disbarred (Florey), Law of the Pampas (Watt), Charlie Chan at Treasure Island (Foster), King of Chinatown (Grinde), Charlie Chan in City of Darkness (Leeds), Heritage of the Desert (Hathaway) ; 1940, Charlie Chan in Panama (Foster), Charlie Chan's Murder Cruise (Forde), Murder over New York (Lachman), Charlie Chan at the Wax Museum (Shores) ; 1941, Dead Men Tell (Lachman), Charlie Chan in Rio (Lachman) ; 1942, Castle in the Desert (Lachman), The Adventures of Smilin' Jack (Collins) ; 1943, A Night to Remember (Wallace), Isle of the Forgotten Sins (L'île des péchés oubliés) (Ulmer), White Savage (Lubin), Charlie Chan in the Secret Service (Rosen) ; 1944, Black Magic (Rosen), The Chinese Cat (Rosen) ; 1945, The Jade Mask (Rosen), The Shanghai Cobra (Le cobra de Shanghai) (Karlson), It's in the Bag (Wallace), The Red Dragon (Rosen) ; 1946, Shadows over Chinatown (Morse), Dark Alibi (Karlson), Dangerous Money (Morse) ; 1947, The Trap (Bretherton).

Son principal titre de gloire est d'avoir remplacé Warner Oland, décédé, dans le rôle de Charlie Chan, le détective chinois imaginé par le romancier Earl der Biggers. A son tour, il cita avec une componction très chinoise le sage Confucius et résolut les énigmes policières les plus ardues. Lorsqu'il mourut, c'est Roland Winters qui prit la succession et l'on découvrit alors que Toler, comme Oland, avait bien du talent.

Tomé ou Rodriguez-Tomé, Marina

Actrice française née en 1959.

1990, Tatie Danielle (Chatiliez) ; 1991, Riens du tout (Klapisch) ; 1992, La crise (Serreau) ; 1994, Elles n'oublient jamais (Frank), XY (Lilienfeld), Les 2 papas et la maman (Smaïn, Longval) ; 1995, Le péril jeune (Klapisch), Adultère (mode d'emploi) (Pascal) ; 1996, L'amour est à réinventer (sketch Decaux-Thomelet), Chacun cherche son chat (Klapisch), Méfie-toi de l'eau qui dort (Deschamps) ; 1997, Tortilla y cinéma (Provost), Capitaine au long cours (Conti Rossini), Francorusse (Miansarow) ; 1998, Charité bizness (Jamin, Barthes), Prison à domicile (Jacrot), L'âme sœur (Bigard), Le voyage à Paris (Dufresne), Du bleu jusqu'en Amérique (Lévy) ; 1999, La taule (Robak), La vie ne me fait pas peur (Lvovsky) ; 2000, Le battement d'ailes du papillon (Firode), Jet Set (Onteniente), Du poil sous les roses (Obadia, Chervier).

Inlassable troisième rôle pendant plusieurs années (concierge portugaise, commerçante énervée, employée tatillonne), elle acquiert une certaine épaisseur à partir de *Tortilla y cinéma* : de productrice hystérique, elle devient une imprésario délirante de méchanceté dans *L'âme sœur*, puis une directrice de prison moderne dans *Prison à domicile* ou une maman bienveillante dans *Du poil sous les roses*. Brune bouillonnante au visage impossible, acquise à un certain abattage, elle est désormais partie prenante de la comédie française sans prétention.

Tomei, Marisa

Actrice américaine née en 1964.

1984, The Flamingo Kid (Le kid de la plage) (Marshall) ; 1986, Playing for Keeps (B. & H. Weinstein) ; 1991, Zandalee (Love Affair) (Pillsbury), Oscar (L'embrouille est dans le sac) (Landis) ; 1992, Equinox (Schrader), Chaplin (Chaplin) (Attenborough), My Cousin Vinny (Mon cousin Vinny) (Lynn) ; 1993, Untamed Heart (Cœur sauvage) (Bill) ; 1994, Only You (Only You) (Jewison), The Paper (Le journal) (Howard) ; 1995, Four Rooms (Anders, Tarantino, Rodriguez...), The Perez Family (Nair) ; 1996, Unhook the Stars (Décroche les étoiles) (N. Cassavetes) ; 1997, Welcome to Sarajevo (Welcome to Sarajevo) (Winterbottom), A Brother's Kiss (Rosenfeld) ; 1998, Slums of Beverly Hills (Les taudis de Beverly Hills) (Jenkins) ; 1999, King of the Jungle (Rosenthal), Happy Accidents (Anderson) ; 2000, The Watcher (The Watcher) (Charbanic), What Women Want (Ce que veulent les femmes) (Meyers).

Son oscar du meilleur second rôle pour celui de la coiffeuse hystéro de *Mon cousin Vinny* la fait remarquer, mais le reste ne suit pas vraiment niveau qualité, même si elle sait faire vivre ses personnages avec un talent indéniable, notamment celui de la journaliste américaine en plein conflit yougoslave dans *Welcome to Sarajevo*, ou bien encore celui de la cousine délurée des sympathiques *Taudis de Beverly Hills*. Lui manque sans doute encore un grand rôle.

Tomlin, Lily

Actrice américaine, de son vrai prénom Mary Jean, née en 1939.

1975, Nashville (Nashville) (Altman) ; 1977, The Late Show (Le chat connaît l'assassin) (Benton) ; 1978, Moment by Moment (Le temps d'une romance) (Wagner) ; 1980, Nine to Five (Comment se débarrasser de son patron) (Higgins) ; 1981, The Incredible Shrinking Woman (Shumacher) ; 1984, All of Me (Solo pour deux) (C. Reiner) ; 1986, Lily Tomlin (Broomfield et Churchill) ; 1988, Big Business (Abrahams) ; 1991, The Search for Signs of Intelligent Life in the Universe (Bailey) ; 1992, Shadows and Fog (Ombres et brouillard) (Allen), The Player (The Player) (Altman) ; 1993, And the Band Played On (Les soldats de l'espérance) (Spottiswoode), Short Cuts (Short Cuts) (Altman) ; 1994, Beverly Hillbillies (Les allumés de Beverly Hills) (Spheeris), Getting Away With Murder (H. Miller), Blue in The Face (Brooklyn Boogie) (Wang et Auster) ; 1995, Flirting With Disaster (Flirter avec les embrouilles) (Russell) ; 1997, Krippendorf's Tribe (Holland) ; 1998, Tea With Mussolini (Un thé avec Mussolini) (Zeffirelli) ; 1999, Get Bruce (Kuehn), The Kid (Sale môme) (Turteltaub).

Grande show-woman aux États-Unis, son parcours cinématographique n'est qu'un volet de sa carrière. Débutant au café-théâtre avant de conquérir la télévision en 1967, elle y devient célèbre grâce à ses émissions « Laugh In » puis « The Lily Tomlin show », où son don comique fait des ravages. Au cinéma, elle joue souvent les bourgeoises un peu fofolles

(*Comment se débarrasser de son patron*), mais Altman sait l'utiliser dans un autre registre, plus nostalgique.

Tone, Franchot

Acteur américain, 1905-1968.

1932, The Wiser Sex (Viertel) ; 1933, To Day We Live (Après nous le déluge) (Hawks), Gabriel over the White House (La Cava), Bombshell (Fleming), Dancing Lady (Le tourbillon de la danse) (Leonard), The Stranger's Return (Vidor), Midnight Mary (Wellman) ; 1934, Moulin-Rouge (L'étoile du Moulin-Rouge) (Lanfield), The Girl from Missouri (Conway), Straight Is the Way (Sloane), The World Moves on (Le monde en marche) (Ford), Gentlemen Are Born (Green), Sadie McKee (Brown) ; 1935, Reckless (Imprudente jeunesse) (Fleming), Lives of a Bengal Lancer (Les trois lanciers du Bengale) (Hathaway), Dangerous (Green), No More Ladies (La femme de sa vie) (E. Griffith), Mutiny on the Bounty (Les révoltés du Bounty) (Lloyd), One New York Night (Une étrange aventure) (Conway) ; 1936, The King Steps Out (Sa Majesté est de sortie) (Sternberg), Suzy (Fitzmaurice), Love on the Run (Van Dyke), The Unguarded Hour (L'heure mystérieuse) (Wood), The Gorgeous Hussy (L'enchanteresse) (Brown), Exclusive Story (Seitz) ; 1937, They Gave Him a Gun (On lui donna un fusil) (Van Dyke), The Bride Wore Red (L'inconnue du palace) (Arzner), Between Two Women (Seitz), Quality Street (Stevens) ; 1938, Man-Proff (Thorpe), Three Comrades (Trois camarades) (Borzage), Three Loves Has Nancy (Thorpe), Love Is a Headache (Thorpe) ; 1939, Thunder Afloat (Seitz), Fast and Furious (Mon mari court encore) (Berkeley) ; 1940, Trail of the Vigilantes (Sur la piste des vigilants) (Dwan) ; 1941, Nice Girl (Toute à toi) (Seiter), She Knew All the Answers (Wallace), This Woman Is Mine (Lloyd) ; 1942, Star Splangled Rhythm (Place au rythme) (Marshall), The Wife Takes a Flyer (Wallace) ; 1943, True to Life (Marshall), His Butler's Sister (La sœur de mon valet) (Borzage), Five Graves to Cairo (Les cinq secrets du désert) (Wilder), Pilot N° 5 (Sidney) ; 1944, Phantom Lady (Les mains qui tuent) (Siodmak), Dark Waters (De Toth), The Hour Before Dawn (Tuttle) ; 1945, That Night With You (Seiter) ; 1946, Because of Him (Par sa faute) (Wallace) ; 1947, Honeymoon (Sérénade à Mexico) (Keighley), Her Husband's Affairs (Simon), Lost Honeymoon (Jason) ; 1948, I Love Trouble (Simon), Every Girl Should Be Married (La chasse au mari) (Hartman) ; 1949, The Man on the Eiffel Tower (L'homme de la tour Eiffel) (Meredith), Jigsaw (Markle), Without Honor (Pichel) ; 1951, Here Comes the Groom (Si l'on mariait Papa) (Capra) ; 1958, Uncle Vanya (Goetz, Tone) ; 1962, Advise and Consent (Tempête à Washington) (Preminger) ; 1963, La bonne soupe (Robert Thomas) ; 1965, In Harm's Way (Première victoire) (Preminger), Mickey One (Mickey One) (Penn) ; 1968, Nobody Runs Forever (Mandat d'arrêt) (Thomas).

D'une famille aisée, il se tourna vers le théâtre et le cinéma parce que la densité de jolies filles y était plus élevée qu'ailleurs. Il se maria quatre fois et compta parmi ses épouses Joan Crawford. Ses conquêtes défrayèrent la chronique hollywoodienne. Au cinéma, à l'exception de *Phantom Lady* où il était fort inquiétant, il eut surtout des rôles sympathiques : lancier du Bengale ou président des États-Unis, officier de marine ou de l'armée de terre, il fut toujours digne et héroïque dans des films à grand spectacle et à gros succès. Aujourd'hui il nous paraît démodé dans la comédie qui fut pourtant son genre de prédilection.

Topart, Jean

Acteur français né en 1927.

1948, Le sorcier du ciel (Blistène) ; 1957, Les misérables (Le Chanois) ; 1959, Le testament du docteur Cordelier (Renoir) ; 1961, Le combat dans l'île (Cavalier) ; 1962, Le chevalier de Pardaillan (Borderie) ; 1963, Hardi Pardaillan (Borderie) ; 1965, Le soleil noir (La Patellière) ; 1966, Roger la Honte (Freda), Le soleil des voyous (Delannoy) ; 1967, Coplan sauve sa peau (Boisset) ; 1968, La main noire (Pécas), Maldonne (Gobbi) ; 1970, De la part des copains (Young) ; 1975, Parlez-moi d'amour (Drach) ; 1976, Monsieur Klein (Losey) ; 1980, La puce et le privé (Kay) ; 1984, Poulet au vinaigre (Chabrol) ; 1999, Les acteurs (Blier).

Topart a privilégié le théâtre et la télévision au cinéma. On peut le déplorer.

Toren, Marta

Actrice suédoise, 1925-1957.

1947, Eviga Länkar (1947), *puis* : 1948, Casbah (Berry), Rogue's Regiment (Florey) ; 1949, Illegal Entry (De Cordova), Sword in the Desert (G. Sherman) ; 1950, Deported (Siodmak), One Way Street (L'impasse maudite) (Fregonese), Spy Hunt (G. Sherman), Mystery Submarine (Le sous-marin mystérieux) (Sirk) ; 1951, Sirocco (Bernhardt) ; 1952, The Man Who Watched Trains (L'homme qui regardait passer les trains) (French), Assignment Paris (Parrish), Puccini (Gallone) ; 1953, Maddalena (Genina) ; 1954,

Casa Ricordi (Gallone), L'ombra (Bianchi) ; 1955, La vena d'oro (Bolognini) ; 1956, L'ultima notte d'amore (Ardavin), Tormento d'amore (Bercovici).

Brune Suédoise, elle fut engagée par Hollywood alors qu'elle n'avait fait qu'un seul film dans son pays. Thrillers et films de guerre se succédèrent. En 1952, Marta Toren quitta les États-Unis pour l'Angleterre puis entreprit une nouvelle carrière en Italie dans le mélodrame. Décidément grande voyageuse, elle tourna son dernier film en Espagne. Elle mourut d'une maladie très rare du cerveau.

Tornade, Pierre

Acteur français, de son vrai nom Tournadre, né en 1930.

1955, Ce sacré Amédée (Félix), Les truands (Rim) ; 1956, Comme un cheveu sur la soupe (Régamey) ; 1957, L'amour est en jeu (Allégret) ; 1958, Nina (Boyer) ; 1963, Bébert et l'omnibus (Robert), L'honorable Stanislas, agent secret (Dudrumet) ; 1964, Allez France ! (Dhéry), Jaloux comme un tigre (Cowl), Les gorilles (Girault), Mata Hari agent H21 (J.-L. Richard) ; 1965, Les baratineurs (Rigaud), Le chant du monde (Camus), Monnaie de singe (Robert), La communale (L'Hote), Le gendarme à New York (Girault) ; 1966, Monsieur le président-directeur général (Girault), Le grand restaurant (Besnard), Tendre voyou (Becker), Trois enfants dans le désordre (Joannon), Le nouveau journal d'une femme en blanc (Autant-Lara), The Night of the Generals (La nuit des généraux) (Litvak), Un idiot à Paris (Korber) ; 1967, Le plus vieux métier du monde (sketch de Broca), Le fou du labo 4 (Besnard), Le petit baigneur (Dhéry), Un drôle de colonel (Girault) ; 1968, Le tatoué (La Patellière), Le diable par la queue (de Broca), Salut Berthe (Lefranc), L'Auvergnat et l'autobus (Lefranc), Béru et ces dames (André), Faites donc plaisir aux amis (Rigaud), Le cerveau (Oury) ; 1969, Trois hommes sur un cheval (Moussy) ; 1970, L'explosion (Simenon) ; 1971, Un cave (Grangier) ; 1972, La raison du plus fou (Reichenbach) ; 1973, Antoine et Sébastien (Périer), Je sais rien mais je dirai tout (Richard), Mais où est donc passée la 7e compagnie ? (Lamoureux), Le permis de conduire (Girault), La rage aux poings (Le Hung) ; 1974, Impossible pas français (Lamoureux), Vos gueules les mouettes (Dhéry), Dupont-Lajoie (Boisset), Soldat Duroc, ça va être ta fête (Gérard) ; 1975, Oublie-moi Mandoline (Wyn), Adieu poulet (Granier-Deferre), On a retrouvé la 7e compagnie (Lamoureux), Opération Lady Marlène (Lamoureux) ; 1976, Dis bonjour à la dame (Gérard), Le jour de gloire (Besnard) ; 1977, Arrête ton char bidasse (Gérard) ; 1978, Général nous voilà (Besnard), c'est dingue mais on y va (Gérard), 1979, L'œil du maître (Kurc) ; 1980, Signé Furax (Simenon), Le chêne d'Allouville (Pénard) ; 1982, Salut la puce (Balducci) ; 1983, Fort Saganne (Corneau) ; 1986, Didi auf vollen touren (Wicker) ; 1987, À notre regrettable époux (Korber), Les gauloises blondes (Jabely).

Membre éminent des Branquignols, complice de Dhéry de la scène à l'écran, il a promené sa rondeur débonnaire pendant trente années de cinéma populaire. Mais pour quelques réussites comiques, combien de médiocres comédies et de comique vaguement troupier ? Il valait mieux, comme le prouve sa participation à des films sérieux tels que *Dupont-Lajoie, Adieu poulet* et *Fort Saganne.* Star du doublage (*Obélix* notamment) et reconverti à la télévision (« Nestor Burma »).

Töröcsik, Mari

Actrice hongroise née en 1935.

1955, Körhinta (Un petit carrousel de fête) (Fabri) ; 1957, Ket Vallomas (Keleti), Vasvirag (Hersko) ; 1958, Anna (Fabri) ; 1962, Elveszett paradicsom (Makk), Isten oszi ssillaga (Kovacs) ; 1964, Pacsirta (Alouette) (Radony) ; 1968, Kartyavar (Hintsch), Cseno ses kialtas (Silence et cri) (Jancso) ; 1970, Szerelem (Amour) (Makk), N.N. a halàl angyala (Herskò), Mérsékelt ègör (Kézdi-Kovacs) ; 1971, Holt videk (Paysage mort) (Graal), Hangyaboly (Fàbri), Trotta (Schaaf) ; 1972, Volt Egyser egy csalàd (Révész) ; 1974, Macskajatek (Jeux de chats) (Makk), Végül (Maàr) ; 1975, Szerelmem Elektra (Pour Électre) (Jancso), Deryne, hol van ? (Maar), Utazàs a koponyàm körül (Révész) ; 1979, A Téglafal möglött (Makk) ; 1980, Szìnes tintàkrol àlmodom (Ranòdy) ; 1982, Zizi (court métrage, Janisch), Visszaesök (Kézdi-Kovacs) ; 1983, Szerencsés Daniel (Sàndor), A csoda Vége (Vészi) ; 1986, Szamàrköhögés (Gàrdos) ; 1989, Music Box (Music Box) (Costa-Gavras), A Hecc (Gàrdos) ; 1990, Naplò apamnak, anyàmnak (Mészàros), Eszterkönyr (Deàk) ; 1991, Csapd le csacsi ! (Timàr), Mio caro dottor Gässler (Faenza) ; 1992, A Nyaralò (Togay) ; 1993, Hoppà (Maàr), Indiàn tél (Erdélyi), A Turné (Bereményi) ; 1994, Draga Kisfiam (Makk) ; 1996, Le violon de Rothschild (Cozarinsky) ; 1997, Hosszù alkony (Long crépuscule) (Janisch) ; 1999, Sunshine (Sunshine) (Szabo).

Populaire actrice hongroise. Alors qu'elle est étudiante, elle est engagée pour être la vedette du *Petit carrousel de fête* de Fabri qui la fera connaître. Ses études terminées, elle devient l'une des principales actrices du Théâtre national de Budapest, mais ne délaisse pas pour autant le cinéma.

Torrent, Ana

Actrice espagnole née en 1966.

1972, El espíritu de la colmena (L'esprit de la ruche) (Erice) ; 1975, Cría cuervos (Cria cuervos) (Saura) ; 1977, Elisa vida mía (Élisa mon amour) (Saura) ; 1979, Ogro (Pontecorvo) ; 1980, El nido (De Arminan) ; 1983, Josephs Tochter (Ehmck) ; 1985, Los paraises perdidos (Patino) ; 1988, Blood and Sand (Elorietta) ; 1991, Amor e dedinhos de pie (Macao, mépris et passion) (L.F. Rocha), Vacas (Vacas) (Medem) ; 1994, Entre rojas (Rodríguez) ; 1995, El palomo cojo (De Arminan), Tesis (Tesis) (Amenábar) ; 1997, Things I Forgot to Remember (Oliver), El grito en el cielo (Ayaso, Sabroso) ; 1998, Ave Maria (Rossoff) ; 1999, Yoyes (Yoyes) (Taberna).

Qui, ayant vu *L'esprit de la ruche*, et surtout *Cria cuervos*, peut avoir oublié l'immense regard noir de cette petite fille vivant entre le monde des rêves et celui de la réalité ?

Torreton, Philippe

Acteur français né en 1965.

1991, L. 627 (Tavernier), La neige et le feu (Pinoteau) ; 1992, Une nouvelle vie (Assayas) ; 1993, Oublie-moi (Lvovsky) ; 1994, L'appât (Tavernier), L'ange noir (Brisseau) ; 1995, La servante aimante (Douchet) ; 1996, Le bel été 1914 (Chalonge), Capitaine Conan (Tavernier) ; 1998, Ça commence aujourd'hui (Tavernier) ; 1999, Tôt ou tard... (Étienne) ; 2000, Félix et Lola (Leconte) ; 2001, Vertiges de l'amour (Chouchan) ; 2003, Monsieur N. (De Caunes), Corps à corps (Hanss) ; 2004, L'équipier (Lioret) ; 2005, Les chevaliers du ciel (Pirès) ; 2006, Le grand Meaulnes (Verhaeghe) ; 2007, Jean de La Fontaine (Vigne).

Un parcours sans faute : théâtre en province (la Normandie), accession à la Comédie-Française, seconds rôles ciné remarqués et premier rôle tenu avec brio et conviction, qui lui permet d'obtenir le césar du meilleur espoir masculin (*Capitaine Conan*). En dépit d'un visage sévère qui ne lui permettra pas de jouer les jeunes premiers, le futur lui appartient. Il est un Napoléon à Sainte-Hélène qui emporte l'adhésion dans *Monsieur N* ; il est non moins remarquable en gardien de phare dans *L'équipier*.

Totò

Acteur italien, de son vrai nom Antonio de Curtis Gagliardi Ducas Comneno di Bisanzio, 1898-1967.

1936, Fermo con le mani (Zambuto) ; 1939, Animali pazzi (Bragaglia) ; 1940, San Giovanni decollato (Toto apôtre et martyr) (Palermi) ; 1941, L'allegro fantasma (Palermi), Due cuori fra le belve (Simonelli) ; 1943, Toto nella fossa del leoni (Simonelli) ; 1945, Il ratto dell sabine (Bonnard) ; 1947, I due orfanelli (Mattoli) ; 1948, Totò al giro d'Italia (Mattoli), Fila a arena (Mattoli) ; 1949, Totò cerca case (Steno, Monicelli) ; I pompieri di Viggiù (Mattoli), Totò le Moko (Bragaglia), L'imperatore di Capri (Comencini) ; 1950, Napoli milionaria (De Filippo), Totò cerca moglie (Bragaglia), Totò Tarzan (Mattoli), Figaro qua, Figaro là (Bragaglia), Le sei mogli di Barbablù (Bragaglia) ; Totò sceicco (Mattoli), 47 morto che parla (Bragaglia) ; 1951, Totò terzo uomo (Mattoli), Guardie e ladri (Monicelli) ; 1952, Totò e i re di roma (Steno, Monicelli), Sette ore di guai (Marchesi), Una di quelle (Fabrizi), Totò a colori (Steno, Monicelli), Totò e le donne (Steno, Monicelli) ; 1953, Un Turco napoletano (Mattoli), Il più comico spettacolo del mondo (Mattoli), L'uomo, la bestia e la virtù (Steno) ; 1954, Questa e la vita (épis. « La patente ») (Zampa, Solati, Fabrizi), Miseria e nobilità (Misère et noblesse) (Mattoli), Dove la liberta ? (Rossellini), Totò cerca pace (Mattoli), Tempi nostri (Blasetti), L'oro di Napoli (De Sica), I tre ladri (De Felice), Il medico dei pazzi (Mattoli), Totò all'inferno (Matrocinque) ; 1955, Carosello di varieta (Bonaldi), Totò e Carolina (Monicelli), Racconti romani (Franciolini), Siamo uomini o caporali ? (Mastrocinque), Destinazione Piovarolo (Paolella), Il coraggio (Paolella) ; 1956, La banda degli onesti, Totò, lascio o raddopia ? (Mastrocinque), Totò, Peppino e la... malafemmina (Mastrocinque), Totò, Peppino e i fuorilegge (Mastrocinque) ; 1957, Totò, Vittorio e la dottoressa (Dites 33) (Mastrocinque) ; 1958, La loi c'est la loi (Christian-Jaque), I soliti ignoti (Le pigeon) (Monicelli), Gambe d'oro (Vabile), Totò e Marcellino (Musu), Totò, Peppino e le fanatiche (Mattoli), Totò a Parigi (Parisien malgré lui) (Mastrocinque), Totò nella luna (Steno) ; 1959, I tartassati, Totò, Eva e il pennelo proibito (Steno), Vacanze d'inverno (Brèves amours) (Mastrocinque), I ladri (Fulci), La cambiale (Mastrocinque), Arrangiatevi ! (Bolognini) ; 1960, Noi duri (Mastrocinque), Signori si nasce (Mattoli), Totò, Fabrizi e i giovani d'oggi (Mattoli), Letto a tre piazze (Steno), Risate di gioia (Monicelli) ; 1961, Chi si ferma è perduto (S. Corbucci), Sua eccelenza si fermò a mangiare (Mattoli), Totò, Peppino e la dolce vita (S. Corbucci), Totòtruffa '62 (Mastrocinque), I due marescialli (S. Corbucci) ; 1962, Totò contro Maciste (Cerchio), Totò diabolicus (Steno), Totò e Peppino divisi a Berlino (Bianchi) ; 1963, Totò di notte n.I (Amendola), Le smemorato di Collegno (Grimaldi), I due colonelli (Steno), Il monaco di Monza (Corbucci), Totò contro i quattro (Steno), Totò e Cleopatra (Cerchio), Totò sexy (Amendola), Le motorizzate (Girolami), Gli onorevoli (Corbucci), Il comandante (Heusch) ; 1964, Che fine ha fatto Totò, baby ? (Heusch), Totò contro il pirata nero (Cerchio), Totò d'Arabia (De la Lomia), Gli amanti latini (Costa), Le belle famiglie (Gregoretti), Rita, la figlia americana (Vivarelli), La Mandragola (Mandragore) (Lattuada) ; 1966, Operazione San Gennaro (Opération San Gennaro) (Risi), Uccellacci e uccellini (Pasolini), Le streghe (Les sorcières) (sketch de Pasolini) ; 1968, Capriccio all'italiana (Steno, Monicelli).

Fabuleux comique italien, descendant d'une famille qui avait régné à Byzance, il a introduit l'extravagance dans la comédie italienne. Véritable auteur de la série des *Totò*, son style est analysé dans le *Dictionnaire des réalisateurs*.

Totter, Audrey

Actrice américaine née en 1918.

1945, Dangerous Partners (Cahn), Main Street after Dark (Cahn) ; 1946, The Postman Always Rings Twice (Le facteur sonne toujours deux fois) (Garnett), The Cockeyed Miracle (Simon), The Sailor Takes a Wife (Whorf) ; 1947, Lady in the Lake (La dame du lac) (Montgomery), High Wall (Le mur des ténèbres) (Bernhardt), The Beginning of the End (Taurog), The Unsuspected (Le crime était presque parfait) (Curtiz) ; 1948, The Saxon Charm (Binyon) ; 1949, The Setup (Nous avons gagné ce soir) (Wise), Alias Nick Beal (Farrow), Any Number Can Play (LeRoy), Tension (Berry), Under the Gun (Tetzlaff) ; 1950, The Blue Veil (Bernhardt) ; 1952, Assignment Paris (Parrish), My Pal gus (Parrish), The Sellont (Meyer) ; 1953, Man in the Dark (Landers) ; 1955, A Bullet for Joe (Un pruneau pour Joe) (Allen), Women's Prison (Seiler) ; 1964, The Carpetbaggers (Les ambitieux) (Dmytryk) ; 1965, Harlow (Segal) ; 1968, Chubasco (Miner) ; 1979, The Apple Dumpling Gang Rides Again (McEveety).

Venue du théâtre et de la radio. Son nom est associé aux fastes du film noir. Reconvertie dans la télévision.

Toulout, Jean

Acteur et réalisateur français, 1887-1962.

1914, L'homme qui assassina (Andréani), La goualeuse (Devarennes), Toinon la ruine (Devarennes) ; 1917, L'arriviste de Fel (Champsaur), Trois familles (Devarennes) ; 1918, La petite mobilisée (Leprieur), La Xe symphonie (Gance) ; 1919, La faute d'Odette Maréchal (Henry Roussell), La fête espagnole (Dulac) ; 1920, La belle dame sans merci (Dulac), Chantelouve (Monca), Mathias Sandorf (Fescourt) ; 1921, Le roi de Camargue (Hugon), Judith (Monca), La conquête des Gaules (Yonnet) ; 1922, Notre-Dame d'amour (Hugon) ; 1923, Rue du Pavé d'amour (Hugon) ; 1924, Le crime de Monique (Péguy), Au secours (Gance), Le mariage de Minuit (Armand du Plessy) ; La garçonne (Armand du Plessy) ; 1925, Les misérables (Fescourt) ; 1926, Titi Ier, roi des gosses (Leprince) ; Antoinette Sabrier (Dulac) ; 1927, La princesse Masha (Leprince) ; 1928, La merveilleuse vie de Jeanne d'Arc (Gastyne) ; 1929, Monte-Cristo (Fescourt), Derrière la rampe (Mittler), Les trois masques (Hugon) ; 1931, La tendresse (Hugon) ; 1933, L'épervier (L'Herbier) ; Le petit roi (Duvivier) ; 1934, Fedora (Gasnier), Le bonheur (L'Herbier), Les nuits moscovites (Granowsky) ; 1937, La danseuse rouge (Paulin) ; 1938, Entente cordiale (L'Herbier), Le héros de la Marne (Hugon) ; 1941, La neige sur les pas (Berthomieu), La Sévillane (Hugon) ; 1942, Ne le criez pas sur les toits (Daniel Norman) ; 1943, La rabouilleuse (Rivers) ; 1944, Le bossu (Delannoy) ; 1945, Peloton d'exécution (Berthomieu) ; 1946, Vertiges (Pottier) ; 1948, Le secret de Mayerling (Delannoy), L'armoire volante (Rim), Docteur Laënnec (Cloche) ; 1950, Édouard et Caroline (Becker), Les deux gamines (Canonge) ; 1952, La fugue de M. Perle (Richebé) ; 1953, Madame de... (Ophuls) ; 1956, Le pays d'où je viens (Carné). *Comme réalisateur :* 1930, Le tampon du capiston ; 1934, La reine de Biarritz.

Si le metteur en scène ne présente pas grand intérêt (mais Bach n'est pas mal dans *Le tampon du capiston* et Marguerite Moreno fidèle à elle-même dans *La reine de Biarritz)*, le comédien fut très réputé dans les années 20 : Gance, Fescourt, Dulac firent appel à lui. Imposant, il donnait du relief à ses personnages de juge, de notable ou de soldat. Dans *Les trois masques*, premier film parlant français, il perdait son fils poignardé, et son désespoir faisait impression, réveillant un film plutôt ennuyeux. On le vit même incarner Broussais dans *Le docteur Laënnec* !

Toutain, Roland

Acteur français, 1905-1977.

1930, Amours viennoises (Choux), Le mystère de la chambre jaune (L'Herbier), Le parfum de la dame en noir (L'Herbier) ; 1931, Prisonnier de mon cœur (Tarride), La femme de mes rêves (Bertin), Blanc comme neige (Elias) ; 1932, Faut-il les marier ? (Lamac et Billon), Rouletabille aviateur (Sekely), La bonne aventure (Diamant-Berger) ; 1933, Miquette et sa mère (Diamant-Berger) ; 1934, C'était un musicien (Zelnik et Gleize), Liliom (Lang) ; 1935, Cessez le feu (Baroncelli), Haut comme trois pommes (Vajda), L'équipage (Litvak), Veille d'armes (L'Herbier), Les beaux jours (M. Allégret) ; 1936, Trois... Six... Neuf... (Rouleau), La porte du large (L'Herbier), Jenny (Carné), Trois artilleurs au pensionnat (Pujol) ; 1937, Le mensonge de Nina Petrowna (Tourjansky), Un scandale aux galeries (Sti), Yoshiwara (Ophuls) ; 1938, Trois de Saint-Cyr (Paulin), Barnabé (Esway), Le paradis des voleurs (Marsoudet), Trois artilleurs à l'Opéra (Chotin), Prince de mon cœur (Daniel-Norman) ; 1939, Macao l'enfer du jeu (Delannoy), La règle du jeu (Renoir), Les chemins de l'honneur (Paulin), Cas de conscience (Kapps) ; 1940, Documents secrets (Joannon), Faut ce qu'il faut (Pujol), L'irrésistible rebelle (Dreyfus) ; 1942, Le capitaine Fracasse (Gance), Forte tête (Mathot), La vie de bohème (L'Herbier) ; 1943, Les mystères de Paris (Baroncelli), L'aventure est au coin de la rue (Daniel-Norman), L'éternel retour (Delannoy) ; 1945, Nous ne sommes pas mariés (Bernard-Roland) ; 1947, Halte, police ! (Séverac) ; 1948, Hans le marin (Villiers) ; 1949, Un certain monsieur (Ciampi), Portrait d'un assassin (Bernard-Roland) ; 1950, Dakota 308 (Daniel-Norman) ; 1951, Capitaine Ardant (Zwobada) ; 1952, La caraque blonde (Audry) ; 1954, Sidi-bel-Abbès (Alden-Delos) ; 1956, L'inspecteur aime la bagarre (Devaivre).

Aviateur et acrobate au visage de gamin, il fut un merveilleux Rouletabille, le populaire héros de Gaston Leroux. On le vit dans de nombreux films effectuer de véritables prouesses acrobatiques mais il fut aussi André Jurieux dans *La règle du jeu* et Scapin dans *Le capitaine Fracasse*. Ancêtre de nos modernes cascadeurs, il a écrit un livre de souvenirs : *Mes quatre cents coups* (1951).

Trabaud, Pierre

Acteur et réalisateur français, 1925-2005.

1946, Antoine et Antoinette (Becker) ; 1948, Manon (Clouzot) ; 1949, Lady Paname (Janson), Rendez-vous de Juillet (Becker) ; 1950, Sans laisser d'adresse (Le Chanois) ; 1953, Le défroqué (Joannon) ; 1954, Les chiffoniers d'Emmaüs (Darène) ; 1958, Y'en a marre (Govar), Le désert de Pigalle (Joannon) ; 1960, Normandie-Niemen (Dréville) ; 1961, La guerre des boutons (Robert) ; 1983, Le voleur de feuilles (Trabaud) ; 1986, Autour de minuit (Tavernier) ; 1989, La vie et rien d'autre (Tavernier). *Pour le metteur en scène*, voir le *Dictionnaire du cinéma*, t. I : *Les réalisateurs*.

La carrière d'acteur de Pierre Trabaud a tourné court trop vite. Le réalisateur n'est pas moins sympathique et mérite d'être redécouvert.

Tracy, Spencer

Acteur américain, 1900-1967.

1930, Up the River (Ford) ; 1931, Quick Millions (Rowland Brown), Six Cylinder Love (Freeland), Goldie (Stoloff) ; 1932, She Wanted a Millionnaire (Blystone), Sky Devils (L'as malgré lui) (Sutherland), Disorderly Conduct (Considine Jr), Young America (Borzage), Society Girl (Lanfield), Painted Woman (Blystone), Me and My Gal (Walsh), 20 000 Years in Sing Sing (Vingt mille ans sous les verrous) (Curtiz) ; 1933, Face in the Sky (Lachman), Shanghai Madness (Blystone), The Power and the Glory (Thomas Gardner) (Howard), The Mad Game (Cummings), A Man's Castle (Ceux de la zone) (Borzage) ; 1934, Looking for Trouble (Wellman), The Show Off (Riesner), Bottoms Up (Butler), Now I'll Tell (E. Burke), Marie Galante (King) ; 1935, It's a Small World (Cummings), Murder Man (Whelan), Dante's Inferno (L'enfer) (Lachman), Whipsaw (S. Wood) ; 1936, Riffraff (Ruben), Fury (Furie) (Lang), San Francisco (Van Dyke), Libeled Lady (Conway), They Gave Him a Gun (On lui donna un fusil) (Van Dyke) ; 1937, Captains Courageous (Capitaines courageux) (Fleming), Big City (La grande ville) (Borzage), Mannequin (Mannequin) (Borzage) ; 1938, Test Pilot (Pilote d'essai) (Fleming), Boys Town (Des hommes sont nés) (Taurog) ; 1939, Stanley and Livingstone (Stanley et Livingstone) (King) ; 1940, I Take This Woman (plusieurs réalisateurs dont Van Dyke), Northwest Passage (Le grand passage) (Vidor), Edison the Man (La vie de Thomas Edison) (Brown), Boom Town (La fièvre du pétrole) (Conway) ; 1941, Men of Boys Town (Des hommes vivront) (Taurog), Dr. Jekyll and Mr. Hyde (Dr. Jekyll et Mr. Hyde) (Fleming) ; 1942, Woman of the Year (La femme de l'année) (Stevens), Tortilla Flat (Tortilla

Flat) (Fleming), Keeper of the Flame (La flamme sacrée) (Cukor) ; 1944, A Guy Named Joe (Un nommé Joe) (Fleming), The Seventh Cross (La septième croix) (Zinnemann), Thirty Seconds Over Tokyo (Trente secondes sur Tokyo) (LeRoy) ; 1945, Without Love (Bucquet) ; 1947, The Sea of Grass (Le maître de la prairie) (Kazan), Cass Timberlane (Sidney) ; 1948, State of the Union (L'enjeu) (Capra) ; 1949, Edward, My Son (Cukor), Adam's Rib (Madame porte la culotte) (Cukor) ; 1950, Malaya (Thorpe), Father of the Bride (Le père de la mariée) (Minnelli) ; 1951, Father's Little Dividende (Allons donc, Papa !) (Minnelli), The People Against O'Hara (Sturges) ; 1952, Pat and Mike (Mademoiselle Gagne-tout) (Cukor), Plymouth Adventure (Capitaine sans loi) (Brown) ; 1953, The Actress (Cukor) ; 1954, Broken Lance (La lance brisée) (Dmytryk) ; 1955, Bad Day at Black Rock (Un homme est passé) (Sturges) ; 1956, The Mountain (La neige en deuil) (Dmytryk) ; 1957, Desk Set (Une femme de tête) (W. Lang) ; 1958, The Old Man and the Sea (Le vieil homme et la mer) (Sturges), The Last Hurrah (La dernière fanfare) (Ford) ; 1960, Inherit the Wind (Procès de singe) (Kramer) ; 1961, The Devil at Four O'Clock (Le diable à quatre heures) (LeRoy), Judgment at Nuremberg (Jugement à Nuremberg) (Kramer) ; 1963, It's a Mad, Mad, Mad, Mad World (Un monde fou, fou, fou, fou) (Kramer) ; 1967, Guess Who's Coming to Dinner (Devine qui vient dîner) (Kramer).

Le boy-scout de l'écran, champion toutes catégories des bonnes causes. Comment le concevoir autrement qu'en éclaireur assurant la colonisation du Nouveau Monde (*North West Passage*), en capitaine courageux (le film de Fleming), en médecin héroïque, en inventeur génial (Edison), en prêtre évangélisant les quartiers populaires (les films de Taurog) ?... Mais en contrepartie, il y a *Fury* de Lang, *Man's Castle* de Borzage, *The Power and the Glory* (préfiguration de *Citizen Kane*) et le méconnu *Dante's Inferno* de Lachman. D'un côté un cinéma conventionnel, sentimental, naïf, de l'autre avec Lang, Borzage, Howard et Lachman, des œuvres fortes et révolutionnaires. Repoussons le Tracy des comédies lénifiantes de Minnelli ou des lourdes machines à thèse de Kramer pour garder le souvenir du Lang de *Bad Day at Black Rock*, qui triomphait avec un bras unique d'une impressionnante brochette de méchants Américains, ou du bonhomme roublard de *The Last Hurrah* vu par Ford. Né dans le Wisconsin, à Milwaukee, formé à la Marquette University et à l'Académie d'art dramatique de New York, avant de débuter en 1922 à Broadway *R.U.R.* où il tenait le rôle d'un robot, il sym autant et plus peut-être que John Wayne, l'Amérique profonde. Hollywood lui attribua l'oscar deux années de suite : celui de 1937 pour *Captains Courageous* et celui de 1938 pour *Boys' Town.*

Tramel, Félicien

Acteur français, 1880-1948.

1921, Le crime du Bouif (Pouctal) ; 1922, La résurrection du Bouif (Pouctal) ; 1923, Le filon du Bouif (Osmont), Son Excellence le Bouif (Osmont) ; 1924, Les enfants de Paris (Bertoni) ; 1926, L'orphelin du cirque (Lannes) ; 1927, Le Bouif errant (Hervil), Le mystère de la tour Eiffel (Duvivier) ; 1928, Le sous-marin de cristal (Vandal) ; 1929, Sa meilleure maîtresse (Hervil) ; 1930, L'anglais tel qu'on le parle (Boudrioz) ; 1931, La fille du Bouif (Bussy) ; 1932, Barranco, Ltd. (Berthomieu), Le crime du Bouif (Berthomieu), Le chasseur de chez Maxim's (Anton), Cognasse (Mercanton) ; 1933, Crainquebille (Baroncelli), Faut réparer Sophie (Ryder), Plein aux as (Houssin) ; 1934, Le père Lampion (Christian-Jaque) ; 1935, Voyage d'agrément (Christian-Jaque) ; 1936, Mes tantes et moi (Noé), Trois... six... neuf (Rouleau) ; 1937, L'enjôleuse (Simons), Mon député et sa femme (Cammage) ; 1938, L'entraîneuse (Valentin), Visages de femmes (Guissart) ; 1939, L'héritier des Mondésir (Valentin), L'homme qui cherche la vérité (Esway), Le chasseur de chez Maxim's (Cammage) ; 1940, Dernière jeunesse (Musso), L'an 40 (Rivers) ; 1941, La fille du puisatier (Pagnol), Un chapeau de paille d'Italie (Cammage), Les petits riens (Leboursier), Les deux timides (Y. Allégret), Une vie de chien (Cammage) ; 1942, L'inévitable monsieur Dubois (Billon), Le mistral (Houssin), Retour de flamme (Fescourt) ; 1942, La cavalcade des heures (Noé), Feu Nicolas (Houssin) ; 1945, L'idiot (Lampin), Les J3 (Richebé) ; 1946, Miroir (Lamy), En êtes-vous bien sûr ? (Houssin), Désarroi (Dagan), Parade du rire (Verdier), Dernier refuge (Maurette).

Il fut le créateur du personnage du Bouif aujourd'hui bien oublié, mais qui donna lieu à une longue série de films d'une réjouissante ineptie. On le préfère chez Valentin, notamment dans *L'entraîneuse* où il joue les bourgeois salauds dans la grande tradition de Jean Anouilh.

Travers, Henry

Acteur anglais, de son vrai nom T. Heagerty, 1874-1965.

1933, Reunion in Vienna (Franklin), My Weakness (Butler), Another Language (Griffith), The Invisible Man (L'homme invisible) (Whale) ; 1934, Death Takes a Holiday (Trois jours chez les vivants) (Leisen), Ready for Love (Gering), The Party's Over (Lang), Born to Be Bad (L. Sherman) ; 1935, Escapade (Leonard), Maybe It's Love (Wellman), Captain Hurricane (Robertson), Four Hours to Kill (L'ultime forfait) (Leisen), After Office Hours (Leonard), Pursuit (Marin), Seven Keys to Baldpate (W. Hamilton) ; 1936, Too Many Parents (Mc Gowan) ; 1938, The Sisters (Nuits de bal) (Litvak) ; 1939, Dodge City (Les conquérants) (Curtiz), Dark Victory (Victoire sur la nuit) (Goulding), Remember ? (McLeod), You Can't Get Away with Murder (Le châtiment) (Seiler), On Borrowed Time (L'étrange sursis) (Bucquet), Stanley and Livingstone (Stanley et Livingstone) (King), The Rains Came (La mousson) (Brown) ; 1940, Edison the Man (La vie de Thomas Edison) (Brown), The Primrose Path (La Cava), Anne of Windy Polars (Hively) ; 1941, A Girl, a Guy and a Cob (Jones), Ball of Fire (Boule de feu) (Hawks), I'll Wait for You (Sinclair), High Sierra (La grande évasion) (Walsh), The Bad Man (Thorpe) ; 1942, Pierre of the Plains (Seitz), Random Harvest (Prisonnier du passé) (LeRoy), Mrs. Miniver (Madame Miniver) (Wyler), The Moon Is Down (Pichel) ; 1943, Madame Curie (LeRoy), Shadow of a Doubt (L'ombre d'un doute) (Hitchcock) ; 1944, The Very Thought of You (Daves), Dragon Seed (Les fils du dragon) (Bucquet, Conway), None Shall Escape (De Toth) ; 1945, The Bells of St Mary's (Les cloches de Sainte-Marie) (McCarey), Thrill of a Romance (Thorpe), The Naughty Nineties (Yarbrough) ; 1946, The Yearling (Jody et le faon) (Brown), It's a Wonderful Life (La vie est belle) (Capra), Gallant Journey (Wellman) ; 1947, The Flame (Auer) ; 1948, Beyond Glory (Retour sans espoir) (Farrow) ; 1949, The Girl from Jones Beach (Godfrey).

Acteur d'origine anglaise venu tenter sa chance en Amérique. Petit, les yeux candides, une grande bouche, un air bonhomme, il joue les sacristains, les valets de chambre, les humbles. Il est surtout célèbre pour sa composition de l'ange Clarence chargé de veiller sur James Stewart dans *It's a Wonderful Life*. Il mourut d'artériosclérose.

Travolta, John

Acteur américain né en 1954.

1975, The Devil's Rain (La pluie du diable) (Fuest) ; 1976, Carrie (Carrie au bal du diable) (De Palma) ; 1977, Saturday Night Fever (La fièvre du samedi soir) (Badham) ; 1978, Grease (Grease) (Kleiser) ; Moment by Moment (Le temps d'une romance) (J. Wagner) ; 1980, Urban Cow-boy (Bridges) ; 1981, Blow Out (Blow Out) (De Palma) ; 1983, Staying Alive (Staying Alive) (Stallone) ; 1984, Two of a Kind (Seconde chance) (Herzfeld) ; 1985, Perfect (Bridges) ; 1989, Look Who's Talking (Allô maman ici bébé) (Heckerling), The Experts (Thomas), Chains of Gold (Holcomb) ; 1990, Look Who's Talking Too (Allô maman c'est encore moi) (Heckerling) ; 1991, The Tender (Les yeux d'un ange) (Harmon), Shout (Hornaday) ; 1993, Look who's Talking Now (Allô maman c'est Noël) (Ropelewski) ; 1994, Pulp Fiction (Pulp Fiction) (Tarantino) ; 1995, White Man's Burden (White man) (Nakano), Get Shorty (Get Shorty-Stars et truands) (Sonnenfeld), Broken Arrow (Broken Arrow) (Woo) ; 1996, Phenomenon (Phénomène) (Turteltaub), Michael (Michael) (Ephron), She's So Lovely (She's So Lovely) (N. Cassavetes), Mad City (Mad City) (Costa-Gavras) ; 1997, Face/Off (Volte/face) (Woo), Primary Colors (Primary Colors) (Nichols), The Thin Red Line (La ligne rouge) (Malick) ; 1998, A Civil Action (Zaillian), The General's Daughter (Le déshonneur d'Elisabeth Campbell) (West), Welcome to Hollywood (Markes) ; 1999, Battlefield Earth (Battlefield Earth) (Christian) ; 2000, Lucky Numbers (Le bon numéro) (Ephron) ; 2001, Swordfish (Sena), Domestic Disturbance (L'intrus) (Becker) ; 2003, Basic (Basic) (McTiernan) ; 2004, The Punisher (The Punisher) (Hensleigh) ; 2005, Be Cool (Gray), Ladder 49 (Piège de feu) (Russel), Magnificent Desolation : Walking on the Moon 3D (Magnifique désolation : marchons sur la Lune) (Cowen) ; 2006, A Love Song for Bobby Song (Love Song) (Gabel).

Père immigrant napolitain, mère d'origine irlandaise : un bon mélange. Débuts difficiles, de courtes apparitions à la télévision. Puis c'est le triomphe de *La fièvre du samedi soir* : charmant sourire, beaux cheveux noirs, pli du pantalon bien repassé, Travolta fait des ravages auprès des jeunes filles qui vont au cinéma le samedi soir. Un succès démesuré par rapport au talent modeste de l'interprète qui vaut surtout pour son pantalon d'un blanc immaculé. Le désastre suit : *Le temps d'une romance* est un four retentissant qui conduit Travolta à la dépression. Son come-back avec

De Palma, puis Stallone, est laborieux mais Tarantino le relance avec *Pulp Fiction* et les studios et le public se l'arrachent à nouveau.

Tréjan, Guy

Acteur français, de son vrai nom Treichler, 1921-2001.

1955, Marie-Antoinette (Delannoy) ; 1956, Les truands (Carlo-Rim), Je reviendrai à Kandara (Vicas) ; 1963, Pouic-Pouic (Girault), Les veinards (Girault) ; 1964, Les tripes au soleil (Bernard-Aubert), Laissez tirer les tireurs (Lefranc) ; 1965, Le ciel sur la tête (Ciampi) ; 1969, La maison de campagne (Girault) ; 1970, Jo (Girault) ; 1972, Le serpent (Verneuil) ; 1973, Piaf (Casaril) ; 1978, On efface tout (Vidal) ; 1983, J'ai épousé une ombre (Davis) ; 1984, La triche (Bellon) ; 2000, La fidélité (Zulawski).

Avant tout un homme de théâtre, élève de Dullin. Au cinéma sa filmographie est plutôt indigente. Il a gaspillé son talent dans de bien médiocres comédies.

Trenet, Charles

Chanteur et acteur français, 1913-2001.

1938, La route enchantée (Caron), Je chante (Stengel) ; 1941, Romance de Paris (Boyer) ; 1942, Frederica (Boyer) ; 1943, Adieu, Léonard (P. Prévert), La cavalcade des heures (Noé) ; 1951, Bouquet de joie (Cam) ; 1953, Boum sur Paris (Canonge) ; 1957, Printemps à Paris (Roy), C'est arrivé à 36 chandelles (Diamant-Berger).

Chanteur et poète, il a peu marqué le cinéma. On peut sauver toutefois *Adieu, Léonard, La cavalcade des heures* et surtout *Romance de Paris*.

Tréville, Georges

Acteur et réalisateur français, de son vrai nom Troly, 1875-1944.

1911, Le courrier de Lyon (Capellani), Notre-Dame de Paris (Capellani) ; 1912, Sherlock Holmes (huit épisodes, Tréville), L'affaire du collier de la reine (Morlhon) ; 1914, Arsène Lupin (Chautard), Le chevalier de Maison-Rouge (Cappelani) ; 1916, Suzanne (Hervil, Mercanton) ; 1917, La p'tite du sixième (Hervil, Mercanton), La proie (Monca) ; 1919, L'homme bleu (Manoussi), Le dieu du hasard (Pouctal) ; 1921, All Sorts and Conditions of Men (Tréville) ; 1923, Mystère (Serragor) ; 1924, L'épervier (Boudrioz) ; 1925, Der Spielzeng von Paris (Célimène), Poupée de Montmartre (Kertesz) ; 1927, Le berceau de Dieu (Leroy-Granville) ; 1928, Moulin-Rouge (Dupont) ; 1929, L'enfant de l'amour (L'Herbier) ; 1931, L'affaire Blaireau (Wulschleger), Paris-Méditerranée (May) ; 1933, Bach Millionnaire (Wulschleger) ; Pour être aimé (Tourneur) ; 1934, La caserne en folie (Cammage) ; 1935, L'école des cocottes (Colombier), Tout va très bien, madame la marquise (Wulschleger) ; 1939, Bach en correctionnelle (Wulschleger). *Comme réalisateur :* 1912, Sherlock Holmes ; 1918, Lorena ; 1921, All Sorts and Conditions of Men.

Acteur, il a réussi l'exploit d'être Sherlock Holmes à Londres dans une série de huit films qu'il mit en scène et Arsène Lupin, à Paris, dans une bande dont Chautard serait l'auteur. Admirable exploit : hélas, Tréville finit avec le parlant dans les vaudevilles de Wulschleger. On a renoncé à donner la liste complète des films où il alla se déshonorer.

Trevor, Claire

Actrice américaine, de son vrai nom Wemlinger, 1909-2000.

1933, The Mad Game (Cummings), Life in the Raw (L. King), Jimmy and Sally (Tinling) ; 1934, Hold that Girl (MacFadden), Elinore Norton (MacFadde), Baby Take a Bow (Lachman), Wild Gold (Marshall) ; 1935, Dante's Inferno (L'enfer) (Lachman), Black Sheep (Le Borg), Spring Tonic (Bruckman) ; 1936, Human Cargo (Dwan), The Song and Dance Man (Dwan), To Mary with Love (Cromwell), 15 Maiden Lane (Dwan), Career Woman (Seiler) ; 1937, Second Honeymoon (J'ai deux maris) (W. Lang), One Mile from Heaven (Dwan), Dead End (Rue sans issue) (Wyler), Time out for Romance (St. Clair), King of Gamblers (L'homme qui terrorisait New York) (Florey), Big Town Girl (Werker) ; 1938, The Amazing Dr Clitterhouse (Le mystérieux docteur Clitterhouse) (Litvak), Valley of the Giants (La vallée des géants) (Keighley), Two of a Kind (Levin), Walking Down Broadway (Foster) ; 1939, I Stole a Million (Tuttle), Stagecoach (La chevauchée fantastique) (Ford), Allegheny Uprising (Seiter) ; 1940, The Dark Command (L'escadron noir) (Walsh) ; 1941, Texas (Texas) (Marshall), Honky Tonk (Franc-jeu) (Conway) ; 1942, The Adventures of Martin Eden (Salkow), Street of Chance (Hively), Crossroads (Conway) ; 1943, The Desperadoes (Les Desperados) (Ch. Vidor), Woman of the Town (Archainbaud), Good Luck Mr. Yates (Enright) ; 1945, Murder My Sweet (Le crime vient à la fin) (Dmytryk), Johnny Angel (Marin) ; 1946, Crack up (Reis), The Bachelor's Daughters (Stone) ; 1947, Born to Kill (Né pour tuer) (Wise) ; 1948, Key Largo (Key Largo) (Huston), Raw Deal (Marché de brutes) (Mann), The Babe Ruth Story (Del Ruth), The Velvet Touch (Gage) ; 1949, The Lucky Stiff (Foster) ; 1950, Borderline (Seiter) ; 1951, Hoodlum Empire (Kane), Hard, Fast and Beautiful (Lupino), Best of the Badmen (Plus fort que la loi) (Russell) ; 1952, My Man and I (Wellman), Stop, You're Killing Me (Del Ruth) ; 1953, The Stranger Wore a Gun (Les massacreurs du Texas) (De Toth) ; 1954, The High and the Mighty (Écrit dans le ciel) (Wellman) ; 1955, Man Without a Star (L'homme qui n'a pas d'étoile) (Vidor), Lucy Gallant (Une femme extraordinaire) (Parrish) ; 1956, The Mountain (La neige en deuil) (Dmytryk) ; 1958, Majorie Morning star (Rapper) ; 1962, Two Weeks in Another Town (Quinze jours ailleurs) (Minnelli), The Stripper (Les loups et l'agneau) (Schaffner) ; 1964, How to Murder Your Wife (Comment tuer votre femme) (Quine) ; 1967, The Cape Town Affair (R. Webb) ; 1982, Kiss me Goodbye (Mulligan).

Elle fut la fille de mauvaise vie dans *Stagecoach*, après avoir traîné dans des séries B de la Fox et dans quelques policiers de la Warner. Le rôle de *Stagecoach* en fit une star. De westerns en thrillers, elle conserva ce personnage de prostituée désabusée mais au grand cœur. Sa filmographie est brillante avec une prédilection pour Wellman. Elle obtint un oscar du second rôle pour *Key Largo*.

Triesault, Ivan

Acteur américain, 1902-1982.

1941, Out of the Fog (Litvak) ; 1943, Mission to Moscow (Curtiz), The Strange Death of Adolph Hitler (Hogan) ; 1944, In Our Time (V. Sherman), Uncertain Glory (Saboteur sans gloire) (Walsh), The Hitler Gang (Farrow), Days of Glory (Tourneur), The Black Parachute (Landers), Cry of the Werewolf (La fille du loup-garou) (Levin), The Mummy's Ghost (Le fantôme de la momie) (Leborg) ; 1945, Escape in the Frog (Boetticher), Counter-Attack (Z. Korda), A Song to Remember (Vidor) ; 1946, Notorious (Les enchaînés) (Hitchcock), Crime Doctor's Manhunt (Castle), Return of Monte-Cristo (Le retour de Monte-Cristo) (Levin) ; 1947, The Golden Earrings (Les anneaux d'or) (Leisen), The Crimson Key (E. Forde) ; 1948, To the Ends of the Earth (Stevenson) ; 1949, Johnny Allegro (L'homme de main) (Tetzlaff) ; 1950, Kim (Kim) (Saville) ; 1951, My True Story (Rooney), The Lady and the Bandit (R. Murphy) ; 1952, Five Fingers (L'affaire Ciceron) (Mankiewicz), The Bad and the Beautiful (Les ensorcelés) (Minnelli) ; 1953, Desert Legion (La légion du Sahara) (Pevney), Ma and Pa Kettle on Vacation (Lamont) ; 1954, Charge of the Lancers (Castle), Border River (G. Sherman), The Gambler from Natchez (Levin) ; 1955, The Girl in the Red Velvet Swing (La fille sur la balançoire) (Fleischer) ; 1956, The Buster Keaton Story (Sheldon) ; 1957, Jet Pilot (Les espions s'amusent) (Sternberg) ; 1958, Fraulein (Koster) ; 1962, It Happened in Athens (Marton), The Three Hundred Spartans (La bataille des Thermopyles) (Mate), Barabbas (Barabbas) (Fleischer) ; 1965, Von Ryan's Express (L'express du colonel Von Ryan) (Robson) ; 1966, Batman (Batman) (Martinson).

D'origine estonienne, il vient à New York en 1920, s'intéresse aux ballets, part étudier la chorégraphie à Londres, revient comme danseur au Radio City Music Hall puis à l'Eastman Theatre de Rochester et sur d'autres scènes américaines. Son visage très marqué le conduit à se reconvertir en acteur hollywoodien chargé de jouer les rôles de traître : on le verra en nazi, communiste ou étranger indésirable, quand il n'est pas un empereur, dégénéré, cela va de soi, comme dans *Barabbas*.

Trintignant, Jean-Louis

Acteur et réalisateur français né en 1930.

1955, Si tous les gars du monde (Christian-Jaque), La loi des rues (Habib) ; 1956, Et Dieu créa la femme (Vadim), Club de femmes (Habib) ; 1959, Les liaisons dangereuses (Vadim), Un été violent (Zurlini), Austerlitz (Gance), La millième fenêtre (Menegoz) ; 1960, Pleins feux sur l'assassin (Franju), Cœur battant (Doniol-Valcroze), L'Atlantide (Ulmer) ; 1961, Le jeu de la vérité (Hossein), Horace 62 (Versini), Les sept péchés capitaux (sketch de Demy), Le combat dans l'île (Cavalier) ; 1962, Il sorpasso (Le fanfaron) (Risi) ; 1963, Il successo (Morassi), Un château en Suède (Vadim) ; 1964, Les pas perdus (J. Robin), La bonne occase (Drach), Mata-Hari (Richard), Angélique, marquise des Anges (Borderie), Compartiment tueurs (Costa-Gavras) ; 1965, Un idiot à Paris (Korber), Paris brûle-t-il ? (Clément), Merveilleuse Angélique (Borderie), La longue marche (Astruc) ; 1966, Un homme et une femme (Lelouch), Safari diamants (Drach), Trans-Europ-Express (Robbe-Grillet) ; 1967, Enigma (Brass), Mon amour, mon amour (N. Trintignant), Un homme à abattre (Condroyer), La morte ha fatto l'uomo (Questi), L'homme qui ment (Robbe-Grillet), Col cuore in gola (Le cœur aux lèvres) (Brass), Les biches (Chabrol) ; 1968, Il grande silenzio (Le grand silence) (Corbucci), La matriarca (Festa Campanile),

Le voleur de crimes (N. Trintignant), Z (Costa-Gavras), Metti una sera a cena (Disons un soir à dîner) (Patroni Griffi) ; 1969, Ma nuit chez Maud (Rohmer), L'Américain (Bozzuffi), Intentions secrètes (Eceiza), Il conformista (Le conformiste) (Bertolucci), Cosi dolce, cosi perversa (Si douces, si perverses) (Lenzi), L'opium et le bâton (Rachedi) ; 1970, Le voyou (Lelouch) ; 1971, Sans mobile apparent (Labro), La course du lièvre à travers les champs (Clément) ; 1972, L'attentat (Boisset), Un homme est mort (Deray) ; 1973, Défense de savoir (N. Trintignant), Le train (Granier-Deferre), Les violons du bal (Drach), L'escapade (Soutter), Le mouton enragé (Deville) ; 1974, Le secret (Enrico), Le jeu avec le feu (Robbe-Grillet), L'agression (Pirès) ; 1975, Flic story (Deray), Il pleut sur Santiago (Soto), La donna della domenica (La femme du dimanche) (Comencini), Voyage de noces (N. Trintignant) ; 1976, Il deserto dei Tartari (Le désert des Tartares) (Zurlini), L'ordinateur des pompes funèbres (Pirès), Les passagers (Leroy) ; 1977, Repérage (Soutter), Un assassin qui passe (Vianey) ; 1978, L'argent des autres (Chalonge) ; 1979, La terrazza (La terrasse) (Scola), Melancholy Baby (Gabus) ; 1980, La banquière (Girod) ; 1981, Une affaire d'hommes (Ribovski), Boulevard des assassins (Tioulong), Le grand pardon (Arcady), Passion d'amour (Scola), Eaux profondes (Deville), Malevil (Chalonge) ; 1982, La nuit de Varennes (Scola) ; 1983, La crime (Labro), Vivement dimanche ! (Truffaut), Under Fire (Au cœur du feu) (Spottiswoode), Colpire al cuore (Amelio) ; 1984, Le bon plaisir (Girod), Viva la vie ! (Lelouch), Femmes de personne (Frank) ; 1985, L'été prochain (N. Trintignant), Partir, revenir (Lelouch), Rendez-vous (Téchiné), David, Thomas et les autres (Szabo), L'homme aux yeux d'argent (Granier-Deferre) ; 1986, Un homme et une femme : vingt ans déjà (Lelouch), La femme de ma vie (Wargnier) ; 1987, La vallée fantôme (Tanner), Le moustachu (Chaussois) ; 1989, Bunker Palace Hôtel (Bilal) ; 1991, Merci la vie (Blier) ; 1992, L'œil écarlate (Roulet), L'instinct de l'ange (Dembo) ; 1993, Rouge (Kieslowski), Regarde les hommes tomber (J. Audiard) ; 1994, Fiesta (Boutron), C'est jamais loin (Centonze), La cité des enfants perdus (voix seulement) (Jeunet et Caro) ; 1995, Par-delà les nuages (Antonioni/Wenders), Tykho Moon (Bilal), Un héros très discret (J. Audiard) ; 1997, Ceux qui m'aiment prendront le train (Chéreau) ; 2003, Janis et John (Benchetrit). *Pour le metteur en scène*, voir le *Dictionnaire du cinéma*, t. I : *Les réalisateurs*.

Neveu du coureur automobile Maurice Trintignant, il s'oriente pourtant, malgré sa passion pour les cylindrées, vers le théâtre et suit les cours de Charles Dullin. Au cinéma, sa carrière de jeune premier est lancée par *Et Dieu créa la femme* et son idylle avec Brigitte Bardot. Mais il vaut mieux que ces commérages de la grande presse. Il montre vite sa finesse et son intelligence, tournant en Italie aussi bien qu'en France où il est dirigé par son épouse Nadine Marquand. Dans *Un homme à sa fenêtre*, un recueil de confidences, il s'explique sur son métier : « Je déteste les numéros d'épate. La "grande scène", le "beau rôle", le "morceau d'anthologie" n'entrent pas dans ma conception de l'art dramatique. Pour moi, un rôle c'est l'addition d'une quantité de petits détails qui ne se remarquent pas. Ce sont des silences, voire même des "absences", dans la mesure où elles servent le metteur en scène ou mes partenaires. Être comédien, c'est aussi préserver une certaine innocence. »

Trintignant, Marie

Actrice française, 1962-2003.

1967, Mon amour, mon amour (N. Trintignant) ; 1971, Ça n'arrive qu'aux autres (N. Trintignant) ; 1973, Défense de savoir (N. Trintignant) ; 1978, Série noire (Corneau) ; 1979, Premier voyage (N. Trintignant) ; 1980, La terrazza (La terrasse) (Scola) ; 1981, Un matin rouge (Aublanc) ; 1982, Les îles (Azimi) ; 1984, L'été prochain (N. Trintignant) ; 1987, Noyade interdite (Granier-Deferre), La maison des Jeanne (Clément) ; 1988, Une affaire de femmes (Chabrol) ; 1989, Wings of Fame (Les ailes de la renommée) (Votocek) ; 1990, Alberto express (Joffé), Nuit d'été en ville (Deville) ; 1991, Betty (Chabrol), Contre l'oubli (collectif) ; 1992, L'instinct de l'ange (Dembo), Cible émouvante (Salvadori) ; 1993, Les marmottes (Chouraqui), Hoffman's Hunger (De Winter) ; 1994, Les apprentis (Salvadori), Fugueuses (N. Trintignant) ; 1995, Des nouvelles du Bon Dieu (Lepêcheur), Le cri de la soie (Marciano), Portraits chinois (Martine Dugowson) ; 1996, Ponette (Doillon), Les démons de Jésus (Bonvoisin) ; 1997, Le cousin (Corneau), ... Comme elle respire (Salvadori) ; 1999, Promenons-nous dans les bois (Delplanque) ; 2000, Harrison's Flowers (Harrison's Flowers) (Chouraqui), Le prince du Pacifique (Corneau) ; 2001, Petite misère (Boon, Brandenburger) ; 2002, Una lunga, lunga, lunga notte di amore (Une longue, longue, longue nuit d'amour) (Emmer), Total Kheops (Beverini) ; 2003, Janis et John (Benchetrit), Les marins perdus (Devers), Ce qu'ils imaginent (Théron).

Une beauté étrange, sombre, le regard noir et profond, on la découvre dans *Série noire*, de Corneau, où elle joue avec une étrange perversité le difficile rôle d'une adolescente quasi autiste. Peu de rôles marquants par la suite, mais Chabrol relance enfin sa carrière et son répertoire commence à s'étoffer. Elle s'essaie même à la comédie et elle est une adorable voleuse dans le délicieux *Cible émouvante* de Pierre Salvadori. C'est la fille de Nadine et Jean-Louis Trintignant. Elle connaît une fin tragique au moment du tournage d'un téléfilm sur Colette.

Tripplehorn, Jeanne

Actrice américaine née en 1963.

1991, Basic Instinct (Basic Instinct) (Verhoeven) ; 1993, The Night We Never Met (Chassés-croisés) (Leigh), The Firm (La firme) (Pollack) ; 1994, Reality Bites (Génération 90) (Stiller) ; 1995, Waterworld (Waterworld) (Reynolds) ; 1997, 'Til There Was You (Winant), Office Killer (Sherman) ; 1998, Snitch (T. Demme), Sliding Doors (Pile & face) (Howitt), Mickey Blue-Eyes (Mickey les yeux bleus) (Makin), Very Bad Things (Very Bad Things) (Berg) ; 1999, Steal this Movie ! (Greenwald), Relative Values (Styles) ; 2000, Paranoid (Duigan), Timecode (Timecode) (Figgis) ; 2001, Dial 9 for Love (Van Oostrum).

Brune, elle donnait le change (avec sensualité) face à la blonde Sharon Stone dans *Basic Instinct*. Sans suivre le parcours de son illustre collègue, Jeanne Tripplehorn, originaire de l'Oklahoma, mène une étrange carrière, entre Hollywood et l'Angleterre, échappant de justesse aux rôles de potiches dans des productions sympathiques mais rarement très populaires.

Troisi, Massimo

Acteur et réalisateur italien, 1953-1994.

1981, Ricomincio da tre (Troisi) ; 1982, No grazie, il caffè mi rende nervoso (Arena) ; 1983, Scusate il ritardo (Troisi) ; 1985, Non ci resta che piangere (Troisi) ; 1987, La vie del signore sono infinite (Troisi), Hotel colonial (Torrini) ; 1988, Splendor (Splendor) (Scola) ; 1989, Che ora è ? (Quelle heure est-il ?) (Scola) ; 1990, Il viaggio di Capitan Fracassa (Le voyage du capitaine Fracasse) (Scola) ; 1991, Pensavo fosse amore invece era un calesse (Troisi) ; 1995, Il postino (Le facteur) (Radford). *Pour le metteur en scène*, voir le *Dictionnaire du cinéma*, t. I : *Les réalisateurs*.

Après avoir fondé une petite troupe qui créera plusieurs spectacles comiques à la télévision italienne, ce jeune Napolitain démarre une carrière cinématographique en fanfare avec un premier film qu'il réalise et où il tient le rôle principal. Héritier de l'ancienne tradition napolitaine et de la Commedia dell'arte, Troisi incarne, dans la majeure partie de ses propres films, une version moderne du personnage de Pulcinella. Scola lui fait néanmoins changer de registre et aborder un style plus dramatique. En 1995, le succès mondial et inespéré du *Facteur* en fait une immense vedette. Hélas, la maladie va l'emporter au lendemain du dernier jour de tournage. Ô ironie...

Tryon, Tom

Acteur américain, 1925-1991.

1956, The Scarlet Hour (Énigme policière) (Curtiz), Screaming Eagles (Ch. Haas), Three Violent People (Terre sans pardon) (Maté) ; 1957, The Unholy Wife (La femme et le rôdeur) (Farrow) ; 1958, I Married a Monster from Outer Space (Fowler Jr.) ; 1960, The Story of Ruth (Histoire de Ruth) (Koster) ; 1961, Marines Let's Go (Walsh) ; 1962, The Moon Pilot (Neilson), The Longest Day (Le jour le plus long) (Annakin) ; 1963, The Cardinal (Le cardinal) (Preminger) ; 1965, In Harm's Way (Première victoire) (Preminger), The Glory Guys (Les compagnons de la gloire) (Laven) ; 1969, Color Me Dead (Davis) ; 1971, The Narco Man (Coll).

Grand et beau, il n'est pourtant pas un acteur qui suscite l'enthousiasme, même si sa filmographie est honorable. Mais comment oublier qu'il fut un auteur de best-sellers adaptés à l'écran (*L'autre...*) ?

Tucci, Stanley

Acteur et réalisateur américain né en 1960.

1985, Prizzi's Honor (L'honneur des Prizzi) (Huston) ; 1987, Who's That Girl ? (Who's That Girl ?) (Foley) ; 1988, Monkey Shines : An Experiment in Fear (Romero) ; 1989, The Feud (D'Elia), Slaves of New York (Esclaves de New York) (Ivory) ; 1990, Quick Change (Franklin, Murray) ; 1991, Men of Respect (Reilly), Billy Bathgate (Billy Bathgate) (Benton) ; 1992, The Public Eye (L'œil public) (Franklin), Prelude to a Kiss (Rene), Beethoven (Beethoven) (Levant), In the Soup (In the Soup) (Rockwell) ; 1993, Undercover Blues (Pas de vacances pour les Blues) (Ross), The Pelican Brief (L'affaire Pelican) (Pakula), Somebody to Love (Somebody to

Love) (Rockwell), Mrs. Parker and the Vicious Circle (Mrs. Parker et le cercle vicieux) (Rudolph), It Could Happen to You (Millionnaire malgré lui) (Bergman) ; 1995, Mr. #247 (Oakley), Captive (Slovin), Jury Duty (Fortenberry), Kiss of Death (Kiss of Death) (Schroeder) ; 1996, The Daytrippers (En route pour Manhattan) (Mottola), Big Night (Big Night) (Tucci, Scott) ; 1997, Montana (Leitzes), Life During Wartime (Dunsky), The Eighteenth Angel (Bindley), Deconstructing Harry (Harry dans tous ses états) (Allen), A Life Less Ordinary (Une vie moins ordinaire) (Boyle) ; 1998, The Impostors (Les imposteurs) (Tucci), A Midsummer's Night Dream (Le songe d'une nuit d'été) (Hoffman) ; 1999, In Too Deep (Gangsta Cop) (Rymer) ; 1999, Joe Gould's Secret (Tucci) ; 2000, The Whole Shebang (Zaloom), Big Trouble (Sonnenfeld) ; 2001, American Sweethearts (Roth) ; 2002, Road to Perdition (Les sentiers de la perdition) (Mendes) ; 2003, Maid in Manhattan (Coup de foudre à Manhattan) (Wang), The Core (Fusion) (Amiel) ; 2004, The Life and Death of Peter Sellers (Moi, Peter Sellers) (S. Hopkins) ; 2005, The Terminal (Le terminal) (Spielberg), Shall we Dance ? (Shall we Dance ? La nouvelle vie de M. Clark) (Chelsom) ; 2006, The Devil Wears Prada (Le diable s'habille en Prada) (Frankel), Lucky Number Slevin (Slevin) (McGuigan). *Pour le metteur en scène*, voir le *Dictionnaire du cinéma*, t. I : *Les réalisateurs*.

Sympathique second rôle spécialisé dans les personnages rigides mais tout en finesse (Laurent Spielvogel serait son équivalent français), il est passé à la réalisation, signant avec *Big Night* un bon premier film dont l'action se déroule exclusivement dans un grand restaurant, et avec *The Impostors* un second long métrage présenté à Cannes en sélection officielle.

Tucker, Chris

Acteur américain né en 1972.

1994, House Party 3 (Meza) ; 1995, Friday (Gray), Panther (Van Peebles), Dead Presidents (A. & A. Hughes) ; 1997, The Fifth Element (Le cinquième élément) (Besson), Money Talks (Argent comptant) (Ratner), Jackie Brown (Jackie Brown) (Tarantino) ; 1998, Rush Hour (Rush Hour) (Ratner), Double O-Soul (Dey) ; 2001, Rush Hour 2 (Ratner).

Du café-théâtre aux États-Unis, où son bagout fait des merveilles. Besson le révèle en présentateur télé efféminé et hystérique dans *Le cinquième élément*, et il accède aux premiers rôles avec *Rush Hour*, où il contrebalance les effets musclés de Jackie Chan par quelques saillies verbales bien assassines.

Tucker, Forrest

Acteur américain, 1915-1986.

1940, The Westerner (Le cavalier du désert) (Wyler), The Howards of Virginia (Lloyd) ; 1941, Emergency Landing (Beaudine), New Wine (Schunzel), Honolulu Lu (Barton), Canal Zone (Landers) ; 1942, Tramp, Tramp, Tramp (Barton), Shut My Big Mouth (Barton), Parachute Nurse (Barton), The Spirit of Stanford (Barton), Keeper of the Flame (Cukor), Counter Espionage (Dmytryk) ; 1946, The Man Who Dared (Sturges), Talk About a Lady (Sherman), Renegades (Sherman), Dangerous Business (Lederman), Never Say Goodbye (Kern), The Yearling (Jody et le faon) (Brown) ; 1947, Gunfighters (Waggner) ; 1948, Adventures in Silverado (Karlson), The Plunderers (Kane) ; 1949, The Big Cat (Karlson), Brimstone (Kane), The Last Bandit (Kane), Sands of Iwo Jima (Dwan), Hellfire (Springsteen) ; 1950, The Nevadan (Douglas), Rock Island Trail (Kane), California Passage (Kane) ; 1951, Fighting Coast Guard (Kane), O Susanna (Kane), Crosswinds (L'or de la Nouvelle-Guinée) (L. Foster), Hoodlum Empire (Kane), The Wild Blue Yonder (Dwan), Flaming Feather (Enright), Warpath (Le sentier de l'enfer) (Haskin) ; 1952, Bugles in the Afternoon (Les clairons sonnent la charge) (Rowland), Hurricane Smith (Hopper), Ride the Man Down (Kane) ; 1953, Poney Express (Le triomphe de Buffalo Bill) (Hopper), Flight Nurse (Dwan), San Antone (Kane) ; 1954, Jubilee Trail (Kane), Trouble in the Glen (Wilcox) ; 1955, Rage at Dawn (Les rôdeurs de l'aube) (Whelan), Finger Man (Schuster), The Vanishing American (Kane), Night Freight (Yarbourgh), Break in the Circle (Guest), Paris Follies of 1956 ; 1956, Stagecoach to Fury (Claxton), Three Violent People (Terre sans pardon) (Maté) ; 1957, The Quiet Gun (Claxton), The Deerslayer (Neumann), The Abominable Snowman (Le redoutable homme des neiges) (Guest), Girl in the Woods (Gries) ; 1958, The Strange World of Planet X (Gunn), The Trollenber Terror (Q. Lawrence), Gunsmoke in Tucson (Carr), Fort Massacre (Newmann) ; 1959, Counter Plot (Neumann) ; 1966, Don't Worry (Jones) ; 1968, The Night They Raided Minsky's (Friedkin) ; 1969, Barquero (Barquero) (Douglas) ; 1970, Chisum (Chisum) (McLaglen) ; 1972, Cancel my Reservation (Bogart) ; 1975, The Wild McCullochs (Baer) ; 1976, The Wackiest Wagon Train in the West (Morrie Parker) ; 1977, Final Chapter : Walking Tall (Starrett) ; 1981, A Rare Breed (Nelson) ; 1985, Outtakes (Sell) ; 1986, Thunder Run (Hudson).

Un costaud. Blond, solide, carré. Il incarne plus souvent la loi que le désordre. Il a traîné sa haute silhouette dans des séries B de Kane, Karlson et autres Carr, et fut Bill Hickok à côté de Heston-Buffalo Bill dans *Poney Express*. Après 1970, il délaisse une série B agonisante pour la télévision.

Turckheim, Charlotte de

Actrice et réalisatrice française née en 1955.

1980, La nuit de la mort (Delpard) ; 1981, Les sous-doués en vacances (Zidi), Le maître d'école (Berri), Quand tu seras débloqué, fais-moi signe ! (Leterrier) ; 1982, Ma femme s'appelle reviens (Leconte), Édith et Marcel (Lelouch) ; 1983, Attention, une femme peut en cacher une autre (Lautner), Retenez-moi ou je fais un malheur (Gérard) ; 1984, Un amour de Swann (Schlöndorff), Signes extérieurs de richesse (Monnet), Rive droite, rive gauche (Labro) ; 1986, Sale destin (Madigan) ; 1988, Chouans ! (Broca), A deux minutes près (Le Hung), La salle de bain (Lvoff) ; 1990, Les secrets professionnels du Dr. Apfelglück (collectif) ; 1991, Mon père ce héros (Lauzier), Une époque formidable... (Jugnot) ; 1992, Une journée chez ma mère (Cheminal) ; 1994, Jefferson in Paris (Jefferson à Paris) (Ivory) ; 1995, La propriétaire (Merchant) ; 1997, Héroïnes (Krawczyk) ; 1998, Mon père, ma mère, mes frères et mes sœurs (Turckheim), Birds of Passage (Michel) ; 2001, Sexes très opposés (Assous) ; 2006, Les aristos (Turckeim). *Comme réalisatrice :* 1998, Mon père, ma mère, mes frères et mes sœurs ; 2006, Les aristos.

Elle crève l'écran en aristocrate contre-révolutionnaire dans *Chouans* ! Gros succès à la scène dans des sketches désopilants.

Turner, Kathleen

Actrice américaine née en 1954.

1981, Body Heat (La fièvre au corps) (Kasdan) ; 1982, A Breed Apart (Mora) ; 1983, The Man with Two Brains (L'homme aux deux cerveaux) (Reiner) ; 1984, Romancing the Stone (A la poursuite du diamant vert) (Zemekis), Crimes of Passion (Les jours et les nuits de China Girl) (Russell) ; 1985, Prizzi's Honor (L'honneur des Prizzi) (Huston), The Jewel of the Nile (Le diamant du Nil) (Teague) ; 1986, Peggy Sue Got Married (Peggy Sue s'est mariée) (Coppola) ; 1988, Julia and Julia (Del Monte), Who Framed Roger Rabbit ? (Qui veut la peau de Roger Rabbit ?) (Zemeckis), Switching Channels (Scoop) (Kotcheff), Accidental Tourist (Voyageur malgré lui) (Kasdan) ; 1989, The War of the Roses (La guerre des roses) (De Vito) ; 1991, V.I. Warshawski (V.I. Warshawski, un privé en escarpins) (Kanew) ; 1993, Undercover Blues (Pas de vacances pour les Blues) (Ross), Naked in New York (Naked in New York) (Algrant), House of Cards (Lessac) ; 1994, Serial Mom (Serial mother) (Waters), Moonlight and Valentino (Moonlight & Valentino) (Anspaugh) ; 1996, A Simple Wish (La guerre des fées) (Ritchie) ; 1997, The Real Blonde (Une vraie blonde) (DiCillo) ; 1998, The Virgin Suicides (Virgin Suicides) (S. Coppola), Baby Geniuses (P'tits génies) (Clark) ; 1999, Prince of Central Park (Leekley), Love and Action in Chicago (Cochran) ; 2000, Beautiful (Field).

En un film, *Body Heat*, cette fille d'ambassadeur a renoué avec la tradition des héroïnes, à la sensualité inquiétante, des films « noirs ». Inquiétante, elle l'est plus encore dans *Crimes of Passion* et dans *L'honneur des Prizzi*. Mais elle peut aussi se transformer en joyeuse aventurière (*The Jewel of the Nile*), ou se parodier dans le fort drôle *Man with Two Brains*.

Turner, Lana

Actrice américaine, 1920-1995.

1937, They Won't Forget (La ville gronde) (LeRoy), The Great Garrick (Whale) ; 1938, The Adventures of Marco Polo (Les aventures de Marco Polo) (Mayo), Love Finds Andy Hardy (Seitz), Rich Man, Poor Girl (Schunzel), Four Is a Crowd (Quatre au paradis) (Curtiz), Dramatic School (Sinclair) ; 1939, Dancing Co-Ed (Simon), These Glamour Girl (Simon), Calling Dr. Kildare (Bucquet) ; 1940, Two Girls on Broadway (Simon), We Who Are Young (Bucquet) ; 1941, Dr. Jekyll and Mr. Hyde (Flemming), Ziegfeld Girl (La danseuse des Follies Ziegfeld) (Leonard), Johnny Eager (Johnny le roi des gangsters) (LeRoy), Honky Tonk (Franc-jeu) (Conway) ; 1942, Somewhere I'll Find You (Ruggles) ; 1943, Slightly Dangerous (Ruggles), The Youngest Profession (Buzzell), Du Barry Was a Lady (La Du Barry était une dame) (Del Ruth) ; 1944, Marriage Is a Private Affair (Leonard) ; 1945, Week-end at the Waldorf (Leonard), Keep Your Powder Dry (Buzzell) ; 1946, The Postman Always Rings Twice (Le facteur sonne toujours deux fois) (Garnett) ; 1947, Green Dolphin Street (Le pays du dauphin vert) (Saville), Cass Timberlane (Éternel tourment) (Sidney) ; 1948, Homecoming (LeRoy), The Three Musketeers (Les trois mousquetaires) (Sidney) ; 1950, Mr. Imperium (Hartman), A Life of Her Own

(Ma vie à moi) (Cukor) ; 1952, The Merry Widow (La veuve joyeuse) (Bernhardt), The Bad and the Beautiful (Les ensorcelés) (Minnelli) ; 1953, Latin Lovers (LeRoy) ; 1954, The Flame and the Flesh (Brooks), Betrayed (Voyage au-delà des vivants) (Reinhardt) ; 1955, The Prodigal (Le fils prodigue) (Thorpe), The Sea Chase (Le renard des océans) (Farrow), The Rains of Ranchipur (La mousson) (Negulesco), Diane (Diane de Poitiers) (Miller) ; 1957, Peyton Place (Robson) ; 1958, The Lady Takes a Flyer (Madame et son pilote) (Arnold), Another Time, Another Place (Je pleure mon amour) (L. Allen) ; 1959, Imitation of Life (Mirage de la vie) (Sirk) ; 1960, Portrait in Black (Meurtre sans faire-part) (Gordon) ; 1961, Bachelor in paradise (L'Américaine et l'amour) (Arnold), By Love Possessed (Par l'amour possédé) (Sturges) ; 1962, Who's Got the Action ? (L'inconnu du gang des jeux) (Daniel Mann) ; 1964, Love Has Many Faces (Singer) ; 1966, Madame X (D. Lowell Rich) ; 1969, The Big Cube (Davison) ; 1974, Persecution (Chaffey) ; 1976, Bitter Sweet Love (D. Miller) ; 1978, Witches' Brew (Shorr) ; 1994, That's Entertainment III (That's Entertainment III) (Friedgen et Knievel).

Jacques Siclier, dans *La femme dans le cinéma américain*, a écrit des pages remarquables sur l'apparition de Lana Turner dans *The Postman Always Rings Twice :* « Vêtue de blanc, elle assurait la conquête de Garfield et le conduisait au meurtre avec un sang-froid extraordinaire (la scène où elle se remaquille, parfaitement calme, après son premier baiser, est dans toutes les mémoires). » C'est le film de Garnett qui fit de cette fille d'un professeur, venue tenter sa chance à Hollywood en 1936, une star. Elle fut plus conventionnelle dans ses autres films, y compris en inattendue *Diane de Poitiers*.

Turpin, Ben

Acteur américain, 1869-1940.

Avant 1929, essentiellement des courts métrages dont : 1914, Golf Champion Chick, Evans Links with Sweedie ; 1915, The Champion (Charlot boxeur) (Chaplin), The Bell-Hop, Snakeville's Twins, A Quiet Little Game, His New Job (Charlot débute) (Chaplin), A Night Out (Charlot fait la noce) (Chaplin) ; 1916, Carmen (Charlot joue Carmen) (Chaplin), The Iron Mitt, Just for a Kid (Chaplin), Hired and Fired, A Deep Sea Liar, For Ten Thousands Bucks, Some Liars, Lost and Found, Ducking a Discord, A Waiting Game, Taking the Count, The Stolen Booking, Home Talent, Poultry, Doctoring a Leak ; 1917, Masked Mirth, Why Ben Bolted, Bucking the Tiger, Two Laughs, Pet's Pants, Caught in the End, A Clever Dummy, The Pawnbroker's Heart, Roping Her Romeo, Taming Target Center ; 1918, Saucy Madeline, Sheriff Nell's Tussle, The Battle Royal Sleuths, She Loved Him Plenty, Whose Little Wife Are You, Two Tough Tenderfeet, Hide and Seek Detectives, Cupid's Day Off ; 1919, Yankee Doodle in Berlin (Jones), Love is Blind, No Mother to Guide Him, Uncle Tom Without Cabin, Salome vs. Shenandoah, East Lynne with Variations, Love's Outcast ; 1921, Bright Eyes, A Small Town Idol (Kenton) ; 1922, Step Forward, Homemade Movies ; 1923, The Daredevil (Hogan), Where Is My Wandering Boy this Evening ?, The Shriek of Araby (Jones) ; 1924, Romeo and Juliet, The real Virginian, The Hollywood Kid, The White Goose Chaser, Yukon Jake ; 1925, Raspberry Romance, The Marriage Circus ; 1926, When a Man's a Prince, A Harem Knight, The Prodigal Bridegroom ; Steel Preferred (Hogan) ; 1927, A Hollywood Hero, The Jolly Jitter, Broke in China, Daddy Boy, The College Hero (W. Lang) ; 1928, My Wife's Relations ; 1929, The Show of Shows (Adolfi) ; 1930, The Love Parade (Parade d'amour) (Lubitsch), Swing High (Santley) ; 1931, Cracked Nuts (Cline) ; 1932, Million Dollar Legs (Folies olympiques) (Cline), Make Me a Star (Beaudine) ; 1939, Hollywood Cavalcade (Hôtel à vendre) (Cummings) ; 1940, Saps at Sea (Laurel et Hardy en croisière) (Douglas).

Comique célèbre pour son strabisme et sa moustache. Il venait de l'écurie de Sennett et tourna plusieurs films avec Chaplin avant de faire cavalier seul dans de courts métrages désopilants et qu'il supervisa lui-même. On le retrouve, à la fin des années 30, comme faire-valoir dans certains films burlesques.

Turturro, John

Acteur et réalisateur américain né en 1957.

1980, Raging Bull (Raging Bull) (Scorsese) ; 1984, Exterminator 2 (Buntzman), The Flamingo Kid (Le kid de la plage) (Marshall) ; 1985, Desperately Seeking Susan (Recherche Susan desespérément) (Seidelman), To Live and Die in L.A. (Police fédérale Los Angeles) (Friedkin) ; 1986, Hannah and her Sisters (Hannah et ses sœurs) (Allen), Gung Ho (Gung Ho) (Howard), Off Beat (Le flic était presque parfait) (Dinner), The Color of Money (La couleur de l'argent) (Scorsese) ; 1987, The Sicilian (Le sicilien) (Cimino) ; 1988, Five Corners (Bill) ; 1989, Do the Right Thing (Do the Right Thing) (Lee) ; 1990, Mo'

Better Blues (Mo' Better Blues) (Lee), State of Grace (Les anges de la nuit) (Joanou), Backtrack (Hopper), Miller's Crossing (Miller's Crossing) (Coen) ; 1991, Men of Respect (Reilly), Barton Fink (Barton Fink) (Coen), Jungle Fever (Jungle Fever) (Lee) ; 1992, Brain Donors (Dugan), Mac (Mac) (Turturro) ; 1993, Fearless (État second) (Weir) ; 1994, Being Human (Forsyth), The Search for One-Eye-Jimmy (A la recherche de Jimmy-le-Borgne) (Kass), Quiz Show (Quiz Show) (Redford), Search and Destroy (Search and Destroy) (Salle), Unstrung Heroes (Les liens du souvenir) (Keaton) ; 1995, Clockers (Clockers) (Lee), Grace of my Heart (Grace of My Heart) (Anders), Girl 6 (Girl 6) (Lee) ; 1996, Box of Moonlight (Box of Moonlight) (DiCillo), La tregua (La trêve) (Rosi), OK Garage (Cole) ; 1997, Animals (Animals) (Di Jiacomo), The Big Lebowski (The Big Lebowski) (Coen), He Got Game (He Got Game) (Lee), Illuminata (Illuminata) (Turturro) ; 1998, Lesser Prophets (De Vizia), Rounders (Les joueurs) (Dahl), Cradle Will Rock (Broadway 39e Rue) (Robbins) ; 1999, Company Man (Company Man) (McGrath, Askin), Oh Brother, Where Art Thou ? (O'-Brother) (Coen), Two Thousand and None (Paragamian) ; 2000, The Man Who Cried (The Man Who Cried) (Potter), The Luzhin Defence (La défense Loujine) (Gorris) ; 2001, Collateral Damage (Davis), 13 Conversations about One Thing (Sprecher) ; 2002, Mr. Deeds (Les aventures de M. Deeds) (Brill) ; 2003, Fear X (Winding Refn), Super Management (Self-Control) (Segal) ; 2004, Fear X (Inside Job) (Refn), She Hate Me (She Hate Me) (Lee), Secret Window (Fenêtre secrète) (Koepp) ; 2005, The Longest Yard (Mi-temps au mitard) (Seagal) ; 2006, Quelques jours en septembre (Amigorena) ; 2007, The Good Shepherd (The Good Shepherd) (De Niro), Transformers (Bays). *Pour le metteur en scène*, voir le *Dictionnaire du cinéma*, t. I : *Les réalisateurs*.

Spécialisé dans les rôles de fourbes (celui de *Miller's Crossing* était particulièrement répugnant), il doit sa renommée mondiale aux films de Spike Lee. Il est également l'auteur d'un film consacré au monde des maçons, la profession de son père.

Tushingham, Rita

Actrice anglaise née en 1940.

1961, A Taste of Honey (Un goût de miel) (Richardson) ; 1963, The Leather Boys (Furie), A Place to Go (Dearden) ; 1964, The Girl with Green Eyes (La fille aux yeux verts) (Davis) ; 1965, The Knack (Le knack) (Lester) ; 1966, The Doctor Zhivago (Le docteur Jivago) (Lean), The Trap (L'aventure sauvage) (Hayers) ; 1967, Smashing Time (Deux Anglaises en délire) (Davis) ; 1968, Diamonds for Breakfast (Morahan), The Guru (Le gourou) (Ivory) ; 1969, The Bed Sitting Room (L'ultime garçonnière) (Lester) ; 1972, Straight on Till Morning (Collinson) ; 1975, The Case of Laura C., Rachel's Man, Ragazzo di borgata (Paradisi) ; 1977, Gran bollito (Bolognini) ; 1978, Mysteries (de Lussavet) ; 1980, The Human Factor (La guerre des otages) (Dmytryk) ; 1982, Spaghetti House (Paradisi) ; 1986, Flying (P. Lynch), The Housekeeper (Rawi) ; 1989, Resurrected (Greengrass) ; 1990, Hard Days, Hard Nights (Konigstein), Sunday Pursuit (Zetterling) ; 1992, Paper Marriage (K. Lang), A csalas gyonyore (Gyarmarthy) ; 1994, An Awfully Big Adventure (Newell) ; 1996, The Boy from Mercury (Duffy), Under the Skin (Under the Skin) (Adler) ; 1998, Out of Depth (Marshall), Swing (Mead).

Sa sympathique « laideur » (tout est trop grand chez elle), qui ne va pas sans un certain charme, jalonne quelques-unes des étapes du cinéma britannique, de *A Taste of Honey* qui la révéla au délirant *Knack*.

Tyler, Liv

Actrice américaine née en 1977.

1994, Silent Fall (Silent Fall) (Beresford) ; 1995, Heavy (Heavy) (Mangold), Empire Records (Empire Records) (Moyle) ; 1996, Stolen Beauty (Beauté volée) (Bertolucci), That Thing You Do ! (That Thing You Do !) (Hanks) ; 1997, Inventing the Abbotts (O'-Connor), U-Turn (U-Turn) (Stone) ; 1998, Armageddon (Armageddon) (Bay), Plunkett & MacLeane (Guns 1789) (J. Scott), Eugen Onegin (Fiennes), Cookie's Fortune (Cookie's Fortune) (Altman) ; 1999, One Night at McCool's (Zwart) ; 2000, The Lord of the Rings – The Brotherhood of the Ring (Jackson), Dr. T and the Women (Dr. T et les femmes) (Altman) ; 2002, The Lord of the Rings : The Two Towers (Le seigneur des anneaux : les deux tours) (Jackson) ; 2003, The Lord of the Rings : The Return of the King (Le seigneur des anneaux, le retour du roi) (Jackson) ; 2004, Jersey Girl (Père et fille) (K. Smith) ; 2005, Lonesome Jim (Lonesome Jim) (Buscemi) ; 2007, Reign Over Me (Binder).

Fille du top-model Bebe Buell et du musicien Steve Tyler (leader du groupe Aerosmith), elle-même mannequin dès l'âge de quatorze ans, c'est Bertolucci qui la met sous les feux du vedettariat dans *Beauté vo-*

lée, avec le rôle d'une Lolita qui cherche à perdre sa virginité dans une grande bâtisse italienne. Suivent quelques films discrets, dont l'excellent *Heavy*, puis l'arrivée en fanfare à Hollywood avec le premier rôle féminin d'*Armageddon*.

Tyler, Tom

Acteur américain, de son vrai nom Vincent Markowski, 1903-1954.

Principaux films : 1925, The Cowboy Musketeer (Lacy) ; *1926-1930, 36 westerns dont :* 1927, Tom's Gang (Lacy) ; 1928, Phantom of the Range (Dugan), The Texas Tornado (Frank Clark) ; 1929, The Man from Nevada (McGowan), The Trail of Horse Thieves (Lacy) ; 1930, The Canyon of Missing Men (McGowan) ; 1931, Battling with Buffalo Bill (Taylor), The Phantom of the West (Lederman) ; 1932, Jungle Mystery (R. Taylor) ; 1933, Clancy of the Mounted (Taylor) ; 1938, Phantom of the Air (Taylor) ; 1939, Stagecoach (La chevauchée fantastique) (Ford) ; 1941, Captain Marvel (Witney, English) ; 1942, Valley of the Sun (La vallée du soleil) (Marshall) ; 1943, The Phantom (Eason) ; 1946, San Antonio (Butler) ; 1948, Blood on the Moon (Ciel rouge) (Wise) ; The Dude Goes West (Le bourgeois téméraire) (Neumann) ; 1949, She Wore a Yellow Ribbon (La charge héroïque) (Ford), Lust for Gold (Le démon de l'or) (S. Simon).

Il a débuté dans de petits westerns à la Maynard en vedette puis se transforma en troisième couteau d'œuvres plus importantes comme *Stagecoach*. Il fut surtout excellent dans le serial où il fut un Fantôme du Bengale fort ressemblant par rapport aux bandes dessinées de Falk et Moore.

Tyszkiewicz, Beata

Actrice polonaise née en 1938.

1957, Zemsta (La vengeance) (Bohdziewicz) ; 1961, Samson (Wajda) ; 1964, Rekopis maleziony w Saragossie (Le manuscrit trouvé à Saragosse) (Has) ; 1965, Popioly (Cendres) (Wajda), L'homme au crâne rasé (Delvaux) ; 1966, Marysia i Napoleon (Buczkowski) ; 1968, Wszystko na sprzedaz (Tout est à vendre) (Wajda) ; 1975, Noce i dnie (Antczak).

Épouse de Wajda, elle a tourné plusieurs films sous sa direction. Elle a eu aussi une activité théâtrale importante à Varsovie.

U

Uchan, Philippe

Acteur français né en 1962.

1984, La vengeance du serpent à plumes (Oury) ; 1987, Vent de panique (Stora) ; 1989, Comédie d'été (Rawson), La vie et rien d'autre (Tavernier) ; 1990, Lacenaire (Girod), Le château de ma mère (Robert) ; 1991, Versailles Rive gauche (Podalydès), Le bal des casse-pieds (Robert), La neige et le feu (Pinoteau) ; 1993, Aux petits bonheurs (Deville) ; 1994, Fast (Desarthe) ; 1996, Bernie (Dupontel) ; 1997, Dieu seul me voit (Podalydès) ; 1998, Le créateur (Dupontel) ; 1999, André le magnifique (Silvestre, Staib) ; 2000, Liberté-Oléron (Podalydès).

Une gouaille et une bonhomie toutes méridionales chez ce jeune comédien révélé dans les films de Bruno Podalydès. On attend la suite.

Ulliel, Gaspard

Acteur français né en 1984.

2001, Le pacte des loups (Gans) ; 2002, Embrassez qui vous voudrez (Blanc) ; 2003, Les égarés (Techiné) ; 2004, Un long dimanche de fiançailles (Jeunet) ; 2005, Le dernier jour (Marconi) ; 2007, Jacquou le Croquant (Boutonnat), Hannibal Rising (Hannibal Lecter : les origines du mal) (Webber).

Révélé par Téchiné, il s'impose dans des films pour le grand public, notamment en Jacquou le Croquant. On le retrouve aussi dans la série inépuisable des *Hannibal.*

Ullman, Tracey

Actrice anglaise née en 1959.

1983, Give my Regards to Broad Street (Rendez-vous à Broad Street) (Webb) ; 1984, The Young Visiters (J. Hill) ; 1985, Plenty (Plenty) (Schepisi) ; 1986, Jumpin' Jack Flash (Jumpin' Jack Flash) (P. Marshall) ; 1990, I Love You to Death (Je t'aime à te tuer) (Kasdan) ; 1993, Robin Hood : Men in Tights (Sacré Robin des Bois) (M. Brooks), Household Saints (Savoca) ; 1994, I'll Do Anything (Brooks), Bullets over Broadway (Coups de feu sur Broadway) (Allen), Ready to Wear (Prêt-à-porter) (Altman) ; 1999, Panic (Bromell) ; 2000, Small Time Crooks (Escrocs mais pas trop) (Allen) ; 2001, Panic (Brommell) ; 2004, A Dirty Shame (A Dirty Shame) (Waters) ; 2005, Searching for Debra Winger (R. Arquette).

Chanteuse, humoriste et animatrice de télé anglaise très célèbre durant les années 70, elle décide par la suite de se consacrer pleinement au cinéma. Woody Allen l'engage pour *Coups de feu sur Broadway*, où elle interprète une horripilante starlette de théâtre, toujours accompagnée de son ignoble petit chien. Sa voix haut perchée et criarde la rend particulièrement irrésistible dans ce genre de prestation.

Ullmann, Liv

Actrice et réalisatrice norvégienne née en 1939.

1957, Fjolls til fjells (Carlmar) ; 1959, Ung Flukt (Carlmar) ; 1962, Tonny, Kort är Sommaren ; 1965, De Kalte Ham Skarven ; 1966, Persona (Bergman) ; 1968, Skammen (La honte) (Bergman), Vargtimmen (L'heure du loup) (Bergman) ; 1969, An-Magritt, En Passion (Une passion) (Bergman) ; 1970, De la part des copains (Young) ; 1972, Pope Joan (Jeanne, papesse du diable) (Anderson), Viskningar och rop (Cris et chuchotements) (Bergman) ; 1973, Utvandarna (Les émigrants) (Troell), Nybyggarna (Le nouveau monde) (Troell), Lost Horizon (Les horizons perdus) (Jarrott), Forty Carats (Katselas), Scener ur elt äktenscap (Scènes de la vie conjugale) (Bergman) ; 1974, The Abdication (Harvey), Zandy's Bride (Troell) ; 1975, Ansikte not ansikte (Face-à-face) (Bergman) ; 1976, Leonor (J.-L. Buñuel) ; 1977, The Serpent's Egg (L'œuf du serpent) (Bergman), A Bridge Too Far (Un pont trop loin) (Attenborough) ; 1978, Höstsonaten (Sonate d'automne) (Bergman), The Night Visitor (Benedek) ; 1979, Players (Smash) (Harvey) ; 1980, The Gates of the Forest ; 1983, La diagonale du fou (Dembo) ; 1984, Bad Boy (Un printemps sous la neige) (Petrie) ; 1985, The Wild Duck (Safran) ; 1986, Speriamo que sia femmina (Pourvu que ce soit une fille) (Monicelli) ; 1987, Gaby – A True Story (Gaby) (Mandoki), Mosca addio (Bolognini) ; 1989, The Rose Garden (Rademakers), Mindwalk (B. Capra) ; 1991, The Long Shadow (Zsigmond) ; 1992, Oxen (Nykvist) ; 1993, Dromspel (Straume), Zorn (Hellström) ; 1999, Ljuset håller mig sällskap (Nykvist) ; 2004, Saraband (Saraband) (Bergman). *Pour la réalisatrice*, voir le *Dictionnaire du cinéma*, t. I : *Les réalisateurs.*

Actrice vedette du théâtre d'Oslo, elle est remarquée par Bergman qui lui fera tourner ses principaux films à partir de 1960 et en aura une fille. Son visage se prête à la tragédie bergmanienne : lisse, dégagé par les cheveux soigneusement tirés, éclairé par les yeux limpides et profonds. Mais hors Bergman point de salut. Les apparitions de Liv Ullman dans les films de Troell ou dans des productions internationales n'ont guère été heureuses.

Unger, Deborah

Actrice canadienne née en 1966.

1990, Prisoners of the Sun (Wallace), Breakaway (McLennan), Till There Was You (Seale) ; 1992 Whispers in the Dark (Intimes confessions) (Crowe) ; 1994 Highlander III : The Sorcerer (Highlander 3) (Morahan) ; 1996 No Way Home (No Way Home) (Giovinazzo), Keys to Tulsa (Greif), Crash (Crash) (Cronenberg) ; 1997, Luminous Motion (Gordon), The Game (The Game) (Fincher) ; 1998, Payback (Payback) (Helgeland), The Weekend (Skeet), Sunshine (Sunshine) (Szabo) ; 1999, Signs & Wonders (Signs & Wonders) (Nossiter), The Hurricane (Hurricane Carter) (Jewison) ; 2001, Ten Tiny Lock Stories (García) ; 2002, The Salton Sea (Caruso), Between Strangers (Ponti), Leo (Norowzian) ; 2003, Thirteen (Hardwicke), Fear X (Winding Refn), Hollywood North (O'Brian), Stander (Hughes), Emile (Bessai), One Point O (Renfroe, Thorsson).

Née au Canada, c'est néanmoins en Australie que cette magnifique blonde au regard énigmatique fait ses classes, au sein du prestigieux National Institute of Dramatic Art. Remarquée pour un rôle très dénudé dans le controversé *Crash*, elle donne un vrai relief à son rôle de femme au foyer dans *No Way Home*, puis incarne une femme à double tranchant dans *The Game*. Une actrice mystérieuse, qui prend pour deuxième prénom Kara au générique de certains de ses films.

Ustinov, Peter

Acteur et réalisateur anglais, 1921-2004.

1940, Hullo Fame (Buchanan), Mein Kampf My Crimes (Lee) ; 1942, One of Our Aircraft Is missing (Un de nos avions n'est pas rentré) (Powell), Let the People Sing (Baxter), The Goose Steps Out (Dearden, Hay) ; 1944, The Way Ahead (L'héroïque parade) (Reed) ; 1949, Private Angelo (Anderson, Ustinov) ; 1950, Odette (Odette, agent secret S 23) (Wilcox), The Magic Box (La boîte magique) (Boulting), Hôtel Sahara (Annakin), Quo Vadis ? (Quo Vadis ?) (LeRoy) ; 1954, Beau Brummel (Le beau Brummel) (Bernhardt), The Egyptian (L'Égyptien) (Curtiz) ; 1955, We're No Angels (La cuisine des anges) (Curtiz), Un angelo ascesso a Brooklyn (Pablito à New York) (Vajda), Lola Montes (Ophuls) ; 1956, I Girovaghi (Fregonese) ; 1960, Spartacus (Spartacus) (Kubrick), The Sundowners (Les horizons sans frontières) (Zinnemann) ; 1961, Romanoff and Juliet (Romanoff et Juliette) (Ustinov) ; 1964, Topkapi (Topkapi) (Dassin), John Goldfarb Please Come Home (L'encombrant Mr. John) (Lee-Thompson) ; 1965, Lady L (Ustinov) ; 1967, Blackbeard's Ghost (Le fantôme de Barbe-Noire) (Stevenson), The Comedians (Les comédiens) (Glenville) ; 1968, Hot Millions (Till) ; 1970, Viva Max ! (Paris) ; 1972, Hammersmith Is Out (Liberté surveillée) (Ustinov) ; 1975, One of Our Dinosaurs Is Missing (Stevenson) ; 1976, Jesus of Nazareth (Jésus de Nazareth) (Zefirelli), Logan's Run (L'âge de cristal) (Anderson), Treasure of Matecumbe (Le trésor de Matacumba) (McEveety) ; 1977, Un taxi mauve (Boisset), The Last Remake of Beau Geste (Mon beau légionnaire) (Feldman), Doppio delitto (Enquête à l'italienne) (Steno) ; 1978, Death on the Nile (Mort sur le Nil) (Guillermin), The Thief of Bagdad (Le voleur de Bagdad) (C. Donner) ; 1979, Nous maigrirons ensemble (Vocoret), Ashanti (Ashanti) (Fleischer), Players (Smash) (Harvey) ; 1981, The Great

Muppet Caper (Henson), Charlie Chan and the Curse of the Dragon Queen (C. Donner) ; 1982, Evil Under the Sun (Meurtre au soleil) (Hamilton) ; 1983, Memed my Hawk (Ustinov) ; 1988, Appointment With Death (Rendez-vous avec la mort) (Winner) ; 1989, La Révolution française (Enrico et Heffron) ; 1990, C'era un castello con 40 cani (Au bonheur des chiens) (Tessari) ; 1992, Lorenzo's Oil (Lorenzo) (George Miller) ; 1996, Stiff Upper Lips (Sinyor) ; 1999, The Bachelor (Le célibataire) (Sinyor), My Khmer Heart (Hosking). *Pour le metteur en scène*, voir le *Dictionnaire du cinéma*, t. I : *Les réalisateurs*.

Énorme touche-à-tout, il fait ses débuts au Player's Club dans des sketches drôles et écrit sa première pièce pendant la guerre. Il est aussi dessinateur et romancier. Acteur, il joue *Crime et châtiment* au théâtre avec Gieguld, où il se souvient de ses origines russes, puis ses propres pièces, *L'amour des quatre colonels*, *Romanoff et Juliette*, *Photofinish*. Il met lui-même en scène pièces et films. A l'écran, comme simple acteur, il est Néron dans *Quo Vadis ?*, le monsieur Loyal exhibant Lola Montès, un trafiquant d'esclaves dans *Spartacus*, un escroc couard dans *Topkaki* et même Hercule Poirot dans *Mort sur le Nil*, sans oublier Mirabeau, cynique et paillard, dans *La Révolution française*. Ce sont surtout les rôles de lâche ou de veule qui lui convenaient et il leur donnait une dimension quasi métaphysique.

V

Valenti, Osvaldo

Acteur italien, 1906-1945.

Principaux films : 1938, Ettore Fieramosca (Blasetti) ; 1940, Un'avventura di Salvator Rosa (Une aventure de Salvator Rosa) (Blasetti), Oltre l'amore (Plus fort que l'amour) (Gallone) ; Capitan Fracassa (Coletti) ; 1941, La corona di ferro (La couronne de fer) (Blasetti), La cena delle Beffe (La farce tragique) (Blasetti), Beatrice Cenci (Brignone) ; 1942, Giuliano de Medeci (L'enfant du meurtre) (Vajda), Le due orfanelle (Les deux orphelines) (Gallone), Fedora (Fedora) (Mastrocinque) ; 1943, Enrico IV (Chiarini), La Locandiera (Chiarini).

Il fut le méchant par excellence des films de cape et d'épée de l'époque fasciste et son duel avec Gino Cervi dans *Une aventure de Salvator Rosa* est dans toutes les mémoires. Fidèle jusqu'au bout à Mussollini, il fut exécuté en 1945.

Valentin, Karl

Acteur et réalisateur allemand, 1882-1948.

1912, Karl Valentins Hochzeit (Le mariage de Valentin). *Nombreux courts métrages jusqu'en 1938.*

On trouvera la liste de ses principaux films dans le *Dictionnaire des réalisateurs*. Il s'agit surtout de sketches filmés, mais qui sont un précieux témoignage sur la moyenne bourgeoisie allemande entre les deux guerres.

Valentino, Rudolph

Acteur américain, de son vrai nom Rodolfo Guglielmi, 1895-1926.

Nombreux films comme figurant, dont le premier en 1918 : Alimony (Emmett J. Flynn), *puis :* 1921, The Four Horsemen of the Apocalypse (Les quatre cavaliers de l'Apocalypse) (Ingram), Uncharted Seas (Ruggles), The Conquering Power (Eugénie Grandet) (Ingram), Camille (Smallwood), The Sheik (Le Cheik) (Melford) ; 1922, Moran of the Lady Letty (Melford), Beyond the Rocks (Le droit d'aimer) (Wood), Blood and Sand (Arènes sanglantes) (Niblo) ; 1923, The Young Rajah (Rosen) ; 1924, Monsieur Beaucaire (Olcott), A Sainted Devil (L'hacienda rouge) (Henabery) ; 1925, The Eagle (L'aigle noir) (Brown), Cobra (Henabery) ; 1926, The Son of the Sheik (Le fils du Cheik) (Fitzmaurice).

La star par excellence dont la mort suscita de véritables scènes d'hystérie. Cet immigré italien avait débuté aux États-Unis où il était arrivé en 1913, en exerçant divers métiers, de garçon de café à danseur mondain. Apprécié pour sa manière de danser le tango, il vint à Hollywood où le réalisateur Flynn lui trouva son pseudonyme. Longtemps confiné dans de petits rôles touchant à la simple figuration, il conquit la célébrité avec *Les quatre cavaliers de l'Apocalypse*. Sa popularité atteint son zénith avec *Le cheikh*, d'une confondante niaiserie, mais qui lança la mode des Arabes à Hollywood. La tournée qui suivit en Europe fut triomphale. *Arènes sanglantes* acheva d'imposer son image de séducteur latin. Sa vie privée orageuse (son épouse Natasha Ranbova lui rendit la vie impossible et il dut divorcer, comme il avait divorcé auparavant de Jean Acker) n'arrangea pas ses affaires. Il se trouvait au moment de sa mort dans une situation difficile. Deux films lui ont été consacrés, l'un par Lewis Allen en 1951, avec Anthony Dexter dans le rôle, l'autre par Ken Russell, en 1977, que joue Noureev.

Valère, Simone

Actrice française, de son vrai nom Gondolf, née en 1923.

1941, Annette et la femme blonde (Dréville), Mam'zelle Bonaparte (Tourneur), Le dernier des six (Lacombe), Premier rendez-vous (Decoin) ; 1942, Pontcarral, colonel d'empire (Delannoy), Le voyageur de la Toussaint (Daquin) ; 1943, Les Roquevillard (Dréville) ; 1944, Le cavalier noir (Grangier), La fiancée des ténèbres (Poligny) ; 1945, L'extravagante mission (Calef), La route du bagne (Mathot) ; 1946, La revanche de Roger-la-Honte (Cayatte) ; 1947, Le cavalier de Croix-Mort (Gasnier-Raymond), La vie en rose (Faurez) ; 1948, Deux amours (Pottier), Manon (Clouzot), Barry (Pottier) ; 1949, La beauté du diable (Clair) ; 1951, Ma femme est formidable (Hunebelle), La nuit est mon royaume (Lacombe) ; 1952, Violettes impériales (Pottier) ; 1955, Les grandes manœuvres (Clair) ; 1958, Les vignes du seigneur (Boyer) ; 1959, Les secrets du chevalier d'Éon (Audry) ; 1961, Le triomphe de Michel Strogoff (Tourjansky) ; 1962, Germinal (Y. Allégret) ; 1963, L'année du bac (Lacour) ; 1965, La curée (Vadim), Le due orfanelle (Les deux orphelines) (Freda) ; 1966, Brigade anti-gang (Borderie) ; 1967, Le franciscain de Bourges (Autant-Lara) ; 1969, L'ardoise (Bernard-Aubert) ; 1972, Un flic (Melville), The assassination of Trotsky (L'assassinat de Trotsky) (Losey) ; 1988, Équipe de nuit (d'Anna).

Finesse et distinction : ses personnages sont inoubliables à l'écran, mais c'est le théâtre (avec Desailly) qui a été sa vocation principale.

Vallée, Marcel

Acteur français, 1880-1957.

Plusieurs films avec Linder puis : 1919, La faute d'orthographe (Feyder) ; 1921, Le tonnerre (Delluc), Les trois mousquetaires (Diamant-Berger), Boubouroche (Diamant-Berger) ; 1922, Don Juan et Faust (L'Herbier), L'affaire de la rue de Lourcine (Diamant-Berger), Vingt ans après (Diamant-Berger), Gonzague (Diamant-Berger) ; 1923, Jim Bougne détective (Diamant-Berger), Paris qui dort (Clair) ; 1924, Le roi de la vitesse (Diamant-Berger), L'emprise (Diamant-Berger) ; 1927, Les transatlantiques (Colombier) ; 1929, La dame de bronze et le monsieur de cristal (Manchez) ; 1930, Les nuits de Port-Saïd (Mittler), Cordon-bleu (Anton), Je t'adore mais pourquoi ? (Colombier), Paris la nuit (Diamant-Berger) ; 1931, Sola (Diamant-Berger), La fille et le garçon (Thiele), Tout s'arrange (Diamant-Berger), FFI ne répond plus (Hartl), Côte d'Azur (Capellani) ; 1932, Topaze (Gasnier), La bonne aventure (Diamant-Berger), Tumultes (Siodmak), L'enfant du miracle (Diamant-Berger), Mirages de Paris (Ozep), Tu m'oublieras (Diamant-Berger) ; 1933, L'amour guide (Taurog), Judex 34 (Champreux), Une vie perdue (Rouleau), Le prince des Six-Jours (Vernay), Le petit roi (Duvivier) ; 1934, Caravan (Charell), The Merry Widow (La veuve joyeuse) (Lubitsch), Zouzou (M. Allégret), La chanson de l'adieu (Bolvary, Valentin) ; 1935, Cavalerie légère (Hochbaum), Bichon (Rivers), Divine (Ophuls) ; 1936, L'homme de nulle part (Chenal), Prête-moi ta femme (Cammage), Le mari rêvé (Capellani), Les loups entre eux (Mathot), Avec le sourire (Tourneur), L'homme du jour (Duvivier) ; 1937, Cinderella (Caron), Le puritain (Musso), Miarka, la fille à l'ours (Choux), Une étoile disparaît (Villers) ; 1938, Mon curé chez les riches (Boyer), Café de Paris (Mirande), Petite peste (Limur), Feux de joie (Houssin), La route enchantée (Caron), Prince de mon cœur (Daniel-Norman), Les femmes collantes (Caron), Vacances payées (Cammage), La belle étoile (Baroncelli), Son oncle de Normandie (Dréville) ; 1939, Les cinq sous de Lavarède (Cammage), Fric-frac (Lehman), Le dernier tournant (Chenal), Le roi des galéjeurs (Rivers), Bécassine (Caron), Vous seule que j'aime (Fescourt), La famille Duraton (Stengel), Courrier d'Asie (Gilbert), Moulin-Rouge (Hugon), Le paradis des voleurs (Marsoudet) ; 1940, La comédie du bonheur (L'Herbier), Ils étaient cinq permissionnaires (Caron) ; 1941, Le club des soupirants (Gleize), Ce n'est pas moi (Baroncelli), Opéra-musette (Lefèvre) ; 1942, Le journal tombe à cinq heures (Lacombe), Le voile bleu (Stelli), Signé illisible (Chamborant), Fou d'amour (Mesnier), La femme que j'ai le plus aimée (Vernay), Haut-le-vent (Baroncelli) ; 1943, Le soleil de minuit (Bernard-Roland) ; 1945, Le couple idéal (Bernard-Roland), Les J3 (Richebé), L'extravagante mission (Calef), On demande un ménage (Cam) ; 1946, On ne meurt pas comme ça (Boyer), Cœur de coq (Cloche) ; 1947, Clochemerle (Chenal), Monsieur Vincent (Cloche), Neuf garçons, un cœur (Freedland), Le maître de forges (Rivers) ; 1948, Toute la famille était là (Marguenat), Sergil et le dictateur (Daroy) ; 1949, Trois marins dans un couvent (Couzinet), Les Branquignols (Dhéry), Ronde de nuit (Campaux) ; 1950, Le don d'Adèle

(Couzinet), Topaze (Pagnol) ; 1951, Poil de carotte (Mesnier), Adhémar (Fernandel) ; 1952, Le curé de Saint-Amour (Couzinet), Quand te tues-tu ? (Couzinet) ; 1954, Napoléon (Guitry) ; 1956, Assassins et voleurs (Guitry).

Une rondeur qui débute comme valet des mousquetaires et comme notable de comédie. Son grand rôle ? Le propriétaire de la pension Muche qui terrorise Topaze. Un rôle qu'il tint deux fois et qui l'imposa. Un peu louche parfois, sans envergure mais non sans volume physique, il multiplie les combinaisons douteuses dans différents films de *L'homme de nulle part* au *Couple idéal*. Ce grand acteur de théâtre (Gémier, Copeau) qu'admiraient Colette et Guitry (qui le fit jouer) finit – hélas ! – chez Couzinet.

Valli, Alida

Actrice italienne, de son vrai nom von Altenburger, 1921-2006.

1936, I due sergenti (Guazzoni) ; 1937, Il feroce Saladino (Bonnard), Sono stato io ! (Matarazzo) ; 1938, L'ultima nemica (Barbaro), L'ha fatto una signora (Mattoli), L'amor mio non muore (Amato) ; 1939, Mille lire al mese (Neufeld), La casa del peccato (Neufeld), Ballo al castello (Neufeld), Assenza ingiustificata (Neufeld) ; 1940, Manon Lescaut (Gallone), Taverna rossa (Neufeld), Oltre l'amore (Gallone), La prima donna che passa (Neufeld) ; 1941, Piccolo mondo antico (Le mariage de minuit) (Soldati), Ore 9 lezione di chimica (Leçon de chimie à neuf heures) (Mattoli), Luce nelle tenebre (Mattoli), L'amante segreta (Gallone) ; 1942, Catene invisibili (chaînes invisibles) (Mattoli), Noi vivi (Alessandrini), Le due orfanelle (Les deux orphelines) (Gallone), Stasera niente di nuovo (Mattoli) ; 1943, I pagliacci (Fatigati), T'amero sempre (Camerini) ; 1944, Apparizione (Limur), Circo equestre Za-Bum (Mattoli) ; 1945, La vita ricomincia (Mattoli), Il canto della vita (Gallone) ; 1946, Eugenia Grandet (Eugénie Grandet) (Soldati) ; 1947, The Paradine Case (Le procès Paradine) (Hitchcock), The Miracle of the Bells (Le miracle des cloches) (Pichel) ; 1949, The Third Man (Le troisième homme) (Reed) ; 1950, The White Tower (La tour blanche) (Tetzlaff), Walk Softly Stranger (L'étranger dans la cité) (Stevenson), Les miracles n'ont lieu qu'une fois (Y. Allégret) ; 1951, Ultimo incontro (Franciolini) ; 1952, Les amants de Tolède (Decoin) ; 1953, Il mondo le condanna (Franciolini), Siamo donne (Franciolini) ; 1954, La mano dello straniero (Soldati), Senso (Senso) (Visconti) ; 1957, Il grido (Le cri) (Antonioni) ; 1958, Barrage contre le Pacifique (Clément), La grande strada azzura (Pontecorvo), Les bijoutiers du clair de lune (Vadim), L'amore piu bello (Pellegrini) ; 1959, Signé Arsène Lupin (Robert) ; 1960, Les yeux sans visage (Franju), Il peccato degli anni verdi (Trieste), Le gigolo (Deray), Le dialogue des carmélites (Agostini) ; 1961, Une aussi longue absence (Colpi), The Happy Thieves (Les joyeux voleurs) (Marshall) ; 1962, Il disordine (Brusati), Ophelia (Chabrol), Al otro lado de la ciudad (Balcazar), Homenaje a la hora de la siesta (Torre Nilsson), La fille du torrent (Herwig), I leoni di Castiglia (Seto) ; 1963, The Getaway Face (B. Marshall), El hombre de papel (Rodriguez) ; 1964, L'autre femme (Villiers) ; 1965, Umorismo in nero (Zagni) ; 1967, Edipo re (Œdipe roi) (Pasolini) ; 1970, La strategia del ragno (La stratégie de l'araignée) (Bertolucci) ; 1971, Le champignon (Simenon), L'occhio nel labirinto (Caiano) ; 1972, La prima notte di quiete (Zurlini), Diario di un Italiano (Capogna) ; 1973, No es nada, mama, solo un juego (Forqué) ; 1974, Tendre Dracula (Grunstein), L'anticristo (De Martino), La chair de l'orchidée (Chéreau) ; 1975, Ce cher Victor (Davis), Il caso Raoul (Ponzi), Lá casa dell'esorcismo (Bava) ; 1976, Novecento (1900) (Bertolucci), Le jeu du solitaire (Adam) ; 1977, Cassandra Crossing (Le pont de Cassandra) (Cosmatos), Suspiria (Argento), Un cuore semplice (Ferrara), Berlinguer, ti voglio bene (G. Bertolucci) ; 1978, Suor omicidi (Berruti), Zoo Zero (Fleischer), Porco mondo (Bergonzelli) ; 1979, Indagine su un delitto perfeto (Leviathan), La luna (La luna) (Bertolucci), Inferno (Argento) ; 1981, La caduta degli angelli ribelli (Giordana) ; 1982, Aspern (De Gregorio) ; 1985, Segreti segreti (G. Bertolucci) ; 1987, Le jupon rouge (Lefebvre) ; 1988, A notre regrettable époux (Korber) ; 1991, Zitti e Mosca (Benvenuti) ; 1993, Bugie rosse (Campanella), Il lungo silenzio (Von Trotta) ; 1995, A Month by the Lake (Irvin), Fatal Frames (Festa) ; 1998, Probably Love (G. Bertolucci) ; 1999, Il dolce rumore della vita (G. Bertolucci) ; 2001, Semana Santa (Semana Santa) (Danquart).

Après avoir suivi les cours du Centro sperimentale di cinematografica, elle débute à seize ans à l'écran et sa carrière va résumer toute l'histoire du cinéma italien, des mélodrames et des comédies de l'ère fasciste (Camerini et Gallone la dirigent) aux films d'horreur d'Argento. Ni les calligraphes, ni les néoréalistes, ni le nouveau cinéma à la Bertolucci ne l'ont dédaignée. Mais si elle est chère au cœur de tout cinéphile c'est pour trois chefs-d'œuvre (le terme n'est pas exagéré) où elle fut (surtout dans le troisième) admirable (le mot n'est pas trop fort). Qu'elle se soit égarée par la suite dans de mauvais films importe peu : elle restera dans notre mémoire Luisa, la douce héroïne persécutée du *Piccolo mondo antico*, Kira en lutte contre les bolcheviks dans *Noi vivi* et surtout la comtesse Livia Serpieri, de *Senso*, errant dans les rues de Vérone après avoir livré son amant déserteur à la justice militaire autrichienne.

Valli, Romolo

Acteur italien, 1925-1980.

Principaux films : 1959, Policarpo, ufficiale di scrittura (Soldati), La grande guerra (La grande guerre) (Monicelli) ; 1960, La viaccia (La viaccia) (Bolognini), La ragazza con la valiglia (La fille à la valise) (Zurlini) ; 1961, Boccacce 70 (Boccace 70) (Fellini, Visconti...) ; 1963, Il gattopardo (Le guépard) (Visconti), Dragées au poivre (Baratier) ; 1964, Der Besuch (La rancune) (Wicki) ; 1965, La mandragola (La mandragore) (Lattuada) ; 1967, Barbarella (Vadim) ; 1968, Boom ! (Boom !) (Losey) ; 1970, Il giardino dei Finzi Contini (Le jardin des Finzi Contini) (De Sica), Morte a Venezia (Mort à Venise) (Visconti) ; 1971, Giu la testa (Il était une fois... la révolution) (Leone), Paulina 1880 (Bertucelli) ; 1972, What ? (Quoi ?) (Polanski) ; 1974, Gruppo di famiglia in un interno (Violence et passion) (Visconti) ; 1976, Holocaust 2000 (Holocaust 2000) (De Martino), Bobby Deerfield (Bobby Deerfield) (Pollack), Novecento (1900) (Bertolucci) ; 1977, Un borghese piccolo piccolo (Un bourgeois tout petit petit) (Monicelli) ; 1979, Clair de femme (Costa-Gavras).

Avec son nez busqué et ses allures de notable, il fut notamment le fils de Burt Lancaster, exploitant terrien impitoyable dans *1900* ou le curé du *Guépard*. Il fut avant tout un acteur de théâtre.

Vallone, Raf

Acteur et réalisateur italien, 1917-2002.

1948, Riso amaro (Riz amer) (De Santis) ; 1949, Non c'e pace tra gli ulivi (Pâques sanglantes) (De Santis) ; 1950, Cuori senza frontière (Cœurs sans frontières) (Zampa), Il cammino della speranza (Le chemin de l'espérance) (Germi), Il bivio (Brigades volantes) (Cerchio), Cristo proibito (Christ interdit) (Malaparte) ; 1951, Camicie rosse (Les chemises rouges) (Alessandrini), Carne inquieta (Chair inquiète) (Prestifilippo), Anna (Lattuada), Le avanture di Mandrin (Le chevalier sans loi) (Soldati), Roma ore 11 (Onze heures sonnaient) (De Santis) ; 1952, Los ojos dejan huellas (L'emprise du destin) (Saenz), Gli eroi della domenica (Les héros du dimanche) (Camerini), Perdonami (Pardonne-moi) (Costa), Orage (Billon) ; 1953, Thérèse Raquin (Carné), Destinées (épis. « Lysistrata ») (Christian-Jaque), La spiaggia (La pensionnaire) (Lattuada) ; 1954, Obsession (Delannoy), Siluri umani (Torpilles humaines) (Leonviola) ; 1955, Il segno di venere (Le signe de Vénus) (Risi), Andrea Chenier (Le souffle de la liberté) (Fracassi), Les possédées (Brabant) ; 1956, Le secret de sœur Angèle (Joannon), Rose Berndt (Rose) (Staudte), Guendalina (Lattuada), Liebe (Tant que mon cœur battra) (Hachler) ; 1957, La venganza (La vengeance) (Bardem) ; 1958, Le piège (Brabant), La violeterra (Amadori) ; 1959, Recours en grâce (Benedek) ; 1960, La garçonnière (Flagrant délit) (De Santis), La ciociara (De Sica), El Cid (Le Cid) (Mann) ; 1961, A View From the Bridge (Vu du pont) (Lumet), Phaedra (Phèdre) (Dassin) ; 1963, The Cardinal (Le cardinal) (Preminger) ; 1964, The Secret Invasion (L'invasion secrète) (Corman) ; 1965, Una voglia da morire (Tessari), Harlow (Harlow la blonde platine) (Douglas) ; 1966, Operazione paradiso (Ramdam à Rio) (Levin), Nevada Smith (Nevada Smith) (Hathaway) ; 1967, The Desperate Ones (Ramati) ; 1968, L'esclava del paradiso (Ellorieta) ; 1969, The Italian Job (L'or se barre) (Collinson), Cannon for Cordoba (Un canon pour Cordoba) (Wendkos) ; 1970, The Kremlin Letter (La lettre du Kremlin) (Huston), A Gunfight (Dialogue de feu) (Johnson), La morte risale a ieri sera (La mort remonte à hier soir) (Tessari) ; 1971, Un verano para matar (Meurtres au soleil) (Isasi Isasmendl) ; 1973, The Catholics (Le visiteur) (Gold) ; 1974, Histoire de l'œil (Longchamps), Rosebud (Rosebud) (Preminger) ; 1975, That Lucky Touch (Le veinard) (Miles), L'uomo della maschera di ferro (Aliprandi), The Doubt (Constantinides), Decadenza (Magro), La casa della paura (Rose) ; 1976, The Devil's Advocate (L'avocat du diable) (Green) ; 1977, The Other Side of Midnight (De l'autre côté de minuit) (Jarrott), The Greek Tycoon (L'empire du Grec) (Thompson) ; 1978, Lion of the Desert (Le lion du désert) (Akkad) ; 1980, Retour à Marseille (Allio), The Human Factor (La guerre des otages) (Dmytryk), An Almost Perfect Affair (Richtie) ; 1985, Paradigme (Le pouvoir du mort) (Zanussi) ; 1990, The Godfather Part III (Le parrain III) (Coppola) ; 1992, Julianus (Koltay) ; 1998, Toni (Esposito).

Fils d'avocat, il devient lui-même avocat après de solides études ; mais la critique cinématographique et théâtrale le passionne davantage. Après la guerre, il monte et joue du Bruckner et du Lorca, et débute à l'écran dans *Riz amer*. Tout en continuant une activité théâtrale (on le verra à Paris, en 1964, dans *Vu du pont)*, il suit une carrière cinématographique très internationale : États-Unis, Italie, Espagne, France. Il passe du traître (*Le Cid*) au héros romantique (le délirant *The Other Side of Midnight*), du drame métaphysique (*Cristo proibito*) au western (*Nevada Smith*) en donnant toujours à ses personnages la même puissance. Il a tourné lui-même un film, *In Autunno un anno dopo*.

Van Cleef, Lee

Acteur américain, 1925-1989.

1950, The Showdown (McGowan) ; 1952, Untamed Frontier (Passage interdit) (Fregonese), High Noon (Le train sifflera trois fois) (Zinnemann), Kansas City Confidential (Le quatrième homme) (Karlson), The Lawless Breed (Victime du destin) (Walsh) ; 1953, Arena (Fleischer), The Bandits of Corsica (Nazarro), The Beast from 20 000 Fathoms (Lourie), Tumbleweed (Qui est le traître ?) (Juran), The Nebraskan (Sears), Jack Slade (Jack Slade) (Schuster), Private Eyes (Bernds), Vice Squad (Investigations criminelles) (Laven) ; 1954, Arrow in the Dust (Selander), Gypsy Colt (Marton), Dawn at Sorocco (G. Sherman), Princess of the Nile (Jones), Rails into Laramie (Seul contre tous) (Hibbs), The Desperado (Bellamy), The Yellow Tomahawk (Selander) ; 1955, Ten Wanted Men (Dix hommes à abattre) (Humberstone), I Cover the Under-world (Springsteen), A Man Alone (Un homme traqué) (Milland), The Kentuckian (L'homme du Kentucky) (Lancaster), Man Without a Star (L'homme qui n'a pas d'étoile) (K. Vidor), The Naked Street (Le roi du racket) (Shane), The Vanishing American (Courage indien) (Kane), The Road to Denver (Colorado Saloon) (Kane), The Treasure of Ruby Hills (MacDonald) ; 1956, The Conqueror (Le conquérant) (Powell), Tribute to a Bad Man (La loi de la prairie) (Wise), Red Sundown (Crépuscule sanglant) (Arnold), Pardners (Taurog), Accused of Murder (Kane), It Conquered the World (Corman), Backlash (Coup de fouet en retour) (Sturges), Gunfight at OK Corral (Règlement de comptes à OK Corral) (Sturges), The Quiet Gun (Claxton) ; 1957, The Lonely Man (Jicop le proscrit) (Levin), Joe Dakota (Joe Dakota) (Bartlett), The Tin Star (Du sang dans le désert) (Mann), Last Stagecoach West (Kane), Gun Battle at Monterey (Hittleman), The Badge of Marshall Brennan (Gannaway) ; 1958, Raiders of Old California (Gannaway), China Gate (Fuller), The Bravados (Bravados) (King), The Young Lions (Le bal des maudits) (Dmytryk), Day of the Bad Man (La journée des violents) (Keller), Machete (Neumann) ; 1959, Ride Lonesome (La chevauchée de la vengeance) (Boetticher), Guns, Girls and Gangsters (Cahn) ; 1961, Posse from Hell (Les cavaliers de l'enfer) (Coleman) ; 1962, The Man Who Shot Liberty Valance (L'homme qui tua Liberty Valance) (Ford), How the West Was Won (La conquête de l'Ouest) (Ford, Marshall, Hathaway) ; 1965, Per qualche dollaro in piu (Et pour quelques dollars de plus) (Leone) ; 1966, Il buono, il brutto, il cattivo (Le bon, la brute et le truand) (Leone) ; 1967, La resa dei conti (Colorado) (Solima), Da uomo a uomo (La mort était au rendez-vous) (Petroni) ; 1968, I giorni dell'ira (Le dernier jour de la colère) (Valerii), Al di là della lege (Pas de pitié pour les salopards) (Stegani) ; 1969, Ehei, amigo, c'e Sabata (Sabata) (Parolini, Kramer), Commandos (Crispino), Die letzte Rechnung zählst du selbst (Stegani), Der Tod ritt Dienstags (Valerii), Barquero (G. Douglas) ; 1970, El Condor (Guillermin) ; 1971, Captain Apache (Capitaine Apache) (Singer), Il ritorno de Sabata (Le retour de Sabata) (Parolini, Kramer), Les quatre mercenaires d'El Paso (E. Martin) ; 1972, Il grande duello (Le grand duel) (Santi), The Magnificent Seven Ride (La chevauchée des sept mercenaires) (McGowan), Drei Vaterunser für vier Holunken (Santi) ; 1973, La dove non botte il sole (La brute, le colt et le karaté) (Dawson) ; 1974, La parola di un fuorilegge... è legge (La chevauchée terrible) (Dawson), Dio, sei proprio un padreterno (L'homme aux nerfs d'acier) (Lupo) ; 1976, God's Gun (Les impitoyables) (Dawson), Vendetta (Les cavaliers du diable) (Manduke) ; 1977, Kid Vengeance (Manduke) ; 1978, The Rip-off (Le renard de Brooklyn) (Dawson) ; 1980, The Squeeze (Dawson), The Octagon (La fureur du juste) (Karson), Escape from New York (New York 1997) (Carpenter) ; 1985, Killing Machine (de la Loma), Geheimcode : Wilgänse (Nom de code : oies sauvages) (Dawson), La leggenda del rubino Maltese (Les aventuriers de l'enfer) (Dawson) ; 1987, Armed Response (Armé pour répondre) (Olen-Ray) ; 1988, Der Commander (Margheriti) ; 1989, Speed Zone (Drake) ; 1990, Thieves of Fortune (McCarthy).

Longtemps confiné dans les troisièmes couteaux, il s'y fit remarquer par son regard glacial, son physique quasi asiatique et sa brutalité. Il fut l'un des plus extraordinaires tueurs des années 50 et on le retrouve dans les meilleurs westerns ou thrillers de l'époque. C'est Leone qui en a fait une vedette avec *Et pour quelques dollars de plus*, où il s'opposait à Clint Eastwood, puis *Le bon, la brute et le truand*, où il était la brute. Désormais on le vit dans de nombreux westerns-spaghetti et il fut notamment le redoutable Sartana. A partir de 1976, il tourne un peu n'importe quoi en Allemagne, en Italie pour Margheriti qui prend le surnom anglo-saxon de Dawson, et aux États-Unis, en sorte que l'on se perd un peu dans sa filmographie aux titres changeants. C'est pourquoi on n'a recensé ici que les films sûrs. « J'ai le profil de l'aigle, dit-il, mais je ne m'en plains pas car mon visage m'a permis d'incarner les méchants. Grâce à lui j'ai toujours travaillé. » De l'avantage d'un physique typé au cinéma.

Van Daele, Edmond

Acteur et réalisateur français, de son vrai nom Mickiewicz, 1888-1960.

1915, Le secret du vieux moulin, Son fils (Richard), Le fils de M. Ledoux (H. Krauss) ; 1917, La chimère (Lehmann) ; 1920, La terre commande (Bergerat), Narayana (Poirier), Ames siciliennes (d'Auchy) ; 1921, La bête traquée (Le Somptier), Fièvre (Delluc) ; 1922, Les Roquevillard (Duvivier) ; 1923, La montée vers l'Acropole (Le Somptier), Pour une nuit d'amour (Protozanov), Un cri dans l'abîme (Carl), L'ombre du péché (Protozanoff), Cœur fidèle (Epstein), La croisade (Le Somptier), Nène (Baroncelli) ; 1924, L'inondation (Delluc) ; 1925, La joueuse d'orgue (Burguet) ; 1926, L'agonie de Jérusalem (Duvivier), La lueur dans les ténèbres (Chimot) ; 1927, Six et demi onze (Epstein), Napoléon (Gance), Sables (Kirsanoff), Fleur d'amour (Vandal) ; 1928, Madame Récamier (Ravel) ; 1929, Cagliostro (Oswald) ; 1930, Maison de danses (Tourneur), Le mystère de la chambre jaune (L'Herbier) ; 1931, Le parfum de la dame en noir (L'Herbier) ; 1933, Le tunnel (Bernhardt), La maternelle (Benoit-Lévy) ; 1934, Les nuits moscovites (Granowsky) ; 1935, La gondole aux chimères (Genina) ; 1937, Le puritain (Musso) ; 1939, L'émigrante (Joannon) ; 1949, Envoi de fleurs (Stelli). *Comme réalisateur :* 1922, Lumière du cœur.

Acteur célèbre des années 20, il fut un inoubliable Robespierre dans le *Napoléon* de Gance.

Van Damme, Jean-Claude

Acteur d'origine belge, de son vrai nom Van Varenberg, né en 1961.

1983, Rue Barbare (Béhat) ; 1984, Missing in action (Portés disparus) (Zito) ; 1986, No Retreat, No Surrender (Karaté Tiger) (Yuen) ; 1987, Black Eagle (L'arme absolue) (Karson) ; 1988, Bloodsport (Tous les coups sont permis) (Arnold), Cyborg (Cyborg) (Pyun) ; 1989, Kickboxer (Kickboxer) (Worth et Salle), Death Warrant (Coups pour coups) (Sarafian) ; 1990, A.W.O.L./Lyon Heart (Full contact) (Lettich) ; 1991, Double Impact (Double Impact) (Lettich), Universal Soldier (Universal Soldier) (Emmerich) ; 1992, Nowhere to Run (Cavale sans issue) (Harmon), Last Action Hero (Last Action Hero) (McTiernan) ; 1993, Hard Target (Chasse à l'homme) (Woo), Timecop (Timecop) (Hyams) ; 1994, Street Fighter (Street Fighter) (De Souza), Sudden Death (Mort subite) (Hyams) ; 1995, The Quest (Le grand tournoi) (Van Damme) ; 1996, Maximum Risk (Risque maximum) (Lam), Double Team (Double Team) (Hark) ; 1997, Knock Off (Piège à Hong-Kong) (Hark) ; 1998, Legionnaire (McDonald), Inferno (Avildsen) ; 1999, Universal Soldier II : The Return (Universal Soldier 2 : Le combat absolu) (Rodgers) ; 2000, Replicant (Lam) ; 2001, The Order (Lettich) ; 2004, Wake of Death (L'empreinte de la mort) (Martinez) ; 2006, Sinav (L'exam) (Sorak).

Intrigues simplettes permettant à Van Damme d'étaler son impressionnante musculature dans des combats relevant des arts martiaux. Une propension des metteurs en scène à le filmer nu de dos.

Van Dien, Casper

Acteur américain né en 1968.

1995, P.C.H. (McCormick), Night Eyes 4 (McDonald), Beastmaster III : The Eye of Braxus (Beaumont) ; 1996, Orbit ; 1997, James Dean : Race with Destiny (Rustam), Starship Troopers (Starship Troopers) (Verhoeven), On the Border (Misiorowski) ; 1998, Tarzan and the Lost City (Tarzan et la Cité perdue) (Schenkel), Modern Vampires (Elfman), Shark Attack (Misiorowski), The Collectors (Furie) ; 1999, The Omega Code (Marcarelli), Sleepy Hollow (Sleepy Hollow) (Burton), Partners (Joey Travolta), The Tracker (Schechter) ; 2000, A Friday Night Date (Furie), Sanctimony (Boll), Cutaway (Manos), Chasing Destiny (Boxell), Python (Clabaugh) ; 2001, Going Back (Furie).

Lancé par son rôle de pilote de chasse au sourire Colgate dans *Starship Troopers*, ce yankee bien balancé à la crinière blonde (lui-même fils de pilote dans l'aéronavale) semble se complaire dans la série B musclée et anecdotique. Tim Burton lui offre la chance de changer de registre dans *Sleepy Hollow*, mais le rôle est à la mesure du comédien : un esprit rustaud dans une plastique parfaite.

Van Doren, Mamie

Actrice américaine, de son vrai nom Joan Lucille Olander, née en 1931.

1950, Jet Pilot (Les espions s'amusent) (Von Sternberg) ; 1951, Two Tickets to Broadway (Kern), Footlight Varieties (Griffith, Stoloff, Yates), His Kind of Woman (Fini de rire) (Farrow) ; 1953, Forbidden (Double filature) (Maté), The All American (Le démon blond) (Hibbs), Hawaiian Nights ; 1954, Yankee Pasha (Pevney), Francis Joins the WACs (Francis chez les WACs) (Lubin) ; 1955, The Second Greatest Sex (Marshall), Running Wild (Biberman), Ain't Misbehavin' (Buzzell) ; 1956, Star in the Dust (La corde est prête) (Haas) ; 1957, Untamed Youth (Koch), The Girl in Black Stockings (Koch) ; 1958, High School Confidential (Jeunesse droguée) (Arnold), Born Reckless (Koch), Le bellissime gambe di Sabina (Mastrocinque), Teacher's Pet (Le chouchou du professeur) (Seaton) ; 1959, Vice Raid (Cahn), Guns, Girls and Gangsters (Cahn), Girls Town (Haas), The Big Operator (Le témoin doit être assassiné) (Haas), The Beat Generation (Les Beatniks) (Haas) ; 1960, Sex Kittens Go to College (Zugsmith), College Confidential (Zugsmith) ; 1961, The Private Lives of Adam and Eve (Rooney, Zugsmith), The Blonde from Buenos Aires ; 1964, The Candidate (Agnus), Three Nuts in Search of a Bolt (Noonan), Freddie und das Lied der Prärie/-The Wild, Wild West (Martin) ; 1966, The Navy vs. the Night Monsters (Hoey), The Las Vegas Hillbillies (Pierce) ; 1968, Voyage to the Planet of the Prehistoric Women (Bogdanovich, sous le pseudonyme de Thomas) ; 1971, I fratelli di Arizona (Carlos), The Arizona Kid (Santiago) ; 1977, Cosmos – War of the Planets (Fukuda) ; 1986, Free Ride (Irbovitch).

Réponse de la Universal à Marilyn Monroe, cette blonde incendiaire d'origine suédoise, née dans le Dakota du Sud, ne mit pas le feu longtemps, ses films, la plupart très mauvais, étant aujourd'hui complètement oubliés. Elle a publié une autobiographie (*Hollywood flash-back*) dans laquelle elle ne fait pas mystère de ses torrides liaisons avec le tout-Hollywood. Les journaux à scandale des années 60 lui en seront éternellement reconnaissants.

Vaneck, Pierre

Acteur français né en 1931.

1955, Marianne de ma jeunesse (Duvivier) ; 1957, Celui qui doit mourir (Dassin), Thérèse Étienne (La Patellière) ; 1958, La moucharde (Lefranc), Une balle dans le canon (Gérard et Deville) ; 1960, Natercia (Kast), La morte-saison des amours (Kast) ; 1961, Les amours célèbres (Boisrond), Un nommé La Rocca (Jean Becker) ; 1965, Paris brûle-t-il ? (Clément) ; 1966, As ilhas encantadas (Les îles enchantées) (Vilardebo) ; 1967, L'étrangère (Gobbi) ; 1968, Maldonne (Gobbi) ; 1970, Biribi (Moosman) ; 1971, L'île aux coquelicots (S. Adamo), Le seuil du vide (Davy) ; 1973, L'ironie du sort (Molinaro) ; 1979, Le soleil en face (Kast), La légion saute à Kolwezi (Coutard) ; 1983, Erendira (Guerra) ; 1984, L'année des méduses (Frank) ; 1987, Sweet Country (Cacoyannis) ; 1988, Les pyramides bleues (Dombasle) ; 1990, Les enfants du vent (Rogulski) ; 1991, Vent d'Est (Enrico) ; 1992, Sur la terre comme au ciel (Johannesdottir) ; 1995, Othello (Othello) (Parker), The Proprietor (La propriétaire) (Merchant) ; 1998, Furia (Aja) ; 1999, Là-bas... mon pays (Arcady) ; 2006, The Science of Sleep (La science des rêves) (Gondry).

Fils d'officier, étudiant en médecine puis au cours Simon, il ne s'est jamais relevé d'avoir débuté dans *Marianne de ma jeunesse*, film qui fit rêver des générations de scouts et de cheftaines. Grand, blond, beau, il sera voué aux personnages purs et nets, s'égarant pourtant une fois chez Pierre Kast. Malheureusement les bons sentiments ne font pas les bonnes recettes. Ainsi *L'île aux coquelicots* du gentil Adamo ne sera jamais montrée. Vaneck se retrouve en définitive devant la caméra de Coutard sauvant les colons blancs d'Afrique à Kolwezi. Du scout au parachutiste, la boucle est bouclée.

Vanel, Charles

Acteur et réalisateur français, 1892-1989.

1912, Jim Crow (Péguy) ; 1921, Crépuscule d'épouvante ; 1922, L'âtre (Boudrioz), La nuit de la revanche (Étiévant), Les cinquante ans de don Juan (Étiévant), Du crépuscule à l'aube (de Féraudy) ; 1923, Tempêtes (Boudioz), Miarka, la fille à l'ours (Mercanton), La maison du mystère (Volkoff), Le vol (Péguy), Calvaire d'amour (Tourjansky), Phroso (Mercanton) ; 1924, La flambée des rêves (Baroncelli), Pêcheurs d'Islande (Baroncelli), La mendiante de Saint-Sulpice (Burguet), Martyre (Burguet), L'autre aile (Andréani) ; 1925, Barocco (Burguet), Le réveil (Baroncelli), Ame d'artiste (Dulac), La flamme (Hervil) ; 1926, La proie du vent (Clair), Nitchevo (Baroncelli), 600 000 francs par mois (Péguy, Koline), L'orphelin du cirque (Lannes), Feu ! (Baroncelli), Der Königin Luise (La reine

Louise) (Grüne), L'esclave blanche (Genina); 1927, La femme rêvée (Durand), Paname n'est pas Paris (Malikoff), Maquillage (Basch); 1928, Le passager (Baroncelli), La plongée tragique (Heinz), Feux follets (Waschneck); 1929, Waterloo (Grüne), Les Fourchambault (Monca), Dans la nuit (Vanel); 1930, Chiqué (Colombier), Accusée, levez-vous ! (Tourneur), La maison jaune de Rio (Grüne, Péguy), Le capitaine jaune (Sandberg), L'Arlésienne (Baroncelli); 1931, Maison de danses (Tourneur), Au nom de la loi (Tourneur), Dainah la métisse (Grémillon), Faubourg Montmartre (Bernard), Les croix de bois (Bernard); 1932, Gitanes (Baroncelli), Affaire classée (Vanel); 1933, Les misérables (Bernard), Flucht-Linge (Au bout du monde) (Ucicky, Chomette); 1934, Le grand jeu (Feyder), Le roi de Camargue (Baroncelli), Obsession (Tourneur); 1935 L'impossible aveu (Glavany), Le domino vert (Selpin, Decoin), L'équipage (Litvak), Michel Strogoff (Baroncelli); 1936, La peur (Tourjansky), Les bateliers de la Volga (Strijewsky), Port-Arthur (Farkas), Jenny (Carné), La belle équipe (Duvivier), Les grands (Gandera, Bibal), L'assaut (Ducis), La flamme (Berthomieu), Courrier-Sud (Billon); 1937, Abus de confiance (Decoin), Troïka sur la piste blanche (Dréville), Police mondaine (Bernheim, Chamborant), La femme du bout du monde (Epstein); 1938, L'Occident (Fescourt), Les pirates du rail (Christian-Jaque), Légions d'honneur (Gleize), S.O.S. Sahara (Baroncelli), Bar du Sud (Fescourt); 1939, Carrefour (Bernhardt), L'or de Cristobal (Stelli), La brigade sauvage (Dréville), Famille sous les cèdres (d'Espinay); 1939, La loi du Nord (Feyder) (présenté en 1942 sous le titre : La piste du Nord), Le diamant noir (Delannoy), La nuit merveilleuse (Paulin); 1941, Le soleil a toujours raison (Billon); 1942, Promesse à l'inconnue (Berthomieu), Les affaires sont les affaires (Dréville), Le ciel est à vous (Grémillon), Les Roquevillard (Dréville); 1944, Haut-le-vent (Baroncelli), L'enquête sur le 58 (Tedesco); 1945, La ferme du pendu (Dréville); 1946, Le bateau à soupe (Gleize), La cabane aux souvenirs (Stelli), Gringalet (Berthomieu); 1947, Le diable souffle (Dréville); 1948, Vertigine d'amore (Capuano); 1949, Au nom de la loi (Germi), La femme que j'ai assassinée (Norman); 1950, Olivia incantesimo trafico (Trésor maudit) (Segur), Il bivio (Brigades volantes) (Cerchio), Malaire (Perla), Cuori sul mar (Bianchi); 1951, Gli inesorabili (Mastrocinque), Ultima sentenza (Bonnard), Incantesimo tragico (Mastrocinque); 1952, Tempête sur les Mauvents (Dupré), Le salaire de la peur (Clouzot); 1953, Si Versailles m'était conté (Guitry), L'affaire Maurizius (Duvivier); 1954, Les diaboliques (Clouzot), Maddalena (Une fille nommée Madeleine) (Genina), Tamtam (Napolitano), To Catch a Thief (La main au collet) (Hitchcock), Les gaîtés de l'escadron (Moffa); 1955, Une missionnaire (Cloche); 1956, La mort en ce jardin (Buñuel), Defundo il mio amore (Scandale à Milan) (Sherman), Rafles sur la ville (Chenal); 1957, Le feu aux poudres (Decoin), Les suspects (Dréville); 1958, Le Gorille vous salue bien (Borderie), Le piège (Brabant), Pêcheur d'Islande (Schoendoerffer); 1959, Les naufrageurs (Brabant), Les bateliers de la Volga (Tourjansky), La valse du Gorille (Borderie); 1960, La vérité (Clouzot); 1961, Tintin et le mystère de la toison d'or (Vierne), L'aîné des Ferchaux (Melville), Maria Matricula de Bilbao (Vajda), Symphonie pour un massacre (Deray), La steppa (La steppe) (Lattuada); 1962, Lo sgarro (Siano), Rififi à Tokyo (Deray); 1963, Un roi sans divertissement (Leterrier); 1964, Le chant du monde (Camus); 1966, Un homme de trop (Costa-Gavras); 1968, La prisonnière (Clouzot); 1969, Ballade pour un chien (Vergez), La nuit bulgare (Mitrani); 1970, Compte à rebours (Pigaut), Ils (Simon); 1972, Camorra (Tueurs à gages) (Squitieri); 1973, Piu bella serata della mia vita (La plus belle soirée de ma vie) (Scola), Par le sang des autres (Simenon); 1975, Sept morts sur ordonnance (Rouffio), Cadaveri eccelenti (Cadavres exquis) (Rosi); 1976, Nuit d'or (Moati), Comme un boomerang (Giovanni), Alice ou la dernière fugue (Chabrol); 1977, A l'ombre d'un été (Van Belle), Ne pleure pas (Ertaud); 1979, Le chemin perdu (Moraz); 1980, La puce et le privé (Kay), Tre fratelli (Les trois frères) (Rosi); 1987, Si le soleil ne revenait pas (Goretta); 1988, Les saisons du plaisir (Mocky). *Pour le metteur en scène*, voir le *Dictionnaire du cinéma*, t. I : *Les réalisateurs*.

Une carrière fabuleuse : soixante-dix ans de cinéma. Tous les rôles possibles, du jeune premier (*La proie du vent*) au « vieux », chef des services secrets (*Le Gorille vous salue bien*), de Napoléon (*Waterloo*) à Javert (*Les misérables*). Il a débuté au théâtre en 1908 et au cinéma en 1912 et ne s'est trouvé au chômage en 1980 que par la faute des assurances. Il a également travaillé pour la télévision et dirigé deux films : *Dans la nuit* et *Affaire classée*, excellents et qui montrent sa maîtrise. Il a tourné en Allemagne et en Italie (Scola, Rosi) aussi bien qu'en France (de Clouzot à Chabrol). Hitchcock lui-même l'a dirigé. A plus de quatre-vingt-dix ans, il travaillait encore. Bref, il a tout vu, tout connu.

Van Eyck, Peter

Acteur d'origine allemande, de son vrai nom Götz von Eick, 1912-1969.

1942, The Moon Is Down (Pichel) ; 1943, Five Graves to Cairo (Les cinq secrets du désert) (Wilder), Hitler's Madman (Sirk), Edge of Darkness (L'ange des ténèbres) (Milestone) ; 1944, Address Unknown (Menzies), The Imposter (L'imposteur) (Duvivier) ; 1949, Hallo Fräulein ! (Ziffra) ; 1950, Epilog (Kautner), Export in Blond (York), Au cœur de la casbah (Cardinal) ; 1953, Le grand jeu (Siodmak), Le salaire de la peur (Clouzot), Alerte au sud (Devaivre), La Chair et le diable (Josipovici), Sailor of the King (Boulting) ; 1954, Le grand jeu (Siodmak), Night People (Les gens de la nuit) (Johnson) ; 1955, Sophie et le crime (Gaspart-Huit), A Bullet for Joey (Un pruneau pour Joe) (Allen), Mr. Arkadin (M. Arkadin) (Welles), Tarzan's Hidden Jungle (Tarzan chez les Soukoulous) (Schuster), Jump into Hell (Butler), Attack (Aldrich) ; 1956, Rawhide Years (Les années sauvages) (Maté), Run for the Sun (La course au soleil) (Boulting), Fric-frac en dentelles ; 1957, Le feu aux poudres (Decoin), Retour de manivelle (La Patellière), Tous peuvent me tuer (Decoin), Der gläserne Turm (Braun), Schwarze Nylons, Heisse Nächte (Nuits chaudes et nylons noirs) (Braun) ; 1958, Das Mädchen Rosemarie (La fille Rose-Marie) (Thiele), The Snorkel (L'homme au masque de verre) (G. Green), Schmutziger Engel (L'ange sale) (Vohrer), Rommel ruft Kairo (L'espion du Caire) (Schleif), Du gehörst mir (Ton corps m'appartient) (Haaf) ; 1959, Schwarze Kapelle (RPZ appelle Berlin) (Habib), Rommel ruft Kairo, Labyrinth (A bout de nerfs) (Thiele), Der Rest ist Schweigen (Kautner), Lockvogel der Nacht (Filles de proie) (Wilm Ten Haaf), Abschied von den Wolken (SOS train d'atterrissage bloqué) (Reinhardt) ; 1960, Verbrechen nach Schulschluss (La rage de vivre) (Vohrer), Die 1000 Augen des Dr. Mabuse (Diabolique Dr. Mabuse) (Lang) ; 1961, La legge di guerra (La loi de la guerre) (Paolinelli), An einem Freitag un halb zwolf (Vendredi treize heures) (Rakoff), La fête espagnole (Vierne) ; 1962, The Longest Day (Le jour le plus long) (Annakin...) ; 1963, Station Six, Sahara (La blonde de la station 6) (Holt), Scotland Yard jagt Dr. Mabuse (Mabuse attaque Scotland Yard) (May), Verführung am Meer (L'île du désir) (Zivanovic) ; 1964, Die Todesstrahlen des Dr. Mabuse (Mission spéciale au deuxième bureau) (Fregonese), Duell vor Sonnenuntergang (Duel au crépuscule) (Lahola), The Spy Who Came in from the Cold (L'espion qui venait du froid) (Ritt) ; 1965, The Mystery of Thug Island (Les repaires de la Jungle Noire) (Capuano), Das Geheimnis der Lederschlinge (Camerini), Die Herren (Thiele), La guerre secrète (Christian-Jaque) ; 1966, A belles dents (Gaspard-Huit) ; 1967, L'homme qui valait des milliards (Boisrond) ; 1968, Shalako (Dmytryk), Rose rosse per il Führer (Des roses rouges pour le Führer) (Di Leo), Assignment to Kill (Reynolds) ; 1969, The Bridge at Remagen (Le pont de Remagen) (Guillermin).

D'une famille hollandaise, mais né en Poméranie, il s'expatria à Paris en 1931 puis alla s'établir à New York et de là à Los Angeles où Wilder l'attira à Hollywood. Il mourut dans une clinique de Zurich après avoir accompli l'essentiel de sa carrière en Allemagne, à partir de 1950, dans des productions franco-hispano-germano-italiennes. Où le ranger ? Les cinéphiles garderont le souvenir de son visage rond et de sa chevelure blonde qui le disposaient à jouer les officiers allemands. Ses meilleurs rôles furent ceux des *Cinq secrets du désert*, puis, plus tard, du *Diabolique docteur Mabuse*.

Van Fleet, Jo

Actrice américaine, 1919-1996.

1954, East of Eden (A l'est d'Eden) (Kazan) ; 1955, The Rose Tattoo (La rose tatouée) (D. Mann), I'll Cry Tomorrow (Une femme en enfer) (D. Mann) ; 1956, The King and Four Queens (Un roi et quatre reines) (Walsh), Gunfight at OK Corral (Règlement de comptes à OK Corral) (Sturges) ; 1958, Barrage contre le Pacifique (Clément) ; 1960, Wild River (Le fleuve sauvage) (Kazan) ; 1967, Cool Hand Luke (Luke la main froide) (Rosenberg) ; 1969, 80 Steps to Jonah (G. Oswald) ; 1971, The Gang That Couldn't Shoot Straight (Goldstone) ; 1976, Le locataire (Polanski) ; 1986, Seize the Day (Cook).

Cette superbe blonde qui avait débuté à Broadway dans du Shakespeare fut avant tout l'interprète de quelques chefs-d'œuvre du cinéma américain de Kazan, de Walsh et de Sturges.

Van Peebles, Mario

Acteur et réalisateur américain né en 1957.

1971, Sweet Sweetback's Baadasssss Song (Melvin Van Peebles) ; 1984, Exterminator 2 (Buntzman), Delivery Boys (Handler), The Cotton Club (Cotton Club) (Coppola) ; 1985, South Bronx Heroes (Szarka), Rappin' (Silberg) ; 1986, Last Resort (Buzby), Hot Shot (King), Heartbreak Ridge (Le maître de guerre) (Eastwood), 3:15 (Gross) ; 1987, Jaws :

the Revenge (Les dents de la mer IV : La revanche) (Sargent) ; 1990, Identity Crisis (Melvin Van Peebles) ; 1991, New Jack City (New Jack City) (Mario Van Peebles) ; 1993, Posse (Posse, la revanche de Jesse Lee) (Van Peebles) ; 1994, Gunmen (Deux doigts sur la gâchette) (Sarafian), Highlander III : The Sorcerer (Highlander III) (Morahan) ; 1995, Panther (Van Peebles) ; 1996, Solo (Le guerrier d'acier) (Barba) ; 1997, Los Locos (Vallée), Stag (Wilding) ; 1998, Love Kills (Van Peebles) ; Crazy Six (Pyun) ; 1999, Raw Nerve (Nesher), Blowback (Lester) ; 2001, Ali (Mann). *Comme réalisateur :* 1991, New Jack City (New Jack City) ; 1993, Posse (Posse, la revanche de Jesse Lee) ; 1995, Panther ; 1998, Love Kills.

Fils du réalisateur et comédien Melvin Van Peebles, il vit un peu partout dans le monde, dont la France, et incarne au cinéma des héros musclés et violents. Partenaire de Christophe Lambert dans deux séries B sans âme (*Highlander III* et *Deux doigts sur la gâchette*), il passe à la réalisation avec *New Jack City*, un polar à portée sociale, mais non dépourvu d'une grande violence graphique, dont il tient la vedette. Le succès est au rendez-vous, marquant, après Spike Lee, un certain renouveau du cinéma indépendant afro-américain. Le reste déçoit.

Van Sloan, Edward

Acteur américain, 1881-1964.

1930, Dracula (Dracula) (Browning) ; 1931, Frankenstein (Frankenstein) (Whale) ; 1932, The Mummy (La momie) (Freund), Play Girl (Enright), The Infernal Machine (Varnel), Man Wanted (Dieterle), The Last Mile (Bischoff), Thunder Below (Wallace), Manhattan Parade (Bacon), Behind the Mask (Dillon) ; 1933, The Death Kiss (Marin), Silk Express (Enright), Trick for Trick (Mac Fadden), The Deluge (Feist), The Working Man (Adolfi), It's Great to Be Alive (Werker) ; 1934, Murder on the Campus (Thorpe), Death Takes a Holiday (Trois jours chez les vivants) (Leisen), The Scarlet Empress (L'impératrice rouge) (Sternberg), Manhattan Melodrama (L'ennemi public n° 1) (Van Dyke), The Crosby Case (Marin), The Life of Vergie Winters (Santell) ; 1935, The Woman in Red (Florey), The Last Days of Pompei (Les derniers jours de Pompéi) (Schoedsack), The Black Room (Baron Gregor) (R.W. Neill), Mills of the Gods (Neill), A Shot in the Dark (Lamont) ; 1936, Dracula's Daughter (La fille de Dracula) (Hillyer), Road Gang (L. King), Sins of Man (Brower), The Story of Louis Pasteur (La vie de Pasteur) (Dieterle) ; 1937, The Man Who Found Himself (Landers) ; 1938, Storm over Bengal (Salkow), Danger on the Air (Garrett), Penitentiary (Brahm) ; 1939, The Phantom Creeps (Beebe), Honeymoon in Bali (E. Griffith) ; 1940, Abe Lincoln in Illinois (Abraham Lincoln) (Cromwell), Doctor Takes a Wife (Hall), Before I Hang (Grinde) ; 1942, Valley of the Haunted Men (English), A Man's World (Barton) ; 1943, Mission to Moscow (Curtiz), Submarine Alert (McDonald), Riders of the Rio Grande (Bretherton), End of the Road (Avakian) ; 1944, The Conspirators (Negulesco), Captain America (Clifton, English), Wing and a Prayer (Hathaway) ; 1945, I'll Remember April (Young) ; 1946, The Mask of Dijon (Landers), Betty Co-Ed (Dreifuss) ; 1948, A Foreign Affair (La scandaleuse de Berlin) (Wilder).

L'une des grandes figures du cinéma fantastique, mais du mauvais côté, celui des bons, d'où son absence de popularité face à Karloff et Lugosi qu'il affronta au nom de la justice divine ou de la science humaniste. Devant les monstres, il représentait la voix de la raison. Il fut notamment le docteur Van Helsing (rôle qu'il avait créé au théâtre) détruisant Dracula dans la version de Tod Browning. Il combattit également la fille du vampire dans une œuvre de Lambert Hillyer. Ses accents gutturaux en firent aussi un interprète rêvé de films historiques ou situés en Allemagne.

Varennes, Jacques

Acteur français, de son vrai nom Louis André, 1894-1958.

1930, Les amours de minuit (Genina), Les vacances du diable (Cavalcanti) ; 1931, Fra Diavolo (Bonnard), Après l'amour (Perret), Le disparu de l'ascenceur (Del Torre) ; 1933, La maison du mystère (Roudès) ; 1934, Chansons de Paris (Baroncelli), Le bossu (Sti), Le petit Jacques (Roudès), Nuit de folies (Cammage) ; 1935, Le bébé de l'escadron (Sti), Un soir de bombe (Cammage) ; Brevet 95-79 (Seguin) ; 1936, Jim la Houlette (Berthomieu), Un de la Légion (Christian-Jaque), La joueuse d'orgue (Roudès), Enfants de Paris (Roudès) ; 1937, La tour de Nesle (Roudès), L'affaire du courrier de Lyon (Lehman), Un meurtre a été commis (Orval), L'innocent (Cammage), Le fraudeur (Simons) ; 1938, Prince Bouboule (Houssin), Nadia, la femme traquée (Orval), Gosse de riche (Canonge), La rue sans joie (Hugon), Le patriote (Tourneur) ; 1939, Fric-frac (Lehman), Pièges (Siodmak), Saturnin (Noé), Une main a frappé (Roudès) ; 1940, Finance noire (Gandera) ; 1941, Péchés de jeunesse (Tourneur) ; 1942, Monsieur des Lourdines

(Hérain), L'ange gardien (Casembroot), Les affaires sont les affaires (Dréville), Le destin fabuleux de Désirée Clary (Guitry), La duchesse de Langeais (Baroncelli), Ne le criez pas sur les toits (Daniel-Norman) ; 1943, Vautrin (Billon), La Malibran (Guitry), Les Roquevillard (Dréville), Échec au roy (Paulin) ; 1944, Paméla (Hérain) ; 1947, L'aigle à deux têtes (Cocteau) ; 1948, Le diable boiteux (Guitry) ; 1949, Orphée (Cocteau) ; 1950, Meurtres (Pottier), Caroline chérie (Pottier) ; 1951, La Poison (Guitry), Le chemin de la drogue (Licot) ; 1953, L'affaire Maurizius (Duvivier), Si Versailles m'était conté (Guitry), Mandat d'amener (P. Louis) ; 1954, Les diaboliques (Clouzot), Le rouge et le noir (Autant-Lara) ; 1955, Une fille épatante (André) ; 1956, Paris coquin (Gaspard-Huit), Si Paris nous était conté (Guitry), Assassins et voleurs (Guitry) ; 1957, L'étrange monsieur Steve (Bailly).

Son physique de père noble et sa grande distinction lui firent surtout jouer des rôles de magistrat et d'avocat ou des personnages historiques (Bernadotte dans *Désirée Clary*, La Fayette dans *Le Diable boiteux*, Colbert dans *Si Versailles m'était conté...*). Il fut aussi Buridan dans une mémorable *Tour de Nesle*. Rappelons le générique de *La Poison* où Guitry lui rendait ainsi hommage : « Vous jouez si bien la comédie, Jacques Varennes, qu'on croirait que vous êtes à la Comédie-Française — et vous la jouez si bien Jean Debucourt qu'on dirait que vous n'y êtes pas. »

Varsi, Diane

Actrice américaine, 1938-1992.

1957, Peyton Place (Robson) ; 1958, Ten North Frederick (10, rue Frederick) (Dunne), From Hell to Texas (La fureur des hommes) (Hathaway) ; 1959, Compulsion (Le génie du mal) (Fleischer) ; 1966, Sweet Love Bitter (Danska) ; 1968, Wild in the Streets (Les troupes de la colère) (Shear), Killers Three (Bruce Kessler) ; 1970, Bloody Mama (Corman) ; 1971, Johnny Got His Gun (Johnny s'en va-t-en guerre) (Trumbo) ; 1977, I Never Promised You a Rose Garden (Page).

Charmante ingénue de la Fox qu'elle quitta après quatre films pour ne paraître par la suite qu'occasionnellement dans les œuvres les plus diverses. Type même de l'étoile filante.

Varte, Rosy

Actrice française née en 1927.

1948, Manon (Clouzot) ; 1949, Vendetta en Camargue (Devaivre) ; 1951, Trois femmes (Michel) ; 1952, Lettre ouverte (Joffé), Minuit, quai de Bercy (Stengel) ; 1953, Les hommes ne pensent qu'à ça (Robert), Virgile (Rim) ; 1954, Casse-cou, mademoiselle (Stengel), French cancan (Renoir) ; 1955, Les assassins du dimanche (Joffé), Gueule d'ange (Blistène), Les hussards (Joffé) ; 1956, Pardonnez nos offenses (Hossein) ; 1958, Le petit prof (Rim), En légitime défense (Berthomieu) ; 1960, Fortunat (A. Joffé), Le gigolo (Deray) ; 1961, L'amour à vingt ans (sketch Truffaut), Le tracassin ou les plaisirs de la ville (Joffé) ; 1962, La vendetta (Chérasse) ; 1964, Thomas l'imposteur (Franju), Un monsieur de compagnie (Broca) ; 1965, Les sultants (Delannoy) ; 1966, Trois enfants dans le désordre (Joannon), Le voyage du père (La Patellière) ; 1968, Salut Berthe ! (Lefranc) ; 1969, La honte de la famille (Balducci), Mon oncle Benjamin (Molinaro) ; 1970, Le pistonné (Berri) ; 1971, Le viager (Tchernia) ; 1972, Le bar de la fourche (Levent), La belle affaire (Besnard) ; 1973, La grande nouba (Caza) ; 1974, Peur sur la ville (Verneuil) ; 1978, L'amour en fuite (Truffaut) ; 1980, T'inquiète pas, ça se soigne (Matalon) ; 1982, Rock'n Torah/Le préféré (Grynbaum), Le braconnier de Dieu (Darras), Le bourgeois gentilhomme (Coggio) ; 1983, Garçon ! (Sautet) ; 1984, Monsieur de Pourceaugnac (Mitrani) ; 1985, Joyeuses Pâques (Lautner) ; 1986, Chère canaille ! (Kurc).

Devenue Maguy dans l'inconscient de plusieurs générations de téléphiles, elle n'en fut pas moins une brillante dramaturge à ses débuts, se perdant ensuite dans le cinéma de grande consommation. Elle est complètement irrésistible en « héritière » frustrée dans *Le viager*.

Vatel, Françoise

Actrice française, de son vrai nom Watel, 1941-2005.

1955, Les premiers outrages (Gourguet) ; 1956, Les promesses dangereuses (Gourguet) ; 1957, Les amants de demain (Blistène) ; 1958, La P... sentimentale (Gourguet), Les tricheurs (Carné), Les cousins (Chabrol) ; 1959, Bal de nuit (Cloche), Les frangines (Cloche) ; 1960, Le pain des Jules (Séverac), Dans la gueule du loup (Dudrumet), Un jour comme les autres (inédit, Bordry) ; 1961, Dossier 1413 (Rode) ; 1965, Brigitte et Brigitte (Moullet) ; 1967, Les contrebandières (Moullet) ; 1975, Mon cœur est rouge (Rosier) ; 1977, L'exercice du pouvoir (Galland), Jeudi on chantera comme dimanche (Heusch) ; 1987, De bruit et de fureur (Brisseau), La comédie du travail (Moullet)

Pour elle avant tout le théâtre : lonesco, Audiberti, Tchekov. De là une filmographie indigne de son talent.

Vattier, Robert

Acteur français, 1906-1982.

1931, Marius (Korda) ; 1932, Fanny (M. Allégret) ; 1934, Minuit, place Pigalle (Richebé), Vers l'abîme (Steinhoff, Veber), Jeanne (Marret) ; 1935, Gaspard de Besse (Hugon) ; 1936, César (Pagnol), La chanson du souvenir (Poligny), Les amants terribles (M. Allégret) ; 1938, Le schpountz (Pagnol), La femme du boulanger (Pagnol), Le moulin dans le soleil (Didier), Trois valses (Berger) ; 1939, Monsieur Brotonneau (Esway), Le club des fadas (Couzinet) ; 1941, Andorra (Couzinet), Le dernier des six (Lacombe) ; 1942, La main du diable (Tourneur), Le lit à colonnes (Tual), Lettres d'amour (Autant-Lara) ; 1943, Un seul amour (Blanchar), Bonsoir mesdames, bonsoir messieurs (Tual) ; 1945, L'aventure de Cabassou (Grangier), Le couple idéal (Bernard-Roland) ; 1948, La belle meunière (Pagnol), Entre onze heures et minuit (Decoin) ; 1949, Le roi (Sauvajon), La Marie du port (Carné) ; 1950, La ronde (Ophuls), Atoll K (Joannon), Bille de clown (Wall), Pas de pitié pour les femmes (Stengel), La vie est un jeu (Leboursier), L'étrange Madame X (Grémillon), La dame de chez Maxim's (Aboulker) ; 1951, Massacre en dentelles (Hunebelle), La plus belle fille du monde (Stengel), Le crime du Bouif (Cerf) ; 1952, Manon des sources (Pagnol), Au diable la vertu (Laviron), Les femmes sont des anges (Aboulker) ; 1953, Les enfants de l'amour (Moguy) ; 1954, Les lettres de mon moulin (Pagnol), Obsession (Delannoy) ; 1955, Trois de la Canebière (Canonge), Ces sacrées vacances (Vernay) ; 1956, Irrésistible Catherine (Pergament), Miss Catastrophe (Kirsanoff) ; 1957, C'est la faute d'Adam (Audry), A pied, à cheval et en voiture (Delbez), Isabelle a peur des hommes (Gourguet), Fumée blonde (Vernay), L'école des cocottes (Audry), Ni vu ni connu (Robert) ; 1958, La P... sentimentale (Gourguet), Houla-Houla (Darène), Madame et son auto (Vernay), Soupe au lait (Chevalier) ; 1960, Les jeux de l'amour (Broca), Le mouton (Chevalier), Le Président (Verneuil), Pleins feux sur l'assassin (Franju) ; 1961, La traversée de la Loire (Gourguet) ; 1964, Une souris chez les hommes (Poitrenaud) ; 1965, Le petit monstre (Sassy) ; 1971, L'œuf (Herman).

Il restera à tout jamais M. Brun, le Lyonnais de la célèbre partie de cartes de *Marius*. C'est Charpin qui l'avait présenté à Pagnol dont il devint l'un des acteurs fétiches. Il avait débuté au théâtre de l'Odéon à l'âge de dix-sept ans, au côté de Brasseur. Il a toujours poursuivi une carrière théâtrale (Anouilh, Roussin...) parallèlement à celle du cinéma... Il a publié en 1961 *Les souvenirs de M. Brun*.

Vaughn, Robert

Acteur américain né en 1932.

1955, I'll Cry Tomorrow (D. Mann) ; 1956, The Ten Commandments (Les dix commandements) (DeMille) ; 1957, No Time to Be Young (Rich), Hell's Crossroad (Le carrefour de la vengeance) (Adreon) ; 1958, The Teenage Cave Man (Corman), Good Day for a Hanging (Juran) ; 1959, The Young Philadelphians (Ce monde à part) (V. Sherman) ; 1960, The Magnificent Seven (Les sept mercenaires) (Sturges) ; 1961, The Big Show (Clark) ; 1963, The Caretakers (Bartlett) ; 1966, To Trap a Spy (Duo de mitraillettes) (Medford), The Spy in the Green Hat (L'espion au chapeau vert) (Sargent), The Spy in the Green Hat (Sargent), One of Our Spies Is Missing (Un de nos espions a disparu) (Hallenbeck), The Glass Bottom Boat (La blonde défie le FBI) (Tashlin) ; 1967, The Venetian Affair (Minuit sur le Grand Canal) (J. Thorpe), The Karate Killers (Tueurs au karaté) (Shear) ; 1968, Bullitt (Bulitt) (Yates), How to Steal the World (Roley) ; 1969, The Bridge at Remagen (Le pont de Remagen) (Guillermin) ; 1970, The Mind of Mr. Soames (A. Cooke), Julius Caesar (Burge) ; 1971, The Statue (Amateau) ; 1973, Clay Pigeon (Pigeon d'argile) (Stern) ; 1974, The Towering Inferno (La tour infernale) (Guillermin) ; 1975, La babysitter (Clément) ; 1976, Atraco en la jungla (Hessler) ; 1977, Demon Seed (Génération Proteus) (Cammel), Starship Invasion (Hunt) ; 1978, Brass Target (La cible étoilée) (Hough) ; 1979, Good Luck Miss Wyckoff (Chomsky), Cuba Crossing (Workman) ; 1980, Battle Beyond the Stars (Les mercenaires de l'espace) (Murakami), Virus (Fukasaku), Hangar 18 (Conway) ; 1981, S.O.B. (S.O.B.) (B. Edwards) ; 1983, Superman III (Superman III) (Lester) ; 1985, Black Moon Rising (Sans issue) (Cockliss), The Delta Force (Delta Force) (Golan), Veliki transport (Bulajic) ; 1986, The Last Bastion (Thomson) ; 1987, Renegade (Clucher), Raptors (L'attaque des morts vivants) (Milliken), Hour of the Assassin (Llosa), Nightsticks (Scanlan), Brutal Glory (Roets) ; 1988, Another Way (Yamashita), Captive Rage (Sundstrom), Skeleton Coast (Cardos), The Emissary (Scholtz) ; 1989, River of Death (Carver), C.H.U.D. II : Bud the Chud (D. Irving), Dive/Going Under (Travis), Transylvania Twist (Wynorski), Nobody's Perfect (Personne n'est parfaite) (Kaylor), That's Adequate (Hurwitz) ; 1991, Blind Vision (Levy), Buried Alive (Kikoine), Little Devils (Olen Ray), Radiance (Ballard) ; 1994, Dust to Dust (Cain) ; 1995, Joe's Apartment (Payson) ; 1996, Vulcan (Santiago), Menno's Mind (Kroll) ; 1997, The Sender (Pepin), Milk and Money (Bergmann), An American Affair (Shah), Motel Blue (Firstenberg) ; 1998, BASEketball (Zucker), McCinsey's Island (Firstenberg).

Après de très solides études (Ph. D. en sciences politiques), il se tourne vers le cinéma. Il est des *Sept mercenaires* le plus élégant mais aussi celui qui est trahi par ses nerfs et qui ne retrouve son courage qu'à la fin. Mais c'est la télévision qui l'a rendu célèbre grâce au personnage de Napoléon Solo. En 1972, il écrit un livre sur les purges d'Hollywood, *Only Victims*. Est-ce la raison pour laquelle sa carrière paraît marquer le pas en Amérique ? Il a tourné ces dernières années de médiocres films de science-fiction au Japon.

Vaughn, Vince

Acteur américain né en 1970.

1991, For the Boys (For the Boys) (Rydell) ; 1993, Rudy (Anspaugh) ; 1994, At Risk (Pyle) ; 1996, Swingers (Swingers) (Liman) ; 1997, The Lost World : Jurassic Park (Le monde perdu : Jurassic Park) (Spielberg), The Locusts (Kelly) ; 1998, Return to Paradise (Loin du paradis) (Ruben), Clay Pigeons (Dobkin), A Cool, Dry Place (Smith), Psycho (Psycho) (Van Sant) ; 1999, To the Moon (Diamond, Favreau), South of Heaven, West of Hell (Yoakam), The Cell (The Cell) (Tarsem) ; 2000, The Prime Gig (Mosher), Made (Favreau) ; 2001, Zoolander (Zoolander) (Stiller) ; 2004, Starsky & Hutch (Starsky et Hutch) (Phillips).

Lancé par le cinéma indépendant (*Swingers*), il reprend, grâce à Gus Van Sant, le rôle jadis tenu par Anthony Perkins dans le remake plan pour plan de *Psychose*. Plus massif et viril que son prédécesseur, Vaughn apporte au personnage de Norman Bates une fragilité plus sexuée, moins ambiguë. Du charisme et un professionnalisme évident.

Veidt, Conrad

Acteur et réalisateur allemand, 1893-1943.

1917, Der Spion (Heiland), Der Weg des Todes, Furcht, Das Raysel von Bangalor, Wenn Tote Sprechen, Die Claudi von Geiserhof ; 1918, Das Tagebuch einer Verlorenen, Das Dreimaderlkaus, Colomba, Die Serenyi, Jettchen Geberts Geschichte, Sundige Mutter, Opfer des Gesellschaft, Nocturno der Liebe, Der Japanerin (Dupont), Opium (Reinert) ; 1919, Gewitter im Mai, Die Reise um die Erde in 80 Tagen (Le tour du monde en quatre-vingts jours) (Oswald), Peer Gynt (Oswald), Anders Als die Anderen, Die Prostitution (Oswald), Die Mexikanerin (Bonn), Die Okarina, Prinz Kuckuck (Leni), Unheimliche Geschichten, Wahnsinn ; 1920, Die Nacht auf Goldenhall (Veidt), Satanas (Murnau), Nachtgestalten, Das Kabinett des Dr. Caligari (Le cabinet du docteur Caligari) (Wiene), Patience (Leni), Der Reigen (Oswald), Der Januskopf (Murnau), Liebestaumel (Hartwig), Moriturus (Hagen), Die Augen der Welt, Abend, Nacht, Morgen, Kurfürstendamm, Manolescus Memoiren (Oswald), Kunsterlaunen, Der Gang in die Nacht (Murnau), Sehnsucht, Christian Wahnschaffe, Der Graf von Cagliostro (Schünzel), Das Geheimnis von Bombay (Holz), Menschen im Rausch (Geisendorfer), Die Liebschaften des Hektor Dalmore (Oswald), Der Leidensweg der Inge Krafft, Landstrasse und Grosstadt ; 1922, Lady Hamilton (Oswald), Sündige Mutter, Das Indische Grabmal (Le tombeau hindou) (May), Lucrezia Borgia (Oswald) ; 1923, Paganini (Veidt), Lord Byron (Veidt), Wilhelm Tell (Guillaume Tell) (Trotz), Glanz gegen Gluck (Trotz) ; 1924, Carlos und Elisabeth (Sous l'inquisition) (Oswald), Das Wachsfigurenkabinett (Le cabinet des figures de cire) (Leni), Orlacs Hände (Les mains d'Orlac) (Wiene), Nju (A qui la faute ?) (Czinner), Schicksal (Basch) ; 1925, Comte Kostia (Robert), Ingmarsarvet, Till Osterland (Molander), Liebe macht blind (L'amour aveugle) (Mendes) ; 1926, Der Geiger von Florenz (Le violoniste de Florence) (Czinner), Bie Brüder Schellenberg (Les frères Schellenberg) (Grüne), Durfen wir Schweigen ? (Oswald), Kreuzzug des Weibes (Berger), Der Student von Prag (L'étudiant de Prague) (Galeen), Enrico IV (Palermi) ; 1927, The Beloved Rogue (Crossland), A Man's Past (Melford) ; 1928, The Man Who Laughs (L'homme qui rit) (Leni), The Last Performance (Fejos) ; 1929, Das Land ohne Frauen (Terre sans femmes) (Gallone) ; 1930, Die Letze Kompanie (La dernière compagnie) (Bernhardt), Die Grosse Sehnsucht (Szekely), Menschen im Kafig (Dupont) ; 1931, Der Mann, Der den Mord beging (L'homme qui assassina) (version allemande) (Bernhardt), The Virtuous Sin (Cukor), Der Kongress Tanzt (Le congrès s'amuse) (Charell), Rasputin (Trotz), Die Andere seite (Paul) ; 1932, Der Schwarze Husar (Lamprecht), Rome Express (Forde) ; 1933, Secrets of FP I (Hartl), Ich und der Kaiserin

(Hollaender), I Was a Spy (Saville), The Wandering Jew (Le Juif errant) (Elvey) ; 1934, Jew Suss (Le Juif Süss) (Mendes), Wilhem Tell (Paul), Bella Donna (Milton) ; 1935, The Passing of the Third Floor Back (Viertel) ; 1936, King of the Damned (Forde) ; 1937, Under the Red Robe (Sjöström), Dark Journey (Saville) ; 1938, Tempête sur l'Asie (Oswald), Le joueur d'échecs (Dréville), The Spy in Black (L'espion noir) (Powell) ; 1940, The Thief of Bagdad (Le voleur de Bagdad) (Powell, Berger et Whelan), Contraband (Espionne à bord) (Powell), Escape (LeRoy) ; 1941, A Woman's Face (Il était une fois) (Cukor), Whistling in the Dark (S. Simon), The Men in Her Life (Ratoff) ; 1942, Nazi Agent (Dassin), All Through the Night (Échec à la Gestapo) (Sherman) ; 1943, Casablanca (Casablanca) (Curtiz), Above Suspicion (Thorpe). *Comme réalisateur :* 1923, Paganini, Lord Byron.

Grand acteur du cinéma muet allemand, il fut du cabinet du docteur Caligari (il en était l'étrange créature) comme du cabinet des figures de cire. Il joua de nombreux personnages historiques, mettant en scène lui-même un *Lord Byron* notamment. Il fuit l'Allemagne en 1934, après avoir déjà fait des apparitions à Hollywood. Il entame alors une carrière anglaise, tournant sous la direction de Forde et de Powell, puis une carrière américaine : il tient aux États-Unis des emplois de nazis. Il figure dans la prestigieuse distribution de *Casablanca* et meurt peu après.

Velez, Lupe

Actrice mexicaine, de son vrai nom Guadelupe de Villalobos, 1908-1944.

1927, Sailors Beware (Yates) ; 1928, The Gaucho (Jones), Stand and Deliver (Le clan des vautours) (Crisp) ; 1929, Lady of the Pavements (Le lys du faubourg) (Griffith), Wolf Song (Le chant du loup) (Fleming), Tiger Rose (Fitzmaurice), Where East is East (Browning) ; 1930, The Storm (Wyler), East Is West (M. Bell), Hell Harbor (King) ; 1931, Cuban Love Song (Rumba) (Van Dyke), Resurrection (Carewe), The Squaw Man (DeMille) ; 1932, The Half-Naked Truth (La Cava), Kongo (W. Cowen), Broken Wing (Lloyd-Corrigan) ; 1933, Hot Pepper (Blystone), Mr. Broadway (Ulmer) ; 1934, Palooka (Stoloff), Hollywood Party (plusieurs metteurs en scène), Strictly Dynamite (Nugent) ; 1935, The Morals of Marcus (Miles Mander) ; 1936, Gypsy Melody (Greville) ; 1937, La Zandunga (Fuentes), High Flyers (Cline) ; 1939, The Girl from Mexico (Goodwins), Mexican Spitfire (Goodwins) ; 1940, Mexican Spitfire Out West (Goodwins) ; 1941, Mexican Spitfire's Baby (Goodwins), Six Lessons from Madame la Zonga (Rawlins), Honolulu Lu (Barton), Playmates (Butler) ; 1942, Mexican Spitfire at Sea (Goodwins), Mexican Spitfire Sees a Ghost (Goodwins), Mexican Spitfire's Elephant (Goodwins) ; 1943, Mexican Spitfire's Blessed Event (Goodwins), Ladie's Day (Goodwins), Redhead from Manhattan (Landers) ; 1944, Nana (Corostiza).

Piquante brune, admirable chez Browning et DeMille, elle fut l'une des stars de la MGM, vouée aux rôles exotiques, avant de sombrer, chez RKO, dans la série des *Mexican Spitfire* (un jeune businessman, Donald Woods, épouse une volcanique Mexicaine, avec les conséquences que l'on devine). Elle se donna la mort, dans un moment de dépression, en 1944.

Velle, Louis

Acteur français né en 1926.

1951, Agence matrimoniale (Le Chanois) ; 1953, Œil en coulisses (Berthomieu), Une vie de garçon (Boyer) ; 1954, J'avais sept filles (Boyer), Escale à Orly (Dréville) ; 1955, L'impossible M. Pipelet (Hunebelle), La meilleure part (Y. Allégret) ; 1956, La joyeuse prison (Berthomieu), L'inspecteur aime la bagarre (Devaivre) ; 1957, Le coin tranquille (Vernay) ; 1958, Par-dessus le mur (Le Chanois) ; 1962, A cause, à cause d'une femme (Deville) ; 1964, Unter Geiern (Parmi les vautours) (Vohrer) ; 1966, Martin soldat (Deville) ; 1967, La nuit infidèle (D'Ormesson) ; 1969, Docteur Caraïbe (Decourt) ; 1970, La poudre d'escampette (Broca), Les anges (Desvilles) ; 1973, Le permis de conduire (Girault) ; 1974, Les murs ont des oreilles (Girault) ; 1975, L'intrépide (Girault), Quand la ville s'éveille (Grasset) ; 1976, Un mari c'est un mari (Friedman) ; 1987, Duo/solo (Delattre) ; 1997, Comme des rois (F. Velle).

Le Conservatoire, puis une carière de beau gosse au cinéma pendant les années 50. Le succès des « Demoiselles d'Avignon » au milieu des années 70 relance sa carrière sur petit écran, où il va désormais majoritairement s'illustrer, notamment dans des feuilletons et téléfilms écrits par sa femme, Frédérique Hébrard.

Venantini, Venantino

Acteur italien né en 1930.

1954, Un giorno in pretura (Steno) ; 1957, Sait-on jamais (Vadim) ; 1959, Il generale della Rovere (Le général de la Rovere) (Rossellini) ; 1961, Odissea nuda (L'odyssée nue) (Rossi), Pastasciutta nel deserto (Bragaglia) ;

1962, La guerra continua (La dernière attaque) (Savona), La città prigioniera (L'arsenal de la peur) (Anthony) ; 1963, Les tontons flingueurs (Lautner), Des pissenlits par la racine (Lautner) ; 1964, Un momento muy largo (Vivarelli), La Celestina P.R. (Lizzani), La conseguenze (Capogna), Le corniaud (Oury) ; 1965, Galia (Lautner), The Agony and the Ecstasy (L'extase et l'agonie) (Reed), La muerte viaja en baul (Barbouze chérie) (Forqué) ; 1966, le grand restaurant (Besnard), La grande sauterelle (Lautner) ; 1967, Vivre la nuit (Camus), Bandidos (Dallamano), Round Trip (Gaisseau) ; 1968, Les amours de lady Hamilton (Christian-Jaque), Érotissimo (Pirès), Anzio (Bataille pour Anzio) (Dmytryk), Un killer per sua maestà (Le tueur aime les bonbons) (Chentrens) ; 1969, La matriarca (L'amour à cheval) (Festa campanile), I diavoli della guerra (Albertini), Playgirl 70 (Chentrens) ; 1970, La moglie del prete (La femme du prêtre) (Risi), Quella chiara notte d'ottobre (Franciosa), Laisse aller c'est une valse (Lautner), Êtes-vous fiancée à un marin grec ou à un pilote de ligne ? (Aurel) ; 1971, Macédoine – la femme sandwich (Scandelari), Per amore o per Forza (Franciosa), La folie des grandeurs (Oury), Il était une fois un flic (Lautner), La Araucana, massacro degli dei (Coll), La rosso dalla pelle che scotta (Russo) ; 1972, Le rempart des béguines (Casaril), Profession : aventuriers (Mulot), Les diablesses (Margheriti), Racconti proibiti... di niente vestiti (Rondi) ; 1973, Un modo di essere donna (Pavoni), Number one (Buffardi), Troppo rischio per un vomo solo (Ercoli), La polizia è al servizio del cittadino ? (La police au service du citoyen) (Guerrieri), La padrina (Vari), Le Führer en folie (Clair), Toute une vie (Lelouch) ; 1974, Amore libero (Pavoni) ; 1975, Calore in provincia (Montero), Emmanuelle 2 l'antivierge (Giacobetti, Leroi), Emmanuelle nera (Black Emmanuelle) (Albertini) ; 1976, Una donna chiamata apache (Mariuzzo), René la Canne (Girod), Emmanuelle nera : orient reportage (Emmanuelle à Bangkok) (D'Amato), Il pomicione (Montero), Nove ospiti per un delitto (Baldi), Liberi armati pericolosi (Guerrieri), Il letto in piazza (Gaburo), C'è una spia nel mio letto (Petrini) ; 1977, La via della prostituzione (Emmanuelle et les filles de Madame Claude) (D'Amato), L'altra metà del cielo (Rossi), Il grande attacco (La grande bataille) (Lenzi), La bidonata (Ercoli) ; 1978, La cage aux folles (Molinaro), Primo amore (Risi), Flic ou voyou (Lautner), La guerra dei roboti (Brescia), Da Corleone a Brooklyn (Lenzi), La bestia nello spazio (Brescia) ; 1979, L'umanoide (L'humanoïde) (Lado), Riavanti... Marsch (Salce), Piedone d'Egitto (Pied-Plat sur le Nil) (Steno), Gardenia, il giustiziere della mala (Paoletta), Affare Concorde (SOS Concorde) (Deodato), Sesso profonde (Chaleurs exotiques) (Girolami), La terrazza (La terrasse) (Scola) ; 1980, Tre sotto il Penzuolo (Tarantini), Paura nella città dei morti viventi (Frayeurs) (Fulci), La ragazza del vagone letto (Baldi), Luca il contrabbandiere (La guerre des gangs) (Fulci), Apocalisse domani (Margheriti) ; 1981, Cannibal Ferox (Lenzi) ; 1982, Sesso e volentieri (Les derniers monstres) (Risi), Dio li fa e poi li accopia (Steno), Giggi il bullo (Girolami), I nuovi barbari (Castellari) ; 1983, Le déchaînement pervers de Manuela (D'Amato), Attention, une femme peut en cacher une autre ! (Lautner), Le bon roi Dagobert (Risi), Gli sterminatori dell'ano 3000 (Carnimeo) ; 1984, Windsurf – Il vento nelle mani (C. Risi), Final justice (Clark), Le avventure dell' incredibile Ercole (Hercules II) (Cozzi), Liberté, égalité, choucroute (Yanne), The Hassissi underground (Ramati) ; 1985, Sogni erotici di Cleopatra (les nuits chaudes de Cléopâtre (Di Silvestro), Ladyhawke (La femme de la nuit) (Donner), Il pentito (Squitieri), Longshot (Swackhamer) ; 1986, Super Fantagenio (Aladdin) (Corbucci) ; 1987, Capriccio (Vices et caprices) (Brass) ; 1989, Vanille-Fraise (Oury) ; 1990, The King's Whore (La putain du roi) (Corti) ; 1991, Chi tocca muore (Touch and Die) (Solinas) ; 1992, Prova di memoria (Aliprandi), Mutande pazze (D'Agostino) ; 1996, Giovani e belli (Risi) ; 1997, The Teighteenth Angel (Bindley) ; 1998, Toni (Esposito), La faremo tante male (quartullo), La cena (le dîner) (Scola) ; 2003, Livraison à domicile (Delahaye), Ho visto le stelle (Salemme) ; 2004, Atomik Circus – le retour de James Bataille (Poiraud et Poiraud).

Acteur international type, très prolifique, qui doit sa présence ici à ses beaux rôles en France donnés par Lautner et Oury, dans les années 60 et 70. Sa carrière italienne se résume à quelques bons Risi et Scola. Pour le reste, Venantini s'est vautré dans les pires et plus fauchées séries B et séries Z de l'époque (tout y est passé : aventures, science-fiction post-apocalyptique, horreur, guerre et même pseudo-érotisme). Il y a perdu toute sa crédibilité.

Ventura, Lino

Acteur français d'origine italienne, de son vrai nom Angelo Borrini, 1919-1987.

1953, Touchez pas au grisbi (Becker) ; 1955, Razzia sur la chnouf (Decoin), La loi des rues (Habib) ; 1956, Crime et châtiment (Lampin),

Le feu aux poudres (Decoin), Action immédiate (Labro) ; 1957, Le rouge est mis (Grangier), L'étrange monsieur Steve (Bailly), Trois jours à vivre (Grangier), Ces dames préfèrent le mambo (Borderie), Ascenseur pour l'échafaud (Malle), Maigret tend un piège (Delannoy), Montparnasse 19 (Becker) ; 1958, Le Gorille vous salue bien (Borderie), Le fauve est lâché (Labro) ; 1959, Un témoin dans la ville (Molinaro), Sursis pour un vivant (Merenda), Douze heures d'horloge (Radvanyi), Marie-Octobre (Duvivier), 125, rue Montmartre (Grangier), Le chemin des écoliers (Boisrond), Classe tous risques (Sautet) ; 1960, Herrin der Welt (Les mystères d'Angkor) (Dieterle), La ragazza in vetrina (La fille dans la vitrine) (Emmer) ; 1961, Un taxi pour Tobrouk (La Patellière), Les lions sont lâchés (Verneuil), Il re di Poggioreale (Le roi des truands) (Coletti), Le bateau d'Émile (La Patellière) ; 1962, Les petits matins (Audry), Il giudizio universale (Le Jugement dernier) (De Sica), Le diable et les dix commandements (troisième sketch) (Duvivier), Die Dreigroschenoper (L'opéra de quat'sous) (Staudte) ; 1963, Carmen di Trastevere (Carmen 63) (Gallone), Les tontons flingueurs (Lautner), Llanto por un bandido (Les bandits) (Saura) ; 1964, Cent mille dollars au soleil (Verneuil), Les barbouzes (Lautner) ; 1965, L'arme à gauche (Sautet), La métamorphose des cloportes (Granier-Deferre), Les grandes gueules (Enrico), Ne nous fâchons pas (Lautner) ; 1966, Avec la peau des autres (Deray), Le deuxième souffle (Melville) ; 1967, Les aventuriers (Enrico), Le rapace (Giovanni) ; 1969, L'armée des ombres (Melville), Le clan des Siciliens (Verneuil), Dernier domicile connu (Giovanni) ; 1970, Fantasia chez les ploucs (Pirès) ; 1971, Boulevard du Rhum (Enrico) ; 1972, L'aventure, c'est l'aventure (Lelouch), Cosa nostra (Young), Le silencieux (Pinoteau) ; 1973, La raison du plus fou (Reichenbach), La bonne année (Lelouch), Far West (Brel), L'emmerdeur (Molinaro) ; 1974, Uomini duri (Les durs) (Tessari), La gifle (Pinoteau) ; 1975, La cage (Granier-Deferre), Adieu poulet (Granier-Deferre) ; 1976, Cadaveri eccelenti (Cadavres exquis) (Rosi) ; 1978, Un papillon sur l'épaule (Deray), The Medusa Touch (La grande menace) (Gold) ; 1979, L'homme en colère (Pinoteau) ; 1980, Les séducteurs (sketch de Molinaro) ; 1981, Garde à vue (Miller), Espion lève-toi (Boisset) ; 1983, Le ruffian (Giovanni), Les misérables (Hossein) ; 1984, Cent jours à Palerme (Ferrera), La septième cible (Pinoteau) ; 1987, La rumba (Hanin).

D'origine italienne, il vient s'établir en France avec ses parents à l'âge de huit ans. Il fait un peu tous les métiers et s'essaie dans le catch où il réussit brillamment. Mais à la suite d'un accident au cours d'un combat, il doit renoncer au ring. Sa carrure ne pouvait laisser indifférents les cinéastes. Il débute sous la houlette de Becker mais devient célèbre avec son interprétation du Gorille, un personnage digne d'Hercule qui soulève une voiture en se jouant. Mais Ventura n'entend pas se laisser enfermer dans les rôles de brutes. On va découvrir peu à peu un grand comédien, qui, tantôt policier, tantôt gangster, sait donner à ses personnages l'épaisseur nécessaire. Son meilleur rôle ? Peut-être celui du P-DG dans le sketch des *Séducteurs* de Molinaro. Il y révèle un jeu tout en finesse bien loin du monolithique Gorille. Mais on peut l'aimer aussi, malgré le doublage, en général luttant contre la maffia dans *Cent jours à Palerme*. Par la suite, il se consacre à une fondation pour enfants handicapés, suite d'un drame personnel. Sa mort subite révèle l'étendue de sa popularité.

Vera-Ellen

Actrice et danseuse américaine, 1926-1983.

1945, Wonder Man (Le joyeux phénomène) (Humberstone) ; 1946, The Kid from Brooklyn (Le laitier de Brooklyn) (McLeod), Three Little Girls in Blue (Humberstone), Carnival in Costa Rica (Ratoff) ; 1948, Words and Music (Ma vie est une chanson) (Taurog) ; 1949, Love Happy (La pêche au trésor) (D. Miller), On the Town (Un jour à New York) (Donen et Kelly) ; 1950, Three Little Words (Trois petits mots) (Thorpe) ; 1951, Happy Go Lovely (L'amour mène la danse) (Humberstone) ; 1952, The Belle of New York (La belle de New York) (Walters) ; 1953, Call Me Madam (Appelez-moi madame) (W. Lang), The Big Leaguer (Aldrich) ; 1954, White Christmas (Noël Blanc) (Curtiz), Seven Brides for Seven Brothers (Les sept femmes de Barberousse) (Donen), Hit the Deck (La fille de l'amiral) (Rowland), Athena (Athéna) (Thorpe), Tennessee's Partner (Le mariage est pour demain) (Dwan) ; 1956, Let's Be Happy (Cendrillon et l'amour) (Levin).

Excellente danseuse (elle a joué à Broadway avant de signer un contrat d'exclusivité avec MGM), elle représente par sa grâce pudique l'antithèse de la sensualité d'Ann Miller ou de Cyd Charisse.

Verley, Bernard

Acteur français né en 1939.

1961, Les honneurs de la guerre (Dewever) ; 1962, Napoléon II, l'Aiglon (Boissol) ; 1964, L'amour à la mer (Gilles) ; 1966, Bérénice (Jolivet) ; 1967, Les cracks (Joffé), Au pan coupé (Gilles), La fille d'en face (Simon) ; 1969, La voie lactée (Buñuel), Une fille libre (Pierson) ; 1972, L'amour l'après-midi (Rohmer), Le feu aux lèvres (P. Kalfon) ; 1974, La bonzesse (Jouffa), Le fantôme de la liberté (Buñuel) ; 1975, Les mal partis (Rossi) ; 1980, Asphalte (Amar) ; 1991, Nord (Beauvois) ; 1992, L'accompagnatrice (Miller), Hélas pour moi (Godard), Taxi de nuit (Leroy) ; 1993, Une nouvelle vie (Assayas), Pas très catholique (Marshall), La reine Margot (Chéreau), La folie douce (F. Jardin) ; 1994, L'ange noir (Brisseau), Le sourire (Miller), A la folie (Kurys), Elisa (Becker), Dis-moi oui (Arcady) ; 1996, Lucie Aubrac (Berri) ; 1997, La femme du cosmonaute (Monnet), ... Comme elle respire (Salvadori) ; 1998, Recto/verso (Longval), Premier de cordée (Niermans, Hiroz), Au cœur du mensonge (Chabrol), La dilettante (Thomas), Les frères Sœur (Jardin) ; 1999, L'envol (Suissa) ; 2003, Les marins perdus (Devers), CQ (R. Coppola) ; 2005, Au sud des nuages (Amiguet), Mon petit doigt m'a dit (Thomas).

Frère aîné de Renaud Verley (*Cran d'arrêt* de Boisset, *Les damnés* de Visconti), il a commencé par les Beaux-Arts de Lille avant de s'orienter vers le théâtre et de découvrir par intermittence le cinéma où il fut un Aiglon dans la grande tradition de Rostand.

Vernay, Annie

Actrice française, 1922-1941.

1937, Le mensonge de Nina Petrovna (Tourjansky) ; 1938, Werther (Ophuls), Tarakanowa (Ozep) ; 1939, Les otages (Bernard) ; 1939-1941, Dédé la Musique (Berthomieu) ; 1940, Chantons quand même (Caron), Le collier de chanvre (Mathot).

Jeune première des années 30, morte prématurément du typhus.

Vernier, Pierre

Acteur français, de son vrai nom Rayer, né en 1931.

1959, Les affreux (M. Allégret), Rue des Prairies (La Patellière), Les yeux de l'amour (La Patellière) ; 1960, Les godelureaux (Chabrol) ; 1961, Ophélia (Chabrol) ; 1962, Landru (Chabrol) ; 1963, La difficulté d'être infidèle (Toublanc-Michel), Un mari à prix fixe (de Givray) ; 1964, Week-end à Zuydcoote (Verneuil), La bonne occase (Drach) ; 1965, Pas de caviar pour tante Olga (J. Becker), La grosse caisse (Joffé), Un milliard dans un billard (Gessner) ; 1966, Paris brûle-t-il ? (Clément), Le jardinier d'Argenteuil (Le Chanois) ; 1967, Caroline chérie (La Patellière) ; 1971, Rendez-vous à Bray (Delvaux) ; 1972, Das Mädchen von Hong Kong (Une Chinoise aux nerfs d'acier) (Roland) ; 1973, Piaf (Casaril) ; 1974, Stavisky... (Resnais) ; 1976, M. Klein (Losey) ; 1978, Le sucre (Rouffio) ; 1979, Les chiens (Jessua), I... comme Icare (Verneuil) ; 1980, La provinciale (Goretta), Le guignolo (Lautner), Tendres cousines (Hamilton) ; 1981, Josepha (Frank), On n'est pas des anges, elles non plus (M. Lang), Le professionnel (Lautner) ; 1982, Salut j'arrive (Poteau), Qu'est-ce qu'on attend pour être heureux ? (Serreau) ; 1983, Le marginal (Deray), L'ami de Vincent (Granier-Deferre), American dreamer (Rosenthal) ; 1985, Le transfuge (Lefèbvre) ; 1986, Le solitaire (Deray), Cours privé (Granier-Deferre) ; 1988, Itinéraire d'un enfant gâté (Lelouch), A gauche en sortant de l'ascenceur (Molinaro) ; 1989, Romuald et Juliette (Serreau) ; 1991, La belle histoire (Lelouch), Betty (Chabrol) ; 1992, L'inconnu dans la maison (Lautner) ; 1994, Les misérables (Lelouch) ; 1998, Le clone (Conversi) ; 2000, Sous le sable (Ozon) ; 2004, La confiance règne (Chatiliez) ; 2005, Palais royal ! (Lemercier), L'antidote (de Brus) ; 2006, L'ivresse du pouvoir (Chabrol), Le grand Meaulnes (Verhaeghe).

Il doit tout à la télévision (Rocambole puis commandant X, Offenbach...). D'excellentes compositions dans *Stavisky*, *M. Klein* et *L'ivresse du pouvoir*, où il est un président de tribunal un peu trop accomodant avec le pouvoir. Le type d'acteur sûr et de qualité.

Vernon, Anne

Actrice française, de son vrai nom Édith Vignaud, née en 1925.

1947, Le mannequin assassiné (Hérain) ; 1948, Ainsi finit la nuit (Reinert) ; 1949, Warning to Wantons (D. Wilson), Shakedown (Pevney) ; 1950, Rue des Saussaies (Habib), A Tale of Five Cities (sketch de Reinert), Il patto col diavolo (Chiarini), Édouard et Caroline (Becker) ; 1951, La legenda di Genoveffa (Le chevalier des croisades) (Rabenalt), Massacre en dentelles (Hunebelle) ; 1952, Time Bomb (Cinq heures de terreur) (Tetzlaff), Rue de l'Estrapade (Becker) ; 1953, Jeunes mariés (Grangier), Love Loterie (La loterie de l'amour) (Crichton) ; 1954, Bel Ami (Daquin) ; 1955, L'affaire des poisons (Decoin), Fraulein von Scudery (E. York), Soupçons (Billon), La belle des belles (Leonard) ; 1956, Ce soir les jupons volent (Kirsanoff), Le long des trottoirs (Moguy), Fric-frac en dentelles (Radot), Les suspects (Canonge) ; 1957, Les lavandières du Portugal (Gaspard-Huit), Police judiciaire (Canonge), Il conte Max (Madame, le comte, la bonne et moi) (Bianchi) ; 1959, Il generale della Rovere (Le général della Rovere) (Rossellini), Laura nuda (Ferreri) ; 1962, Arsène Lupin contre Arsène Lupin (Molinaro) ; 1963, Les parapluies de Cherbourg (Demy) ; 1964, Patate (Thomas) ; 1965, L'homme du Mykonos (Gainville) ; 1966, Roger-la-Honte (Freda), Le voleur (Malle) ; 1967, Le démoniaque (Gainville) ; 1968, Thérèse et Isabelle (Metzger).

Travaille comme modéliste puis dans le dessin publicitaire avant d'aborder le théâtre et enfin le cinéma. Elle reste surtout comme l'héroïne des comédies de Becker. Elle eut le tort de se disperser dans de médiocres productions italiennes ou allemandes. Seul Rossellini sut à nouveau l'utiliser intelligemment.

Vernon, Bobby

Acteur et scénariste américain, de son vrai nom Sylvion de Jardin, 1897-1939.

A partir de 1913 : nombreux courts métrages sous la direction de Sennett puis d'Al Christie, dont *Quartier Chinois.*

Il appartient à la grande génération des burlesques américains et certains de ses films, comme *Quartier Chinois* où il est policeman, ne manquent pas de charme. A l'avènement du parlant, il se fit scénariste.

Vernon, Howard

Acteur suisse, 1914-1996.

1945, Boule de suif (Christian-Jaque), Les clandestins (Chotin), Jéricho (Calef), Nuits d'alerte (Mathot), Un ami viendra ce soir (Bernard), L'insaisissable Frédéric (Pottier) ; 1946, La foire aux chimères (Chenal), Le père tranquille (Dréville), Bataillon du ciel (Esway), Les chouans (Calef) ; 1947, Les jeux sont faits (Delannoy), Du Guesclin (La Tour), Le diable boiteux (Guitry) ; 1948, Le colonel Durand (Chanas), Le silence de la mer (Melville) ; 1949, The Man on the Eiffel Tower (L'homme de la tour Eiffel) (Meredith), L'auberge du péché (Marguenat) ; 1950, Black Jack (Duvivier), The Elusive Pimpernel (Powell), Fusillé à l'aube (Haguet), La taverne de La Nouvelle-Orléans (Marshall), Boîte de nuit (Rode) ; 1951, Si ça vous chante (Lœw) ; 1952, Lucrèce Borgia (Christian-Jaque), La môme Vert-de-Gris (Borderie), Manina, la fille sans voile (Rozier) ; 1953, Si Versailles m'était conté (Guitry), M. Scrupule gangster (Daroy), Le petit Jacques (Bibal) ; 1954, Napoléon (Guitry), Pas de souris dans le bizness (Lepage), Opération Tonnerre (Sandoz) ; 1955, Alerte aux Canaries (Roy) ; 1956, Bob le flambeur (Melville), La rivière des trois jonques (Pergament), Jusqu'au dernier (Billon), El fugitivo di Amberes (Iglesias), La melodia misteriosa (Forthuny) ; 1958, Sursis pour un vivant (Merenda) ; 1959, Nathalie agent secret (Decoin), Interpol contre X (Boutel) ; 1960, Une gueule comme la mienne (Dard), Die tausend Augen des Dr. Mabuse (Le diabolique Dr. Mabuse) (Lang), Première brigade criminelle (Boutel) ; 1961, Secret Ways (Le dernier passage) (Karlson), Léon Morin prêtre (Melville), Gritos en la noche (L'horrible docteur Orloff) (Franco) ; 1962, La mano de un hombre muerto (Le sadique baron Von Klaus) (Franco), La venganza del Zorro (Marchent), Bienvenudo padre Murray (Torrado) ; 1963, Le vice et la vertu (Vadim) ; 1964, The Train (Frankenheimer) ; 1965, Miss muerte (Dans les griffes du maniaque) (Franco), Alphaville (Godard), De l'assassinat considéré comme l'un des beaux-arts (Boutel), Train d'enfer (Grangier), What's New, Pussycat ? (Quoi de neuf, Pussycat ?) (Donner) ; 1966, Le chien fou (Matalon), Solo un ataud (Les orgies du docteur Orloff) (Alcover), La nuit des généraux (Litvak), Triple Cross (T. Young) ; 1967, Les têtes brûlées (W. Rozier), L'inconnu de Shandigor (Roy), Getraumte Sunoten (Necronomicon) (Franco), Ça barde chez les mignonnes (Franco), Mayerling (T. Young) ; 1968, Les infortunes de la vertu/Justine (Franco) ; 1969, La rose écorchée (Mulot), El proceso de las brujas (Franco), Im Schloss der blutigen Begierden (Parker) ; 1970, Un beau monstre (Gobbi), Sie totete in Ekstase (Sylvia dans l'extase) (Franco), Orloff et l'homme invisible (P. Chevalier) ; 1971, Christina, princesse de l'érotisme (Franco), Dracula contro el doctor (Dracula prisonnier de Frankenstein) (Franco), La hija de Dracula (La fille de Dracula) (Franco) ; 1972, Journal intime d'une nymphomane (Franco), La casa d'appuntamento (Merighi), Los demonios (Les démons) (Franco), La maledicion de Frankenstein (Les exploits érotiques de Frankenstein) (Franco), Robinson und seine wilden Sklavinnen (Trois filles nues dans l'île de Robinson) (Franco), Los amantes de la isla del diablo (Quartier des femmes) (Franco) ; 1973, Plaisir à trois (Franco), Les ébranlées (Franco), Un capitaine de quinze ans (Franco), Célestine, bonne à tout faire (Franco), Les intrigues de Sylvia Couski (Arrieta), Al otro lado del espejo (Le miroir obscène) (Franco) ; 1974, Le jardin qui bascule (Gilles), Les possédées du diable (Franco), Les croqueuses/La comtesse perverse (Franco), Les week-ends maléfiques du comte Zaroff (Lemoine), Love and Death (Guerre et amour) (Allen) ; 1975, Change pas de main (Vecchiali), L'assassin musicien (Jacquot) ; 1977, Le théâtre des matières (Biette) ; 1979, From Hell to Victory (De l'enfer à la victoire) (Milestone) ; 1980, Loin de Manhattan (Biette), Le lac des morts-vivants (Lazer) ; 1981, Sangre en los zapatos (Franco), Docteur Jekyll et les femmes (Borowczyk) ; 1982, El hundimiento de la casa Usher (Franco) ; 1984, Le fou du roi (Chiffre) ; 1985, Faubourg Saint-Martin (Guiguet), Sac de nœuds (Balasko), Viaje a Bangkok, ataud incluido (Franco) ; 1986, Dernier été à Tanger (Arcady), Gentes de Rio (Franco) ; 1987, Der Tod der Empedokles (La mort d'Empédocle) (Straub et Huillet) ; 1988, Les prédateurs de la nuit (Franco), La chute de la maison Usher (Frank D.W.) ; 1989, Noir péché (Straub et Huillet), Le champignon des Carpates (Biette) ; 1990, Delicatessen (Jeunet et Caro) ; 1991, Snake Eyes (Reid) ; 1995, Le rocher d'Acapulco (Tuel), Le complexe de Toulon (Biette) ; 1998, Banqueroute (Desrosières).

Ce Suisse allemand, après de timides apparitions au théâtre qu'il alla étudier à Berlin, vint tenter sa chance en France en 1945. Son accent germanique et son air inquiétant le firent aussitôt embaucher pour jouer les officiers allemands. *Le silence de la mer* (où il était excellent) en fit une vedette. En 1960, sa carrière prend un nouveau tour. Il s'oriente vers le film fantastique et crée le personnage du docteur Orloff à ranger à côté de Mabuse, Jekyll et autres Moreau. Jesus Franco lui fait tourner des films d'épouvante de plus en plus médiocres. A partir de 1972, il sombre dans la nullité. On le retrouve, avec peine, dans quelques séquences de films « porno » tournés par son mauvais ange, Franco.

Vernon, Suzy

Actrice française, de son vrai nom Amélie Paris, 1908-1997.

1922, La conquête des Gaules (Yonnet) ; 1923, Visages d'enfants (Feyder) ; 1924, L'image (Feyder), La vengeance des pharaons (Teyer) ; 1925, Martyre (Burguet), L'orphelin du cirque (Lannes), Barocco (Burguet), Grand gosse (Perojo), Napoléon (Gance) ; 1926, Nitchevo (Baroncelli), Le roman d'un jeune homme pauvre (Ravel) ; 1927, Der [illegible] Walzer (La dernière valse) (Robison), [illegible]ldig (Les coupables), Das Frauenhaus [illegible]n Rio (On demande une danseuse) (Stein[illegible]off), Die geheime Macht (En mission secrète) (Waschneck) ; 1928, Der Präsident (Le président) (Righelli), Indizienbeweiss (La vengeance m'appartient) (Jacoby) ; 1929, Paris-Girls (Roussell), Das Grüne Monokel (Le monocle vert) (Meinert), La vierge folle (Luitz-Morat), Tu m'appartiens (Gleize) ; 1930, Le rebelle (Millar), Le chanteur de Séville (Noé), Contre-enquête (Daumery), Lopez le bandit (Daumery) ; 1931, Le sergent X (Strijewski), La femme de mes rêves (Bertin), Miche (Marguenat), Le masque d'Hollywood (Daumery), Un homme en habit (Guissart) ; 1932, La perle (Guissart), Le chasseur de chez Maxim's (Anton), Pour être aimé (Tourneur) ; 1933, Un homme en or (Dréville), Une étoile disparaît (Villiers) ; 1934, Brevet 95-75 (Miquel) ; 1935, Le clown Bux (Natanson), Les époux scandaleux (Lacombe), Adémaï au Moyen Age (Marguenat), Volga en flammes (Tourjansky), Touche-à-tout (Dréville) ; 1939, Retour au bonheur (Jayet).

Premier prix de beauté imposé au cinéma par Feyder. Elle fut très populaire dans les années 30. Mariée à un chirurgien libanais, on perdit sa trace en 1958. Ses films sont bien oubliés.

Versois, Odile

Actrice française, de son vrai nom Tatiania de Poliakoff, 1930-1980.

1947, Dernières vacances (Leenhardt) ; 1948, Fantômas contre Fantômas (Vernay) ; 1949, Orage d'été (Gehret) ; 1950, Les anciens de Saint-Loup (Lampin), Mademoiselle Josette ma femme (Berthomieu), Bel amour (Campeaux) ; 1951, Domenica (Cloche) ; 1952, Les crimes de l'amour (Mina de Vanghel) (Clavel), L'homme du bled (Campeaux) ; 1954, Évasion (Asquith) ; 1955, Les quatre veuves (Gaveau) ; 1956, Checkpoint (A tombeau ouvert) (R. Thomas), Herrscher ohne Krone (Pour l'amour d'une reine) (Braun) ; 1958, Passeport pour la honte (Rakoff), Toi le venin (Hossein) ; 1959, La dragée haute (Kershner) ; 1960, Il tesoro dei Barbari (Ferreri) ; 1961, Le rendez-vous (Delannoy), Cartouche (Broca) ; 1962, A cause, à cause d'une femme (Deville), Transit à Saigon (Leduc) ; 1964, Le dernier tiercé (Pottier) ; 1967, Benjamin (Deville) ; 1971, Églantine (Brialy) ; 1977, Le crabe-tambour (P. Schoendoerffer).

D'une famille d'origine russe entièrement tournée vers le spectacle (ses sœurs sont Marina Vlady et Olga Baïdar-Poliakoff), elle débute à seize ans dans le corps de ballet de l'Opéra, sous le nom de Tania Baydarova, après avoir été petit rat. Leenhardt la remarque et l'engage pour *Dernières vacances* qui lui vaudra, en 1948, le prix Suzanne Bianchetti destiné à distinguer un jeune espoir de l'écran. Dès lors sa carrière se poursuit entre la France et l'Angleterre. Sa beauté lui vaut de nombreux rôles : toute une sensualité jusqu'alors retenue éclate dans *Toi le venin*. Mariée à Jacques Dacqmine, Odile Versois avait divorcé pour épouser le comte Pozzo di Borgo. Elle est morte d'un cancer.

Viard, Karin

Actrice française née en 1966.

1989, Tatie Danielle (Chatiliez) ; 1990, Delicatessen (Caro et Jeunet) ; 1991, Riens du tout (Klapisch) ; 1992, Ce que femme veut (Jumel), Max et Jérémie (Devers) ; 1993, La nage indienne (Durringer), Le fils préféré (Garcia), La séparation (Vincent) ; 1994, Fast (Desarthe), Emmène-moi (Spinosa) ; 1995, La haine (Kassovitz), Adultère (mode d'emploi) (Pascal), Le journal du séducteur (Dubroux), Vacances en famille (« Une visite », Harel) ; 1996, Fourbi (Tanner), Les victimes (Grandperret), Les randonneurs (Harel) ; 1997, Je ne vois pas ce qu'on me trouve (Vincent) ; 1998, La nouvelle Ève (Corsini), Mes amis (Hazanavicius), Haut les cœurs (Anspach), Les enfants du siècle (Kurys) ; 1999, La parenthèse enchantée (Spinosa) ; 2000, Un jeu d'enfants (Tuel), Reines d'un jour (Vernoux) ; 2002, Embrassez qui vous voudrez (Blanc) ; 2003, France Boutique (Marshall) ; 2004, Je suis un assasin (Vincent), Le rôle de sa vie (Favrat) ; 2005, Le couperet (Costa-Gravas), L'enfer (Tanovic), Les enfants (Vincent), L'ex-femme de ma vie (Balasko) ; 2007, La tête de maman (Tardieu), Les ambitieux (Corsini).

On la découvre dans *Delicatessen*, puis elle n'arrête plus de tourner dans des films où son côté déluré et gouailleur, un peu à l'image d'une Véronique Genest, font merveille. Elle décroche le césar de la meilleure actrice pour son personnage de cancéreuse dans *Haut les cœurs*.

Vidal, Henri

Acteur français, 1919-1959.

1941, Montmartre-sur-Seine (Lacombe) ; 1942, L'ange de la nuit (Berthomieu), Port d'attache (Choux) ; 1945, L'étrange destin (Cuny) ; 1946, Les maudits (Clément), L'éventail (Reinert) ; 1948, Fabiola (Blasetti), Le paradis des pilotes perdus (Lampin) ; 1949, La belle que voilà (Le Chanois) ; 1950, Quai de Grenelle (Reinert), La passante (Calef), L'étrange Madame X (Grémillon) ; 1951, Les sept péchés capitaux (sketch de Rim) ; 1952, La jeune folle (Y. Allégret), Art. 519, codice pénale (Cortese) ; 1953, Scampolo (Les femmes mènent le jeu) (Bianchi) ; 1954, Orient-Express (Bragaglia), Attila (Francisci), Série noire (Foucaud), Le port du désir (Greville), Napoléon (Guitry) ; 1955, Les salauds vont en enfer (Hossein) ; 1956, Action immédiate (Labro), Porte des Lilas (Clair) ; 1957, Une Parisienne (Boisrond), Une manche et la belle (Verneuil) ; 1958, Charmants garçons (Decoin), Sois belle et tais-toi (M. Allégret), Les naufrageurs (Brabant), Sursis pour un vivant (Merenda) ; 1959, Mademoiselle Ange (Radvanyi), La bête à l'affût (Chenal), Pourquoi viens-tu si tard ? (Decoin), Voulez-vous danser avec moi ? (Boisrond).

Né à Clermont-Ferrand, ce superbe athlète débuta pendant la guerre, mais c'est *Fabiola* en 1948, péplum qui mettait en valeur ses pectoraux, qui contribua à le lancer. Il forma alors avec Michèle Morgan, à la ville comme à l'écran, le couple idéal pour des milliers de midinettes. Sa filmographie fut honorable sans plus, son jeu étant limité. Sa popularité ne l'était pas. Hélas, la mort le frappa de façon prématurée.

Vidor, Florence

Actrice américaine, 1895-1977.

1916, The Yellow Girl, Curfew at Simpton Center, The Intrigue ; 1917, A Tale of Two Cities, The Cook of Canyon Camp, The Countess Charming, Hashimura Togo, Big Timber, American Methods, The Widow's Might, The Honor of His House, The Bravest Way, The White Man's Law, Old Wives for New, Till I Come Back to You ; 1919, Poor Relations, The Other Half, Better Times (K. Vidor) ; 1920, Jack the Knife-Man (L'homme au couteau) (K. Vidor), The Family Honor ; 1921, Lying Lips (Lèvres menteuses) (J.G. Wray), Beau Revel (Wray) ; 1922, The Real Adventure (Émancipée) (Filmore), Hail the Woman (Wray), Woman, Wake Up (Harrison), Skin Deep (Hillyer), Conquering the Woman (La conquête d'une femme) (K. Vidor), Dusk to Dawn (K. Vidor) ; 1923, Alice Adams (K. Vidor), The Virginian (Forman), Main Street (La rue des vipères) (Beaumont) ; 1924, Christine of the Hungry Heart (Archainbaud), Husbands and Lovers (Stahl), Barbara Frietchie (Hillyer), Welcome Stranger (Young), The Mirage (Archainbaud), Marriage Circle (Comédiennes) (Lubitsch), Borrowed Husbands (D. Smith), The Flaming Forties (Forman) ; 1925, Are Parents People ? (St. Clair), Grounds for Divorce (Bern), The Trouble with Wives (St. Clair), Marry Me (Cruze) ; 1926, [illegible] Grand Duchess and the Waiter (La gr[illegible] duchesse et le garçon d'étage) (St. Clair) [illegible] Eagle of the Sea (Le corsaire mas[illegible] (Lloyd), Popular Sin (St. Clair), You N[illegible] Know Women (Wellman), The Enchante[illegible]

Hill (Willat), Sea Horses (A travers les récifs) (Dwan) ; 1927, Honeymoon Hate (Reed), One Woman to Another (Tuttle), The World at her Feet (Reed) ; 1928, The Patriot (Le patriote) (Lubitsch), The Magnificent Flirt (D'Abbadie d'Arrast), Doomsday (Lee), Chinatown Nights (Wellman).

Née à Houston, mariée à King Vidor en 1915, elle participe à l'épopée des débuts d'Hollywood. Vidor mais aussi Lubitsch la dirigent. Vers la fin des années 20, elle est à son zénith grâce à Lloyd et Wellman, qui lui assurent avec *Le corsaire masqué* et *Chinatown Nights* une grande popularité que confirme *La grande-duchesse et le garçon d'étage*. Elle a Cooper pour partenaire dans *Doomsday* : le couple idéal ? Malheureusement, l'arrivée du parlant brise sa carrière. Elle préfère se retirer. Elle divorça de King Vidor pour épouser Jascha Heifetz.

Vilar, Jean

Acteur français, 1912-1971.

1946, Les portes de la nuit (Carné) ; 1947, Les frères Bouquinquant (Daquin) ; 1948, Le carrefour du crime (Sacha), Les requins de Gibraltar (Reinert), Bagarres (Calef) ; 1949, La soif des hommes (Poligny), Les eaux troubles (Calef) ; 1950, Casabianca (Péclet) ; 1956, Till l'Espiègle (Ivens) ; 1969, Des christs par milliers (Arthuys) ; 1970, Raphaël ou le débauché (Deville) ; 1971, Le petit matin (Albicocco).

Ce Sétois, fondateur du TNP, a surtout marqué le monde du théâtre. Au cinéma, à l'exception de son rôle du Destin dans *Les portes de la nuit*, il n'a pas laissé de personnages impérissables.

Vilbert, Henri

Acteur français, de son vrai nom Miquelly, 1904-1997.

1930, Un homme en habit (Bossis, Guissart) ; 1931, Marius (Korda), Un coup de téléphone (Lacombe), Cœurs joyeux (Schwarz, Vaucorbeil) ; 1932, Feu Toupinel (Capellani), Topaze (Gasnier), Hôtel des étudiants (Tourjansky) ; 1933, Adieu les beaux jours (Meyer), Madame Bovary (Renoir) ; 1934, Tartarin de Tarascon (Bernard) ; 1935, Un oiseau rare (Pottier), Fanfare d'amour (Pottier), Les beaux jours (M. Allégret), Gangster malgré lui (Hugon) ; 1936, Mayerling (Litvak), La course à la vertu (Gleize), Les amants terribles (M. Allégret) ; 1937, Si tu reviens (Daniel-Norman) ; 1938, La chaleur du sein (Boyer), Au pays du soleil (Péguy), L'entraîneuse (Valentin) ; 1942, Mermoz (Cuny), Mariage d'amour (Decoin), Picpus (Pottier), Forte tête (Mathot), Le lit à colonnes (Tual), La main du diable (Tourneur), L'assassin habite au 21 (Clouzot) ; 1943, Cécile est morte (Tourneur) ; 1944, Les caves du Majestic (Pottier) ; 1945, L'aventure de Cabassou (Grangier), L'insaisissable Frédéric (Pottier) ; 1948, Manon (Clouzot) ; 1949, Nous irons à Paris (Boyer), Tête blonde (Cam) ; 1950, Meurtres (Pottier), Les maîtres nageurs (Lepage), Le rosier de madame Husson (Boyer), Justice est faite (Cayatte) ; 1951, Fortuné de Marseille (Regamey), La table aux crevés (Verneuil), Dupont-Barbès (Lepage), La demoiselle et son revenant (M. Allégret), Le garçon sauvage (Delannoy), Roma ore undici (Onze heures sonnaient) (De Santis), L'homme de ma vie (Lefranc) ; 1952, Nous sommes tous des assassins (Cayatte), Manon des Sources (Pagnol), Le dernier Robin des Bois (Berthomieu), Le boulanger de Valorgue (Verneuil), Adieu Paris (Heymann) ; 1953, Le bon Dieu sans confession (Autant-Lara), La route Napoléon (Delannoy), Sang et lumière (Rouquier) ; 1954, Les lettres de mon moulin (Pagnol), Ali-Baba et les quarante voleurs (Becker) ; 1955, Soupçons (Billon), Voici le temps des assassins (Duvivier), A la manière de Sherlock Holmes (Lepage) ; 1956, Si le roi savait ça (Caro Canaille) ; 1957, Pot-Bouille (Duvivier), Police judiciaire (Canonge), Tabarin (Pottier), Le chômeur de Clochemerle (Boyer), La bonne tisane (Bromberger) ; 1958, Guinguette (Delannoy) ; 1960, Le panier à crabes (Lisbona), Le pain des jules (Séverac), Un martien à Paris (Daninos), Dossier 1413 (Rode) ; 1961, La traversée de la Loire (Gourguèt), Le comte de Monte-Cristo (Autant-Lara) ; 1962, Le glaive et la balance (Cayatte), Le diable et les dix commandements (Duvivier) ; 1963, D'où viens-tu Johnny ? (Howard), La cuisine au beurre (Grangier) ; 1970, Le sauveur (Mardore) ; 1972, L'affaire Dominici (Bernard-Aubert) ; 1973, La scoumone (Giovanni) ; 1977, Attention, les enfants regardent (Leroy).

Né à Marseille, il joue longtemps les Méridionaux (il a même un petit rôle dans *Marius*) et se révèle excellent dans *L'aventure de Cabassou*. *Les maîtres nageurs*, histoire d'un industriel aux prises avec le fisc et ses maîtresses, lui permettent de changer de personnage. Il devient maintenant un notable, parfois comique, parfois tragique. Il obtient, en 1953, la coupe Volpi de la Biennale de Venise pour *Le bon Dieu sans confession*, qui confirme ce changement. Il fut très apprécié par Cayatte, Duvivier et Autant-Lara.

Villalonga, Marthe

Actrice française née en 1932.

1964, Déclic et des claques (Clair) ; 1969, Clair de terre (Gilles) ; 1971, Mourir d'aimer (Cayatte), La mandarine (Molinaro) ; 1973, Il n'y a pas de fumée sans feu (Cayatte) ; 1974, Impossible pas français (Lamoureux) ; 1975, Cours après moi que je t'attrape (Pouret), Attention les yeux (Pirès), Calmos (Blier) ; 1976, Un éléphant, ça trompe énormément (Robert) ; 1977, Diabolo menthe (Kurys), Nous irons tous au paradis (Robert), A chacun son enfer (Cayatte), Moi, fleur bleue (Le Hung), Va voir maman, papa travaille (Leterrier) ; 1978, Sale rêveur (Périer), Le coup de sirocco (Arcady), L'amour en question (Cayatte), L'ange gardien (Fournier), Les ringards (Pouret) ; 1979, Gros câlin (Rawson), Les joyeuses colonies de vacances (Gérard), Le sucre (Rouffio), Le dernier amant romantique (Jaeckin), Un amour d'emmerdeuse (Vandercoille) ; 1980, Cherchez l'erreur (Korber), Inspecteur la bavure (Zidi), The Big Red One (Au-delà de la gloire) (Fuller), Les uns et les autres (Lelouch) ; 1981, Salut j'arrive (Poteau), Si ma gueule vous plaît (Caputo), T'es folle ou quoi ? (Gérard) ; 1982, La baraka (Valère) ; 1983, Banzaï (Zidi), Les voleurs de la nuit (Fuller), Un jour ou l'autre (Nolin), Le grand carnaval (Arcady) ; 1984, Par où t'es rentré... on t'a pas vu sortir ? (Clair) ; 1985, Pizzaiolo et Mozzarel (Gion), Trois hommes et un couffin (Serreau) ; 1987, Les innocents (Téchiné) ; 1989, L'union sacrée (Arcady) ; 1991, Les mamies (Lanoë) ; 1992, Ma saison préférée (Téchiné) ; 1996, L'autre côté de la mer (Cabrera) ; 1997, Alice et Martin (Téchiné) ; 1998, Superlove (Janer).

La mère juive pied-noir par excellence, criarde, attachante et envahissante. Sa filmographie n'est certes pas des plus reluisantes, mais personne ne remettra en cause ses qualités de comédienne. Téchiné lui a offert un de ses plus beaux rôles dans *Ma saison préférée*, où elle joue la mère de Catherine Deneuve et Daniel Auteuil, ce qui la change des comédies de Philippe Clair.

Villard, Frank

Acteur français, de son vrai nom François Drouineau, 1917-1980.

1941, Le dernier des six (Lacombe), Cartacalha (Mathot) ; 1942, Feu sacré (Cloche) ; 1943, La boîte aux rêves (Y. Allégret) ; 1946, L'ennemi sans visage (Cammage), Le mystérieux monsieur Sylvain (Stelli), Le mariage de Ramuntcho (Vaucorbeil), Fausse identité (Chotin) ; 1947, Le cavalier de Croix-Mort (Gasnier-Raymond) ; 1948, Les souvenirs ne sont pas à vendre (Hennion), Le signal rouge (Neubach), Gigi (Audry) ; 1949, Manèges (Y. Allégret), Vient de paraître (Houssin) ; 1950, L'ingénue libertine (Audry), La belle image (Heyman), Avalanche (Segard), Fusillé à l'aube (Haguet), Les amants de Bras-Mort (Pagliero) ; 1951, Les sept péchés capitaux (2e sketch Y. Allégret), Le garçon sauvage (Delannoy), Le cap de l'espérance (Bernard) ; 1952, Wanda la peccatrice (Coletti), La voce del silenzio (La maison du silence) (Pabst) ; 1953, Le secret d'Hélène Marimon (Calef), Nuits andalouses (Cloche), Mandat d'amener (P. Louis) ; 1954, Huis clos (Audry) ; 1955, Soupçons (Billon), Les indiscrètes (André) ; 1956, Béatrice Cenci (Le château des amants maudits) (Freda), Boulevard du crime (Gaveau), Alerte au 2e bureau (Stelli), Sylviane de mes nuits (Blistène) ; 1957, Les mystères de Paris (Cerchio), Deuxième bureau contre inconnu (Stelli) ; 1958, La violetera (Amadori), Rapt au deuxième bureau (Stelli) ; 1959, Énigme aux Folies-Bergère (Mitry), Détournement de mineures (Kaps), La main chaude (Oury) ; 1960, Il tesoro dei Barbari (Ferreri), Deuxième bureau contre terroristes (Stelli) ; 1961, Le cave se rebiffe (Grangier), Le crime ne paie pas (Oury) ; 1962, Le cave est piégé (Merenda), La bella Lola (Une dame aux camélias) (Balcazar), Le gentleman d'Epsom (Grangier), Un branco di vigliacchi (Taglioni), Gigot (Le clochard de Belleville) (G. Kelly), Mata-Hari (Richard) ; 1965, Les bons vivants (Grangier) ; 1966, Le soleil noir (La Patellière).

A ses débuts, il est peintre et entre dans la profession cinématographique comme décorateur à Nice en 1941. Un physique de bellâtre le fait remarquer. Il devient acteur, jouant les mâles avec conviction. A plusieurs reprises, il est sollicité en Italie pour des rôles en vedette, mais ce qui lui a manqué, c'est de tourner dans quelques films vraiment importants.

Villard, Juliette

Actrice française, 1945-1971.

1964, Et la femme créa l'amour (Collin) ; 1967, Le grand Meaulnes (Albicocco) ; 1969, Les libertines (D. Young), Une fille libre (Pierson) ; 1970, Sex Power (Chapier), La liberté en croupe (Molinaro).

Elle était sublime en créature du diable chargée de porter la syphilis à la cour des Borgia dans *Le concile d'amour* monté au Théâtre Pigalle par Lavelli. Peu de grands rôles à l'écran où sa beauté n'a laissé que d'éphémères souvenirs. La leucémie était au rendez-vous et transforma la future star qu'elle aurait été en une étoile filante.

Villeret, Jacques

Acteur français, 1951-2005.

1972, R.A.S. (Boisset) ; 1973, Un amour de pluie (Brialy), La gueule ouverte (Pialat) ; 1974, Les naufragés de l'île de la Tortue (Rozier), Toute une vie (Lelouch), Nono nénesse (Rozier), Dupont Lajoie (Boisset), Le bon et les méchants (Lelouch) ; 1975, Sérieux comme le plaisir (Benayoun) ; 1976, Si c'était à refaire (Lelouch), Un autre homme, une autre chance (Lelouch) ; 1977, Le passe-montagne (Stevenin), Robert et Robert (Lelouch), Un oursin dans la poche (Thomas), Molière (Mnouchkine) ; 1978, Mon premier amour (Chouraqui), Mais où est donc Ornicar ? (Van Effenterre), Confidences pour confidences (Thomas), Je te tiens, tu me tiens par la barbichette (Yanne), Un balcon en forêt (Mitrani) ; 1979, Bête mais discipliné (Zidi), Rien ne va plus (Ribes), A nous deux (Lelouch) ; 1980, Les uns et les autres (Lelouch), Malevil (Chalonge) ; 1981, La soupe aux choux (Girault) ; 1982, Danton (Wajda) ; 1983, Effraction (Duval), Édith et Marcel (Lelouch), Le grand frère (Girod), Circulez, y a rien à voir (Leconte), Papy fait de la résistance (Poiré), Garçon ! (Sautet), Prénom Carmen (Godard) ; 1984, Les morfalous (Verneuil), Drôle de samedi (Okan) ; 1985, Hold-up (Arcady) ; 1986, La galette du roi (Ribes), Les folles années du twist (Zemmouri), Black micmac (Gilou), Les frères Pétard (Palud) ; 1987, Dernier été à Tanger (Arcady), L'été en pente douce (Krawczyk), Soigne ta droite (Godard) ; 1988, La petite amie (Béraud), Mangeclous (Mizrahi) ; 1990, Les secrets professionels du docteur Apfelglück (collectif), Trois années (Cazeneuve) ; 1991, Le bal des casse-pieds (Robert), 588, rue Paradis (Verneuil), Le fils du Mékong (Leterrier), The mFavour, the Watch and the Very Big Fish (La montre, la croix et la manière) (Lewin) ; 1993, Parano (Piquer, Robak...) ; 1996, Golden boy (Vergne) ; 1997, Le dîner de cons (Veber) ; 1998, Volpone (Chalonge), Mookie (Palud), Les enfants du marais (Becker) ; 1999, Les acteurs (Blier) ; 2000, Un aller simple (Heynemann), Un crime au paradis (Becker) ; 2003, Effroyables jardins (Becker), Le furet (Mocky) ; 2004, Malabar Princess (Legrand), Vipère au poing (Broca) ; 2005, Les âmes grises (Angelo), L'antidote (De Brus), Iznogoud (Braoudé), Les parrains (Forestier).

Théâtre avec la compagnie Marcelle Tassencourt puis entrée au Conservatoire. Le cinéma découvre une nouvelle « rondeur ». Il devient l'un des acteurs préférés de Claude Lelouch. On le remarque curieusement en général Westerman dans le *Danton* de Wajda et il se retrouve sur la fatale charrette. Il est hallucinant dans *Papy fait de la résistance*, en frère du Führer. Il éclate dans *Les morfalous* où il vole parfois la vedette à Belmondo. *L'été en pente douce* confirme l'immensité de son talent. Devenu une star, il s'impose dans des rôles généralement sympathiques. Il assure le triomphe du *Dîner de cons* où il est éblouissant de drôlerie. Il est non moins étonnant en sultan dans *Iznogoud* et surtout en juge d'instruction gourmand des *Ames grises*. Il fut un très grand acteur.

Vincent, Hélène

Actrice française née en 1943.

1969, Pierre et Paul (Allio) ; 1970, Les camisards (Allio) ; 1975, Que la fête commence (Tavernier) ; 1977, La part du feu (Périer) ; 1979, Cocktail Molotov (Kurys), L'école est finie (Nolin), West Indies (Hondo) ; 1987, La vie est un long fleuve tranquille (Chatiliez) ; 1988, Les maris, les femmes, les amants (Thomas) ; 1989, Dédé (Benoît) ; 1991, Le bal des casse-pieds (Robert), J'embrasse pas (Téchiné) ; 1992, Une journée chez ma mère (Cheminal), L'instinct de l'ange (Dembo), Bleu (Kieslowski) ; 1993, Des feux mal éteints (Moati), Tom est tout seul (Onteniente) ; 1994, Le montreur de boxe (Ladoge) ; 1996, Bernie (Dupontel) ; 1997, Ma vie en rose (Berliner) ; 2000, Que faisaient les femmes pendant que l'homme marchait sur la Lune ? (Vander Stappen), Le ciel au-dessus des nuages (Le Roch), Antilles-sur-Seine (Légitimus).

Distinguée, belle, un peu évaporée parfois, elle a surtout occupé les planches de théâtre au cours de sa carrière. Depuis peu, le cinéma s'intéresse à elle, et son rôle de la mère Le Quesnoy dans *La vie est un long fleuve tranquille* lui a valu la reconnaissance d'un très large public.

Vincent, Yves

Acteur français né en 1921.

1946, La foire aux chimères (Chenal) ; 1947, La taverne du Poisson couronné (Chanas), Les requins de Gibraltar (Reinert) ; 1948, La renégate (Severac), Le cavalier de Croix-Mort (Gasnier-Raymond) ; 1949, La danseuse de Marrakech (Mathot), Bal Cupidon (Sauvajon), La maternelle (Diamant-Berger), La femme nue (Berthomieu) ; 1950, Méfiez-vous des blondes (Hunebelle) ; 1951, Tapage nocturne (Sauvajon), Porte d'Orient (Daroy), Ma femme est formidable (Hunebelle) ; 1952, Capitaine Ardant (Zwobada), Ouvert contre X (Pottier) ; 1953, Spartacus (Freda), Grand gala (Campaux), Monsieur Scrupule gangster (Daroy) ; 1956, OSS 117 n'est pas mort (Sacha), Le circuit de minuit (Govar), Pitié pour les vamps (Josipovici) ; 1958, Police judiciaire (Canonge) ; 1959, Babette s'en va-t-en guerre (Christian-Jacque), Ce soir on tue (Govar) ; 1960, La dragée haute (Kerchner), Chaque minute compte (Bibal) ; 1961, Alibi pour un meurtre (Bibal), La planque (André), Les nouveaux aristocrates (Rigaud) ; 1963, La vie conjugale (Cayatte), Muriel (Resnais) ; 1967, Qui êtes-vous inspecteur Chandler ? (Lupo) ; 1968, Le gendarme se marie (Girault) ; 1969, Hibernatus (Molinaro) ; 1970, Je suis une nymphomane (Pecas), Claude et Greta (Pecas), Le gendarme en balade (Girault) ; 1971, Valparaiso, Valparaiso (Aubier) ; 1974, Impossible... pas français (Lamoureux) ; 1983, Surprise-party (Vadim) ; 1988, La maison assassinée (Lautner).

Conservatoire d'Alger. Beau physique, distingué, il a souvent été appelé à jouer les officiers ou les hommes de loi. Malgré une filmographie bien remplie (Chenal, Cayatte, etc.), il aura peut-être manqué à cet excellent acteur ce petit quelque chose en plus pour se hisser aux toutes premières places. Importante activité théâtrale et à la télévision.

Virlojeux, Henri

Acteur français, 1924-1995.

1956, Le septième commandement (Bernard) ; 1957, C'est la faute d'Adam (Audry), Le coin tranquille (Vernay), Échec au porteur (Grangier), Le septième ciel (Bernard), L'école des cocottes (Audry) ; 1958, Madame et son auto (Vernay) ; 1959, Les quatre cent coups (Truffaut), La corde raide (Dudrumet) ; 1960, Au cœur de la ville (inédit, Gautherin), La famille Fenouillard (Robert), Arrêtez les tambours (Lautner) ; 1961, Horace 62 (Versini), Un nommé La Rocca (Becker), Les sept péchés capitaux (Vadim, Molinaro, etc.) ; 1962, C'est pas moi, c'est l'autre (Boyer), Le jour et l'heure (Clément), Arsène Lupin contre Arsène Lupin (Molinaro), Le vice et la vertu (Vadim) ; 1963, Le bon roi Dagobert (Chevalier), Du grabuge chez les veuves (Poitrenaud), Carambolages (Bluwal), Le magot de Joséfa (Autant-Lara) ; 1964, Le corniaud (Oury), Banco à Bangkok pour OSS 117 (Hunebelle), Patate (Thomas), Les gorilles (Girault) ; 1965, Les bons vivants (sketch Grangier), On a volé la Joconde (Deville), Un milliard dans le billard (Gessner), Le dimanche de la vie (Herman) ; 1966, Le saint prend l'affût (Christian-Jaque) ; 1967, Un drôle de colonel (Girault), Le fou du labo 4 (Besnard), Caroline chérie (La Patellière) ; 1968, Le tatoué (La Patellière) ; 1969, Poussez pas grand-père dans les cactus (Dague), Les patates (Autant-Lara) ; 1972, Trop jolies pour être honnêtes (Balducci) ; 1975, Les années-lumière (Tanner), L'année sainte (Girault) ; 1976, L'exercice du pouvoir (Galland) ; 1977, Mort d'un pourri (Lautner), Le mille-pattes fait des claquettes (Girault) ; 1979, Alors, heureux ? (Barrois), L'associé (Gainville) ; 1980, Cherchez l'erreur (Korber), Signé Furax (Simenon) ; 1983, Flics de choc (Desagnat) ; 1985, La tentation d'Isabelle (Doillon), La gitane (Broca) ; 1992, La joie de vivre (Guillot). *Par la suite, activité surtout au théâtre et à la télévision* (La chambre des dames).

Maigre, spécialisé dans les rôles de « vieux », il est surtout connu pour ses nombreuses compositions dans des téléfilms. A l'écran, beaucoup de petits rôles : tous n'ont pas été recensés ici, notamment entre 1966 et 1977.

Virtinskaya, Anastasia

Actrice russe née en 1944.

1961, Alye parusa (Les voiles écarlates) (Ptouchko) ; 1962, Chelovekamfibiya (L'homme amphibie) (Kazansky, Chebotarev) ; 1964, Hamlet (Kozintsev) ; 1965-1967, Voina i mir (Guerre et paix) (Bondartchouk) ; 1969, Claikovski (Talankin).

Issue d'une famille d'acteurs, formée à l'école du spectacle, elle se fit surtout connaître comme une émouvante Ophélie, dans l'adaptation d'*Hamlet* par Kozintsev.

Vitali, Alvaro

Acteur italien né en 1950.

1969, Satyricon (Le satyricon de Fellini) (Fellini) ; 1970, I clowns (Les clowns) (Fellini) ; 1972, Mordi e fuggi (Rapt à l'italienne) (Risi), Roma (Fellini Roma) (Fellini) ; 1973, Partirono preti, tornarono... curati (Laurenti, Massi), Tosca (Une Tosca pas comme les autres) (Magni), Amarcord (Amarcord) (Fellini), What ? (Quoi ?) (Polanski) ; 1974, Profumo di donna (Parfum de femme) (Risi), Romanzo popolare (Romances et confidences) (Monicelli), La poliziotta (Steno) ; 1975, La poliziotta fa carriera (Lemick), La liceale (Lemick), Telefoni bianchi (La carrière d'une femme de chambre) (Risi), L'insegnante (La « prof » donne des leçons particulières) (Cicero), La dottoressa del distretto militare (La toubib du régiment) (Cicero) ; 1976, Uomini si nasce poliziotti si muore (Deodato), Spogliamoci cosi senza pudor (Martino), La segretaria privata di mio padre (Laurenti), Classe mista (La prof et les farceurs de l'école mixte) (Laurenti), La professoressa di scienze naturali (La prof du bahut) (Tarantini), La professora sotto il lenzuolo (Martucci) ; 1977, Taxi-Girl (La toubib se recycle) (Tarantini), L'insegnante va in collegio (La prof et les cancres) (Laurenti, Martino), La soldatessa alla visita militare (La toubib aux grandes manœuvres) (Cicero), Per amore di Poppea (Laurenti), Frankenstein all'italiana (Crispino), La compagna di banco (Laurenti), La liceale nella classe dei ripententi (Laurenti) ; 1978, L'insegante viene a casa (La prof connaît la musique) (Lemick), La soldatessa alle grandi manovre (La toubib prend du galon) (Cicero) ; 1979, La poliziotta della squadra del buon costume (Le flic à la police des mœurs) (Tarantini), La liceale, il diavolo e l'acquasanta (La lycéenne est dans les « vaps ») (Cicero), La insegante balla... con tutta la classe (La championne du collège) (Carmineo), La liceale seduce i professori (Laurenti), La liceale al mare con tutta la classe (Tarantini), L'infermiera di notte (Infirmière de nuit) (Laurenti), Dove vai se il vizietto non c'é l'hai (Le trou aux folles) (Girolami), Gros câlin (Rawson) ; 1980, La ripetente fa l'occhietto al preside (La lycéenne fait de l'œil au proviseur) (Laurenti), La liceale al mare con l'amica di papà (Girolami), L'infermiera nella corsia dei militari (L'infirmière de l'hosto du régiment) (Laurenti), La dotoressa va in caserma (Lemick), La dottoressa ci sta col colonello (Tarantini) ; 1981, La dottoressa preferisce i marinai (La zézette plaît aux marins) (Tarantini), Pierino, medico della Saub (Carmineo), Pierino contro tutti (Girolami), L'onorevole con l'amante sotto il letto (Laurenti), La poliziotta à New York (Reste avec nous, on s'tire) (Tarantini) ; 1982, Pierino colpisce ancora (Girolami), Giggi il bullo (Girolami), Gianburrasca (Pingitore) ; 1983, Il tifoso, l'arbitro e il calciatore (Pingitore), Paulo Roberto Cotechiño centravanti di sfondamento (Cicero) ; 1987, Intervista (Intervista) (Fellini) ; 1989, Mortacci (Tarantini) ; 1990, Pierino torna a scuola (Laurenti) ; 1992, Pierino stecchino (Sansevero) ; 1995, Club Vacanze (Brescia).

Le « débile » de la grande production comique transalpine des années 70. Visage rond et yeux en billes de loto, air constamment ahuri, il est de toutes les grivoiseries dont Edwige Fenech ou Gloria Guida furent les vedettes, souffre-douleur ou tortionnaire, cancre près du radiateur ou proviseur crétin, bidasse de dernière classe ou patient alité fasciné par les dessous de la blouse de l'infirmière. Après du mime et des débuts chez Fellini pour cause de « délit de faciès », une carrière dont la vulgarité, la stupidité et la régularité des prestations valaient bien à Alvaro Vitali sa place dans ce dictionnaire.

Vitez, Antoine

Acteur et metteur en scène français, 1930-1990.

1965, La guerre est finie (Resnais) ; 1969, L'aveu (Costa-Gavras), Ma nuit chez Maud (Rohmer) ; 1976, Fragments pour un discours théâtral (Koleva) ; 1977, Martine et le Cid (Koleva), La chambre verte (Truffaut) ; 1978, Écoute voir (Santiago) ; 1989, Hiver 54, l'abbé Pierre (Amar).

Ce grand homme de théâtre fut de quelques films où il imposa une silhouette austère et impressionnante, en particulier dans *La chambre verte*, où il incarnait le secrétaire de l'évêque.

Vitold, Michel

Acteur français d'origine russe,
de son vrai nom Sayanoff, 1914-1994.

1937, Orage (M. Allégret) ; 1938, Adrienne Lecouvreur (L'Herbier), Entrée des artistes (M. Allégret) ; 1941, La nuit fantastique (L'Herbier) ; 1942, Malaria (Gourguet), Mariage d'amour (Decoin), Madame et le mort (Daquin), Le brigand gentilhomme (Couzinet) ; 1943, L'île d'amour (Cam), Ceux du rivage (Séverac) ; 1945, Le Jugement dernier (Chanas), François Villon (Zwobada) ; 1946, Rouletabille joue et gagne (Chamborant), Le visiteur (Dréville), Rouletabille contre la dame de pique (Chamborant) ; 1959, Maigret et l'affaire Saint-Fiacre (Delannoy), Le testament du docteur Cordelier (Renoir) ; 1961, Les ennemis (Molinaro), Adorable menteuse (Deville), La gamberge (Carbonnaux), Vacances en enfer (Kerchbron), Du rififi à Tokyo (Deray) ; 1962, Arsène Lupin contre Arsène Lupin (Molinaro), Ballade pour un voyou (Bonnardot) ; 1963, Judex (Franju) ; 1964, Thomas l'imposteur (Franju) ; 1968, Le franciscain de Bourges (Autant-Lara), La bande à Bonnot (Fourastié) ; 1969, L'aveu (Costa-Gavras) ; 1973, Le mouton enragé (Deville) ; 1975, France société anonyme (Corneau) ; 1977, Genre masculin (Marbœuf) ; 1981, La nuit de Varennes (Scola) ; 1984, Quatuor Basileus (Carpi) ; 1988, Les matins chagrins (Gallepe) ; 1990, Les chevaliers de la Table ronde (Llorca) ; 1992, Listopad (Novembre) (Karwowski), La joie de vivre (Guillot).

Metteur en scène, directeur de théâtre, il préfère les planches aux studios où il est le plus souvent réduit aux troisièmes couteaux. Excellent en banquier de *Judex*.

Vitray, Georges

Acteur français, 1888-1960.

1931, Cœur joyeux (Vaucorbell), Tout s'arrange (Diamant-Berger) ; 1934, Vers l'abîme (Steinhoff), Si j'étais le patron (Pottier), Le monde où l'on s'ennuie (Marguenat) ; 1935, La tendre ennemie (Ophuls) ; 1936, Hercule (Esway), Tragédie impériale (L'Herbier), La mioche (Moguy) ; 1937, Orages (M. Allégret), La femme du bout du monde (Epstein) ; 1938, Werther (Ophuls) ; 1939, La brigade sauvage (Dréville), Jeunes filles en détresse (Pabst) ; 1941, Fromont jeune et Risler aîné (Mathot), La symphonie fantastique (Christian-Jaque), Le mariage de Chiffon (Autant-Lara) ; 1942, Les ailes blanches (Péguy), L'homme qui joue avec le feu (Limur) ; 1945, Étoile sans lumière (Blistène), La route du bagne (Mathot) ; 1946, La foire aux chimères (Chenal), L'homme de la nuit (Jayet), Triple enquête (Orval) ; 1947, Monsieur Vincent (Cloche), Mandrin (Jayet) ; 1948, Piège à hommes (Loubignac) ; 1949, La femme nue (Berthomieu), Le grand rendez-vous (Dréville) ; 1952, Le plaisir (Ophuls), 1953, Leur dernière nuit (Lacombe), Madame de... (Ophuls) ; 1957, Rafles sur la ville (Chenal).

Acteur de la Comédie-Française, il a joué dans de nombreux films (la liste donnée ici n'est pas exhaustive) des notables : un général dans *Le grand rendez-vous*, un producteur dans *Étoile sans lumière*, un notaire dans *Les ailes blanches*... Pas un tempérament pour figurer parmi les « excentriques » mais du métier.

Vitti, Monica

Actrice et réalisatrice italienne, de son vrai nom Maria-Luisa Ceccarelli, née en 1934.

1955, Ridere, ridere, ridere (Bonnucci) ; 1956, Una pelliccia di visone ; 1957, Il grido (Le cri) (Antonioni) ; 1958, Le dritte (Amendola) ; 1960, L'avventura (L'avventura) (Antonioni) ; 1961, La notte (La nuit) (Antonioni) ; 1962, L'eclisse (L'éclipse) (Antonioni) ; 1963, Les quatre vérités (Blasetti), Un château en Suède (Vadim), Dragées au poivre (Baratier) ; 1964, Deserto rosso (Le désert rouge) (Antonioni), Il disco volante, Alta infidelta (Haute infidélité) (1er sketch, Rossi) ; 1965, Le bambole (Les poupées) (3e sketch, Rossi) ; 1966, Le fate (Les ogresses) (Salce), Modesty Blaise (Modesty Blaise) (Losey) ; 1967, La cintura di castita (Festa Campanile), Fai in fretta ad uccidermi... ho freddo ! (Maselli) ; 1968, La femme écarlate (Valère) ; 1969, Vedo nudo (Une poule, un train et quelques monstres) (Risi), La ragazza con la pistola (Monicelli), Amore mio, aiutami (Sordi) ; 1970, Nini Tirabuscio (Fondato), Dramma della gelosia (Drame de la jalousie) (Scola) ; 1971, La pacifista (Jancso), Noi donne siamo fatte cosi (Moi la femme) (Risi), La supertestimone (Giraldi), 1972, Gli ordini sono ordini (Giraldi), Teresa la ladra (Di Palma) ; 1973, La Tosca (Une Tosca pas comme les autres) (Magni) ; 1974, Le fantôme de la liberté (Buñuel), Polvere di stelle (Poussière d'étoile) (Sordi) ; 1975, Canard à l'orange (Salce), Qui comincia l'avventura (Di Palma), A mezzanotte va la ronda del piacere (Fondato) ; 1978, La raison d'État (Cayatte), Amori miei (Steno), Per vivere meglio (Mogherini) ; 1979, Letti selvaggi (Les monstresses) (Zampa) ; 1980, Il mysterio di Oberwald (Le mystère d'Oberwald) (Antonioni), Non ti conos co piu, amore (Corbucci), Camera d'albergo (Chambre d'hôtel) (Monicelli), Le coppie (Drôles de couples) (1er sketch de Monicelli) ; 1981, Il tango della gelosia (Steno), Io so che tu sai che io so (Sordi) ; 1989, Scandalo segreto (Scandale secret) (Vitti). *Comme réalisatrice :* 1989, Scandalo segreto (Scandale secret).

C'est Antonioni qui en fit une vedette dans une série de films, du *Cri* au *Désert rouge*. Mais elle ne fut pas seulement la star de l'incommunicabilité, elle parut aussi dans de nombreuses comédies de Monicelli, Risi ou Sordi où sa pétulance naturelle se donne libre cours. Dans *Moi la femme*, elle tient une dizaine de rôles, montrant la diversité de son talent.

Viva

Actrice américaine, de son vrai nom Susan Hoffmann, née en 1945.

1967, **** (*segment* « Tub Girls », Warhol), The Loves of Ondine (Warhol), Nude Restaurant (Warhol) ; 1968, Lonesome Cowboys (Lonesome Cowboys) (Warhol), Surfing Movie/San Diego Surf (inachevé, Warhol), Blue Movie (Warhol) ; 1969, Midnight Cowboy (Macadam cowboy) (Schlesinger), Lions Love (Lions Love) (Varda) ; 1970, Necropolis (Brocani) ; 1971, Cisco Pike (Norton) ; 1972, Play it Again, Sam (Tombe les filles et tais-toi) (Ross), Ciao ! Manhattan (Palmer et Weisman) ; 1974, The Swap (Leondopulus) ; 1979, Forbidden Zone (Elfman), New Old (Clémenti) ; 1980, Flash Gordon (Flash Gordon) (Hodges) ; 1981, For Your Eyes Only (Rien que pour vos yeux) (Kershner) ; 1982, Der Stand der Dinge (L'état des choses) (Wenders) ; 1985, Paris, Texas (Paris, Texas) (Wenders) ; 1990, Superstar, the Life and Times of Andy Warhol (Superstar) (Workman) ; 1993, The Man Without a Face (L'homme sans visage) (Gibson) ; 1995, Nico Icon (Nico Icon) (Ofteringer).

Élevée dans des écoles catholiques très strictes, elle n'en devient pas moins vers la fin des années 60 la scandaleuse superstar du cinéma underground new-yorkais. On la surnomme alors la « Garbo de poche » ou la « Mary Pickford du pauvre »... Égérie d'Andy Warhol dont elle se défait rapidement, elle mène par la suite une carrière cinématographique assez cahotique.

Vlady, Marina

Actrice française, de son vrai nom de Poliakoff, née en 1938.

1948, Orage d'été (Gehret) ; 1949, Dans la vie tout s'arrange (Cravenne) ; 1952, Grand gala (Campaux), La figlia del Diavolo (La fille du diable) (Zeglio) ; 1954, Le avventura di Giacomo Casanova (Steno), Avant le déluge (Cayatte) ; 1955, Les salauds vont en enfer (Hossein), La sorcière (Michel), Sophie et le crime (Gaspard-Huit) ; 1956, Crime et châtiment (Lampin), Pardonnez-nous nos offenses (Hossein) ; 1958, Toi le venin (Hossein) ; 1959, La nuit des espions (Hossein), La sentence (Valère) ; 1960, La princesse de Clèves (Delannoy), Les canailles (Labro) ; 1961, Adorable menteuse (Deville), Climats (Lorenzi), Les sept péchés capitaux (sketch de Vadim), La fille dans la vitrine (Emmer), La steppa (La steppe) (Lattuada) ; 1962, Le meurtrier (Autant-Lara) ; 1963, Dragées au poivre (Baratier), Les bonnes causes (Christian-Jaque), L'ape regina (Le lit conjugal) (Ferreri) ; 1965, Una moglie americana (Mes femmes américaines) (Polidoro) ; 1966, Chimes at Midnight (Falstaff) (Welles), Deux ou trois choses que je sais d'elle (Godard), On a volé la Joconde (Deville), Mona, l'étoile sans nom (Colpi), Atout cœur à Tokyo pour OSS 117 (Boisrond) ; 1968, Le temps de vivre (Paul), Sirokko (Sirocco d'hiver) (Jancso), Sioujet dlia Niebolchevo Raskaza... (Un amour de Tchekhov) (Youtkevitch) ; 1969, Pour un sourire (Dupont-Midy), La nuit bulgare (Mitrani) ; 1970, Sapho (Farrel) ; 1972, Le complot (Gainville), Tout le monde il est beau, tout le monde il est gentil (Yanne) ; 1974, Que la fête commence (Tavernier) ; 1975, Sept morts sur ordonnance (Rouffio) ; 1977, Ok ketten (Elles deux) (Meszaros) ; 1978, Le triangle des Bermudes (Cardona), The Thief of Bagdad (Le voleur de Bagdad) (Donner) ; 1979, Le malade imaginaire (Cervi) ; 1980, Duos sur canapé (Camoletti), L'œil du maître (Kurc), Les jeux de la comtesse Dolingen de Gratz (Binet) ; 1985, Tangos (Solanas) ; 1986, Twist again à Moscou (Poiré), Laughter in the Dark (Papas) ; 1987, Notes pour Debussy (Lebel) ; 1988, Les exploits d'un jeune Casanova (Mingozzi), Una casa in bilico (De Lillo, Magliulo) ; 1989, Splendor (Splendor) (Scola), Condorcet A, B, C (Soutter) ; 1993, Kodayu (Sato) ; 1996, Anemos stin poli (Sevastikoglou), Jeunesse (Alpi).

Bien que née à Paris, elle sera marquée, plus encore que ses trois sœurs (elle est la cadette), par ses origines russes. Elle fut mariée au comédien, poète et chanteur russe Vladimir Visotsky (auquel elle a consacré un livre). Petit rat, puis débuts à l'écran, en même temps que sa sœur Odile Versois en 1948. En 1955, elle épouse Robert Hossein et tourne plusieurs films sous sa direction. Après son divorce, sa carrière devient plus hésitante. Elle tourne pour la télévision, notamment dans « La chambre des dames », un feuilleton évoquant la vie au Moyen Age.

Vogler, Rüdiger

Acteur allemand né en 1942.

1971, Chronik der Laufenden Ereignisse (Handke), Die Angst des Tormanns beim Elfmeter (L'angoisse du gardien de but au moment du penalty) (Wenders) ; 1973, Die Scharlachrote Buchstabe (La lettre écarlate) (Wenders) ; 1974, Falsche Bewegung (Faux mouvement) (Wenders) ; 1976, Im Lauf der Zeit (Au fil du temps) (Wenders), Gruppenbild mit Dame (Portrait de groupe avec dame) (Petrovic), Kreutzer (K. Emmerich) ; 1977, Alice in die Städten (Alice dans les villes) (Wenders), Die Linkshändige Frau (La femme gauchère) (Handke) ; 1978, L'état sauvage (Rouffio) ; 1979, Letzte Liebe (Engström) ; 1981, Die bleierne Zeit (Les années de plomb) (Von Trotta), La passante du Sans-Souci (Rouffio) ; 1982, Logik des Gefühls (Kratisch) ; 1983, Machinations (Gantillon), Der Havarist (Bühler), Un caso di incoscienza (Greco) ; 1985, Tarot (Tarot) (Thome), Väter und Söhne (Sinkel) ; 1986, Madrid (Patino) ; 1990, Transit (Allio), Il sole anche di notte (Le soleil même la nuit) (Taviani), The Long Conversation With a Bird (Zanussi) ; 1991, Until the End of the World (Jusqu'au bout du monde) (Wenders), Anna Göldin – Letzte Hexe (Pinkus) ; 1992, Chasse gardée (Biette) ; 1993, In weiter Ferne, so nah ! (Si loin, si proche !) (Wenders), Het Verdriet van België (Goretta), Vor lauter Feigheit gibt es kein Erbarmen (Gruber) ; 1994, Wonder Boy (Vecchiali), Arisha (Arisha, l'ours et l'anneau de pierre) (m.m., Wenders), Les Milles (Grall) ; 1995, Lisbon Story (Lisbonne story) (Wenders), Tote Reden Dosh (Deutsch) ; 1996, Die Gebruder Skladanowsky (Les « Lumière » de

Berlin) (Wenders), Die Schuld der Liebe (Gruber), Tigerstreifenbaby wartet auf Tarzan (Thome) ; 1998, Une minute de silence (Siri), Le plus beau pays du monde (Bluwal), Sunshine (Sunshine) (Szabo) ; 1999, Die Braut (Günther), Une pour toutes (Lelouch) ; 2000, Anatomie (Anatomie) (Ruzowitzky).

Après des études de musique et plusieurs années à Francfort où il étudie le théâtre aux côtés de Peter Handke, c'est sous l'égide de ce dernier qu'il débute au cinéma. Il devient rapidement l'un des acteurs-totems de Wenders, avec trois grands rôles à la clé, l'homme d'*Alice dans les villes*, le projectionniste ambulant d'*Au fil du temps* et le preneur de son égaré à Lisbonne de *Lisbonne story*. Multilingue, il tourne également en France sans pour autant se faire connaître d'un large public.

Voight, Jon

Acteur américain né en 1938.

1967, Hour of the Gun (Sept secondes en enfer) (Sturges) ; 1969, Fearless Frank (Kaufman), Midnight Cowboy (Macadam cow-boy) (Schlesinger), Out of It (P. Williams) ; 1970, Catch 22 (Nichols), The Revolutionary (Le révolutionnaire) (P. Williams) ; 1972, Deliverance (Délivrance) (Boorman) ; 1973, The All American Boy (Eastman) ; 1974, Conrack (Ritt), The Odessa File (Le dossier Odessa) (Neame) ; 1976, End of the Game (M. Schell) ; 1978, Coming Home (Retour) (Ashby) ; 1979, The Champ (Le champion) (Zeffirelli) ; 1980, Deception, Lookin' to Get Out (Ashby) ; 1982, Table for Five (Lieberman) ; 1985, Desert Bloom (Corr), Runaway Train (Konchalovsky) ; 1990, Eternity (Paul) ; 1994, Rainbow Warrior (Tuchner) ; 1995, Heat (Mann), Mission : Impossible (Mission : impossible) (De Palma) ; 1996, Rosewood (Singleton), Anaconda (Anaconda) (Llosa), Most Wanted (Wanted : recherché mort ou vif) (Hogan), The Rainmaker (L'idéaliste) (Coppola) ; 1997, U-Turn (U-Turn) (Stone), The General (Le Général) (Boorman) ; 1998, Enemy of the State (Ennemi d'État) (Scott), Varsity Blues (American Boys) (Robbins), A Dog of Flanders (Brodie) ; 2000, Pearl Harbor (Pearl Harbor) (Bay) ; 2001, Tomb Raider (West), Ali (Mann), Uprising (1943, l'ultime révolte) (Avnet) ; 2003, Holes (La morsure du lézard) (Davis) ; 2004, National Treasure (Benjamin Gates et le trésor des Templiers) (Turteltaub), The Mandchurian Candidate (Un crime dans la tête) (Demme) ; 2007, Ghost Rider (Ghost Rider) (Johnson), National Treasure 2 : the Book of Secrets (Benjamin Gates et le Livre des secrets) (Turteltaub), Transformers (Bay).

C'est avec *Coming Home* qu'il obtient l'oscar de 1978, mais c'est *Midnight Cowboy*, où il était hallucinant de veulerie, qui le lança mondialement, *Deliverance* confirmant par la suite son talent. Grand, blond, mou de traits, il a composé d'inoubliables personnages. Notons qu'il a très peu tourné. On le retrouve considérablement vieilli dans *Heat*.

Volonte, Gian-Maria

Acteur italien, 1933-1994.

1960, Sotto dieci bandiere (Sous dix drapeaux) (Coletti) ; 1961, A cavallo della tigre (A cheval sur le tigre) (Comencini), Ercole alla conquista di Atlantide (Hercule à la conquête de l'Atlantide) (Cottafavi), Antinea, l'amante della citta sepolta (L'Atlantide) (Ulmer), La ragazza con la valiglia (La fille à la valise) (Zurini), Un uomo da bruciare (Un homme à brûler) (Taviani), Le quattro giornate di Napoli (La bataille de Naples) (Loy) ; 1963, Il terrorista (Le terroriste) (De Boslo), Il peccato (Grau) ; 1964, Per un pugno di dollari (Pour une poignée de dollars) (Leone), Il magnifico cornuto (Le cocu magnifique) (Pietrangeli) ; 1965, Le stagioni del nostro amore (Vancini), Per qualche dollaro in piu (Et pour quelques dollars de plus) (Leone) ; 1966, L'armata Brancaleone (L'armée Brancaleone) (Monicelli), Svegliati e uccidi (Luttrino réveille-toi et meurs) (Lizzani) ; 1967, La strega en amore (Damiani), A ciascuno il suo (A chacun son dû) (Pietri), Het Gangster Meisje (Wuyts), Quien sabe ? (El Chuncho) (Damiani), Banditi a Milano (Bandits à Milan) (Lizzani), Faccia a faccia (Le dernier face-à-face) (Sollima) ; 1968, Summit (Un corps une nuit) (Bontempi), Sotto il segno dello scorpione (Sous le signe du scorpion) (Taviani) ; 1969, I sette fratelli cervi (Puccini), L'amante di Gramina (Lizzani), Vento dell' est (Vent d'Est) (Godard) ; 1970, Indagine su un cittadino al di sopra di ogni sospetto (Enquête sur un citoyen au-dessus de tout soupçon) (Petri), Le cercle rouge (Melville), 12 dicembre (Collectif), Uomini contro (Les hommes contre) (Rosi) ; 1971, Sacco e Vanzetti (Sacco et Vanzetti) (Montaldo), La classe operaia va in paradiso (La classe ouvrière va au paradis) (Petri), Il caso Mattei (L'affaire Mattei) (Rosi) ; 1972, L'attentat (Boisset), Sbatti il mostro in prima pagina (Viol en première page) (Bellocchio), Lucky Luciano (Lucky Luciano) (Rosi) ; 1973, Giordano Bruno (Montaldo) ; 1974, Il sospetto (Le soupçon) (Maselli), Il delitto Matteotti (L'affaire Matteotti) (Vancini) ; 1975, Actas de Marusia (Actes de Marusia) (Littin) ; 1976, Todo modo (Todo modo) (Petri) ; 1977, Io ho paura (Un juge en danger) (Damiani) ; 1979, Cristo se ha fermato a Eboli (Le Christ s'est arrêté à Eboli) (Rosi) ; 1980, Ogro (Opération Ogro) (Pontecorvo), La vera storia della signora delle camelie (La dame aux camélias) (Bolognini) ; 1982, La mort de Mario Ricci (Goretta) ; 1987, Cronaca di una morte annunciata (Chronique d'une mort annoncée) (Rosi), Il caso Moro (Ferrara), Un ragazzo di Calabria (Un enfant de Calabre) (Comencini) ; 1988, L'œuvre au noir (Delvaux), Pestalozzis Berg (Van Gunthen) ; 1989, Porto aperte (Portes ouvertes) (Amelio), Tre colonne in cronaca (Vanzina) ; 1991, Una storia semplice (Une histoire simple) (Greco) ; 1993, Funes, un gran amor (De la Torre) ; 1994, Tirano banderas (Sanchez).

Issu d'une famille bourgeoise, il se lance dans le théâtre en réaction contre son milieu, obtient le diplôme de l'Académie nationale d'art dramatique et passe à partir de 1960 au cinéma. Péplums et westerns-spaghetti se succèdent (Cottafavi, Leone, Sollima, Damiani...). Mais Volonte se veut en définitive un artiste engagé. Non seulement il réalise, en 16 mm, un film sur les usines occupées à Rome en 1971, mais il n'entend tourner que des œuvres qui s'inscrivent dans une perspective critique de la réalité : le Godard de *Vent d'Est*, le *Bruno* de Montaldo où il gaspille son talent. Petri, avec qui il s'entend bien, le remet dans la voie de la fiction, engagée certes, mais accessible au grand public. Il se fait la tête d'Aldo Moro, chef de la Démocratie chrétienne dans *Todo Modo*. Puis une grave maladie interrompt sa carrière. Il meurt sur le tournage du *Regard d'Ulysse* de Théo Angelopoulos et c'est Erland Josephson qui le remplacera.

Volter, Philippe

Acteur franco-belge, 1959-2005.

1986, Macbeth (D'Anna), Les roses de Matmata (Pinheiro) ; 1987, Le maître de musique (Corbiau) ; 1989, Les bois noirs (Deray) ; Cyrano de Bergerac (Rappeneau) ; 1990, Trois années (Cazeneuve), La passion Van Gogh (Pavel) ; 1991, Simple mortel (Jolivet), La double vie de Véronique (Kieslowski), Abracadabra (Cleven) ; 1992, Bleu (Kieslowski) ; 1993, L'affaire (Gobbi), Dernier stade (Zerbib) ; 1997, La nuit du destin (Bahloul) ; 1998, The Five Senses (Les cinq sens) (Podeswa) ; 2003, Posseteni ot Gospod (Même Dieu est venu nous voir) (Popzlatev).

Fils de deux acteurs belges, Philippe Volter est un enfant de la balle. Il débute par le théâtre — à dix-huit ans, il jouait Néron dans *Britannicus* — avant de s'attaquer au grand et au petit écran. Grâce à un physique de jeune premier, les réalisateurs lui confient souvent des rôles où il apporte sa fougue et sa sincérité. Il a disparu trop tôt.

Vuillermoz, Michel

Acteur français né en 1963.

1989, Cyrano de Bergerac (Rappeneau), Un père et passe (Grall) ; 1990, Faux et usage de faux (Heynemann) ; 1991, Versailles Rive gauche (Podalydès) ; 1994, Vibroboy (Kounen) ; 1995, Des nouvelles du Bon Dieu (Le Pêcheur) ; 1996, Bernie (Dupontel), Comment je me suis disputé... (ma vie sexuelle) (Desplechin) ; 1997, Dieu seul me voit (Podalydès) ; 1998, Serial lover (Huth), On a très peu d'amis (Monod) ; 1999, André le magnifique (Silvestre, Staib), Les acteurs (Blier) ; 2000, Du côté des filles (Decaux).

Originaire d'Orléans, ce grand gaillard au faciès élastique se révèle d'abord au théâtre (il appartient aujourd'hui à la Comédie Française) avant de trouver sa place au cinéma dans le clan Podalydès. Déclamatoire ou intériorisé, effrayant ou victimisé (*Serial lover*), il trouve une dimension unique en simplet du village féru de théâtre dans *André le magnifique*.

W

Wagner, Robert

Acteur américain né en 1930.

1950, The Happy Years (Wellman), Halls of Montezuma (Okinawa) (Milestone) ; 1951, The Frogmen (Les hommes-grenouilles) (Bacon), Let's Make It Legal (Sale) ; 1952, With a Song in My Heart (W. Lang), What Price Glory (Ford), Stars and Stripes Forever (Koster) ; 1953, Titanic (Negulesco), Beneath the 12-Mile Reef (Webb), The Siver Whip (H. Jones) ; 1954, Prince Valiant (Prince Vaillant) (Hathaway), Broken Lance (La lance brisée) (Dmytryk) ; 1955, White Feather (Webb) ; 1956, A Kiss Before Dying (Oswald), The Mountain (La neige en deuil) (Dmytryk), Between Heaven and Hell (Le temps de la colère) (Fleischer) ; 1957, The True Story of Jesse James (Le brigand bien-aimé) (Ray), Stop over Tokyo (Breen) ; 1958, The Hunters (Powell), In Love and War (Le temps de la peur) (Dunne) ; 1959, Say One for me (Tashlin) ; 1960, All the Fine Young Cannibals (Anderson) ; 1961, Sail a Crooked Ship (Brecher) ; 1962, The Longest Day (Le jour le plus long) (Annakin), The War Lover (Leacock), I sequestrati di Altona (Les séquestrés d'Altona) (De Sica) ; 1964, The Pink Panther (La panthère rose) (B. Edwards) ; 1966, How I Spent My Summer Vacation (Hale), Harper (Détective privé) (Smight) ; 1967, Banning (R. Winston) ; 1968, Don't Just Stand There (Winston), The Biggest Bundle of Them All (Annakin) ; 1969, Winning (Goldstone) ; 1971, City Beneath the Sea (La citadelle sous la mer) (I. Allen) ; 1974, The Towering Inferno (La tour infernale) (Guillermin) ; 1976, Midway (La bataille de Midway) (Smight) ; 1979, The Concord Airport 79 (Rich) ; 1982, Trail of the Pink Panther (A la recherche de la panthère rose) (B. Edwards) ; 1983, The Curse of the Pink Panther (B. Edwards), I am the Cheese (Jiras) ; 1991, Delirious (T. Mankiewicz) ; 1992, Dragon (Dragon, l'histoire de Bruce Lee) (Cohen), The Player (The Player) (Altman) ; 1996, Austin Powers : International Man of Mystery (Austin Powers) (Roach) ; 1997, Wild Things (Sexcrimes) (McNaughton), Something to Believe in (Hough) ; 1998, No Vacancy (Balchunas), Crazy in Alabama (La tête dans le carton à chapeaux) (Banderas) ; 1999, Austin Powers – The Spy Who Shagged Me (Austin Powers – L'espion qui m'a tirée) (Roach), Play It to the Bone (Les adversaires) (Shelton).

Charmant brun qui fut un idéal *Prince Vaillant*, le héros des bandes dessinées de Foster, et que l'on retrouva avec plaisir dans plusieurs westerns ou films de guerre (il était remarquable dans *Le temps de la colère*). Il ne fut pas toujours un héros sympathique : ainsi est-il le méchant dans *The Mountain*, d'après un roman de Troyat où il s'oppose à Spencer Tracy. Après 1970, la télévision l'absorbe. Il était marié à Natalie Wood.

Wahlberg, Mark

Acteur et chanteur américain né en 1971.

1994, Renaissance Man (Opération Shakespeare) (Marshall) ; 1995, The Basketball Diaries (Basketball Diaries) (Kalvert) ; 1996, Fear (Fear) (Foley) ; 1997, Boogie Nights (Boogie Nights) (Anderson), Traveller (Green) ; 1998, The Big Hit (Big Hit) (Wong), The Corruptor (Le corrupteur) (Foley) ; 1999, The Yards (The Yards) (Gray), Three Kings (Les rois du désert) (Russell) ; 2000, The Perfect Storm (En pleine tempête) (Petersen) ; 2001, Planet of the Apes (Burton) ; 2003, Italian Job (Braquage à l'italienne) (Gray) ; 2006, The Departed (Les infiltrés) (Scorsese) ; 2007, Shooter (Fuqua).

Après une courte carrière de rappeur sous le nom de Marky Mark, et quelques belles pages de pub pour lesquels, physique très avantageux oblige, il pose dans les sous-vêtements Calvin Klein, recyclage réussi pour Mark Wahlberg avec le rôle phare de *Boogie Nights*, celui d'un acteur porno doté d'un sexe surdimensionné. S'oriente a priori plus vers le polar que vers la comédie.

Waits, Tom

Chanteur et acteur américain, de son vrai nom Thomas Allan Waits, né en 1949.

1978, Paradise Alley (La taverne de l'enfer) (Stallone), On the Yard (Silver) ; 1982, One From the Heart (Coup de cœur) (Coppola) ; 1983, The Outsiders (Outsiders) (Coppola), Rumble Fish (Rusty James) (Coppola) ; 1984, The Cotton Club (Cotton Club) (Coppola) ; 1986, Down by Law (Down by Law) (Jarmusch) ; 1987, Ironweed (Ironweed, la force du destin) (Babenco) ; 1988, Candy Mountain (Frank) ; 1989, Mystery Train (Mystery Train) (Jarmusch), Bearskin : An Urban Fairytale (Guades) ; 1990, Cold Feet (Dornhelm) ; 1991, Night on Earth (Night on Earth) (Jarmusch), The Fisher King (Fisher King) (Gilliam), Queens Logic (Rash), At Play in the Fields of the Lord (En liberté dans les champs du seigneur) (Babenco) ; 1992, Bram Stoker's Dracula (Dracula) (Coppola) ; 1993, Short Cuts (Short Cuts) (Altman) ; 1998, Mystery Men (Mystery Men) (Usher) ; 2004, Coffee and Cigarettes (Coffee and Cigarettes) (Jarmusch) ; 2005, La tigre e la neve (Le tigre et la neige) (Benigni), Domino (Domino) (Scott), Bukowski : Born Into This (Bukowski) (Dullaghan).

On le connaît surtout pour ses talents de bluesman à la voix rocailleuse, mais il a souvent tourné avec Coppola dans des rôles secondaires. Il est également un des acteurs fétiches de Jim Jarmusch pour lequel il a notamment joué aux côtés d'un autre chanteur, Iggy Pop, dans le court métrage *Coffee and Cigarettes*, qui remporta la palme d'or du court métrage au festival de Cannes 1994.

Walbrook, Anton

Acteur autrichien, de son vrai nom Adolf Wohlbruck, 1900-1967.

1925, Salto Mortale (Trapèze) (Dupont) ; 1932, Les cinq gentlemen maudits (Duvivier), Walzerkrieg (La guerre des valses) (Berger) ; 1933, Viktor und Viktoria (Schünzel), Maskerade (Mascarade) (Forst), Regine (Waschneck) ; 1935, Der Student von Prag (L'étudiant de Prague) (Robison), Zigeunerbaron (Le baron tzigane) (Hartl) ; 1936, Der Kurier des Zaren (Eichberg), Port-Arthur (Farkas) ; 1937, Victoria the Great (La reine Victoria) (Wilcox), The Rat (Raymond) ; 1938, Sixty Glorious Years (Soixante années glorieuses) (Wilcox) ; 1940, Gaslight (Dickinson) ; 1941, Dangerous Moonlight (Hurst), 49th Parallel (49e parallèle) (Powell et Pressburger) ; 1943, The Life and Death of Colonel Blimp (Colonel Blimp) (Powell et Pressburger) ; 1944, The Man from Morocco (Greene) ; 1948, The Red Shoes (Les chaussons rouges) (Powell et Pressburger), The Queen of Spades (La reine des cartes) (Dickinson) ; 1950, La ronde (Ophuls), König für eine Nacht (P. May) ; 1951, Wien Tanz (La guerre des valses) (Reinert) ; 1954, L'affaire Maurizius (Duvivier) ; 1955, Oh ! Rosalinda ! (Powell et Pressburger) ; 1956, Lola Montès (Ophuls) ; 1957, Saint Joan (Sainte Jeanne) (Preminger) ; 1958, I Accuse (L'affaire Dreyfus) (Ferrer).

Ce Viennois, élève de Max Reinhardt à Berlin, fait ses débuts à l'écran au temps du muet mais il doit fuir son pays à l'avènement du nazisme sans avoir laissé un autre souvenir que celui d'un dandy. Réfugié en Angleterre, il est utilisé dans des rôles inquiétants : le mari qui tente de rendre folle son épouse (*Gaslight*), le pianiste du « Concerto de Varsovie » (*Dangerous Moonlight*), la victime de la reine des cartes (*Queen of Spades*)... Ophuls fit appel à lui à deux reprises. Il finit sa carrière en Amérique dans le personnage de l'évêque Cauchon de *Saint Joan*, avant de mourir oublié des Allemands comme des Anglais et sans avoir conquis les Américains.

Walken, Christopher

Acteur américain, de son vrai prénom Ronald, né en 1943.

1969, Me and my Brother (Frank) ; 1971, The Anderson Tapes (Le gang Anderson) (Lumet) ; 1972, The Happiness Cage (Girard) ; 1976, Next stop, Greenwich Village (Next stop, Greenwich Village) (Mazursky), Roseland (Ivory), Annie Hall (Annie Hall) (Allen), The Sentinel (La sentinelle des maudits) (Winner) ; 1978, The Deer Hunter (Voyage au bout de l'enfer) (Cimino) ; 1979, The Last Embrace (Demme) ; 1980, The Dogs of War (Les chiens de guerre) (Irvin) ; 1981, Heaven's Gate (Les portes du paradis) (Cimino) ; 1982, Pennies From Heaven (Tout l'or du monde) (Ross), Brainstorm (Trumbull) ; 1983, The Dead Zone (Dead zone) (Cronenberg) ; 1985, A View to a Kill (Dangereusement vôtre) (Glen) ; 1986, Echo Park (Dornhelm) ; 1987, Deadline (Gutman), At Close Range (Comme un chien enragé) (Foley) ; 1988, The Milagro Beanfield War (Milagro) (Redford), Homeboy (Homeboy) (Jeresin), Biloxi Blues (Biloxi blues) (Nichols) ; 1989, Communion (Mora) ; 1990, The King of New York (The king of New York) (Ferrara), The Comfort of Strangers (Étrange séduction) (Schrader) ; 1991, Batman Returns (Batman – le défi) (Burton), Mistress (Hollywood mistress) (Primus), McBain (Glickenhaus) ; 1992, Le grand pardon II (Arcady), All-American Murder (Williams) ; 1993, True Romance (True Romance) (Scott), A Business Affair (D'une femme à l'autre) (Brandström), Wayne's World 2 (Wayne's World 2) (Surjik), Pulp Fiction (Pulp Fiction) (Tarantino) ; 1994, The Prophecy (Widen), Search and Destroy (Search and Destroy) (Salle), The Addiction (The Addiction) (Ferrara) ; 1995, Things To Do in Denver When You're Dead (Dernières heures à Denver) (Fleder), The Wild Side (Cammell), Nick of Time (Meurtre en suspens) (Badham), Celluloid (Remake Rome ville ouverte) (Lizzani), Basquiat (Basquiat) (Schnabel) ; 1996, The Funeral (Nos Funérailles) (Ferrara), Last Man Standing (Dernier recours) (Hill), Touch (Touch) (Schrader), Excess Baggage (Excess Baggage) (Brambilla), Prophecy II : Ashtown (Spence) ; 1997, Suicide Kings (Suicide Kings) (O'Fallon), Mouse Hunt (La souris) (Verbinski), Illuminata (Illuminata) (Turturro) ; 1998, Blast from the Past (Première sortie) (Wilson), Trance (Almereida), New Rose Hotel (New Rose Hotel) (Ferrara), Kiss Toledo Goodbye (Chubbuck) ; 1999, Sleepy Hollow (Sleepy Hollow) (Burton), The Opportunists (Les opportunistes) (Connell) ; 2000, Prophecy III : The Ascent (Lussier), Scotland, PA (Morrissette), The Affair of the Necklace (Shyer) ; 2001, America's Sweethearts (Roth) ; 2002, Catch Me If You Can (Arrête-moi si tu peux) (Spielberg), Gigli – Tough Love (Amours troubles) (Brest) ; 2004, Man of Fire (Man of Fire) (Scott), Plots with a View (L'amour six pieds sous terre) (Hurran), The Rundown (Bienvenue dans la jungle) (Berg), The Stepford Wives (Et l'homme créa la femme) (Oz) ; 2005, Domino (Domino) (Scott), The Wedding Crashers (Sérial noceurs) (Dobkin) ; 2006, Click (Click) (Coraci).

C'est Cimino qui en fait une vedette. Il venait du théâtre et de la télévision et en conserve encore l'empreinte dans son jeu. Après une légère éclipse, il fait un beau retour en roi de New York puis chez Ferrara. On le retrouve dans plusieurs films d'action.

Walker, Clint

Acteur américain né en 1927.

1956, The Ten Commandments (Les dix commandements) (DeMille) ; 1958, Fort Dobbs (Sur la piste des Comanches) (Douglas) ; 1959, Yellowstone Kelly (Le géant du Grand Nord) (Douglas) ; 1961, Gold of the Seven Saints (Le trésor des sept collines) (Douglas) ; 1964, Send Me No Flowers (Jewison), None But the Brave (Sinatra) ; 1966, Night of the Grizzly (La nuit du Grizzly) (Pevney), Maya (J. Berry) ; 1967, The Dirty Dozen (Les douze salopards) (Aldrich) ; 1968, Sam Whiskey (Sam Whiskey) (Laven), More Dead than Alive (Starr) ; 1969, The Phynx (Katzin), The Great Bank Robbery (Le plus grand des hold-up) (Averback) ; 1972, Pancho Villa (Martin) ; 1976, Baker's Hawk (Dayton) ; 1977, The White Buffalo (Le bison blanc) (Lee-Thompson) ; 1983, Hysterical (Bearde), Serpent Warrior/The Golden Viper (Rasmussen) ; 1994, Maverick (Maverick) (Donner).

Ce superbe athlète brun fut révélé par une série de westerns éblouissants signés Gordon Douglas. Il ne retrouva la vedette ensuite que dans des westerns de série B dus à Laven ou Pevney. Il s'intéressa davantage par la suite à la télévision qu'au cinéma où il n'apparut plus que dans des rôles secondaires.

Walker, Polly

Actrice anglaise née en 1966.

1991, Les équilibristes (Papatakis), Enchanted April (Avril enchanté) (Newell), Ao fim da noite (Laitão) ; 1992, Journey of Honor (Hessler), Patriot Games (Jeux de guerre) (Noyce) ; 1993, Sliver (Sliver) (Noyce) ; 1995, Restoration (Le don du roi) (Hoffman) ; 1996, Robinson Crusoe (Hardy), Emma (Emma l'entremetteuse) (McGrath) ; 1997, The Gambler (Makk), Brute (Brute) (Dejczer), Roseanna's Grave (Pour l'amour de Roseanna) (Weiland) ; 1998, Talk of Angels (Hamm), Dark Harbor (Coleman Howard), The Woodlanders (Agland), 8 Women 1/2 (Huit femmes et demie) (Greenaway) ; 1999, Curtain Call (Yates), Eye See You (Gillespie).

Danseuse de formation, elle débute à l'écran en incarnant l'une des quatre voyageuses d'*Avril enchanté*. Passée à Hollywood, elle alterne dentelles (*Emma l'entremetteuse*) et fusil à pompe (*Jeux de guerre*, *Eye See You*) pour une carrière en dents de scie, sans véritables coup d'éclat médiatique. Rarement en haut de l'affiche, elle était une des huit femmes et demie du film de Peter Greenaway.

Walker, Robert

Acteur américain, 1918-1951.

1940, Pionner Days (Harry Webb) ; 1943, I'll Sell My Life (Clifton), Bataan (Bataan) (Garnett), Madame Curie (Madame Curie) (LeRoy) ; 1944, See Here, Private Hargrove (Ruggles), Since You Went Away (Depuis ton départ) (Cromwell), Thirty Seconds over Tokyo (Trente secondes sur Tokyo) (LeRoy) ; 1945, The Clock (Minnelli), Her Highness and the Bellboy (La princesse et le groom) (Thorpe), What Next, Corporal Hargrove ? (Thorpe), The Sailor Takes a Wife (Whorf) ; 1946, Till the Clouds Roll By (La pluie qui chante) (Whorf) ; 1947, The Sea Grass (Le maître de la prairie) (Kazan), The Beginning of the End (Taurog), Song of Love (Passion immortelle) (Brown) ; 1948, One Touch of Venus (Un caprice de Vénus) (Seiter), The Return of October (J. Lewis) ; 1950, Please Believe Me (Taurog), The Skipper Who Surprised His Wife (Nugent) ; 1951, Vengeance Valley (La vallée de la vengeance) (Thorpe), Strangers on a Train (L'inconnu du Nord-Express) (Hitchcock) ; 1952, My Son John (McCarey).

Plus que par *The Clock* où il était un G.I. qui épousait durant une permission Judy Garland, il est surtout resté célèbre pour sa composition de l'assassin qui proposait à Farley Granger d'échanger un crime dans le Nord-Express. Si Walker fut si brillant, c'est qu'il était déjà dans la vie fort dérangé. Il devait mourir peu après, à la suite d'une trop grande absorption de calmants.

Wallace, Jean

Actrice américaine, de son vrai nom Walasek, 1923-1990.

1941, Louisiana Purchase (Cummings) ; 1944, You Can't Ration Love ; 1946, It Shouldn't Happen to a Dog (Leeds) ; 1947, Blaze of Noon (Farrow) ; 1948, When My Baby Smiles at Me (W. Lang) ; 1949, Jigsaw (Fletcher Markle), The Man on the Eiffel Tower (L'homme de la tour Eiffel) (Meredith) ; 1950, The Good Humor Man (Bacon) ; 1953, Star of India (Lubin) ; 1955, The Big Combo (Association criminelle) (Lewis), Storm Fear (Wilde) ; 1957, The Devil's Hairpin (Le virage du diable) (Wilde) ; 1958, Maracaibo (Tueurs de feux à Maracaibo) (Wilde) ; 1963, Lancelot and Guinevere (Wilde) ; 1967, Beach Red (Le sable était rouge) (Wilde) ; 1970, No Blade of Grass (Terre brûlée) (Wilde).

Ravissante blonde aux formes appétissantes, vouée d'abord aux femmes fatales puis à des rôles plus amoureux. D'abord mariée à Franchot Tone de 1941 à 1948, elle devient en 1951 l'épouse de Cornel Wilde qui l'embauche en vedette dans ses films.

Wallach, Eli

Acteur américain né en 1915.

1956, Baby Doll (Poupée de chair) (Kazan) ; 1958, The Line-Up (Siegel) ; 1960, Seven Thieves (Les sept voleurs) (Hathaway), The Magnificent Seven (Les sept mercenaires) (Sturges) ; 1961, The Misfits (Les désaxés) (Huston) ; 1962, Hemingway's Adventures of a Young Man (Aventures de jeunesse) (Ritt), How the West Was Won (La conquête de l'Ouest) (Ford, Marshall, Hathaway) ; 1963, The Victors (Foreman), Act One (Shary) ; 1964, Kisses for My President (Bernhardt) ; 1965, The Moon Spinners (La baie aux émeraudes) (Neilson), Lord Jim (Lord Jim) (Brooks), Genghis Khan (Genghis Khan) (Levin) ; 1966, Danger Grows Wild (Opération Opium) (Young), How to Steal a Million (Comment voler un million de dollars) (Wyler), Il buono, il brutto, il cattivo (Le bon, la brute et le truand) (Leone) ; 1967, The Tiger Makes Out (A. Miller), How to Save a Marriage... and Ruin Your Life (F. Cook) ; 1968, New York City — The Most (Pitt), Mackenna Gold (L'or de Mackenna) (Lee-Thompson), A Lovely Way to Die (Rich), I quattro dell'Ave Maria (Les quatre de l'Ave Maria) (Colizzi), Le cerveau (Oury) ; 1970, The People Next Door (Greene), Zigzag (Colla), The Angel Levine (Kadar), The Adventures of Gerard (Les aventures du brigadier Gérard) (Skolimowski) ; 1971, Romance of a Horsethief (Le voleur de chevaux) (Polonsky), Viva la muerte... tua ! (Et viva la révolution !) (Tessari) ; 1972, Sotto a chi tocca ! (Parolini) ; 1974, Crazy Joe (Lizzani), Il bianco, il giallo, il nero (Le blanc, le jaune et le noir) (S. Corbucci), Cinderella Liberty (Permission d'aimer) (Rydell), L'ultima chance (La dernière chance) (Lucidi) ; 1975, Attenti al buffone (Bevilacqua) ; 1976, Nasty Habits (Lindsay-Hogg), The Sentinel (La sentinelle des maudits) (Winner) ; 1977, The Deep (Les grands fonds) (Yates), The Silent Flute (Le cercle de fer) (R. Moore), È tanta paura (Cavara) ; 1978, The Domino Principle (Kramer), Girl Friends (Weill), Movie, Movie (Folie, folie) (Donen), Squadra antimafia (B. Corbucci) ; 1979, Winter Kills (Reichert), Firepower (L'arme au point) (Winner) ; 1980, The Hunter (Le chasseur) (Kulik) ; 1981, The Salamander (Zinner), The Wall (Markowitz) ; 1984, Sam's Son (Landon) ; 1986, Tough Guys (Coup double) (Kanew) ; 1987, Nuts (Cinglée) (Ritt) ; 1990, The Godfather, Part III (Le Parrain 3) (Coppola), The Two Jakes

(The Two Jakes) (Nicholson) ; 1991, Mistress (Hollywood mistress) (Primus), Article 99 (Deutch) ; 1992, Night and the City (La loi de la nuit) (Winkler) ; 1995, Two Much (Two Much) (Trueba), Honey Sweet Love (Coletti) ; 1996, The Associate (L'associé) (Petrie) ; 1998, Uninvited (Nero) ; 1999, Keeping the Faith (Au nom d'Anna) (Norton), Uninvited (Nero) ; 2003, Mystic River (Mystic River) (Eastwood) ; 2004, King of the Corner (Riegert) ; 2005, A Taste of Jupiter (Diorio) ; 2006, The Hoax (The Hoax) (Hallström) ; 2007, The Holiday (The Holiday) (Meyers).

Débuts tardifs mais remarqués avec *Baby Doll* puis *The Magnificent Seven* où il était un truculent chef de bande exploitant les paysans que venaient défendre les sept mercenaires. Mais c'est Leone qui, en en faisant le truand, par opposition à la brute et au bon, lui assura une popularité mondiale. Wallach tourna alors de nombreuses bandes, du western-spaghetti (*Les quatre de l'Ave Maria*) au film fantastique (*The Sentinel*), du thriller (*Firepower*) à la comédie musicale (*Movie Movie*), surtout en Europe. Détail inattendu : après avoir été le truand de Leone, il fut un Napoléon (parodique) dans *Les aventures du brigadier Gérard*, d'après Conan Doyle, revues par Skolimowski.

Walsh, J.T.

Acteur américain, de son vrai prénom James Patrick, 1943-1998.

1983, Eddie Macon's Run (Kanew) ; 1985, The Beniker Gang (Kwapis) ; 1986, Hard Choices (King), Power (Les coulisses du pouvoir) (Lumet), Hannah and her Sisters (Hannah et ses sœurs) (Allen) ; 1987, House of Games (Engrenages) (Mamet), Good Morning Vietnam (Good Morning Vietnam) (Levinson), Tin Men (Les filous) (Levinson) ; 1988, Things Change (Parrain d'un jour) (Mamet), Tequila Sunrise (Tequila Sunrise) (Towne) ; 1989, Wired (Peerce), Dad (Mon père) (Goldberg), The Big Picture (Guest) ; 1990, The Russia House (La maison Russie) (Schepisi), The Last Film (Richert), Narrow Margin (Le seul témoin) (Hyams), Misery (Misery) (Reiner), The Grifters (Les arnaqueurs) (Frears), Defenseless (Sans aucune défense) (Campbell), Crazy People (Bill), Why Me ? (Why me ? — Un plan d'enfer) (Quintano) ; 1991, Iron Maze (Yoshida), Backdraft (Backdraft) (Howard), True Identity (Lane) ; 1992, Red Rock West (Red Rock West) (Dahl), The Prom (Shainberg), A Few Good Men (Des hommes d'honneur) (Reiner), Hoffa (Hoffa) (DeVito) ; 1993, Needful Things (Le baazar de l'épouvante) (Heston), National Lampoon's Loaded Weapon 1 (Alarme fatale) (Quintano), Sniper (Sniper) (Llosa) ; 1994, Charlie's Ghost Story (Edwards), The Low Life (Hickenlooper), Blue Chips (Blue Chips) (Friedkin), The Client (Le client) (Schumacher), Last Seduction (Last Seduction) (Dahl), Silent Fall (Silent Fall) (Beresford), Miracle on 34th Street (Miracle sur la 34e rue) (Mayfield) ; 1995, Sacred Cargo (Buravsky), The Little Death (Verheyen), Black Day Blue Night (Cardone), The Babysitter (Ferland), Nixon (Nixon) (Stone), Outbreak (Alerte) (Petersen) ; 1996, Executive Decision (Ultime décision) (Baird), Sling Blade (Sling Blade) (Thornton), Persons Unknown (Hickenlooper) ; 1997, Breakdown (Breakdown) (Mostow) ; 1998, Hidden Agenda (Paterson), The Negociator (Négociateur) (Gray), Pleasantville (Pleasantville) (Ross).

Une carrière tardive de solide second couteau — des méchants ou des lâches, pour la plupart des rôles — qui ne trouve sa reconnaissance publique (le routier très dangereux de *Breakdown*) que quelques mois avant une crise cardiaque fatale. Jack Nicholson lui a dédié son oscar reçu pour *Pour le pire et pour le meilleur.*

Walsh, M. Emmet

Acteur américain né en 1935.

1969, Alice's Restaurant (Alice's Restaurant) (Penn) ; 1970, Little Big Man (Little Big Man) (Penn), Traveling Executioner (Smight) ; 1972, Get to Know Your Rabbit (de Palma), What's Up, Doc ? (On s'fait la valise, docteur ?) (Bogdanovich) ; 1973, Serpico (Serpico) (Lumet) ; 1974, The Gambler (Le flambeur) (Reisz) ; 1976, Slap Shot (La castagne) (Roy Hill), Nickelodeon (Nickelodeon) (Bogdanovich), Mikey and Nicky (May), At Long Last Love (Enfin l'amour) (Bogdanovich) ; 1977, Airport 77 (Les naufragés du 747) (Jameson), Straight Times (Le récidiviste) (Grosbard) ; 1979, The Jerk (Un vrai schnock) (C. Reiner), The Fish That Saved Pittsburgh (Moses) ; 1980, Brubaker (Brubaker) (Rosenberg), Raise the Titanic (La guerre des abîmes) (Jameson), Ordinary People (Des gens comme les autres) (Redford) ; 1981, Reds (Reds) (Beatty), Back Roads (Ritt) ; 1982, Fast Walking (Harris), Cannery Row (Ward), The Escape Artist (Deschanel), Blade Runner (Blade Runner) (Scott) ; 1983, Silkwood (Le mystère Silkwood) (Nichols) ; 1984, Blood Simple (Sang pour sang) (Coen), Courage (Marathon killer) (R. Cox et Rosen), Missing in Action (Portés disparus) (Zito), Scandalous (R. Cohen), The Pope of Greenwich Village (Le pape de Greenwich Village) (Rosenberg) ; 1985, Critters (Critters) (Herek), Fletch

(Fletch aux trousses) (Ritchie) ; 1986, Back to School (A fond la fac) (Metter), The Best of Times (Spottiswoode), Wildcats (Ritchie) ; 1987, Raising Arizona (Arizona junior) (Coen), No Man's Land (260 chrono) (Werner), The Milagro Beanfield War (Milagro) (Redford), Big Foot and the Hendersons (Big Foot et les Henderson) (Dear) ; 1988, The Red Scorpion (Le scorpion rouge) (Zito), Sunset (Meurtre à Hollywood) (Edwards), Clean and Sober (Retour à la vie) (Gordon) ; 1989, Catch Me If You Can (Sommers), The Mighty Quinn (Schenkel), Sundown (Hickox), Thunderground (Mitchell), War Party (War Party) (Roddam) ; 1990, Narrow Margin (Le seul témoin) (Hyams), Chattahoochee (Jackson) ; 1992, Killer image (Winning), White Sands (Sables mortels) (Donaldson) ; 1993, Bitter Harvest (Clark), The Music of Chance (La musique du hasard) (Haas), Wilder Napalm (Gordon Caron), Equinox (Rudolph) ; 1994, Relative Fear (Mihalka), Camp Nowhere (J. Prince), Free Willy 2 : The Adventure Home (Sauvez Willy 2 : l'aventure continue) (Little) ; 1995, Panther (M. Van Peebles), Albino Alligator (Albino Alligator) (Spacey) ; 1996, The Killing Jar (Crooke), Romeo + Juliet (Roméo + Juliette) (Luhrmann), A Time to Kill (Le droit de tuer ?) (Schumacher), Retroactive (Morneau), Chairman of the Board (Zamm) ; 1997, My Best Friend's Wedding (Le mariage de mon meilleur ami) (Hogan), Twilight (L'heure magique) (Benton), Me and Will (Behr, Rose) ; 1998, Erasable You (Bromley-Davenport), Wild Wild West (Wild Wild West) (Sonnenfeld), Random Hearts (L'ombre d'un soupçon) (Pollack) ; 1999, Poor White Trash (Addis).

Gras, suant, repoussant, il était hallucinant dans le rôle du détective de *Blood Simple*.

Warden, Jack

Acteur américain, 1920-2006.

1950, Asphalt Jungle (Quand la ville dort) (Huston), You're in the Navy Now (La marine est dans le lac) (Hathaway), The Frogmen (Les hommes-grenouilles) (Bacon), The Man with My Face (Montagne) ; 1952, Red Ball Express (Les conducteurs du diable) (Boetticher) ; 1953, From Here to Eternity (Tant qu'il y aura des hommes) (Zinnemann) ; 1957, Edge of the City (L'homme qui tua la peur) (Ritt), Twelve Angry Men (Douze hommes en colère) (Lumet), Darby's Rangers (Les commandos passent à l'attaque) (Wellman) ; 1958, Run Silent, Run Deep (L'odyssée du sous-marin Nerka) (Wise) ; 1959, The Sound and the Fury (Le bruit et la fureur) (Ritt), That Kind of Woman (Une espèce de garce) (Lumet) ; 1961, Escape from Zahrain (Neame) ; 1963, Donovan's Reef (La taverne de l'Irlandais) (Ford) ; 1964, The Thin Red Line (L'attaque dura sept jours) (Marton) ; 1965, Mirage (Mirage) (Dmytryk) ; 1966, Blindford (Les yeux bandés) (Dunne) ; 1968, Bye Bye Braverman (Lumet) ; 1971, Who Is Harry Kellerman... ? (Grosbard), Summertree (Newley), Welcome to the Club (Shenson), The Sporting Club (Peerce) ; 1973, The Man Who Loved Cat Dancing (Le fantôme de Cat Dancing) (Sarafian), Billy Two Hats (Kotcheff), The Apprenticeship of Duddy Kravitz (Kotcheff) ; 1975, Shampoo (Shampoo) (Ashby) ; 1976, Raid on Entebbe (Kirshner), All the President's Men (Les hommes du président) (Pakula), Voyage of the Damned (Le voyage des damnés) (Rosenberg) ; 1977, The White Buffalo (Le bison blanc) (Lee-Thompson) ; 1978, Death on the Nile (Mort sur le Nil) (Guillermin), Heaven Can Wait (Le ciel peut attendre) (Beatty), The Champ (Le champion) (Zeffirelli) ; 1979, Beyond the Poseidon (Le dernier secret du Poséidon) (I. Allen), And Justice for All (Justice pour tous) (Jewison), Being There (Bienvenue M. Chance) (Ashby) ; 1980, Dreamer (Nosseck), Carbon Copy (Schultz), Used Cars (Zemeckis) ; 1981, So Fine (Les fesses à l'air) (A. Bergman), The Great Muppet Capper (Henson), Chu Chu and the Philly Flash (D.L. Rich) ; 1982, The Verdict (Verdict) (Lumet) ; 1984, Crackers (Malle) ; 1985, The Aviator (G. Miller), The Presidio (Presidio) (McTiernan), September (September) (Allen) ; 1989, Everybody Wins (Chacun sa chance) (Reisz) ; 1990, Problem Child (Junior le terrible) (Dugan) ; 1991, Problem Child II (Levant) ; 1992, Toys (Toys) (Levinson), Passed Away (Peters), Night and the City (La loi de la nuit) (Winkler) ; 1993, Guilty as Sin (L'avocat du diable) (Lumet) ; 1994, Bullets over Broadway (Coups de feu sur Broadway) (Allen), While You Were Sleeping (L'amour à tout prix) (Turteltaub) ; 1995, Things To Do in Denver When You're Dead (Dernières heures à Denver) (Fleder), Mighty Aphrodite (Maudite Aphrodite) (Allen), Ed (Couturie) ; 1996, Chairman of the Board (Zamm), The Island on Bird Street (L'étoile de Robinson) (Kragh-Jacobsen) ; 1997, Bulworth (Bulworth) (Beatty), Dirty Work (Saget) ; 1998, A Dog of Flanders (Brodie) ; 1999, The Replacements (Deutch) ; 2004, Christmas with Kranks (Un Noël de folie) (Roth).

Boxeur puis marin pendant la guerre, il était un vrai dur. Il débuta à l'écran, via le théâtre en 1950. Il jouait un caporal dans *From Here to Eternity*, mais c'est *Twelve Angry Man* qui en fit une vedette. Il y était le juré indifférent au sort de l'accusé et surtout soucieux de ne pas manquer un match de base-ball. Il fut ensuite le chef d'équipe raciste de *The Edge of the City* puis le sergent sadique de *The Thin Red Line*. Il passa ensuite à des personnages d'excentriques ou d'hommes forts plus sympathiques. La télévision l'absorba dans les années 70 mais il revint fréquemment sur le grand écran, pas toujours dans d'aussi bons films qu'on le souhaiterait.

Warner, David

Acteur anglais né en 1941.

1963, Tom Jones (Richardson) ; 1964, Michaël Kohlhaas der Rebell (Schlöndorff) ; 1965, Morgan (Reisz) ; 1967, The Deadly Affair (M 15 demande protection) (Lumet) ; 1968, Work Is a Four Letter Word (P. Hall), The Boford Gun (Gold), The Fixer (L'homme de Kiev) (Frankenheimer), A Midsummer Night's Dream (P. Hall) ; 1969, The Seagull (La mouette) (Lumet), The Ballad of Cable Hogue (Un nommé Cable Hogue) (Peckinpah), Michael Kolhass — der Rebell (Michael Kolhass) (Schlöndorff) ; 1970, Perfect Friday (L'arnaqueuse) (P. Hall), The Engagement (Joyce) ; 1971, The Uniform (Stuart Cooper), Straw Dogs (Les chiens de paille) (Peckinpah) ; 1973, A Doll's House (Maison de poupée) (Losey), From Beyond the Grave (Frissons d'outre-tombe) (Connor) ; 1974, Little Malcolm and His Struggle Against the Eunuchs (S. Cooper) ; 1975, Mr. Quilp (Tuchner) ; 1976, The Omen (La malédiction) (R. Donner) ; 1977, Providence (Resnais), Age of Innocence (A. Bridges), Cross of Iron (Croix de fer) (Peckinpah), Silver Bears (Banco à Las Vegas) (Passer), The Disappearance (Cooper) ; 1979, The 39 Steps (Les trente-neuf marches) (Sharp), Time After Time (C'était demain) (Meyer), Nightwing (Morsures) (Hiller), Concord Airport 79 (Airport 80-Concorde) (D.L. Rich) ; 1980, The Island (L'île sanglante) (Ritchie), S.O.S. Titanic (S.O.S. Titanic) (B. Hale) ; 1981, The French Lieutenant's Woman (La maîtresse du lieutenant français) (Reisz), Time Bandits (Bandits, bandits) (Gilliam), The Man With Two Brains (L'homme aux deux cerveaux) (C. Reiner) ; 1982, Tron (Tron) (Lisberger) ; 1984, Company of Wolves (La compagnie des loups) (Jordan) ; 1987, Hansel and Gretel (Talan) ; 1988, My Best Friend Is a Vampire (Jimmy Huston), Waxwork (Marlyn), Office Party (Mihalka), Mr. North (Mr. North) (D. Huston), Hanna's War (La guerre d'Hanna) (Golan), Silent Night (Teuber), Keys to Freedom (Feke), Hostile Takeover (Mihalka) ; 1989, Star Trek V : the Final Frontier (Star Trek V : L'ultime frontière) (Shatner), Mortal Passions (Lane) ; 1990, Tripwire (Lemmo), Grave Secrets (Borchers) ; 1991, Blue Tornado (Dobb), Drive (Levy), Teenage Mutant Ninja Turtle II (Les Tortues Ninja II) (Pressman), Star Trek VI, the Undiscovered Country (Star Trek VI : Terre inconnue) (Meyer) ; 1992, L'œil qui ment (Ruiz), Code Name : Chaos (Thomas), The Lost World (Bond) ; 1993, The Unnamable II (Ouellette), Piccolo grande amore (Vanzina), Necronomicon (épisode Kaneko) ; 1994, Quest of the Delta Knights (Dodson), Inner Sanctum (Olen-Ray), Tryst (Foldy), Return to the Lost World (Bond), In the Mouth of Madness (L'antre de la folie) (Carpenter), Inner Sanctum II (Olen Ray) ; 1995, The Ice Cream Man (Apstein), Naked Souls (Chubbuck), Felony (Prior), Beatmasters III : The Eye of Braxus (Beaumont) ; 1996, Privateer 2 : The Darkening (Hilliker, Roberts), Seven Servants (Shokof), The Leading Man (Duigan) ; 1997, Titanic (Titanic) (Cameron), Money Talks (Ratner), Scream 2 (Scream 2) (Craven) ; 1998, Shergar (Lewiston), Wing Commander (Wing Commander) (Roberts) ; 2001, Superstition (Hope), Planet of the Apes (La planète des singes) (Burton).

Né à Manchester, étudiant puis acteur, il est remarqué en aristocrate taré dans *Tom Jones*, mais c'est son rôle de *Morgan*, personnage fou dans le cerveau duquel se mêlent Marx et King Kong, qui lui vaut la célébrité. Prêtre dévoyé dans *Ballad of Cable Hogue*, il n'était pas moins extraordinaire dans ses manœuvres de séduction d'une femme éplorée. Encore un rôle de détraqué sexuel dans *Straw Dogs*. On le retrouve en savant fou dans *L'homme aux deux cerveaux*, parodie désopilante du *Cerveau du nabab*. Puis sa filmographie se raréfie sauf en 1994. On peut le déplorer, car avec une « gueule » comme la sienne, on imagine le nombre de personnages qu'il aurait pu interpréter !

Warren, Lesley Ann

Actrice américaine née en 1948.

1967, The Happiest Millionaire (Tokar) ; 1968, The One and Only, Genuine, Original Family Band (O'Herlihy) ; 1972, Pick-up on 101 (Florea) ; 1976, Harry and Walter Go to New York (Deux farfelus à New York) (Rydell) ; 1981, Race For the Yankee Zephyr (Les bourlingueurs) (Hemmings) ; 1982, Victor Victoria (Victor, Victoria) (Edwards) ; 1983, A Night in Heaven (Avildsen) ; 1984, Songwriter (Rudolph), Choose Me (Choose Me) (Rudolph) ; 1985, Clue (Cluedo) (Lynn) ; 1986, Apology (Bierman) ; 1987, Burglar (Pie voleuse) (Wilson) ; 1988, Cop (Cop) (Harris) ; 1989, Worth Winning (Trois lits pour un célibataire) (McKenzie) ; 1991, Life Stinks (Chienne de vie) (Mel Brooks) ; 1992, Pure Country (Cain), The Player (The Player) (Altman) ; 1994, Color of Night (Color of Night) (Rush), Bird of Prey (Lopez) ; 1996, Going all the Way (Pellington) ; 1997, All of It (Podolsky) ; 1998, Killing Mrs. Tingle (Mrs. Tringle) (Williamson), Love Kills (Van Peebles), Twin Falls Idaho (Les frères Falls) (Polish) ; 1999, The Limey (L'Anglais) (Soderbergh), Trixie (Trixie) (Rudolph), Delivering Milo (Castle).

Un rôle clef, celui de la *showgirl* hystérique et drôlissime de *Victor Victoria*. Par la grâce délirante de l'interprétation d'une chanson dédiée aux beautés de la ville de Chicago, elle a acquis sa chapelle de fans.

Washington, Denzel

Acteur et réalisateur américain né en 1954.

1981, Carbon Copy (Schultz) ; 1984, A Soldier's Story (Soldier's Story) (Jewison) ; 1986, Power (Les coulisses du pouvoir) (Lumet) ; 1987, Cry Freedom (Le cri de la liberté) (Attenborough) ; 1988, For Queen and Country (Pour la gloire) (Stellman), Reunion (L'ami retrouvé) (Schatzberg) ; 1989, The Mighty Quinn (Schenkel), Glory (Glory) (Zwick) ; 1990, Heart Condition (Un ange de trop) (Parriott), Mo' Better Blues (Mo' Better Blues) (Lee) ; 1991, Ricochet (Ricochet) (Mulcahy), Mississippi Masala (Mississippi Masala) (Nair) ; 1992, Malcolm X (Malcolm X) (Lee) ; 1993, Much Ado About Nothing (Beaucoup de bruit pour rien) (Branagh), The Pelican Brief (L'affaire Pélican) (Pakula), Philadelphia (Philadelphia) (Demme) ; 1994, Devil In a Blue Dress (Le diable en robe bleue) (Franklin), Crimson Tide (USS Alabama) (T. Scott) ; 1995, Virtuosity (Programmé pour tuer) (Leonard), The Preacher's Wife (Marshall) ; 1996, Courage under Fire (A l'épreuve du feu) (Zwick) ; 1997, Fallen (Le témoin du Mal) (Hoblit), B. Monkey (Radford) ; 1998, He Got Game (He Got Game) (Lee), The Siege (Couvre-feu) (Zwick), The Bone Collector (Bone Collector) (Noyce) ; 1999, The Hurricane (Hurricane Carter) (Jewison) ; 2000, Remember the Titans (Le plus beau des combats) (Yakin) ; 2001, John Q (N. Cassavetes), Training Day (Fuqua) ; 2004, Out of Time (Out of Time) (Franklin), Man on Fire (Man on Fire) (Scott), The Mandchurian Candidate (Un crime dans la tête) (Demme), The Life and Death of Peter Sellers (Moi, Peter Sellers) (S. Hopkins) ; 2006, Separates Lies (Fellowes) ; Deja Vu (Déjà vu) (Scott), Inside Man (Inside Man – L'homme de l'intérieur) (Lee) ; 2007, American Gangster (Scott). *Pour le metteur en scène*, voir le *Dictionnaire du cinéma*, t. I : *Les réalisateurs*.

En dépit de la force que ce brillant acteur noir américain mit dans son interprétation du *Malcolm X* de Spike Lee, le film fut un échec – mais vite rattrapé par deux succès consécutifs dans *Beaucoup de bruit pour rien* et *Philadelphia* où il avait le beau rôle, celui d'un avocat chargé de défendre un confrère renvoyé de son cabinet pour cause de séropositivité.

Watson, Emily

Actrice anglaise née en 1967.

1996, Breaking the Waves (Breaking the Waves) (Von Trier) ; 1997, The Mill on the Floss (Theakston), Metroland (Metroland) (Saville), The Boxer (The Boxer) (Sheridan) ; 1998, Hillary and Jackie (Tucker), Cradle Will Rock (Broadway 39e Rue) (Robbins), Angela's Ashes (Les cendres d'Angela) (Parker) ; 1999, Trixie (Trixie) (Rudolph) ; 2000, The Luzhin Defence (La défense Loujine) (Gorris) ; 2001, Equilibrium (Wimmer) ; 2004, The Life and Death of Peter Sellers (Moi, Peter Sellers) (S. Hopkins) ; 2006, Separates Lies (Fellowes) ; 2007, Miss Potter (Noonan).

Son inoubliable composition d'une jeune femme amoureuse jusqu'à la folie dans *Breaking the waves* lui vaut de figurer aujourd'hui dans ce dictionnaire. Elle était néanmoins parfaitement convaincante en jeune promise délaissée de Daniel Day Lewis dans l'Irlande guerroyante de *The Boxer*.

Watts, Naomi

Actrice britannique née en 1968.

2001, Mulholland Drive (Mulholland Drive) (Lynch) ; 2001, Down (L'ascenseur) (Maas) ; 2002, Plots with a View (L'amour six pieds sous terre) (Hurran) ; 2003, I Heart Huckabees (J'adore Huckabees) (Russell) ; 2004, The Assassination of Richard Nixon (The Assassination of Richard Nixon) (Mueller), 21 Grams (21 grammes) (Iñárritu) ; 2005, The Ring 2 (Le cercle 2) (Nakata), King-Kong (King Kong) (Jackson) ; 2006, Stay (Stay) (Forster), Inland Empire (Inland Empire) (Lynch), The Painted Veil (Le voile des illusions) (Curran).

D'une bonne filmographie émerge *King Kong* où elle réussissait, succédant à Fay Wray et Jessica Lange, à séduire le grand singe.

Wayne, John

Acteur et réalisateur américain, de son vrai nom Marion Michael Morrisson, 1907-1979.

1928, Hangman's House (La maison du bourreau) (Ford) ; 1929, Salute (Ford), Words and Music (Tinline) ; 1930, Rough Romance (Erickson), The Big Trail (La piste des géants) (Walsh), Men Without Women (Hommes sans femmes) (Ford), Cheer Up and Smile (Lanfield) ; 1931, Girls Demand Excitement (Felix), Three Girls Lost (Lanfield), Maker of Men (Sedgwick), Two Fiested Law (Lederman), Men Are Like That (Seitz), Range Feud (Landerman) ; 1932, Ride Him Cowboy (Allen), Texas Cyclone (Lederman), Hurricane Express (Schaefer), Shadow of the Eagle (Beebe), Lady and Gent (Roberts), The Big Stampede (Wright), The Telegraph Trail (Wright) ; 1933, Central Airport (Wellman), Bary Face (Liliane) (Greene), The Man From Monterey (Wright), The Life of Jimmy Dolan (Mayo), Haunted Gold (Wright), Sagebrush Trail (Schaefer), Rider of Destiny (Le chevalier du destin) (Bradbury), His Private Secretary (Sa secrétaire privée) (Whitman), Somewhere in Sonora (Wright), West of the Divide (Bradbury), Lucky Texan (Bradbury), The Three Musketeers (Schaefer) ; 1934, Blue Steel (Bradbury), The Man From Utah (Bradbury), Randy Rides Alone (Fraser), The Trail Beyond (Bradbury), The Star Packer (Bradbury), Neath Arizona Skies (Fraser), Texas Terror (Bradbury), Lawless Frontier (Bradbury) ; 1935, Lawless Range (Bradbury), Rainbow Valley (Bradbury), The Dawn Rider (Bradbury), Paradise Canyon (Pierson), Desert Trail (Lewis), Westward Ho (Bradbury), New Frontier (Pierson) ; 1936, The Oregon Trail (Pembroke), Winds of the Wastelands (Wright), The Lonely Trail (Kane), The Sea Spoilers (Les pirates de la mer) (Strayer), Conflict (Howard), The Lawless Nineties (Kane), King of the Pecos (Kane) ; 1937, California Straight Ahead (Lubin), Idol of the Crowds (L'idole de la foule) (Lubin) ; 1938, Born to the West (Barton), Overland Stage Raiders (Sherman), Santa Fe Stampede (Sherman), Pals of the Saddle (Sherman), Red River Range (Sherman) ; 1939, The Night Riders (Sherman), New Frontier (Sherman), Stagecoach (La chevauchée fantastique) (Ford), Wyoming Outlaw (Sherman), Three Texas Steers (Sherman), Allegheny Uprising (Seiter) ; 1940, Three Faces West (Les déracinés) (Vorhaus), The Long Voyage Home (Les hommes de la mer ou Le long voyage) (Ford), The Dark Command (L'escadron noir) (Walsh), Seven Sinners (La maison des sept péchés) (Garnett) ; 1941, Lady From Louisiana (La fille du péché) (Vorhaus), A Man Betrayed (Auer), The Shepherd of the Hills (Hathaway) ; 1942, Lady For a Night (Jason), In Old California (Sacramento) (Mc Gann), Reunion in France (Quelque part en France) (Dassin), The Spoilers (Les écumeurs) (Enright), Flying Tigers (Les tigres volants) (Miller), Pittsburgh (La fièvre de l'or) (Seiler) ; 1943, A Lady Takes a Chance (La fille et son cow-boy) (Seiter), War of the Wildcats, In Old Oklahoma (La ruée sanglante) (Rogell) ; 1944, The Fighting Seabees (Alerte aux marines) (Ludwig), Flame of the Barbary Coast (La belle de San Francisco) (Kane), Tall In the Saddle (L'amazone aux yeux verts) (Marin) ; 1945, Back to Bataan (Retour aux Philippines) (Dmytryk), They Were Expendable (Les sacrifiés) (Ford) ; 1946, Dakota (La femme du pionnier) (Kane), Without Reservation (Sans réserve) (LeRoy) ; 1947, Tycoon (Taikoun) (Wallace), The Angel and the Badman (L'ange et le mauvais garçon) (Grant) ; 1948, Fort Apache (Le massacre de Fort Apache) (Ford), Red River (La rivière rouge) (Hawks), Wake of the Red Witch (Le réveil de la sorcière rouge) (Ludwig), Three Godfathers (Le fils du désert) (Ford) ; 1949, She Wore a Yellow Ribbon (La charge héroïque) (Ford), Sands of Iwo Jima (Iwo Jima) (Dwan), The Fighting Kentuckian (Le bagarreur du Kentucky) (Waggner) ; 1950, Rio Grande (Rio Grande) (Ford), Operation Pacific (Opération dans le Pacifique) (Waggner), Jet Pilot (Les espions s'amusent) (Sternberg) ; 1951, The Flying Leathernecks (Les diables de Guadalcanal) (Ray) ; 1952, The Quiet Man (L'homme tranquille) (Ford), Big Jim Mac Lain (Ludwig), Trouble Along the Way (Un homme pas comme les autres) (Curtiz) ; 1953, Island in the Sky (L'aventure dans le Grand Nord) (Wellman), Hondo (Hondo, l'homme du désert) (Farrow) ; 1954, The High and the Mighty (Écrit dans le ciel) (Wellman), The Sea Chase (Le renard des océans) (Farrow) ; 1955, Blood Alley (L'allée sanglante) (Wellman), The Searchers (La prisonnière du désert) (Ford) ; 1956, The Conqueror (Le conquérant) (Powell), The Wings of Eagles (L'aigle vole au soleil) (Ford), Legend of the Lost (La cité disparue) (Hathaway) ; 1958, The Barbarian and the Geisha (Le barbare et la geisha) (Huston), I Married a Woman (Kanter), Rio Bravo (Rio Bravo) (Hawks) ; 1959, The Horse Soldiers (Les cavaliers) (Ford) ; 1960, North to Alaska (Le grand Sam) (Hathaway), The Alamo (Alamo) (Wayne) ; 1961, The Man Who Shot Liberty Valance (L'homme qui tua Liberty Valance)

(Ford), The Longest Day (Le jour le plus long) (Annakin et Marton), How the West Was Won (La conquête de l'Ouest) (partie dirigée par Ford) ; 1962, Hatari (Hatari) (Hawks) ; 1963, Donovan Reef (La taverne de l'Irlandais) (Ford), Mac Lintock (Le grand Mac Lintock) (McLaglen), Circus World (Le plus grand cirque du monde) (Hathaway) ; 1964, In Harm's Way (Première victoire) (Preminger) ; 1965, The Greatest Story Ever Told (La plus grande histoire jamais contée) (Stevens), The Sons of Katie Elder (Les quatre fils de Katie Elder) (Hathaway) ; 1966, Cast a Giant Shadow (L'ombre d'un géant) (Shavelson), El Dorado (El Dorado) (Hawks) ; 1967, The War Wagon (La caravane de feu) (Kennedy), The Green Berets (Les bérets verts) (Wayne et Kellog) ; 1968, Hellfighters (Les feux de l'enfer) (McLaglen) ; 1969, True Grit (100 dollars pour un shérif) (Hathaway), the Underfeated (Les géants de l'Ouest) (McLaglen), Chisum (McLaglen) ; 1970, Rio Lobo (Rio Lobo) (Hawks), Big Jack (Sherman) ; 1971, The Cowboys (John Wayne et les cow-boys) (Rydell), Directed by John Ford (Bogdanovich) (doc.) ; 1972, The Train Robbers (Les voleurs de trains) (Kennedy), Cancel My Reservation (Bogart, app. non créditée) ; 1973, Cahill : US Marshall (Les cordes de la potence) (McLaglen), Mc Q (Un silencieux au bout du canon) (Sturges) ; 1974, Brannigan (Brannigan) (Hickox) ; 1975, Rooster Cogburn (Une bible et un fusil) (Milar) ; 1976, The Shootist (Le dernier des géants) (Siegel). *Pour le metteur en scène*, voir le *Dictionnaire du cinéma*, t. I : *Les réalisateurs*.

Il était le symbole du cow-boy américain, taillé dans le roc de la Vallée de la Mort et né sur un cheval. C'est en 1927 qu'il débute à la Fox comme accessoiriste. John Ford lui donne sa chance avec *La maison du bourreau*. Ce sera le début d'une longue amitié. Wayne tourne de nombreux westerns de série Z sans beaucoup trancher dans le lot des cow-boys hollywoodiens. Mais il est déjà en vedette dans *The Big Trail*, un film plus ambitieux que les westerns habituels qu'il a tournés et qu'il tournera ensuite. Toutefois il faut attendre *Stagecoach* de Ford, archétype du western, pour qu'il s'impose vraiment. L'image qu'il va progressivement donner de lui, à travers cent films, c'est celle de l'Américain fort et sûr de son bon droit, conservateur et patriote. Wayne deviendra dans la vie politique des États-Unis un des partisans de l'aile droite des Républicains. Lors de la polémique qui entoura l'intervention des États-Unis au Viêt-nam, il prit parti en faveur de cette intervention qu'il exalta dans *The Green Berets* dont il fut coréalisateur. Deux ans plus tard sortait *True Grit* qui lui valut l'oscar de 1969. Il avait auparavant tourné un incontestable chef-d'œuvre, *The Alamo*. Homme de cinéma complet, il fut à plusieurs reprises son propre producteur en créant Batjac Productions. Son imposante filmographie est jalonnée d'éblouissantes réussites signées Walsh, Ford surtout, Hawks, Wellman, etc. Hawks disait de lui : « Wayne est sous-estimé. Il est bien meilleur acteur que sa réputation ne le laisse croire. Il donne à un film homogénéité et solidité. Il peut faire croire à beaucoup de choses. S'il grogne au cours du tournage, vous pouvez être sûr qu'il y a quelque chose de faux dans la scène que vous tournez. Il n'est peut-être pas capable de vous l'expliquer, mais c'est à vous de découvrir ce qui le tracasse. » Son dernier film porte en français un titre évocateur : *Le dernier des géants*. Il mourut peu après d'un cancer contre lequel il luttait avec courage. Le Congrès fit frapper une médaille en son honneur.

Weaver, Sigourney

Actrice américaine née en 1949.

1977, Annie Hall (Annie Hall) (Allen), Mad Man (D. Cohen) ; 1979, Alien (Alien) (R. Scott) ; 1981, Eye Witness (L'œil du témoin) (Yates) ; 1982, The Year of Living Dangerously (L'année de tous les dangers) (Weir) ; 1983, Deal of the Century (Friedkin) ; 1984, Ghostbusters (S.O.S. fantômes) (Reitmann) ; 1985, Une femme ou deux (Vigne), Half-Moon Street (Escort girl) (Swaim) ; 1986, Aliens (Alien – le retour) (Cameron) ; 1989, Gorillas in the Mist (Gorilles dans la brume) (Apted), Working Girl (Quand les femmes s'en mêlent) (Nichols), Frames from the Edge (Maben), Ghostbusters 2 (SOS Fantômes II) (Reitman) ; 1992, Alien 3 (Alien 3) (Fincher), 1492 – Christophe Colomb (Scott) ; 1993, Dave (Président d'un jour) (Reitman) ; 1994, Death and the Maiden (La jeune fille et la mort) (Polanski), Jeffrey (Jeffrey) (Ashley) ; 1995, Copycat (Copycat) (Amiel), Jeffrey (Jeffrey) (Ashley) ; 1996, Snow White in the Black Forest (Cohn), The Ice Storm (Ice Storm) (Ang Lee) ; 1997, Alien Resurrection (Alien, la résurrection) (Jeunet) ; 1998, A Map of the World (Une carte du monde) (Elliot) ; 1999, Get Bruce (Kuehn), Company Man (Company Man) (McGrath, Askin), Galaxy Quest (Galaxy Quest) (Parisot) 2001, Heartbreakers (Beautés empoisonnées) (Mirkin) ; 2002, The Greys (Simpson), Tadpole (Séduction en mode mineur) (Winick) ; 2003, Holes (La morsure du lézard) (Davis) ; 2004, The

Village (Le village) (Shyamalan) ; 2007, Infamous (Scandaleusement célèbre) (McGrath), Snow Cake (Snow Cake) (Evans), Imaginery Heroes (Imaginery Heroes) (Harris), Vantage Point (Vantage Point) (Travis).

Remarquée dans *Alien* (elle y était la femme cosmonaute, forte et efficace) et devenue vedette avec *L'année de tous les dangers*, elle est excellente dans *Gorillas* et s'impose définitivement avec *Working Girl*.

Webb, Clifton

Acteur américain, de son vrai nom Webb Parmelee Hollenbeck, 1891-1966.

1920, Polly with a Past (Karger) ; 1924, New Toys (Robertson), Let Not Man Put Asunder (Blackton) ; 1925, The Heart of a Siren (Rosen) ; 1944, Laura (Laura) (Preminger) ; 1946, The Razor's Edge (Le fil du rasoir) (Goulding), The Dark Corner (L'impasse tragique) (Hathaway) ; 1948, Sitting Pretty (W. Lang) ; 1949, Mr. Belvedere Goes to College (M. Belvédère au collège) (Nugent) ; 1950, Cheaper by the Dozen (Treize à la douzaine) (W. Lang), For Heaven's Sake (Seaton) ; 1951, Mr. Belvedere Rings the Bell (M. Belvédère fait sa cure) (Koster), Elopment (Koster) ; 1952, Dreamboat (Un grand séducteur) (Binyon), Stars and Strips Forever (La parade de la gloire) (Koster) ; 1953, Titanic (Negulesco), Mister Scoutmaster (Levin) ; 1954, Woman's World (Les femmes mènent le monde) (Negulesco), Three Coins in the Fountain (La fontaine des amours) (Negulesco) ; 1955, The Man Who Never Was (L'homme qui n'a jamais existé) (Neame) ; 1957, Boy on a Dolphin (Ombres sous la mer) (Negulesco) ; 1959, The Remarkable Mr. Pennypacker (Le remarquable M. Pennypacker) (Levin), Holiday for Lovers (Qu'est-ce qui fait courir les filles ?) (Levin) ; 1962, Satan Never Sleeps (Une histoire de Chine) (McCarey).

Pour tout cinéphile il reste l'inoubliable Waldo Lydecker, le narrateur de *Laura*, dandy élégant et raffiné. C'est à l'amitié de Preminger qu'il dut le rôle suivi d'un contrat de longue durée à la Fox. Jusqu'alors ses apparitions à l'écran avaient été rares et il semblait davantage tourné vers la comédie musicale. Il retrouva un personnage voisin de Waldo Lydecker avec *The Dark Corner*, où il était propriétaire d'une galerie d'art. Par malheur, il rencontra un grand succès dans une médiocre comédie, *M. Belvédère au collège* ; dès lors il promena sa maigreur distinguée dans une série de films insipides, à prétentions comiques, de Levin ou Negulesco.

Weber, Jacques

Acteur et réalisateur français né en 1949.

1970, Raphaël ou le débauché (Deville) ; 1971, L'humeur vagabonde (Luntz), Faustine et le bel été (Companeez) ; 1972, État de siège (Costa-Gavras) ; 1973, R.A.S. (Boisset), Projection privée (Leterrier) ; 1974, Une femme fatale (Doniol-Valcroze), La femme aux bottes rouges (J. Buñuel), Aloïse (de Kermadec), Le malin plaisir (Toublanc-Michel) ; 1978, L'adolescente (Moreau) ; 1984, Une vie suspendue (Saab), Rive droite, rive gauche (Labro), Escalier C (Tacchella) ; 1986, Un homme et une femme : vingt ans déjà (Lelouch), Suivez mon regard (Curtelin) ; 1987, La visione del sabba (La sorcière) (Bellochio) ; 1989, Le crime d'Antoine (Rivière), A deux minutes près (Le Hung) ; 1990, Cyrano de Bergerac (Rappeneau), Lacenaire (Girod) ; 1992, Rupture(s) (Citti) ; 1994, Le petit garçon (Granier-Deferre) ; 1995, Beaumarchais l'insolent (Molinaro) ; 1997, Don Juan (Weber), Que la lumière soit ! (A. Joffé) ; 1999, Tôt ou tard... (Étienne) ; 2003, Sept ans de mariage (Bourdon) ; 2007, Les ambitieux (Corsini). *Comme réalisateur :* 1997, Don Juan.

Avant tout un remarquable acteur, metteur en scène et directeur de théâtre. Mais comment oublier le Guiche du *Cyrano* de Rappeneau ? Weber s'y montre meilleur que dans le rôle de Cyrano qu'il interpréta à la scène. Son Guiche prend à l'écran un formidable relief.

Weber, Jean

Acteur français, 1906-1995.

1929, Figaro (Ravel), L'affaire du collier de la reine (Ravel) ; 1931, L'Aiglon (Tourjansky), Mon amant l'assassin (Bussi), Le monsieur de minuit (Lachman), Un coup de téléphone (Lacombe) ; 1932, Occupe-toi d'Amélie (Weisbach), Il a été perdu une mariée (Joannon), La femme invisible (Lacombe) ; 1933, Le coucher de la mariée (Gandera) ; 1935, La petite sauvage (Limur), Pluie d'or (Rozier) ; 1937, La tour de Nesle (Roudès) ; 1938, Tricoche et Cacolet (Colombier) ; 1942, Le brigand gentilhomme (Couzinet), Le capitaine Fracasse (Gance) ; 1943, La Malibran (Guitry) ; 1955, Si Versailles m'était conté (Guitry) ; 1970, Raphaël ou le débauché (Deville).

Premier prix du Conservatoire, il fut un fringant jeune premier dans les années 30 et sa blondeur fit des ravages. On se souvient de son duel avec Gravey dans *Le capitaine Fracasse*, fidèle adaptation du roman de Théophile Gautier.

Weissmuller, Johnny

Acteur américain, 1904-1984.

1932, Tarzan the Ape Man (Tarzan l'homme singe) (Van Dyke) ; 1934, Tarzan and His Mate (Tarzan et sa compagne) (Gibbons, Conway), Hollywood Party of (Boleslavsky) ; 1936, Tarzan Escapes (Tarzan s'évade) (Thorpe) ; 1939, Tarzan Finds a Son (Tarzan trouve un fils) (Thorpe) ; 1941, Tarzan's New York Adventure (Tarzan à New York) (Thorpe) ; 1943, Stage Door Canteen (Borzage), Tarzan Triumphs (Le triomphe de Tarzan) (Thiele), Tarzan's Desert Mystery (Le mystère de Tarzan) (Thiele) ; 1945, Tarzan and the Amazons (Tarzan et les amazones) (Neumann) ; 1946, Tarzan and the Leopard Woman (Tarzan et la femme léopard) (Neumann), Swamp Fire (Le marais de feu) (Pine) ; 1947, Tarzan and the Huntress (Tarzan et la chasseresse) (Neumann) ; 1948, Tarzan and the Mermaids (Tarzan et les sirènes) (Florey), Jungle Jim (Le trésor de la forêt vierge) (Berke) ; 1949, The Lost Tribe (La tribu perdue) (Berke) ; 1950, Mark of the Gorilla (Jungle Jim dans l'antre des gorilles) (Berke), Fury of the Congo (La charge sauvage) (Berke), Pygmy Island (Berke), Captive Girl (Captive parmi les fauves) (Berke) ; 1951, Jungle Manhunt (Panique dans la jungle) (Anders) ; 1952, Woodoo Tiger (Le tigre sacré) (Bennett), Jungle Jim in the Forbidden Land (La forêt de la terreur) (Anders) ; 1953, Killer Ape (Le tueur de la jungle) (Bennett), Valley of the Headhunters (La vallée des chasseurs de têtes) (Berke), Savage Mutiny (Révolte dans la jungle) (Piel) ; 1954, Jungle Moon Men (Les aventuriers de la jungle) (Sholem), Cannibal Attack (Sous la menace des cannibales) (Sholem) ; 1956, Devil Goddess (La déesse de la jungle maudite) (Gould) ; 1969, The Phynx (Katzin) ; 1975, Won Ton Ton, the Dog Who Saved Hollywood (Won Ton Ton, le chien qui sauva Hollywood) (Winner).

Trois fois champion olympique de natation aux jeux de Paris en 1924 et d'Amsterdam en 1928, il fut le sixième Tarzan de l'écran (le premier ayant été Elmo Lincoln) et le plus célèbre. Son impressionnante musculature et ses talents de nageur (de nombreuses séquences sous-marines illustrent certains Tarzan) expliquent sa popularité. Il en fut la victime. Tombé au niveau d'un Jungle Jim poussif et transpirant dans des jungles de carton-pâte, il devint fou et fit, dit-on, retentir l'asile où il était interné du fameux cri de Tarzan. Il mourut dans la gêne, après avoir été représentant d'un fabricant de piscines.

Weisz, Rachel

Actrice britannique née en 1971.

1996, Stealing Beauty (Beauté volée) (Bertolucci) ; 1999, The Mummy (La momie) (Sommers) ; 2001, The Return of the Mummy (Le retour de la momie) (Sommers), Stalingrad (Annaud) ; 2005, Constantine (Constantine) (Lawrence), The Constant Gardener (The Constant Gardener) (Meirelles), Eragon (Eragon) (Fangmeier), The Fountain (The Fountain) (Aronofsky) ; 2006, My Blueberry Nights (Wong Kar-wai).

Elle a promené son minois de piquante brunette dans des films d'épouvante (*La momie*) ou des superproductions (*Stalingrad*) avant de recevoir un oscar pour sa composition d'enquêtrice dérangeante pour l'industrie pharmaceutique dans *The Constant Gardener*.

Welch, Raquel

Actrice américaine, de son vrai nom Tejada, née en 1942.

1964, Roustabout (L'homme à tout faire) (Rich), A House Is not a Home (La maison de madame Adler) (Rouse) ; 1965, A Swingin'-Summer (Sparr) ; 1966, Fantastic Voyage (Le voyage fantastique) (Fleischer) ; 1967, One Million Years B.C. (Un million d'années avant J.-C.) (Chaffey), Shoot Loud, Louder, I Don't Understand (De Filippo), Fathom (Martinson), Bedazzled (Fantasmes) (Donen), The Biggest Bundle of Them All (Equina), The Queens (Bolognini) ; 1968, Bandolero (McLaglen), Lady in Cement (La femme en ciment) (Douglas), The Oldest Profession (Pfleghar) ; 1969, 100 Rifles (Les cent fusils) (Gries) ; 1970, Flare-Up (Tueur de filles) (Neilson), The Magic Christian (McGrath), Myra Breckenridge (Sarne), The Beloved (Cosmatos) ; 1971, Hannie Caulder (Un colt pour trois salopards) (Kennedy) ; 1972, Fuzz (Les poulets) (Colla), Bluebeard (Barbe-Bleue) (Dmytryk), Kansas City Bomber (Freedman) ; 1973, The Last of Sheila (Les invitations dangereuses) (Ross), The Three Musketeers (Les trois mousquetaires) (Lester) ; 1974, The Four Musketeers (On l'appelait Milady) (Lester), The Wild Party (Ivory) ; 1975, Mother, Jugs and Speed (Ambulances tous risques) (Yates) ; 1977, The Prince and the Pauper (Fleischer), L'animal (Zidi) ; 1994, The Naked Gun 33 1/3 (Y a-t-il un flic pour sauver Hollywood ?) (Segal) ; 1996, Chairman of the Board (Zamm) ; 2002, Tortilla Soup (Ripoli).

D'origine bolivienne, elle est découverte par Patrick Curtis qui décide de la lancer. Le monde est submergé par une série de photos révélant la splendide anatomie de cette fille d'ingénieur. Le cinéma ne peut l'ignorer. Elle débute aux côtés de Presley, mais c'est en 1967, avec un film préhistorique (*One Million Years B.C.*), où ses charmes sont à peine masqués par des peaux de bêtes, qu'elle devient un sex-symbol et se pose en rivale brune de la blonde Ursula Andress. Elle tourne à l'obscénité dans *Myra Breckenridge*, puis pimente de sa beauté une série de films d'action et une inattendue version des *Trois mousquetaires* où elle est l'innocente Constance face à la perverse Faye Dunaway.

Weld, Tuesday

Actrice américaine, de son vrai nom Susan Ker, née en 1943.

1956, Rock, Rock, Rock (W. Price) ; 1957, The Wrong Man (Le faux coupable) (Hitchcock) ; 1959, Rally' Round the Flag Boys (La brune brûlante) (McCarey), The Fives Pennies (Millionnaire de cinq sous) (Shavelson) ; 1960, Because They're Young (Wendkos), Sex Kitten Goes to College (Zugsmith), High Time (Edwards), The Private Life of Adam and Eve (Zugsmith) ; 1961, Return to Peyton Place (Les lauriers sont coupés) (J. Ferrer), Wild in the Country (Amour sauvage) (Dunne) ; 1962, Bachelor Flat (Appartement pour homme seul) (Tashlin) ; 1963, Soldier in the Rain (La dernière bagarre) (Nelson) ; 1965, The Cincinnati Kid (Le kid de Cincinnati) (Jewison), I'll Take Sweden (Leçons d'amour suédoise) (De Cordova) ; 1966, Lord Love a Duck (Axelrod) ; 1968, Pretty Poison (Un bloc de fureur) (N. Black) ; 1970, I Walk the Line (Le pays de la violence) (Frankenheimer) ; 1971, A Safe Place (Un coin tranquille) (Jaglom) ; 1972, Play It as It Lays (Perry) ; 1977, Looking for M. Goodbar (A la recherche de M. Goodbar) (Brooks) ; 1978, Who'll Stop the Rain (Les guerriers de l'enfer) (Reisz) ; 1979, The Serial (Persky) ; 1980, Violent Streets (Le solitaire) (Mann) ; 1982, Author, Author (Avec les compliments de l'auteur) (Miller) ; 1984, Once Upon a Time in America (Il était une fois en Amérique) (Leone) ; 1988, Heartbreak Hotel (Columbus) ; 1993, Falling Down (Chute libre) (Schumacher) ; 1995, Feeling Minnesota (Feeling Minnesota) (Baigelmann).

Mannequin à ses débuts, elle fut excellente dans des rôles d'adolescente délurée *(Rally Round the Flag)* avant de jouer les femmes fatales de film noir (*Pretty Poison, I Walk the Line*). Après une éclipse, on la retrouva dans *Looking for Mr. Goodbar*. Dans *Les guerriers de l'enfer*, elle confirme son évolution vers un type de personnage plus meurtri, désabusé. Comme l'écrit Olivier Eyquem dans la notice qu'il lui consacre (*Actualité du cinéma américain*) : « Cette maturité nouvelle est celle, confondue, de l'actrice, de ses personnages et d'une génération entière. »

Weller, Peter

Acteur américain né en 1947.

1979, Butch and Sundance : the Early Years (Les joyeux débuts de Butch Cassidy et le Kid) (Lester) ; 1980, Just Tell Me What You Want (Lumet) ; 1982, Shoot the Moon (L'usure du temps) (Parker) ; 1983, Of Unknown Origin (Cosmatos) ; 1984, The Adventures of Buckaroo Banzaï Across the 8th Dimension (Les aventures de Buckaroo Banzaï dans la 8e dimension) (Richter), Firstborn (Apted) ; 1985, A Killing Affair (Saperstein) ; 1986, Apology (Apology) (Bierman) ; 1987, Robocop (Robocop) (Verhoeven), Shakedown (Blue jean cop) (Glickenhaus) ; 1988, El tunel (Drove) ; 1989, Leviathan (Leviathan) (Cosmatos), Cat Chaser (Ferrara) ; 1990, Robocop 2 (Robocop 2) (Kershner), Rainbow Drive (Roth) ; 1991, The Naked Lunch (Le festin nu) (Cronenberg) ; 1993, Fifty Fifty (Smith) ; 1994, The New Age (Tolkin), Decoy (Rambaldi), Killer (Metcalfe) ; 1995, Par-delà les nuages (Antonioni et Wenders), Screamers (Planète hurlante) (Duguay), Mighty Aphrodite (Maudite Aphrodite) (Allen) ; 1997, Top of the World (Furie) ; 1999, Enemy of my Enemy (Graef-Marino), Shadow Hours (Eaton) ; 2000, Vlad the Impaler (Chappelle), Contaminated Man (Hickox).

Il reste marqué à tout jamais par son rôle de Robocop, policier électronique, mi-homme mi-machine, qui met au pas les voyous.

Welles, Orson

Acteur et réalisateur américain, 1915-1985.

1941, Citizen Kane (Citizen Kane) (Welles) ; 1943, Journey into Fear (Voyage au pays de la peur) (Foster, Welles) ; 1944, Jane Eyre (Jane Eyre) (Stevenson), Follow the Boys (Hollywood Parade) (Sutherland) ; 1946, Tomorrow Is Forever (Demain viendra toujours) (Pichel), The Stranger (Le criminel) (Welles) ; 1948, The Lady from Shanghai (La dame de Shanghai) (Welles), Macbeth (Welles) ; 1949, Black Magic (Cagliostro) (Ratoff), Prince of Foxes (Échec à Borgia) (King), The Third Man (Le troisième homme) (Reed) ; 1950, The Black Rose (La rose noire) (Hathaway) ; 1952, Othello (Othello) (Welles) ; 1953, Trent's Last Case (L'affaire Manderson) (Wilcox), Si Versailles m'était conté (Guitry), L'uomo, la bestia e la virtu (L'homme, la bête et la vertu) (Steno) ; 1954, Three Cases of Murder (O'Ferrall) ; 1955, Napoléon (Guitry), Mr. Arkadin ou Confidential Report (M. Arkadin) (Welles), Trouble in the Glen (Révolte dans la vallée) (Wilcox) ; 1956, Moby Dick (Moby Dick) (Huston) ; 1957, Pay the Devil (Le salaire du diable) (Arnold) ; 1958, The Long Hot Summer (Les feux de l'été) (Ritt), Touch of Evil (La soif du mal) (Welles), The Roots of Heaven (Les racines du ciel) (Huston) ; 1959, Compulsion (Le génie du mal) (Fleischer), Ferry to Hong Kong (Visa pour Hong Kong) (Gilbert) ; 1960, Austerlitz (Gance), Crack in the Mirror (Drame dans un miroir) (Fleischer) ; 1961, David e Golia (David et Goliath) (Pottier), La Fayette (Dréville) ; 1962, I Tartari (Les Tartares) (Thorpe), The Trial (Le procès) (Welles) ; 1963, RoGoPaG (sketch de Pasolini), The V.I.P.'s (Hôtel international) (Asquith) ; 1964, L'échiquier de Dieu (La Patellière) ; 1966, Paris brûle-t-il ? (Clément), Chimes at Midnight (Falstaff) (Welles), A Man for All Seasons (Un homme pour l'éternité) (Zinnemann) ; 1967, The Sailor from Gibraltar (Le marin de Gibraltar) (Richardson), Casino Royale (Casino Royale) (Huston, Parrish, Guest, etc.), I'll Never Forget What's His Name (Qu'arrivera-t-il après ?) (Winner), Oedipus the King (Œdipe roi) (Saville) ; 1968, The Immortal Story (Une histoire immortelle) (Welles), House of Cards (Duel dans l'ombre) (Guillermin), Der Kampf um Rom (Bataille pour Rome) (R. Siodmak) ; 1969, The Southern Star (L'étoile du Sud) (Hayers), Tepepa ou Viva la revolucion (Petroni), Bitka na Neretvi (La bataille de la Neretva) (Bulajic), Mihai Viteazu (Nicolaescu) ; 1970, 12 + 1 (Gessner), The Kremlin Letter (La lettre du Kremlin) (Huston), Catch 22 (Nichols), Waterloo (Bondartchouk), Upon This Rock (Rasky) ; 1971, A Safe Place (Jaglom), I racconti di Canterbury (Les contes de Canterbury) (Pasolini) ; 1972, La décade prodigieuse (Chabrol), To Kill a Stranger (Collinson), Stugeska (Delic), Get to Know Your Rabbit (De Palma), Necromancy (B. Gordon), Treasure Island (L'île au trésor) (Hough), Malpertuis (Kumel) ; 1975, F for Fake (Vérités et mensonges) (Welles) ; 1976, Voyage of the Damned (Le voyage des damnés) (Rosenberg) ; 1978, Filming Othello (Filming Othello) (Welles) ; 1979, Never Trust an Honest Thief (McCowan), Nicola Tesla (Krsto), The Muppet Movie (Frawley) ; 1981, Butterfly (Cimber) ; 1984, Shapstick (Paul) ; 1985, Someone to Love (Jaglom), Where is Parsifal ? (Helman). *Pour le metteur en scène*, voir le *Dictionnaire du cinéma*, t. I : *Les réalisateurs*.

On a dit par ailleurs tout ce que le cinéma devait à ce génial créateur, l'un des plus grands réalisateurs de l'histoire du septième art. En revanche l'acteur, excellent quand c'est Welles qui se met en scène, peut devenir exécrable à force de cabotinage et de faux nez s'il est dirigé par d'autres. S'il prend le film au sérieux, on finit par lui en attribuer la réalisation : ce fut le cas du *Troisième homme*. Il peut composer des Borgia ou Cagliostro fort plaisants dans de solides films américains, puis se transformer en un Hudson Lowe, un Franklin ou un Fulton épouvantables dans les grosses machines historiques de Guitry ou de Gance. Il a même fini par tourner n'importe quoi. Oublions ces pitoyables prestations pour garder le souvenir de Kane, d'Othello ou d'Arkadin.

Werner, Oskar

Acteur autrichien, de son vrai nom Oscar Joseph Bschliessmayer, 1922-1984.

1948, Der Engel mit der Posaune (L'ange à la trompette) (Hartl) ; 1949, Eroica (Kolm-Veltée) ; 1950, Un sourire dans la tempête (Chanas) ; 1952, Decision Before Dawn (Le traître) (Litvak) ; 1955, Lola Montès (Ophuls), Mozart (Harlt), Der Letzte Akt (La fin d'Hitler) (Pabst) ; 1962, Jules et Jim (Truffaut) ; 1965, Ship of Fools (La nef des fous) (Kramer), The Spy Who Came from the Cold (L'espion qui venait du froid) (Ritt) ; 1966, Fahrenheit 451 (Truffaut) ; 1968, Interlude (Billington), The Shoes of the Fisherman (Les souliers de Saint Pierre) (Anderson) ; 1976, Voyage of the Damned (Le voyage des damnés) (Rosenberg).

Débuts très jeune au Burg de Vienne, le théâtre le plus célèbre de la capitale autrichienne. Mobilisé pendant la guerre, il reprend son activité artistique après 1945 en l'orientant davantage vers le cinéma, sans perdre contact avec la scène (il est un fabuleux *Hamlet* à Francfort). Remarqué à l'écran dans *Lola Montès*, il doit sa célébrité à François Truffaut qui l'impose avec *Jules et Jim* (il est Jim) puis *Fahrenheit 451*. Retour au théâtre après 1968.

Wessely, Paula

Actrice autrichienne, 1907-2000.

Principaux films : 1934, Maskerade (Mascarade) (Forst), So endete eine Liebe (Hartl) ; 1935, Episode (Reisch) ; 1936, Die Julika (Bolvary) ; 1938, Spiegel des Lebens (Miroir de la vie) (Bolvary) ; 1939, Maria Llona (Bolvary) ; 1940, Ein Leben Lang (Toute une vie) (Uciky) ; 1941, Heimkehr (Ucicky) ; 1943, Die kluge Marianne (Thimig), Späte Liebe (Ucicky) ; 1944, Das Herz muss schweigen (Ucicky) ; 1948, Der Engel mit der Posaune (L'ange à la trompette) (Hartl) ; 1950, Cordula (Ucicky) ; 1951, Maria Theresa (Reinert) ; 1961, Jederman (Reinhardt), Der Bauer als Millionär (Steinboeck).

Elle fut la vedette, aujourd'hui bien démodée, de comédies et opérettes viennoises où elle eut, à ses débuts, pour partenaire Anton Walbrook alors Adolf Wohlbruck.

West, Mae

Actrice américaine, 1892-1980.

1932, Night after Night (Mayo), She Done Him Wrong (Lady Lou) (L. Sherman) ; 1933, I'm No angel (Je ne suis pas un ange) (Ruggles) ; 1934, Belle of the Nineties (Ce n'est pas un péché) (McCarey) ; 1935, Goin'to Town (Je veux être une lady) (Hall), Klondike Annie (Annie du Klondike) (Walsh) ; 1936, Go West, Young Man (Hathaway) ; 1937, Every Day's a Holiday (Fifi peau de pêche) (Sutherland) ; 1940, My Little Chickadee (Mon petit poussin chéri) (Cline) ; 1943, The Heat's on (Ratoff) ; 1969, Myra Breckinridge (Myra Breckinridge) (Sarne) ; 1977, Sextet (Sextette) (Hughes) ; 1976, The Sixteens (Hough).

Sa plantureuse beauté en fit un symbole sexuel, la vamp par excellence des débuts du parlant. Fille d'un boxeur irlandais et d'un mannequin allemand (mélange détonant !) elle débuta comme danseuse et lança le shimmy. Au cinéma, elle ne fut pas seulement actrice, mais aussi scénariste et productrice. Comme Fields ou les Marx, elle semble avoir été souvent le véritable auteur de ses films, mais l'on connaît mal ses rapports avec des metteurs en scène confirmés comme McCarey ou Hathaway. Ses mots sont fameux. A un jeune homme qui lui dit avoir rêvé d'elle toute la nuit, elle répond : « Vous devez être bien fatigué ! » Dans *My Little Chickadee*, elle finit par se faire voler la vedette par Fields, mais au terme d'un combat de géants.

Whalley-Kilmer, Joanne

Actrice anglaise née en 1963.

1982, Pink Floyd – The Wall (The Wall) (Parker) ; 1985, Dance With a Stranger (Dance With a Stranger) (Newell) ; 1986, The Good Father (Newell), No Surrender (Smith) ; 1988, Willow (Willow), To Kill a Priest (Le complot) (Holland) ; 1989, Kill Me Again (Kill Me Again) (Dahl), Scandal (Scandal) (Caton-Jones), A T.V. Dante (t.v., Greenaway) ; 1990, Navy Seals (Navy Seals – Les meilleurs) (Teague), The Big Man (Big man) (Leland) ; 1991, Shattered (Troubles) (Petersen) ; 1992, Storyville (Storyville) (Frost) ; 1993, The Secret Rapture (H. Davies) ; 1994, Trial by Jury (Gould), A Good Man in Africa (Un Anglais sous les tropiques) (Beresford), Mother's Boys (Simoneau) ; 1997, The Man Who Knew Too Little (L'homme qui en savait trop... peu) (Amiel) ; 1999, The Guilty (Le coupable) (Waller), Texas Funeral (Herron), Breathtaking (Green).

D'une terrible sensualité, elle fut une bonne Christine Keeler – celle-ci avait causé la perte du ministre anglais de la Guerre, John Profumo, à l'occasion d'un *Scandal* retentissant. Dans le thriller de Dahl elle conduisait à nouveau un détective privé au bord de l'abîme.

Wheeler, Bert et Woolsey, Robert

Duo d'acteurs américains (Bert Wheeler, 1895-1968, et Robert Woolsey, 1889-1938).

Ensemble : 1929, Rio Rita (Reed) ; 1930, The Cuckoos (Sloane), Dixiana (Reed), Half Shot at Sunrise (Sloane), Hook, Line and Sinker (Cline) ; 1931, Cracked Nuts (Cline), Caught Plastered (Seiter), Oh ! Oh ! Cleopatra (Santley), Peach O'Reno (Seiter) ; 1932, Girl Crazy (Seiter), The Slippery Pearls (Seiter), Hold 'Em Jail (Taurog) ; 1933, So This Is Africa (Vive l'Afrique !) (Cline), Diplomaniacs (Diplomaniacs) (Seiter) ; 1934, Hips Hips Hooray (Hips Hips Hooray) (Sandrich), Cockeyed Cavalier (Sandrich), Kentucky Kernels (G. Stevens) ; 1935, The Nitwits (G. Stevens), The Rainmakers (Guiol) ; 1936, Silly Billies (Guiol), Mummy Boys (Guiol) ; 1937, On Again, Off Again (Cline), High Flyers (Cline).

Complètement oubliés aujourd'hui, ils formèrent dans les années 30 un tandem comique dans des films de la RKO non dépourvus d'humour. Ils venaient de Broadway où Ziegfeld les avait associés pour *Rio Rita*. A l'écran, leurs meilleurs gags sont dans *Diplomaniacs*. Ils furent remplacés par Wally Brown et Alan Carney dans les excellents *Zombies on Broadway* (1945) et *Genius at Work* (1946).

Whitaker, Forest

Acteur et réalisateur américain né en 1961.

1982, Tag (Le jeu de l'assassinat) (Castle), Fast Times at Ridgemont High (Heckerling) ; 1985, Vision Quest (Becker) ; 1986, Platoon (Platoon) (Stone), The Color of Money (La couleur de l'argent) (Scorsese) ; 1987, Bloodsport (Tous les coups sont permis) (Arnold), Stakeout (Étroite surveillance) (Badham), Good Morning Viet Nam (Good Morning Viet Nam) (Levinson) ; 1988, Bird (Bird) (Eastwood), Johnny Handsome (Johnny belle gueule) (Hill) ; 1989, Downtown (Deux flics à Downtown) (Benjamin) ; 1990, A Rage in Harlem (A Rage in Harlem) (Duke) ; 1991, Diary of a Hitman (Hitman) (London) ; 1992, Consenting Adults (Jeux d'adultes) (Pakula),

The Crying Game (The Crying Game) (Jordan), Article 99 (Deutch) ; 1993, Body Snatchers (Body Snatchers) (Ferrara), Bank Robber (Bad Billy) (Mead), Jason's Lyrics (McHenry), Lush Life (Elias) ; 1994, Blown Away (Blown Away) (Hopkins), Ready to Wear (Prêt-à-porter) (Altman), Smoke (Smoke) (Wang), Species (La mutante) (Donaldson) ; 1996, Phenomenon (Phénomène) (Turteltaub) ; 1997, The Split (Patton-Spruill) ; 1998, Ghost Dog — The Way of the Samurai (Ghost Dog — La voie du Samouraï) (Jarmusch) ; 1999, Light It Up (Bolotin), Four Dogs Playing Poker (Rachman), Battlefield Earth (Battlefield Earth) (Christian) ; 2000, Green Dragon (Linh Bui) ; 2002, Phone Booth (Phone Game) (Schumacher), Panic Room (Fincher) ; 2005, Mary (Mary) (Ferrara) ; 2007, The Last King of Scotland (Le dernier roi d'Écosse) (Macdonald), Vantage Point (Vantage Point) (Travis). *Comme réalisateur :* 1995, Waiting to Exhale (Où sont les hommes ?) ; 1997, Hope Floats (Ainsi va la vie).

Passionné de théâtre, cet imposant acteur noir commence sa carrière en mettant en scène des spectacles, alors qu'il sort à peine de l'université. Le cinéma et la télévision font appel à lui, où malgré sa corpulence, il joue souvent des personnages fragiles, déboussolés, à l'image de son rôle dans *The Crying Game*. Il obtient en 1988 le prix d'interprétation à Cannes pour son rôle de Charlie Parker dans *Bird*, réalisé par Clint Eastwood. Acteur éblouissant et inoubliable dans *La voie du samouraï* et *Phone Game*. Il est encore un remarquable Amin Dada dans *The Last King of Scotland*, qui lui vaut un oscar.

White, Leo

Acteur américain, 1882-1948.

Principaux films : 1915, In the Park (Charlot dans le parc) (Chaplin), The Jitney Elopement (Charlot veut se marier) (Chaplin), The Tramp (Le vagabond) (Chaplin), Work (Charlot apprenti) (Chaplin), The Bank (Charlot à la banque) (Chaplin), Shanghaied (Charlot marin) (Chaplin), A Night in the Show (Charlot au music-hall) (Chaplin) ; 1916, Carmen (Charlot joue Carmen) (Chaplin), Police (Charlot cambrioleur) (Chaplin), The Floor-Walker (Charlot chef de rayon) (Chaplin), The Fireman (Charlot pompier) (Chaplin), The Vagabond (Charlot musicien) (Chaplin), The Count (Charlot et le comte) (Chaplin), The Pawnshop (L'usurier) (Chaplin).

L'avez-vous remarqué ce petit homme barbichu qui, dans les courts métrages de Chaplin, joue les aristocrates coléreux (il est sublime dans *The Count*) ou les clients récalcitrants ? Rival de Charlot, il est toujours écrasé, balayé, anéanti par le clochard qu'il méprisait. Leo White fut sans nul doute un très grand acteur.

White, Pearl

Actrice américaine, 1889-1938.

1910, The Life of Buffalo Bill (Golden) ; *puis, entre 1910 et 1912, une centaine de films d'une ou deux bobines mis en scène en général par Golden* ; 1913-1914, The Perils of Pauline (Gasnier) ; A Pearl of the Punjab (Fitzmaurice) ; 1915, The Exploits of Elaine (Mackenzie), The New Exploits of Elaine (Mackenzie et Gasnier) ; 1916, The Iron Claw (José), The King's Game (Seitz), Annabel's Romance (Gasnier), Hazel Kirke (Gasnier), Pearl of the Army (Seitz) ; 1917, The Fatal Ring (Seitz) ; 1918, The House of Hate (Seitz), The Lightening Raider (Seitz) ; 1919, Black Secret (Seitz) ; 1920, The White Moll (Millarde), The Dark Mirror (Giblyn), Black Is White (Giblyn), The Thief (Giblyn), A Virgin Paradise (Dawley) ; 1921, The Mountain Woman (Giblyn), Tiger's Club (Giblyn), Know Your Men (Giblyn), Singing River (Giblyn) ; 1922, Plunder (Seitz) ; 1924, Terreur (José).

D'une famille de comédiens, elle débute à six ans sur les planches et apparaît pour la première fois dans un film en 1910 grâce à ses dons de cavalière. En 1913, elle est Pauline dans un film à épisodes, puis Elaine Dodge lancée avec Justin Clarel à la poursuite de « la main qui étreint. » Le succès est fabuleux. Comme l'écrit Jean Mitry : « Dépassant en célébrité Mary Pickford, Asta Nielsen, Francesca Bertini qui brillaient déjà au firmament des stars internationales, Pearl White fut la première véritable reine de l'écran. »

Whitman, Stuart

Acteur américain né en 1926.

1951, When Worlds Collide (Le choc des mondes) (Maté), The Day the Earth Stood Still (Le jour où la terre s'arrêta) (Wise) ; 1952, Barbed Wire (Archainbaud) ; 1953, The All-American (Hibbs) ; 1954, Rhapsody (Rhapsodie) (Vidor), Brigadoon (Brigadoon) (Minnelli), Siver Lode (Quatre étranges cavaliers) (Dwan), Passion (Tornade) (Dwan) ; 1955, King of Carnival (Adreon), Diane (Diane de Poitiers) (Miller) ; 1956, Seven Men from Now (Sept hommes à abattre) (Boetticher), Bombers B-52 (Douglas), Johnny Trouble (Auer), Crime of Passion (Oswald), The Girl in Black Stockings (Koch), War Drums (LeBorg), Hell Bound, Darby's Rangers (Les commandos passent à l'attaque) (Wellman) ; 1958, Ten North Frederick (10, rue Frédérik) (Dunne), The Decks Ran Red (Terreur en mer) (Stone), China Doll (Borzage) ; 1959, These Thousand Hills (Duel dans la boue) (Fleischer), The Sound and the Fury (Le bruit et la fureur) (Ritt), Hound Dog Man (Siegel), Muder Inc. (Balaban), The Story of Ruth (Histoire de Ruth) (Koster) ; 1961, The Mark (La marque) (Green), The Fiercest Heart (G. Sherman), The Comancheros (Les Comancheros) (Curtiz), Francis of Assisis (François d'Assise) (Curtiz) ; 1962, Convicts Four (Kaufman), The Longest Day (Le jour le plus long) (Annakin, etc.), Le jour et l'heure (Clément) ; 1964, Singpost to Murder (Englund), Shock Treatment (Sanders), Rio Conchos (Douglas) ; 1965, Those Magnificent Men in Their Flying Machines (Ces merveilleux fous volants sur leurs drôles de machines) (Annakin), Sands of Kalahari (Les sables de Kalahari) (Endfield) ; 1966, An American Dream (Gist) ; 1968, The Last Escape (Grauman), The Invincible Six (Negulesco) ; 1969, Sweet Hunters (Tendres chasseurs) (Guerra) ; 1971, City Beneath the Sea (Allen), Captain Apache (Captain Apache) (Singer), The Last Generation ; 1972, Night of the Lepus (Les rongeurs de l'Apocalypse) (Claxton), The Heroes (Héros) (Kagan) ; 1973, Welcome to Arrow Beach (Harvey) ; 1974, Shatter (Carreras) ; 1975, Crazy Mama (Demme), Las Vegas Lady (Nossek), Mean Johnny Barrows (Johnny Barrows) (Williamson) ; 1976, Blazing Magnum (Spécial Magnum) (De Martino) ; 1977, Ransom (Un million de dollars par meurtre) (Compton), The White Buffalo (Le bison blanc) (Lee-Thompson), Assault on Paradise, Ruby (Ruby) (Harrington), Death Trap (Le crocodile de la mort) (Hooper), The Thoroughbreds (Thorpe) ; 1978, Mujer de la tierra calienta (Savina), Run for the Roses (Levin) ; 1979, Guyana (Guyana, la secte de l'enfer) (Cardona) ; 1980, Cuba Crossing (Workman), Macabra (Les doigts du diable) (Zacharias), The Monster Club (Le club des monstres) (R.W. Baker) ; 1982, Butterfly (Cimber), Safari Cannibal (Les aventuriers de l'or perdu) (Birkenshaw) ; 1983, Vultures in Paradise (Leder) ; 1985, El tesoro del amazones (Les diamants de l'Amazone) (Cardona Jr.), Deadly Intruder (McCauley) ; 1989, Deadly Reactor (Heavener) ; 1990, Moving Target (Mattei), Omega Cop (Kyriazi) ; 1992, Sandman (Wooster), Smooth Talker (Milo) ; 1993, Private Wars (Weidner) ; 1994, Land of Milk and Honey (Destein), Improper Conduct (Mundhra), Trial by Jury (Gould), Lightning in a Bottle (Kwitney) ; 1995, Deadly Reunion (Preece).

Héros viril par excellence d'innombrables films d'aventures. Star entre 1958 et 1965, il déclina ensuite pour se perdre dans des séries Z souvent difficiles à identifier.

Whitmore, James

Acteur américain né en 1921.

1949, Undercover Man (Le maître du gang) (Lewis), Battleground (Bastogne) (Wellman) ; 1950, The Asphalte Jungle (Quand la ville dort) (Huston), The Outriders (Le convoi maudit) (Rowland), The Next Voice You Hear (La voix que vous allez entendre) (Wellman) ; 1951, Shadow in the Sky (Wilcox) ; 1952, Because You're Mine (Hall) ; 1953, The Girl Who Had Everything (Thorpe), All the Brothers Were Valiant (La perle noire) (Thorpe), Kiss Me Kate (Sidney) ; 1954, The Command (La poursuite dura sept jours) (Butler), Them (Les monstres attaquent) (Douglas) ; 1955, Battle Cry (Le cri de la victoire) (Walsh), Oklahoma (Oklahoma) (Zinneman) ; 1956, The Last Frontier (La charge des tuniques bleues) (Mann), Crime in the Streets (Face au crime) (Siegel), Stars in My Crown (Tourneur) ; 1957, The Young Don't Cry (Werker) ; 1958, The Deep Six (En patrouille) (Maté) ; 1960, Who Was That Lady ? (Qui était donc cette dame ?) (Sidney) ; 1964, Black Like Me (Lerner) ; 1967, Waterhole 3 (L'or des pistoleros) (Graham) ; 1968, Madigan (Police sur la ville) (Siegel), Planet of the Apes (La planète des singes) (Schaffner) ; 1969, Guns of the Magnificent Seven (Les colts des sept mercenaires) (Wendkos) ; 1970, Tora ! Tora ! Tora ! (Tora ! Tora ! Tora !) (Fleischer, Masuda et Fukasaki) ; 1972, Chato's Land (Les collines de la terreur) (Winner) ; 1973, The Harrad Experiment (Post) ; 1974, Where the Red Ferns Grow (Tokar) ; 1975, Give 'Em Hell, Harry ! (Binder) ; 1977, The Serpent's Egg (L'œuf du serpent) (Bergman) ; 1978, Bully (Hunt) ; 1980, The First Deadly Sin (De plein fouet) (Hutton) ; 1987, Nuts (Cinglée) (Ritt) ; 1990, Old Explorers (Pohlad) ; 1994, The Shawshank Redemption (Les évadés) (Darabont) ; 1996, The Relic (Relic) (Hyams) ; 2001, The Majestic (The Majestic) (Darabont).

Coursodon et Tavernier ont bien défini ses personnages : sympathiques, forts en gueule, critiquant tout mais prêts à se dévouer pour leur travail, leur cause, leur ami (*Trente ans de cinéma américain*). Le plus souvent troisième couteau (le barman d'*Asphalte Jungle*), il est parfois vedette : *Crime in the Streets, Them* où il lutte contre des fourmis géantes, ou *Black Like Me*, histoire d'un journaliste qui se fait passer pour noir.

Wiazemsky, Anne

Actrice française née en 1947.

1966, Au hasard Balthazar (Bresson) ; 1967, La Chinoise (Godard), Lamiel (Aurel) ; 1968, La bande à Bonnot (Fourastié), Week-end (Godard), Les gauloises bleues (Cournot), Teorema (Théorème) (Pasolini) ; 1969, One plus one (Godard), Porcile (Porcherie) (Pasolini), Capricci (Capricci) (Bene), Il seme dell'uomo (Ferreri), Vent d'Est (Godard et Gorin) ; 1971, L'enquête (Amico), Le grand départ (Raysse), Raphaël ou le débauché (Deville) ; 1972, George qui ? (Rosier), Die Ausslieferung (L'extradition) (Von Gunten) ; 1973, Le retour d'Afrique (Tanner), Le train (Granier-Deferre) ; 1976, Couleur chair (Weyergans), Mon cœur est rouge (Rosier), Guerres civiles en France (sketch de Farges) ; 1977, Sois belle et tais-toi (Seyrig) ; 1978, Même les mômes ont du vague à l'âme (Daniel) ; 1979, L'empreinte des géants (Enrico) ; 1982, L'enfant secret (Garrel) ; 1983, Grenouilles (Arrieta) ; 1985, Rendez-vous (Téchiné), Elle a passé tant d'heures sous les sunlights (Garrel) ; 1986, Qui trop embrasse (Davila) ; 1988, Le testament d'un poète juif assassiné (Cassenti), Ville étrangère (Goldschmidt).

Bresson, Godard, Pasolini : on ne saurait dire qu'Anne Wiazemsky ait donné dans la facilité.

Widmark, Richard

Acteur américain né en 1914.

1947, Kiss of Death (Le carrefour de la mort) (Hathaway) ; 1948, Street With no Name (La dernière rafale) (Keighley), Cry of the City (La proie) (Siodmak), Road House (La femme aux cigarettes) (Negulesco), Yellow Sky (Nevada/La ville abandonnée) (Wellman) ; 1949, Down to the Sea In Ships (Les marins de l'Orgueilleux) (Hathaway), Slattery's Hurricane (La furie des tropiques) (De Toth) ; 1950, Night and the City (Les forbans de la nuit) (Dassin), Panic in the Streets (Panique dans la rue) (Kazan), No Way Out (La porte s'ouvre) (Mankiewicz) ; 1951, Halls of Montezuma (Okinawa) (Milestone), The Frogmen (Les hommes-grenouilles) (Bacon), Red Skies of Montana (Duel dans la forêt) (Newman) ; 1952, Don't Bother to Knock (Troublez-moi ce soir) (Baker), My Pal Gus (Parrish), O Henry's Full House (La sarabande des pantins) (sketch de Hathaway) ; 1953, Destination Gobi (Destination Gobi) (Wise), Pick-up on South Street (Le port de la drogue) (Fuller), Take the High Ground (Sergent la terreur) (Brooks) ; 1954, Hell and High Water (Le démon des eaux troubles) (Fuller), A Prize of Gold (Hold-up en plein ciel) (Robson), Garden of Devil (Le jardin du diable) (Hathaway), Broken Lance (La lance brisée) (Dmytryk) ; 1955, The Cobweb (La toile d'araignée) (Minelli) ; 1956, Backlash (Coup de fouet en retour) (Sturges), Run For the Sun (Course au soleil) (Boulting), The Last Wagon (La dernière caravane) (Daves) ; 1957, Saint Joan (Sainte Jeanne) (Preminger), Time Limit (La chute des héros) (Malden) ; 1958, The Law and Jack Wade (Le trésor du pendu) (Sturges), Tunnel of Love (Père malgré lui) (Kelly), The Trap (Dans la souricière) (Panama) ; 1959, Warlock (L'homme aux colts d'or) (Dmytryk) ; 1960, Alamo (Wayne) ; 1961, The Secret Ways (Le dernier passage) (Karison), Two Rode Together (Les deux cavaliers) (Ford), Judgement at Nuremberg (Jugement à Nuremberg) (Kramer) ; 1962, How the West Was Won (La conquête de l'Ouest) (séquence de Marshall) ; 1964, Flight From Ashiva (Les trois soldats de l'aventure) (Anderson), The Long Ships (Les Drakkars) (Cardiff), Cheyenne Autumn (Les cheyennes) (Ford) ; 1965, The Bedford Incident (Aux postes de combat) (Harris) ; 1966, Alvarez Kelly (Alvarez Kelly) (Dmytryk) ; 1967, The Way West (La route de l'Ouest) (McLaglen), Madigan (Police sur la ville) (Siegel) ; 1969, Death of a Gunfighter (Une poignée de plombs) (Smithee), A Talent for Loving (Quine) ; 1970, The Moonshine War (La guerre des bootlegers) (Quine) ; 1972, When the Legends Die (Quand meurent les légendes) (Milar) ; 1974, Murder on the Orient-Express (Le crime de l'Orient-Express) (Lumet) ; 1975, The Sell Out (Le sursis) (Collinson) ; 1976, To the Devil a Daughter (Une fille pour le diable) (Sykes), The Domino Principle (La théorie des dominos) (Kramer), Twilight's Last Gleaming (Aldrich) ; 1977, Rollercoaster (Le toboggan de la mort) (Goldstone), Coma (Morts suspectes) (Crichton), The Perfect Killer ; 1978, Swarm (L'inévitable catastrophe) (Allen) ; 1979, Bear Island (Le secret de la banquise) (Sharp) ; 1981, National Lampoon Goes to the Morcies (Giraldi, Jaglom) ; 1982, Commando (Sharp), Hanky Panky (La folie aux trousses) (Poitier) ; 1983, Klynham Summer (Pillsbury) ; 1984, Against all Odds (Contre toute attente) (Hackford) ; 1985, Blackout (Black out) (Hickox) ; 1987, A Gathering of Old Men (Colère en Louisiane) (Schoendorff) ; 1991, True Colors (Ross).

Ce n'est pas n'importe qui : licencié en sciences politiques, il fut professeur à New York avant de tenter sa chance à Broadway. En 1947, il débute à l'écran avec *Kiss of Death*. Son apparition en tueur névrosé poussant, dans un grand éclat de rire, une infirme du haut d'un escalier fit sensation. La séquence est restée célèbre. Pathétique dans *Night and the City*, cruel dans *Street with No Name*, rusé dans *The Last Wagon*, ce blond aux yeux clairs et à l'allure féline fut la coqueluche des cinéphiles dans les années 50. Westerns, thrillers, films de guerre, il a tourné alors des films admirables, se transformant à l'occasion en producteur. Il fut à la télévision la vedette de la série policière *Madigan*. Si la qualité de ses dernières œuvres a beaucoup baissé, son pouvoir de fascination demeure intact.

Wiener, Élisabeth

Actrice et chanteuse française née en 1946.

1963, L'année du bac (Delbez, Lacour), Dragées au poivre (Baratier) ; 1964, Behold a Pale Horse (Et vient le jour de la vengeance) (Zinneman) ; 1966, Johnny Banco (Y. Allégret) ; 1968, Le corps de Diane (Richard), Mazel Tov ou le mariage (Berri), La prisonnière (Clouzot) ; 1969, L'ardoise (Bernard-Aubert), L'araignée d'eau (Verhaegue) ; 1970, On est toujours trop bon avec les femmes (Boisrond) ; 1972, Le moine (Kyrou), Trop jolies pour être honnêtes (Balducci) ; 1974, La jeune fille assassinée (Vadim), Au long de la rivière Fango (Sotha) ; 1975, Le chant du départ (Aubier) ; 1976, Duelle (Rivette), Une fille cousue de fil blanc (Lang) ; 1977, Al-dila del bene e del male (Au-delà du bien et du mal) (Cavani) ; 1979, Geschichten aus dem Wienerwald (Schell) ; 1982, Qu'est-ce qu'on attend pour être heureux ? (Serreau).

Fille du compositeur Jean Wiener, elle prête son regard noir et une présence sensuelle à quelques films de genre ou d'avant-garde, et connaît son heure de gloire en étant *La prisonnière* de Clouzot. Elle délaisse ensuite le cinéma pour la musique (avec un tube au début des années 80, « Sous ma douche »), puis disparaît de la circulation.

Wiest, Dianne

Actrice américaine née en 1948.

1980, It's My Turn (C'est ma chance) (Weill) ; 1982, I'm Dancing As Fast As I Can (Hofsiss) ; 1983, Independance Day (Mandel) ; 1984, Falling in Love (Falling in Love) (Grosbard), Footloose (Footloose) (Ross) ; 1985, The Purple Rose of Cairo (La rose pourpre du Caire) (Allen) ; 1986, Hannah and her Sisters (Hannah et ses sœurs) (Allen) ; 1987, Radio Days (Radio Days) (Allen), The Lost Boys (Génération perdue) (Schumacher), September (September) (Allen) ; 1988, Cookie (Cookie) (Seidelman), Bright Lights, Big Cities (Les feux de la ville) (Bridges) ; 1989, Parenthood (Portrait craché d'une famille modèle) (Howard) ; 1990, Edward Scissorhands (Edward aux mains d'argent) (Burton) ; 1991, Little Man Tate (Le petit homme) (Foster) ; 1994, Cops and Robbersons (Ritchie), The Scout (Ritchie), Bullets Over Broadway (Coups de feu sur Broadway) (Allen) ; 1995, Drunks (Cohn), The Birdcage (The Birdcage) (Nichols) ; 1996, The Associate (L'associé) (Petrie) ; 1997, The Horse Whisperer (L'homme qui murmurait à l'oreille des chevaux) (Redford) ; 1998, Practical Magic (Les ensorceleuses) (Dunne) ; 2001, I am Sam (Sam, je suis Sam) (Nelson), Not Afraid (Not Afraid) (Carducci) ; 2002, Merci... Dr. Rey (Litvack).

Actrice fétiche de Woody Allen, élégante et distinguée, elle possède également le plus beau sourire d'Hollywood, ce qui lui confère, où qu'elle apparaisse, un charme indéniable. Elle était touchante de dévouement et d'amour dans *Edward aux mains d'argent* où elle protégeait la pauvre créature inachevée, et irrésistible en diva sur le retour dans *Coups de feu sur Broadway*.

Wilde, Cornel

Acteur et réalisateur américain, 1915-1989.

1940, The Lady with Red Hair (Bernhardt) ; 1941, Right to the Heart (Forde), Kisses for Breakfast (Seiler), The Perfect Snob (R. McCarey), High Sierra (La grande évasion) (Walsh) ; 1942, Manila Calling (Leeds), Life Begins at 8 : 30 (Pichel) ; 1943, Wintertime (Brahm) ; 1944, Guest in the House (Brahm) ; 1945, A Song to Remember (La chanson du souvenir) (Ch. Vidor), A Thousand and One Nights (Green), Leave Her to Heaven (Péché mortel) (Stahl) ; 1946, Centennial Summer (Preminger), The Bandit of the Sherwood Forest (G. Sherman) ; 1947, Forever Amber (Ambre) (Preminger), The Homestretch (Humberstone), It Had to Be You (Hartman) ; 1948, Road House (La femme aux cigarettes) (Negulesco), The Walls of Jericho (Stahl) ; 1949, Shockproof (Jenny femme marquée) (Sirk), Four Days' Leave (Lindtberg) ; 1950, Two Flags West (Wise) ; 1951, At Sword's Point (Le fils des mousquetaires) (L. Allen) ; 1952, The Greatest Show on Earth (Sous le plus grand chapiteau du monde) (DeMille), California Conquest (Californie en flammes) (Landers), Operation Secret (Seiler) ; 1953, The Treasure of the Golden Condor (Le trésor du Guatemala) (Daves), Saadia (Lewin), Star of India (Lubin), Main Street to Broadway (Garnett) ; 1954, Passion (Tornade)

(Dwan), Woman's World (Les femmes mènent le monde) (Negulesco) ; 1955, The Big Combo (Association criminelle) (Lewis), Scarlet Coat (Duel d'espions) (J. Sturges) ; 1956, Storm Fear (Wilde), Hot Blood (L'ardente gitane) (Ray), Beyond Mombasa (Marshall) ; 1957, The Devil's Hairpin (Wilde), Omar Khayyam (Les amours d'Omar Khayyam) (Dieterle) ; 1958, Maracaïbo (Tueurs de feu à Maracaïbo) (Wilde) ; 1960, Edge of Eternity (Le secret du Grand Canyon) (Siegel) ; 1962, Constantino il grande (L. de Felice) ; 1963, Lancelot and Guinevere (Wilde) ; 1966, The Naked Prey (La proie nue) (Wilde) ; 1967, Beach Red (Le sable était rouge) (Wilde) ; 1969, The Comic (Reiner) ; 1970, No Blade of Grass (Terre brûlée) (Wilde) ; 1975, Shark's Treasure (Requins) (Wilde) ; 1977, Behind the Iron Mask (Annakin) ; 1978, The Norseman (Pierce) ; 1979, The Fifth Musketeer (Annakin) ; 1985, Flesh and Bullets (Tobalina). *Pour le metteur en scène*, voir le *Dictionnaire du cinéma*, t. I : *Les réalisateurs*.

L'un des plus sympathiques acteurs d'Hollywood, simple, sans prétention, il a animé par de véritables exploits athlétiques une masse imposante de séries B, ferrayant, bondissant ou tirant avec une fougue et un dynamisme de bon aloi. Et quand il en a eu assez d'être dirigé par des tâcherons, il est passé directement à la mise en scène, signant d'excellents films d'action où paraît son épouse Jean Wallace. Un acteur-metteur en scène qui mérite un grand coup de chapeau car il sait faire plaisir au spectateur en se faisant plaisir luimême.

Wilder, Gene

Acteur et réalisateur américain, de son vrai nom Jerry Silberman, né en 1933.

1967, Bonnie and Clyde (Bonny et Clyde) (Penn) ; 1968, The Producers (Les producteurs) (Brooks) ; 1969, Start the Revolution Without Me (Commencez la révolution sans nous) (Yorkin) ; 1970, Quackser Fortune Has a Cousin in the Bronx (Hussein) ; 1971, Willy Wonka and the Chocolate Factory (Mel Stuart) ; 1972, Everything You Always Wanted to Know About Sex... (Tout ce que vous avez toujours voulu savoir sur le sexe...) (Allen) ; 1973, Rhinoceros (O'Horgan) ; 1974, The Little Prince (Donen), Blazzing Saddles (Le shérif est en prison) (Brooks), Young Frankenstein (Frankenstein Junior) (Brooks) ; 1975, The Adventure of Sherlock Holmes' Smarter Brother (Le frère le plus futé de Sherlock Holmes) (Wilder) ; 1976, Silver Streak (Transamerica Express) (Hiller) ; 1977, The World's Greatest Lover (Drôle de séducteur) (Wilder) ; 1979, The Frisco Kid (Un rabbin au Far West) (Aldrich) ; 1980, Stir Crazy (Faut s'faire la malle) (Poitier), Les séducteurs (sketch de Wilder) ; 1982, Hanky Panky (La folie aux trousses) (Poitier) ; 1984, The Woman in Red (La femme en rouge) (Wilder) ; 1986, Haunted Honeymoon (Nuit de noces chez les fantômes) (Wilder) ; 1989, See No Evil, Hear No Evil (Pas nous, pas nous) (Hiller) ; 1990, Funny About Love (Nimoy) ; 1991, Another You (Philips). *Pour le metteur en scène*, voir le *Dictionnaire du cinéma*, t. I : *Les réalisateurs*.

Beaucoup de théâtre avant que Mel Brooks n'en fasse la vedette d'une série parodique des grands genres américains. Mais Wilder a aussi travaillé avec Allen dont il épouse parfaitement le style comique au point qu'on les confond. Il s'est voulu metteur en scène et s'est révélé supérieur à son maître Brooks mais inférieur à Allen. Excellent comédien, excellent gagman, excellent réalisateur : un homme complet.

Wilding, Michael

Acteur anglais, 1912-1977.

1940, There Ain't Justice (Tennyson), Sailors Three (Forde) ; 1941, The Farmer's Wife (Lee), Kipps (Reed), Spring Meeting (Mycroft) ; 1942, In Which We Serve (Lean), Secret Mission (French) ; 1943, Undercover (Agent double) (Nelbandov), Dear Octopus (French) ; 1944, English Without Tears (Asquith) ; 1946, Carnaval (Haynes), Piccadilly Incident (Wilcox) ; 1947, The Courtineys of Curzon Street (Mésalliance) (Wilcox), An Ideal Husband (Un mari idéal) (Korda) ; 1948, Spring in Park Lane (La dame prend le valet) (Wilcox) ; 1949, Under Capricorn (Les amants du Capricorne) (Hitchcock), Maytime in Mayfair (Le printemps chante) (Wilcox) ; 1950, Stage Fright (Le grand alibi) (Hitchcock) ; 1951, Into the Bleu (Wilcox), The Law and the Lady (L'amant de Lady Loverly) (Knopf), The Lady With a Lamp (Wilcox) ; 1952, Derby Day (Wilcox) ; 1953, Trent's Last Case (L'affaire Manderson) (Wilcox), Torch Song (La madone gitane) (Walters), Latin Lovers (Lune de miel au Brésil) (LeRoy) ; 1954, The Egyptian (L'Égyptien) (Curtiz), The Glass Slipper (La pantoufle de verre) (Walters) ; 1955, The Scarlet Coat (Duel d'espions) (Sturges) ; 1956, Zarak (Zarak le valeureux) (Young) ; 1958, Danger Within (Le mouchard) (Chaffey), Hello London (Smith) ; 1960, The World of Suzie Wong (Le monde de Suzie Wong) (Quine) ; 1961, The Naked Edge (La lame nue) (Anderson), The Best of

Enemies (Le meilleur ennemi) (Hamilton) ; 1963, A Girl Named Tamiko (Citoyen de nulle part) (Sturges) ; 1968, The Sweet Ride (Fureur à la plage) (Hart) ; 1970, Waterloo (Waterloo) (Bondartchouk) ; 1972, Lady Caroline Lamb (Bolt) ; 1973, Frankenstein, the True Story (Smight).

Fils d'une actrice réputée, il a fait ses études à Bruxelles et à Paris. Son physique très britannique lui a permis de jouer les Anglais dans de nombreux films, mais il fut aussi un Égyptien très convaincant dans un film de Curtiz en 1954. Rappelons, pour la petite histoire, qu'il fut marié à Elizabeth Taylor.

Wilkinson, Tom

Acteur anglais né en 1948.

1976, Smuga Cienia (Wajda) ; 1984, A Pocketful of Rye (Slater) ; 1985, Sylvia (Firth), Wetherby (Hare) ; 1986, Sharma and Beyond (Gilbert) ; 1990, Paper Mask (Paper Mask) (Morahan) ; 1993, In the Name of the Father (Au nom du père) (Sheridan) ; 1994, Priest (Priest) (Bird), All Things Bright and Beautiful (Devlin), A Business Affair (D'une femme à l'autre) (Brandström) ; 1995, Sense and Sensibility (Raison et sentiments) (Lee) ; 1996, The Ghost and the Darkness (L'ombre et la proie) (Hopkins), Smilla's Sense of Snow (Smilla) (August) ; 1997, The Full Monty (The Full Monty) (Cattaneo), Jilting Joe (Zeff), Wilde (Oscar Wilde) (Gilbert), Oscar & Lucinda (Armstrong) ; 1998, The Governess (Goldbacher), Rush Hour (Rush Hour) (Ratner), Shakespeare in Love (Shakespeare in Love) (Madden), Ride with the Devil (Lee) ; 1999, Molokai : The Story of Father Damian (P. Cox), Chain of Fools (Traktor), Another Life (Goodhew) ; 2000, Essex Boys (Winsor), The Patriot (The patriot – Le chemin vers la liberté) (Emmerich), In the Bedroom (Field) ; 2001, The Black Knight (Younger) ; 2003, The Importance of Being Earnest (L'importance d'être constant) (Parker) ; 2004, Eternal Sunshine of the Spotless Mind (Gondry), Girl with a Pearl Earring (La jeune fille à la perle) (Webber), If Only (Si seulement) (Juger) ; 2005, The Exorcism of Emily Rose (L'exorcisme d'Emily Rose) (Derrickson), Batman Begins (Batman Begins) (Nolan) ; 2006, Separates Lies (Fellowes), The Last Kiss (Last Kiss) (Goldwyn), Stage Beauty (Stage Beauty) (Eyre) ; 2007, Michael Clayton (Gilroy).

Vétéran des planches et des écrans anglais, il trouve une consistance cinématographique sur le tard, jouant un prêtre vivant avec une femme dans *Priest*, un papy strip-teaseur dans *The Full Monty* et le père acariâtre de Bosie dans *Oscar Wilde*. Très apprécié dans les films d'époque et les films fantastiques (*Batman*).

Williams, Esther

Actrice américaine née en 1921.

1942, Andy Hardy's Double Life (Seitz) ; 1943, A Guy Named Joe (Fleming) ; 1944, Bathing Beauty (Le bal des sirènes) (Sidney) ; 1945, Thrill of a Romance (Frisson d'amour) (Thorpe) ; 1946, The Hoodlum Saint (Taurog), Ziegfeld Follies (Minnelli), Easy to Wed (Ève éternelle) (Buzzell) ; 1947, This Time for Keeps (Le souvenir de vos lèvres) (Thorpe), Fiesta (Senorita Toreador) (Thorpe) ; 1948, On an Island With You (Dans une île avec vous) (Thorpe) ; 1949, Neptune's Daughter (La fille de Neptune) (Buzzell), Take Me Out to the Ball Game (Match d'amour) (Berkeley) ; 1950, Pagan Love Song (Chanson païenne) (Alton), Duchess of Idaho (Jamais deux sans trois) (Leonard) ; 1951, Callaway Went That Away (Une vedette disparaît) (Frank-Panama), Texas Carnival (Carnaval du Texas) (Walters) ; 1952, Million Dollar Mermaid (La première sirène) (LeRoy), Skirts Ahoy ! (Jupons à l'horizon) (Lanfield), Easy to Love (Désir d'amour) (Walters), Dangerous When Wet (Traversons la Manche) (Walters), Jupiter's Darling (La chérie de Jupiter) (Sidney) ; 1956, Unguarded Moment (L'enquête de l'inspecteur Graham) (Keller) ; 1958, Raw Wind in Heaven (Orage au Paradis) (Wilson) ; 1961, The Big Show (Les rois du cirque) (Clark), La fuente magica (La fontaine magique) (Lamas) ; 1994, That's Entertainment III (That's Entertainment III) (Friedgen et Knievel).

Championne de natation des États-Unis en 1939, elle fut engagée par la MGM pour des numéros de ballets aquatiques et apparut dans quelques-unes des plus belles comédies musicales, du célèbre *Bathing Beauty* au fastueux *Million Dollar Mermaid*. Elle a tenu aussi quelques emplois dramatiques, notamment dans *Unguarded Moment* où elle était un professeur victime d'une agression.

Williams, Robin

Acteur américain né en 1952.

1979, Can I Do it... Till' I Need Glasses ? (Levy) ; 1980, Popeye (Popeye) (Altman) ; 1982, The World according to Garp (Le monde selon Garp) (Roy Hill) ; 1983, The Survivors (Ritchie) ; 1984, Moscow on The Hudson (Moscou à New York) (Mazursky) ; 1985, The Best of Times (Spottiswood) ; 1986, Seize the Day (Cook), Club Paradise (Ramis) ; 1988, The Adventures of Baron Munchausen (Les aventures du baron de Munchhausen) (Gilliam), Good Morning Vietnam (Good Morning Vietnam) (Levinson), Dead Poets Society (Le cercle des poètes disparus) (Weir) ; 1989, Cadillac Man (Donaldson) ; 1990, Awakenings (L'éveil) (Marshall) ; 1991, Dead Again (Dead Again) (Brannagh), Hook (Hook, la revanche du capitaine Crochet) (Spielberg), The Fisher King (Fisher King) (Gilliam) ; 1992, Toys (Toys) (Levinson), Shakes the Clown (Goldthwait) ; 1993, Mrs. Doubtfire (Madame Doubtfire) (Columbus) ; 1994, Being Human (Forsythe), To Wong Foo, Thanks For Everything, Julie Newmar (Extravagances) (Kidron) ; 1995, Nine Months (Neuf mois aussi) (Columbus), Jumanji (Jumanji) (Johnston), The Birdcage (The Birdcage) (Nichols), Hamlet (Hamlet) (Branagh) ; 1996, Jack (Jack) (Coppola), Flubber (Flubber) (Mayfield), Father's Day (Reitman) ; 1997, Deconstructing Harry (Harry dans tous ses états) (Allen), Good Will Hunting (Will Hunting) (Van Sant), What Dreams May Come (Au-delà de nos rêves) (Ward) ; 1998, Jakob the Liar (P. Kassovitz), Patch Adams (Docteur Patch) (Shadyac) ; 1999, Get Bruce (Kuehn), The Bicentennial Man (L'homme bicentenaire) (Columbus) ; 2001, One Hour Photo (Romanek), Death to Smookie (DeVito) ; 2002, Insomnia (Insomnia) (Nolan) ; 2004, The Final Cut (Final Cut) (Naim) ; 2005, Camping Car (Camping Car) (Sonnenfeld) ; 2007, Night at the Museum (La nuit au musée) (S. Levy).

Solide interprète d'œuvres ambitieuses sinon réussies, il doit tout à un film, *Le cercle des poètes disparus*, énorme succès qui le rendit célèbre. Traumatisé (*Photo Obsession*) ou pervers (*Insomnia*) il est capable de tenir tous les rôles.

Williams, Treat

Acteur américain, de son vrai prénom Richard, né en 1951.

1976, The Ritz (Lester), The Eagle Has Landed (L'aigle s'est envolé) (J. Sturges), Deadly Hero (Nagy) ; 1979, Hair (Hair) (Forman), 1941 (1941) (Spielberg) ; 1980, Why Would I Lie ? (Peerce) ; 1981, The Pursuit of D.B. Cooper (200 000 dollars en cavale) (Spottiswoode) ; 1984, Once Upon a Time in America (Il était une fois en Amérique) (Leone), Flashpoint (Tannen) ; 1985, Smooth Talk (Chopra) ; 1986, The Men's Club (Men's club) (Medak) ; 1988, Sweet Lies (N. Delon), Dead Heat (Flic ou zombie) (Goldblatt) ; 1989, Russicum (L'affaire Russicum) (Squitieri), Heart of Dixie (Davidson) ; 1990, La notte degli squali (Ricci), Beyond the Ocean (Gazzara) ; 1993, Where the Rivers Flow North (L. Craven) ; 1994, Parallel Lives (Yellen), Handgun (Ransick) ; 1995, Things to Do in Denver When You're Dead (Dernières heures à Denver) (Fleder) ; 1996, The Phantom (Le fantôme du Bengale) (Wincer), Mulholland Falls (Les hommes de l'ombre) (Tamahori), Cannes Man (Martini, Shapiro), The Devil's Own (Ennemis rapprochés) (Pakula) ; 1997, Deep Rising (Un cri dans l'océan) (Sommers) ; 1998, The Deep End of the Ocean (Aussi profond que l'océan) (Grosbard), The Substitute II (Pearl).

Découvert en beatnik chevelu dans *Hair* et en pilote casse-cou dans *1941*, il se perd par la suite dans la série B où son physique puissant fait des merveilles, enchaîne les téléfilms et revient finalement en haut de l'affiche au cours des années 90 par le biais de films d'action corrects (*Dernières heures à Denver*, dans lequel il incarne un vétéran du Vietnam complètement névrosé, *Les hommes de l'ombre* ou encore *Un cri dans l'océan*).

Williams, Warren

Acteur américain, de son vrai nom Krech, 1895-1948.

1922, The Town That Forgot God (Millarde), Plunder (Seitz) ; 1931, Honor of the Family (Bacon), Expensive Women (Henley) ; 1932, The Woman from Monte-Carlo (Curtiz), Beauty and the Boss (Del Ruth), The Mouthpiece (Nugent), Dark Horse (Green), Three on a Match (LeRoy), Skyscraper Souls (Selwyn), The Matchking (Bretherton) ; 1933, Lady for a Day (Grande dame d'un jour) (Capra), Gold Diggers of 1933 (Chercheuses d'or) (LeRoy), The Mind Reader (Del Ruth), Goodbye Again (Litvak) ; 1934, Cleopatra (Cléopâtre) (DeMille), Upper World (Del Ruth), The Dragon Murder Case (Humberstone), Imitation of Life (Stahl), The Case of the Howling Dog (Crosland) ; 1935, The Secret Bride (Dieterle), Living on Velvet (Borzage), The Case of the Curious Bride (Curtiz), The Case of the Lucky Legs (Mayo), Don't Bet on Blondes (Florey) ; 1936, Satan Met a Lady (Dieterle), Times Square Playboy (McGann), The Case of the Velvet Claws (McGann), Stage Struck (En scène) (Berkeley), Go West Young Man (Hathaway) ; 1937, The Firefly (L'espionne de Castille) (Leonard), Madame X (Wood), Midnight Madonna (Flood), Outcast (Le paria) (Florey) ; 1938, Wives under Suspicion (Whale), Arsene Lupin Returns (Le retour d'Arsène Lupin) (Fitzmaurice), The First Hundred Years (Thorpe) ; 1939, The Gracie Allen Murder Case (Green), Day-Time Wife

(Ratoff), The Man with Iron Mask (Whale), The Lone Wolf Spy Hunt (Godefrey) ; 1940, Arizona (Arizona) (Ruggles), Trait of the Vigilantes (Dwan), The Lone Wolf Strikes (Salkow), Lillian Russel (Cummings) ; 1941, The Lone Wolf Takes a Chance (Salkow), Wild Geese Calling (Brahm), The Wolf Man (Waggner) ; 1942, Counter Espionnage (Dmytryk) ; 1943, One Dangerous Night (Gordon), Passport to Suez (De Toth), Fear (Zeisler) ; 1947, The Private Affairs of Bel Ami (Lewin).

Débute sous son nom, Krech, dans plusieurs serials. Il est plutôt à Broadway – où sa distinction fait des ravages – qu'à Hollywood. Mais le rôle de Jules César dans la *Cléopâtre* de DeMille relance sa carrière cinématographique. Il paraît pourtant voué aux films de série : il est le détective Philo Vance (personnage inventé par Van Dine), puis Perry Mason (de Gardner) et enfin *The Lone Wolf*, le loup solitaire (de Vance) dans des bandes à petit budget (toutes n'ont pas été recensées ici) mais qui font beaucoup pour sa popularité.

Willis, Bruce

Acteur américain né en 1955.

1980, First Deadly Sin (De plein fouet) (Hutton) ; 1981, The Prince of the City (Le prince de New York) (Lumet) ; 1982, The Verdict (Verdict) (Lumet) ; 1987, Blind Date (Boire et déboires) (Edwards) ; 1988, Sunset (Meurtre à Hollywood) (Edwards), Die Hard (Piège de cristal) (McTiernan) ; 1989, In Country (Un héros comme tant d'autres) (Jewison) ; 1990, Die Hard 2 (58 minutes pour vivre) (Harlin), The Bonfire of the Vanities (Le bûcher des vanités) (De Palma) ; 1991, Mortal Thoughts (Pensées mortelles) (Rudolph), Hudson Hawk (Hudson Hawk, gentleman cambrioleur) (Lehmann), Hook (Hook) (Spielberg), The Player (The Player) (Altman), Billy Bathgate (Billy Bathgate) (Benton), The Last Boy-Scout (Le dernier samaritain) (Scott) ; 1992, Death Becomes Her (La mort vous va si bien) (Zemeckis), National Lampoon's Loaded Weapon 1 (Alarme fatale) (Quintano) ; 1993, Striking Distance (Piège en eaux troubles) (Herrington), Pulp Fiction (Pulp Fiction) (Tarantino), Color of Night (Color of Night) (Rush) ; 1994, North (L'irrésistible North) (R. Reiner), Nobody's Fool (Un homme presque parfait) (Benton), Die Hard With a Vengeance (Une journée en enfer) (McTiernan) ; 1995, Four Rooms (Tarantino, Rockwell, Rodriguez, Anders), The Twelve Monkeys (L'armée des douze singes) (Gilliam) ; 1996, Last Man Standing (Dernier recours) (Hill), The Fifth Element (Le cinquième élément) (Besson), The Jackal (Le Chacal) (Caton-Jones) ; 1997, Mercury Rising (Code Mercury) (Beckers), Armageddon (Armageddon) (Bay) ; 1998, The Siege (Couvre-feu) (Zwick), Breakfast of Champions (Rudolph), The Sixth Sense (Sixième sens) (M.N. Shyamalan) ; 1999, The Story of Us (Une vie à deux) (Reiner), The Whole Nine Yards (Mon voisin le tueur) (Lynn) ; 2000, The Kid (Sale môme) (Turteltaub), Unbreakable (Incassable) (Shyamalan) ; 2001, Bandits (Bandits) (Levinson) ; 2002, Hart's War (Mission évasion) (Hoblit), Tears of the Sun (Les larmes du soleil) (Fuqua) ; 2004, Ocean's Twelve (Ocean's Twelve) (Soderbergh), The Whole Ten Yards (Mon voisin le tueur 2) (Deutch) ; 2005, Sin City (Sin City) (Rodriguez), Hostage (Otage) (Siri) ; 2006, 16 Blocks (16 blocs) (Donner), Fast Food Nation (Fast Food Nation) (Linklater), Over the Hedge (Nos voisins les hommes) (Johnson et Kirkpatrick), Lucky Number Slevin (Slevin) (McGuigan) ; 2007, Alpha Dog (N. Cassavetes), Black Water Transit (Bayer), Die Hard 4 : Live Free or Die Hard (Wiseman), Perfect Stranger (Foley).

Il se morfondait dans les comédies de Blake Edwards, où il paraissait peu à l'aise, quand un thriller très violent, *Piège de cristal*, lui offrit l'occasion de se poser en rival de Stallone. De cadre coincé dans *Boire et déboires*, le voilà promis aux personnages violents. Après avoir été détective privé (*Le dernier Samaritain*) ou boxeur (*Pulp Fiction*), il reprend le personnage de *Piège de cristal* pour *Une journée en enfer*. Sa composition d'un personnage perdu dans *Sixième sens* tranche avec son registre habituel, qu'il retrouve dans *16 blocs*, dans un rôle toujours aussi héroïque. Il a été marié à Demi Moore.

Wills, Chill

Acteur américain, 1903-1978.

Une centaine de films environ dont : 1935, Bar 20 Rides Again (Bretherton) ; 1937, Way Out West (Laurel et Hardy au Far West) (Horne) ; 1940, The Westerner (Le cavalier du désert) (Wyler) ; 1941, Billy the Kid (Miller), Western Union (Les pionniers de la Western Union) (Lang) ; 1942, Apache Trail (Thorpe), Tarzan's New York Adventure (Tarzan à New York) (Thorpe), Her Cardboard Lover (Cukor) ; 1944, Meet Me in Saint Louis (Le chant du Missouri) (Minnelli) ; 1946, The Harvey Girls (Sidney) ; 1948, Raw Deal (Marché de brutes) (Mann) ; 1949, Tulsa (Heisler) ; 1950, Rio Grande (Rio Grande) (Ford), High Lonesome (Le May) ; 1952, Bronco Buster (Boetticher) ; 1953, City

That Never Sleeps (Traqué dans Chicago) (Auer), The Man from Alamo (Le déserteur de Fort Alamo) (Boetticher) ; 1956, Giant (Géant) (Stevens), Santiago (Douglas), Gun for a Coward (Une arme pour un lâche) (Biberman) ; 1959, From Hell to Texas (La fureur des hommes) (Hathaway) ; 1960, The Alamo (Alamo) (Wayne) ; 1961, Deadly Companions (Peckinpah) ; 1963, The Cardinal (Le cardinal) (Preminger) ; 1964, The Rounders (Le mors aux dents) (Kennedy) ; 1970, The Liberation of L.B. Jones (On n'achète pas le silence) (W. Wyler) ; 1971, The Steagle (Sylbert) ; 1973, Pat Garret and Billy the Kid (Pat Garret et Billy le Kid) (Peckinpah) ; Guns of a Stranger (Huikle) ; 1977, Mr. Billion (J. Kaplan).

Spécialiste des cow-boys râleurs, particulièrement remarquable dans *Alamo*. Il prêta sa voix à Francis, le mulet qui parle, dans une série d'une totale ineptie.

Wilms, André

Acteur français né en 1947.

1972, Coup pour coup (Karmitz) ; 1974, Hauptlehre Hofer (Lilenthal) ; 1976, Flamme Empor (Schubert) ; 1978, Deutschland im Herbst (L'Allemagne en automne) (collectif) ; 1981, Il faut tuer Birgit Haas (Heynemann) ; 1982, Flucht aus Pommern (Schubert) ; 1984, Les poings fermés (Benoît), Le Tartuffe (Depardieu) ; 1985, A photographia (La photo) (Papatakis) ; 1986, Taxi boy (Page), Champ d'honneur (Denis) ; 1987, La vie est un long fleuve tranquille (Chatiliez) ; 1988, Drôle d'endroit pour une rencontre (Dupeyron), La lectrice (Deville), Aventure de Catherine C. (Beuchot) ; 1989, Tatie Danielle (Chatiliez), M. Hire (Leconte) ; 1990, Europa Europa (Holland), Coupable d'innocence (Ziebinski) ; 1991, La révolte des enfants (Poitou-Weber), La vie de bohême (Kaurismäki) ; 1992, Sexes faibles ! (Meynard), Isimeria (Cornilio) ; 1993, L'enfer (Chabrol), The Leningrad Cowboys meet Moses (Les Leningrad Cowboys rencontrent Moïse) (Kaurismäki), Iron Horsemen (Charmant) ; 1994, Le grand blanc de Lambaréné (Ba Kobhio) ; 1995, Les derniers jours d'Emmanuel Kant (Collin) ; 1998, Juha (Juha) (Kaurismäki).

Après de longues années consacrées au théâtre entre l'Allemagne et la France, un rôle au cinéma transforme sa carrière : celui du père Le Quesnoy dans *La vie est un long fleuve tranquille*. Révélation tardive pour un comédien qui interprète souvent des personnages à la folie sous-jacente, d'une tristesse paradoxalement très drôle chez Kaurismäki. Puis il joue le rôle du docteur Schweitzer, dans une biographie réalisée par Bassek Ba Kobhio, où sa démesure s'exprime parfaitement.

Wilms, Dominique

Actrice française née en 1933.

1953, La Môme Vert-de-Gris (Borderie), Les femmes s'en balancent (Borderie) ; 1954, Les clandestines (André), La soupe à la grimace (Sacha), Les pépées font la loi (André), Pas de coup dur pour Johnny (Roussel) ; 1956, Les assassins du dimanche (Joffé), La rivière des trois jonques (Pergament), Et par ici la sortie (Rozier) ; 1957, Le grand bluff (Dally), Les aventuriers du Mékong (Bastia) ; 1958, Romarei das Mädchen mit den grünen Augen (L'assassin sera à Tripoli) (Reinl) ; 1959, Chaque minute compte (Bibal), Bomben auf Monte Carlo (Ça peut toujours servir) (Jacoby), Y a en a marre (Govar) ; 1960, Questo amore ai confini del mondo (Cet amour au bout du monde) (Scotese) ; 1963, Giulio Cesare, il conquistatore della Gallia (Jules César conquérant de la Gaulle) (Anton) ; 1964, Banco à Bangkok pour OSS 117 (Hunebelle) ; 1965, Um null Uhr schnappt die Falle zu (Razzia au FBI) (Philipp) ; 1976, Carré de dames pour un as (Poitrenaud).

Née en Belgique de parents français, elle débute comme mannequin. Elle est remarquée par Greville qui la recommande à Borderie pour le rôle de la Môme Vert-de-Gris. Elle impose un personnage de vamp de série noire. Quand le filon s'épuise, lasse des films alimentaires, elle se consacre à la peinture et à la restauration des œuvres d'art. Mariée depuis 1957 à Jean Gaven.

Wilson, Georges

Acteur français né en 1921.

1952, La môme Vert-de-Gris (Borderie) ; 1954, Le rouge et le noir (Autant-Lara) ; 1955, Les hussards (Joffé) ; 1956, Bonjour toubib (L. Cuny) ; 1959, La jument verte (Autant-Lara), Le caïd (Borderie) ; 1960, Terrain vague (Carné), Le farceur (Broca), Le dialogue des carmélites (Agostini) ; 1961, Une aussi longue absence (Colpi), Léviathan (Keigel), Carillons sans joie (Brabant), Tintin et le mystère de la Toison d'or (Vierne), Les sept péchés capitaux (sketch de Broca) ; 1962, Le diable et les dix commandements (Duvivier), Mandrin, bandit gentilhomme (Le Chanois) ; 1963, Faites sauter le banque (Girault) ; 1964, Mélodie en sous-sol (Verneuil), Lucky Jo (Deville) ; 1965, Un monde nouveau (de Sica), Dragées au poivre (Baratier), Chair de poule (Duvivier) ; 1970, Max et les ferrailleurs (Sautet) ; 1971, Blanche (Borowczyk), L'istritturia e chiusa : dimentichi (Nous sommes tous en liberté provisoire) (Damiani) ; 1972, Non si sevizia un paperino (La longue nuit de l'exorcisme) (Fulci) ; 1973, The Three Musketeers (Les trois mousquetaires) (Lester), Sono stato io (La grosse tête) (Lattuada) ; 1974, Les Chinois à Paris (Yanne), Le mouton enragé (Deville), La gifle (Pinoteau) ; 1976, L'apprenti salaud (Deville) ; 1977, Tendre poulet (Broca) ; 1978, Les ringards (Pouret), Lady Oscar (Demy) ; 1979, Au bout du bout du banc (Kassovitz) ; 1980, Asphalte (Amar), Le bar du téléphone (Barrois), Nudo di donna (Nu de femme) (Manfredi) ; 1981, Haïtian corner (Peck) ; 1982, L'honneur d'un capitaine (Schoendoerffer) ; 1983, Itinéraire bis (Drillaud) ; 1985, Tangos, el exilio de Gardel (Tangos, l'exil de Gardel) (Solanas) ; 1990, Le château de ma mère (Robert), La tribu (Boisset) ; 1993, Cache cash (Pinoteau) ; 2005, Je ne suis pas là pour être aimé (Brizé).

Célèbre pour avoir succédé à Vilar à la tête du TNP, de 1963 à 1972. Ce grand homme de théâtre a eu quelques rôles importants à l'écran : le héros clochardisé d'*Une aussi longue absence* et le capitaine Haddok de *Tintin et la Toison d'or*. Souvent au second plan pourtant depuis quelque temps : ainsi le procureur d'*Une grosse tête* ou le caïd cynique du *Bar du téléphone*.

Wilson, Lambert

Acteur français né en 1958.

1977, Julia (Julia) (Zinnemann) ; 1978, Lady Oscar (Demy), Le gendarme et les extraterrestres (Girault), From Hell to Victory (Lenzi) ; 1979, Chanel solitaire (Kaczender) ; 1980, New Generation (Low Legoff) ; 1982, La Boum 2 (Pinoteau), Five Days One Summer (Cinq jours ce printemps-là) (Zinnemann) ; 1983, Sahara (Sahara) (McLaglen) ; 1984, La femme publique (Zulawski), Le sang des autres (Chabrol) ; 1985, Rendez-vous (Téchiné), Rouge baiser (Belmont), L'homme aux yeux d'argent (Granier-Deferre) ; 1986, Bleu comme l'enfer (Boisset), La storia (Comencini), Corps et biens (Jacquot) ; 1987, The Belly of an Architect (Le ventre de l'architecte) (Greenaway) ; 1988, Chouans ! (Broca) ; Les possédés (Wajda), El Dorado (Saural) ; 1989, La Vouivre (Wilson) ; 1990, Hiver 54 (Amar), Suivez cet avion (Amblard) ; 1991, Un homme et deux femmes (Stroh), Shuttlecock (Piddington), Warszawa (Warszawa – année 5703) (Kijowski) ; 1992, L'instinct de l'ange (Dembo) ; 1994, Jefferson in Paris (Jefferson à Paris) (Ivory) ; 1996, The Leading Man (Duigan) ; 1997, Marquise (Belmont), On connaît la chanson (Resnais), Trop (peu) d'amour (Doillon) ; 1999, The Last September (The Last September) (Warner) ; 2000, Jet Set (Onteniente), Combat d'amour en songe (Ruiz), HS (Lilienfeld) ; 2003, The Matrix Reloaded (Matrix Reloaded) (Wachowski), Il est plus facile pour un chameau... (Bruni-Tedeschi), Pas sur la bouche (Resnais), The Matrix Revolutions (Matrix Revolutions) (Wachowski) ; 2004, Catwoman (Catwoman) (Pitof), People Jet set 2 (Onteniente) ; 2005, L'anniversaire (Kurys), Gentille (Fillières), Palais royal ! (Lemercier), Sahara (Eisner) ; 2006, Cœurs (Resnais).

Fils de Georges Wilson. Grand, beau, inquiétant, il fut révélé par Zinnemann en guide de haute montagne et se montra particulièrement à l'aise dans l'atmosphère malsaine de Zulawski où il incarnait un terroriste fou. Il peut jouer les jeunes premiers ou les salauds (*L'homme aux yeux d'argent*, *Chouans !*) avec la même aisance. On le retrouve même en abbé Pierre ! Il a rejoint depuis *On connaît la chanson* la troupe de Resnais.

Wincott, Michael

Acteur canadien né en 1959.

1979, Wilde Horse Hank (Till) ; 1980, Circle of Two (Dassin), Nothing Personal (Bloomfield) ; 1981, Ticket to Heaven (Thomas) ; 1983, Curtains (Ciupka) ; 1987, The Sicilian (Le Sicilien) (Cimino) ; 1988, Talk Radio (Talk Radio) (voix) (Stone) ; 1989, Suffering Bastards (McWilliams), Bloodhounds of Broadway (Brookner), Born on the Fourth of July (Né un 4 juillet) (Stone) ; 1991, Robin Hood, Prince of Thieves (Robin des bois, prince des voleurs) (Reynolds), The Doors (The Doors) (Stone) ; 1992, 1492 : Conquest of Paradise (1492 – Christophe Colomb) (Scott) ; 1993, Romeo Is Bleeding (Romeo Is Bleeding) (Medak), The Three Musketeers (Les trois mousquetaires) (Herek) ; 1994, The Crow (The Crow) (Proyas) ; 1995, Dead Man (Dead Man) (Jarmusch), Panther (Van Peebles), Strange Days (Strange Days) (Bigelow) ; 1996, Basquiat (Basquiat) (Schnabel) ; 1997, Alien Resurrection (Alien, la résurrection) (Jeunet), Metro (Le flic de San Francisco) (Carter) ; 1998, Gunshy (Celentano), Hidden Agenda (Paterson) ; 2000, Before Night Falls (Schnabel), Along Came a Spider (Le masque de l'araignée) (Tamahori) ; 2002, The Count of Monte-Cristo (La vengeance de Monte-Cristo) (Reynolds).

Méchant raffiné et décadent, il possède ce genre de timbre à faire frémir les demoiselles des cinq premiers rangs. Bon comédien (quoique discret) au demeurant, il a incarné Rochefort dans *Les trois mousquetaires* et Adrian de Moxica dans *1492 – Christophe Colomb*.

Windsor, Marie

Actrice américaine, 1924-2000.

1941, All American Co-Ed (LeRoy Prince) ; 1942, Call Out the Marines (Ryan), Smart Alecks (W. Ford), The Big Street (Reis), George Washington Slept Here (Keighley) ; 1943, Three Hearts for Julia (Thorpe), Pilot n° 5 (Sidney), Let's Face It (Lanfield) ; 1947, The Hucksters (Conway), Song of the Thin Man (Buzzell), Unfinished Dance (Koster) ; 1948, On an Island with You (Dans une île avec vous) (Thorpe), The Three Musketeers (Sidney), The Kissing Bandit (le brigand amoureux) (Benedek), Force of Evil (Polonsky) ; 1949, Outpost in Morocco (Florey), Hellfire (Springsteen), The Beautiful Blonde from Bashful Bend (Mamzelle Mitraillette) (P. Sturges) ; 1950, Dakota Lil (Selander), The Showdown (McGowan), Frenchie (L. King), Double Deal (I. Berlin) ; 1951, Little Big Horn (Warren), Hurricane Island (Landers), Two Dollars Better (Cahn), Japanese War Bride (Vidor) ; 1952, The Sniper (L'homme à l'affût) (Dmytryk), The Narrow Margin (L'énigme du Chicago Express) (Fleischer), Outlaw Women (Femmes hors-la-loi) (Newfield), The Jungle (Berke) ; 1953, The Tall Texan (E. Williams), City That Never Sleeps (Traqué dans Chicago) (Auer), So This Is Love (Douglas), Cat Women of the Moon (A. Hilton) ; 1954, Hell's Half Acre (Auer), The Bounty Hunter (Terreur à l'Ouest) (De Toth) ; 1955, The Silver Star (Bartlett), Abbott and Costello Meet the Mummy (Lamont), No Man's Woman (Adreno) ; 1956, Two Gun Lady (Bartlett), The Killing (Ultime razzia) (Kubrick), Swamp Women (Corman) ; 1957, The Unholy Wife (Farrow), The Girl in Black Stockings (Koch), Stars in the Backyard (H. Haas) ; 1958, Day of the Badman (La journée des violents) (Keller), Island Women (Berke) ; 1963, Critic Choice (D. Weis), The Day Mars Invaded the Earth (Dexter) ; 1964, Bedtime Story (R. Levy), Mail Order Bride (Kennedy) ; 1966, Chamber of Horrors (Haverback) ; 1969, The Good Guys and the Bad Guys (Un homme fait la loi) (Kennedy) ; 1971, Support Your Local Gunfighter (Kennedy), One More Train to Rob (McLaglen) ; 1973, Cahill (McLaglen) ; 1974, The Outfit (Échec à l'organisation) (Flynn), The Apple Dumpling Gang (Tokar) ; 1975, Hearts of the West (Hollywood Cowboy) (Zieff) ; 1976, Freaky Friday (Nelson) ; 1983, Lovely But Deadly (Sheldon) ; 1987, Commando Squad (Olen Ray).

Les rôles de méchante conviennent à cette grande (1,77 m) brune, imposante et autoritaire. Desperado femelle dans *Outlaw Women*, joueuse professionnelle dans *Hellfire*, elle n'est du côté de la loi que dans *The Narrow Margin*, encore ne l'apprend-on qu'à la fin. Elle formait avec le minuscule Elisha Cook Jr. un couple monstrueux dans *The Killing* où elle poussait son mari au vol puis essayait de le doubler avec son amant. Ce qu'on retiendra d'elle c'est qu'elle a symbolisé la grande époque de la série B au temps où un petit budget n'excluait pas le talent.

Winfrey, Oprah

Femme de télévision et actrice américaine née en 1954.

1985, The Color Purple (La couleur pourpre) (Spielberg) ; 1986, Native Son (Freedman) ; 1987, Throw Momma from the Train (Balance maman hors du train) (DeVito) ; 1998, Beloved (Beloved) (Demme).

Productrice et présentatrice de son « talk-show » quotidien aux États-Unis, elle s'est bâti un véritable empire audiovisuel jusqu'à devenir la femme noire la plus riche du monde. Au cinéma, après un premier rôle d'esclave dans *La couleur pourpre*, elle produit et interprète, près de dix ans plus tard, *Beloved*, d'après Toni Morrison, dans lequel elle incarne cette fois une esclave affranchie, au cœur de l'Amérique du XIXe siècle. Le film de Demme ne connaîtra aucun succès.

Winger, Debra

Actrice américaine née en 1955.

1977, Slumber Party '57 (Ça frime chez les minettes) (Levey) ; 1978, Thanks God, it's Friday (Dieu merci, c'est vendredi) (Klane) ; 1979, French Postcards (Huyck) ; 1980, Urban Cowboy (Bridges) ; 1981, Cannery Row (Ward) ; 1982, An Officer and a Gentleman (Officier et gentleman) (Hackford) ; 1983, Terms of Endearment (Tendres passions) (J. Brooks) ; 1984, Mike's Murder (Bridges) ; 1985, Legal Eagles (L'affaire Chelsea Deardon) (Reitman) ; 1987, Made in Heaven (Bienvenue au paradis) (Rudolph), Black Widow (La veuve noire) (Rafelson) ; 1988, Betrayed (La main droite du diable) (Costa-Gavras) ; 1989, Everybody Wins (Chacun sa chance) (Reisz) ; 1990, Un thé du Sahara (Bertolucci) ; 1992, Leap of Faith (Pearce) ; 1993, Wilder Napalm (Gordon Caron), A Dangerous Woman (Gyllenhaal), Shadowlands (Les ombres du cœur) (Attenborough) ;

1994, Forget Paris (Forget Paris) (Crystal) ; 1995, Divine Rapture (inachevé, Eberhardt) ; 2001, Big Bad Love (Howard).

En deux films qui ont été d'énormes succès aux États-Unis, cette nouvelle venue a gagné ses galons de vedette. Une jeune femme dans laquelle aime se reconnaître l'Américain moyen. Elle était excellente en jeune arriviste d'*Officier et gentleman* et en enquêteuse de *La veuve noire*. Remarquée également en héroïne fascinée par le désert dans *Un thé du Sahara*.

Winslet, Kate

Actrice anglaise née en 1975.

1994, Heavenly Creatures (Créatures célestes) (P. Jackson) ; 1995, A Kid in King's Arthur Court (Gottlieb), Sense and Sensibility (Raison et sentiments) (Lee) ; 1996, Hamlet (Hamlet) (Branagh), Jude (Jude) (Hardy) ; 1997, Titanic (Titanic) (Cameron) ; 1998, Hideous Kinky (Marrakech Express) (McKinnon), Holy Smoke (Holy Smoke) (Campion) ; 2000, Quills (Quills, la plume et le sang) (Kaufman) ; 2001, Enigma (Apted) ; 2003, The Life of David Gale (La vie de David Gale) (Parker) ; 2004, Eternal Sunshine of the Spotless Mind (Gondry) ; 2005, Finding Neverland (Neverland) (Forster) ; 2006, All the King's Men (Les fous du roi) (Zaillian), The Holiday (The Holiday) (Meyers) ; 2007, Little Children (Little Children) (Field).

Enfant de la balle, elle apparaît dans des publicités et séries télévisées anglaises, avant de se faire remarquer dans un étrange film d'époque du Néo-Zélandais Peter Jackson. A l'aise dans le registre « film à costumes », elle était parfaite dans l'adaptation du roman de Jane Austen *Raison et sentiments*, puis convaincante en Ophélie sous la direction de Kenneth Branagh. Elle connaît la consécration en tenant le rôle féminin principal de *Titanic*. Elle n'a depuis de cesse de casser son image romantique.

Winstone, Ray

Acteur anglais né en 1957.

1979, That Summer (Cokliss), Scum (Scum) (Clarke), Quadrophenia (Quadrophenia) (Roddam) ; 1981, Ladies and Gentlemen, the Fabulous Stains (Adler) ; 1989, Tank Malling (Marcus) ; 1994, Ladybird Ladybird (Ladybird) (Loach) ; 1997, Our Boy (Evans), Nil By Mouth (Ne pas avaler) (Oldman), Face (Face) (Bird) ; 1998, Woundings (Hanley), Martha – Meet Frank, Daniel and Laurence (Martha, Daniel, Frank & Lawrence) (Hamm), The Sea Changes (Bray), Final Cut (Final Cut) (Anciano, Burdis), Darkness Falls (Lively), Agnes Browne (Agnes Browne) (Huston), The War Zone (The War Zone) (Roth) ; 1999, Fanny & Elvis (Fanny & Elvis) (Mellor), Sexy Beast (Sexy Beast) (Glazer), Love, Honour & Obey (Gangsters, sex & karaoké) (Anciano, Burdis) ; 2000, Five Seconds to Spare (Connolly), There's Only One Jimmy Grimble (Hay).

Mastard anglais spécialisé dans les rôles de brutes en tout genre, du gangster de *Face* à l'usurier d'*Agnes Browne*, en passant par le père incestueux de *The War Zone* et le mari ultraviolent de *Ne pas avaler*, rôle qui l'a fait connaître au cinéma après une carrière de boxeur.

Winter, Ophélie

Actrice, chanteuse et animatrice française née en 1974.

1996, Hommes, femmes, mode d'emploi (Lelouch) ; 1997, Tout doit disparaître (Muyl), Bouge ! (Cornuau) ; 1998, Folle d'elle (Cornuau) ; 1999, 2001 : A Space Travesty (Goldstein) ; 2001, Les jolies choses (Paquet-Brenner) ; 2003, Mauvais esprit (Alessandrin).

Animatrice de télé, chanteuse au physique de poupée Barbie sensuelle et forte en gueule, elle a aussi fait du cinéma. Rien de bien transcendant jusqu'à présent, entre la comédie lourdingue (*Folle d'elle*) et la parodie (*2001 : A Space Travesty*). Difficile de la prendre véritablement au sérieux.

Winters, Shelley

Actrice américaine, de son vrai nom Shirley Schrift, née en 1922.

1943, What a Woman ! (Cummings), The Racket Man (Lederman) ; 1944, Sailor's Holiday (Berke), She's a Soldier Too (Castle), Cover Girl (Vidor), Knickerbocker Holiday (Brown), Together Again, Nine Girls (Jason) ; 1945, Tonight and Every Night (Saville), A Thousand and One Nights (Saville), Dancing in Manhattan (Levin), Escape in the Fog (Boetticher) ; 1946, Suspense (Fatalité) (Tuttle) ; 1947, The Gangster (Wiles), Killer McCoy (McCoy aux poings d'acier), New Orleans (Lubin), Living in a Big Way (La Cava) ; 1948, Cry of the City (La proie) (Siodmak), Larceny (G. Sherman), A Double Life (Othello) (Cukor), Red River (Rivière rouge) (Hawks) ; 1949, Take One False Step (Erskine), The Great Gatsby (Nugent) ; 1950, South Sea Sinner (Le bistrot du péché) (Humberstone), Winchester 73 (Mann), Frenchie (Femme sans loi) (L. King) ; 1951, The

Raging Tide (G. Sherman), A Place in the Sun (Une place au soleil) (Stevens), He Ran All the Way (Menaces dans la nuit) (Berry), Behave Yourself (Beck), Meet Dany Wilson (Pevney) ; 1952, My Man and I (Wellman), Phone Call from a Stranger (Appel d'un inconnu) (Negulesco), Untamed Frontier (Passage interdit) (Fregonese) ; 1954, Tennesse Champ (Wilcox), Executive Suit (La tour des ambitieux) (Wise), Play-girl (Pevney), Saskatchewan (La brigade héroïque) (Walsh) ; 1955, Mambo (Rossen), I am a Camera (Cornelius), Night of the Hunter (La nuit du chasseur) (Laughton), The Big Knife (Le grand couteau) (Aldrich), I Died a Thousand Times (La peur au ventre) (Heisler), The Treasure of Pancho Villa (Le trésor de Pancho Villa) (Sherman) ; 1956, Cash on Delivery (Box) ; 1959, Odds against Tomorrow (Le coup de l'escalier) (Wise), The Diary of Anne Frank (Le journal d'Anne Frank) (Stevens) ; 1960, Let No Man Write My Epitaph (Leacock) ; 1961, The Young Savages (Le temps du châtiment) (Frankenheimer), The Chapman Report (Les liaisons coupables) (Cukor) ; 1962, Lolita (Lolita) (Kubrick) ; 1963, The Balcony (Le balcon) (Strick), Wives and Lovers (Rich) ; 1964, Gli indifferenti (Les deux rivales) (Maselli), A House Is Not a Home (Rouse) ; 1965, The Greatest Story Ever Told (La plus grande histoire jamais contée) (Stevens), A Patch of Blue (G. Green) ; 1966, Alfie (Gilbert), The Oscar (La statue en or massif) (Rouse), Harper (Détective privé) (Smight), Enter Laughing (Reiner), The Scalphunters (Les chasseurs de scalps) (Pollack), Wild in the Streets (Les troupes de la colère) (Shear), The Mad Room, Buona sera, Mrs. Campbell (Frank), The Three Sisters (Bogart) ; 1970, Flap (L'Indien) (Reed), Bloody Mama (Corman), How Do I Love Thee (Gordon), What's the Matter With Helen ? (Harrington) ; 1971, Something to Hide (Reid), Whoever Slew Auntie Roo ? (Qui a tué Tante Roo ?) (Harrington) ; 1972, The Poseidon Adventure (L'aventure du Poséidon) (Neame) ; 1973, Blume in Love (Les choses de l'amour) (Mazursky), Cleopatra Jones (Starrett) ; 1974, Poor Pretty Eddie (Robinson) ; 1975, Diamonds (Golan), That Lucky Touch (Miles) ; 1976, Journey Into Fear (Le voyage de la peur) (D. Mann), Next Stop, Greenwich Village (Next Stop, Greenwich Village) (Mazursky), Le locataire (Polanski), The Three Sisters (Bogart) ; 1977, Tentacoli (Tentacules) (O. Hellman), Peter's Dragon (Peter et Elliott le dragon) (Chaffey), Gran bollito (Bolognini), Un borghese piccolo piccolo (Un bourgeois tout petit petit) (Monicelli) ; 1978, King of the Gipsies (Le roi des gitans) (Pierson), Il visitatore (Paradisi) ; 1979, City on Fire (Rakoff), The Magician of Lublin (Le magicien de Lublin) (Golan), Elvis, the Movie (Le roman d'Elvis) (Carpenter), Redneck County (Robinson) ; 1981, My Mother, my Daughter (Werba), S.O.B. (S.O.B.) (Edwards), Looping (Bockmayer) ; 1983, Fanny Hill (O'Hara), Very Close Quarters (Rif), Over the Brooklyn Bridge (Golan) ; 1984, Déjà-vu (Ricci), Witchfire (Privitera), Ellie (Wittman) ; 1986, The Delta Force (Delta force) (Golan) ; 1988, The Purple People Eaters (Shayne) ; 1989, An Unremarkable Life (Chaudhri) ; 1990, Touch of a Stranger (Gilbert), Superstar, the Life and Times of Andy Warhol (Superstar) (Workman) ; 1991, Stepping Out (Stepping Out) (Gilbert) ; 1993, The Silence of the Hams (Le silence des jambons) (Greggio), The Pickle (Mazursky) ; 1994, Jury Duty (Fortenberry), Heavy (Heavy) (Mangold) ; 1995, Mrs. Munck (Ladd), Raging Angels (Smithee) ; 1996, Portrait of a Lady (Portrait de femme) (Campion) ; 1998, Gideon (Hoover), La bomba (Base).

Née dans l'Illinois, elle fait ses études à New York et débute comme actrice à Broadway en 1941. En 1943, elle se lance dans le cinéma sans être créditée pour ses premiers rôles. Elle va pourtant s'imposer rapidement comme l'une des meilleures actrices de sa génération. Elle a le plus souvent des rôles ingrats dont elle se tire à merveille. Elle était prodigieuse de vulgarité dans A *Place in the Sun* et justifiait son assassinat par Montgomery Clift ; ivrognesse dans *The Big Knife*, elle était une mère qui se laissait bien facilement séduire par Mitchum dans *La Nuit du chasseur* et qui le payait fort cher. Elle était ignoble dans *Lolita* et pitoyable dans *He Ran All the Way*. Il faut un réel talent pour assumer de tels personnages. On comprend qu'en dépit d'un physique ni laid ni joli, elle ait été mariée à Vittorio Gassman et à Anthony Franciosa : hommage à une grande actrice.

Wiseman, Joseph

Acteur canadien né en 1918.

1951, Detective Story (Histoire de détective) (Wyler) ; 1952, Viva Zapata (Viva Zapata) (Kazan), Les misérables (Milestone) ; 1953, Champ for a Day (Seiter) ; 1954, The Silver Chalice (Le calice d'argent) (Saville) ; 1955, The Prodigal (Le fils prodigue) (Thorpe) ; 1957, Three Brave men (Dunne), The Garment Jungle (Racket dans la couture) (V. Sherman) ; 1960, The Unforgiven (Le vent de la plaine) (Huston) ; 1962, The Happy Thieves (Les joyeux voleurs) (Marshall) ; 1963, Dr. No (James Bond contre Dr. No)

(Young) ; 1968, Bye Bye Braverman (Lumet), The Counterfeit Killer (Leytes), The Night They Raided Minsky's (Friedkin) ; 1969, Stiletto (Kowalski) ; 1971, The Lawman (L'homme de la loi) (Winner) ; 1972, The Valacchi Papers (Cosa nostra) (Young) ; 1974, The Apprenticeship of Duddy Kravitz (L'apprentissage de Duddy Kravitz) (T. Mankiewicz) ; 1978, The Besty (Besty) (D. Petrie), Journey into Fear (D. Mann), Jaguar Lives (Nom de code : Jaguar) (Pintoff) ; 1979, Buck Rogers in the 25th Century (Buck Rogers au XXVe siècle) (Haller) ; 1985, The Rise and Fall of the Borscht Belt (P. Davis), Seize the Day (Cook).

Acteur de théâtre, il passe de Broadway à Hollywood avec *Detective Story*, pièce transposée à l'écran par Wyler. Il y est un escroc qui clame son innocence et s'écroule en proie à une crise de nerfs lorsque sa culpabilité est établie. Froid, inquiétant, lèvres minces et sourire glacé, il est le révolutionnaire opportuniste de *Viva Zapata*, qui se prépare toujours à rallier le camp des vainqueurs. Mais il fut surtout, dans la galerie des « méchants », le docteur No, génie du mal, que James Bond aura bien des difficultés à vaincre.

Witherspoon, Reese

Actrice américaine née en 1976.

1991, The Man on the Moon (Un été en Louisiane) (Mulligan) ; 1993, Jack the Bear (Herskowitz), A Far Off Place (Kalahari) (Salomon) ; 1994, S.F.W. (Levy) ; 1996, Fear (Fear) (Foley), Freeway (Freeway) (Bright) ; 1997, Twilight (L'heure magique) (Benton) ; 1998, Pleasantville (Pleasantville) (G. Ross), Overnight Delivery (Bloom), Best Laid Plans (Un coup d'enfer) (Barker), Cruel Intentions (Sexe intentions) (Kumble) ; 1999, Election (L'arriviste) (Payne), American Psycho (American Psycho) (Harron) ; 2000, Little Nicky (Little Nicky) (Brill) ; 2001, Legally Blonde (La revanche d'une blonde) (Luketic) ; 2002, Sweet Home Alabama (Fashion Victime) (Tennant) ; 2003, The Importance of Being Earnest (L'importance d'être constant) (Parker), Legally Blonde 2 : Red, White & Blond (La blonde contre-attaque) (Herman-Wurmfeld) ; 2005, Walk the Line (Walk the Line) (Mangold), Just Like Heaven (Et si c'était vrai...) (Waters), Vanity Fair (Vanity Fair, la foire aux vanités) (Nair).

Elle débute adolescente dans le joli drame intimiste *Un été en Louisiane*, puis revient en Petit Chaperon rouge trash dans le très graphique *Freeway*. Un minois chiffonné, une gouaille et un abattage prometteurs : elle était particulièrement convaincante en étudiante prétentieuse et bêcheuse dans *L'arriviste*, et la suite a confirmé son talent, de la saga blonde au personnage de June Carter dans *Walk the Line*.

Wolkowitch, Bruno

Acteur français né en 1961.

1983, Au nom de tous les miens (Enrico) ; 1984, Train d'enfer (Hanin) ; 1987, Soigne ta droite (Godard) ; 1988, L'enfance de l'art (Girod), Vent de galerne (Stora) ; 1990, Mauvais garçon (Bral) ; 1993, L'affaire (Gobbi), Jeanne la pucelle – Les batailles/Les prisons (Rivette) ; 1994, L'uomo proiettile (Agosti) ; 1995, La chica (Gantillon) ; 1997, Terminale (Girod).

Belle gueule qui fait des ravages dans les feuilletons télé de l'été, Wolkowitch a peu joué au cinéma, les deux films où il a tenu la vedette (*Mauvais garçon*, *Terminale*) ayant été des flops retentissants.

Wong, Anna May

Actrice américaine, de son vrai nom Wong Liu Tsong, 1907-1961.

1921, Shame (Flynn), The First Born (Campbell), Bits of Life (Neilan) ; 1922, The Toll of the Sea (Franklin), Thundering Dawn (Garson) ; 1923, Drifting (Browning) ; 1924, The Alaskan (Le vainqueur) (Brenon), Lilies of the Field (Pielon), The 40th Door (Seitz), Peter Pan (Peter Pan) (Brenon), The Thief of Bagdad (Le voleur de Bagdad) (Walsh) ; 1925, Forty Winks (Urson) ; 1926, The Desert's Toll (Smith), A Trip to Chinatown (Kerr), Fifth Avenue (Vignola), The Dragon Horse ; 1927, Old San Francisco (Crosland), M. Wu (Nigh), Driven from Home (J. Young), Streets of Shanghai (Gasnier), The Chinese Parrot (Le perroquet chinois) (Leni), The Devil Dancer (Nible) ; 1928, Across to Singapore (Un soir à Singapour) (Nigh), The Crimson City (Mayo), Chinatown Charlie Song (Hines) ; 1929, Grosstadtschmetterling (Fichberg), Piccadilly (Dupont) ; 1930, Elstree Calling (Hitchcock, Brunel), The Flame of Love (Eichberg) ; 1931, Daughter of the Dragon (La fille du dragon) (Corrigan) ; 1932, Shanghai Express (Shangai Express) (Sternberg) ; 1933, Tiger Bay (Wills), A Study in Scarlet (Marin) ; 1934, Chu Chin Cow (Forde), Java Head (Ruben), Limehouse Blues (Hall) ; 1937, Daughter of Shanghai (Florey) ; 1938, When Were You Born ? (McGann), Dangerous to Know (Florey) ; 1939, Island of the Lost Men (Neumann), King of Chinatown (Grinde) ; 1941, Ellery

Queen's Penthouse Mystery (Hogan) ; 1942, Bombs over Burma (Lewis), The Lady from Chungking (Nigh) ; 1949, Impact (Lubin) ; 1960, Portrait in Black (Meurtre sans faire-part) (Gordon).

Chinoise de nationalité américaine, originaire de la côte Pacifique, elle a joué avec succès les Orientales dans de nombreux films où son charme gracile fit merveille. Sternberg, Walsh, Hitchcock l'ont dirigée et ont fait son éloge. Elle mourut d'une crise cardiaque.

Wood, Elijah

Acteur américain né en 1981.

1989, Back to the Future part II (Retour vers le futur II) (Zemeckis) ; 1990, Internal Affairs (Affaires privées) (Figgis), Avalon (Avalon) (Levinson) ; 1991, Paradise (Donoghue) ; 1992, Radio Flyer (Donner), Forever Young (Forever Young) (Miner) ; 1993, The Adventures of Huckleberry Finn (Les aventures d'Huckleberry Finn) (Sommers), The Good Son (Le bon fils) (Ruben) ; 1994, North (L'irrésistible North) (R. Reiner), The War (A chacun sa guerre) ; 1996, Flipper (Flipper) (Shapiro) ; 1997, The Ice Storm (Ice Storm) (Lee) ; 1998, Deep Impact (Deep Impact) (Leder), The Faculty (The Faculty) (Rodriguez) ; 1999, Black & White (Black and White) (Toback), The Bumblebee Flies Anyway (Duffy), Chain of Fools (Traktor) ; 2000, The Lord of the Rings – The Fellowship of the Ring (Le seigneur des anneaux – La communauté de l'anneau) (Jackson) ; 2002, The Lord of the Rings – The Two Towers (Le seigneur des anneaux – Les deux tours) (Jackson) ; 2003, The Lord of the Rings – The Return of the King (Le seigneur des anneaux – Le retour du roi) (Jackson), Spy Kids 3D : Game Over (Mission 3D Spy Kids 3) (Rodriguez) ; 2004, Eternal Sunshine of the Spotless Mind (Gondry) ; 2005, Sin City (Sin City) (Rodriguez) ; 2006, Paris je t'aime (collectif), Bobby (Bobby) (Estevez).

Il débute enfant et démontre très tôt une belle maîtrise de l'élément dramatique, particulièrement dans les rôles d'enfants victimes, sensibles et innocents. La faute à de grands yeux bleus toujours étonnés, à une bonne bouille loin des grimaces à la Macaulay Culkin. Il traverse son adolescence sans cesser de tourner et, grandi, devient l'un des héros de la série du *Seigneur des anneaux*.

Wood, Montgomery : cf. Gemma, Giu-liano.

Wood, Natalie

Actrice américaine, de son vrai nom Natasha Gurdin, 1938-1981.

1943, Happy Land (Pichel) ; 1946, Tomorrow is Forever (Demain viendra toujours) (Pichel), The Bride Wore Boots (Pichel) ; 1947, The Ghost and Mrs. Muir (L'aventure de Mme Muir) (Mankiewicz), Miracle on 34th Street (Miracle sur la 34e rue) (Seaton) ; 1948, Driftwood (Dwan), Scudda Hoo ! Scudda Hay ! (F. Hugh Herbert) ; 1949, Chicken Every Sunday (Seaton), Father was a Fullback (Stahl), The Green Promise (Russel) ; 1950, No Sad Songs for Me (La flamme qui s'éteint) (Mate), Our Very Own (Miller), Never a Dull Moment (Marshall), The Jackpot (W. Lang) ; 1951, The Blue Veil (Bernhardt), Dear Brat (A. Seiter) ; 1952, Just for You (Nugent), The Rose Bowl Story (Beaudine) ; 1953, The Star (Heisler) ; 1954, The Silver Chalice (Le calice d'argent) (Saville) ; 1955, One Desire (Hopper), Rebel Without a Cause (La fureur de vivre) (Ray) ; 1956, A Cry in the Night (Tuttle), The Searchers (La prisonnière du désert) (J. Ford), The Burning Hills (Collines brûlantes) (Heisler), The Girl He Left Behind (Butler) ; 1957, Bombers B-52 (Douglas) ; 1958, Marjorie Morningstar (Rapper), Kings Go Forth (Les diables au soleil) (Daves) ; 1959, Cash McCall (Pevney) ; 1960, All the Fine Young Cannibals (Anderson), West Side Story (West Side Story) (Wise, Robbins) ; 1961, Splendor in the Grass (La fièvre dans le sang) (Kazan) ; 1962, Gypsy (Gypsy) (LeRoy) ; 1963, Love with the Proper Stranger (Une certaine rencontre) (Mulligan) ; 1964, Sex and the Single Girl (Une vierge sur canapé) (Quine) ; 1965, The Great Race (La plus grande course autour du monde) (Edwards) ; 1966, Inside Daisy Clover (Daisy Clover) (Mulligan), This Property Is Condemned (Propriété interdite) (S. Pollack), Penelope (Les plaisirs de Pénélope) (Hiller) ; 1969, Bob and Carol and Ted and Alice (Mazursky) ; 1972, The Candidate (Votez Mac Kay) (Ritchie) ; 1974, Peeper (Hyams) ; 1977, The First American Teenager (Connolly) ; 1979, Meteor (Neame), The Last Married Couple in America (Cates) ; 1981, Brainstorm (Trumbull).

Issue d'une famille d'immigrés russes, elle fit ses débuts à l'écran en 1943 à l'âge de cinq ans. Star enfant, elle reçut aussi une forte formation de danseuse. De grands rôles avec Kazan, Ray, Edwards, Pollack et son admirable interprétation de *West Side Story* l'ont imposée. Elle était mariée à l'acteur Robert Wagner mais se noya mystérieusement, au lendemain d'une soirée entre amis.

Woods, James

Acteur américain né en 1947.

1972, The Visitors (Les visiteurs) (Kazan), Hickey & Boggs (Culp) ; 1973, The Way We Were (Nos plus belles années) (Pollack) ; 1974, The Gambler (Le flambeur) (Reisz) ; 1975, Distant Moves (La fugue) (Penn), Distance (Lover) ; 1976, Alex and the Gipsy (Alex ou la liberté) (Korty) ; 1977, Choir Boys (Bande de flics) (Aldrich) ; 1979, The Onion Fields (Tueurs de flics) (Becker) ; 1980, Eye Witness (L'œil du témoin) (Yates), The Black Marble (Becker) ; 1982, Fast Walking (Harris), Split Image (L'envoûtement) (Kotcheff) ; 1983, Videodrome (Vidéodrome) (Cronenberg) ; 1984, Against All Odds (Contre toute attente) (Hackford), Cat's Eye (Teague), Once Upon a Time in America (Il était une fois en Amérique) (Leone) ; 1985, Joshua, Then and Now (Kotcheff) ; 1986, Salvador (Salvador) (Stone) ; 1987, Best Seller (Pacte avec un tueur) (Flynn) ; 1988, Cop (Cop) (Harris), The Boost (État de choc) (Becker) ; 1989, True Believers (Coupable ressemblance) (Ruben), Immediate Family (Immediate family) (Kaplan) ; 1991, The Hard Way (La manière forte) (Badham) ; 1992, Straight Talk (Franc-parler) (Kellman), Diggstown (La nuit du défi) (Ritchie), Chaplin (Chaplin) (Attenborough) ; 1993, The Getaway (Guet-apens) (Donaldson), Curse of the Starving Class (McClary) ; 1994, The Specialist (L'expert) (Llosa), Stranger Things (Alexander) ; 1995, Nixon (Nixon) (Stone), Casino (Casino) (Scorsese), Killer : A Journal of Murder (Metcalfe) ; 1996, Ghosts from the Past (Reiner), For Better or Worse (Alexander) ; 1997, Contact (Contact) (Zemeckis), Kicked in the Head (Harrison), John Carpenter's Vampires (Vampires) (Carpenter) ; 1998, Another Day in Paradise (Another Day in Paradise) (Clark), True Crime (Jugé coupable) (Eastwood), The Virgin Suicides (Virgin Suicides) (S. Coppola), The General's Daughter (Le déshonneur d'Elisabeth Campbell) (West) ; 1999, Any Given Sunday (L'enfer du dimanche) (Stone), Play It to the Bone (Les adversaires) (Shelton) ; 2000, Race to Space (Mon copain Mac) (McNamara) ; 2001, John Q (N. Cassavetes), Scary Movie 2 (Scary Movie 2 (Wayans), Riding in Cars with Boys (Écarts de conduite) (Marshall), Northfork (Northfork) (Polish).

Transfuge des mathématiques, son visage inquiétant de psychopathe, à la Carradine, en fait l'interprète rêvé des thrillers, en même temps qu'il tient de nombreux emplois au théâtre et à la télévision *(Holocauste* où il est le mari de Meryl Streep). En trois films : *Vidéodrome, Contre toute attente* et *Il était une fois en Amérique*, où il est l'égal de Robert De Niro, il s'est imposé comme une vedette à part entière. Sa composition dans *Cop* souligne l'étendue d'un talent qui lui permet de passer de l'émotion au cynisme. Il est remarquable en chasseur de vampires dans *Vampires* de Carpenter.

Woodward, Joanne

Actrice américaine née en 1931.

1955, Count Three and Pray (L'étreinte du destin) (Sherman) ; 1956, A Kiss Before Dying (L'étreinte fatale) (Oswald) ; 1957, The Three Faces of Eve (Les trois visages d'Ève) (Johnson), No Down Payment (Les sensuels) (Ritt), The Long Hot Summer (Les feux de l'été) (Ritt) ; 1958, Rally Round the Flag Boys (La brune brûlante) (Mc Carey), The Sound and the Fury (Le bruit et la fureur) (Ritt) ; 1959, The Fugitive Kind (L'homme à la peau de serpent) (Lumet) ; 1960, From the Terrace (Du haut de la terrasse) (Robson) ; 1961, Paris Blues (Ritt) ; 1962, The Stripper (Les loups et l'agneau) (Schaffner) ; 1963, A New Kind of Love (La fille à la casquette) (Shavelson) ; 1964, Singpost to Murder (Englund) ; 1965, A Big Hand for the Little Lady (Gros coup à Dodge City) (Cook) ; 1966, A Fine Madness (L'homme à la tête fêlée) (Kershner) ; 1967, Rachel, Rachel (Rachel, Rachel) (Newman) ; 1969, Winning (Virages) (Goldstone), W.U.S.A. (Wusa) (Rosenberg) ; 1970, They Might Be Giants (Le rivage oublié) (Harvey) ; 1972, The Effect of Gamma Rays on Man in the Moon Marigolds (De l'influence des rayons gamma sur le comportement des marguerites) (Newman) ; 1973, Summer Wishes, Winter Dreams (Gates) ; 1975, The Drowning Pool (La toile d'araignée) (Rosenberg) ; 1976, Sybil (Petrie) ; 1978, The End (Suicidez-moi, docteur) (Reynolds) ; 1983, Harry and Son (L'affrontement) (Newman) ; 1987, The Glass Menagerie (La ménagerie de verre) (Newman) ; 1990, Mr. and Mrs. Bridges (Mr. and Mrs. Bridges) (Ivory) ; 1993, Philadelphia (Philadelphia) (Demme).

Études théâtrales. Elle fait connaissance à ses débuts avec Paul Newman qui deviendra son mari. Deux ans après ses débuts à l'écran, elle gagnait l'oscar de 1957 pour *The Three Faces of Eve.* Elle sera à nouveau couronnée pour *Rachel Rachel* et obtient un prix à Cannes avec *The Effects of Gamma Rays...* Elle a beaucoup travaillé également à la télévision et s'est engagée politiquement parmi les libéraux.

Woolsey, Robert : cf. Wheeler Bert et Woosley, Robert.

Wray, Fay

Actrice d'origine canadienne, 1907-2004.

1923, *plusieurs courts métrages puis :* 1925, The Coast Patrol (Barsky) ; 1926, The Wild Horse Stampede (Rogell), Lazy Lightning (Wyler), The Man in the Saddle (Reynolds), A One Man Game (Laemmle), Loco Luck (Smith) ; 1927, Spurs and Saddles (Smith) ; 1928, The Wedding March (Symphonie nuptiale) (Stroheim), Legion of the Condemned (Wellman), The First Kiss (Lee), The Street of Sin (Stiller) ; 1929, The Four Feathers (Schoedsack et Cooper), Pointed Heels (Sutherland), Thunderbolt (L'assommeur) (Sternberg) ; 1930, Captain Thunder (Crosland), Behind the Make-Up (Milton), The Sea God (Abbott), Paramount on Parade (plusieurs réalisateurs), The Border Legion (Howard), The Texan (Cromwell) ; 1931, The Finger Points (Dillon), Not Exactly Gentlemen (Stoloff), Dirigible (Capra), The Lawyer's Secret (Gasnier), The Conquering Horde (Sloman), The Unholy Garden (Fitzmaurice) ; 1932, The Most Dangerous Game (La ou les chasses du comte Zaroff) (Schoedsack et Cooper), Doctor X (Curtiz) ; 1933, Below the Sea (Rogell), King Kong (King Kong) (Shoedsack et Cooper), The Vampire Bat (Strayer), The Woman I Stole (Cummings), Ann Carver's Profession (Buzzell), The Big Brain (Archainbaud), The Mystery of the Wax Museum (Masques de cire) (Curtiz), One Sunday Afternoon (Roberts), The Bowery (Walsh), Master of Men (Hillyer), Shanghai Madness (Blystone) ; 1934, The Countess of Monte Cristo (Freund), Madame Spy (Freund), The Affairs of Cellini (Benvenuto Cellini) (La Cava), The Richest Girl in the World (Seiter), Woman in the Dark (Rosen), Once to Every Woman, Viva Villa (Viva Villa !) (Conway), Black Moon (Neil), Cheating Cheaters (Thorpe) ; 1935, Bulldog Jack (Force), Come Out of the Pantry (Raymond), The Clairvoyant (Elvey), Mills of the Gods (Neill) ; 1936, They Met in a Taxi (Green) ; 1937, Murder in Greenwich Village (Rogell), It Happened in Hollywood (Lachman) ; 1938, The Jury's Secret (Sloman), Smashing the Money Ring (Morse) ; 1939, Navy Secrets (Bretherton) ; 1941, Adam Had Four Sons (Ratoff), Melody for Three (Kenton) ; 1942, Not a Ladies' Man (Landers) ; 1953, Small Town Girl (Le joyeux prisonnier) (Kardos), Treasure of the Golden Condor (Le trésor du Guatemala) (Daves) ; 1955, The Cobweb (La toile d'araignée) (Minnelli), Queen Bee (Une femme diabolique) (MacDougall), Hell on Frisco Bay (Colère noire) (Tuttle) ; 1957, Rock Pretty Baby (R. Bartlett), Crime of Passion (Oswald), Tammy and the Bachelor (Pevney), Dragstrip Riot (D. Bradley) ; 1958, Summer Love (Haas).

Très belle, elle fut parmi les stars celle qui était toujours promise au rôle de victime : livrée au roi Kong, elle se débattait dans la grosse patte du singe en une image inoubliable ; un sculpteur fou menaçait de la couler dans de la cire pour en faire une statue ; elle devenait le gibier idéal du comte Zaroff, sans oublier le docteur X ou celui de *Vampire Bat*, quand ce n'était pas Villa qui voulait lui faire un mauvais parti. Que de cris a-t-elle poussés ! La terreur se lisait dans ses yeux, son corps se convulsait tandis que le monstre s'approchait et commençait ses assauts. Hélas ! elle était toujours sauvée des pires sévices au dernier moment.

Wright ou Wright Penn, Robin

Actrice américaine née en 1966.

1986, Hollywood Vice Squad (Spheeris) ; 1987, The Princess Bride (Princess bride) (Reiner) ; 1989, State of Grace (Les anges de la nuit) (Joanou) ; 1991, Denial (Dignam) ; 1992, Toys (Toys) (Levinson), The Playboys (The Playboys) (MacKinnon) ; 1993, Forrest Gump (Forrest Gump) (Zemeckis) ; 1994, The Crossing Guard (Crossing guard) (Sean Penn) ; 1995, Moll Flanders (Moll Flanders) (Densham) ; 1996, Loved (Loved) (Dignam) ; 1997, She's so Lovely (She's So Lovely) (N. Cassavetes) ; 1998, Hurlyburly (Drazan), Message in a Bottle (Une bouteille à la mer) (Mandoki) ; 2000, How to Kill Your Neighbor's Dog (Kalesniko), The Pledge (Penn), Unbreakable (Incassable) (Shyamalan) ; 2003, White Oleander (Laurier blanc) (Kosminsky) ; 2007, Breaking and Entering (Par effraction) (Minghella).

Les téléphiles reconnaîtront en elle Kelly Capwell, la belle héritière du feuilleton fleuve *Santa Barbara*. Les cinéphiles, quant à eux, ont vu sa silhouette et son visage parfaits dans de vrais bons films, à commencer par *Princess Bride*, où elle tenait le rôle de ladite princesse, joliment prénommée Bouton d'or. Comme quoi les soap operas mènent à tout, à condition d'en sortir. Elle est mariée à Sean Penn.

Wright, Teresa

Actrice américaine, 1918-2005.

1941, The Little Foxes (La vipère) (Wyler) ; 1942, Pride of the Yankees (Vainqueur du destin) (Wood), Mrs. Minniver (Madame Minniver) (Wyler) ; 1943, Shadow of a Doubt (L'ombre d'un doute) (Hitchcock) ; 1944, Casanova Brown (Casanova le Petit) (Wood) ; 1945, The Trouble with Women (Lanfield) ; 1946, The Best Years of Our Lives (Les plus belles années de notre vie) (Wyler), The Imperfect Lady (L. Allen) ; 1947, Pursued (La vallée de la peur) (Walsh) ; 1950, The Capture (La capture) (Sturges), The Men (C'étaient des hommes) (Zinnemann) ; 1952, Something to Live for (Stevens), California Conquest (Californie en flammes) (Landers), The Steel Trap (Stone) ; 1953, The Actress (Cukor), Count the Hours (Siegel) ; 1954, Track of the Cat (Wellman) ; 1956, The Search for Bridey Murphy (Langley) ; 1957, Escapade in Japan (Escapade au Japon) (Lubin) ; 1958, The Restless Years (Kautner) ; 1969, Hail Hero ! (Miller), The Happy Ending (Brooks) ; 1977, Roseland (Ivory) ; 1980, Somewhere in Time (Quelque part dans le temps) (Szwarc) ; 1988, The Good Mother (Le prix de la passion) (Nimoy) ; 1997, The Rainmaker (L'idéaliste) (Coppola).

Une vedette mais pas une star. Elle joua longtemps les jeunes filles de bonne famille un peu rêveuses (*L'ombre d'un doute*) puis les mères dévouées. Un symbole pour les Américains. Elle eut un oscar pour *Mrs. Minniver*.

Wyman, Jane

Actrice américaine, de son vrai nom Sarah Jane Fulks, née en 1914.

1935, King of Burlesque (Lanfield) ; 1936, Cain and Mabel (Bacon), Gold Diggers of 1937 (Bacon), My Man Godfrey (La Cava), Stage Struck (Berkeley), Smart Blonder (McDonald) ; 1937, Slim (Enright), The King and the Chorus Girl (LeRoy), Mr. Dodds Takes the Air (Green) ; 1938, Wide Open Faces (Neumann), The Spy Ring (Lewis), Brother Rat (Keighley), The Crowd Roars (La foule hurle) (Hawks), Fools for Scandal (LeRoy), He Couldn't Say No (Seiler), Tailspin (Del Ruth) ; 1939, The Kid from Kokomo (Seiler), Private Detective (Curtiz) ; 1940, Brother Rat and a Baby (Enright), Tugboat Annie Sails Again (Enright), Flight Angels (Seiler), An Angel from Texas (Enright), My Love Came Back (Bernhardt) ; 1941, The Body Disappears (Lederman), Bad Men of Missouri (Enright), You're in the Army Now (Seiler) ; 1942, Footlight Serenade (Ratoff), My Favorite Spy (Garnett), Larceny Inc. (Bacon) ; 1943, Princess O'Rourke (Krasna) ; 1944, The Doughgirls (Kern), Make Your Own Bed (Godfrey), Hollywood Canteen (Daves), Crime by Night (G. Homes) ; 1945, The Lost Weekend (Le poison) (Wilder) ; 1946, One More Tomorrow (Godfrey), Night and Day (Nuit et jour) (Curtiz), The Yearling (Jody et le faon) (Brown) ; 1947, Magic Town (Wellman), Cheyenne (Cheyenne) (Walsh) ; 1948, Johnny Belinda (Johnny Belinda) (Negulesco) ; 1949, The Lady Takes à Sailor (Seiter), A Kiss in the Dark (Daves), It's a Great Feeling (Butler) ; 1950, Stage Fright (Le grand alibi) (Hitchcock), The Glass Menagerie (La ménagerie de verre) (Rapper) ; 1951, The Blue Veil (La femme au voile bleu) (Bernhardt), Here Comes the Groom (Si l'on mariait Papa) (Capra), Three Guys Named Mike (Walters) ; 1952, Just for You (Nugent), The Will Rogers Story (Curtiz) ; 1953, Let's Do It Again (Hall), So Big (Mon grand) (Wise) ; 1954, Magnificent Obsession (Le secret magnifique) (Sirk) ; 1955, All That Heaven Allows (Tout ce que le ciel permet) (Sirk), Lucy Gallant (Une femme extraordinaire) (Parrish) ; 1956, Miracle in the Rain (Mate) ; 1959, Holiday for Lovers (Qu'est-ce qui fait courir les filles ?) (Levin) ; 1960, Pollyana (Swift) ; 1962, Bon voyage (Neilson) ; 1969, How to Commit Marriage (Panama).

Rarement actrice fut autant dépourvue de sex-appeal ! Elle est la bonne ménagère, l'épouse au foyer que l'on trompe allègrement (les mélodrames de Wellman, Wise, Sirk...), l'innocente victime (*Johnny Belinda*), La gouvernante d'enfant (*The Blue Veil*). Longtemps limitée dans une production médiocre aux rôles de girlfriends, elle devint une vedette avec *The Lost Weekend* et gagna l'oscar de 1948 pour sa composition de sourde-muette dans *Johnny Belinda*. Elle fut mariée entre 1940 et 1948 à Ronald Reagan.

Wynn, Keenan

Acteur américain, 1916-1986.

1943, Lost Angel (Rowland) ; 1944, See Here Private Hargrove (Ruggles), Since You Went Away (Depuis ton départ) (Cromwell) ; 1945, The Clock (Minnelli), Without Love (Bucquet) ; 1946, Ziegfeld Follies (Minnelli), Easy to Wed (Buzzell) ; 1947, The Hucksters (Conway) ; 1948, The Three Musketeers (Les trois mousquetaires) (Sidney), My Dear Secretary (Martin) ; 1950, Annie Get Your Gun (Sidney) ; 1951, King Lady (Sturges), Royal Wedding (Mariage royal) (Donen), Angels in the Outfield (Brown) ; 1952, The Belle of New York (La belle de New York) (Walters), Phone Call from a Stranger (Appel d'un inconnu) (Negulesco) ; 1953, Battle Circus (Le cirque infernal) (Brooks), Kiss Me Kate (Sidney), All the Brothers Were Valiant (La perle noire) (Thorpe) ; 1954, The Long Long Trailer (La roulotte du plaisir) (Minnelli), Men of the Fighting Lady (Marton) ; 1955, The Glass Slipper (La pantoufle de verre) (Walters), Running Wild (Biberman) ; 1956, The Man in the Gray Flannel Suit (L'homme au complet gris) (Johnson), Johnny Concho (McGuire) ; 1957, The Great Man (Ferrer) ; 1958, A Time to Love and a Time to Die (Un temps pour aimer et un temps pour mourir) (Sirk), The Perfect Furlough (Vacances à Paris) ; 1959, A Hole in the Head (Un trou dans la tête) (Capra) ; 1960, The Crowded Sky (Pevney) ; 1961, King of the Roaring Twenties (Newman), The Absent-Minded Professor (Monte là-dessus) (Stevenson) ; 1963, Son of Flubber (Stevenson) ; 1964, Dr. Strangelove... (Dr. Folamour) (Kubrick), The Patsy (Jerry souffre-douleur) (Lewis), The Americanization of Emily (Les jeux de l'amour et de la guerre) (Hiller) ; 1965, The Great Race (La grande course autour du monde) (Edwards) ; 1966, Stagecoach (La diligence vers l'Ouest) (Douglas), Promise Her Anything (Hiller), Night of the Grizzly (Pevney) ; 1967, Point Blank (Le point de non-retour) (Boorman), Welcome to Hard Times (Kennedy), Warning Shot (L'assassin est-il coupable ?) (Kulik), The War Wagon (La caravane de feu) (Kennedy) ; 1968, Mackenna's Gold (L'or des Mackenna) (Lee-Thompson), Finian's Rainbow (La vallée du bonheur) (Coppola) ; 1969, Smith (O'Herlihy), 80 Steps to Jonah (Oswald) ; 1970, Viva Max ! (Paris), L'uomo dagli occhi di ghiaccio (De Martino), Loving (Loving) (Kershner) ; 1971, Padella calibro 38 (Secchi), B.J. Presents (Yablonsky), The Animals (Joy), Pretty Maids All in a Row (La jeune fille assassinée) (Vadim), Black Jack (Naudy) ; 1972, Cancel My Reservation (Bogart), Snowball Express (Trois étoiles... trente-six chandelles) (Tokar), The Mechanic (Le flingueur) (Winner) ; 1974, The Internecine Project (K. Hughes), Herbie Rides Again (Stevenson) ; 1975, A Woman For All Men (Marks), The Man Who Would Not Die (Arkless), The Legend of Earl Durand (Patterson), The Devil's Rain (La pluie du diable) (Fuest), Nashville (Nashville) (Altman) ; 1976, He Is My Brother (Dmytryk), The Shaggy D.A. (Un candidat au poil) (Stevenson), The Killer Inside Me (Kennedy), The Glove (Hagen) ; 1977, Kino, the Padre on Horseback (Kennedy), Orca the Killer Whale (Orca) (Anderson), High Velocity (Kramer), Piranha (Piranhas) (Dante), Coach (Townsend), Laserblast (Rae) ; 1979, The Dark (Cardos), Sunburn (Sunburn/Coup de soleil) (Sarafian), The Clonus Horror (Fiveson), Just Tell Me What You Want (Lumet), Billion Dollar Threat (La planète contre un milliard) (Shear) ; 1982, Best Friends (Les meilleurs amis) (Jewison) ; 1983, Hysterical (Bearde), Wavelength (Gray) ; 1985, Prime Risk (Farkas) ; 1986, Black Moon Rising (Sans issue) (Cokliss).

Fils d'un comique réputé, il se spécialisa dans la comédie musicale (il faut le voir essayer d'obtenir sans succès une communication téléphonique dans son quartier tandis que d'autres personnes obtiennent des communications aux quatre coins du monde sans problème, dans *Ziegfeld Follies*). Il était extraordinaire en jumeaux, l'un anglais, l'autre américain, dans *Royal Wedding* et en milliardaire extravagant dans *A Hole in the Head*. Coursodon et Tavernier ont eu raison dans *Trente ans de cinéma américain* d'attirer l'attention sur le côté ambigu de cette fausse joyeuse « rondeur » et sur la richesse des personnages créés par Wynn.

Y

Yanne, Jean

Acteur et réalisateur français, de son vrai nom Gouyé, 1933-2003.

1963, La femme spectacle (Lelouch) ; 1964, La vie à l'envers (Jessua), L'amour à la chaîne (de Givray) ; 1965, Monnaie de singe (Robert), Jaloux comme un tigre (Cowl) ; 1966, La ligne de démarcation (Chabrol), Le Saint prend l'affût (Christian-Jaque), Dis-moi qui tuer (Périer), Bang bang (Piollet) ; 1967, Week-end (Godard) ; Le vicomte règle ses comptes (Godard) ; 1968, Un drôle de colonel (Girault), Ces messieurs de la famille (André), Erotissimo (Pirès) ; 1969, Que la bête meure (Chabrol), Le boucher (Chabrol) ; 1970, Êtes-vous fiancée à un marin grec ou à un pilote de ligne ? (Aurel), Fantasia chez les ploucs (Pirès) ; 1971, Laisse aller, c'est une valse (Lautner), Le saut de l'ange (Boisset), Nous ne vieillirons pas ensemble (Pialat) ; 1972, Tout le monde il est beau, tout le monde il est gentil (Yanne) ; 1973, Moi, y'en a vouloir des sous (Yanne) ; 1974, Les Chinois à Paris (Yanne) ; 1975, D'amour et d'eau fraîche (Blanc), Chobizenesse (Yanne) ; 1976, Armaguedon (Jessua) ; 1977, La raison d'État (Cayatte), L'imprécateur (Bertucelli), Moi, fleur bleue (Le Hung) ; 1978, Je te tiens, tu me tiens par la barbichette (Yanne) ; 1981, Asphalte (Amar) ; 1982, Deux heures moins le quart avant J.-C. (Yanne) ; 1983, Hanna K. (Costa-Gavras), Papy fait de la résistance (Poiré) ; 1984, Le téléphone sonne toujours deux fois (Vergne) ; 1985, Liberté égalité choucroute (Yanne) ; 1986, Le paltoquet (Deville), Gauguin, le loup dans le soleil (Carlson) ; 1987, Attention, bandits (Lelouch), Fucking Fernand (Mordillat), Cayenne palace (Maline) ; 1988, Passe-passe (Gessner), Le radeau de la méduse (Azimi) ; 1990, Madame Bovary (Chabrol), Les secrets professionnels du docteur Apfelglück (collectif) ; 1991, La légende (Diamant-Berger) ; 1992, Le bal des casse-pieds (Robert), Indochine (Wargnier), Pétain (Marbœuf), La Sévillane (Toussaint), Fausto (Duchemin) ; 1993, Profil bas (Zidi), Chacun pour toi (Ribes), Regarde les hommes tomber (Audiard) ; 1994, Mo' (François), Victory (Victory) (Peploe) ; 1995, Le hussard sur le toit (Rappeneau), La dame du jeu (Brasi), Des nouvelles du Bon Dieu (Lepêcheur), Enfants de salaud (Marshall), Beaumarchais l'insolent (Molinaro), Désiré (Murat) ; 1996, Fallait pas !... (Jugnot), Tenue correcte exigée (Lioret), La belle verte (Serreau) ; 1998, Volpone (Chalonge), Hygiène de l'assassin (Ruggieri), Je règle mon pas sur le pas de mon père (Waterhouse), Belle maman (Aghion) ; 1999, Les acteurs (Blier) ; 2001, Vertiges de l'amour (Chouchan), Le pacte des loups (Gans) ; 2002, Adolphe (Jacquot), Petites coupures (Bonitzer), Gomez et Tavarès (Paquet-Brenner). *Pour le metteur en scène*, voir le *Dictionnaire du cinéma*, t. I : *Les réalisateurs*.

Venu du cabaret et de la radio (où il fut animateur avec Gérard Sire et Jacques Martin), il a révélé ses talents de comédien dans la série de télévision de Jean Chérasse, « Présence du passé », où il chantait et jouait superbement. Claude de Givray en fait un extraordinaire souteneur dans *L'amour à la chaîne.* Deux rôles vont l'imposer parmi les plus grands : le « boucher » de Chabrol et le personnage de *Nous ne vieillirons pas ensemble*, de Pialat, qui lui valut un prix à Cannes qu'il refusa. Passé à la réalisation, il a donné une série de films d'un comique grinçant et agressif où il confirmait ses qualités de comédien.

Yd, Jean d'

Acteur français, 1880-1964.

1922, La dame de Monsoreau (Le Somptier) ; 1923, La souriante madame Beudet (Dulac), Le chant de l'amour triomphant (Tourjansky), Gossette (Dulac) ; 1924, L'arriviste (Hugon), La main qui a tué (Marsan, Gleize) ; 1926, Nitchevo (Baroncelli) ; 1927, Napoléon (Gance) ; 1928, La passion de Jeanne d'Arc (Dreyer) ; 1934, Tartarin de Tarascon (Bernard), L'article 330 (Pagnol) ; 1938, Entente cordiale (L'Herbier), Alerte en Méditerranée (Joannon) ; 1942, Les visiteurs du soir (Carné), Félicie Nanteuil (M. Allégret) ; 1943, L'éternel retour (Delannoy), La vie de bohème (L'Herbier) ; 1945, Jéricho (Calef), Le pays sans étoiles (Lacombe), Raboliot (Daroy), L'impasse (Dard) ; 1946, Martin Roumagnac (Lacombe), Rêves d'amour (Stengel) ; 1947, Capitaine Blomet (Feix), Le cavalier de Croix-Mort (Gasnier-Raymond), Les dernières vacances (Leenhardt), Le comédien (Guitry) ; 1948, Le colonel Durand (Chanas), Fantômas contre Fantômas (Vernay) ; 1949, La belle que voilà (Le Chanois) ; 1950, Justice est faite (Cayatte), Dieu a besoin des hommes (Delannoy) ; 1951, Agence matrimoniale (Le Chanois) ; 1953, L'affaire Maurizius (Duvivier) ; 1955, Chiens perdus sans collier (Delannoy) ; 1956, L'homme et l'enfant (André), Les truands (Rim) ; 1957, Les misérables (Le Chanois) ; 1958, Les naufrageurs (Brabant).

Ce grand acteur, d'une famille d'artistes, fut remarquable dans *Napoléon* (le fonctionnaire du Tribunal révolutionnaire qui sauve les Comédiens-Français) et dans la *Jeanne d'Arc* de Dreyer (Guillaume Evrard). Son visage marqué (les poches sous les yeux, les commissures des lèvres, la bouche molle) le prédispose aux rôles d'aristocrates désabusés (du Chamberlain de l'*Entente cordiale* au personnage fin de race de l'*Éternel retour*). Il fut surtout admirable en vieux monsieur désabusé qui assiste à travers la vente d'une propriété à la fin d'une époque et à la dispersion d'une famille, dans *Les dernières vacances*.

Yeoh, Michelle

Actrice d'origine malaisienne, de son vrai nom Yeoh Chu-kheng, née en 1962.

1984, Owls vs. Dumbo (Sammo Hung) ; 1985, My Lucky Stars 2 : Twinkle Twinkle Lucky Stars (Sammo Hung) ; 1986, In the Line of Duty (Police action) (David Chung) ; 1987, Yes, Madam (Corey Yuen), Magnificent Warriors/Yes, Madam 3 (David Chung), Easy Money (Stephen Shin) ;1992, The Heroic Trio (Siu-Tung Ching, Johnny To), Police Story 3/Supercop (Police Story 3) (Stanley Tong) ; 1993, Butterfly Sword (Michael Mak), Heroic Trio 2 : Executioneers (Siu-Tung Ching, Johnny To), Holy Weapon/Seven Maidens (Wong Jing), The Tai-Chi Master (Woo-ping Yuen), Police Story 4/Supercop 2 (Stanley Tong) ; 1994, Wing Chun (Woo-ping Yuen), Wonder Seven (Siu-Tung Ching) ; 1996, The Stunt Woman (Ann Hui) ; 1997, The Soong Sisters (Mabel Cheung), Tomorrow Never Dies (Demain ne meurt jamais) (Spottiswoode) ; 1999, Moonlight Express (Daniel Lee) ; 2000, Crouching Tiger Hidden Dragon (Tigre et dragon) (Ang Lee).

Née en Malaisie mais formée à la danse classique en Angleterre, elle remporte le titre de Miss Malaisie en 1983, puis enchaîne sur le cinéma. Très physique, elle est la seule femme à pratiquer elle-même ses cascades. Après quatre ans d'inactivité à la fin des années 80 pour cause de mariage, elle revient sur les plateaux grâce à Jackie Chan, qui la relance avec *Police Story 3*. Mais c'est son rôle de James Bond girl dans *Demain ne meurt jamais* qui la révèle au monde entier. Charismatique, très bonne comédienne, athlète remarquable, elle allie tous les ingrédients pour une carrière digne de ce nom.

Yerlès, Bernard

Acteur belge né en 1961.

1982, Toute une nuit (Akerman) ; 1983, Les années 80 (Akerman) ; 1985, Babel opéra (Delvaux) ; 1991, Toto le héros (Van Dormael) ; 1992, Pardon Cupidon (Mandy) ; 1994, Elles ne pensent qu'à ça (Dubreuil) ; 1995, Les apprentis (Salvadori) ; 2000, La vache et le président (Muyl).

Avant tout un comédien de théâtre et de télévision, grand gaillard attachant qui fut, au cinéma, un drôle de voyeur dans *Les apprentis*.

York, Michael

Acteur anglais né en 1942.

1967, The Taming of the Shrew (La mégère apprivoisée) (Zeffirelli), Accident (Losey), Smashing Time (Deux Anglaises en délire) (D. Davis), Red and Blue (Richardson), Romeo and Juliet (Zeffirelli), Liefdesbekentenissen (Verstappen) ; 1968, The Strange Affair (Chantage à la drogue) (D. Greene), Alfred the Great (Alfred le Grand) (Donner), The Guru (Le gourou) (Ivory) ; 1969, Justine (Justine) (Cukor) ; 1970, Black Flower for the Bride (Prince) ; 1971, Zeppelin (Perier), La poudre d'escampette (Broca) ; 1973, England

Made Me (Le financier) (Duffell), Cabaret (Fosse), The Lost Horizons (Les horizons perdus) (Jarrott), The Three Musketeers (Les trois mousquetaires) (Lester) ; 1974, The Four Musketeers (On l'appelait Milady) (Lester), Murder on the Orient Express (Le crime de l'Orient Express) (Lumet) ; 1975, Great Expectations (J. Hardy), Conduct Unbecoming (Anderson) ; 1976, Logan's Run (L'âge de cristal) (Anderson), Seven Nights in Japan (Gilbert) ; 1977, The Last Remake of Beau Geste (Mon beau légionnaire) (Feldman) ; The Island of Dr. Moreau (L'île du docteur Moreau) (D. Taylor) ; 1978, Gesu di Nazareth (Jésus de Nazareth) (Zeffirelli), Fedora (Fedora) (Wilder), Death on the Nile (Mort sur le Nil) (Guillermin), Speed Fever (Morra, Orefici) ; 1979, The Riddle of the Sands (Maylam) ; 1980, Final Assignment (Almond) ; 1981, The White Lions (Stuart) ; 1983, The Weather in the Streets (Miller), Au nom de tous les miens (Enrico), Le succès à tout prix (Skolimowski) ; 1986, L'aube (Jancso) ; 1987, Der Joker (Patzak) ; 1988, The Return of the Musketeers (Le retour des mousquetaires) (Lester), Un delitto poco comune (Le tueur de la pleine lune) (Deodato), Midnight Cop (Patzak) ; 1990, Come See the Paradise (Bienvenue au paradis) (Parker) ; 1991, Eline Vere (Eline Vere) (Kümel) ; 1992, The Long Shadow (Szigmond) ; 1993, Wide Sargasso Sea (Duigan), Discretion Assured (Mendes) ; 1994, Gospa (Sedlar), Le montreur de boxe (Ladoge) ; 1995, A Young Connecticut Yankee in King's Arthur Court (Thomas), Not of this Earth (Winkless), L'ombra abitata (Mazzucco) ; 1996, Good Vibrations (Richmond), Goodbye America (Notz), Austin Powers : International Man of Mystery (Austin Powers) (Roach), Dark Planet (Magnoli) ; 1997, Wrongfully Accused (Le détonateur) (Proft), Goobye America (Notz) ; 1998, The Treat (Gems), 54 (Studio 54) (Christopher), Perfect Little Angels (Bond), Henry James' The Ghostly Rental (Marcus) ; 1999, Austin Powers – The Spy Who Shagged Me (Austin Powers – L'espion qui m'a tirée) (Roach), The Omega Code (Marcarelli), Borstal Boy (Sheridan) ; 2000, Megiddo : Omega Code 2 (B.T. Smith) ; 2001, Austin Powers in Goldmember (Austin Powers dans Goldmember (Roach).

Études à Oxford puis engagement par L. Olivier. Une brillante carrière théâtrale s'amorce, confirmée par le retentissement de son interprétation d'*Hamlet* en 1970. Mais ce bon jeune homme blond au visage enfantin vient au cinéma à travers Shakespeare, sous la houlette de Zeffirelli, et va se laisser dévorer par lui. Dans les années 70, il est l'acteur britannique le plus sollicité. Il a un peu réduit ses activités depuis 1980.

York, Susannah

Actrice anglaise, de son vrai nom Yolande Fletcher, née en 1941.

1960, Tunes of Glory (Les fanfares de la gloire) (Neame), There Was a Crooked Man (Burge) ; 1961, The Greengace Summer (Un si bel été) (Gilbert) ; 1962, Freud (Freud, passions secrètes) (Huston) ; 1963, Tom Jones (Tom Jones – Entre l'alcove et la potence) (Richardson) ; 1964, The Seventh Dawn (La septième aube) (Gilbert), Scene Nun, Take One (c.m. de Hatton) ; 1965, Sands of Kalahari (Les sables du Kalahari) (Endfield), Scruggs (c.m. de Hart) ; 1966, Kaleidoscope (Le gentleman de Londres) (Smith), A Man For All Seasons (Un homme pour l'éternité) (Zinnemann) ; 1968, Sebastian (Les filles du code secret) (Greene), Duffy (Duffy, le renard de Tanger) (Parrish), The Killing of Sister George (Faut-il tuer Sister George ?) (Aldrich), The Battle of Britain (La bataille d'Angleterre) (Hamilton), Lock Up Yours Daughters (Coe) ; 1969, Oh, What a Lovely War (Ah, Dieu que la guerre est jolie) (Attenborough), Country Dance (Lee-Thompson), They Shoot Horses, Don't They ? (On achève bien les chevaux) ; 1971, Jane Eyre (Mann), Zee and co (Une belle tigresse) (Hutton), Happy Birthday Wanda June (Robson) ; 1972, Images (Images) (Altman) ; 1973, Gold (Gold) (Hunt) ; 1974, The Maids (Miles) ; 1976, Conduct Unbecomming (Anderson), That Lucky Touch (Le veinard) (Miles), Sky Riders (Intervention Delta) ; 1977, Eliza Fraser (Burstall) ; 1978, The Shout (Le cri du sorcier) (Skolimowski), The Silent Partner (L'argent de la banque) (Duke), Superman (Superman) (Donner), Long Shot (Hatton) ; 1979, The Awakening (La malédiction de la vallée des rois) (Newell) ; 1980, Superman II (Superman 2) (Lester), Falling in Love Again (Paul) ; 1982, Yellowbeard (Barbe-d'or et les pirates) (Damsky) ; 1986, Loophole (Quested), Alice (Bromski, Bruza) ; 1987, Pretty Kill (Kaczender), Barbablu Barbablu (Carpi) ; 1988, Land of Faraway/Mio min mio (Grammatikov), A Summer Story (Haggard), American Roulette (Hatton) ; 1989, En handfull tid (Handful of time) (Asphaug), Diamond's Edge (Bayly), Melancholia (Engel) ; 1990, Fate (Paul) ; 1993, Piccolo grande amore (Vanzina) ; 1996, Loop (Niblo) ; 1997, Romance and Rejection (Smith).

Un talent très divers, qu'elle déploie au sortir de la Royal Academy of Dramatic Arts de Londres : interprète à la scène *Les sorcières de Salem* de Miller, tient de nombreux rôles à la radio et à la télévision, écrit des livres pour enfants, coproduit des courts métrages et gagne un prix à Cannes en 1972 pour son personnage d'*Images*.

Young, Gig

Acteur américain, de son vrai nom Byron Barr, 1912-1978.

1941, Dive Bomber (Bombardiers en piqué) (Curtiz), They Died with Their Boots on (La charge fantastique) (Walsh), The Man Who Came to Dinner (L'invitée de Madame) (Keighley), One Foot in Heaven (Rapper), Navy Blues (Bacon), The Gay Sisters (Les folles héritières) (Rapper), The Male Animal (Nugent) ; 1942, Captains of the Clouds (Curtiz) ; 1943, Air Force (Hawks), Old Acquaintance (L'impossible amour) (Sherman) ; 1945, The Affairs of Susan (Les caprices de Suzanne) (Seiter) ; 1947, Escape Me Never (Godfrey) ; 1948, The Woman in White (La femme en blanc) (Godfrey), Wake of the Red Witch (Le réveil de la sorcière rouge) (Ludwig), The Three Musketeers (Les trois mousquetaires) (Sidney) ; 1949, Lust for Gold (Le démon de l'or) (Simon), Tell It to the Judge (Pas de pitié pour les maris) (Foster) ; 1950, Hunt the Man Down (Archainbaud) ; 1951, Target Unknown (Raid secret) (Sherman), Only the Valiant (Fort invincible) (Douglas), Come Till the Cup (Feu sur le gang) (Douglas), Slaughter Trail (I. Allen), Too Young to Kiss (L'âge d'aimer) (Leonard) ; 1952, Holiday for Sinners (Mayer), You for Me (Toi pour moi) (Weis) ; 1953, The Girl Who Had Everything (La fille qui avait tout) (Thorpe), Arena (Arene) (Fleischer), The City That Never Sleeps (Traque dans Chicago) (Auer), Torch Song (La madone gitane) (Walters) ; 1954, Young at Heart (Un amour pas comme les autres) (Douglas) ; 1955, The Desperate Hours (La maison des otages) (Wyler) ; 1957, Desk Set (Une femme de tête) (Lang) ; 1958, Teacher's Pet (Le chouchou du professeur) (Seaton), The Tunnel of Love (Père malgré lui) (Kelly) ; 1959, Ask Any Girl (Une fille très avertie) (Walters) ; 1960, The Story of Page One (Du sang en première page) (Odets), Five Miles to Midnight (Le couteau dans la plaie) (Litvak), Kid Galahad (Un direct au cœur) (Karlson), That Touch of Mink (Un soupçon de vison) (Mann) ; 1963, A Ticklish Affair (Les astuces de la veuve) (Sidney), For Love or Money (Trois filles à marier) (Gordon) ; 1964, Strange Bed Fellows (Étranges compagnons de lit) (Frank) ; 1967, The Shuttered Room (La malédiction des Whateley) (Green) ; 1969, They Shoot Horses, Don't They ? (On achève bien les chevaux) (Pollack) ; 1970, Lovers and Other Strangers (Lune de miel aux orties) (Howard) ; 1973, Un fioco nero per Deborah (Andrei) ; 1974, Bring Me the Head of Alfredo Garcia (Apportez-moi la tête d'Alfredo Garcia) (Peckinpah) ; 1975, Hindenburg (L'odyssée du Hindenburg) (Wise), The Killer Elite (Tueur d'élite) (Peckinpah) ; 1976, Sherlock Holmes in New York (Sherlock Holmes à New York) (Sagal) ; 1977, Spectre (Donner), The Game of Death (Le jeu de la mort) (Lee, Clouse).

Bon acteur de théâtre, il n'a débuté au cinéma qu'en 1941 sous son vrai nom puis celui de Bryant Fleming avant de devenir Gig Young, personnage qu'il interprète dans *The Gay Sisters*. Il a gagné un oscar en 1969 pour *On achève bien les chevaux*. Il se suicida sans explications en 1978.

Young, Karen

Actrice américaine née en 1958.

1983, Deep in the Heart (Garnett) ; 1984, Birdy (Birdy) (Parker), Almost You (Adam Brooks), Maria's Lover (Maria's Lover) (Konchalovsky) ; 1986, Nine 1/2 Weeks (9 semaines 1/2) (Lyne) ; 1987, Jaws : The Revenge (Les dents de la mer, la revanche) (Sargent), Heat (Richards) ; 1988, Poison Candy (Simmons), Criminal Law (La loi criminelle) (Campbell), Torch Song Trilogy (Torch Song Trilogy) (Bogart) ; 1989, Night Game (Meurtres en nocturne) (Masterson) ; 1990, Little Sweetheart (Simmons) ; 1991, The Boy Who Cried Bitch (Campanella) ; 1992, Hoffa (Hoffa) (DeVito) ; 1993, Love and Human Remains (De l'amour et des restes humains) (Arcand) ; 1996, The Wife (Noonan), Daylight (Daylight) (Cohen) ; 1998, Pants on Fire (Collins) ; 1999, Joe the King (Whaley), Mercy (Harris) ; 2000, Falling Like This (Minnick).

Actrice archétypée « épouse fidèle et aimante », sans grand relief, qui n'aura même pas eu de véritable heure de gloire si ce n'est quelques seconds rôles marquants dans des films efficaces.

Young, Loretta

Actrice américaine, de son vrai nom Gretchen Michaela Young-Earl, 1913-2000.

1917, The Only Way (Melford) ; 1927, Naughty But Nice (M. Webb) ; 1928, Whip Woman (J. Boyle), Laugh Clown Laugh (Ris donc, Paillasse) (Brenon), Magnificent Flirt (d'Arrast), The Head Man (Cline), Scarlet

Seas (Dillon) ; 1929, The Squall (Korda), The Girl in the Glass Cage (R. Dawson), The Fast Life (Dillon), The Careless Age (Wray), The Show of Shows (Adolfi), The Forward Pass (Cline) ; 1930, The Man from Blandley's (Green), The Second Floor Mystery (Del Ruth), Loose Ankles (T. Wilde), Road to Paradise (Beaudine), Kismet (Dillon), The Truth About Youth (Seiter), The Devil to Pay (Fitzmaurice) ; 1931, Beau Ideal (Brenon), The Right of the Way (Llyod), Three Girls Lost (Lanfield), Too Young to Marry (LeRoy), Big Business Girl (Seiter), I Like Your Nerve (McGann), Platinum Blonde (Blonde platine) (Capra), The Ruling Voice (Lee) ; 1932, Taxi (Del Ruth), The Hatchet Man (Wellman), Play Girl (Enright), Weekend Marriage (Freeland), Life Begins (Flood et Nugent), They Call It Sin (Freeland) ; 1933, Employee's Entrance (Del Ruth), Grand Slam (Dieterle), Zoo in Budapest (Zoo à Budapest) (Lee), The Life of Jimmy Dolan (Mayo), Midnight Mary (Wellman), Heroes for Sale (Wellman), The Devil's in Love (Dieterle), She Had to Say Yes (Berkeley et Amy), A Man's Castle (Ceux de la zone) (Borzage) ; 1934, The House of Rothschild (Werker), Born to Be Bad (L. Sherman), Bulldog Drummond Strikes Back (Del Ruth), Caravan (Charell), The White Parade (Cummings), Clive of India (Boleslavsky) ; 1935, Shanghai (Flood), Call of the Wild (L'appel de la forêt) (Wellman), The Crusades (Les croisades) (DeMille) ; 1936, The Unguarded Hour (L'heure mystérieuse) (Wood), Private Number (Del Ruth), Ramona (Ramona) (King), Ladies in Love (E. Griffith) ; 1937, Love Is News (L'amour en première page) (Garnett), Café Metropole (E. Griffith), Love Under Fire (G. Marshall), Wife, Doctor and Nurse (W. Lang), Second Honeymoon (W. Lang) ; 1938, Four Men and a Prayer (Quatre hommes et une prière) (Ford), Three Blind Mice (Seiter), Suez (Suez) (Dwan), Kentucky (Butler) ; 1939, The Story of Alexander Graham Bell (Et la parole fut) (Cummings), Wife, Husband and Friend (Ratoff), Eternally Yours (Garnett) ; 1940, The Doctor Takes a Wife (Le docteur se marie) (Hall), He Stayed for Breakfast (Hall) ; 1941, The Lady from Cheyenne (Lloyd), The Men In Her Life (Ratoff) ; 1942, Bedtime Story (Hall), A Night to Remember (Wallace) ; 1943, China (Le défilé de la mort) (Farrow) ; 1944, Ladies Courageous (Rawlins), And Now Tomorrow (Pichel) ; 1945, Along Came Jones (Le grand Bill) (Heisler) ; 1946, The Stranger (Le criminel) (Welles), The Perfect Marriage (L. Allen) ; 1947, The Farmer's Daughter (Ma femme est un grand homme) (Potter) ; 1948, The Bishop's Wife (Honni soit qui mal y pense) (Koster) ; Rachel and the Stranger (N. Foster) ; 1949, The Accused (Dieterle), Mother Is a Freshman (Bacon), Come to the Stable (Koster) ; 1950, Key to the City (Sidney) ; 1951, Cause for Alarm (Garnett), Half Angel (Madame sort à minuit) (Sale) ; 1952, Paula (Mate), Because of You (Pevney) ; 1953, It Happens Every Thursday (Pevney).

Née à Salt Lake City dans un milieu d'artistes, elle débute à quatre ans au cinéma dans un rôle prévu pour sa sœur. Mais ses vrais débuts se situent dix ans plus tard. Son étrange beauté, ses grands yeux surtout font sensation. Elle tournera pour la Fox, la MGM, Paramount (avec DeMille), Columbia et Universal. Ses meilleurs rôles : *A Man's Castle* et *Zoo in Budapest* à l'atmosphère insolite où elle s'intègre parfaitement. Holluwood lui offre l'oscar de 1947 pour *The Farmer's Daughter*. Elle se retire en 1953 pour se consacrer à des œuvres de charité.

Young, Robert

Acteur américain, 1907-1998.

1931, The Sin of Madelon Claudet (Selwyn), The Black Camel (McFadden), Guilty Generation (Lee) ; 1932, New Morals for Old (Brabin), The Wet Parade (Fleming), The Kid from Spain (McCarey), Strange Interlude (Leonard) ; 1933, Man Must Flight, Today We Live (Après nous le déluge) (Hawks), Hell Below (Conway), Tugboat Annie (Annie la batelière) (LeRoy), Right to Romance (Santell) ; 1934, Spitfire (Cromwell), The House of Rothschild (Les Rothschild) (Werker), Paris Interlude (Marin), Hollywood Party (Boleslavsky), The Band Plays on (R. Mack), Carolina (King), Lazy River (Seitz), Whom the Gods Destroy (W. Lang), Death on the Diamond (Sedgwick) ; 1935, Calm Yourself (Seitz), West Point of the Air (Rosson), The Brides Comes On (Ruggles), Red Salute (Lansield), Remember Last Night ? (Cocktails et homicides) (Whale) ; 1936, It's Love Again (V. Saville), The Secret Agent (Agent secret) (Hitchcock), Sworn Enemy (Marin), The Longuest Night (Taggart), Three Wise Guys (Seitz), The Bride Walks Out (Jason), Stowaway (Seiter), The Unguarded Hour (Wood) ; 1937, The Emperor's Candlesticks (Fitzmaurice), The Bride Wore Red (Arzner), I Met Him in Paris (A Paris tous les trois) (Ruggles), Married before Breakfast (Marin) ; 1938, The Toy Wife (Thorpe), Paradise for Three (Buzzell), Josette (Dwan), Three Comrades (Trois camarades) (Borzage), Rich Man, Poor Girl (Schunzel), The Shining Hour

(Borzage) ; 1939, Maisie (Marin), Honolulu (Buzzell), Miracles for Sale (Browning), Bridal Suite (Thiele) ; 1940, The Mortal Storm (Borzage), Northwest Passage (Le grand passage) (Vidor), Sporting Blood (Simon), Dr. Kildare's Crisis (Bucquet) ; 1941, The Trial of Mary Dugan (Le procès de Mary Dugan) (McLeod), H.M. Pulham Esquire (Vidor), Western Union (Les pionniers de la Western Union) (Lang), Married Bachelor (Buzzell) ; 1942, Joe Smith American (Thorpe), Cairo (Van Dyck), Journey for Margaret (Van Dyke) ; 1943, Sweet Rosie O'-Grady (Cummings), Claudia (Goulding), Slighty Dangerous (Ruggles) ; 1944, The Canterville Ghost (Dassin) ; 1945, The Enchanted Cottage (Le cottage enchanté) (Cromwell), Those Endearing Young Charms (L. Allen) ; 1946, Lady Luck (Marin), Claudia and David (W. Lang), The Searching Wind (Dieterle) ; 1947, Crossfire (Feux croisés) (Dmytryk), They Won't Believe Me (Pichel) ; 1948, Relentless (G. Sherman), Sitting Pretty (Harry J. Brown) ; 1949, Bride for Sale (Russell), Adventure in Baltimore (Wallace), That Forsyte Woman (Bennett) ; 1950, And Baby Makes Three (Levin), The Second Woman (Kern) ; 1951, Goodbye, My Fancy (V. Sherman) ; 1952, The Half-Breed (Collins) ; 1954, The Secret of the Incas (Hopper).

Charmant jeune premier américain des années 30, assez proche de Robert Montgomery. Très à l'aise dans la comédie, il fut particulièrement apprécié par Borzage qui lui confia des rôles dramatiques. On le retrouve dans quelques westerns, preuve de la diversité de son talent. Après 1954, il se consacre à la télévision.

Young, Sean

Actrice américaine née en 1959.

1980, Jane Austen in Manhattan (Ivory) ; 1981, Stripes (Les bleus) (Reitman) ; 1982, Blade Runner (Blade Runner) (Scott), Young Doctors in Love (Doctors in love) (Marshall) ; 1984, Dune (Dune) (Lynch) ; 1985, Baby (Baby) (Norton) ; 1987, No Way Out (Sens unique) (Donaldson), Wall Street (Wall Street) (Stone) ; 1988, The Boost (État de choc) (Becker), Arena Brains (Longo) ; 1989, Cousins (Cousins) (Schumacher) ; 1990, Fire Birds (Fire Birds) (Green) ; 1991, A Kiss Before Dying (Un baiser avant de mourir) (Dearden), Forever (Palmer Jr.) ; 1992, Love Crimes (Borden), Once Upon a Crime (Levy), Blue Ice (Mulcahy) ; 1993, Hold Me, Thrill Me, Kiss Me (Caravan City) (Hershman), Ace Ventura, Pet Detective (Ace Ventura, détective chiens et chats) (Shadyac), Even Cowgirls Get the Blues (Even Cowgirls Get the Blues) (Van Sant), Fatal Instinct (C. Reiner) ; 1994, Dr. Jekyll and Mr. Hyde (Price), Bolt (Mendeluk), Mirage (Williams) ; 1996, The Proprietor (La propriétaire) (Merchant), Men (Clarke-Williams) ; 1997, The Invader (Rosman), Everything to Gain (M. Miller), Exception to the Rule (Winning), Motel Blue (Firstenberg) ; 1998, Out of Control (Trevor), The Calling (Carlson) ; 1999, Poor White Trash (Addis) ; 2000, The Amati Girls (De Salvo), Sugar & Spice (McDougall) ; 2001, Mockingbirds Dont's Sing (Bromley-Davenport), Bight Class (Wilson).

Érotisme garanti avec cet ancien mannequin venu du Kentucky à New York et qui a su vite oublier l'enseignement de l'Actors Studio. *Blade Runner* la fait connaître puis *Dune* et *Wall Street*.

Z

Zabou

Actrice et réalisatrice française, de son vrai nom Isabelle Breitman, née en 1959.

1982, Elle voit des nains partout (Sussfeld), La boum 2 (Pinoteau) ; 1983, Banzaï (Zidi), Gwendoline (Jaeckin) ; 1985, Une femme ou deux (Vergne), Billy-ze-kick (Mordillat) ; 1986, Suivez mon regard (Curtelin), Le beauf (Amoureux), Le complexe du kangourou (Jolivet), États d'âme (Fansten) ; 1987, Dandin (Planchon), Fucking Fernand (Mordillat) ; 1988, La travestie (Boisset), Les cigognes n'en font qu'à leur tête (Kaminka), Moitié-moitié (Boujenah) ; 1989, La Baule-Les Pins (Kurys) ; 1990, Promotion canapé (Kaminka), Les secrets professionnels du docteur Apfelglück (collectif) ; 1991, Toujours seuls (Mordillat), 588, rue Paradis (Verneuil), Une époque formidable... (Jugnot), Juste avant l'orage (Herbulot), Blanval (Mées) ; 1992, La crise (Serreau), Cuisine et dépendances (Muyl) ; 1996, Tenue correcte exigée (Lioret) ; 1997, L'homme idéal (X. Gélin), Ça reste entre nous (Lamotte) ; 1998, Le double de ma moitié (Amoureux), Du bleu jusqu'en Amérique (Lévy) ; 1999, Ma petite entreprise (Jolivet) ; 2001, Se souvenir des belles choses (Breitman) ; 2002, Un monde presque paisible (Deville) ; Narco (Aurouet et Lellouche) ; 2005, Le parfum de la dame en noir (Podalydès). *Pour la réalisatrice,* voir le *Dictionnaire du cinéma,* t. I : *Les réalisateurs.*

Ce sont la télé, les spots publicitaires et le théâtre qui l'ont fait connaître, bien plus que le cinéma mais son premier film comme réalisatrice, *Se souvenir des belles choses*, remporte un grand succès.

Zabriskie, Grace

Actrice américaine née en 1941.

1979, Norma Rae (Norma Rae) (Ritt), The Devil's Clone (Dial), The Private Eyes (Elliott) ; 1981, Quest (La galaxie de la terreur) (Clark) ; 1982, An Officer and a Gentleman (Officier et gentleman) (Hackford), Nickel Mountain (Denbaum) ; 1984, Body Rock (Body Rock) (Epstein) ; 1987, The Big Easy (The Big Easy) (McBride), Rampage (Le sang du châtiment) (Friedkin), Leonard, part 6 (Weiland) ; 1988, The Boost (État de choc) (Becker) ; 1989, Drugstore Cowboy (Drugstore Cowboy) (Van Sant), Wild at Heart (Sailor et Lula) (Lynch) ; 1990, Megaville (Lehner), Child's Play 2 (Chucky, la poupée de sang) (Lafia) ; 1991, My Own Private Idaho (My Own Private Idaho) (Van Sant), Ambition (Lou Diamond Phillips), Fried Green Tomatoes at the Whistle Stop Café (Beignets de tomates vertes) (Avnet), The Servants of Twiglights (Obrow) ; 1992, Chain of Desire (Lopez Jr.), The Waterdance (Jimenez), Twin Peaks, Fire Walk With Me (Twin Peaks) (Lynch), Intimate Strangers (Holzman) ; 1993, Even Cowgirls Get the Blues (Even Cowgirls Get the Blues) (Van Sant) ; 1994, Drop Zone (Drop Zone) (Badham), The Passion of Darkly Noon (Darkly Noon) (Ridley), Desert Winds (Nickles), The Crew (Colpaert), Annie's Garden (Barnao) ; 1995, A Family Thing (Pearce) ; 1996, Psycho Sushi (Haisha), Bastard Out of Carolina (Huston), Rangers (Anderson), George B. (Lear) ; 1997, Sparkler (Stein), Trash (Galluzzo), Dead Men Can't Dance (Anderson), Me and Will (Behr, Rose) ; 1998, Armageddon (Armageddon) (Bay), Dante's View (Adelson) ; 1999,

A Texas Funeral (Herron), Gone in Sixty Seconds (60 secondes chrono) (Sena) ; 2001, Sticks and Stones (Galluzzo).

Actrice fétiche de Gus Van Sant, elle tient souvent, et avec un talent certain, des rôles de dépressives ou de névrosées, comme celui de la mère de Laura Palmer dans *Twin Peaks*, le feuilleton créé par David Lynch. Son visage osseux et son regard à la fois triste et inquiétant n'inspirent pas l'image même de l'équilibre. Espérons donc qu'elle soit purement une actrice de composition...

Zacconi, Ermete

Acteur italien, 1857-1958.

Films muets (1915-1917) : L'emigrante, Gli spettri... ; 1933, Il cardinale Lambertini (Bassi) ; 1935, Un colpo di vento (Dréville) ; 1936, Cœur de gueux (Epstein, + *version italienne*, Cuor di vagabondo) ; 1937, Pioggia d'estate (Badiek), Les perles de la couronne (Guitry) ; 1940, Orizzonte dipinto (Salvini), Processo e morte di Socrate (D'Errico) ; 1941, L'orizzonte dipinto (Salvini), Don Buonaparte (Calzavara) ; 1942, Piazza San Sepolcro (Forzano), Il romanzo di un giovano povero (Le roman d'un jeune homme pauvre) (Brignone), Le comte de Monte-Cristo (Vernay).

L'une des plus grandes figures du théâtre italien, auquel il consacra près de soixante années de sa vie. En France, il fut utilisé avec bonheur par Sacha Guitry, qui en fit le pape Clément VII, oncle de Catherine de Médicis et adversaire d'Henry VIII dans *Les perles de la couronne*, et par Robert Vernay qui lui confia le rôle de l'abbé Faria dans *Le comte de Monte-Cristo*. Il mourut à l'âge de cent un ans !

Zahn, Steve

Acteur américain né en 1968.

1992, Rain Without Thunder (Bennett) ; 1994, Reality Bites (Génération 90) (Stiller) ; 1995, Crimson Tide (USS Alabama) (T. Scott) ; 1996, That Thing You Do ! (That Thing You Do !) (Hanks), Race the Sun (Kanganis), SubUrbia (Linklater) ; 1997, Freak Talks About Sex (Todesco), Out of Sight (Hors d'atteinte) (Soderbergh), The Object of my Affection (L'objet de mon affection) (Hytner) ; 1998, Safe Men (Casses en tout genre) (Hamburg), You've Got Mail (Vous avez un message) (Ephron), Happy, Texas (Happy, Texas) (Illsley) ; 1999, Forces of Nature (Un vent de folie) (Hughes), Mission : Impossible 2 (Mission : Impossible 2) (Woo), Freak Talks About Sex (Todisco), Chain of Fools (Traktor), Hamlet (Hamlet) (Almereyda) ; 2000, Joy Ride (Dahl), Saving Silverman (Dugan) ; 2001, Riding in Cars With Boys (Écarts de conduite) (Marshall).

Remarqué dans *That Thing You Do !* en musicien sixties du faux groupe musical The Wonders, le caméléon Steve Zahn évolue d'un genre à l'autre avec une aisance déconcertante. Encore peu connu, il est néanmoins stupéfiant en hippie moustachu dans *Hors d'atteinte*, puis confirme sa performance avec le polar indépendant *Casses en tout genre*, dont il tient la vedette. Un bagout, une gouaille et une gueule qui risquent de faire sensation.

Zamachowski, Zbigniew

Acteur polonais né en 1961.

1981, Wielka majòwka (Rogulski) ; 1986, Les possédés (Wajda), Nieswykla Podroz Baltazara Kobera (Les tribulations de Balthasar Kober) (Has), Ucieczka (Szadkowski) ; 1989, Dekalog 10 (Le décalogue, ép. 10) (Kieslowski), Sztuka kochania (Bromski) ; 1990, Ucieczka z Kina « Wolnosc » (L'évasion du cinéma « Liberté ») (Marczewski), Korczak (Korczak) (Wajda) ; 1991, Ferdydurke (Ferdydurke) (Skolimovski), Naprawde Krotki Film o Milosci, Zabijaniu i Jeszcze Jednym Przykazaniu (Très brève histoire de meurtre, de sentiment et d'un autre commandement) (Wieczynski), Seszele (Linda) ; 1993, Bleu (Kieslowski), Blanc (Kieslowski) ; 1994, Rouge (Kieslowski), Tak tak (Tak tak) (Gasiorowski) ; 1995, Pulkownik Kwiatkowski (Kutz), Pestka (Janda) ; 1996, Odwiedz mnie we snie (Kotlarczyk) ; 1997, Darmozjad Polski (Wylezalek), Szczesliwego Nowego Jorku (Zaorski), Pulapka (Drabinski) ; 1998, Demony wojny wedlug goi (Pasokowski), 23 (23) (H.C. Schmid), Ogniem i mieczem (Hoffman) ; 2000, Pierwszy milion (Dziki), Prymas — Tzy lata z tysiaca (Kotlarczyk), Weiser (Marczewski) ; 2003, La petite prairie aux bouleaux (Loridan-Ivens).

Petit brun rondouillard au physique un peu passe-partout, il est excellent en collectionneur de timbres monomaniaque dans le dernier commandement du décalogue de Kieslowski. Il apparaît brièvement dans le premier et troisième volets de la trilogie « Trois couleurs » de ce dernier, et tient le rôle principal du deuxième, celui d'un petit coiffeur polonais qui se retrouve à la rue après que sa femme l'ait quitté. Une vraie nature et un don de composition à toute épreuve.

Zane, Billy

Acteur américain né en 1966.

1985, Back to the Future (Retour vers le futur) (Zemeckis) ; 1986, Critters (Critters) (Herek) ; 1989, Going Overboard (Breiman) ; 1989, Dead Calm (Calme blanc) (Noyce), Back to the Future II (Retour vers le futur 2) (Zemeckis) ; 1990, Megaville (Lehner), Memphis Belle (Memphis Belle) (Caton-Jones) ; 1991, Miliardi (Vanzina), Femme fatale (Guttfreund), Blood and Concrete (J. Reiner) ; 1993, Poetic Justice (Poetic Justice) (Singleton), Flashfire (Silverstein), Betrayla of the Dove (Hamilton), Orlando (Orlando) (Potter), Sniper (Sniper — Tireur d'élite) (Llosa), Posse (Posse, la revanche de Jesse Lee) (Van Peebles), Tombstone (Tombstone) (Pan Cosmatos) ; 1994, Reflections on a Crime (Purdy), Only You (Only You) (Jewison), Il silenzio dei prosciutto (Le silence des jambons) (Greggio) ; 1995, The Set Up (Hamilton), Demon Knight (Adler, Dickerson) ; 1996, This World, Then the Fireworks (Liens secrets) (Oblowitz), Danger Zone (Eastman), The Phantom (Le fantôme du Bengale) (Wincer), Head Above Water (Wilson) ; 1997, Titanic (Titanic) (Cameron) ; 1998, Taxman (Zaloum), I Woke Up Early the Day I Died (Iliopoulos), Susan's Plan (Susan a un plan...) (Landis), Morgan's Ferry (Pillsbury) ; 2000, The Believer (Bean) ; 2001, Claim (Lagestee).

Un petit rôle dans *Twin Peaks*, beaucoup de séries B dont une qui sort un peu du lot, *Le fantôme du Bengale*, où Zane incarne un justicier exotique tout de mauve moulé, d'après une BD des années 40. Et puis c'est la déferlante *Titanic*, et le comédien fait fureur dans le rôle du méchant de service. De la classe, une certaine prestance et sans doute une propension future à se complaire dans les rôles de méchants.

Zardi, Dominique

Acteur français né en 1930.

1958, Pourquoi viens-tu si tard ? (Decoin), Croquemitoufle (Barma), Crack in the Mirror (Drame dans un miroir) (Fleischer) ; 1959, Les bonnes femmes (Chabrol), Le trou (Becker), La femme et le pantin (Duvivier) ; 1960, Les godelureaux (Chabrol), Saint-Tropez blues (Moussy), Dialogue des carmélites (Agostini), Austerlitz (Gance), Tête folle (Vernay), Comment qu'elle est ! (Borderie), La vérité (Clouzot) ; 1961, Ophelia (Chabrol), Les Parisiennes (sketch de M. Allégret), Goodbye Again (Aimez-vous Brahms ?) (Litvak), Paris Blues (Paris Blues) (Ritt), A rebrousse poil (Armand), Une femme est une femme (Godard), Vive Henri IV, vive l'amour ! (Autant-Lara), Un nommé La Rocca (Becker), The Longest Day (Le jour le plus long) (Annakin, Marton, Wicki), Les trois mousquetaires (Borderie), Un cheval pour deux (Thibault), Gigot (Gigot, clochard de Belleville) (Kelly), Vie privée (Malle), Les ennemis (Molinaro), Les petits matins (Audry), L'assassin est dans l'annuaire (Joannon), Le monte-charge (Bluwal), Un chien dans un jeu de quilles (Collin) ; 1962, L'aîné des Ferchaux (Melville), Le doulos (Melville), Landru (Chabrol), Les vierges (Mocky), Arsène Lupin contre Arsène Lupin (Molinaro), Le vice et la vertu (Vadim) ; 1963, Le bon roi Dagobert (Chevalier), Château en Suède (Vadim), Des frissons partout (André), Le journal d'une femme de chambre (Buñuel), Mefiez-vous mesdames (Hunebelle), La mort d'un tueur (Hossein), Peau de banane (Ophuls), Un drôle de paroissien (Mocky), La bande à Bobo (Saytor), Les grands chemins (C. Marquand) ; 1964, Cent briques et des tuiles (Grimblat), La chasse à l'homme (Molinaro), Compartiment tueurs (Costa-Gavras), Fantômas (Hunebelle), Fifi la Plume (Lamorisse), La grande frousse (Mocky), Le majordome (Delannoy), Requiem pour un caïd (Cloche), Le tigre aime la chair fraîche (Chabrol), Week-end à Zuydcoote (Verneuil), La ronde (Vadim) ; 1965, Angélique et le roy (Borderie), La bourse et la vie (Mocky), Fantômas se déchaîne (Hunebelle), Furia à Bahia pour OSS 117 (Hunebelle), Le gendarme à New-York (Girault), La grosse caisse (Joffé), Masculin, féminin (Godard), La métamorphose des cloportes (Granier-Deferre), Paris au mois d'août (Granier-Deferre), Pleins feux sur l'assassin (Dudremet) ; 1966, Un idiot à Paris (Korber), Brigade anti-gangs (Borderie), Les compagnons de la Marguerite (Mocky), Fantômas contre Scotland Yard (Hunebelle), La ligne de démarcation (Chabrol), Monsieur le Président-directeur général (Girault), Roger-la-Honte (Fredda), Le scandale (Chabrol), Le soleil des voyous (Delannoy) ; 1967, Caroline chérie (La Patellière), Le grand dadais (Granier-Deferre), La petite vertu (Korber), Les risques du métier (Cayatte), Le pacha (Lautner) ; 1968, Les biches (Chabrol), L'amour (Balducci), Le cerveau (Oury), L'amour c'est gai, l'amour c'est triste (Pollet), Delphine (Le Hung), Faites donc plaisir aux amis (Rigaud), Faut pas prendre les enfants du Bon Dieu pour des canards sauvages (Audiard), La femme infidèle (Chabrol), Ho (Enrico), Le gendarme se marie (Girault), Sous le signe de Monte-Cristo (Hunebelle) ; 1969, Solo (Mocky), Dernier domicile connu (Giovanni), Elle boit pas, elle fume pas, elle drague pas... mais elle cause (Audiard), Et qu'ça saute ! (Lefranc), Que la bête meure (Chabrol), Qu'est-ce qui fait courir les crocodiles ? (Poitrenaud), Les choses de la vie (Sautet), Fleur d'oseille (Lautner), Une veuve en or (Audiard) ; 1970, Le gendarme en balade (Girault), La horse (Granier-Deferre), Le pacha (Lautner), On est toujours trop bon avec les femmes (Boisrond), Le cinéma de papa (Berri), Les novices (Casaril), Le cri du cormoran, le soir au-dessus des jonques (Audiard), Ils (Simon), La rupture (Chabrol), Sortie de secours (Kahane) ; 1971, L'albatros (Mocky), La grande mafia (Clair), L'explosion (Simenon), Max et les ferrailleurs (Sautet), Juste avant la nuit (Chabrol), Une larme dans l'océan (Glaeser) ; 1972, Chut ! (Mocky), Elle cause plus... elle flingue (Audiard), La scoumoune (Giovanni) ; 1973, OK patron (Vital), Le fils (Granier-Deferre) ; 1974, Les innocents aux mains sales (Chabrol), Le mâle du siècle (Berri), Un linceul n'a pas de poches (Mocky) ; 1975, Le pensionnat et ses intimités (Gainville, sous le pseudo. de Catherine Balogh), Adieu poulet (Broca), La cage (Granier-Deferre), L'ibis rouge (Mocky) ; 1976, Mado (Sautet) ; 1977, Le roi des bricoleurs (Mocky), Cours privé (Granier-Deferre), Bartleby (Ronet) ; 1978, Violette Nozières (Chabrol), Le témoin (Mocky) ; 1979, L'associé (Gainville), Le mors aux dents (Heynemann), Le piège à cons (Mocky), Le toubib (Granier-Deferre) ; 1980, Mais qu'est-ce que j'ai fait au Bon Dieu pour avoir une femme qui boit dans les cafés avec les hommes ? (Saint-Hamont), Un mauvais fils (Sautet) ; 1981, Litan (Mocky), Pour la peau d'un flic (Delon), Tais-toi quand tu parles (Clair), Une étrange affaire (Granier-Deferre) ; 1982, Les misérables (Hossein), Y a-t-il un Français dans la salle ? (Mocky), Plus beau que moi, tu meurs (Clair) ; 1983, On l'appelle Catastrophe (Balducci), A mort l'arbitre ! (Mocky), Retenez-moi ou je fais un malheur (Gérard), L'ami de Vincent (Granier-Deferre) ; 1984, Y'a pas le feu (Balducci) ; 1985, Poulet au vinaigre (Chabrol), Le pactole (Mocky), Banana's boulevard (Balducci) ; 1986, Le miraculé (Mocky), Cours privé (Granier-Deferre) ; 1987, La comédie du travail (Moullet), Les saisons du plaisir (Mocky), Agent trouble (Mocky), Masques (Chabrol), Le cri du hibou (Chabrol), Noyade interdite (Granier-Deferre) ; 1988, Divine enfant (Mocky), Le dénommé (Dague) ; 1989, Jours tranquilles à Clichy (Chabrol), Les sièges de l'Alcazar (m.m., Moullet) ; 1990, Madame Bovary (Chabrol), L'Autrichienne (Granier-Deferre), Delicatessen (Jeunet et Caro) ; 1991, Ville à vendre (Mocky) ; 1992, Bonsoir (Mocky), La voix (Granier-Deferre) ; 1993, Le petit garçon (Granier-Deferre) ; 1995, Noir comme le souvenir (Mocky) ; 1997, Alliance cherche doigt (Mocky), Robin des mers (Mocky) ; 1998, Vidange (Mocky), Au cœur du mensonge (Chabrol) ; 1999, Tout est calme (Mocky) ; 2000, Vidocq (Pitof) ; 2002, Les araignées de la nuit (Mocky) ; 2003, Le Furet (Mocky) ; 2005, Grabuge ! (Mocky).

Poète, musicien (notamment dans les films de Chabrol), sportif (il a débuté comme cascadeur), il a tourné de petits rôles pour Sautet, Mocky, Granier-Deferre, Lautner, Chabrol qui n'ont cessé de le demander. De là un nombre incalculable de films. Pas un figurant, pas une vedette, il s'est glissé au rang des troisièmes couteaux français.

Zellweger, Renée

Actrice américaine née en 1969.

1993, Dazed and Confused (Linklater), My Boyfriend's Back (Balaban) ; 1994, The Return of the Texas Chainsaw Massacre (Henkel), Reality Bites (Génération 90) (Stiller), The Low Life (Hickenlooper), 8 Seconds (Avildsen), Love and a .45 (L'amour et un 45) (Talkington) ; 1995, Empire Records (Empire Records) (Moyle) ; 1996, The Whole Wide World (Ireland), Jerry Maguire (Jerry Maguire) (Crowe) ; 1997, Deceiver/Liar (Le suspect idéal) (T. & J. Pate) ; 1998, A Price Above Rubies (Sonia Horowitz) (Yakin), One True Thing (Contre-jour) (Franklin) ; 1999, The Bachelor (Le célibataire) (Sinyor), Nurse Betty (Nurse Betty) (LaBute) ; 2000, Me, Myself and Irene (Fous d'Irène) (P. & B. Farrelly), Bridget Jones' Diary (Le journal de Bridget Jones) (Maguire) ; 2002, Chicago (Chicago) (Marshall) ; 2003, Down with Love (Bye Bye Love) (Reed), White Oleander (Laurier blanc) (Kosminski), Cold Mountain (Retour à Cold Mountain) (Minghella) ; 2004, Bridget Jones : The Edge of Reason (Bridget Jones : L'âge de raison) (Kidron) ; 2005, The Cinderella Man (De l'ombre à la lumière) (Howard) ; 2007, Bee Movie (Smith et Hickner), Case 39 (Alvart), Miss Potter (Noonan).

Difficile de remarquer cette jolie Texane avant *Jerry Maguire*, où, face à Tom Cruise, elle impose une fraîcheur et une spontanéité inédites dans le cinéma américain. Femme recluse décidée à braver les interdits des traditions hassidiques dans *Sonia Horowitz*, elle est formidable en serveuse rêveuse fascinée par un acteur de *soap-opera* dans *Nurse Betty*. Contrepoint idéal d'un Jim Carrey livré aux pires excès dans *Fous d'Irène*, elle devient ensuite Bridget Jones, d'après le célèbre best-seller anglais.

Zem, Roschdy

Acteur et réalisateur français né en 1962.

1987, Les keufs (Balasko) ; 1991, J'embrasse pas (Téchiné) ; 1992, Sup de fric (Gion), Ma saison préférée (Téchiné) ; 1995, N'oublie pas que tu vas mourir (Beauvois), Mémoires d'un jeune con (Aurignac), En avoir (ou pas) (Masson), Le cœur fantôme (Garrel) ; 1996, Clubbed to death (Lola) (Zauberman), Le plus beau métier du monde (Lauzier), Fred (Jolivet), La divine poursuite (Deville), L'autre côté de la mer (Cabrera) ; 1997, Vive la république ! (Rochant), A vendre (Masson), Ceux qui m'aiment prendront le train (Chéreau), Alice et Martin (Téchiné) ; 1998, Louise (take 2) (Siegfried), Le monde à l'envers (Colla), Vivre au paradis (Guerdjou), El Medina (La ville) (Nasrallah) ; 1999, Ma petite entreprise (Jolivet), La parenthèse enchantée (Spinosa), Sauve-moi (Vincent), Stand-by (Stéphanik) ; 2000, Little Sénégal (Bouchareb), L'origine du monde (J. Enrico), Au jour le jour (Bégéja), Pas d'histoires ! (sketch Otzenberger) ; 2001, Betty Fisher et autres histoires (Miller), Sonsara (Siegfried) ; 2002, Merci... Dr Rey ! (Litvack), Le raid (Bensalah), Blanche (Bonvoisin) ; 2003, Filles uniques (Jolivet), Monsieur N. (De Caunes), Chouchou (Allouache), Les clefs de la bagnole (Baffie) ; 2004, Sansa (Siegfried), Ordo (Ferreira-Barbosa), 36, quai des Orfèvres (Marchal) ; 2005, Tenia (Legzouli), Va, vis et deviens (Mihaileanu), Camping à la ferme (Sinapi), Le petit lieutenant (Beauvois) ; 2006, Indigènes (Bouchareb), La Californie (Fieschi), Mauvaise foi (Zem) ; 2007, Détrompez-vous (Dega). *Comme réalisateur :* 2006, Mauvaise foi.

Une enfance et une adolescente en banlieue, puis la découverte du théâtre. Suivent quelques années de galère et la rencontre avec Téchiné, décisive. Spécialisé dans un premier temps dans les rôles de voyous ou de camés, il change heureusement très vite de registre, sa très belle composition d'un ophtalmologiste beur en quête d'identité dans *L'autre côté de la mer* marquant le tournant.

Zeta-Jones, Catherine

Actrice galloise née en 1969.

1990, Les 1001 nuits (Broca) ; 1991, Out of the Blue (Garçonne) (Hopper) ; 1992, Christopher Columbus : The Discovery (Glen) ; 1993, Splitting Heirs (Grandeur et descendance) (R. Young) ; 1995, Blue Juice (Prechezer) ; 1996, The Phantom (Le fantôme du Bengale) (Wincer) ; 1998, The Mask of Zorro (Le masque de Zorro) (Campbell), Entrapment (Haute voltige) (Amiel) ; 1999, The Haunting (Hantise) (De Bont), High Fidelity (High Fidelity) (Frears) ; 2000, Traffic (Traffic) (Soderbergh) ; 2001, America's Sweethearts (Roth) ; 2002, Chicago (Chicago) (Marshall) ; 2003, Intolerable Cruelty (Intolérable cruauté) (Coen) ; 2004, Ocean's Twelve (Ocean's Twelve) (Soderbergh), The Terminal (Le terminal) (Spielberg) ; 2005, The Legend of Zorro (La légende de Zorro) (Campbell).

Schéhérazade chez Philippe de Broca qui lui offre des débuts dénudés dans *Les 1001 nuits*, cette très pulpeuse Galloise mettra dix ans à trouver la notoriété, d'abord en incarnant la fiancée de Zorro dans le film de Martin Campbell, puis en jouant les filles de l'air avec Sean Connery dans *Haute voltige*, et enfin en épousant de façon très médiatique le comédien Michael Douglas. Elle est fabuleuse dans *Intolérable cruauté* et en compagne de Zorro.

Zetterling, Mai

Actrice et réalisatrice suédoise, 1925-1994.

1941, Lasse-maja ; 1944, Hets (Tourments) (Sjöberg) ; 1947, Frieda (Dearden) ; 1948, Portrait from Life (Le mystère du camp 27) (Fisher), The Bad Lord Byron (McDonald) ; 1950, Quartet (sketch de Smart) ; 1952, The Ringer (Hamilton), The Tall Headlines (Young) ; 1953, Desperate Moment (Aventures à Berlin) (Bennett) ; 1954, Dance, Little lady (Guest), Knock on Wood (Un grain de folie) (Frank et Panama) ; 1955, A Prize of Gold (Hold-up en plein ciel) (Robson) ; 1956, Seven Waves Away (Pour que les autres vivent) (Sale) ; 1958, The Truth About Women (Box) ; 1959, Jet Storm (Endfield) ; 1960, Faces in the Dark (Les visages de la peur) (Eady), Piccadilly Third Stop (Rilla), Offbeat (Owen) ; 1962, Only Two Can Play (On n'y joue qu'à deux) (Gilliat), The Main Attraction (Petrie), The Man Who Finally Died (Lawrence) ; 1975, Mon cœur est rouge (Rosier) ; 1990, Hidden Agenda (Hidden Agenda) (Loach), The Witches (Roeg) ; 1992, Morfars resa (Lamm). *Pour la réalisatrice*, voir le *Dictionnaire du cinéma*, t. I : *Les réalisateurs*.

Actrice réputée en Suède, elle vient en Angleterre tourner *Frieda*, histoire d'une jeune Allemande, et ne cesse de jouer dans les studios londoniens ou à Hollywood. Elle a entamé une carrière de réalisatrice à partir de 1962.

Zhao Dan

Acteur chinois, 1915-1980.

Principaux films : 1937, Carrefour (Xiling), Les anges du boulevard (Muzhi) ; 1949, Corbeaux et moineaux (Junli) ; 1956, Li Shizen (Fu) ; 1957, L'âme de la mer ; 1959, Nie Er ; La guerre de l'opium.

Le star system n'a été connu en Chine que dans les années 30. Venu du théâtre, Zhao Dan qui eut pour partenaire Jiang Qing, dernière épouse de Mao, fut alors une vedette en vogue. Arrêté comme communiste, il ne fut libéré qu'en 1945 et ne retrouva sa célébrité que dans la décennie 50-60. La révolution culturelle le frappa alors qu'il venait de tourner un film en 1965. Jian Qing s'acharna contre lui. Il ne pourra retrouver du travail qu'en 1979, mais il sera trop tard. Quand il meurt d'un cancer, l'Occident vient tout juste de le découvrir.

Zingaretti, Luca

Acteur italien né en 1961.

1987, Gli occhiali d'oro (Les lunettes d'or) (Montaldo) ; 1993, Il giovane Mussolini (Calderone), E quando lei morì fu lutto nazionale (Gaudino), Abissinia (Martinotti) ; 1994, Il Branco (M. Risi), Senza pelle (Senza pelle) (D'Alatri) ; 1995, Castle Freak (Gordon), Vite strozzate (Le jour du chien) (Tognazzi), L'anno prossimo vado a letto alle dieci (Orlando) ; 1996, Artemisia (Merlet), Les couleurs du diable (Jessua) ; 1997, Rewind (Gobbi), L'anniversario (Orfini) ; 1998, Tu ridi (Kaos II) (P. et V. Taviani), Oltremare (Correale) ; 1999, Il commesso viaggiatore (Dal Bosco).

Massif, le crâne rasé, il était épatant dans le rôle d'une brute épaisse qui malmenait la carrière d'entrepreneur de Vincent Lindon dans *Le jour du chien*. Le rôle qui le fera véritablement connaître se fait attendre.

Zouzou

Actrice française née en 1943.

1959, Comme un poisson dans l'eau (Boisrond) ; 1961, Hitler connais pas (Blier) ; 1967, Marie pour mémoire (Garrel) ; 1968, La concentration (Garrel) ; 1969, Le lit de la vierge (Garrel) ; 1970, Renaissance (Lagrange) ; 1971, La famille (Lagrange) ; 1972, L'amour l'après-midi (Rohmer) ; 1974, Les lolos de Lola (Dubois), S.P.Y.S. (Les S pions) (Kershner), L'important c'est d'aimer (Zulawski), Lily, aime-moi (Dugowson) ; 1975, La ultima donna (La dernière femme) (Ferreri) ; 1976, Sky Riders (Intervention Delta) (Hickox) ; 1977, Les apprentis sorciers (Cozarinsky) ; 1978, Le bleu des origines (m.m., Garrel) ; 1979, Certaines nouvelles (Davila).

Ancienne élève des Arts décoratifs puis mannequin, elle a joué au cinéma surtout dans des films d'accès difficile, mais qui l'ont fait connaître d'une petite élite. Elle revient fin 2003 après une longue éclipse avec un livre, *Jusqu'à l'aube*, et une exposition à Beaubourg.

Zucco, George

Acteur d'origine anglaise, 1886-1960.

1931, The Dreyfus Case (Rosmer) ; 1933, The Good Companions (Saville) ; 1934, Autumn Crocus (Dean) ; 1936, The Man Who Could Work Miracles (Mendes), After the Thin Man (Van Dyke) ; 1937, Parnell (Stahl), Souls at Sea (Ames à la mer) (Hathaway), Saratoga (Conway), The Firefly (L'espionne de Castille) (Leonard), London by Night (Thiele), Rosalie (Van Dyke), Conquest (Marie Walewska) (Brown) ; 1938, Arsene Lupin Returns (Fitzmaurice) ; Suez (Dwan), Marie-Antoinette (Van Dyke) ; 1939, Captain Fury (Roach), The Adventures of Sherlock Holmes (Werker), The Cat and the Canary (Le mystère de la maison Norman) (Nugent), The Hunchback of Notre-Dame (Quasimodo) (Dieterle), Arrest Bulldog Drummond (Hogan) ; 1940, The Mummy's Hand (La main de la momie) (Cabanne), New Moon (Léonard), Arise My Love (Leisen) ; 1941, Ellery Queen and the Murder Ring (Hogan), The Monster and the Girl (Heisler), Topper Returns (Le retour de Topper) (Del Ruth), A Woman's Face (Il était une fois) (Cukor) ; 1942, The Black Swan (Le cygne noir) (King), The Mummy's Tomb (H. Young), Dr. Renault's Secret (Lachman), My Favorite Blonde (Lanfield), Mad Monster (Newfield) ; 1943, The Black Raven (Newfield), Dead Men Walk (La créature du diable) (Newfield), The Mad Ghoul (Hogan) ; 1944, The Seventh Cross (La septième croix) (Zinnemann), The Mummy's Ghost (Le fantôme de la momie) (Le Borg), The Voodoo Man (Beaudine) ; 1945, Sudan (Soudan) (Rawlins), House of Frankenstein (La maison de Frankenstein) (Kenton), Having Wonderful Crime (Sutherland), Fog Island (T. Morse), Confidential Agent (Agent secret) (Shumlin) ; 1947, Captain from Castille (Capitaine de Castille) (King), Lured (Des filles disparaissent) (Sirk), Moss Rose (La rose du crime) (Ratoff) ; 1948, The Pirate (Le pirate) (Minnelli), Joan of Arc (Jeanne d'Arc) (Fleming), Who Killed « Doc » Robbin ? (Carr) ; 1949, Madame Bovary (Minelli) ;

1951, David and Bathsheba (David et Bethsabée) (King), The First Legion (Sirk).

Né à Manchester, il débute sur les planches au Canada, joue à Londres et à Broadway et découvre le cinéma dans les studios anglais avant de courir sa chance à Hollywood en 1936. Il sera un inoubliable Moriarty dans *Les aventures de Sherlock Holmes* mises en scène par Werker, où il s'oppose à Holmes-Rathbone. Les amateurs de fantastique lui vouent un petit culte pour ses apparitions dans de nombreuses bandes relevant de leur genre favori. Il y fut toujours excellent.

Zylberstein, Elsa

Actrice française née en 1969.

1989, Baptême (Féret) ; 1990, Génial, mes parents divorcent ! (Braoudé), Van Gogh (Pialat) ; 1991, La neige et le feu (Pinoteau), Amoureuse (Doillon), Alisée (Blanchard) ; 1992, Beau fixe (Vincent), Comment font les gens ? (Bailly), De force avec d'autres (Reggiani) ; 1993, La place d'un autre (Féret), Mina Tannenbaum (Mar. Dugowson) ; 1994, Farinelli (Corbiau), Jefferson in Paris (Jefferson à Paris) (Ivory) ; 1995, Portraits chinois (Mar. Dugowson) ; 1996, Un samedi sur la Terre (Bertrand), Tenue correcte exigée (Lioret), XXL (Zeitoun) ; 1997, Metroland (Metroland) (Saville), L'homme est une femme comme les autres (Zilbermann) ; 1998, Lautrec (Planchon), Je veux tout (G. Braoudé) ; 1999, Le temps retrouvé (Ruiz), Un ange (Courtois), Là-bas... mon pays (Arcady), Les fantômes de Louba (Dugowson) ; 2000, Combat d'amour en songe (Ruiz), Féroce (Maistre) ; 2001, Not Afraid, Not Afraid (Carducci) ; 2003, Monsieur N. (De Caunes), Three Blind Mice (Une souris verte) (Ledoux), Ce jour-là (Ruiz) ; 2004, Demain on déménage (Akerman), Modigliani (Modigliani) (Davis), Pourquoi (pas) le Brésil (Masson), Qui perd gagne ! (Bénégui) ; 2005, La cloche a sonné (Herbulot), La Petite Jérusalem (Albou) ; 2006, J'invente rien (Leclerc), Le concile de pierre (Nicloux).

Beaucoup de charme et de fraîcheur chez cette fille de physicien révélée en prostituée dans le *Van Gogh* de Pialat. Son visage lumineux collait bien au caractère expressionniste des scènes du bord de l'eau et de la maison close où elle apparaissait. Elle a par la suite tenu des rôles de plus en plus importants jusqu'à devenir tête d'affiche en compagnie de Romane Bohringer dans *Mina Tannenbaum*.

Composition et mise en page
Nord Compo

Achevé d'imprimer en janvier 2010
dans les ateliers de Normandie Roto Impression s.a.s.
61250 Lonrai
N° d'impression : 10-0167

Imprimé en France